Any screen. Any time. Anywhere.

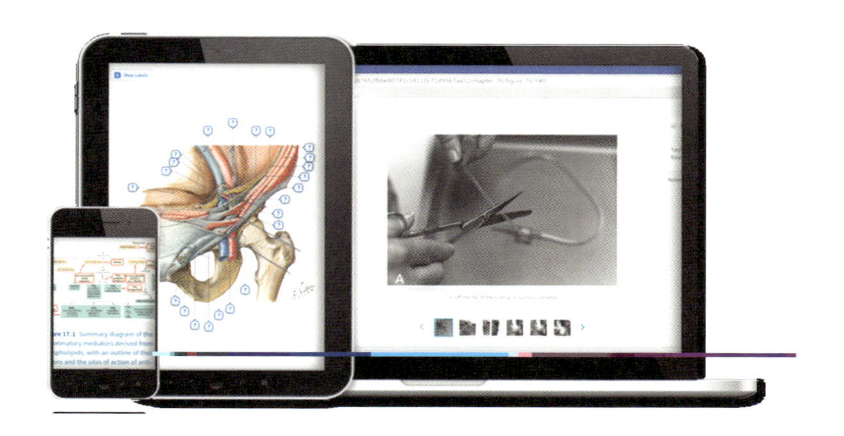

原著（英語版）のeBook版を
無料でご利用いただけます

Elsevier eBooks+では，コンテンツの閲覧，検索，ノートやハイライトの作成，コンテンツの音声読み上げが可能です．

eBookのご利用方法

1. **https://ebooks.health.elsevier.com/** にアクセスします．
2. Log in（すでにアカウントをお持ちの方）もしくはSign upします（初めて利用される方）．
3. 左ページのスクラッチを削り，コードを入手します．
4. “Redeem Access Code” にeBook用のコードを入力します．
5. “REDEEM” ボタンをクリックします．

テクニカル・サポート（英語対応のみ）：
https://service.elsevier.com/app/home/supporthub/elsevierebooksplus/
call 1-800-545-2522（inside the US）
call +44-1-865-844-640（outside the US）

HISTOLOGY AND CELL BIOLOGY
An Introduction to Pathology
Fifth Edition

組織細胞生物学

原書第5版

電子書籍付

［監訳］内山安男

Abraham L. Kierszenbaum

Laura L. Tres

南江堂

ELSEVIER

Higashi-Azabu 1-chome Bldg. 3F
1-9-15, Higashi-Azabu,
Minato-ku, Tokyo 106-0044, Japan

HISTOLOGY AND CELL BIOLOGY: AN INTRODUCTION TO PATHOLOGY

ISBN: 978-0-323-67321-1

This translation of ***Histology and Cell Biology: An Introduction to Pathology, Fifth Edition*** by **Abraham L. Kierszenbaum and Laura L. Tres** was undertaken by Nankodo Co., Ltd., and is published by arrangement with Elsevier Inc.

本書，**Abraham L. Kierszenbaum and Laura L. Tres** 著：***Histology and Cell Biology: An Introduction to Pathology, Fifth Edition*** は，Elsevier Inc. との契約によって出版されている．

組織細胞生物学 原書第５版［電子書籍付］，by Abraham L. Kierszenbaum and Laura L. Tres

ISBN：978-4-524-23014-3

注意

本翻訳は，エルゼビア・ジャパンがその責任において請け負ったものである．医療従事者と研究者は，ここで述べられている情報，方法，化合物，実験の評価や使用においては，常に自身の経験や知識を基盤とする必要がある．医学は急速に進歩しているため，特に，診断と薬物投与量については独自に検証を行うものとする．法律のおよぶ限り，Elsevier，出版社，著者，編集者，監訳者，翻訳者は，製造物責任，または過失の有無に関係なく人または財産に対する被害および／または損害に関する責任，もしくは本資料に含まれる方法，製品，説明，意見の使用または実施における一切の責任を負わない．

HISTOLOGY AND CELL BIOLOGY
An Introduction to Pathology

Fifth Edition

Abraham L. Kierszenbaum, M.D., Ph.D.
Medical (Clinical) Professor Emeritus
Former Chair of the Department of Cell Biology and Anatomy
The Sophie Davis School of Biomedical Education*
The City University of New York
New York, New York USA

Laura L. Tres, M.D., Ph.D.
Medical (Clinical) Professor Emerita
The Sophie Davis School of Biomedical Education*
The City University of New York
New York, New York USA

*Now CUNY School of Medicine/ Sophie Davis Biomedical Education Program

To our daughters, Adriana and Silvia
To our grandchildren, Ryan, Trevor, Kyle and Marielle
To the beloved memory of our parents

This book is also dedicated to you, the teacher, who transmits enthusiastically the significance of knowledge in a way that goes beyond what is being taught; and to you, the student, who transforms the act of learning into the passion of learning.

はじめに

“Histology and Cell Biology：An Introduction to Pathology”第５版は実質的に改訂し，内容を追加した．この版では，前版で紹介した細胞生物学と病理学の脈絡で，組織学を学ぶために視覚的な手段を強化した．第５版では，大部分の章で“Primer（基本事項）”を新たに設定した．基本事項では，固定概念にとらわれず，深く追究する心を刺激するように，簡潔で，視覚的な構成で，特別な話題についての情報を伝えている．組織学－細胞生物学－病理学を学習すると，医学生がこれから学習する病態生理学と臨床医学の準備になる．医学の実践は新たな知識が芽生えると容赦なく変化する．将来の医者は教育を継続するための基礎をこの本に見出すことができ，基礎と臨床科学を常に統一することで，より良い方法で患者を助けることが可能になる．

本書で提示した視覚的な学習法は，医学生への病理学の実習や細胞生物学，組織学，病理学の講義を行ってきた長い間に思いついたものである．組織学，細胞生物学，病理学の行き着く先は，“多様な事柄の統一”を促進することである．多様な事柄は新しい知識を変換する力になる．細胞生物学と病理学の分野は，完全ではないが，これからの学習と臨床医学との統合のために必要な基礎を提供している．病理学を学ぶ学生やレジデントにとって，組織学と細胞生物学の基礎的な考え方を新鮮なものとするのにこの本が有用である．組織学と病理学は視覚に根ざした科学であり，この本にあるような視覚に訴える学習法は，臨床実習で積極的に説明するのに役立つであろう．

前版と同様に，第５版は，基礎的な組織と臓器システムの枠内で組織学，細胞生物学，病理学を一緒にした６つのパートで構成されている．第３章の細胞シグナリング，細胞生物学，病理学は，組織学の本では一般的ではない章である．この章は，組織と臓器の学問（伝統的な形態学）も臨床医学の場において分子生物学の強い影響力の元にあることを示している．

各章で，組織学の基本的な概念を表す項目をわかりやすく提示するため，淡い緑色の背景を使用したことがこの版で新しくなったことである．多くの教師は，この版がこれからの学習のための出発点として有用であることに気づくであろう．追加的な事柄が好奇心を掻き立て，断片的な知識を補足するのに必要となることを期待している．すべての情報は，カラーの図解と写真を使用し，学習する際に，明瞭・完結で学生に優しい方法で提示している．一部の図解は，明確な本文の内容を繰り返し主張し，また，他の場合には，本文を補足したり，発展させたりする新しい情報を追加している．すべての章で掲載されているいくつかのボックスは，臨床的・病理学的な病態や，近年の発達した分子生物学および生化学的な知識を学生に紹介している．

多くの章には，一つ以上の“Concept mapping（概念図）”がある．それぞれの概念図は，階層的な構造で配置され，相互に関連する概念の基本的な枠組みを備えており，この概念図が，まとめや批判的な考えを導いている．各科目や医学部の試験の時期になると，概念図や基本的概念は，復習したりまとめたりするための鍵となる重要な点に焦点をあてており，役に立つ．学生は，グループ学習に便利なオンラインで動画版の概念図を使って，受け身の学習を能動的で集合的な活動に変えていくであろう．この活動性は，内容だけでなく統一的な視点に依存して，新しい伝達方法によって活気づき，情報の価値を共有することになる．

感謝と謝意を表すべきたくさんの方々がいます．私達は，学部と学生から頂いたたくさんの指摘，コメントや激励に対して感謝します．学部や学生のために中国語，フランス語，ギリシャ語，日本語，ポルトガル語，スペイン語，トルコ語の版を出版した出版社に感謝します．私達の第２版に対する基礎および医科学部門で第一位の賞を贈ってくれたイギリスの医学協会に感謝します．第５版が高い出版の基準に達することを確信するために多大な努力をしてくれた，ロンドン，ニューヨーク，セントルイスの各オフィスにいる，アレキサンドラ・マルティモア，アン・ルジッカ・アンダーソンそしてダニエル・フィッツジェラルドに私達は特別な感謝をします．

Abraham L. Kierszenbaum
Laura L. Tres

監訳者のことば

本書の監訳を世に出して15年が経つ．本書にも紹介されているが，私が習っていたころ組織学は主に形態が中心で，機能的なことについては，ほとんど記載はなかった．現在よりも豊かであったのは，標本をじっくり単眼の顕微鏡を使って観察することであった．照明は蛍光灯の光を集光レンズで集めた光線で，対物レンズも安価なレンズを使用していた．ただ，総論と各論の150枚の標本は非常に綺麗で，観察しやすかったことを記憶している．まず，標本を見て切片の形からどこの組織像かを判断し，低倍，高倍と倍率を上げて観察し，全体の構造，その組織に特有な構造と主細胞は何かを同定する．現在と同じであるが，没頭することができる時間であった．当時の医学教育では，M1（学部1年）の時に解剖学（人体解剖，組織学，発生学），生化学，生理学を学んだ．これで，各組織・細胞の形態と機能を学び，臨床の話が出てくるM3以降に病理学の講義と実習があった．現在とはかなり変わっているものと思われる．医学教育の中で，解剖，生化学／生理，病理を十分に学習すると臨床に入ってほとんど困ることなく対応できた．面白いことに，私が経験したこの教育課程に沿った形で，本書は構成されている．すなわち，組織学と組織病理学の構造的な側面から機能的な側面をわかりやすく細胞生物学的に解説を進めている．

本書の構成は，基本組織と統合細胞生物学，生体防御，血液循環系，消化器系，内分泌系，生殖器系の6部からなっており，第1部はこれまでの組織学と同様に総論で，第2部～第6部までが各論となる．それぞれの部は，いくつかの章に分かれ，全部で23章となる．本書の特徴は，組織形態で起きる細胞生物学的な事象をわかりやすい図解にまとめて提示している点である．この図解が，初心者にとって組織細胞の機能を知るうえで重要な手がかりになるだけでなく，組織構築のもつ意味合いをよりよく理解するのに役立つ．正常な組織細胞が，さまざまな疾患の場となる．疾患についても，形態的，細胞生物学的，さらには分子生物学的観点からの病態の説明がなされている．基本事項（Primer）としてその章に適した事柄を取り挙げて的確に説明している．代表的な病態についての説明が的確になされ，形態的・分子細胞生物学的にそして疾患の理解が進む．これらの展開は，病棟や外来での実習に大いに役立つ．各章に出てくる重要な用語については，前の版と同様にBoxで説明を加えている．各章の最後に，その章で進められた基本的概念に関する図解を概念図として提示している．各章で学習した事柄の基本を基本概念として簡潔にまとめ上げている．これらの項目は，頭の整理に大いに役立つ．ここに出てくる赤字での表示が，本文の所で詳細に説明されている．

本書は，基礎医学を学ぶうえで道標となる有用な書物である．その意味で，医学以外の分野で，医科学，生命科学を学ぶ学生にとっても本書は非常に有益である．私が，研究者として独り立ちを始めた頃，当時生化学教室の助教授をされていた先生から，疾患の研究が一番大事で，その内容を理解することで多くの成果が得られ，正常とは何かもわかると教えられた．その意味で本書は組織細胞生物学の観点から疾患を理解するのに入門書として最適な成書と考える．

訳出にあたって，前版で気になっていた点の訂正に加え，多くの新たに加わった内容の訳出には平易な文章になるように心掛けた．用語は，これまでと同様に，解剖学用語集，分子細胞生物学で一般的に使われる用語に準拠した．原文で意味不明な点，新たな理解を必要とする点には訳注を入れた．極力原文に忠実であることを心掛けると共に，ごく最近の事実関係にも訳注を入れることができた．しかし，訳の不備な点もあるものと思われる．読者の方々の忌憚のないご意見が頂ければ幸甚である．

最後に本書の編集をするうえで飯塚真一氏をはじめ，エルゼビアのスタッフの方々には大変お世話になった．ここに感謝する．

2022年11月

内山安男

訳者一覧（50音順）

［監訳］

うちやま　やすお
内山　安男　順天堂大学大学院医学研究科老人性疾患病態・治療研究センター　センター長（特任教授）

［翻訳］

いとう　ちづる
伊藤　千鶴　千葉大学大学院医学研究院機能形態学　講師［第 20，21 章］

うしき　たつお
牛木　辰男　新潟大学 学長［第 10，11 章］

うちやま　やすお
内山　安男　順天堂大学大学院医学研究科老人性疾患病態・治療研究センター　センター長（特任教授）［第 1 章］

おおたに　おさむ
大谷　修　富山大学名誉教授［第 15〜17 章］

おおたに　ゆうこ
大谷　裕子　岡山大学医学部第二内科　医師［第 15〜17 章］

おおつか　あいじ
大塚　愛二　岡山大学名誉教授［第 12〜14 章］

としもり　きよたか
年森　清隆　千葉大学名誉教授［第 20，21 章］

みかみ　よしかず
三上　剛和　新潟大学医歯学総合研究科顕微解剖学分野　准教授［第 10，11 章］

やぎぬま　ひろゆき
八木沼洋行　福島県立医科大学医学部神経解剖・発生学講座　教授［第 7〜9 章］

わかやま　ともひこ
若山　友彦　熊本大学大学院生命科学研究部・生体微細構築学講座　教授［第 22，23 章］

わぐり　さとし
和栗　聡　福島県立医科大学医学部解剖・組織学講座　教授［第 4〜6 章］

わたなべ　つよし
渡部　剛　旭川医科大学解剖学講座顕微解剖学分野　教授［第 18，19 章］

わたなべ　まさひこ
渡辺　雅彦　北海道大学大学院医学研究院解剖学分野解剖発生学教室　教授［第 2，3 章］

第Ⅰ部　基本組織と統合細胞生物学

第Ⅱ部　器官系：生体防御

第Ⅲ部　器官系：血液循環系

1 上皮

キーワード 上皮，分類，細胞骨格，細胞接着分子，細胞核

上皮 epithelium は，特殊な接着複合体と細胞接着分子の両者からなる，シート状で極性のある細胞を形成することによって，身体の内側の環境と外側の環境とを分けている．上皮細胞は，細胞増殖，分化や細胞死に合った内因性のあるいは外因性のシグナルに反応して胚の形態形成や器官発生にかかわっている．本章では，生化学的な，そして分子的な枠組みの中で，正常から病的な状態への移行についての紹介として上皮細胞の構造的な特徴を扱う．

上皮の分類（図 1.1～1.4）

上皮は体表を覆うか裏打ちし，分泌腺の機能的なユニットを形成する１枚の緊密に結合したシート状の細胞である．上皮の主要な特徴は Box 1.A にまとめた．

異なる型の上皮の伝統的な分類と学名は次の２つの要因に基づいている．

1. **個々の細胞の形．**
2. **１層あるいは多層の細胞の配列．**

個々の細胞は，扁平であったり（**扁平細胞** squamous cell），同じ長さであったり（**立方細胞** cuboidal cell），そして幅よりも高さがあったり（**円柱細胞** columnar cell）する．

細胞層の数に従って，**１層の細胞層**からなる上皮は**単層上皮** simple epithelium として分類される．

単層上皮は，構成細胞の形によって，**単層扁平上皮** simple squamous epithelium，**単層立方上皮** simple cuboidal epithelium，そして**単層円柱上皮** simple columnar epithelium に分けられる．特別な名前である**内皮** endothelium は血管やリンパ管を裏打ちする単層扁平上皮に対して使われる．**中皮** mesothelium は，すべての体腔を裏打ちする単層扁平上皮である（腹膜，心膜，および胸膜）．

重層上皮 stratified epithelium は１層以上の細胞層から構成される．重層上皮は表層あるいは外層の細胞の形によって**重層扁平上皮** stratified squamous epithelium，**重層立方上皮** stratified cuboidal epithelium，そして**重層円柱上皮** stratified columnar epithelium に分けられる．

最も頻繁に見出される上皮は重層扁平であり，**適度に角化**（また，非角化として知られている）あるいは**高度に角化**した型に分けられる．非角化扁平上皮外層の細胞は**核を保持している**（例えば，食道や腟）．**高度に角化した重層扁平上皮の外層には核がない**（例えば，皮膚の表皮）．

重層上皮は**基底板** basal cell に沿って配列した基底細胞を有している．基底細胞は分裂活性があり，継続して上層の分化する細胞と入れ替わっている．

まれではあるが，**重層立方上皮**も存在している（例えば，卵胞や唾液腺の小葉内管を裏打ちする）．

偽重層上皮 pseudostratified epithelium と**尿路上皮** urothelium は２つの特別な種類である．偽重層上皮は基底板の上で休む形の基底細胞と円柱細胞からなる．円柱細胞だけが，管腔表面に達している．基底細胞と円柱細胞の核が異なる高さにみえるため，重層上皮組織の印象を受ける．

この範疇には，気管の**偽重層円柱線毛上皮** pseudostratified columnar ciliated epithelium や精巣上体の**不動毛** stereocilia **をもつ偽重層円柱上皮** pseudostratified columnar epithelium がある．

ヒトの尿路系の上皮は，**尿路上皮**ともよばれるが，偽重層上皮の特徴を有している．この上皮は，基底細胞，中間の細胞そして円柱でドーム状の細胞からなり，それぞれの細胞は基底板に届く細い細胞質突起を伸ばしている．この上皮の重要な特徴は，この臓器が伸展したときと収縮したときで変化する，その移り変わる高さである．

Box 1.A ｜ 上皮の一般的特徴

- 上皮は外胚葉，中胚葉そして内胚葉．
- 上皮は関節軟骨，歯のエナメル質，および虹彩の前表面以外の体の表面を裏打ちしたり，覆っている．
- 上皮の基底機能は，防御（皮膚），吸収（小腸と大腸），表面での物質の輸送（線毛の介在），分泌（腺），排泄（腎尿細管），ガス交換（肺胞）と表面間を滑空する（中皮）．
- 多くの上皮細胞は分裂によって連続的に更新する．
- 上皮は直接的な血液やリンパの供給を欠いている（結合組織と比較して）．
- 上皮の凝集する性質は細胞接着分子や結合複合体によって維持される．
- 上皮は基底板に繋留する．基底板と結合組織構成要素は基底膜を形成するために協力する．
- 上皮は構造的なそして機能的な極性を有している．

上皮細胞の極性（図 1.5）

上皮の重要な観点は，その**極性** polarity である．極性は，種々の臓器系の特別な機能を遂行するうえで必須である．極性は細胞膜タンパク質や脂質の分布や細胞骨格の再配列によって決まる．

表層や腔を裏打ちする多くの上皮細胞は，３つの**幾何学的**な領域（ドメイン）を有している：

1. **頂上領域** apical（uppermost）domain は管腔や外的環境に曝され，**頂上領域の分化**を示す．
2. **外側領域**は**細胞接着分子**や**接着複合体**によって互いに結合した，隣接する上皮細胞に面している．
3. **基底領域** basal domain は**基底板** basal lamina と関係し，内側にあり栄養を供給する環境で，直下の結合組織から上皮を分けている．

上皮細胞由来の基底板は，結合組織の要素によって補強されて

図 1.1 | 上皮：概念図

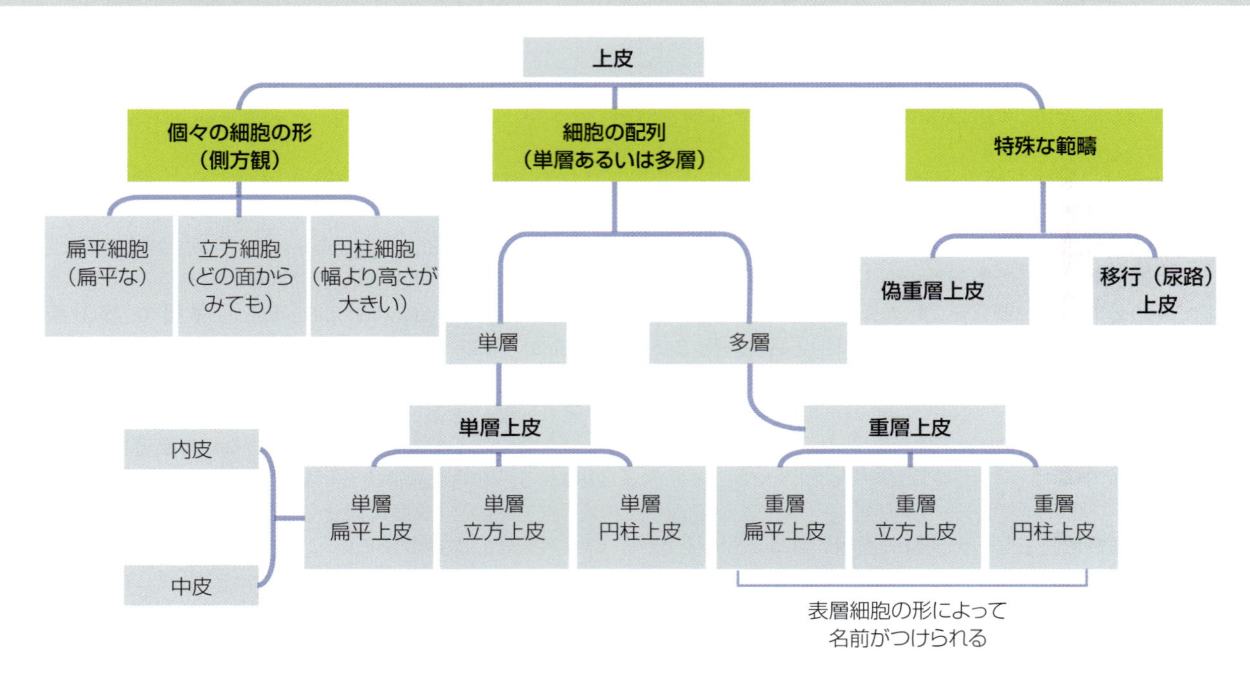

いる．基底板 - 結合組織複合体は，**基底膜**とよばれる．

機能的な見方からすると，閉鎖結合は上皮細胞の細胞膜を**頂上領域** apical domain と**基底外側領域** basolateral domain に分けている．

この分離は輸送分子の非対称的な分布によって支持され，上皮の極性のある分泌や吸収機能を保障している．例えば，頂上領域は，上皮の表面を**防御**（呼吸路における**線毛**のような）あるいは，物質の**吸収**（腸管上皮における**微絨毛**）にとって重要な構造を有している．これに対して，基底外側領域は，閉鎖結合を超えて侵入することを防ぐために方向性のある輸送機能を促進する．

頂上領域

ある種の上皮細胞の頂上領域は 3 つのタイプに分化する：

1. **線毛** cilia.
2. **微絨毛** microvilli.
3. **不動毛** stereocilia.

線毛（図 1.5）

2 種類の**線毛**（単数，cillium），**多数の運動線毛**と **1 本の**あるいは**一次不動毛**がある．

線毛形成 ciliogenesis は，両種類の線毛が集まる過程であるが，**中心体**に位置する**基底小体前駆体** basal body precursor に由来する構造である**基底小体** basal body によって始まる．

基底小体は頂上領域の細胞膜に移動し，細胞外領域に伸びる．

多数の運動性線毛（図 1.6）

多数の運動性線毛は上皮の表面で液体や担体の流れを調整して機能する．これらの線毛は頂上領域の細胞質に**根小毛** rootlet によって繋留された**基底小体**に由来する細胞の突起である．

基底小体は，中心部の微小管要素を欠き，**螺旋状配列**した 9 個の**三つ組**微小管からなる．これに比べて，線毛は，**軸糸からなり，これは同心円状に配列した 9 個の微小管対によって囲まれた中心部の 1 対の微小管を輸している．この集合体は，9 + 2 の微小管ダブレット配列として知られている**．軸糸はまた精子尾部あるいは**鞭毛** flagellum の構成要素である．

気管や卵管は**線毛のある上皮細胞**によって裏打ちされている．これらの上皮では，線毛の活動は，呼吸器系の局所の防御や子宮腔に受精卵を輸送するのに重要である．

線毛運動は，**広く一方向に折り曲げる運動**によって特徴づけられる．これに対して，鞭毛の運動は，**対称的な正弦波をたどるように曲がる様式**によって特徴づけられる．

1 本のあるいは一次不動毛（基本事項 1.A）

ある種の細胞は **1 本**のあるいは一次不動毛をもっている．ただ 1 本の線毛の重要な点は，線毛の構造上のあるいは機能上の異常によって引き起こされる**線毛病** ciliopathies として知られるまれなヒトの潜性遺伝性疾患に根ざしている．

一次線毛の重要な点は以下のとおりである：

1. 細胞周囲の環境に関する情報を提供する**感覚器**として機能する．
2. 胎生初期の胚子の分化にかかわり，器官形成を導く．
3. **ヘッジホッグシグナル経路**の多くの要素は，少なくとも初期発生には必須であり，一次線毛に存在する．
4. 内耳のコルチ器官の有毛細胞の**動毛** kinocilium とよばれる一次線毛の位置は，隣接するアクチンを含む不動毛の正確な極性を決めており，これは体の平衡感覚や聴覚に必須である．

微絨毛（図 1.7）

微絨毛 microvilli（単数形は microvillus）は，中央部に架橋した**ミクロフィラメント**（G-アクチン単体の重合体）を含む上皮細胞

図 1.2 ｜ 上皮の種類：単層上皮

単層扁平上皮（内皮）

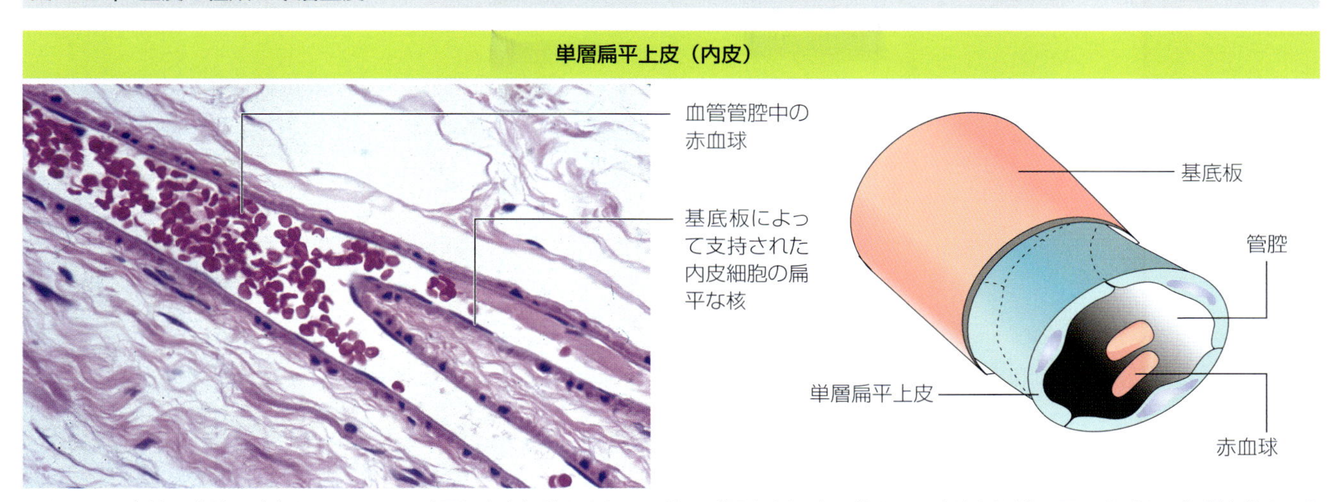

すべての血管の内腔の裏打ちは，1 層の扁平な内皮細胞からなる．単層扁平上皮細胞の薄さは，血液と組織の間のすばやい物質交換という内皮細胞の基本的機能を反映している．腹膜，胸膜，心膜も，同様の上皮（**中皮**とよばれる）に覆われている．

単層立方上皮（集合細管，腎臓）

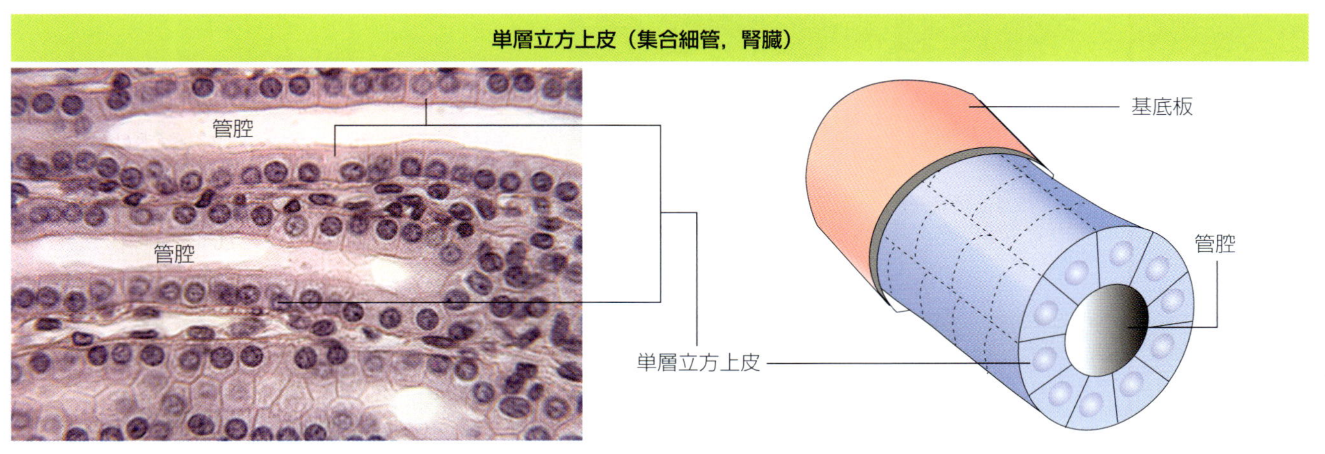

腎細管の内腔の裏打ちは，1 層の立方細胞からなる．立方細胞は強く極性化しており，吸収，分泌（甲状腺），イオンの能動輸送（腎臓）に関与している．内皮と同様，基底板が結合組織と上皮細胞を結合している．

単層円柱上皮（小腸）

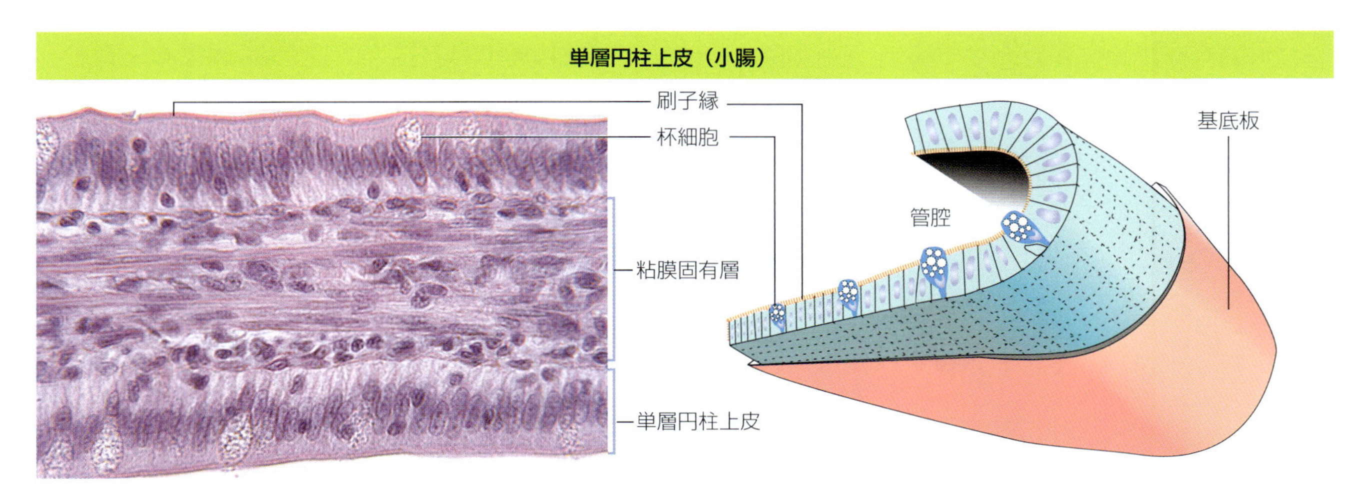

小腸は細胞の基底部に核をもつ円柱上皮細胞に覆われる．その頂上領域は，**刷子縁**を形成する**微絨毛**という指状の突起を有している．微絨毛は，タンパク質，糖，脂質の吸収に関与する．これらの物質は，肝臓へ輸送されるため基底外側領域で血液循環中に放出される．**杯細胞**は円柱上皮に挟まれて存在する．膨化して杯状をした，明るく抜けて染色されるムチン（粘液物質）を含む内腔側細胞質によって特徴づけられる．粘液は腺腔に放出され，上皮の表面を覆い，防御している．**固有層**は上皮下に位置する疎性結合組織と上皮を支持する基底板からなる．

図 1.3 | 上皮の種類：重層上皮

中等度にケラチンをもった重層扁平上皮（食道）

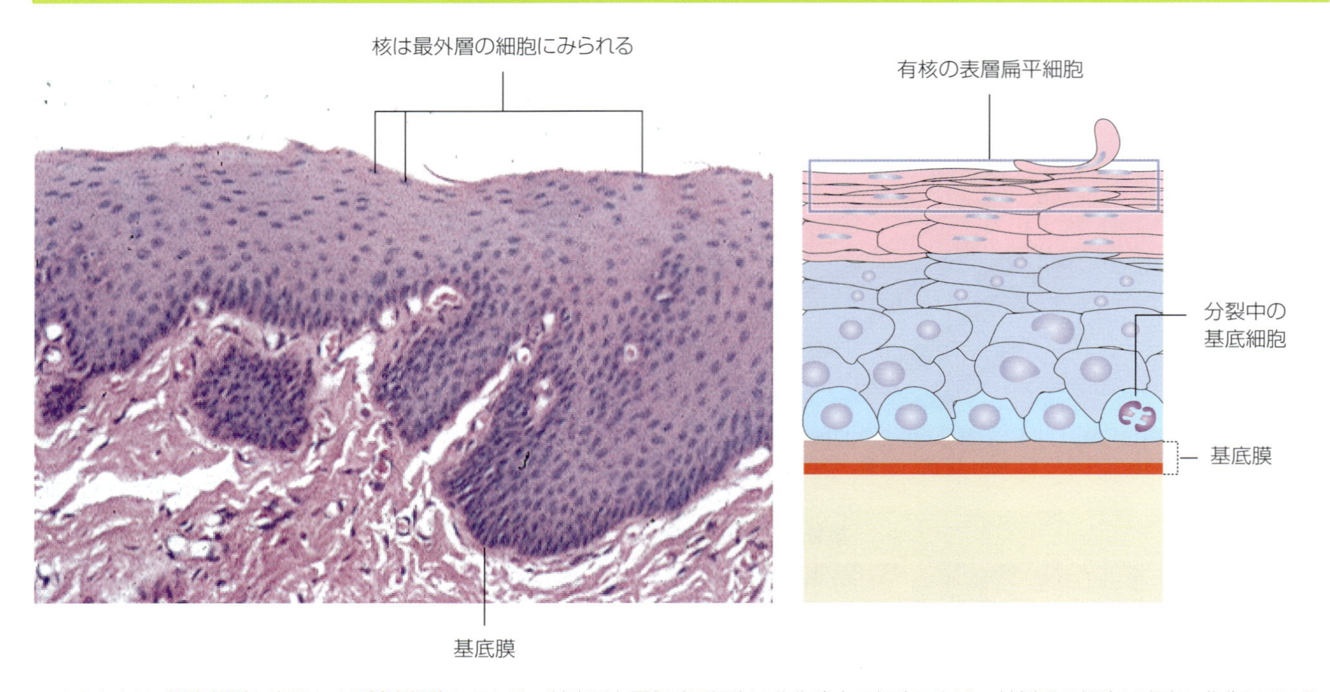

この上皮は，**細胞分裂**を専門とする**基底細胞**からなる．基底層を覆う重層細胞は分化途中の細胞である．外側層の細胞は高度に分化している．すなわち，この細胞は**ケラチン含量**を増し，取り込まれた食物の機械的な影響から組織を守っている．**最外層の細胞は核を有している**．この上皮は**非角化上皮**としても知られる．

ケラチンを豊富にもった重層扁平上皮（表皮）

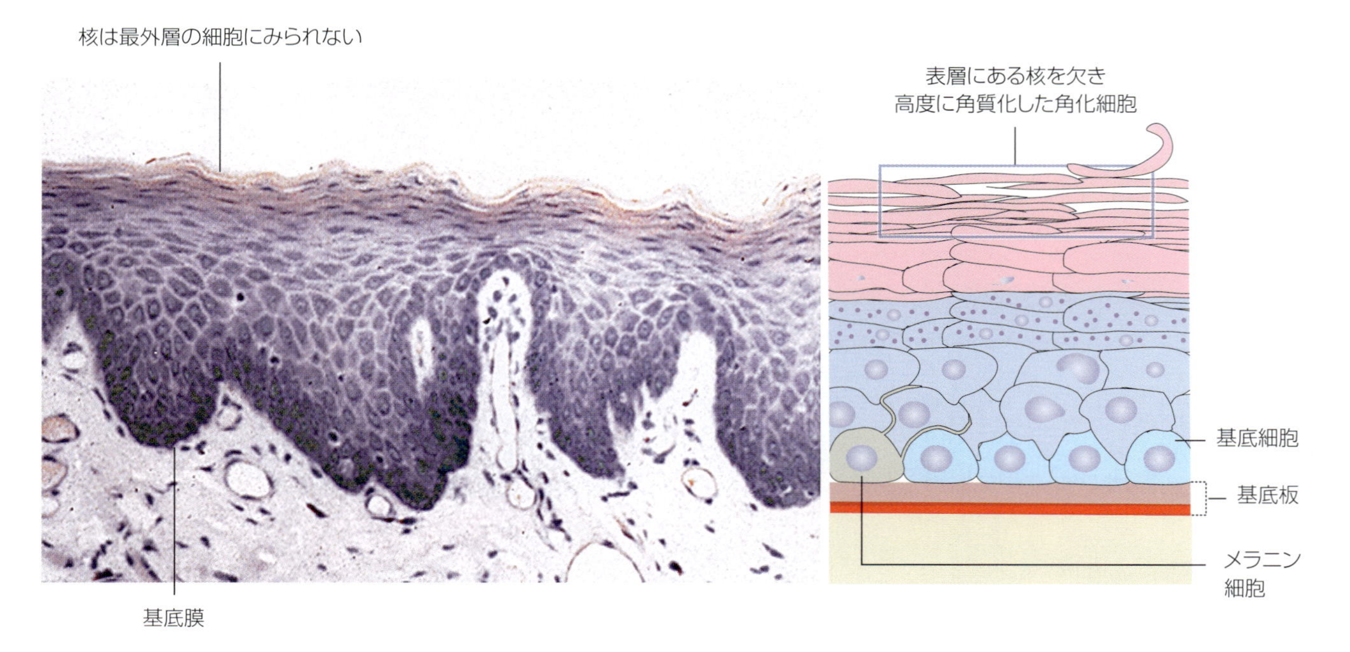

この高度に角化した上皮は，**細胞分裂**を専門とする**基底細胞**からなる．**メラニン細胞**は基底層に存在する．基底層の上層にある重層細胞は分化途中の角化細胞（有棘細胞，**ケラチノサイト**）である．外側層の角化細胞は豊富に**ケラチン**を含み，水分の損失と化学的あるいは物理的な障害物の浸透を防ぐ．**最外層の細胞は核を欠く**．この上皮は**角化上皮**としても知られている．

図 1.4 | 上皮の種類：偽重層上皮

偽重層線毛円柱上皮（気管）

杯細胞
線毛
基底小体の並び
線毛円柱細胞
基底細胞
基底膜
線毛円柱細胞
基底板

この上皮は 3 つの主要な細胞型からなる：(1)頂上領域に**線毛**をもつ**円柱細胞**，(2)基底膜の一部である基底板に繋留した**基底細胞**，(3)基底側に位置した核を有し，ムチンを分泌する上皮細胞である**杯細胞**．線毛円柱細胞と杯細胞の両者は基底板についており，管腔に達している．基底細胞は管腔に達していない．

偽重層円柱上皮（精巣上体）

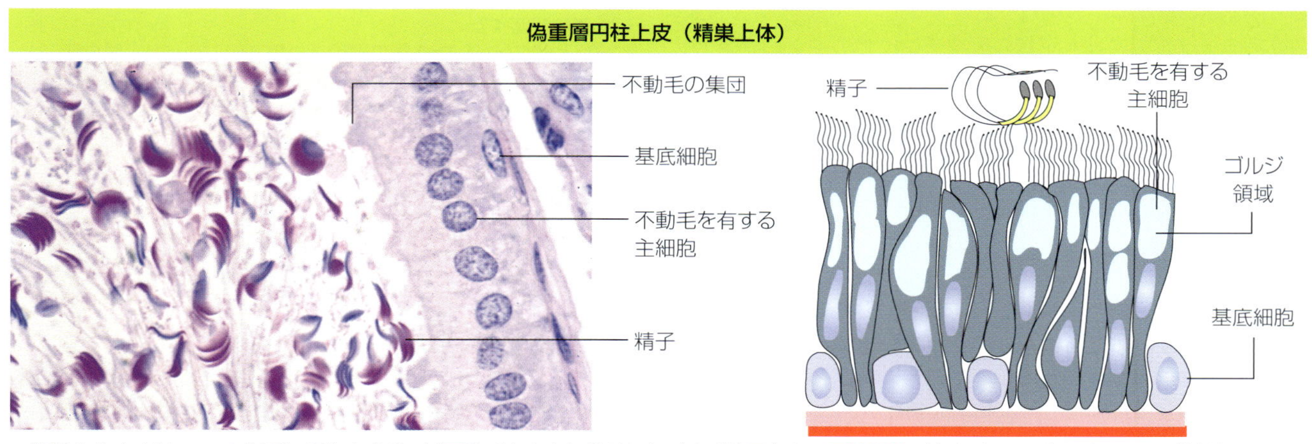

精巣上体上皮は 2 つの主要な細胞を含む：(1)不動毛と高度に発達したゴルジ装置をもつ**円柱細胞**（主細胞とよばれる），および(2)基底板に付着した**基底細胞**である．基底細胞と主細胞の両者とも基底板に密接している．主細胞だけが管腔に達している．精子は管腔にみられる．**不動毛**は微絨毛を欠いているので，早期につけられた誤った名称である．適切な名称は，**不動絨毛**である．

移行（尿路）上皮（膀胱）

ドーム状の表層（被蓋）細胞
中間細胞
基底細胞
プラーク
ドーム状の
表層（被蓋）細胞
プラーク
表層細胞
空の膀胱の
移行上皮
中間細胞
基底細胞
尿が充満した
膀胱の移行上皮
プラーク

尿路を覆う上皮（**尿路上皮**ともよばれる）は，3 つの細胞型からなる：(1)**ドーム状の表層細胞**（しばしば 2 核細胞からなる，被蓋細胞），(2)**梨状の中間細胞**，および(3)**多角形の基底細胞**．これら細胞はすべて基底板についた**基底細胞**である．尿路上皮は，ある種の動物では偽重層上皮，他の種では重層扁平上皮の様相を呈している．尿路上皮の特徴は，表層の細胞が尿によって生じる張力に反応して**位置と外形を変える**ことである．凝縮したタンパク質の**プラーク**が，表層細胞の頂上領域の細胞膜にみられる．

図 1.5 | 細胞の極性

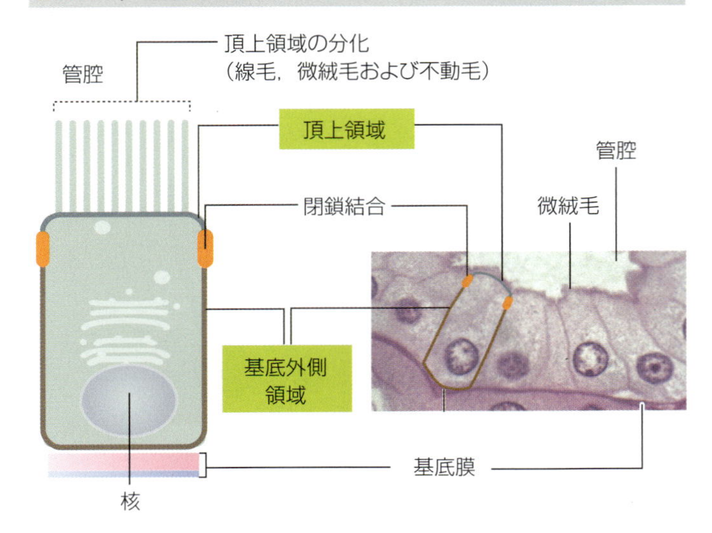

図 1.6 | 線毛と線毛形成

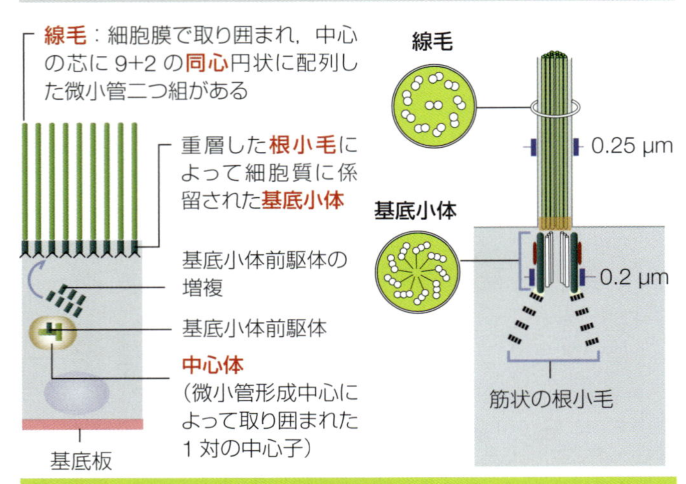

線毛の構成

線毛は細胞質の頂上領域に位置する**基底小体**から伸びる．**基底小体の前駆体**は**中心体**に由来し，増加して，成熟体となり，細胞の頂上領域の細胞膜に繋留する．

らせん状に配列した **9 個の周辺三つ組（トリプレット）微小管**（9^3［三つ組，トリプレット］+0）で構成される基底小体は，細胞膜で囲まれた微小管の構造物である**軸糸**として細胞外に伸びる．**根小毛**は基底小体を細胞質に繋留する．中央の微小管は基底小体や中心子には存在しない．

線毛は，1 対の中心に位置する微小管を囲んで 9 対（9 個の二つ組，ダブレット）の微小管が中心に向かう配列で構成されている（9^2［二つ組，ダブレット］+2）．

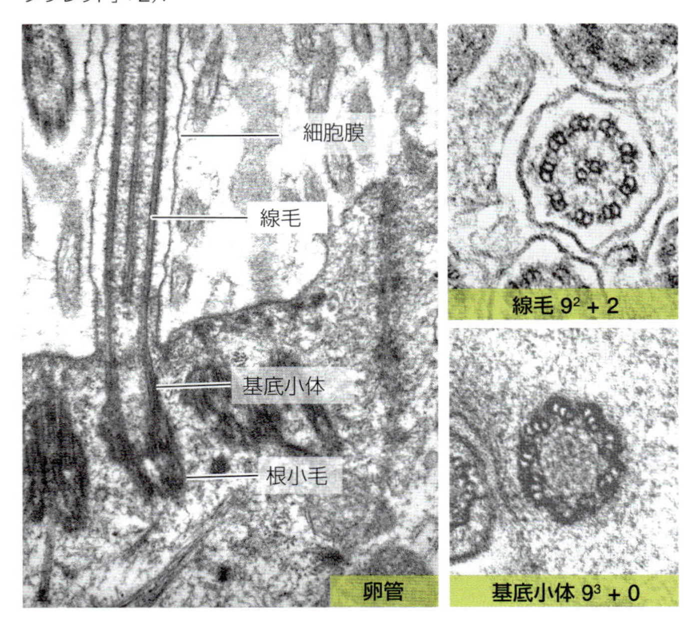

表面の頂上部の指状の細胞突起である．

微絨毛の細胞質端には，束状の**アクチン**や他のタンパク質が，上皮細胞の頂上領域に並行して走る細胞骨格タンパク質のフィラメント状の網区である**終末扇** terminal web へと伸びる．

腸上皮や腎臓のネフロンの上皮は**刷子縁** brush border を形成する微絨毛をもつ上皮細胞によって裏打ちされている．一般的に，刷子縁は細胞の吸収機能を示している．

不動毛（不動絨毛）（図 1.7）

不動毛 stereocilia（単数形は stereocilium）は，頂上部上皮細胞表面の長く**枝分かれした**指状の突起である．微絨毛と同様に，不動毛は，他のタンパク質と架橋したアクチンの芯を含んでいる．

不動毛（あるいは不動絨毛）は**軸糸をもたない**．不動毛／不動絨毛は精巣上体管を裏打ちする上皮の典型であり，精巣上体で起こる精子の成熟過程にかかわる．

細胞接着因子と細胞結合（図 1.8）

シート状の上皮細胞は，同類の細胞や細胞外基質の構成要素である**基底板**に互いに固く結合した結果である．**細胞接着分子** cell adhesion molecule は，細胞間接触を可能にし，この接触は特殊な**細胞結合** cell junction によって強化される．この配置の結果，上皮シートの**頂上領域**と**基底外側領域に極性ができる**．

細胞接着分子には 2 つの主要なグループがある：

1. **Ca^{2+} 依存性分子** Ca^{2+}dependent molecule で，**カドヘリン** cadherin と**セレクチン** selectin が含まれる．
2. **Ca^{2+} 非依存性分子** Ca^{2+}independent molecule で，**免疫グロブリン様細胞接着分子スーパーファミリー** immunoglobulin-like cell adhesion molecules superfamily や**インテグリン** integrin を含む．

多くの細胞では，細胞間結合を介在するのに異なる細胞接着分子が使われる．インテグリンは，細胞と細胞外基質の結合に主に用いられる．カドヘリンとインテグリンは細胞の内側の細胞骨格と他の細胞の外側（カドヘリン），あるいは細胞外基質（インテグリン）との間の結合をつくる．

Ca^{2+} 依存性分子カドヘリン（図 1.8）

カドヘリンは細胞接着と形態形成にかかわる Ca^{2+} 依存性分子のファミリーをつくる．

第 4 章と第 17 章でも取り上げるが，E- カドヘリンの欠損は，腫瘍細胞による浸潤行動の獲得（転移）と関係する．

デスモグレイン desmoglein や**デスモコリン** desmocollin を含めて 80 以上の異なるカドヘリンがある．古いタイプのカドヘリ

基本事項 1.A ｜ 線毛形成．一次線毛とヘッジホッグシグナル伝達

線毛の組立て

線毛は，**鞭毛内輸送**（**IFT**）系のタンパク質が仲介する軸糸に沿ったチュブリンの輸送によって形成され，維持される．線毛の基部から先端への輸送にかかわる IFT（**順行性輸送**：微小管のプラス端に向かう）は，IFT タンパク質複合体を動かす**キネシンモータータンパク質**によって実行される．**ダイニンモーター**は**逆行性輸送**に関与する（微小管のマイナス端［線毛の基部］に向かう）．IFT タンパク質は線毛の基部と先端の間で輸送する担体のためのプラットフォームとなる．

キネシン -2 モーターあるいは IFT タンパク質が欠損すると線毛形成ができなくなる．基底小体のタンパク質は線毛輸送に影響する．これらのタンパク質は**バルデー・ビードル症候群**（**BBS**）とかかわることから名づけられた **BB ソーム**の構成要素である．線毛タンパク質と結合した BB ソームは遠位の付属物を介してこれらのタンパク質の交差を促進する．

ヘッジホッグシグナル伝達路は線毛内と鞭毛内の輸送に関与する．

すべての動毛と不動毛は微小管の三つ組と**遠位および遠位下の付属物**からなる基底小体から伸びる．遠位の付属物（トランジッションファイバーともよばれる）と **Y 字型構造**は基底小体を線毛膜の基部に繋留し，結合する．

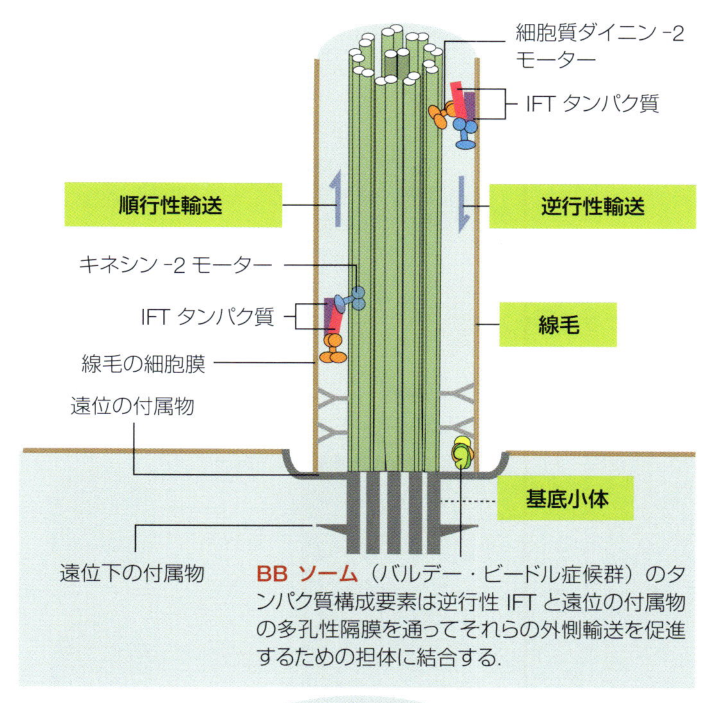

BB ソーム（バルデー・ビードル症候群）のタンパク質構成要素は逆行性 IFT と遠位の付属物の多孔性隔膜を通ってそれらの外側輸送を促進するための担体に結合する．

一次線毛とヘッジホッグシグナル伝達

ヘッジホッグ（**Hh**）シグナルは一次線毛の活性化に必要である．Hh 伝達経路タンパク質の一次線毛に沿った輸送が上皮細胞の分化の鍵となる因子である．

1 Hh 分泌タンパク質 が**欠損**すると，**Ptc** patched（Hh の受容体），膜貫通タンパク質，**Smo** smoothened は，線毛に入ることを阻止される．Smo は基底小体近傍の小胞に保存される．

2 **Hh との結合**については，Pts は内側に取り込まれ，阻止されない Smo は細胞膜 **3** に移動し，**Sufu**（ヒューズドの抑制）**4** の機能と**拮抗**することで Hh 経路を活性化する．

5 モーターキネシン **KIF7** は線毛の先端に転写因子の **Gli**（グリオーマ，神経膠腫の）を輸送する．Smo が Sufu を（Hh が欠損するために）不活化するのに利用できないとするならば，**Gli** は分解されるか，転写抑制因子になるように処理される．Sufu の転写抑制機能が拮抗すると，Gli は活性型に処理される（Gli_A）**6**．

7 活性化された Gli_A は線毛から出て核に運ばれて（**ダイニンモーター**と **IFT タンパク質**）上皮に分化する遺伝子を活性化する．

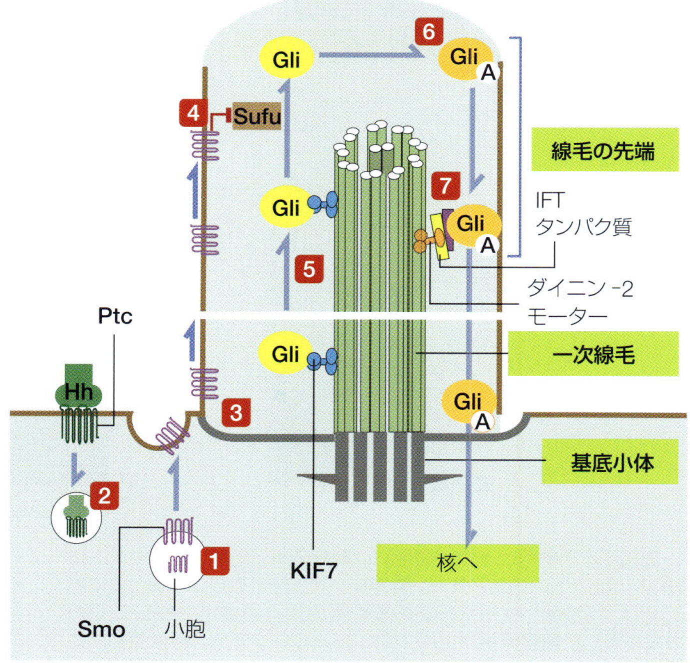

ンは，例えば，上皮細胞における上皮性のカドヘリン（**E- カドヘリン**），神経系における神経性カドヘリン（**N- カドヘリン**），内皮細胞の血管内皮カドヘリン（**V- カドヘリン**）および胎盤性カドヘリン（**P- カドヘリン**）が特に発現している組織に対して元々つけられた名前である．

E- カドヘリンは外側細胞表面に沿って見出され，多くの上皮層の維持に必要とされる．上皮細胞の培養でカルシウムを除去したり，E- カドヘリンに対する阻止抗体を使うと細胞間の接着を壊し，安定化する結合の形成が阻害される．

E- カドヘリン分子は**シス - 同種親和性 2 量体**（like-to-like，同種の）を形成するが，同分子は対抗する細胞膜の同種のあるいは異種のカドヘリンの 2 量体（**トランス - 同種親和性**あるいは**異種親和性**［like-to-unlike］結合）を形成する．これらの結合型はカルシウムの存在を必要とし，特殊なジッパー状の細胞間接着型となる．

カドヘリンの細胞質領域は総合的に**カテニン複合体** catenin

図 1.7 | 微絨毛と不動毛

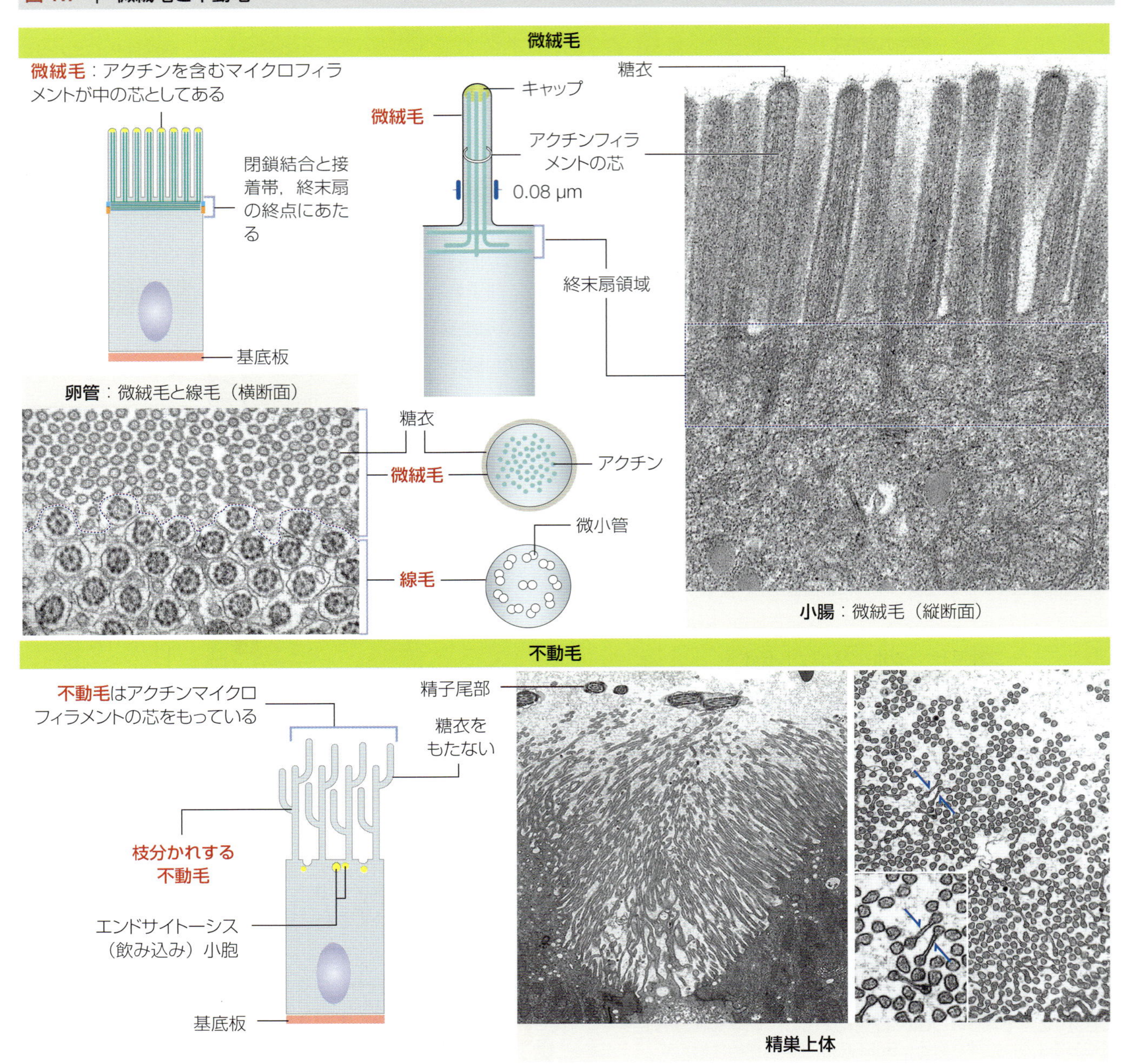

微絨毛と**不動毛**（**不動微絨毛**）は同様の構造をもつ：**アクチン微小フィラメント**の芯とアクチン関連タンパク質である．小腸上皮においては，アクチンは小腸細胞の細胞質の頂上領域で，カラー（襟）状に配列した細胞骨格タンパク質のネットワークである**終末扇**の中に伸びている．微絨毛はみな同じような長さであるけれど，**不動毛／不動微絨毛はより長くなり，枝分かれしており**，細胞の頂上領域には飲（エンドサイトーシス）小胞を含んでいる．隣り合う不動毛を結合する橋（青矢印）は枝分かれの指標となる．

complex（ラテン語 *catena* ［= chain，鎖］）として知られている中間型のタンパク質を介して**アクチン**に結合する．この複合体には**カテニン** α，β，γ **やアクチン結合タンパク質** α**- アクチニン，ビンクリンやフォルミン -1**，その他がある．

カテニン複合体は，少なくともカドヘリンの機能で 3 つの明確な役割がある．

1. α - カテニンタンパク質はフィラメント状のアクチンに直接結合する．
2. カテニンは細胞骨格のアクチンの調節分子と相互作用する．
3. カテニンはカドヘリンの細胞外領域結合状態を制御する．

カドヘリン - カテニン複合体とのアクチンの結合は，細胞の形態形成，細胞の形の変化，および細胞極性の形成に必須である．

カドヘリンファミリーのメンバーは，接着帯や接着斑の細胞質プラーク間にも存在している．β - カテニンは**結腸直腸の発がん** colorectal carcinogenesis に重要な役割を演じている（第 16 章参照）．

セレクチン（C 型レクチン）（図 1.8：基本事項 1.B）

カドヘリンと同様にセレクチンは Ca^{2+} 依存性の細胞接着分子である．カドヘリンと比較して，**セレクチンは炭水化物に結合**し，**C 型レクチン** C-type lectin（ラテン語 *lectum*［= to select，選択］）**ファミリー**に属する．

それぞれの C 型セレクチン（カルシウムを必要とする）は，タンパク質（糖タンパク質），あるいは脂質（糖脂質）に結合した特別なオリゴ糖に結合親和性のある 120 アミノ酸の**炭水化物認識領域** carbohydrate-recognition domain（CRD）を有している．CRD の分子形状は**カルシウム** calcium によって制御される．**カルシウム**は CRD と糖の標的の水酸化基の間のつなぎ役として作用する．

細胞表面の C 型レクチンには 3 つの主要なクラスがある：

1. **P- セレクチン**は活性型血小板や血管を裏打ちする活性型内皮細胞に見出される．
2. **E- セレクチン**は活性型内皮細胞上に見出される．
3. **L- セレクチン**は白血球に見出される．

C 型レクチンは抗菌免疫や自己免疫に含まれる**膜貫通受容体**（**CLR**）**であるが**，**可溶性分子**としても見出せる（成長因子，抗菌タンパク質や細胞外基質の構成要素）．

CLR はシグナル経路を活性化して，細胞機能の活性化あるいは抑制することになる．例えば，シグナル経路は本来，**核因子 -κB**（**NF-κB**）依存性炎症促進反応を誘引しうる．他にも**ナチュラルキラー**（**NK**）細胞のような抗腫瘍免疫反応を促進したり，抑制したりする一方，C 型レクチンは NK 細胞の細胞毒性活性を誘導することで腫瘍細胞の認識を促進し，正常細胞への攻撃を抑制する．未だ，腫瘍細胞の転移は L- セレクチンのような C 型レクチンの発現によって増加するが，その L- セレクチンは腫瘍細胞が内皮細胞に接着するのを促進する．

セレクチンは，**細胞外遊走**によって組織に向かって血液を循環する（好中球，単球，B と T 細胞）**白血球** leukocyte（ギリシャ語 *leukos*［= white，白］，*kytos*［= cell，細胞］）の運動に関与する．

細胞外遊走は**ホーミング** homing（家に戻る）の真髄であり，この機構は白血球が血液循環を抜け出し，炎症の場に達することを可能にする．ホーミングはまた胸腺由来の T 細胞が末梢のリンパ節に入って住み着くことを許している．

P- セレクチンは内皮細胞の細胞質小胞に蓄積する．内皮細胞が，炎症性シグナルによって活性化されると，P- セレクチンは細胞の表面に現れる．

その表面で，白血球は，P- セレクチンの特異なオリゴ糖リガンドである**シアル酸ルイス -x 抗原**を有している．抗原に結合した P- セレクチンは血中を流れる白血球を減速させ，さらに白血球は内皮細胞の表面に沿って転がり始める．P- セレクチンは免疫グロブリン様の細胞接着分子のスーパーファミリーの一員やインテグリンの追加的な助けを得て，白血球の接着を確実にして，細胞外遊層へと導く．

免疫グロブリン細胞接着分子の Ca^{2+} 非依存性分子スーパーファミリー（Ig-CAM）（図 1.9）

カドヘリンやセレクチンと比較して，Ig-CAM スーパーファミリーのメンバーは，Ca^{2+} 非依存細胞接着分子であり，単一遺伝子によってコードされている．Ig スーパーファミリーのメンバーは選択的メッセンジャーRNA（mRNA）スプライシングによってつくられ，糖の修飾の違いがある．

Ig スーパーファミリーのすべてのメンバーによって共有され，保存された特徴は，**免疫グロブリンに特徴的な 1 つあるいはそれ以上の折りたたまれたループ状構造をもつ細胞外の断片**である．

図 1.8 | Ca^{2+} 依存性細胞接着分子

カドヘリン

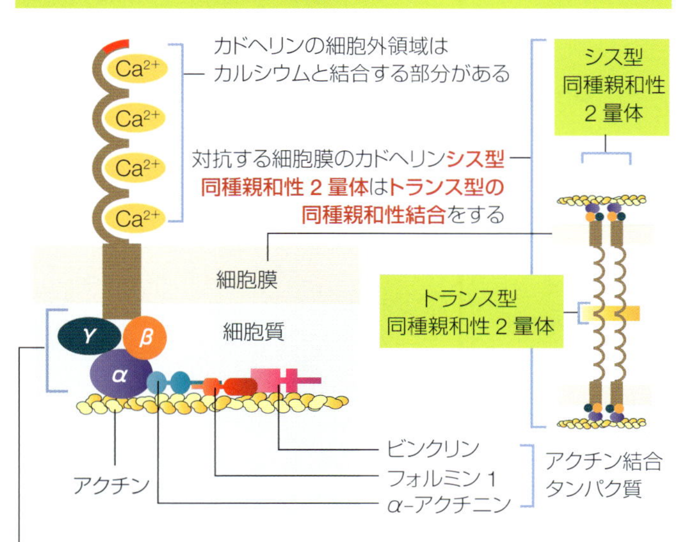

β-カテニンはカドヘリンの細胞内領域に結合する．β-カテニン／カドヘリン複合体はアクチンと直接結合するアダプタタンパク質であるα-カテニンを取り込む．γ-カテニン（プラコグロビンともよばれる）はカドヘリンの機能を調節する

セレクチン（C 型レクチン）

膜貫通受容体 | 可溶性分子

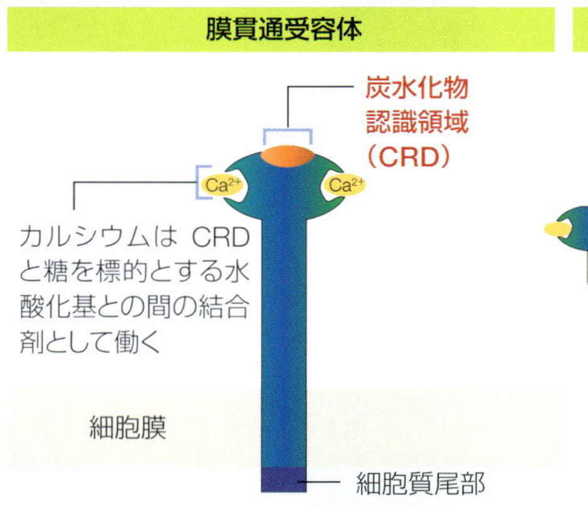

C 型レクチンは特定の糖と特異的に結合する保存された残基をもつ**炭水化物認識領域**（**CRD**）を有している：マンノース型の炭水化物に対する EPN 残基（Glu-Pro-Asn）とガラクトース型の炭水化物に対する QPD 残基（Gln-Pro-Asp）．

血清中に存在し，プラスミノゲンの活性化を強めるテトラネクチンはフィブリンやヘパリンと結合することができ，創傷の治癒に関与する．MBP は抗寄生虫作用による防御や免疫過剰反応に関係している．

基本事項 1.B | 内皮バリアを通る白血球の移動

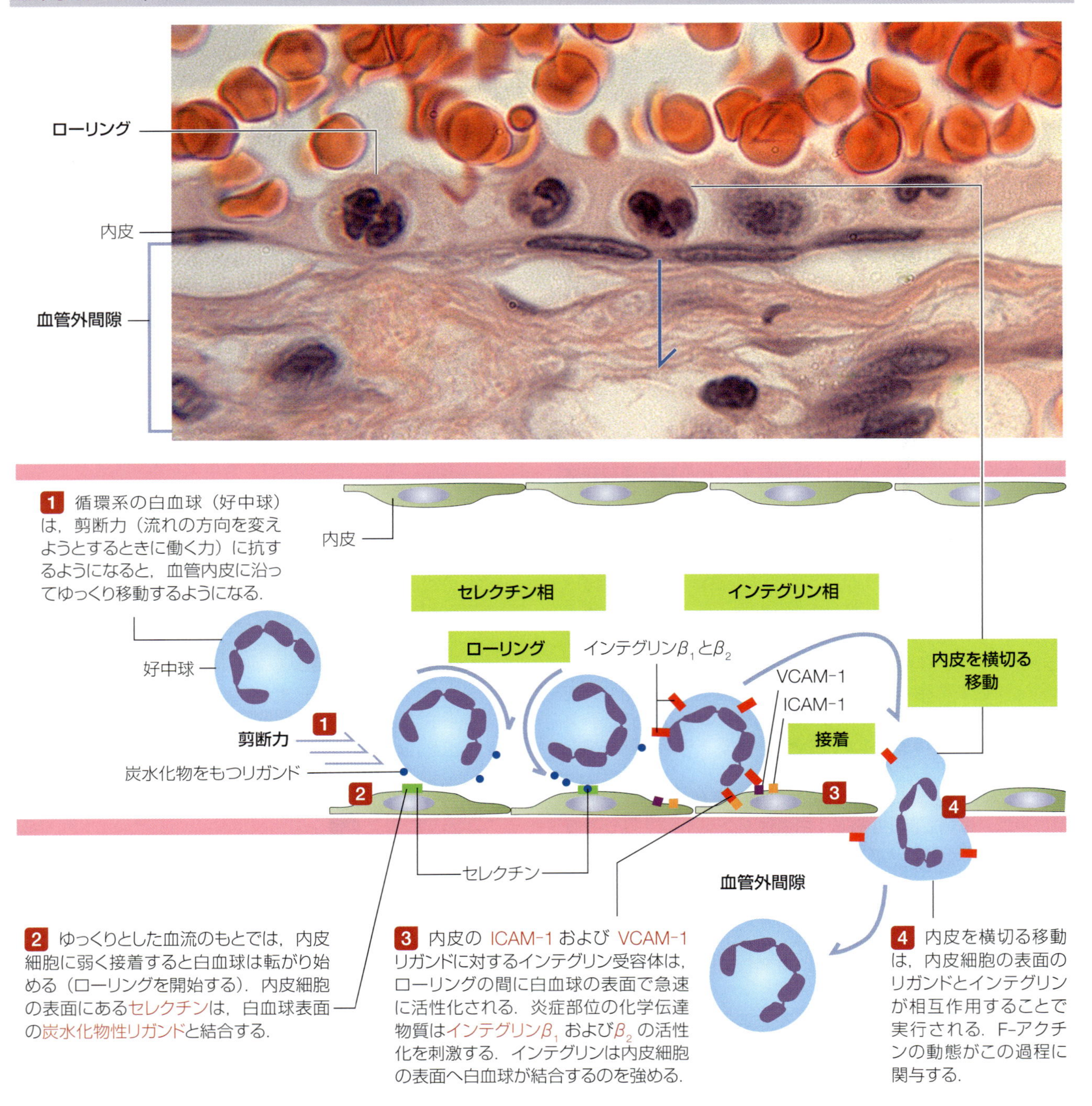

1 循環系の白血球（好中球）は，剪断力（流れの方向を変えようとするときに働く力）に抗するようになると，血管内皮に沿ってゆっくり移動するようになる．

2 ゆっくりとした血流のもとでは，内皮細胞に弱く接着すると白血球は転がり始める（ローリングを開始する）．内皮細胞の表面にあるセレクチンは，白血球表面の炭水化物性リガンドと結合する．

3 内皮の ICAM-1 および VCAM-1 リガンドに対するインテグリン受容体は，ローリングの間に白血球の表面で急速に活性化される．炎症部位の化学伝達物質はインテグリンβ_1 およびβ_2 の活性化を刺激する．インテグリンは内皮細胞の表面へ白血球が結合するのを強める．

4 内皮を横切る移動は，内皮細胞の表面のリガンドとインテグリンが相互作用することで実行される．F-アクチンの動態がこの過程に関与する．

カドヘリンと同様に，細胞間接着は，Ig-CAM 間の同種親和性結合で行われるが，Ig-CAM の場合，結合は Ca^{2+} 非依存的である．Ig-CAM の細胞質の尾部は，アクチン，アンキリンやスペクトリンのような細胞骨格の構成要素と結合する．

細胞結合特性に加え，Ig-CAM は成長因子受容体，転写因子や他のシグナルタンパク質と相互反応する結合非依存的なシグナルを介在する．

Ig-CAM はがん，血管病変，上皮異常と神経学的異常のように幅広い疾患における機能異常である．

CD4 が最も興味があり，Ig-CAM スーパーファミリーのメンバーで，T 細胞，あるいはヘルパー細胞として知られるリンパ球の一種である**ヒト免疫不全ウイルス 1 型** human immunodeficiency virus type 1（HIV-1）に対する受容体である．

第 10 章で Ig スーパーファミリーのいくつかのメンバーの意義について取り上げる．

Ig-CAM スーパーファミリーの他の構成要素は，炎症の際のホーミングの過程で重要な役割を演じている．例としては，内皮細胞上の**細胞間結合分子 1 と 2** intercellular adhesion molecules 1 and 2（ICAM-1 と ICAM-2）がある．ICAM-1 は，炎症が進行すると発現し，内皮細胞を通り抜ける白血球の遊走を促進する（第

基本事項 1.B ｜ 内皮バリアを通る白血球の移動（続き）

多くの白血球は，血液中で他の細胞や血管を裏打ちする内皮細胞と相互作用することなしに循環している．しかし，ある種のリンパ球は，リンパ組織と循環系との間を繰り返し移動している．このホーミング過程には，リンパ球が身体のさまざまなリンパ性区画に戻るのを助ける多種類の接着分子が関与する．

リンパ球 - 内皮細胞間の反応には，2 種類の細胞接着タンパク質，セレクチンとインテグリンが必要とされる．

好中球は同様の機構を使って，血管，基本的には毛細血管後細静脈から抜け出て炎症部位に達する．

一連の過程で，循環する白血球は炎症部位にある血管内皮細胞を認めて，次の知られている一連の過程を介して血管壁と相互に反応する．

1. 白血球を捉える．
2. 白血球が回転しながら進む．
3. 白血球が停止する．
4. 白血球が這うように出口の場所に向かう．
5. 白血球はバリアとなる血管内皮細胞，支持する基底膜そして血管壁のペリサイトあるいは平滑筋細胞を抜けて移行する．

内皮細胞が発現するセレクチンである，E-セレクチンとP-セレクチンは内皮細胞によってつくられる走化性因子によって誘導されるか，あるいは炎症細胞によって放出され，炎症部位の内皮細胞の表面に現れる．内皮細胞の表面のセレクチン増量は，速く流れる血液から白血球を捕捉する基本的な分子段階を表している．白血球捕捉の過程は一瞬のことである．

捕捉された白血球は血流によって進み，内皮細胞の表面を転がり（ローリング），静止するか，引き止められる．

この時点で，白血球は自身のインテグリンβ_1とβ_2の活性化によってゆっくり進んで移行する過程に関与し始める．インテグリンは細胞間接着因子 -1（ICMA-1）と血管細胞接着因子 -1（VCAM-1）などの免疫（イムノ）グロブリンスーパーファミリーの一員と結合する．これらの接着因子の発現は炎症性サイトカイン前駆体によって内皮細胞上に誘導される．

サイトカインは差し迫った細胞の移動の初めの指標である白血球のインテグリンを活性化して誘導する知らせである．もしインテグリンが活性化されないと，停止された白血球は草木を刈り込むような血流の力によって内皮細胞に付着した部位から速やかに除かれる．

強力な白血球のインテグリンと内皮細胞の細胞間接着は内皮細胞表面に白血球を接着させ拡散させる．それに次いで，白血球は，這うように進んで，一時的に開かれた内皮細胞のタイと結合部位で内皮細胞のバリアを抜けて，あるいは，内皮細胞の細胞質を通り抜けて移行する．たくさんの内皮細胞の接着分子や受容体が，この移行過程にかかわっている．

血管外漏出 diapedesis ともよばれる内皮細胞を横切る移動には，2 ～ 3 分を要する．15 ～ 20 分以内に，白血球は内皮細胞の基底膜，血管壁の周皮細胞ないし平滑筋細胞を貫く．

6 章参照）．

ADAM ファミリーの構成要員（ディスインテグリンとメタロプロテアーゼ）は，さまざまな Ig-CAM の可溶性の細胞外領域を切断し，遊離する**切断酵素（シェダーゼ）**である．遊離された，あるいは切断されたタンパク質断片は，成長因子の活性化などの生物学的な活性に関与する．

インテグリン（図 1.9；基本事項 1.B，1.C）

インテグリンは，カドヘリン，セレクチンや Ig スーパーファミリーのメンバーと次の点で異なっている．インテグリンは異なる遺伝子（図 1.9）によってコードされた 2 つの結合したαとβ**サブユニット**によって形成される**異種 2 量体** heterodimer である．17 種類のαサブユニットと 8 種類のβサブユニットからなる約 22 種類のインテグリン異種 2 量体がある．

ほとんどの細胞は 1 個かいくつかのインテグリンを発現している．カドヘリンと同様に，インテグリンβサブユニットの細胞質領域は**結合タンパク質**を介して**アクチンフィラメント**に結合している（図 1.9）．

βサブユニットの細胞外領域は，特別な型である基底膜の 2 つの主要な構成要素である**ラミニン** laminin と**フィブロネクチン** fibronectin に存在する**トリペプチド RGD**（**Arg-Gly-Asp**）配列に結合する．ラミニンとフィブロネクチンは，種々のコラーゲンタイプ（**タイプ IV コラーゲン**），**ヘパラン硫酸プロテオグリカン**である**パールカン** perlecan や**エンタクチン** entactin（**ニドゲン** nidogen ともよばれる）と結合する．

インテグリンと細胞外基質の関係は，胚形成期の詳細な場所に細胞移動するのに重要であり，細胞運動が必要とされるときに，その関係は制御されうる．**細胞と基質との反応**における役割に加えて，インテグリンはまた**細胞間の反応**にもかかわる．

β_2サブユニットをもつインテグリンは，白血球の表面に発現され，血管外遊走の準備として細胞間結合を介在する．1 つの例は，細胞外刺激によって活性化する内皮細胞の表面上にあるリガンドと結合する非結合白血球上の$\alpha_1\beta_2$インテグリンであり，それにより白血球が血管外間隙を探しながら白血球が血管外に遊走できる（基本事項 1.B）．

インテグリンは，両方向性のシグナル受容体である．インテグリンは，細胞外と細胞内領域に結合するタンパク質によって活性化される．インテグリンが細胞外基質分子と結合すると，タンパク質複合体は細胞骨格と結合し，いくつかのシグナル経路が活性化される．

インテグリン，あるいはインテグリン調節因子の遺伝子変異は，**グランツマンの血小板無力症** Glanzmann's thromboasthenia（インテグリンサブユニットβ_3の変異），**白血球結合不全** leukocyte adhesion deficiency（**タイプ I** はインテグリンサブユニットβ_2の変異によって引き起こされる．**タイプ II** はセレクチンのフコースを含むリガンドが欠損することに起因し，内因性のフコース代謝の遺伝的欠損による．**タイプ III** は，キンドリンの変異によって決まる）や皮膚疾患（キンドリン，インテグリンサブユニットα_2，α_6，β_4の変異）に関係する．

細胞外リガンドと結合するインテグリン介在細胞は，ADAM 切断酵素によって阻害されうる（基本事項 1.C）．ADAM は，生殖，血管形成，神経形成，心臓発生，がんおよびアルツハイマー病にかかわっている．

細胞結合（図 1.10）

細胞結合分子は細胞間結合に関係しているが，細胞接着は上皮のしっかりとした安定化に，また，外側の環境から異なる組織を分けるのに必要である．

上皮層を通る溶質やイオン，水の移動は，個々の細胞構成要素を**横切る**ことで，それらの構成要素の**間**で生じる．**細胞内を通る経路（経細胞路）** transcellular pathway は多くのチャネルや輸送装置によって制御される一方，**細胞間を通る経路（傍細胞路）** paracellular pathway は，連続的な細胞間接合あるいは**細胞結合**によって制御される．

細胞結合は，2 つの隣接する上皮細胞間に形成される**対称的な**

図 1.9 | Ca^{2+} 非依存性細胞接着分子

免疫グロブリン細胞接着分子（Ig-CAM）スーパーファミリー

免疫グロブリン細胞接着分子（Ig-CAM）の細胞外領域は，2～6 つの免疫グロブリン様ドメインに組み込まれる．

1 つの細胞上の Ig-CAM が他の細胞上の同一の分子（**トランス型同種親和性結合**），あるいは，そのファミリーの他のメンバー（**トランス型異種親和性結合**）と結合して，細胞 - 細胞接点を安定化するジッパー様構造をつくる．Ig-CAM はスペクトリンのようなアクチン結合タンパク質に繋留させることでさらに安定化する．

ICAM や **VCAM** 分子は，T 細胞相互反応や活性化されたあるいは休止状態の内皮細胞への白血球の結合に重要な役割を果たしている．

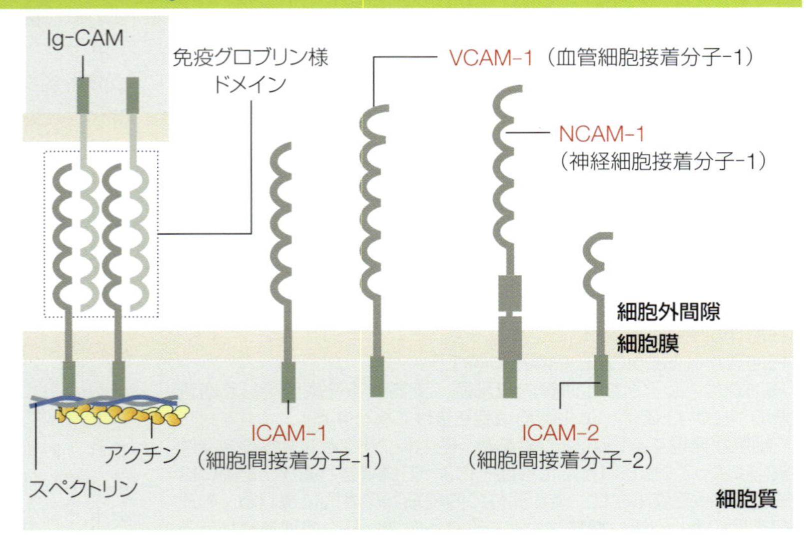

インテグリン

インテグリンは他の細胞接着タンパク質と次の点で異なる：(1)インテグリンは，**2 つのサブユニット**からなる．(2)インテグリンは二重の機能を有している：インテグリンは細胞外マトリックスと内側の細胞骨格に結合する．

インテグリンの*α*サブユニットは，ジスルフィド結合した 2 本鎖と 2 価の陽イオン結合部位をもつ球状の頭部を有している．

*β*サブユニットには次の 2 つの重要な特徴がある：(1)細胞外鎖はシステインの豊富な繰り返しドメインを含む．(2)細胞内領域は，3 つの結合タンパク質である初めに採取された**タリン**や**接着斑キナーゼ**を介してアクチンフィラメントと結合する．

その活性型の構造では，タリンは*β*インテグリンの細胞質ドメインと結合する．**キンドリン**，**インテグリンの活性化補助因子**は*β*インテグリンの細胞質ドメインと結合し，タリン誘導性インテグリン活性化を増強する．**IPP 複合体**（PINCH［特に興味あることに新たなシステインとヒスチジンの豊富なタンパク質］とパルビンであるインテグリン結合キナーゼからなる）は***α*-アクチニン**と**パキシリン**を細胞接着部位に集める．

その活性型構造状態で，*β*インテグリンはアクチンを RGD 結合部位を介して細胞外マトリックスタンパク質である**フィブロネクチン**と**ラミニン**に結合させる．

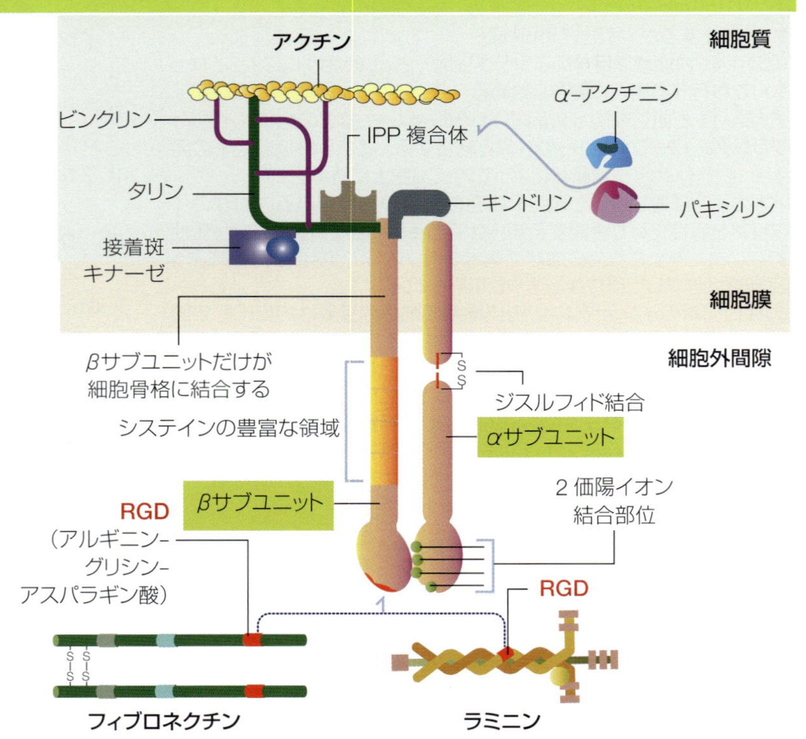

構造である．1 つの例外は，上皮細胞の基底領域が基底板に繋留する**非対称的**構造であるヘミデスモソームである．

細胞結合には 4 つの主要なクラスがある：

1. **閉鎖結合** tight junction.
2. **接着帯** zonula adherens（**帯状デスモソーム** belt desmosome）と**接着斑** macula adherens（**斑状デスモソーム** spot desmosome）を含む**接着結合** adherens junctions.
3. **ヘミデスモソーム** hemidesmosome.
4. **間隙** gap（**ギャップ**）あるいは**連絡結合** communicating junction.

閉鎖（密着）結合（図 1.10）

閉鎖結合（**密着結合**ともよばれる）には 3 つの主要な機能がある．

1. 閉鎖結合は，頂上領域を基底外側領域から分け，脂質とタンパク質の間の拡散を防ぐことによって上皮細胞の極性を決め

基本事項 1.C ｜ ADAM，切断酵素タンパク質ファミリーの 1 つ

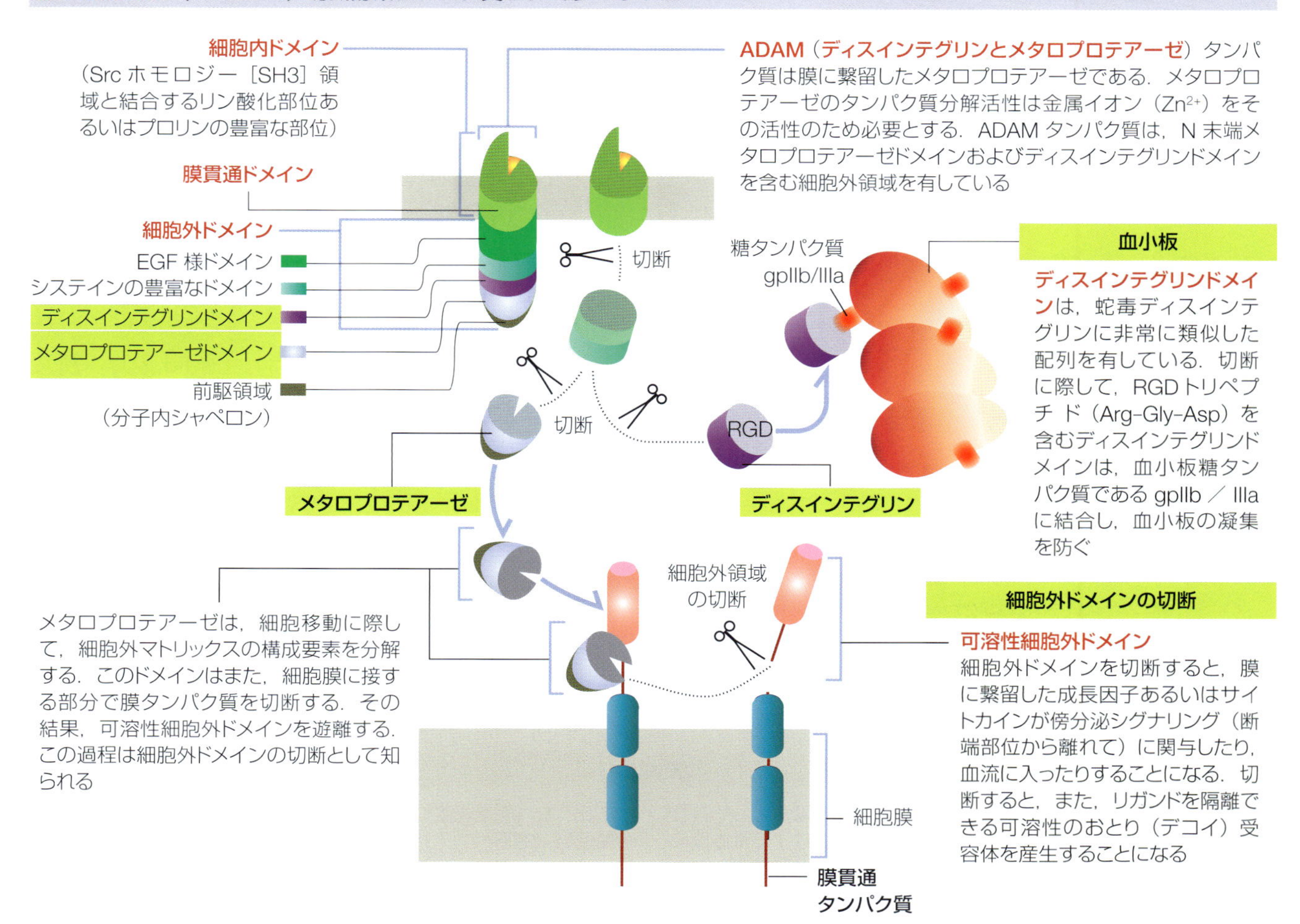

インテグリンによる細胞の細胞外マトリックスへの結合を阻止するのは，ADAM（ディスインテグリンやメタロプロテアーゼである）とよばれるタンパク質によって実行される．ADAM は受精，血管形成，神経形成，心臓の発生，がん，そしてアルツハイマー病において中心的な役割を演じている．

典型的な ADAM タンパク質は，細胞外ドメインと細胞内ドメインを有している．細胞外ドメインはディスインテグリンドメインとメタロプロテアーゼドメインから構成されている．

1. ディスインテグリンドメインはインテグリンと結合し，インテグリン依存性に細胞がラミニン，フィブロネクチンや他の細胞がマトリックスタンパク質に結合するのを競合的に阻害する．
2. メタロプロテアーゼドメインはマトリックス構成要素を分解し，細胞の移動を可能にする．

ADAM の重要な機能は，タンパク質の細胞外ドメインを切り離すことであり，これは，細胞膜近傍で膜タンパク質の細胞外ドメインをタンパク質分解により切断し，分離することからなる．ADAM はシェダーゼ，切断酵素ファミリーの 1 つである．

細胞外ドメインの切断は炎症性サイトカイン前駆体である腫瘍壊死因子のリガンド（TNFL）や上皮細胞増殖因子受容体のすべてのリガンドの切断を標的とする．サイトカインや増殖因子の分離された可溶性の細胞外ドメインは切断された領域から離れたところで機能しうる（傍分泌シグナル）．受容体の細胞外ドメインを切断することで，細胞膜上で結合していない受容体に可溶化されたリガンドが結合しないように，おとりとして機能することで受容体を不活化することができる．

受容体の切断部位の変異によって引き起こされる TNF 受容体 1（TNFR1）の切断ができないと，TNF のリガンドが結合する TNFR1 が継続的に結合可能な状態になることで周期的な発熱が引き起こされる．その結果，炎症性反応が強くなり反復発熱が生じる．

ている．

2. 閉鎖結合は，イオンや溶質の傍細胞路の拡散を制御するゲートを設けて，上皮細胞層を横切る物質の自由な通過を阻害している．
3. 透過性バリアとしての機能とは異なり，閉鎖結合は，増殖と細胞分化を制御し，細胞骨格，核や異なる細胞の結合複合体との間の情報の交換を行うシグナルネットワークに結合している．

隣接する 2 つの細胞の細胞膜は，頂上部の細胞間隙を閉鎖するため一定の間隔で一緒になる．密な接触をするこれらの領域は帯状に細胞の周囲を巡っており，オクルディンとクラウディンの膜貫通タンパク質が吻合する断片を形成している．**オクルディン**と**クラウディン**は，2 個の外側ループと 2 個の細胞質尾部からなる 4 個の膜貫通領域をもつ**テトラスパンニン** tetraspanin **ファミリー**に属している．

オクルディン occludin は 4 個の主要な**オクルディン帯**（**ZO**）タ

図 1.10 | 上皮性細胞結合

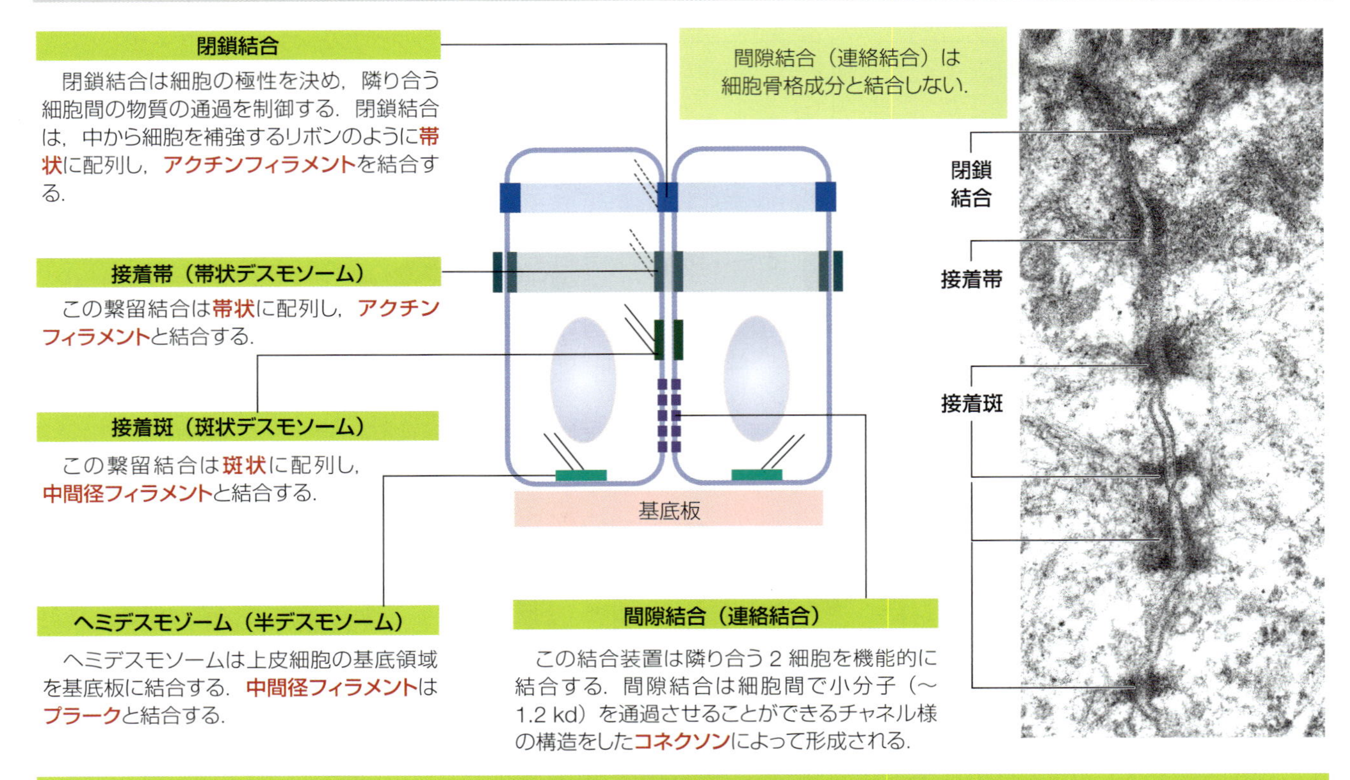

閉鎖結合

閉鎖結合は上皮細胞の頂上領域のところに環状帯として存在し，隣接する上皮細胞と結合している．閉鎖結合は上皮細胞間の間隙を接触点状に閉じて，隣接する上皮細胞間の水の通過，イオンの出入り（**傍細胞路**）を制御している．細胞を通過する分子は**経細胞路**を通る．

アファディン・ネクチン複合体は ZO-1 に繋留する．ネクチンは，細胞外領域で互いに結合する（トランス同種結合）シス同種2量体をつくる．

細胞間接着分子（JAM）はアファディンと ZO-1 に結合する．JAM はシス同種2量体で，互いに結合し（**トランス同種結合**），細胞極性の形成を決める．

オクルディンとクラウディンは凍結割断標本で観察される閉鎖結合の縁（縫い目）の形成のもととなる分子である．

閉鎖帯タンパク質（ZO-1，ZO-2，ZO-3）は，オクルディン，クラウディン，JAM の F-アクチンとの相互結合を促進する．

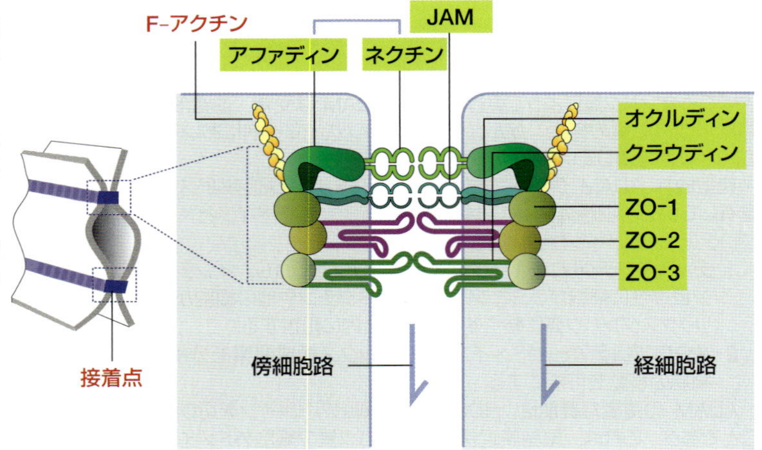

ンパク質 zonula occludin（ZO）protein と結合する：**ZO-1**，**ZO-2**，**ZO-3** および**アファディン** afadin.

クラウディン claudin（ラテン語 *claudere*［= to close，閉じる］）は，閉鎖結合において線状のフィブリルを形成する 16 個のタンパク質ファミリーからなるが，傍細胞路のバリア特性をつくっている．

クラウディン 16 claudin 16 をコードする遺伝子の変異は，低マグネシウム血漿と痙攣で特徴づけられるまれな**ヒト腎マグネシウム消耗性症候群** human renal magnesium wasting syndrome の原因となる（Box 1.B）．

Ig スーパーファミリーの2個の構成要素である**ネクチン** nectin と**結合接着分子** junctional adhesion molecule（JAM）は閉鎖結合中に存在している．両タンパク質は，細胞間隙を横切って同種2量体（シス同種2量体）やトランス同種2量体を形成している．

ネクチンはアファディンタンパク質を介してアクチンフィラメ

図 1.11 | **上皮性細胞結合：接着帯（帯状デスモソーム）**

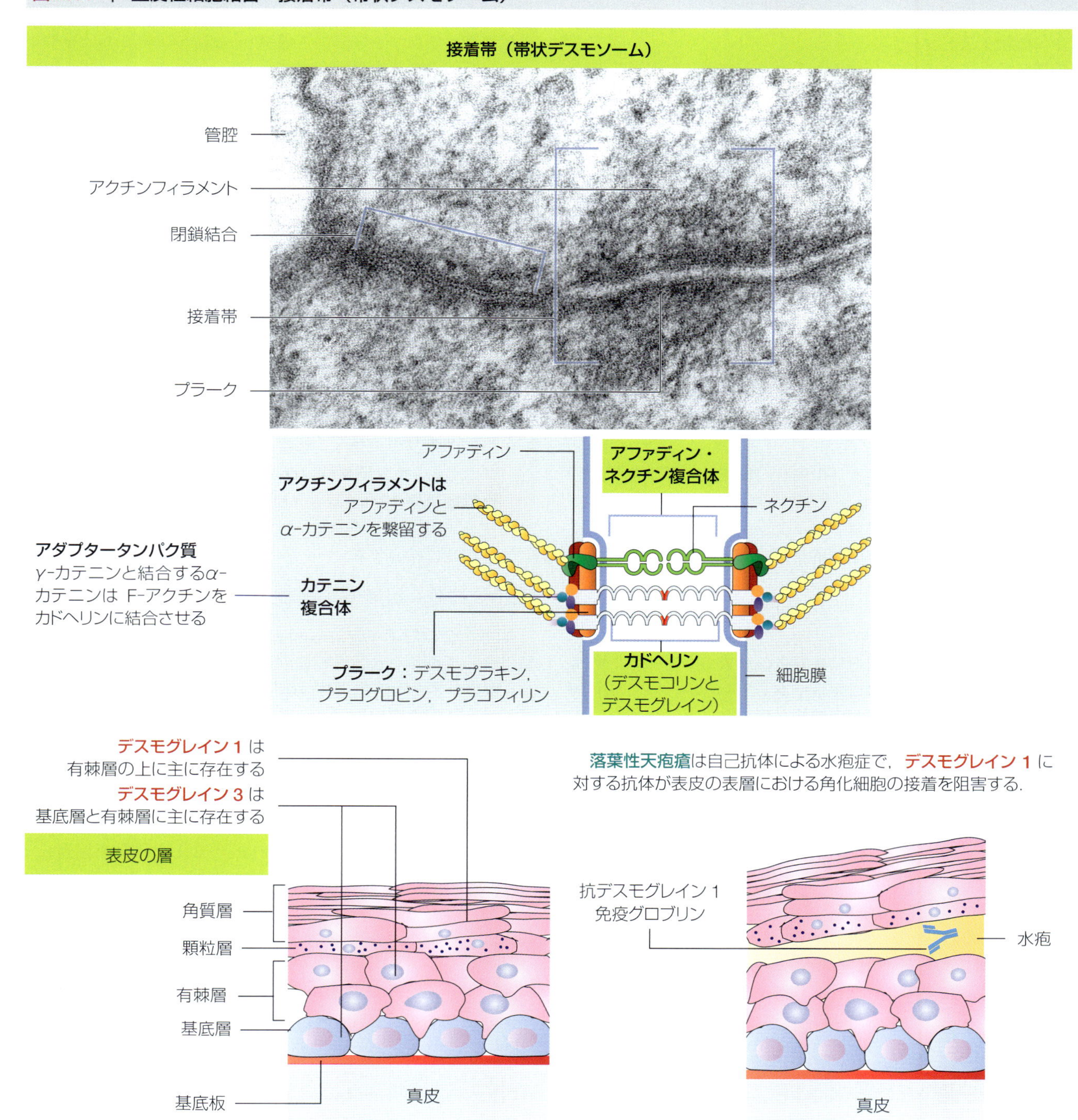

ントと結合している．マウスでアファディン遺伝子を欠損させると胎生致死となる．ネクチン -1 遺伝子の変異は，ヒトの皮膚，毛，歯にかかわる**唇裂／口蓋裂や外胚葉の異形成** cleft lip/palate and ectodermal dysplasia（**CLEPD1**）の原因となる．ネクチン -2 欠損雄マウスは**生殖力がない** infertile．

細胞膜の**疎水性**（hydrophobic）の中側を可視化できる技術である凍結割断電子顕微鏡法は，拡散バリア構造として認められる膜内粒子の並びによってつくられる吻合する閉鎖縁の網目（ミシン目）を閉鎖結合がとることを明らかにしている．

接着結合（図 1.11，1.12）

接着帯（帯状デスモソーム）と**接着斑**（斑状デスモソーム）を含む接着 adherens（ラテン語 *adhaereo* ［= sticking to，くっつく］）結合は，どちらも閉鎖結合（密着結合）の下，通常は上皮の先端面付近にある（図 1.11）．

閉鎖結合と同様に，接着帯結合は上皮細胞の頂上領域の周囲を取り囲んで帯を形成する（**帯状デスモソーム** belt desmosome）．それと比べて，表皮の接着斑結合は小さく斑状で，堅固な接着をつくる（**斑状デスモソーム**）．

接着帯結合はアクチンミクロフィラメントと結合する．この結合は，カテニン複合体によって調整される．**α-カテニン**，**β-カテニン**と**γ-カテニン**（**プラコグロビン**ともよばれる）．β-カテニンとγ-カテニンは，デスモソームの2個のカドヘリンファミリーである**デスモコリン**と**デスモグレイン**の細胞質領域と結合する．β-カテニンと結合するα-カテニンは，カドヘリンの細胞内領域をアクチンフィラメントに結合させる**アダプタータンパク質**である．

斑状デスモソームともよばれる**接着斑結合**は，上皮細胞の外側表面上である斑から他の斑にロープ状に伸びる**ケラチン中間径フィラメント**（**トノフィラメント**，**張原線維**としても知られる）と関係する点状の結合である（図 1.12）．斑状デスモソームは上皮細胞層に強さ，堅固さ，および柔軟性も備える．

デスモグレイン1とデスモグレイン3は，表皮の接着斑結合に見出される．

デスモコリンとデスモグレインの細胞内領域は，**プラコグロビン** plakoglobin と結合する．プラコグロビンはデスモプラキンのN末端球状領域と結合する**アダプタータンパク質**である，対側のC疎水-末端球状領域は中間径フィラメント（ケラチン，ビメンチンあるいはデスミン）と結合する．

プラコグロビン，デスモプラキンとプラコフィリンは**細胞質プラーク**の構成要素である．

アクチンミクロフィラメントは接着帯の要素である一方，中間径フィラメントは接着斑の構成要素である．

閉鎖結合と比べて，接着帯および接着斑結合によって結合している隣接した細胞膜は，比較的幅のある間隙によって分けられている．この間隙は，細胞質プラークに繋留するデスモグレインやデスモコリンの糖鎖で修飾された細胞外領域で占められている．

すでにみてきたように，同じカドヘリンが連結することでCa依存性の同種親和性，あるいは異種親和性結合によって2つの隣接する細胞を結合する．

表皮の重層扁平上皮では，デスモプラキンのC末端は中間径フィラメントと結合すること，そしてデスモグレイン1とデスモグレイン3は上皮の接着性を維持することを強調することは重要である．

デスモグレイン1への自己抗体は表皮の**上層**の細胞間結合を阻害することで**葉状天疱瘡** pemphigus foliaceus とよばれる水疱症を引き起こす．**デスモグレイン3**に対する自己抗体も，表皮の**基底層**に限局する**尋常性天疱瘡** pemphigus vulgaris とよばれる水疱症を引き起こす．

ヘミデスモソーム（図 1.13）

ヘミデスモソームは上皮細胞の基底層の下層にある基底板に繋留する非対称性の構造である．ヘミデスモソームは，細胞骨格の中間径フィラメントと基底板の構成要素との結合によって上皮組織の全般的な堅固さを増している．

ヘミデスモソームは接着結合と比較して異なる組成を有している．ヘミデスモソームは半デスモソームのようにみえるが，デスモソームに存在する生化学的な構成要素はヘミデスモソームには見出せない．

ヘミデスモソームは次のような構成要素からなる：

1. **内側の細胞質板**は中間径フィラメントのケラチン（あるいはトノフィラメント，張原線維）と結合する．
2. **外側の膜プラーク**は，繋留フィラメント（**ラミニン5**で構成される），**インテグリン$\alpha_6\beta_4$**および**プレクチン**と**水疱性類天疱瘡抗原1** bullous pemphigoid antigen 1（**BPAG1**）を含むプラキンファミリータンパク質によってヘミデスモソームを基底板に結合する．

間隙結合あるいは連絡結合（図 1.13）

間隙結合は**コネキシン** connexin とよばれる膜内在性タンパク質によってつくられる対称性の連絡結合である．

6個のコネキシン単量体は細胞膜を貫く中空のシリンダー状の構造をとる**コネクソン** connexon を形成するように結合する．

隣接する細胞のコネクソンの端と端の配列は，隣接する2つの細胞の細胞質間に直接伝達のチャネル（直径 1.5〜2nm）をつくっている．コネクソンは集合する傾向にあり，直径約 0.3mm の区画を形成している．

間隙結合は，細胞間で直径 1.2nm の分子の移動を促進している（例えば，Ca^{2+} やサイクリックアデノシン一リン酸，cAMP）．コネクソンの軸となるチャネルは Ca^{2+} の濃度が高くなると閉じる．

間隙結合は隣接する細胞の化学的および電気的な連結を可能にしている．例えば，心筋細胞は電気シグナルの伝達のために間隙結合によって結合している．

Box 1.B | 閉鎖結合と疾患

- 組織と器官に影響するいくつかの疾患は閉鎖結合に関係している．いくつかの疾患は閉鎖結合に関連したタンパク質における遺伝子変異によって，およびウイルスや細菌感染に向けた閉鎖結合によって引き起こされる．
- 慢性炎症やがんのような多くの疾患では機能不全に陥った閉鎖結合と関係している．
- 結合タンパク質関連遺伝子疾患

  クラウディン1：新生児魚鱗癬，硬化性胆管炎．

  クラウディン5：口蓋心臓顔面症候群．

  クラウディン16：家族性低マグネシウム血症．

  クラウディン19：家族性低マグネシウム血症，高カルシウム尿症，腎石灰化症．
- ウイルス／細菌に向けた結合タンパク質

  クラウディン1，クラウディン6，クラウディン9とオクルディン：C型肝炎ウイルス感染．

  JAM：レトロウイルスによる感染．

  オクルディン：コレラ菌感染．

  ZO1，ZO2：デングウイルス感染．

図 1.12 ｜ 上皮性細胞結合：接着斑（斑状デスモソーム）

接着斑（斑状デスモソーム）

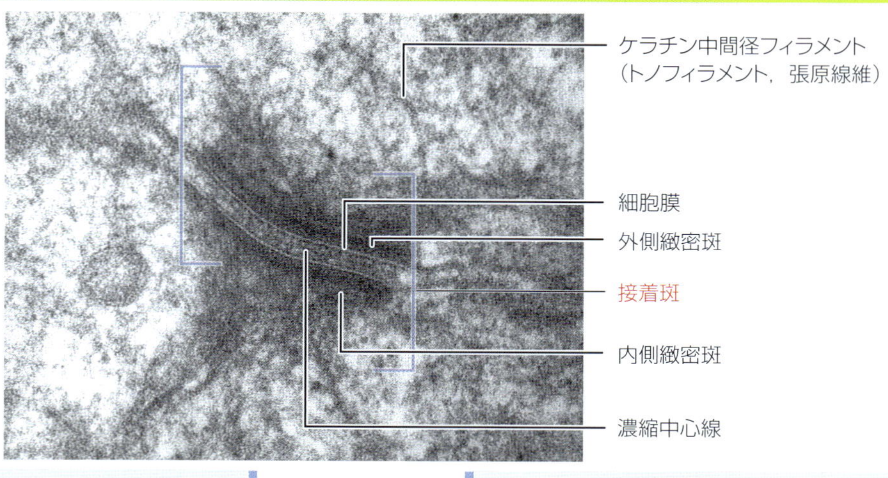

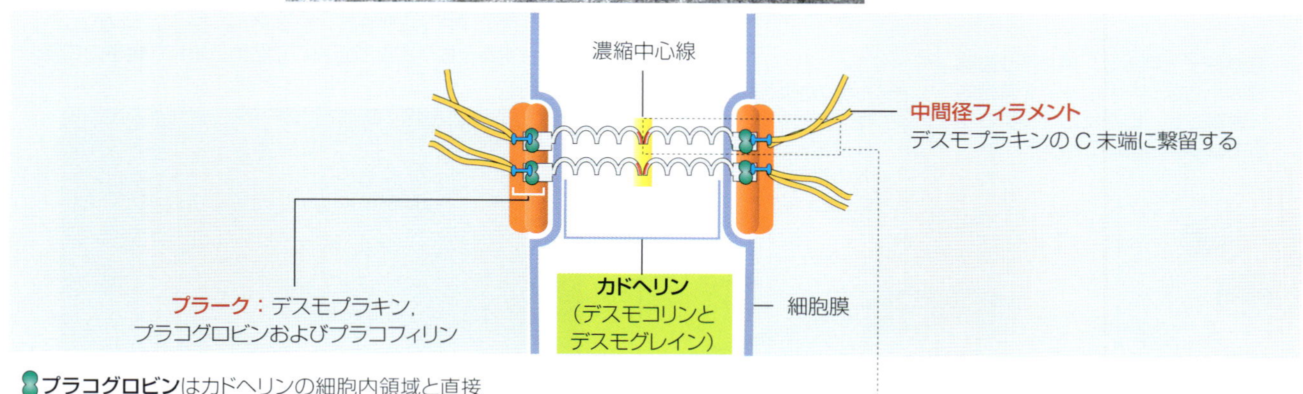

プラコグロビンはカドヘリンの細胞内領域と直接に結合し，デスモプラキンやプラコフィリンにも結合する．

プラコフィリン（1〜4 型）は細胞膜にタンパク質を取り込むのに関与する．

デスモプラキン（I〜II）はプラコグロビンを中間径フィラメントのケラチン，ビメンチンあるいはデスミン（デスモプラキンの C 末端に結合する）に橋渡しする．

外側の緻密斑
内側の緻密斑
カドヘリン
ケラチン，ビメンチン，またはデスミン（中間径フィラメント）
N
C
プラコフィリン
デスモプラキン
プラコグロビン（γ-カテニンともよばれる）
アダプタータンパク質プラコグロビンはプラコフィリンとデスモプラキンを中間径フィラメントに結合する

皮膚と心臓に作用する遺伝性疾患

プラコグロビン遺伝子変異：**ナクソス病**（非調律性右室性心筋症［ARVC］），綿毛症，掌蹠角化症）．脂肪細胞が心筋細胞に取って代わる．デスモプラキン遺伝子変異：ARVC，綿毛症

コネキシン変異

いくつかの疾患はコネキシンをコードする遺伝子が変異すると発症する．蝸牛の細胞に高い発現を示すコネキシン 26（*Cx26*）遺伝子の変異は，聴覚障害と関連している．コネキシン 32（*Cx32*）遺伝子の変異は X- 染色体連結**シャルコー・マリー・トゥース脱髄性神経障害** Charcot-Marie-Tooth demyelinating neuropathy にみられ，遠位筋肉の弱体化と衰退，および深部腱反射障害に特徴づけられる末梢神経の進行性変性となる．

コネキシン 32（Cx32）タンパク質は，シュワン細胞に発現し，末梢神経系の軸索周囲のミエリン鞘チューブの産生にかかわる（第 8 章参照）．間隙結合は，他の細胞というよりミエリン鞘チューブの異なる部分と対になる．ミエリンの機能的な軸索チャネルが欠損すると脱髄疾患を引き起こす．

コネキシン 50（*Cx50*）遺伝子の変異は視力障害をきたす**先天性白内障** congenital cataract の原因となる．

図 1.13 | ヘミデスモソームと間隙結合

ヘミデスモソーム

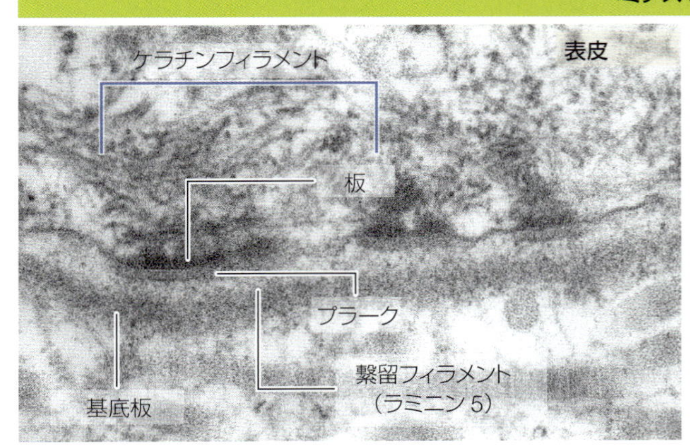

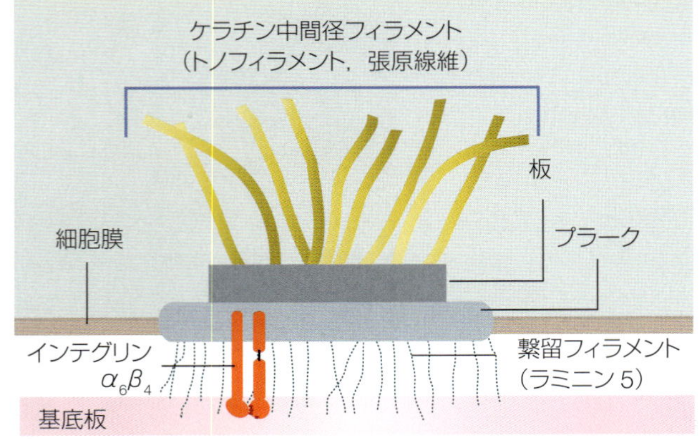

間隙結合あるいは連絡結合

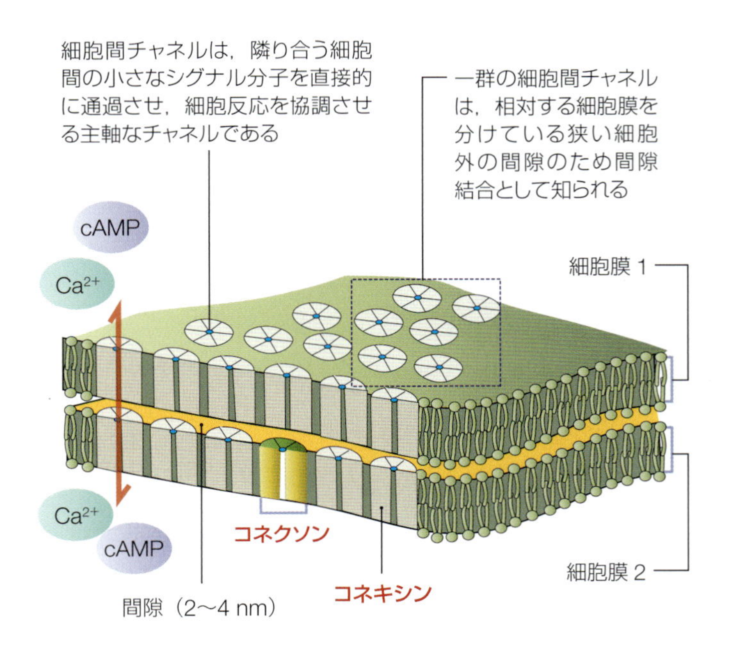

6 個のコネキシン単量体が集まって，中央が開いた筒型の **6 量体コネクソン**をつくる．1 つの細胞の細胞膜にあるコネクソンは隣の細胞のコネクソンと一線に並び，対向する細胞の細胞質を結ぶ**水溶性のチャネル**を形成する．

間隙結合の PF（原型質面）割断面にみられるコネクソンに相当する一様な密度で近接して詰め込まれた**粒子**の広い区画

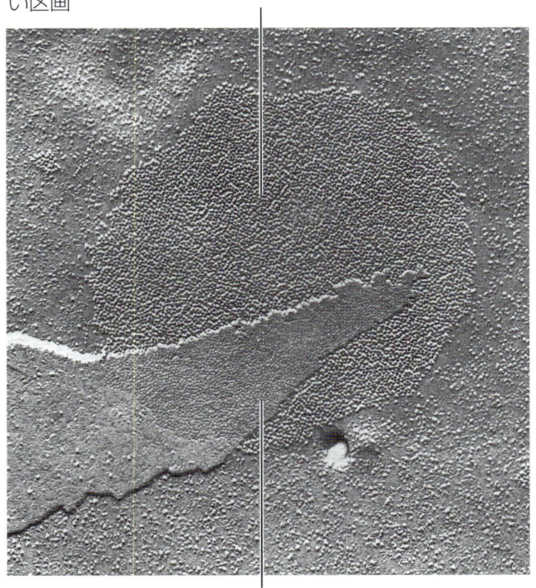

EF（細胞外面）割断面上の密に詰まった**窩**は PF 割断面上の粒子に相当する．EF と PF 面は不溶性の芯に沿って膜の脂質二重層を割断することによって人工的につくられている

Freeze-fracture electron micrograph from Robert RL, Kessel RG, Tung H-N: Freeze Fracture Images of Cells And Tissues. New York, Oxford University Press, 1991.

骨の細胞（骨芽細胞）は間隙結合によって連絡し，コネキシン 43（Cx43）やコネキシン 45（Cx45）タンパク質を発現している．*Cx43* 遺伝子を欠損すると，骨格の欠損や石灰化の遅れを結果する．

基底膜（図 1.14；基本事項 1.D）

基底膜は次の 2 つの構成要素からなる：

1. **基底板** basal lamina．上皮細胞表面と直接に接触するシート状の細胞外基質である．基底板は，IV 型コラーゲン，エンタクチンとプロテオグリカンとともにラミニン分子の自己凝集に由来する．
2. **網状板** reticular lamina．III 型コラーゲン線維によって形成され，基底板を支持し，結合組織につながる．

基底と網状板は電子顕微鏡により分別できる．光学顕微鏡下では，両方合わせた基底網状板は**基底膜** basement membrane の名でよばれ，**過ヨウ素酸・シッフ（PAS）染色**によって認められる

(Box 1.C). 病理医はPAS染色で, 上皮性悪性腫瘍が基底膜を破り抜けて隣接する結合組織に浸潤したかどうかを決めることができる.

基底板はいろいろな組織で特別な機能を有している. 腎小体の二重の基底板は, 尿の形成の初めの段階で**糸球体濾過バリア**の最も重要な要素を構成している(第14章参照). 骨格筋においては, 基底板は, 組織の完全な状態を維持し, それが壊れると**筋ジストロフィ**(異栄養症)が生じる(第7章参照).

ラミニン laminin は**α鎖**, **β鎖**および**γ鎖**という3つの鎖からなる交差型のタンパク質である. ラミニン分子は, 網目状の多量体を形成するため互いに結合している.

ラミニンと**Ⅳ型コラーゲン**は基底板の主要な構成要素であり, 両者は, 基底板上で休む上皮細胞によって合成される.

ラミニンは, **ニドゲン**(エンタクチンともよばれる), **プロテオグリカン**(特に, ヘパラン硫酸の**パールカン**), **α-ジストログリカン**(第7章参照)および**インテグリン**に対する結合部位を有している.

フィブロネクチン fibronectin はジスルフィド結合によって交差結合した2つのタンパク質鎖からなる. フィブロネクチンは結合組織の細胞外基質の主要な結合分子であり, 線維芽細胞によってつくられる. フィブロネクチンは, プロテオグリカン, いくつかの型の**コラーゲン**(I, II, III, IV型), そして**フィブリン**(血液凝固あるいは造血の際のフィブリノゲンに由来する. 第6章参照)に存在する**ヘパリン**に対する結合部位を有している.

血液循環のフィブロネクチンは, 肝臓の肝細胞によって合成される. このフィブロネクチンは, 線維芽細胞でつくられるフィブロネクチンとは異なり, 選択的mRNAスプライシングの結果1個か2個の繰り返し(エクストラドメインAとBに対してEDAとEDBと名づける)構造を欠損している.

循環するフィブロネクチンは血管の傷害の部位で形成される血餅の構成要素であるフィブリンと結合する. 不動化したフィブロネクチンのRGD領域は, 活性化された血小板の表面に発現されたインテグリンと結合し, 血餅は拡大する. 第6章で血液凝固あるいは止血に関するトピックに戻る.

基本事項1.Dは, 細胞接着分子, 細胞結合, 基底膜について記憶すべき多くの基本的な情報をまとめている.

細胞骨格 (図1.15)

細胞骨格 cytoskeleton は真核細胞の細胞質中に分布するタンパク質の三次元的な網工である. 細胞骨格は以下の役割を有する.

1. **細胞運動**(血管壁に沿った血液細胞の転がり, 創傷治癒に際しての線維芽細胞の移動, 胎児発生における細胞の移動).
2. **細胞の支持と強化**.
3. **貪食**.
4. **細胞質分裂**.
5. **細胞と細胞, および細胞と細胞外基質の接着**.
6. **細胞の形の変化**.

細胞骨格の構成要素は元来, **電子顕微鏡**によって同定された. これらの初期の研究では, 細胞質の"綱(ケーブル)"システムを3種類の太さに分類にして説明していた.

1. **ミクロフィラメント** microfilament (7nm径)
2. **中間径フィラメント** intermediate filament (10nm径)
3. **微小管** microtubule (25nm径)

デタージェントや塩で細胞から細胞質骨格タンパク質の抽出や特異なmRNAの試験管内翻訳などの生化学的な研究により, 個々のクラスのフィラメントは特有のタンパク質構成をもつことがわかった.

細胞骨格タンパク質が精製されると, 抗体作成のための抗原として使われた. 抗体は, 細胞におけるさまざまな細胞骨格タンパク質の局在のための道具として使われる.

細胞骨格タンパク質の**免疫組織化学的な局在**や, 細胞骨格の正常な組成を壊す**さまざまな化学物質による細胞処理**は, 細胞骨格の組成や機能を理解するための手段であった.

ミクロフィラメント (図1.16; 基本事項1.E)

F-アクチンは広範囲にわたる機能を有し細胞に豊富に存在する細胞骨格構成要素であり, 細胞内のアクチン結合タンパク質やそれらの明瞭な局在と機能によって特徴づけられる静的で伸びた状態のそして収縮した線維束およびフィラメント状の網工を形成している.

F-アクチンは細胞膜に繋留し, この機構によって, 細胞の形を変えることに貢献する. アクチンフィラメントは運動あるいは他の細胞との相互反応にかかわり, 細胞の伸展する**先端**(**葉状仮足**)で枝分かれする.

F-アクチン束は, 消化管や腎上皮の微絨毛(刷子縁)や, 内耳の有毛細胞の不動毛に存在する.

微絨毛と不動毛は同等の構造であるが, アクチンフィラメントの長さと数が違っている.

1. **消化管の微絨毛**は長さ1〜2μm, 幅0.1μmで, 20〜30個のアクチンフィラメントの束からできている.
2. **内耳の有毛細胞にある不動毛**は, その基部でろうそく型をしており, 長さは1.5〜5.5μmで, それぞれのアクチン束は900個のアクチンフィラメントを有している.

有毛細胞は, 機械的な動きに非常に敏感で, 不動毛の少しの動きが, 脳に伝達される電位の変化へと増幅される.

ミクロフィラメントの主要な要素は**アクチン** actin である. アクチンフィラメントは球状の単量体からなっており(**G-アクチン**, 42kDa (kd)), そして螺旋状に絡み合った長いフィラメントを重合する(**F-アクチン**).

小腸の微絨毛の芯では, G-アクチン単量体のフィラメントへの凝集と, これらのフィラメントの太い束への編成が, 種々のア

Box 1.C | 過ヨウ素酸-シッフ(PAS)反応

- PASは広く使われている組織化学の技術であり, グリコーゲン, ムチンや糖タンパク質のような1,2-グリコールあるいは1,2-アミノアルコール基の存在を示す.
- **過ヨウ素酸**は, 酸化体であり, これらの基を**アルデヒド**に変換する. **シッフ試薬**は, 無色のフクシンで, アルデヒドと反応して特徴的な**赤紫(マジェンタ)**色の産物を形成する.
- 重要なPAS養成の構造物は, **基底膜**, **糖衣**, **ムチン**であり, 杯細胞, 杯細胞でつくられるムチン, 下垂体の細胞の**糖タンパク質ホルモン**や**コラーゲン**である.

図 1.14 | 基底膜．ラミニンとフィブロネクチン

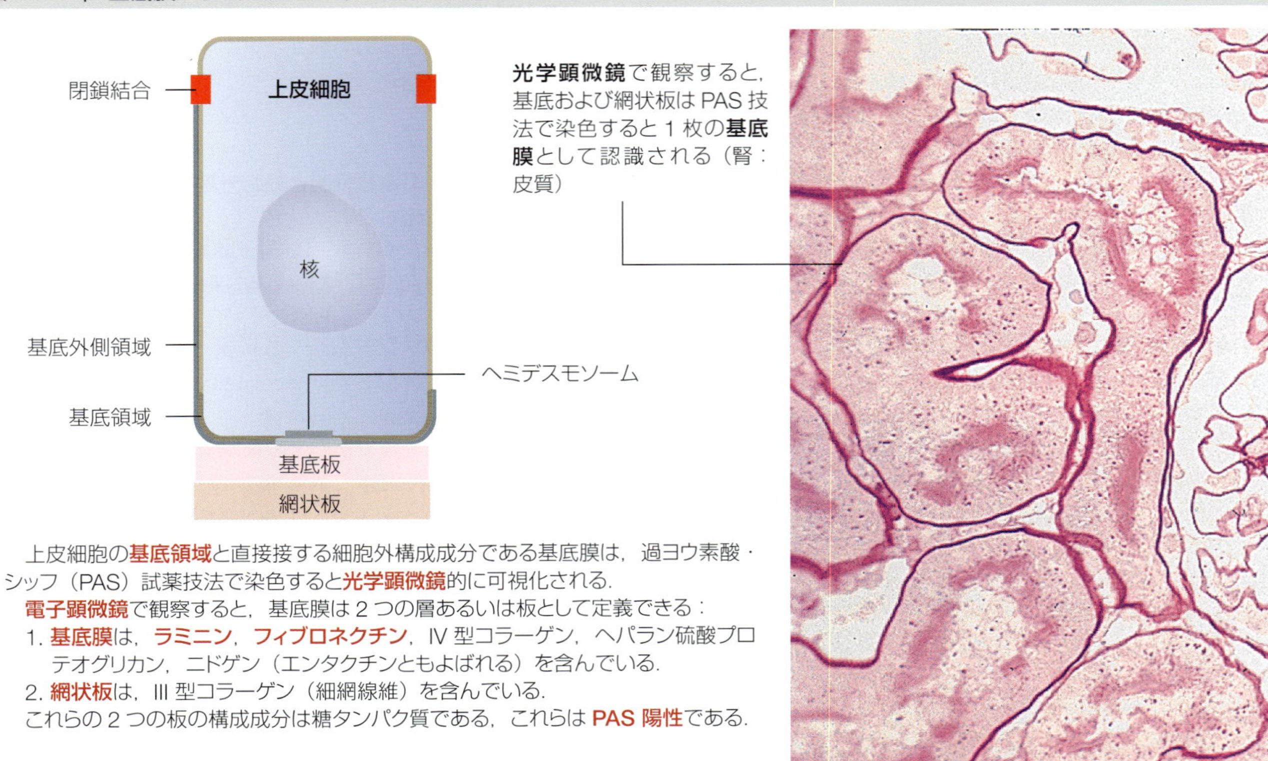

光学顕微鏡で観察すると，基底および網状板は PAS 技法で染色すると 1 枚の**基底膜**として認識される（腎：皮質）

上皮細胞の**基底領域**と直接接する細胞外構成成分である基底膜は，過ヨウ素酸・シッフ（PAS）試薬技法で染色すると**光学顕微鏡**的に可視化される．

電子顕微鏡で観察すると，基底膜は 2 つの層あるいは板として定義できる：

1. **基底膜**は，**ラミニン**，**フィブロネクチン**，Ⅳ 型コラーゲン，ヘパラン硫酸プロテオグリカン，ニドゲン（エンタクチンともよばれる）を含んでいる．
2. **網状板**は，Ⅲ 型コラーゲン（細網線維）を含んでいる．

これらの 2 つの板の構成成分は糖タンパク質である，これらは **PAS 陽性**である．

基底膜：電子顕微鏡は各板を別の実体として解明できる．

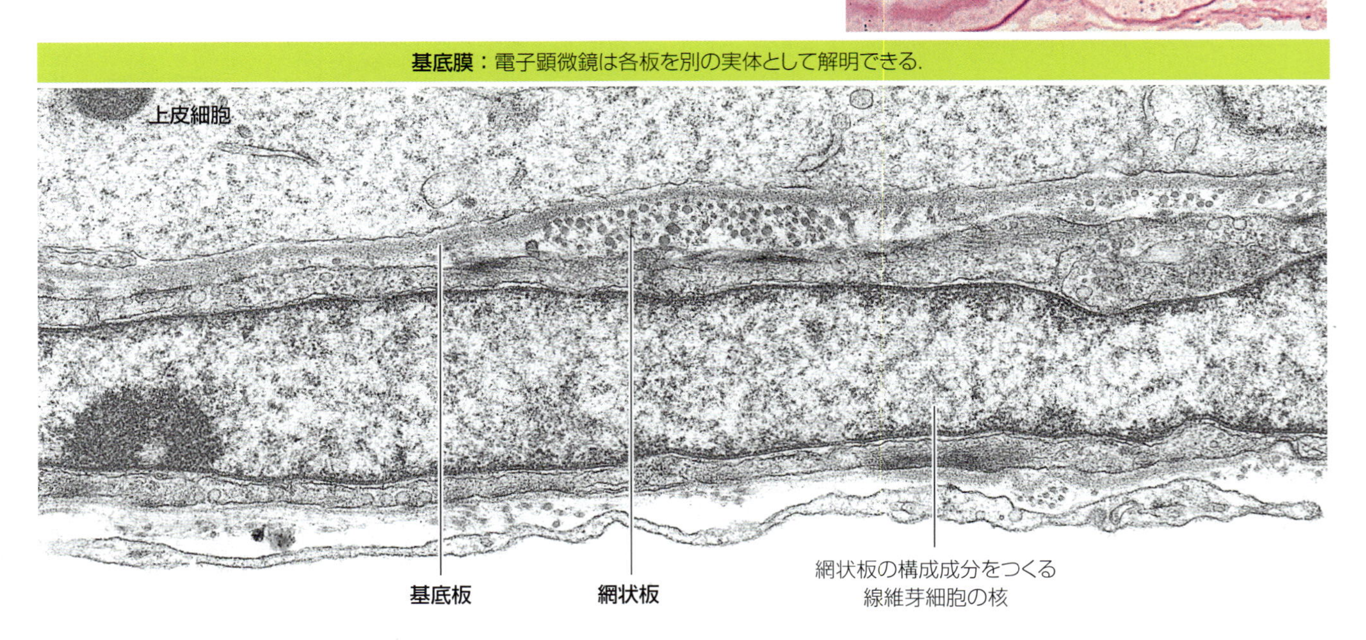

クチン結合あるいはアクチン関連タンパク質によって制御されている．**微絨毛**の芯を形成する平行で枝分かれしないアクチンフィラメントの束は，**ビリン** villin や**フィンブリン** fimbrin などのアクチン結合タンパク質によってまとめられる．**ミオシンⅠ** myosin-Ⅰ や Ca^{2+} 結合タンパク質**カルモデュリン** calmodulin の側腕は細胞膜に束を繋留する．

細胞接着分子であるカドヘリンやインテグリン -β_1 の細胞内領域がアダプタータンパク質を介して結合することについてはすでにみてきた．第 6 章で説明するが，アクチンはスペクトリンとともに，赤血球の形と完全な状態を維持するのに必須の赤血球膜の内側面のフィラメント状の網工を形成する．**スペクトリン** spectrin は 2 個の明確なポリペプチド鎖（α と β）からなる 4 量体である．

アクチンフィラメントは**極性**がある．アクチンフィラメントの成長は，両端で起こりうる．しかしながら，一方の端（**反矢じり端**，**プラス端**）の成長は他の端（**矢じり端**，**マイナス端**）より早

図 1.14 | 基底膜．ラミニンとフィブロネクチン（続き）

ラミニン

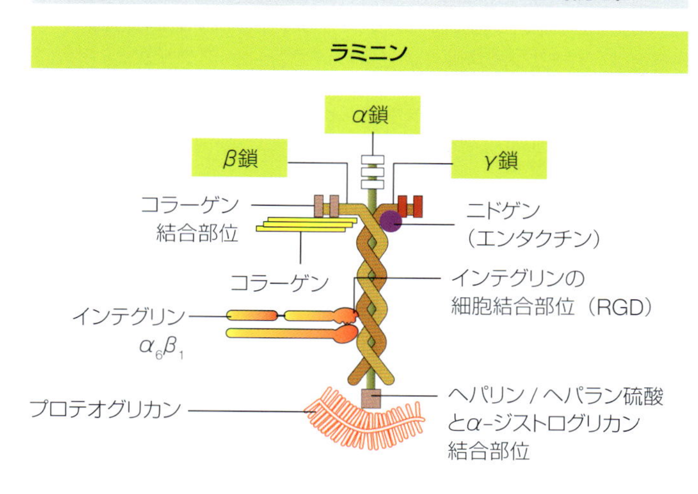

ラミニンは基底板の主要な構成成分であり，**α，β，γ鎖**とよばれる 3 つのジスルフィド結合したポリペプチド鎖からなる．個々の分子鎖の変異種は，異なる構造と機能をもったいくつかのラミニン異性体として存在する．

ラミニンは，細胞表面受容体（**インテグリン**），**IV 型コラーゲン**，および他の接着タンパク質（**エンタクチン**としても知られる**ニドゲン**など）に対する結合部位を有している．

ラミニンの単体は自己集合して，**基底板**の一部となる網工をつくる．

フィブロネクチン

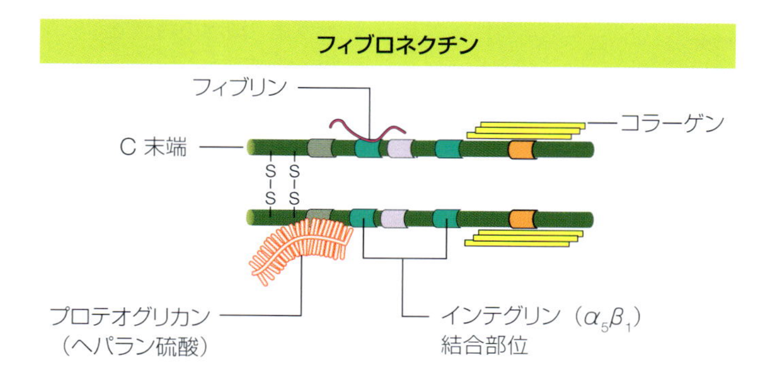

フィブロネクチンは C 末端近傍でジスルフィド結合によって結合した 2 つの相同な鎖からなる糖タンパク質である．フィブロネクチンには 2 型がある：

1. **血漿フィブロネクチン**は，**肝細胞**でつくられ血流に分泌される．
2. **細胞性フィブロネクチン**は，**線維芽細胞**でつくられ，基底板を含む，細胞外マトリックスの 1 要素である．

フィブロネクチンは，**インテグリン**，**コラーゲン**，**ヘパラン硫酸**，**フィブリン**に対する結合部位を有している．

く成長する．この名前は，ミオシンがアクチンフィラメント長軸に沿った角度で結合する場合，非対称的な矢頭の形に相応している．

アクチン単量体は**アデノシン三リン酸（ATP）**との結合部位を有しており，重合が進行するときに**アデノシン二リン酸（ADP）**に加水分解される．**アクチンの重合は，ATP- 依存性である．**

アクチン重合の動力学は**トレッドミル**として知られる機構と関係している．**G- アクチン単量体はフィラメントの一方の端で重合し，他の端で同時に脱重合が起きている．**

アクチン結合タンパク質の 4 型はアクチン単量体と結合したり，F- アクチンを切断したり，F- アクチン端をキャッピングしたり，F- アクチンを核化あるいは交差結合したり，F- アクチンを安定化あるいは F- アクチンに沿って移動したりすることでトレッドミル動態を制御している．

1. **β4- チモシン** β4-thymosin は細胞中で G- アクチン単量体のプールを分離して，F- アクチンの反矢じり端でさらなる G- アクチンの重合を阻害する．
2. **G- アクチンに結合するプロフィリン** profilin は，G- アクチンの核形成を阻害する．重合に使われる主要なアクチンプールは，プロフィリンに結合した G- アクチンによって代表される．プロフィリンは，結合した ADP を ATP に変換することを促進することで単量体の G- アクチンを F- アクチンに積極的に集める．その結果，**ATP- アクチン単量体のみ**フィラメントに重合する．
3. **アクチン脱重合因子（ADF）**としても知られる**コフィリン** cofilin は，マイナス端で ADP- 結合アクチンを脱重合する．コフィリン／ADF の F- アクチンに使える特性は F- アクチン網工の急速な脱重合を起こすが，その過程は結果的に網工重合のための G- アクチンのプールを補充することになる．
4. **ゲルゾリン** gelsolin は 2 つの役割がある．1 つは，アクチン単量体の欠損と追加を防ぐ**キャッピングタンパク質**であり，もう 1 つは**切断用のタンパク質**である．Ca^{2+} 存在下で，ゲルゾリンは F- アクチンを断片化し，反矢じり端（プラス端）への結合を維持し，さらにフィラメントの成長を阻止するキャップを形成する．

F- アクチンは枝分かれ，あるいは長軸方向に成長する．F- アクチンの枝分かれは，7 個のタンパク質からなるアクチン核化複合体である **Arp2／3（アクチン関連タンパク質 2／3** actin-related protein 2／3 より命名）によって**既存**の F- アクチンの途中から開始する．枝分かれするアクチンフィラメントは細胞運動に際して細胞の伸びる先端に集まる．

フォルミン formin は，腸管の微絨毛のような細胞が突出するところで，枝分かれのない F- アクチンの重合を調節する．

微絨毛において，**フォルミン**（高く保存された**フォルミン - 相同領域**，**FH1** と **FH2** をもつタンパク質）は，Arp2／3 複合体の代わりに，**枝分かれしないアクチンフィラメント**を調節する一方，残りは反矢じり端に付着する．フォルミンは**キャップ領域** cap region である絨毛の先端に局在する．

Arp2／3 複合体を活性化するタンパク質，特に**ウイスコット・アルドリッヒ症候群タンパク質** Wiskott-Aldrich syndrome protein（**WASP**）ファミリーの中の 1 つのタンパク質を欠損する男性の患者は，生後からずっと続く遺伝性の免疫不全による反復する呼吸器感染症，血小板減少症（低い血小板数）および生後 1ヵ月後から皮膚の湿疹を呈する．この変異は，異常な遺伝子をもつ健康な保因者である母親から受け継いでいる（Box 1.D）．

微小管（図 1.17）

微小管細胞骨格の機能の多くは，さまざまな構造へと組み込む能力に依存している．微小管は細胞内輸送の有効な経路をつくり，機械的な支持を提供し，細胞の形の決定に寄与し，細胞分裂

基本事項 1.D | 細胞接着分子，細胞間結合および基底膜

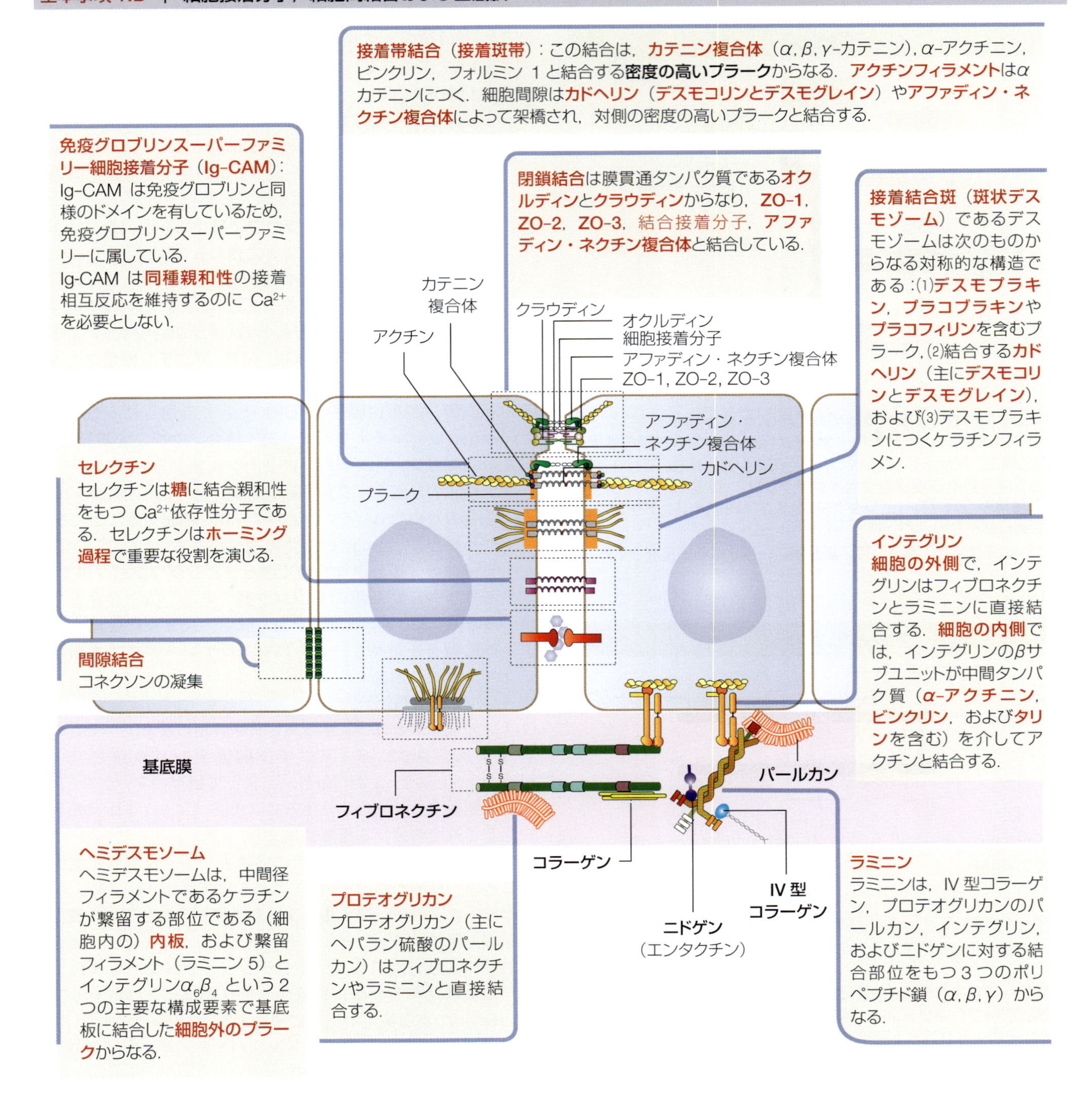

に際して染色体の分離を促進する．

微小管は 2 個の固く結合した**チュブリン分子**，**α-チュブリン**と**β-チュブリン**からなる**チュブリン異種 2 量体** tubulin heterodimer から構成されている．チュブリンサブユニットは**原フィラメント** protofilament とよばれる長軸方向の並びに配列される．

13 個の原フィラメントは互いに隣り合って結合し，中腔の微小管の筒を形成する．**微小管**の直径は **25 nm** である．

アクチンフィラメントと同様に，微小管は構造的に**極性**がある．微小管は**マイナス端**よりも早く成長する**プラス端**を有している．

アクチンフィラメントと比較して，個々の微小管の多くは**ゆっくりとした成長と迅速な脱分極の交互の相**があるようにみえる．この過程は**動的不安定性** dynamic instability とよばれ，3 つの主要な段階からなる：

1. **重合相** polymerization phase で，GTP-チュブリンサブユニットは微小管のプラス端に加わり，**GTP キャップ**がさらなる成長を促進するように集められる．

図 1.15 | 免疫細胞化学

直接免疫蛍光法

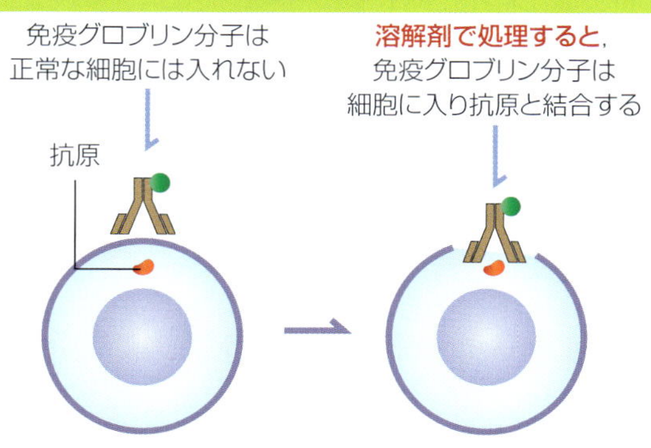

直接免疫細胞化学では，可視化できるマーカーを付加された特異抗原あるいは抗原に特異的に結合親和性のある物質を必要とする．免疫グロブリンに付加された可視化用のマーカーは，**フルオレッセイン**（緑蛍光）や**ローダミン**（赤蛍光）のような蛍光色素である．蛍光顕微鏡でみると，標識構成要素のみが明るい蛍光構造物としてみえる．直接免疫蛍光細胞化学では唯一の反応段階であり，単純な検出法である．

免疫グロブリンに付加された金粒子（電子密度が高い）は電子顕微鏡レベルの免疫細胞化学の標識物質として有用である．

間接免疫蛍光法

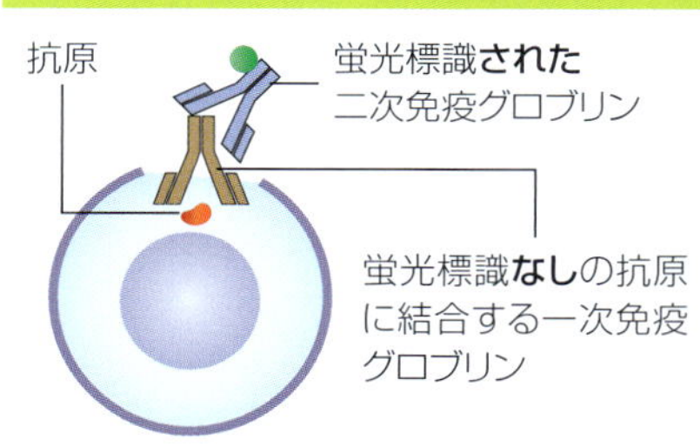

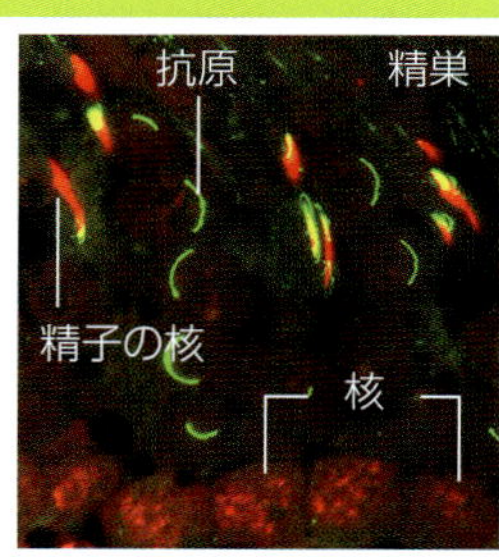

間接免疫細胞化学には，蛍光マーカーをつけた二次抗体がある．この二次抗体は，すでに抗原と結合した標識されていない一次抗体を抗原として結合する．

間接法は 2 つの独立した反応（一次抗体と二次抗体のそれぞれの反応）を必要とし，抗原の同定と局在にとって直接免疫蛍光化学よりも，より特異的であると考えられている（精巣切片を参照．核の赤色の染色は，ヨウ化プロピジウムに相当し，緑色の染色はフルオレッセインで標識された抗原を同定する）．

2. チュブリン結合 GTP から**加水分解されたリン酸（Pi）が遊離**．微小管にすでに存在する β－チュブリンと，入ってきた α／β－チュブリンの異種 2 量体の α－チュブリンの間の相互反応は，少し遅れて GTP の加水分解と Pi の遊離を促す．この遅れは成長端での GTP－チュブリンの豊富なキャップの形成を誘導する．
3. **脱分極相**は，GTP－チュブリンサブユニットが早い割合でマイナス端から遊離される．

成長から退縮への移行は**崩壊**（**カタストローフ** catastrophe）（微小管が短くなるときに）として知られる．退縮から成長への逆の移行は**救出** rescue（微小管は，およそ 20 μm に及ぶ元の長さに戻るときに）として知られる．本質的には，動的不安定性は成長端での GTP キャップの持続的な成長状態と反対の GDP 端での持続的な脱分極の状態の間の微小管の切り替えからなる．

それでは，細胞機能において動的不安定性の目的は何か？

実際，動的不安定性は，細胞分裂に際して，染色体上の動原体が微小管のプラス端を“捕捉する”ことを可能にしている．捕捉することで動原体微小管の動的不安定性を抑制し，染色体は，重合する紡錘体の不可欠な要因となる．

微小管の安定性は**微小管結合タンパク質** microtubule-associated protein（**MAP**）によって修飾されている．MAP は，線毛，鞭毛や中心体の軸糸における微小管を安定化し，同様に，長軸に沿った，あるいは微小管の端の近くでの結合後に崩壊や救出を制御する．

MAP は次の 2 つのグループに分けられる：

1. **古典的な MAP** には MAP1A と MAP1B，MAP2，そして**タウ** tau ファミリーのメンバー（チュブリン－結合タンパク質にとって）がある．
2. **非古典的な MAP** には，Lis1 や DCX ファミリメンバーがある．

MAP は，リン酸化と脱リン酸化によって微小管を安定化する．MAP のリン酸化は不安定化する微小管への結合を阻害する．タウのアイソフォーム（40～50 kd）の存在で，ニューロンの**軸索** axon における微小管はより早く成長し，ゆっくりと短くなり，崩壊に陥る可能性を下げようとする．一方，MAP2 は同じニューロンの**樹状突起** dendrite に限局する．

第 8 章で，**アルツハイマー病** Alzheimer's disease におけるタウのリン酸化と脱リン酸化の意義について論じる．Lis1 の発現が欠損すると**脳回欠損** lissencephaly という重度の発生異常をきたす．

微小管動態は，**スタスミン** stathmin（チュブリンの異種 2 量体を隔離することにより），モータータンパク質の**キネシン** kinesin13 と 8（微小管の周りにリングを形成する），そして**カタニン** katanin（微小管を小さな断片に分解する ATPase）によって抑制されうる．

Box 1.D | ウイスコット・アルドリッヒ症候群

- Arp2／3 複合体はアクチンフィラメントの枝分かれした網工の凝集の核となる必要がある．貪食細胞や血小板の機能は機能的アクチン細胞骨格に依存する．
- Arp2／3 複合体と結合して，活性化する 2 個の主要なタンパク質はウイスコット・アルドリッヒ症候群のタンパク質（WASP）ファミリーを含み，いくつかの構成要素からなる（WASP，神経 WASP [N-WASP] と SCAR／WAVE1-3 [cAMP 受容体／WASP ファミリーベルプロリン相同タンパク質の抑制]）．WASP 活性化の主要な制御因子は，Rho ファミリーGTPase 細胞分裂サイクリン 42（Cdc42）である．
- WASP をコードする *WAS* 遺伝子の変異は，ウイスコット・アルドリッヒ症候群（WAS）を引き起こす．この疾患は，重症の程度はさまざまで，まれな X- 連鎖原発性免疫不全症であり，サイズの小さな血小板減少症，湿疹，自己免疫疾患，反復性感染症やリンパ腫が発達しやすい体質で特徴づけられる．WAS をもった患者の T 細胞は T 細胞受容体（TCR）刺激に反応して正常な増殖ができない．

図 1.16 | 小腸の微絨毛（刷子縁）

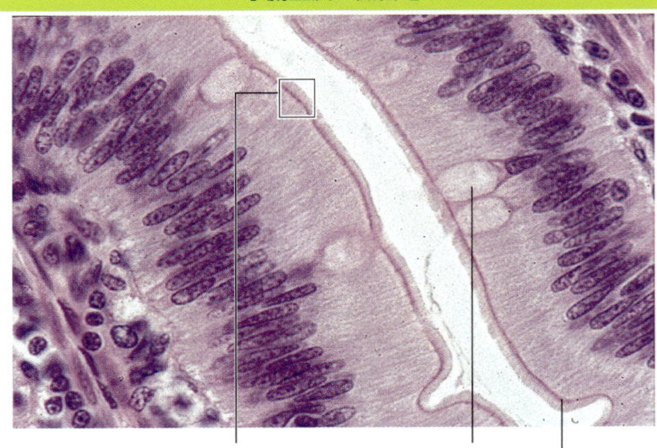

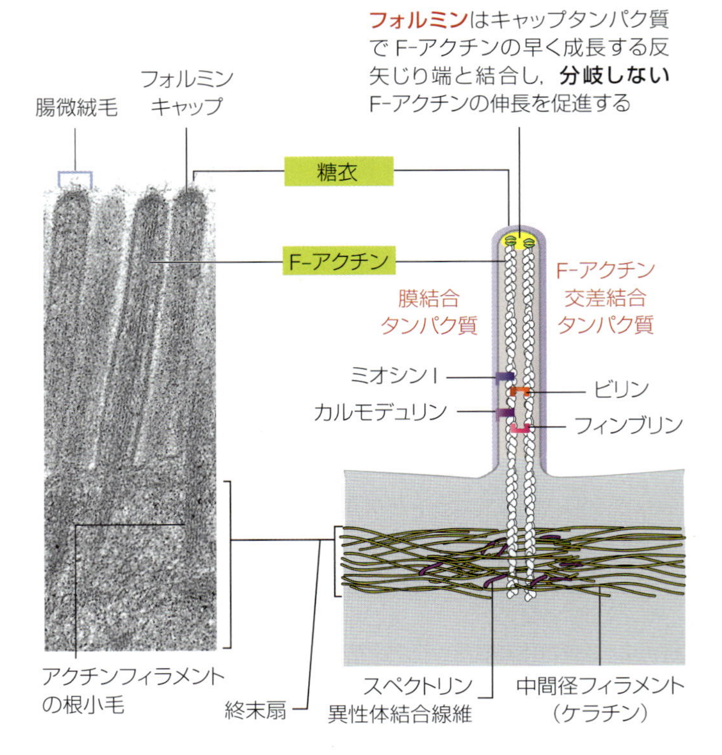

中心体（図 1.17）

細胞内の主要な微小管形成センターと微小管核化センターにかかわる**2つの各中心体**は，**微小管形成センター** microtubule organizing center（**MTOC**）によって囲まれた**1対の中心子**（母中心子と娘中心子）からなる．MTOCは，**ペリセントリン** pericentrin，特別なチュブリンアイソフォームである**γ-チュブリン**や **GMAP210**（210 kd のゴルジ微小管関連タンパク質）のようなタンパク質の豊富な無定形で電子密度の高い物質である．

中心体は4つの主要な機能をもっている：

1. 中心体はチュブリンサブユニットを微小管の重合体を核とする．
2. 中心体は微小管を，例えば，紡錘体のような機能単位に編成する．
3. 母と娘中心子からなる1対の中心子は，いったん細胞周期に入ると複製され，細胞分裂に備える．個々の中心子は娘中心子をつくる．それゆえ，2つの新しい娘中心子になる．前の娘中心子は新しい母中心子となる．その他の前の母中心子は，古い母中心のままである．それゆえ，新しい娘中心子と結合した"古い"母中心子や，他の新しい娘中心子に結合した"新しい"母中心子がある．
4. 中心体の中心子は，複数または単一の線毛の始まりである基底小体前駆体をつくる．

特に数の増加につながる中心体の異常はヒトの腫瘍において頻繁に起こり，進行型の腫瘍や転移にかかわっている．それゆえ，**中心体の増幅**は細胞が正常な分裂紡錘体を集合させることを阻害することで致死的な効果をもつ一方，腫瘍発生の能力をも高めている．

中心体は，**分裂中心**の一部で，**分裂紡錘体**とともに**分裂**（あるいは**減数分裂**）**装置**を構成している．

個々の**中心子**は，螺旋状に並んだ**9個の微小管の三つ組**からなる小さな筒（0.2 μm 幅で，0.4 μm 長）である．動的不安定性を示す大部分の細胞質微小管と比べて，中心子の微小管は非常に安定である．

間期の間，中心子は互いに直交する位置にある．分裂の前に，中心子は複製して，**2対**となる．分裂期に，個々の対は細胞の対極にみられるようになり，**分裂**あるいは**減数分裂紡錘体**の形成に向かう．

個々の中心体から伸びる微小管には3つの型がある：

1. **放射状**あるいは**星状の微小管**は，個々の中心体から細胞膜に繋留する．
2. **動原体微小管**は，染色体と結合した動原体から中心体に繋留する．
3. **極性の微小管**は，反対側の中心体に位置する紡錘体の2つの極から伸びる．

動原体は，細胞分裂あるいは減数分裂中にセントロメアのDNA上に集まるいくつかのタンパク質によって形成される．セントロメアは動原体が集まる染色体の部位である．もし動原体が集まることに失敗すると，染色体は適切に分離することができない（Box 1.E）．

中心子近傍の物質には，**ペリセントリン**を含む**γ-チュブリン環状複合体**や，たくさんのタンパク質がある．個々のγ-チュブリン環状複合体は1個の微小管の重合と成長のための重合の核となる領域あるいは鋳型である．

中心子は中心体における微小管の重合核における直接的な役割はない．チュブリン2量体はα-チュブリンサブユニットによってγ-チュブリン環に結合する．その結果，個々の微小管のマイナス端は中心体に向く．成長端であるプラス端は外側に位置し，細胞質で自由である．

基本事項 1.E ｜ アクチン微小フィラメント：重合と脱重合

F-アクチン重合と脱重合

β4-チモシンは G-アクチンを貯蔵プールに隔離する

プロフィリンは ATP G-アクチンと結合し，フィラメントの重合を制御する

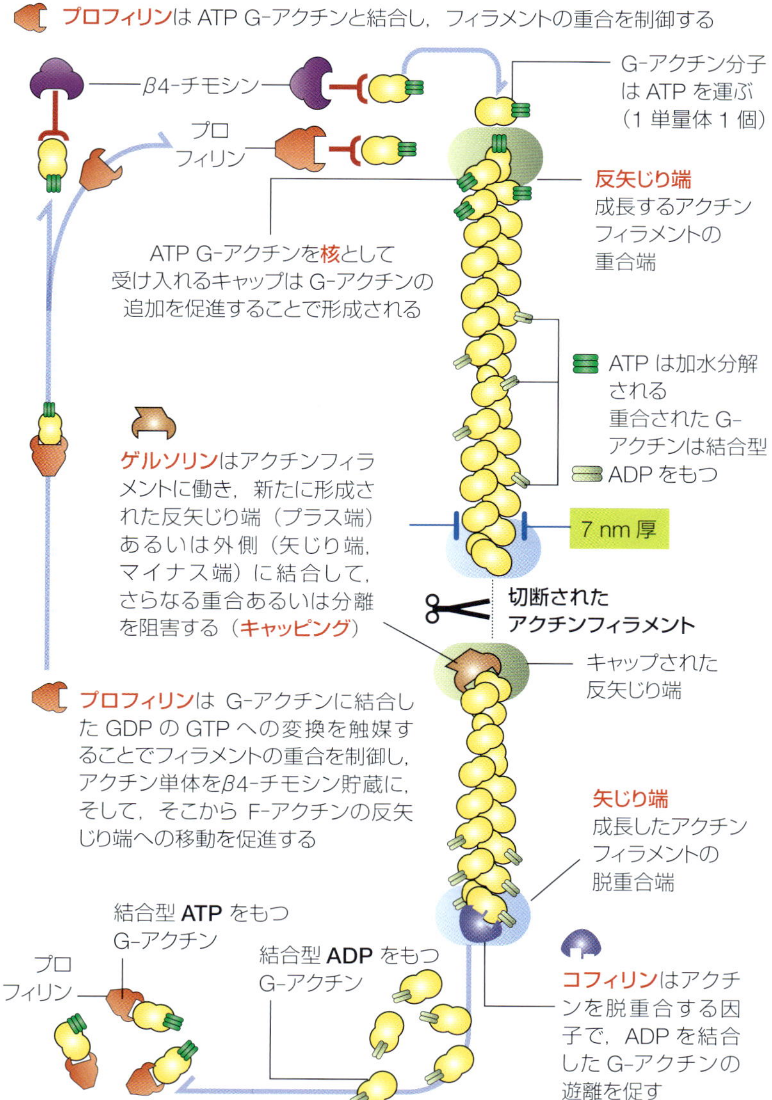

トレッドミルはアクチンフィラメントの長さを維持するため、重合と脱重合間の動的な平衡状態である．トレッドミルのアクチンフィラメントは，反矢じり端で ATP 結合型 G-アクチン単体を有している．一方，矢じり端の G-アクチン単体は ADP 結合型である．

Arp2/3 依存性分岐 F-アクチン網

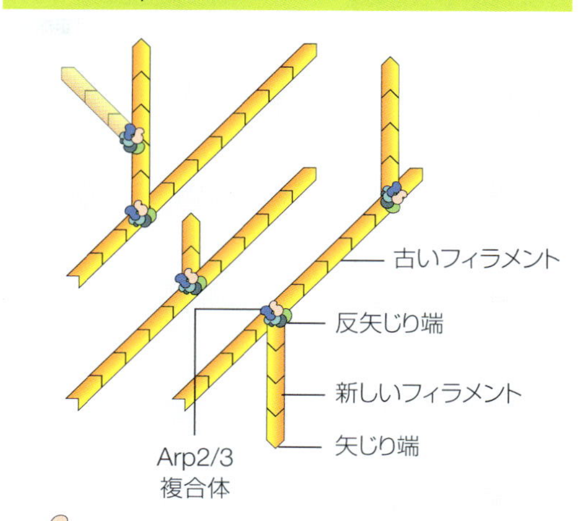

Arp2/3 は 7 つのタンパク質の複合体であり，既存のフィラメント外側から F-アクチンの成長を開始する．Arp2/3 はフリーになっている反矢じり端（プラス端）で重合して枝を成長させる．Arp2/3 は古くなったフィラメントの外側につく

フォルミン依存性直線状 F-アクチン網

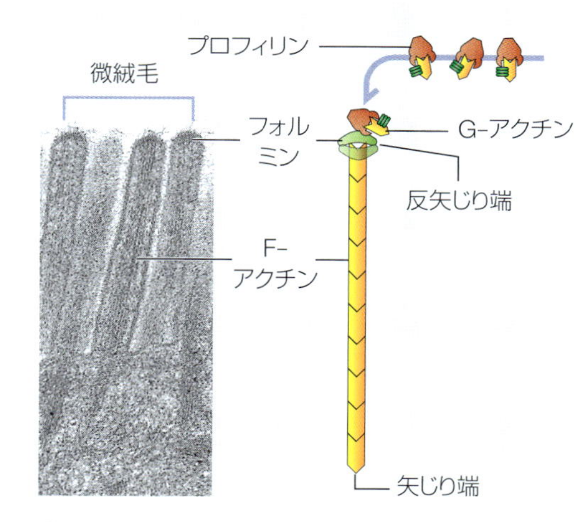

フォルミンは共通の FH2 ドメインをもっている．2 つの FH2 ドメインはアクチンフィラメントの反矢じり端でリングを形成している．このフィラメントは，プロフィリンが標的としている ATP 結合 G-アクチン単体を反矢じり端に加えることで線状に成長する

F- アクチン阻害剤

サイトカラシンは速い成長端（反矢じり端）と結合して，G-アクチンがさらに付加されるのを妨げる．サイトカラシンキャップが形成される．サイトカラシンは**菌類** fungi でつくられるアルカロイドである

ファロイディンはアクチンフィラメントと結合して脱重合を防ぐ．蛍光標識したファロイディンは細胞中の F-アクチンを染色するのに使われる．ファロイディンはキノコの *Amanita phalloides* でつくられるアルカロイドである

ラトルンクリンは G-アクチンと結合し，直接 F-アクチンの脱重合を引き起こすことで F-アクチンを妨げる．ラトルンクリンはアカカイメンの *Latrunculla magnifica* に由来する

反矢じり端　　　　矢じり端

図 1.17 | 微小管：重合と脱重合．有糸（減数）分裂の装置

微小管の形成と分解

チュブリン異種 2 量体 [β-チュブリン GTP / α-チュブリン GTP]

GTP キャップはチュブリン 2 量体をさらに付加できる

より速い成長端 ＋プラス端

大部分の微小管は，**動的不安定性**として知られる過程である遅い成長と速い脱重合の入れ替わる相にある

直径 25 nm

微小管は，中心のチャネルあるいは管腔の周りを **13 個の同心円状に配列されたチュブリン分子**によってつくられる中空で極性のある筒である

より遅い成長端 －マイナス端

プロトフィラメントは，長軸に沿ってチュブリンサブユニット α と β が交互に，垂直で直線状に配列したものである

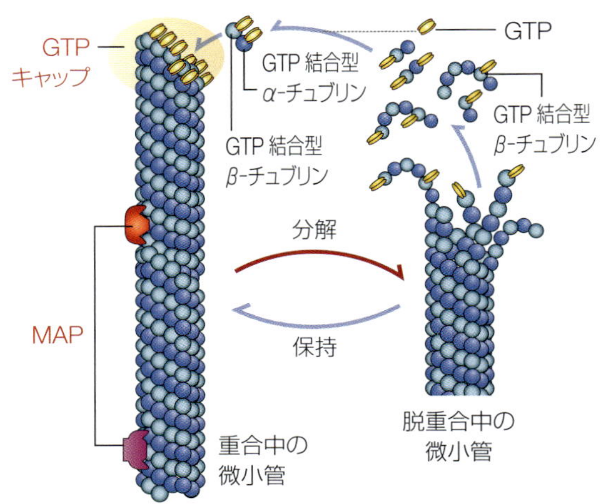

チュブリンの重合と脱重合の周期は GTP に結合した β-チュブリンの加水分解によって始められ，その結果，微小管が分解されたり保持されたりする．GTP 結合チュブリン異種 2 量体は成長する微小管に取り込まれる．GTP-チュブリン異種 2 量体が成長する微小管の先端に取り込まれた後で，GTP の加水分解が遅れて起こる．そのような遅れが，微小管の成長端で GTP キャップを保持することになる．微小管結合タンパク質（**MAP**）は微小管の安定化を制御している．

有糸分裂（減数分裂）装置

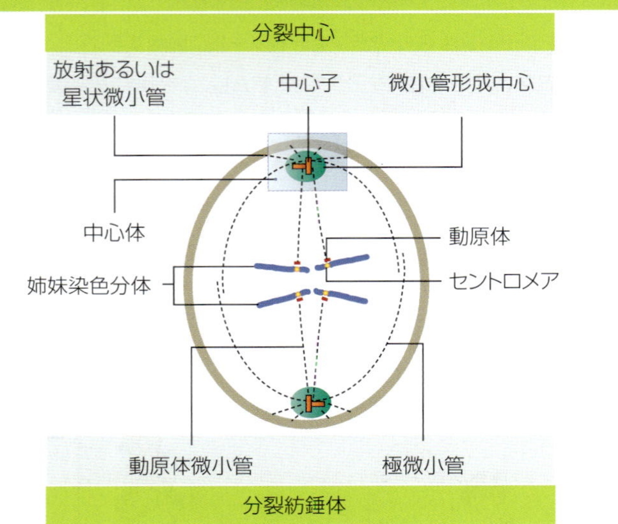

有糸分裂（あるいは減数分裂）装置は以下の 3 つの構成要素からなる：2 つの**分裂中心**（中心体）と**分裂紡錘体**．

個々の分裂中心の 3 つの構成要素は，1 対の**中心子**と**放射状にあるいは星状に伸びる微小管に取り囲まれる微小管形**成中心であり，それが紡錘糸の配分に役立つ．

分裂紡錘体は分裂中心に由来する 2 つの主要なクラスの微小管からなる：1 つは**動原体微小管**で，**セントロメアの動原体**に付着し，娘染色体を分離移動する．そしてもう 1 つは**極微小管**で，細胞の中心に互いに重複して存在し，染色体にはつかない．

セントロメアと動原体

セントロメア ヘテロクロマチン

CENP-A CENP-C

動原体微小管

外側動原体層

内側動原体層

セントロメア

セントロメア（着糸点）は動原体が集まる染色体の領域である．セントロメアは異染色体として組み込まれたコードされていない DNA 染色体の領域である．セントロメアのクロマチンのヌクレオソームはヒストン 3 変異セントロメアのタンパク質 A（**CENP-A**）を含んでいる．

セントロメアの異染色体表面に集まった動原体は **CENP-C** タンパク質によって結合された内側と外側の動原体層から構成される．動原体の微小管は外側の動原体層のタンパク質に付着する．

軸糸（図 1.18）

母中心子は，遠位の付属物を介して細胞膜に付着する**基底小体**になるために修飾される．その結果，**軸糸** axoneme は基底小体から伸展し，線毛あるいは鞭毛を形成する．

基底小体の多くは，9 個の三つ組の筒，遠位下の付属物，線毛の基部で膜に結合する 9 個の遠位付属物，あるいは移行線維からなる．

軸糸は，中心の微小管対を取り囲む 9 個の末梢の微小管 2 つ組（ダブレット）から構成される．この配列は 9 + 2 の形状として知られる．それぞれの末梢のダブレットは，1 本の完全な微小管（**13 本の原フィラメント**を有する **A 小管**とよばれる）と部分的に完成し，その壁を共有する第 2 の微小管（**10〜11 本の原フィラメント**をもつ **B 小管**とよばれる）からなる．

A 小管から内側へ伸びるのは中央の微小管対の周りの不定形な**内側鞘**に入り込む**放射状スポーク**である．隣接する末梢のダブレットはタンパク質**ネキシン** nexin によって結合する．

A 小管の側部から突出するのは，タンパク質の腕のセットであ

図 1.18 | 軸糸

軸糸の横断面

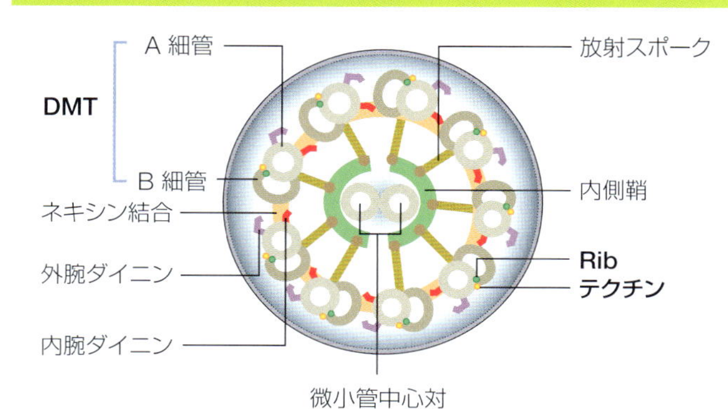

内側鞘と**放射スポーク**の主要な役割の 1 つは，軸糸の曲がりを安定化させることである．**テクチン**（A，B および C）と**リボン**（Rib）**原フィラメント**は **2 本組微小管**（DMT）に沿って伸びるフィラメント状のタンパク質である．ネキシンと結合とともに，テクチンとリボンは軸糸の微小管を安定化させるために足場を備えている．

線毛の横断面

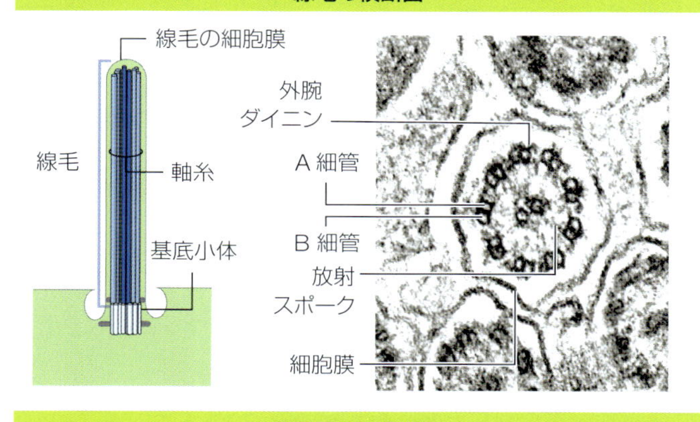

精子尾部の横断面

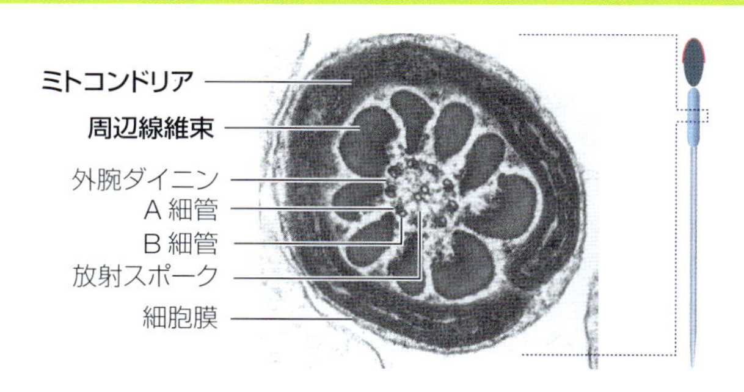

る：微小管結合アデノシン三リン酸脱リン酸酵素（ATPase）である**ダイニン** dynein の**内側腕**と**外側腕**である．ATP の存在下で，末梢のダブレットは相対的に滑り込んで線毛や鞭毛を折り曲げる．微小管の滑り込みと折りたたみはその運動の基本的な事柄である．

軸糸はどのように構成されるか？**鞭毛内の輸送** intraflagellar transport（IFT）系の構成要素によって構築され，維持されている．**基本事項 1.A** を復習するとよい．

微小管標的物質（図 1.19）

すでに述べたスタスミン，キネシン 13 と 8，そしてカタニンなどの微小管不安定化物質に加え，医学的に関連のある**微小管標的化物質** microtubule-targeting agent がある．2 つのグループの微小管標的化物は微小管の動態を抑制することで細胞増殖を抑制し，アポトーシスによる細胞死を促進する．

1. **微小管不安定化物質** microtubule-destabilizing agent（MDA）は微小管の重合を阻害する．
2. **微小管安定化物質** microtubule-stabilizing agent（MSA）は動的不安定性を抑制することにより微小管の機能に影響する．

微小管依存性の軸索流の破壊（微小管の欠損やモータータンパク質の微小管への結合の欠損）や骨髄機能抑制に由来する神経毒性は，微小管標的化薬剤の 2 つの副作用である．

MDA グループは，**コルヒチン** colchicine，**ビンブラスチン** vinblastine，**ビンクリスチン** vincristine および**マイタンシン** maytansine を含む．コルヒチンは β－チュブリンと α－チュブリン間を結合する．ビンブラスチンとビンクリスチンは隣り合う α／β－チュブリンの異種 2 量体間のスペースを占める．そしてマイタンシンは β－チュブリンに結合する．このようにして，これらの薬剤は微小管の重合や原フィラメントの伸長を阻害する．

コルヒチンは臨床的には痛風の治療に使用される．ビンクリスチンやビンブラスチンはツルニチニチソウという植物の葉から分離されたビンカアルカロイド（ニチニチソウアルカロイド）で，小児の血液悪性腫瘍（白血病）で有効に使われてきた．

MSA グループは逆の効果をもつ**タキソール** taxol（キナの木の樹皮から分離される）を含む．微小管の管腔側で縦方向と外側の接触に沿って位置する β－チュブリンに結合した後で，微小管の重合を阻害する代わりに微小管を安定化させる．タキソール（パクリタキセル）は乳がんや卵巣がんの治療に広く使われてきた．ビンカアルカロイドと同様に，その主要な副作用は，神経毒と造血の抑制である．

線毛関連疾患

細胞には，腎臓にみられるような 1 個の不動の（一次）線毛と，呼吸器上皮にみられるような複数の線毛があり，線毛や鞭毛の主な構成要素は基底体と軸糸であることを覚えておくように．

線毛は，呼吸上皮に観察されるように，活発に動くか，視細胞や嗅神経細胞にみられるように不動である．

不動毛の機能は，環境あるいは線毛の膜にある受容体やチャネルの装置によって他の細胞からのシグナルを変換することである．

この章の前半では，ヘッジホッグシグナル系の構成要素がどのように不動毛の線毛膜にかかわり，機能するのかを学んだ．

第 14 章では，不動毛の膜に局在するポリチスタチンタンパク質の役割は（後）腎管の発生と尿の流れを制御すること，さらに**多発性嚢胞腎** polycystic renal disease（PKD）における腎管や尿路形成に対する作用について論じる．

線毛による運動は，呼吸経路の粘液や残滓の除去，卵管に沿った卵子の動き，脳室の脳脊髄液の循環，そして胚子における内臓の左右非対称を決定するのに重要である．受精は精子が鞭毛の屈

図 1.19 | 微小管標的物質

微小管安定化および不安定化剤

β-チュブリン
α-チュブリン

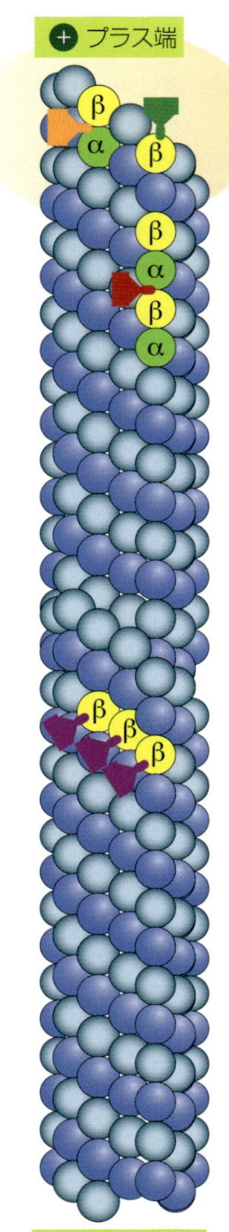

マイナス端

コルヒチンはα／β-チュブリン 2 異種 2 量体の 2 つの構成要素の間に入り，微小管のプラス端への重合を阻害する．

ビンブラスチンと**ビンクリスチン**（ビンカアルカロイド），これらは抗腫瘍剤として使われているが，近接するα／β-チュブリンの異種 2 量体の間のスペースに楔を打ち込むことでチュブリンの重合を阻害し，真っすぐな原フィラメントの形を避ける．

植物から単離された**メイタシン**は微小管のプラス端でβ-チュブリンと結合した後でチュブリンの重合を阻害する抗腫瘍剤である．この物質は，原フィラメントの伸長を阻害することで微小管の動態を抑制する．メイタシンは全身に働く強い毒性を有している．

タキソール（タキサン族の一員）は微小管に沿って腺腔側の微小管に位置するβ-チュブリンに結合する．タキソールは長軸のそして／あるいは外側のチュブリン結合を安定化し，その脱重合を阻害する．タキソールは，染色体を娘細胞へ分離するのに必要とされる分裂紡錘糸の動的な重合・脱重合に影響することで分裂を阻止する．

抗分裂剤は重合と脱重合剤として分裂紡錘糸の微小管の動態に影響する．しかしながら，微小管は，細胞の動き，極性および細胞内の輸送にとって重要である．微小管毒は微小管の動体と重合に影響して，微小管の重合（ビンカアルカロイド）あるいは脱重合（タキサン）を阻害する．

軸索輸送が障害されることで引き起こされる重篤な副作用（末梢神経症のような）や薬剤耐性はそれら薬剤の臨床上の使用を制限してきた．

Box 1.E | 中心体，セントロメア（着子点）と同原体

- 中心体，セントロメアや同原体は，用語として，しばしば同義的に使われているが，同じ事柄を意味しているわけではない．
- セントロメア（中心体ではなく）は紡錘体の微小管とかかわりのある染色体領域である．セントロメアは，分裂中期の狭いクロマチン領域として細胞学的に認められ，セントロメア DNA が存在する一次収縮として知られている．
- 同原体は，姉妹染色同体のセントロメアクロマチンに集合する大きな多タンパク質複合体で構成される．同原体の集合体，セントロメア DNA 配列の存在に絶対的に依存している．セントロメアと同原体は，紡錘体の同原体微小管を染色体に付着させるのに働く．

曲運動を使って卵管の卵子に到達することに依存している．

このように，線毛と鞭毛の機能は多岐にわたるため，欠損すると**線毛関連疾患**として知られるさまざまな機能異常を引き起こすことを示している．

線毛関連疾患は次のことで決まる．

1. **基底小体の形成および／または線毛の区画の構成要素における役割を有する異常な線毛のタンパク質**．例えば，線毛の構成要素の鞭毛内輸送にかかわるタンパク質（IFT80，特に）の欠損によって惹起される**ジューヌ窒息性胸郭形成不全** Jeune asphyxiating thoracic dystrophy（JATD）そして**バルデー・ビードル症候群** Bardet-Biedl syndrome（BBS）である（Box1.F）．

   JATD 患者の多くの小児の命を危うくする主要な呼吸条件は，成長と肺の広がりを制限する非常に狭い胸郭である．

   JATD は，線毛の正常な重合，あるいは機能に必要とされる正常で鞭毛内輸送機能に必須である遺伝子における変異によって決定される．
2. **線毛の機能に必要とされる非線毛タンパク質の破壊**．例えば，**一次線毛運動障害** primary ciliary dyskinesia（PCD）に含まれるダイニンの外側腕に対する細胞質重合因子がある．

カルタゲナー症候群 Kartagener's syndrome は，ヒトの**気管支拡張症**（気管支や細気管支の永久的拡張）と**不妊症**にしばしば関係する**常染色体潜性線毛運動障害**である．

カルタゲナー症候群は軸糸の構造異常（**ダイニンの欠損または欠落**）の結果であり，呼吸路の粘液線毛除去を阻害したり（持続感染を結果する），精子の運動や卵管における卵子の輸送（不妊症となる）を減少する．

担体輸送とモータータンパク質（基本事項 1.F）

小胞や非小胞担体の輸送は微小管や F- アクチンに沿って生じる．

特異的な分子モーターは，微小管と F- アクチンと結合して，担体を特別な細胞内の場所に運ぶ．**微小管に基づく分子モーターには，担体の長い輸送のためのキネシンや細胞質ダイニンがある．**

F- アクチンに基づく分子モーターは，担体の距離の短い輸送に自由なミオシン Va と VIIa を含んでいる．第 11 章で，**メラノソーム** melanosome の輸送に際しての F- アクチンに基づく担体の輸送機構の追加事項について論じる．

哺乳類の微小管に基づく担体の輸送の例を次に挙げる．

1. **鞭毛内輸送**には軸糸に沿った鞭毛と線毛（**線毛内の輸送**）がある．
2. **軸索輸送**は，ニューロンにおける軸索の微小管に沿って生じる．
3. **マンシェット内の輸送**は，精子の頭部が伸長する間に集まる一過性の構造であるマンシェットの微小管に沿って生じる（第 20 章参照）．

線毛内輸送（基本事項 1.A，1.F）

線毛のタンパク質は，ゴルジ装置あるいはサイトソルから線毛の基部に向かって輸送され，その後で，これらのタンパク質は線毛の区画に輸送される．

すでに述べたように（基本事項 1.A），線毛タンパク質の細胞質から線毛の先端までの輸送は**鞭毛内輸送** intraflagellar transport（IFT）機構によって行われる．

IFT は軸糸（ダブレット微小管［DMT］の B 微小管と上側に重なる線毛の細胞膜の間にある）に沿って多数のタンパク質からなる複合体（**IFT 粒子**とよばれる）の双方向性移動で構成される．

線毛の先端（**順行性方向** anterograde direction，微小管のプラス端に向かう）に沿って担体タンパク質の移動は，**モータータンパク質** motor protein のキネシン -2 によって促進される．担体タンパク質は，**モータータンパク質細胞質ダイニン -2** によって細胞体に戻される（**逆行性方向** retrograde direction，微小管のマイナス端に向かう）．

線毛において IFT 粒子には 2 個の異なる複合体がある．**IFT 複合体 A** の構成要素は**逆行性輸送**にかかわる一方，**IFT 複合体 B** の構成要素は**順行生輸送**に貢献する．付属のモジュールには**バルデー・ビードル症候群**（**BBS**）タンパク質（**BBSome**）があり，逆行性 IFT と線毛の遠位付属物を介する担体の輸送を促進する．

線毛の基部に**移行ゾーン**という選択的ゲートがあり，そこには，細胞膜と直接結合する**遠位付属物**によって基底小体が繋留されている．選択的ゲートは 1 個あるいはそれ以上の線毛タンパク質の通過を制御している．

順行性の動きの間は，キネシン -2 が活性であり，逆行性のモーター分子であるダイニン -2 は不活性のままであるため，順行性の移動は妨げられない．線毛の先端で，キネシン -2 はチュブリン異種 2 量体を含む軸糸タンパク質の担体を切り離し，細胞質ダイニン -2 が活性化して，細胞体に向かって逆行性輸送に着く．

遠位の付属の構成要素をコードする遺伝子の異常は，一連の線毛異常疾患を引き起こしうる．例としては，嚢胞腎症である**ネフロン癆** nephronophthisis，多指症や頭蓋顔面異常によって特徴づけられる**口顔面指症候群** orofaciodigital syndrome，水頭症や脳先天異常あるいは**ジュベール症候群** Joubert syndrome にみられるような軽度の線毛障害性疾患によって特徴づけられる周産期致死症候群である，**水症致死症候群** hydrolethalus syndrome で，小脳虫部や脳幹を含む脳の構造異常発生によって定義される．ジュベール症候群の多くの幼児は，この時期に**筋緊張低下** hypotonia（低筋緊張）を呈し，**歩行障害** ataxia（協調運動が困難）を引き起こす．

移行ゾーンのタンパク質はポリチスチン 1 と結合する膜貫通タンパク質であるポリチスチン 2 の線毛への局在を可能にしている（第 14 章参照）．実際，ポリチスチン 1 あるいはポリチスチン 2 のどちらの異常の場合もヒトで**常染色体顕性多発性嚢胞腎** autosomal dominant polycystic kidney disease（**ADPKD**）を引き起こす．

基本事項 1.A はヘッジホッグシグナルが線毛の機能と強く結合した経路の 1 つであることを示している．線毛への膜タンパク質 SMO の局在異常は線毛障害性疾患と関係したたくさんの発達異常を占めている．BB 症候群や**メッケル症候群** Meckel syndrome の神経管以上のような症候性の線毛異常症と関係したいくつかの発生異常は線毛のヘッジホッグシグナルの異常に由来する．

軸索（ニューロンの）輸送（基本事項 1.F）

軸索は，神経インパルス伝導する場であり，神経細胞の細胞質が伸びた突起である．ニューロンの細胞体で産生された**神経伝達物質**を含む膜で囲まれた小胞は軸索の終末部まで送られ，そこで小胞の内容は**シナプス**で放出される．

微小管の束は軸索の中でこれらの小胞を運ぶための線路を形成する．小胞は 2 つのモータータンパク質である**キネシン** kinesin と**細胞質ダイニン** cytoplasmic dynein によって運搬される．

キネシンと細胞質ダイニンは 2 種類の細胞内輸送運動にかかわる：

1. **跳躍運動** saltatory movement は，ミトコンドリアと小胞の連続的で，定まらない動きによって定義される．
2. **軸索輸送** axonal transport は，膜に結合した構造物のより直接的な細胞内移動である．

キネシンと細胞質ダイニンは 2 個の ATP- 結合頭部と尾部をもつ．エネルギーは頭部に存在する ATPase により連続的な ATP 加水分解に由来する．頭部領域は微小管と結合し，尾部は小胞やオルガネラの表面の特異的な受容体結合部位と結合する．

キネシンは ATP の加水分解からエネルギーを使って細胞体から軸索の終末に向かって小胞を動かす（**順行性輸送** anterograde transport）．細胞質ダイニンも ATP を使って小胞を反対の方向に動かす（**逆行性輸送** retrograde transport）．

ミオシンモータータンパク質（基本事項 1.G；図 1.20）

細胞が分子モーターを使って担体を動かすのをみてきた．それに加えて，アクチン－ミオシン連絡網は細胞内運動を協調して実行する．

ミオシンファミリータンパク質のメンバーは ATP と結合し加水分解し，マイナス端からプラス端にアクチンフィラメントに沿ったミオシンの動きのためにエネルギーを供給する．**ミオシン I** と**ミオシン II** はミオシンファミリーの主要なメンバーである．

ミオシン I は**通常ではない**ミオシンとしてみなされるが，すべての細胞種で見出せるし，ただ 1 つの頭部と尾部を有している．頭部はアクチンフィラメントと結合し，ATPase を有している．この ATPase はミオシン I をフィラメントに沿って動かし，結合，分離，そして再結合させる．尾部は，小胞やオルガネラと結合する．

ミオシン I がアクチンフィラメントに沿って動くとき，小胞あるいはオルガネラも移動することになる．ミオシン I 分子はミオ

Box 1.F ｜ バルデー・ビードル症候群

- バルデー・ビードル症候群（BBS）は多面的な（多システムの）疾患であり，加齢性網膜萎縮症，肥満，多指症，腎形成不全，生殖器系異常，および学習障害を含んでいる．
- BBS は基底小体と線毛の疾患で，微小管に基づく輸送機能障害（線毛内輸送）に起因し，基底小体，線毛や鞭毛（鞭毛内輸送）の集合，維持，および機能に必要とされる．
- 8 個の BBS 遺伝子（*BBS1-8*）が同定されている．BBS の臨床的な変異性の程度は十分にわかっていない．

基本事項 1.F | 線毛内および軸索担体輸送

線毛のシグナル：線毛内輸送

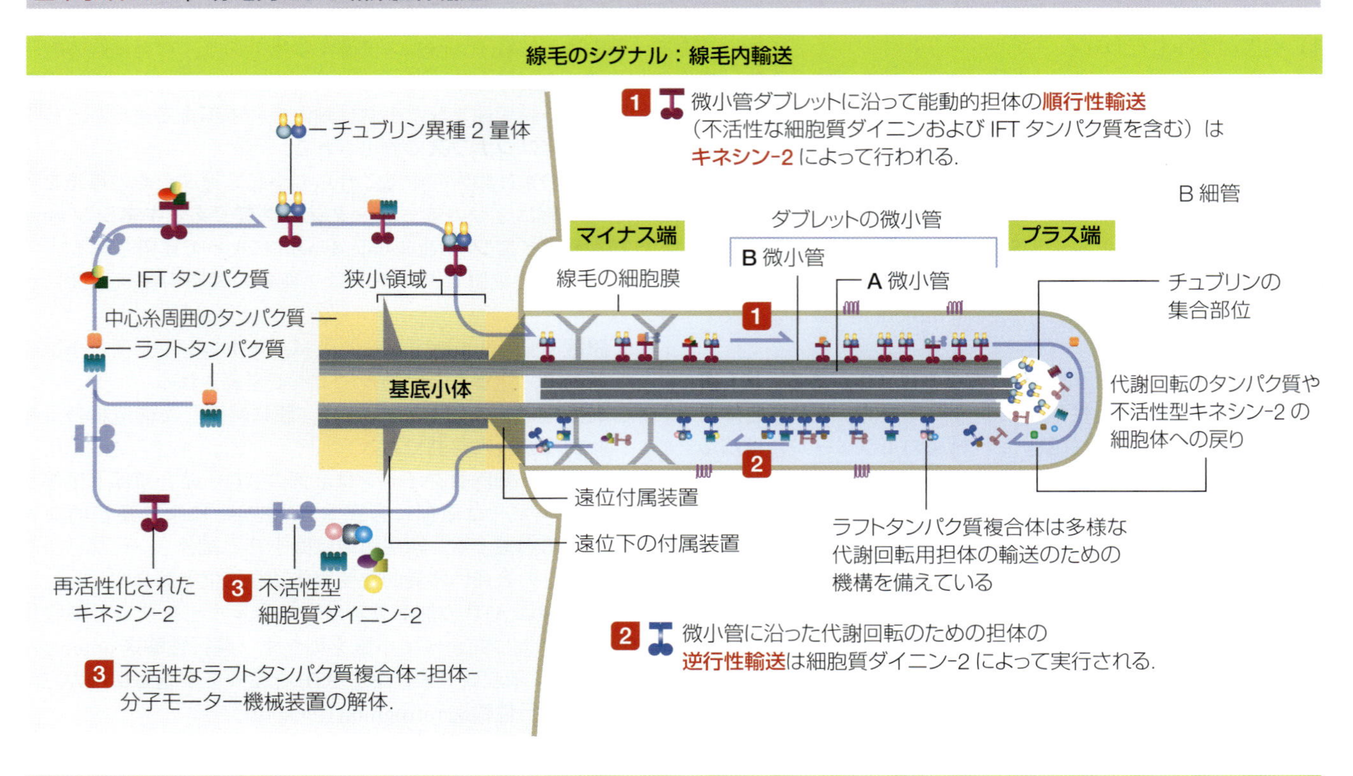

ニューロン：軸索輸送

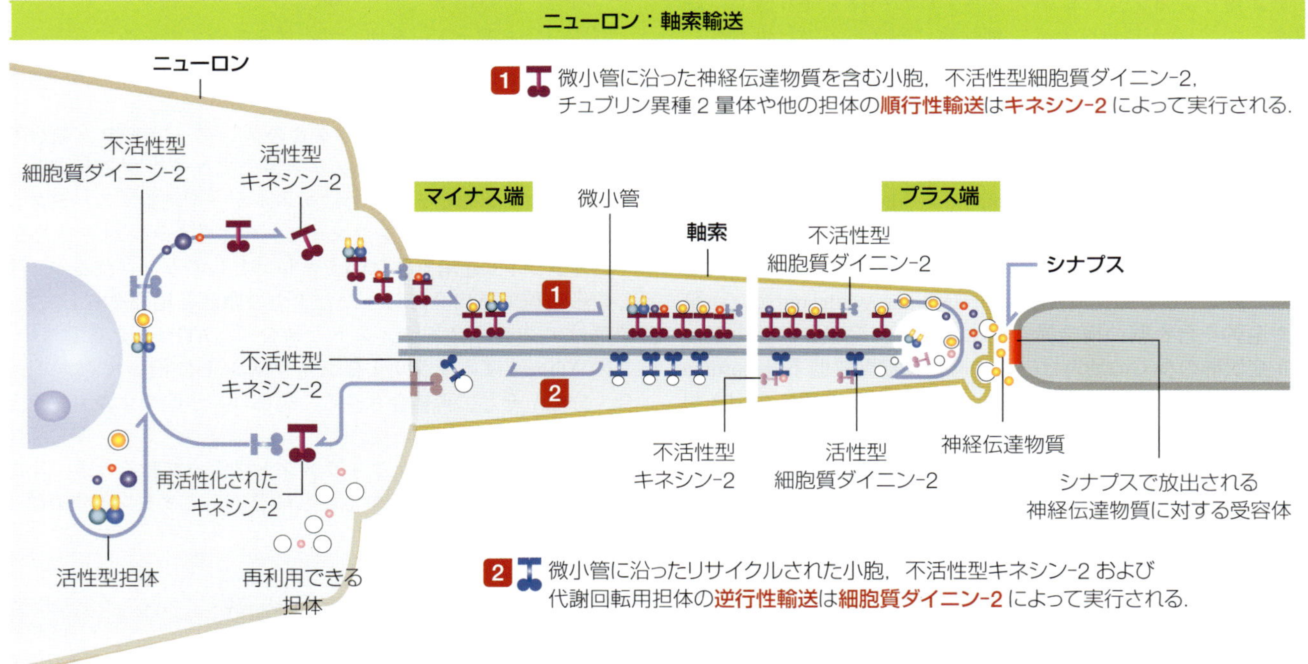

シン II 分子より小さく，長い尾部を欠き，2 量体を形成しない.

ミオシン II は通常あるミオシンで，筋細胞や非筋細胞に存在する.

ミオシン II は 1 対の同一分子からなる．それぞれの分子は ATPase を含む頭部と長い棒状の尾部で構成されている．2 量体の尾部は，全長にわたって互いに結合し，二本鎖のコイル状の棒を形成している．ミオシン II の尾部は自己凝集して，2 量体，3 量体や中心線から離れて存在する頭部をもつ 2 極性のフィラメントを形成する.

一緒に結合するが反対の方向を向いている 2 個の頭部は，対極の隣接するアクチンフィラメントに結合する．F- アクチンに結合した個々のミオシン頭部はプラス端に向かって動く．その結

基本事項 1.G ｜ ミオシンモータータンパク質

ミオシン II

F-アクチン

アクチン結合および ATPase ドメイン．ミオシン II の頭部は運動の動力源を備えている．ATP はアクチンフィラメントに沿ったミオシン頭部の運動を制御する

軽鎖

ミオシン II は長い（150 nm）α-ヘリックスコイルドコイル尾部をもっている．この尾部はいくつかの分子に働いて，大きな二極性の凝集体あるいはフィラメントに自己凝集させる

自己凝縮領域

単量体

2 量体

4 量体

ミオシン II 分子の双極性凝集

特定の領域におけるミオシン II のタンパク質限定分解

サブフラグメント S1

タンパク質分解を受ける頭部と尾部の接合部

重メロミオシン（HMM）

タンパク質分解を受ける尾部の断端

軽メロミオシン（LMM）

筋収縮の基本

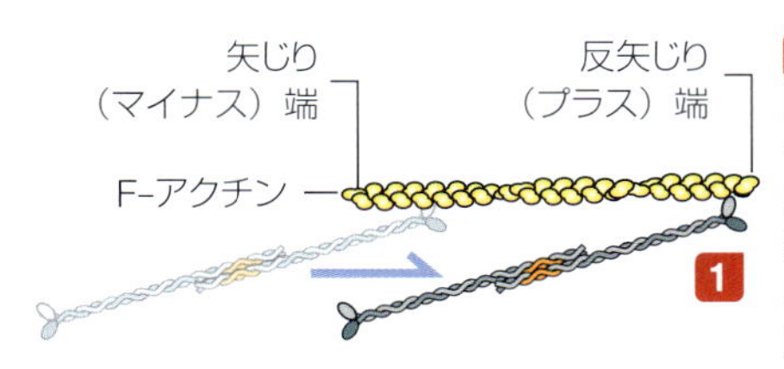

1 ミオシン II は反矢じり端に向かって，F-アクチンに沿って移動する．頭部は反対方向に移動することに注意せよ．

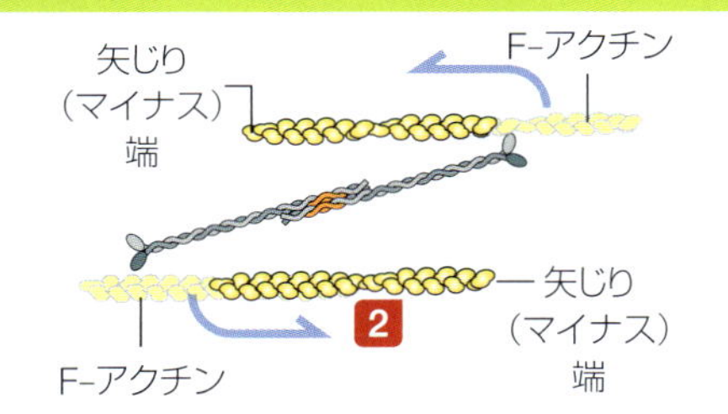

2 **2 つの隣り合う F-アクチンフィラメント**が二極重合体のどちらの端側において結合しても，F-アクチンは反対側に動くことになる（収縮）．

ミオシン I

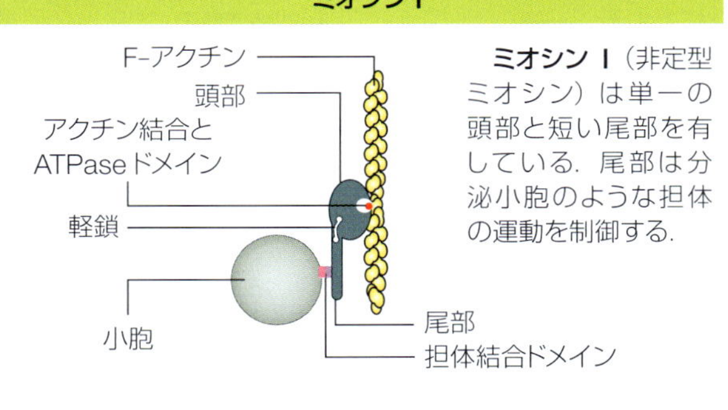

ミオシン I（非定型ミオシン）は単一の頭部と短い尾部を有している．尾部は分泌小胞のような担体の運動を制御する．

ミオシン V

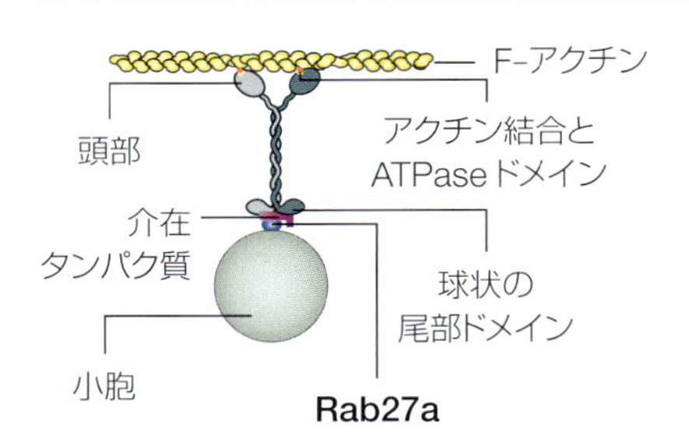

ミオシン 5（非定型ミオシン）は ATP と F-アクチン結合領域を備えた双頭を有している．尾部の尾側端は，小胞受容体である Rab27a に結合した介在タンパク質によって小胞を募る．

果，2 個のアクチンフィラメントは互いに反対方向に動き，収縮することになる．

ミオシン II の頭部と尾部は酵素（トリプシンあるいはパパイン）で**軽鎖メロミオシン** light meromyosin（**LMM**）と**重鎖メロミオシン** heavy meromyosin（**HMM**）に切断される．

LMM はフィラメントをつくるが，ATPase 活性を失い，アクチンとは結合しない．HMM はアクチンと結合し，ATP 加水分解が可能で，フィラメントはつくらない．HMM は筋の収縮に際して力をつくるのに働く．

HMM はさらに **S1** とよばれる 2 つの断片に切断される．それぞれの S1 断片は，ATPase と軽鎖を含み，アクチンと結合する．

ミオシン V は，**通常ではないが**，螺旋状の 2 本の尾部をもつ 2

図 1.20 | モータータンパク質の比較

	ミオシンI	ミオシンII	キネシン	細胞質ダイニン
頭部の数	1	2	2	2
尾部の結合相手	細胞膜	ミオシンII	小胞	小胞
頭部の結合相手	アクチン	アクチン	微小管	微小管
頭部が動く方向	反矢じり(プラス)端	反矢じり(プラス)端	プラス端	マイナス端

個の頭からなる．頭部はF-アクチンと結合する，尾部の遠位端は球状で小胞膜上の受容体である **Rab27a** に結合する．ミオシンVaはF-アクチン経路に沿った小胞輸送を担う．特異的な例は，初めに微小管に沿って，次にF-アクチンに沿って，メラニン細胞からメラノソームをケラチノサイトに運ぶ（第11章参照）．

Rab27a やミオシン *Va* 遺伝子の異常は，メラノソームのF-アクチンによる輸送を障害する．

ヒトの例では，**グリッセリー症候群** Griscelli syndrome で，まれな常染色体潜性疾患であり，メラノソーム輸送の欠損による毛髪の色素不全によって特徴づけられ，壊れたT細胞細胞毒性活性や神経学的な合併症と関連している．

平滑筋とミオシン軽鎖キナーゼ（図 1.21）

ミオシンIIの自己集合や非筋細胞のアクチンフィラメントとの結合は，機能的必要性に従って一定の場所で生じる．

これらの事象は**ミオシン軽鎖キナーゼ**（MLCK）酵素で制御されるが，ミオシン頭部にある**ミオシン軽鎖1つ**（**制御型軽鎖**とよばれる）**をリン酸化する**．MLCKの活性は，Ca^{2+} 結合タンパク質である**カルモデュリン** calmodulin によって制御される．

MLCKは**触媒領域**と**制御領域**を有している．カルモデュリンと Ca^{2+} が制御領域と結合すると，キナーゼの触媒活性が開かれる．MLCK-カルモデュリン-Ca^{2+} 複合体は，F-アクチンに沿ったミオシン軽鎖とミオシンサイクルにATPからリン酸基の伝達を触媒し，力と筋収縮を生じさせる．

ミオシン軽鎖の1つをリン酸化すると2つの効果が得られる：

1. リン酸化すると，ミオシン頭部上のアクチン-結合部位を露出する．この段階は，ミオシン頭部とF-アクチン束の結合に必須である．
2. リン酸化すると，ミオシン頭部近傍の粘着力のある結合部位からミオシン尾部を解放する．この段階は，尾部を伸ばすミオシンIIだけが自己凝集し，筋の収縮に必要な双極性のフィラメントを産生するので重要である．

平滑筋細胞では，**ホスファターゼ**は，ミオシン軽鎖からリン酸基を除く．骨格筋の収縮には，ミオシン軽鎖のリン酸化を必要としない．

中間径フィラメント（図 1.22, 1.23）

中間径フィラメントは異種グループの構造を表しており，いわゆるこのグループの線維の直径（10nm）が微小管の直径（25nm）

図 1.21 | ミオシン軽鎖キナーゼ

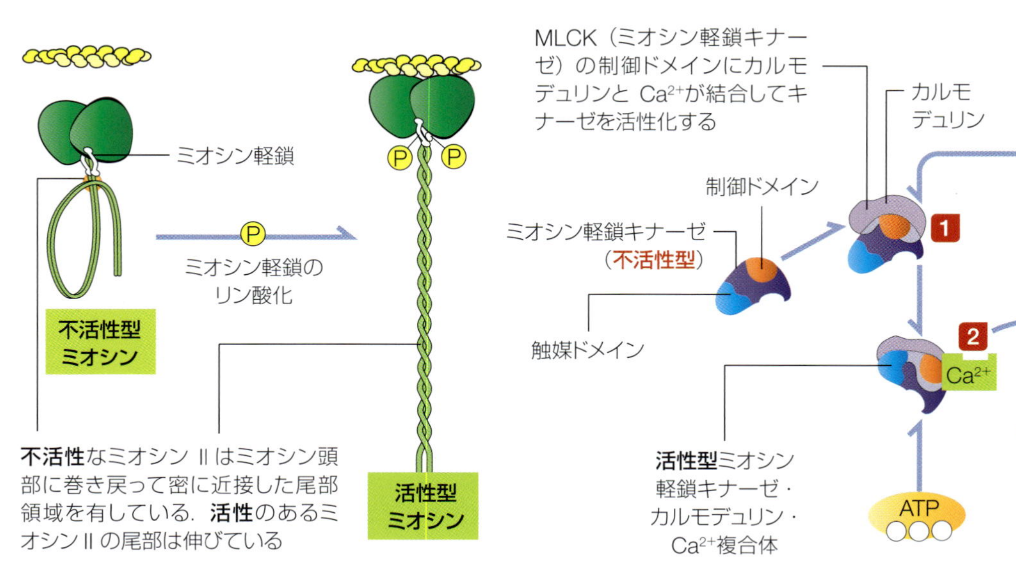

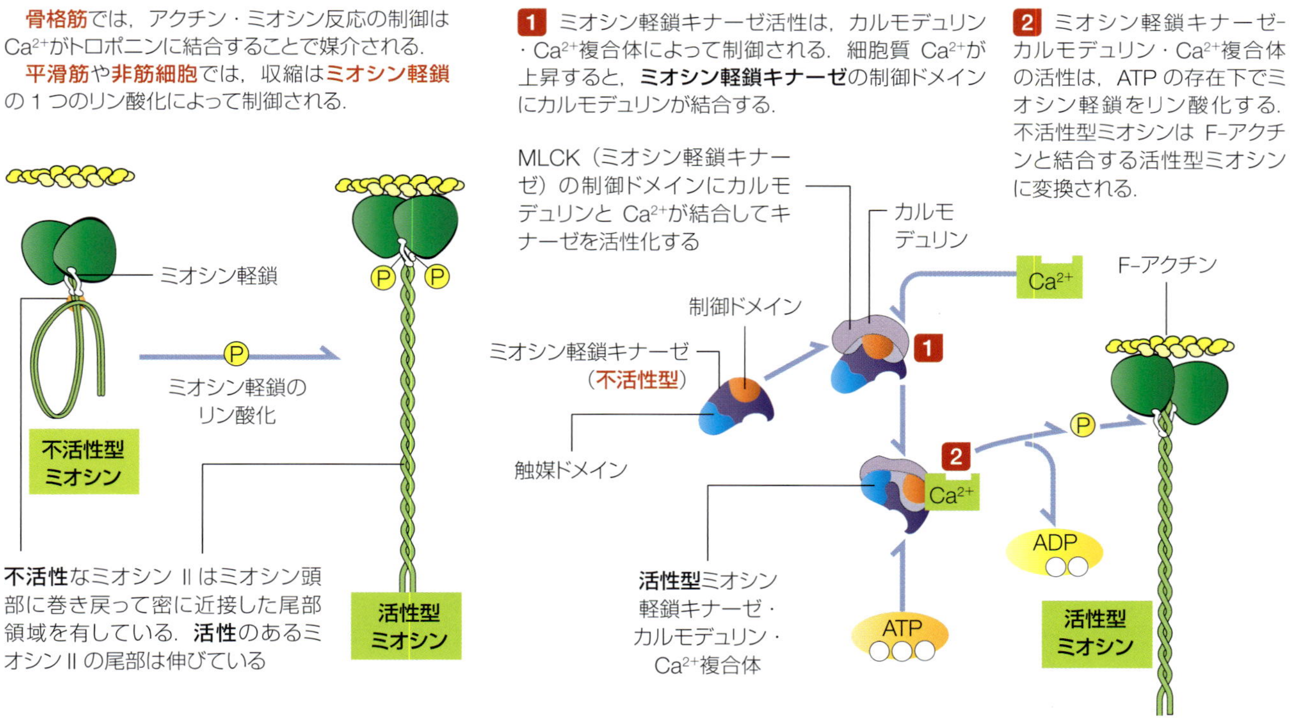

図 1.22 ｜ 中間径フィラメントの凝集

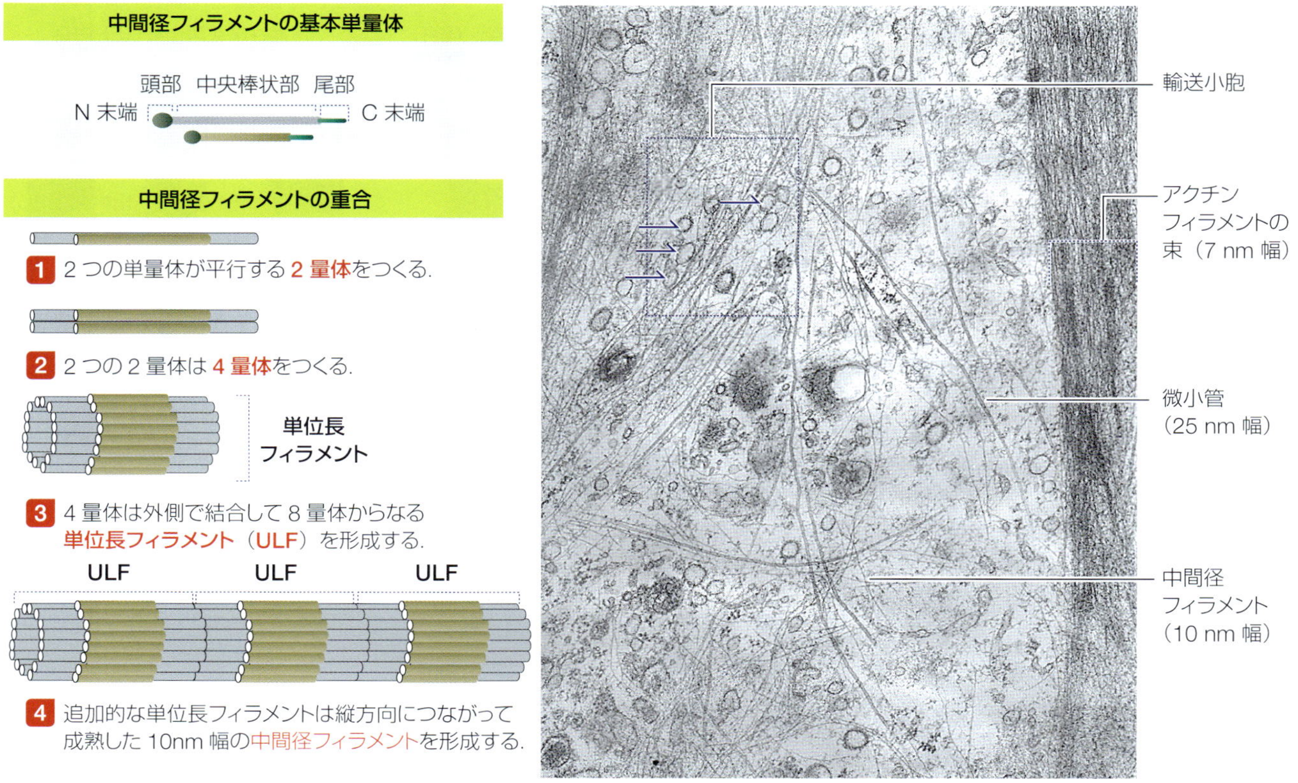

とミクロフィラメントの直径（7nm）の間にあることによる．中間径フィラメントは最も安定した細胞骨格構造である．

デタージェントと塩処理でミクロフィラメントと微小管成分を抽出できるが，中間径フィラメントは不溶化のままである．

微小管とミクロフィラメントと違って，中間径フィラメントの構造は，重合化と非重合化状態の間で揺れる（不安定な状態になる）ことはない．

ヌクレオチド結合と加水分解活性をもつ球状タンパク質からなる微小管とアクチンフィラメントと比較して，中間径フィラメントは酵素活性を欠いているフィラメント状の単量体で構成されていることに注意せよ．アクチンとチュブリンと比較して，中間径フィラメント単量体の重合と脱重合は，**リン酸化**と**脱リン酸化**，それぞれに制御される．

中間径フィラメントタンパク質単量体は3領域からなる．中央の α‐ヘリックス構造の**棒状領域**は，非ヘリックス構造のN末端の**頭部領域**とC末端の**尾部**に挟まれている．中間径フィラメントの重合は4段階で起きる．

1. 1対のフィラメント状の単量体の頭部と尾部領域のさまざまな長さとアミノ酸配列は，コイルドコイルをつくった中央の棒状領域で**平行に並んだ2量体**を形成している．
2. 次に，**4量体ユニット**は，**2つの逆平行なコイルドコイル構造の2量体**が互いに半分のところで結合する．それゆえ，微小管とアクチンフィラメントに比べて，初期の4量体の逆平行な配列は，中間径フィラメントの構造上の極性を欠くことになる（プラスとマイナス端の欠損）．中間径フィラメントの一端は他の端と区別できなくなる．分子モーターが中間径フィラメントに結合する場合，一方向と他の方向を同定するのは困難になる．
3. **8個の4量体**が外側につながって16nm幅の**単位長フィラメント**（**ULF**）を形成する．
4. 個々のULFは端と端が結合し短いフィラメントをつくり，それが他のULFと結合し，中間径フィラメントになることで，縦方向に成長し続ける．フィラメントの伸展は，内側に圧縮して，10nm幅の中間径フィラメントになる．

2量体，4量体そしてULFの硬い結合は，中間径フィラメントに高い張力や伸展，圧縮，捻れや折り曲げの力に対する抵抗性をもたせることになる．

中間径フィラメントは他の構造が付着するための構造上の強さ，あるいは足場を提供している．中間径フィラメントは鳥籠状の核周囲の配列から細胞表面に伸びる広い細胞質の網工を形成している．

異なる分子種の中間径フィラメントは特別な組織の特徴あるいは分化の状態を表している（例えば，皮膚の表皮）．

中間径フィラメントタンパク質の5つの主要なタイプは α‐ヘリックスの棒状領域における配列の類似性を基本に同定されてきた．

およそ50種の中間径フィラメントタンパク質がこれまでに報告されている．これらは，**タイプⅠからⅤ**とよばれる（Box 1.G）．

タイプⅠ（**酸性ケラチン**）そして**タイプⅡ**（**中性から塩基性**）．

図 1.23 | 中間径フィラメントを含む皮膚病

単純性表皮水疱症（EBS）

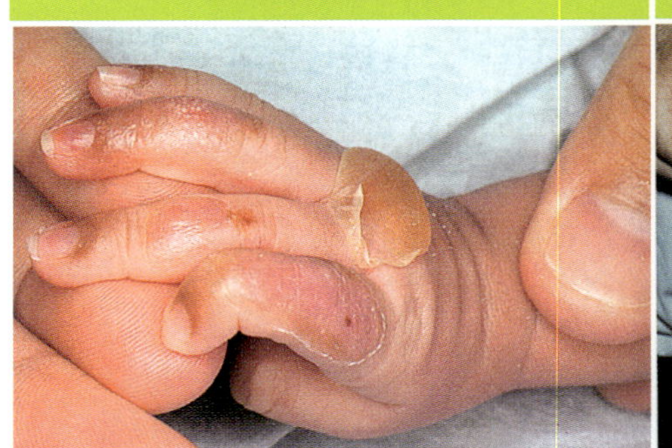

ケラチン 5 とケラチン 14 遺伝子の変異
圧迫したり擦ったりした場所に生後すぐから水疱ができる．水疱は幼児の指にみることができる．

水疱性先天性魚鱗癬様紅皮症（EH）

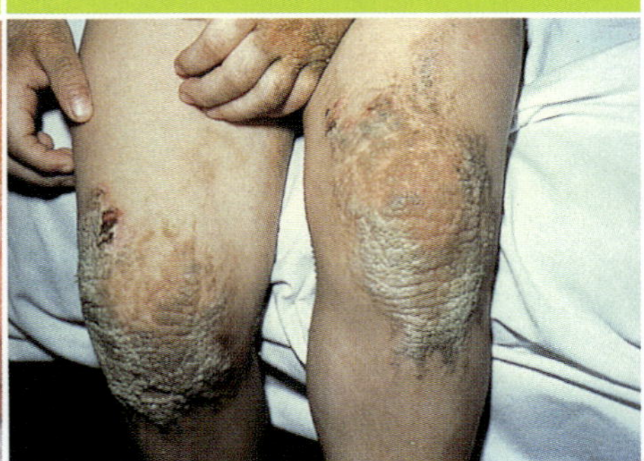

ケラチン 1 とケラチン 10 遺伝子の変異
過剰な角化により表皮が破壊される．

水疱性掌蹠角化症（EPPK）

ケラチン 9 遺伝子の変異
この疾患は手掌と足底に限局される．

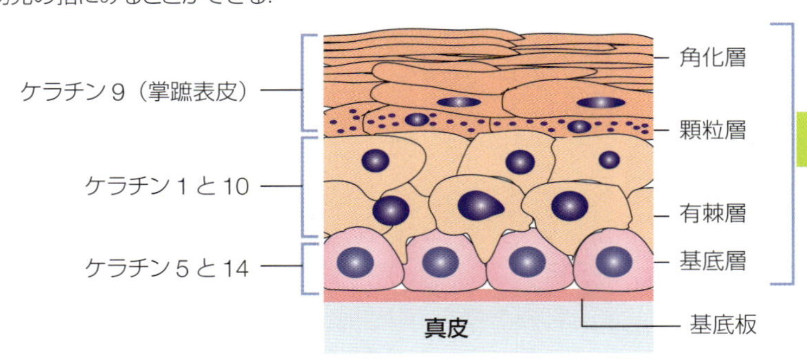

Callen JP らによる写真：皮膚科カラーアトラス．フィラデルフィア，WB Saunders, 1993.

Box 1.G | 要約：中間径フィラメントタンパク質

- タイプ I（酸性）とタイプ II（塩基性）

  ケラチン（40～70kd）：ケラチンはタイプ I とタイプ II の異種重合体として凝集する．異なるケラチンタイプは上皮，毛髪や爪に共発現する．ケラチン遺伝子変異は，いくつかの皮膚疾患として起こる（水疱症や表皮融解疾患）．

- タイプ III（同種重合体として自己凝集する）

  ビメンチン（54kd）：間葉系由来細胞に存在する．

  デスミン（53kd）横紋筋や平滑筋細胞の Z 板の構成要素．

  グリア線維性酸性タンパク質（GFAP 51kd）：アストロサイトに存在する．

  ペリフェリン（57kd）：末梢神経系の軸索の構成要素．

- タイプ IV

  ニューロフィラメント（NF）：3 型が共発現し，ニューロンで異種重合体を形成する：NF-L（軽鎖，60～70kd），NF-M（中鎖，105～110kd）そして NF-H（重鎖，135～150kd）．

  α-インターネキシン（66kd）：発生過程のニューロンの構成要素．

- タイプ V

  ラミン A とラミン B（60～70kd，63～68kd）：核膜の内側層に関係した核膜ラミナに存在する．核膜の安定性を維持する．一連のヒト疾患であるラミノパチーはラミン A 遺伝子（*LMNA*）変異と関係している．

この種のタンパク質は，**上皮細胞**の中間径フィラメント細胞骨格を形成する（毛や爪のケラチンと区別するため**サイトケラチン** cytokeratin とよばれる）．

酸性（40～60kd）および中性から塩基性（50～70kd）のサイトケラチンの等量を**混ぜる**とこの種の中間径フィラメントタンパク質を形成する．

タイプ I とタイプ II の中間径フィラメントケラチンはデスモソームとヘミデスモソームの細胞質プラークに存在する分子と結合するトノフィラメント（張原線維，張フィラメント）をつくる．皮膚の表皮におけるケラチノサイトの分化（第 11 章）や骨格筋細胞の細胞骨格による防御のための網工（第 7 章）についてそれぞれ論じるときに，**フィラグリンやプレクチン**のような中間径フィラメントと結合するタンパク質について戻って論じる．

表皮において，基底細胞はケラチン K5 と K14 を発現している．上方の分化している細胞はケラチン K1 と K14 を発現している．手掌足底領域の表皮のある領域では，ケラチン K9 が見出せる．

K5 や *K14* 遺伝子の変異は，臨床型として**単純性表皮水疱症** epidermolysis bullosa simplex（EBS）に入る**遺伝性水疱皮膚疾患**を引き起こす．*K1* と *K10* 遺伝子の変異は**表皮解離性角化症**を引き起こすが，この疾患の臨床的な特徴は，過剰な角化による表皮の破壊である．**表皮剥離性掌蹠角化症**は手掌と足底に限定される角化性疾患であり，*K9* 遺伝子の異常によって引き起こされる．

タイプ III．このグループには，次の中間径フィラメントタンパク質が入る．

ビメンチン（**54 kd**）は一般的に**間葉系起源**の細胞にみられる．

デスミン desmin（**53 kd**）は**骨格筋細胞**の構成要素の１つであり，筋節のＺ板に局在する（第７章参照）．この中間径フィラメントタンパク質はＺ板に付着した筋節の固有の収縮要素を維持し，筋細胞の収縮を調整する役割を演じる．デスミンは**平滑筋細胞**にもみられる．

グリアフィラメント酸性タンパク質 glial fibrillary acidic protein（**GFAP**）（51 kd）はアストロサイトやシュワン細胞にみられる（第８章参照）．

ペリフェリン peripherin（57 kd）は，末梢神経系のニューロンの構成要素の１つであり，ニューロフィラメントタンパク質とともに発現している（第８章参照）．

タイプⅣ．このグループには，ニューロフィラメント，ネスチン，シンコリンおよびα-インターネキシンがある．ニューロフィラメントは主要な構成要素である．

ニューロフィラメント（**NF**）は，**ニューロン**の軸索や樹状突起にみられる．３種類のタンパク質がニューロフィラメントにある：低い分子量，中等度の分子量および高い分子量のニューロフィラメントである **NF-L**（60〜70 kd），**NF-M**（105〜110 kd）および **NF-H**（135〜150 kd）．異常に蓄積したニューロフィラメント（神経原線維変化）は，多くの神経病理学的疾患の特徴である．

α-インターネキシン（66 kd）は主に中枢神経系に見出せる（特に脊髄と視神経に）．

タイプⅤ．このグループのタンパク質である**核ラミン** nuclear lamin は３つの遺伝子によってコードされている：*LMNA*，*LMNB1* そして *LMNB2*．

ラミンＡや**ラミンＣ**は *LMNA* 遺伝子にコードされている転写産物の選択的スプライシングによってつくられる．*LMNB1* 遺伝子はすべての体細胞で発現されている**ラミン B1** をコードしている．*LMNB2* 遺伝子はすべての体細胞に発現している**ラミン B2** と精子形成細胞に特異的である**ラミン B3** をコードしている．

核ラミン（60〜75 kd）**は他の中間径フィラメントタンパク質とは異なる**．核ラミンは，**核膜** nuclear envelope の内膜と結合する核ラミナの直交する網目状構造を織りなしている．細胞核の構造を学ぶとき，ラミンの問題に戻る．

ヘミデスモソームと皮膚水疱症（図 1.24）

前に学習したように，ヘミデスモソームは表皮の基底細胞を基底板につける特別な非対称的結合である．

細胞の中には，タンパク質 **BPAG1**（**水疱性類天疱瘡抗原１** bullous pemphigoid antigen 1）および**プレクチン**（架橋タンパク質の**プラキンファミリー**のメンバー）は**中間径フィラメント**（**トノフィラメント**，張原線維ともよばれる）と結合する．プレクチンはトノフィラメントをインテグリン β_4 に結合する．

細胞外の側上には，インテグリン $\alpha_6\beta_4$，**BPAG2**（**水疱性類天疱瘡抗原２** bullous pemphigoid antigen 2）と**繋留フィラメント**とよばれる特別な構造に存在するタンパク質である**ラミニン５**がヘミデスモソームを基底板に結合する．

プラキン関連タンパク質 BPAG1 は細胞外コラーゲン領域をもつ膜貫通タンパク質である BPAG2 に結合する．

すべての事柄を一緒にして，BPAG1 は膜貫通タンパク質である BPAG2 と中間径フィラメントとの間に橋をつくる．この橋が，水疱性類天疱瘡のように壊されると，表皮は，基底板に繋留する場所から離れる．BPAG1 と BPAG2 は自己免疫疾患である水疱性類天疱瘡の患者に見出された．

水疱性類天疱瘡は**尋常性天疱瘡** pemphigus vulgaris（天疱瘡と類似しているという意味の“**類天疱瘡** pemphigoid”とよばれる）に似ている**自己免疫性の水疱性疾患**である．

水膨れあるいは**水疱**は，循環する免疫グロブリンＧ（IgG）が水疱性類天疱瘡抗原１あるいは２と交差反応すると，表皮と真皮の結合部位にできる．

IgG 抗原複合体は補体複合体（C3，C5b と C9）の形成を誘導し，それら補体はヘミデスモソームの付着を障害し，基底細胞の繋留タンパク質の合成を阻害する．

局所毒の産生は肥満細胞の脱顆粒や走化性因子の放出を引き起こし，好酸球を誘引する．好酸球から放出される酵素は水膨れあるいは水疱をつくる．

細胞核（図 1.25）

細胞核は３つの主要な構成要素からなる：

1. **核膜**．
2. **染色体**．
3. **核小体**．

核膜は核周囲腔によって分離される２枚の同心円状の膜からなる：**内側核膜**は**核ラミナ**，**染色体**および**リボ核タンパク質**と結合し，**外側核膜**は小胞体と連続し，おそらくリボソームが付着している．

核孔複合体は，８個のタンパク質粒子からなる**内側**と**外側の八角形のリング**の間に位置する**中心円筒小体**からなる．中心の円筒は中心の栓と８個の放線状**スポーク**からなる．

核孔複合体は核膜に埋め込まれ，細胞質と核の間の高分子の輸送のための双方向の連絡ゲートをつくる．核膜高複合体のタンパク質は，総じて**核タンパク質**とよばれる．

小分子（40〜60 kd 以下の）は，核膜孔複合体を介して受動的に拡散する．下記に述べるように，**核局在化アミノ酸配列** nuclear localization amino acid sequence（**NLS**）をもつどのような大きさのタンパク質も GTP を必要とするエネルギー依存性の機構で核に輸送される．

核ラミナ（図 1.25）

核ラミナは内側核膜の内側に存在する（**INM**）．その機能は核を安定化し，クロマチンをまとめ上げ，核孔複合体を**繋留**する．

ラミンは核ラミナの主要な要素である．ラミンとその結合タンパク質はクロマチンの編制に，核膜高複合体の配分，細胞分裂後の核の再集合に役割を演じる．正常な核ラミナの集積を破壊すると，他の核膜と欠損した核ラミナの壊れた相互反応と同じように，機械的なストレスに対して核の脆弱性や傷つきやすさを引き起こす．

学んできたように，**ラミンＡ**，**Ｃ**，**B1** や **B2** はタイプⅤ中間径フィラメントタンパク質である．ラミンは**ラミンＡ**と**ラミンＢ**型として分けられる．ラミンは３つの遺伝子の産物である：

図 1.24 | ヘミデスモソームと皮膚水疱症

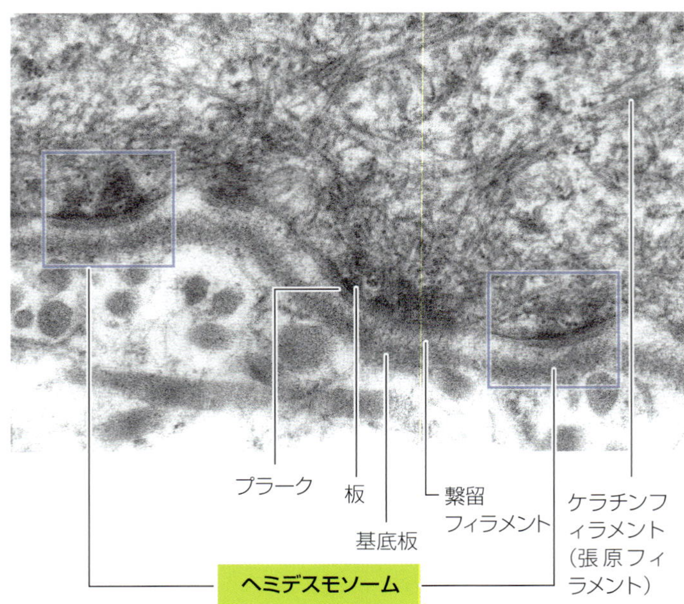

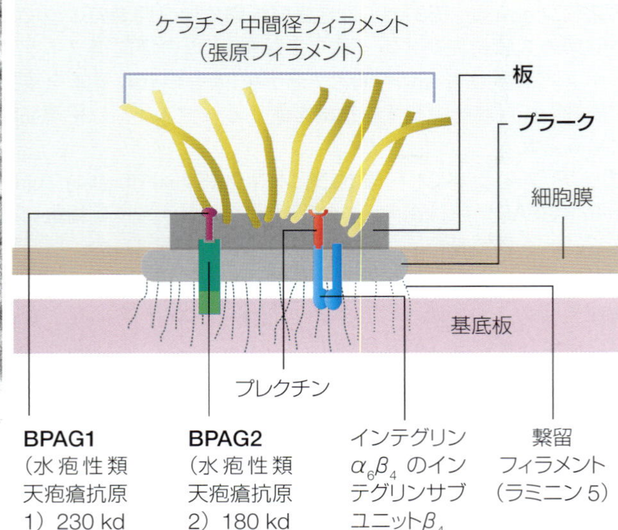

BPAG1（プラキンファミリーのメンバー）と BPAG2（細胞外コラーゲン様ドメインをもつ膜貫通タンパク質）は基底板をケラチン中間径フィラメントに結合する．

プレクチン（プラキンファミリーのメンバー）およびインテグリンサブユニットβ_4（インテグリンα_6と複合体を形成する）は基底板を張原フィラメントに架橋する．

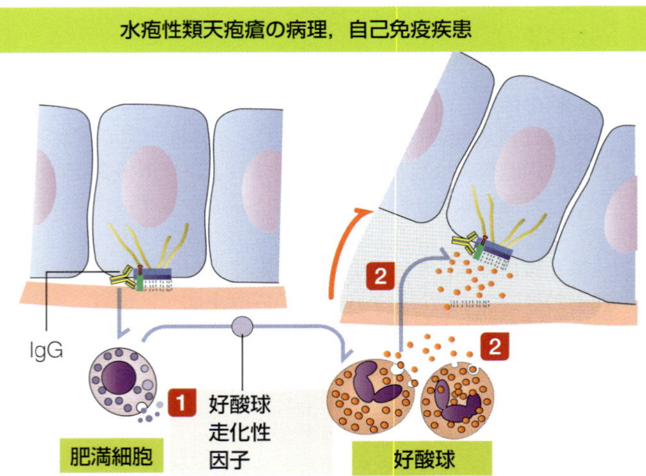

1 水疱性類天疱瘡抗原（BPAG1 あるいは BPAG2）に対する循環系の抗体は，肥満細胞を誘導して**好酸球走化性因子**（ECF）を放出させ，好酸球を誘引する局所反応を起こす．

2 好酸球は，ヘミデスモソームの付着プラークを基底板に結合する繋留フィラメントを分解するプロテアーゼを放出する．

LMNA 遺伝子はラミン A と C をコードする，ラミン B1 をコードする *LMNB1* 遺伝子，ラミン B2 と B3 をコードする *LMNB2* 遺伝子，であることを心に留めていただきたい．**イソプレニル**単位をタンパク質につける酵素のイソプレニル化により，新たに合成されたラミンを INM に向ける反応を促進する．

ラミンは INM タンパク質**ラミン B 受容体**（LBR），**エメリン**，**ラミナ結合ポリペプチド 1C**（LAP1C）や 2β（LAP2β）に結合する．**SUN1 2 量体タンパク質**はラミンを外側核膜に入り込む**ネスプリン**に結合する．

核の安定性は F- アクチンと**ネスプリン -1／2** の結合によって維持される．完全な INM タンパク質であるエメリンは，ネスプリン 1／2 との結合を介してアクチンと結合する．SUN1 2 量体は F- アクチンや中間径フィラメントタンパク質とネスプリンを介して結合する．**ネスプリン -3** はプレクチン結合し，次いで中間径フィラメントタンパク質と結合する．

記憶すべき一般的な概念は，ネスプリンと SUN 領域 - 保存タンパク質は **LINC**（核骨格と細胞骨格を結合するための）ファミリータンパク質のメンバーであること，である．LINC タンパク質は F- アクチン，中間径フィラメント，および微小管を核膜に結合させる．

ラミンに加えて，核ラミナはいくつかのタンパク質の複合体で構成され，その中には，転写因子や転写抑制タンパク質（雌の哺乳類の発生段階で X 染色体の 1 つの転写不活化に関与する長い非翻訳 RNA である **Xist** のような）がある．

ラミン病

ラミン病として知られる一群のヒトの疾患は，ラミンを含む核膜のタンパク質の欠損に関係している．ラミンの欠損はラミン *A* あるいはラミン *C* 遺伝子変異によって引き起こされる（Box 1.H）．

多くのラミン疾患は心臓と骨格の筋，脂肪組織（**脂肪萎縮症**）

図 1.25 ｜ 核膜と核膜孔複合体

核膜孔

核膜孔複合体のタンパク質はすべてヌクレオポーリンとよばれる．中央部のチャネル（経路）に存在するフィラメント状の Phe-Gly ヌクレオポーリンは細胞質側あるいは核側からのチャネルを通る核移行因子担体のための繋留部位を有している．

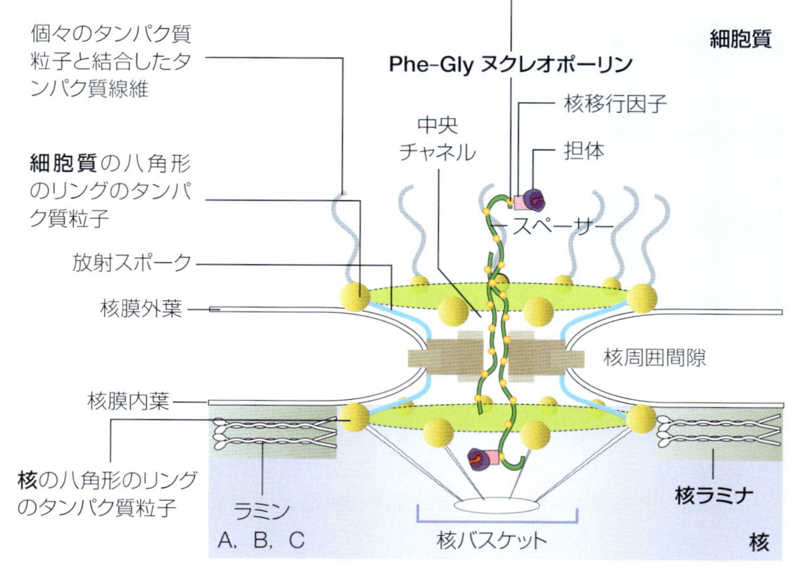

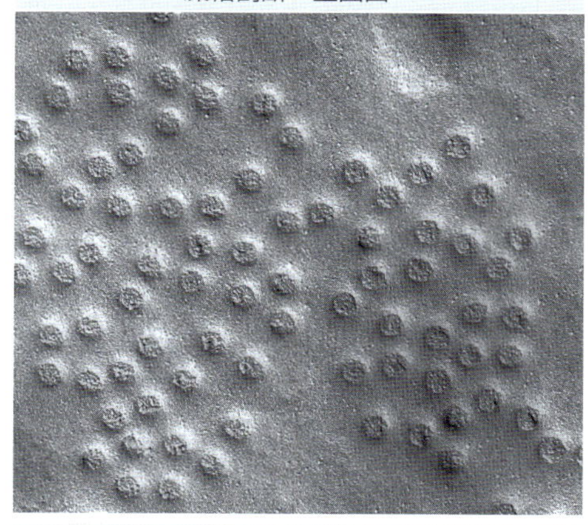

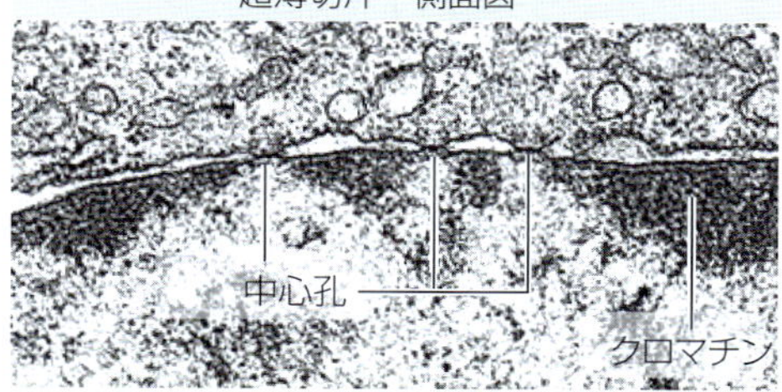

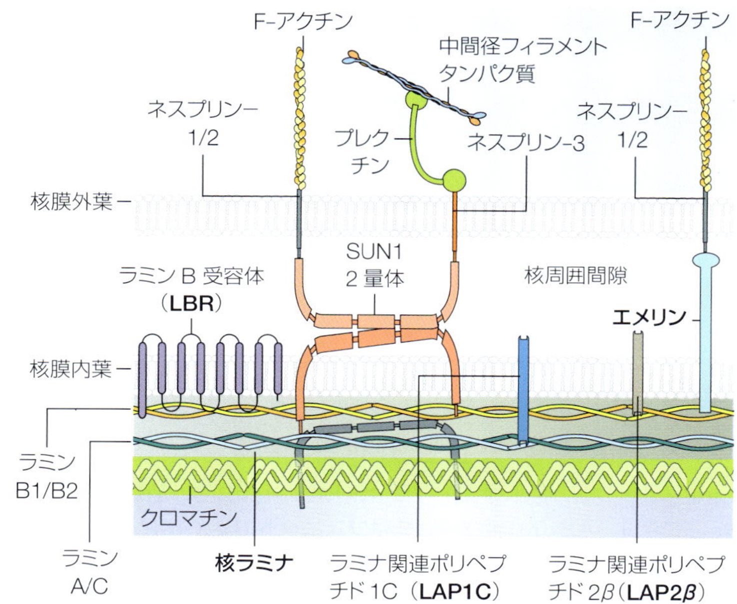

ラミン

核ラミナは，ラミンからなる．ラミンは，核膜内葉タンパク質ラミン B 受容体（LBR），エメリン，ラミナ関連ポリペプチド 1C（LAP1C）および 2β（LAP2β）と結合する．SUN1 2 量体タンパク質はラミンを核膜外葉を貫通しているネスプリンに結合する．ネスプリン-1/2 は F-アクチンと結合し，ネスプリン-3 は中間径フィラメントタンパク質と次に結合するプレクチンと結合する．

ラミン A と B の両者に結合するエメリン，およびラミン B と結合するラミン B 受容体が変異すると，**エメリー・ドレフュス型筋ジストロフィ**および**血液中の顆粒球のペルゲル・フェット核異常**（不全な分化）を生じる．

ラミン B 受容体の同種接合子の変異は，胎生致死の軟骨異栄養症である**グリーンバーグ骨異形成症**を引き起こす．

および運動性と感覚性末梢神経に影響する．

ハッチンソン - ジルフォード早老症候群（HGPS）は *LMNA* 遺伝子変異と関連したラミン病である．HGPS は，平均年齢 12 歳で起こる心筋梗塞あるいは脳血管疾患による死の原因となる加齢と関連する特徴と動脈硬化疾患によって特徴づけられる．*LMNA* 遺伝子変異に加え，いくつかのヒトの疾患はエメリンや LBR をコードする遺伝子における変異に関連してきた．

ラミン病の病理に関する 2 つの仮説がある．

1. **遺伝子発現仮説**では，ある種の遺伝子の正しい組織特異的発現に必須であるとラミン A とラミン C をみなしている．
2. **機械的なストレス仮説**では，ラミン A とラミン C が欠損すると核膜の構造的に完全な状態が損なわれる，と提唱されている．

クロマチン（染色質）（図 1.26，1.27）

クロマチンは，細胞分裂の際に可視化される分離した染色体に詰め込まれている．分裂間期に（細胞周期の G_1，S および G_2 期），それぞれの染色体は1つ1つ同定できないが，分散したあるいは非濃縮状態で存在している．

分散したクロマチンは**ユークロマチン** euchromatin（良いクロマチン）とよばれ，メッセンジャーRNA（**mRNA**）や**トランスファーRNA**（**tRNA**）前駆体などの**リボソーム以外の RNA** 上での合成部位であり，前クロマチンの約10%に存在する．

濃縮したクロマチンは，**ヘテロクロマチン** heterochromatin（異なるクロマチン）とよばれ，転写活性としては不活性で，全クロマチンの約90%に相当する．

クロマチン線維は二重鎖の DNA 鎖でつないだ粒子，あるいはビーズ（**ヌクレオソーム** nucleosome という）の繰り返し，として記載される．

個々のヌクレオソームは，約2回巻いた DNA で包まれた**ヒストン8量体コア**からなる．ヒストン8量体はそれぞれ2分子の H2A，H2B，H3 と H4 ヒストンからなっている．H1 ヒストンは8量体の周囲を包む DNA 分子と交差結合している．

ヌクレオソームは短い DNA 断片（**リンカーDNA** という）によって直線的な配列に結ばれ，隣接するヌクレオソームを結合してクロマチン線維を形成する．クロマチン線維の間の結合は一次，二次そして三次の高次クロマチン編制に貢献し，この構造は，DNA 配列やヒストンの翻訳後修飾によって異なっている．

クロマチン濃縮と転写（図 1.27）

ヒト細胞に酵母 DNA は，遺伝子の転写，DNA 複製や DNA 修復にかかわるタンパク質が到達できるようなクロマチン線維の形で詰め込まれる．

クロマチン線維は，DNA 鎖で連なったビーズ状にみえる．ビーズはヌクレオソームの反復する単位であり，ヒストン8量体コアの周りを包む約145～147塩基対の DNA で構成される．ヌクレオソームは短い DNA 断片である **DNA リンカー**によってつながり，**一次クロマチン構造**をつくる．

2つの疑問が湧く：

1. クロマチン線維は濃縮した分裂中期の染色体においてどのように調節されているのか？
2. クロマチン線維がヘテロクロマチンの中にあるように濃縮されている場合，RNA 転写，DNA 複製，DNA 修復はどのように行われるのか？

クロマチン線維間の結合は分裂中期の染色体や細胞周期の間期のヘテロクロマチンに観察されるより高次の濃縮状態にあることを示している．

線維間の結合は DNA 配列，アミノ酸配列や個々のヌクレオソームのヒストンの翻訳後修飾の変化によって制御される．

特異的な DNA 領域に捕獲されたヒストンの変異体やヒストンの翻訳後修飾は，クロマチンの構造や改変に影響する．

ヒストンの翻訳後修飾はアセチル化，メチル化，リン酸化，ユビキチン化（ユビキチンの付着）そしてスモ化（小さなユビキチン様のモディファイア［スモ，SUMO］タンパク質の付着）を含む．

線維間の結合の結果として，10nm 一次クロマチン構造は 30nm のたたみ込まれた**二次クロマチン構造**へと変化し，この構造は，次に**三次クロマチン構造**というより高次の濃縮状態に凝縮される．

二次および三次濃縮は**リンカーヒストン1**（**H1**）および追加のタンパク質（メチル -CpG- 結合タンパク質，ヘテロクロマチンタンパク質1，高速移動グループタンパク質およびその他）によって安定化される．一次，二次および三次クロマチン状態への移行はヒストン変異体やクロマチン改変タンパク質の交換によって制御されている．リンカーH1 はヌクレオソームと硬く結合し，たたみ込まれ，濃縮したクロマチンを安定化する．

遺伝子は間期に三次クロマチン構造の中で転写される．転写は ATP 依存性クロマチン改変タンパク質によって補助されて，転写因子は DNA に到達できる．

転写因子，DNA 複製および修復 DNA 因子は，三次元クロマチン構造の表面や三次線維の中に埋め込まれた DNA にさえ到達できる．

Box 1.H | いくつかのラミノパチーの臨床的観点

- ラミノパチーは3つの異なる範疇に分類される：
  1. 筋ジストロフィ．
  2. 部分的な脂肪萎縮症．
  3. 神経障害．

  これらはラミンAとラミンC遺伝子変異によって引き起こされるが，骨格筋と心筋や脂肪の分布に影響する．
- エメリー・ドレフュス筋ジストロフィ（常染色体顕生，潜性そしてX- 連鎖機構によって遺伝する表現型，後者はエメリン遺伝子の変異によって引き起こされる）：アキレス腱拘縮，緩徐なそして進行性の筋力低下と消耗，伝導障害を伴う心筋障害．
- 下肢帯筋ジストロフィ：腰帯や上腕および下肢の筋の進行性筋力低下．拡張型心筋症．
- シャルコー・マリー・トゥース病タイプ 2B1：運動および感覚欠損神経障害で，上肢の遠位と下肢の近位と遠位の障害（訳注：X- 連結シャルコー・マリー・トゥースタイプ1疾患は末梢神経系の運動と感覚神経障害を示すが，シュワン細胞に発現しているコネキシン 32［*Cx32*］遺伝子の変異によって引き起こされる）．
- ドゥニガンタイプ家族性限局性脂肪萎縮症：体幹や四肢の皮下脂肪がなくなり，顔や首に蓄積する症状が思春期に発症する．

核小体（図 1.26，1.28）

核小体 nucleolus は**リボソーム RNA**（**rRNA**）の合成と加工および**リボソームのサブユニットの凝集**の場である．

核小体は3つの主要な構成要素である（図 1.26）：

1. **線維中心**（繰り返し *rRNA* 遺伝子，**RNA ポリメレース I**［Pol 1］および**シグナル認識粒子**［**SRP**］RNA の存在を含むクロマチンに相当した）．
2. 密な**線維性要素**（そこには，新生された rRNA が存在し，あるものは加工中である）．**フィブリラリン**や**ヌクレオリン**は線維性の密な要素の中にある．
3. **顆粒要素**（そこには，リボソームのサブユニットの凝集は，**18S rRNA**［小サブユニット］や **28S rRNA**［大サブユニット］を含むが，完結する）．ヌクレオステミンは，リボソームの生合成に関係しないタンパク質であるが，顆粒要素と共存

図 1.26 | 細胞核と核小体

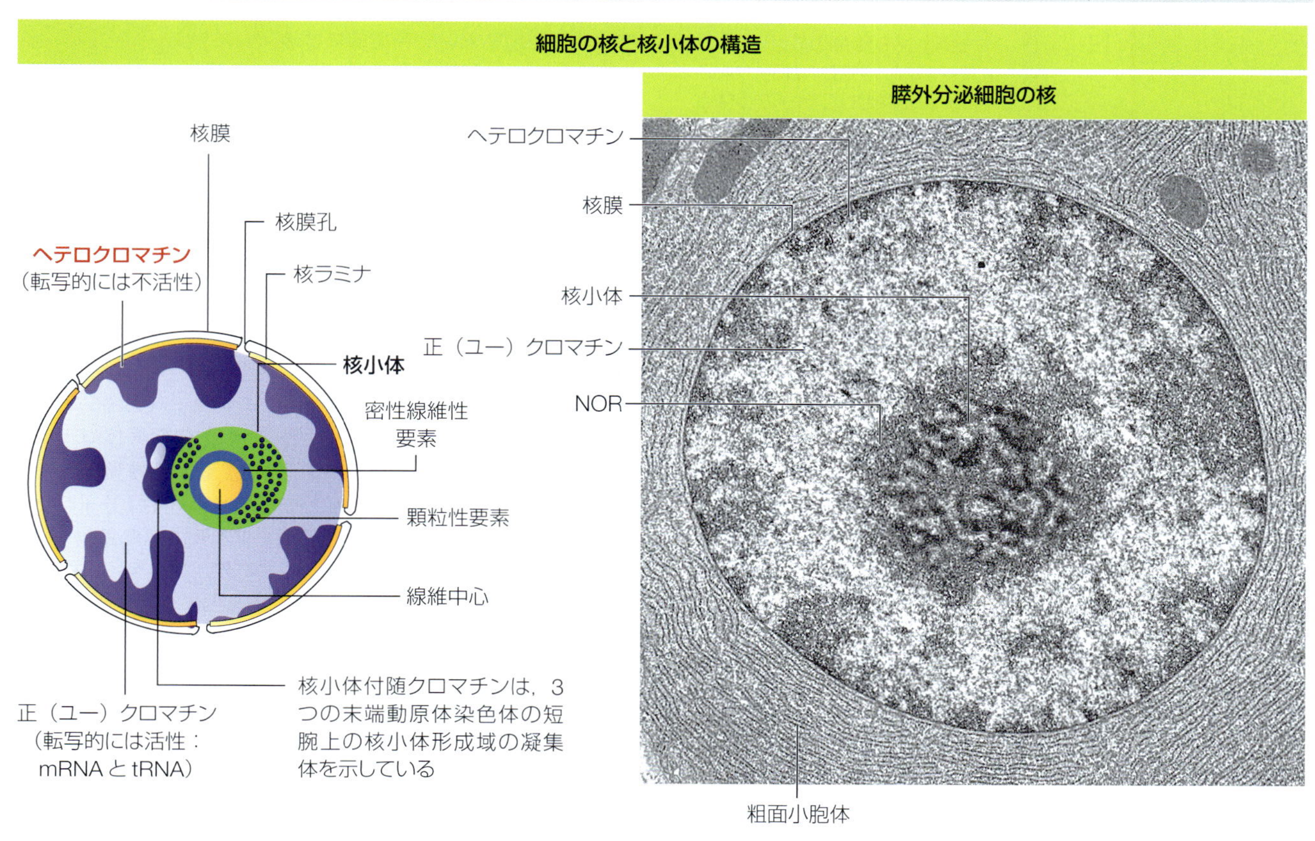

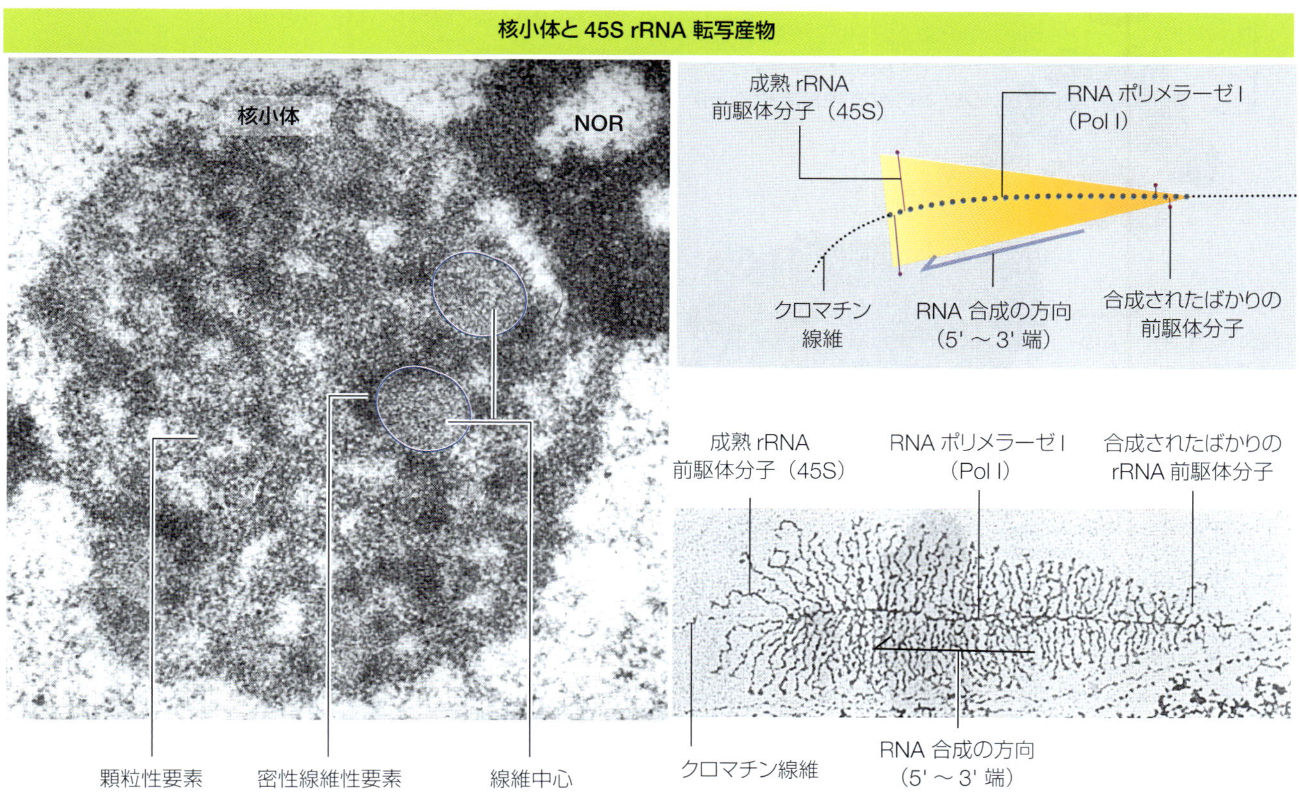

電子顕微鏡写真：Franke WW et al.: Morphology of transcriptional units of rDNA. Exp Cell Res 100:233-244, 1976 より.

図 1.27 | クロマチン構造と濃縮

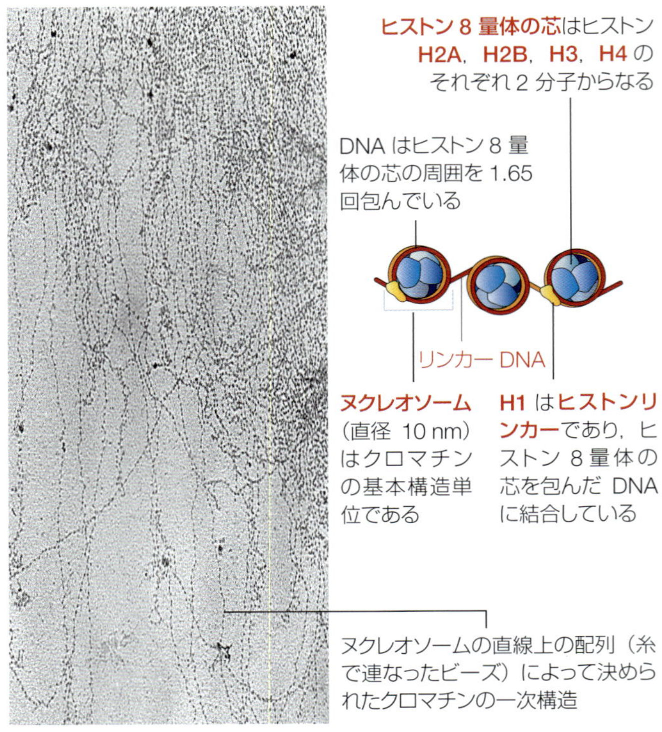

クロマチンの一次構造（10nm）

たたみ込み：クロマチンの二次構造（30nm）

凝縮：ヌクレオソームの配列の嵌合によるクロマチンの三次構造

クロマチンの繰り返し構造である**ヌクレオソーム**は，芯となるヒストンの周りを包み込む DNA（145～147 塩基対）からなる．

個々のヌクレオソームはそれぞれヒストン H2A，H2B，H3 および H4 の中の 2 分子を有している．それらの分子は，アミノ酸配列および翻訳後修飾（アセチル化，メチル化およびリン酸化がある）において異なっている．

ヒストンの変異性はクロマチン線維の濃縮やヒストン以外のタンパク質とヌクレオソームとの相互反応に影響する．ヌクレオソームは，短い DNA 分節であるリンカー DNA によって直線状の配列するように結合しているが，クロマチンの一次構造を形成している．一次クロマチン構造の隣り合う相互反応は第 2 段階の折りたたみを決定する．

二次クロマチン線維間の三次構造への相互反応は濃縮した分裂後期の染色体やヘテロクロマチンにみられる凝縮クロマチン状態を説明している．

する．

核小体は，多くはセントロメアおよび動原体周囲の染色体領域のヘテロクロマチンと典型的には連結している．

核小体は，分裂中に分離し，その後 G_1 期の初めに再度現れる．**核小体形成領域** nuclear organizing region（**NOR**）をもつ常染色体の染色体産物を表している 1 つ以上の核小体の塊が観察できる．

ニューロンのように，延長した分裂間期にある細胞においては，1 つの大きな核小体が，いくつかの核小体の塊が融合して形成される．

rRNA 合成の活動過程は，数百の核小体をもつ細胞（例えば，両生類の卵子）の核の中身を広げたものを電子顕微鏡によって可視化できる．

***rRNA* 遺伝子**は，同じ方向を目指した，そして転写されない**スペーサー**によって分離された“クリスマスツリー”のようにクロマチン軸に沿った繰り返し**遺伝子単位**として観察される．全 rRNA 遺伝子断片は，100 個以上の**ポリメラーゼ I** 分子によって占められ，それぞれが最終的な**顆粒**を伴う同じ数の**線維**を合成する．

個々の線維は，クリスマスツリーの枝と同じようにクロマチン軸に沿って垂直方向に向いた **rRNA 前駆体（45S）リボ核酸分子を表している．45S rRNA** 前駆体は，クロマチン軸から離れ，**28S，18S，**および **5.8S rRNA** に切断される（図 1.28）．

18S rRNA と結合したタンパク質は，**小リボソームサブユニット**をつくる．28S と 5.8S は，核小体の外でつくられた 5S rRNA と一緒に，**大リボソームサブユニット**を形成する．

核内および核外輸送（基本事項 1.H）

核の内外へのタンパク質の（核）輸送は核孔複合体を横切って行われ，貨物，運び手および **Ran**（**Ra**s-like **n**uclear，核の Ras のような）の間の結合の時空間的周期に関与している．

私達は，貨物タンパク質は短い**核局在化シグナル**（**NLS**）配列（Pro-Lys-Lys-Lys-Arg-Lys-Val）によって核移行のために付加されることをすでに示してきた．約 100～1000 の貨物数／分が核孔複合体を横切って輸送される．

担体分子は，**インポーチン**（**インポーチン β** と**インポーチン α** のように）とよばれる輸入担体と**イクスポーチン**とよばれる輸出担体をもつが，まとめて **β カリオフェリン**とよばれる．

核への輸入と輸出タンパク質は，核細胞質の双方向輸送を命じる Ras スーパーファミリーのスモール GTPase である **Ran** によって制御される．

核の輸入と輸出機構がどのように働くか？

1. インポーチン α とインポーチン β の NLS をもつタンパク質からなる核移行複合体は**細胞質で**形成される．
2. 細胞質－核－細胞質間の Ran 循環：**RanGDP** は**核輸送因子 2**（**NTF2**）を含む活性型輸送機構によって核孔複合体を横切って往復し，核の中に蓄積する．
3. 核の中で，**Ran グアニン ヌクレオシド交換因子**（**RanGFE**）はヌクレオシド交換を触媒し，輸入された RanGDP から RanGTP を産生する．
4. 核の中で，RanGDP は **Ran グアニン ヌクレオシド変換因子**（**RanGEF**）によって触媒された GTP 結合状態に変換する．

図 1.28 | リボソーム RNA 合成と加工

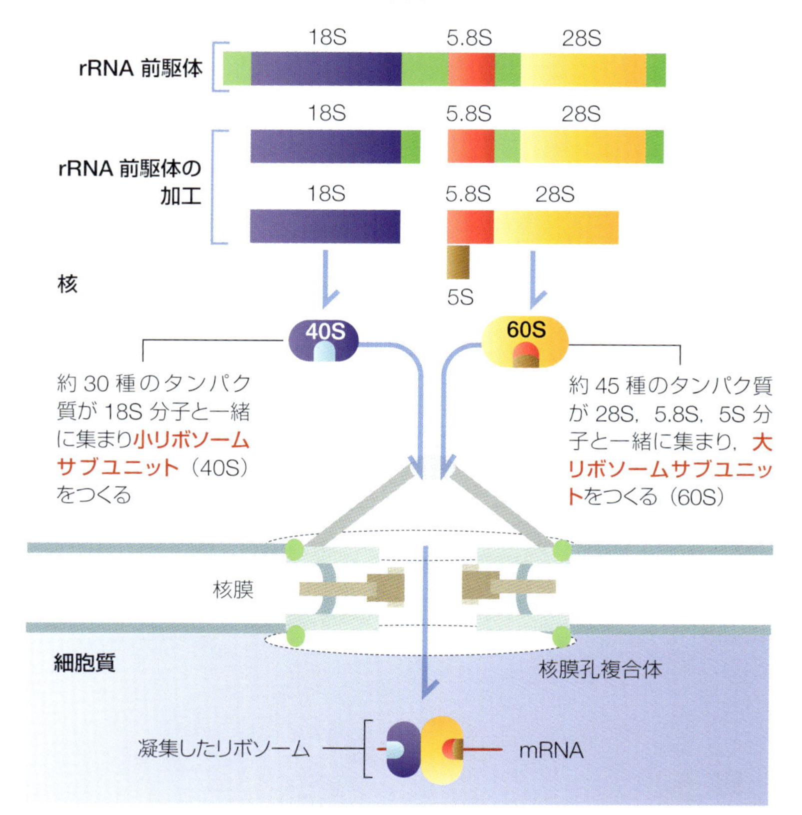

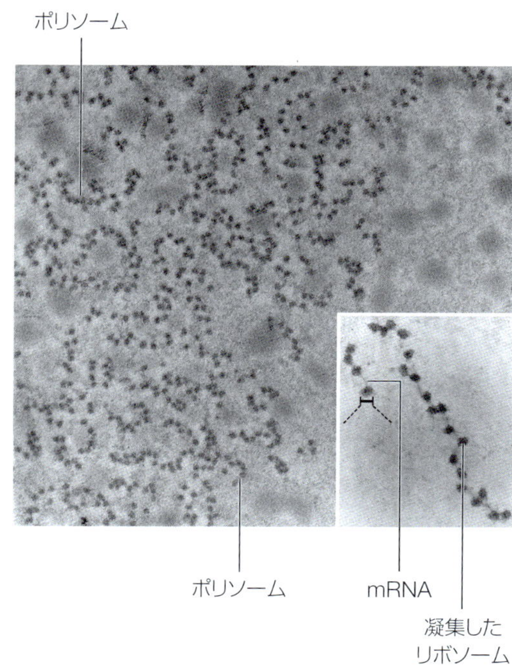

5. 核の中ではまた，インポーチン α とインポーチン β によって輸送され，NSL をもって，輸入されたタンパク質が RanGTP 存在下で分離する．
6. インポーチン α は，核輸出因子である **CAS**（**αβカリオフェリン**）と RanGTP とで複合体をつくって，輸出される．
7. インポーチン β は RanGTP と複合体をつくって，細胞質に戻される．
8. **細胞質では**，RanGTP は **RanGAP**（**Ran-GTPase- 活性化タンパク質**）によって RanGDP に変換される．RanGDP はインポーチンから分離し，次の核移行循環のために自由となる．

RanGTP は，β カリオフェリンのキャリア CAS に結合した核から**輸出**されることに注意．RanGDP はその特別なキャリアである NTF2 によって核に**輸入**される．

X 染色体の不活化（図 1.29）

雌の哺乳類の **X 染色体不活化**（**XCI**）は，**遺伝子補正**として知られるが，初期胚子幹細胞分化で始まり，次の要点で特徴づけられる：

1. 2 つの X 染色体の 1 つが不活化する．
2. 不活化された X 染色体の選択は計画的ではない（不規則である）．父性あるいは母性どちらの X 染色体も不活化される．
3. 不活化過程は継続する細胞分裂を通して受け継がれる．その選択は，すべてのそれに続く細胞の子孫にとって規則的である．
4. 卵子の両方の X 染色体は活性がある．

2 つの X 染色体の 1 つの転写不活化は受精後 12 日目栄養膜で，また，16 日目の胚子で観察される．

ヒトでは，不活化された X 染色体は，核膜に隣接してヘテロクロマチンの塊である**バール小体**の存在によって，あるいは多形核白血球において**ドラムスティック**（**太鼓バチ**）の形で認識される．

もし細胞が 2 つ以上の X 染色体をもつとすれば，余分の X 染色体は不活化され，1 つ以上のバール小体が可視化される．

XCI は，**長い非翻訳 RNA**（**lncRNA**）**Xist**（**X- 不活化特異的転写 X-inactive specific transcript** の略）を加えて生じる．

Xist は RNA ポリメラーゼ II の除去を決めることで X 染色体に沿って転写抑制を広げる．

Xist はラミン **B 受容体**（***LBR***）である核ラミナに結合することが知られている．Xist は X 染色体上のそれをコードする遺伝子に結合しているが，Xist は LBR と結合することで核ラミナに X 染色体を結合する．

Xist が遺伝子を包む領域および包まない領域が互いに接近し，X 染色体の広い包み込みを決める過程である Xist の広がりを促進する．この広がる包み込みの過程は，ついには全 X 染色体を抑制することになる．

基本事項 1.H | Ran GTPase は核細胞質双方向性輸送を制御する

1 α インポーチンαと β インポーチンβである核局在化配列（NLS NLS）を有するタンパク質からなる核内移行複合体は，細胞質で形成される．

2 細胞質の Ran GDP RanGDP は核内移行因子 2（NTF2 **NTF2**）によって核に移行される．

3 核の中で，Ran ヌクレオチド交換因子（Ran GEF **RanGEF**）はヌクレオチド交換を促進し，移行された Ran GDP **RanGDP** から Ran GTP **RanGTP** を産出する．

4 核内移行シグナルをもった担体はインポーチンαとインポーチンβから分離する．

5 インポーチンαは RanGTP と結合した核外移行因子，CAS と結合して細胞質に戻る α CAS Ran GTP．

6 インポーチンβは RanGTP と結合して細胞質に戻る β Ran GTP．

7 インポーチンβは RanGTP と複合体をつくり再利用される，一方インポーチンαはβカリオフェリン **CAS** と **RanGTP** と複合体をつくって核外に運ばれる．

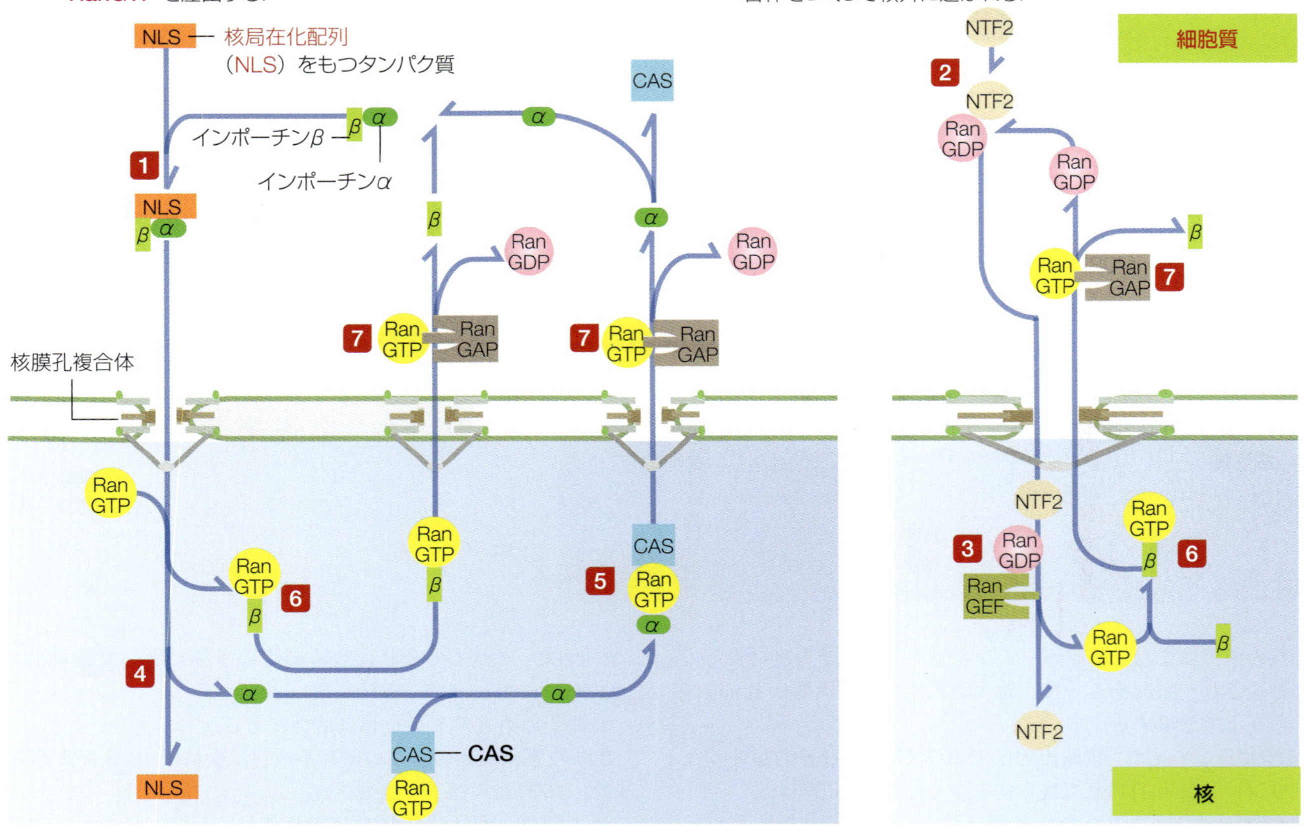

担体（NLS NLS）と運ばれるタンパク質（インポーチンαとβおよびβカリオフェリン CAS α β CAS）の間の結合は GTP および GDP 結合状態の間を動く Ran のヌクレオチド状態に依存する Ran GTP ⇆ Ran GDP．

Ran ヌクレオチド状態は：Ran GTP RanGTP と Ran GDP RanGDP の再充電を促進するグアニンヌクレオチド交換因子（**3** Ran GEF **RanGEF**）および GTP の加水分解を刺激する **7** Ran GAP **RanGAP** によって制御される Ran GTP → Ran GDP．

核酸の細胞における局在（図 1.30）

細胞化学と**オートラジオグラフィ**は細胞の分布と核酸の合成についての情報を提供する．

フォイルゲン反応 Feulgen reaction **は DNA の局在に特異的である**（Box 1.I）．**トルイディン青のような塩基性染料は DNA や RNA を染色する**（Box 1.J）．**デオキシリボヌクレアーゼ**（DNase）やリボヌクレアーゼ（RNase）**で前処理し，核酸の 1 つを選択的に除去することで，DNA や RNA の分布領域を決めることができる．**

Box 1.K は組織学や病理学で最も頻繁に使われる細胞化学の技術についての基本的な情報を提供している．

核酸の 1 つに対する**オートラジオグラフィ**や**放射標識された前駆体**は，それらの合成のタイミングを決めることができる．この技術では，DNA（[^{3}H] チミジン）あるいは RNA（[^{3}H] ウリジン）の放射活性のある前駆体が生細胞に露出される．放射標識に露出した結果として，合成された DNA あるいは RNA は前駆体を含んでいる．感光用乳剤の銀を含む結晶は放射活性のある DNA や RNA を含む細胞の構造に露出される．乳剤の現像の後で，銀粒子は標識された構造の位置を示している．この方法は，細胞周期のいくつかの期の長さを決定するのに広く使われてきた．

図 1.29 | X 染色体の不活性化

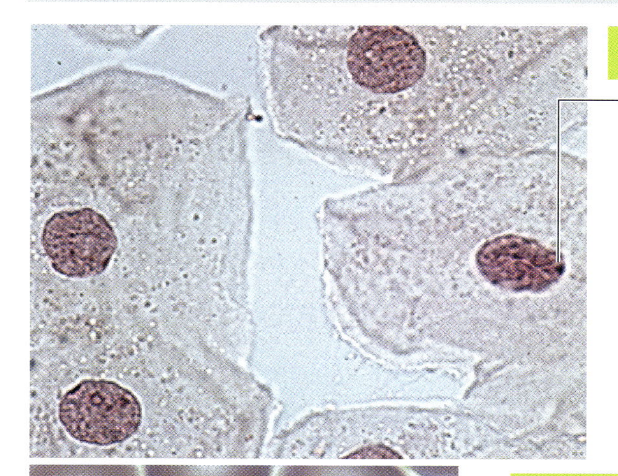

剥離した口腔上皮細胞における**バー小体**

XCI（X 染色体の不活性化）による遺伝子量補償

不活性な X 染色体は，細胞周期の間期の大部分の間，凝縮したままである．

その染色体は，不定の数ではあるが（30 ～ 80%），正常女性の細胞核に濃く染まったクロマチンの塊（**バー小体**または X クロマチン）として見出される．小さな**太鼓バチ**上の変化が 1 ～ 10%の女性の好中球に見出される．

いずれか一方の X 染色体の不活性化は**無作為**に起こる（父方あるいは母方の X 染色体）．

もし細胞が 2 個以上の X 染色体をもつとしたら，余分な X 染色体は不活性化され，1 個の核あたりのバー小体の数は核型からわかる X 染色体総数よりも 1 個少なくなる．

好中球の**ドラムスティック**（太鼓バチ）

長い非翻訳領域 RNA Xist

Xist は X 染色体に沿って広がる長い非翻訳 RNA であり，RNA ポリメラーゼ II を排除することで翻訳を止める．Xist はラミン B 受容体（LBR）と結合し，Xist と LBR との相互反応を介して X 染色体を核ラミナにつなぎ留める．

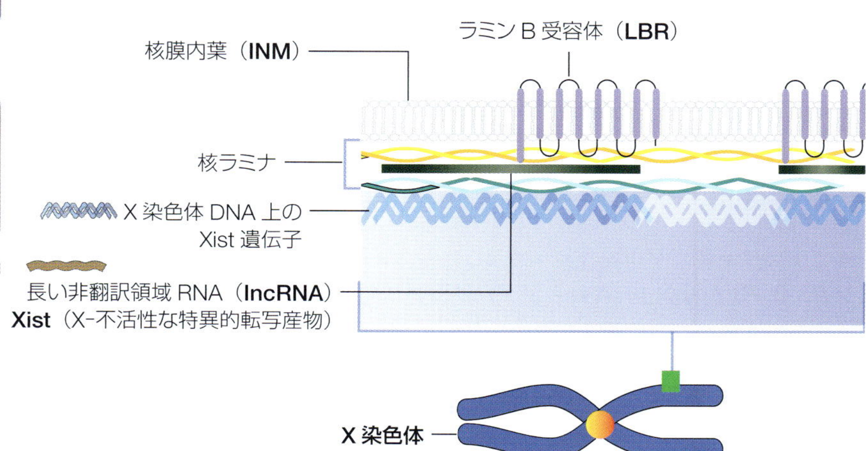

細胞周期（図 1.31，1.32）

細胞周期は，**2 つの連続する有糸分裂の間隔**として定義され，**その結果 2 個の娘細胞ができる**．

細胞周期は伝統的には主要な 2 期に分けられる：

1. **間期** interphase.
2. **分裂期** mitosis（また，**M 期**として知られる）．

間期の最も関連した出来事は，DNA が核内で複製される時期の **S 期**である．S 期は **G_1 期**とよばれる合間あるいは間隙によって先行される．

分裂の始まりは **G_2 期**によって先行される．G_2 期の細胞では，確かに DNA 複製は M 期が開始する前に完了している．基本的には，G_1 と G_2 期は DNA 合成の前後で時間があることを示している．細胞増殖は，細胞分裂の準備をして全細胞が 2 倍となるのに必要とされる．

G_1 の細胞は，DNA 複製への道にあり，S 期に入るか，次のラウンドの S 期に継続するのを停止する．もし細胞が S 期に入らない場合は，G_0 期として知られる**休止期**に留まり，そこで数日，数ヵ月，あるいは数年の間，細胞が細胞周期に戻るまでそのままである．

細胞周期は，協調した継続と 3 つの分離した周期の完結としてみなされる：

1. **細胞質周期**は，サイクリンの存在下で**サイクリン依存性タンパク質キナーゼ**の継続的な活性化からなる．
2. **核周期**では，DNA が複製され，細胞分裂の準備で染色体は濃縮する．
3. **中心体周期**では，母および娘中心子とよばれる 2 個の中心子の複製と，有糸分裂あるいは減数分裂の分裂紡錘体形成に必要な中心体周囲タンパク質の凝集からなる．

微小管形成中心としての中心体についての以前の議論において，**γ- チュブリンリング**複合体は傍中心子物質における**ペリセントリン**タンパク質と結合する微小管－核化複合体であることが示されている．

もしこの結合が壊されると，この細胞周期は G_2-M 期移行の間に停止され，細胞はプログラム細胞死あるいはアポトーシスに陥る．

核および中心体の時期を得た進行の協調者としてサイクリン依存性タンパク質キナーゼ－サイクリン複合体の活性をさらに解析している．

オートラジオグラフィと FACS（図 1.30）

細胞周期のいろいろな期はオートラジオグラフィによって研究されている．S 期の細胞は，放射標識した前駆体として「3H」チミジンを使ったDNA 合成を検出することで認識される．細胞は，重なり合う銀粒子の詳細な局在を決定するため現像した乳剤層を通して染色される．

細胞周期の異なる期を通して細胞の時間進行は短いそして延長した両方の［^{3}H］チミジンパルスを使って見積もれる．

間期（一般的には約 30％）の間放射標識したたくさんの細胞はS 期の標識指標を表している．

細胞試料でみられた放射標識された細胞は**蛍光－活性化細胞選別（FACS）**を使って分画する．細胞は，DNA に結合する蛍光染料で染色される．FACS で検出された蛍光の量は個々の細胞でのDNA の量に相当する（例えば，G_1 における 2C，S 期の終わりに 4C，G_2 の間では 4C）．

核膜の解体（図 1.33，基本事項 1.I）

核膜の解体は有糸分裂や無糸分裂の終わりに起こる．この解体には核膜の断片化，核孔複合体に分離，そして核ラミナの脱重合を含んでいる．

核ラミナは，タイプⅤ中間径フィラメントタンパク質である**ラミン A，B，C** からなり，これらが互いに結合して核ラミナをつくる．

Box 1.I ｜ PAS やフォイルゲン反応

- 両反応ともシッフ試薬を使う．
- PAS 反応では，過ヨウ素酸が酸化過程で糖タンパク質の糖と反応してアルデヒド基をつくる．
- フォイルゲン反応では，塩酸が加水分解することでデオキシリボースと反応してアルデヒド基をつくる．

Box 1.J ｜ 好塩基球増加症と好酸球増加症

- 多くの組織細胞染色では酸性および塩基性染料を使用する．塩基性あるいはカチオン染料は正電荷の色素基を有し，酸性基と静電気結合する（核酸の中のリン酸基）．

  トルイディン青は DNA や RNA のリン酸基と結合して青色をつくるカチオン染料である．DNA と RNA は塩基性と考えられている（塩基性染料と結合親和性がある）．
- 酸性あるいはアニオン染料は負荷電の色素基を有し，塩基性基と静電気結合をする．

  エオジンは多くの塩基性タンパク質を染色するアニオン染料である．塩基性タンパク質は，酸好性と考えられている（酸性染料に親和性がある）．

ラミンの**リン酸化**は，初めに**プロテインキナーゼ C** により，後に**サイクリン A- 活性化 CdK1 キナーゼ**で触媒されるが，核ラミナを解体することになる．加えて，核孔複合体の構成要素，ヌクレオポリンや小胞体の膜性の槽もまた分散する．小胞体は，核膜再集合の核膜の貯蔵庫である．

分裂後期の間に，ヌクレオポリンや 3 個の内側の核膜の膜貫通タンパク質構成要素である**ラミナ－結合ポリペプチド 2β**，**ラミン B 受容体**，およびエメリンは染色体（クロマチン）の表面に付着する．

それから，小胞体槽はヌクレオポリンや内側の核膜タンパク質によって捕獲され，核膜は終期の終わりに再構築される．

核膜の再構築の第 1 段階は，**タンパク質ホスファターゼ 1** によるラミン B の脱リン酸化である．脱リン酸化されたラミン B はラミン A と C と結合し，細胞質分裂する前に核ラミナを形成する．

これらの順番はラミン A あるいはラミン結合タンパク質の発現に影響する遺伝子変異のラミン病への影響に強弱をつけている．

細胞分裂周期（図 1.33）

細胞分裂を誘導する機構，特に Cdk- サイクリン複合体や中心体周期のかかわりについて統合した視点を有している．

姉妹染色分体が 2 つの娘細胞に分離する機構を学習することで，この項目を完全にする．

細胞分裂は 4 期に分けられる：**分裂前期，分裂中期，分裂後期，分裂周期**．

細胞分裂のハイライトは図 1.3 と Box 1.L にまとめられている．

核型解析（染色体解析）（図 1.34）

細胞発生は正常および異常な染色体（ギリシャ語 *chromos*［= colored，彩色の］，*soma*［= body，身体］）の構造の解析である．

核型解析（あるいは染色体解析）は染色体の数と構造の記載である．標準的な核型解析は，さまざまな時期にある分裂細胞の中から分裂中期の細胞を使った結果に基づいている．

末梢血液中のリンパ球は最も頻繁に使われる細胞であり，骨髄細胞，培養線維芽細胞あるいは羊水あるいは絨毛膜絨毛の細胞も使用可能である．

細胞は細胞分裂促進剤の存在下で 3〜4 日間培養し，コルセミドで処理し，分裂紡錘体を抑制して分裂中期の細胞のサンプルを豊富にする．

細胞を集めて，低張液で処理し，細胞を膨化させ，固定，染色する前に顕微鏡で染色体を分散させる．

ギムザ染色は，一般にそれぞれの染色体対に特徴的な交互に変わる明暗のバンドを示す **G バンド**分染法を実施するのに使われる．

ヒトでは 22 対の常染色体と 1 対の性染色体（XX あるいは XY）がある．染色体は，その長さとセントロメアの位置によって分類される．

ヒトの細胞遺伝学的表記法では，染色体（46）の総数の記載に続いて性染色体の総数が記載される．**正常な男性**は **46,XY**（46 染色体で，XY 染色体対を含む），女性は **46,XX**（46 染色体で，

図 1.30 | 細胞と組織における核酸の局在

フォイルゲン反応

1 塩酸による加水分解はデオキシリボース（DNA 糖）にアルデヒド基をつくるが，リボース（RNA 糖）にはつくらない．

2 無色の**シッフ試薬**と反応するアルデヒド基が**紫色の産物**をつくるので，DNA を含むクロマチンは紫色に染まる．

HCl

細胞質

核

核小体

核小体は染まらない（DNA を含む核小体内の線維中心は光学顕微鏡では解析できない）

オートラジオグラフィ

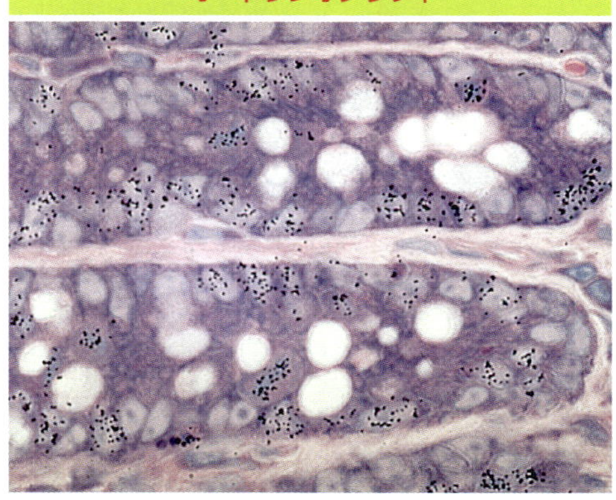

腸上皮細胞（十二指腸）の核に取り込まれた［[3]H］**チミジン**を示めすオートラジオグラム（放射線像）．放射活性物質で標識した前駆体が実験動物に注射され，24 時間後に屠殺された．組織標本は写真用感光乳剤で覆われ，48 時間暗所で曝露された．写真用乳剤を現像した後切片を染色すると，細胞周期の S 期（DNA 合成）を通した核には銀粒子（**黒い点**）が局在するのがわかる．

好塩基性物質

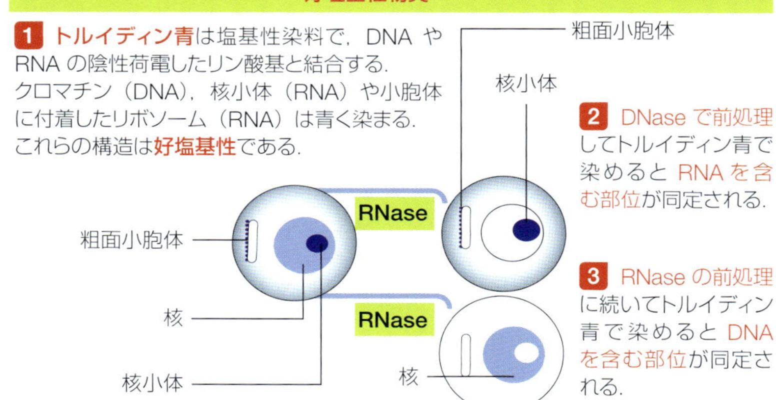

フォイルゲン反応

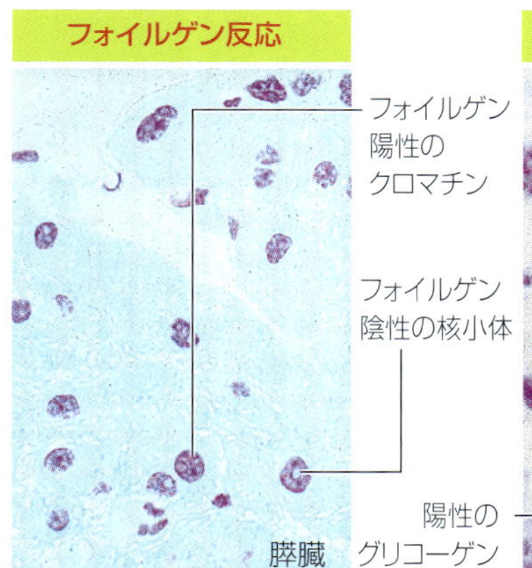

DNA は紫色に染まる．核小体のタンパク質は対比用染料で緑色に染まっている．

PAS 反応

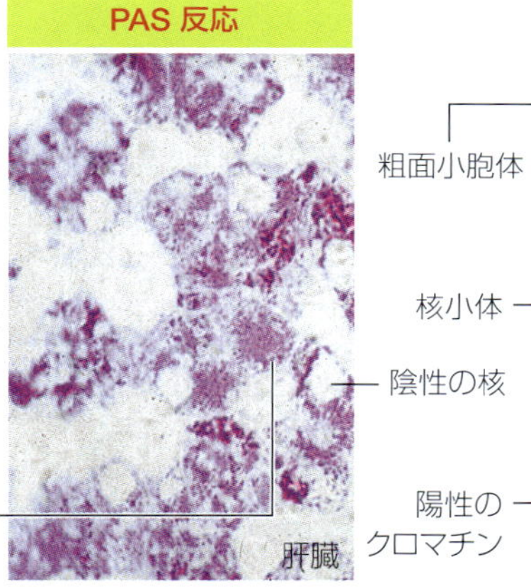

肝細胞の細胞質のグリコーゲンは紫色に染まる．核は陰性．

好塩基性物質

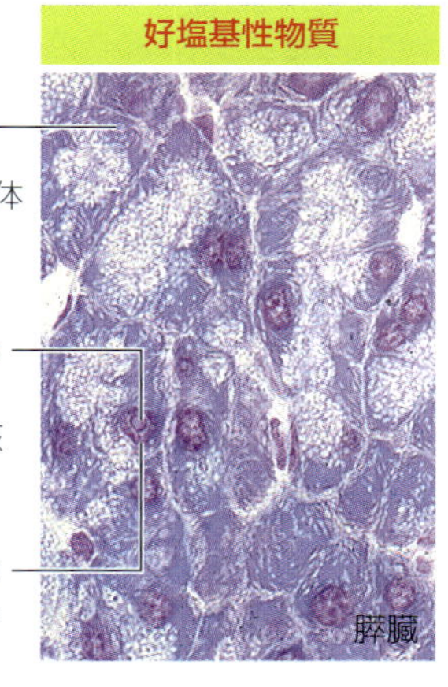

クロマチンの DNA や核小体や粗面小胞体の RNA は染色されている．

RNase 処理後の好塩基物質

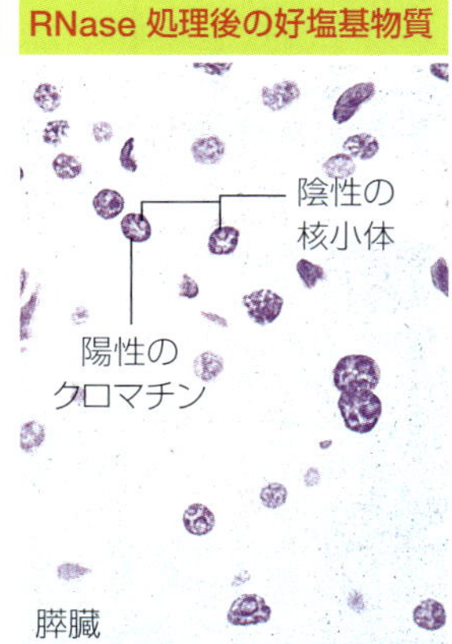

RNase 処理後，クロマチンのみ染まる．核小体と粗面小胞体は染まらない．

XX 染色体対を含む）と同定される．

余分な常染色体は＋サインで性染色体の後に余分な染色体の数を記載することで示される．47,XY+21 は 21 トリソミー（**ダウン症**）の男性の核型である．

余分な X 染色体をもつ男性は 47,XXY（クラインフェルター症）である．プラスあるいはマイナスサインは，腕長の増加あるいは減少を示すために染色体の記号の後に置かれる．47,XY, ＋17p ＋は，47 本の染色体をもつ男性で，短腕の長さが増加した追加の染色体 17 をもつことを示している．

網膜芽腫（Rb）（図 1.35）

細胞周期の継続と終了を制御するのは，Cdk- サイクリン複合体だけではない．組織は，細胞増殖を制限するのに，2 つの戦略を用いている．

1. **細胞増殖を刺激**する血小板性増殖因子（PDGF）や線維芽細胞増殖因子（FGF）のような細胞分裂促進因子を制限する．
2. **増殖を**積極的に**抑制**する制御遺伝子によって．これらの遺伝子は，**抑制遺伝子** suppressor gene とよばれるが，正常な細

Box 1.K | 細胞化学と組織化学　組織学や病理学に使われる方法

酸性フクシン　塩基性フクシンのスルホン化赤誘導体でコラーゲンや多くの細胞質構成要素と結合する．

アルシアン青　不確かな化学的性質の染料で，しばしばPAS（下記参照）と組み合わせて，青に染まる酸性の糖タンパク質に対して選別染色として使う．

アズールA　核酸を染めるメチレン青やチオニンのような塩基性染料．多くの血液染色の構成要素である．軟骨，肥満細胞の顆粒を異染性に染める（紫から赤）．

塩基性フクシン　密に関連したトリフェニールメチレン染料の混合で，個々のベンゼン環のp位置に着いた3個の窒素原子をもつプロペラ状の分子である．

クレッシール紫　核タンパク質，ニッスル小体等を染色するのに使われる塩基性染料．

フォイルゲン反応　DNAの存在を示すことに特化．塩酸で加水分解し，RNAの糖（リボース）ではなくDNAの糖（デオキシリボース）と反応してアルデヒド基をつくる．アルデヒドは，還元した塩基性フクシン（シッフ試薬）と反応し，紫色を呈する．ロバート・フォイルゲン（ドイツ人，1884-1955）．

ギムザ染色　メチレン青，アズールおよびエオシンからなる混合血液染色．この染色結果は，ライト染色の結果と同じである．グスタフ・ギムザ（ドイツ人，1867-1948）．

ゴモリー法　ゲオルク・ゴモリー（ハンガリー人，1904-1957）によって命名された一連の異なる組織化学技法．次のように使われる：酸およびアルカリホスファターゼ，網状線維のための銀染色法，膵臓の細胞のための染色，弾性線維と糖タンパク質，および鉄色素の存在を示す反応．

ヘマトキシリンとエオシン　定例の染色組み合わせ．トキシリンは金属イオン（アルミニウムか鉄）との混合で使用され，色のついたキレート複合体をつくる．これらは，カチオンとして働き，特異的に酸性（アニオンの）基と結合する．ヘマトキシリンは核を青く染める，エオジンは細胞質を桃色に染める．

マロリー染色　結合組織用に使われる．これは，アニリン青，オレンジGとアゾカルミン（あるいは酸性フクシン）を含んでいる．結合組織のコラーゲン束は一般的に青く染める，筋組織は赤く染める，上皮は，赤い核のために赤くみえる，赤血球は橙色に染まる．フランク・バー・マロリー（米国人，1862-1941）．

マッソントリクローム染色　酸性フクシン，オレンジGとライトグリーンの混合．核は黒く染まり，細胞質は赤に染まる．コラーゲン線維や糖タンパク質は緑色になる，赤血球は黄色から橙色になる，筋は赤く染まる．クラウド・ローレント・マッソン（フランス人，1880-1959）．

異染性　ある種の生物化合物の特性として，トルイディン青やチオニンのように染料の色を変える．例えば，軟骨や肥満細胞の顆粒にみられる糖タンパク質はトルイディン青がもつ青の代わりに赤か紫に染まる（ギリシャ語 *meta*［= after，に従って］，*chroma*［= color，色）］．

オルセイン（レゾルシノール）　蘚苔類から得られた天然染料．弾性線維を濃い褐色に染める．

過ヨウ素酸シッフ反応（PAS）　通常，グリコーゲンや糖シッフ反応タンパク質の1,2-アミノアルコール基を示す．過ヨウ素酸は，これらの基をアルデヒドに変える．シッフ試薬（ロイコフクシン）は順にアルデヒドと反応して特徴的な赤-紫色の産物をつくる．ウゴ・シッフ（ドイツ人，1834-1915）．

ズダンIII，IVとズダン黒　凍結切片で脂肪を染めるために使われる脂肪可溶性物質．これらのアゾ染料は，無水の脂質相に可溶性で，脂肪滴に溶けることで，特に濃縮する．ズダン好性はズダン染色に親和性がある．

トルイディン青　核酸に結合する塩基性染色．肥満細胞の顆粒，糖タンパク質と軟骨を，また，異染性に染める（「異染性」参照）．

ファン・ギーソン染色　これはピクリン酸と塩基性フクシンで構成される．結合組織を染色するのに使われる．これはコラーゲンを赤にそして弾性線維や筋を黄色に染める．ヘマトキシリンと混ぜて，核を青褐色に染める．イラ・ファン・ギーソン（米国人，1865-1913）．

生体染色　毒性のない染料を生きた生物に投与すると，貪食で取り込まれる．トリパン青は生体染色に使われる．炭素粒子はまた貪食を示すのに使われる．超生体染色は細胞の培養液に加えられる．

ライトの血液染色　エオジンとメチレン青を使って血液細胞タイプやマラリア寄生虫を判別する．ジェームス・ホーマー・ライト（米国人，1869-1928）．

図 1.31 ｜ 核周期と中心体周期

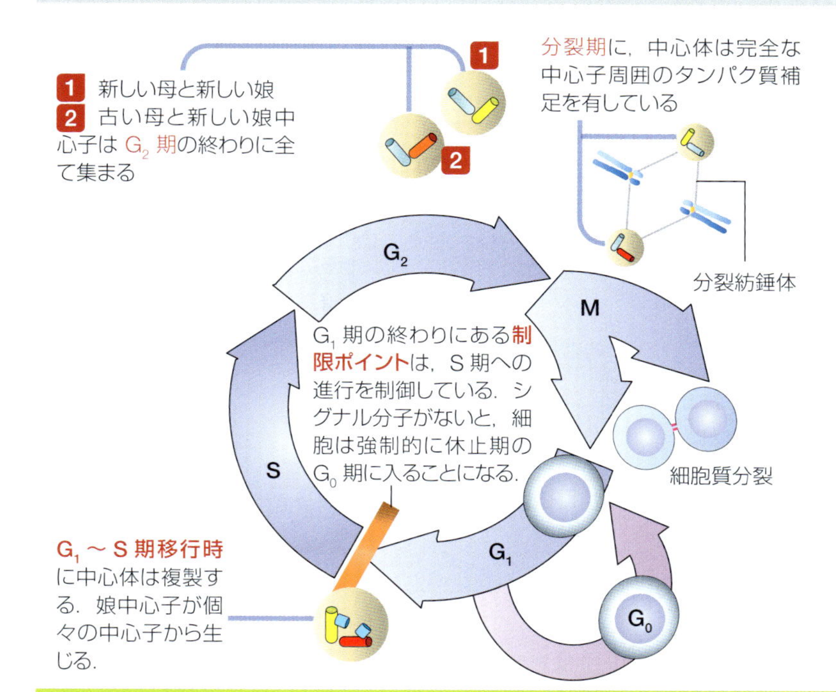

真核細胞における細胞分裂
核周期

細胞周期は **4 期**に分けられる：G_1（gap 1），S，G_2（gap 2），細胞分裂である．細胞分裂は多くの場合，細胞質分裂へと引き継がれる．DNA 複製は S 期中に起こり，前駆体として［^{3}H］チミジンを用いる**オートラジオグラフィ**によって検出可能である．

細胞周期の各期の長さは変化する．分裂期は最も短い（1 周期にかかる時間 24 時間のうち約 1 時間）．G_1 期は最も長い（約 11 時間）．S 期は 8 時間以内に完了し，G_2 期は約 4 時間で終わる．

ある種の細胞は，分裂を停止したり傷害や細胞死により失われた細胞をときどき分裂して更新したりする．これらの細胞は細胞周期の G_1 期を離れて，可逆的なあるいは永久に続く細胞周期の停止期（**G_0 期**）に入る．G_0 期の細胞は代謝的には活性だが，適切な細胞外のシグナルによって再び細胞周期に入らない限り，増殖能力を欠いた状態となる．

中心体周期

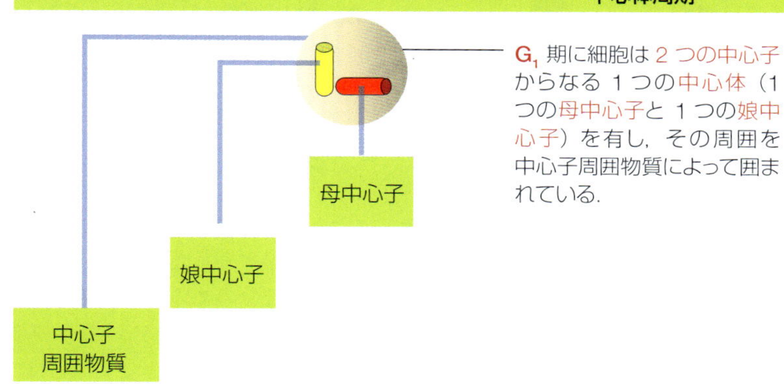

中心子対は母と娘中心子からなり，個々の細胞周期にある細胞がいったん細胞分裂の準備に入るとその対は複製する．

個々の中心子は娘中心子をつくる．それゆえ，2 個の新たな娘中心子ができることになる．前の娘中心子は新しい母中心子となるし，もう 1 つある前の母中心子は古い母中心子として残る．

それゆえ，新たな娘中心子と結合した古い母中心子があり，もう 1 つできた新たな娘中心子と結合した新たな母中心子がある．

胞増殖を制御する．

網膜芽細胞腫 retinoblastoma（Rb）モデルは抑制遺伝子がどのように作用するかについての重要な手がかりを提供している．この細胞は，安全な支援として**網膜芽細胞腫（*Rb*）遺伝子**の重複したコピーを有している．***Rb*** 遺伝子の **2 個のコピー**が変異する場合，異常な **Rb タンパク質**が網膜細胞のがん増殖を誘導する．

Rb 遺伝子対の一方のコピーが変異する場合，残った *Rb* 遺伝子のコピーが正常に機能し，もし第 2 の変異が起きなければ，制御不能な細胞増殖を抑制する．

一方の正常な *Rb* 遺伝子コピーのみを有する子ども達では，発生途中の胚子のすべての細胞は正常に発生している．週齢が進むと，網膜は *Rb* 遺伝子の正常なコピーを失い，網膜芽腫が発達する．

Rb 遺伝子は，細胞周期の進行に関係する**転写因子**の活性を制御する**核タンパク質**を明示する．

Rb タンパク質が**脱リン酸化**する場合，転写因子と結合する．Rb タンパク質の転写因子複合体は目的とする遺伝子に結合するが，転写因子の活性は抑制されている．

Rb タンパク質が **Cdk4- サイクリン D** 複合体によって**リン酸化**されると，転写因子複合体から離れる．それから，自由になった転写因子複合体は特別な遺伝子発現を活性化し，細胞周期進行を進めることができる．

リン酸化された Rb タンパク質は，抑制から DNA 合成や細胞周期の進行に必要とされる活性化へ転写因子のスイッチを入れて切り替える．

網膜芽腫の腫瘍

人生の早い時期に起こる腫瘍である網膜芽細胞腫は，網膜芽細胞腫の腫瘍抑制タンパク質 RB をコードする *Rb1* 遺伝子の変異の結果として生じる．

家族型の網膜芽細胞腫をもつ子ども達は，通常，両側の眼で発生する多発性腫瘍領域を有している．網膜芽細胞腫の第 2 型である**散発型**は，両親にこの疾患の既往歴がない患者にみられる．

散発型の子ども達がいったん治療を受けると，彼らが大人に

図 1.32 | 細胞質周期

細胞質周期

細胞周期の現象は，**サイクリン依存性キナーゼ（Cdk）**と細胞周期の異なる時期でのサイクリンの複雑な組み合わせによって起こり，これが細胞周期装置に対する追加的な制御を行っている．

1 初期 G_1 期：**Cdk4** と **Cdk6** が**サイクリン D** によって活性化され，**網膜芽腫（Rb）**タンパク質のリン酸化を開始する．このことが，**サイクリン *E*** と**サイクリン *A*** 遺伝子を活性化する **E2F 転写因子**の遊離を決定する．

2 後期 G_1 期：**Cdk2** はサイクリン E に結合することで活性化される．Rb タンパク質のリン酸化が完了すると，E2F 依存性の転写がさらに活性化される．Cdk2 とその制御は**減数分裂**には必須である．

3 S 期（DNA 合成）の開始：**サイクリン *A*** は **Cdk2** と結合し，DNA 複製にかかわるタンパク質をリン酸化する．

4 G_2/分裂移行期：**サイクリン A/Cdk1** 活性は，分裂前期の開始に必要とされる．**Cdk1** が欠損すると胎生初期での致死となる．

5 分裂期：**サイクリン B/Cdk1** 複合体は，積極的に分裂に関与し，これを完結する．

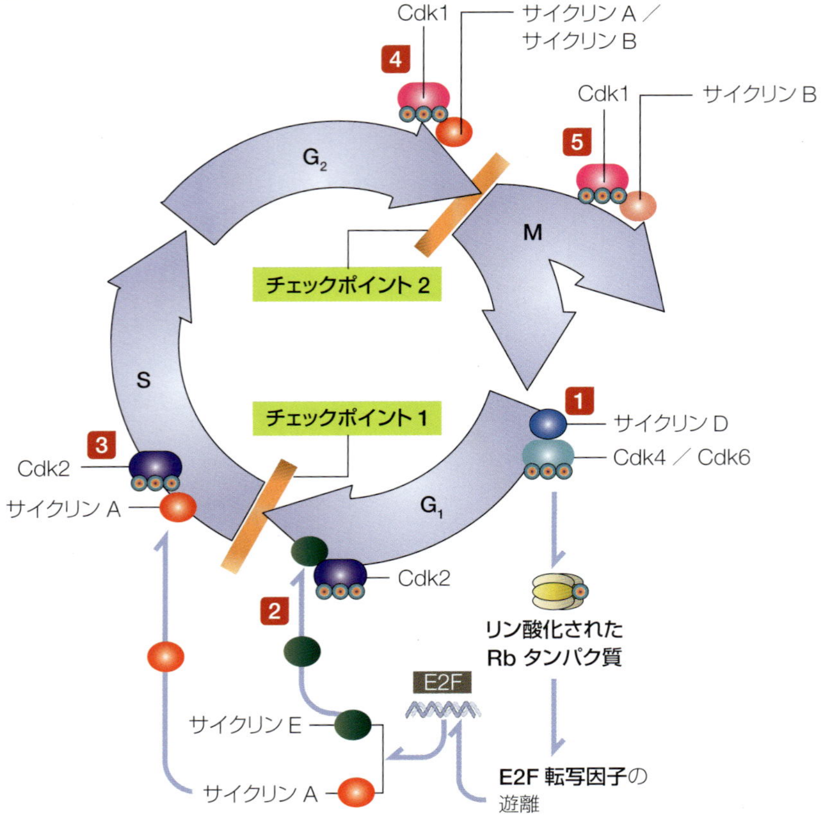

なって次の世代にこの疾患を伝えることはない．散発型の網膜芽細胞腫の子ども達は受精時には遺伝学的に正常であるが，胚子の発生の間に 2 個の体細胞突然変異が細胞系譜である網膜の**錐体光受容体前駆細胞**に生じる．その結果生じる**二重の変異**をもつ Rb 遺伝子が錐体光受容体前駆細胞に生じて，網膜芽細胞腫へと増殖する．

家族性の網膜芽細胞腫において，受精卵は精子あるいは卵子から受け継いだ片方の変異した *Rb* 遺伝子をすでにもつことになる．この接合子に由来するすべての細胞は，網膜の細胞も含め，この変異をもっている．残りの正常な *Rb* 遺伝子は腫瘍形成に必要とされる二重の変異条件に達すると変異することになる．

網膜芽細胞腫は問題となる遺伝子の欠損や不活性化によって生じるいくつかの腫瘍の中の 1 つに過ぎない．腎臓のウイルムス腫瘍は *WT-1* という増殖制御遺伝子の欠損によって引き起こされる．*Rb* 遺伝子と同じように，両コピーは，細胞が制御不能状態で増殖を始める前に，間違いなく変異している．

P53 タンパク質，転写制御因子（図 1.36）

Rb タンパク質モデルと容易に適合しない 1 つの抑制遺伝子は *p53* で，ヒトの腫瘍（白血病，リンパ腫，脳腫瘍，乳がん，その他）の中で最も頻繁に変異する遺伝子である．

p53 はある種の遺伝子の転写制御にかかわる DNA の特別な配列と結合する **p53 タンパク質**の 4 量体をコードしている．

p53 の 4 つのサブユニットの 1 つに影響する変異は，残りの 3 つのサブユニットの機能と合わないかもしれない．遺伝子の機能を完全に欠損させることによって大部分の他の抑制遺伝子に影響する変異に比較して，*p53* 変異は穏やかなあるいは激しい増殖を結果する．

p53 はたくさんの対象となる遺伝子の中で中心となる転写活性因子である．細胞周期停止あるいは限定的な細胞傷害に陥る転写依存性やミトコンドリア機能障害機構によるアポトーシスを制御することで，**細胞のストレスセンサー**としての p53 の役割は，DNA 傷害，酸化ストレスや虚血に反応することである．

オートファジー，ネクローシスおよびアポトーシスは急速な細胞傷害（例えば，脳卒中や心筋梗塞で起こる虚血／再灌流障害や酸化的傷害）に引き続く細胞死の異なる 3 つの型式である．

軽度の DNA 傷害の下で，p53 は細胞を生かすように働くことで，抗酸化物の発現を誘導する．DNA 傷害の程度が増強すると，細胞生存には適しない，あるいは過度の傷害を抱えた細胞を除去するため，増強した活性酸素種（ROS）の産生レベルを刺激する．

p53 遺伝子の変異あるいは p53 シグナル経路の障害によって p53 機能が欠損すると，しばしばヒトのがんとかかわることになる．この観察は，腫瘍抑制において p53 が有意に重要であることを強調している．腫瘍抑制要素としての p53 の機能は，負の制御因子である **E3 ユビキチンリガーゼ MDM2** を隔離したり抑制することで制御している．**MDM2 が不活性であると，p53 は**

基本事項 1.I ｜ 核膜の消失と再合成

核膜の再集合で生じる一連のこと

1 分裂間期にラミン A，B，C の網工をつくる核ラミナは，クロマチンおよび核膜の内葉と結合する．

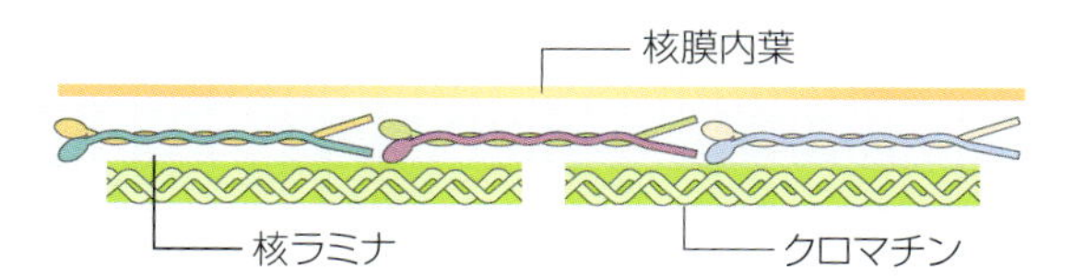

2 分裂に際して，第 1 にプロテインキナーゼ C と次いでサイクリン A によって活性化された Cdk1 キナーゼが，ラミンをリン酸化し，フィラメントを遊離ラミン 2 量体に分離させる．

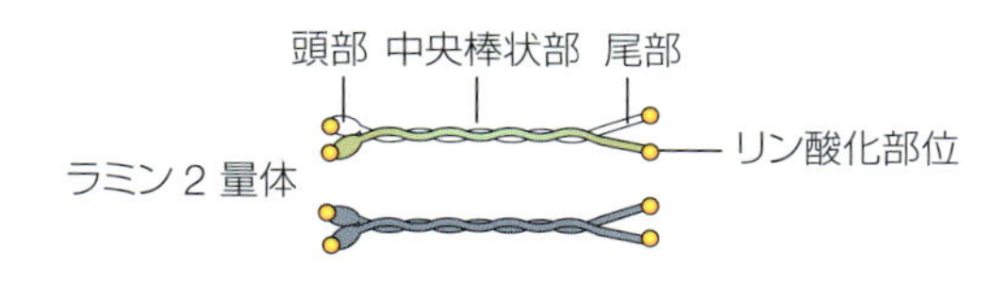

3 核ラミナが分離すると核膜は崩壊する．ラミン A，ラミン B，およびラミン C はリン酸化されたままで分散する．核膜孔複合体の各要素は，分解して，分散する．小胞体槽は将来の核膜をつくるもととなる．

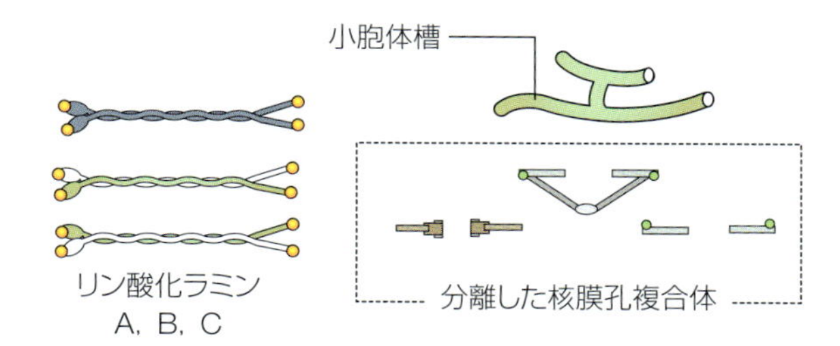

4 分裂後期に，核膜孔複合体の可溶性タンパク質（ヌクレオポーリン）はクロマチンの表面に結合する．

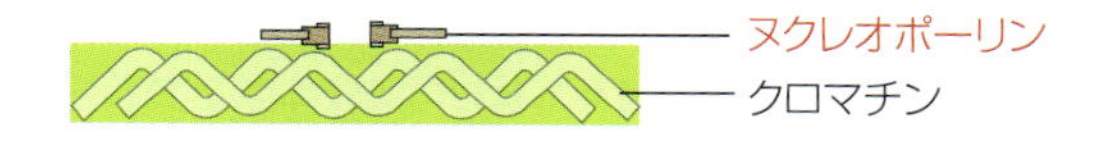

5 分裂後期の終わりに，ラミナと結合したポリペプチド 2β（LAP2β），ラミン B 受容体（LBR），核膜内葉の膜貫通タンパク質であるエメリンは，クロマチンの表面に現れる．

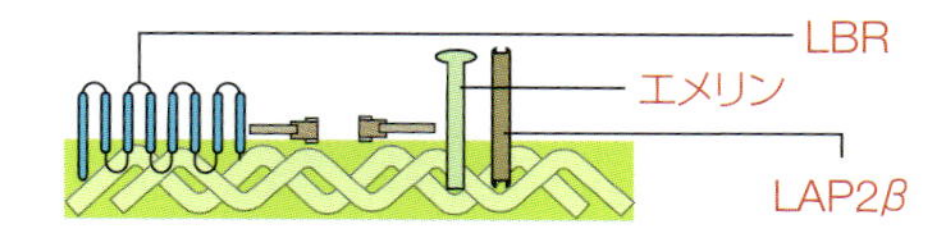

6 分裂終期の終わりになると，小胞体槽は LAP2β，LBR，エメリンに繋留し，核膜の再構築が始まる．

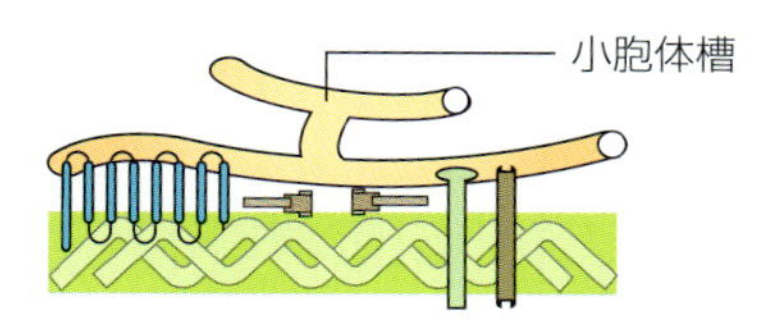

7 細胞質分裂の前に，ラミン B はプロテインホスファターゼ 1 によって脱リン酸化され，ラミン C および A とともに核ラミナの形成を始める．核ラミナの形成が核膜の再構築の完成すると始まる．

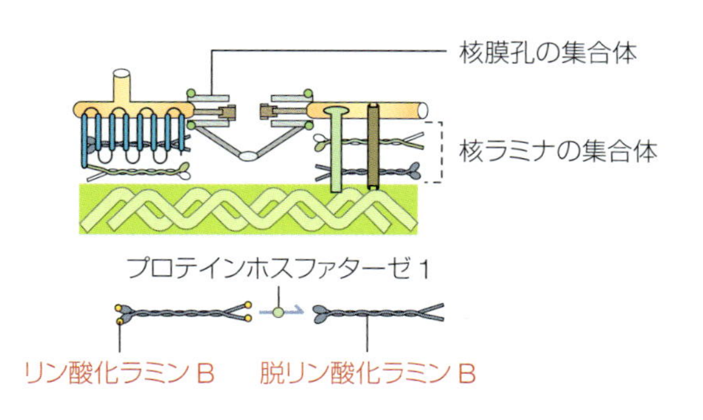

終期

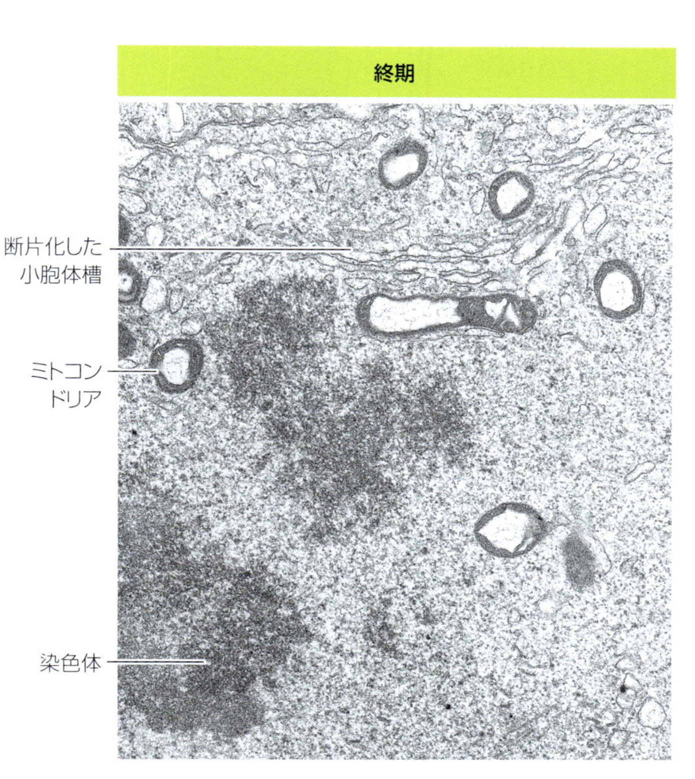

図 1.33 | 細胞分裂周期

1 前期

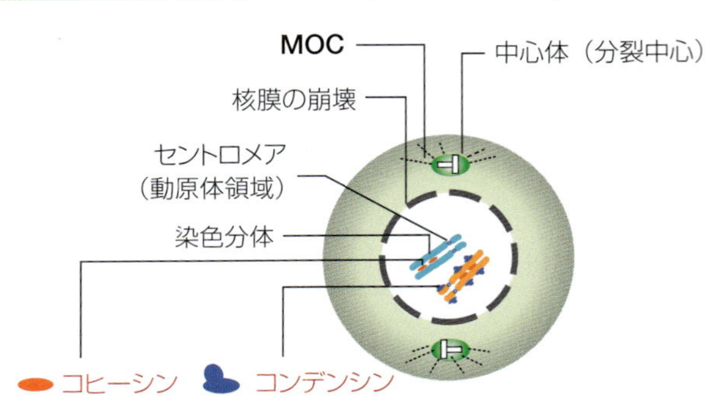

1. 対応する**中心体**（それぞれは微小管形成中心，**MOC**，タンパク質に埋め込まれた 1 対の中心子からなる）が**分裂紡錘体**の凝集を開始する．
2. **ラミンがリン酸化**すると，核膜は崩壊する．
3. 複製された染色体が凝縮する．個々の染色体は 2 つの同等な**染色分体**（**姉妹染色分体**）からなり，**セントロメア**あるいは染色体の一次収縮部で結合している．
   コヒーシンというクロマチン結合タンパク質が姉妹染色分体同士を結合する．**コンデンシン**は染色分体の周辺部でクロマチンを濃縮する．

2 中期

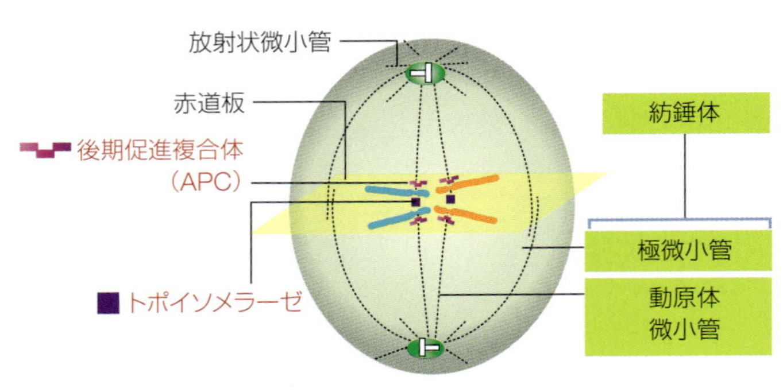

1. **動原体**はセントロメア部で発達する．動原体は，微小管が入り込む染色体の表面構造の特殊化したものである．中心体から動原体に伸びる微小管は**動原体微小管**である．
2. 染色体は**赤道板**（**中期板**ともよばれる）に並ぶ．
3. 1方の細胞極から他方の極に伸びる微小管は**極微小管**である．**放射微小管**は中心体から投射される．これらは動原体にはつかない．
4. 分裂中期に，対抗するが調和のとれた 2 つの力が，赤道板にある染色体を維持する．**動原体微小管**は一方の極に向かって染色体を引っ張り，**放射微小管**は細胞膜に繋留することで中心体を補強する．
5. **後期促進複合体**（**APC**）は，動原体微小管の動原体への接着が正しいと，離散する．もし動原体が微小管に付着していないと，APC はサイクリン活性を遅らせることで分裂周期を中期で停止する．

3 後期

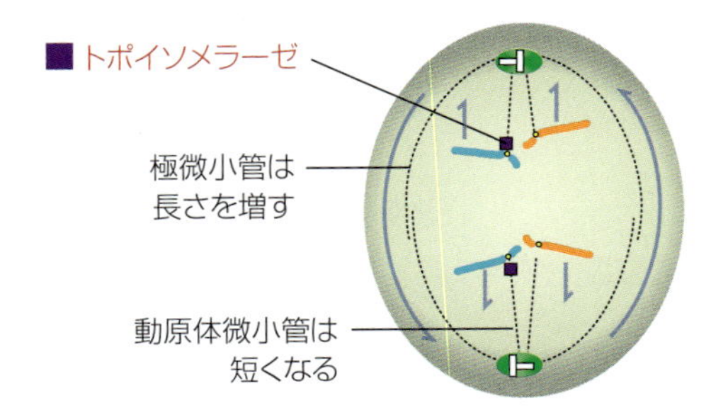

1. 姉妹染色分体はセントロメアが同期して分離することで離れる．
2. **トポイソメラーゼ**は動原体領域にある酵素であり，巻き込んだクロマチン線維を自由にして，姉妹染色分体の分離を促進する．
3. 染色分体は 2 つの独立しているが同時に起こる過程により，対向する極に引かれる：⑴動原体微小管は短くなり，染色分体は赤道面からおのおのの極に向かって移動する．このステップは通常，**分裂後期 A** とよばれる．⑵細胞の極は極微小管の延長によって離れる．この過程は**分裂後期 B** とよばれる．
4. **異数体**（異常な染色体の数）は，2 つの娘細胞に染色体の 2 つの染色分体が不適切に配分されることによる．動原体微小管が動原体に付着できないと，分裂後期の開始が阻止される．チェックポイント機構は動原体のところで異数体を避けるように作動する．

4 終期

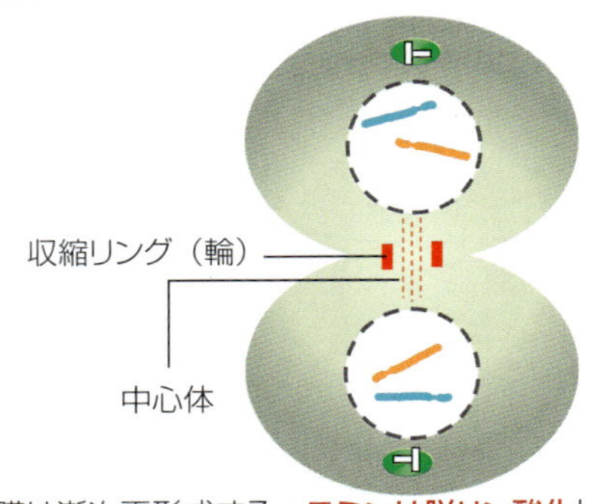

1. 核膜は漸次再形成する：**ラミンは脱リン酸化**し，核ラミナへを凝集する．
2. 染色体は脱凝縮する．
3. 一過性の**収縮輪**は，アクチンとミオシンで構成されるが，**細胞質分裂**の時期に赤道領域の周りで発達し，収縮して，**離断** abscission（ラテン語 *abscindo* [=cut away，切り取る]）とよばれる過程によって 2 つの娘細胞を分離する．
4. 残留した微小管は収縮輪の芯に認められる．それらは**中心体** midbody として知られる構造をつくる．
5. 放射微小管，動原体微小，および極微小管は消失する．

安定で活性を保ち，DNA 傷害と腫瘍抑制の範疇で作用し，アポトーシと細胞周期停止となる．**もし，MDM2 が活性化されているならば，p53 は分解され**，腫瘍抑制効果は失われる．

p53 タンパク質をコードしている *p53* 遺伝子の変異は，ヒトがんの 50% にみられる．常染色体顕性変異によって *p53* 遺伝子発現が失われると，**リー・フラウメニー症候群** Li-Fraumeni syndrome（Box 1.M）として知られる，多種類の悪性腫瘍を発現しやすくなる．

図 1.34 | 核型分析

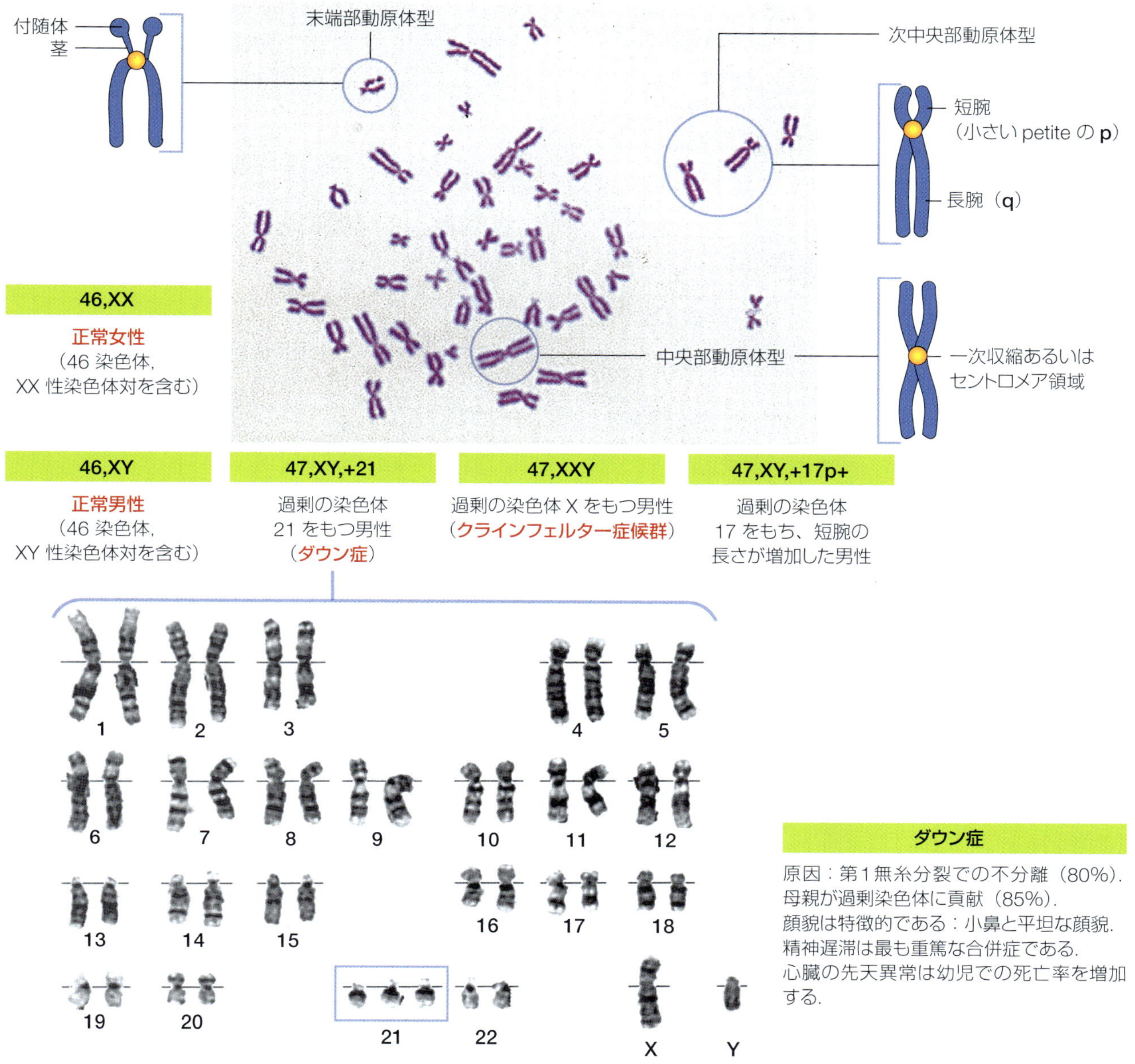

付随体
茎
末端部動原体型
次中央部動原体型
短腕
（小さい petite の p）
長腕（q）
中央部動原体型
一次収縮あるいは
セントロメア領域

46,XX
正常女性
（46 染色体，
XX 性染色体対を含む）

46,XY
正常男性
（46 染色体，
XY 性染色体対を含む）

47,XY,+21
過剰の染色体
21 をもつ男性
（ダウン症）

47,XXY
過剰の染色体 X をもつ男性
（クラインフェルター症候群）

47,XY,+17p+
過剰の染色体
17 をもち、短腕の
長さが増加した男性

1 2 3 4 5
6 7 8 9 10 11 12
13 14 15 16 17 18
19 20 21 22 X Y

ダウン症
原因：第 1 無糸分裂での不分離（80%）.
母親が過剰染色体に貢献（85%）.
顔貌は特徴的である：小鼻と平坦な顔貌.
精神遅滞は最も重篤な合併症である.
心臓の先天異常は幼児での死亡率を増加する.

aryotype from Jorde LB et al.: Medical Genetics, 3rd ed., Philadelphia:Mosby, 2006.

Box 1.L | 細胞分裂の要約

- 細胞分裂は 3 つの周期の協調を必要とする：細胞周期，核周期と**中心体**周期．中心体周期は細胞質と核周期を制御する役割を演じる．
- 細胞質周期はサイクリン依存性キナーゼ（Cdks）によって活性化や脱活性化されるサイクリンの有効性による．Cdk 抑制剤は Cdk- サイクリン複合体を不活化する．Cdk 抑制剤は転写レベルで制御され，必要に応じて細胞質や核周期を停止する．
- 核サイクルは DNA 複製と染色体の濃縮化を含む．DNA 複製の始まりに結合したタンパク質複合体の Cdk2 リン酸化は，DNA ポリメラーゼを捕捉して S 期に DNA 合成を開始して完成する．Cdk1 リン酸化は，染色体濃縮（ヒストン H3 のリン酸化によって実行される）と核膜の崩壊（核ラミンリン酸化によって決まる）を誘引する．
- 中心体周期の間，中心体の 2 個の中心子は，Cdk2 による中心体基質のリン酸化の後で S 期に複製する．娘中心子はそれぞれの中心子に由来する．
- Cdks は細胞質，核，および中心体周期の協調に関係する．
- Cdk2 活性は DNA 複製と中心子複製を開始するのに必要とされる．

図 1.35 | Rb タンパク質

Rb タンパク質は G_1-S 制限ポイントを制御する

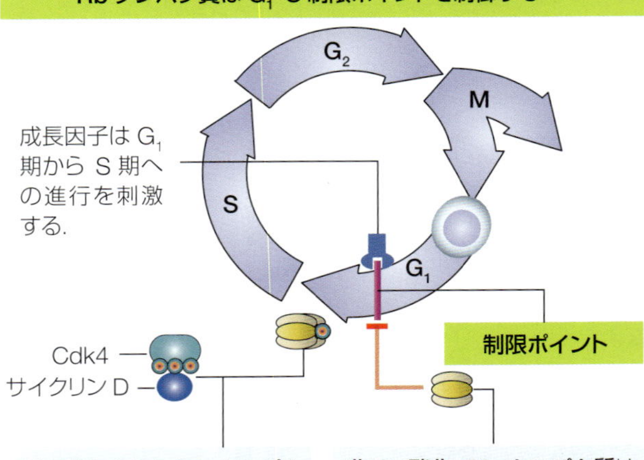

リン酸化された Rb タンパク質は，サイクリン D・Cdk4 複合体の作用によるが，制限ポイントの通過を促進する．リン酸化 Rb タンパク質は**不活性**な抑制因子である．

非リン酸化 Rb タンパク質は G_1 の制限ポイントを通る細胞周期の進行を阻止する．非リン酸化 Rβタンパク質は**活性**な抑制因子である．

1 **非リン酸化型**の Rb タンパク質は一群の転写因子を捕捉し，正常に活性化された目的の遺伝子の遺伝子転写を阻害する．

2 Rb タンパク質が Cdk4・サイクリン D 複合体によって**リン酸化**されると，G_1 期の終わりに転写因子が Rb タンパク質から分離する．

3 遊離した転写因子は DNA 合成と細胞周期の進行に必要とされる遺伝子の発現を刺激する．

リン酸化と脱リン酸化は Rb タンパク質の活性を制御する

Rb タンパク質は非リン酸化である

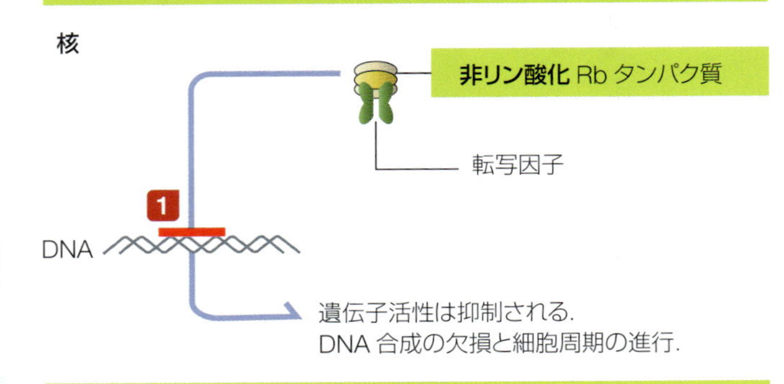

RB タンパク質は**リン酸化される**

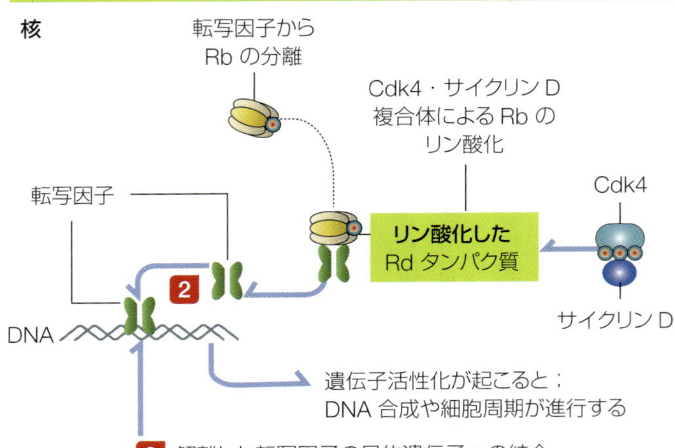

MDM2 と結合する薬剤は腫瘍細胞における p53 のレベルを安定化して，増強し，細胞死を誘導する機能によって腫瘍抑制活性を上げる．

第 16 章領域では，他の腫瘍抑制要素を学ぶ：腺腫性結腸ポリープ症（*APC*）遺伝子．APC はたくさんのポリープ（良性の腫瘍）に由来する結腸がんの遺伝型（家族性腺腫性ポリープ症）に相当する．

テロメラーゼ：老化，老齢とがん（図 1.37）

体細胞は限られた数の細胞分裂を行うことができ，その後，老齢の状態に入る．それと比べ，腫瘍細胞は，腫瘍形成に必要とされる制限なしの寿命を有することになる．培養細胞を用いた *in vitro* の研究では，正常な体細胞の生物学的な時間の研究にモデルを提供してきた．

テロメア telomere は個人の寿命を通して短くなる染色体の防御端である．**テロメア**が短くなり，それに次いで**喪失**すると**老化** senescence を進める分子時計を表している．

テロメアは次の項目からなる繰り返しのヌクレオチド配列の伸展によってつくられる：

1. TTA GGG DNA の繰り返し．
2. **1 本鎖 G- オーバーハング**（G- オーバーハング）として知られる G の豊富な 1 本鎖の 30〜400 のヌクレオチド長のオーバーハング．
3. シェルタリンとして知られるタンパク質複合体は，テロメアの長さを制御し，DNA 傷害の反応からそれを守る．シェルタリンは 6 個のタンパク質からなる：テロメアの繰り返し結合因子 1 と 2（TRF1 と TRF2），TRF- 結合タンパク質 2（TIN2），テロメアタンパク質 1 の防御（POT1），TIN2-POT1 結合タンパク質（TPP1）および抑制／活性タンパク質 1（RAP1）．

男性と女性の生殖細胞や造血幹細胞のテロメアの長さは**テロメラーゼ複合体** telomerase complex で守られている．この複合体は，RNA 鋳型を使ってテロメアの長さを維持する逆転写酵素活性をもつ**リボ核タンパク質** ribonucleoprotein からなる．テロメラーゼは体細胞には存在しない．

多くの腫瘍細胞は高水準のテロメラーゼを発現している．テロメラーゼ複合体は，触媒としての**テロメラーゼ逆転写酵素**（TERT），RNA サブユニットテロメラーゼ**鋳型 RNA**（TR）（染色体端の繰り返し合成に鋳型を提供する）そして予備のタンパク質である**ディスケリン**（DKC1）からなる．

図 1.36 | p53 タンパク質，転写因子

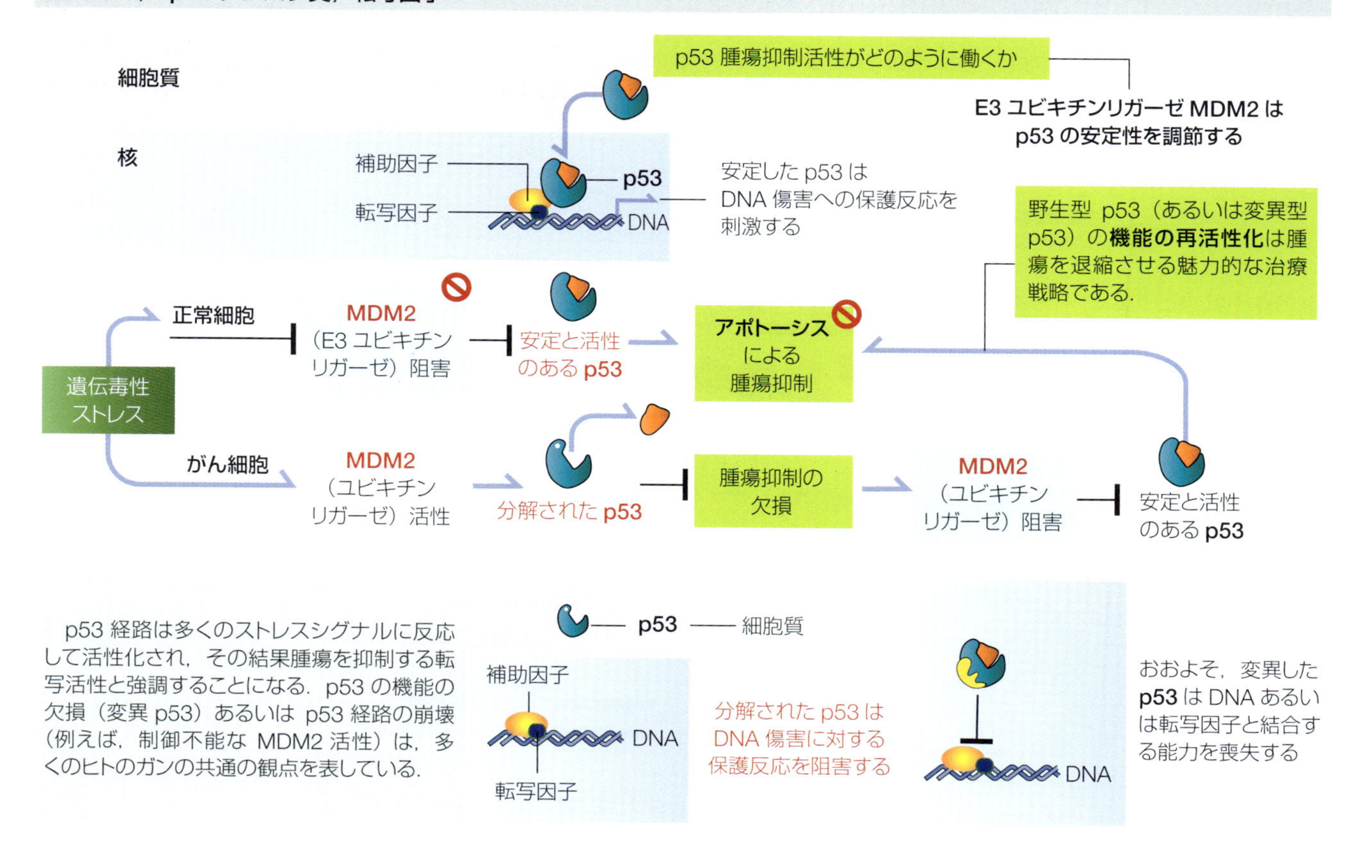

この複合体は核の**カハール体**に集まり，付属のタンパク質である**テロメラーゼカハールタンパク質 1**（**TCAB1**）によってテロメアに送られる．2 個の ATPase である**ポンチン**と**レプチン**は染色体端のテロメラーゼ複合体を活性化し，ヌクレオチドの付加を開始する．

DNA ポリメラーゼが染色体端をコピーし損なうと，テロメアは細胞分裂ごとに長さを減らしている．テロメアが短くなると**細胞は老化**し，**染色体は不安定**となり，機能性腫瘍抑制遺伝子が欠損する場合，腫瘍形成に至る．

老化は 1 つ以上の機構で始まるように思える．細胞の傷害やストレスが蓄積すると，より短いテロメア，活性酸素種やミトコンドリア機能障害に由来する付加因子の結果である．

腫瘍抑制性網膜芽細胞腫や p53 シグナル経路の機能障害はすでに学んでいるが，不安定なテロメラーゼ経路に加えてみると，老化あるいは悪性化に向けて細胞を進めていることになる．

テロメアの**防御**（シェルテリン複合体）や**維持**（カハール体に集まったテロメラーゼ複合体）にかかわる遺伝子の変異は，ホイェラール・フレイダッソン症候群（X 連鎖先天性角化異常症）（HHS），先天性角化異常症，肺線維症，再生不良性貧血や肝線維症を含む**テロメア症候群**と関連している．

HHS を患う患者は，小脳低形成，小頭症および免疫不全症を呈する．先天性角化異常症は，骨髄不全，異常皮膚色素形成症，爪機能異常および白斑症（舌や頬の内側の点状の角化症）によって特徴づけられる．特発性肺線維症は致死的転機をとる肺組織の進行性の破壊に至る．短いテロメアはすべての**テロメア傷害**にみられる．

Box 1.M | リー・フラウメニー症候群

- リー・フラウメニー症候群（LFS）は，がんになりやすい特徴をもった常染色体顕生疾患である.
- がんのいくつかのタイプは若年者で発達する（45 歳より若い）：脳腫瘍，乳がん（女性の腫瘍の 40%），急性白血病および軟部組織と骨の肉腫.
- LFS 症候群は，細胞周期制御機能をもつ転写因子である p53 をコードする腫瘍抑制遺伝子の変異によって引き起こされる.
- LFS の発生頻度は低い．初めてのがんは発症した子どもでは成功裡に治療されるが，2 度目の原発性悪性腫瘍の発達は有意に高い危険を伴う.

医学遺伝学の基本的概念（図 1.38）

医学遺伝学，健康と疾患にかかわるヒトの生物学突然変異の研究は医療行為における本質的な役割を演じている．この項目では，関係する最も臨床的な背景と症例で毎日使われる用語や遺伝学的記号に特別な焦点を当てて広く概説する．

この項目を 2 つの構成要素に分ける：

1. 胚子期と胎児期を含む**ヒトの発生**
2. 次の原因による**遺伝病**：

図 1.37 | テロメアとテロメラーゼ

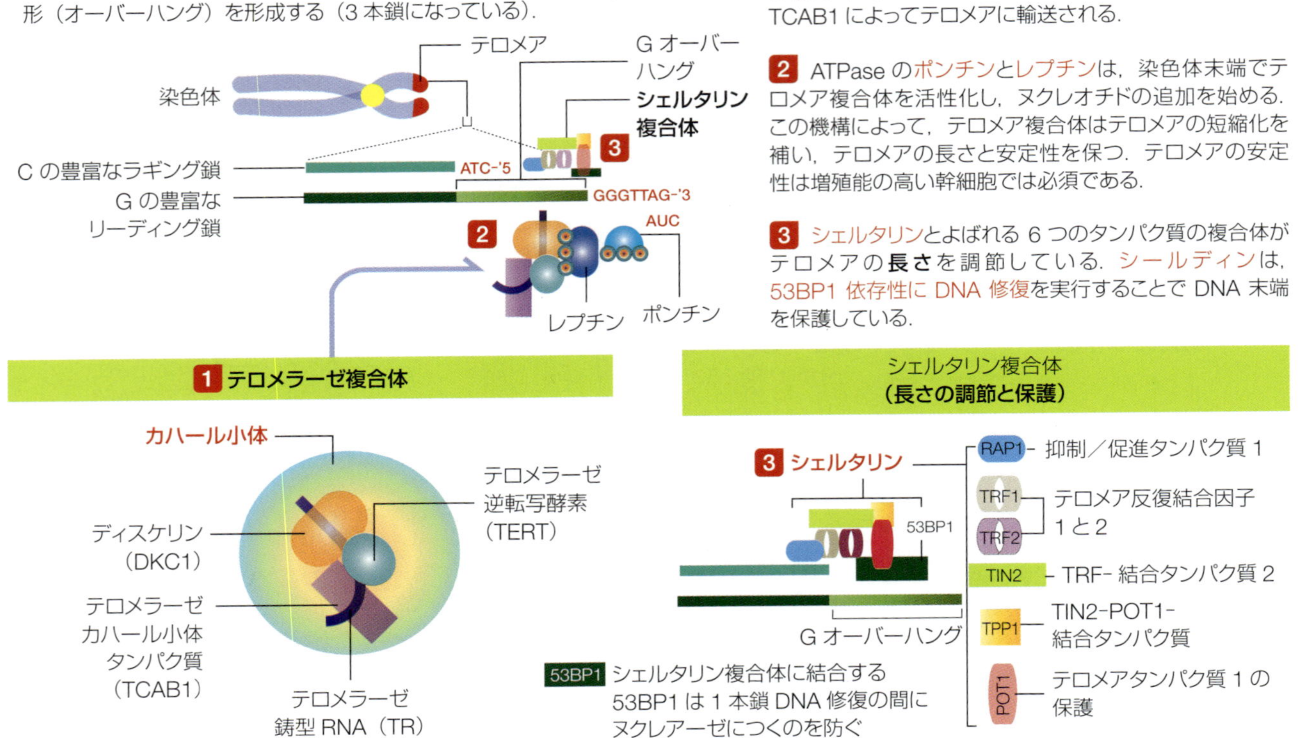

(1)**染色体病**で，染色体の数と構造上の異常を含む．
(2)**メンデル遺伝**で，1 つの遺伝子欠損に基づいている．
(3)**非メンデル遺伝**で，多因子疾患，体細胞遺伝病およびミトコンドリア病からなる．

概念図（図 1.38）は，以下に記したヒトの発生と遺伝病の適切な観点を諸君がまとめるのを補助する．Box 1.N は家系解析に使われる**標準的な遺伝記号**を図解している．

催奇形因子に特に関係した**ヒトの発生**の基本的な見方を定義したり，**先天性疾患**，**先天性形成不全**そして**先天性形成異常**の特別な見方を記述することでこの項目を始める．

ヒトの発生は**胚子期**と**胎児期**に分けられる．胚子期は受精に始まり，10 週後に終わる．その時期に胚子の週齢が 8 週になる．

この時点で，すべての器官原器が形成される．胚子期に，胚子は，催奇形要素（ギリシャ *teras*［= monster，怪物］，*gen*［= producing，つくる］）**によって引き起こされる出生時の疾患に感受性がある．**

1. アルコール（胎児アルコール症候群）．
2. 母体感染（風疹，トキソプラスマ症，サイトメガロウイルスあるいは単純ヘルペスウイルス）．
3. 放射線（X 線照射，放射線治療）．
4. 栄養欠乏症（葉酸欠乏症による二分脊椎症）．

8 週以降では，発達する生体は胎児とよばれ，発達を続け，40 週で完成する．

先天性疾患は，出生時に明らかになるが，数年後に明らかになることもある（例えば，心房あるいは心室中核欠損のような心臓発生の異常）．

先天性形成不全は胚子発生時に起こり，遺伝学的障害によって引き起こされる．先天性形成不全には次のものがある：

1. 無形成：器官が発生しない．
2. 低形成（ギリシャ語 *hypo*［= under，以下の］，*plasis*［= molding，造形］）1 個の器官が完全な形での発生をしない．
3. 形成異常（ギリシャ語 *dys*［= difficult，困難］，*plasis*［= molding，造形］）：組織の組成が異常．
4. 閉鎖不全（ギリシャ語 *dys*［= difficult，困難］，*rhaphe*［= suture，縫合］）：胎生期の癒合の失敗（例えば，二分脊椎として知られる脊髄髄膜瘤）．
5. 閉鎖症（ギリシャ語 *a*［= not，～しない］，*tresis*［= a hole，穴］）器官の管腔が形成されない．
6. 異所（ギリシャ語 *ektopos*［= out of place，場違いな］）：正常な位置に達することのない器官あるいは組織（例えば，精巣下降異常あるいは停留精巣）．
7. 胚子期の一過性の構造がアポトーシスで退縮できずに残存する状態（例えば，甲状舌管の遺残）．

股関節脱臼や内反足のような先天性形成異常は，胎児の発達に影響する母体の機械的な要因の結果である（例えば，平滑筋細胞壁の良性腫瘍である子宮筋種による変形した子宮）．

図 1.38 ｜ 概念図：ヒト遺伝学の用語集

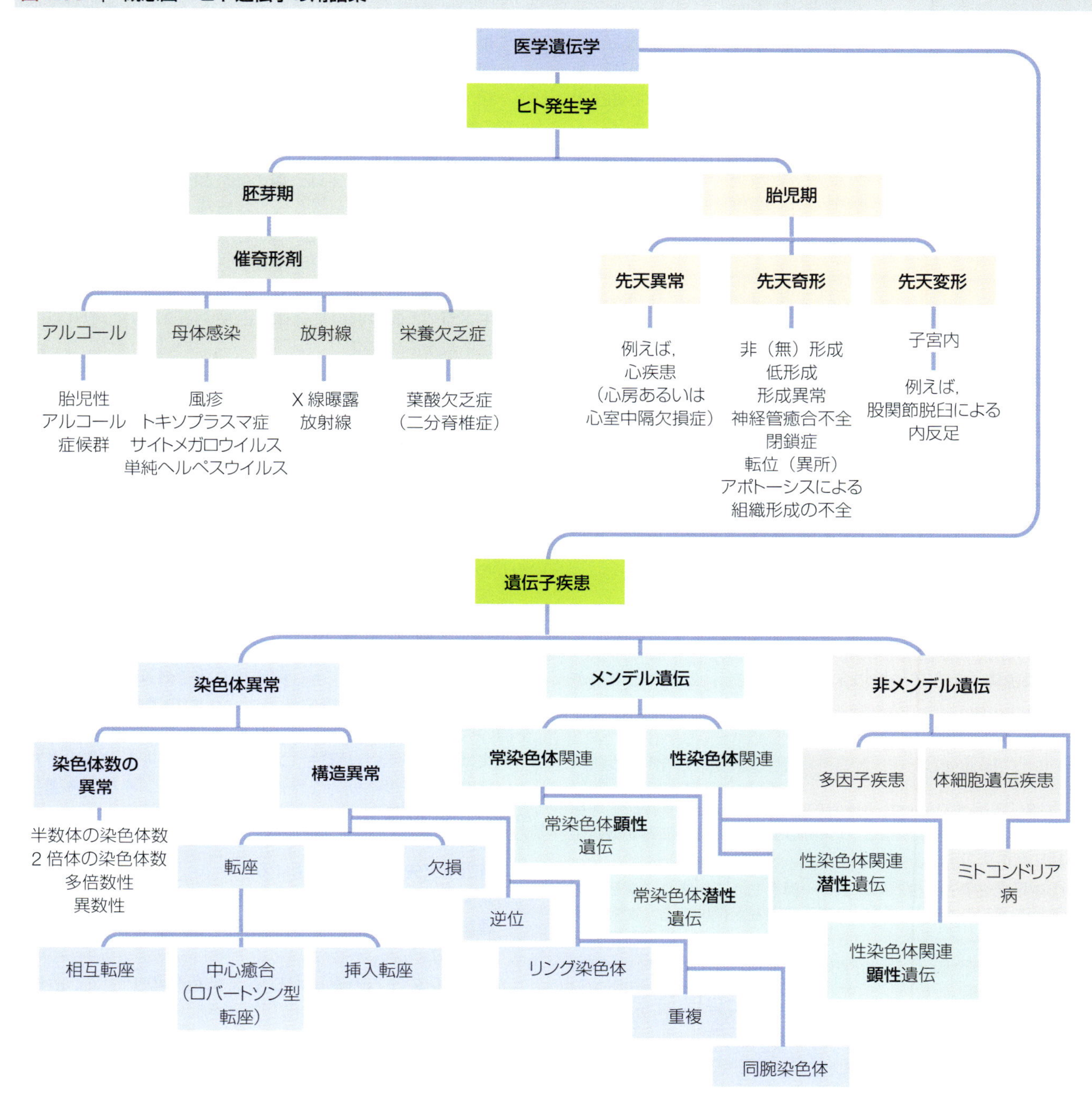

染色体異常

染色体異常では，個々の染色体の数あるいは個々の染色体の構造異常によって生じる．染色体の数の異常については以下のとおりである：

1. **正常なヒト体細胞は 46 個の染色体，2 倍体の数を含む．**
2. 正常なヒトの配偶子細胞，精子と卵子は 22 個の常染色体と 1 個の性染色体（男性の X あるいは Y そして女性の X）の**半数体の数**を含む．
3. **倍数体**は染色体数が 2 倍体の数を超え，その数が 1 倍体の数の正確に倍数になる状態である．

 4 倍体は 1 倍体数の 4 倍である（92 染色体）．4 倍体の肝細胞は肝臓の再生の間にみられる．巨核細胞は正常な倍数体細胞である（この細胞は，1 倍体数の 8～16 倍の数をもつ）．

4. **異数体**（ギリシャ語 *an* ［= without，以外の］，*eu* ［= good，良い］，*ploidy* ［= condition，状態］）**は，娘染色分体対（第 1 減数分裂の間に）あるいは染色体（第 2 減数分裂の間に）の不分離から生じる．**

異数体の個体は染色体の正常な倍数体の数が少ないか多い状態である．これは，特に常染色体の数に影響する場合は，いつも有害である．

女性の細胞では，X 染色体の欠損は強い障害を生じる，しかし，規定数以上の X 染色体をもつ女性は，通常は正常であるかほぼ正常である．なぜなら，XY の男性の量と X 連鎖遺伝子の量を平行に保つ機構が働き X 染色体は不活化するためである．

染色体の構造上の異常は，電離放射線に曝露することや遺伝的疾患で観察される染色体の破損の結果である（毛細血管拡張性運動失調症やファンコニー症候群におけるように）．

染色体の構造上の異常には，転座，欠損，逆位，環状染色体，重複や同腕染色体がある．

1. **転座**は，染色体間で切断された染色体の断片が移動することで生じる．
   転座には 3 型がある：
   (1)遺伝物質の全体的な獲得と損失のない状態で染色体の対の中での切断と再結合が相互に起こる場合に**相互転座**という．
   (2)2 個の末端動原体の染色体は近くあるいはセントロメアのところで壊れ，2 個のセントロメアと一緒になって 1 本の染色体になる場合（二動原体染色体）に，**動原体融合**（**ロバートソン転座**）という．セントロメアのない（無動原体）断片はそれに次ぐ細胞分裂で欠失することになる．
   (3)**挿入転座**は 1，2 個の染色体で 3ヵ所の切断が起きるとその結果，1 個の染色体の断片の欠損が中間部に起き，それが他の間隙に入り込むことになる．
2. **欠損**：染色体の断片が切断し，欠失する．
3. **挿入**：切断した染色体の断片が，同じ染色体に再び入り込むが，ただし，逆向きに入る．
4. **環状染色体**：染色体の腕の末端部が欠失し，2 個の近位端が再び参入して近接して環状結合を形成する．
5. 染色体の追加的なコピーが存在する場合に，**重複**という．重複は欠失より頻繁であるが，障害度は低い．
6. **同腕染色体**：一方の腕が欠失し，他方の腕が重複している状態．

他の**染色体異常**は：

1. **モザイク**：1 つの接合子由来で 2 あるいはそれ以上の細胞系統をもつ個体．例えば，雌の哺乳類体組織において，1 個の X 染色体は活性で，もう一方は転写レベルで不活性である状態（周知のごとく，遺伝子量補正の指標）．これらの組織は**モザイク**とみなされる（母性あるいは父性の X 染色体が体組織の細胞で活性であるかどうか）．
2. **キメラ**：2 個の別の接合体に由来する 2 ないしそれ以上の細胞系統をもつ個体．

メンデル遺伝

ヒトにおいて，44 常染色体で 22 の相同対からなり，対の中に存在する（一方は父方由来，他方は母方由来）および個々の染色体の中で特別な領域にあるいは**遺伝子座**に位置する，遺伝子をもっている．

遺伝子のもう一方の相手は**対立遺伝子**（ギリシャ語 *alleon* ［= reciprocally，相互の］）とよばれる．

遺伝子対の両方が同等であれば，個体は**同種接合**である，もし異なるのであれば，個体は**異種接合**である．

どの遺伝子も特徴あるいは**形質**がある．異種接合体で発現している形質は**顕性**であり，もし同種接合体でのみ発現しているのであれば，**潜性**である．遺伝性疾患は **1 つの遺伝子**あるいは**遺伝子群**の欠失によって引き起こされる．

欠失は**顕性**あるいは**潜性**（**メンデル遺伝**）として表現され，あるいは遺伝因子の部分的なかかわりをもって，疾患（**多遺伝子性**あるいは**多因子遺伝**）が発症する前に，共存する環境因子を必要とする．

1 遺伝子欠失疾患を次に挙げる：

1. **常染色体連鎖，あるいは性染色体連鎖疾患**（**主に，X 染色体連鎖疾患で，女性における遺伝子の量的補正のない男性に影響する**）．
   XX の女性の細胞における X 染色体の 1 つが不活性化する．X 染色体が不活性化したときにみられる構造的な像は**バー小体** Barr body として知られ，女性細胞の核周辺域で濃縮したクロマチン構造として認められる．
   X 染色体不活性化（XCI）はこの染色体上にコードされた遺伝子の多くを抑制する，すなわち，**機能的な 1 遺伝子性**とよばれる状態である．XCI は，RNA ポリメラーゼ II を除去することで転写を抑制するために X 染色体に沿って広がり，これを包み込む長い非翻訳領域 RNA である **Xist** によって決定される．
   遺伝子性のユニソミーは 1 対の相同染色体の一方のみをもつ個体あるいは細胞の状態である．例えば，男性細胞は，**遺伝的なユニソミー**として知られる状態で，1 つの X 染色体のみをもっている．
2. **同種接合体**は，障害のある遺伝子が染色体対の**両方**に存在する場合である．

Box 1.N | 家系解析

- 家系は遺伝学医学で使われる通常の手段である．標準遺伝記号を使った樹木のように構築され，特異的な表現型の特徴に対する遺伝的な様式を示す．
- ヒトの**家系発端者**とよばれる家族の一員をもって始まり，遺伝学者が，家族を通して表現型の進行を遡ることを可能にする．次の記号が使われる．

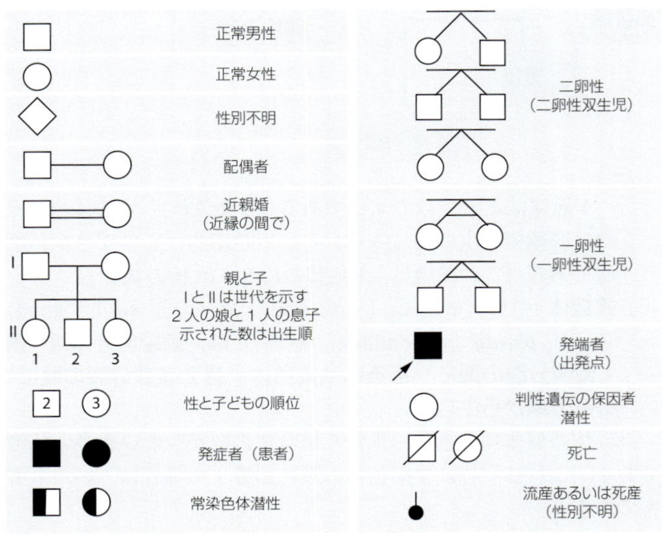

3. **異種接合体**とは，障害のある遺伝子が，染色体対の**一方**にのみ存在する場合である．

1 個の遺伝子の欠失に関する**メンデル遺伝型は次に挙げる**：

1. **常染色体顕性遺伝：異種接合体に発現される，子孫の平均半分が影響を受ける**．

   例えば，**家族性高コレステロール血漿**は，定比重リポタンパク質（LDL）の受容体をコードする 19 番染色体の短腕上の 1 個の変異遺伝子によって引き起こされる．受容体が欠失することで，コレステロールを含む循環 LDL を除去することができなくなる．

   男女ともに影響される．それぞれが異種接合体で素因をもったヒト（正常な同種接合体）と結婚するとその素因を受け継ぐことになる．素因を受け継いだ個体が出現する可能性は 50% である．

2. **常染色体潜性遺伝：同種接合体で発現している**，子孫には低リスクである．

   例えば，**鎌状赤血球病**は，血管を閉鎖して肺や脾臓（第 6 章参照）に反復する梗塞を引き起こす鎌状の赤血球によって起こされる．

   この疾患は，バリンからグルタミン酸への 1 アミノ酸置換により引き起こされる**障害性ヘモグロビン S** による．正常な個体における主要なヘモグロビンは HbA である．

   正常な同種接合性の正常なヒト（HbA／HbA）と結婚する鎌状赤血球貧血症の親は，疾患に罹っていない異種接合体（HbA／HbS）をつくることになる．

   もし HbS／HbS 個人が異種接合体と結婚すると，子どもが素因者になるかは平均で 2 回に 1 度である．両親が鎌状赤血球疾患であれば，すべての子どもが鎌状赤血球病になる．

3. **性染色体連鎖潜性遺伝**．男性と女性の X 染色体の形質の継承はすべての娘が保因者となる（女性と女性の伝承は 50% の娘が保因者となる）．男性と男性の遺伝子欠失の継承はない．

   一例として，血中のクレアチンキナーゼや筋組織の他の酵素の有意な上昇を伴い，進行性の筋の衰退を引き起こす疾患である**筋ジストロフィ（ドゥシェンヌ型筋ジストロフィ）**がある．

   異種接合体の女性は保因者（臨床的に発症していない）であるが，疾患を遺伝する．保因者の女性が正常な男性と結婚すると，1／2 の女性は保因者であり，息子の 1／2 は発症する．

4. **性染色体連鎖顕性遺伝**．X 染色体の疾患は異種接合体の女性と異種接合体の男性に観察される（男性の 1 つの X 染色体上の変異した対立遺伝子をもつ）．

   発症した男性は，彼のすべての娘にその特徴を遺伝するが，息子には遺伝しない．直接的な男性と男性の遺伝は起きない．

ビタミン D 抵抗性くる病（食事性のビタミン D 接種でさえ正常である）と**シャルコー・マリー・トゥース病の X 連鎖型**（遺伝性の運動と感覚の神経障害）は X 染色体連鎖顕性の疾患である．

Y 染色体連鎖顕性遺伝において，男性が Y 連鎖形質を継承する場合，男性のみに発症する．

非メンデル遺伝

多遺伝子病は，分散した遺伝子が加わることで起こり，それぞれの遺伝子は，明確な表現型を欠いているが，その疾患の特徴にかかわっている．

多因子疾患は，誘引となる環境因子が存在する場合のみ生じる条件づけの遺伝子背景（病気になりやすさ）のもとで起きる．多因子の形質は不連続（明確な表現型），あるいは連続（明確な表現型を欠く）である．

唇裂や口蓋裂，先天性心疾患，神経管障害や幽門狭窄は，不連続な多因子形質として遺伝する先天性の形成不全である．

連続する多因子形質の例は，身長，体重，皮膚の色や血圧である．

メンデルの遺伝性疾患との比較で，系譜解析は適応できず，**双生児の一致性**，家族関係研究は必要とされる．

双生児は，遺伝学的に同一（**一卵性**）か，不同一（**二卵性**）である．

一卵性双生児は，2 個の胚子に別れる 1 個の接合体から生じる．

二卵性双生児は，2 個の卵子に由来し，それぞれが精子と受精する．これらの双生児は，2 個の羊膜腔 2 個の胎盤を有しそれぞれは別の循環系をもつ．一卵性双生児の多くは，共通の血液循環を備えた 1 個の胎盤からなる．

もし双生児が不連続な形質（身長のような）を示すならば彼らは**一致**するし，一方のみの形質であれば，**不一致**である．一卵性双生児は，同一の遺伝子型を有する，二卵性双生児は，兄弟のようである（兄弟と姉妹）．

染色体の疾患か特別な 1 遺伝子形質があるのであれば，一卵性の一致率は 100% である．

遺伝子と環境の性質に関する不連続性の多因子形質にとって，一卵性の一致率は 100% 以下であるが，二卵性双生児の一致率よりも高い．

染色体障害あるいは一卵性の一致率が高い場合の特別な 1 遺伝子形質に対する遺伝学的な貢献度や継承性に関する増加する重要性について，この幅は私達に教えている．

親戚は彼らの遺伝子をある割合で共有し，家族関係研究は一形質の多因子遺伝に対して支援を提供できる．

多くのがんは**体細胞の遺伝的障害**とみなされる．ある種の家族性がんは生殖系列の遺伝子変異を有している，他の種類では，悪性化する体細胞遺伝子変異を示す．

第 1 細胞分裂の後に起こる受精卵の遺伝子変異は，生殖細胞（生殖腺のモザイク）あるいは体細胞（体組織モザイク）に影響するかもしれない．

ミトコンドリア DNA の遺伝子変異によって引き起こされるミトコンドリア障害は保因している母親のすべての子どもに伝達されるが，保因している父親の子孫には伝わらない．

上皮 | 細胞生物学 | 概念図・基本的概念

頂上領域の分化から基底膜まで

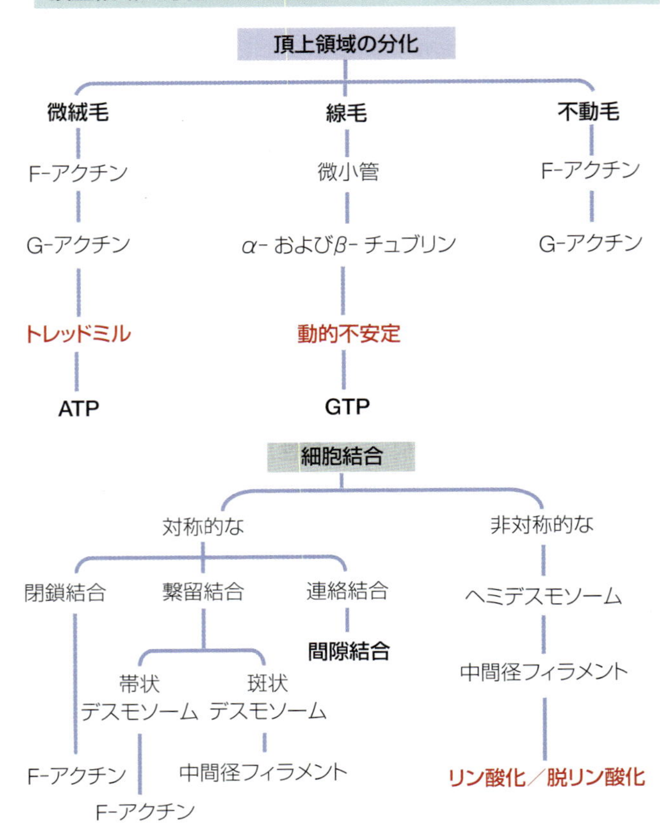

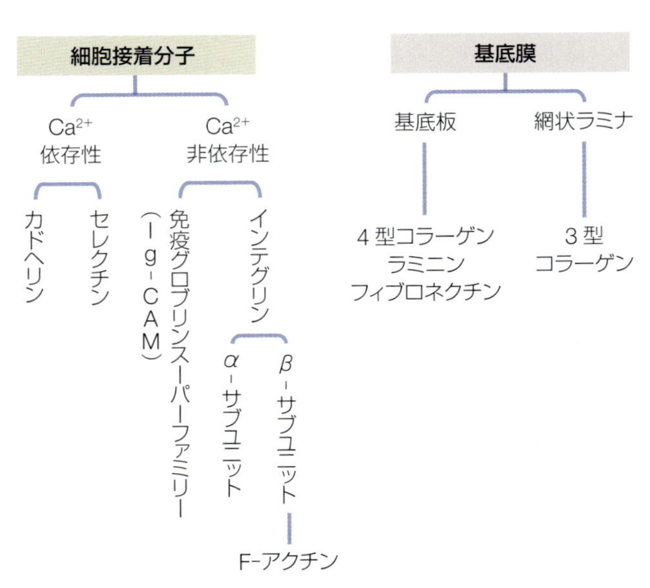

- 上皮は4つの基本的な組織の1つである．それ以外の3つの基本的な組織は結合組織，筋組織そして神経組織である．
  上皮は次のことに基づく3つの主要なグループに分類される：
  ⑴細胞層の数（単層：単層上皮，1層以上：重層上皮）．
  ⑵細胞の形（扁平上皮，立方上皮，円柱上皮）．
  ⑶最上層の細胞の形（重層扁平上皮，重層立方上皮，重層円柱上皮）．
  重層扁平上皮は軽度に角化した（通常非角化とよばれる）および高度に核化した型に分けられる．
  内皮という名称は，血管やリンパ管を裏打ちする単層扁平上皮として同定される．中皮という名称は，漿膜（腹膜，胸膜，心膜）を裏打ちする単層扁平，あるいは単層立方と記載される．中皮に由来する腫瘍は中皮腫とよばれる．

- ケラチンタンパク質（サイトケラチン）は上皮細胞の重要な細胞骨格の構成要素である．病理学者は，腫瘍の上皮由来を決めるためにケラチンの存在を調べる（結合組織由来の腫瘍である肉腫と比較して，がんとよばれる）．

- 中間型は偽重層上皮であり，すべての細胞が基底膜に接触しているが，管腔まですべての細胞が達するわけではない．
  移行上皮あるいは尿路上皮は，尿路を裏打ちし，偽重層上皮とみなされているが，重層扁平上皮の形をしている．膀胱の尿路上皮の最外層細胞は尿によって起こされる張力に反応してその幾何学的および表面の形状を変える性質をもっている．

- 選択した上皮の分類の詳細な区別は線毛，微絨毛や不動毛のような頂上領域の分化にある．
  線毛をもつ偽重層上皮は呼吸路や卵管に沿ってみられる．腎単位の特別な領域にある単層立方上皮や小腸の単層円柱上皮は頂上領域に沿って刷子縁をつくる微絨毛をもつ．不動毛は，精巣上体管を裏打する上皮や内耳の有毛細胞にみられる．
  上皮細胞は，閉鎖結合，繋留結合（帯状や斑状デスモソームやヘミデスモソーム）や間隙結合のような特殊な細胞膜に付属した構造によって密に結合している．

- 上皮細胞は，高度に極性化している．上皮細胞には頂上領域と基底外側領域がある．この領域の境界は，結合装置とその構成要素の分布，アクチン細胞骨格の極性のある分布，そして基底表面にある基底膜の存在によって定められる．

- ある種の上皮細胞の頂上領域は管腔に突出する構造で識別できる．頂上部の識別は可動性（多数の線毛）か不動性（一次線毛，微絨毛および不動線毛／不動絨毛）である．
  多数の可動性線毛は上皮の表面上の液体や物質の流れと呼応する．1本あるいは一次不動性線毛はヘッジホッグシグナル経路構成要素を備える機械受容器である．
  線毛は，中心対を取り囲む9個の微小管ダブレットの同心状配列によって形づくられる．線毛は基底小体前駆体－中心体由来の構造物－に由来し，頂上部の細胞膜に挿入する．
  軸糸に比較して，基底小体と中心子は，らせん状に配列した9個のトリプレットによって形成される．基底小体や中心子には中心微小管は存在しない．
  不動の微絨毛と不動毛はアクチンミクロフィラメントのコア（芯）を含んでいる．微絨毛は，一様の長さである．不動毛は，より長く，その長さはさまざまであり，精巣上体管の上皮では，不動毛は枝分かれする傾向にある．

- 上皮細胞層の位置と安定性は，細胞接着分子と細胞結合装置によって維持されている．

- 細胞接着分子は次のように分類される：
  ⑴ Ca^{2+} 依存性．
  ⑵ Ca^{2+} 非依存性．
  カドヘリンとセレクチンは Ca^{2+} 依存性である．免疫グロブリン様ファミリーの細胞接着分子（Ig-CAM）やインテグリンは Ca^{2+} 非依存性である．カドヘリン，セレクチンやIg-CAMに比べ，インテグリンは2個のサブユニットのαとβからなり，異種2量体を形成する．
  カドヘリンは同種親和性シス‐同種2量体（同じもの同士，like-to-like）を構成し，隣接する細胞との間に存在する同一のあるいはことなる2量体をもつ細胞外領域を介して結合する（トランス‐同種2量体あるいはトランス‐異種2量体（異なる間で，like-to-unlike）．カドヘリンの細胞内領域は，カテニンα，βとγ（プラコグロビンともいう）からなるカテニン複合体と結合する．カテニン複合体はアダプタータンパク質（α‐アクチニン，フォルミン-1とビンクリン）を介してフィラメント状のアクチンと結合する．
  セレクチンは炭水化物認識領域を介して炭水化物性リガンドと結合する．セレクチンはホーミング（帰走性），感染に際して好中球，リンパ球やマクロファージの内皮細胞を横切る遊走や初期の粥状硬化症における血管の内皮下腔の脂肪線状の沈着に重要な役割を演じる．
  Ig-CAMの細胞外免疫グロブリン様領域は隣り合う細胞との間で同じ分子（同種型結合）か異なる分子（異種型結合）と結合する．Ig-CAM CD4はT細胞（ヘルパー細胞）のHIV-1受容体である．
  インテグリンは2個の関連するサブユニットであるαとβによって形成される異種2量体である．インテグリンサブユニットβの細胞外領域は基底膜の2つの構成要素であるラミニンとフィブロネクチンと結合する．
  プロテオグリカンやコラーゲンはラミニンやフィブロネクチンと結合し，網状ラミナを形成する．インテグリンサブユニットβの細胞内領域はα‐アクチニン，ビンクリン，キンドリンやタリンを含むアダプタータンパク質を介してフィラメント状のアクチンと結合する．インテグリンは細胞外マトリックスと細胞内の細胞骨格との間で結合を形成する．

- 基底膜は上皮細胞の基底領域に存在するPAS（過ヨウ素酸‐シッフ染色）陽性構造である．
  基底膜は，電子顕微鏡によって明らかにされた基底板と網状板からなる．病理学者は，もし増殖する悪性の上皮細胞が上皮層に限局している（上皮内がん）か，血液とリンパ管が存在する上皮下の結合組織に浸潤しているかどうかを決めるため基底板が無傷であるかを確かめる．

- 細胞結合は，機械的な安全性を保つだけではなく，細胞の位置を知らせるシグナル構造としても機能し，細胞増殖あるいは細胞死（アポトーシス）を制御できる．
  ⑴対称性，閉鎖結合のように，帯状デスモソーム（接着帯），斑状デスモソーム（接着斑）および間隙結合．
  ⑵非対称性，ヘミデスモソームのように．

- 閉鎖結合は2個の膜貫通タンパク質（4回膜貫通のオクルディンとクラウディン）と，2個の免疫グロブリン様細胞結合タンパク質（結合性接着分子[JAM]とネクチン）で構成される．
  ネクチンはアファディンと結合し，アファディン‐ネクチン複合体をつくる．JAMやネクチンは2量体をつくり（シス-2量体という），対抗する細胞膜に入り込んだ2量体は互いに結合する（トランス-2量体）．
  アダプタータンパク質である密着帯のZO-1，ZO-2とZO-3はオクルディン，クラウディン，JAM，およびアファディン‐ネクチン複合体とアクチンミクロフィラメントに結合する．クラウディンは凍結延断電子顕微鏡で可視化される閉鎖結合の縫い目の背骨（高まり）を構成する．
  閉鎖結合は，頂上領域を外側基底領域から分離する環状の囲いをつくる．物質が2つの異なる経路によって上皮性と内皮性の細胞性シートを横切ることができる：経細胞路と傍細胞路．閉鎖結合は，荷電依存性および大きさ依存性にイオンや分子の傍細胞路を制御している．

- 閉鎖結合と同様に，接着帯（帯状デスモソーム）はまた環状に分布し，フィラメント状のアクチンと結合する．明らかな構造は，デスモプラキン，プラコグロビンやプラコフィリンを含むプラークの存在である．
  カドヘリン（デスモコリンとデスモグレイン）やアファディン‐ネクチン複合体は隣接する上皮細胞の細胞膜と結合する．カドヘリンの細胞内領域は，カテニン複合体を介してアクチンと結合する．

- 接着斑（斑状デスモソーム）は，強さと硬さを上皮層，特に重層扁平上皮に与え，介在板の構成要素として隣接する心筋細胞（接着領とデスモソーム）と結合する．
  帯状デスモソームと比較して，斑状デスモソームは斑状である．デスモプラキン，プラコグロビンとプラコフィリンを含むプラークは，中間径フィラメントのケラチン（張原線維，トノフィラメントという）あるいはデスミン（介在板）の侵入部位である．
  プラークの中で中間径フィラメント結合タンパク質はデスモプラキンである．カテニン複合体は存在しない．デスモコリンとデスモグレインは主要なカドヘリンである．

- ヘミデスモソームは上皮細胞の基底領域にみられる非対称的な繋留結合である．ヘミデスモソームは2つの構成要素からなる：内側板は中間径フィラメントに結合し，外側プラークは繋留フィラメント（ラミニン5）によって基底板に繋留する．

- 間隙結合は対称性の連絡結合である（繋留結合の代わりに）．間隙結合は，隣り合う細胞の細胞質をつなげる細胞間チャネルの集団からなる．20以上のコネキシン単量体があり，各単体は固有の分子量をもっている．6個のコネキシンの単体が細胞膜中に侵入してコネクソンを形成している．コネクソンは隣り合う細胞の細胞膜にある相手と対を組み，その軸に細胞間チャネルをつくり，イオンや低分子の細胞間拡散が可能となる．ミエリンをつくるシュワン細胞のコネキシン32（*Cx32*）遺伝子の変異は，末梢神経系の脱髄疾患であるX‐染色体連鎖シャルコー・マリー・トゥース病の原因である．

- 基底膜は2つの構成要素からなる：
  ⑴基底板は上皮の基底細胞表面に直接接触している．
  ⑵網状板は，フィブロネクチンやコラーゲンで形成され，結合組織と連続している．
  基底板は，ラミニン，Ⅳ型コラーゲン，エンタクチンおよびプロテオグリカンで構成される．基底板は腎臓における糸球体濾過バリアの重要な構成要素である．基底板は筋細胞の表面を覆い，収縮の際に骨格筋線維の完全な状態の維持に働いている．
  基底板‐筋細胞関係が破綻すると，筋萎縮症を生じる．基底膜はPAS染色で光学顕微鏡により観察できる．

- 細胞骨格は次の要素からなる：
  ⑴ミクロフィラメント（7nm幅）．
  ⑵微小管（25nm直径）．
  ⑶中間径フィラメント（10nm直径）．

- ミクロフィラメントの基本単位はG‐アクチン単量体である．単量体のATP依存性重合により7nm幅のF‐アクチンフィラメントを形成する．フィラメントの反矢じり端に加えられる単量体は，先端で脱重合するまでフィラメントに沿って移動するか平衡状態になる．
  ミオシンⅡと結合するF‐アクチンは，骨格筋や心筋細胞の収縮構造を形成する．収縮構造は筋フィラメントが束になった筋原線維を表している．筋原線維は筋節の直鎖からなり，横紋筋細胞の細胞質にみられる基本的な収縮単位である．

- 微小管はαとβチュブリン２量体からなる．縦方向に配置されたチュブリン２量体は原フィラメントをつくる．13個の原フィラメントは隣同士互いに結合し微小管をつくる．

微小管は，動的不安定の過程であるゆっくりした成長と速い脱分局の交互の過程をとる．チュブリンサブユニットの重合はGTP依存性である．

中心体は，１対の中心子（母と娘）からなり，中心子の周囲のタンパク質基質により囲まれている．それぞれの中心子は螺旋状に配置された９個の３つ組からなる．

中心子は，細胞分裂時に紡錘体の重合の準備状態にある，細胞周期時に複製する．基底小体前駆体は中心体の中でつくられ，増殖し，基底小体に分化し，線毛を発達させるため細胞膜に繋留する．

分裂装置は分裂紡錘体によって橋渡しされた２個の対向する分裂中心からなる．個々の分裂中心は中心体（１対の中心子は，タンパク質基質，微小管形成中心あるいはMOCに埋もれている）と放線状の微小管からなる．

分裂紡錘体は動原体微小管や極微小管からなる．動原体微小管は動原体，中心子と結合した一塊のタンパク質，染色体の一次収縮に付着している．中心体と中心子は似た発音の用語であるが，２個の異なる構造を呈している．

軸糸は，同心性の配置として９個の微小管ダブレット（二つ組）からなり，中心対の微小管を囲っている．個々のダブレットはチュブリンＡで構成され，13個の原フィラメントでつくられ，10〜11個の原フィラメントでつくられるチュブリンＢと密着している．

軸糸は精子尾部線毛と鞭毛に存在する．ダイニン腕は，ATPaseであるが，チュブリンＡと結合している．ATPaseは微小管の滑りにエネルギーとして使われるATPを加水分解する．

微小管は細胞内の小胞や非小胞の荷物を運ぶモータータンパク質のレールを提供する．キネシンや細胞質ダイニンのような分子モーターが荷物の輸送を介在する．

３つの特別な微小管を基にした輸送形がある：

(1)軸糸輸送は線毛内や鞭毛内輸送を含む．
(2)軸索輸送．
(3)マンシェット内の輸送．マンシェットは精子の発生にかかわる一過性の微小管の構造．

バルデー−ビードル症候群は，線毛内輸送障害に起因する基底小体や線毛の障害であるが，網膜ジストロフィ（異栄養症），肥満，多手症，腎形成不全，生殖器系異常や学習障害によって特徴づけられる．

カルタゲナー症候群は，ダイニン腕の障害あるいは欠損が特徴で，気管支拡張症や不妊（精子運動や卵管での卵子輸送の減少）とかかわる．

- 中間径フィラメントは，球状部が脇に着き，中心のコイルド-コイルをもつ単量体によって形成されている．１対の単量体が並行に並んだ２量体を形成する．４量体は，２組の逆平行に捻れた半分ずつの２量体の集まりである．８個の４量体が隣同士結合し，単位長フィラメント（ULF）を形成する．ULFは隣同士で結合し，ULFを加えて縦方向に伸び続けて，10nm幅の中間径フィラメントをつくる．

F-アクチンと微小管に比べて，中間径フィラメントの重合は，リン酸化と脱リン酸化によって制御される．

何種類かの中間径フィラメントがある：

(1)タイプⅠとタイプⅡケラチン（上皮細胞のマーカー）．
(2)タイプⅢ：ビメンチン（間葉系由来細胞），デスミン（筋細胞に豊富）やグリア線維酸性タンパク質（GFAP，アストログリアのマーカー）．
(3)タイプⅣ：ニューロフィラメント（ニューロンにみられる）．
(4)タイプⅤ：ラミン（角膜の内側膜に結合して核ラミナを形成する）．

ラミンの遺伝子発現障害は筋組織（例えば，エメリー・ドレイフス筋ジストロフィ），神経組織（例えば，シャルコー・マリー・トゥース病2B1）や脂肪組織（例えば，ドゥニガンタイプ家族性脂肪萎縮症）で発症するラミノパチーとよばれる疾患群を引き起こす．

- 細胞核は，核膜，クロマチンと核小体からなる．核膜は，内側と外側の８角形のリングと中心の筒状体の３部構造からなる核孔を有している．核孔はヌクレオポーリンといういくつかのタンパク質が関与している．

２つの型のクロマチンが存在する：ヘテロクロマチン（転写活性がない）とユークロマチン（転写活性がある）．

核小体は線維中心（反復する*rRNA*遺伝子，RNAポリメラーゼⅠとSRPを含む），密性線維性構成要素（フィブリラリンとヌクレオリンというタンパク質を含む），そして顆粒性構成要素（リボソームのサブユニットが集まる領域）からなる．

- 染色技術やオートラジオグラフィは細胞における核酸の局在を決めるのに使われる．フォイルゲン反応はDNAを検出する．塩基性染色材料はDNAとRNAの局在を知ることができる．

RNaseとDNaseで細胞を前処理すると塩基性に染色されるものを同定することができる．オートラジオグラフィは，放射標識した前駆体を生細胞に投与することに基づく方法である．

放射活性部位は，写真用感光乳剤を現像し，定着した後で，放射標識した前駆体が局在する領域に銀粒子を沈着させる方法を使って追跡することができる．この過程は，細胞周期の研究およびタンパク質合成，糖付加や輸送に関する領域の検出を可能にしている．

蛍光表示式細胞分取器（FACS）は細胞表面マーカーを使って細胞種の同定と分離，およびDNA量に基づく細胞周期の研究を可能にしている．

細胞分裂周期は２個の娘細胞の産生につながる２回の連続する細胞分裂の間隔として定義される．伝統的には，細胞周期は，２個の主要な分裂時期で構成される：

(1)間期．
(2)分裂期．

- 間期は，G_1期（DNA合成）に先行して，G_2期が続く，S期を含む．細胞分裂の時期を次に示す：

(1)前期：中心体が分裂紡錘体を制御する，ラミンはリン酸化し，核膜は崩壊する，個々の染色体は中心子のところで結合する姉妹染色分体で構成される，タンパク質のコヘーシンは非中心子領域で結合する，コンデンシンはクロマチンを凝縮させる．

核膜の崩壊は分裂前期の終わりに起こる．その過程は，角膜の断片化，核孔複合体の分離，そしてラミンのリン酸化（脱重合）を含む．核膜の再集合にはタンパク質ホスファターゼによってラミンの脱リン酸化がかかわる．

(2)中期：同原体微小管が個々の染色体に存在する同原体に付着する，染色体は赤道面に配列する，分裂後期促進複合体は，もし同原体微小管の付着が正しければ，分解する．
(3)後期：トポイソメラーゼは絡まったクロマチン線維から離れて自由になる，染色分体は，互いに離れ，分裂後期Ａの間にそれぞれの極に向かって動く．細胞極は分裂後期Ｂの間に極微小管の伸展行動によって分離する．
(4)終期：ラミンは脱リン酸化され，核膜は再集合する，染色体は脱濃縮化する，収縮リング（アクチン-ミオシン）は細胞質分裂時に発達する，紡錘体の微小管は消失する．

核型は中期の染色体の構造と数の解析である．正常な男性は染色体全数は46,XY（46染色体で，XY染色体対を含む）である．正常な女性は46,XX（46染色体で，XX染色体対を含む）である．

中心子あるいは一次収縮の部位によって，染色体は，中部同原体，次中部同原体および末端同原体として分類する．

より現代的な見方によると，細胞周期は，３つの異なる周期からなる：

(1)細胞質周期（サイクリン依存性タンパク質キナーゼの連続的な活性化）．

(2)**核周期**（DNA 重複化と染色体の濃縮）.
(3)**中心体周期**（分裂装置を集めるための準備の過程で，2 個の染色子，母と娘染色子を重複化）.

- 染色体の末端領域にある**テロメア**は反復するヌクレオチド連鎖の伸長によって形成される．DNA ポリメラーゼが染色体末端のコピーができないと，テロメアは，染色体の安全が保持されなくなるまで，細胞分裂ごとにその長さを減らす．男性と女性の生殖細胞は，体細胞には存在しない酵素複合体の**テロメラーゼ**によってテロメアを保護することができる．多くの腫瘍細胞はテロメラーゼを発現している．

2　上皮腺：細胞生物学

キーワード　外分泌腺，分類，細胞膜，細胞質膜，細胞小器官

上皮腺には外分泌腺と内分泌腺の2種類がある．外分泌腺は導管を通してその生成物を体の表面に分泌する．内分泌腺には導管はなく，血液循環に入る前にその生成物であるホルモンを間質腔に分泌する．外分泌腺は，単一腺と分枝腺または複合腺に分類される．外分泌腺の分泌細胞は，膜で囲まれた分泌小胞を利用する部分分泌，細胞質に包まれた分泌物を放出する離出分泌，崩壊した細胞が分泌物となって放出される全分泌の3つの異なるメカニズムで生成物を放出する．本章では，外分泌腺の構造と機能を，細胞膜と細胞質膜（小胞体とゴルジ装置）および膜で区画された細胞小器官（リソソーム，ミトコンドリア，ペルオキシソーム）に関する細胞生物学と分子生物学の基本概念の基に統合する．

上皮腺

上皮腺の種類（図2.1）

多くの腺は，その下の結合組織に向かって伸びる上皮の成長として発達する．

外分泌腺 exocrine gland は分泌物を外部に運ぶ導管によって上皮の表面とつながっている．

内分泌腺 endocrine gland は**導管を欠き**，その生成物は血流に放出される．

内分泌腺は有窓型毛細血管に囲まれ，通常，合成した分泌物を細胞内に蓄え，化学的あるいは電気的なシグナルによる刺激の後で放出する．

外分泌腺や内分泌腺は一緒になったり（例えば膵臓），内分泌器官として独立したり（甲状腺や副甲状腺），あるいは単一の細胞として（腸管内分泌細胞）見出される．内分泌腺については後で学ぶことにする．

外分泌腺の構成要素（図2.2～2.5）

外分泌腺は2つの構成要素からなる：

1. **分泌部** secretory portion.
2. **導管** excretory duct.

腺の**分泌部**は単一の細胞種（**単一細胞性**，例えば呼吸器上皮や腸管の**杯細胞**），あるいは多数の細胞（**多細胞性**）からなる．

導管は**単一型**（図2.2）か**分岐型**（図2.3）である．導管が分岐していない腺は**単一腺**，分岐していれば**分岐腺**とよばれる．

分泌部の形態により，分岐していない導管を有する腺は，以下の3種類に分類される：

1. **単一管状腺** simple tubular gland.
2. **単一コイル状腺** simple coiled gland.
3. **単一胞状腺** simple alveolar gland（ラテン語 *alveolus*［= small hollow sac，小さな中腔性の袋］：複数形は alveoli），または**房状** acinar（ラテン語 *acinus*［= grape，ブドウの房］：複数形は acini）．

単一管状腺は小腸や大腸にみられる．皮膚の汗腺は典型的な**コイル状腺**である．皮膚の脂腺は**胞状腺**のよい例である．

胃粘膜と子宮内膜には分岐した分泌部があるが，導管は分岐していない．

単一腺における1本の導管とは異なり，導管が**分岐**する場合もある．

管状および胞状の**分泌部が分岐する**導管をもつことがある（図2.4，2.5）．このような腺は**分岐（複合）管状胞状房状腺**とよばれる（例えば唾液腺）．膵臓の外分泌部は胞状腺から構成される分岐胞状腺の一例である（図2.4）．

図2.1 ｜ 上皮腺の発生

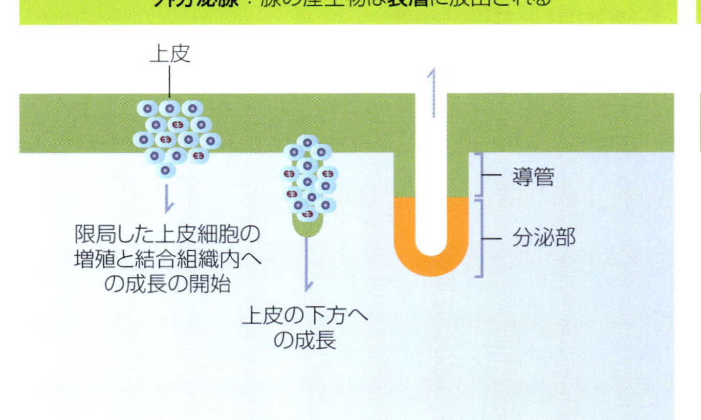

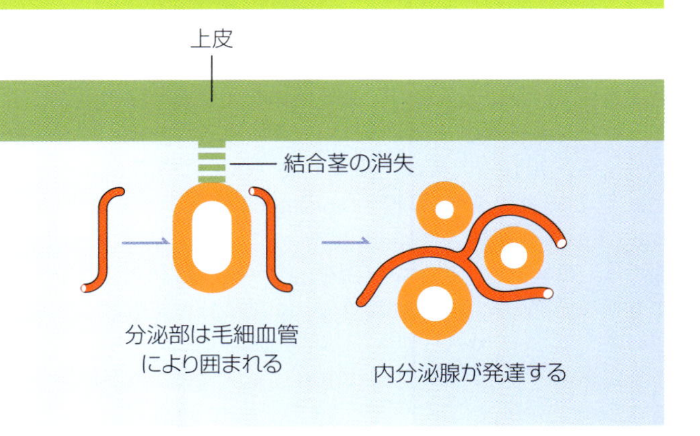

図 2.2 | 単一腺

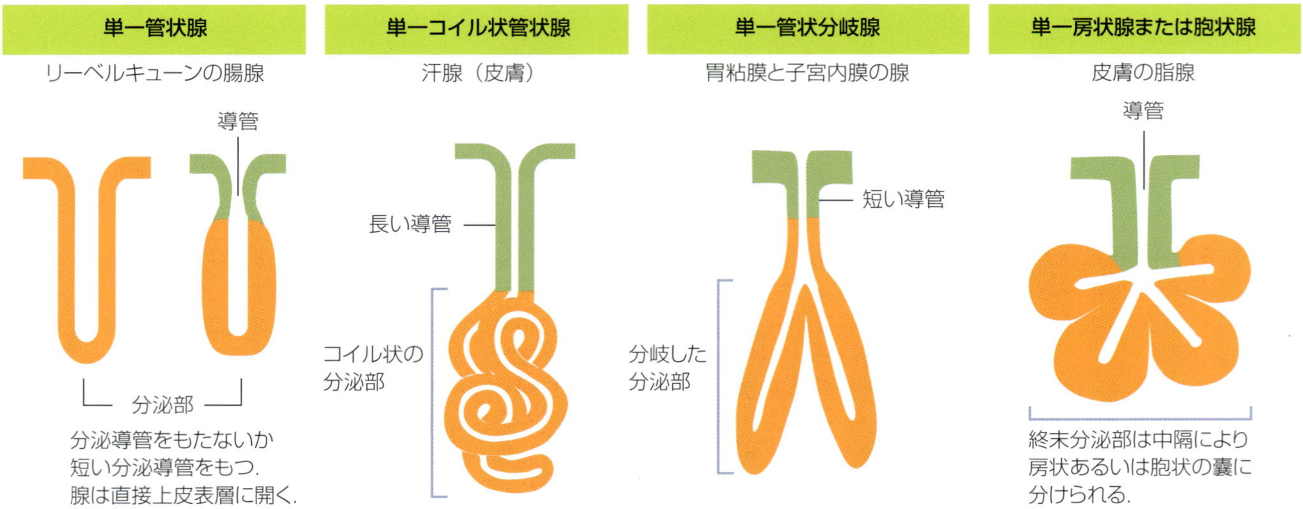

単一管状腺	単一コイル状管状腺	単一管状分岐腺	単一房状腺または胞状腺
リーベルキューンの腸腺	汗腺（皮膚）	胃粘膜と子宮内膜の腺	皮膚の脂腺

導管
分泌部
分泌導管をもたないか短い分泌導管をもつ．腺は直接上皮表層に開く．
長い導管
コイル状の分泌部
短い導管
分岐した分泌部
導管
終末分泌部は中隔により房状あるいは胞状の嚢に分けられる．

外分泌腺の分泌物の組成（図 2.5）

分泌物の組成に基づいて，外分泌腺は次のように分類される：

1. **粘液腺** mucous gland．舌下腺のように，分泌物が**糖タンパク質**と水に富んでいる．
2. **漿液腺** serous gland．膵臓の外分泌部のように分泌物が**タンパク質**と水に富んでいる．
3. **混合腺** mixed gland．顎下腺のように粘液細胞と漿液細胞の両方を含んでいる．

分岐（複合）腺の構成要素（図 2.4，2.5）

分岐型または複合型の外分泌腺は，**実質** *parenchyma*（ギリシャ語 *parenkhyma*［= visceral flesh，内臓肉］）とよばれる機能的な上皮成分（分泌腺房と導管）と，**間質** stroma（ギリシャ語 *stroma*［= layer/bed，層／床］）とよばれる血管やリンパ管，神経を含む支持組織である結合組織から構成される．

分岐型の外分泌腺は，結合組織の**被膜** capsule に囲まれている．

被膜から腺組織の中へ，**中隔**（ラテン語 *saeptum*［= partition，隔壁］）や**梁柱**（ラテン語 *trabs*［= beam，線］）が伸びる．中隔は，導管，血管，リンパ管，神経の主要な枝を支持する．大きな**葉間中隔**は，腺を多数の葉に分ける．葉間中隔の枝である**小葉間中隔**は，葉を**小葉**とよばれる，より小さなコンパートメント（区画）に分ける．

発達過程で，主たる導管は，葉と葉の間の葉間中隔の中で枝を出す．これらの導管のそれぞれに由来する小さな枝は小さな区分を形成する．これらの枝は，小葉の間（**小葉間中隔** interlobular septum）と内部（**介在導管** intercalated duct および**線条導管** striated duct ）に観察できる．

腺房は，単層立方上皮や単層円柱上皮からなる介在導管や線条導管を通して排出する．介在導管は，小量の結合組織により囲まれている．

小葉間導管の上皮は多列上皮であり，葉間導管は重層円柱上皮である．

外分泌腺の分泌機構（図 2.6）

外分泌腺はまた，**分泌物がどのように放出されるか**の観点により分類できる．

部分分泌 merocrine secretion（ギリシャ語 *meros*［= part，部分］，*krinein*［= to separate，分離する］），分泌物は**エクソサイトーシス** exocytosis（開口分泌）で放出される．

分泌顆粒は膜によって囲まれている．この膜は放出あるいはエクソサイトーシスに際して頂上領域の細胞膜と融合する．一例は，膵臓からの分泌顆粒（**チモーゲン顆粒** zymogen granule）の分泌である．

離出分泌 apocrine secretion（ギリシャ語 *apoknino*［= to separate］）では，**細胞の頂上領域が部分的に消失**することで分泌物が放出される．

一例は，乳腺の上皮細胞による**脂質**の分泌である．一方，乳腺の上皮細胞から分泌される**タンパク質**は部分分泌（エクソサイトーシス）による．

全分泌 holocrine secretion（ギリシャ語 *holos*［= all，すべて］）では，分泌物は**細胞全体とその産物**からなる．一例は，**皮脂**とよばれる分泌物を産生する皮膚の脂腺である．

細胞膜と細胞質膜

細胞膜とオルガネラの主要な概念とそれらの臨床的関連性を確認する．

細胞膜 plasma membrane は細胞の構造と機能の境界線を決めている．**細胞質膜** cytomembrane とよばれる細胞内膜は，さまざまな細胞の営みを**オルガネラ** organelles（細胞小器官）として知られるコンパートメントに分ける．核，ミトコンドリア，ペルオキシソーム，リソソームは，膜で囲まれたオルガネラである．グリコーゲンは膜に囲まれていない**封入体** inclusion である．**脂肪滴** lipid droplet は，小胞体の脂質二重層の間に蓄えられた中性脂質である．細胞膜の構造的および生化学的特性を学ぶことから始める．

図 2.3 ｜ 分岐腺（複合腺）の一般的構成

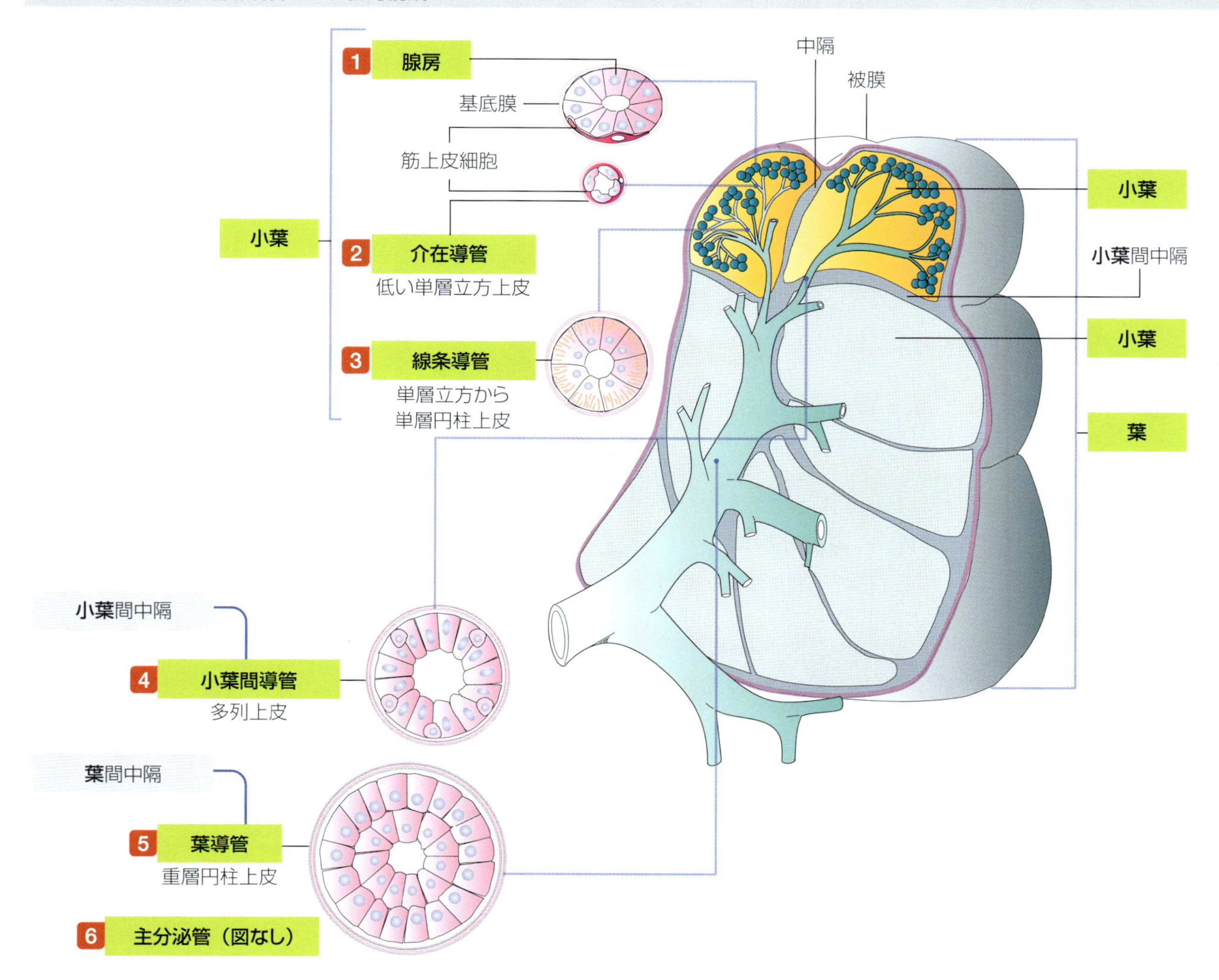

すべての**分岐した外分泌腺**は，**実質** parenchyma とよばれる上皮成分（分泌部の腺房と導管）と，**間質** stroma とよばれる血管やリンパ管，神経を含む支持結合組織からなる．

腺は結合組織性の**被膜**によって包まれ，腺内部で枝分かれして**中隔** septa（単数は septum）を形成して実質を分割する．

大きな分岐腺では，実質は解剖学的に**葉**に分けられている．隣接する葉は**葉間中隔**によって隔てられる．葉は**小葉**から構成され，小葉同士は薄い**小葉間中隔**により隔てられる．

中隔は，**導管**，**血管**，**リンパ管**，**神経**の主要な枝を支える．**小葉間導管**は**小葉間中隔**に沿って，**葉導管**は葉間中隔に沿って進展する．

介在導管と**線条導管**の内部は**単層立方**から**単層円柱上皮**が覆うが，**小葉間導管**の上皮は多列上皮である．**葉導管**の内部を**重層円柱上皮**が覆う．

図：Leson TS, Leson CR, Paparo AA: Text/Atlas of Histology. Philadelphia: WB Saunders:1988 より改変.

細胞膜（図 2.7）

細胞膜は**脂質** lipid と**タンパク質** protein からなる．リン脂質の二重層は膜の基本構造であり，2 つの水性区画の間に二重層のバリアをつくり，**細胞外**と**細胞内**のコンパートメントに分ける．タンパク質はリン脂質二重層の中に埋まり，細胞間認識や分子の選択的輸送など細胞膜の特殊な機能を遂行している．

脂質の種類と脂質ドメイン（図 2.7）

膜脂質には，3 つの一般的な特徴と機能がある：

1. 細胞膜は，自己会合する疎水性部分と含水分子と相互作用する親水性部分をもつ**極性脂質** polar lipid で構成される．この**両親媒性の特性** amphipathic property により，細胞とオルガネラは外部環境から隔離された内部環境をつくることができる．
2. 脂質ドメインは，ある種の膜内タンパク質が密集し，他の膜内タンパク質が分散することを可能にする（以下を参照）．リン脂質，セラミド，コレステロールは小胞体で合成される．スフィンゴ脂質の組み立てはゴルジ装置で行われる．
3. 第 3 章「一般的な病理学」で説明するが，脂質（ホスファチジルイノシトールやジアシルグリセロールなど）はシグナル伝達機能にも関与している．

図 2.4 | 分岐腺（複合腺）

分岐管状腺

口腔の腺

導管
管状の分泌部

分岐房状／胞状腺

膵臓の外分泌腺

導管
房状／胞状の分泌部

分岐管状房状腺

乳腺

導管
房状の分泌部
管状の分泌部

分岐腺（複合腺）の一般的構成：耳下腺

4 小葉間導管
6 介在導管
1 葉間中隔
葉
2 小葉
血管
5 介在導管
4 小葉間導管
6 線条導管

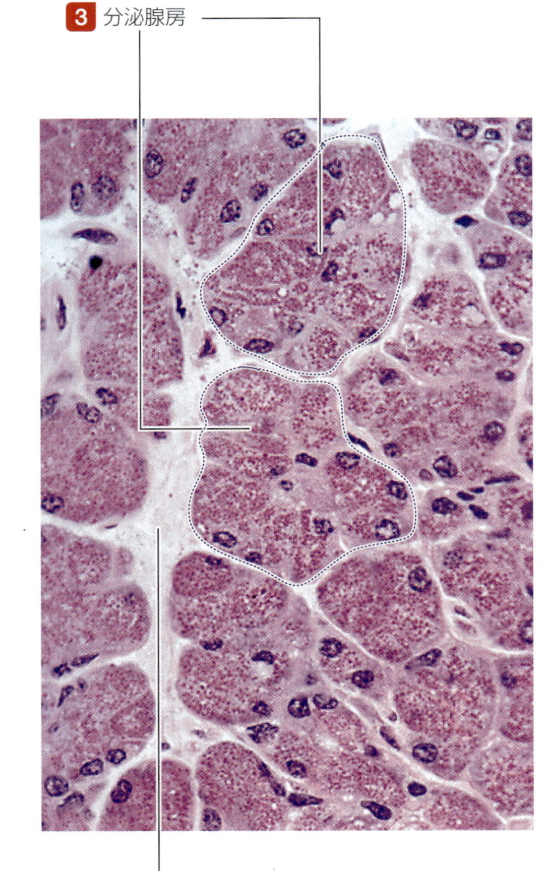

結合組織の被膜は**分岐腺**を取り囲み，腺の内部に**中隔** 1 とよばれる隔壁を伸ばして**葉**（**葉間中隔**）とよばれる大きな単位をつくる．

葉は結合組織の**小葉間中隔**によって細分化され，**小葉** 2 とよばれる小さな単位となる．

分岐腺は，さまざまな数の分泌部で構成され，その形態により**管状線**，**房状腺** 3，**管状房状腺**に分類される．分泌物は、小葉間に存在する導管（**小葉間導管** 4）に排出される．

小葉の内部には腺房の直径より小さな**介在導管** 5 があり，腺房と**線条導管** 6 の間をつないでいる．線条導管は，唾液腺に存在するが，膵臓には存在しない．線条導管は**小葉間導管**へ注ぎ，**小葉間導管**は集まって**葉導管**（図には示さず）になる．

図 2.5 ｜ 顎下腺，舌下腺，耳下腺の組織学的相違

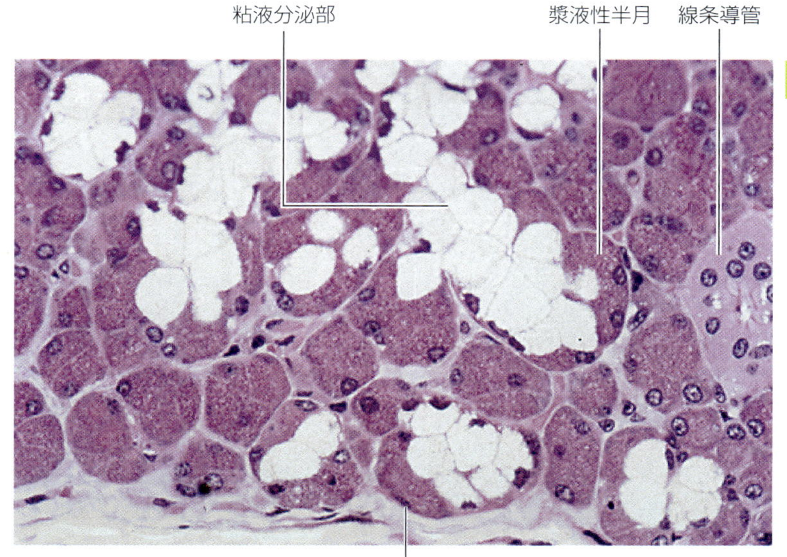

混合腺：顎下腺

顎下腺は漿液性と粘液性の両方の分泌細胞を含み，漿粘液性の分泌物を合成し，同一の管腔内に分泌する．混合性の分泌部は，粘液細胞とその縁にある小さなキャップのような漿液細胞から構成される．このキャップは三日月のような形をしていることから，**漿液性半月**とよばれる．

筋上皮細胞はそれぞれの分泌部と導管の始まりの部分を囲んでいる．

筋上皮細胞は分泌細胞と基底膜の間に位置し，その長く分岐した細胞質性の突起で疎なバスケットを形成する．この細胞の機能は，収縮することにより腺の分泌部から導管を通して分泌物を搾り出すことである．

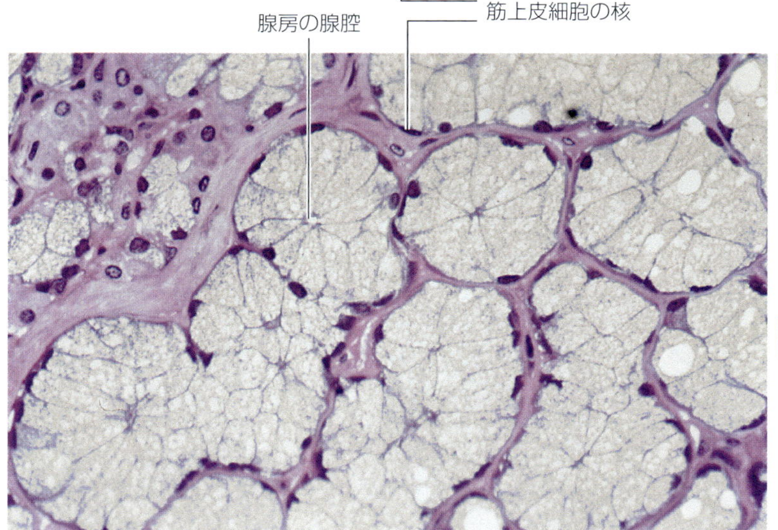

粘液腺：舌下腺

舌下腺は粘液性の分泌細胞で構成され，大量の粘液を含む分泌小胞があるため淡明にみえる．一般的に，核は分泌細胞の基底部に向かって扁平になっている．

分泌物は，糖タンパク質を染色する PAS 反応で示すことができる．やはり，粘膜分泌部の周囲に**筋上皮細胞**が存在する．

粘液性腺房細胞

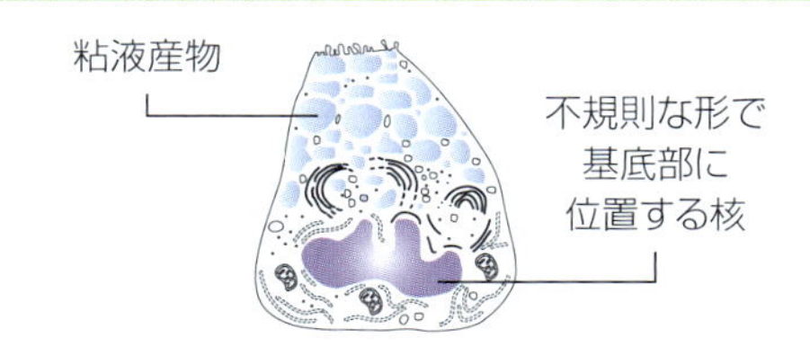

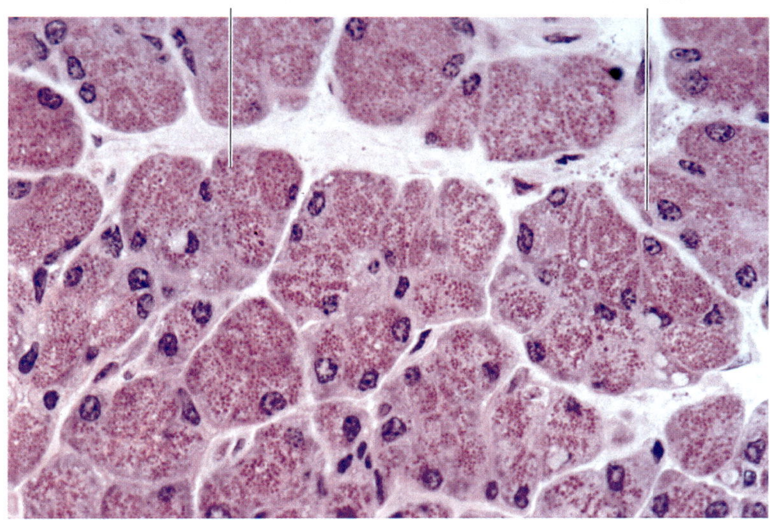

漿液腺：耳下腺

耳下腺は漿液性の分泌部を含み，**筋上皮細胞**により囲まれている．漿液を分泌する細胞は大きな球形の核をもち，粗面小胞体が占める基底領域と赤く染色されたチモーゲン顆粒が集まる頂上領域からなる．**チモーゲン顆粒**は，酵素の前駆体を含有する分泌小胞である．

漿液性腺房細胞

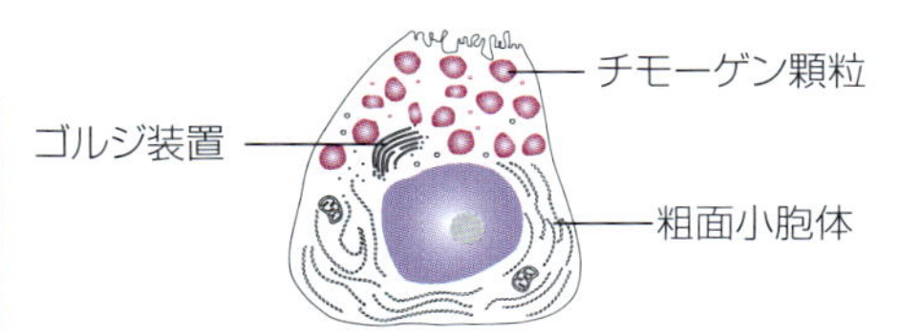

図 2.6 | 外分泌腺における分泌の種類

部分分泌 / **離出分泌**

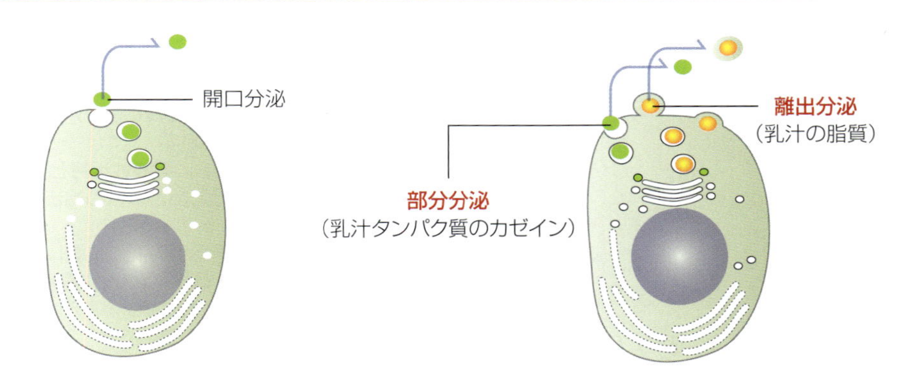

全分泌

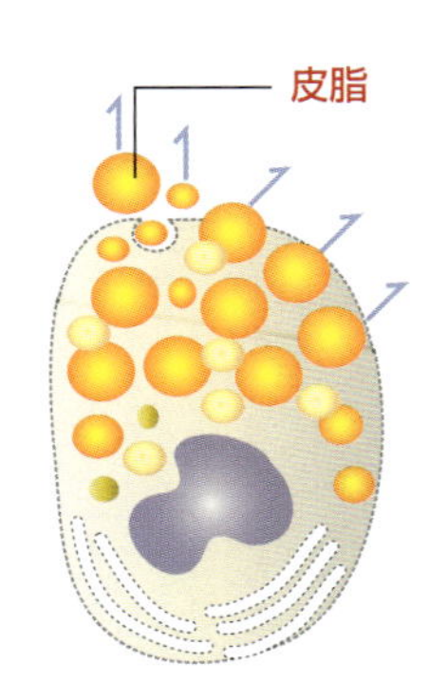

部分分泌：分泌小胞が上皮細胞の頂上領域に接近する．小胞膜は細胞膜と融合し，分泌物を細胞外空間に放出する．融合した細胞膜は**エンドサイトーシス**によって細胞内に取り込まれ，分泌小胞として再利用される．

離出分泌：頂上領域の細胞質の一部が，その中にある分泌顆粒とともに細胞から切り離される．**乳腺**は乳汁の脂質を離出分泌で分泌し，乳汁のタンパク質カゼインを部分分泌で分泌する．

全分泌：脂腺の皮脂のように，細胞が分泌物を合成し細胞質に蓄え，その後細胞が崩壊して分泌物質を放出する．

細胞膜の 4 つの主要なリン脂質は，**ホスファチジルコリン** phosphatidylcholine，**ホスファチジルエタノールアミン** phosphatidylethanolamine，**ホスファチジルセリン** phosphatidylserine，**スフィンゴミエリン** sphingomyelin である．これらのリン脂質は，ほとんどの膜の脂質の半分以上を構成する．

第 5 番目のリン脂質である**ホスファチジルイノシトール** phosphatidylinositol は細胞膜の内葉に局在する．

リン脂質に加え，動物細胞の細胞膜は**糖脂質** glycolipid と**コレステロール** cholesterol を含む．

糖脂質はマイナーな膜成分ではあるが，細胞表面に露出する炭水化物分子とともに，外葉に存在する．

コレステロールは主要な膜の構成成分であり，リン脂質とほぼ同量存在する．

固いリング構造のコレステロールはリン脂質二重層に取り込まれ，高い温度でのリン脂質脂肪酸鎖の動きを制限することで膜の流動性を調節する．コレステロールは細菌には存在しない．

リン脂質二重層の 2 つの一般的な特徴は重要なので，覚えておく必要がある：

1. **リン脂質の構造は，2 つの水性区画の間のバリアとしての膜機能を可能にしている．** リン脂質二重層の内側にある疎水性の脂肪酸鎖により，水溶性分子は膜を透過できない．
2. **リン脂質二重層は粘性のある流動体である．** 大部分のリン脂質の脂肪酸の長い炭化水素鎖は緩く詰め込まれているため，膜の内部を動くことができる．それゆえ，重要な膜機能を実行するために，リン脂質とタンパク質は膜内を側方に拡散することができる．

細胞膜は生物物理学的特性と組成において不均一であることは重要である．事実，ある種の膜はコレステロールと飽和脂質を豊富に含む領域を有する．

脂質ラフト lipid raft とよばれる比較的規則正しい脂質ドメインは，内葉と外葉の間で非対称に分布し，一過性に形成される．

それでは，脂質ラフトの機能とは何だろうか？ 細胞のシグナル伝達において，脂質ラフトに特異的な脂質やタンパク質（Src ファミリーキナーゼなど）を動員することにより，膜に特異な物理的特性を与えている（Box 2.A）．

細胞膜タンパク質（図 2.7；基本事項 2.A）

大部分の細胞膜は 50％の脂質と 50％のタンパク質からなる．糖脂質や糖タンパク質の炭水化物成分は膜量の 5～10％に達する．細胞膜の表面は**糖衣** glycocalyx で覆われている（Box 2.B）．

膜構造の**流動モザイクモデル** fluid mosaic model によると，膜は二次元の流動体であり，タンパク質はその脂質二重層に組み込まれている．膜タンパク質やリン脂質が膜の内葉と外葉の間を行き来することは難しい．

しかし，タンパク質とリン脂質は流動的環境にあるので，この

Box 2.A | 脂質ラフト

- 脂質ラフトは**コレステロール**と**スフィンゴ脂質**に富む細胞膜の領域である．典型的な脂質ラフトは構造タンパク質を欠くが，脂質ラフトの構成と機能を修飾する特別な構造タンパク質が豊富である．
- **カベオリン**というタンパク質は脂質ラフトの構成成分で，小胞または**カベオラ**（第 7 章参照）の輸送にかかわる．カベオラはいくつかの細胞種，特に線維芽細胞，脂肪細胞，内皮細胞，I 型肺胞細胞，上皮細胞，平滑筋，横紋筋にみられる．
- **カベオリンタンパク質ファミリー**（カベオリン -1，2，3）に加え，他のタンパク質ファミリーも脂質ラフトの構造と機能を修飾する．これらのタンパク質には，**フロチリン**，**糖スフィンゴ脂質結合タンパク質**，**Src チロシンキナーゼ**がある．
- 脂質ラフトは，特定の脂質領域に特定の膜結合タンパク質を濃縮したり分離したりすることで，細胞のシグナル伝達にかかわる．

図 2.7 | 細胞膜の構造と組成

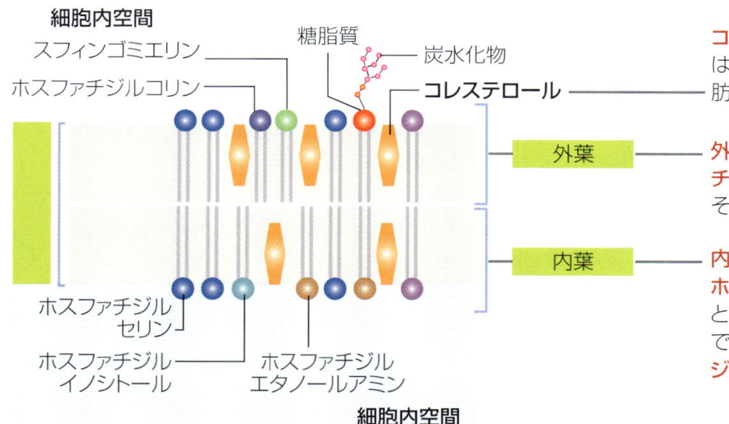

コレステロールは細胞膜の主要な構成成分であるが，それ自身では膜をつくらない．コレステロールは温度依存的にリン脂質の脂肪酸鎖の動きを調節して，膜の流動性に影響を与える

外葉は，主に**ホスファチジルコリン**，**スフィンゴミエリン**，**ホスファチジルエタノールアミン**からなる．糖脂質は**外葉**にのみ存在し，その炭水化物領域は細胞外空間に曝される

内葉は，主に**ホスファチジルセリン**，**ホスファチジルイノシトール**，**ホスファチジルエタノールアミン**からなる．ホスファチジルセリンとホスファチジルイノシトールの頭の部分は陰性に荷電しているので，細胞膜の細胞質側は正味で陰性に荷電している．**ホスファチジルイノシトール**はシグナル伝達で重要な役割を演じている

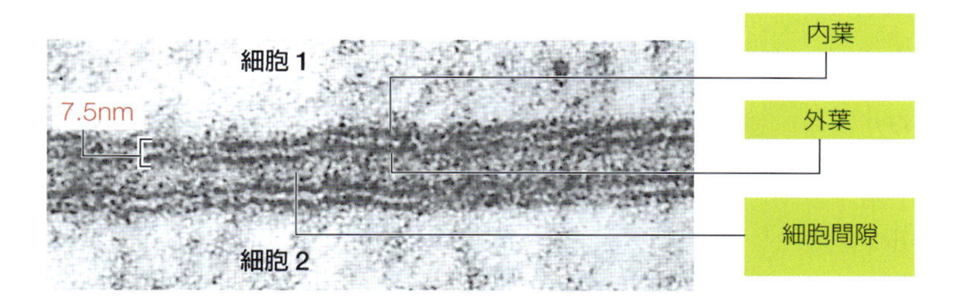

細胞外空間
いくつかのαヘリックス膜貫通領域を有する内在性膜タンパク質
炭水化物
表在性膜タンパク質
内在性膜タンパク質
表在性膜タンパク質
細胞骨格タンパク質（アクチン）
細胞内空間

細胞膜：表在性および内在性タンパク質

内在性膜タンパク質は脂質二重層に挿入されている．

表在性膜タンパク質はタンパク質間の相互作用により間接的に細胞膜に結合している．

内在性および表在性の膜タンパク質の細胞外領域には糖が付加されている．膜タンパク質の細胞内領域は細胞骨格要素と結合している．

ほとんどの内在性膜タンパク質はαヘリックスを介して膜を貫通するタンパク質である．

両者は膜の平面に沿って側方に拡散することができる．とはいえ，すべてのタンパク質が自由に拡散できるわけではない．膜タンパク質の移動は細胞骨格との結合により制限される．

膜タンパク質の移動制限は，タンパク質の構成や機能が異なる**頂上領域** apical domain と**基底外側領域** basolateral domain からなる上皮細胞の極性をつくる．隣り合う上皮細胞間の閉鎖結合は単に細胞間の間隙を閉鎖するだけではなく，頂上領域と基底外側領域の間のタンパク質と脂質の拡散に対するバリアとしても働く．

膜結合タンパク質には2つの主要な種類がある：

1. **表在性膜タンパク質**.
2. **内在性膜タンパク質**.

表在性膜タンパク質 peripheral membrane protein は膜の疎水性内部には組み込まれず，その代わりタンパク質－タンパク質のイオン結合反応によって膜と間接的に結合する．この結合反応は**高濃度の塩**や**極端な pH の溶液**で阻害される．

内在性膜タンパク質 integral membrane protein の一部は脂質二重層に組み込まれる．これらのタンパク質は，**界面活性剤** detergent を使った可溶化を行えば取り出すことができる．

界面活性剤は疎水性と親水性両方の基を含む化学試薬である．界面活性剤の**疎水性基**は膜の脂質を透過し，膜に組み込まれたタ

Box 2.B | 糖衣

- 細胞膜の細胞外領域は，通常，糖脂質や膜貫通糖タンパク質の炭水化物部分により糖化されている．そのため，細胞の表面は**糖衣**として知られる炭水化物のコートで覆われている．

ンパク質の疎水性部分と結合する．**親水性基**はそのタンパク質と混ざり，水溶性の界面活性剤・タンパク質複合体を形成する．

多くの内在性膜タンパク質は**膜貫通タンパク質** transmembrane protein であり，脂質二重層を貫通し，膜の両側に露出した部分をもつことになる．膜貫通タンパク質は**凍結割断法** freeze-fracture technique によって可視化できる（基本事項 2.A）．

輸送体とチャネルタンパク質（図 2.8）

多くの生体分子は，リン脂質二重層を通り抜けて拡散することはできない．**キャリアタンパク質** carrier protein や**チャネルタンパク質** channel protein のような特異な輸送タンパク質は，膜を通過する分子の選択的透過を媒介し，細胞の内部組成を制御するのに役立っている．

分子（例えば，**酸素**や**二酸化炭素**）は，その濃度勾配に従って，まずリン脂質二重層に，次に膜の細胞質側あるいは細胞外側の水性環境に溶け込んで，細胞膜を通過できる．**受動拡散** passive diffusion として知られるこの機構では，膜タンパク質は関与しない．脂質も二重層を通過できる．

他の生物学的な分子（**グルコース，荷電した分子，小さなイオン**［H^+，Na^+，K^+，Cl^-］など）はリン脂質二重膜の疎水性の内部に溶け込むことができない．これらの分子は，生体分子の拡散を促進する特定の**輸送タンパク質** transport protein や**チャネルタンパク質**の助けを必要とする．

受動拡散と同様に，生体分子の**促進拡散** facilitated diffusion **は膜を挟んだ濃度勾配** concentration gradient **と電気的勾配** electrical gradient **によって決定される**．しかし，促進拡散は次のうち1つを必要とする：

1. 輸送される特定の分子と結合できる**キャリアタンパク質**．
2. 膜を貫通するゲートを開く**チャネルタンパク質**．

キャリアタンパク質は，糖，アミノ酸，核酸を運ぶ．

チャネルタンパク質は，イオンの急速な輸送（運搬タンパク質より速く運ぶ）に関与するイオンチャネルで，**分子サイズや荷電に選択性が高く，いつも開いているのではない．**

ある種のチャネルは**シグナル伝達分子**の結合に反応してゲートが開き，これらは**リガンド依存性チャネル** ligand-gated channel とよばれる．

他のチャネルは**膜電位**変化に反応して開き，**電位依存性チャネル** voltage-gated channel とよばれる．

小胞体（図 2.9，2.10）

小胞体 endoplasmic reticulum（ER）は，細胞質の中で相互に連結した膜性通路のネットワークで，**細胞質膜**系の一部であり，**細胞膜**とは異なる．

嚢 cisterna（扁平な袋），**細管** tubule，**小胞** vesicle からなる小胞体系は細胞質を2つの区画に分けている：

1. **内腔**あるいは**小胞体コンパートメント**．

図 2.8 | 膜輸送体

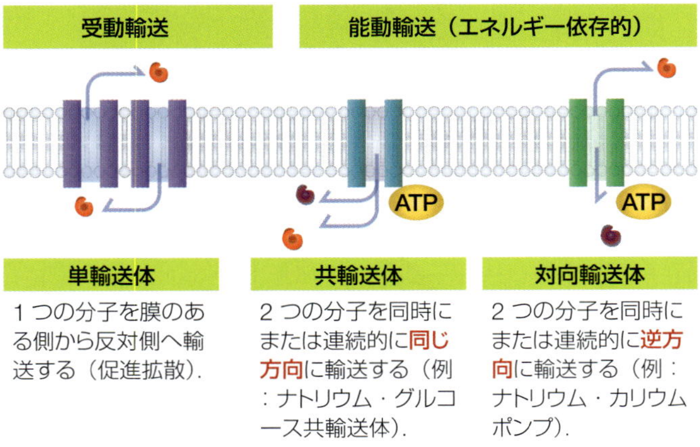

図 2.9 | 細胞内のコンパートメント：細胞質膜と細胞膜

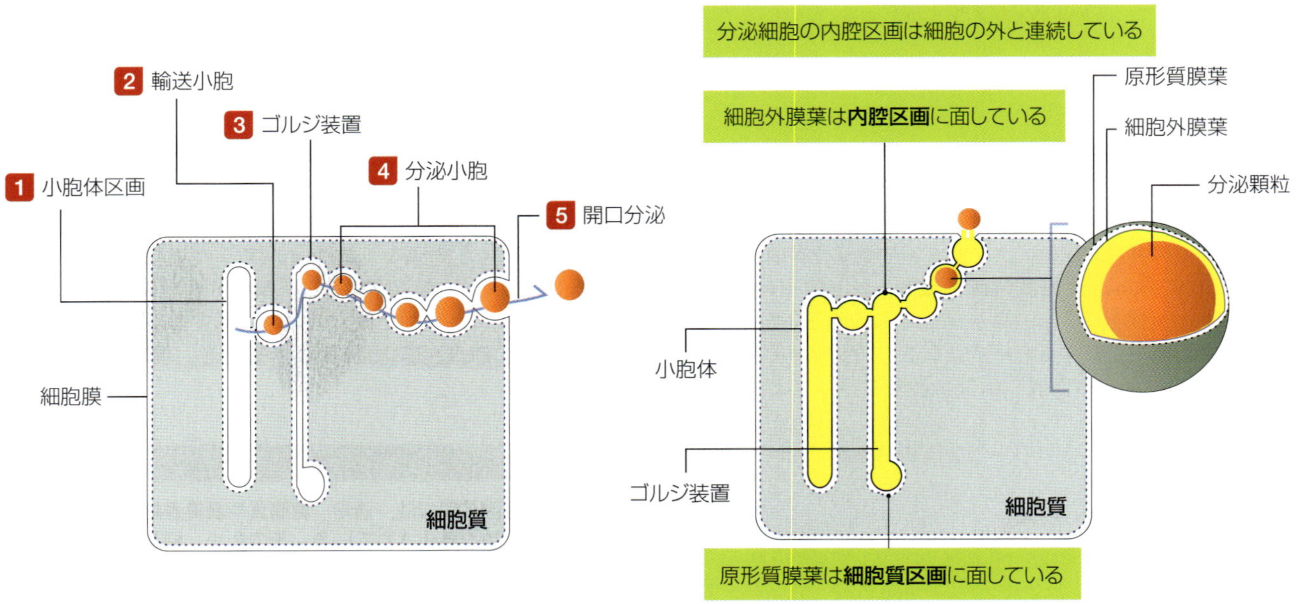

基本事項 2.A | 凍結割断

凍結割断により，細胞膜は 2 葉に分かれる．

それぞれの膜葉には表面と面がある．各膜葉は細胞外表面（**ES**）か原形質表面（**PS**）のどちらかを有する．疎水性の中心部に沿って膜の二重層が割断されることで，細胞外面（**EF**）と原形質面（**PF**）が人工的につくり出される．

割断後，膜タンパク質は原形質側の膜葉に付随して残り，原形質面の**凍結割断レプリカでは粒子**としてみえる．

一方，**細胞外面のレプリカ**では，タンパク質があった場所は**相補的な小窩**になる．

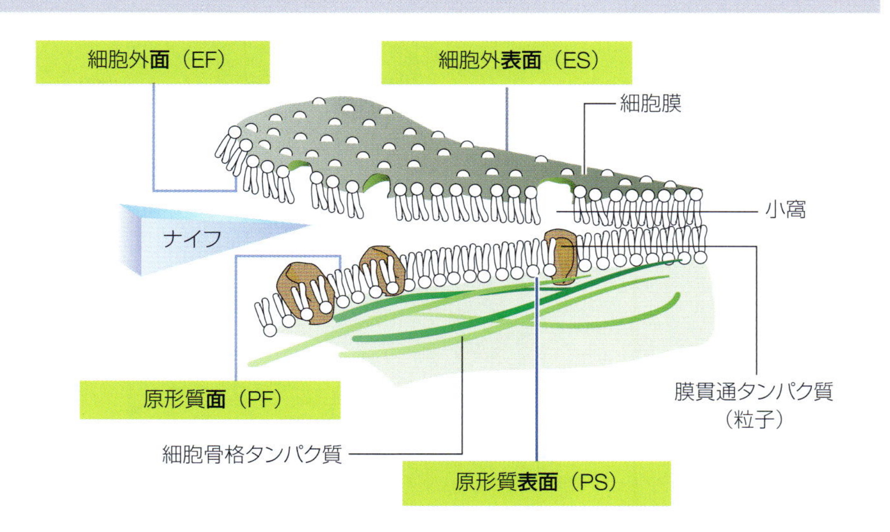

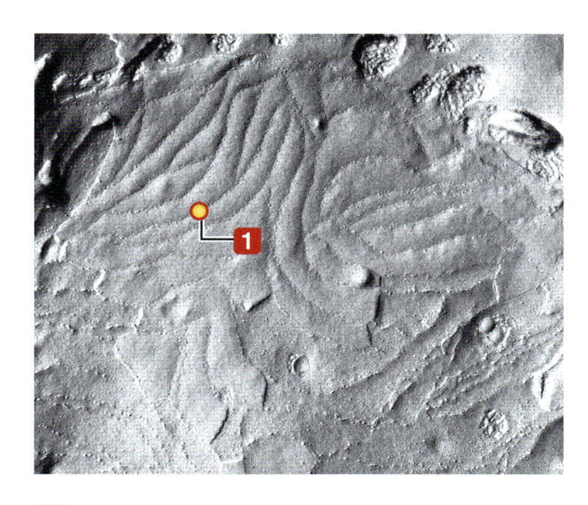

1 **凍結割断された標本**では閉鎖結合は分岐し相互につながった**閉鎖隆起**として観察され，細胞の頂上領域付近にネットワークを形成する．この隆起は，割断された原形質面に付着する**オクルディン** occludin と**クローディン** claudin という膜貫通タンパクの存在を示している（第 1 章参照）．

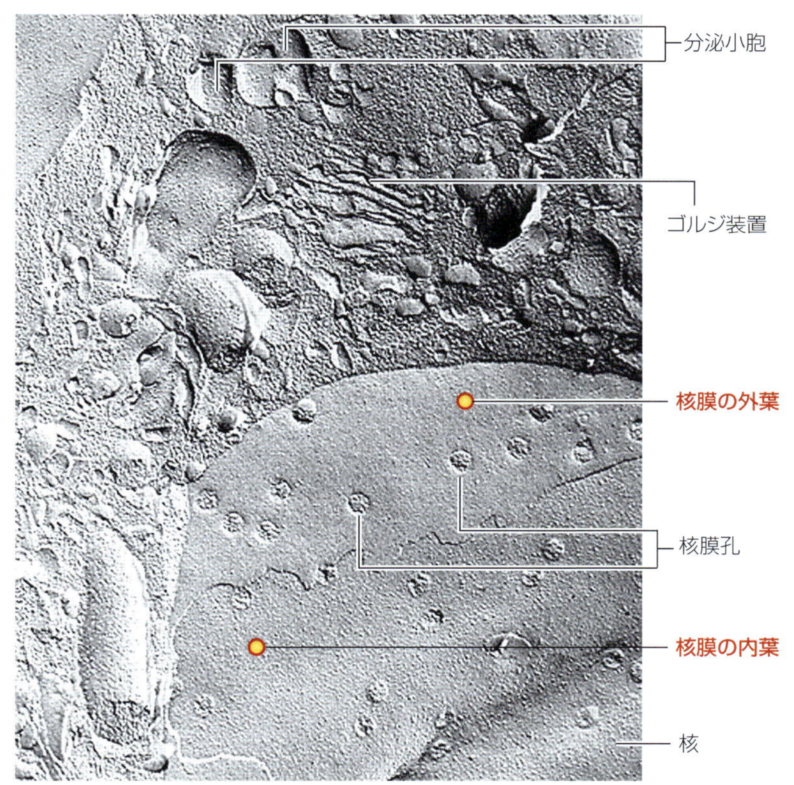

2. **細胞質**あるいは**細胞質コンパートメント**.

細胞質膜系の内腔が互いに連絡する様子を想像することで，**分泌細胞の内腔コンパートメントがその細胞の外部と連続**していることを理解できる．その周囲は細胞質区画で，ここに可溶性タンパク質，細胞骨格成分，オルガネラが存在する．

2 種類の小胞体を識別することができる：

1. **粗面小胞体** rough endoplasmic reticulum（**RER**）.
2. **滑面小胞体** smooth endoplasmic reticulum（**SER**）.

光学顕微鏡で観察すると，**粗面小胞体**は**エルガストプラスム** ergastoplasm とよばれるびまん性に染まる好塩基性の細胞質構造として認められる．ここに付着した**リボソーム** ribosome はタンパク質の合成にかかわっている．

多くのタンパク質は，小胞によって粗面小胞体からゴルジ装置のシス領域へと輸送される．

粗面小胞体の内腔コンパートメントに放出されたタンパク質は，輸送小胞によってゴルジ装置へ，最終的には分泌経路から細胞外へと輸送される．

他のタンパク質は粗面小胞体に保持され，タンパク質合成の初期段階が行われる．粗面小胞体に保持されるタンパク質は C 末端に標的配列 Lys-Asp-Glu-Leu（KDEL）を有している．KDEL 配

図 2.10 | 小胞体

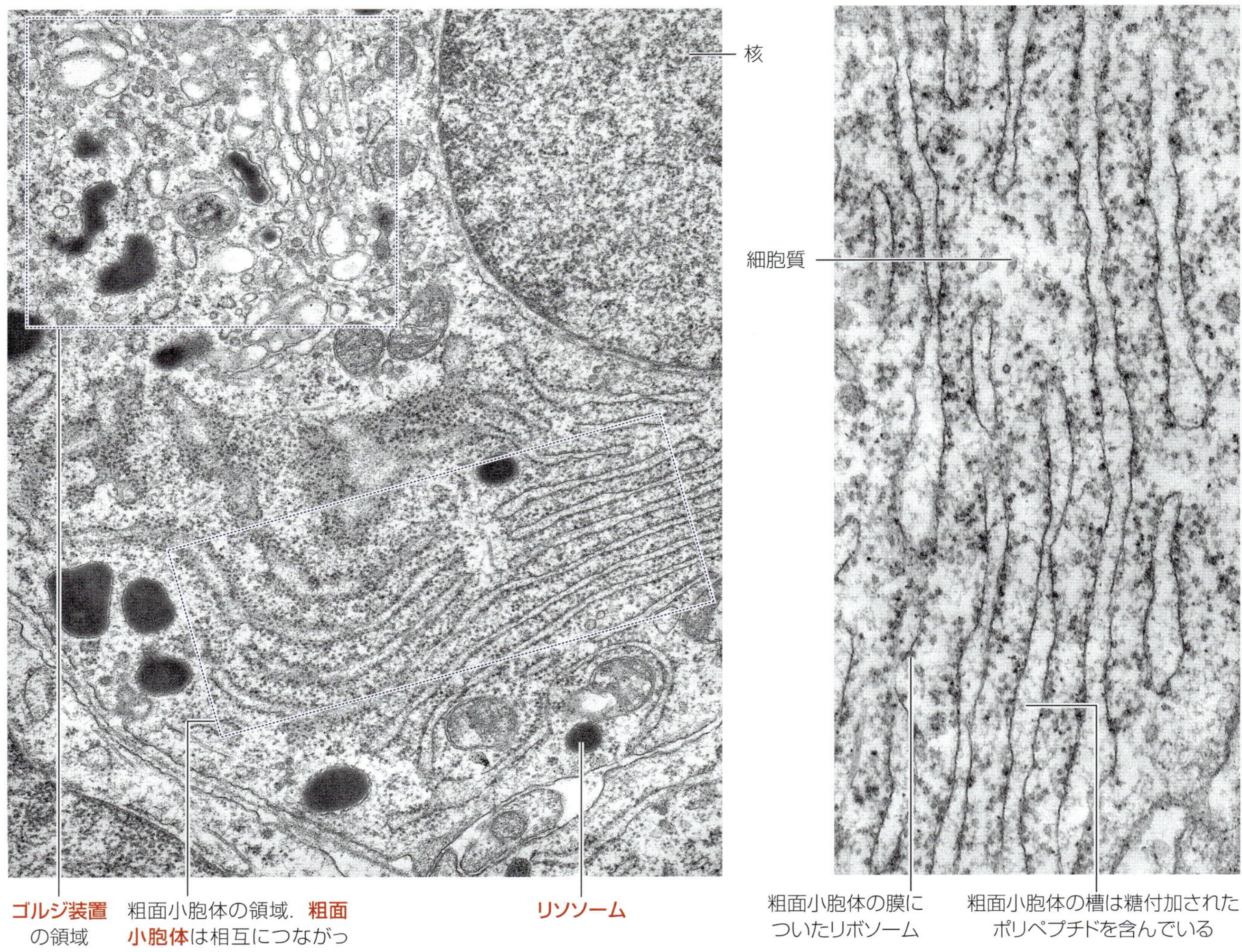

1 膜貫通タンパク質と分泌経路のタンパク質は粗面小胞体で合成される．粗面小胞体膜表面に結合したリボソームで合成されたタンパク質は，内腔で処理され折りたたまれる．

2 折りたたまれたタンパク質は分泌経路に沿って分泌小胞により輸送される．

3 小胞体はリン脂質，スフィンゴ脂質、コレステロールの合成も行う．脂質の中間体は滑面小胞体からミトコンドリアへと移送され，さらなる処理が行われる（第 19 章参照）．

4 小胞体は細胞内の Ca^{2+} の貯蔵部位としても機能する．ATP 依存性ポンプは Ca^{2+} 貯蔵を助ける．特殊なイオンチャネルは Ca^{2+} の放出にかかわる．

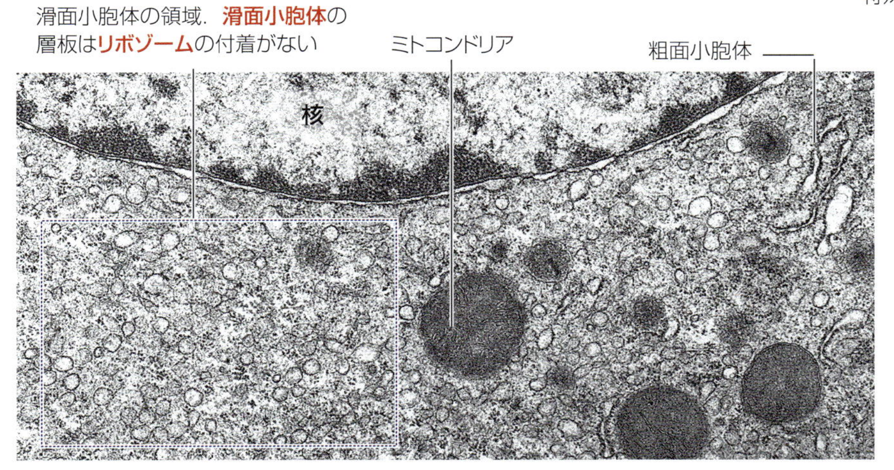

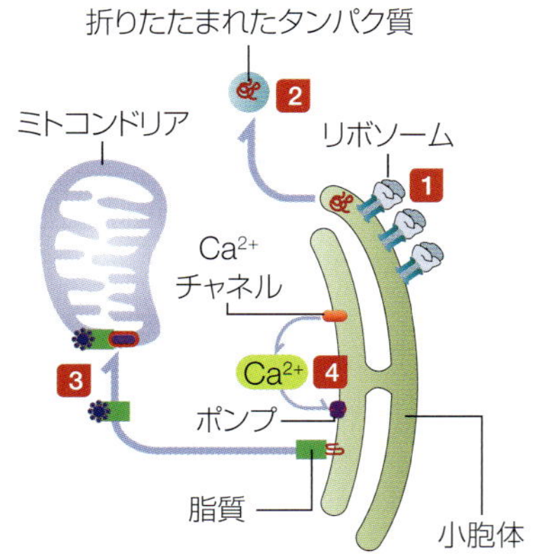

列を欠損すると，タンパク質はゴルジ装置に輸送される．

滑面小胞体はリボソームを欠き，一般に細胞質内のグリコーゲンや脂質が貯まる部位の近くにある．滑面小胞体は，有害な脂溶性または不溶性の物質を，腎臓から排出されやすい水溶性化合物に変換するために必要な**解毒反応** detoxification reaction において重要な役割を果たす．**ステロイド産生** steroidogenesis にも関与する．

凍結割断法（基本事項 2.A）

凍結割断法 freeze-fracture technique は電子顕微鏡で膜内タンパク質を可視化するのに有用である．この手法によって，細胞膜や細胞質膜に膜貫通タンパク質が存在する事実をはじめて示すことができた．

標本を液体窒素の温度（－196℃）で凍結して高真空条件下でナイフで割断すると，膜の不溶性の層に沿って割れる．すると，膜の二重層のそれぞれに2つの相補面がつくられ，不溶性の面が露出する．2葉に分かれたそれぞれの半膜には，**表面** surface と**面** face がある．面は膜の割断によって人工的につくられた活断面である．

コントラストのある陰影効果をつけるため，重金属の薄い層（通常，厚さ 1.0～1.5 nm のプラチナ）を 45° の角度で蒸着させて，試料のレプリカをつくる．次に，水面に浮かせることで**プラチナのレプリカ**を実際の標本から分離し，金属グリッドに載せて電子顕微鏡で観察する．

基本事項 2.A は凍結割断標本の電子顕微鏡写真において，表面と面を同定するための用語を示している．

細胞外空間に面する細胞膜の**表面**は，**ES**（**細胞外表面** extracellular surface）と表示されている．**細胞質**（**原形質** protoplasm ともよばれる）に面する細胞膜の**表面**は，**PS**（**原形質表面** protoplasmic surface）と表示されている．

細胞外空間に面する脂質二重層の割断**面**は **EF**（**細胞外面** extracellular face）と表示されている．同様に，**原形質空間**に面する割断**面**は **PF**（**原形質面** protoplasmic face）で表されている．

このように表面と面が示すものがわかったところで，**面**は化学的に**疎水性**であり，**表面**は化学的に**親水性**であることを覚えておいてほしい．

最後に注意する点として，膜貫通タンパク質は原形質側の膜葉（割断面）に留まり，対向する細胞外膜葉には相補的な**小窩** pit ができる．その理由は，細胞質側に突き出るタンパク質の端に表層の細胞骨格タンパク質が直接的あるいは間接的に付着して，タンパク質や脂質ドメインの維持と改造に能動的な役割を果たしているからである．

タンパク質の合成と選別輸送（図 2.11；基本事項 2.B）

タンパク質合成とその選別輸送における粗面小胞体の役割は，膵臓の腺房細胞を放射性標識されたアミノ酸を含む培地で培養し，オートラジオグラフィーにより標識されたタンパク質の局在を検討することにより示された．

分泌タンパク質の分泌経路は次の順序で起こる：粗面小胞体からゴルジ装置，分泌顆粒を経て，細胞外空間あるいは腺腔へ（図 2.11）．細胞膜とリソソームのタンパク質も粗面小胞体からゴルジ装置への経路をとるが，細胞内に保持される．

核，ミトコンドリア，ペルオキシソームに送られるタンパク質は，遊離リボソームで合成され，細胞質に放出される．それに対し，分泌タンパク質や，小胞体，ゴルジ装置，リソソーム，細胞膜に送られるタンパク質は膜に結合したリボソームで合成され，タンパク質合成が進むにつれ粗面小胞体へと送り込まれる．

合成中のポリペプチド鎖のアミノ酸配列の誘導により，リボソームは小胞体に付着する．分泌タンパク質を合成しているリボソームは，ポリペプチド鎖の成長端にあるシグナル配列によって小胞体へと向かう（基本事項 2.B）．

ゴルジ装置（図 2.12，2.13）

ゴルジ装置 Golgi apparatus は，**ゴルジ層板** Golgi lamella とよばれる平たい袋状の層板が積み重なった集合体で，コイルド・コイルタンパク質ファミリーの**ゴルギン** golgin により安定化されている．それぞれのゴルジ層板は，2つの異なる面をもつ（図 2.12）：

1. **入口面** entry face または**シス** *cis* 面．小胞体に隣接する．
2. **出口面** exit face もしくは**トランス** *trans* 面．**トランスゴルジ網** *trans*-Golgi network（**TGN**）と連続し，細胞膜や核に向いている．

シスゴルジとトランスゴルジの間には**中間ゴルジ** *medial*-Golgi 層板が並ぶ．

小胞体由来の**カーゴ** cargo（貨物）は，可溶性タンパク質と膜をシスゴルジに運ぶ．このカーゴが，新たに合成された膜とタンパク質を，細胞内コンパートメントに貯蔵するか細胞外に分泌するかを決める．

これらの物質は，ゴルギンの働きにより1つのゴルジ層板から出芽し次のゴルジ層板に融合する**輸送小胞** transport vesicle により運ばれていく．**ゴルギン**は，シスゴルジ，ゴルジ層板の縁周囲，トランスゴルジに付属するネットワークを形成し，ゴルジ装置の構造的安定化と小胞輸送に役割を果たしている（図 2.13）．

最終的に，小胞カーゴはトランスゴルジから，細胞表面や別の細胞内コンパートメント（例えばリソソームなど）に向かう管状・小胞状のカーゴが分布するトランスゴルジ網へと移動する．

ゴルジ装置は常にターンオーバーしている．有糸分裂／減数分裂の間に分解し，間期に再集合する．

ゴルジ装置の機能（図 2.13）

次の3つの特異な機能がゴルジ装置によって行われる：

1. **小胞体から受け取った糖タンパク質やプロテオグリカンに結合した炭水化物の修飾**．この過程は**糖鎖付加** glycosylation とよばれる．ゴルジ装置で起こる特徴的な糖鎖付加は，糖タンパク質の *N*- 結合型オリゴ糖の修飾である．ゴルジ装置における糖タンパク質と糖脂質の生合成には 200 以上の酵素がかかわる．**糖転移酵素** glycosyltransferase は特定の糖残基を付加する．**グリコシダーゼ** glucosidase は特定の糖残基を除去する．
2. **細胞内の異なる目的地に向かうカーゴの選別輸送**．ゴルジ装置がどのように特定のタンパク質をリソソームへ選別輸送するかについては，本章の後の項で述べる．
3. **スフィンゴミエリンとスフィンゴ糖脂質の合成**．

処理が進むと，カーゴはゴルジ装置から出芽して，**リソソーム**

図 2.11 | タンパク質の合成

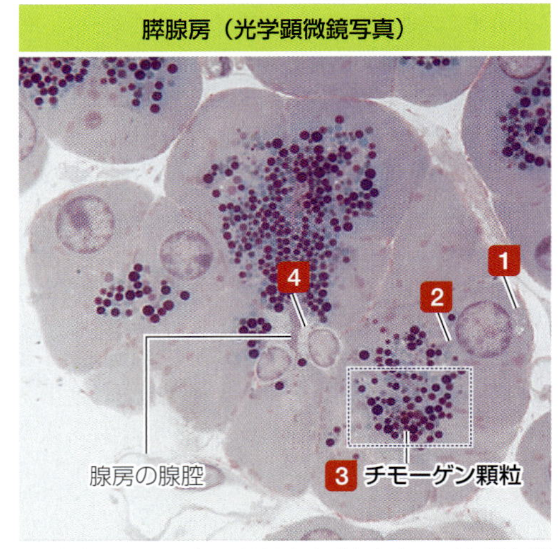

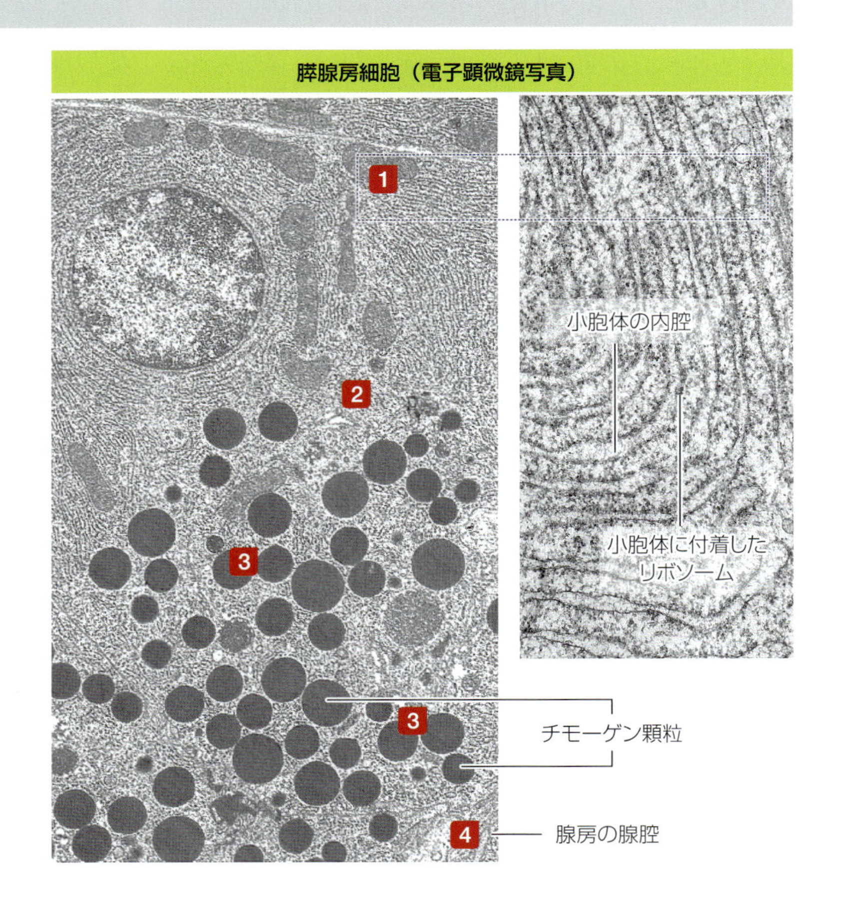

膵臓の腺房細胞は新規に合成したタンパク質を消化管の内部に分泌する．

分泌タンパク質の細胞内経路を追跡するために放射標識されたアミノ酸により細胞をラベルすると，3分後のオートラジオグラフィーにより新規合成されたタンパク質が粗面小胞体 1 に局在していることが示された．

その後，放射標識されたタンパク質はゴルジ装置 2，チモーゲン顆粒とよばれる分泌小胞 3 の内部，やがて細胞膜や細胞外空間へと移動することがわかった 4．

選別輸送経路による分泌（順行性輸送）か小胞体に戻る経路（逆行性輸送）のどちらかに振り分けられる．

ある種のカーゴは，その後の細胞外シグナルに応答した放出のため，分泌顆粒に貯蔵される．この機構は**調節性分泌** facultative／regulated secretion とよばれる．

その他のカーゴは刺激を必要とせず持続的に分泌される．この機構を**構成性分泌** constitutive secretion という．構成性分泌は，新たに合成された脂質やタンパク質を細胞膜に供給したり，細胞外マトリックスのタンパク質や免疫反応時に免疫グロブリンを細胞外に放出したりする．

カーゴの選別はモータータンパク質の働きにより**微小管**や**アクチンフィラメント**に沿って行われる．

小胞カーゴの膜にある**特有の脂質領域**が，**被覆タンパク質** coating protein と**繋留タンパク質ゴルギン**を動員して，**アクセプター膜**の方向にカーゴを選別輸送する．

基本的に，カーゴの選別と輸送は特殊な被覆に依存して行われ，これによりモータータンパク質の働きでカーゴが細胞骨格に沿って動けるようになる．

繋留タンパク質ゴルギン（コイルド・コイルタンパク質）はカーゴを細胞骨格に連結する．小胞カーゴはアクセプター膜に到達すると，**融合タンパク質** fusion protein の働きにより融合する．

小胞輸送（図 2.13）

小胞輸送は，細胞質膜コンパートメント間のタンパク質と膜の動員にかかわる．

エクソサイトーシス経路 exocytosis pathway または**分泌経路** secretory pathway は小胞体で開始し，ゴルジ装置を通って細胞の表面で終了する．

エンドサイトーシス経路 endocytic pathway は，エンドソームを介した細胞膜からリソソームへの細胞外物質の取り込みと分解からなる．

これらの2つの輸送は，**被覆小胞** coated vesicle となる輸送小胞膜の細胞質側を被覆する特徴的なタンパク質により行われる．被覆は輸送のための分子を集めるのに役立つ．

アクセプター膜との融合の前には，小胞は被覆を脱ぎ，膜同士が直接接触し融合できるようになる．

輸送小胞は**クラスリン** clathrin というタンパク質に被覆されている．クラスリン被覆小胞はエクソサイトーシス経路とエンドサイトーシス経路でみられる．

エンドサイトーシス経路では，細胞膜の**クラスリン被覆小窩** clathrin-coated pit から小胞が生じる．クラスリン分子は細胞膜の細胞質側にバスケット状に配列して，小窩状の形態は小胞へと変わる．

低分子量 GTP 結合タンパク質の**ダイナミン** dynamin は陥入した被覆**陥凹**の頸を取り囲み，細胞膜から小胞をくびれ切る．第二の被覆タンパク質は**アダプチン** adaptin とよばれる．アダプチンは小胞膜のクラスリン被覆を安定化し，小胞膜上の**カーゴ受容体** cargo receptor に結合することで，輸送するカーゴの選別を助け

基本事項 2.B ｜ タンパク質の合成

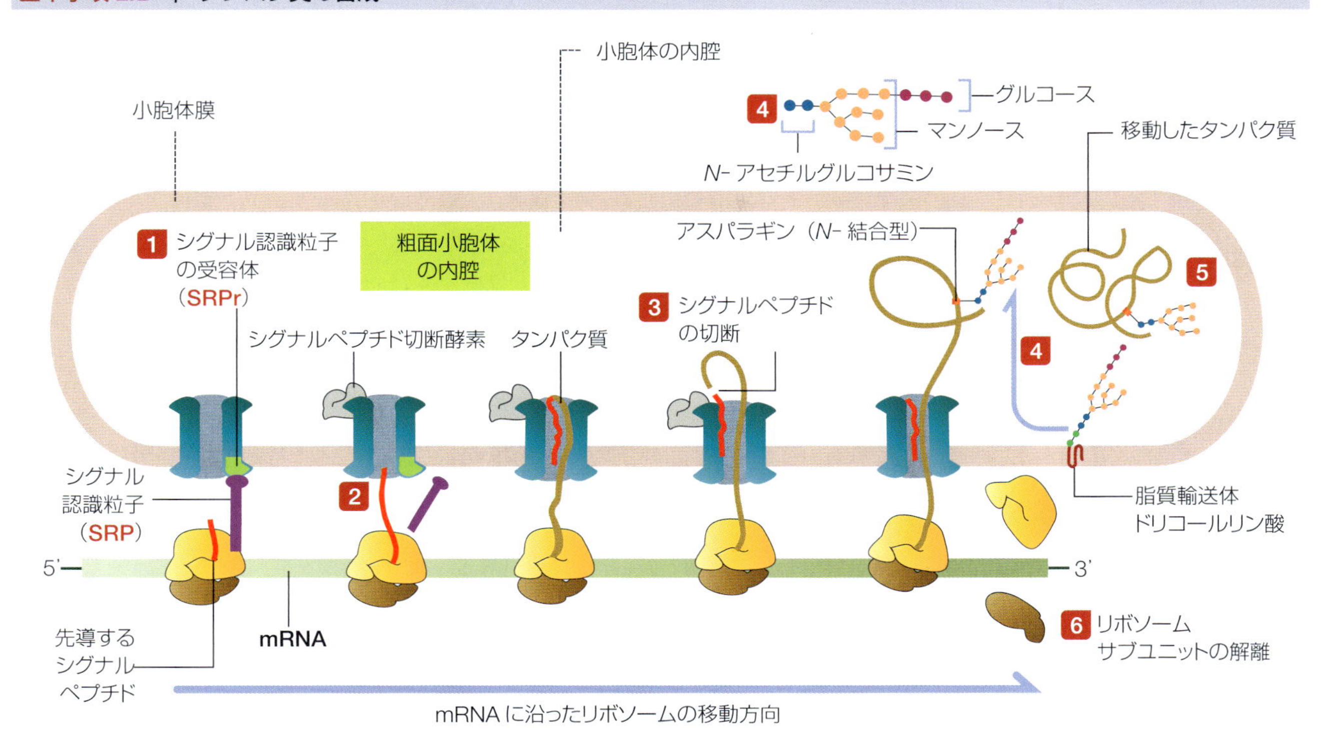

1 タンパク質の合成は先導する**シグナルペプチド**から始まる．**シグナル認識粒子（SRP）**はリボソームと結合し，さらなるタンパク質の伸長を抑制する．この複合体は小胞体層板の細胞質側に繋留され，そこで **SRP の受容体（SRPr）**と結合する．SRPr と結合すると，SRP は複合体から離れる．

2 再びタンパク質は伸長を開始し，先導するペプチドは粗面小胞体の脂質二重層を越えて内腔に入る．

3 **シグナルペプチド切断酵素**は先導するペプチドを切断し，タンパク質の伸長が続く．

4 **脂質輸送体ドリコールリン酸**に結合した糖鎖がアスパラギンに結合する（*N*- 結合型糖鎖付）．

5 合成されたタンパク質は解放される．先に結合した糖鎖から**グルコース**と 1 個の**マンノース**が除かれる．

6 mRNA の 3' 端において，リボソームのサブユニットが解離する．

タンパク質合成後，**膜貫通タンパク質**は輸送停止シグナルにより，1 つかそれ以上の疎水性の膜貫通領域を介して小胞体層板膜に繋留されたままになる．このシグナルは，タンパク質が膜を越えて完全に輸送されるのを阻止する．

ている．カーゴがアクセプター膜に到達すると被覆タンパク質は外れ，膜同士が融合できるようになる．

リソソームへの選別輸送経路（図 2.14）

リソソームの加水分解酵素は，小胞体で合成され，シスゴルジに送られ，最終的に**リソソーム**へ選別輸送される．この選別機構には 2 つの重要なステップが関与している：

1. シスゴルジにおいて，リソソームに輸送されるべき糖タンパク質上のオリゴ糖に**マンノース -6- リン酸（M6P）**を付加すること．
2. トランスゴルジ網において，輸送小胞が**膜貫通型の M6P 受容体タンパク質**をもつこと．

この機構によって，M6P 受容体をもつ小胞において M6P を含むリソソーム酵素は他の糖タンパク質から選別される．クラスリンで被覆された輸送小胞に送られた後で，リソソーム酵素は M6P 受容体から離れ，膜で囲まれたリソソームとなる．リガンドから離れたフリーの M6P 受容体を含む膜は，ゴルジ装置に戻り**再利用**される（訳注：トランスゴルジから M6P 受容体依存性にリソソーム酵素を輸送する輸送小胞は，後期エンドソームと癒合し，pH が下がると M6P 受容体から酵素が遊離し，後期エンドソームから M6P 受容体は遊離して，ゴルジに戻る一方，後期エンドソームはリソソームへと変化する）．

受容体媒介性エンドサイトーシスによるコレステロールの取り込み（図 2.15）

受容体媒介性のエンドサイトーシスにより，細胞は特定の巨大分子を効率的かつ大量に取り込むことができる．古典的な例として，新しい細胞膜をつくるのに使われるコレステロールの取り込みがある．

生化学の授業で学んだことを思い出してほしいのだが，コレステロールは高度に不溶性で，タンパク質分子に結合した低密度リポタンパク質（LDL）粒子として血流で運ばれている．LDL はコ

図 2.12 | ゴルジ装置

ゴルジ装置

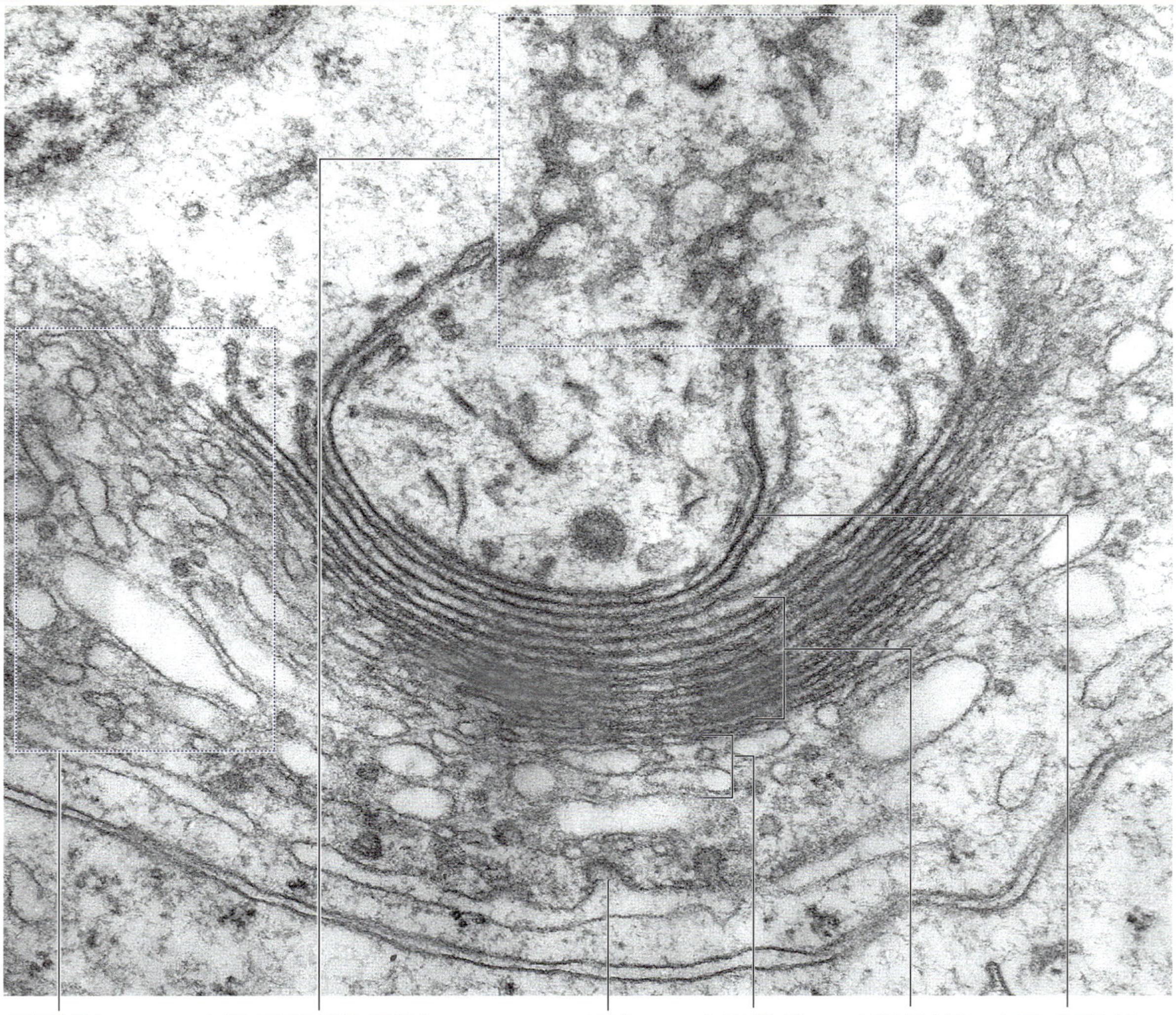

ゴルジ装置は，一連のカーブした積み重なった扁平な小嚢または層板として，電子顕微鏡で観察される．小嚢の端は拡張し，球状の小胞を形成することができる．小嚢と小胞には，その後の分泌や選別輸送のために糖付加されたタンパク質を含有している．

ゴルジ装置は，機能的に異なる 4 つの主要なコンパートメントで構成される：

(1)**シスゴルジ**は，小胞体に由来する合成物のゴルジ装置への入口である．
(2)**トランスゴルジ**はカーゴの出口である．
(3)**内側ゴルジ**はリボン状に積み重なった層板である．
(4)**トランスゴルジ網（TGN）**は，リソソームや分泌（開口放出）へカーゴを選別輸送する部位である．

レステロールの約 75％を運び，およそ 2～3 日間血中を循環する．LDL の約 70％は **LDL 受容体** LDL receptor を有する細胞によって血液中から取り除かれる．残りは受容体非依存的な機構による処理経路で除去される（Box 2.C）．

細胞による**リガンド**（LDL，トランスフェリン，ポリペプチドホルモン，成長因子など）の取り込みには特別な**膜受容体**が必要である．

LDL 受容体・LDL 複合体は，受容体媒介性エンドサイトーシスによって取り込まれる．受容体媒介性エンドサイトーシスでは，細胞膜の細胞質側に**クラスリン**というタンパク質が集合し，**被覆小窩** coated pit をつくることはすでに述べた．

細胞内に取り込まれた後，クラスリンは被覆小胞から外れ，被覆を失った小胞は内部の pH が低いエンドソームと融合する．

この酸性環境で，LDL は受容体から離れ，不活性な一次リソソームに運ばれ，**一次リソソーム**は基質分解を行う**二次リソソーム**へと変化する（訳注：細胞内に取り込まれた LDL 受容体・LDL 複合体は初期エンドソームに運ばれ，成熟して後期エンドソームになる．プロトンポンプの働きによる酸性環境で，LDL は受容

図 2.13 | 分泌およびリソソームへの選別輸送経路

ゴルジ装置：選別輸送経路

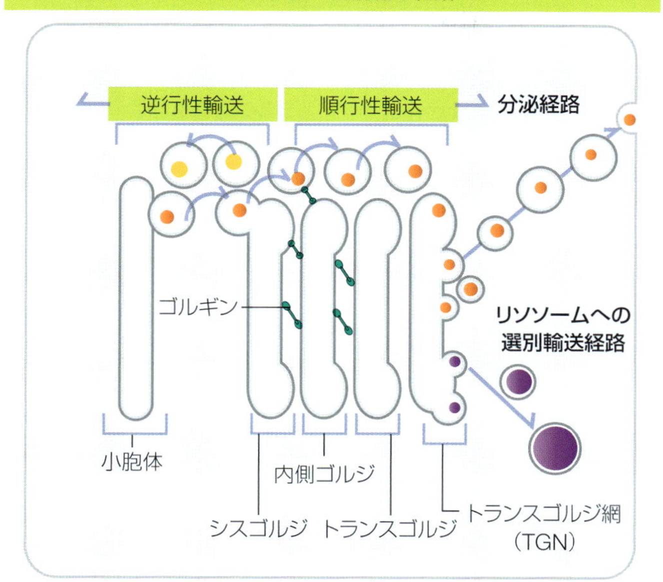

小胞体に隣接した層板は**シスゴルジ**であり，細胞の頂上部に向いた層板は**トランスゴルジ**である．シスとトランスゴルジの間に中間の層板がある．**トランスゴルジ網**（**TGN**）は小胞や輸送物質の選別の場である．**順行性輸送**（小胞体からゴルジに）あるいは**逆行性輸送**（ゴルジから小胞体に）において輸送小胞は次々に出芽して次の塊と癒合する．**ゴルギン**は層板や小胞を固定化する．

図 2.14 | リソソーム選別輸送経路

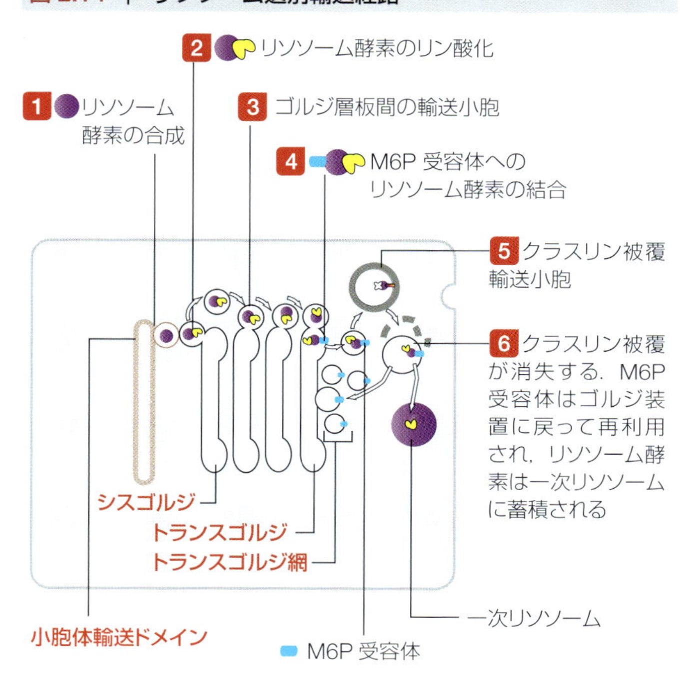

図 2.15 | コレステロールの取り込み

受容体媒介性エンドサイトーシスによる LDL の取り込み

1 被覆小窩における LDL 受容体複合体

2 LDL 受容体複合体の細胞内取り込み

3 被覆小胞内に取り込まれた LDL 受容体複合体

LDL

LDL 受容体

クラスリン被覆

4 クラスリン被覆が外れる

遊離コレステロール

一次リソソーム

エンドソーム

5 一次リソソームは，LDL 受容体複合体を含むエンドソームと融合する．初期および後期エンドソームが形成される

6 リガンドが外れ遊離した受容体は，細胞膜へ戻り再利用される

受容体媒介性エンドサイトーシスの詳細

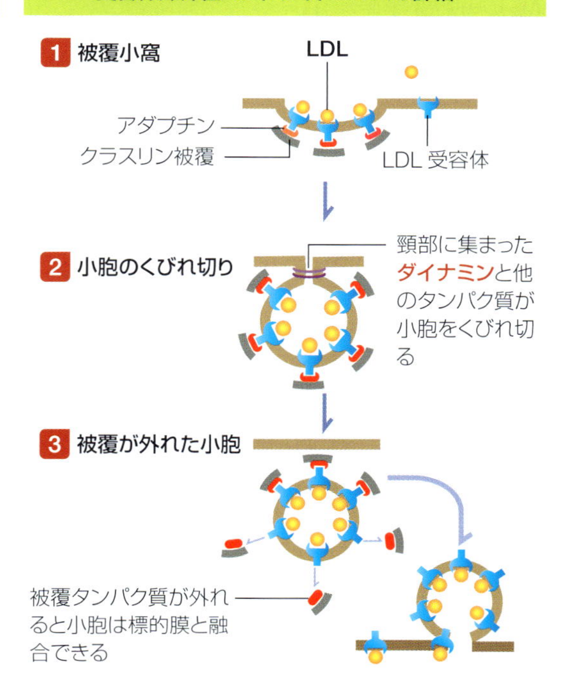

基本事項 2.C | クラスリンおよび COP を介した小胞輸送および輸送小胞の標的輸送

2 種類の輸送小胞：クラスリン被覆および COP 被覆小胞

クラスリン被覆小胞

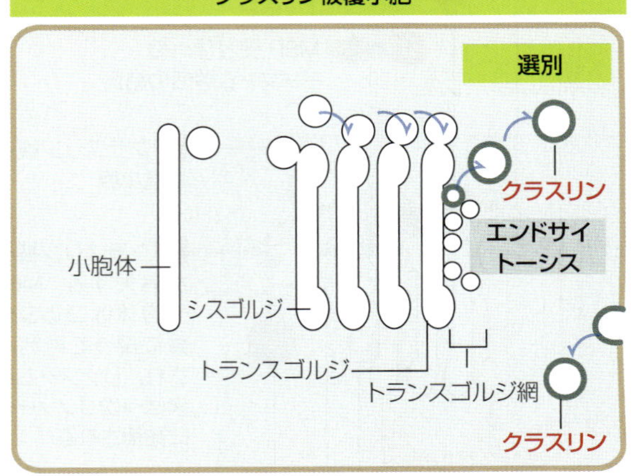

COP 被覆小胞

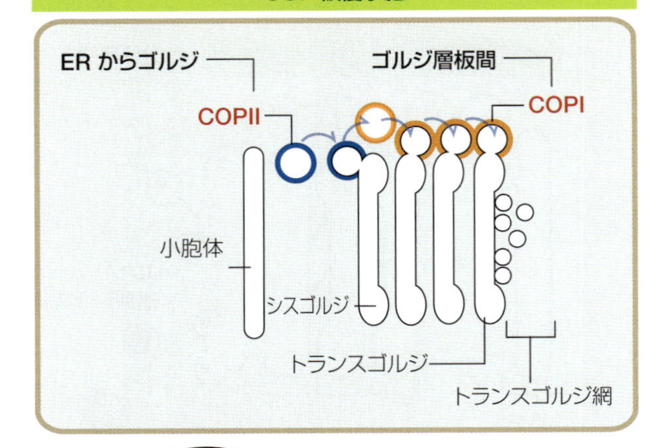

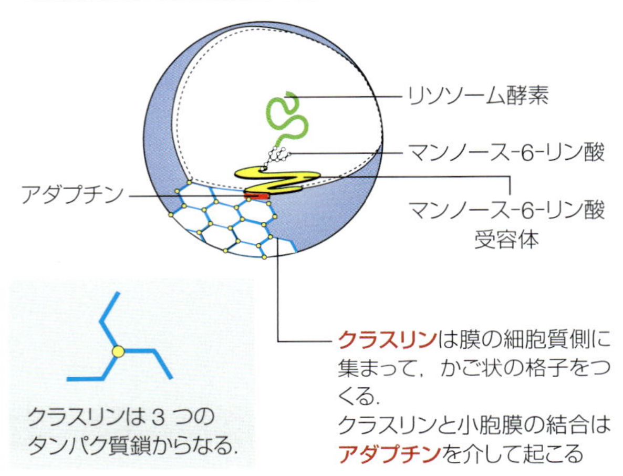

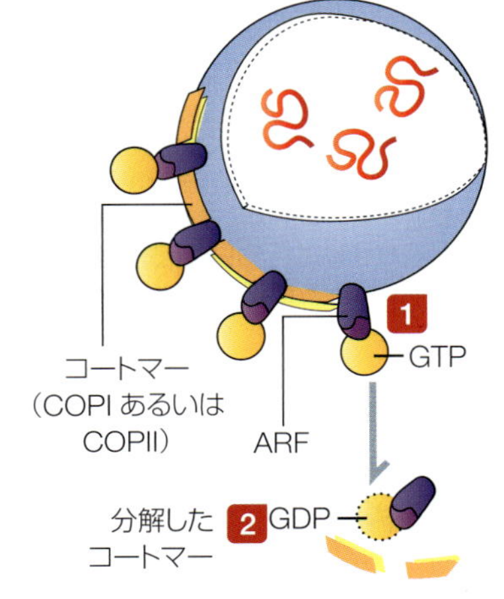

1 GTP と結合した **ARF**（ADP リボシル化因子）はゴルジ装置の層板膜と結合し，COP 被覆タンパク（**コートマー**）の結合を促進して，小胞を発芽させる.

2 結合 **GTP** の加水分解で ARF が **GDP** 結合型に変わると，小胞の標的構造の膜への融合に先立ち被覆の分解が起こる.

小胞輸送は次の過程で行われる.
1. 膜からの発芽による小胞の形成.
2. 輸送小胞の細胞質側表面への被覆タンパク質の組み立て.

被覆小胞には 2 種類がある.
1. **クラスリン被覆小胞**で，エンドサイトーシス小胞やトランスゴルジ網からリソソームへ選別輸送される小胞.
2. **COP 被覆小胞**（COP とは coat protein の意味）で，ゴルジ装置の層板間の輸送（**COPI 被覆小胞**）や，小胞体からゴルジ装置への輸送（**COPII 被覆小胞**）でみられる.

COP の組み立ては 2 つの異なるメカニズムで制御されている.
1. COP の小胞への結合が **GTP 結合型の ARF** により行われる.
2. GTP が加水分解されて **GTP 結合型 ARF** が **GDP 結合型**へと変化するとコートマーが剥がれ，小胞がアクセプターや標的膜と結合する.

ARF は，がん遺伝子の **Ras タンパク質ファミリー**（第 3 章参照）のメンバーである.

Ras 関連タンパク質（**Rab タンパク質**とよばれる）も小胞輸送に関与している.

体から離れる．後期エンドソームはリソソームと融合し，LDL は酸性リパーゼなどの作用により分解され，遊離コレステロールとなる）．LDL はリソソームの加水分解酵素で分解され，遊離コレステロールとして細胞質に放出され，新たな細胞膜の合成に使われる.

次に，LDL 受容体は細胞膜へと戻り，再利用される．LDL 受容体は 10 分ごとに再利用され，20 時間という寿命の中で数百回使われる.

コレステロールはステロイドホルモンの合成，肝細胞における胆汁酸の産生，細胞膜の合成に必要である.

クラスリンおよび COP 被覆小胞の選別輸送

（図 2.13；基本事項 2.C）

輸送小胞の**出芽** budding と**融合** fusion のプロセスが持続することで，生成物は小胞体からゴルジ装置へ（順行性輸送），ゴルジ装置の層板の間で，ゴルジ装置から小胞体へ（逆行性輸送），移動する.

小胞による輸送メカニズムには，2 種類の被覆小胞が関与する：

1. **クラスリン被覆小胞** clathrin-coated vesicle は，生成物をゴルジ装置からリソソームへ，細胞の外部からリソソームへ輸

基本事項 2.C ｜ （続き）

標的膜への輸送小胞の輸送

小胞融合は 2 つのステップを踏む：標的膜の認識と融合

認識 → **融合**

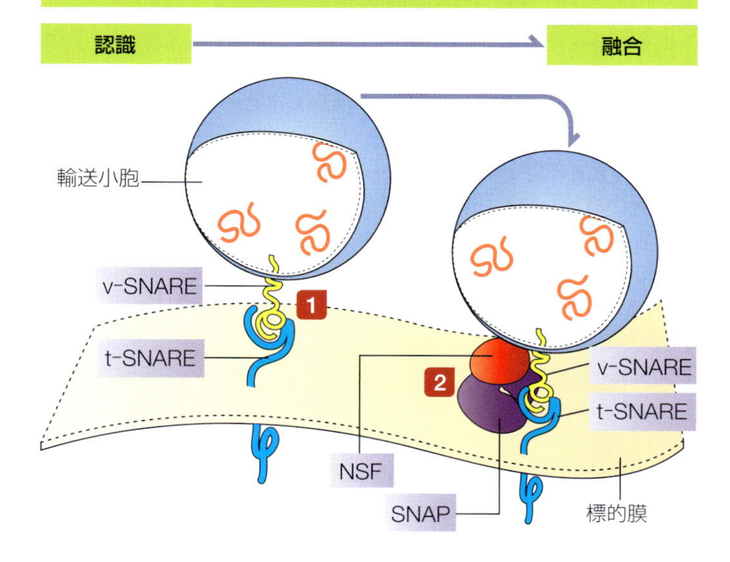

1 小胞上の受容体（v-SNARE）と標的膜の受容体（t-SNARE）による適切な標的膜の**認識**.

2 小胞膜と標的膜の**融合**．融合には次の 2 つの分子がかかわる．
(1)**NSF**（*N*-エチルマレイミド感受性融合 ***N***-ethylmaleimide-**s**ensitive **f**usion）．
(2)**SNAP**（可溶性 NSF 付着タンパク質 **s**oluble **N**SF **a**ttachment **p**rotein）．NSF と SNAP は，SNARE（SNAP 受容体 **SNA**P **re**ceptor）によって集められ，小胞膜と標的膜の融合を誘導する．

送する（コレステロールなど）．

2. **COP 被覆小胞**（COP とは coat protein の意味）は，生成物をゴルジ装置の層板間で（**COPI 被覆小胞**），小胞体からゴルジ装置（**COPII 被覆小胞**）へ，輸送する．

すでにみてきたように，**アダプチン**は小胞に補足される特定の分子を選択するとともに，小胞膜にクラスリンを結合させる．

それでは COP 被覆小胞はどうか？

グアノシン三リン酸（GTP）結合タンパク質である **ARF**（**アデノシン二リン酸［ADP］リボシル化因子** ADP-ribosylation factor）は，COPI と COPII の組み立てに必要で，輸送小胞の細胞質側の**コートマー**coatmer とよばれるタンパク質被覆を形成する．

加水分解によって GTP がグアノシン二リン酸（GDP）に変換されると，小胞が標的膜に融合する直前に，コートマーは小胞から離れる．ARF はがん遺伝子産物の 1 つである Ras タンパク質に関連しており，この **Ras タンパク質**も GTP と GDP の交換的結合によって制御されている（第 3 章参照）．

リソソーム（図 2.14：基本事項 2.D）

リソソームは，酸性加水分解酵素を含む不均一なサイズと形態を有する，膜で囲まれたオルガネラである．リソソームは，エンドサイトーシス経路の最終分解コンパートメントとみなされ，一般には**オートファジー**autophagy（自食作用）とよばれる**マクロオートファジー**macroautophagy の非選択的細胞内物質の消化にも関与する（Box 2.D）．さらに，リソソームは外部刺激に応答して分泌性オルガネラとしても機能する（Box 2.E）．

2 種類のリソソームが存在する：

1. **一次リソソーム** primary lysosome．リソソームの加水分解酵素の第一次の貯蔵場所として定義される．

Box 2.C ｜ 家族性高コレステロール血症

- 家族性高コレステロール血症では，血漿中の主要なコレステロール輸送タンパク質である LDL が上昇し，コレステロール取り込み機構が破綻している．
- 主な欠陥は，ほとんどの細胞において食事由来のコレステロールの細胞内取り込みに必要な LDL 受容体をコードする遺伝子の変異による．血漿中の高レベルの LDL コレステロールは，心筋梗塞の一般的な原因であるアテローム性動脈硬化症のプラークを冠状血管に形成する．
- 家族性高コレステロール血症の患者には，3 種類の受容体欠陥がある．
  (1) LDL に結合できない LDL 受容体．
  (2) LDL に結合するが，結合量が減少する LDL 受容体．
  (3) LDL に結合するが，細胞内取り込みができない LDL 受容体．

Box 2.D ｜ マクロオートファジーとオートファジー

- オートファジーにはさまざまな種類がある．**マクロオートファジー**（一般にオートファジーとよばれる）は**非選択的**であり，細胞内構成要素のランダムな二重膜オートファゴソームへの囲い込み，分解，および再利用の過程から構成される．**オートファジー**は，リソソーム膜を越えて運ばれる物質の種類によって定義される**選択的**なプロセスである（シャペロン媒介性オートファジー）．
- 非選択的マクロオートファジーと選択的オートファジーは，オートファジー関連（*Atg*）遺伝子によってコードされるタンパク質を使用して，オートファゴソームを形成し，それがリソソームと融合して分解性のオートリソソームになる．
- 腫瘍細胞は，飢餓または損傷ストレスに応答してオートファジーを誘発し，細胞の生存を促進する．この点は，オートファジーを阻害するメカニズムががん治療の改善に役立つ可能性を示唆する．
- あるいは，慢性的なオートファジーの欠陥は腫瘍の発生を助長する損傷組織の炎症状態となる可能性があり，がん予防の観点から重要である．

Box 2.E ｜ リソソームの加水分解酵素は分泌されることがある

- 一部の細胞種は，リソソームの加水分解酵素を貯蔵し分泌することができる．例としては，骨吸収に関与する**破骨細胞**がある．骨吸収は，**カテプシン K** という酵素がリソソーム区画からハウシップ窩内の H^+-ATPase ポンプによって形成された酸性環境に放出されることで行われる（第 3 章参照）．
- 分泌型リソソームは免疫系の細胞にもみられる．**$CD8^+$ 細胞障害性 T 細胞**と**ナチュラルキラー細胞**は，分泌型リソソームを介して穴あけタンパク質**パーフォリン**を分泌し，標的細胞を破壊する（第 10 章参照）．

2. **二次リソソーム** secondary lysosome（ファゴリソソーム phagolysosome と**オートリソソーム** autolysosome に対応）．基質の分解過程に関与するリソソームと考えられている．

すでに学んできたように，細胞膜はエンドサイトーシスとよばれる過程によって，細胞外の粒子や溶液を取り込むことができる．

エンドサイトーシスには2つの重要な目的がある．1つは**細胞内に物質を運び入れること**，もう1つは**細胞膜を再利用すること**である（基本事項2.D）．この逆の過程は**エクソサイトーシス**とよばれ，細胞で処理されたり合成された生成物を細胞外に輸送する．

エンドサイトーシスには主に3種類の小胞がかかわる：

1. **クラスリンを伴わない貪食小胞** phagosome．これは，大きな粒子（例えばウイルスや細菌，細胞崩壊産物）を取り込むのに使われる．
2. **クラスリン被覆小胞**．小型の巨大分子を取り込むのに使われる．
3. **ピノサイトーシス** pinocytosis（飲作用）．**カベオリン** caveolin により被覆された**カベオラ** caveolae とよばれる小胞内の溶液を取り込む．

多くの細胞はピノサイトーシスで溶液を取り込むが，食作用（貪食）は**マクロファージ** macrophage を含む特殊な細胞の機能である．

貪食細胞は，アポトーシス後の細胞の残骸や，老化した赤血球の処分を脾臓で行う．

加水分解酵素に加え，リソソームはアミノ酸，糖，ヌクレオチドなどの分解産物を再利用，あるいは排出するために細胞質に送り出すための**膜結合型の輸送体**ももっている．リソソーム膜は**ATP 依存性プロトンポンプ**ももち，これはプロトンをリソソームに汲み上げて酸性環境を保つ．

関連するステップに注目して，**リソソーム選別輸送経路**を見直してみよう（図2.14）：

1. リソソームの酵素とリソソームの膜タンパク質は小胞体で合成され，ゴルジ装置を通ってトランスゴルジ網に輸送される．
2. シスゴルジで行われる重要な工程は，リソソーム酵素に特定のリン酸化糖である M6P の目印をつけることであり，M6P はトランスゴルジで対応する受容体により認識される．
3. この目印により酵素は輸送小胞に選別されて詰め込まれ，小胞はトランスゴルジ網を離れリソソームへと向かう．

リソソームの生合成は，調和のとれた遺伝的制御を受ける．転写因子 **TFEB（EB の転写因子）**は，いくつかのリソソーム遺伝子の発現を調節し，オートファゴソーム（自食胞）の形成とリソソームとの融合を調整する．TFEB の過剰発現は，飢餓とオートファジーに際して新たなリソソームの形成を増加させる．

食作用，エンドサイトーシスおよびマクロオートファジー（基本事項2.D）

さまざまな物質のリソソームへの輸送には異なる**エンドサイトーシス経路**が存在する：

1. **リソソームはエンドソーム，オートファゴソーム，ファゴソームと融合**し，ハイブリッドのオルガネラ（**二次リソソーム**）を形成する．このようにして内容物を混合することで，エンドサイトーシスされたカーゴの大部分を分解することができる．
2. リソソームへカーゴ輸送される前に，**エンドサイトーシス小胞は初期エンドソームと後期エンドソームと融合する**．エンドソーム（訳注：後期エンドソーム）は M6P 受容体を欠いている点で，リソソームとは異なる．
3. 後期エンドソームとリソソームの融合により，リソソームは枯渇する．ハイブリッドオルガネから後期エンドソームの成分を除去することで，リソソームは回復する．また，プロトンポンプと Ca^{2+} の存在下で，リソソームプロテアーゼを含有する小型小胞がハイブリッドオルガネラから発芽する．
4. 食作用は，特殊化した細胞が侵入する病原体，アポトーシス細胞の断片，その他の外来性異物を**ファゴソーム** phagosome に取り込むために不可欠である．リソソームはファゴソームと融合してハイブリッドの**ファゴリソソーム**を形成し，カーゴを分解する．
5. **マクロオートファジー**は，**オートファゴソーム** autophagosome に封入された細胞自体の細胞質成分の分解に関与する（オートファゴソームはリソソームと融合してハイブリッドの**オートリソソーム**を形成する）．

   オートファゴソームは二重膜をもつ構造であることに注意せよ．隔離された細胞質物質は小分子に分解され，リソソーム膜を通過して細胞質に輸送され新規タンパク質の合成などに再利用される．オートファジーは，細胞の生存と細胞の恒常性に不可欠である．オートファジーの分子的側面については，第3章で説明する．
6. リソソームの内容物のエクソサイトーシスは，SNARE タンパク質の存在下で，細胞膜とリソソーム膜の融合によって起こる．「分泌型」リソソームをもつ細胞タイプについては Box 2.E 参照．

リソソーム蓄積病（基本事項2.E）

リソソーム蓄積病 lysosomal storage disorder（あるいは**蓄積症**）は，細胞膜の構成要素が細胞内に進行性に蓄積することにより生じ，その原因は蓄積物の分解に必要な酵素の遺伝的欠陥による．

リソソーム機能に重要なタンパク質（リソソーム酵素や，翻訳後修飾およびリソソームタンパク質の細胞内輸送に関与するリソソームの内在性膜タンパク質など）の機能喪失変異は，基質とリソソームの蓄積という障害を引き起こす．

リソソーム蓄積病の3分の2は，神経機能障害と神経変性を引き起こす．多くの患者は，出生時は臨床的に正常であり，リソソーム機能障害は初期発達脳の神経機能には影響を与えないことを示している．

図2.13，2.14 に再び戻って，リソソームに到達するために加水分解酵素がたどる経路と，エンドサイトーシス，食作用，マクロオートファジーの一連の過程の要点の確認を推奨する（基本事項2.D）．

これらの細胞輸送経路は，**基質減少療法** substrate reduction therapy（阻害剤を使用して基質合成を阻害する療法）や**酵素補充療法** enzyme replacement therapy（膜結合型 M6P 受容体を静脈

基本事項 2.D ｜ リソソーム

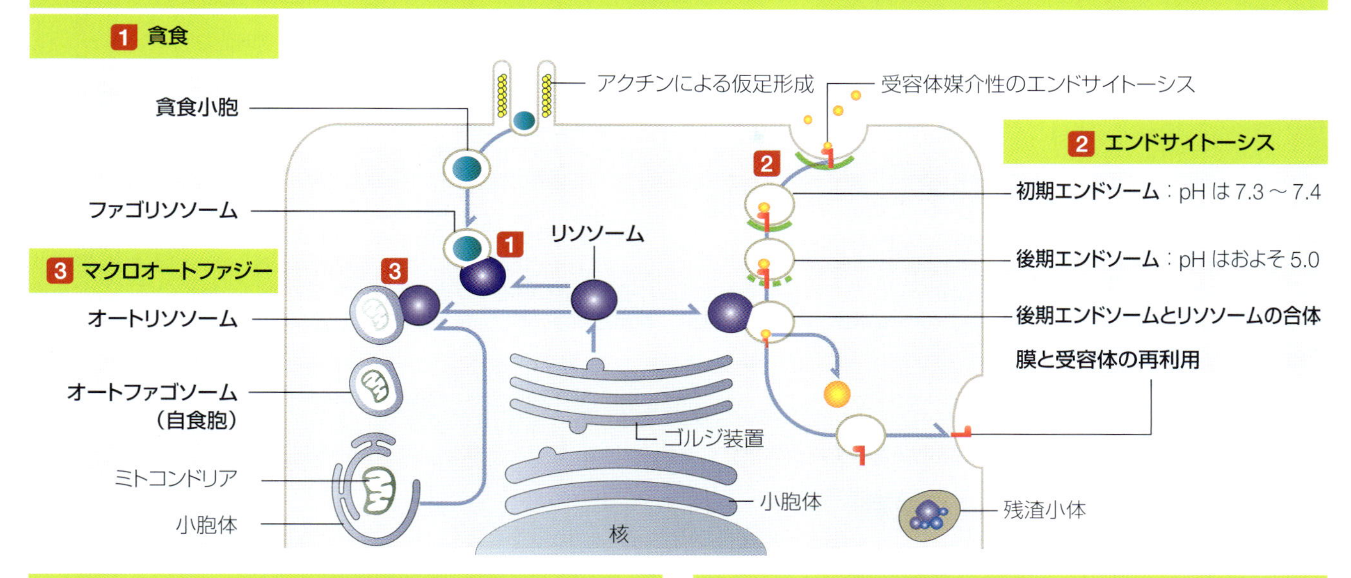

細胞内分解

物質の**細胞内分解**には 3 つの主要な経路がある．細胞外の粒子は貪食とエンドサイトーシスにより取り込まれる．古くなった細胞内構成要素は，非選択的なマクロオートファジーにより分解される．

1 貪食：貪食される物質は，貪食小胞の内部に取り込まれ，次にリソソームと融合してファゴリソソームになる．大量のファゴソームはマクロファージで観察される．

2 エンドサイトーシス：エンドサイトーシスされた物質は，最初に初期エンドソーム，次に後期エンドソームに送達される．後期エンドソームの膜にはプロトンポンプをもつが，初期エンドソームにはない．リソソームが後期エンドソームと融合してハイブリッドのオルガネラになり，異化作用が開始する．エンドサイトーシスでは，受容体を介してペプチドホルモンや成長因子を取り込む．残渣小体は部分的に分解された物質を含む構造体である．

3 マクロオートファジー：マクロオートファジーは，古くなった細胞成分を小胞膜が取り囲んでオートファゴソームを形成することから始まる．次に，リソソームと融合して，ハイブリッドのオルガネラのオートリソソームを形成し，その内容物を分解する．**マイトファジー** mitophagy では，障害を受けたミトコンドリアを処分する（第 3 章参照）．

リソソーム

リソソームは，酸性環境下（pH5.0 以下）で活性を有する約 40 種類の加水分解酵素を含有するオルガネラである．その機能は，タンパク質，拡散，オリゴ糖，リン脂質を分解することである．

リソソームを取り囲む膜には 3 つの特徴がある：

(1)加水分解酵素と細胞質を区画する．

(2)加水分解酵素のリソソーム内移送（**LIMP**, **LAMP**）や，リソソーム外へのコレステロール移送（**NPC1**）にかかわる輸送タンパク質をもつ．

(3)**ATP 依存性プロトンポンプ**を含み，リソソーム内の酸性環境を保つ．

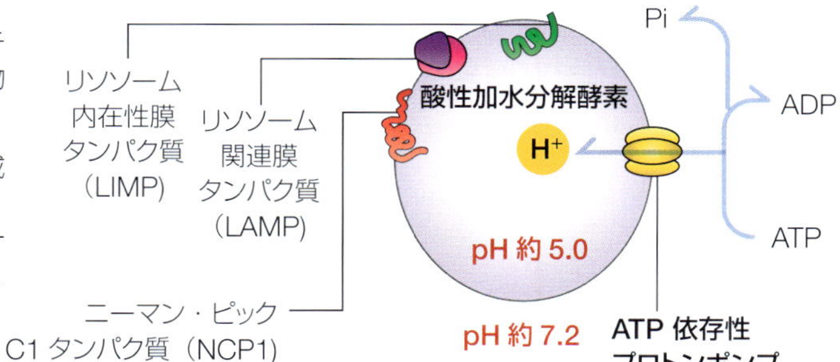

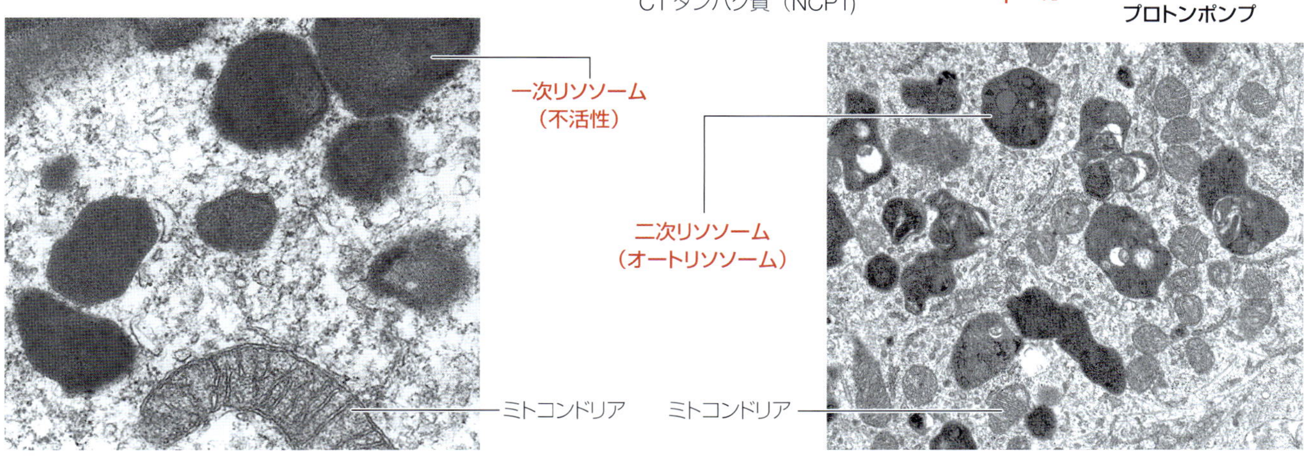

基本事項 2.E | リソソーム蓄積異常：テイ・サックス病とゴーシェ病

リソソーム蓄積異常

リソソームに含まれる加水分解酵素はスフィンゴ脂質や糖タンパク質を分解して，可溶性の産物にする．これら分解される分子複合体は，細胞内のオルガネラに由来したり，貪食により細胞内に取り込まれたものである．

リソソーム酵素を欠損する数多くの遺伝病では，部分的に分解された不溶性産物が細胞内に進行性に蓄積する．このような状態を，臨床的に**リソソーム蓄積異常** lysosome storage disorder とよぶ．

リソソーム蓄積異常にはさまざまな病型があり，それは蓄積する主要な不溶性産物の種類や，欠陥のあるリソソーム酵素の基質の種類に依存する．

スフィンゴ脂質の分解障害は次の弛緩の原因となる：

(1)**ゴーシェ病** Gaucher's disease：**グルコセレブロシダーゼ**の活性障害により，脾臓と中枢神経系におけるグルコセレブロシドの蓄積を特徴とする．

(2)**ニーマン・ピック病** Niemann-Pick disease：**スフィンゴミエリナーゼ**の欠陥により，脾臓と中枢神経系にスフィンゴミエリンとコレステロールが蓄積する．

(3)**テイ・サックス病** Tay-Sachs disease：***β-N-*アセチルヘキソサミニダーゼ**の欠損により中枢神経系にガングリオシドが蓄積する．

これら 3 つのリソソーム蓄積異常の**診断**は，患者の白血球や培養線維芽細胞における酵素活性検査に基づいて行われる．

テイ・サックス病

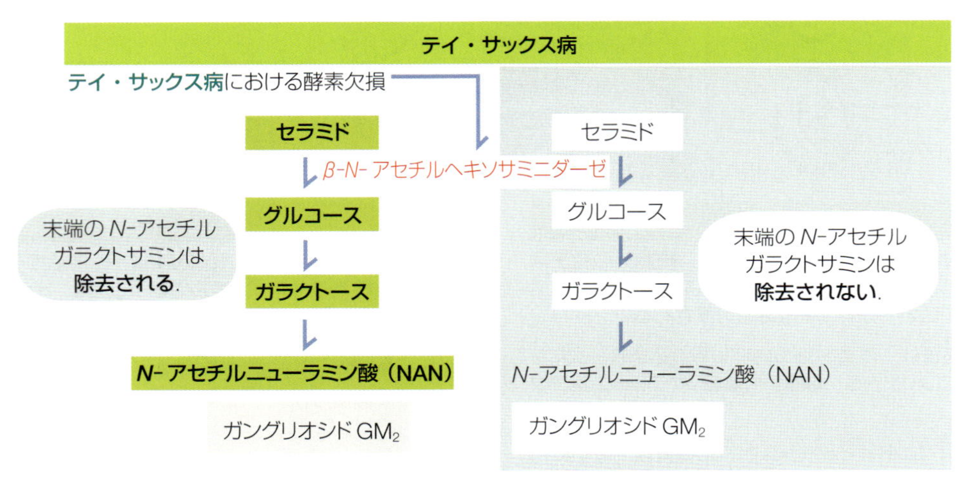

ガングリオシドは，炭水化物が豊富に含む神経系の主要なスフィンゴ脂質である．ガングリオシドはリソソーム内で末端の糖が除去されることで分解される．

それらの末端糖を除去する．**テイサック病**では，末端の *N*-アセチルがラクトサミンの除去が遅いか，起こらないことにより，ガングリオシッド M_2（GM_2）の脳内含有量は高くなる．**欠損するリソソーム酵素は*β-N-*アセチルヘキソサミニダーゼである**．

障害されたニューロンでは，リソソーム内に脂質が含まれている．精神運動発達遅滞と筋力低下は初期の症状である．生後 3 年以内に，痴呆と失明が発症し，死亡する．羊水穿刺により出生前発育中の*β-N-*アセチルヘキソサミニダーゼ活性を測定することで，この常染色体潜性疾患を診断することができる．

ゴーシェ病

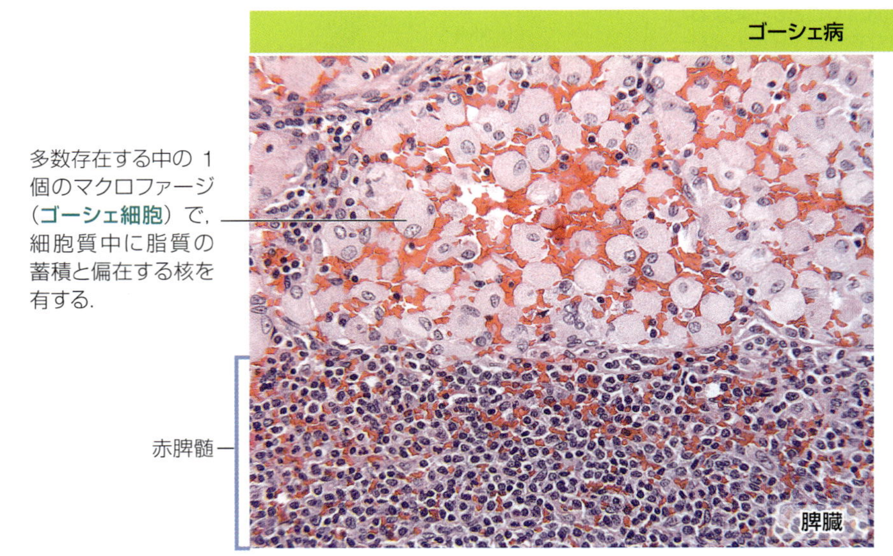

多数存在する中の 1 個のマクロファージ（**ゴーシェ細胞**）で，細胞質中に脂質の蓄積と偏在する核を有する．

赤脾髄

ゴーシェ病（またはグルコシルセラミド脂質症）には 3 つ病型がある．

1 型には神経学的症候はなく，小児期後期または思春期に発症する．骨，肝臓，脾臓（組織像を参照），肺が侵される．

2 型では生後 2〜3 ヵ月で発症し，神経学的症候を有し，通常 2 歳までに死亡する．

3 型は成人にみられ，肝脾腫を伴い，神経学的症候を有する．40 歳までに死亡する．

内投与してリソソーム酵素を細胞内に取り込ませる療法）の臨床的価値を理解するための基礎となる．

把握すべき重要な病理学的概念は，**リソソームに蓄積する物質自体ではなく，欠陥のあるリソソーム酵素担体がリソソーム蓄積病の細胞病理を説明できること**である．本質的に，すべてのリソソーム病が蓄積異常になるわけではない．

例えば，**ゴーシェ病** Gaucher's disease では，小胞体のリソソーム酵素β-グルコセレブロシダーゼ（β-Glc）に結合親和性がありβ-Glc のリソソーム輸送に関与する 2 型リソソーム内在性膜タンパク質（LIMP-2）を欠損している．その結果，LIMP-2 の遺伝子変異によりリソソームのβ-Glc 活性が低下する．

さらに，生検組織の顕微鏡検査や蓄積した細胞基質の生化学的解析により，リソソーム蓄積物質の原因となる酵素の欠陥を決定することができる．例えば，リソソームからのコレステロールの放出に必要なタンパク質に欠陥がある**ニーマン・ピック病** Niemann-Pick disease の C1 型および C3 型（NPC1 および NPC2）では，コレステロールが蓄積する．言い換えれば，詳細な輸送メカニズムが完全に明らかになってはいなくても，細胞の蓄積異常は基質減少療法や酵素補充療法の臨床的治療戦略の手がかりを提供することはよくある．

神経膠症（中枢神経系の損傷により生じるグリア細胞の増殖）による脳重量増加，神経萎縮（核を変位させる異常な渦巻き状リソソームにより引き起こされる），および軸索の髄鞘障害を特徴とする**テイ・サックス病** Tay-Sachs disease（**GM2 ガングリオシドーシス**）の発症メカニズムついては，基本事項 2.E で説明する．

ミトコンドリア（図 2.16～2.18）

ミトコンドリア mitochondria（ギリシャ語 *mito* [= thread, 糸], *chondrion* [= granule, 顆粒]：糸粒体）は高度に区画化されたオルガネラである．ミトコンドリアの基本的な機能は，アデノシン三リン酸（**ATP**）を産生する酸化的リン酸化のための酵素的機構を収納し，分子の代謝により生じるエネルギーを放出することである．

ミトコンドリアは**膜間隙** intermembrane space によって隔てられた**ミトコンドリア外膜** outer mitochondrial membrane，**ミトコンドリア内膜** inner mitochondrial membrane からなる（図 2.17）．内膜は**マトリックス** matrix とよばれる大きなコンパートメントを囲んでいる．マトリックスは**クリステ** cristae とよばれるミトコンドリア内膜の折れ込みで区切られている．クリステがあることで ATP 合成が行われるミトコンドリア内膜の面積が広くなる．

ミトコンドリアは DNA，RNA，リボソームをもち，ミトコンドリア自身のタンパク質をマトリックスで合成する．ミトコンドリアタンパク質のうち 1％だけがミトコンドリア DNA にコードされている．大部分のミトコンドリアタンパク質は核内の遺伝子にコードされ，細胞質中のリボソームで合成され，ミトコンドリア外膜にある**ミトコンドリア外膜トランスロカーゼ複合体** **t**ranslocase of the **o**uter **m**itochondrial membrane complex（**TOM**）により標的シグナルが認識され，ミトコンドリアに取り込まれる．TOM はミトコンドリアタンパク質取り込みの最も一般的な経路である．**標的ポリペプチドシグナルとシャペロン分子**（**Hsp60，Hsp70**）はタンパク質がマトリックスに到達できるようにしている（図 2.17）．

ミトコンドリア外膜には透過性がある．外膜は**ポーリン** porin を含んでおり，このタンパク質は分子量の小さい（5 kDa 以下）糖やアミノ酸，イオンなどの水溶性分子を通すチャネルを形成する．ミトコンドリア内膜はイオンや小分子を通さない．

ミトコンドリア内膜は電子伝達とプロトン（H^+）汲み上げの場であり，ATP 合成酵素を含む．ミトコンドリア内膜にあるタンパク質の大部分は**電子伝達鎖** electron transport chain を構成し，酸化的リン酸化にかかわっている．

ATP 合成のメカニズムは，**酸化的リン酸化** oxidative phosphorylation とよばれる．このメカニズムは，アデノシン二リン酸（ADP）へのリン酸基の付加による ATP 合成と，酸素（O_2）の消費から構成される．また**化学的要素** chemical component（ATP 合成）と**浸透圧的要素** osmotic component（電子伝達と H^+ 汲み上げ）を含むことから，**化学浸透圧機構** chemiosmotic mechanism ともよばれる．

ミトコンドリアのマトリックスは**ピルビン酸** pyruvate（炭水化物に由来）と**脂肪酸** fatty acid（脂質からできる）を含む．これら 2 つの小分子は選択的にミトコンドリア内膜を越えて輸送され，マトリックスで**アセチル CoA** に変換される．

クエン酸回路は，アセチル CoA を二酸化炭素（CO_2，代謝性廃棄物として細胞から放出される）と高エネルギー電子に変換する．後者は，ニコチンアミドアデニンジヌクレオチド（**NADH**）とフラビンアデニンジヌクレオチド（**$FADH_2$**）によって活性化されるキャリア分子により運搬される．

NADH と $FADH_2$ は，高エネルギー電子をミトコンドリア内膜に埋め込まれた電子伝達鎖に渡し，酸化して NAD^+ と FAD になる．電子は瞬時に伝達鎖を移動して O_2 にたどり着き，水分子（H_2O）になる．

高エネルギー電子が電子伝達鎖に沿って移動する際，プロトンポンプにより H^+ がミトコンドリア内膜を越えて膜間隙へ移動するときにエネルギーが放出される．この H^+ 勾配は，次に ATP 合成を駆動する．

以下の点について留意すること：

1. ミトコンドリア内膜は NADH の高エネルギー電子由来のエネルギーを，ATP の高エネルギーリン酸結合という異なる形のエネルギーに変換する．
2. ADP にリン酸基が付加されて ATP ができる際に，電子伝達鎖（**呼吸鎖**）が O_2 を消費する．

電子伝達鎖 electron-transport chain の構成要素は，ミトコンドリア内膜の脂質二重層に何コピーも存在する．これらは電子を受け取る順に 3 つの大きな呼吸酵素複合体に分類される：

1. **NADH 脱水素酵素複合体** NADH dehydrogenase complex.
2. **シトクロム b-c_1 複合体** cytochrome b-c_1 complex.
3. **シトクロム酸化酵素複合体** cytochrome oxidase complex.

それぞれの複合体は，電子が複合体を移動しながら，ミトコンドリア内膜を越えて H^+ を膜間隙へ汲み出す系である．この機構が存在しなければ，電子伝達の際に放出されたエネルギーは熱となってしまう．

シアン化物 cyanide や**アジ化物** azide はシトクロム酸化酵素複合体に結合して電子の運搬を停止し，ATP 産生を阻害する毒物である．

図 2.16 | ミトコンドリア

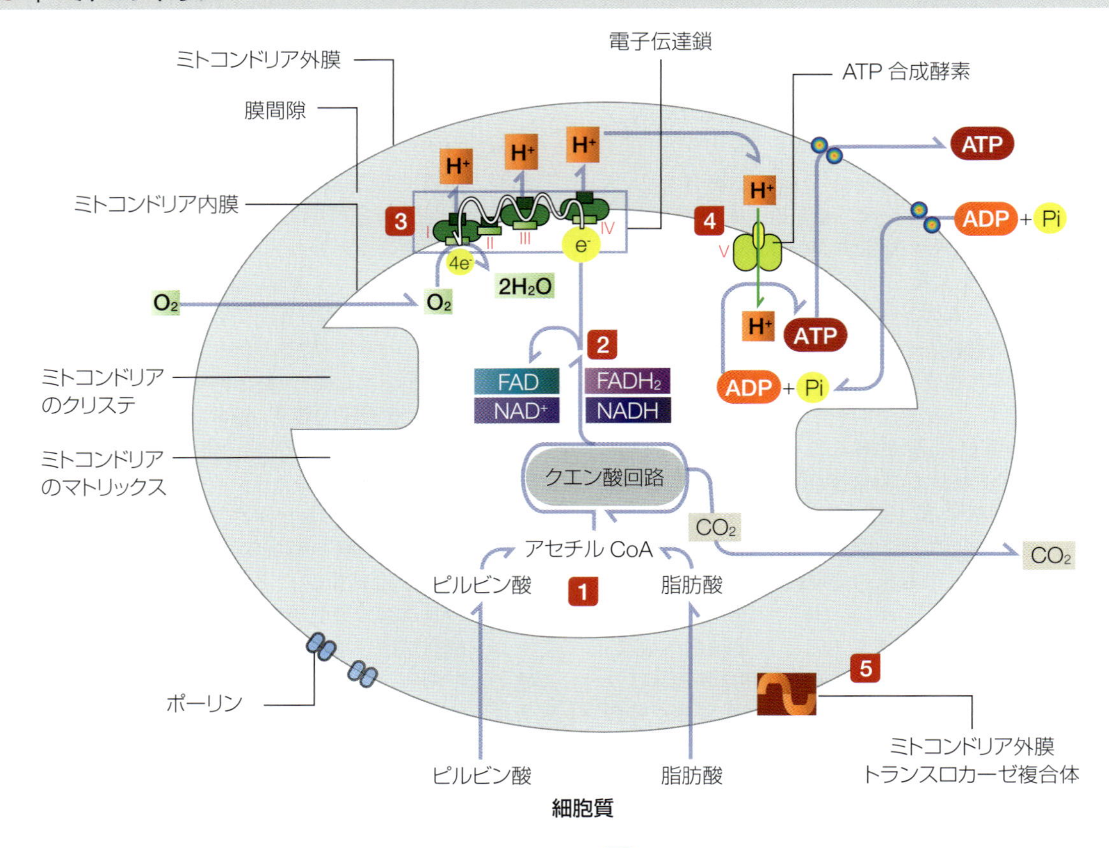

1 **ピルビン酸**と**脂肪酸**は細胞質からミトコンドリア外膜を越えてミトコンドリアに運ばれ，ミトコンドリアのマトリックスで**クエン酸回路**の酵素により**アセチル補酵素 A**（アセチル CoA）に変換される．CO_2 は代謝性廃棄物として細胞から放出される．**ポーリン**は水分子が透過するチャネルで，ミトコンドリア外膜に配置する．

2 クエン酸回路は，ニコチンアミドアデニンジヌクレオチド（**NADH**）とフラビンアデニンジヌクレオチド（**$FADH_2$**）によって運搬される高エネルギー電子を生成する．これらのキャリアは，ミトコンドリア内膜にある電子伝達鎖に高エネルギー電子を受け渡す．クエン酸回路で生成された高エネルギー電子は，電子伝達鎖複合体（I，II，III および IV）によって **ATP** 産生に利用される．

3 電子は電子伝達鎖に沿って酸素分子（O_2）に渡されて水（H_2O）を形成する．4 つの電子と 4 つのプロトン（H^+）が酸素 1 分子に付加され，2 分子の H_2O ができる．

4 電子が電子伝達鎖を移動すると，プロトン（H^+）の形でエネルギーは内膜を越えて膜間腔に放出される．その結果生じる H^+ 濃度勾配を利用して，**ATP 合成酵素**は細胞質由来の ADP とリン酸（Pi）から ATP を駆動する．

5 ミトコンドリア外膜のトランスロカーゼ（TOM）は細胞核によってコードされる前駆体タンパク質の共通のエントリーゲートである．TOM 複合体を通過した後，前駆体は異なるミトコンドリア経路を使用する．

シトクロム c は小さなタンパク質で，シトクロム $b\text{-}c_1$ 複合体とシトクロム酸化酵素複合体の間で電子を往復させる．

シトクロム酸化酵素複合体は，シトクロム c から電子を受け取ると酸化され，O_2 に電子を与えて H_2O をつくる．

1 分子の O_2 に対して，シトクロム c から 4 つの電子と水性環境から 4 つの H^+ が与えられ，2 分子の H_2O ができる．ミトコンドリア内膜を隔てて形成される H^+ 勾配は，ATP 合成を駆動するために使われる．**ATP 合成酵素** ATP synthase はミトコンドリア内膜に埋め込まれた大きな酵素で，ATP 合成に関与する．

電気化学的勾配に従って，H^+ は ATP 合成酵素内部の親水性通路を通りミトコンドリア内膜を越えて戻ることで，ADP と Pi から ATP 合成反応を駆動する．

この反応は，ミトコンドリアのマトリックスにキャンディの頭のように突き出た ATP 合成酵素の触媒部位で起こる．

毎秒 100 分子の ATP が合成される．ATP 1 分子をつくるのに，約 3 つの H^+ が ATP 合成酵素を通過する．細胞質において ATP 加水分解により生じた ADP 分子は，ミトコンドリアに引き戻されて ATP に再生される．ミトコンドリアのマトリックスで産生された ATP 分子は細胞質に放出されて使われる．

ミトコンドリアはアポトーシス，ステロイド合成，熱産生に関与する（図 2.18）

ミトコンドリアは 3 つの一般的な機能にかかわっている：

1. **プログラム細胞死** programmed cell death または**アポトーシス** apoptosis.
2. **ステロイド合成** steroidogenesis.

図 2.17 | ミトコンドリア

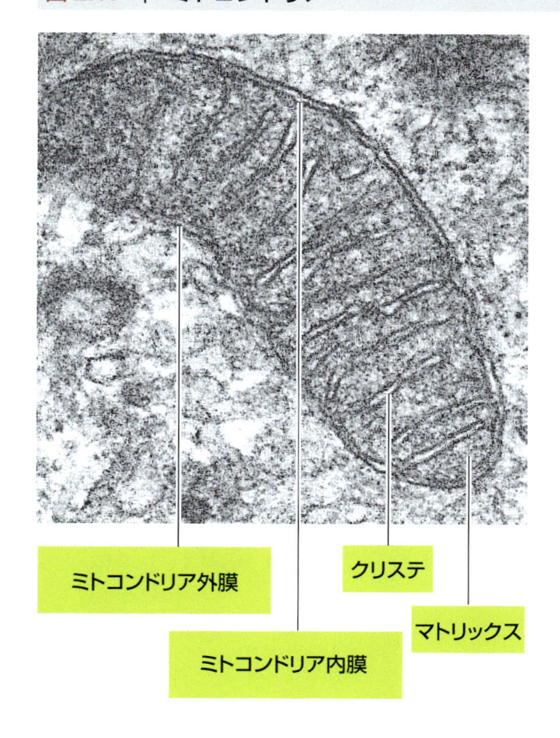

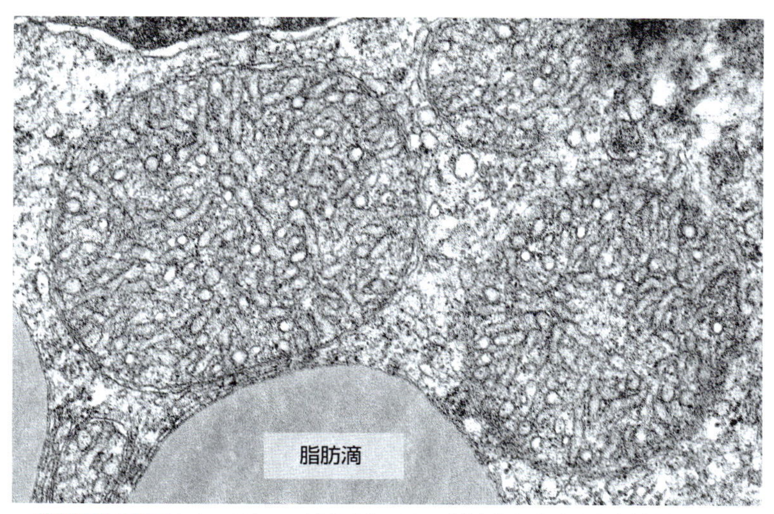

管状のクリステをもつミトコンドリアはステロイド産生細胞（副腎皮質［上の写真］，黄体［卵巣］やライディッヒ細胞［精巣］）で典型的である．

ミトコンドリアに輸送されるタンパク質（ATP 合成に必要なタンパク質やクエン酸回路の酵素など）には，次のような特徴がある．(1)末端部が正に帯電したアミノ酸配列を有する．(2)ある細胞質タンパク質（**熱ショックタンパク質 70**［**Hsp70**］）と関連する．(3)ミトコンドリア表面の受容体によって認識される．(4)**外膜の TOM 複合体**を介してミトコンドリア内に移動する．

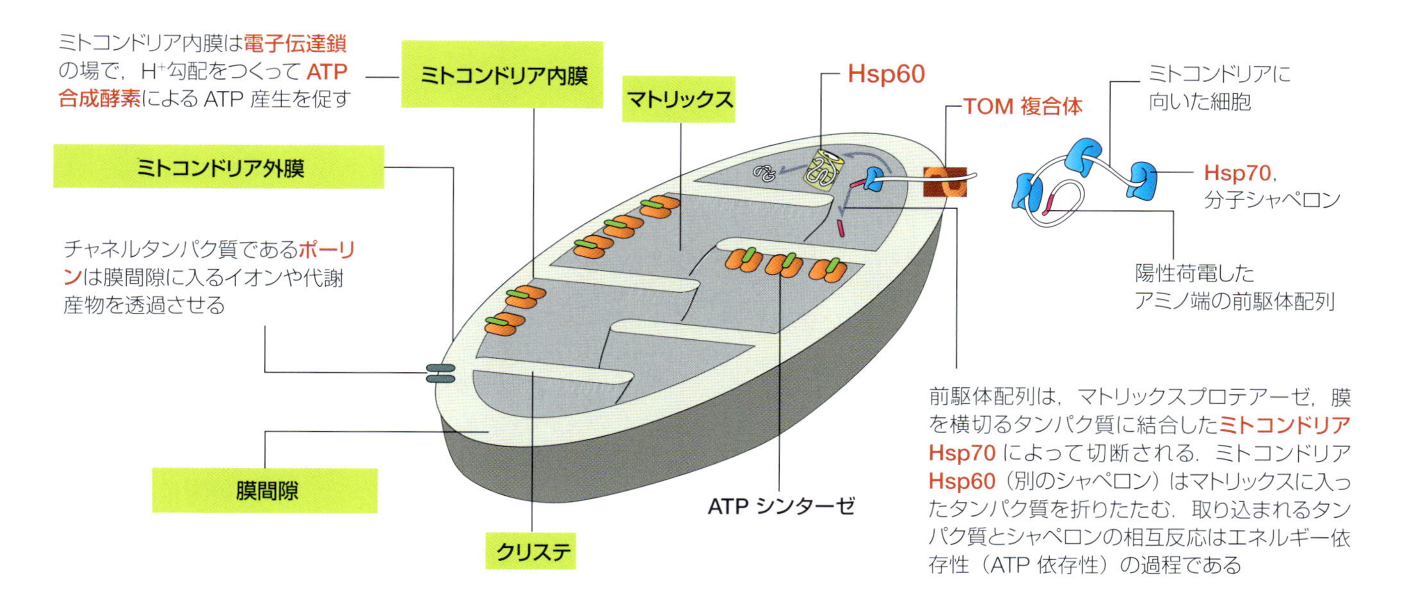

3. **熱産生** thermogenesis.

アポトーシスに関するものとして，ミトコンドリアは**プロカスパーゼ-2，3，9**（タンパク質分解酵素の前駆体），**アポトーシス誘導因子** apoptosis initiation factor（AIF），シトクロム c を含んでいる．細胞質へのこれらのタンパク質の放出はアポトーシスを引き起こす．ミトコンドリアとアポトーシスについては第 3 章で改めて扱う．ステロイド合成については，ミトコンドリア膜はアルドステロン，コルチゾール，アンドロゲンとよばれるステロイドの産生にかかわっている．ステロイド合生におけるミトコンドリアの関与については第 19 章，第 20 章で述べる．

熱産生においては，酸化によるエネルギーのほとんどは ATP に変換されずに熱として放散する．

脱共役タンパク質 uncoupling protein（**UCP**）はミトコンドリア内膜に存在するミトコンドリア**陰イオン輸送タンパク質** anion-carrier protein スーパーファミリーのメンバーで，H^+ の制御された流出（**プロトン漏出** proton leak）を起こして熱を放出さ

図 2.18 | ミトコンドリア置換療法

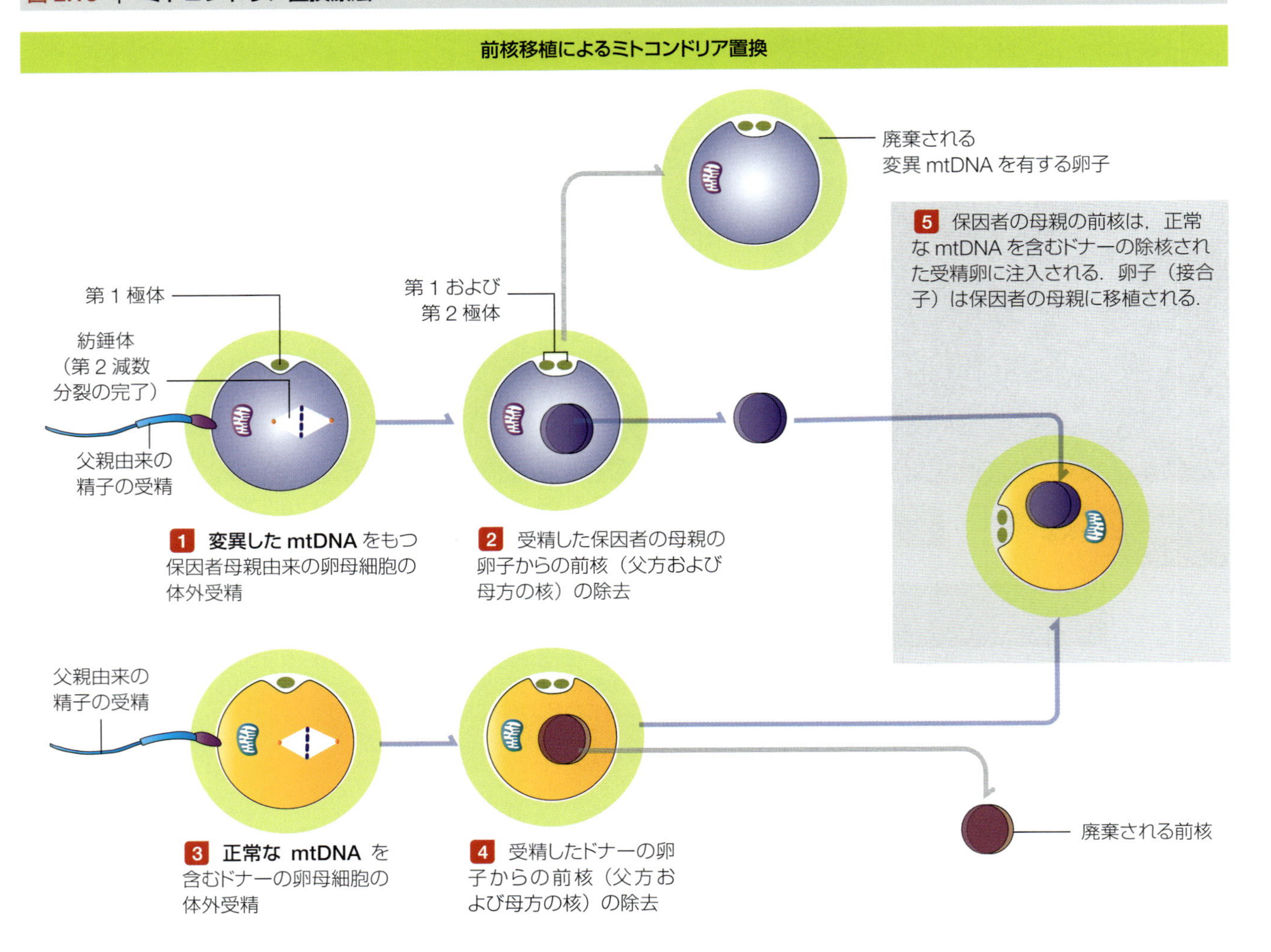

せる．ミトコンドリア内膜を隔てたプロトン漏出は **UCP-1** により行われる．UCP-1 は**褐色脂肪細胞** brown adipocyte のミトコンドリア内膜に存在する．UCP-1 の役割は，寒冷曝露に応答して制御された**熱産生**を引き起こすことである（第 4 章参照）．

ミトコンドリアの母性遺伝

ミトコンドリア機能は，**ミトコンドリア DNA（mtDNA）**の安定性を含む複数の要因に依存している．ミトコンドリアゲノムは，電子伝達鎖複合体の構成要素に翻訳される 13 の遺伝子をコードしている．そのため，mtDNA 変異は，電子伝達鎖の機能喪失，エネルギー不足，および活性酸素種の生成の直接的要因となりうる．

一連の研究成果は，mtDNA は母親を介して継承されること（母性遺伝）を示している．男女ともにミトコンドリア病にかかるが，男性がこの病気を子孫に遺伝させることはなさそうである．

人間の卵子には 100,000 コピー以上の mtDNA が含まれるのに対して，精子には約 100 コピーが含まれている．正常および変異型の mtDNA 分子は，通常，**ヘテロプラスミー** heteroplasmy とよばれる状態で，同一の細胞内に共存する．

受精のために卵管に到達する運動性のある精子は，受精前に mtDNA を液胞ミトコンドリアにして排除する．そうであっても，受精する精子に残留した mtDNA が初期胚発生時の接合子に不均一に分布する可能性はある．したがって，父親由来の mtDNA が遺伝しないとは言いきれない．

女性胚における発育中の卵子の mtDNA コピーの数は最初減少し，その後 100,000 コピー以上に増幅される．ヘテロプラスミーの例では，さまざまな量の変異型および正常型の mtDNA が女性の成熟卵に存在し，したがって，その子孫の細胞に存在することになる．その結果，mtDNA 変異によって引き起こされる疾患の重症度は，同じ家族の個人の間で異なる臨床症状を引き起こす可能性がある．

ミトコンドリア脳症 mitochondrial encephalopathy，**乳酸アシドーシス** lactic acidosis，**脳卒中様エピソード** stroke-like episode（**MELAS** mitochondrial myopathy encephalopathy とよばれる）の患者に頻繁にみられる認知障害は，mtDNA の変異による症候群性ミトコンドリア障害の 1 つである．

MELAS には，**赤色ぼろ線維を伴うミオクローヌスてんかん** myoclonic epilepsy with ragged red fibers（**MERRF**）が含まれる．この疾患は，全身の筋力低下，協調運動障害（**運動失調**），重積した痙攣発作によって特徴づけられる．呼吸筋や心筋が影響を受けるため，主たる合併症は呼吸不全と心不全である．筋細胞と神経細胞はその機能に大量のATPを必要とするため，最も影響を受けやすい．

MERRF患者から生検した筋組織標本を観察すると，**異常なミトコンドリアの集合部位**に対応して赤く染色された物質が認められ，これがボロボロになった赤筋線維の様相を呈する．**MERRFは，リジンのtRNAをコードするミトコンドリアDNA遺伝子の点変異によって引き起こされる**．異常なtRNAは，電子伝達とATP産生に必要なタンパク質合成の欠陥を引き起こす．

母性遺伝したミトコンドリア疾患では，女性よりも男性で重度となる：

1. **レーバー遺伝性視神経萎縮症** Leber's hereditary optic neuropathy（**LHON**）の患者の約85％は男性である．この病気は眼に限定して生じる．この患者は10〜20歳代に突然視力を失う．
2. **ピアソン骨髄・膵臓症候群** Pearson marrow-pancreas syndromeは子どもにみられる貧血とミトコンドリア筋症である．
3. **男性不妊症**．精子の運動のほとんどすべてのエネルギーはミトコンドリア由来である．

ミトコンドリア置換療法（図2.18）

子どもをもつことを考えているmtDNA変異を有する患者は，**ミトコンドリア置換療法** mitochondria replacement therapyを利用することができる．ミトコンドリア置換療法は，すべてのmtDNAを健康なドナーゲノムに完全に置き換える戦略であり，変異型mtDNAの比率が高い**ホモプラスミック** homoplasmicなmtDNA疾患に有効である．

ミトコンドリア置換療法の1つは，変異したmtDNAをもつ保因者の母親の卵子から取り出した前核を，変異をもたないドナーからの除核卵へ移植することである．この操作は，父親からの精子を用いて体外受精させた後に行う（図2.18）．

受精後すぐに，母親と父親に由来する半数体の核が集まって前核になる．両者の前核を区別することは難しいため，前核移植は光学顕微鏡ではっきりとみえる母親と父親由来の前核の両方を移植する．

mtDNAはミトコンドリア内に存在し，細胞核に収容されている遺伝子から切り離されており，ミトコンドリアは母親の生殖細胞系列を介して継承されるため，変異したミトコンドリアを別のドナーから提供された卵母細胞の正常なミトコンドリアに置き換えることが可能になる．

しかし，ミトコンドリア置換療法は核ゲノムとミトコンドリアゲノムの間にミスマッチを生み出し，このミスマッチは同種異系宿主の免疫拒絶反応を引き起こす可能性がある．また，元のmtDNAが完全に置き換えられず，時間の経過とともに再増殖する可能性があるというリスクもある．さらに，ミトコンドリア置換療法は物議を醸し出しており，ミトコンドリア置換の結果として生まれた子どもの長期フォローアップを含む，多くの臨床的および倫理的問題が提起されている．

ペルオキシソーム（図2.19）

ペルオキシソーム peroxisomeは，赤血球を除くすべての哺乳類細胞に存在するオルガネラである．ペルオキシソームは，ペルオキシソームのβ酸化による脂肪酸の分解（ミトコンドリアのβ酸化経路と協力して），肝臓での胆汁酸合成，ペルオキシソームのカタラーゼによる過酸化水素の分解，および エーテルリン脂質とドコサヘキサエン酸の合成（小胞体と協力して）において，重要な協力的役割を果たす．

ペルオキシソームはまた，炎症，アポトーシス，がんの発生，免疫反応，宿主と病原体の相互作用などの病理学的プロセスも調節する．

ペルオキシソームは，**超長鎖脂肪酸** very long chain fatty acid（**VLCFA**）のβ酸化および分岐鎖脂肪酸のα酸化のために，少なくとも1つのオキシダーゼと1つのカタラーゼを含んでいる．

さらに，ペルオキシソーム経路のいくつかは，過酸化水素の生成とそれに続くカタラーゼによる分解を促す．

ペルオキシソームは，**クリスタル様コア** crystalloid coreを形成する代謝酵素，基質，補因子を含む，電子密度が高いマトリックスを一葉の膜が囲んでいる．ペルオキシソーム膜はペルオキシソーム膜タンパク質を含む脂質二重層で，これらのタンパク質は細胞質の遊離リボソーム上で合成されペルオキシソームにインポートされる．

ペルオキシソームの主要な酵素である**カタラーゼ** catalase（**ペルオキシダーゼ** peroxidase）は，過酸化水素を水に分解したり，他の有機化合物（尿酸，アミノ酸，脂肪酸）を酸化するのに使われる．ミトコンドリアとペルオキシソームで脂肪酸を酸化することで，代謝性のエネルギーがつくられる．

ペルオキシソームは，リン脂質である**プラズマローゲン** plasmalogenの合成にかかわる酵素を含んでいる．このリン脂質では，炭化水素鎖の1つが（エステル結合ではなく）エーテル結合によってグリセロールと結合している．

プラズマロゲーンは脳の白質を構成するリン脂質の80％以上を占め，活性酸素種による損傷から細胞を保護する．活性酸素種の過剰産生は，細胞損傷を引き起こし，オートファジーなどの異化機能を引き起こす可能性がある．

ペルオキシソームの生合成（図2.19）

ペルオキシソームの生合成には，膜の生成とそれに続く脂質二重層への**ペルオキシソーム膜タンパク質** peroxisomal membrane protein（**PMP**）の輸送と挿入，およびペルオキシソームマトリックスへの可溶性酵素のインポートが必要である．ミトコンドリアとは異なり，ペルオキシソームはDNAまたはタンパク質合成機構を含まず，すべてのPMPおよびマトリックスタンパク質を細胞質からインポートする．インポートにかかわる機構は**ペロキシン** peroxin（**PEXタンパク質**）により構成される．

ペルオキシソームの生合成は2つの経路で行われる：

1. **新規生成経路**：ペルオキシソームは，小胞体から出芽した**プレペルオキシソーム小胞** pre-perosisome vesicleが互いに融合して**成熟ペルオキシソーム**を形成する．
2. **分裂生成経路**：小胞体からの小胞に由来する新しいタンパク質と脂質を利用して，既存のペルオキシソームの成長と分裂

図 2.19 | ペルオキシソーム

1 ペルオキシソームのタンパク質は，細胞質の遊離リボソームによって合成され，ペルオキシソームに輸送される．リン脂質と膜タンパク質も小胞体からペルオキシソームに輸送される．

2 **マトリックスタンパク質**は，**ペルオキシソーム輸送シグナル（PTS）**が**ペルオキシソーム 5（PEX5）**に結合することで，ペルオキシソームの内部に輸送される．**ペルオキシソーム膜タンパク質（PMP）**は，PTS に結合したシャトル受容体 **PEX19** によってペルオキシソーム膜に輸送される．この複合体はペルオキシソーム膜で **PEX16** と結合する．

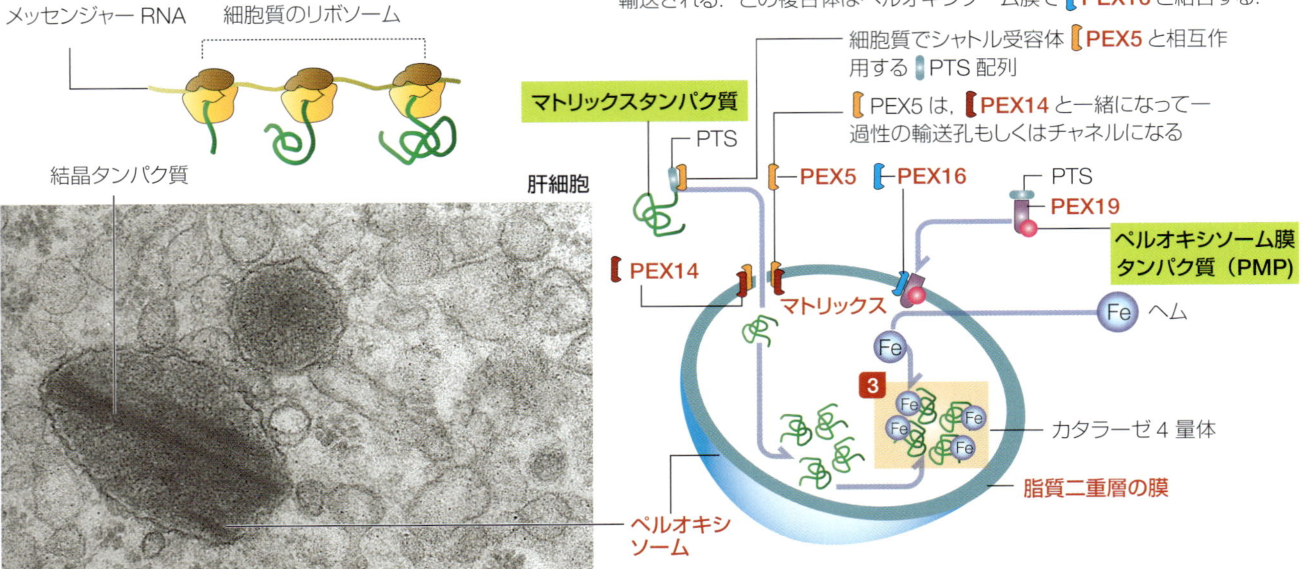

4 **ゼルウェーガー症候群** Zellweger syndrome は**ペルオキシソーム生合成障害**を有する 4 つの疾患の 1 つであり，PEX1，PEX2，PEX3，PEX5，PEX6，および PEX12 をコードする遺伝子の変異によるペルオキシソームの合成障害によって引き起こされる致命的な病気である．

新たに合成されたペルオキシソーム酵素は細胞質中に残り，最終的に分解される．ゼルウェーガー症候群患者の細胞には，**空のペルオキシソーム**が含まれている．

3 ペルオキシソームの主要なタンパク質である**カタラーゼ**は，過酸化水素 H_2O_2 を水分子 H_2O に分解する．

カタラーゼは，ペルオキシソーム内で組み立てられるアポカタラーゼ分子の 4 量体である．

ヘムは，それぞれのアポカタラーゼモノマーに付加され，ペルオキシソーム膜を越えて細胞質に戻るのを防ぐ．

ペルオキシソームは肝臓（肝細胞）に豊富に含まれ，胆汁酸の合成にかかわっている．

（PEX11，ダイナミン関連タンパク質，および分裂タンパク質が関与）により，新規のペルオキシソームを生成することができる．

ペルオキシソームには，ペルオキシソームの生合成に関与する **PEX** を含むさまざまなペルオキシソームタンパク質が含まれている．PEX は，インポートされるタンパク質の受容体タンパク質で，**ペルオキシソーム輸送シグナル** peroxisome targeting signal（**PTS**）に結合した後，細胞質とペルオキシソームの間を往復する．

タンパク質がインポートされる前に，PEX は PTS から離解する．PEX は *PEX* 遺伝子によってコードされており，それらのいくつかは**ペルオキシソーム生合成障害**に関連している．現在までに，15 のヒト *PEX* 遺伝子が同定されている．

ペルオキシソームの生合成には，既存のペルオキシソームへの**マトリックスタンパク質**と **PMP** の輸送とインポートが関与する．

マトリックスタンパク質は，シャトル受容体である PEX5 により認識される PTS によって細胞質からペルオキシソームへと輸送される．インポートのプロセスは，次の 3 つの連続したステップで行われる：

1. PEX5 は，ペルオキシソーム膜で PEX14 と相互作用し，**輸送孔** transport pore **またはチャネル**を形成する．
2. マトリックスタンパク質はドッキングし，輸送孔を通ってペルオキシソーム内に移動する．
3. インポートする輸送孔が分解して PEX5 は細胞質に戻り，次のインポートに再利用される．

PMP の PTS と細胞質のシャトル受容体 PEX19 が相互作用し，次にこの複合体がペルオキシソーム膜に結合した PEX16 にドッキングすることで，PMP はペルオキシソーム膜に輸送される．また，小胞体膜に挿入し，次にペルオキシソームへ小胞輸送を行うことでも，PMP をペルオキシソームに輸送することができる．

ペルオキシソーム生合成障害（PBD）

ヒトの代謝においてペルオキシソームが果たす重要な役割は，ペルオキシソームの生合成と機能の欠陥に起因する壊滅的な障害によって明らかである．

ペルオキシソーム障害には 2 つのタイプがある：

1. **単一ペルオキシソーム酵素欠損症**．ペルオキシソーム酵素をコードする遺伝子の突然変異によって引き起こされる．

2. **ペルオキシソーム生合成障害** peroxisome biogenesis disorder．ペルオキシソームの生合成と機能に関与するPEX遺伝子の変異によって引き起こされる．ほとんどのペルオキシソーム生合成障害は，中枢神経系の奇形，ミエリンの異常，神経細胞の変性による重度の神経機能障害を示す．

ペルオキシソーム生合成障害には4つの病気が含まれる：

1. 乳児レフサム病 Infantile Refsum disease（IRD）．
2. 副腎白質ジストロフィ Adrenoleukodystrophy（ALD）．
3. 根性軟骨異形成症 Rhizomelic chondrodysplasia（RCD）．
4. 脳肝腎ゼルウェーガー症候群 The cerebrohepatorenal Zellweger syndrome（ZS）．

X染色体連鎖の副腎白質ジストロフィを除くすべてのペルオキシソーム障害は，常染色体潜性である．

乳児レフサム病の主な臨床症状は，末梢性多発神経障害，小脳性運動失調，網膜色素変性症，魚鱗癬（ギリシャ語 *ichthys*［＝fish，魚］：角質化の皮膚障害）である．乳児レフサム病は，フィタン酸のペルオキシソームのα酸化の欠陥によって引き起こされる．**さまざまな組織の脂質組成において，リノール酸やアラキドン酸などの必須脂肪酸がフィタン酸に置換する．**

副腎白質ジストロフィは，*ABCD1* 遺伝子によってコードされるATP結合カセットサブファミリーDメンバー1（ALDPとしても知られる）の欠損に起因する進行性神経変性疾患である．ALDPの欠乏は，**ペルオキシソームのインポート障害と超長鎖脂肪酸のβ酸化障害**を引き起こす．

ペルオキシソームは，超長鎖脂肪酸の酸化と分岐鎖脂肪酸のα酸化の場であることを忘れないでほしい．ペルオキシソーム膜を通過する超長鎖脂肪酸の輸送の欠陥は，脳の白質，脊髄，副腎皮質を含む組織や血漿における超長鎖脂肪酸の蓄積を特徴とする副腎白質ジストロフィの原因となる．

副腎白質ジストロフィの男性は，副腎機能不全と脊髄症（髄鞘形成の欠陥）を発症する．副腎機能不全は一般的に小児期に，脊髄症は成人期に発症する．

副腎皮質における超長鎖脂肪酸の蓄積は，副腎萎縮を引き起こす．約60％の男性患者では，ミエリンへの超長鎖脂肪酸の取り込みとそれによるミエリン構造の破壊が生じ，進行性脳白質病変（**脳性副腎白質ジストロフィ** cerebral ALDとして知られる）を発症する．脳性副腎白質ジストロフィは，どの年齢でも起こる可能性がある．

副腎白質ジストロフィの女性も脊髄症を発症するが，一般的に男性よりも遅い年齢で発症する．副腎白質ジストロフィの女性の約80％が進行性脊髄疾患（**副腎白質ジロパチー** adrenomyeloneuropathy［AMN］）を発症する．

乳児レフサム病，副腎白質ジストロフィ，および脳肝腎ゼルウェーガー症候群は，PEX遺伝の変異によって引き起こされる．したがって，これらの疾患は，**ペルオキシソームの形成障害**という共通の病理学的特徴をもつ．

根性軟骨異形成症の臨床的特徴は骨格異常であり，上腕と大腿の骨の短縮（rhizomelia，ギリシャ語 *rhizo*，［＝root，根］，*melos*［＝limb，四肢］），独特の顔貌，知的障害，呼吸器の障害などの症状を示す．***PEX7* 遺伝子の変異**は，根性軟骨異形成症の最も一般的な原因である．

脳肝腎ゼルウェーガー症候群は，ペルオキシソーム生合成障害のグループの中で最も深刻で，生後1年以内に死亡する．主な原因は，**膜およびマトリックスのタンパク質のインポートに必要なタンパク質をコードする *PEX1*，*PEX2*，*PEX3*，*PEX5*，*PEX6*，および *PEX12* 遺伝子の変異**である．

脳肝腎ゼルウェーガー症候群の臨床的特徴は次のとおりである：

1. 異形の顔貌（広い額，広い鼻，大きな泉門および平らな眼窩上隆起）．
2. 肝腫大（肝肥大と肝線維症）．肝細胞のペルオキシソームは存在しないか，大幅に減少している．
3. 神経学的異常（神経細胞の移動障害）．罹患した子どもは，出生時から筋肉の緊張が低く，動くことができず，吸ったり飲み込んだりすることができない．

血漿中の超長鎖脂肪酸レベルの上昇は，脳肝腎ゼルウェーガー症候群の兆候である．羊水検査は超長鎖脂肪酸とプラズマローゲンの出生前検査として行われ，肝生検でのペルオキシソームの欠如は脳肝腎ゼルウェーガー症候群のもう1つの兆候である．

上皮腺：細胞生物学 | 概念図・基本的概念

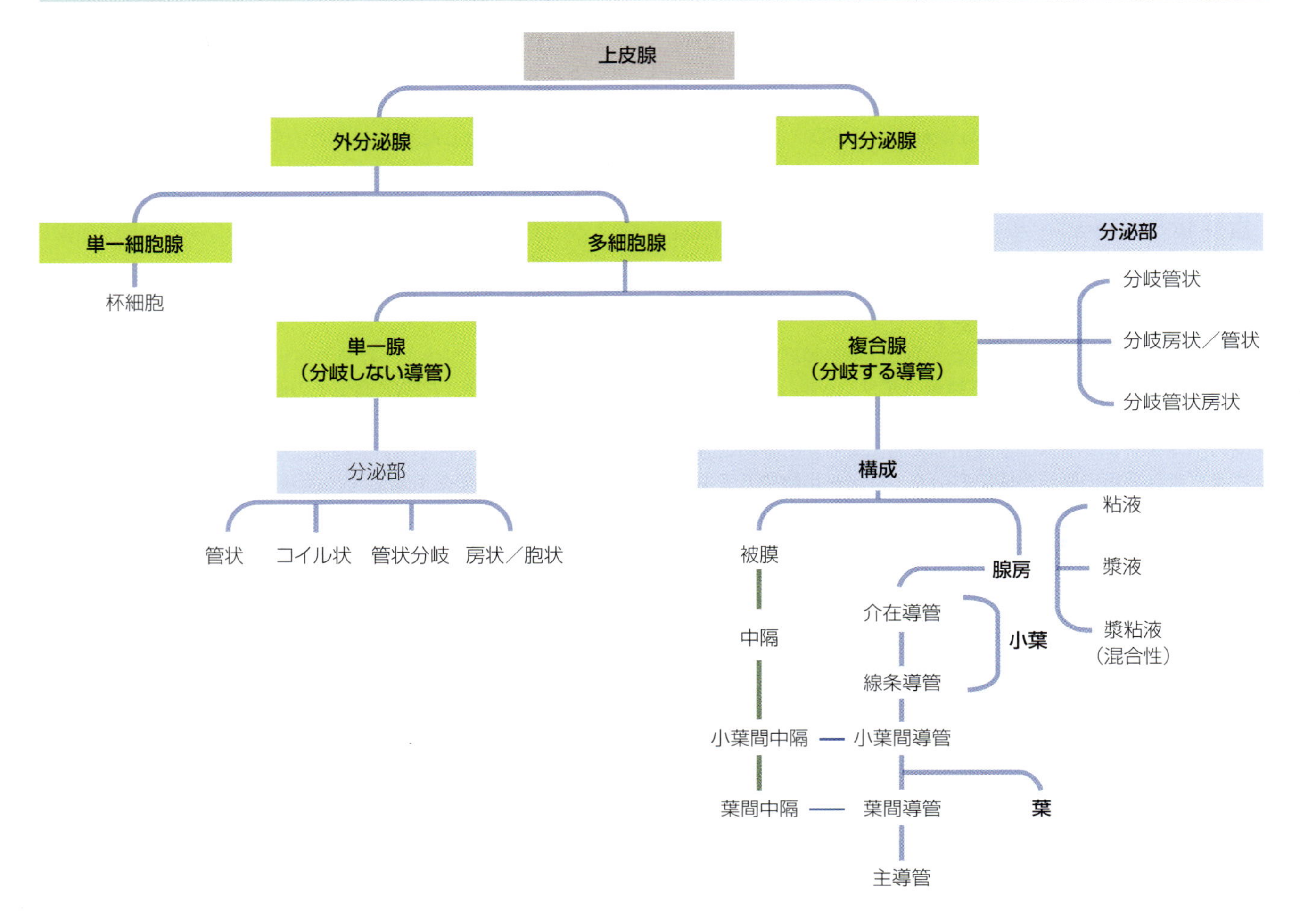

• 2 種類の腺が存在する：
 (1)外分泌腺は導管を通して，分泌物を体内または体外の空間に分泌する．
 (2)内分泌腺は分泌物を血中に分泌する．

• 外分泌腺には異なる型がある：
 (1)単一細胞性の腺（1 つの細胞，例えば腸管や呼吸上皮の杯細胞）．
 (2)多細胞性の腺．多細胞性腺は膵臓や前立腺などの臓器の実質を構成する．

• 外分泌腺は 2 つの構造的要素をもつ：
 (1)分泌部．ここで細胞は**分泌物** secretion とよばれる産物を合成し放出する．
 (2)導管．分泌物を上皮表面へと輸送する．

• 1 本の分岐しない導管をもつ腺は単一腺とよばれる．大きな腺は分岐した導管系をもち，分岐腺または複合腺とよばれる．分岐線は結合組織性の被膜に囲まれ，そこから隔壁または中隔が伸びる．中隔は，血管と神経線維が腺の内部に到達することを可能にし，腺を区画して葉を形成する．

より薄い中隔は，葉を小葉とよばれるより小さな単位に分割する．導管の枝は葉間，小葉間および小葉内の結合組織性中隔にあり，それぞれ葉間導管，小葉間導管，および分泌部（腺房）に接続する介在導管／線条導管である．

• 単一腺の分泌部は直線状，コイル状，もしくは分岐しており，それぞれ単一管状腺，単一コイル状腺，単一管状分岐腺とよばれる．胃粘膜と子宮内膜には分枝した分泌部がある．分泌部は分岐しているが，導管は分岐していないことに注意．

丸い形状の分泌部をもつ腺は単一房状腺または単一胞状腺とよばれる．

• 管状および胞状の分泌部は，分岐腺（または複合腺）と共存することができる．このような腺は**分岐**（または**複合**）管状胞状腺（または腺房腺）とよばれ，唾液腺がその例である．唾液腺と乳腺の腺房は，収縮性のあるバスケット様の筋上皮細胞によって取り囲まれている．

• 腺は以下のものを分泌する：
 (1)粘液（粘液腺）．
 (2)タンパク質（漿液腺）．
 (3)粘液とタンパク質の混合物（混合腺）．混合腺は粘液細胞と漿液細胞を両方含み，漿液細胞は腺房にキャッピングする三日月状または半月状の領域（漿液性半月）を形成する．

• 腺がエクソサイトーシスによりその産物を放出する場合，その腺は**部分分泌腺**（膵臓など）とよばれる．

細胞の頂上領域がちぎれて管腔に放出される腺は**離出分泌腺**（乳腺など）とよばれる．

細胞全体が放出され分泌物の一部となるものは全分泌腺（皮膚の皮脂腺など）とよばれる．

- 細胞質膜と細胞膜．細胞質膜とよばれる細胞内膜は，多様な細胞の営みをコンパートメントに区画している．
  細胞質膜という用語には，小胞体とゴルジ装置が含まれる，核，ミトコンドリア，リソソーム，ペルオキシソームは細胞質膜によって囲まれており，オルガネラとよばれる．
  核とミトコンドリアは二重膜によって取り囲まれ，リソソームとペルオキシソームは単一の膜で囲まれている．
  グリコーゲンは膜に囲まれておらず，細胞質中に封入体の形で存在する．

- 細胞膜は細胞の構造的および機能的な境界である．細胞膜は細胞外空間から細胞内環境を分けている．
  細胞膜は脂質とタンパク質からなる．リン脂質（ホスファチジルコリン，ホスファチジルエタノールアミン，ホスファチジルセリン，スフィンゴミエリン）は，外葉と内葉からなる 2 層を形成する．ホスファチジルイノシトールは別のリン脂質で，細胞シグナル伝達に重要な役割を果たし，細胞膜の内葉に局在している．コレステロールは脂質二重層に入り込み，膜の流動性を調節する．
  内在性膜タンパク質は，α ヘリックスの領域で脂質二重層を貫通する膜タンパク質である．表在性膜タンパク質はタンパク質－タンパク質相互反応によって間接的に細胞膜に結合している．細胞質に面する表在性膜タンパク質は細胞骨格の構成要素と相互作用している．
  内在性および表在性の膜タンパク質の細胞外領域は，一般的に糖が付加されている．糖衣は，多くの上皮細胞の表面を覆う．

- 小胞体やゴルジ装置にあるような細胞質膜により，細胞内区画と細胞外空間との間の連続性が成立している．
  層板，小管，小胞の内腔は細胞外空間と連続している．膜性の壁が細胞質区画から内腔区画を隔てる．小胞体の内腔に放出された合成産物は，輸送小胞によってゴルジ装置に，時には分泌によって細胞外に輸送される．
  この分泌過程に連続性があることと，実質的に内腔は細胞外と相互に接続し連続していることを想像してほしい．膜で囲まれた小胞の細胞質に面する膜葉から，細胞膜の細胞質に面する膜葉まで，凍結割断用のナイフが割断していくことを想像すれば，凍結割断技法はこの実質的な配置をうまく利用していることがわかる．

- 小胞体の細胞質膜がリボソームと結合しているもの（粗面小胞体）と，リボソームを欠いているもの（滑面小胞体）がある．粗面小胞体はタンパク質合成にかかわり，ゴルジ装置へ輸送する．
  滑面小胞体は，有害な脂溶性物質を水に不溶な物質に変換する細胞解毒反応に重要な役割を果たしている．通常，滑面小胞体はグリコーゲン顆粒や脂肪滴（膜をもたない封入体）に近接し存在する．
  核，ミトコンドリア，ペルオキシソームに輸送されるタンパク質は遊離リボソームで合成され，細胞質中に放出される．

- ゴルジ装置は，糖転移酵素を使ってオリゴ糖をタンパク質や脂質に付加する．ゴルジ装置には 4 つのコンパートメントがある：
  (1)シスゴルジ：小胞体から受け取る部位．
  (2)中間（嚢）ゴルジ：シスゴルジとトランスゴルジの間．
  (3)トランスゴルジ：出口．
  (4)トランスゴルジ網：選別部位．
  コイルド・コイルタンパク質ファミリーのゴルギンは，袋が扁平に重なったゴルジ装置の構造（リボンとよばれる）を安定化させる．
  クラスリン被覆小胞はリソソームの選別やエンドサイトーシスにおいて観察される．COP（被覆タンパク質）で被覆された小胞は，ゴルジ層板の間（COPI），および小胞体からゴルジ装置（COPII）への輸送で観察される．
  ゴルジ由来の産物は，エクソサイトーシスによって細胞から放出されるか，リソソームに選別される．
  エクソサイトーシスは連続的に起こり，開始シグナルを必要としない．このようなタイプの分泌は構成性（非調節性）分泌とよばれる．
  特定のクラスのゴルジ由来のカーゴは分泌顆粒として貯蔵され，化学的または電気的シグナルの制御下でエクソサイトーシスによって放出される．この分泌メカニズムは，調節性分泌とよばれる．
  リソソームの選別機構には 2 つの段階がある：
  (1)リソソームに送る糖タンパク質へのマンノース -6- リン酸（M6P）の挿入．
  (2)輸送小胞膜における膜貫通タンパク質である M6P 受容体の存在．この機構により，M6P を含むリソソーム酵素は他の糖タンパク質から選別される．
  物質の細胞内取り込みはエンドサイトーシスのプロセスによって行われる．逆のプロセスはエクソサイトーシスとよばれる．エンドサイトーシスにより，クラスリン非依存性小胞を使ったウイルスや細菌の貪食や，クラスリン被覆小胞を使った小型の巨大分子の取り込みを行う．
  受容体を介したリガンドのエンドサイトーシスには細胞膜上の受容体が必要である．リガンド・受容体複合体は受容体媒介性のエンドサイトーシスにより細胞内に取り込まれる．
  この過程には次のものがある：
  (1)クラスリン被覆小窩の形成（小さな表面領域にリガンド・受容体複合体を集合させる）．
  (2)被覆小窩の陥入による被覆小胞の形成．
  (3)細胞膜から被覆小胞のくびれ切り．
  (4)エンドソームへの小胞輸送．
  (5)小胞とエンドソームの融合前におけるクラスリン被覆の除去．
  (6)受容体を含む小胞の細胞膜への復帰．
  家族性高コレステロール血症ではこの輸送機構に欠陥があり，リガンドである低密度リポタンパク質（LDL）の受容体遺伝子の変異により発症する．
  血漿コレステロールの高値が続くと，血管の内膜にアテローム（粥状硬化）がつくられる．

- リソソームは単一の膜によって囲まれたオルガネラである．リソソームには 2 つのタイプがある：
  (1)一次リソソーム（不活性），リソソームの酵素の最初の貯蔵部位．
  (2)二次リソソーム（オートリソソーム），分解過程に関与（訳注：オートリソソームはオートファゴソームにリソソームが癒合した状態であり，二次リソソームは，後期リソソームに相当する）．
  酸性 pH（5.0）で作用するリソソームの加水分解酵素の活性によって，リソソームは細胞に取り込まれた細胞外物質を分解する．
  物質の細胞内分解には 3 つの主要な経路がある：
  (1)食作用：貪食された物質はファゴソーム内に取り込まれ，これがリソソームと融合してファゴリソソームを形成する．
  (2)エンドサイトーシス：エンドサイトーシスされた物質は初期エンドソームに送られ，次にリソソームと融合する後期エンドソームに送られる．
  (3)マクロオートファジー：小胞体様の二重膜が老化した細胞成分を取り囲みオートファゴソームを形成し，それがリソソームと融合してオートリソソームを形成する（訳注：オートファゴソームの膜は隔離膜とよばれ，小胞体との結合があることから小胞体由来と考えられている）．
  特殊な細胞には分泌型リソソームがある（加水分解酵素を分泌する）．次のような例がある：
  (1)破骨細胞．骨吸収に関与．
  (2)細胞障害性 T 細胞およびナチュラルキラー細胞．標的細胞の破壊に関与．
  リソソーム蓄積病は，リソソーム酵素の遺伝的欠損により細胞成分の正常な分解を妨げられ，細胞内蓄積が進行することで発症する．例として，テイ・サックス病（脳内のガングリオシドGM_2の蓄積），ゴーシェ病（脾臓および中枢神経系におけるグルコセレブロシドの蓄積），ニーマン・ピック病（脾臓および中枢神経系におけるスフィンゴミエリンの蓄積）がある．

- ミトコンドリアは二重膜によって取り囲まれたオルガネラである．ミトコンドリア外膜は，膜間隙によってミトコンドリア内膜と分けられている．内膜は折りたたまれてミトコンドリアのマトリックスに伸びるクリステを形成する．

ミトコンドリア内膜は，電子伝達鎖とアデノシン三リン酸（ATP）合成酵素を含んでいる．ミトコンドリアのマトリックスはクエン酸回路の酵素の大部分を含んでいる．ミトコンドリアはアポトーシス（プログラム細胞死），ステロイド合成，褐色脂肪による熱産生に関与する．

ミトコンドリアは母親から受け継がれる（母性遺伝）．男性は，受精に際してミトコンドリアを遺伝しない．男女ともミトコンドリア病に侵されるが，男性がこの病気を遺伝することはないと考えられる．

ミトコンドリア置換療法は，欠陥のある母親由来のミトコンドリアDNA（mtDNA）が子孫へ遺伝するのを防ぐために開発された治療法である．その1つは，保因者の母親の変異mtDNAを含む卵から，変異のないドナー由来の除核卵への前核移植である．この移植は，父親由来の精子を用いて体外受精した後に行う．

ミトコンドリア脳症，乳酸アシドーシス，脳卒中様エピソード（MELASとよばれる）の患者に頻繁にみられる認知障害は，mtDNAの変異による症候群性ミトコンドリア障害の1つである．

赤色ぼろ線維を伴うミオクローヌスてんかんは，筋力低下，協調運動障害（運動失調），重積した痙攣発作を発症する．この疾患はリジンのtRNAをコードするmtDNA遺伝子の変異によって引き起こされる．

男性がかかると女性より重篤になる母性遺伝のミトコンドリア病には，レーバー遺伝性視神経萎縮症（LHON），ピアソン骨髄・膵臓症候群，男性不妊症がある．

- ペルオキシソームは単一の膜に囲まれたオルガネラである．ペルオキシソームはオキシダーゼとカタラーゼを含有するクリスタル様コアを含み，これらの酵素は有機物を酸化し，過酸化水素を水に分解する．ペルオキシソームは胆汁合成と脂質の生合成にかかわる．

ペルオキシソーム生合成には2つの経路が関与する：

(1)新規生成経路：小胞体から出芽したプレペルオキシソーム小胞が互いに融合して成熟ペルオキシソームを形成する．

(2)分裂生成経路：既存のペルオキシソームが分裂・成長して生成する．

ペルオキシソームは，ペロキシン，細胞質とペルオキシソームの間を往復する受容体タンパク質，マトリックスタンパク質，およびペルオキシソーム膜タンパク質を含む．

ペルオキシソームをつくるために，ペロキシンはどのように機能しているのだろうか？　ペルオキシンは，マトリックスタンパク質のペルオキシソーム輸送シグナルに結合して，輸送孔または輸送チャネルを越えてインポートされる．実際，ペルオキシソーム膜タンパク質は，ペルオキシソーム内部に輸送するタンパク質の輸送ゲートとして働く孔を形成する．したがって，ペルオキシソームをコードする遺伝子（ヒトでは約15個の遺伝子）の変異により，ペルオキシソーム生合成障害が発症する．

ペルオキシソーム生合成障害には2つのタイプがある：

(1)単一ペルオキシソーム酵素欠損症．

(2)ペロキシン遺伝子変異によるペルオキシソーム生合成障害．

ペルオキシソーム生合成障害の特徴は，中枢神経系の奇形，髄鞘形成異常，神経細胞移動障害によって引き起こされる神経学的機能不全である．

ペルオキシソーム生合成障害には，乳児レフサム病，副腎白質ジストロフィ，ゼルウェーガー症候群，根性軟骨異形成症が含まれる．

重度で致命的な脳肝腎障害であるゼルウェーガー症候群は，ペルオキシソーム酵素が細胞質からペルオキシソームに取り込まれないことによって生じる．肝細胞におけるペルオキシソームの形成障害は，肝線維症と肝硬変に関連する．

3　細胞のシグナル伝達：細胞生物学：病理学

キーワード　ホルモン作用，ペプチドホルモン，ステロイドホルモン，細胞損傷，アポトーシス

細胞は，他の細胞あるいはその細胞自身が産生した細胞外シグナルに反応する．細胞の**シグナル伝達** cell signaling とよばれるこの機構により，細胞と細胞の間の連絡が可能となり，多細胞生物の機能的な制御と統合に必要である．本章では，細胞のシグナル伝達経路を理解するための基本を学び，病理学への導入にも役立てたい．病理学の主要なテーマには加齢，細胞老化，腫瘍が含まれ，ネクローシス，アポトーシスおよびネクロトーシスを含む細胞損傷のメカニズムや，オートファジー，ユビキチン－プロテアソームによるタンパク質分解，マイトファジーも含まれる．本章の目的は，正常機能と異常機能との間のクロストークを確立することである．

細胞シグナル伝達機構

細胞シグナル伝達の分子的側面の理解は，代謝機能障害や疾患に対する有効な新規治療法の標的を明らかにする点で，臨床的に重要である．

シグナル伝達分子は**リガンド** ligand として作用し，標的細胞が発現する**受容体** receptor に結合することで情報を伝達することができる．ある種のシグナル伝達分子は細胞表面受容体に結合して，細胞表面に作用する．他の分子は細胞膜を通過し，細胞質や核にある細胞内受容体と結合する．

細胞シグナル伝達とフィードバック作用（図 3.1，3.2）

シグナル伝達分子は，異なる経路を使って標的に到達する．

1. **内分泌性の細胞シグナル伝達** endocrine cell signaling には，その伝達分子として**ホルモン** hormone が関与する．ホルモンは，**内分泌細胞から**分泌され，**循環系を介して輸送され，離れた標的細胞に作用する**（図 3.1）．

　例として，精巣でつくられるステロイドホルモンのテストステロンがあり，脈管系を介して男性生殖器の発生と維持に働く．

　神経内分泌性の細胞シグナル伝達 neuroendocrine cell signaling は，神経細胞によって血流に分泌され，離れた細胞に作用するという，特殊な形式の内分泌性シグナル伝達である．

2. **傍分泌性の細胞シグナル伝達** paracrine cell signaling では，局所的に作用するシグナル伝達分子により**近傍の細胞**の活動を制御する．傍分泌性分子は，近距離を拡散して標的細胞に到達する．

　神経伝達物質性またはシナプス性の細胞シグナル伝達 neurotransmitter or synaptic cell signaling は，傍分泌性シグナル伝達の特殊な形態である．ニューロンは，短距離を拡散し標的細胞上の受容体に結合する神経伝達物質を放出する．

　接触分泌性の細胞シグナル伝達 juxtacrine cell signaling は接触依存性のシグナル伝達である．このシグナル伝達には，隣接する細胞膜のタンパク質との接触が必要である．

　一例は**免疫学的シナプス** immunologic synapse で，抗原提示細胞と T 細胞の対応する受容体が互いに接触することで，細胞間の接着とシグナル伝達が同時に起こる．

3. **自己分泌性の細胞シグナル伝達** autocrine cell signaling は，細胞自身がつくったシグナル伝達分子に反応するものと定義される．

　古典的な例として，増殖と発生の引き金となる外来抗原や成長因子に対する免疫系細胞の反応がある．自己分泌性細胞シグナル伝達の異常は，がん細胞の制御不能な成長を引き起こす．

　細胞シグナル伝達のメカニズムにはフィードバック作用が必要である．一般的に，シグナル伝達分子がその受容体に結合した後，標的細胞は**負または正のフィードバック** negative or positive feedback 作用を発揮して，標的ホルモンの放出を調節する（図 3.2）．

シグナル伝達分子の種類とそのリガンド

ホルモンまたはリガンドがその受容体に結合すると，細胞内反応のカスケード（**シグナル伝達** signal transduction とよばれる）が開始して，**胚および胎児の発育，細胞の増殖と分化，運動，代謝，行動**などの重要な機能が調節される．

ホルモンやリガンドは次の分子を含む：

1. **ステロイドホルモン** steroid hormone.
2. **ペプチドホルモン** peptide hormone，**神経ペプチド** neuropeptide，**成長因子** growth factor.
3. **一酸化窒素** nitric oxide.
4. **神経伝達物質** neurotransmitter.
5. **エイコサノイド** eicosanoid.

ステロイドホルモン（図 3.3）

ステロイドホルモンは脂溶性分子であり，標的細胞の細胞膜のリン脂質二重層を通過して拡散し，細胞質中の細胞内受容体に結合し，**ステロイドホルモン－受容体複合体** steroid hormone-receptor complex として核内に入り，クロマチンの特定の受容部位（DNA の**ホルモン応答要素** hormone-response element）に結合して，遺伝子発現を活性化したり抑制する．ステロイドホルモンの受容体は，**ステロイド受容体スーパーファミリー** steroid receptor superfamily のメンバーである．

ステロイドホルモンは**コレステロール** cholesterol から合成され，**テストステロン** testosterone，**エストロゲン** estrogen，**プロゲステロン** progesterone，**副腎皮質ステロイド** corticosteroid が含まれる（Box 3.A）．通常，ステロイドホルモンは合成されると分泌され，キャリアタンパク質に結合して血流により輸送される．

テストステロン，エストロゲン，プロゲステロンは**性ステロイド**

図 3.1 | 細胞シグナル伝達のメカニズム

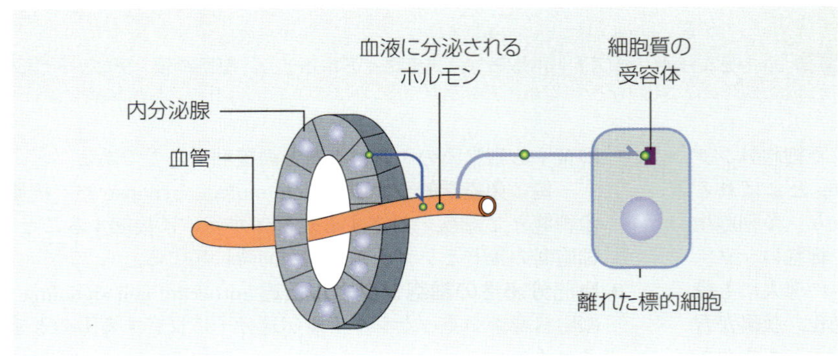

内分泌性シグナル伝達

内分泌細胞は，**ポリペプチド**または**ステロイドホルモン**を血管に分泌する．次に，ホルモンは，分泌細胞からかなり離れた標的細胞に運ばれる．

ポリペプチドホルモンの例は，下垂体から分泌され，甲状腺に作用する**甲状腺刺激ホルモン**である．ステロイドホルモンの例は，卵巣によって産生され，子宮内膜に作用する**エストラジオール**である．

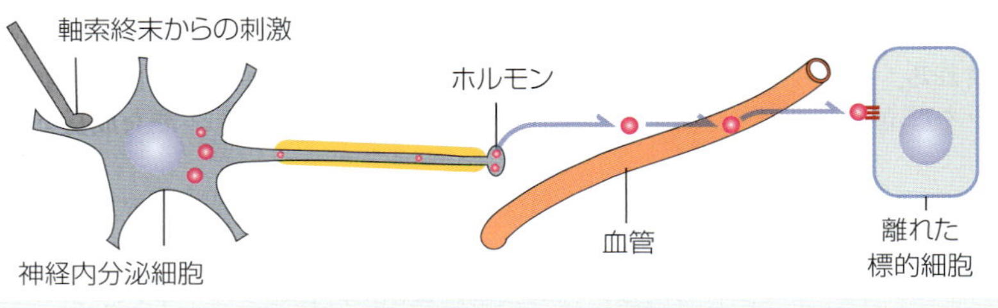

神経内分泌性シグナル伝達

神経信号に応答して，神経内分泌細胞は**ホルモン**を血中に分泌し，標的器官まで運ばれる．一例は，肝細胞や脂肪細胞に作用する**ノルアドレナリン**（**ノルエピネフリン**）である．

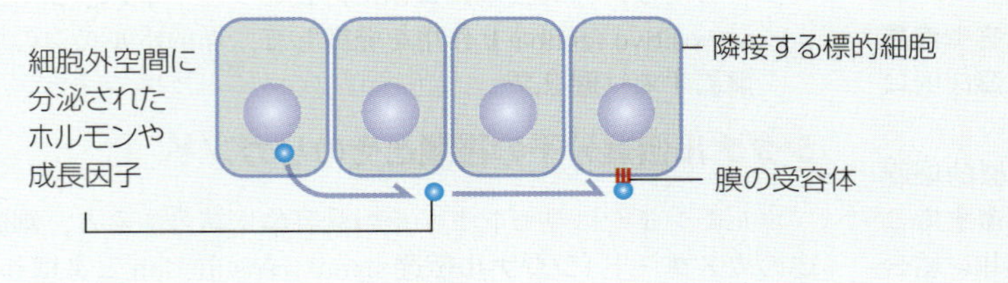

傍分泌性シグナル伝達

パラクリン細胞は，**隣接する細胞**に作用するホルモンや成長因子を分泌する．

例としては，インスリンを分泌するランゲルハンス島の隣接細胞に作用する**グルカゴン**と**ソマトスタチン**である．

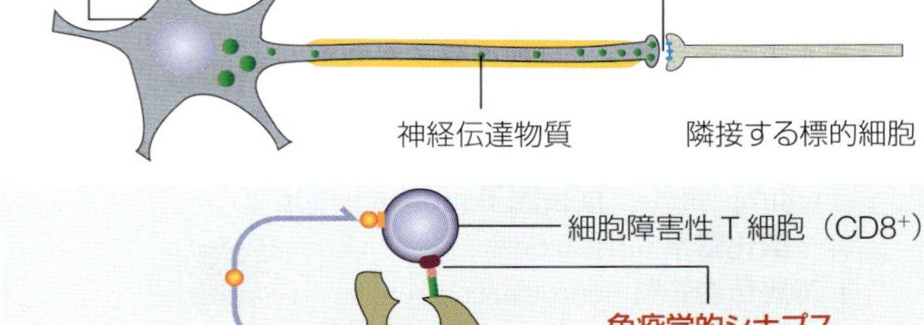

神経伝達物質性シグナル伝達

神経信号に応答して、ニューロンは軸索終末から**神経伝達物質**を分泌し、隣接するニューロンを活性化する．

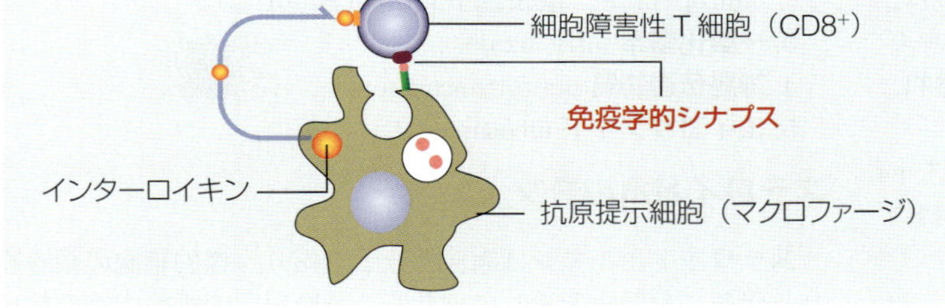

接触分泌性シグナル伝達

免疫学的シナプスでは，抗原提示細胞と T 細胞が互いに接触している．一方の細胞の受容体は，もう一方の細胞の受容体と相互作用して応答を引き起こす．

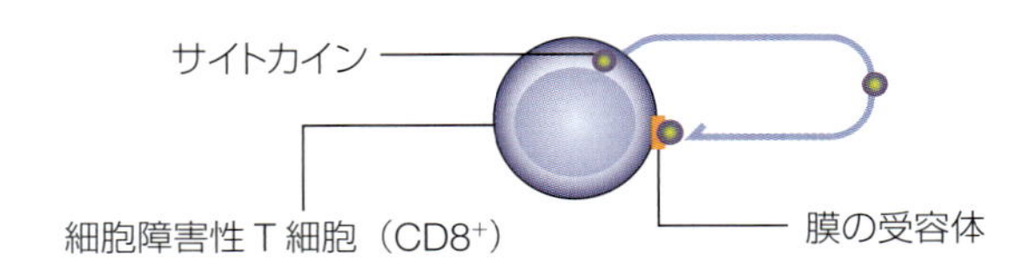

自己分泌性（オートクリン）シグナル伝達

一部のホルモン，成長因子，サイトカインは，それを分泌する**細胞自身**に作用し，自己分泌性制御を行う．

sex steroid で，性腺でつくられる．**アンドロゲン不応症** androgen insensitivity syndrome（**精巣女性化症候群** testicular feminization syndrome としても知られる）では，**テストステロン受容体** testosterone receptor をコードする遺伝子に変異があり，受容体がホルモンに結合できないため細胞がホルモンに反応しない．患者は遺伝的には男性であっても，女性としての第二次性徴が現れる．

アンドロゲン不応症については，第 21 章で説明する．性ステロイドの機能的役割については，第 20 章および第 22 章で説明する．

副腎皮質ステロイドは副腎皮質でつくられ，2 つの主要なものがある．それは，グルコースの産生を促す**糖質コルチコイド** glucocorticoid と，腎臓に作用して水と塩のバランスを制御する**電解質（鉱質）コルチコイド** mineralocorticoid である．

副腎皮質コステロイドの構造的および機能的側面については，第19章で取り上げる．

ステロイドとは構造的にも機能的にも異なるシグナル伝達分子で，細胞膜を越えて拡散して細胞内に入った後で細胞内受容体と結合し，標的細胞に作用するものが3つある．それは，**甲状腺ホルモン** thyroid hormone（甲状腺でつくられ，発生や代謝を制御する），**ビタミン D_3** vitamin D_3（カルシウム代謝を制御する．第19章参照），**レチノイド** retinoid（ビタミンAから合成され，創傷治癒と表皮分化を制御する．第11章参照）である．

ペプチドホルモンと成長因子

ペプチドホルモンと成長因子は細胞表面受容体に結合する．細胞内ステロイド受容体とは異なり，ペプチド／タンパク質リガンドの膜結合受容体は，シグナル伝達によって細胞機能に影響を及ぼす（Box 3.B）．

1. **ペプチドホルモン** peptide hormone．このグループには，インスリンやグルカゴン，下垂体が分泌するホルモン，ニューロンが分泌するペプチド（中枢神経系において痛み反応を減少させる**エンケファリン** enkephalin や**エンドルフィン** endorphin）が含まれる．ペプチドホルモンと神経ペプチドの詳細については，第18章および第19章参照．
2. **成長因子** growth factor．このグループのペプチドは，細胞の成長と分化を制御する．これには，**神経成長因子** nerve growth factor（NGF），**上皮成長因子** epidermal growth factor（EGF），**血小板由来成長因子** platelet-derived growth factor（PDGF）など，いくつかの章で説明するものが含まれる．

NGF は**ニューロトロフィン** neurotrophin とよばれるペプチドファミリーのメンバーで，ニューロンの発達と生存を調節する．EGF は細胞増殖を刺激し，胎生期の発達と成体で必須である．PDGF は血小板に蓄えられ，凝固に際して放出される．

一酸化窒素

一酸化窒素 nitric oxide は，**一酸化窒素合成酵素** nitric oxide synthase によってアミノ酸の**アルギニン** arginine から合成される単純ガスである．これは，神経系，免疫系，循環器系で傍分泌性シグナル伝達分子として機能する．

ステロイドホルモンと同様に，一酸化窒素はその標的細胞の細胞膜を通過して拡散することができる．しかしステロイドとは異なり，一酸化窒素は細胞内受容体に結合して転写調節を行わない．その代わり，**細胞内標的酵素の活性を調節する**．

以下の点は，一酸化窒素によるシグナル伝達の特徴である．

1. 一酸化窒素は，半減期の短い（数秒）不安定な分子である．

図 3.2 | 正と負のフィードバック

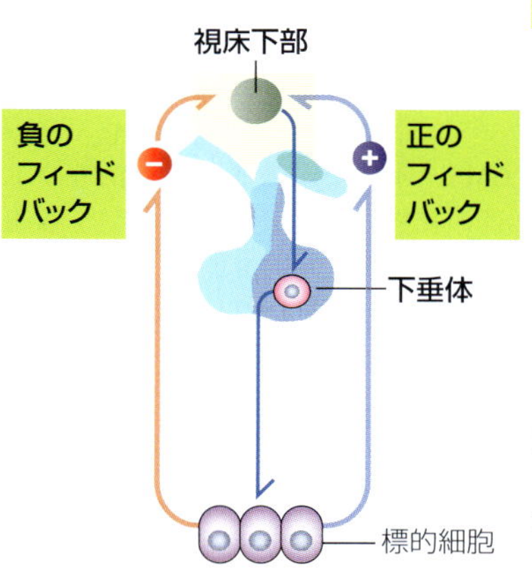

フィードバックループ

さまざまなフィードバックループがホルモン分泌を調整している．例えば，標的細胞や標的組織が過剰にホルモンを血中に放出すると，**負のフィードバックループ**が働いて下垂体から血液循環へのホルモンの無秩序な放出を防ぐ．

下垂体が標的細胞や標的組織によって産生されるホルモンの血中レベルの低下を感知すると，**正のフィードバックループ**が回り出す．

図 3.3 | ステロイドホルモンの作用機構

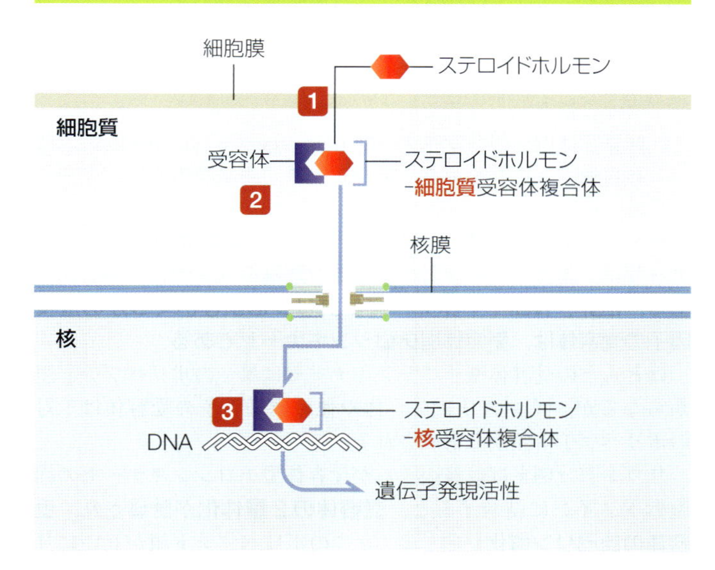

1 疎水性のステロイドホルモンは細胞膜を透過して拡散する．
2 ステロイドホルモンは細胞質受容体に結合する．
3 ステロイド-細胞質受容体複合体は核に移行して DNA に結合し，遺伝子発現を活性化もしくは抑制する．

Box 3.A | ステロイドホルモン

- ステロイドホルモンは**コレステロール** cholesterol に由来し，主に細胞質と核の**細胞内受容体** intracellular receptor に結合する．
- ステロイドホルモンは**タンパク質に結合**して血液中を循環し，**非極性**分子であり，**産生する内分泌細胞には貯蔵されない**．
- ステロイドホルモンは**経口投与が可能**で，胃腸管から吸収されやすい．

Box 3.B | ペプチドホルモン

- ペプチドホルモンは**前駆体分子**（プロホルモン）として合成され，**膜で囲まれた分泌小胞**に貯蔵され，一般的に**水溶性**（極性）である．
- ペプチドホルモンは**非結合性分子**として血中を循環し，**経口投与することはできない**．
- ペプチドホルモンは通常，**細胞表面受容体** cell surface receptor に結合する．

2. 一酸化窒素は，局所的な作用を与える．
3. シグナル伝達における一酸化窒素の明確な機能とは，**血管の拡張** dilation of blood vessel である．例えば神経伝達物質のアセチルコリンが血管の筋層内の神経終末から放出されると，内皮細胞から一酸化窒素の放出を刺激する．

一酸化窒素は，平滑筋においてセカンドメッセンジャーである環状グアノシン一リン酸（cGMP．本章で後述する）の活性を上昇させ，筋細胞の弛緩と血管の拡張を引き起こす（第21章参照）．

心疾患の治療に使われる薬剤の**ニトログリセリン** nitroglycerin は一酸化窒素に変換され，冠状動脈を拡張させて心血流量を増やす．

この相互作用はGタンパク質を活性化し，Gタンパク質は受容体から解離し，酵素またはイオンチャネルへ細胞内情報を伝達する．Gタンパク質については，環状アデノシン一リン酸（cAMP）経路について説明する際に，再び取り扱うことにする．

受容体型および非受容体型チロシンキナーゼ（図3.4）

チロシンキナーゼは，アデノシン三リン酸（ATP）のリン酸基を細胞内のタンパク質に転移する酵素である．

チロシンキナーゼには2つの主要なクラスがある．

1. **受容体型チロシンキナーゼ** receptor tyrosine kinase は，細胞外のリガンド結合ドメインと細胞内のキナーゼドメインをもつ膜貫通タンパク質である．
2. **非受容体型チロシンキナーゼ** non-receptor tyrosine kinase は膜貫通ドメインを欠き，細胞質，核，細胞膜の内側に存在する．

Gタンパク質共役型受容体とは異なり，**受容体型チロシンキナーゼ**は，基質タンパク質の**チロシン残基**をリン酸化する酵素である．**EGF，NGF，PDGF，インスリンおよびいくつかの成長因子の受容体は，受容体型チロシンキナーゼである．**

ほとんどの受容体型チロシンキナーゼは単一のポリペプチド鎖からなるが，インスリン受容体や他の成長因子の受容体は1対のポリペプチド鎖から構成される．

リガンド（例えば成長因子）が受容体型チロシンキナーゼの細胞外ドメインに結合すると，**受容体の2量体化**が誘導され，**受容体の自己リン酸化**が起こる（2つのポリペプチド鎖が互いにリン酸化を行う）．

受容体の自己リン酸化により，下流のシグナル伝達分子はチロシンキナーゼドメインに結合する．

下流のシグナル伝達分子は，**SH2**（Src homology 2）**ドメイン**を介してリン酸化チロシン残基に結合する．***Src***（**肉腫** sarcoma の意）は，腫瘍を産生するラウス肉腫ウイルスに存在する遺伝子であり，チロシンキナーゼとして機能するタンパク質をコードしている．

非受容体型チロシンキナーゼのサブファミリーには，**Src ファミリー**，**藤波家禽肉腫／猫肉腫**（Fps／Fes）および **Fes 関連**（Fer）サブファミリーが含まれる．これらは細胞内（細胞質と核）に存在する．

受容体型チロシンキナーゼと非受容体型チロシンキナーゼは，機能的にどのように異なっているのか？

リガンドがない状態では，**受容体型チロシンキナーゼ**はリン酸化されず単量体で存在する．**非受容体型チロシンキナーゼ**は細胞の阻害タンパク質によって不活性な状態に維持される．阻害タンパク質が離れるか，阻害タンパク質が膜貫通型受容体に動員されて自己リン酸化が起こることによって，活性化が起こる．チロシンキナーゼの活性化は，チロシンホスファターゼがチロシンのリン酸基を加水分解したり，阻害分子が誘導されることによって停止する．

がん細胞におけるチロシンキナーゼの活性は，リガンド非存在下での非調節性の自己リン酸化，チロシンキナーゼの自己調節の破綻，受容体型チロシンキナーゼまたはそのリガンドの過剰発現によって影響される．

チロシンキナーゼの異常な活性化により，がん細胞の増殖と抗がん剤への耐性が促進される．

チロシンキナーゼ活性は，チロシンキナーゼ触媒ドメインのATP結合ドメインへの結合分子である**イマチニブメシレート** imatinib mesylate によって阻害される．

イマチニブは，受容体型チロシンキナーゼである **PDGF 受容体**（**慢性骨髄単球性白血病** chronic myelomonocytic leukemia）および **c-kit**（**全身性肥満細胞症** systemic mastocytosis および**肥満細胞白血病** mast cell leukemias）の活性化によって引き起こされる**慢性骨髄性白血病** chronic myeloid leukemia や腫瘍をもつ患者に，血液学的寛解を誘導することができる．イマチニブは，消化管の固形腫瘍の治療にも使用され，効果を挙げてきた．

神経伝達物質

神経伝達物質はニューロンより放出され，ニューロンや他の種類の標的細胞（筋細胞など）に存在する細胞表面にある受容体に作用する．

このグループには，**アセチルコリン** acetylcholine，**ドーパミン** dopamine，**アドレナリン** adrenaline（**エピネフリン** epinephrine），**セロトニン** serotonin，**ヒスタミン** histamine，**グルタミン酸** glutamate，**γ-アミノ酪酸** γ-aminobutyric acid（GABA）が含まれる．

ニューロンから神経伝達物質が放出されると，**活動電位** action potential が誘発される．放出された神経伝達物質は**シナプス間隙** synaptic cleft を拡散し，標的細胞の細胞表面受容体と結合する．

神経伝達物質の作用メカニズムは一様ではない．例えば，**アセチルコリンの受容体はリガンド開閉性イオンチャネルである．**アセチルコリンはイオンチャネルの立体構造の変化を引き起こし，標的細胞の細胞膜を透過するイオンの流れを制御する．

神経伝達物質の受容体は，Gタンパク質とも関連する（「Gタンパク質共役型受容体」参照）．Gタンパク質は一種のシグナル伝達分子で，細胞表面受容体と細胞内反応とを結びつける．

ある種の神経伝達物質は，**二重の機能**を有している．例えばアドレナリン（副腎髄質で産生）は神経伝達物質として，また筋細胞ではグリコーゲン分解を誘導するホルモンとして，作用する．

エイコサノイド

エイコサノイド eicosanoid（ギリシャ語 *eikos*［＝20］：20個の炭素原子を含む化合物）は免疫系の白血球や他の細胞が産生する脂質を含有する**炎症性メディエーター** inflammatory mediator

図 3.4 | 受容体型チロシンキナーゼ

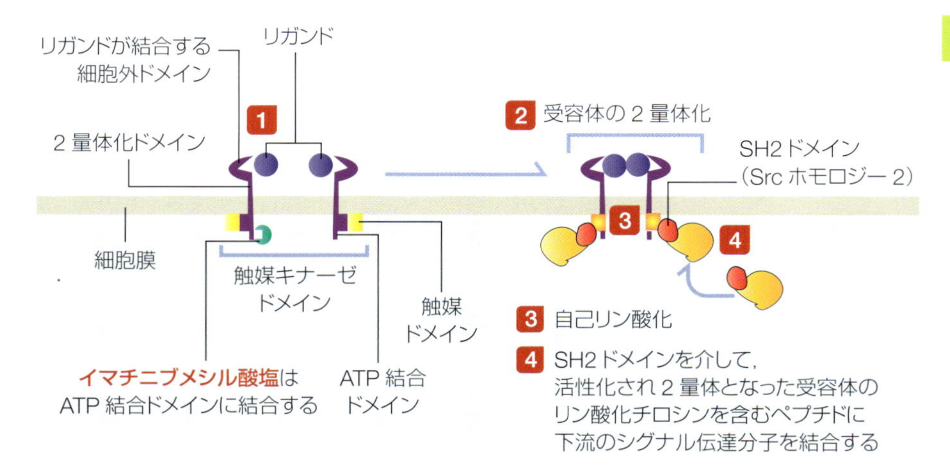

受容体型チロシンキナーゼ

シグナル伝達分子（例えば，成長因子）の結合は**受容体の 2 量体化**と**自己リン酸化**（2 本のポリペプチド鎖は互いにリン酸化する）を誘導する．

SH2 ドメインをもつ下流のシグナル伝達分子は，活性化された受容体のホスホチロシン含有ペプチドに結合する．

イマチニブメシル酸塩はアデノシン三リン酸（ATP）結合ドメインに結合する．イマチニブは，チロシンキナーゼの調節不全と関連する血液悪性腫瘍の治療に使用される．

で，ステロイドとは異なり，**細胞表面受容体に結合する**（Box 3.C）．

プロスタグランジン prostaglandin，**プロスタサイクリン** prostacyclin，**トロンボキサン** thromboxane，**ロイコトリエン** leukotriene（ギリシャ語 *leukos*［= white，白］，*triene*［=化学において，3 つの二重結合を含む化合物）はこのグループのメンバーである．これらは血小板凝集，炎症反応，平滑筋収縮を刺激する．

ロイコトリエンは，アラキドン酸リポキシゲナーゼによる**アラキドン酸** arachidonic acid の酸化によって合成される．

プロスタグランジンの合成過程において，**プロスタグランジン合成酵素** prostaglandin synthase によりアラキドン酸が**プロスタグランジン H_2** に変換される．この酵素は**アスピリン** aspirin（アセチルサリチル酸）や**抗炎症薬** anti-inflammatory drug によって抑制される．**アスピリンによるプロスタグランジン合成酵素の抑制は，痛み，炎症，血小板凝集，血液凝固を減少させる**（脳卒中発作の予防）．

細胞表面受容体

ほとんどのペプチドホルモンと成長因子は，標的細胞の表面にある受容体に結合する．

ホルモンおよび成長因子受容体に結合するリガンドは，**受容体の下流に位置する一連の細胞内標的**（特に，細胞内タンパク質）を活性化したり，神経伝達物質受容体のように，細胞膜にあるリガンド開閉性イオンチャネルを介して水分子（**アクアポリン** aquaporin）や電解質の流れを制御する．

ここで，特定の細胞表面受容体のいくつかの機能的側面について考えてみよう：

1. G タンパク質共役型受容体．
2. 受容体型および非受容体型チロシンキナーゼ．
3. サイトカイン受容体．
4. チロシンホスファターゼおよびセリン・スレオニンキナーゼ．

G タンパク質共役型受容体（図 3.5）

G タンパク質 G protein の大きな分子ファミリーメンバー（1,000 以上のグアニンヌクレオチド結合タンパク質）は，細胞膜の内葉に存在する．

シグナル伝達分子あるいは**受容体リガンド** receptor ligand が細胞表面受容体の細胞外領域に結合すると，その細胞質ドメインの立体構造が変化して受容体が **G タンパク質複合体**と結合できるようになる．

サイトカイン受容体

サイトカイン受容体は細胞表面にある糖タンパク質である．この受容体はチロシンキナーゼ活性を欠くが，**ヤヌスキナーゼ** Janus kinase（**JAK**）として知られる細胞質チロシンキナーゼに依存して，特定のサイトカインリガンドとの結合後に遺伝子発現の変化を媒介する．すべてのサイトカイン受容体は，1 つまたは複数の **JAK-STAT 経路**（Janus kinase-signal transducers and activators of transcription pathway）のメンバーと関連している．

機能的原理は次のとおりである．リガンドが結合すると，サイトカイン受容体がオリゴマー化し，関連する JAK の交差リン酸化を誘導して活性化し，サイトカイン受容体をリン酸化する．このリン酸化反応により，転写因子の**シグナル伝達兼転写活性化因子** signal transducers and activators of transcription（**STAT**）ファミリーのメンバーに存在する SH2 ドメインとの結合部位が形成される．

サイトカインとサイトカイン受容体は，JAK-STAT 経路を介して造血，免疫反応，炎症，組織治癒を調節し，この経路は潜在的な治療標的となる．以下では，JAK-STAT 経路の詳細について補足する．

サイトカイン受容体のファミリーは，構造と活性の異なるいくつかのサブファミリーから構成されている：

1. **I 型サイトカイン受容体**（インターロイキンが結合）および **II**

図 3.5 | G タンパク質共役型受容体

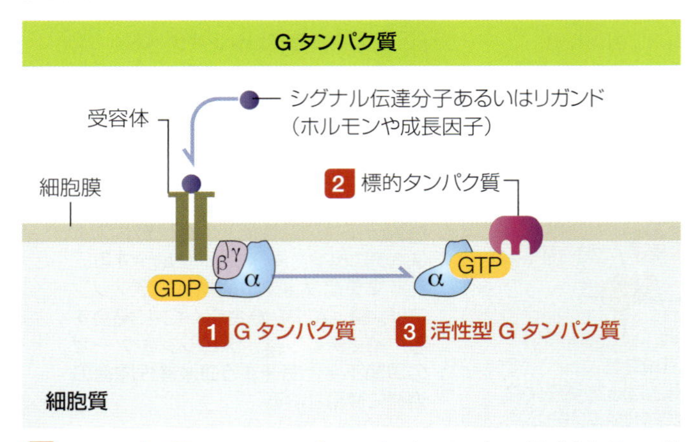

1 **G タンパク質は 3 つのサブユニット**（α, β, γ）で構成される．αサブユニットは G タンパク質の活性を調節する．休止状態ではβおよびγサブユニットと複合体を形成するαサブユニットに，グアノシン二リン酸（GDP）が結合している．

2 G タンパク質は，細胞表面のシグナルを近傍の**標的分子**（**アデニル酸シクラーゼ**や**イオンチャネル**）に伝達する．

3 受容体へのホルモン結合は GDP の放出とグアノ三リン酸（GTP）への交換を促進する．GTPと結合して活性化されたαサブユニットは，βおよびγサブユニットから解離し，標的タンパク質と相互作用して応答を誘導する．

型サイトカイン受容体（主にインターフェロン）.

サイトカイン受容体が期待どおりに機能しない場合はどうなるのか？ **I 型サイトカイン受容体** type I cytokine receptor によるシグナル伝達経路の過剰活性化変異は，**骨髄増殖性疾患** myeloproliferative diseases やその他の血液疾患に関連している．I 型サイトカイン受容体の異常な活性化は，**白血病** leukemia と**リンパ腫** lymphoma の発症と関連する．**II 型サイトカイン受容体** type II cytokine receptor のシグナル伝達障害は，免疫不全や炎症状態に関連する．

2. **ケモカイン受容体** chemokine receptor および**ケモカインリガンド** chemokine ligand（CC，CXC，CX3C，CXCR1 と表記．システイン残基［C］間の間隔により，ケモカインリガンドの結合タイプが決まる）.

サイトカインとケモカインの違いは何だろうか？ サイトカインは生物学的機能を直接的に誘導する．ケモカインは，走化性機能をもつサイトカインである（例えば，感染や炎症の部位に細胞が集まる）.

ケモカインリガンドは 8～14kDa（kd）の大きさである．ケモカインリガンドのケモカイン受容体への結合は，標的となる炎症細胞の走化性（ホーミング中の細胞移動）を誘導する．遊走細胞は，ケモカインの濃度が高い部位に誘引される（濃度勾配）．ホーミングと炎症については，第 6 章で説明する．

3. **腫瘍壊死因子受容体** tumor necrosis factor receptor（**TNFR**）スーパーファミリー（**死受容体** death receptor として知られる）は，サイトカイン受容体グループに属している．

このファミリーの受容体とリガンド（TNFL）は，細胞の増殖，生存，分化のシグナル伝達経路に関与している．TNFR／TNFL は，**関節リウマチ** rheumatoid arthritis（第 5 章参照）や**炎症性腸疾患** inflammatory bowel disease（第 16 章参照）などの慢性炎症状態に関与している．

TNFR は自己組織化する非共有結合性の 3 量体として活性がある．TNFR の細胞質ドメインは，細胞質アダプタータンパク質 TRAF（**TNF 受容体関連因子** TNF receptor–associated factor）やデッドドメイン（DD）などのシグナル伝達分子との結合部位である．

機能的観点から，アダプタータンパク質は死受容体に調節的柔軟性を与える．本章の「アポトーシス」の項で説明するように，Fas 受容体は，Fas 関連 DD（FADD）タンパク質アダプターに結合する DD を有し，このアダプターは最終的にカスパーゼ 8 を動員して活性化して細胞死を引き起こす．

RANKL（**核因子カッパ B リガンドの活性化のための膜貫通受容体** transmembrane receptor for activation of nuclear factor kappa B ligand）は，RANK 受容体に結合親和性をもつ TNF スーパーファミリーのメンバーである．

これは単球前駆細胞からの破骨細胞の発生に大きな影響を及ぼす（第 4 章参照）．RANK／RANKL シグナル伝達は，乳汁分泌に備えて乳腺胞芽を管状胞状構造への分化を調節する．

4. **トランスフォーミング増殖因子 -β（TGF -β）I 型および II 型セリン／スレオニンキナーゼ受容体**．サイトカインの TGF -β スーパーファミリーは，TGF-β，アクチビン，インヒビン，骨形成タンパク質（BMP），および抗ミュラー管ホルモンで構成される．

TGF-β は，細胞増殖，細胞分化，およびアポトーシスに関与するいくつかの細胞種から分泌され，受容体に結合する．

同様の生物活性をもつ 3 つの TGF -β リガンドアイソフォーム（TGF -β1，TGF-β2，TGF -β3）が哺乳類で同定されている．

これらのリガンドは受容体複合体を共有し，同様の方法でシグナルを伝達するが，それらの発現レベルは標的組織によって異なる．

リガンドが TGF -β 受容体に結合すると，最初に受容体の 2 量体化が誘導され，次にヘテロマー複合体が形成され，受容体の細胞内セリン／スレオニンキナーゼドメインの立体構

Box 3.C | エイコサノイド

- エイコサノイドは，18，20，22 個の炭素原子をもつ**多価不飽和脂肪酸に由来**する．**アラキドン酸** arachidonic acid が主な前駆体である．
- このグループには，**プロスタグランジン** prostaglandin，**ロイコトリエン** leukotriene，**トロンボキサン** thromboxane，**プロスタサイクリン** prostacyclin が含まれる．
- 基本的に，エイコサノイドには**自己分泌性** autocrine および**傍分泌性** paracrine の作用があり，それらの**合成はホルモンによって調節されている**．
- エイコサノイドは通常，**細胞表面受容体**に結合する．

図 3.6 | サイクリックアデノシン一リン酸（cAMP）経路

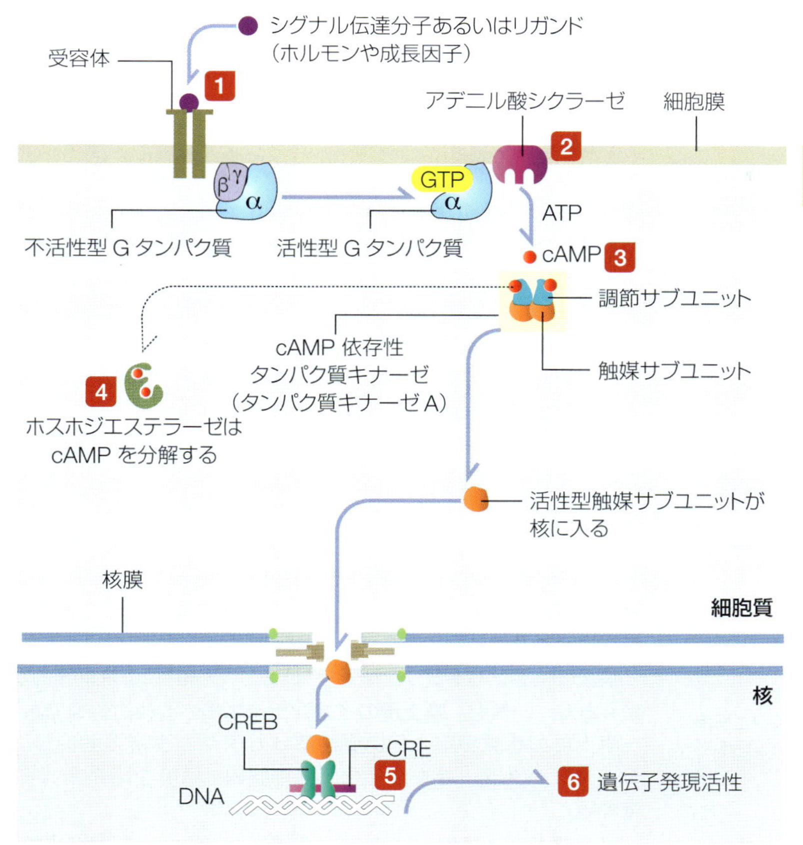

cAMP シグナル伝達経路

1. リガンドは細胞の受容体に結合する.
2. グアノシン三リン酸（GTP）に結合した G タンパク質αサブユニットによって活性化される**アデニル酸シクラーゼ**は，ATP から cAMP を産生する.
3. セカンドメッセンジャーである cAMP は，**cAMP 依存性タンパク質キナーゼ**（**タンパク質キナーゼ A**）の調節サブユニットに結合し，触媒サブユニットを放出する.
4. cAMP は，**cAMP 依存性ホスホジエステラーゼ**によって分解される.
5. 活性化された触媒サブユニットは核に移行し，**cAMP 応答配列**（**CRE**）に結合した転写因子 **CREB**（**CRE 結合タンパク質**）をリン酸化する.
6. 特定の遺伝子発現が誘導される.

造が変化する.

これにより，SMAD 転写因子や細胞周期タンパク質など，受容体の下流にある複数のシグナル伝達経路のリン酸化と活性化を促進する.

SMAD は核に移行し，そこで他の転写因子（補因子）と相互作用して転写反応を調節する.

チロシンホスファターゼ活性をもつ受容体

これまで，いくつかの受容体がチロシン残基でのタンパク質リン酸化を促進する酵素活性をもっていることをみてきた．しかし，受容体は，リン酸化チロシン残基からリン酸基を除去するホスファターゼ酵素活性をもつタンパク質と関係することもできる．したがって，**このような受容体は，チロシンリン酸化によって開始されるシグナル伝達を阻止することで，チロシンキナーゼの効果を調節する.**

主要なシグナル伝達経路

大部分の細胞表面受容体は，リガンドが結合すると細胞内の標的酵素を刺激して**シグナルを伝達し，増幅する**．増幅されたシグナルは核まで伝搬し，細胞外の刺激に反応して遺伝子発現を調節する.

主たる細胞内シグナル伝達経路には次のものがある：

1. cAMP 経路.
2. cGMP 経路.
3. リン脂質 - Ca^{2+} 経路.
4. Ca^{2+}-カルモデュリン経路.
5. Ras（ラット肉腫ウイルス rat sarcoma virus），Raf（急速進行性線維肉腫 rapidly accelerated fibrosarcoma），および MAP（分裂促進因子活性化タンパク質 mitogen-activated protein）キナーゼ経路 kinase pathway
6. JAK-STAT 経路.
7. NF-κB nuclear Factor kapper B（B リンパ球の κ 軽鎖遺伝子の転写に関与する核内因子 nuclear factor involved in the transcription of the κ light chain gene in B lymphocytes）転写因子経路.
8. インテグリン - アクチン経路.

cAMP 経路（図 3.6）

cAMP で媒介される細胞内シグナル伝達経路は，1958 年，Earl Sutherland によって筋が収縮する前にグリコーゲンをグルコースに分解するホルモンである**アドレナリン**作用の研究中に発見された.

アドレナリンが受容体に結合すると，cAMP の細胞内濃度が上昇する．cAMP はアデノシン三リン酸（ATP）から**アデニル酸シクラーゼ** adenylyl cyclase によってつくられ，**cAMP ホスホジエステラーゼ** cAMP phosphodiesterase によってアデノシン一リン

図 3.7 | リン脂質 -Ca^{2+} 経路

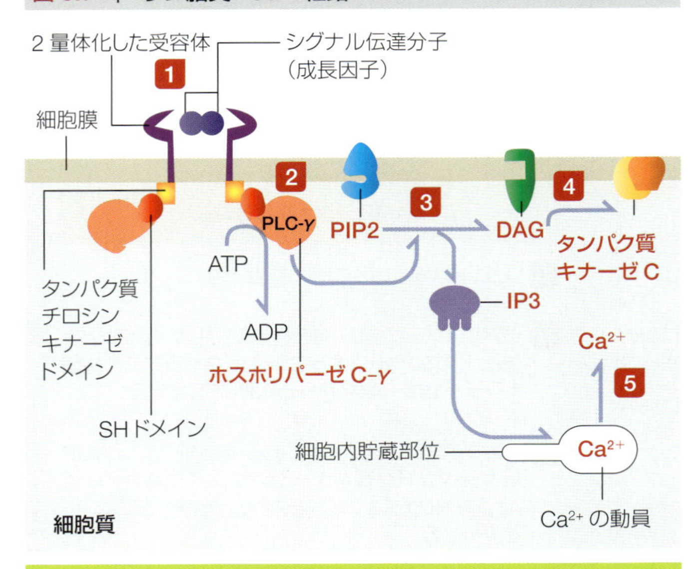

リン脂質-Ca2+経路

1 シグナル伝達分子が結合して，2 量体化した受容体のチロシンキナーゼドメインを活性化する．

2 **ホスホリパーゼ C-γ**（**PLC-γ**）は **SH ドメイン**を有し，このドメインで活性化された受容体型チロシンキナーゼと結合する．

3 PLC-γは，ホスファチジルイノシトール -4,5-ビスホスフェート（**PIP2**）を加水分解して，**ジアシルグリセロール**（**DAG**）とイノシトール -1,4,5-トリホスフェート（**IP3**）を産生する．

4 DAG は**タンパク質キナーゼ C** を活性化する．

5 IP3 は，細胞内貯蔵部位から **Ca^{2+}を放出**させる．

酸（AMP）に分解される．

この機構の発見が，セカンドメッセンジャーである cAMP を介して**ファーストメッセンジャー**（アドレナリン）が細胞シグナル伝達効果を発揮するいう概念を導いた．アドレナリン受容体は，アドレナリンが結合するとシクラーゼ活性を刺激する G タンパク質を介して，アデニル酸シクラーゼと共役している．

cAMP の細胞内シグナル伝達効果は，**cAMP 依存性タンパク質キナーゼ** cAMP-dependent protein kinase（あるいは**タンパク質キナーゼ A** protein kinase A）によって媒介される．**不活性型では，タンパク質キナーゼ A は 2 つの制御サブユニット** regulatory subunit（これに cAMP が結合する）**と 2 つの触媒サブユニット** catalytic subunit **からなる 4 量体である**．cAMP が結合すると**触媒サブユニットが解離**する．自由になった触媒サブユニットは，標的タンパク質の**セリン残基**をリン酸化する．

グリコーゲン代謝のアドレナリン依存的制御において，タンパク質キナーゼ A は次の 2 つの酵素をリン酸化する：

1. **ホスホリラーゼキナーゼ** phosphorylase kinase は，次にグリコーゲンホスホリラーゼをリン酸化して，グリコーゲンをグルコース-1-リン酸に分解する．
2. **グリコーゲン合成酵素** glycogen synthase はグリコーゲンの合成に関与する．グリコーゲン合成酵素がリン酸化されると，グリコーゲン合成が抑制される．

cAMP が上昇すると，グリコーゲンの分解亢進とグリコーゲンの合成阻害という 2 つの現象が同時に起こることに留意してほしい．

また，ノルアドレナリンの受容体結合により，多数の cAMP 分子を介して細胞内シグナル伝達が増幅されることにも留意してほしい．

cAMP によるシグナル増幅は，タンパク質キナーゼ A から解離した触媒サブユニットがホスホリラーゼキナーゼやグリコーゲン合成酵素の多数の分子をリン酸化することで，さらに促進される．タンパク質のリン酸化は，細胞質および膜貫通タンパク質として存在する**タンパク質ホスファターゼ** protein phosphatases の働きで迅速に元に戻されるということを理解しておくことは重要である．キナーゼの活性化によって始まった反応を，これらのタンパク質ホスファターゼがリン酸化残基を除去することで終結させることができる．

cAMP は，**cAMP 応答配列** cAMP response element（**CRE**）とよばれる制御配列を有する特定の標的遺伝子の転写にも影響を与える．タンパク質キナーゼ A の触媒サブユニットは，制御サブユニットから離れた後，核内に入る．核の中で，触媒サブユニットは **CRE 結合タンパク質** CRE-binding protein（**CREB**）とよばれる転写因子をリン酸化して，cAMP により誘導される遺伝子の転写を活性化する．

最後に，タンパク質リン酸化とは別に，cAMP による直接的な効果もある．一例が，**嗅上皮のイオンチャネル**の直接的制御である．

嗅上皮の感覚細胞の**匂い受容体**は G タンパク質と共役し，アデニル酸シクラーゼを活性化して細胞内 cAMP を増やす（第 13 章参照）．

感覚細胞で cAMP はタンパク質キナーゼ A を活性化せずに，細胞膜の Na^+ チャネルに直接作用してチャネルを開き，膜の脱分極と活動電位を発生する．

cGMP 経路

cGMP もセカンドメッセンジャーである．cGMP はグアニル酸シクラーゼによってグアノシン三リン酸（GTP）からつくられ，ホスホジエステラーゼで GMP へと分解される．グアニル酸シクラーゼは一酸化窒素やペプチド性シグナル伝達分子によって活性化される．

cGMP の最もよく知られた役割は，網膜の光受容細胞である杆体細胞において光シグナルを活動電位に変換することである．この細胞内シグナル伝達過程については第 9 章で詳述する．

リン脂質-Ca^{2+} 経路（図 3.7）

細胞内シグナル伝達に関与するもう 1 つのセカンドメッセンジャーは，細胞膜の内葉に存在するリン脂質である**ホスファチジルイノシトール-4,5-二リン酸** phosphatidylinositol 4,5-bisphosphate（PIP2）に由来する．

多くのホルモンや成長因子により刺激されて活性化する**ホスホリパーゼ C** phospholipase C（**PLC**）による PIP2 の加水分解は，**ジアシルグリセロール** diacylglycerol と**イノシトール -1,4,5 - 三リン酸** inositol 1,4,5-trisphosphate（**IP3**）という 2 つのセカンドメッセンジャーを産出する．

PLC には **PLC -β** と **PLC -γ** の 2 型がある．PLC-β は G タン

図 3.8 | Ras-Raf／MEK-ERK キナーゼ経路

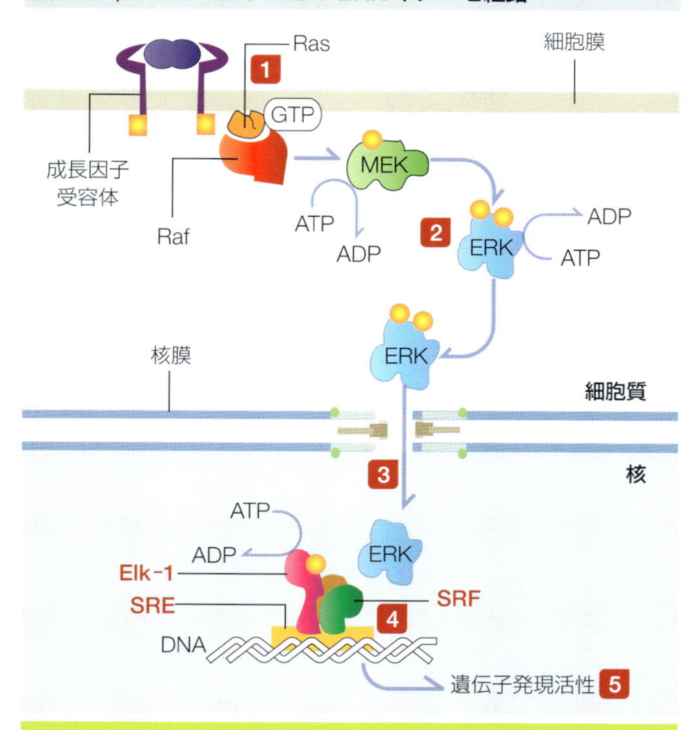

Ras-Raf による MAP キナーゼ（MEK-ERK）の活性化

1. 成長因子受容体にリガンドが結合すると低分子量 GTP 結合タンパク質 **Ras**（ラット肉腫ウイルス）を活性化し，タンパク質キナーゼ **Raf** と相互作用するようになる．
2. Raf は **MEK**（**MAP キナーゼ**または **ERK キナーゼ**の意味）をリン酸化して活性化し，次にチロシンおよびスレオニン残基のリン酸化によって **ERK**（**細胞外シグナル調節キナーゼ**）を活性化する．
3. 活性化された ERK は核に移行し、そこで転写因子**Elk-1** をリン酸化する．
4. 活性化された **Elk-1** は **SRE**（**血清応答要素**）に結合し，**SRF**（**血清応答因子**）と複合体を形成する．
5. 遺伝子発現誘導が起こる．

パク質で活性化される．PLC-γ は受容体型チロシンキナーゼとの結合を可能にする SH2 ドメインを有する．チロシンリン酸化は PLC-γ 活性を上昇させ，次に PIP2 の分解を活性化する．

PIP2 の加水分解で生じたジアシルグリセロールは，**タンパク質キナーゼ C** ファミリー（**タンパク質セリン・スレオニンキナーゼ**）を活性化する．

ホルボールエステル phorbol ester はジアシルグリセロールと同様に，タンパク質キナーゼ C 活性を刺激することで腫瘍増殖促進作用を有する．タンパク質キナーゼ C は，遺伝子発現や細胞増殖を変化させる転写因子のリン酸にかかわる **MAP キナーゼ経路**のタンパク質キナーゼなど，他の細胞内標的を活性化する．

Ca^{2+}-カルモデュリン経路

セカンドメッセンジャーのジアシルグリセロールは細胞膜に結合したままであるが，PIP2 に由来するもう 1 つのセカンドメッセンジャーである IP3 は細胞質へ放出され，イオンポンプを活性化して細胞内貯留部位から Ca^{2+} を放出させる．

細胞質の Ca^{2+} 濃度が高くなると（0.1 μM の基底濃度から細胞質放出の後には 1.0 μM に上昇する），Ca^{2+} 依存性タンパク質キナーゼやホスファターゼが活性化される．

カルモデュリン calmodulin は Ca^{2+} 依存性タンパク質で，Ca^{2+} 濃度が 0.5 μM に上昇すると活性化される．Ca^{2+}・カルモデュリン複合体は細胞質にある多くの標的タンパク質に結合して細胞反応を制御する．

Ca^{2+} は重要なセカンドメッセンジャーであることと，細胞内貯蔵部位からの放出のみならず細胞外空間から細胞内への Ca^{2+} 流入によってもその細胞内濃度を増加させることができることを覚えてほしい．

Ca^{2+}-カルモデュリン経路によるミオシン軽鎖キナーゼ活性の調節については，第 1 章で扱う．

Ras-Raf MAP キナーゼ（MEK-ERK）経路（図 3.8）

この経路は酵母からヒトまで進化的に保存されたタンパク質キナーゼで，細胞の増殖と分化における役割を有する．**MAP キナーゼ** MAP kinase はタンパク質セリン・スレオニンキナーゼで，成長因子や他のシグナル伝達分子により活性化される．

MAP キナーゼの中で最もよく研究されてきたのが ERK ファミリーである．**ERK**（**細胞外シグナル制御キナーゼ** extracellular signal-regulated kinase）ファミリーは，**タンパク質チロシンキナーゼあるいは G タンパク質共役型受容体を通して**作用する．cAMP および Ca^{2+} 依存性経路の両者は，異なる細胞種の ERK 経路を刺激あるいは抑制する．

ERK の活性化は 2 つのタンパク質キナーゼにより媒介される．1 つはタンパク質セリンあるいはスレオニンキナーゼである **Raf** で，次に 2 つ目のキナーゼである **MEK**（MAP キナーゼあるいは MEK キナーゼ）を活性化する．

成長因子受容体が刺激されると，Raf と相互反応する GTP 結合型タンパク質の **Ras** が活性化する．Raf は MEK をリン酸化して活性化し，MEK はさらに ERK のセリン残基とスレオニン残基をリン酸化して活性化する．次いで ERK は核や細胞質の標的タンパク質をリン酸化する．

核では，活性化された ERK が転写因子の **Elk-1**（E-26 様タンパク質 1，E-26-様タンパク質 1）と**血清応答因子** serum response factor（**SRF**）をリン酸化し，それらが**血清応答要素** serum response element（**SRE**）とよばれる制御配列を認識する．

ERK に加え，哺乳類の細胞は **JNK** と **p38 MAP キナーゼ**とよばれる別の 2 つの MAP キナーゼを含んでいる．サイトカインや熱ショック，紫外線照射により，Ras とは異なる低分子量 GTP 結合型タンパク質に媒介されて，JNK や p38 MAP キナーゼの活性化が刺激される．

JNK や p38 MAP キナーゼは，MEK ではなく **MKK**（**MAP キナーゼ・キナーゼ** MAP kinase kinase）とよばれる特徴的な二重キナーゼによって活性化される．

ERK 経路で鍵となる要素は **Ras タンパク質**で，これはラットに肉腫を引き起こす腫瘍ウイルス由来の発がん性タンパク質である．**Ras タンパク質はグアニンヌクレオチド結合タンパク質で，G タンパク質 α サブユニットに類似した機能特性を有する**（**GTP** で活性化され，**GDP** で抑制される）．

Gタンパク質との違いは，Rasタンパク質が$\beta\gamma$サブユニットと結合しないことである．Rasは**グアニンヌクレオチド交換因子** guanine nucleotide exchange factorによって活性化され，GTPに交換してGDPを放出する．Ras-GTP複合体の活性は，**GTP分解酵素活性化タンパク質** GTPase-activating proteinにより刺激されるGTPの加水分解で終了する．

ヒトのがんでは，*Ras*遺伝子の変異はGTPの分解異常を惹起する．それにより，変異したRasタンパク質はGTP結合型のままとなって活性化状態が持続する．

JAK-STAT経路（図3.9）

前項のMAPキナーゼ経路は，転写因子をリン酸化するタンパク質キナーゼカスケードにより，細胞表面と核のシグナル伝達を連結する．

エリスロポエチンは骨髄の赤血球系統の発達（赤血球形成）を刺激し，そこにJAK-STAT経路を介したメカニズムが関与している（第6章参照）．

JAK-STAT経路を確認しよう．サイトカインについての説明でも触れたが，この経路はチロシンキナーゼ活性をもつタンパク質（JAK）をこれにより活性化される転写因子（STAT）にリンクさせる．

STATはSH2ドメインをもつ転写因子であり，不活性状態では**細胞質**に存在する．リガンドとの結合により受容体が刺激されると，STATタンパク質がリクルートされる．STATタンパク質はSH2ドメインを介して，受容体と結合した**JAKタンパク質チロシンキナーゼ**の細胞質部分と結合し，リン酸化される．リン酸化されたSTATタンパク質は，次いで2量体化し，核に移行して，標的遺伝子の転写を活性化する．

図3.9 | JAK-STAT経路

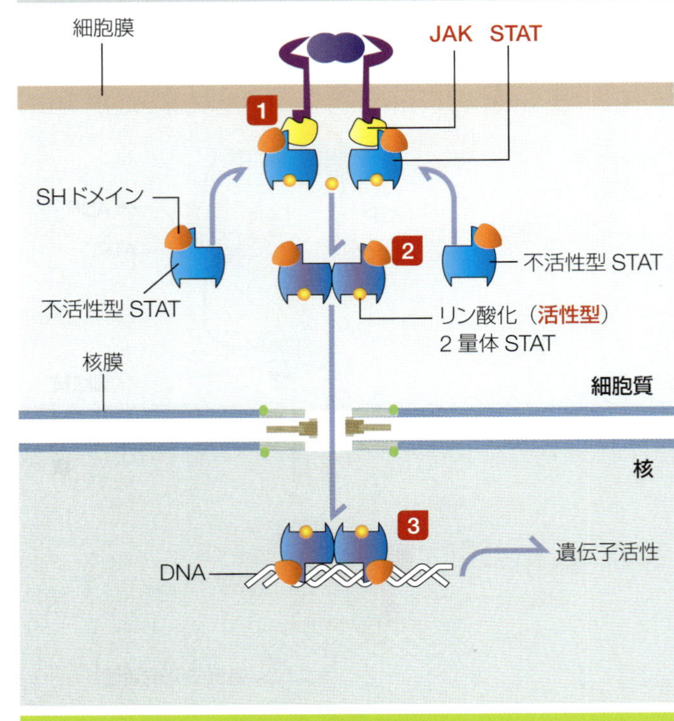

JAK-STAT経路

1 サイトカイン受容体へのリガンド結合により**SH2ドメイン**を介した不活性型転写因子STATの受容体関連**JAKタンパク質チロシンキナーゼ**への結合が起こる．

2 リン酸化された**STATは2量体化**する．

3 リン酸化されたSTAT2量体は核に移行し，そこで標的遺伝子の転写を活性化する．

NF-κB転写因子経路（図3.10）

NF-κBは，いくつかの細胞の免疫応答に関与する転写因子である．NF-κBはプロテインキナーゼCによって活性化される．

不活性状態では，NF-κBタンパク質はヘテロ2量体をとり，**抑制性サブユニット**のI-κBと結合し，この複合体は細胞質に保持される．タンパク質キナーゼCによりI-κBがリン酸化されると26Sプロテアソームにより分解され，NF-κBが解放される．自由になったNF-κBのヘテロ2量体は核に移行し，免疫や炎症のシグナル伝達に応答して遺伝子の転写を活性化する．

インテグリン-アクチン経路（図1.9）

第1章では，インテグリンのヘテロ2量体が，中間タンパク質を介して細胞外マトリックスおよびアクチン細胞骨格に相互作用する細胞表面受容体であることを議論した．

細胞外マトリックスへの細胞接着は，胚の発生，組織の安定性，ホーミング，恒常性に不可欠である．

アクチンとインテグリンの関係は，細胞接着におけるF-アクチンの機械的役割を可能にするだけでなく，細胞外マトリックスで開始する細胞内への化学信号の伝達も可能にする．

インテグリンのαおよびβサブユニットは自身のキナーゼドメインをもっていないが，関連するタンパク質を利用してシグナルを伝達する．インテグリンを介した細胞外マトリックスとアクチン細胞骨格の間の相互作用は，一般に，インテグリンが凝集する細胞表面の**接着斑** focal adhesionで起こる．

図1.9において，**タリン** talinがインテグリンのβサブユニットの細胞質ドメインに結合することに注目してほしい．ビンキュリンはβサブユニットの末端部と直接相互作用はしないが，タリンとα-アクチニンと相互作用し，α-アクチニンはF-アクチンと相互作用する．タリンと相互作用する**接着斑キナーゼ** focal adhesion kinase（FAK）は，**パキシリン** paxillinを含む関連タンパク質をリン酸化する．

これらのタンパク質相互作用はインテグリンの立体構造変化を規定し，それにより細胞外リガンドに対する細胞外ドメインの結合親和性を高めることができる．

インテグリンのβサブユニットは，細胞外マトリックスに存在する2つのリガンドであるラミニンとフィブロネクチンに存在するRGD（アルギニン-グリシン-アスパラギン酸）ドメインと結合することを覚えているだろう．

特殊なシグナル伝達経路（基本事項3.A，3.B）

胚および胎児の発育，体軸のパターン形成，細胞移動および細胞増殖において重要な役割を果たすいくつかのシグナル伝達経路がある．それらのすべてには，多様な制御ステップとクロストー

図 3.10 | NF-κB 転写因子経路

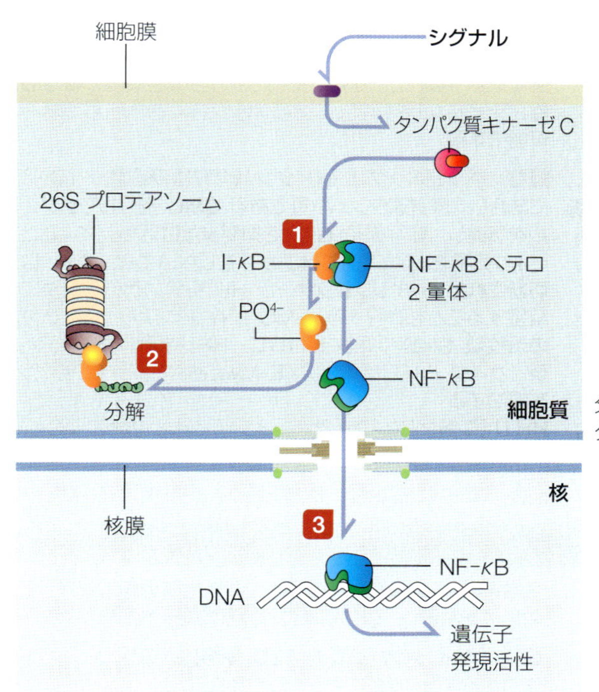

NF-κB の活性化

1 NF-κB はヘテロ 2 量体のタンパク質であり，阻害サブユニット I-κB と結合して細胞質に存在する不活性な複合体になる．

2 タンパク質キナーゼ C が刺激されると，I-κB はリン酸化され，ユビキチン化された後に，26S プロテアソームによってリン酸化依存的に分解される．

3 I-κB が除去されると，NF-κB ヘテロ 2 量体の核局在部位が露出し，核に移行して特定の DNA 配列に結合し，遺伝子発現を調節する．

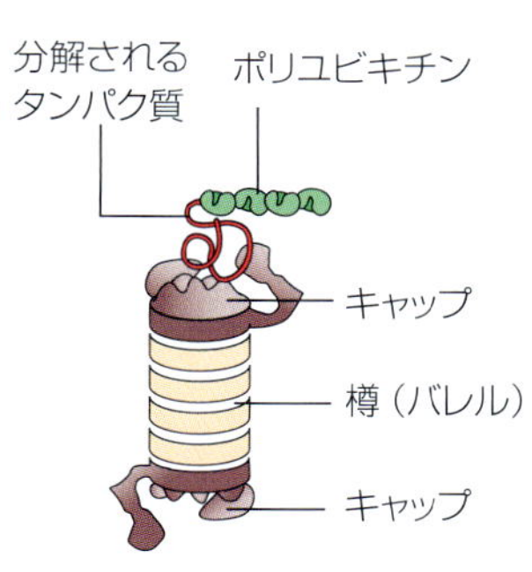

26S プロテアソームは，多くの細胞の細胞質や核にみられる巨大な多量体タンパク質分解酵素である．タンパク質を分解する樽（バレル）型のコアと，ユビキチン結合タンパク質を認識する 2 つのキャップで構成されている．ユビキチン化されたタンパク質は 26S プロテアソームに取り込まれ，バレルのチャンバー内で分解される．

クする要素が含まれている．

これらのいくつかは，特定の転写因子によって活性化される異なる下流の作用機構を用いている：

1. **ヘッジホッグ情報伝達** Hedgehog（HH）signaling
2. **ウイングレス情報伝達** Wingless（Wnt）signaling .
3. **ノッチ情報伝達** Notch signaling.
4. **トランスフォーミング増殖因子 - β（TGF-β）情報伝達.**
5. **骨形成タンパク質（BMP）情報伝達.**
6. **線維芽細胞成長因子（FGF）情報伝達.**

これらの経路の臨床的関連性と多機能性は，多くの疾患に関連する突然変異によって例示されている．

基本事項 3.A，3.B に要約されているシグナル伝達経路の基本的な機能的側面を確認することを推奨する．これらの経路については，いくつかの章で出会うことになる．

幹細胞ニッチと幹細胞性（図 3.11）

身体を構成する細胞が分裂し成長する能力には，驚くべき幅がある．ある種の細胞（例えば神経細胞や赤血球）は，成熟し分化した状態に到達すると，通常は分裂しなくなる．そのような細胞は**分裂後細胞** postmitotic cell とよばれる．

幹細胞 stem cell とよばれる別の細胞は，一生の間継続して分裂する（例えば腸を覆う上皮細胞や，さまざまな血液細胞種に分化する幹細胞）．

他の多くの細胞は，これら両極端の細胞の中間にあり，ほとんどの時間を静止したままでいるが，適切なシグナルがあれば分裂し始める．肝臓の細胞はその一例である．肝臓が障害を受けると，消失した細胞を補うように肝細胞の細胞分裂が始まる．

幹細胞には 3 つの特徴がある：

1. **自己複製** self-renewal.
2. **増殖** proliferation.
3. **分化** differentiation.

これらの特性の一部は，幹細胞が存在する特定の微小環境に依存する．**幹細胞ニッチ** stem cell niche とよばれる微小環境は幹細胞の発達に必要な因子を供給し，幹細胞に適切なシグナルを提供して静止状態を維持して最終的な分化への進行を防いだり，もしくは活性化状態にしたりする．

幹細胞ニッチと幹細胞の細胞状態との間の相互作用は，**幹細胞性** stemness によって支配されている．

幹細胞性とは，さまざまな幹細胞に特徴的な遺伝子発現のプロファイルであり，幹細胞でない通常の細胞には観察されない．

再生医療の領域において，幹細胞性の概念は他の細胞を幹細胞にリプログラミングすることと関連している．

幹細胞で高く発現する**幹細胞遺伝子**には，*Nanog*，*Oct4*，*Myc*，*Sox2*，*Klf4*（Krüpel 様因子 4）が含まれる．

幹細胞は，生涯を通じて多数の成熟細胞を継続的に産生する能力を有している．幹細胞が有糸分裂によって分裂すると，子孫のいくつかは特定の細胞種に分化する．他の子孫は幹細胞ニッチ内の幹細胞として残る．

腸の上皮，皮膚の表皮，造血系，および精細管の精子形成細胞は，この特性を共有する．幹細胞の重要性については，相当する章のそれぞれの組織のところで詳しく扱う．

再生医療と細胞の可塑性

不可逆的な臓器不全がある場合，細胞，組織，器官の機能的補充は，移植よりも侵襲性が低く費用対効果の高い魅力的な選択肢である．幹細胞とその環境である**ニッチ** niche を操作することに

基本事項 3.A | 特殊な細胞シグナル伝達経路①

ヘッジホッグ（HH）情報伝達

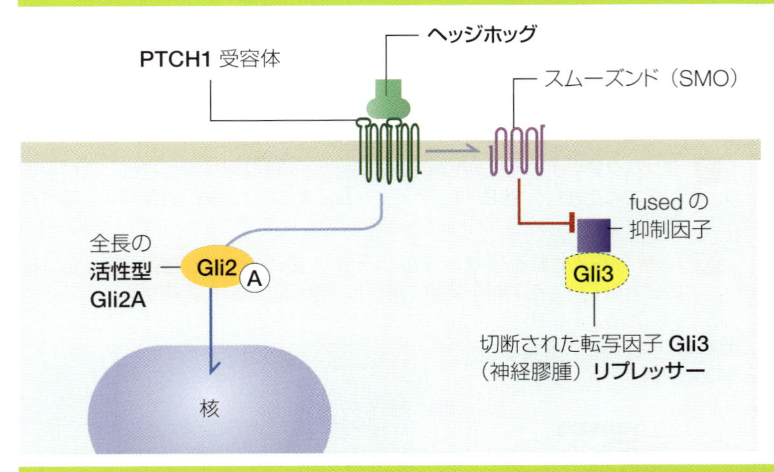

主な機能：Gli 因子を転写抑制因子から細胞質内の転写活性化因子に切り替えて、ヘッジホッグ特異的な転写調節を可能にする.

経路：ヘッジホッグ（HH）タンパク質は**受容体 PTCH1** に結合し，膜貫通タンパク質である **SMO** を介してシグナルを伝達し，転写因子 **Gli3** を抑制または活性化することにより転写を調節する. SMO が存在しない場合，**Sufu** は**切断された Gli3 リプレッサー**が HH 特異的遺伝子発現を阻害することを許容する. SMO が存在する場合は，**全長の活性型 Gli2A** は核に移行して，HH 特異的な遺伝子発現（サイクリン D, サイクリン E, Myc, およびパッチの発現）を調節する.

HH リガンド：ソニック（Shh），インディアン（Ihh），デザート（Dhh）.

病因：ゴーリン症候群，基底細胞がん（皮膚），髄芽腫.

ウイングレス（Wnt）情報伝達

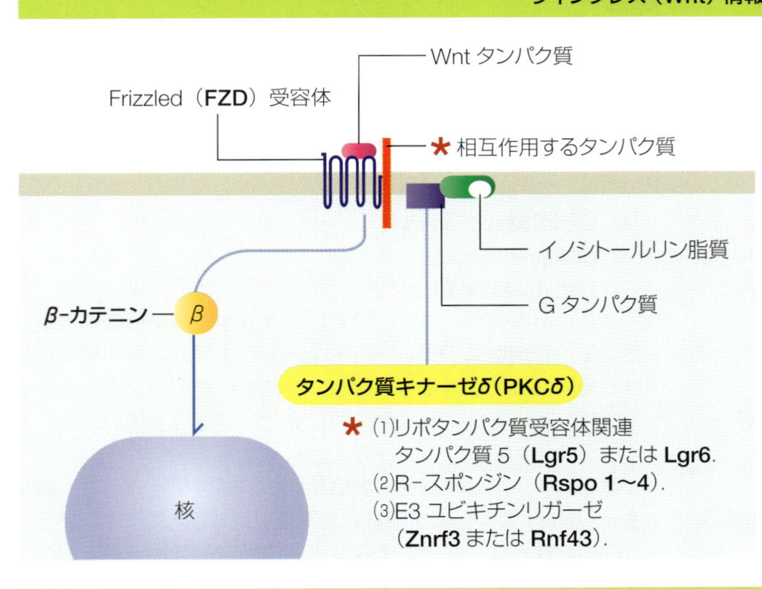

主な機能：Wnt タンパク質は，胚発生時の組織構築と体軸形成を制御し，成体組織における幹細胞を制御する.

経路：**Wnt タンパク質**の **FZD 受容体**への結合は，相互作用するタンパク質によって調節される.

相互作用するタンパク質には，ロイシンリッチリピートを有する G タンパク質共役型受容体（**Lgr**）5 または 6，**R-スポンジン**（Rspo）1〜4 および **E3 ユビキチンリガーゼ酵素**（Znrf3 または Rnf43）がある. Rspo がない場合，ユビキチンリガーゼは FZD 分解を触媒し，Wnt タンパク質の結合を防ぐ. Rspo があると，酵素活性を抑制して FZD 受容体が蓄積し，Wnt シグナル伝達が増加する. 次に，β-カテニンは核に移行し，コアクチベーター LEF1（リンパ系エンハンサー結合因子 1），TCF（T 細胞因子）1，TCF3 および TCF4 と相互作用することにより，Wnt 標的遺伝子の転写を促進する. β-カテニン非依存的経路では，Wnt タンパク質は G タンパク質共役型ホスファチジルイノシトールを誘導して **PKCδ** を活性化する.

病因：Wnt シグナル伝達は，再生医療および Wnt 関連がんに直接的に関与する.

ノッチ（Notch）情報伝達

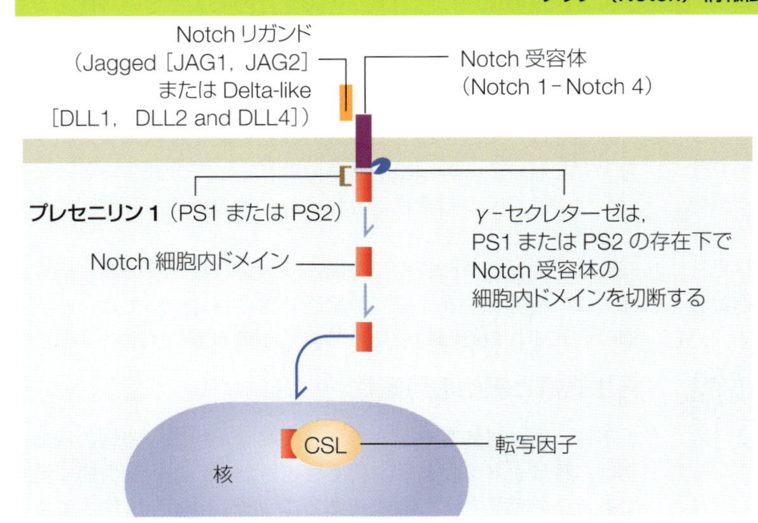

主な機能：Notch シグナル伝達経路は，直接的な細胞間接触による細胞間コミュニケーション（接触分泌性の細胞シグナル伝達）を媒介する.

経路：リガンド結合（**JAG1**，**JAG2**，**DLL1**，**DDL3** および **DLL4**）が結合すると，**Notch 受容体**（Notch1〜4）は，**プレセニリン 1**（PS1）または PS2 を含むγ-セクレターゼ複合体によって触媒されるタンパク質分解切断を受ける. Notch 受容体の細胞内ドメイン（**NICD**）は細胞膜から切り離され，核に移行する. 核内では，NICD は転写因子 **CSL** と相互作用し，標的遺伝子（*HES* や *HEY* ファミリーの転写因子など）の転写を活性化して，他の遺伝子の発現を調節する.

病因：NICD の核内蓄積は，急性リンパ芽球性白血病やリンパ腫で観察される，機能しない Notch 受容体とリガンドは，常染色体顕性型の脳動脈症に関係している.

基本事項 3.B ｜ 特殊な細胞シグナル伝達経路②

トランスフォーミング増殖因子-β(TGF-β)情報伝達／骨形成タンパク質(BMP)情報伝達

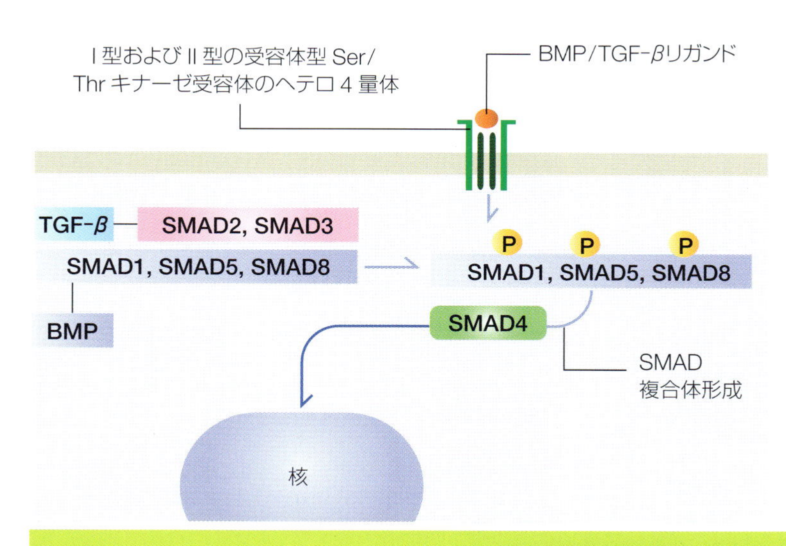

主な機能：BMP は TGF-βスーパーファミリーのメンバーであり，**SMAD 転写因子タンパク質**を活性化することにより，幅広い生物学的プロセスにおける細胞の成長，分化，発達を調節する．

経路：BMP/TGF-βリガンドは，受容体型セリン／スレオニンキナーゼの 2 量体化とその後のヘテロマー化，および **TGF-β 経路**の細胞質シグナル伝達分子 **SMAD2** と **SMAD3** または **BMP 経路**の細胞質シグナル伝達分子 SMAD1/5/8 のリン酸化を誘導する．共通した伝達分子である **SMAD4** は核に移行する．活性化された SMAD は，細胞特異的な転写調節によっていくつかの生物学的プロセスを調節する．

病因：TGF-βは前がん細胞の腫瘍抑制因子である一方，より進行したがん腫の浸潤と転移を促進する．

SMAD4 遺伝子の変異は，胃腸および膵臓の腫瘍で頻繁にみられる．

TGF-βと BMP は，**上皮間葉転換**（**EMT**：**Box 3.D**）に関与している．

線維芽細胞成長因子（FGF）情報伝達

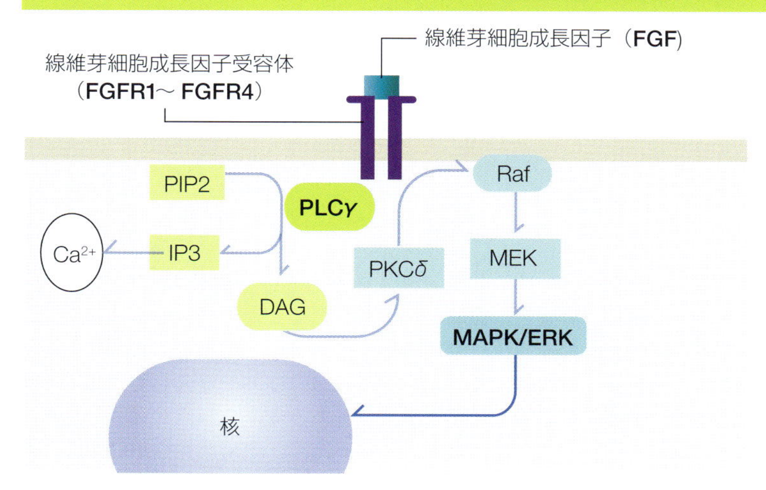

主な機能：FGF シグナル伝達経路は，パターン形成，形態形成，分化，細胞増殖，細胞移動など，いくつかの発達過程の調節に関与している．

経路：**チロシンキナーゼでもある FGF 受容体 1～4** にリガンドが結合すると，チロシン残基のリン酸化によって 2 量体化とそれに続く交差性（トランス）活性化が起こる．4 つの主要な活性化シグナル伝達経路は，**JAK / STAT**（図示せず），**ホスファチジルイノシトール 3-キナーゼ**（図示せず），ホスホリパーゼ C-γ（**PLCγ**）および **MAPK / ERK** である．**MAPK / ERK** は核に移行し，特定の転写因子をリン酸化する．**DAG**：ジアシルグリセロール，**ERK**：細胞外シグナル調節キナーゼ，**IP3**：イノシトール三リン酸，**MAPK**：マイトジェン活性化タンパク質キナーゼ，**MEK**：MAP キナーゼまたは ERK キナーゼ，**PIP2**：ホスファチジルイノシトール，**PKCδ**：タンパク質キナーゼ Cδ．

よる組織と臓器の修復と再生は，成体組織の分化した細胞の**可塑性** plasticity という新たな概念に基づいた貴重な選択肢になりつつある．

通常の条件下では，幹細胞は自己複製し，分化した細胞系譜を産生する．自己複製するか分化した細胞を産生するかの決定は，ニッチで生成されたシグナルによって決まる．組織損傷状態に際して，幹細胞とそれから分化した子孫は，変化したニッチシグナル，細胞外マトリックスのリモデリング，免疫系細胞からのシグナルによって刺激された可塑性を示す．

言い換えれば，**分化した細胞の可塑性は，幹細胞への相互変換を暗示する．**相互変換により，治癒過程を促進するための特殊な**一過性細胞** transient cell や，障害や病気で失われた細胞を置き換える**永久細胞** permanent cell が産生される．

免疫系細胞はどのように組織損傷の修復を促進するのか？

マクロファージは残渣を取り除き，皮膚の効果的な創傷治癒を可能にする．T 細胞は損傷後に筋の衛星細胞を活性化する．単球およびマクロファージは血管新生因子を発現して，虚血組織の血行再建を誘導する．

病気，怪我，老化に伴って損傷した組織の機能を回復させる可能性は，組織修復能力に依存する．例として，損傷後に生じる皮膚表皮のバリア機能の効率的な回復とは対照的に，脳の修復能は小さい．表皮の上皮細胞は，正常な細胞のターンオーバーにより常に脱落していることを覚えておく．表皮と胃腸管内壁を覆う上皮は，定常状態において**再生** regeneration しており，これは修復ではない．

私たちは，細胞周期において，多くの細胞が分裂しない状態に留まることによって静止状態になることを学んだ．細胞は，細胞周期の G0 期に拘束されている．幹細胞は，転写活性を低下させ，ヘテロクロマチンを増加させ，タンパク質合成を低下させ，酸化的リン酸化を最小限に抑えることにより，定常状態を維持することができる．このような条件下では，G0 期の細胞のゲノムは**静止状態** quiescent ではなく**休止状態** dormant になっている．

図 3.11 | 幹細胞の特徴

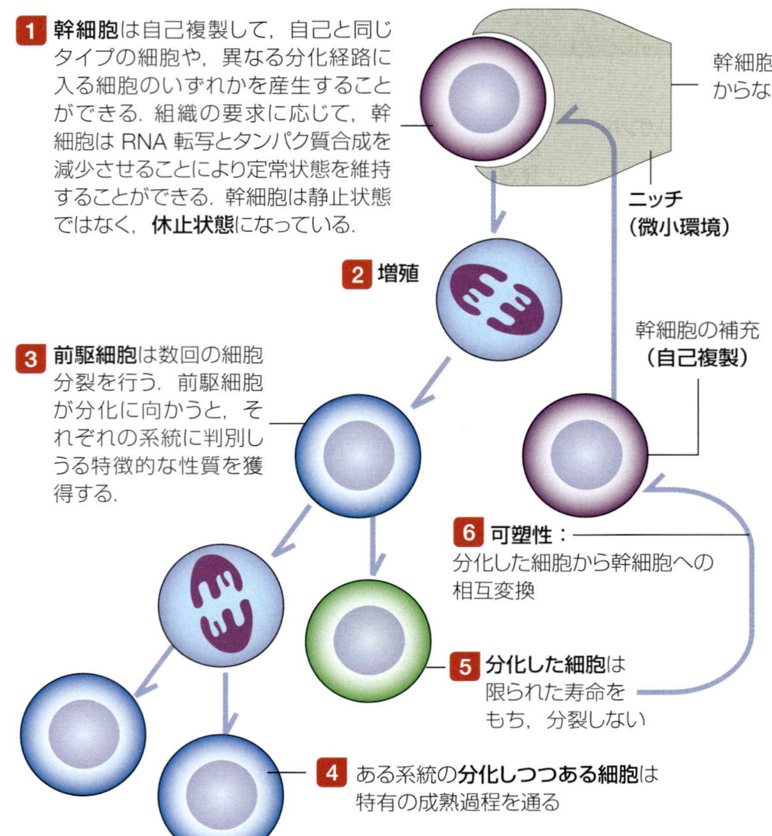

幹細胞

幹細胞には，自己複製，増殖，成熟細胞への分化という 3 つの特徴がある．幹細胞は，自己複製するか分化した細胞を産生するかを指示する信号を提供するニッチ（微小環境）の中に収容されている．

分化した細胞の可塑性は，特殊な**一過性**細胞を生成して治癒過程を促進したり，損傷や病気の後に失われた細胞を置き換えることができる**永久**細胞を生成したりできる幹細胞への相互変換を意味する．

胚の幹細胞は，体のすべての組織を形成する前駆細胞を生み出すことができる．この特性は，幹細胞を多能性として定義される．

幹細胞は形態学的に特定するのは困難である．幹細胞の同定は，特定の分子マーカーに基づいて行われる．*Lrig1*（ロイシンリッチリピートおよび免疫グロブリン様ドメインタンパク質 1）は，有用な上皮幹細胞マーカーである．

成体組織の幹細胞の特性を，どのようにすれば追跡できるのだろうか？

1. Lrig1（ロイシンリッチリピートおよび免疫グロブリン様ドメインタンパク質 1）は，表皮を含む上皮幹細胞の有用なマーカーである．ただし，このマーカー分子は皮膚の線維芽細胞にも発現している．
2. CRISPR-Cas9 システム（クラスター化された規則的に間隔を空けた短いパリンドロームリピート関連タンパク質［CRISPR］- 関連タンパク質 9 ヌクレアーゼ）を用いた DNA 配列ドメインを削除・変更もしくはドナー由来鋳型 DNA の生細胞挿入による，多細胞システムにおける大規模細胞系譜マッピング追跡．単一細胞発現プロファイリングによる遺伝子機能の探索．組織の統合性，臓器の機能，再生を薬理学的に安定化させるための追求は，再生医療に大きなインパクトを与えている．

細胞培養

細胞培養技術は，細胞の成長を制御する因子の検討や，正常細胞とがん細胞の特性比較のための強力なツールである．

多くの細胞は組織培養液中で成長するが，ある種の細胞は他の細胞より成長しやすい．

培養液は，**塩**，**アミノ酸**，**ビタミン**，および**グルコース**などのエネルギー源を含む．それに加えて，大部分の細胞は培養と細胞分裂を維持するために多くの**ホルモン**や**成長因子**を必要とする．通常，培養液に**血清**を加えることでこれらの因子を補充する．

一部の細胞種については，血清により供給する必要のある要素が同定されていて，これらの細胞は**血清を除去してホルモンや成長因子を添加した培養液**で成長できる．これらの因子とは，インスリンのようなホルモンであったり，上皮成長因子（EGF），線維芽細胞成長因子（FGF），血小板由来成長因子（PDGF）などの成長因子であったりする．ある成長因子は**細胞増殖**を刺激し，他の成長因子は**細胞分化**を促進する．持続的に増殖する培養細胞は，**サイクリング細胞** cycling cell とよばれる．

正常な細胞が十分な栄養分と成長因子の存在下で培養されると，細胞は培養皿の底を覆い，単層の細胞層を形成するまで増殖する．細胞は重層化せず，それ以上の細胞分裂は停止する．この現象は**密度依存的抑制** density-dependent inhibition とよばれる．

老化した細胞は，細胞増殖が不可逆的に停止した状態に達していることがある．老化細胞のテロメアで DNA 損傷が起こり，分裂シグナルが細胞周期の再開を促すことができない場合，増殖停止が起こる．

有糸分裂の項（第 1 章参照）で，染色体の末端部あるいは**テロメア** telomere を維持する酵素である**テロメラーゼ** telomerase の役割について述べた．

正常な細胞では，テロメラーゼ活性が十分ではないことで，細胞分裂の回数が制限され，細胞は**老化** senescence に追い込まれる．**テロメアの短縮化と細胞の寿命が有限であることは，強力な腫瘍抑制機構とみなされている．**

多くのヒトの腫瘍は，**ヒトテロメラーゼ逆転写酵素** human telomerase reverse transcriptase（**hTERT**）を発現している．ヒト初代培養で hTERT が異所的に発現させると，培養で無限の増殖が起こる．

細胞と組織の障害（図 3.12）

細胞と組織の障害は，外因性または内因性の原因に起因する多くの生化学的および形態学的変化で構成され，正常な細胞機能の可逆的または不可逆的な破壊につながる．

外因性障害の原因には，**身体的障害** physical injury（外傷），**熱的障害** thermal injury（熱または冷気），**放射線障害** radiation injury（紫外線または電離放射線），**化学的障害** chemical injury（苛性物質），**細菌毒性** bacterial toxicity（水様性下痢を誘発するコレラ毒素），**薬物毒性** drug toxicity（腎臓への水銀毒性）および**環境障害** environmental injury（大気汚染物質）が含まれる．

内因性障害の原因には，**遺伝的欠陥** genetic defect（先天性代謝異常症）や**栄養不足** nutritional deficiency（セリアック病に起因する腸の吸収不良）が含まれる．

細胞障害の最初のステップは，酸素供給の減少による**低酸素症** hypoxia と，酸素供給の完全な遮断による**無酸素症** anoxia である．

低酸素症と無酸素症は，**不十分な酸素供給**（高い標高での空気中の低濃度の酸素，溺死または肺疾患），**血液中の酸素輸送の欠陥**（貧血），**血流の中断**（心不全による虚血），**血管閉塞**（血栓症または塞栓症），**血液供給の中断**（動脈瘤の破裂），または**細胞呼吸の阻害**（シアン化物中毒）に起因する．

Box 3.D | 上皮間葉転換

- **上皮 - 間葉転換** epithelial-mesenchymal transition（EMT）は，がんの場合のように，上皮細胞が細胞間接合装置，接着分子，頂端 - 基底外側の極性を失い，移動するようになったり，さらには浸潤性になるときに発生する．
- 上皮細胞は，以下のような間葉性表現型を獲得する．細胞外マトリックスとの相互作用を確立し，E-カドヘリンの発現が低下することで細胞間接触を失い，頂端 - 基底極性を失い，細胞骨格を再編成する．
- EMT の誘導には，E-カドヘリンを抑制する SNAIL 転写因子の活性化と SMAD タンパク質の核移行が関与する．SMAD タンパク質の核移行は，TGF-β／BMP や Wnt シグナル伝達による鍵となる転写因子活性化に応答して起こる．
- EMT は次のように分類される：
  (1) 1 型 EMT：胚の発生中に起こるタイプ．一例は，神経堤の細胞が可動性になり，移動してさまざまな器官に局在化する場合である．
  (2) 2 型 EMT：組織損傷や炎症後の線維症において観察される．例は，慢性肝疾患の経過中に発生し，肝硬変 cirrhosis へと導く線維形成 fibrogenesis である．
  (3) 3 型 EMT：がん化や転移において，腫瘍細胞が細胞間接着を分解するときに起こる．

冠状動脈の枝の閉塞による完全な虚血は，その血管によって供給されている心筋の**梗塞** infarction を引き起こす．

閉塞した血管が虚血性損傷の直後に血管形成術や血栓溶解により再開通すれば，損傷した心臓細胞は再灌流によって回復する可能性がある．不可逆的に損傷した心臓細胞は，**再灌流**によって回復しないだろう．

再灌流により，損傷した内皮細胞によって引き起こされる**出血** hemorrhage で血流の回復を妨げられたり，**活性酸素種** reactive oxygen species（**ROS**）（スーパーオキシド，過酸化水素およびヒドロキシルラジカル）が発生することで，生存可能な梗塞辺縁部位の心臓細胞にとって有害となる可能性もある．

酸素代謝に由来するフリーラジカルは，脂質，タンパク質，DNA と反応する活性化合物である．防御メカニズム（**スーパーオキシドジスムターゼ** superoxide dismutase，**カタラーゼ** catalase，**グルタチオン** glutathione など）が機能していない場合，フリーラジカルは**脂質の過酸化** lipid peroxidation によって細胞膜を損傷し，DNA の破壊を引き起こし，タンパク質の架橋によって酵素を不活性化する．

重要な概念は，酸素が好気性呼吸に不可欠であることである．低酸素症は，ミトコンドリアの ATP 産生能力が低下するまで酸化的リン酸化を阻害する．ATP は，Na^+／K^+ ATPase ポンプが機能するためのエネルギーを提供し，これは細胞外空間での高いナトリウム濃度を維持し，細胞内での高いカリウム濃度を維持するために必要である．細胞外空間からのナトリウム，カルシウム，水の無秩序な細胞への流入と細胞からのカリウムの漏出は，細胞の膨張を引き起こす．

重度の細胞障害は，**クレアチニンキナーゼ** creatinine kinase（骨格筋や心筋の損傷），**アスパラギン酸アミノトランスフェラーゼ** aspartate aminotransferase（AST）および**アラニンアミノトランスフェラーゼ** alanine aminotransferase（ALT）（肝細胞の損傷）および**乳酸デヒドロゲナーゼ** lactate dehydrogenase（LDH）（赤血球を含む細胞の破壊）などの細胞質酵素の血中放出によって監視することができる．

原因の除去や持続性および細胞の種類に応じて，細胞障害は可逆的にも不可逆的にもなりうる．不可逆的な細胞障害は細胞死すなわち**ネクローシス** necrosis（ギリシャ語 *nekrós* [＝dead，死んだ]：壊死）または**アポトーシス** apoptosis を引き起こす．

ネクローシス（図 3.13）

ネクローシスは，特定の顕微鏡的および肉眼的な変化によって認識できる．

顕微鏡的には，細胞の膨張によって引き起こされる細胞膜の破壊に加え，細胞核は**核濃縮** pyknosis（ギリシャ語 *pyknos* [＝crowded，混雑]，*osis* [＝condition，状態]：クロマチンの凝縮），**核溶解** karyolysis（ギリシャ語 *karyon* [＝nucleus，核]，*lysis* [＝dossolution，溶解]：エンドヌクレアーゼによるクロマチンの分解）および**核崩壊** karyorrhexis（ギリシャ語 *karyon* ＋ *rhexis* [＝rupture，破裂]：細胞質における断片化されたクロマチンの存在）を起こす．

ネクローシスのいくつかの形態は，肉眼レベルで認識できる：

1. 凝固壊死 coagulative necrosis は，血管閉塞に起因する壊死の最も一般的なタイプで，正常の組織領域よりも淡明である

図 3.12 | 細胞障害と抗酸化反応のメカニズム

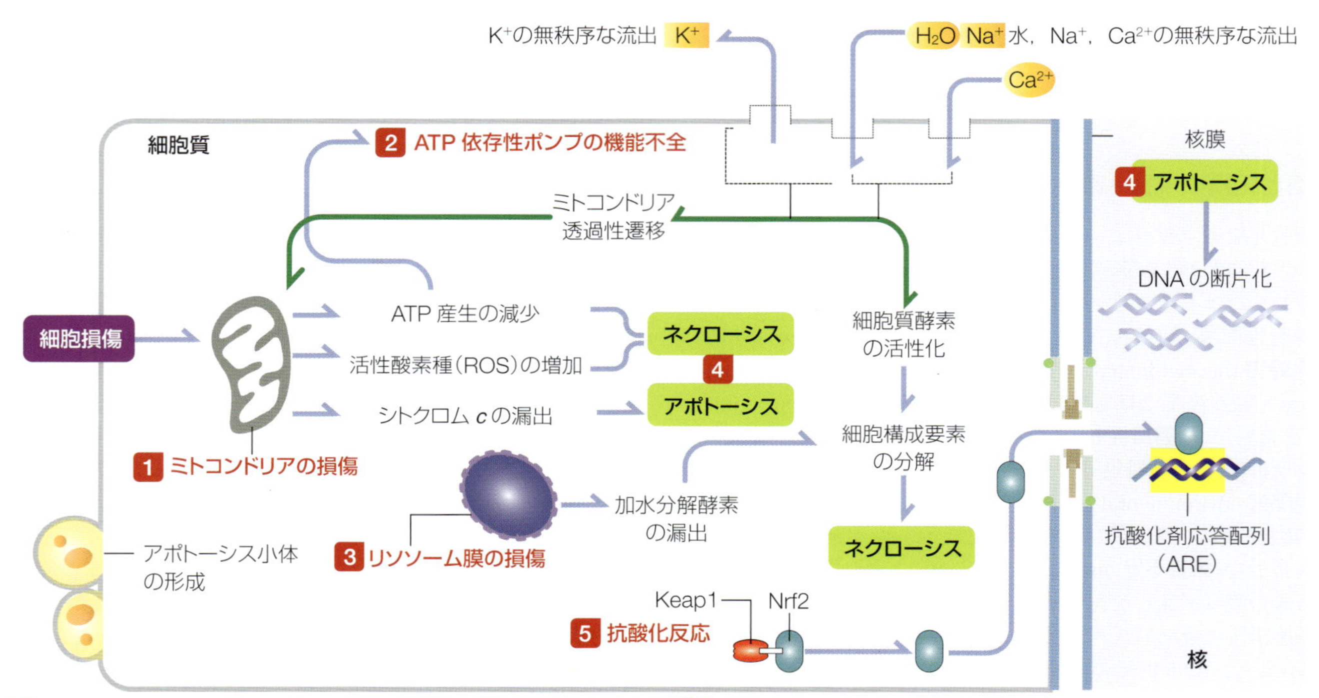

1 **ATP の枯渇**と**活性酸素種**（スーパーオキシド，過酸化水素，ヒドロキシルラジカル）**の増加**は，ネクローシス（壊死）またはアポトーシスに導くいくつかの細胞活動に影響を与える．ネクローシスになるか，アポトーシスになるかは，損傷の種類と程度および損傷した細胞特性による．

2 ATP 依存性ポンプの機能不全により，電解質と水の正常な流入と流出を制御できなくなる．細胞内 Ca^{2+}の増加は，細胞質酵素（プロテアーゼ，ホスホリパーゼ，エンドヌクレアーゼ，ATP ase）を活性化し，ミトコンドリアの透過性（**ミトコンドリア透過性遷移**とよばれるプロセス）が高まる．

3 **リソソーム膜の損傷**は，加水分解性のリソソーム酵素の細胞質への漏出を引き起こす．

4 ミトコンドリアの損傷が持続すると，**ネクローシス**か**アポトーシス**が起こる（ミトコンドリアのシトクロム *c* の漏出が引き金）．カスパーゼの活性化，DNA 断片化およびアポトーシス小体の形成が起こる．

5 **転写因子 Nrf2**（NF-E2 p45 関連因子 2）とその主な**負の調節因子 Keap1**（E3 リガーゼアダプターケルチ様 ECH 関連タンパク質 1）は，酸化還元，代謝およびタンパク質の恒常性を維持する．Keap1 から分離した後，Nrf2 は**抗酸化剤応答配列**（**ARE**）を含む遺伝子の発現を調節することにより，細胞内酸化還元環境を制御する．これらの遺伝子は，抗酸化代謝および炭水化物と脂質の中間代謝にかかわる酵素や，タンパク質分解および炎症の調節因子に関与する遺伝子をコードしている．

電子顕微鏡写真

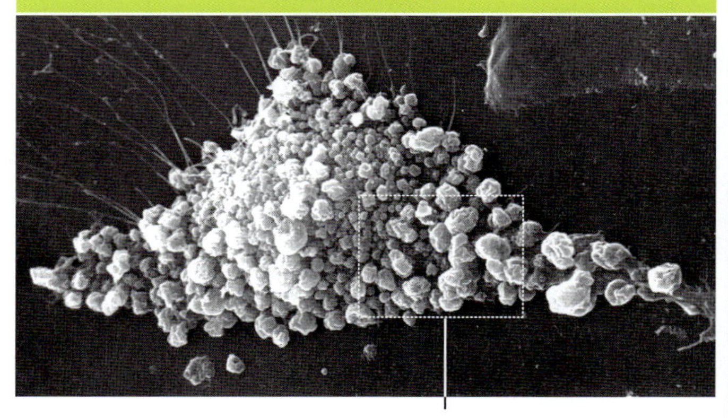

アポトーシス小体

電子顕微鏡は，アポトーシスを特徴づける細胞死のパターンを明確に示している．プログラム細胞死の過程にある細胞には，**多数のアポトーシス小体**が現れる．アポトーシス小体は，正常な発達過程，組織の恒常性および病気の発症において観察される．マクロファージによるアポトーシス小体の迅速な除去は，炎症性反応や自己免疫反応の誘発を防止する．

透過型電子顕微鏡写真

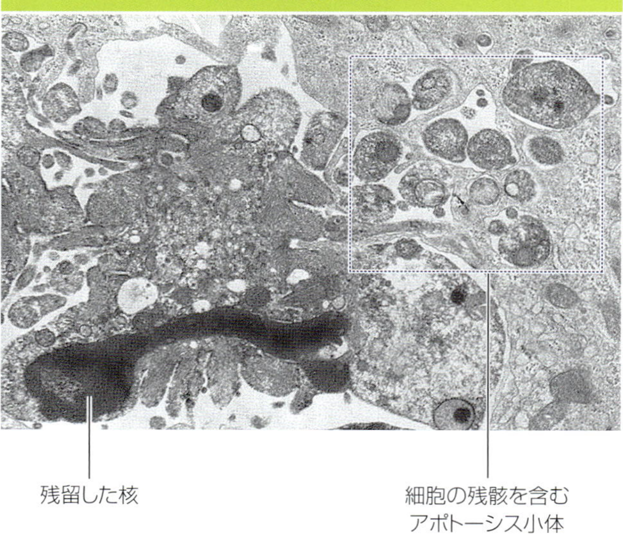

残留した核

細胞の残骸を含むアポトーシス小体

図 3.13 | 細胞死，ネクローシス，アポトーシス：概念図

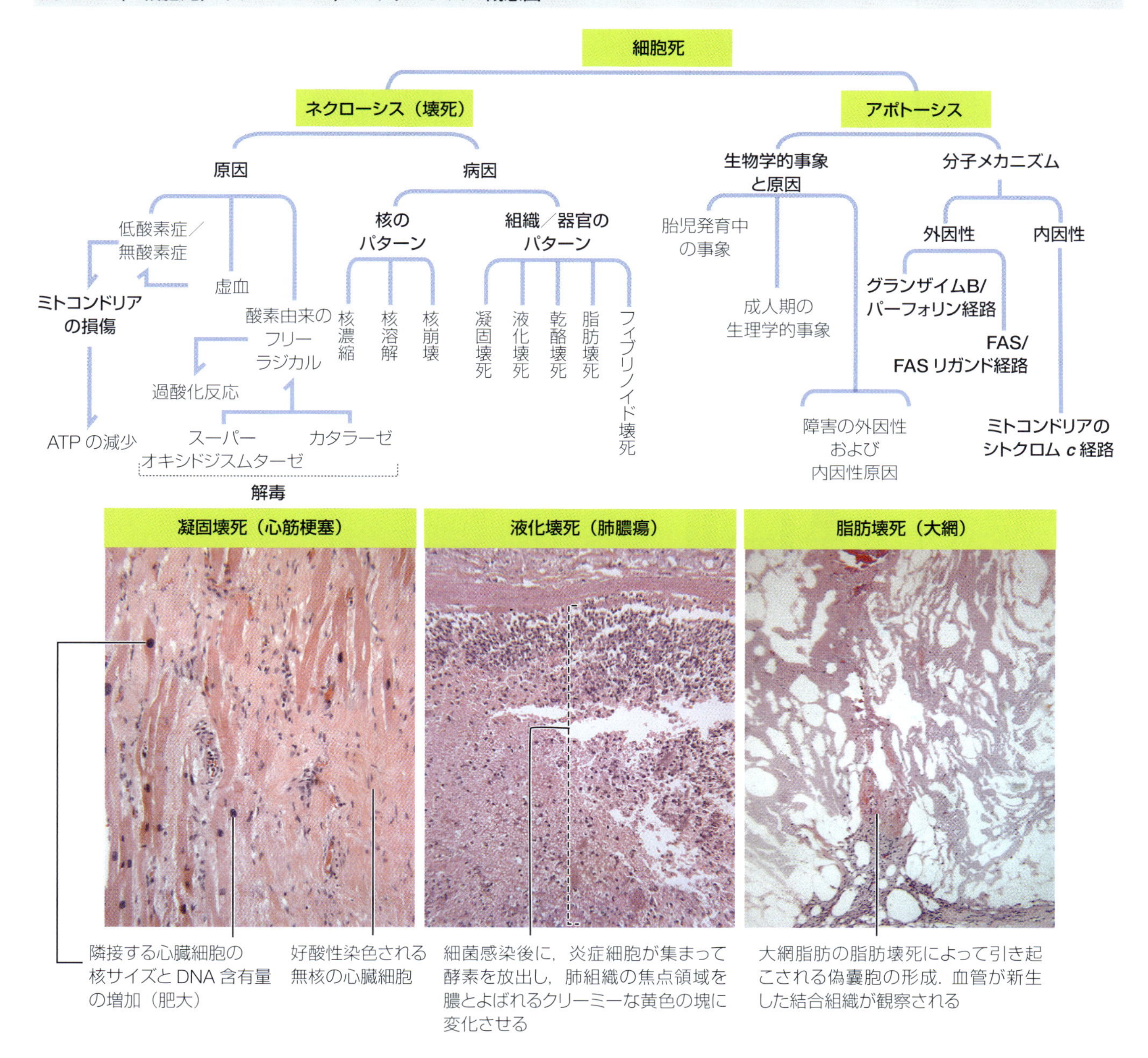

ことが特徴で，全体的な形状を保持しながらもすべての細胞機能が停止している．

初期の炎症反応（最初の 24 時間と 48 時間の好中球の浸潤）の数日後に，好酸性染色される核を失った細胞の残骸が現れる．一例は，冠状動脈の枝の閉塞に伴う虚血によって引き起こされる**心筋梗塞** myocardial infarct である．

2. **液化壊死** liquefactive necrosis は，死んだ細胞や好中球から放出されるリソソームの加水分解酵素によって引き起こされる壊死組織の軟化により認識される．

例として**脳梗塞** brain infarct があり，壊死組織がマクロファージによって除去され，残された空洞が周囲の脳間質腔に由来する液体で満たされる．**膿瘍** abscess は，感染を受けた臓器または組織の局所的な化膿性感染症で，**膿** pus（以前に好中球が浸潤した液化組織）で満たされた空洞によって定義される．四肢の**湿性壊疽** wet gangrene は，糖尿病患者にみられ，感染細菌（ウェルシュ菌）から放出された酵素の組織液化作用に起因する．

3. **乾酪壊死** caseous necrosis は，結核性およびヒストプラズマ症の肉芽腫（結節性炎症性病変）で観察され，壊死組織の崩れかけたような粘性と不透明な側面は，カッテージチーズに似ている．

4. **脂肪壊死** fat necrosis は，酵素性および外傷性損傷の後に発生する．

酵素性脂肪壊死は，膵臓内および膵臓周辺の脂肪組織に生じる．急性膵炎の際に起こる膵外分泌細胞からのリパーゼ放出は，脂肪細胞の細胞膜を破壊し，トリグリセリドを脂肪酸

図 3.14 | プログラム細胞死あるいはアポトーシス

外因性経路

1 グランザイム B 経路は，細胞膜の孔形成タンパク質であるパーフォリンを介してグランザイム B が侵入した後，プロカスパーゼ 8 を活性化する．

2 Fas リガンド経路．Fas 受容体に Fas リガンドが結合すると，受容体の 3 量体化を引き起こす．3 量体化された細胞内の細胞死ドメイン，アダプター分子であるデスドメインをもつ Fas 関連タンパク質（FADD）を動員し，さらにプロカスパーゼ 8 のカスパーゼリクルートドメイン（CARD）を介してプロカスパーゼ 8 を動員する．

3 細胞死誘導細胞シグナル複合体（DISC）は，Fas 受容体，FADD，およびプロカスパーゼ 8 で構成される．DISC 内で，プロカスパーゼ 8 は活性型カスパーゼ 8 になる．

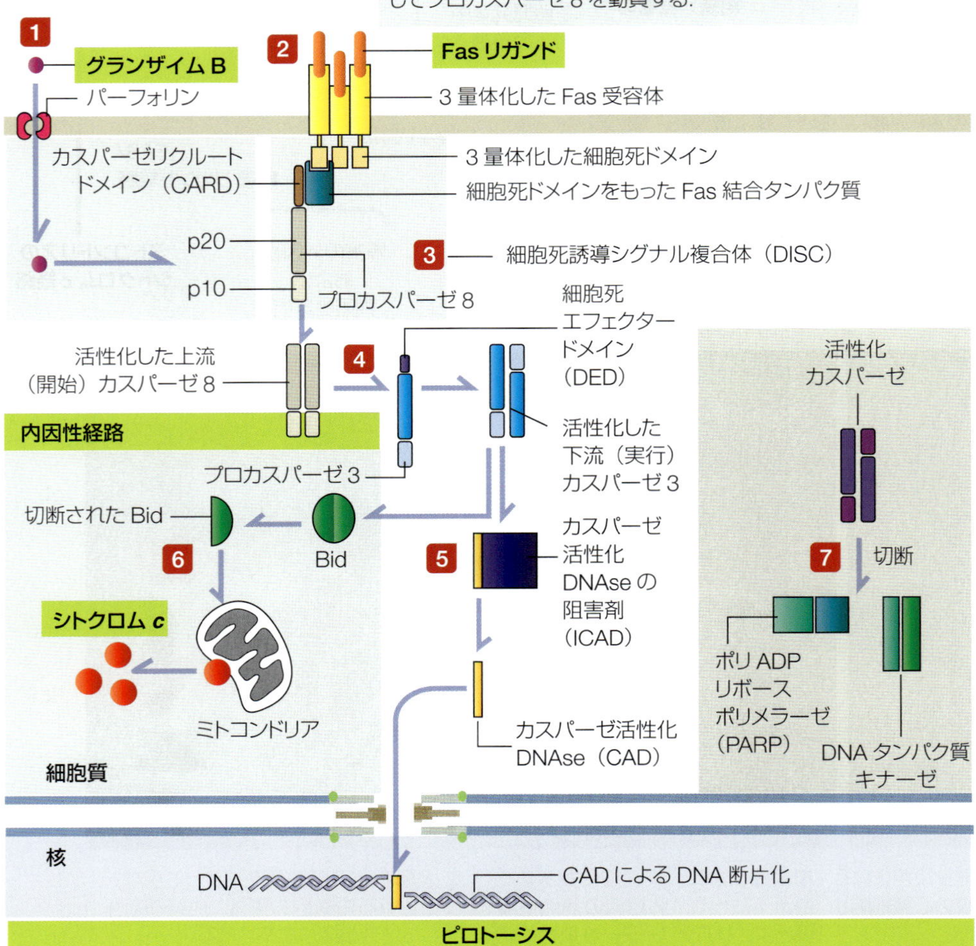

4 プロカスパーゼは，2 つのサブユニット（p10 と p20）と N 末端のカスパーゼリクルートドメインで構成されている．カスパーゼには，CARD とよばれる長い N 末端プロドメインをもつ（プロカスパーゼ 8 など）上流の開始カスパーゼ（プロカスパーゼ 8 など）や，DED とよばれる短い N 末端プロドメインをもつ下流の実行カスパーゼ（プロカスパーゼ3など）がある．活性化されたカスパーゼはヘテロ 4 量体になる．上流のカスパーゼは，下流の実行カスパーゼを活性化することができる．

5 活性化されたカスパーゼ 8 は ICAD を切断し，カスパーゼ活性化 DNAse である CAD になる．CAD は核に移動し，DNA 断片化を誘導する．

6 内因性経路（シトクロム *c* 経路）．活性化されたカスパーゼ 8 は，Bcl-2 ファミリータンパク質のメンバーである Bid を切断できる．
　切断された Bid は，ミトコンドリアのシトクロム *c* の細胞質への漏出を促進する．

7 活性化されたカスパーゼは，2 つの DNA 修復酵素（PARP と DNA タンパク質キナーゼ）を切断する．DNA の断片化は邪魔されずに進行する．

ピロトーシスは，**カスパーゼ 1** の活性を伴う，プログラム細胞死の特殊な形式である．ピロトーシスは，細胞の膨化，細胞膜の破壊，および DNA の断片化を特徴とする．炎症反応と修復反応を強化するため，細胞質の内容物は細胞外空間に放出される．ピロトーシスの細胞とは異なり，アポトーシスの細胞では炎症反応が惹起されない．それは，アポトーシスでは細胞成分はアポトーシス小体にパッケージされており，またアポトーシスの誘導にカスパーゼ 1 が関与していないためである．

に分解する．

脂肪酸は間質のカルシウムと結合して，**脂肪鹸化** fat saponification（ラテン語 *sapon* ［= soap，石鹸］）とよばれるプロセスによって壊死性脂肪組織にチョークのような白っぽい外観を与える．

外傷性脂肪壊死は，外傷性損傷（スポーツや事故による乳房，太もも，その他の部位の脂肪組織障害）の結果として起こる．

5. **フィブリノイド壊死** fibrinoid necrosis は，全身性エリテマトーデスなどの自己免疫疾患に侵された小径動脈，細動脈，腎糸球体の平滑筋壁に限定して生じる．フィブリン様の好酸性物質が血管壁に浸透する．明確な肉眼的特徴がないため，顕微鏡で診断する．

アポトーシス（図 3.12）

正常な生理学的条件では，生存因子を奪われた細胞，損傷した細胞，または老化した細胞は，**アポトーシス** apoptosis（ギリシャ語 *apo* ［= off，離れる］，*ptosis* ［= fall，落下］）とよばれる制御された細胞死プログラムを通じて自滅する．ウイルス感染はアポトーシスを誘発して，細胞のウイルス複製，ウイルス播種，持続性ウイルス感染を防ぐことができる．がん細胞のアポトーシス誘導薬剤としての抗がん剤は治療戦略になる．

アポトーシスとネクローシスは異なる．前項でみてきたように（図 3.12），ネクローシスは急性障害（例えば虚血性脳卒中）後に生じる非生理的な過程である．ネクローシスに陥った細胞は溶解して，細胞質や核の内容物を周辺に放出し，炎症反応の引き金となる．前述したように，アポトーシスに陥った細胞は細胞間接着を喪失し，クロマチンの断片化が生じて，**アポトーシス小体** poptotic body（図 3.12）とよばれる小さな胞へと崩壊する．アポトーシス小体はマクロファージによって貪食されるため，炎症は起こらない．

アポトーシスによる細胞死は発生期に観察される．例えば，胎児の手の指と足の指の形成には，指の間の組織をアポトーシスで除去する必要がある．中枢神経系の胎児期発達に際して，過剰にできた神経細胞はその後アポトーシスで除去され，神経細胞間の適切な結合とシナプスを確立する必要がある（第 8 章参照）．男性胎児の胚性ミュラー管の退行は，セルトリ細胞由来の抗ミュラー管ホルモンである AMH によって引き起こされる（第 21 章参照）．成人女性では，月経前期での子宮内膜の脱落と卵巣黄体の退行は，ホルモンによって調節される虚血とその結果としての低酸素症によって起こる（第 22 章参照）．

末梢血液中の成熟顆粒球は 1〜2 日の寿命の後，アポトーシスに陥る．

胸腺における T 細胞のクローン選択（自己免疫疾患を回避するための自己反応リンパ球の除去，第 10 章参照）や細胞免疫応答にはアポトーシスが関与する．この驚くべき範囲のアポトーシス機能は，正確で複雑な遺伝的および分子的手順により生み出される．

アポトーシスについて線虫が示すこと

アポトーシスの遺伝学的および分子的メカニズムの研究は，131 個の細胞が正確に死に，残りの 959 個の細胞が生き残る**線虫** *Caenorhabditis elegans* の研究に端を発する．

線虫では，*ced-3*（cell death defective-3），*ced-4*，*egl-1*（egg laying-1），*ced-9* の 4 つの遺伝子が秩序立った細胞死プログラムに必要である．最初の 3 つの遺伝子産物は細胞死を起こす．*ced-9* 遺伝子はアポトーシスの抑制に働く．

線虫におけるこれら 4 つの遺伝子がコードするタンパク質は，脊椎動物にも見出されている．タンパク質 ced-3 は**カスパーゼ** caspase に，タンパク質 ced-4 は **Apaf-1**（**アポトーシスプロテアーゼ活性化因子-1**）に，タンパク質 ced-9 は **Bcl-2**（B 細胞白血病-2）に，そしてタンパク質 egl-1 は Bcl-2 の相同領域 3（BH3）にのみのタンパク質に相同である．

アポトーシスの外因性および内因性シグナル伝達（図 3.14）

アポトーシスの探求は，私達の生命への分子基盤の理解を深め，病気の最も困難な問題のいくつかへの挑戦を可能にした．一見すると，アポトーシスの一連のイベントを把握するのは難しいように思うかもしれないが，これに挑戦することは必須である．

外因性および内因性シグナル伝達は，細胞のアポトーシスを決定する．

外因性シグナルは細胞表面受容体に結合する（例えば Fas リガンドとグランザイム B／パーフォリン）．**内因性シグナル**（例えばミトコンドリアからのシトクロム *c* の放出）は細胞死を誘導する．

Fas 受容体 Fas receptor（APO-1 あるいは CD95 としても知られる）は，**腫瘍壊死因子** tumor necrosis factor（**TNF**）受容体ファミリーに属する細胞膜タンパク質である（**サイトカイン受容体とリガンドの項ですでに学んだ**）．

Fas リガンド Fas ligand は Fas 受容体と結合して，受容体の **3 量体化** trimerization を引き起こす．Fas リガンドが **Fas 受容体**に結合するとプログラム細胞死が開始し，**プロカスパーゼ** procaspase から活性型の**カスパーゼ** caspase への連続的な活性化からなる細胞シグナル伝達カスケードを駆動する．

3 量体化した細胞死ドメインは，**FADD**（**Fas 関連デスドメインタンパク質** Fas-associated protein with death domain）アダプターを介してプロカスパーゼ 8 を捕捉し，**DISC NF-κB 死誘導シグナル伝達複合体** death-inducing signaling complex を形成する．DISC は，Fas 受容体，FADD，およびプロカスパーゼ 8 から構成される．

プロカスパーゼ 8 は DISC で自己活性化し，活性型カスパーゼ 8 になる．活性型カスパーゼ 8 は次の 2 つのことを行う：

1. プロカスパーゼ 3 を切断して活性型カスパーゼ 3 にし，カスパーゼ 3 はいくつかのタンパク質を切断する．切断されるタンパク質には **ICAD**（**CAD 阻害剤** inhibitor of CAD）があり，CAD が産生される．**CAD**（**カスパーゼ活性化 DNA 分解酵素** caspase-activated DNase）は ICAD から離れて細胞核に移行し，染色体の DNA を分解する．
2. カスパーゼ 8 は **Bid** を切断する（Bid は Bcl-2 ファミリーのアポトーシス促進性メンバー）．断端化された Bid はミトコンドリアに転移しシトクロム *c* を細胞質に放出する．

第 10 章で記述するように，細胞障害性 T 細胞は，Fas／Fas リガンドとグランザイム B／パーフォリン経路の組み合わせによるプロカスパーゼ 8 の活性化を引き起こして，標的細胞（例えば，ウイルス感染細胞）を破壊する．

カスパーゼの活性化はアポトーシスの鍵となるイベントである．これには，**Fas／Fas リガンド経路** Fas/Fas ligand pathway と**グランザイム B／パーフォリン経路** granzyme B/perforin pathway の 2 つの外因性経路と，**ミトコンドリアシトクローム *c* 経路** cytochrome *c* pathway の内因性経路が関与する．

カスパーゼ：細胞死の抑制因子と実行因子

カスパーゼ（**システイン・アスパラギン酸特異的プロテアーゼ** cysteine aspartic acid-specific protease）は，不活性型前駆体（プロカスパーゼ）として存在し，活性化されるとアポトーシスに際して直接的または間接的に細胞の形態を変化させる．

プロカスパーゼは 2 つのサブユニット（**p10** と **p20**）と N 末端のリクルートドメインからなる．活性型カスパーゼは，2 つのカスパーゼ前駆体に由来する 2 つの p10 サブユニットと 2 つの p20 サブユニットからなるヘテロ 4 量体である．

カスパーゼには，細胞死にかかわる**上流の開始因子**と**下流の実行因子**とがある．上流の開始因子は細胞死シグナルによって活性化される（例えばFasリガンドやTNFL）．次に，上流の開始因子は下流の実行因子を活性化し，それが直接的に細胞を破壊する．

実行因子であるカスパーゼがDNA分解装置を活性化すると，細胞死の過程が完成する．カスパーゼは2つのDNA修復酵素（**ポリADPリボースポリメラーゼ［PARP］とDNAタンパク質キナーゼ**）を切断し，クロマチンの断片化が起こる．

これまでの説明でわかるように，カスパーゼ依存的細胞死の鍵となる現象は，**開始カスパーゼ** initiator caspase の活性化の制御である．

上流（**開始因子**）のプロカスパーゼには，**CARD**（**カスパーゼリクルートドメイン** caspase-recruiting domain）とよばれる**長い**N末端ドメインをもつプロカスパーゼ8，9，10がある．下流（**実行因子**）のプロカスパーゼには**DED**（**細胞死効果ドメイン** death-effector domain）とよばれる**短い**N末端前駆ドメインをもつプロカスパーゼ3，6，7が含まれる．

カスパーゼの活性化は，カスパーゼ特異的制御分子（例えばFADD）がCARD／DEDドメインに結合すると実行される．

カスパーゼの活性化が制御不能となれば細胞は破壊される．そうならないようアポトーシスの抑制因子があり，これが細胞死の調節因子と相互反応して制御不能なカスパーゼの活性化を阻止している．

内因性経路：ミトコンドリアのシトクロム *c*（図3.15）

ミトコンドリアは，内因性アポトーシス経路の中心に位置する．**シトクロム *c*** cytochrome *c* は，ミトコンドリアの電子伝達鎖の構成要素の1つであり，ATP産生やカスパーゼカスケードの開始にも関与する．

細胞死経路は，シトクロム *c* がミトコンドリアから細胞質に放出されると活性化される．アポトーシスにおいて，**ミトコンドリアDNA**（**mtDNA**）も細胞質に放出されると考えられている．

シトクロム *c* はどのようにミトコンドリアを離れるのか．この問いに答えるには**Bcl-2ファミリー**Bcl-2 family のメンバーについて考慮する必要がある．

Bcl-2ファミリーのメンバーには，**アポトーシス促進性** proapoptotic と**アポトーシス抑制性** antiapoptotic のものがある．**Bcl-2とBcl-xLはアポトーシスの抑制活性を有している．Bax，Bak，Bid，Badはアポトーシス促進タンパク質である．**

アポトーシスは，アポトーシス促進タンパク質であるBaxとBakによって媒介される．これらのタンパク質は，オリゴマー化してミトコンドリア外膜に穴を開け，シトクロム *c* とmtDNAを漏出させる．重要なことは，ミトコンドリア外膜のBax-Bak孔が，ミトコンドリア成分を細胞質に運びだす出口をつくることである．

次に，シトクロム *c* が細胞死を引き起こす．細胞質に出たシトクロム *c*，**可溶性膜間タンパク質** soluble interembrane protein（**SIMP**）およびプロカスパーゼ9はApaf-1に結合し，**アポトソーム** apoptosome とよばれる複合体を形成する．

アポトソームは，アポトーシスの上流の開始因子である**カスパーゼ9**の活性化を制御する．カスパーゼ9はカスパーゼ3，7を活性化する．これらのカスパーゼは多くの基質を効率的に細胞内で分解し，細胞死を加速する．

この議論からわかるように，FasリガンドやグランザイムBなどの外因性の活性化因子と，シトクロム *c* の突然の放出につながる内因性の**ミトコンドリア透過性遷移** mitochondria permeability transition は，アポトーシスを誘導する3つのトリガーである．

しかし，細胞死にはもう1つ考慮すべきステップがある．**アポトーシス誘導因子** apoptosis-inducing factor（**AIF**）はミトコンドリアの膜間隙にあるタンパク質で，細胞質に放出されて核に移動してDNAと結合し，カスパーゼの関与なしに細胞の崩壊を引き起こす．

アポトーシスと免疫系

プログラム細胞死の過程にかかわる分子に欠陥があると，病気になる可能性がある．例えば，**Fas受容体**，**Fasリガンド**，**カスパーゼ10**の遺伝子変異は，**自己免疫性リンパ増殖症候群** autoimmune lymphoproliferative syndrome（**ALPS**）を引き起こす．

ALPSでは，リンパ節と脾臓に成熟リンパ球が蓄積し，**リンパ節腫脹**（リンパ節の腫大）や**脾腫**（脾臓の腫大）が特徴である．

自己反応性のリンパ球クローンの存在は，**溶血性貧血** hemolytic anemia（赤血球の破壊による）や**血小板減少症** thrombocytopenia（血小板数の減少）などの自己免疫疾患を生じる．

アポトーシスと神経変性疾患

神経学的疾患は細胞死機構の例となる．例えば，**虚血性脳卒中**では**急性の神経学的疾患**が発症し，ネクローシスとカスパーゼ1の活性化が確認される．

ネクローシスによる細胞死は梗塞部位の中心で起こり，そこでは障害が重篤である．アポトーシスは梗塞の周辺で観察され，これは側副血流を受けるためその部分の障害が重篤でないことによる．カスパーゼ阻害剤で薬理学的に処置すると，組織障害を軽減し，神経学的な改善につながる．

カスパーゼの活性化は，**慢性神経変性疾患** chronic neurodegenerative disease の致死的な進行に関与している．**筋萎縮性側索硬化症** amyotrophic lateral sclerosis（**ALS**）や**ハンチントン病** Huntington's disease はその2つの例である．

ALSは，脳，脳幹，脊髄における運動ニューロンの進行性の喪失により起こる．**スーパーオキシドジスムターゼ1** superoxide dismutase 1（***SID1***）をコードする遺伝子の変異が家族性ALSの患者で同定されている．ALS患者の脊髄標本では活性型のカスパーゼ1とカスパーゼ3が見出される．

運動ニューロンと軸索が死ぬと，反応性ミクログリアとアストロサイトが現れる．第8章でALSについて再度述べる．

ハンチントン病は常染色体顕性の神経変性疾患で，運動異常が特徴である（**ハンチントン舞踏病** Huntington's chorea）．この疾患は**ハンチンチン** huntingtin タンパク質の変異によって引き起こされる．

ハンチンチンタンパク質の断片が神経核に蓄積して凝集し，カスパーゼ1遺伝子の転写が上昇する．

カスパーゼ1はカスパーゼ3を活性化し，両カスパーゼは対立遺伝子にある野生型ハンチンチンを分解し欠損させる．疾患が

図 3.15 | アポトーシスにおけるミトコンドリアの役割

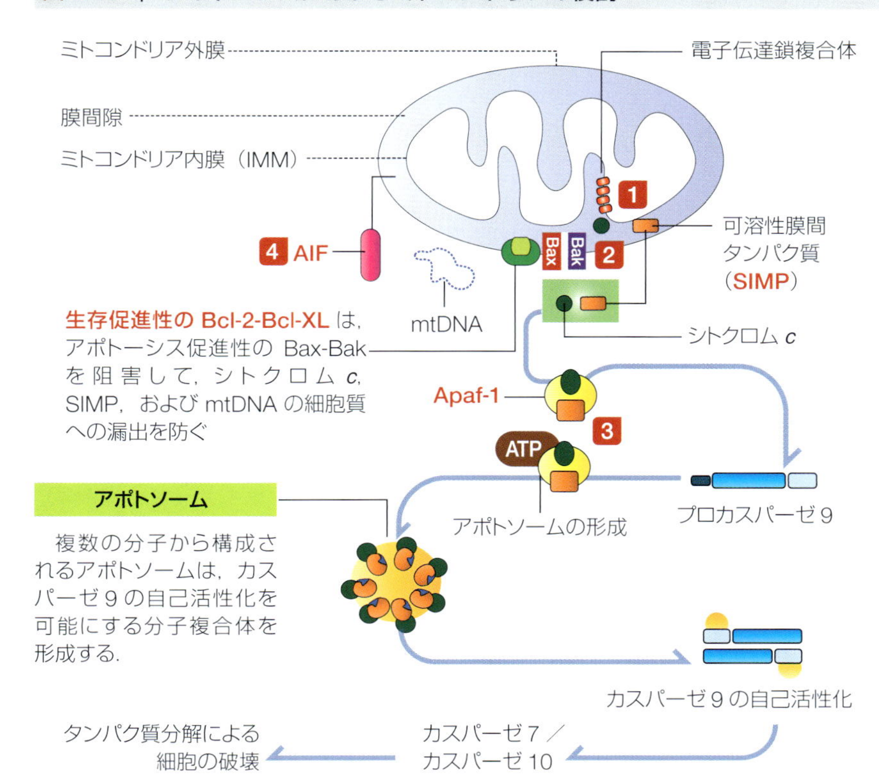

1 ●シトクロム *c* はミトコンドリアの内膜と外膜の間に存在する．シトクロム *c* は、電子伝達系複合体 III と IV の間で電子をシャトルする．シトクロム *c* が存在しなければ，電子の流れは停止し，ATP 合成は起こらない．

2 生存促進性の Bcl-2 および Bcl-XL は，**アポトーシス促進性の** Bax-Bak オリゴマーが外膜に細孔を形成するのをブロックし，●シトクロム *c*，SIMP，および mtDNA（ミトコンドリア DNA）の放出を防ぐ．

3 アポトーシスの間，シトクロム *c* と SIMP は外膜を越えて放出され，アポトーシスプロテアーゼ活性化因子-1（Apaf-1）と相互作用し，ATP とプロカスパーゼ 9 とともにアポトソームを形成する．Apaf-1 はプロカスパーゼ 9 を活性化する．カスパーゼ 9 はカスパーゼ 7 とカスパーゼ 10 を活性化し，細胞のタンパク質分解を引き起こす．

4 アポトーシス誘導因子（AIF）はミトコンドリアタンパク質で，細胞質に放出され細胞核に移動して DNA と結合し，カスパーゼの非存在下で DNA 断片化を誘導する．

進行すると，Bid が活性化され，ミトコンドリアのシトクロム *c* が放出される．アポトソームが凝集し，さらなるカスパーゼの活性化が起こり神経細胞死を引き起こす．

ネクロトーシス（基本事項 3.C）

アポトーシスは，**ネクロトーシス** necroptosis や**ピロトーシス** pyroptosis などの細胞死とは異なり，免疫学的にサイレントなプロセスであると考えられている．アポトーシスは，潜在的に有害な炎症や免疫反応を引き起こさない細胞除去のメカニズムとなる．

アポトーシスは発生中および疾患における**プログラムされた**細胞死の一形態であり，ネクローシスは**無秩序な**細胞死のプロセスであることをみてきた．しかし，ネクローシスは，ネクロトーシスとよばれる分子メカニズムによって**制御**された方法で起こる場合がある．

ネクロトーシスは，虚血性再灌流障害，脳卒中，神経変性，ウイルス感染の病因に関与している．虚血再灌流，神経変性，炎症性腸疾患，細菌やウイルスによる感染など，ネクローシスの形態学的側面を示す状況の治療において，プログラムされたネクロトーシスはこれを阻止する望ましいプロセスである．

最初に，デスドメインをもつ**受容体相互作用タンパク質キナーゼ 1** receptor-interacting protein kinase 1（RIPK1）が**細胞死**と**炎症**という 2 つの重要なイベントの交差点において戦略的な制御を発揮する重要な上流制御因子である．

したがって，RIPK1 は，炎症や細胞死を伴う病理学的プロセスの新しい治療法を開発するための重要かつ有用なターゲットである．

ネクロトーシスは，**Fas／Fas リガンド**，**TNF 受容体 1**（TNFR1），細胞表面の**トル様受容体**（第 10 章参照），**細胞質のウイルス RNA センサーDAI**（インターフェロン調節因子の DNA 依存的活性化分子）により開始する．

これまでみてきたように，Fas／Fas リガンドは，開始カスパーゼと実行カスパーゼ，およびシトクロム *c* のミトコンドリア放出が関与するアポトーシス機構を活性化する．ネクロトーシスにつながる最も特徴的な経路は，TNFR1 に結合する TNF リガンドによって開始される．それは細胞の生存，アポトーシスまたはネクロトーシスを導く．

ネクロトーシスは次のようにして起こる：

1. **ユビキチン化または脱ユビキチン化された RIPK3 の活性**.
2. **混合系統キナーゼドメイン様** mixed lineage kinase domain-like（MLKL）タンパク質複合体に加えて，**RIPK1** および **RIPK3** を含むリン酸化タンパク質複合体である**ネクロソーム** necrosome が関与する**実行段階**．実行段階にはカスパーゼ 8 は関与しない．事実，カスパーゼ 8 の機能は抑制されている．ネクロトーシスが起こると，ミトコンドリア，リソーム，細胞膜が崩壊し，非ミトコンドリア性の活性酸素種が生成される．

基本事項 3.C は，TNF リガンドが TNF 受容体（TNLR1）に結合した後の，さまざまな経路の複雑な相互作用を示す．複雑さに落胆しないで，次の点に注意してほしい．

1. アポトーシスとネクロトーシスの上流のシグナル伝達要素は共有され，反対の方法で調節される．**TNFR 複合体 I** TNFR

基本事項 3.C | ネクロトーシス

ネクロトーシス

ネクロトーシスは，遺伝的に制御された形のネクローシス（壊死）である．ネクロトーシスはカスパーゼ非依存的なメカニズムであるが，そのシグナル伝達はアポトーシスと部分的に重複している．アポトーシスとネクロトーシスは，TNFαなど，腫瘍壊死因子受容体（TNFR）を含む腫瘍壊死因子受容体スーパーファミリーのリガンドによって引き起こされる．

しばしば，ネクロトーシスは⑴受容体相互作用タンパク質キナーゼ-1（RIPK1）の活性を必要とし，⑵受容体相互作用タンパク質キナーゼ-3（RIPK3）や混合系統キナーゼドメイン様偽キナーゼ（MLKL）に依存する．⑶脳と心臓の虚血／再灌流やジストロフィン欠損筋の筋線維変性（デュシェンヌ型筋ジストロフィ）など，いくつかの病態プロセスに関与している．

1 腫瘍壊死因子リガンドが腫瘍壊死因子受容体 1（TNFR1）に結合すると，立体配置が変化して，**TNFR 複合体 I** の細胞内集合が可能になる．

2 リボフラビンキナーゼ（RFK）は，TNFR1 の細胞死ドメインを p22phox，NADPH，および NADPH オキシダーゼ 1（NOX1）に結合させ，細胞膜から非ミトコンドリア性の**活性酸素種**を生成することによってネクロトーシスを誘導する．

3 **TNFR 複合体 I** は，TRADD，RIPK1，cIAP，TRAF2，および TRAF5 のタンパク質で構成されている．RIPK1 と TRAF2 と TRAF5 は cIAP によってユビキチン化されている．

4 ポリユビキチン化された RIPK1 の存在下で，TNFR 複合体はトランスフォーミング増殖因子-β活性化キナーゼ 1（TAK1），TAK1 結合タンパク質 2（TAB2）および TAB3 を介して NF-κB 経路を活性化する．

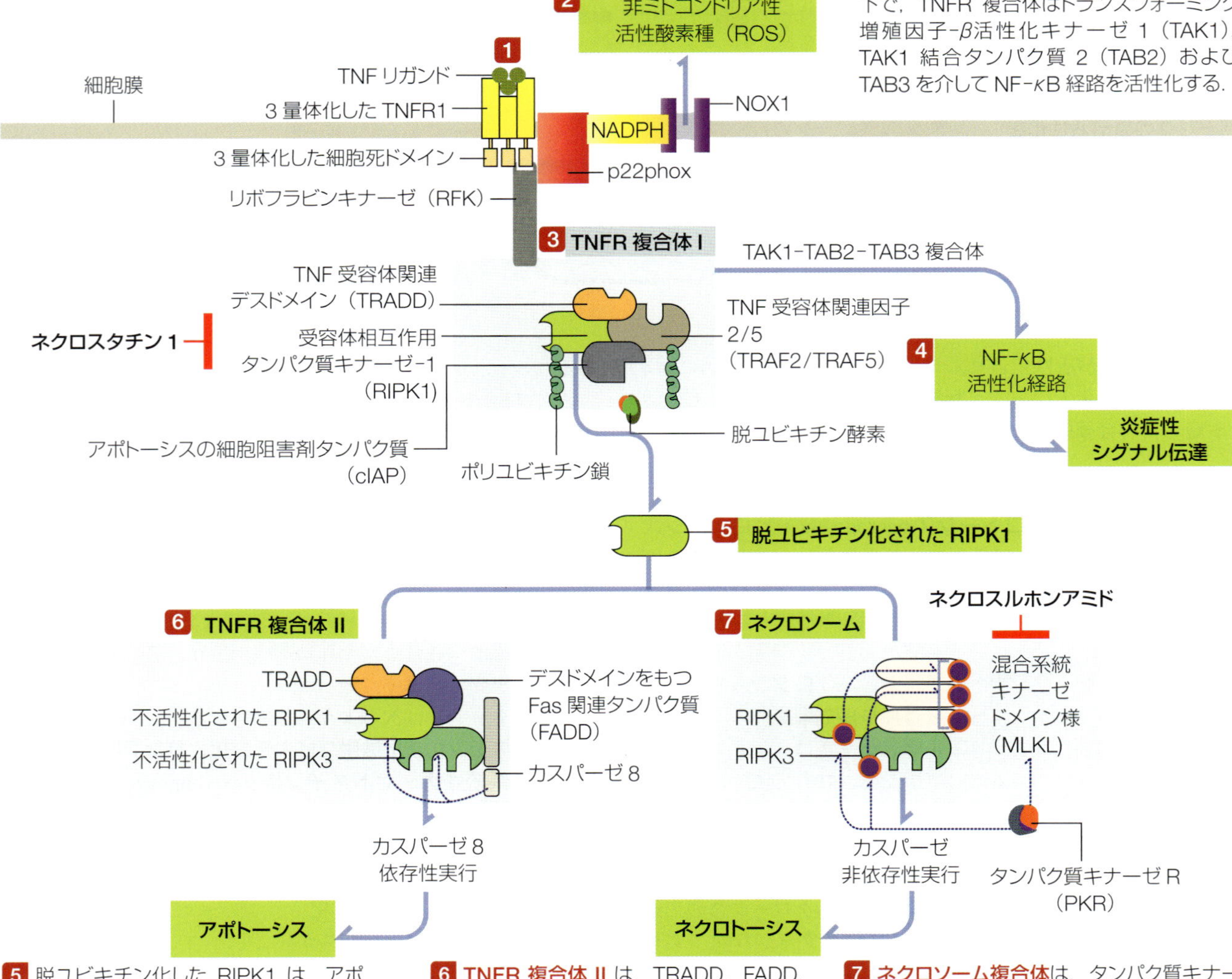

5 脱ユビキチン化した RIPK1 は，アポトーシスまたはネクロトーシスという 2 つの異なるタイプの細胞死を決定できる．

6 **TNFR 複合体 II** は，TRADD，FADD，カスパーゼ 8，およびカスパーゼ 8 で不活化された RIPK1 と RIPK3 で構成される．REIPK1 および RIPK3 の不活性化は，カスパーゼ 8 に依存したアポトーシスの実行につながる．FLIP はカスパーゼ 8 とヘテロダイマーを形成する．

7 **ネクロソーム複合体**は，タンパク質キナーゼ R（PKR）を介したリン酸化 RIPK1 と RIPK3 で構成されており，これらが MLKL をリン酸化する．ネクロソームは，カスパーゼ 8 に依存しないネクロトーシスの実行を決定する．**ネクロスタチン 1** と**ネクロスルホンアミド**は，それぞれ RIPK1 と MLKL の活性を妨げることにより，ネクロトーシスを阻止する．

complex Iには，**ユビキチン化されたRIPK1**，TRAF（TNF受容体関連因子）2，TRAF 5が含まれる．**アポトーシスの細胞阻害剤** cellular inhibitors of apoptosis（**cIAP**）と**脱ユビキチン化酵素** deubiquitinaseはTNFR複合体Iの調節分子である．

2. TNFR複合体Iは，**NF-κB活性化経路** NF-κB activation pathwayを介してシグナルを伝達する．トランスフォーミング成長因子-β活性化キナーゼ1（TAK1），TAK1結合タンパク質2（TAB2），およびTAB3を動員するには，ユビキチン化されたRIPK1が必要である．ユビキチンはRIPK1を隔離し，それによって細胞死に関与するのを防ぎ，**NF-κBの活性化**により細胞の生存が起こる．**NF-κB**活性化経路の詳細と，免疫学的および炎症性のシグナル伝達におけるその重要性についてはすでにみてきた．
3. 脱ユビキチン化したRIPK1は，**TNFR複合体II** TNFR complex II（**アポトーシス**につながる）または**ネクロソーム**（**ネクロトーシス**につながる）の集合を司令する．本質的に，脱ユビキチン化されたRIPK1は，その生存促進機能を放棄し，細胞死を引き起こす．
4. **TNFR複合体II**には，RIPK1，RIPK3，および**TRADD**（**TNFR関連デスドメイン** TNFR-associated death domain）が含まる．TRADDは，プロカスパーゼ8に結合する**FADD**にリンクしている．**プロカスパーゼ8**は，ホモダイマー形成後に**カスパーゼ8**へと自己触媒的に活性化されることを覚えているだろう．カスパーゼ8はタンパク質分解切断によってRIPK1とRIPK3を不活性化し，カスパーゼ依存的実行機構がアポトーシスを実行できるようになる．
5. カスパーゼ8の活性化が起こらない場合や機能がない場合，ネクロソームが組み立てられる．ネクロソームは，プロテインキナーゼR（PKR）の作用によりリン酸化されたRIPK1，RIPK3，およびMLKLで構成される．
6. 細胞膜チャネルは活性酸素種ROSを放出してネクロトーシス細胞の膨化を引き起こし，細胞膜の破壊を引き起こす．リボフラビンキナーゼ（RFK）は，TNRF1のデスドメインをp22phoxに結合させて，活性酸素種を生成する．p22phoxは，NADPHオキシダーゼ1（NOX1）を含むNADPHオキシダーゼのサブユニットである．
7. **ネクロスタチン**1 necrostatin 1はRIPK1の脱ユビキチン化を防ぐ．その結果，ポリユビキチン鎖を保持しているRIPK1は，ネクロソームの構築には利用できない．ネクロスタチン1は，脳虚血の実験モデルにおいて保護効果を発揮する．**ネクロスルホンアミド** necrosulfonamideはMLKLを阻害し，ネクロソームの活性を阻害する．ネクロトーシス阻害剤は，有害な免疫反応を防ぎ，拒絶反応を活性化しうる炎症誘発性の実質反応を減少させることにより，固形臓器の移植において臨床治療上の有用性がある．
8. アポトーシスとネクロトーシスは同じ組織内で発生する可能性がある．

ミトコンドリア透過性遷移（図3.15）

以前，細胞障害について議論したとき，ミトコンドリア透過性遷移について言及した．

ミトコンドリア透過性遷移は，ミトコンドリアマトリックスタンパク質である**シクロフィリンD** cyclophilin Dによって媒介される調節された細胞死ネクローシスを誘発するプロセスである．拒絶反応を防ぐために臓器移植で広く使用されている免疫抑制薬である**シクロスポリン** cyclosporineは，炎症反応とネクロトーシスを減らす手段として，シクロフィリンを阻害してミトコンドリア透過性遷移を抑制することで，移植片の生存と虚血再灌流障害からの保護を改善する．

ミトコンドリア透過性遷移は，**透過性遷移孔** permeability transition poreの開口によって起こる．透過性遷移孔は，電位依存性陰イオンチャネル（ミトコンドリア外膜），アデニンヌクレオチドトランスロカーゼ（ミトコンドリア内膜），シクロフィリンD（ミトコンドリアマトリックス）から構成される．

透過性遷移孔の長期にわたる開口は，イオンや低分子量溶質に対するミトコンドリア内膜の透過性の急激な上昇となる．この状態は，ミトコンドリアマトリックスの浸透圧膨潤とミトコンドリア外膜の破壊を引き起こす．

細胞内分解（図3.16）

オルガネラ，残留タンパク質や不正に折りたたまれたタンパク質の細胞内分解は，次の経路で行われる：

1. **オートファジー経路**.
2. **ユビキチン-プロテアソーム経路**.
3. **マイトファジーシグナル伝達経路**.

オートファジー経路には，**オートファゴソーム** autophagosome内への細胞質成分の隔離が含まれる．ユビキチン-プロテアソーム経路では，分解のためにユビキチン化されたタンパク質を認識する，26Sプロテアソームとよばれる触媒マルチサブユニット構造を利用する．

オートファジー経路は，栄養素資源の減少への適応として，またはストレスの強度と持続時間が過度な場合の細胞死の一形態として，細胞質オルガネラの代謝回転に関与する自己分解と細胞保護のプロセスである．オートファジーとアポトーシスは同じ細胞で起こることが多く，オートファジーがアポトーシスに先行する．

ユビキチン-プロテアソーム経路は，すでに特定の機能を果たし終えたタンパク質（細胞周期における特定のサイクリンなど），不完全な翻訳のために不正に折りたたまれたタンパク質，または欠陥のある遺伝子によってコードされたタンパク質の分解を行う．

これまでみてきたように，アポトーシス経路は細胞全体の代謝回転に関係している．アポトーシスとユビキチン-プロテアソームの働きは細胞質で起こるが，オートファジーはリソソームの助けを借りて，オートファゴソームという密閉されたコンパートメントの中で起こる．

マイトファジーシグナル伝達経路は，損傷したミトコンドリアを排除して，正常な細胞機能を維持する．パーキンソン病やアルツハイマー病などの神経変性疾患には，欠陥ミトコンドリアの除去障害や炎症という共通の特徴がある．

オートファジー経路（図3.16）

オートファジーのプロセスは**食胞** phagophoreの形成から始ま

図 3.16 | 細胞内タンパク質分解機構

オートファジー経路

食胞

1 小胞体の膜，Atg（オートファジー）16L と相互作用する Atg5-12 タンパク質，および LC3（軽鎖 3）タンパク質による**食胞**の組み立て．

オートファゴソーム

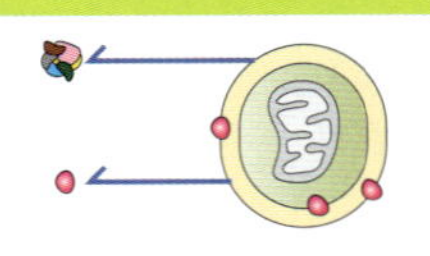

2 融合してできた**オートファゴソーム**膜は，分解するためにミトコンドリアを囲む．Atg5-12/Atg16L およびいくつかの LC3 タンパク質はリサイクルされる．

オートファゴソームとリソソームの融合

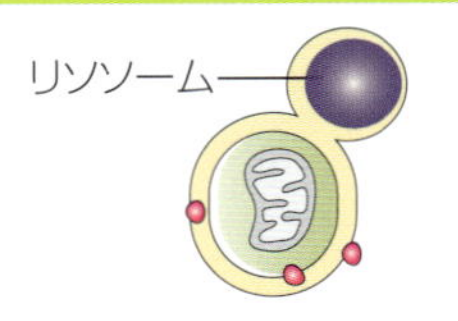

3 **リソソーム**とオートファゴソームの融合．LC3 は，**オートファゴソーム**の二重膜と結合したまま残る．

オートリソソーム

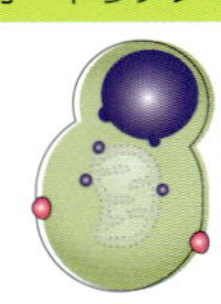

4 オートファゴソーム内でのリソソーム酵素によるミトコンドリアのタンパク質分解．**オートファゴソーム**（オートファゴリソソームともよばれる）は，1 葉の膜で囲まれる．

ユビキチン-プロテアソーム経路

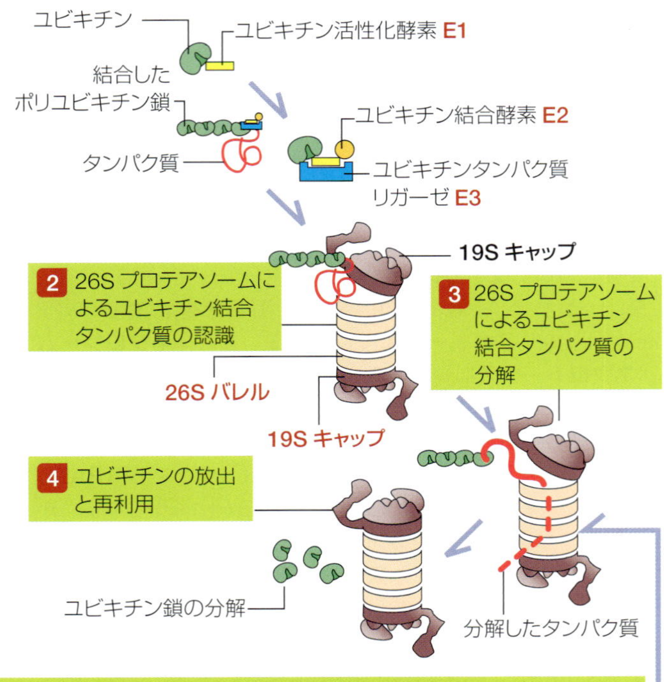

ミトコンドリアを隔離する食胞の形成

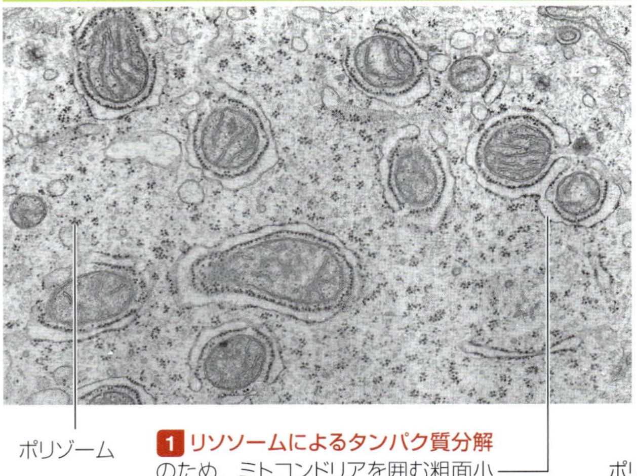

1 **リソソームによるタンパク質分解**のため，ミトコンドリアを囲む粗面小胞体の膜（食胞）

マイトファジーシグナル伝達経路

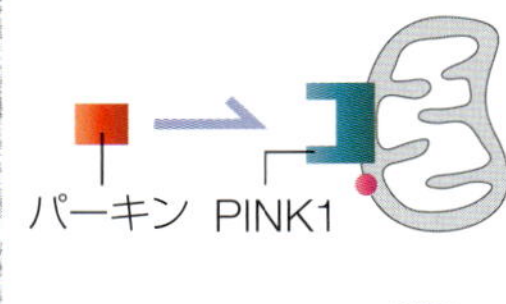

1 健康なミトコンドリアをもつ細胞では，**ユビキチンリガーゼ**である**パーキン**が細胞質に不活性な形で存在する．**ユビキチンキナーゼ**である **PINK1** はミトコンドリアに結合している．

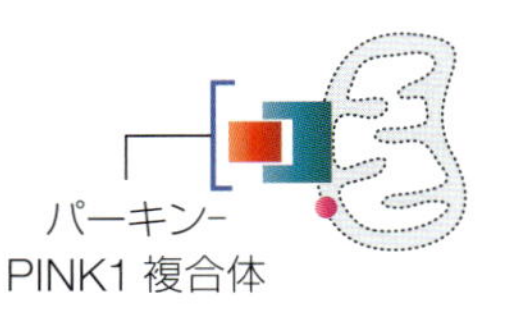

2 ミトコンドリアの損傷に反応して，PINK1 はパーキンを動員して活性化する．

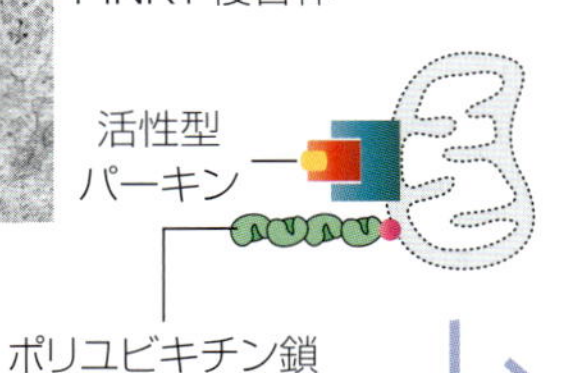

3 活性化されたパーキンは，ポリユビキチン鎖をミトコンドリア外膜に結合したタンパク質に転移する．**プロテアソームのタンパク質分解**により損傷したミトコンドリアが排除されることで，細胞小器官の破裂とそれによる活性酸素種（ROS）とミトコンドリア DNA の細胞質への放出が防止される．

り，これは小胞体，ゴルジ体（装置）または細胞膜に由来する細胞質膜である（訳注：現在的には小胞体が隔離膜の供給源であると考えられている）．

食胞は拡張し，細胞質成分（ミトコンドリアなど）を取り囲んで封入して，**オートファゴソーム** autophagosome とよばれる二重膜構造の内部に捕捉する．

リソソームはオートファゴソームと融合して**オートリソソーム** autolysosome（**オートファゴリソソーム** autophagolysosome ともよばれる）を形成し，ここでリソソームの酸性加水分解酵素の活性によってオートファジーによって取り込まれた物質の分解が起こる．

リソソームのパーミアーゼとトランスポータータンパク質は，分解産物を細胞質に戻す．オートファジーは細胞の浄化とリサイクルの経路であることを覚えておいてほしい．進行性のオートファジー機能不全は，老化につながる．

オートファジー経路は次のステップからなる：

1. **ファゴソームになるための細胞質膜の選択**．オートファジーは，通常，小胞体とミトコンドリアの接触部位での膜性食胞の形成から始まる．
   複数のタンパク質成分が食胞の開始に関与する．キナーゼ活性をもつ**ULK1 複合体** ULK1 complex は，**mTOR 複合体** mTOR complex（オートファジーの負のレギュレーター）を駆動して，オートファゴソームの前駆体であるファゴフォアになる細胞質膜を選択することにより，オートファジーを開始する．
   次に，オートファジー（Atg）タンパク質の複合体（Atg5-Atg12）が結合し，食胞で LC3（タンパク質軽鎖 3．訳注：**微小管関連タンパク質軽鎖 3** microtubule-associated protein light chain 3［MAP1-LC3］）と相互作用する．
2. **オートファゴソームの形成**．食胞の二重膜は伸長し，オートファゴソーム内で分解するオルガネラや細胞成分をランダムまたは選択的に封入する．Atg5-Atg12／Atg16L と一部の LC3 はリサイクルされる．
3. **オートリソソームの形成**．リソソームはオートファゴソームと融合し，さまざまなリソソーム酵素がタンパク質，脂質，核酸の分解を開始する．LC3 は，オートファゴソームの二重膜とオートリソソームの単一膜に結合したまま残る（訳注：LC3 は隔離膜の細胞質側からは外れる）．

mTOR はオートファジーの負のレギュレーターであると述べた．低酸素症や細胞内の ATP レベルが低下すると，mTOR によるオートファジー抑制作用は解除される．対照的に，豊富な栄養素と成長因子があると，mTOR の細胞保護的なオートファジー抑制作用は維持される．

ユビキチン - プロテアソーム経路（図 3.16）

ユビキチン - プロテアソーム経路は，連続した 4 つの制御されたステップからなる．

1. 酵素カスケードにより，**基質タンパク質にユビキチン分子鎖を結合させる**．
   まず，ユビキチン活性化酵素 **E1** が ATP の存在下でユビキチンを活性化し，チオエステル基をつくる．次に，ユビキチン結合酵素 **E2** がチオエステル基を使って目的のタンパク質に活性型ユビキチンを結合する．
   E2 は，特異的ユビキチンタンパク質リガーゼである **E3** の助けにより，基質のリジン残基に活性型ユビキチンを移す．この過程が何度も繰り返して長いポリユビキチン鎖が基質タンパク質に結合すると，**26S プロテアソーム** 26S proteasome における分解へと向かう．
2. **26S プロテアソームによるポリユビキチン結合タンパク質の認識**．プロテアソームの 19S キャップにあるタンパク質サブユニット（S5a とよばれる）は，ポリユビキチン鎖の受容体として働く．
3. ATP の存在下で，プロテアソーム内部の分解チャンバーである 26S バレルの中で，**ユビキチン結合タンパク質が分解**されオリゴペプチドになる．
4. **ユビキチンの解離と再利用**．

26S プロテアソームは，核と細胞質に存在する巨大な（～2,000kd）多量体プロテアーゼである．構造的には，26S プロテアソームは樽（バレル）状の本体と，その両端にあってユビキチン化タンパク質を認識する 2 つのキャップ構造からなる．

タンパク質分解は，樽型のコアのチャンバー内で起こる．前述したように，26S プロテアソームによって分解されるタンパク質には，細胞周期の調節に関与するタンパク質（サイクリン），転写因子，および炎症反応と免疫反応の活性化に関与する抗原のプロセシングが含まれる．

マイトファジーシグナル伝達経路（図 3.16）

マイトファジーシグナル伝達経路は損傷したミトコンドリアの処分を行い，2 つの酵素が関与する．

1. **パーキン** parkin．細胞質に不活性な形で存在する**ユビキチンリガーゼ** ubiquitin ligase．
2. **PINK1**．ミトコンドリア外膜に結合する**ユビキチンキナーゼ** ubiquitin kinase．

ミトコンドリアの損傷に反応して，PINK1 はパーキンを動員して活性化する．

活性化されたパーキンは，ミトコンドリア外膜に付着したタンパク質にポリユビキチンを転移させることにより，ユビキチンリガーゼ活性を発揮する．ユビキチンのタグがつけられたタンパク質は，プロテアソームタンパク質分解機構によって認識され，欠陥ミトコンドリアの除去が開始する．

もし，パーキン -PINK1 複合体に欠陥があったり欠失したりすると，機能不全のミトコンドリアは除去されない．

次に，2 つのイベントが起こる．第 1 に，活性酸素種（ROS）と mtDNA がドーパミン放出ニューロンの細胞質に放出される．第 2 に，細胞質に mtDNA が存在すると，炎症を誘発するサイトカイン分子の発現が増加する．基本的に，パーキン - PINK1 複合体は，パーキンソン病の特徴である炎症から防御する．パーキンソン病は，ユビキチンリガーゼのパーキンとユビキチンキナーゼの PINK1 の変異によるミトコンドリア機能障害によって引き起こされる神経変性疾患の例である．

また，リソソームを基盤とするオートファジー経路と，老化または損傷したミトコンドリアの除去において実行されるユビキチン - プロテアソームを基盤とするマイトファジーシグナル伝達経路との明確な違いについても，覚えてほしい．

新生物（図 3.17）

新生物 neoplasia とは，調節が不十分な新しい細胞の成長（ギリシャ語 *neos*［= new，新しい］，*plasma*［= things formed，形成されたもの］）を意味し，この用語は**腫瘍** tumor（ラテン語 *tumor*［= swelling，腫瘍，腫れ］）と同義語である．**がん** cancer（ラテン語 *crab*，カニ）は悪性新生物または悪性腫瘍を意味する．起源となる細胞は，3 つの胚葉（外胚葉，中胚葉，内胚葉）に由来する．

臨床的観点から，**良性腫瘍** benign tumor と**悪性腫瘍** malignant tumor の 2 種類がある．良性腫瘍は，限局した活発な成長を特徴とし，細胞塊または腫瘍として発生し，由来する細胞に類似した構造的特徴や，時には類似した機能的特徴を示す．

良性新生物または良性腫瘍は，大部分が被膜で覆われ，ゆっくりと成長し，血管やリンパ管に侵入して遠隔地に広がることはない．ただし，良性腫瘍は隣接する組織を圧迫する可能性はある（例えば，前立腺の良性腫瘍による尿道の圧迫や，脳の良性腫瘍による脳幹の圧迫）．良性腫瘍は，臓器（腸など）の内腔で増殖し，閉塞を引き起こす可能性がある．

悪性腫瘍には，由来する組織に類似する**分化型**，由来する組織の特徴のいくつかを保持する**分化程度の低い型**，由来する細胞や組織が同定できない**未分化型**または**低分化型**がある．

腫瘍病期分類システム tumor staging system（**TNM**：**腫瘍** tumor／**リンパ節** node／**転移** metastasis）は，3つのパラメーター（結腸直腸がんのカスバート・デュークス［1890-1977］病期分類）に基づいている．

1. **腫瘍の大きさと局所浸潤の程度（T）．**
2. **所属リンパ節（N）**への転移．
3. **遠隔転移**の存在（**M**）．

例えば，T1，N0，M0 の表記から，小さな腫瘍で（T1），局所リンパ節転移がなく（N0），遠隔転移がない（M0）と解釈できる．

ほとんどの**がん腫** carcinoma（ギリシャ語 *karkinoma*［＝cancer，がん］：**腫瘍**）は，上皮細胞由来（外胚葉および内胚葉）の悪性新生物である．**腺がん** adenocarcinoma は，腺のパターンに似た悪性腫瘍である．**肉腫** sarcoma（ギリシャ語 *sarkoma*［＝fleshly excrescence，肉の突出］）は，間葉（中胚葉）由来の悪性新生物である．

一般的に，がん腫は**異形成** dysplasia（ギリシャ語 *dys*［＝difficult，困難な］，*plasis*［＝a molding，成形］）とよばれる，遺伝的変化と多様な細胞シグナル伝達経路の関与を伴うプロセスから発生する．

異形成は上皮組織で発生する．異形成は，有糸分裂率の増加，完全な細胞分化の欠如，および異常な細胞間関係によって定義される．**異形成は上皮内がんに進行し，次に浸潤性腫瘍に進行する可能性がある．**

上皮内がん carcinoma in situ は，基底膜を突き破って下の結合組織に到達することなく，上皮層に限定している．上皮内がんは通常，子宮頸部，皮膚，乳房にみられ，乳管（乳管内がん）や乳腺小葉組織（小葉内がん）に限局している．

腫瘍性腺腫性ポリープ neoplastic adenomatous polyp は，上皮内がんと同様の特徴をもち，結腸などの一部の臓器におけるがんの前駆体である（第16章参照）．ポリープは上皮表面から外側に向かって成長し，新生物（腺腫）または炎症過程を表している．

局所浸潤 local invasion に加えて，がん細胞はリンパ管を介して広がり，**リンパ節転移** metastasis in lymph node を引き起こす．

一部のがん細胞は血管に侵入して**血行性転移** hematogenous metastasis を引き起こす．転移（ギリシャ語 *meta*［＝on the midst of，～の真っ只中に］，*stasis*［＝placing，配置］）または**二次腫瘍** secondary tumor は，**原発腫瘍** primary tumor から分離した細胞に由来する．

肉腫は間葉を起源とする軟部組織に由来し，局所的に浸潤し，**主に血管を介して広がる．**肉腫前駆細胞は，上皮細胞の前駆細胞のような基底膜によって区画されていない．肉腫は紡錘状細胞で構成されるのに対して，がん腫は細胞間結合と細胞接着分子によって安定化された上皮構造を保持する傾向がある．

図 3.17 で，間葉起源の良性および悪性腫瘍の名称に注目してほしい．がん腫および肉腫の名称に適合しない多くの腫瘍の名称は，由来する細胞や組織に基づいている．

1. **リンパ腫** lymphoma，リンパ系に由来．
2. **メラノーマ** melanoma，メラノサイトに由来．
3. **白血病** leukemia（ギリシャ語 *leukos*［＝white，白］，*haima*［＝blood，血液］）の場合，悪性腫瘍が多能性幹細胞または前駆細胞から発生し，内皮細胞の障壁を越えて体全体に広がる造血新生物は，上皮性異形成と相同な**骨髄異形成** myelodysplasia から発生しうる．
4. **奇形腫** teratoma の場合は，良性または悪性の腫瘍細胞が3つの胚層（外胚葉，中胚葉，内胚葉）に由来し，男性および女性の性腺または非性腺部位に生じる．
5. **過誤腫** hamartoma の場合は，**血管腫** hemangioma などの発生異常が正常部位（皮膚）に腫瘍塊を生じる．
6. **分離腫** choristoma の場合は，組織の異常増殖が異所性に起こり，腫瘍に似る．分離腫は頭頸部領域（咽頭，口腔，中耳）に限局することがある．いくつかの異なる組織タイプ（軟骨，骨，グリア組織，および甲状腺組織）が，分離腫として口腔内に発生しうる．

さらに，発見者の名前で識別される多くの腫瘍がある．例えば，小児および若年成人が発症し放射線療法に高い感受性を示す骨腫瘍である**ユーイング肉腫** Ewing's sarcoma は，**ユーイング肉腫ファミリー腫瘍** Ewing's Sarcoma Family of Tumor（ESFT）のグループに属している．ESFT は，11番染色体と22番染色体の間の転座 t（11;22）を特徴とし，ユーイング肉腫遺伝子（*EWS*）をコードする22番染色体の遺伝子と，遺伝子 *FLI1* をコードする11番染色体の転写因子の間で転座が起こる．その結果生じる新たな**融合遺伝子** *EWA／FLI* は，異常なタンパク質をコードする．

バーキットリンパ腫は Box 3.E に記載されている．**ホジキン病** Hodgkin's disease またはリンパ腫の詳細は，第10章に含まれている．**カポジ肉腫** Kaposi's sarcoma（カポジ肉腫関連ヘルペスウイルス［KSHV］としても知られるヒトヘルペスウイルス8［HHV8］によって引き起こされる内皮細胞に由来する腫瘍）については，第12章で説明する．

がん原遺伝子，がん遺伝子および腫瘍抑制遺伝子（図 3.18，3.19）

がん原遺伝子と腫瘍抑制遺伝子の変異はがんを引き起こす（図 3.18）．**がん原遺伝子** proto-oncogene（ギリシャ語 *prōtos*［＝first，最初］，*genos*［＝birth，誕生］）の変異したものは，**がん遺伝子** oncogene（ギリシャ語 *onkos*［＝bulk，容積：mass，塊］）とよばれる（Box 3.F）．

単一の対立遺伝子の変異で細胞の形質転換を起こすため，がん原遺伝子の突然変異は**顕性**である．対照的に，腫瘍抑制遺伝子の変異は**潜性**であり，細胞の形質転換が起こるためには，腫瘍抑制遺伝子の両方の対立遺伝子が変異している必要がある．

がん遺伝子は，がん細胞の2つの特性である制御不能な細胞増殖と細胞分化に導く活性産物を**恒常的に**つくり出す．その細胞が**形質転換する** transformed と，成長が制御型から非制御型に変わる．

突然変異は，遺伝子配列に起こったり（点突然変異，欠失，挿入，または遺伝子増幅），**染色体転座** chromosomal translocation や**染色体融合** chromosomal fusion（遺伝子を異なる調節環境に置

図 3.17 | 新生物：概念図

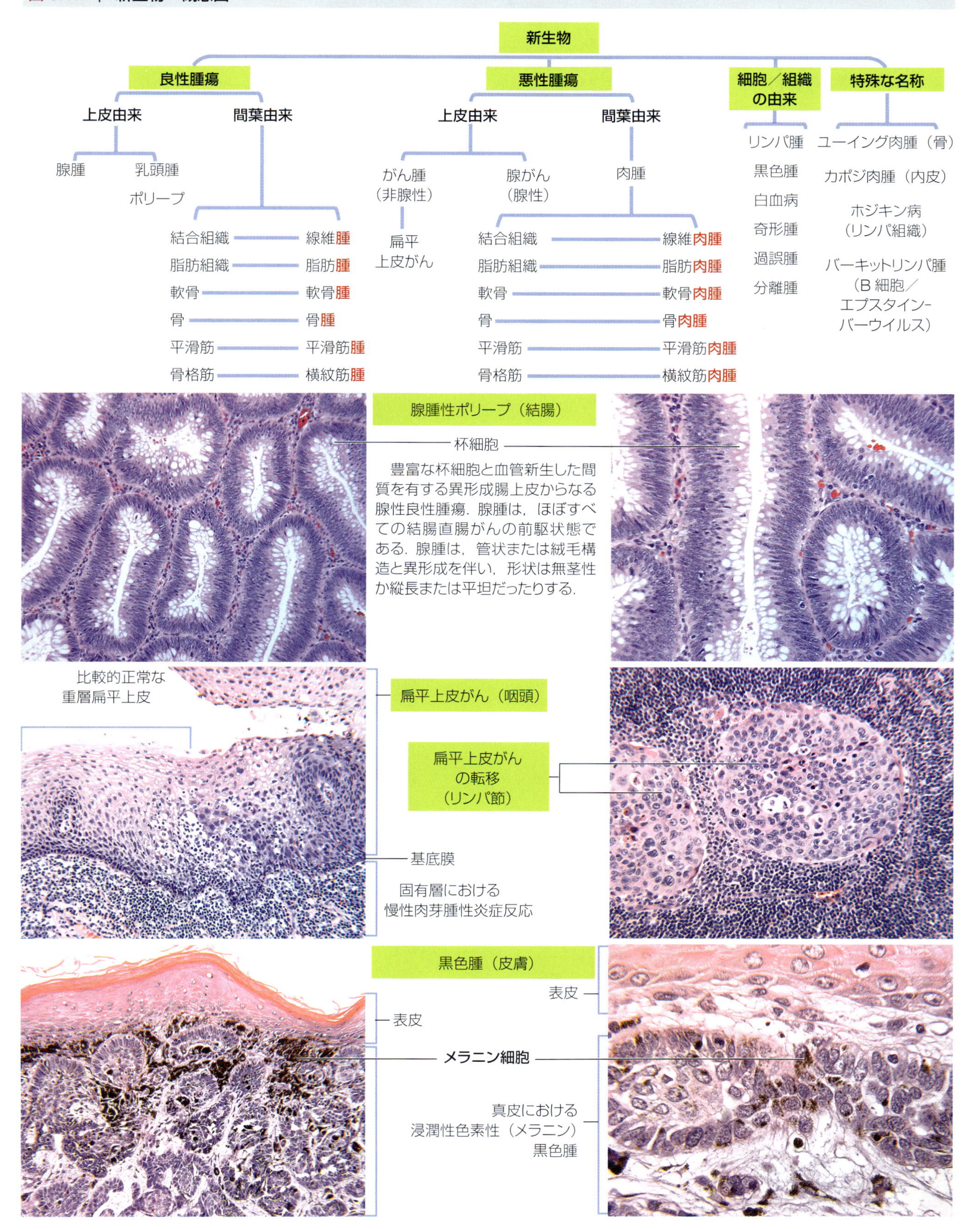
新生物
良性腫瘍
上皮由来
間葉由来
腺腫
乳頭腫
ポリープ
結合組織　線維腫
脂肪組織　脂肪腫
軟骨　軟骨腫
骨　骨腫
平滑筋　平滑筋腫
骨格筋　横紋筋腫
悪性腫瘍
上皮由来
間葉由来
がん腫（非腺性）
扁平上皮がん
腺がん（腺性）
肉腫
結合組織　線維肉腫
脂肪組織　脂肪肉腫
軟骨　軟骨肉腫
骨　骨肉腫
平滑筋　平滑筋肉腫
骨格筋　横紋筋肉腫
細胞／組織の由来
リンパ腫
黒色腫
白血病
奇形腫
過誤腫
分離腫
特殊な名称
ユーイング肉腫（骨）
カポジ肉腫（内皮）
ホジキン病（リンパ組織）
バーキットリンパ腫（B 細胞／エプスタイン-バーウイルス）
腺腫性ポリープ（結腸）
杯細胞
豊富な杯細胞と血管新生した間質を有する異形成腸上皮からなる腺性良性腫瘍．腺腫は，ほぼすべての結腸直腸がんの前駆状態である．腺腫は，管状または絨毛構造と異形成を伴い，形状は無茎性か縦長または平坦だったりする．
比較的正常な重層扁平上皮
扁平上皮がん（咽頭）
扁平上皮がんの転移（リンパ節）
基底膜
固有層における慢性肉芽腫性炎症反応
黒色腫（皮膚）
表皮
表皮
メラニン細胞
真皮における浸潤性色素性（メラニン）黒色腫

図 3.18 | がん遺伝子の機能経路

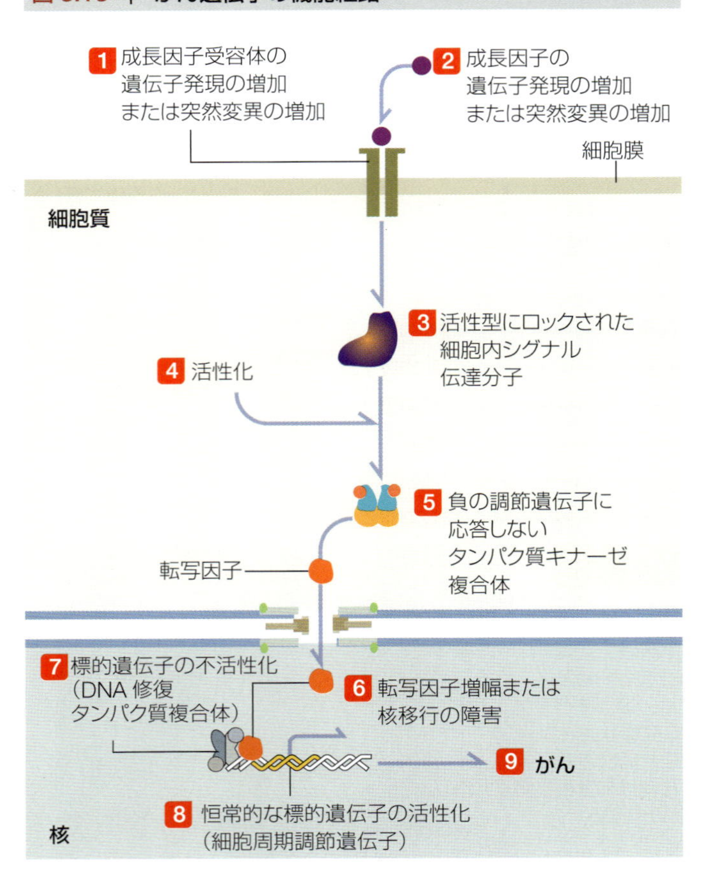

くこと）により起こる．がん原遺伝子とがん遺伝子という用語には互換性がないことに注意してほしい．がん遺伝子と腫瘍抑制遺伝子の機能的経路に含まれる遺伝子産物の 6 つの主要なカテゴリーの全体像を図 3.19 に示す．

がん遺伝子は，次のようないくつかの調節機能に関与している：

1. **成長因子**：がん遺伝子由来のタンパク質は，近くの細胞（パラクリン），遠くの細胞（内分泌），またはそれら自身の細胞（オートクリン）の異常な増殖を誘発することができる．例としては，凝固中に血小板から放出される**血小板由来成長因子** platelet-derived growth factor（PDGF）や，分泌糖タンパク質の**ウイングレスファミリー** Wingless family がある．
2. **成長因子受容体**（受容体型チロシンキナーゼ）：本章前半ですでにみたように，チロシンキナーゼは標的タンパク質のチロシン残基にリン酸基を付加して，それらをオンまたはオフに切り替える．細胞表面受容体が構成的にチロシンリン酸化されると（リガンドの非存在下で），細胞内にシグナルを伝達してがんを引き起こす．例としては，**上皮成長因子受容体**（epidermal growth factor receptor：EGFR），**血小板由来成長因子受容体**（platelet-derived growth factor receptor：PDGFR），**血管内皮成長因子受容体**（vascular endothelial growth factor receptor：VEGFR），**ヒト上皮成長因子受容体 2**（human epidermal growth factor receptor 2：HER2），**c-kit 受容体**（結合組織への肥満細胞の移動や，発生中の始原生殖細胞による生殖隆起でのコロニー形成）．
3. **シグナル伝達分子**：以下のものを含む：
   (1) **細胞質チロシンキナーゼ** cytoplasmic tyrosine kinase．チロシンキナーゼ活性を有する細胞内がん遺伝子の例には，**慢性骨髄性白血病**の ***c-abl*** **遺伝子**や **Src ファミリー**が含まれる（Box 3.E）．
   (2) **細胞質セリン／スレオニンキナーゼ** cytoplasmic serine／threonine kinase．例としては，2 番目のキナーゼである MEK を活性化する **Raf キナーゼ**（Ras，Raf，および MAP キナーゼ経路を参照）や，第 1 章「細胞周期」の項で議論した**サイクリン依存性キナーゼ** cyclin-dependent kinase がある．
   (3) **制御性 GTP アーゼ** regulatory GTPase．例として，**Ras タンパク質**があり，これは膜結合型の GTP 結合タンパク質である．Raf 細胞質タンパク質セリンキナーゼと相互作用した後，Ras は EGF または TGF-β とのリガンド結合により活性化し，GTP を GDP とリン酸に分解する．主要なシグナル伝達経路のオン／オフスイッチとして機能する Ras タンパク質は，細胞の成長と増殖を刺激する．
4. **転写因子** transcription factor：配列特異的 DNA 結合タンパク質をコードするがん遺伝子には，*myb*（トリ骨髄芽球症ウイルス）や *ets*（E26 形質転換特異）が含まれる．転写因子の例は，細胞増殖を誘導する遺伝子の転写を調節する ***c-myc*** **遺伝子** *c-myc* gene である．

   c-myc 遺伝子は，染色体転座によるがん原遺伝子の活性化の例である．*c-myc* 遺伝子は，バーキットリンパ腫の免疫グロブリン遺伝子座の 1 つに転座する（Box 3.E）．*c-myc* 遺伝子は，結腸がん細胞における APC／β-カテニン／Tcf 経路の標的である（第 16 章参照）．
5. **その他の因子**：すでに説明したように，ミトコンドリア膜に関連するがん遺伝子 *Bcl-2* の活性化を含むその他の因子もアポトーシスを阻害することができる．*APC* 遺伝子は，腺腫様多発結腸ポリープにおける β-カテニンシグナル伝達の負の調節因子である．

腫瘍抑制遺伝子は　通常の条件下で腫瘍の発生を防ぐタンパク

Box 3.E | がん原遺伝子と腫瘍抑制タンパク質

- **慢性骨髄性白血病** chronic myelogenous leukemia：9 番染色体から 22 番染色体に転座した *c-abl* がん原遺伝子（**フィラデルフィア染色体** Philadelphia chromosome とよばれる）は，構成的に活性なチロシンキナーゼ活性をもつ融合タンパク質をコードしている．
- **バーキットリンパ腫** Burkitt's lymphoma：*c-myc* がん原遺伝子は第 8 染色体から第 14 染色体に転座した．この転座により，*c-myc* は活性の高い免疫グロブリン遺伝子座（免疫グロブリン重鎖遺伝子，*Cm*）の制御下に置かれ，通常の調節要素から切り離される．バーキットリンパ腫はアフリカの一部の地域の風土病であり，主に子どもや若年成人に発症する．一般的に上顎または下顎に発生する．化学療法に反応する．
- **p53**：DNA 損傷に応答して発現する転写因子であるこの腫瘍抑制タンパク質の不活化（第 1 章参照）は，ヒトのがんの 50%～60%に関連している．不活性な p53 は，損傷した DNA をもつ細胞の細胞周期の進行を可能にする．

図 3.19 | がん遺伝子と腫瘍抑制遺伝子：概念図

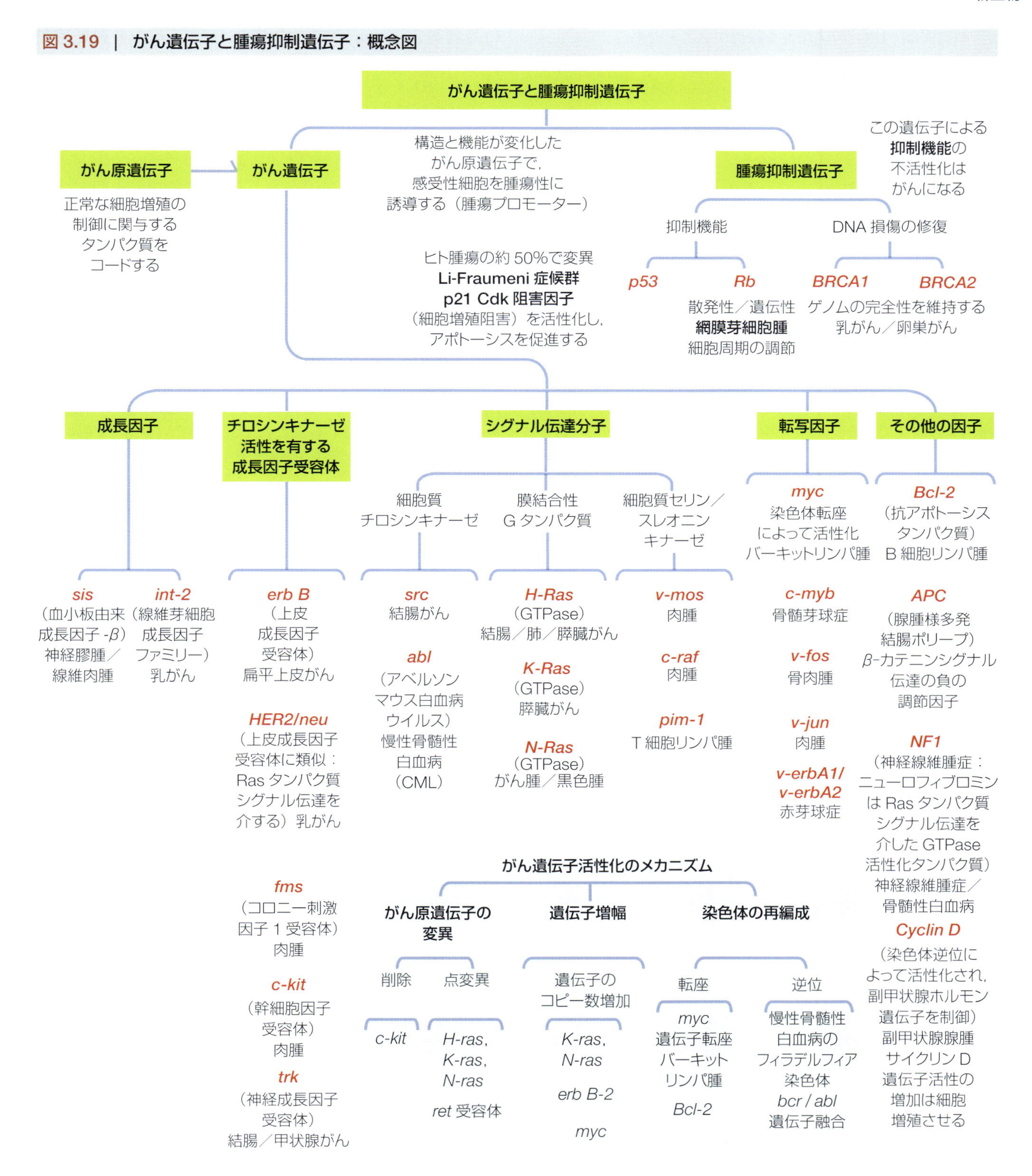

質をコードしている．一般的に，それらは細胞周期を阻害する．**機能喪失型** loss-of-function 変異となる腫瘍抑制遺伝子の変異によりこの抑制機能が失われると，がんの発生が起こる．前述したように，腫瘍抑制遺伝子の変異は，個々の細胞で両方の対立遺伝子の不活化が必要となることから，潜性である．腫瘍抑制遺伝子には，***p53* 遺伝子** *p53* gene と**網膜芽細胞腫遺伝子** *retinoblastoma* (*Rb*) gene が含まれ（第 1 章参照），それらの機能は細胞周期を調節することである．

もう 1 つのグループには，*BRCA1* および *BRCA2* 遺伝子といった乳がんや卵巣がんに関連する腫瘍抑制遺伝子が含まれる．

それらの機能は，DNA の完全性を維持することである．

BRCA1 および *BRCA2* 遺伝子によってコードされる遺伝子産物は，DNA 損傷部位で RAD-51 と共局在する核タンパク質で，二本鎖切断の相同組換え修復に関与する．

BRCA1 や *BRCA2* の遺伝子機能の喪失は，欠陥のあるタンパク質産物をつくり出し，がんにつながる遺伝的欠陥の蓄積をもたらす．第 23 章で，乳がんにおける *BRCA1* および *BRCA2* 遺伝子の役割について考える．

レトロウイルスにおけるがん遺伝子の同定

多くの動物性ウイルスは細胞に感染するとその細胞を壊すが，いくつかの種類のウイルスは，細胞を殺すことなく，長期にわたって感染することが可能である．この安定したウイルス－宿主細胞相互反応は，通常，細胞の DNA 内に直接組み込んで，ウイルス情報を細胞に永久的に残す．

がん遺伝子がはじめて同定されたのは，**レトロウイルス** retrovirus の研究である．ヒトを含むすべての脊椎動物は，**レトロウイルスに関係した遺伝子を受け継ぎ，それらを子孫に伝える．**このようにすでに DNA に組み込まれているウイルスの遺伝情報は**内在性プロウイルス** endogenous provirus とよばれ，細胞に感染したウイルスは**外来性プロウイルス** exogenous provirus とよばれる．

それぞれの脊椎動物から単離されたがんウイルスは多様な腫瘍を誘導し，いくつかのウイルス種に属する．**レトロウイルス**とよばれる **RNA 含有腫瘍ウイルス** RNA-containing tumor virus や，**ポリオーマウイルス** polyomavirus，**パピローマウイルス** papillomavirus，**アデノウイルス** adenovirus，**ヘルペスウイルス** herpesvirus などの **DNA 含有腫瘍ウイルス** DNA-containing tumor virus がある．

RNA を含むレトロウイルスは特異な細胞周期を有する．感染の最初の段階で，**ウイルス RNA** はウイルスの**逆転写酵素** reverse transcriptase により **DNA に複製**される．合成されたウイルス DNA 分子は核に移行し，宿主の染色体 DNA のあらゆる利用可能な領域に**プロウイルス** provirus として無作為に組み込まれる．

プロウイルスは自身のウイルス遺伝子の制御のためのシグナルを含んでいるが，そのようなシグナルがそのがん原遺伝子に伝達されると，正常な量を超える RNA とタンパク質がつくられることになる．

レトロウイルスとポリオーマウイルスは，特定のがんを誘導する性質のある 1，2 個の遺伝子を有しているため，最も注目を集めてきた．いわゆる**ウイルスのがん遺伝子** viral oncogene である．細胞がもつ遺伝子と同様に，レトロウイルスやポリオーマウイルスも変異する．

ラウス肉腫ウイルス Rous sarcoma virus（由来する種はニワトリ）のそのような一連の変異は，**ウイルス遺伝子の v-*src*** の役割を決定するのに有用であることを証明した．正常細胞における *src* と類似した配列は**細胞の遺伝子**を構成していて，**がん原遺伝子の c-*src*** とよばれる．

ウイルス性の v-*src* は**細胞性の c-*src*** に直接由来している．ラウス肉腫ウイルスの前駆体はニワトリ細胞に感染した際に c-*src* のコピーを獲得したと考えられる．**c-*src* は無害だが，それに近い関連遺伝子の v-*src* は腫瘍を誘導し，感染により細胞を形質転換させる．**

v-*src* に感染したニワトリの線維芽細胞は，c-*src* のみ遺伝子をもつ非感染性の線維芽細胞の約 50 倍もの src RNA とタンパク質を産生する．

他の多くのレトロウイルスが v-*src* とは別のがん遺伝子を保持していることがわかり，c-*src* 遺伝子の重要性が注目されている．これら 1 つ 1 つのがん遺伝子も，別のがん原遺伝子に由来している．

がん原遺伝子としての遺伝子の分類は，これらの遺伝子の変異型が発がんに関与するとの理解に基づいている（Box 3.F）．しかし，がん原遺伝子は，正常な増殖と発生の制御において，異なる生化学的機能を果たしている．

ラウス肉腫ウイルス感染細胞は 60kd のタンパク質をつくる．これは v-*src* 遺伝子が細胞を形質転換するのに使うタンパク質産物として同定され，**p60$^{v\text{-}src}$** と名づけられている．このタンパク質は**タンパク質キナーゼ** protein kinase として機能し，生きた細胞内で多くのタンパク質が **Src キナーゼ** Src kinase 活性によってリン酸化される．リン酸化の標的は**チロシン**残基である．

v-*src* がん遺伝子による細胞の形質転換は，**細胞膜**の内側に限局した標的タンパク質の総リン酸化チロシン量を 10 倍増加させる．Src タンパク質のように，がん原遺伝子によってコードされ細胞の成長制御にかかわるタンパク質キナーゼなどの他の多くのタンパク質は，しばしばチロシン特異的である．

Box 3.F | がん原遺伝子とがん遺伝子

- **がん原遺伝子**は，細胞周期，細胞分化，細胞シグナル伝達経路を調節するタンパク質をコードする正常な遺伝子である．がん原タンパク質は，成長因子，ホルモン受容体，G タンパク質，細胞内酵素，転写因子と類似した機能を発揮する．
- **がん遺伝子**は，正常な細胞周期を破壊させ，がんを引き起こすことができるがんタンパク質をコードする**変異したがん原遺伝子**である．
- がん原遺伝子とがん遺伝子は，**イタリック体の 3 文字の名前**（例えば，*src*）で表記される．ウイルスに存在するがん遺伝子には**接頭辞 v** が付く（例えば，v-src）．細胞内に存在するがん原遺伝子には**接頭辞 c** が付いている（例えば，c-src）．
- がん原遺伝子とがん遺伝子によってコードされるタンパク質は，がん原遺伝子とがん遺伝子と同じ 3 文字表記となる．ただし，文字はイタリック体ではなく，最初の文字は大文字になる（例えば，Src）．

細胞シグナル伝達：細胞生物学：病理学 | 概念図・基本的概念

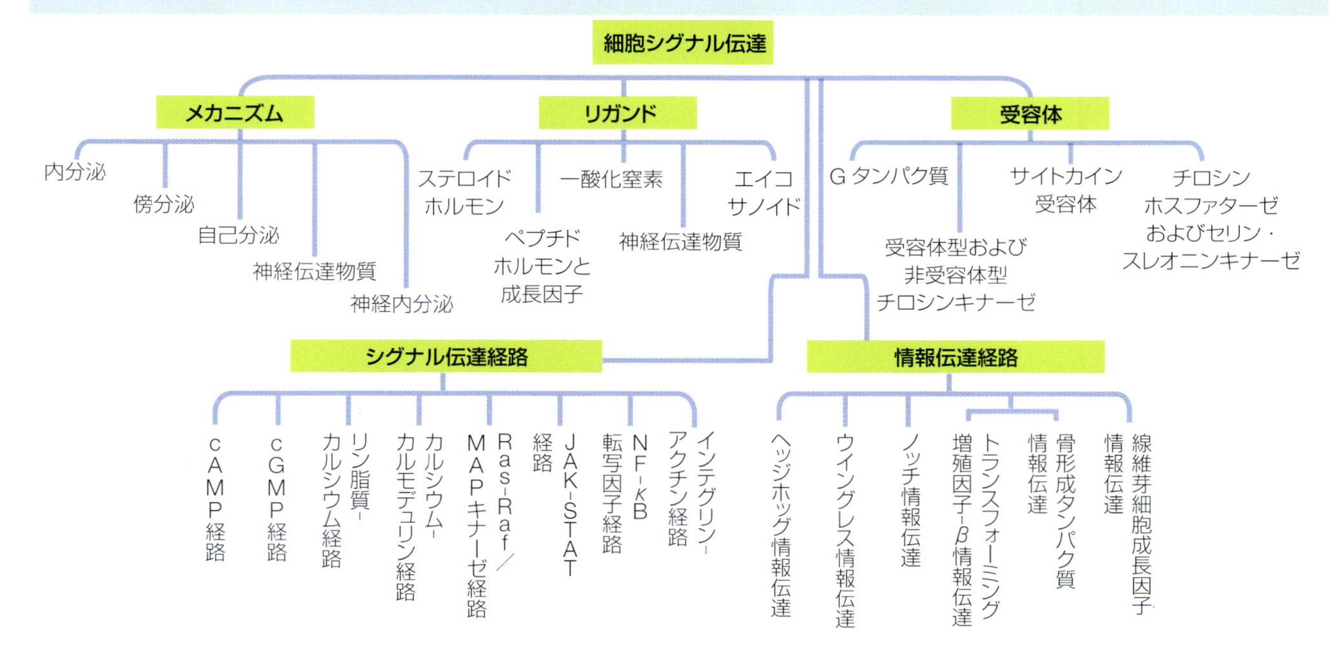

- 細胞のシグナル伝達は，細胞が化学的シグナルに反応する機構である．シグナル分子は，分泌されるか細胞表面に発現される．

  シグナル分子が受容体に結合すると，細胞内反応を開始させ，細胞増殖，分化，細胞運動，代謝，行動を制御する．

  いくつかの細胞シグナル伝達機構がある：
  (1)**内分泌性のシグナル伝達**には，内分泌細胞によって分泌され，血液循環を介して離れた標的に作用するように輸送されるホルモンが関与する．
  (2)**傍分泌性のシグナル伝達**は，隣接する細胞を制御するため局所的に作用する分子によって実行される．
  (3)**自己分泌性のシグナル伝達**は自分で産生したシグナル分子に反応する細胞からなる．
  (4)**神経伝達物質性のシグナル伝達**は，神経細胞とシナプスで放出される神経伝達分子による傍分泌性シグナル伝達の特殊な形式である．
  (5)**神経内分泌性のシグナル伝達**は，刺激に反応して軸索終末から血流中にホルモンを分泌する神経内分泌細胞により構成される．

  細胞のシグナル伝達には，標的に向かうホルモンやリガンドの放出を調節するための，負または正のフィードバック機構が必要である．

- ホルモンやリガンドには次のようなものがある：
  (1)**ステロイドホルモン**（例えば，コレステロール由来のテストステロン，エストロゲン，プロゲステロン，副腎皮質ステロイド）．ステロイドホルモンは細胞質と核内にある受容体と結合する．
  (2)**ペプチドホルモン**（例えば，インスリン，ニューロンによって分泌される神経ペプチド，成長因子）は，細胞表面受容体に結合する．甲状腺ホルモン，ビタミン D_3，レチノイド（ビタミン A）などの非ステロイドシグナル伝達分子は，細胞内受容体に結合する．

  いくつか特殊なシグナル分子がある：
  (1)アドレナリン（エピネフリン）は神経伝達物質でもあり，血流に放出されるホルモンでもある．
  (2)エイコサノイドやロイコトリエン（アラキドン酸由来）は細胞表面受容体に結合する脂質を含むシグナル分子である．

- **一酸化窒素**は非常に半減期の短い（数秒）シグナル分子である．一酸化窒素は一酸化窒素合成酵素によってアルギニンから合成される．一酸化窒素は細胞膜を透過して拡散するが，受容体には結合しない．その主要な機能は，細胞内酵素の活性制御である．一酸化窒素の重要な機能の 1 つは血管の拡張である．心疾患の治療に使われる薬剤であるニトログリセリンは，体内で一酸化窒素に変換され冠状動脈を拡張することで心血流量を増加する．

- 細胞表面受容体に結合した後，ペプチドホルモンや成長因子は受容体の下流の細胞内標的を活性化する：
  (1)**受容体と共役する G タンパク質**は，3 つのサブユニット（α，β，γ）から構成され，複合体を形成する．αサブユニットは GDP（グアノシン二リン酸）と結合し，G タンパク質活性を制御する．シグナル分子が対応する受容体と結合すると，結合している G タンパク質のαサブユニットは解離して GDP を放出し，GTP（グアノシン三リン酸）と結合して近傍の標的分子を活性化する．
  (2)**チロシンキナーゼ**は膜貫通タンパク質としたり，細胞質に存在したりする．前者の膜貫通タンパク質であれば**受容体型チロシンキナーゼ**とよばれ，後者の形式は**非受容体型チロシンキナーゼ**として知られる．受容体型チロシンキナーゼにリガンドが結合すると，2 量体化して細胞内ドメインは自己リン酸化する．SH2（Src homology 2）ドメインをもつ下流の分子は，受容体型チロシンキナーゼの触媒作用があるキナーゼドメインに結合する．リガンド非存在下で非調節性の自己リン酸化が誘導されると，受容体型チロシンキナーゼの活性は妨げられる．触媒ドメインのアデノシン三リン酸（ATP）結合ドメインに結合親和性のある分子であるイマチニブメシレートによって，チロシンキナーゼ活性は抑制される．イマチニブは慢性骨髄性白血病，慢性骨髄単球性白血病，全身性肥満細胞症，肥満細胞白血病の治療に使われている．
  (3)**サイトカイン受容体**はチロシンキナーゼを活性化する受容体ファミリーで，チロシンキナーゼは受容体の構成要素には含まれない．サイトカイン受容体にリガンドが結合すると，受容体の 2 量体化と，結合するチロシンキナーゼとの間で交叉性のリン酸化が始まる．サイトカイン受容体と結合するチロシンキナーゼファミリーのメンバーには Src ファミリーと Janus キナーゼ（JAK）ファミリーがある．
  (4)**トランスフォーミング成長因子 -β（TGF-β）ファミリー**のメンバーはタンパク質キナーゼで，セリンやスレオニン残基をリン酸化する．

TGF-βにリガンドが結合すると，受容体の2量体化が起こり，次にヘテロ複合体が形成される．受容体のセリンまたはスレオニン残基を含む細胞内ドメインは，受容体のポリペプチド鎖を交叉性にリン酸化して，核に移行する共通転写因子メディエーターのSMAD4とヘテロ複合体を形成する．

(5)**受容体は，タンパク質チロシンホスファターゼやタンパク質セリン・スレオニンキナーゼのような酵素と結合する**．チロシンホスファターゼはリン酸化チロシンからリン酸基を除去して，チロシンリン酸化で始まるシグナル伝達を停止する．

• リガンドの結合に続いて，多くの受容体は細胞内酵素を活性化してシグナルを伝達し増幅する．

(1)**cAMP（サイクリックアデノシン一リン酸）経路**では，アデニル酸シクラーゼという酵素によってAMPからセカンドメッセンジャーのcAMPがつくられる．cAMPの細胞内効果はcAMP依存性タンパク質キナーゼ（タンパク質キナーゼAとしても知られる）によって引き起こされる．不活性なcAMP依存性タンパク質キナーゼは2個の制御サブユニット（cAMPの結合部位）と2個の触媒サブユニットからなる4量体である．酵素のホスホジエステラーゼはcAMPを分解する．cAMPが結合すると触媒サブユニットは解離し，それぞれの触媒サブユニットは標的タンパク質のセリン残基をリン酸化するか，細胞核に移行する．

細胞核の中では，触媒サブユニットはCRE（cAMP応答配列）に結合している転写因子CREB（CRE結合タンパク質）をリン酸化し，特定の遺伝子活性が誘導される．

(2)**cGMP（サイクリックグアノシン一リン酸）経路**は，グアニル酸シクラーゼを使ってcGMPを産生し，cGMPはcGMP依存性ホスホジエステラーゼによって分解される．網膜の光受容細胞はcGMPを用いて光刺激を神経インパルスに変換する．

(3)**ホスホリパーゼC-Ca^{2+}経路**は，リン脂質のホスファチジルイノシトール-4,5-二リン酸（PIP2）からセカンドメッセンジャーを産生する．ホスホリパーゼC（PLC）によるPIP2の加水分解により，2つのセカンドメッセンジャー，ジアシルグリセロールとイノシトール-1,4,5-三リン酸（IP3）ができる．ジアシルグリセロールとIP3はタンパク質キナーゼC（タンパク質セリン・スレオニンキナーゼ）を活性化し，Ca^{2+}の動員を促進する．タンパク質キナーゼCはMAP（分裂促進因子活性化タンパク質）キナーゼ経路のタンパク質キナーゼを活性化して，転写因子をリン酸化する．

(4)**Ca^{2+}-カルモデュリン経路**は，Ca^{2+}濃度が上昇してCa^{2+}依存タンパク質であるカルモデュリンに結合して活性化することで進行する．ホスホリパーゼC-Ca^{2+}経路およびCa^{2+}-カルモデュリン経路は，細胞内貯蔵からのCa^{2+}の放出や細胞外空間から細胞内へのCa^{2+}流入によってCa^{2+}濃度を制御していることに留意するべきである．

(5)**MAPキナーゼ経路には**，セリン・スレオニンMAPキナーゼが関与する．細胞外シグナル制御キナーゼ（ERK）ファミリーはチロシンキナーゼまたはGタンパク質共役型受容体を介して作用するMAPキナーゼである．ERKの活性化は2つのタンパク質キナーゼであるRafとMEK（MAP kinaseまたはERK kinaseの意）によって介在される．Rafは，がん遺伝子タンパク質グループの主要な要素であるラット肉腫ウイルス（Ras）タンパク質と反応する．

RafはMEKをリン酸化してERKを活性化し，次にリン酸化されたERKは核（Elk-1）と細胞質の標的タンパク質を活性化する．他の2つのMAPキナーゼに，JNKとp38MAPキナーゼがある．

(6)**JAK-STAT経路**は転写因子を制御している．シグナル変換および転写活性化因子（STAT）タンパク質はSH2ドメインをもつ転写因子であり，不活性な状態で細胞質に存在する．サイトカイン受容体にリガンドが結合すると，STATは受容体に結合したチロシンキナーゼのJanusキナーゼ（JAK）に，SH2ドメインを介して結合する．リン酸化STATは2量体化し，細胞核に移行して遺伝子転写を活性化する．

(7)**NF-κB**（Bリンパ球のκ軽鎖遺伝子の転写に関与する核因子）の**転写因子経路**はプロテインキナーゼCによって刺激され，免疫応答に関与する．不活性状態では，NF-κBのヘテロダイマーは阻害サブユニットであるI-κBに結合し，細胞質に留まる．I-κBキナーゼによって引き起こされるI-κBのリン酸化は，26SプロテアソームによるI-κBの破壊とNF-κBヘテロダイマーの核移行をもたらし，遺伝子転写を活性化する．

(8)**インテグリン-アクチン経路**は，細胞外マトリックスで開始された細胞外からの機械的および化学的シグナルを細胞内部に伝達し，アクチンをインテグリンヘテロダイマーに結合させる中間タンパク質によって媒介される．

• 胚および胎児の発達，体軸のパターン形成，細胞移動および細胞増殖に関与する特定のシグナル伝達経路がある．

次のとおりである：

(1)**ヘッジホッグ（HH）情報伝達**

(2)**ウイングレス（Wnt）情報伝達**

(3)**ノッチ情報伝達**

(4)**トランスフォーミング増殖因子-β（TGF-β）情報伝達**

(5)**骨形成タンパク質（BMP）情報伝達**

(6)**線維芽細胞成長因子（FGF）情報伝達**

これらはすべて，細胞質から核に移行する転写因子を含む，多様な調節ステップとクロストーク機構を利用している．

• 幹細胞は3つの特性を有する：

(1)**自己複製**．

(2)**増殖**．

(3)**分化**．

幹細胞ニッチとよばれる特殊な微小環境下に置かれた幹細胞は，体の組織をつくる前駆細胞を産生することができる．

幹細胞の機能状態は幹細胞性によって支配されている．幹細胞性とは，通常の非幹細胞には観察されない，さまざまな幹細胞に特徴的な遺伝子発現のプロファイルである．

幹細胞は，腸上皮，皮膚の表皮，造血組織，精子形成細胞に存在する．

• **細胞の可塑性と組織修復**．

通常の条件下では，幹細胞は自己複製し，分化した細胞系譜を生成する．自己複製するか分化した細胞を生成するかの決定は，ニッチで産生された信号によって決まる．

組織損傷状態に際して，幹細胞とそれらの分化した子孫は，変化したニッチシグナル伝達，細胞外マトリックスのリモデリング，および免疫系細胞からのシグナルによって刺激され，可塑性を現す．言い換えれば，分化した細胞の可塑性とは幹細胞への相互変換を示唆し，それにより特殊な一過性細胞を生成して治癒過程を促進したり，永久細胞を生成して損傷や病気の後に失われた細胞を置き換えることができる．

• 細胞培養技術により以下のことが示された：

(1)細胞が培養皿の表面全体を覆うようになると，細胞は増殖を停止する．これは，密度依存的成長阻害とよばれる．

(2)培養細胞は増殖を続け，やがて分裂が止まる．このような細胞は老化した細胞である．

(3)腫瘍細胞は不死化することができ，培養での増殖は無限である．そのような細胞は細胞株を確立することができる．

(4)形質転換した細胞は悪性増殖の能力があり，足場非依存的な増殖を示す． 対照的に，正常細胞は基質に付着して成長する．

• 老化は，細胞および組織の機能が時間とともに徐々に低下することであり，多くの場合，個人の寿命を縮める．細胞老化は，加齢による有糸分裂細胞の機能喪失の分子的側面を解明する．例えば，テロメラーゼは染色体の終わりであるテロメアを維持する．不十分なテロメラーゼ活性は細胞を老化させる．テロメアの短縮は強力な腫瘍抑制メカニズムである．ほとんどの腫瘍はヒトテロメラーゼ逆転写酵素（hTERT）を発現しており，培養における細胞増殖は無限である．

- 細胞障害は，外因性または内因性の原因によって起こる多くの生化学的および形態学的変化で構成され，正常な細胞機能の可逆的または不可逆的な破壊につながる．

  低酸素症（酸素供給の減少）または無酸素症（酸素供給の完全な遮断）は細胞損傷を引き起こす．虚血は細胞障害の主な原因である．冠状動脈の枝の閉塞による完全な虚血は，その血管によって血液供給されていた心筋の梗塞を引き起こす．閉塞した血管が虚血性損傷直後に再開通すると（血管形成術および血栓溶解による），損傷した心臓細胞は再灌流によって回復する可能性がある．

- ミトコンドリアの ATP 産生に関与する酸化的リン酸化には，酸素が不可欠である．ミトコンドリア透過性の増加は，ミトコンドリア損傷の典型的な特徴である．ミトコンドリア機能の障害は，ATP 産生の減少，活性酸素種（スーパーオキシド，過酸化水素，ヒドロキシルラジカル）の増加，シトクロム *c* の漏出（内因性アポトーシス経路の誘導）をもたらす．

  ATP の欠乏は，細胞膜での ATP 依存性ポンプの機能に影響を及ぼし，カルシウム，ナトリウム，水の著しく無秩序な流入とカリウムの流出をもたらす．細胞内カルシウムの過剰とリソソーム加水分解酵素の漏出（リソソーム膜透過性による）は，細胞質酵素を活性化して細胞成分を分解し，ミトコンドリア透過性を高め続ける．

  損傷の種類と時間，および損傷した細胞の特性に応じて，損傷は可逆的であったり，不可逆的になったりする．

  不可逆的な細胞障害は，ネクローシス（壊死：制御されていない細胞死のプロセス）またはアポトーシス（制御された細胞死のプロセス）による細胞死となる．

ネクローシス necrosis は，顕微鏡的および肉眼的な変化によって認識できる．顕微鏡的変化には，細胞膜の破壊，細胞の膨化，核の変化（核濃縮，核溶解，核崩壊）が含まれる．

肉眼的変化には以下のものがある：

(1)凝固壊死．
(2)液化壊死．
(3)乾酪壊死．
(4)脂肪壊死．

血管壁のフィブリノイド壊死は顕微鏡で検出できる．

- アポトーシスまたはプログラム細胞死は，外因性および内因性の信号によって決定される．2 つの外因性経路は次のとおりである：

  (1)グランザイム B／パーフォリン経路．
  (2) Fas 受容体／Fas リガンド経路．

  内因性経路は，ミトコンドリアのシトクローム *c* とミトコンドリア DNA の細胞質への漏出からなる．これら 3 つの経路終点は，プロカスパーゼからカスパーゼへの活性化で，これが細胞死の開始因子と実行因子になる．

  Fas 受容体，Fas リガンド，カスパーゼの活性障害は，リンパ節と脾臓におけるリンパ球の異常で過剰な蓄積を特徴とする自己免疫性リンパ増殖症候群（ALPS）を引き起こす．

  カスパーゼの異常な活性化は，筋萎縮性側索硬化症（ALS）やハンチントン病などの神経変性疾患の発症に関連する．

- ネクロトーシスは，ネクローシスやアポトーシスとは異なる分子メカニズムによる，制御された様式のネクローシスである．壊死性細胞死は，受容体相互作用プロテインキナーゼ 3（RIPK3）に依存している．

  ネクロトーシスは，心筋梗塞，脳卒中，アテローム性動脈硬化症，虚血再灌流障害，膵炎，炎症性腸疾患の病態生理に関連している．

  2 つの重要な違いがある：

  (1)ネクロトーシスでは，NF-κB 活性化経路を介したネクローシスの代替として炎症が起きる．
  (2)ネクローシスは，カスパーゼ依存的機構（アポトーシス）またはカスパーゼ非依存性機構（ネクロトーシス）のいずれかによって起こる．

- 残留タンパク質や不正に折りたたまれたタンパク質の分解や，ミトコンドリアなどの老化したオルガネラの廃棄は，次の方法で行われる：

  (1)オートファジー経路は，隔離膜で取り囲むことで始まり，リソソームで分解されるように処理されたオルガネラを取り囲む．
  (2)ユビキチン-26S プロテアソーム経路では，約 2000kd の 26S プロテアソームプロテアーゼによって分解されるために，標識するタンパク質にポリユビキチン鎖を結合させる必要がある．
  (3)マイトファジーシグナル伝達経路は，パーキン，ユビキチンリガーゼ，およびプロテインキナーゼである PINK1 を利用して，欠陥のあるミトコンドリアや機能しないミトコンドリアの処分に関係する．ポリユビキチン化された標的の最終除去ステップには，26S プロテアソームが関与する．

- 新生物（腫瘍）には次の特徴がある：

  (1)良性または悪性．
  (2)上皮由来または非上皮（間葉）由来．良性上皮腫瘍には，乳頭腫と腺腫性ポリープが含まれる．

  悪性上皮腫瘍は，がん腫（上皮型）または腺がん（腺型）とよばれる．

  肉腫は間葉由来の腫瘍である．図 3.18 を使用して用語を復習しなさい．

  がん腫は，局所浸潤またはリンパ管を介して広がり，リンパ節に転移を引き起こす．

  肉腫は通常，血行性転移によって（主に血管を介して）広がる．

- がん原遺伝子は，成長因子，成長因子受容体，シグナル伝達分子，核転写因子，その他の因子を発現する．がん遺伝子は，がん原遺伝子の突然変異から生じる．がん遺伝子は無秩序な細胞増殖を誘導し，細胞は形質転換する．腫瘍抑制遺伝子は，通 常の条件下では潜在的に悪性の細胞周期を抑制することによって腫瘍の発生を防ぐタンパク質をコードしている．この抑制機能がなくなると（機能喪失），がんが発生する．

  同定された最初のがん遺伝子は，がんを誘発する特性をもつレトロウイルス（RNA 含有ウイルス）であった（ウイルス性がん遺伝子）．

  DNA 含有ウイルス（ポリオーマウイルス，パピローマウイルス，アデノウイルス，ヘルペスウイルス）は腫瘍を誘発しうる．

  ニワトリ細胞ラウス肉腫ウイルス（RSV）には，ウイルス遺伝子 v-*src* が含まれている．正常細胞が有する相同のがん原遺伝子は c-*src* である．v-*src* 遺伝子は，チロシンプロテインキナーゼとして機能するタンパク質 $p60^{v\text{-}src}$ をコードしている．v-*src* がん遺伝子による細胞の形質転換は，細胞のリン酸化チロシンの有意な増加をもたらす．

4　結合組織

キーワード　結合組織の種類，コラーゲン，弾性線維，脂肪組織，軟骨，骨

結合組織 connective tissue は身体のすべての組織に対して，支持と結合の骨組み（あるいは間質）を提供している．結合組織は細胞，線維，および**細胞外マトリックス** extracellular matrix（ECM）から構成される．**ECM（無構造のマトリックス** ground substance）は結合組織を構成する細胞の周囲に存在し，**コラーゲン** collagen，**非コラーゲン性糖タンパク質** non-collagenous glycoprotein，**プロテオグリカン** proteoglycan からなる．結合組織固有の細胞は**線維芽細胞** fibroblast であり，この組織に遊走してくる細胞としてマクロファージ，肥満細胞，形質細胞がある．結合組織は，免疫と炎症の応答，および損傷後の組織修復において重要な役割を有する．本章では結合組織の基本的な側面を学ぶが，脂肪組織や骨組織における最近の分子生物学的進歩，およびがん浸潤と戦う場としての重要性にも触れる．また，結合組織，脂肪組織，軟骨，骨の組織構築や機能に影響する臨床病態に言及することで，基礎的および専門的な分子生物学的概念を浮き彫りにする．

分類（図 4.1〜4.3）

上皮細胞には細胞間物質がほとんどないのに対し，結合組織の細胞は ECM によって互いに大きく分け隔てられている．

さらに，上皮細胞は血液・リンパの供給を直接受けることはないが，結合組織は血管，リンパ管および神経に接している．

結合組織のタイプは，3つの構成要素，すなわち**細胞**，**線維**，**ECM** の比率により分類される．

結合組織は3つの主要なグループに分類される：

1. **胎児性結合組織** embryonic connective tissue（図 4.1）．
2. **成人性結合組織** adult connective tissue（図 4.2）．
3. **特殊な結合組織** special connective tissue（図 4.3）．

胎児性結合組織は胎生初期に中胚葉からつくられるまばらな結合組織である．このタイプの結合組織は最初に**臍帯**でみつかり，主に星型の**間葉系細胞** mesenchymal cell からなる．これらの細胞はゼリー状を呈する**親水性 ECM** を産生するため，**粘液様結合組織** mucoid connective tissue あるいは**ワルトンゼリー** Wharton's jelly ともよばれる．

成人性結合組織は組織構築上かなりの多様性を有するが，それは**細胞と線維の占める割合が組織により異なる**からである．成人性結合組織は，この「細胞」対「線維」の割合により，さらに2種類の固有結合組織に分類される．

1. **疎性結合組織** loose（areolar）connective tissue.
2. **密性結合組織** dense connective tissue.

疎性結合組織は**コラーゲン線維に比べて細胞成分を多く含み**，一般的に血管，神経，筋を囲む．この種の結合組織があるおかげで，解剖・病理学者や外科医は円滑に解剖や切離を行うことができる．

密性結合組織は**細胞成分に比べてコラーゲン線維を多く含む**．腱，靱帯，角膜にみられるように，コラーゲン線維が一定の方向に配置される傾向があるものを**規則性密性結合組織** dense regular connective tissue とよぶ．また，皮膚の真皮や消化管の粘膜下にみられるように，コラーゲン線維の**方向が一定でない**ものを**不規則性密性結合組織** dense irregular connective tissue とよぶ．

成人性結合組織は**細網組織**と**弾性組織**を含み，それらは特定の臓器によくみられる．

細網結合組織 reticular connective tissue は細網線維を含み，リンパ性免疫を担う臓器（例えばリンパ節や脾臓），造血性骨髄，肝臓にみられる．この種の結合組織は細胞や液性成分が通過できるように繊細な網目状構造をとっている．

弾性結合組織 elastic connective tissue（図 4.2）は，脊柱の靱帯においては弾性線維が不規則に配置されており，また大動脈壁では弾性線維からなる**シート状あるいは薄板状構造**が同心円状に配置されている．この結合組織があることで「**弾性**」が獲得される．

特殊な結合組織は，胎児性結合組織や成人性結合組織にはみられない特殊な性質を有する結合組織であり，4種類ある：

1. **脂肪組織** adipose tissue.
2. **軟骨** cartilage.
3. **骨** bone.
4. **造血組織** hematopoietic tissue（**骨髄** bone marrow）.

脂肪組織は，コラーゲン線維や ECM に比して，**脂肪細胞** adipose cell（adipocyte）という細胞成分を多く含む．この種の結合組織は，体の中で最も重要なエネルギー貯蔵部位である．

軟骨と**骨**は特殊な結合組織としても扱われるが，古くから異なるカテゴリーに分類される．本来，軟骨と骨は特殊な細胞と ECM をもつ密性結合組織である．両者の重要な違いは，**軟骨の ECM は石灰化されない**が，**骨の ECM は石灰化される**ことである．これら2つの特殊な結合組織によって，耐荷重性能や力学的な機能が説明される．**造血組織**は一部の骨の骨髄にみられる．

結合組織を構成する成分

結合組織は3つの主要成分からなる：

1. **細胞成分**としては，**線維芽細胞** fibroblast（その場に留まっている）と遊走してくる**細胞**（**マクロファージ** macrophage，**肥満細胞** mast cell，**形質細胞** plasma cell を含む）がある．
2. **線維成分**（**コラーゲン線維**，**弾性線維**，**細網線維**）．
3. **ECM 成分**.

まず最初に，線維芽細胞がどのように特定の線維や ECM を産生するのかについて述べる．

線維芽細胞（図 4.4）

線維芽細胞は常に結合組織中に存在し，コラーゲン線維や弾性線維，そして ECM を産生できる．

光学顕微鏡では，線維芽細胞は長楕円形の核をもった紡錘形の細胞として観察される．細胞質は一般に光学顕微鏡でははっきり

図 4.1 | 結合組織の種類①

胎児性結合組織（間葉）

臍帯

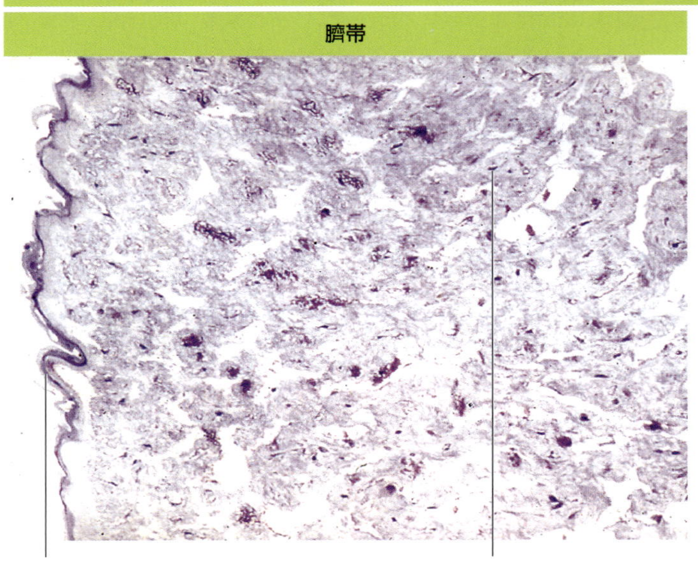

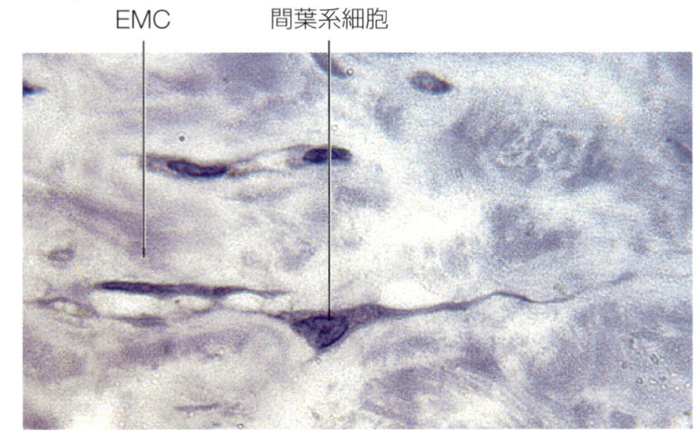

胎児性結合組織は**プロテオグリカン**に富む細胞外マトリックス（ECM）を多量に含む．

コラーゲン線維と細網線維も存在するが多くはない．間葉系細胞は星型で ECM 中に広がる．

胎児性結合組織は**臍帯**（**ワルトンゼリー**）と**発生中の歯髄**でみられる．

成人性結合組織：疎性

腸間膜の全載標本

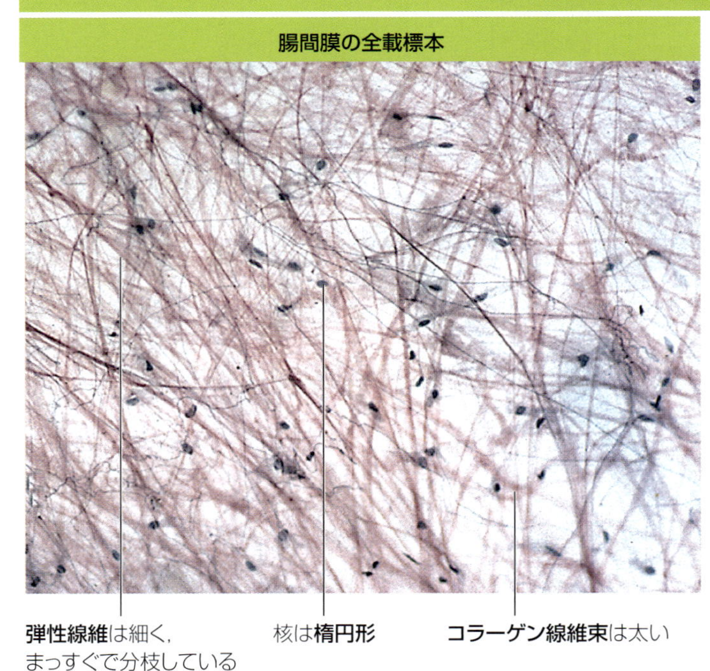

線維芽細胞の核　弾性線維　マクロファージ　RBC　血管内皮細胞の核

疎性結合組織は多量の弾性線維とコラーゲン線維束を含み，それらが ECM に埋まる．**線維芽細胞**は楕円形の核をもつことで認識できる．**肥満細胞**，**マクロファージ**，赤血球（RBC）を含む**毛細血管**もみられる．

しない．

電子顕微鏡では，よく発達した粗面小胞体とゴルジ体（装置）をもち，典型的なタンパク質分泌細胞としての特徴を示す．

線維芽細胞はプロテオグリカンと糖タンパク質，およびさまざまな種類のコラーゲンや弾性線維の前駆体を合成し，持続的に分泌する．

基底膜 basement membrane の構成要素として，異なる種類のコラーゲンタンパク質とプロテオグリカンがある．前述の通り，**IV 型コラーゲンは基底板** basal lamina，**III 型コラーゲンは細網線維の構成要素として網状層** reticular lamina にみられる（Box 4.A，4.B）．

基底膜ではヘパラン硫酸プロテオグリカンとフィブロネクチン

図 4.2 | 結合組織の種類②

成人性結合組織

不規則性密性結合組織（皮膚の真皮）

毛細血管

線維細胞の核

線維芽細胞の核

コラーゲン線維束は太く，不規則に配置している

不規則性密性結合組織は，**皮膚の真皮**，**消化管の粘膜下層**，その他にみられる．不規則に走るコラーゲン線維束は太く，絡み合っている．

線維芽細胞は活動期の細胞であり，コラーゲン線維束の間にまばらにみられる．卵形の核をもつことでそれとわかる．

線維細胞は非活動期の細胞であり，薄く伸びて濃縮した核をもつ．

肥満細胞，**マクロファージ**も存在しうる（写真ではみられない）．

規則性密性結合組織：腱

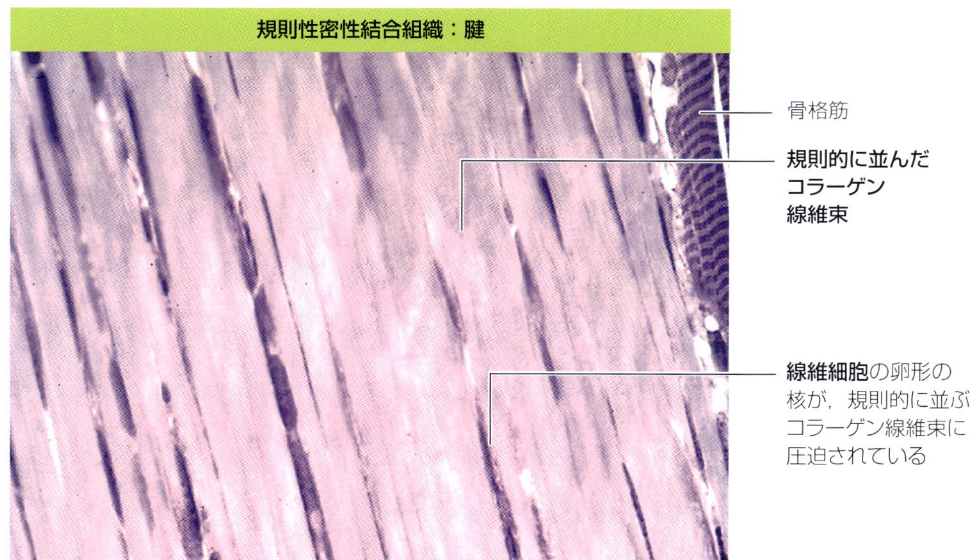

規則性密性結合組織は，**角膜**，**腱**，**靭帯**にみられる．

このタイプの成人性結合組織は，**平行に規則性をもって並ぶコラーゲン線維の束と，その間を割って直線状に並ぶ線維細胞**からなる．この配列のおかげで機械的な張力に抗することができる．

卵形でやや濃縮した核をもつ線維芽細胞（機能的に活動状態）に対し，線維細胞（非活動状態）の核は薄く伸びて濃縮している．

これら細胞の細胞質は光学顕微鏡ではみえない．

の2種類がみられ，これらも線維芽細胞から産生される．タンパク質としてのコラーゲンは，多岐にわたるコラーゲン線維の構成要素である．弾性線維はコラーゲンを含まない．

コラーゲンの合成，分泌，会合（図 4.4）

通常，**コラーゲン** collagen は**線維性コラーゲン** fibrillar collagens（特徴的な縞模様をもつ細線維をつくる）と**非線維性コラーゲン** non-fibrillar collagens（Box 4.C）の2種類に分けられる．

コラーゲンの合成は**粗面小胞体** rough endoplasmic reticulum（RER）で始まり，典型的な合成経路を通って細胞から外へ出る．

プレプロコラーゲン preprocollagen はシグナルペプチドを伴って合成され，**プロコラーゲン** procollagen として RER の腔内へ放出される．プロコラーゲンは3つのポリペプチド α 鎖からなるが，それらはシグナルペプチドを欠き，会合して**三重らせん構造** triple helix をなす．

コラーゲンの特徴として**ヒドロキシプロリン** hydroxyproline と**ヒドロキシリジン** hydroxylysine をもつことが挙げられる．プロリンとリジンの水酸化は RER で起こり，補因子として**アスコルビン酸（ビタミン C）** ascorbic acid（vitamin C）を必要とする．ビタミン C 欠乏症である**壊血病** scurvy では，不十分な創傷治癒が特徴的である．

ゴルジ体でプロコラーゲンが小胞に詰め込まれ，分泌される．プロコラーゲンは分泌されるとすぐに細胞外空間で以下の3つの過程を経る：

1. プロコラーゲンの N および C 末端にある，らせん構造をとら

図 4.2 | 結合組織の種類②（続き）

成人性結合組織

成人性結合組織：細網組織（リンパ節）

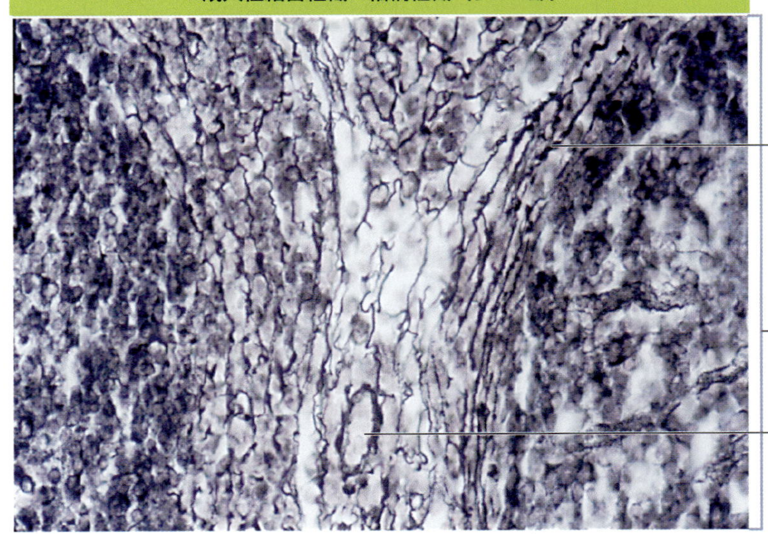

細網線維は**リンパ性器官**（**リンパ節**と**脾臓**），**骨髄**，**肝臓**，**創傷治癒組織**にみられる．

細網線維は分枝する線維の緩いネットワーク構造からなり，シグナル分子の拡散や細胞の移動を容易にする．器官の形を維持しながらも，免疫機能を果たすための細胞間相互作用も可能となる．

細網線維は線維芽細胞（**細網細胞**ともよばれる）で合成され，細くて波打つ構造を呈する．ヘマトキシリン・エオジン染色標本ではみえない．

成人性結合組織：弾性組織（動脈）

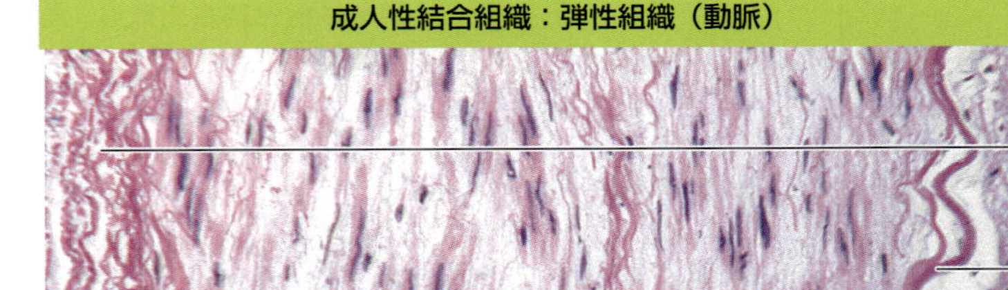

弾性線維が特徴的にみられるのは，**大血管の壁**，**軟骨**，**靱帯**，**肺**，**皮膚**である．

ゴムのような性質をもつ線維が分枝，結合しており，組織を伸ばした後でもその力を外せば元の長さに戻る．

血管壁の弾性線維は拍動圧を調整する．弾性線維は**平滑筋細胞**により産生され，**有窓の層板**あるいは**膜シート**をつくりながら血管内腔を同心円状に取り囲む．

ない部分のほとんどが酵素（**プロコラーゲンペプチダーゼ**）による切断を受け，可溶性の**トロポコラーゲン** tropocollagen となる．

2. トロポコラーゲン分子は 1 つずつ重なりながら自己会合し，**コラーゲン細線維** collagen fibril となる．
3. トロポコラーゲン分子が**架橋** cross-linking されることにより，**コラーゲン線維**が形成される．**リシルオキシダーゼ**がトロポコラーゲン間の架橋を促進する．

コラーゲン線維の集団は同じ方向に向いており，**コラーゲン線維束** collagen bundle となる．

このようなコラーゲン線維束の形成にはプロテオグリカンと他の糖タンパク質，例えば **FACIT**（断続したらせん構造を有する**細線維付属コラーゲン** fibril-associated collagens with interrupted triple helices）が関与する．

エーラス・ダンロス症候群（図 4.5）

エーラス・ダンロス症候群 Ehlers-Danlos syndrome は，**皮膚の弾性が高く**（図 4.4），**関節の可動性が大きい**ことを特徴とする．その原因は，主にコラーゲンの合成・プロセッシング・会合の異常にある．

臨床的には，重症度とコラーゲン遺伝子の変異によりさまざまなサブタイプに分けられる．

例えば *COL3A1* 遺伝子の変異によって発症する血管型のエーラス・ダンロス症候群は，重篤な血管変化を伴う．すなわち，静脈瘤を進行させ，主要な動脈の自然破裂を引き起こす．血管壁に

図 4.3 ｜ 特殊な結合組織

特殊な結合組織	
脂肪組織	軟骨

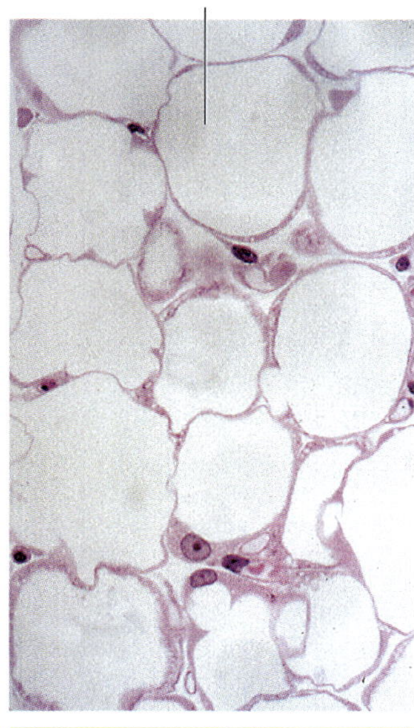

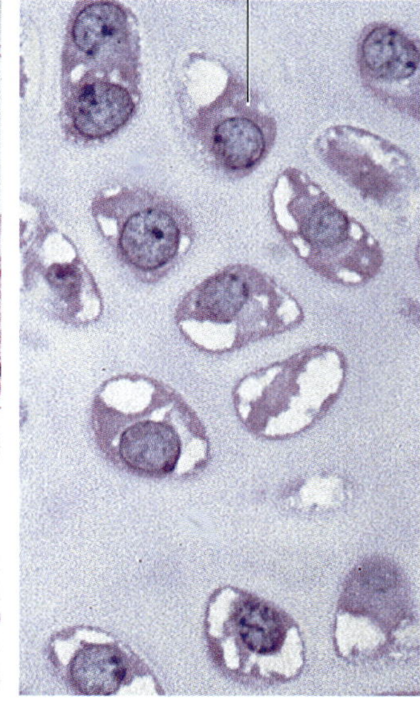

骨	造血組織

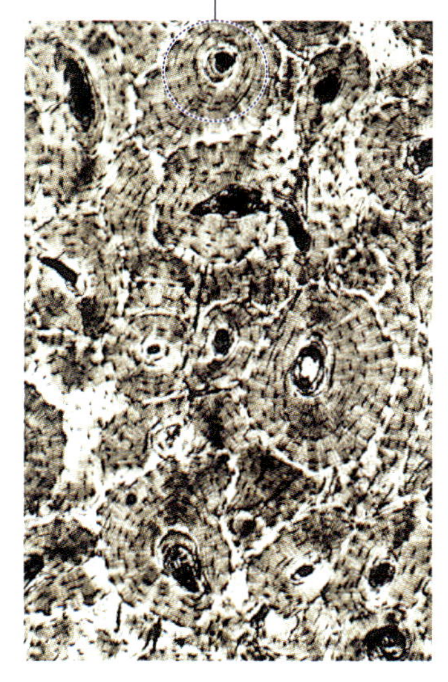

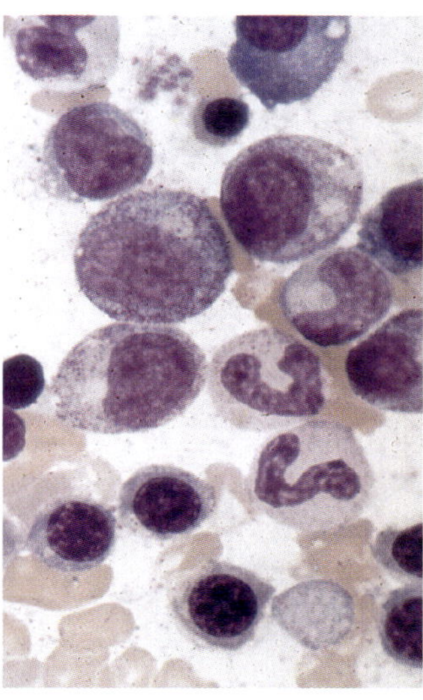

脂肪組織，軟骨組織，骨組織，造血組織は特殊な構造と機能を有する結合組織である．結合組織にみられる古典的な線維芽細胞と同様，それら細胞成分は胎生期の間葉細胞に由来する．軟骨と骨は脊椎動物の骨格を形成する．血液の細胞外マトリックスに相当するのは液体部分（血漿）である．赤血球と白血球は血漿中に漂っている．

多い III 型コラーゲンの合成に欠陥があることが主な原因である．

多発性関節弛緩型 arthrochalasia type と **皮膚弛緩型** dermatosparaxsis type のエーラス・ダンロス症候群は先天性股関節脱臼と関節の顕著な高可動性を主症状とする．

Box 4.A ｜ コラーゲンのタイプ

- **I 型コラーゲン**
  骨，**腱**，**象牙質**，**皮膚**に存在する．縞模様をもつ線維であり，その周期は 64nm である．I 型コラーゲンを有することで張力に抗することができる．
- **II 型コラーゲン**
  ガラス軟骨，**弾性軟骨**にみられる．I 型コラーゲンよりも細い細線維．
- **III 型コラーゲン**
  基底膜網状層に細網線維（径 30nm）として存在する．**創傷治癒過程では，最初にこの型のコラーゲンが合成され，それから I 型に置き換わる．**
  細網線維は**銀好性** argyrophilic（silver-loving，ギリシャ語 *argyros* [= silver，銀]）なので，鍍銀染色でよく染まる．このことは病理学で重要であり，細網線維の分布の歪みをリンパ器官の変化として捉えることができる．**細網線維**は（そして一般にコラーゲンも）糖タンパク質で糖鎖を含むため，**過ヨウ素酸シッフ（PAS）反応**で検出できる．
- **IV型コラーゲン**
  基底板に存在する．このタイプは線維束を形成しない．1 分子の IV 型コラーゲンはラミニンに結合する．
- **V 型コラーゲン**
  胎児の**羊膜** amnion と**絨毛膜** chorion，**筋**および**腱**に存在する．**このタイプは，縞模様をもつ細線維を形成しない．**

Box 4.B ｜ さまざまな細胞から産生されるコラーゲン

- いわゆる**細網細胞**は，実際は線維芽細胞であり，III 型コラーゲンを含む細網線維を合成する．細網線維は骨髄間質およびリンパ器官の間質をつくる．
- **骨芽細胞（骨），軟骨芽細胞（軟骨），象牙芽細胞（歯）もコラーゲンを産生する．**これらの細胞は，それぞれの組織における線維芽細胞に相当する．よってコラーゲン合成は結合組織の線維芽細胞に限ったことではない．実際，**上皮細胞はIV型コラーゲンを産生する．**
- **線維芽細胞は，同時に 2 種類以上のコラーゲンを合成しうる．**
- 血管壁，腸，呼吸気管支樹，子宮にみられる**平滑筋細胞は I 型および III 型コラーゲンを合成できる．**

Box 4.C ｜ コラーゲンの特徴

- コラーゲンは，3 本の線維性タンパク質が互いにらせん状に合わさってできた複合体である（**コイルドコイル構造**とよばれる）．ちょうど綱がよられて，より太い綱になるのに似ている．この三重らせん構造をもつタンパク分子は張力に抗することができる．
- **線維性コラーゲン**（I，II，III，V 型）は，プロセッシングを受けるとそのほぼ全長にわたって三重らせんを有することになる．この状態のコラーゲンは縦方向および横方向に規則的に並ぶ．その結果，電子顕微鏡で観察すると，明暗の周期的な横縞がみられる．
- **非線維性コラーゲン**，例えば **IV 型コラーゲン**では，短い三重らせん領域の多くが非らせん領域により分断されており，N 末端と C 末端の球状ドメインはプロセッシングにより切断されない．
- **コラーゲン**は単独で，あるいは細胞外マトリックス成分とともに**集合体**（細線維から線維，そして線維束へ）**をつくる．コラーゲン細線維**と**コラーゲン線維**は電子顕微鏡で観察できるが，光学顕微鏡ではわからない．**コラーゲン線維束**は光学顕微鏡で検出可能である．

図 4.4 | コラーゲンの合成

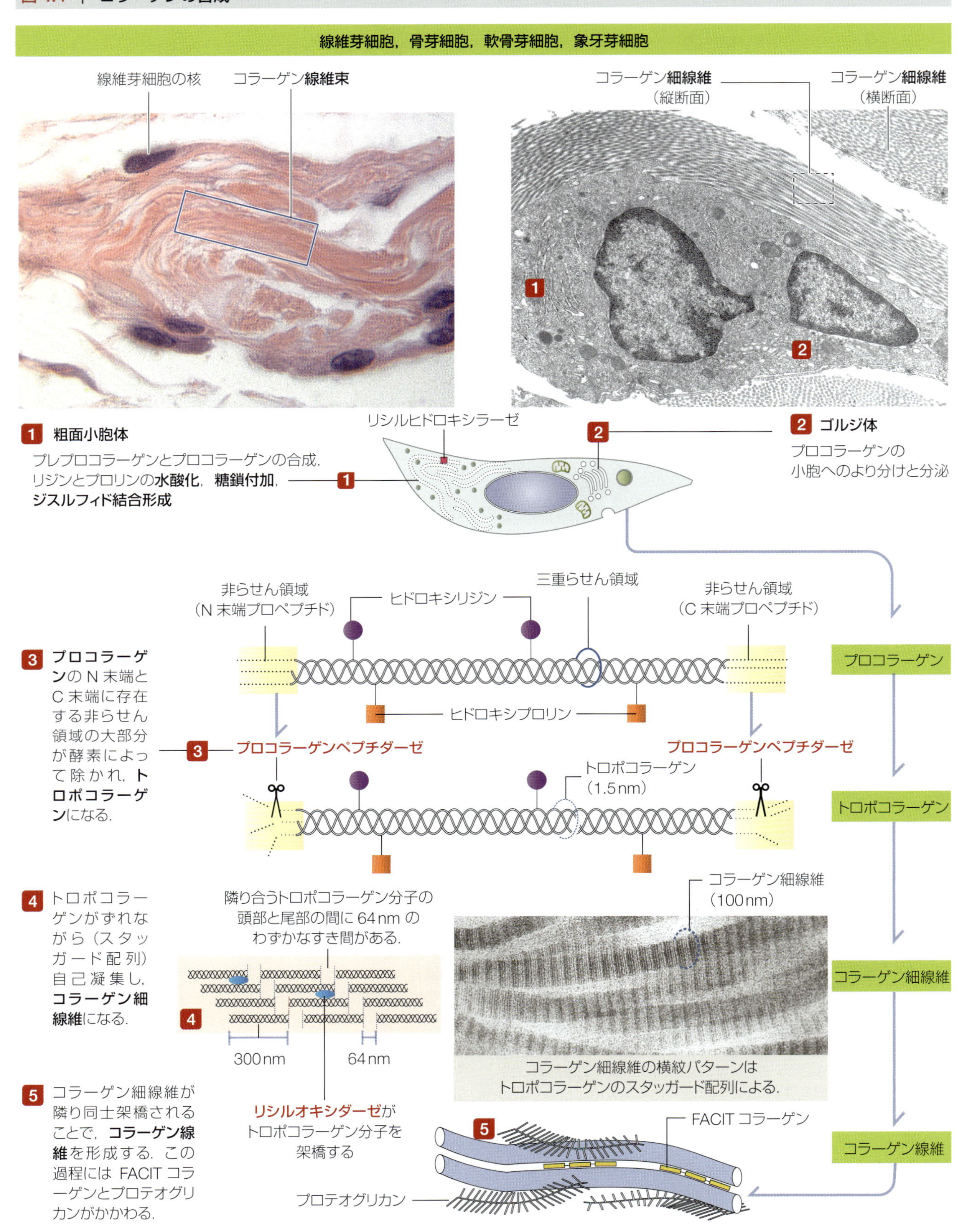

図 4.5 | エーラス・ダンロス症候群とI型コラーゲンの分子異常

エーラス・ダンロス症候群（EDS）の臨床型

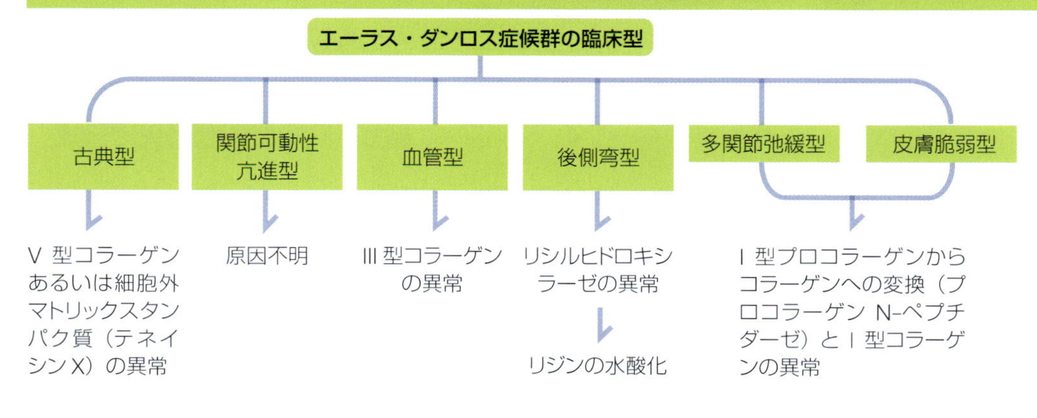

・EDS は臨床的および遺伝学的にさまざまなタイプからなる疾患で，コラーゲンの合成や構造に欠陥がある．
・異常コラーゲンは張力に抗することができず，皮膚は異常に伸展性があり外傷を受けやすい．関節は過可動性を示す．
・コラーゲンの異常は血管や内臓にもおよび，組織の解離や剥離（網膜）をきたす．

COL1A1 および *COL1A2* 遺伝子の変異

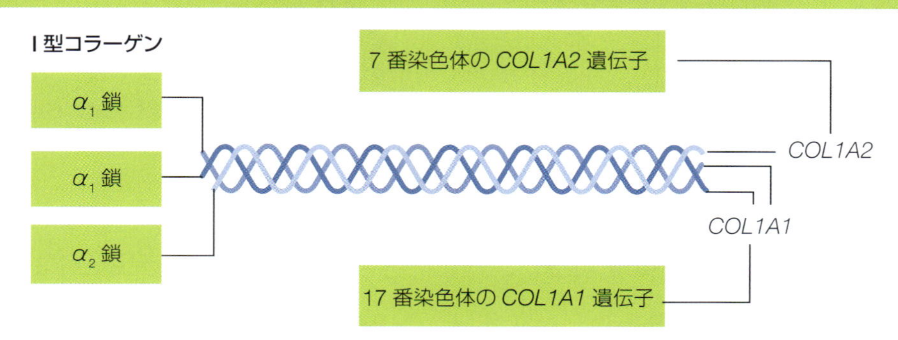

COL1A1 と ***COL1A2*** 遺伝子はそれぞれ I 型コラーゲンの α_1 鎖と α_2 鎖をコードする．分子の N 末端領域の切断部位に相当する遺伝子に変異があると，プロコラーゲンからコラーゲンへの変換が阻害される．その結果，架橋の異常をきたし，腱（I 型コラーゲンが豊富）の張力に対する抵抗力が弱まる．この変異は**エーラス・ダンロス症候群**の一部の臨床型でみられる．

ストリックラー Strickler **症候群**は，近視，下顎の低形成，および骨端の低形成を伴う関節炎で特徴づけられる．軟骨と硝子体液（眼）は II 型コラーゲンを多く含む．ストリックラー症候群では ***COL2A1*** 遺伝子が変異している．

I 型骨形成不全症は骨の脆弱性を示す．***COL1A1*** の点欠失変異により，I 型コラーゲンの産生が低下しているため，正常な骨化がみられない．

あるタイプの患者では，I 型コラーゲン遺伝子をコードする *COL1A1* と *COL1A2* 遺伝子，そしてプロコラーゲン *N*-ペプチダーゼ遺伝子に異常があるために N 末端の切断部位が乱れ，プロコラーゲンからコラーゲンへのプロセッシング過程に影響している．

弾性線維（図 4.6）

弾性線維は**線維芽細胞**（皮膚と腱に存在する），**軟骨芽細胞**，軟骨細胞（耳介，喉頭蓋，喉頭，耳管の弾性軟骨に存在），**平滑筋細胞**（大動脈に代表される大血管と呼吸器系に存在）により合成される．コラーゲン同様，弾性線維の合成にも RER とゴルジ体が関与する．

弾性線維 elastic fiber の合成は，**プロエラスチン** proelastin という前駆体から始まる．プロエラスチンは細胞内でプロセッシングを受けた後，**トロポエラスチン** tropoelastin として分泌される．

細胞外でトロポエラスチンは**フィブリリン 1，2** fibrillin 1，2 および**フィビュリン 1** fibulin 1 と結合し，**弾性線維**をつくる（直径 0.1〜0.2 mm）．これがさらに会合して弾性線維**束**となる．

トロポエラスチンは，普通ではみられない特徴的なアミノ酸，**デスモシン** desmosine を含む．トロポエラスチン中の 2 つのリジン残基がリシルオキシダーゼによって酸化されデスモシン環が形成されるが，これが 2 つのトロポエラスチン分子間を架橋する．この架橋により，トロポエラスチンは輪ゴムのような伸縮特性をもつ．

弾性線維は胎児期と思春期に産生され，成人ではそれほどではない．

一生を通じて弾性線維は弾性能を維持するが，多くの組織では年齢とともに弾性が低下する．特に皮膚では皺が増える．

オルセイン orcein は苔から得られる自然の染料で，弾性線維を光学顕微鏡下で黒あるいは暗青色に染める．弾性線維の横断面を電子顕微鏡で観察すると，電子密度の高いエラスチンの芯を細い線維が囲んでいる様子が観察される．この線維は**フィビュリン 1** と**フィブリリン**を含む．

図 4.6 | 弾性線維の合成

線維芽細胞と平滑筋細胞

1 粗面小胞体

弾性線維を構成する3分子の合成：

1. **トロポエラスチン**は**デスモシン**を含むが，これは細胞外で2つのリジンの酸化によりつくられる．
2. **フィビュリン 1**．
3. **フィブリリン 1** と **2**．

2 ゴルジ体

トロポエラスチン，フィブリリン，フィビュリンの小胞へのより分けと分泌

フィビュリン 1　フィブリリン 1 と 2　トロポエラスチン　デスモシン

3 細胞外スペース

フィビュリン 1，**フィブリリン**，**トロポエラスチン**が集まって**弾性線維**になる（0.1〜0.2 μm 径）．
フィブリリン 1 は力を受ける構造的基礎をなす．**フィブリリン 2** は弾性線維の会合を制御する．**フィビュリン 1** はフィブリリンとエラスチンの会合に必須である

個々の弾性線維が会合する

多数の弾性線維からなる束

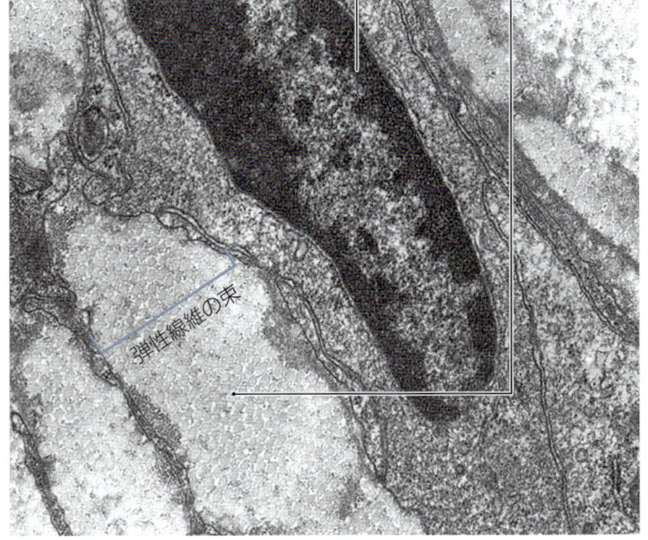

1本の弾性線維　フィブリリンとフィビュリン 1　0.1〜0.2μm　弾性線維の束

マルファン症候群

マルファン症候群 Marfan's syndrome は常染色体顕性遺伝する疾患で弾性組織が劣化している．

第15染色体上にある**フィブリリン 1** fibrillin 1 遺伝子の変異がマルファン症候群を引き起こす．フィブリリン 1 は構造タンパク質であるとともに，**トランスフォーミング成長因子β** transforming growth factor-β（TGF-β）シグナル経路の調節因子でもある．TGF-β は線維芽細胞によるコラーゲン，弾性線維，ECM タンパク質の産生を刺激することができる．TGF-β の産生過剰は，マルファン症候群に典型的な形態変化を引き起こす．

主に**眼**，**骨格**，**心臓血管系**の3つの器官に異常をきたす．

眼の異常には，**近視** myopia，**水晶体偏位** ectopia lentis などがある．**骨格系**の異常には**細長い手足** dolichostenomelia，**漏斗胸** pectus excavatum，**側弯症** scoliosis，**長い指**（**クモ指症** arachnodactyly）などがある．

心臓血管系の異常は生命にかかわる．マルファン症候群の患者では**僧房弁の逸脱と上行大動脈の拡張**がみられる．

大動脈や末梢動脈の拡張は**解離性動脈瘤** aneurysm（ギリシャ語 *aneurysma*［= widening，拡大の意］）とその破裂につながる．

マルファン症候群の組織ではプロテオグリカンの増加により弾性板が解離しており，これが復元力の低下をもたらす．

骨格系では，骨を比較的強固に包む骨膜が異常な弾性をもつために，骨の成長に対抗できず，骨格の異常をきたす．

マルファン症候群の患者に対する治療として，例えばロサルタンによる TGF-β シグナル経路の抑制がある．これはロサルタンがアンギオテンシンIIタイプ1受容体を阻止することによるもので，結果として大動脈拡張が有意に減少する．

フィブリリン1と相同性のあるフィブリリン2遺伝子は第5染色体上にある．この遺伝子の変異は**先天性拘縮性クモ指症**とよばれる疾患を引き起こす．この病気は骨格系に影響を及ぼすが，眼と心臓血管系の異常はみられない．

マクロファージ（図 4.7）

マクロファージ macrophage は**貪食能** phagocytic property をもつ細胞であり，骨髄でつくられる**単球** monocyte，そして胎生期では卵黄嚢の前駆細胞に由来する．

単球は血液中を流れ，炎症を起こしている結合組織に移動して，マクロファージに分化する．そしてアポトーシスに陥った細胞を取り込み，炎症による破壊産物を掃除する．マクロファージは特定の組織では別の名称をもつ．例えば肝臓では**クッパー細胞** Kupffer cell，骨では**破骨細胞** osteoclast，中枢神経系では**小膠細胞（ミクログリア）** microglia とよばれる．

結合組織中のマクロファージは構造上，以下のような特徴をもつ：

1. 貪食により取り込んだ物質を消化するため，非常に多くの**リソソーム** lysosomes を含む．
2. 活性化されたマクロファージは多くの**食胞** phagocytic vesicles（あるいは［ヘテロ］**ファゴソーム** phagosomes）を有し，そこに取り込んだ物質を一時的に貯める．
3. 核の輪郭は不整．

結合組織のマクロファージは3つの主要な機能を有する：

1. **古くなった線維や ECM を新しいものに替える．**
2. 炎症あるいは免疫反応の一部として，抗原をリンパ球に提示する（第 10 章参照）．
3. 外傷，感染，炎症，腫瘍形成などに反応してサイトカインを産生する（例えばヘルパーT細胞の活性化因子であるインターロイキン-1や，炎症のメディエーターである**腫瘍壊死因子［TNF］**リガンドなど）．

肥満細胞（図 4.8）

肥満細胞 mast cell（ドイツ語 *Mastzellen*［= mastung，分泌顆粒を「よく食べている」の意］，ドイツ人科学者であるパウル・エールリヒ Paul Ehrlich により観察された）もマクロファージ同様，**骨髄**の細胞に由来する．その細胞は細胞質顆粒のない CD34$^+$ 骨髄性前駆細胞であり，**c-kit 受容体** c-kit receptor（チロシンキナーゼをもつ）とそのリガンドである**幹細胞因子**，そしてイムノグロブリンEの高親和性受容体である **FcεRI** を発現する．

成熟した肥満細胞はケモカインやサイトカインに刺激されると，顆粒に貯蔵された豊富なプロテアーゼとプロテオグリカン，そして新たに合成された脂質由来メディエーター（ロイコトリエン）を放出できる．**ロイコトリエン** leukotrienes は肥満細胞の血管作動性物質である．しかし**ロイコトリエンは顆粒内に存在するわけではなく，アラキドン酸の代謝産物として肥満細胞の細胞膜から放出される．**

血中を流れる**肥満細胞と好塩基球** basophils **は，骨髄の同じ前駆細胞に由来する．**好塩基球は細胞質顆粒をもったまま骨髄から出てくるが，肥満細胞はより後の最終目的地に到達した時点で顆粒をもつようになる．肥満細胞は場所の移動やホーミング現象に関係する $\alpha 4\beta 7$ インテグリンを発現する．

肥満細胞には2つの種類がある：

1. **結合組織の肥満細胞**（connective tissue mast cell：CTMC）は，結合組織に移動して血管や神経終末の周囲に存在する．
2. **粘膜の肥満細胞**（mucosa mast cell：MMC）は，主に小腸や肺の粘膜固有層にもみつかり，T細胞に関係する．

両者の重要な違いは，CTMC はT細胞に依存せずに働くのに対し，MMC の活性はT細胞に依存することである．

また，**異染性** metachromatic（Box 4.D）を示す細胞質顆粒の数とサイズも異なり，CTMC はこれら顆粒が多い傾向にある．さらに小腸の MMC は **MCP-1** mast cell chymase protein というキモトリプシン様ペプチダーゼをもつが，CTMC はこれをもたず，MCP-4（キマーゼ），MCP-5（エラスターゼ），MCP-6 と MCP7（両者ともトリプターゼ），CPA3（肥満細胞カルボキシペプチダーゼA）を発現する．これら肥満細胞プロテアーゼは炎症促進作用をもつ．

CTMC と MMC は由来となる前駆細胞は同じだが，最終的な形態学的・機能的な特徴は分化する場所（結合組織か粘膜固有層か）で獲得する．

肥満細胞は血管作動性メディエーターを**細胞質顆粒**に含む．血管の近くに存在することは都合がよく，細胞の活性化により**ヒスタミン，ヘパリン，走化性メディエーター**を放出すると，血中を流れる単球，好中球，好酸球をうまく引き寄せられる（Box 4.E）．

形質細胞（図 4.9）

形質細胞 plasma cell は **B リンパ球**（**B 細胞**ともよばれる）の分

Box 4.D ｜ 異染性とは

- 肥満細胞の顆粒は**異染性** metachromasia（ギリシャ語 *meta*［= beyond，超える］，*chroma*［= color，色］）として知られる染色特性を有する．
- **トルイディン青**などの異染性を示す染料で肥満細胞を染めると，その顆粒はその染料の色とは異なる色（青ではなくて紫赤色）で染まる．
- この現象は，顆粒内の物質に染料分子が結合し，その電荷構造に変化をきたすことによる．さらに，肥満細胞顆粒は糖タンパク質を含むので PAS 陽性である．

図 4.7 | マクロファージ

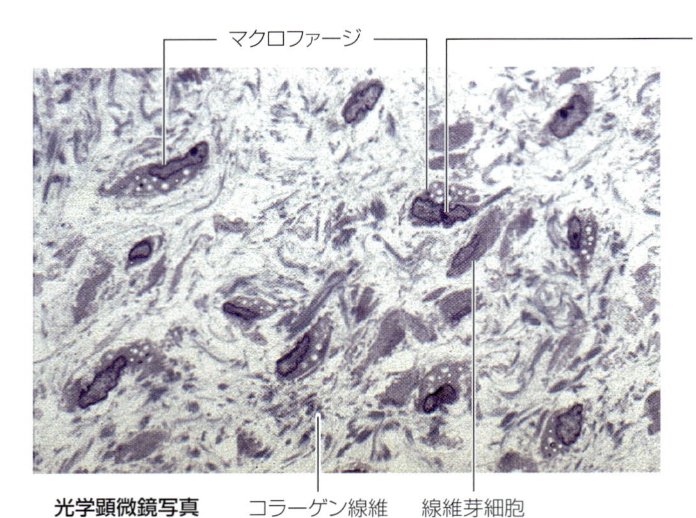

光学顕微鏡写真

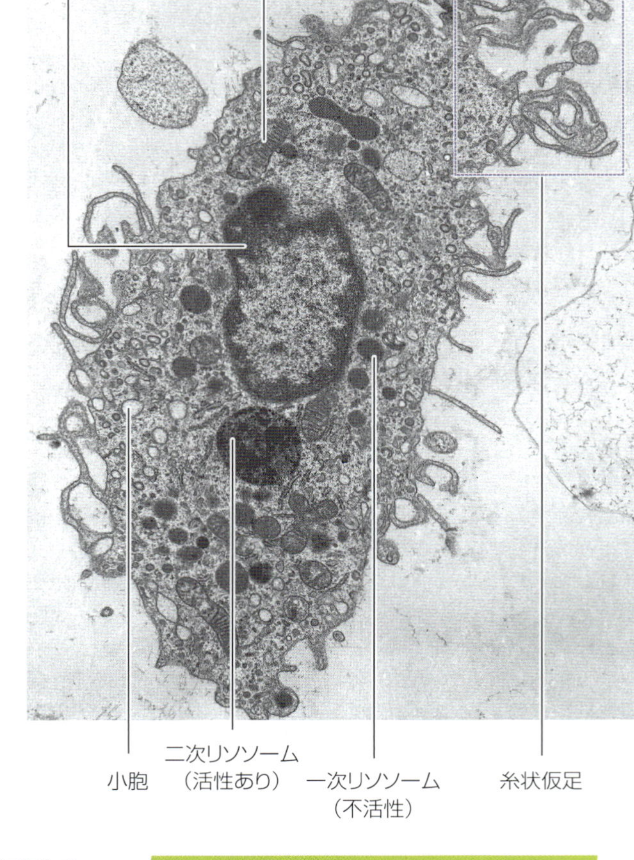

電子顕微鏡写真

マクロファージの 2 つの由来

単球，樹状細胞，マクロファージは単球貪食細胞系に属する．単球はこれまで長らくマクロファージの前駆細胞とみなされてきた．しかし，マクロファージは胎生期に**卵黄嚢**の前駆細胞，次いで**胎児肝臓の単球**から発生し，それらが異なる組織に移動する．胎生期に発生したマクロファージは，自己複製によりその数を維持する．炎症時には，骨髄由来の単球が血中から組織に出てマクロファージに成熟する．実際の組織では，胎生期由来のマクロファージと出生後に発生したマクロファージが**共存**する．

抗原
MHC
食胞
リソソーム
抗原提示細胞（マクロファージ）
リンパ球（T 細胞）

小さなリンパ球が結合組織に存在する．**大きなリンパ球**あるいは**免疫芽細胞**はリンパ組織にみられる．

抗原提示細胞としてのマクロファージ

1 マクロファージは抗原を取り込み，**食胞**に貯める．
2 リソソームが食胞に融合すると，抗原は小さなペプチド断片に分解され，それらは**主要組織適合複合体**（**MHC**）とよばれる受容体に結合する．
3 食胞は細胞膜と融合し，抗原が**リンパ球**（胸腺由来の T 細胞）に提示される．

化によってできた細胞で，抗原に対応する 1 種類の免疫グロブリンを合成・分泌する（図 4.10）．

免疫グロブリンは糖タンパク質であり，したがって形質細胞はタンパク質の合成・分泌が活発な細胞としての形態学的特徴を有する：

1. 発達した**粗面小胞体**．
2. 広がった**ゴルジ体**．
3. 大きな**核小体**．

光学顕微鏡で観察すると細胞質は好塩基性であるが，これは小胞体についているリボソームが多いことによる．核近傍の明るい領域はやや**好酸性**であり，これはゴルジ体に相当する．核ではヘテロクロマチンが，特徴的な**車軸状** cartwheel configuration（荷車の車軸とそのスポーク）を呈して分布する．

細胞外マトリックス（ECM）（図 4.10）

細胞外マトリックス extracellular matrix（ECM）は動的な構造であり，**コラーゲン**，**非コラーゲン性糖タンパク質**，**プロテオグリカン**からなる．

図 4.8 ｜ 肥満細胞

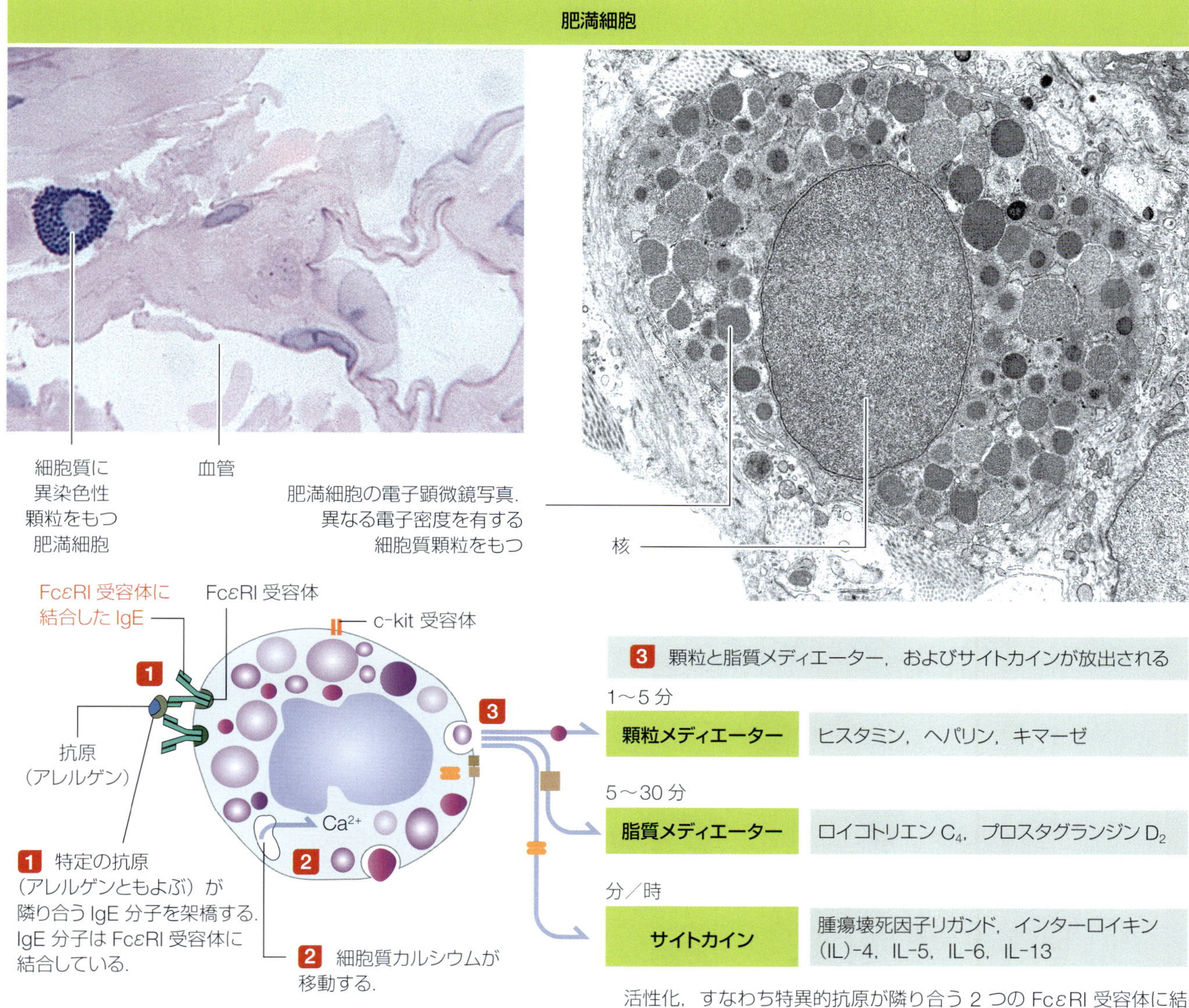

不活性型の肥満細胞は，**ヒスタミン**，**プロテアーゼ**，**プロテオグリカン**を貯蔵する顆粒で占められる.

ヒスタミンはヒスチジンの脱炭酸によってできる.

プロテオグリカンはヒスタミンとプロテアーゼ（主にトリプターゼとキマーゼ）の顆粒への積み込みと貯蔵に関与する.

キマーゼ（肥満細胞特異的セリンプロテアーゼ mast cell-specific serine protease［MCP］）は肥満細胞に特徴的である．好塩基球には存在しない.

活性化，すなわち特異的抗原が隣り合う 2 つの FcεRI 受容体に結合すると，肥満細胞は以下のように反応する：

1. ヒスタミン，プロテアーゼ，プロテオグリカンを放出する.
2. **シクロオキシゲナーゼ**と**リポキシゲナーゼ**経路を使って，**アラキドン酸**由来のメディエーターを合成する.

シクロオキシゲナーゼ（**プロスタグランジン D_2** の生成に関与）とリポキシゲナーゼ（**ロイコトリエン C_4** の生成に関与）の代謝産物は**顆粒には存在しない**．これらは重要な炎症メディエーターである.

結合組織に固有の細胞，および遊走してくる細胞は，ECM の中に埋まっている.

あらゆる器官は固有の組成をもつ ECM を有し，乳腺や顎下腺などのさまざまな器官において ECM は形態形成を調節する役割を担う.

ECM の成分は合成・分解・再構築からなるリモデリングを受けるが，これは**メタロプロテアーゼ**とよばれる特異的な酵素によって行われる.

基底膜は特殊な ECM と考えられ，**ラミニン** laminin，**フィブロネクチン** fibronectin，多種類の**コラーゲン**，**プロテオグリカンヘパラン硫酸**など，さまざまな ECM 構成分子を含む.

さらに，上皮および非上皮性細胞は ECM 構成分子に対する受容体をもつ．例えば**インテグリン**ファミリーはラミニンとフィブロネクチンとの結合親和性を有している．**インテグリン** integrin は細胞骨格分子（F- アクチン）と結合して**接触点** focal contact を形成し，あるいは細胞の形状や接着性を修飾することで細胞と

図 4.9 | 形質細胞

形質細胞

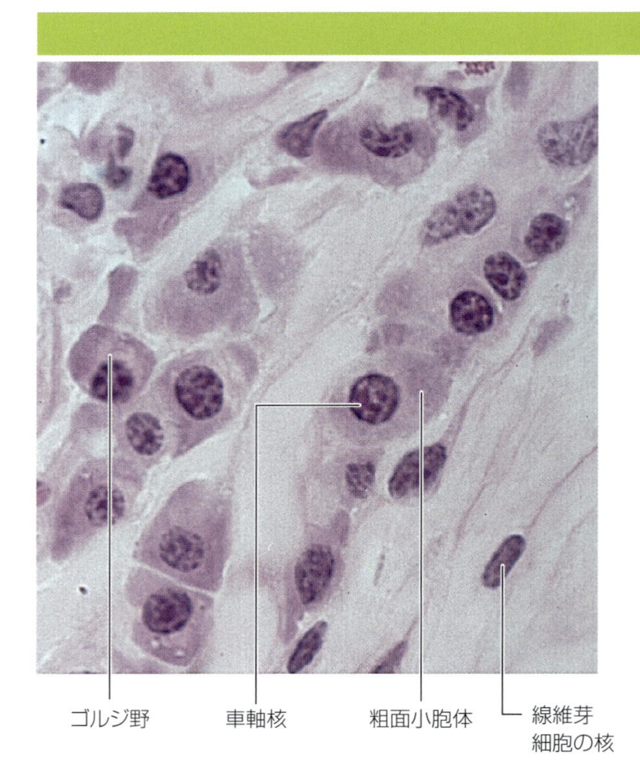

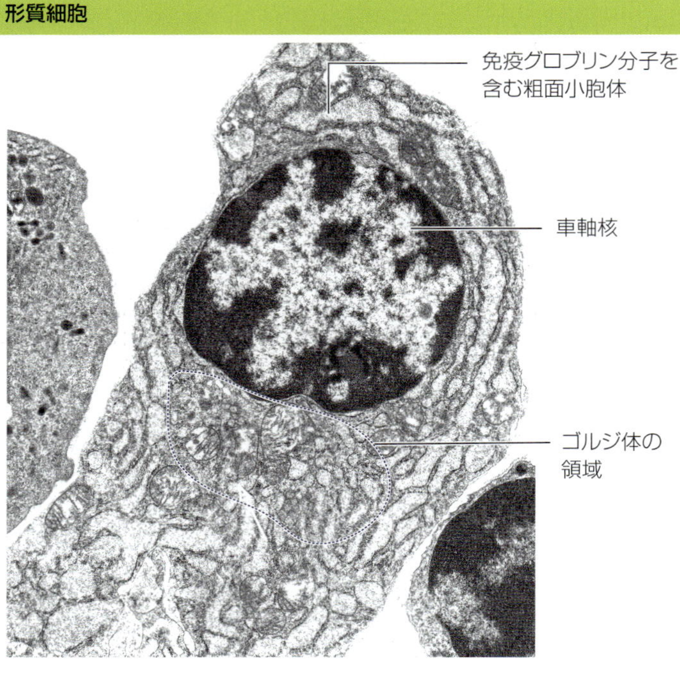

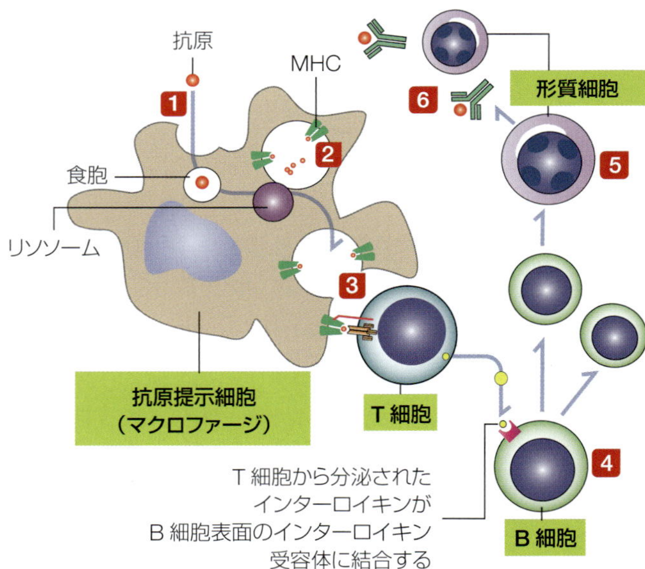

形質細胞の由来

1 抗原がマクロファージ（抗原提示細胞）に取り込まれる.

2 抗原はファゴソームに貯蔵され，これがリソソームと融合する．酸性微小環境下でリソソーム水解酵素は活性化され，抗原を小さなペプチドに分解する．小さなペプチドはファゴソーム膜に付着している **MHC 分子**に結合する.

3 このファゴソーム由来構造が細胞膜に融合し，**ペプチド-MHC が T 細胞に曝される**．T 細胞は抗原由来のペプチドに結合し，サイトカインやインターロイキンを分泌する.

4 インターロイキンが近傍の **B 細胞**に結合すると，B 細胞の細胞分裂が誘導され，細胞数が増える.

5 B 細胞は免疫グロブリンを分泌する形質細胞に分化する.

6 特異的な**免疫グロブリンは**細胞外に分泌され，**特定の遊離抗原に結合**し，その傷害作用を中和する.

抗原提示細胞，T 細胞-B 細胞相互作用についての詳細は，第 10 章で説明する.

ECM との結合を強固にする.

多くの成長因子，例えば**上皮成長因子** epidermal growth factor（EGF）や**線維芽細胞成長因子** fibroblast growth factor（FGF），そして Wnt や TGF-β 経路のシグナル分子が ECM に存在する.

いくつかの**非コラーゲン性糖タンパク質** non-collagenous glycoprotein は 細胞との結合に関与し，また ECM 成分の生成を調節する.

これらの糖タンパク質は広く結合組織に分布するが，軟骨と骨は特殊な糖タンパク質を有している．これについては後に「**軟骨形成**と**骨形成過程**」を説明する際に述べる.

プロテオグリカン凝集体 proteoglycan aggregate は ECM の主要な構成物質である（図 4.10）．それぞれのプロテオグリカンは**グリコサミノグリカン** glycosaminoglycan（GAG）という多糖類とタンパク質の複合体からなる.

GAG は二糖類の直鎖状重合体で硫酸基をもつ．この GAG が細胞表面の分子や成長因子，あるいは他の ECM 分子と相互作用することで，プロテオグリカンの生物学的機能を制御している.

異なるタイプの GAG が**コアタンパク質** core protein に結合し

て，プロテオグリカンとなる．次いでプロテオグリカンが**リンカータンパク質** linker protein を通して**ヒアルロン酸** hyaluronan と結合する．

ヒアルロン酸は**プロテオグリカン凝集体**の中心軸となる．プロテオグリカンの名前は，どのタイプの GAG をより多く含むかによって決まる（例えば，**プロテオグリカン コンドロイチン硫酸** chondroitin sulfate，**プロテオグリカン デルマタン硫酸** dermatan sulfate，**プロテオグリカン ヘパラン硫酸** heparan sulfate など）．

臍帯の**胎児性結合組織** embryonic connective tissue（あるいは間葉）は**ワルトンゼリー** Wharton's jelly とよばれる．ほとんどが ECM 成分からなり，これが 2 つの臍動脈と 1 つの臍静脈を包む．臍帯の血管は，胎児 - 母体間の液性物質，ガス，栄養の交換にきわめて重要であるが，これが圧迫されないようにプロテオグリカンの豊富な結合組織に包まれているわけである．

プロテオグリカンはきわめて高い電荷密度をもち，したがって浸透圧も高い．このことが高い膨潤性能をもたらすため，この分子をもつ結合組織は圧縮力に強く，つぶれにくい．

ECM の分解（図 4.10）

ECM は亜鉛依存性プロテアーゼファミリーの 1 つ，**マトリックスメタロプロテアーゼ** matrix metalloproteinase（MMP，マトリキシンともよばれる）により分解される．この酵素は**不活性型の前駆体**（**チモーゲン** zymogen）**として細胞外へ分泌**され，ECM 中でタンパク質分解を受けることにより活性化される．

組織リモデリングの際に，細胞外の MMP 活性は **MMP 組織インヒビター**tissue inhibitor of MMP（**TIMP**）によって特異的に調節される．

MMP 遺伝子の発現は，炎症性サイトカイン，成長因子，ホルモン，そして細胞 - 細胞接触と細胞 - ECM 接触によって制御される．

Box 4.E | アレルギー過敏反応

- アレルギー過敏反応（例えば喘息，花粉症，湿疹など）において，特定の血管作動性メディエーターは，血管透過性および気管平滑筋の収縮度を調節する重要な役割をもつ．
- 肥満細胞と好塩基球は細胞表面に免疫グロブリン E（IgE）受容体（FcεRI）をもつ．抗体が隣り合う 2 つの FcεRI に結合すると，肥満細胞や好塩基球は IgE 感作となる．IgE 感作された肥満細胞は Ca^{2+} を細胞内貯蔵プールから放出し，次に細胞質顆粒の内容物は脱顆粒という過程により速やかに放出される．
- 喘息 asthma（ギリシャ語 *asthma* [= panting，あえぐ]）において，ヒスタミンの放出は細気管支周囲の平滑筋の痙攣，および気管支の杯細胞および粘液腺からの分泌亢進を引き起こし，**呼吸困難** dyspnea（ギリシャ語 *dyspnoia* [= difficulty with breathing，呼吸困難]）を招く．
- 花粉症ではヒスタミンが血管透過性を亢進させ，浮腫（細胞間隙における過剰な体液の貯留）を引き起こす．
- 肥満細胞症とは全身性および局所において形態学的に変化した肥満細胞の数が増加する病気である．皮膚の肥満細胞は物理的な刺激によって活性化されるが，これは膨疹 - 潮紅反応（ダリエ徴候 sign of Darier）をみるときに起きている．

通常，ECM の分解は，発生，発達，組織修復，創傷治癒過程で起こる．しかし，過度の ECM 分解はさまざまな病態，例えば関節リウマチ，骨関節炎，慢性組織潰瘍，がんなどで観察される．腫瘍の浸潤，転移，腫瘍による血管新生には MMP の関与が必要であり，腫瘍発生に伴ってこの酵素の発現が増加する．

ヒトは 23 の *MMP* 遺伝子をもつ．MMP ファミリーは基質によっていくつかのサブファミリーに分類される：

1. **コラゲナーゼ** collagenase（MMP-1，MMP-8，MMP-13）は I，II，III 型コラーゲン，および他の ECM タンパク質を分解できる．MMP-1 は線維芽細胞，軟骨細胞，角化細胞，単球とマクロファージ，肝細胞そして腫瘍細胞により合成される．MMP-8 は多形核白血球の細胞質顆粒に貯蔵され，刺激により放出される．MMP-13 はさまざまなタイプのコラーゲン（I，II，III，IV，IX，X，XI 型），ラミニン，フィブロネクチン，その他の ECM 成分を分解できる．
2. **ゲラチナーゼ** gelatinase（MMP-2，MMP-9）は多くの ECM 分子，IV，V，IX 型コラーゲン，ラミニン，アグリカンコアタンパク質を分解できる．コラゲナーゼ同様，MMP-2 は I，II，III 型コラーゲンを分解できるが MMP-9 はできない．ゲラチナーゼは肺胞マクロファージにより産生される．
3. **ストロメリジン** stromelysin MMP-3，MMP-10 は多くの ECM を消化する．しかし ECM 分子に対する MMP-11 の活性は非常に弱い．ストロメリジンは基底膜の構成物（IV 型コラーゲン，フィブロネクチン）を分解する．
4. **マトリリジン** matrilysin（MMP-7，MMP-26）MMP-7 は上皮細胞で合成され，細胞表面の分子，例えばプロ - α デフェンシン，Fas リガンド，プロ - 腫瘍壊死因子リガンド，E- カドヘリンを切断する．
5. **膜型** membrane-type MMP（MT-MMP）は 2 つのカテゴリー，すなわち膜貫通型（MMP-14，MMP-15，MMP-16，MMP-24），およびグリコシルホスファチジルイノシトール（GPI）- アンカー型（MMP-17，MMP-25）からなる．MT-MMP は細胞内で活性化され，細胞表面で機能する酵素である．

上記の分類にあてはまらない MMP も多い：

1. **メタロエラスターゼ** metalloelastase（MMP-12）はマクロファージ，肥大軟骨細胞，破骨細胞で発現する．
2. **MMP-19** は**リウマチ様関節炎滑膜炎症** rheumatoid arthritis synovial inflammation（**RASI**）ともよばれ，基底膜の成分を消化する．MMP-19 はリウマチ様関節炎の患者から採取される活性化リンパ球や形質細胞でみつかる．
3. **エナメリシン** enamelysin（MMP-20）はエナメル芽細胞（歯の発生におけるエナメル産生細胞）に発現し，アメロゲニンを消化する．

TIMP（TIMP-1，TIMP-2，TIMP-3，TIMP-4）は MMP の阻害因子である．TIMP-3 は MMP 活性の主な調節因子である．

腫瘍の浸潤，転移を阻止するための治療法として，MMP が 1 つの標的となる．これについては，第 23 章「受精・着床・乳汁分泌」において再度述べるが，メタロプロテアーゼは胚子が子宮内膜あるいは脱落膜に着床する初期過程で重要である．

図 4.10 | プロテオグリカン凝集体，およびメタロプロテアーゼとその阻害剤

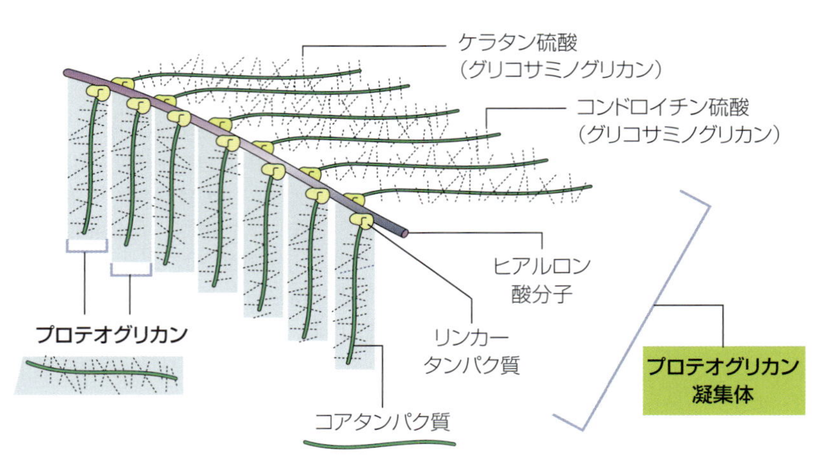

プロテオグリカンはグリコサミノグリカンを含む細胞外タンパク質複合体である

プロテオグリカン凝集体は，以下の構成要素からなる．
(1)**ヒアルロン酸分子**は軸となる．
(2)**コアタンパク質**は**リンカータンパク質**によってヒアルロン酸に結合している．
(3)**グリコサミノグリカン**はコアタンパク質に結合している．

さまざまなグリコサミノグリカンの鎖がコアタンパク質に結合し，プロテオグリカンを形成する．プロテオグリカン凝集体の分子の大きさは約 10^8kDa である．

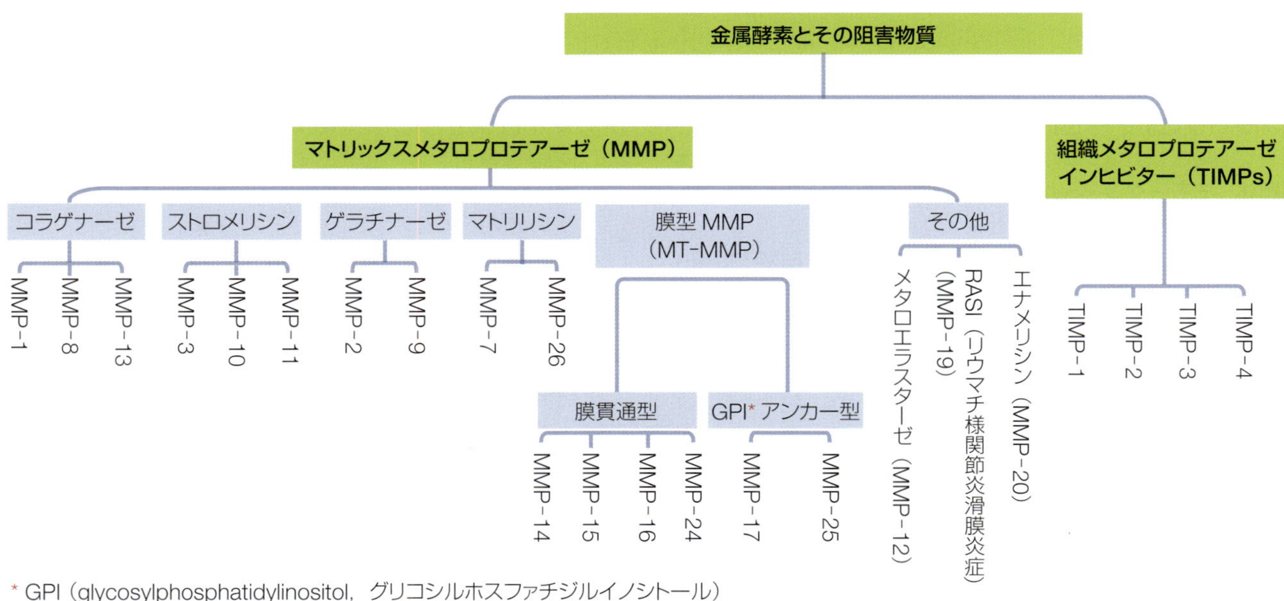

* GPI（glycosylphosphatidylinositol，グリコシルホスファチジルイノシトール）

腫瘍浸潤における分子生物学（基本事項 4.A）

第3章で説明したが，**浸潤** invasion と**転移** metastasis という2つの現象は，上皮組織由来の**がん** carcinoma（ギリシャ語 *karkinoma*，*karkinos*［＝crab，cancer，カニ］＋*oma*［＝tumor，腫瘍］）の性質として重要である．

まずは結合組織の場合でもあてはまる概念からみてみよう．**腺腫** adenoma は上皮細胞由来で構造的に良性の腫瘍であり，浸潤性，転移性に乏しい．悪性のがんは良性の腺腫から起こりうる．例えば大腸の小さな良性腺腫あるいは**ポリープ** polyp は，浸潤性のがんに移行することがある．

肉腫 sarcoma（ギリシャ語 *sarx*［＝flesh，肉］＋*oma*）は結合組織（筋肉，骨，軟骨）および中胚葉細胞由来の腫瘍であることを覚えておこう．

例えば線維肉腫は線維芽細胞から，骨肉腫は骨から起こる．

浸潤は腫瘍細胞による**基底膜の破壊**と定義され，前がん状態からがんへの移行を暗に意味する．**転移**は腫瘍細胞が血行性あるいはリンパ行性に全身に広がることを意味し，普通は死に至る．**基本事項 4.A** は子宮頸部がんにおいて腫瘍細胞の浸潤が始まる最初の様子を示す．

前項でみてきたように，多くのがんはマトリックスメタロプロテアーゼを産生し，これがさまざまな種類のコラーゲンを分解する．正常組織はマトリックスメタロプロテアーゼの阻害物質を産生するが，これはがん細胞により相殺される．攻撃的にふるまう腫瘍はプロテアーゼ阻害物質の効果を凌駕することができる．

転移における1つの重要な過程は，血管の発達を意味する**血管新生** angiogenesis である．血管を通して酸素や栄養が供給され，腫瘍は成長する．血管新生は腫瘍細胞により刺激されるが，特に腫瘍が成長するときは毛細血管内皮細胞が増殖して新たな毛細血管が形成される．**エンドスタチン** endostatin と**アンギオスタチン** angiostatin は，血管新生を阻害する2つの新たなタンパク質である．これらの作用機序，標的については第12章で述べる．

基本事項 4.A ｜ 腫瘍の浸潤と転移

異形成

正常上皮細胞
異形成
カドヘリン
傷害されていない
基底膜
結合組織

子宮頸部のがん

1 上皮では細胞増殖率の亢進と細胞の不完全な成熟（**異形成**）が認められる．細胞は基底膜に浸潤しておらず，上皮層内に留まっている．

上皮内がん

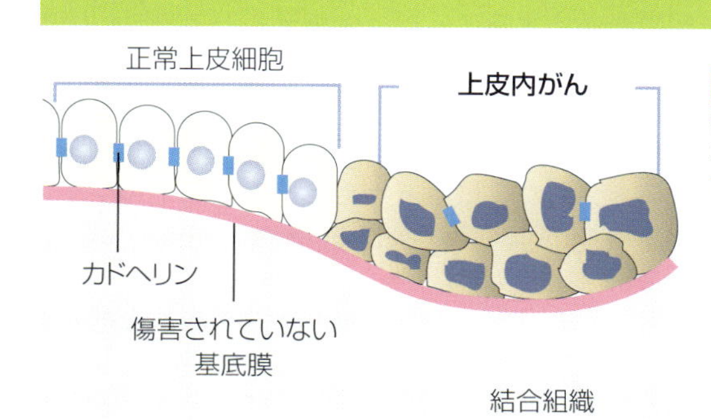

2 胞増殖率の亢進と細胞の不完全な成熟が顕著になる．上皮の正常構築が失われる．上皮の腫瘍細胞は基底膜に浸潤しておらず，上皮層内に留まっている．

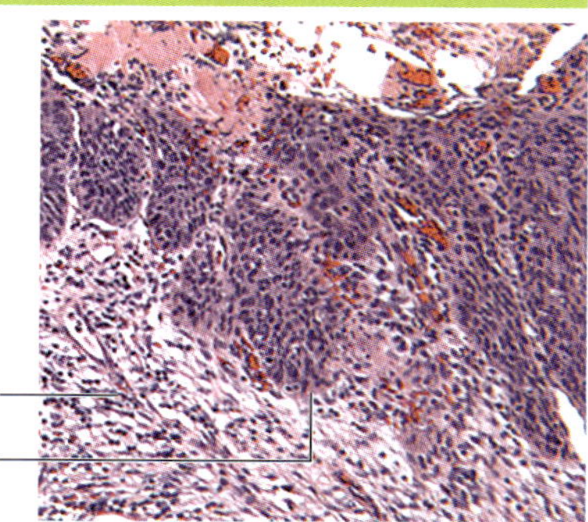
結合組織
傷害されていない基底膜

微小浸潤がん

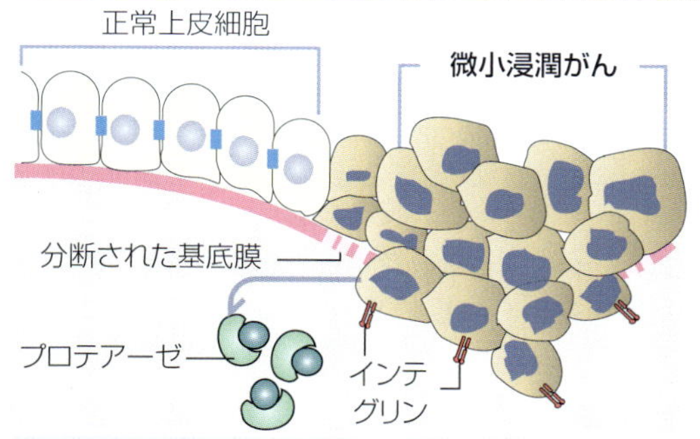

上皮腫瘍の細胞成分が**上皮-間葉転換** epithelial-mesenchyme transition（**EMT**）を起こすと，浸潤という特性を獲得する．EMT では遺伝子制御プログラムが働き，細胞は上皮の特性から間葉の特性をもつように変わる．例えば細胞移動や細胞形態の変化が制御されずに浸潤しやすくなる．

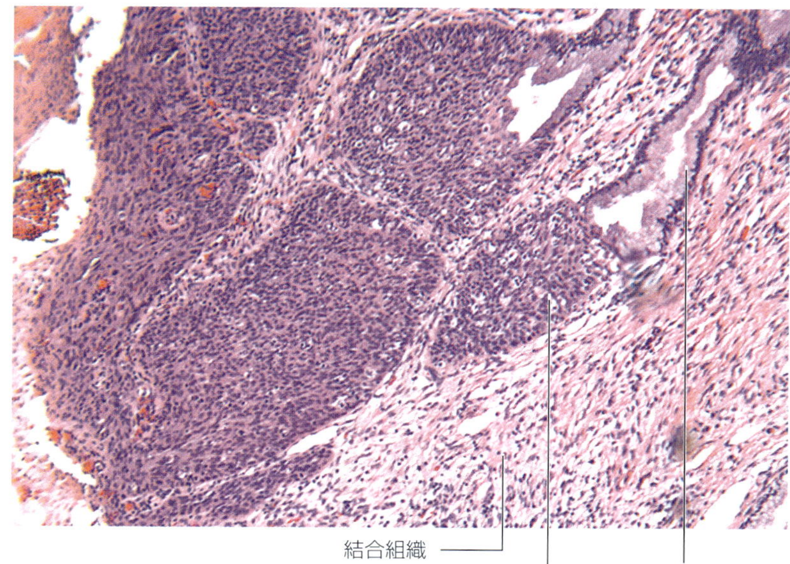
結合組織
微小浸潤がん
正常の子宮頸管上皮

3 **カドヘリン**などの細胞接着分子の発現が低下し，これにより上皮内腫瘍細胞のもつ結束性が弱まる．基底膜が破壊されると**微小浸潤**が始まる．

浸潤している腫瘍細胞から放出される**コラゲナーゼ IV** が基底膜を溶かすため，腫瘍細胞は直下の結合組織に侵入できるようになる．その他のプロテアーゼ，例えば**プラスミノゲンアクチベーター**，**コラゲナーゼ I，II，III**，**カテプシン**，**ヒアルロニダーゼ**は非コラーゲン性糖タンパク質やプロテオグリカンを破壊し，腫瘍細胞はさらに結合組織中に侵入しやすくなる．

浸潤している腫瘍細胞は**インテグリン**（ラミニンとフィブロネクチンの受容体）を発現し，結合組織への細胞の接着と移動を促す．一般に腫瘍細胞は，結合組織など障壁の少ない経路を通って浸潤していく．

基本事項 4.A | 腫瘍の浸潤と転移（続き）

浸潤がん

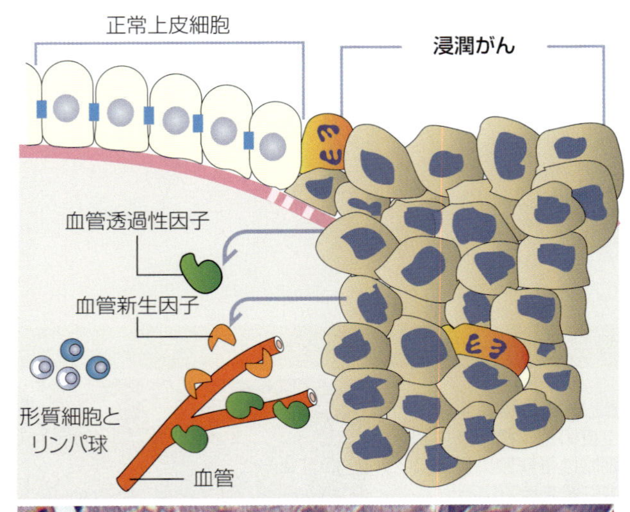

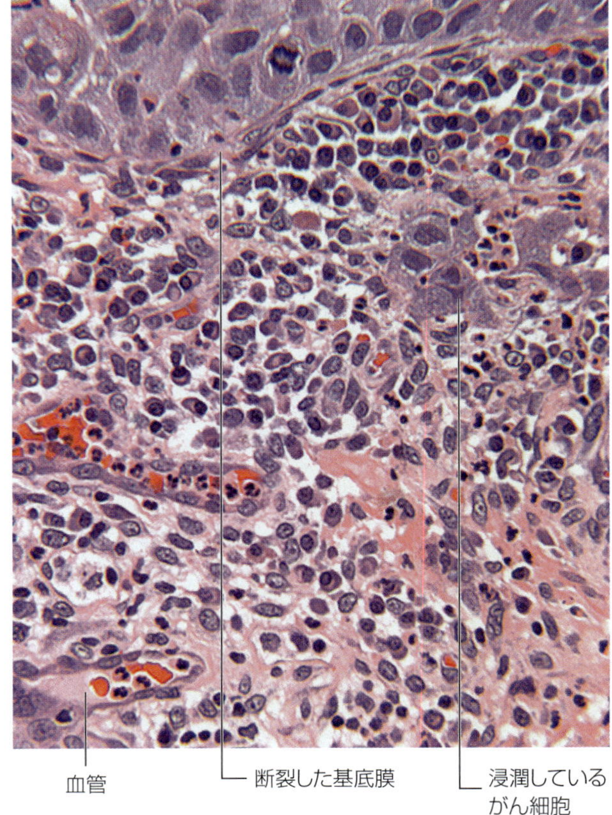

4 腫瘍細胞が**浸潤段階**に入ると，以下のものを分泌する．
1. **自己分泌運動因子**（浸潤する腫瘍細胞の動きを促進するため）．
2. **血管透過性因子**（血漿タンパク質と栄養因子を獲得するため）．
3. **血管新生因子**（腫瘍細胞が成長するために血管新生を促し，酸素と栄養を供給する）．腫瘍の血管新生については，第 12 章参照．

新たにつくられた血管は全身の循環系に連絡しているため，腫瘍細胞は速やかに血中に入り，遠隔の組織に広がる（**転移**）．

脂肪組織（図 4.11，4.12）

脂肪組織には 2 種類ある：
1. **白色脂肪** white adipose tissue（**WAT**）**は長期間エネルギーを蓄える**主要な**組織であり，内分泌組織でもある**．
2. **褐色脂肪** brown adipose tissue（**BAT**）は熱産生に関与するとともに，内分泌も行う．

線維芽細胞，軟骨芽細胞，骨芽細胞，筋芽細胞と同様に，WAT と BAT の**脂肪細胞** adipocyte は，間葉系幹細胞から**脂肪生成** adipogenesis として知られる過程を経てできる．

WAT の脂肪細胞では，小さな脂肪滴が融合して 1 つの大きな脂肪貯蔵滴になる．これが成熟した**単胞性脂肪細胞** unilocular adipocyte（ラテン語 *unus*［= single，単一］，*loculus*［= small place，小さい場所］）である．

1 つの脂肪貯蔵滴は核を偏心性に圧排するため，脂肪細胞は「印環（印鑑つきの指輪）」のようにみえる．**組織切片上では，そのサイズは毛細血管の直径に近いことに気づくべきである．しかし，毛細血管は血球細胞を含みうる単一の構造だが，脂肪細胞は集合体をつくる．**

BAT の脂肪細胞は多くの脂肪貯蔵滴を有し，**多胞性** multilocular（ラテン語 *multus*［= many，多数］，*loculus*［= small place，小さい場所］）を示す．BAT は幼年期に大部分減少し，非常に豊富な血管とアドレナリン作動性の交感神経線維をもつ．**リポクロム色素**が存在することと**シトクロム**を多く含むミトコンドリアが豊富であることから，BAT は褐色を呈する．

脂肪生成（図 4.11）

脂肪生成 adipogenesis は，インスリンとグルココルチコイドの存在下で**ペルオキシソーム増殖因子活性化受容体** peroxisome proliferator-activated receptor-γ（PPAR γ）の活性化を必要とする．これは DNA に結合する脂肪生成のマスター調節因子である．

前脂肪細胞は，2 つの異なる分化過程を経てできる：
1. 1 つは間葉幹細胞から直接に WAT 前脂肪細胞に分化する経路である．
2. もう 1 つは，共通の MYF5$^+$PAX7$^+$（myogenic factor 5$^+$ and paired-box 7$^+$）前駆細胞から筋芽細胞と BAT 前脂肪細胞ができる経路である．したがって WAT と BAT の前脂肪細胞は発生の早い時期にわかれる．

WAT 前脂肪細胞から最終段階である脂肪細胞への分化は，PPAR γ と C/EBP（CCAAT/enhancer-binding protein）に駆動される．

MYF5$^+$PAX7$^+$ 筋芽細胞／BAT 前脂肪細胞の前駆細胞が BAT 前脂肪細胞に分化する際には，BMP7（bone morphogenetic protein 7）と PRDM16（transcriptional co-regulator PR domain-containing 16）に加えて PPAR γ が必要である．

PRDM16 は BAT 生成に必須である．

BMP7 と PRDM16 は WAT 生成にはかかわらない．脂肪生成に関与する前脂肪細胞では，脂肪細胞に特有の遺伝子群，例えば**グルコーストランスポーター-4** glucose transporter-4（**GLUT-4**），脂肪酸結合タンパク質-4，レプチン，アディポネクチンが活性化される．

図 4.11 ｜ 脂肪組織の種類と脂肪生成

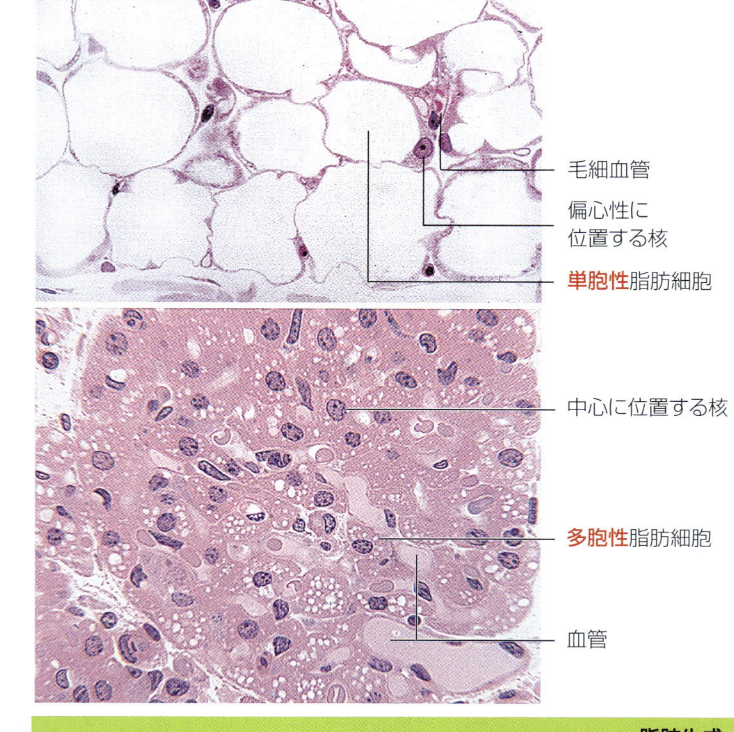

白色脂肪（WAT），単胞性脂肪細胞

複数の脂肪滴が合体して**単一の大きな脂肪封入体**となる．核は隅に追いやられる．この切片で脂肪は染まっていない．

褐色脂肪（BAT），多胞性脂肪細胞

褐色脂肪細胞は上皮様細胞集団を形成し，**多胞性でミトコンドリアに富む**．また**多くの血管に囲まれている**．

褐色脂肪の主な機能はエネルギーを消費することであり，白色脂肪のように貯蔵はしない．濃度勾配に沿ってミトコンドリア内膜を通過する H$^+$の移動と ATP 産生を脱共役することによって熱が産生される．**アンカップリングプロテイン-1**（**UCP-1**）がこの脱共役を担う．

寒冷に曝されると血中の**コハク酸**が上昇して BAT における熱産生が増す．

ミトコンドリア生合成と **UCP-1** 発現が BAT による熱産生のカギを握る．

脂肪生成

間葉系幹細胞は **WAT 前脂肪細胞**および **MYF5$^+$ PAX7$^+$**を発現する細胞に分化する．後者は **BAT 前脂肪細胞**と**筋細胞**に共通の前駆細胞である．したがって WAT と BAT は異なる前駆細胞に由来する．

WAT 前脂肪細胞と BAT 前脂肪細胞は，脂肪生成のマスター調節因子である **PPARγ**（ペルオキシソーム増殖因子活性化受容体）と C/EBP を発現する．

PRDM16 と **BMP7** は BAT 前脂肪細胞に発現するが WAT 前脂肪細胞には発現しない．寒冷刺激や β-アドレナリン作動性シグナルによって，WAT 脂肪細胞は BAT 様脂肪細胞に分化転換しうる．

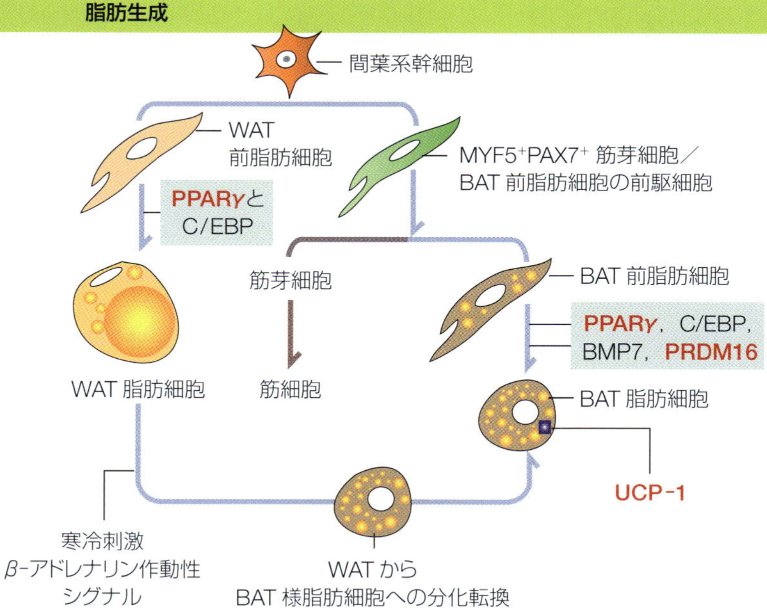

寒冷刺激や β-アドレナリン作動性シグナルによって，WAT の脂肪細胞は BAT 様脂肪細胞（ベージュ細胞として知られる）に分化転換し，**脱共役タンパク質 1** uncoupling protein 1（**UCP-1**）というミトコンドリアタンパク質を発現する．このタンパク質は酸化的リン酸化からエネルギー産生への流れを止めること（脱共役）により熱産生を増やす．

トリカルボン酸サイクルの中間産物である**コハク酸**は，ミトコンドリアにおける**活性酸素種** reactive oxygen species（ROS）の産生を促すことにより，BAT による熱産生を活性化できる．寒冷に曝されると，BAT の脂肪細胞は**コハク酸脱水素酵素** succinate dehydrogenase を使って細胞外のコハク酸を増やし，酸化する．

脂肪生成は個体が出生する前後に起き，年齢とともに減っていく．

WAT は全身に分布し，臓器の周囲や皮下にみつかる．

肥満にみられる臓器 WAT の蓄積はインスリン抵抗性につながる（2 型糖尿病）．BAT は脊椎近傍，鎖骨上部，副腎周囲にみつかる．

図 4.12 | 脂肪細胞の機能制御

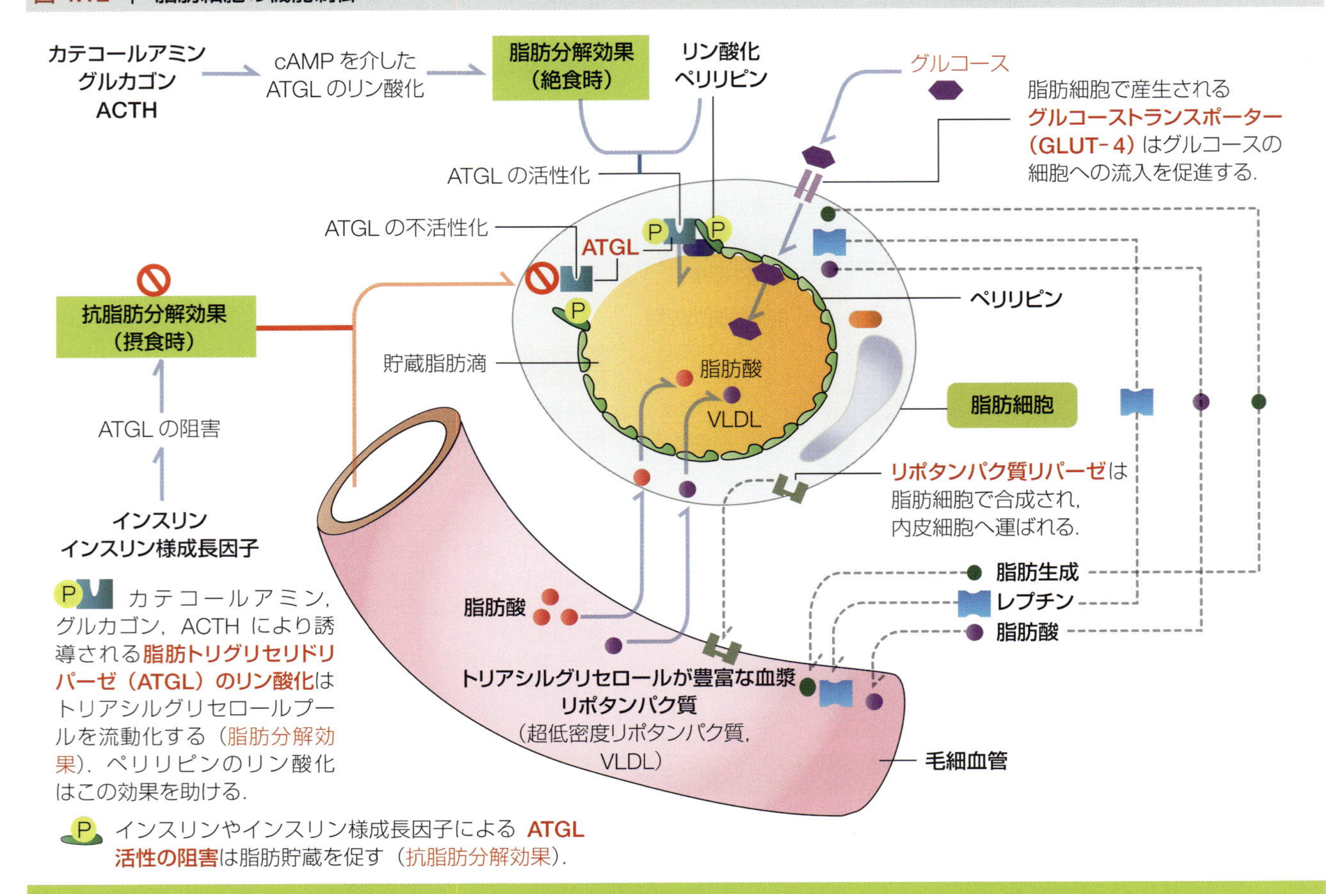

レプチン

レプチンは主に**白色脂肪組織**によって，そのトリグリセリド含有量にほぼ比例して生成される．血中のレプチンは脳で長鎖型レプチン受容体（**LepR**）に結合し，チロシンタンパク質キナーゼである**ヤヌスキナーゼ 2**（**JAK2**）を活性化する．その結果，LepR のチロシン残基（Y985，Y1077，Y1138）がリン酸化される．

リン酸化された Y1138 は **STAT3** を引き寄せてリン酸化し，そのリン酸化 STAT3 は核へ移行して特定の遺伝子発現を促す．STAT3 タンパク質は転写因子であり，チロシンがリン酸化されると核に移行して遺伝子発現を調節する．

STAT3 は **SOCS3** の発現を誘導し，これがリン酸化 Y985 に結合するとレプチンシグナルを止める．さらに，**TCPTP** は STAT3 を脱リン酸化し，LepR シグナルを低下させる．

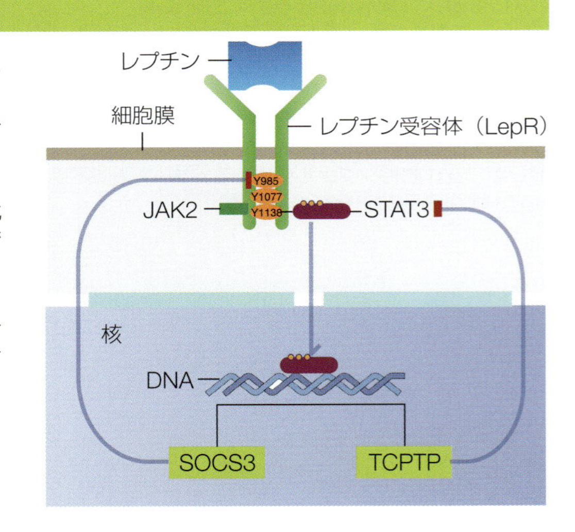

脂質の貯蔵と分解（図 4.12）

WAT 生成では，脂肪細胞は**リポタンパク質リパーゼ** lipoprotein lipase を合成し，脂肪を細胞質の小さな脂肪滴に蓄積し始める．

非エステル化**遊離脂肪酸** free fatty acid（**FFA**）は生体膜の必須な構成物質であるが，WAT はその主要かつ最大の供給源である．

トリアシルグリセロール triacylglycerol から FFA が放出されるには酵素による加水分解を必要とし，これは**脂肪分解** lipolysis とよばれる．**脂肪トリグリセリドリパーゼ** adipose triglyceride lipase（**ATGL**）はトリグリセリドの加水分解を惹起し，ジアシルグリセロールと FFA にする．他のリパーゼ（例えばホルモン感受性リパーゼやモノアシルグリセロールリパーゼ）はグリセロール骨格から残りの脂肪酸を放出する．

脂肪滴の表面は**ペリリピン** perilipin というタンパク質で覆われている．リン酸化ペリリピンはそのタンパク構造を変化させ，

ATGLによる脂肪分解と脂質の遊離を促す．**ペリリピンにコートされた個々の脂肪滴は細胞質に接する**．すなわち，脂肪滴は細胞膜に覆われていない．したがって脂肪滴は**細胞内封入体** cell inclusionとして分類される．脂肪滴集団は特殊な条件を用いた組織化学法により可視化できる（Box 4.F）．

脂肪滴の95％は**トリグリセリド** triglycerideであり，**カロテン** caroteneという脂肪溶解性色素が豊富である．これにより，WATは黄色を呈する．

脂肪細胞は**リポタンパク質リパーゼ**を合成する．これは近くの血管の内皮細胞に運ばれ，脂肪酸およびトリアシルグリセロールが豊富な血漿リポタンパク質である**超低密度リポタンパク質** very-low-density lipoprotein（VLDL）を脂肪細胞に運び込む．

WATを栄養する血管は，BATほど発達していない．

摂食の際にはWATの成熟脂肪細胞に**脂肪が蓄積**する．このとき，**インスリン** insulinと**インスリン様成長因子** insulin-like growth factorはATGLを阻害し，脂肪分解を負に制御する．

空腹あるいは飢餓時には**脂肪の分解と放出**が起きる．これはカテコールアミン，グルカゴン，**副腎皮質ホルモン** adrenocorticotropic hormone（ACTH）の脂肪分解効果によるもので，ATGLとペリリピンのリン酸化が起きる．

最初に述べたが，BATの主な機能はエネルギーを熱として消費すること（**熱産生** thermogenesis）であり，低い外気温環境から新生児を守る役割をもつ．

レプチンと肥満（図4.12）

肥満 obesityはエネルギーバランスが異常な状態であり，エネルギー摂取が消費を上回ることにより起こる．エネルギー摂取を考えずに肥満を防ごうとすると，血中トリアシルグリセロールの上昇をきたし，肝臓に過剰の脂肪酸が蓄積する（この現象は脂肪肝 steatosisとして知られる）．

脂肪細胞の代謝活性変化は臨床医学的に重大な影響を及ぼす．内臓脂肪の増加はインスリン抵抗性，脂質代謝異常（血中脂肪レベルの変化），心臓血管疾患の危険因子である．

WATの脂肪細胞から分泌されるものとして**レプチン** leptinがある．これは16kdのサイトカインで*ob*遺伝子にコードされる．レプチンは中性脂肪量に比例して血中に放出される．

このように，レプチンの血中レベルは体脂肪貯蔵量を反映する情報となり，これが中枢に伝えられて摂取量の減少につながる．

その作用する中枢は視床下部の細胞であり，ここで摂食とエネルギー恒常性を制御する．レプチンは免疫システム，自律神経系，心血管系，生殖機能，骨形成にも関与する．

Box 4.F ｜ 組織切片上での脂肪染色

- 脂肪は通常，パラフィン包埋の過程で溶剤（キシレン）に溶ける．中央の抜けた周囲に，狭い細胞質の縁がみえるだけである．
- 四酸化オスミウムで固定，染色された脂肪は褐色を呈する．この試薬は神経組織において，脂質が豊富なミエリンを可視化するためにも使われる．
- 脂肪に溶ける染色剤のアルコール溶液（例えばズダンIIIやズダンブラック）は凍結切片での脂肪の検出にも使用される．

ヒトとげっ歯類モデルによれば，レプチン欠損は免疫反応を抑え，自律神経系の活性や血圧を低下させ，思春期を遅延させてその結果不妊になる．また，骨密度の低下をもたらす．

基本的にこれらレプチンの機能は，レプチンの体重制御という役割とはほとんど無関係である．

レプチン受容体 leptin receptor（LepR）はI型サイトカイン受容体ファミリーに属する．

視床下部において，LepRは代謝制御に重要な神経核（例えば弓状核，腹内側核，背内側核，外側野）の特定の神経細胞群に発現する．

LepRにはいくつかのアイソフォームがあり，長鎖型，短鎖型，あるいは分泌型のものも知られる．これらは単一のレプチン受容体*Lepr*遺伝子からmRNAの選択的スプライシング，あるいは翻訳後修飾を経てつくられる．

血中を流れるレプチンは血液脳関門を越え，長鎖型レプチン受容体に結合する．

レプチンが結合し，LepRがホモダイマー化すると**ヤヌスキナーゼ2** Janus kinase 2（JAK2）のリン酸化が起き，次いでLepRの985，1077，1138番目のチロシン残基がリン酸化され，リン酸化**STAT3**をリクルートする．

STAT3は細胞の核に移動し，特定遺伝子の発現を促す．その1つに**サイトカインシグナリング抑制因子3** suppressor of cytokine signaling 3（SOCS3）があり，これは985番リン酸化チロシンに結合し，レプチンシグナルを止める．さらに**T細胞タンパク質チロシン脱リン酸化酵素** T cell protein-tyrosine phosphatase（TCPTP）はSTAT3を脱リン酸化することでLepRシグナルを減弱する．

肥満はレプチン抵抗性と関連する．これは2型糖尿病患者でみられるインスリン抵抗性に類似する現象である．視床下部神経核のニューロンでLepRの細胞膜への輸送不全が起きるとレプチン抵抗性を示す．

軟骨（図4.13）

軟骨 cartilageはある程度の硬さを有する強靱な組織であるが，かなりの柔軟性も兼ね備える．例として，可動性関節の関節面にある軟骨では剪断力や摩擦に対する耐久性を要する．

すべての型の結合組織と同様に，軟骨は細胞，線維，ECM（軟骨マトリックス）の成分で構成される．軟骨マトリックスは水分豊富な無構造なゲル状を呈しコラーゲンと弾性線維を含む．線維成分は軟骨の強靱性，弾性，抗張力性を生み出す．

線維芽細胞や脂肪細胞と同様に，**軟骨芽細胞** chondroblastは間葉幹細胞に由来する．間葉細胞から分化した軟骨芽細胞は，かなりの量の軟骨マトリックスを少しずつ付加していく．間葉細胞集団の最外層は線維性の被膜となって発達する軟骨を包む．この線維性部分を**軟骨膜** perichondriumとよぶ．

軟骨芽細胞は脂肪滴，グリコーゲン，よく発達したRER（好塩基性の細胞質），ゴルジ体を含む．

通常の結合組織とは異なり，軟骨には**血管がない** avascularため，細胞はECMを拡散してきた栄養分を受け取る（Box 4.G）．成人の軟骨では軟骨細胞はまれにしか分裂しないが，骨折後の修復を促すために分裂する（Box 4.H）．

図 4.13 | 軟骨細胞と周囲のマトリックス

軟骨細胞

軟骨マトリックスを産生する細胞はその成熟度により，**軟骨芽細胞**あるいは**軟骨細胞**とよばれる．
軟骨細胞は，軟骨小腔とよばれる細胞外マトリックスに囲まれた小空間を占める．2つないし 4 つの軟骨細胞が 1 つの軟骨小腔を占めることもある．
細胞外マトリックスは区画化されている．**小腔周囲マトリックス**（小腔の縁に近い部分）は，やや弱く染まる**小腔周囲間マトリックス**に囲まれる．

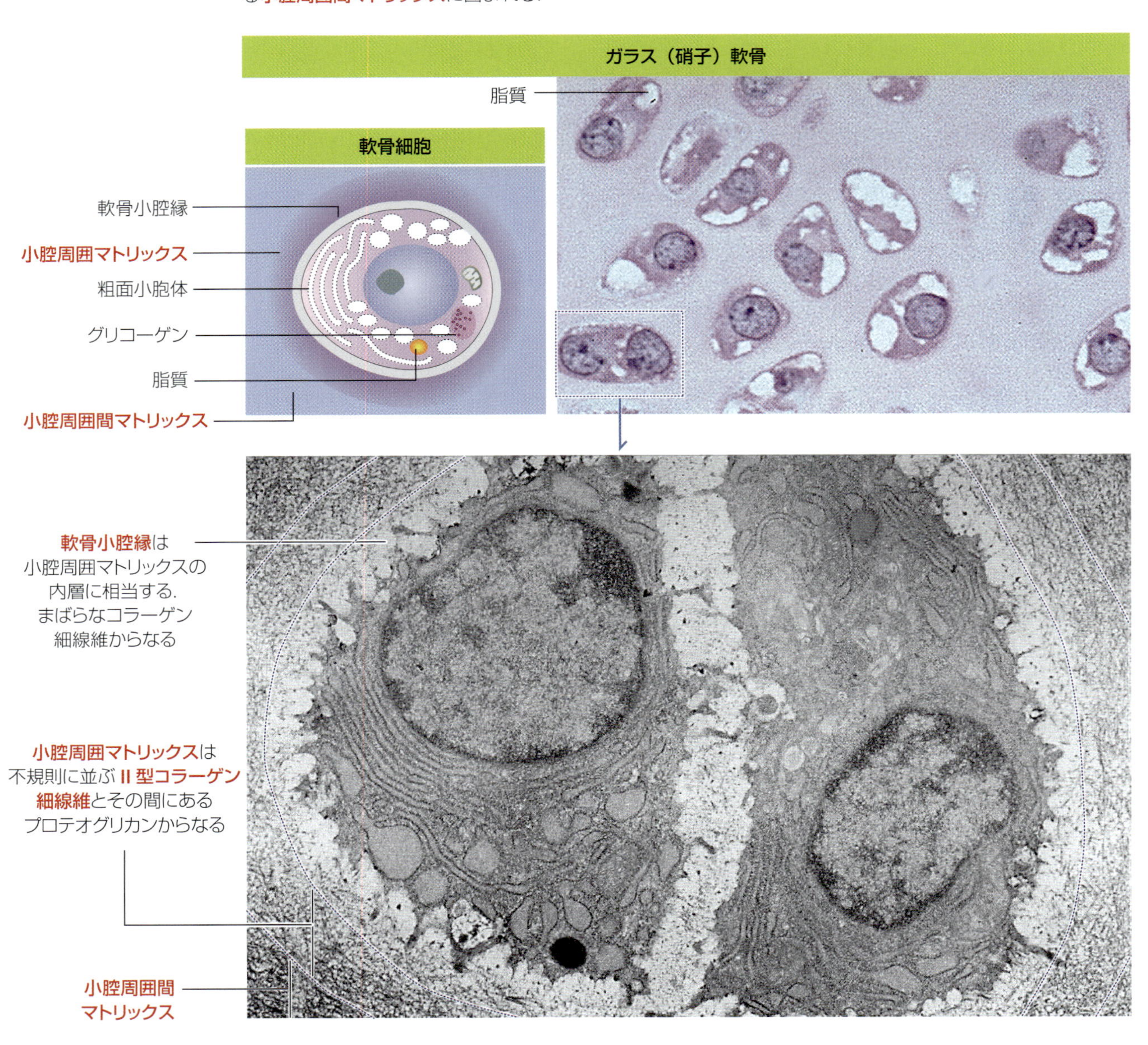

軟骨形成（図 4.14，4.15）

軟骨は 2 つの機構により成長する：

1. **間質成長** interstitial growth によるもの，すなわち**軟骨内の軟骨細胞が主体（軟骨小腔の中で）**.
2. **付加成長** appositional growth によるもの，すなわち**軟骨表面の軟骨膜に存在する未分化細胞が主体**.

間質成長（図 4.14）において，軟骨芽細胞は **II 型コラーゲン線維** type II collagen と ECM（**ヒアルロン酸**および **GAG** として主にコンドロイチン硫酸とケラタン硫酸を含む）を産生し，沈着させる．そして細胞自身は徐々に離れていき，**軟骨小腔** lacuna（ラテン語 *lacuna*［= small lake，小さい湖］）とよばれる軟骨マトリックス中の空間に閉じ込められ，**軟骨細胞** chondrocyte となる．

1 つの軟骨小腔に含まれる 1 つの軟骨細胞が分裂すると，その結果できた細胞集団はその軟骨小腔を占めるようになる．これら

図 4.14 | 軟骨形成：間質成長

軟骨形成：間質成長

小腔周囲マトリックス

同系細胞群

小腔周囲
マトリックス

小腔周囲間
マトリックス

小腔周囲間
マトリックス

胎児発生において，間葉系細胞は集合して軟骨芽細胞に分化する．これが**軟骨形成の中心**となり，同部位は軟骨芽細胞とこれを包む細胞外マトリックスからなる．

軟骨芽細胞は細胞分裂を行い，娘細胞は同じ空間あるいは軟骨小腔に留まり，**同系細胞群**を形成する．

同系細胞群は**小腔周囲マトリックス**に囲まれる．小腔周囲マトリックスはより広い**小腔周囲間マトリックス**に囲まれる．軟骨の**間質成長**とよばれるこの成長過程は，**軟骨内骨化**の際に非常に活発に働く．

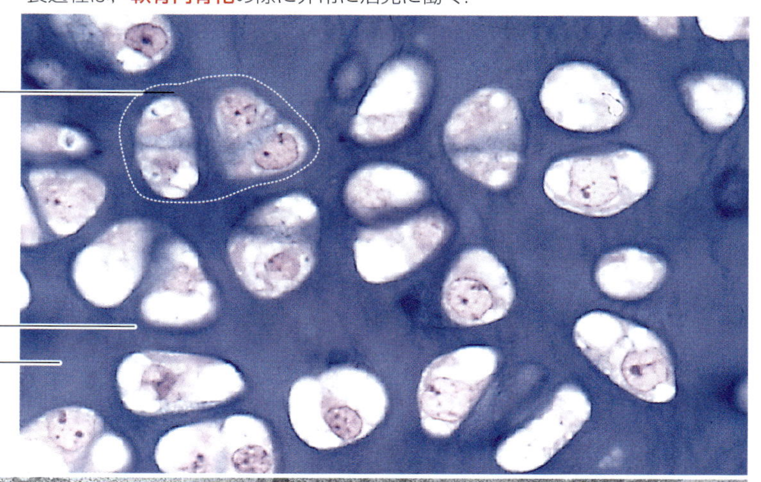

細胞分裂の後，娘細胞は同じ空間あるいは軟骨小腔に留まり，**同系細胞群** isogenous group（ギリシャ語 *isos*［＝equal，同等の］，*genos*［＝family, kind，族，種］）を形成する．

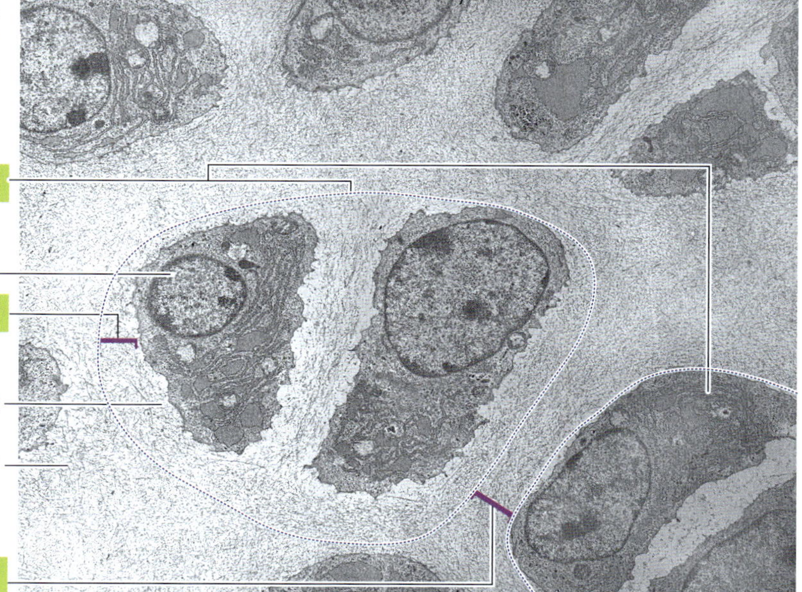

同系細胞群

核

小腔周囲マトリックス

軟骨小腔縁

II 型コラーゲン

小腔周囲間マトリックス

細胞集団を**同系細胞群** isogenous group（同じ由来あるいは種類という意味）とよぶ．単一の同系細胞群は**小腔周囲マトリックス** territorial matrix に囲まれており，個々の同系細胞群は**小腔周囲間マトリックス** interterritorial matrix により隔てられている．

個々の小腔に面しているマトリックス（小腔周囲マトリックス）は籠状構造をなす．ヘマトキシリン・エオジン染色では青みがかり，異染性あるいは PAS 陽性を呈する．

付加成長（図 4.15）の際は，軟骨形成は**軟骨**を囲む線維性の軟

Box 4.G | 軟骨細胞の生存戦略

- **軟骨**の軟骨芽細胞と軟骨細胞は，**細胞外マトリックスの水溶液相**を移動する栄養や代謝産物の拡散によって支えられている．
- 軟骨細胞は，どの年齢でも栄養要求性が高いが，代謝率は低い．
- **骨**では，マトリックスに沈着するカルシウム塩が液体成分の拡散を妨げる．すなわち，可溶性物質は血管から**骨小管**を通して骨細胞まで運ばれることになる（「骨」の項参照）．

図 4.15 | 軟骨形成：付加成長

軟骨形成：付加成長

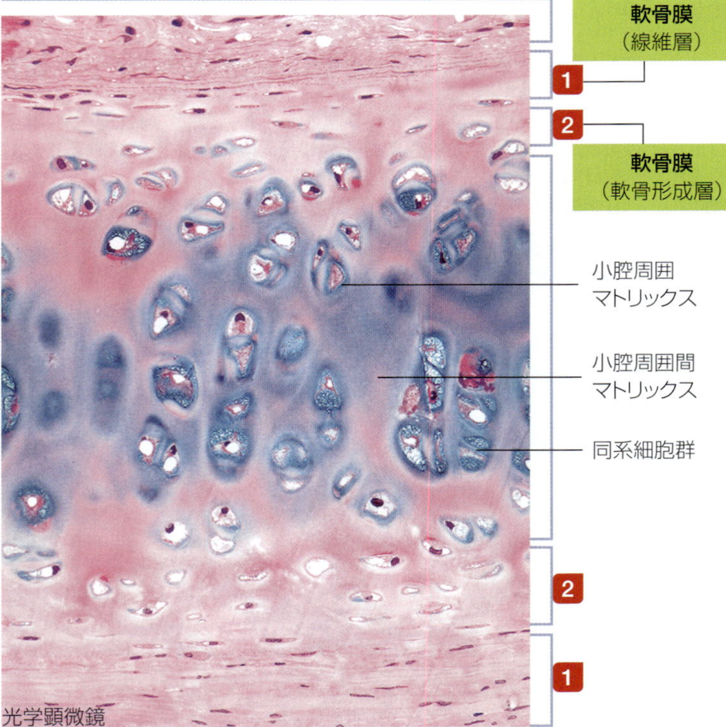

1 成長軟骨の**最外層にある細胞**は紡錘形であり，**軟骨膜**とよばれる層の中で整然と並ぶ．軟骨組織は軟骨膜を介して周囲の一般的な結合組織へ移行する．
2 **軟骨形成層**として知られる**軟骨膜内層の細胞**は**軟骨芽細胞**に分化する．軟骨芽細胞は **II 型コラーゲン**前駆体や他の細胞外マトリックス成分を合成・分泌する．
この**付加成長**という機構により，新たな細胞と細胞外マトリックスの層が軟骨表面に付加され，軟骨全体が大きくなる．この過程を経て骨格の**原基** anlagen（ドイツ語 *anlagen*［＝plan，outline，計画，概要］）のサイズが増すわけである．

転写因子である ***Sox9*** 遺伝子の発現に変異があると，ヒトでは**屈曲肢異形成症**になる．この疾患では，長管骨の屈曲，骨盤と肩甲骨の低形成，脊柱異常，肋骨数の減少，頭蓋顔面の異常がみられる．***Sox9* は II 型コラーゲンとプロテオグリカンであるアグリカンの発現を調節する**．
Sox9 を欠失した細胞は軟骨に留まるが，軟骨細胞には分化しない．Sox ファミリーの他の分子も軟骨形成にかかわる．
Sox9 は男性の性決定にもかかわる（第 21 章参照）．

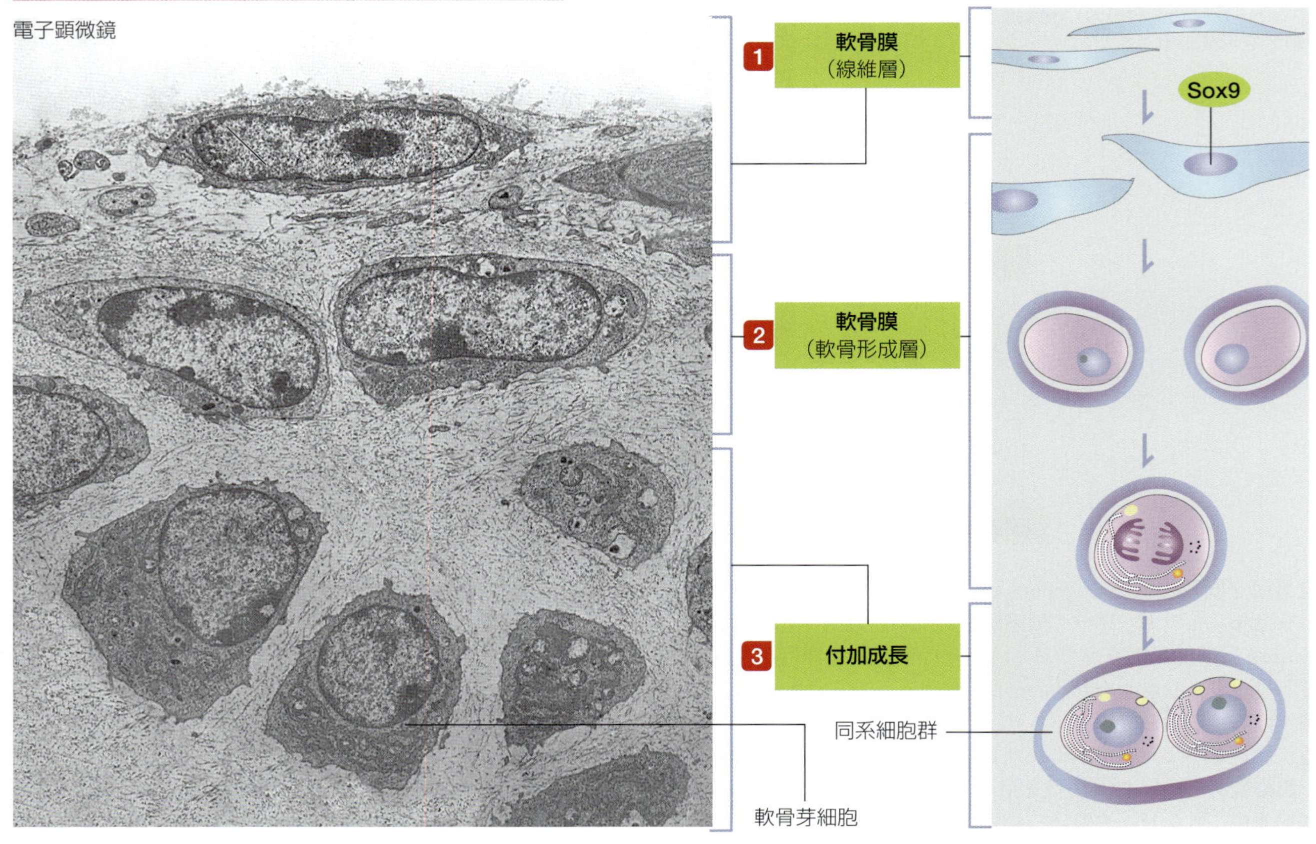

骨膜で始まる．

軟骨膜は 2 つの層からなる：

1. **外層** outer fibrous layer は**密性結合組織からなる線維層**であり，線維芽細胞を含む．この細胞は I 型コラーゲン線維束とエラスチンを産生する．
2. **内層** inner layer は**軟骨形成層** chondrogenic layer とよばれ，細長い未分化な細胞が軟骨膜に沿って並ぶ．

付加成長では，軟骨膜内層の未分化な細胞が増殖して軟骨芽細胞に分化する．この細胞は自身の周囲に軟骨マトリックスを沈着し始める．

軟骨の種類（図 4.16）

軟骨には 3 つのタイプがある：

1. **ガラス（硝子）軟骨** hyaline cartilage.
2. **弾性軟骨** elastic cartilage.
3. **線維軟骨** fibrocartilage.

ガラス軟骨はヒトでは最も広く分布している．マトリックス部分の透明度が高いためにこの名前がつけられた（ギリシャ語 *hyalos*［= glass，ガラス］）．

胎児ではガラス軟骨がほとんどの骨格を形成し，その後，**軟骨内骨化** endochondral ossification という機構により吸収され，骨へと置換される．

成人になると，ガラス軟骨は鼻，喉頭，気管・気管支の軟骨，および肋軟骨として残る．**滑膜性関節の関節表面**（膝，肩）**はガラス軟骨であり，軟骨内骨化は起こらない**．関節表面は上皮で覆われていない（Box 4.I）．

ガラス軟骨は以下のものを含む：

1. **細胞**（軟骨細胞）．
2. **線維**（軟骨細胞により合成される **II 型コラーゲン**）．
3. **ECM**（これも軟骨細胞により合成される）．

軟骨細胞はタンパク質分泌細胞としての形態学的特徴（よく発達した粗面小胞体とゴルジ体，そして大きな核小体）を有し，細胞質に脂質とグリコーゲンを蓄えている．軟骨小腔に存在する軟骨細胞は領域マトリックスによって包まれる．軟骨小腔の縁は細胞と小腔周囲マトリックスとを隔てる．より広い小腔周囲間マトリックスは小腔周囲マトリックスを包む．

ガラス軟骨の表面は**軟骨膜** perichondrium に覆われている．これは線維細胞性の層で，骨表面にある骨膜，あるいは周囲の結合組織につながる．**関節軟骨は軟骨膜をもたない**．

ECM はヒアルロン酸，プロテオグリカン（GAG であるコンドロイチン硫酸とケラタン硫酸に富む）を含み，また水分含量が高い（重量の 70〜80%）．

アグリカン aggrecan は軟骨に特徴的な大きな（約 2,500kd）プロテオグリカンである．水分が豊富なゲル状構造をなし，軟骨の耐荷重性能を支える．

転写因子の Sox9（sex determining region Y［SRY］-box 9）は II 型コラーゲンやアグリカンなど，軟骨に特異性のある ECM の発現に必要である．Sox9 は *COL2A1* 遺伝子の発現を活性化する．

Sox9 発現の欠損は，軟骨形成層の軟骨細胞への分化を阻害する（Box 4.J）．Sox9 遺伝子の変異は，まれにしかみられない重症の小人症である**屈曲肢異形成症** campomelic dysplasia を引き起こす．ここで再度，Sox9 が間葉系幹細胞から前骨芽細胞への分化を促すことを強調したい．

弾性軟骨の ECM は，軟骨細胞により合成される**弾性線維**を豊富に含む．それ以外は構造的にガラス軟骨に似る．弾性軟骨は外耳の耳介，喉頭蓋の主要部，いくつかの喉頭軟骨にみられる．

この特殊化した軟骨マトリックスは顕著な柔軟性を有するため，その形状が力で歪んでも元の形に戻ることができる．

線維軟骨はガラス軟骨と違い不透明で，**I 型コラーゲン線維**を含み，**ECM はプロテオグリカンと水分の濃度が低い**．**軟骨膜も欠く**．

Box 4.H | 損傷後の軟骨修復

- 軟骨はわずかながらの**軟骨形成能**をもつ（軟骨成長）．軟骨損傷によって，軟骨膜から**修復軟骨**が形成される．
- この**修復軟骨**は未分化細胞を含み，軟骨細胞に分化できる．そして軟骨マトリックス成分を合成する．後で述べるように，この重要な性質は骨折治癒を促進する．
- 修復軟骨のマトリックス構成は，ガラス軟骨と線維軟骨の中間型である（例えば，I 型と II 型コラーゲンの両者を含む）．

Box 4.I | 関節の軟骨

- 関節軟骨は身体の中で，その組織が上皮に覆われない数少ない部位の 1 つである．
- ガラス軟骨にみられる特殊な細胞外マトリックスはコラーゲン線維を含み，以下の 2 つの役割をもつ．

(1)堅固さと弾力性を併せもつため，**衝撃吸収材**として働く．

(2)**可動関節の潤滑面**を形成する．

滑液（ヒアルロン酸，免疫グロブリン，リソソーム酵素，コラゲナーゼ，糖タンパク質）は**関節包を中から裏打ちする滑膜**から産生される．

- **滑液検査**は関節疾患の診断に有用である．

Box 4.J | Sox9 転写因子

- 他の遺伝子をスイッチオン（活性化）あるいはオフ（不活性化）する遺伝子産物を転写因子とよぶことはすでに学んだ．多くの**転写因子**は共通の DNA 結合ドメインを有し，1 つの標的遺伝子あるいは他の遺伝子（カスケード効果）を活性化・不活性化する．したがって転写因子をコードする遺伝子に影響を与える変異は**多面的** pleiotropic な効果をもたらす（ギリシャ語 *pleion*［= more，より多くの］，*trope*［= a turning toward，〜に向かう］）．
- 転写因子をコードする遺伝子の例として high mobility group（HMG）-box-containing genes と T-box ファミリーがある．
- Sox タンパク質の HMG ドメインは DNA を屈曲させることで，エンハンサーを離れた位置にある標的遺伝子のプロモーター領域に近づけ，その結合を助ける．
- いくつかの *Sox* 遺伝子は異なる発生経路に作用する．例えば，Sox9 タンパク質は雌雄の生殖堤に発現するが，性腺が分化するまでオスでは発現が亢進し，雌では低下する．また，Sox9 は軟骨形成と骨形成，そして軟骨芽細胞による II 型コラーゲンの産生を制御する．*Sox* 遺伝子の変異は骨格異常（**屈曲肢異形成症** campomelic dysplasia）や**性転換**（XY の雌）を引き起こす．

図 4.16 | 軟骨の種類

ガラス軟骨

ガラス（硝子）軟骨は以下の特徴をもつ：

血管がない.

軟骨膜に囲まれる（関節軟骨は例外）．軟骨膜は**外側線維層**，**内側軟骨形成層**，および**血管**からなる．

軟骨細胞とそれらを囲む小腔周囲マトリックスおよび小腔周囲間マトリックスから構成される．マトリックスは **II 型コラーゲン**を含み，これがプロテオグリカンと相互作用する．

胎児期に**一時的にみられる骨格**，**関節軟骨**（Box 4.1），**気道の軟骨**（鼻，喉頭，気管，気管支），肋軟骨で観察される．

弾性軟骨

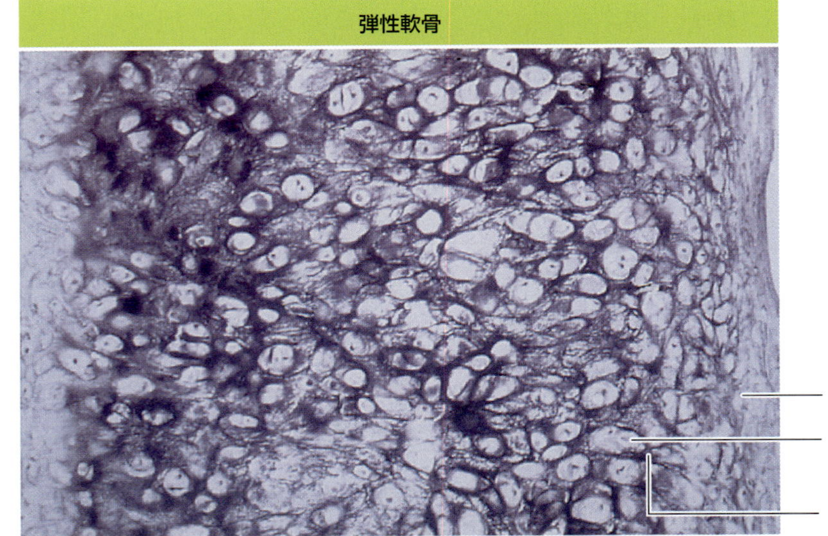

弾性軟骨は以下の特徴をもつ：

血管がない.

軟骨膜に囲まれる．

軟骨細胞とそれらを囲む小腔周囲マトリックスおよび小腔周囲間マトリックスから構成される．マトリックスは **II 型コラーゲン**を含み，これがプロテオグリカンおよび**弾性線維**と相互作用する．光学顕微鏡観察では，弾性線維は**オルセイン**で染色される．

外耳，**喉頭蓋**，**耳管**で観察される．

線維軟骨

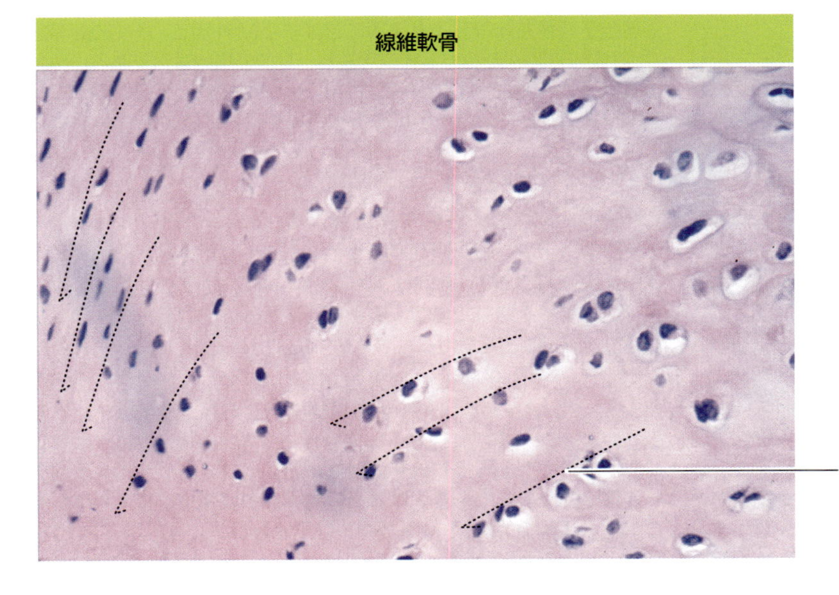

線維軟骨は以下の特徴をもつ：

一般的に**血管がない**.

軟骨膜がない.

軟骨細胞と**線維芽細胞**，そしてそれらを囲む **I 型コラーゲン**とそれほど硬くない細胞外マトリックスを含む．線維軟骨は，ガラス軟骨と密性結合組織の中間型と考えられる．

椎間板，**膝関節**，**顎関節**，**胸鎖関節**，**恥骨結合の関節板**でよくみられる．

線維軟骨は大きな張力に抗することができ，椎間板の一部，恥骨結合，腱や靱帯が骨に入り込む部分にある．

線維軟骨は，しばしば腱や靱帯でみられる密性規則性結合組織と区別するのが難しいことがある．

軟骨小腔内では軟骨細胞が小柱状に配列することが特徴的で，このことから線維軟骨と認識できる（これに対し，線維芽細胞は扁平で軟骨小腔を欠き，密性結合組織と ECM に囲まれている）．

骨

骨 bone は，硬く，柔軟性に欠けた結合組織で，**石灰化** mineralization という過程により ECM の中にカルシウムとリンの塩が沈着する．骨は血管に富み，代謝活性が高い．

骨の機能は以下である：

1. **体とその器官を支持し，守る**.
2. **カルシウムイオンおよびリン酸イオンを貯蔵する**.

成熟骨の肉眼的構造（図 4.17）

その外観から 2 種類の骨が区別される：

1. **緻密骨** compact or dense bone.
2. **海綿骨（小柱骨）** spongy, trabecular or cancellous bone .

緻密骨は充実性の塊にみえる．海綿骨では針状あるいは小柱状の骨がネットワークを形成しながら空間を仕切っている．その空間は骨髄で占められる．

大腿骨などの長管骨において，**骨幹** diaphysis は中腔性の円筒構造をつくる緻密骨からなり，その中心は**骨髄腔** medullary cavity（marrow cavity）とよばれる髄質空間で占められる．

骨端 epiphysis とよばれる長管骨の端は，緻密骨の薄い層で覆われた海綿骨からなる．

成長期の骨端は，**骨端軟骨板** epiphyseal plate によって骨幹から分離されているが，海綿骨を介して骨幹につながっている．骨端から骨幹に向けて細くなっていく移行領域は**骨幹端** metaphysis とよばれ，骨端と骨幹とをつなぐ．骨端軟骨板と隣接する海綿骨は**成長帯**であり，成長骨の長さを増す働きをもつ．

長管骨の端にある関節面は**関節軟骨** articular cartilage で覆われており，これは**ガラス軟骨**である．関節面と腱や靱帯が付着する部分を除き，ほとんどの骨は**骨膜** periosteum に囲まれる．これは骨形成能を有する 1 層の特殊化した結合組織である．

骨幹における骨髄に面した壁，すなわち**骨内膜** endosteum，および海綿骨内の腔は骨形成能をもつ**骨前駆細胞**で裏打ちされる．

成熟骨の顕微鏡的構造（図 4.18～4.20）

コラーゲン線維の微細構築に基づいて 2 種類の骨が分類される：

1. **層板骨** lamellar bone あるいは**緻密骨**は成熟骨でよくみられ，コラーゲン線維が規則的に配列する．機械的外力に強く，その発達は遅い．
2. **線維骨** woven bone は発達中の骨で観察され，コラーゲン線維が不規則に配列する．機械的外力に弱く，速やかに形成されたのち層板骨に置き換わる．骨折の治癒過程でつくられる．

図 4.17 | 一般的な長管骨の構造

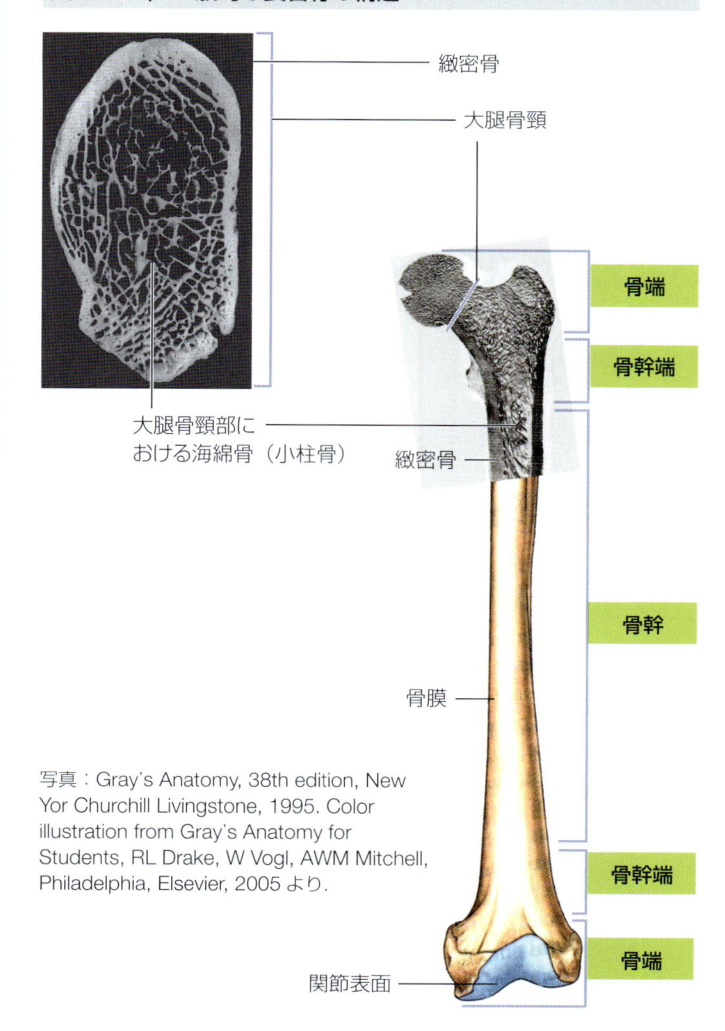

写真：Gray's Anatomy, 38th edition, New Yor Churchill Livingstone, 1995. Color illustration from Gray's Anatomy for Students, RL Drake, W Vogl, AWM Mitchell, Philadelphia, Elsevier, 2005 より．

層板骨は**骨層板** lamella よりなる（図 4.18）．そのほとんどは層板状に石灰化した**骨マトリックス**と**骨小腔** lacuna に入っている**骨細胞**から構成される．骨小腔からは，隣接する骨層板を貫いて**骨小管** canaliculus が放射状に，あるいは分枝しながら伸びている．

層板骨は 4 つのパターンを示す：

1. **オステオン（骨単位）** osteon あるいは**ハバース管系** haversian system は，縦に走る血管を囲む層板よりなる．約 4～20 の層板が**ハバース管**を中心として同心円状に並ぶ．
2. **介在層板** interstitial lamella はオステオン間にみられ，オステオンとは**接合線** cement line という薄い層で分けられる．
3. **外基礎層板** outer circumferential lamella は骨膜直下にあって緻密骨の外表層にみられる．
4. **内基礎層板** inner circumferential lamella は骨内膜の下で内表層にみられる．

緻密骨内の**血管の走行**は，層板構造に対し 2 つの方向性をもつ：

1. オステオンの中心にあって縦に走る**ハバース管** haversian canal には，毛細血管と毛細血管後細静脈がある（図 4.19，

図 4.18 | ハバース管系（オステオン）

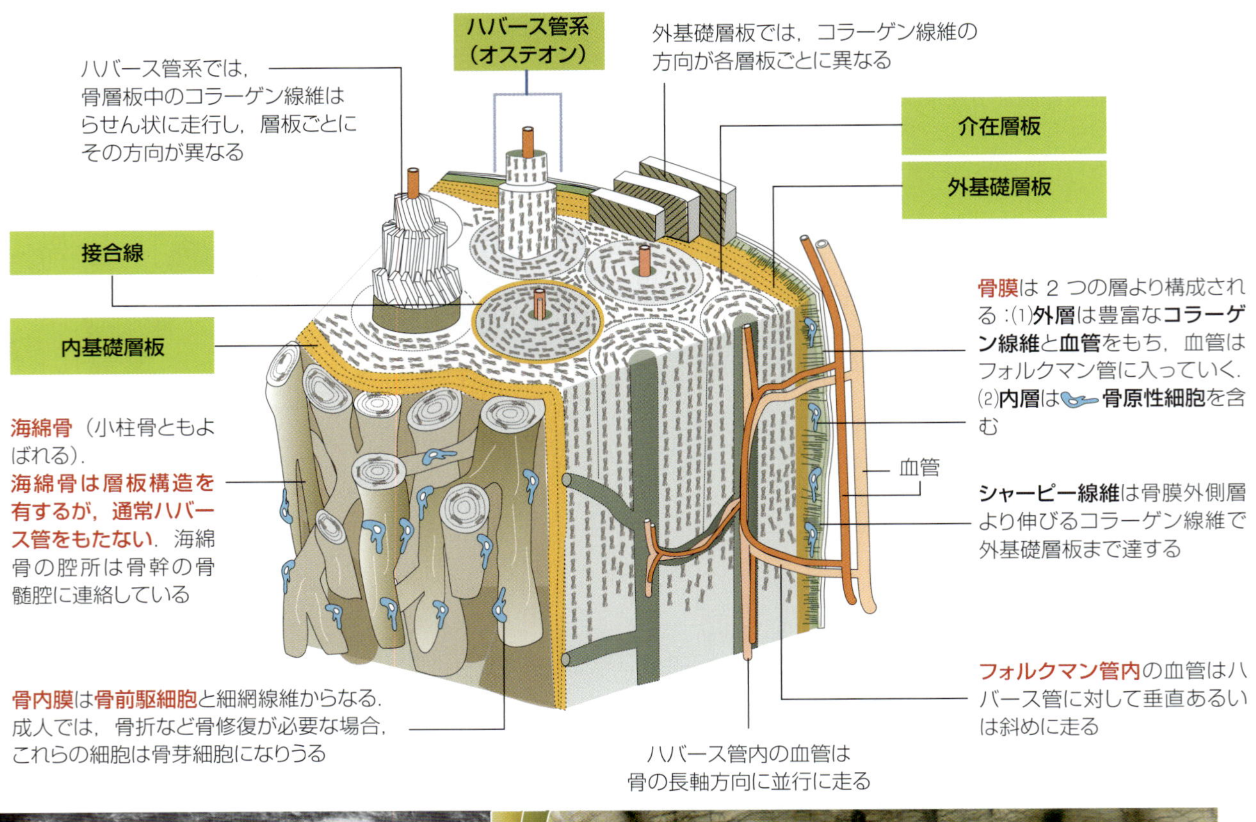

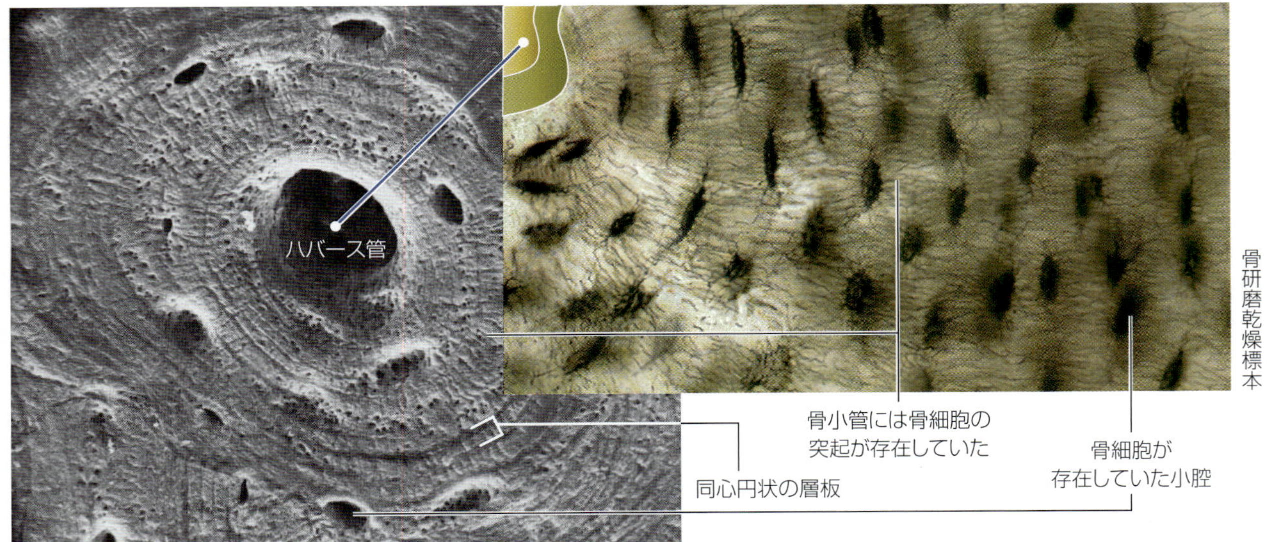

走査電子顕微鏡像：Richard G. Kessel, Iowa City, Iowa の厚意による．

4.20)．

2. 横あるいは斜めに走る**フォルクマン管** Volkmann's canal は，ハバース管同士をつなぐ．フォルクマン管は骨髄からの血管を通す他，いくつかは骨膜からくる血管も含んでいる．

骨膜と骨内膜（図 4.18）

胎生期および生後発達期において，**骨膜** periosteum は以下の層からなる：

1. 骨に接触する**内層**は**前骨芽細胞** preosteoblast（あるいは**骨前駆細胞** osteoprogenitor cell）からなる．成人の骨膜には**骨膜幹細胞** periosteal stem cell（**PSC**）があり，**多能性および自己複製能を有する**．外傷に反応して PSC は骨形成能をもつ骨芽細胞になる．
2. **外層**は血管が豊富で，そのいくつかはフォルクマン管に入る．また，**シャーピー線維** Sharpey's fiber とよばれる太いコラーゲン線維があり，これが外基礎層板を貫いて腱や骨膜を

図 4.19 ｜ 緻密骨の構成：オステオン

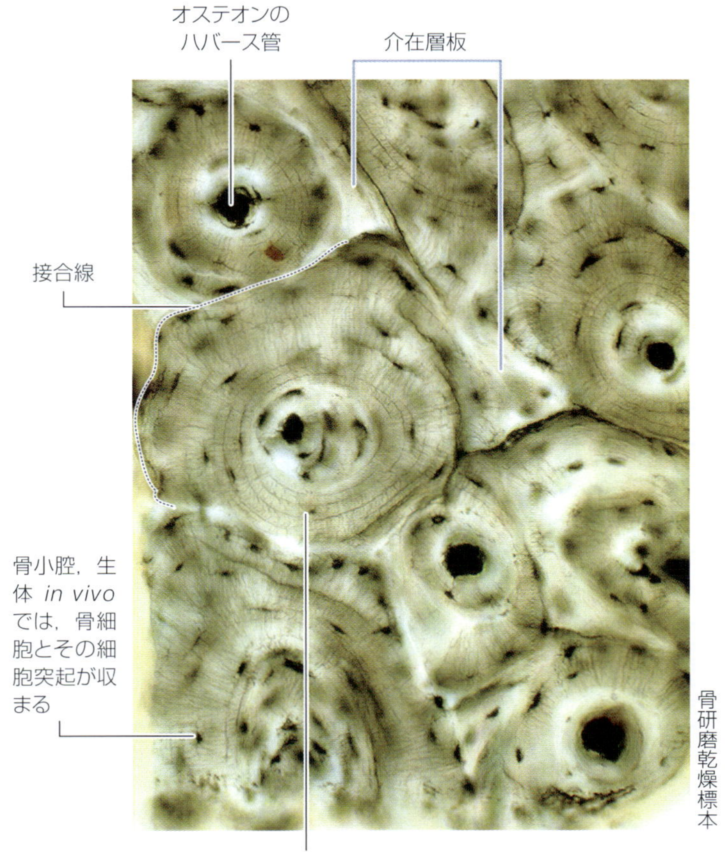

同心円状に配列する骨層板
骨細胞も骨層板間で同心円状に配列する
隣り合う骨層板の骨細胞は，骨小管中を通る細胞突起を経由して互いに連絡している

骨小腔
オステオンの
ハバース管
1
2
骨研磨乾燥標本

偏光顕微鏡で観察した層板骨の並び
以下の点に注意：
1 骨層板の同心円状の配列.
2 帯状を呈する介在層板.

偏光顕微鏡による観察像：Gray's Anatomy, 38th edition, New York , Churchill Livingstone, 1995 より.

つなぎ留めている.

骨内膜 endosteum は海綿骨の壁を覆うとともに，ハバース管とフォルクマン管を含む骨すべての腔所に広がる．骨内膜は骨前駆細胞，網目構造をとる骨髄の間質細胞，結合組織線維を含む.

骨内膜に存在する前骨芽細胞は，骨髄の微小環境である**骨内膜ニッチ** endosteal niche へ造血性サイトカインを分泌する．この微小環境は造血性幹細胞の増殖と成熟に必須である.

骨マトリックス

骨マトリックス bone matrix は**有機**（35％）および**無機成分**（65％）からなる.

有機成分は**I型コラーゲン**（90％），**プロテオグリカン**，非コラーゲン性タンパク質を含む．**プロテオグリカンはコンドロイチン硫酸，ケラタン硫酸，ヒアルロン酸に富む.**

無機成分の大部分は，**ヒドロキシアパタイト** hydroxyapatite の結晶として沈着する**リン酸カルシウム** calcium phosphate である．結晶は非コラーゲン性タンパク質の働きにより集合し，コラーゲン線維に沿って分布する.

I型コラーゲンは骨マトリックスのほとんどを占める．成熟した層板骨において，コラーゲン線維は高い規則性をもって配列する．すなわち，連続する同心円状の層板ごとに，ハバース管軸に対してその方向を変えている.

非コラーゲン性マトリックスタンパク質としては，**オステオカルシン** osteocalcin，**オステオポンチン** osteopontin，**オステオネクチン** osteonectin がある．これらは骨芽細胞により合成され，骨の石灰化に際して特殊な性質をもつ.

オステオカルシン（5.8 kd）とオステオポンチン（44 kd，骨シアロタンパク質 I としても知られる）の合成は，**ビタミン D** の活性型代謝産物である 1 α, 25-ジヒドロキシコレカルシフェロールの刺激により増加する．**ビタミン K** はオステオカルシンのアミノ酸のカルボキシル化を促し，カルシウム結合能を付与する.

オステオポンチンは，骨吸収の前に**閉鎖帯** sealing zone を形成することにより破骨細胞の骨への固着を促す.

オステオネクチン（32 kd，SPARC［secreted protein acidic and rich in cycteine］としても知られる）はI型コラーゲンとヒドロキシアパタイトに結合し，骨マトリックスの構築にかかわる.

図 4.20 | 骨細胞：骨小腔－骨細管ネットワーク

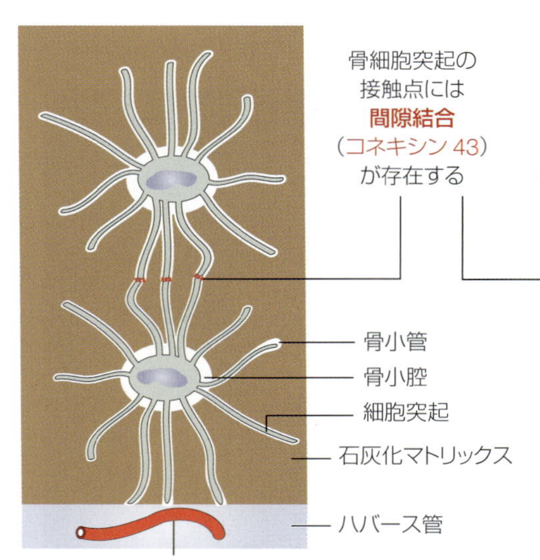

ハバース管内の**血管**は骨細胞に栄養を供給する．栄養物は連続する細胞突起を伝って，ハバース管から遠く離れた部位の骨細胞まで運ばれる．
この骨小管システムを使った輸送は，距離にして約 100 μm 以内

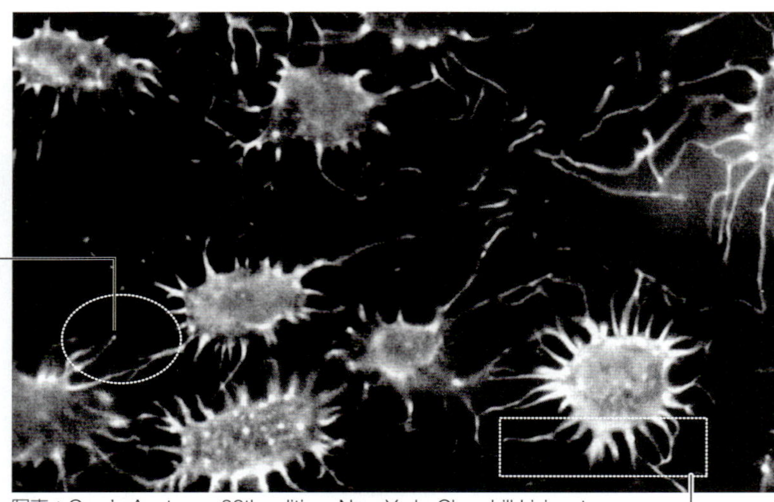

写真：Gray's Anatomy, 38th edition, New York, Churchill Livingstone, 1995 より．

細胞突起は石灰化骨に囲まれた骨小管内に収まっている．分子は骨小管内にある細胞外液を介して受動的拡散により運ばれる．骨細胞から産生される**ポドプラニン**は樹状形態の形成に必要である

骨小管に侵入する細胞突起

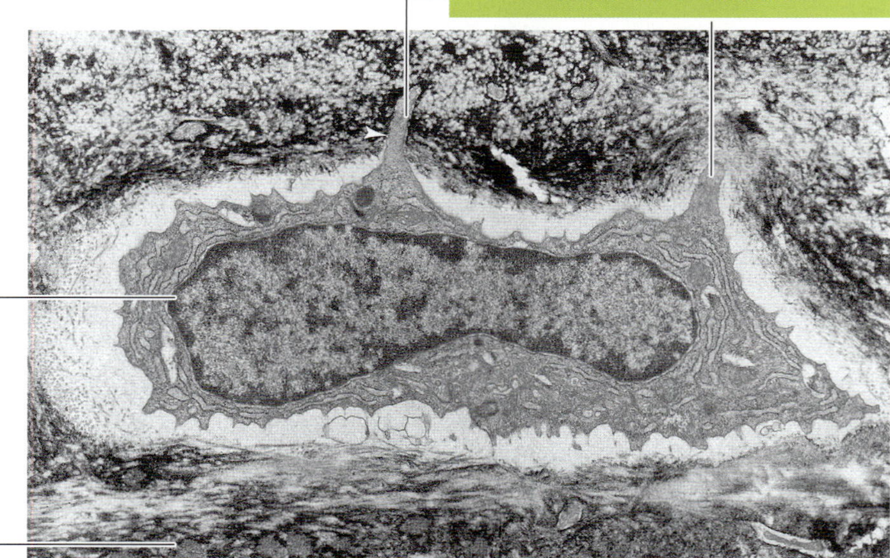

骨細胞は石灰化マトリックス内に閉じ込められ，骨小腔に収まる．細胞突起の発達は重要であり，互いに相互作用しながら**小腔－小管ネットワーク**を構築する．このネットワークは骨マトリックスの維持・代謝を担う

電子顕微鏡写真：Patricia C. Cross, Stanford, California の厚意による．

石灰化骨マトリックス

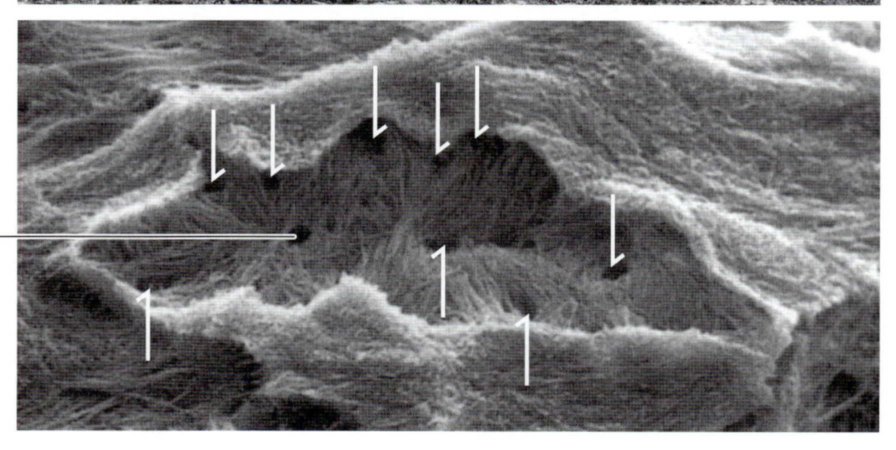

1つの**骨小腔**の壁を内側からみると，骨小管（矢印）の入り口が多数観察される．生体ではここに骨細胞の細胞突起が収まっていた．骨細胞自身も石灰化骨マトリックスに囲まれた空間に収まっている

走査電子顕微鏡写真：Gray's Anatomy, 38th edition, New York, Churchill Livingstone,1995 より．

図 4.21 | 骨芽細胞の機能

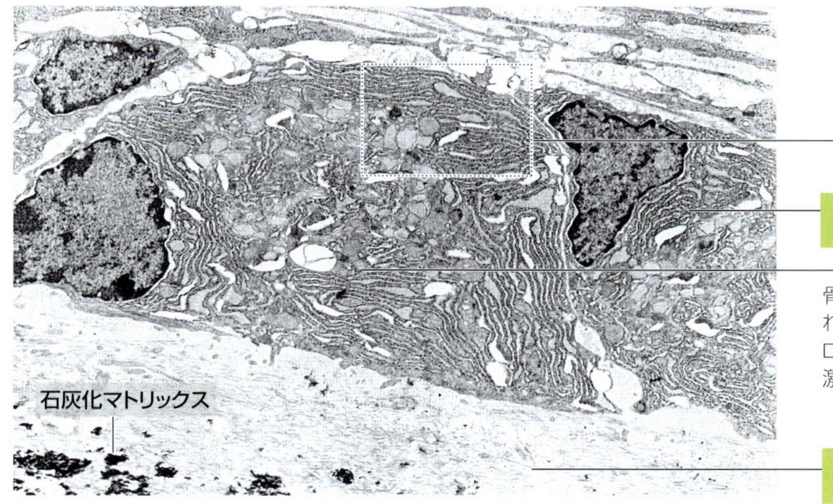

骨芽細胞は複数の**造血性サイトカイン**を産生する．それらには顆粒球コロニー刺激因子，マクロファージコロニー刺激因子，顆粒球ーマクロファージコロニー刺激因子，そしてインターロイキンが含まれる

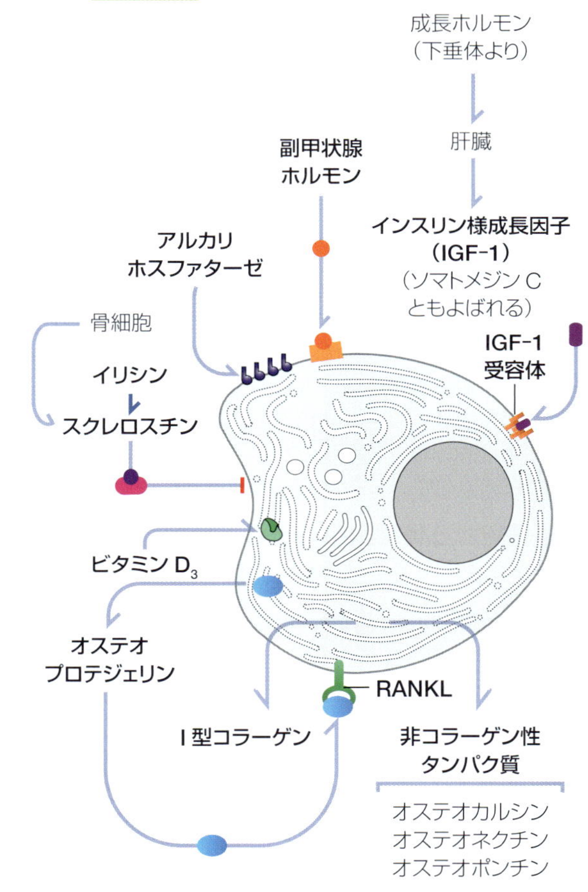

骨芽細胞は骨前駆細胞に由来する．骨細胞は骨芽細胞系統の中で，最も成熟あるいは最終分化した細胞である．特徴的な樹状形態をもつ骨細胞は，機械的シグナルやホルモン刺激に反応して骨形成にかかわる骨芽細胞と骨吸収を行う破骨細胞の機能を調節する．

骨芽細胞は骨の有機マトリックスである**類骨**を産生し，マトリックスの石灰化を制御する．

アルカリホスファターゼは**細胞外酵素**（細胞表面のタンパク質）で，高い pH 環境でーリン酸エステルを加水分解する．この酵素は骨芽細胞がタンパク質合成をやめ，石灰化骨マトリックスに埋まって骨細胞になると消失する．

ビタミン D_3（1α, 25-ジヒドロキシコレカルシフェロール）はヒドロキシアパタイトに強く結合する**オステオカルシン**の発現を制御する．

成長ホルモンは肝細胞における **IGF-1** 産生を刺激する．IGF-1 は長管骨の骨端板を刺激し，骨の成長を促す．

RANKL は破骨細胞の前駆細胞に存在する**膜貫通型受容体**である receptor activator of nuclear factor kappa（κ）B（RANK）を活性化するリガンドである．

オステオプロテジェリンは RANKL に結合する「おとり」となるサイトカインであり，RANKL-RANK 相互作用を制御する（「破骨細胞の分化」参照）．

スクレロスチンは成熟骨細胞のみから産生され，骨形成を負に制御する．骨芽細胞による骨形成を阻害し，骨芽細胞のアポトーシスを増長する．筋から分泌される**イリシン**はスクレロスチンの遺伝子発現を増加させる．

骨芽細胞と骨細胞が産生する主なタンパク質は以下である．

1. **I 型コラーゲン**．類骨は I 型コラーゲンと糖タンパク質からなる．骨芽細胞は典型的なタンパク質産生細胞であり，よく発達した粗面小胞体をもつ．
2. **非コラーゲン性タンパク質**には次のものが含まれる．**オステオカルシン**は骨の石灰化に必須である．**オステオネクチン**（SPARC〔secreted protein acidic and rich in cysteine〕としても知られる）はリン酸化タンパク質であり，選択的にヒドロキシアパタイトとコラーゲン細線維に結合し，骨マトリックスの構築にかかわる．**オステオポンチン**は破骨細胞の閉鎖帯形成を促す．

電子顕微鏡写真：Patricia C. Cross, Stanford, California の厚意による．

骨芽細胞は**オステオプロテジェリン** osteoprotegerin，**RANKL**，**マクロファージコロニー刺激因子** macrophage colony-stimulating factor（M-CSF）を使って破骨細胞の分化を制御するが，詳細については後ほど説明する．

骨を構成する細胞

骨には異なる 2 種類の細胞系譜がある：

1. **骨芽細胞** osteoblast は間葉細胞由来である．
2. **破骨細胞** osteoclast は単球の前駆細胞に由来する．

骨芽細胞（図 4.21）

骨芽細胞は立方あるいは円柱形をした上皮様細胞であり，活発な骨形成部位のすべてを単層性に覆っている．

骨芽細胞は明瞭な極性を有する細胞であり，骨芽細胞と骨の境界部に沿って，**類骨** osteoid という**骨の無石灰化有機マトリックス**を沈着させる．骨芽細胞は類骨の石灰化を開始させ，制御する．

電子顕微鏡でみると，骨芽細胞はタンパク質合成，糖付加，分泌が盛んな細胞に典型的な特徴を有する．特異的な産物としては，**I型コラーゲン**，**オステオカルシン**，**オステオポンチン**，**オステオネクチン**，そしていくつかの造血性サイトカインがある．

骨芽細胞は強い**アルカリホスファターゼ** alkaline phosphatas の組織化学反応を示し，これはマトリックスに埋もれて骨細胞になると消失する．

骨形成が完了すると，骨芽細胞は扁平になり，骨細胞に変化する．そして石灰化過程にある骨マトリックスに埋もれる．それらは類骨内骨細胞とよばれる．

初期の骨細胞は**ポドプラニン** podoplanin というタンパク質を発現し，細胞質突起を樹状あるいは分枝させながら伸ばす．細胞体部分は**骨小腔** lacuna とよばれる骨層板の間にある小さな腔所を占める．

骨小管 canaliculus とよばれる細い路が，骨層板を横切って隣の骨小腔と連絡しており，隣り合う細胞の突起がこの骨小管内に伸びて互いに**間隙（ギャップ）結合** gap junction でつながっている．間隙結合は**コネキシン 43** connexin 43（**Cx43**）を含む．

この樹状形態と骨小管が存在するおかげで，初期の骨細胞は石灰化過程にある骨マトリックスへ埋まりやすくなっている．これは**骨小腔－骨小管ネットワーク**が機能するうえで重要な過程である．

栄養成分はハバース管中の血管から骨小管を経て骨小腔まで，拡散によって到達する．

成熟した骨細胞は，間隙結合を介する細胞間シグナルのみならず，骨小腔とこれらを連絡する骨小管内の**細胞外**空間を利用した栄養やシグナル分子の移動にも依存している．

骨細胞の生死はこの栄養拡散過程に左右され，また骨マトリックスの一生は骨細胞に依存する．

血管支配が維持される限り成熟骨細胞は生存できる．

前骨芽細胞から骨芽細胞，そして骨細胞への分化

（基本事項 4.B）

間葉系幹細胞 mesenchyme stem cell は線維芽細胞，脂肪細胞，筋細胞，軟骨芽細胞だけでなく，**前骨芽細胞** preosteoblast の前駆細胞である．分裂が盛んな前骨芽細胞は分裂をしない**骨芽細胞** osteoblast になる．そしてその中のある集団は**骨細胞** osteocyte へと分化し，石灰化された類骨の中に捕らわれる．他の骨芽細胞は細胞死を起こすか，骨表面について休止状態になる．

以下に述べる概念を理解すると，骨細胞がどのように発達して骨の形成と吸収を制御するのかがわかる：

1. 骨に埋まっている骨細胞によって**骨小腔－骨細管ネットワーク**ができるためには，石灰化骨マトリックスの中における細胞突起，骨小腔，骨小管の発達が必須である．

   このような骨細胞からは**ポドプラニン** podoplanin というタンパク質が産生されるが，これは骨細胞の樹状突起の形成に必要である．細胞質突起の欠損は骨の脆弱性をもたらす．

2. 特定遺伝子産物の発現により，**骨マトリックスの石灰化**と**リン酸代謝**が促進される．**線維芽細胞成長因子 23** fibroblast growth factor 23（**FGF23**）は腎臓におけるリン酸代謝を調節する．

   腎臓の近位曲尿細管では，FGF23 が（**クロソ** Klotho タンパク質の存在下に）その受容体に結合すると，腎臓におけるリン酸の排出が増加し，血清リン酸レベルが正常範囲に保たれる．*FGF23* 遺伝子発現の欠損は**高リン酸血症**をもたらし，類骨の石灰化が損なわれる．

   骨芽細胞で合成される**デンチンマトリックス酸性ホスホプロテイン 1** dentin matrix acidic phosphoprotein 1（**DMP-1**）は類骨の石灰化に必要である．

   成熟骨細胞で産生される**マトリックス細胞外ホスホグリコプロテイン** matrix extracellular phosphoglycoprotein（**MEPE**）は類骨の石灰化を抑制する．

   エンドペプチダーゼである**リン酸制御エンドペプチダーゼ** phosphate regulating neutral endopeptidase（**PHEX**） は，MEPE を酵素的に分解することで，その類骨石灰化抑制機能を制御する．

3. 特定の遺伝子群（*Sox9*，*Runx2*，*Runx2*／*Osx*）が間葉幹細胞から前骨芽細胞，次いで骨芽細胞，そして骨細胞，初期骨芽細胞，成熟骨芽細胞への分化を調節する．

   Sox9 は間葉幹細胞から前骨芽細胞への分化を開始させる．前骨芽細胞から骨芽細胞への分化は **Runx2**（Runt homeodomain protein 2）と**オステリクス** Osterix（**Osx**）という転写因子によって調節される．

   Runx2 遺伝子は骨形成の指標としては最も早期に働き，最も特異的である．同じ転写因子遺伝子である *Osx* とともにオステオカルシンの発現を調節する．**オステオカルシン**は骨芽細胞から分泌される特異的なタンパク質であり，骨形成を示す生化学的マーカーである．

   Runx2 と *Osx* 遺伝子は**ヘッジホッグ** Hedgehog，**ノッチ** Notch，**ウィングレス** Wingless（Wnt），**骨形成タンパク質** bone morphogenetic protein，**FGF シグナル** FGF signal 経路により調節されている（第 3 章参照）．

   Runx2 欠損マウスは出産まで発達し，軟骨からなる骨格を有する．このマウスでは，骨芽細胞の分化や骨形成はみられない．そのうえ，このマウスは破骨細胞を欠いている．後に述べるが（「破骨細胞の分化」の項参照），成熟骨細胞は破骨細胞の発達を制御するタンパク質を産生する．

   Runx2 欠損マウスで観察される骨格の特徴は，ヒトの**鎖骨頭蓋骨異形成症** cleidocranial dysplasia（**CCD**）の病態と一致する．CCD の特徴は，鎖骨の低形成，頭蓋骨縫合の骨化遅延，*Runx2* 遺伝子の変異である．

4. Wnt シグナル Wnt signaling（第 3 章参照）は骨形成で重要な役割を演じる．Wnt タンパク質がその受容体と補助受容体からなる複合体に結合すると，β カテニンが細胞核に移動し，遺伝子の転写活性が上がる．Wnt シグナルの活性化は骨芽細胞および骨細胞の発達と生存を促し，間接的に破骨細胞形成を抑制する．破骨細胞に対する作用はオステオプロテジェリンの発現亢進によるものだが，この機構については後の「破骨細胞の分化」の項で説明する．

基本事項 4.B | 骨芽細胞の分化にかかわる遺伝子

骨芽細胞の分化を制御する転写因子

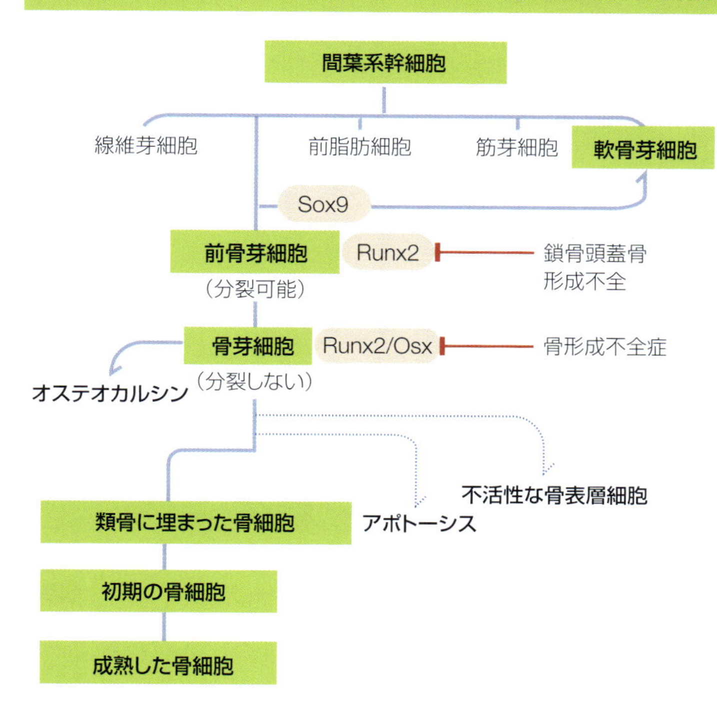

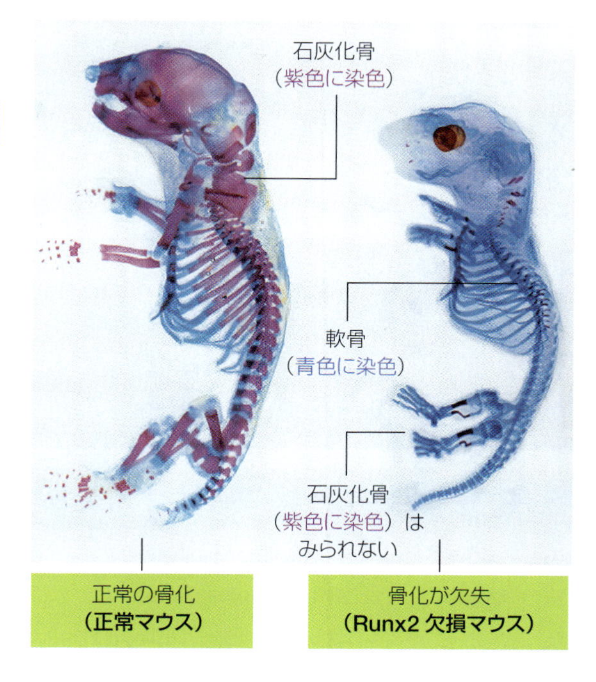

骨芽細胞は，筋細胞，脂肪細胞，線維芽細胞，軟骨芽細胞などと同様に間葉系幹細胞に由来する．

骨芽細胞に特異的な3つの遺伝子が骨芽細胞系譜の分化を制御する：

1. ***Sox9***（sex determining region Y-box 9 に由来）は間葉系の前駆細胞から**前骨芽細胞**と**軟骨芽細胞**への分化を規定する．
2. ***Runx2***（Runt homeodomain protein 2 に由来）は分裂活性を有する前骨芽細胞から分裂しない**骨芽細胞**への分化を誘導する．また，Osx とともに**オステオカルシン**の発現を制御する．カルボキシル化されたオステオカルシンは特異的な分泌タンパク質であり，血中を循環して膵島 B 細胞からのインスリン分泌，ライディッヒ細胞からのテストステロン分泌を刺激しうる．
3. **オステリクス**（***Osx***）遺伝子はジンクフィンガー転写因子をコードし，骨芽細胞から骨細胞への分化，および骨細胞と軟骨芽細胞の機能に必要である．

Runx2 欠損マウスは軟骨からなる骨格を有し，骨形成や石灰化など骨芽細胞の分化を示すものは一切みられない．さらに，骨芽細胞は破骨細胞の形成を調節するため，破骨細胞もみられない．

鎖骨頭蓋骨形成不全の患者（鎖骨低形成，頭蓋骨縫合の骨化遅延）は *Runx2* 型の遺伝子変異をもつ．

Osx の欠損は骨芽細胞の分化に影響を及ぼし，骨輪が発達する骨幹において，異所性に軟骨膜下に軟骨を形成する．Osx 欠損患者は**骨形成不全症** osteogenesis imperfecta（brittle bone disease）となる．

写真：Toshihisa Komori, Nagasaki, Japan の厚意による．

破骨細胞（図 4.22）

破骨細胞 osteoclast は間葉幹細胞の系譜には属さない．骨髄に存在する**単球の前駆細胞**に由来する．

単球 monocytes は血液循環を介して骨に至り，互いに融合して 30 もの核を有する多核細胞，すなわち破骨細胞となる．この融合のプロセスは成熟骨細胞により制御される（「破骨細胞の分化」参照）．

破骨細胞は3つの必須な機能をもつ：

1. **骨のターンオーバーに伴う骨リモデリング．**
   この過程にはさまざまな部位における骨マトリックスの除去とその後の新生骨への置換を含む．
2. **適正な骨の形態形成．**
3. **造血のための骨髄空間の拡大．**

破骨細胞は大きく（直径 100 μm まで），明瞭な極性をもつ細胞であり，**ハウシップ窩** Howship's lacuna あるいは**骨吸収窩** subosteoclastic acidic compartment とよばれる浅い陥凹部位に付着する．

破骨細胞は皮質（緻密）骨，ハバース管，海綿骨の骨小柱表面にみられる．

目的地である骨マトリックスに付着すると，破骨細胞は骨吸収のための隔離された酸性コンパートメントをつくる．この空間は2つの必須構成要素を有する：

1. **波状縁** ruffled border は細胞膜の特殊化したものである．多数のヒダをつくることで広い表面積を確保し，いくつかの重要な機能を担う．すなわち，H^+，リソソームプロテアーゼ

図 4.22 | 破骨細胞の機能

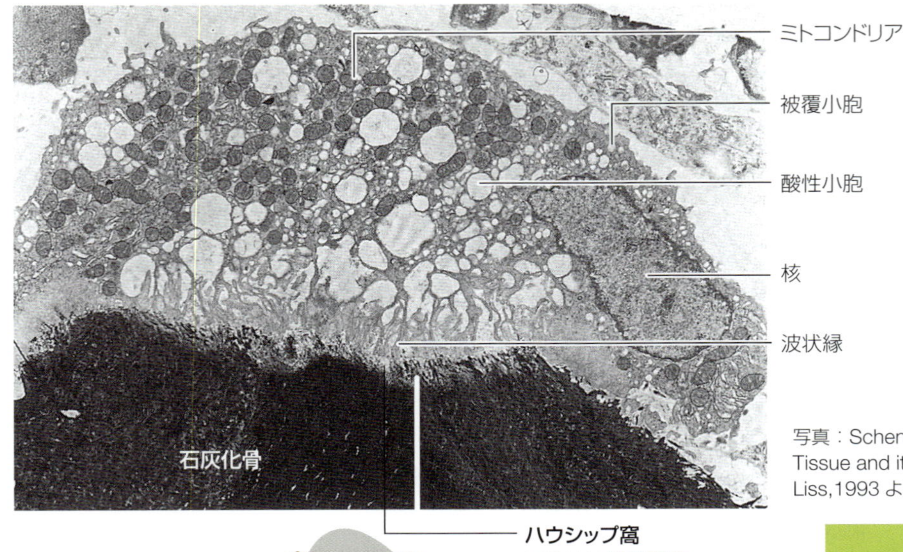

破骨細胞は高い極性をもつ細胞で，**ハウシップ窩**あるいは**骨吸収窩**とよばれる浅いくぼみに付着している．吸収窩に面する部位には**波状縁**がある．

破骨細胞は多核であり，ミトコンドリア，被覆小胞（分解された有機骨マトリックス成分をもつ），酸性小胞（H^+-ATPase を有する）が豊富である．

写真：Schenk RK, Felix R, Hofstetter W: Connective Tissue and its Heritable Disorders. New York, Wiley-Liss,1993 より．

ハウシップ窩
あるいは骨吸収窩
閉鎖帯
オステオポンチン
$\alpha_v\beta_3$ インテグリン
アクチン
HCO_3^--Cl^-
エクスチェンジャー
カルシトニン受容体
RANK
酸性小胞
被覆小胞
Cl^-
HCO_3^-
骨
$H^+ + HCO_3^-$
炭酸脱水酵素 II
$CO_2 + H_2O$
H^+
pH〜4.5
クロライドチャネル
H^+-ATPase ポンプ
カテプシン K と MMP-9
ハウシップ窩
あるいは骨吸収窩

破骨細胞

1 波状縁を縁取る細胞膜部位は骨に密着しており，**アクチン線維**が集まって$\alpha_v\beta_3$ **インテグリン**と**オステオポンチン**とともに**閉鎖帯**をつくる．

2 クロライドチャネルは細胞内 pH の過剰な上昇を防ぐ．

3 重炭酸イオン（HCO_3^-）は塩素イオン（Cl^-）と交換され，塩素イオンはクロライドチャネル（波状縁に存在する）によってハウシップ窩に輸送される．重炭酸イオン-塩素イオンエクスチェンジャーは細胞質内の電気的中性が維持されるように働く．

4 **炭酸脱水酵素 II** は CO_2 と H_2O からプロトン（H^+）をつくる．H^+は **H^+-ATPase ポンプ**によってハウシップ窩に放出され，石灰化骨を溶かすための酸性環境（約 pH4.5）をつくり出す．

5 **カテプシン K** と**マトリックスメタロプロテアーゼ-9（MMP-9）**はハウシップ窩に放出され，酸性化によりミネラル成分が溶け出した後の表面に露出した有機マトリックス（コラーゲンと非コラーゲン性タンパク質）を分解する．

であるカテプシン K cathepsin K，そして**マトリックスメタロプロテアーゼ-9** matrix metalloprotease-9（**MMP-9**）を放出する．その結果，分解された骨マトリックスを取り込んで被覆小胞や空胞に運び込み，処理する．ここで破骨細胞は**分泌リソソーム**を有する細胞タイプであることを覚えておこう．カテプシン K は骨吸収窩に放出されるのである．

2. **閉鎖帯** sealing zone は破骨細胞の頂面側周囲に沿って形成され，骨吸収窩を外界から隔絶する．閉鎖帯は細胞膜，**アクチン線維**，$\alpha_v\beta_3$ **インテグリン**，**オステオポンチン**からなる．

破骨細胞の細胞質には**ミトコンドリア** mitochondria，**酸性小胞** acidic vesicle，**被覆小胞** coated vesicle が非常に**豊富**である．ミトコンドリアから供給されるアデノシン三リン酸（ATP）により，酸性小胞の **H^+-ATPase ポンプ** H^+-ATPase pump が駆動する．これにより**骨吸収窩の酸性化**が進み，カテプシン K と MMP-9 が活性化される．

骨吸収の際には，まず H^+-ATPase（アデノシントリホスファ

図 4.23 ｜ 破骨細胞の分化

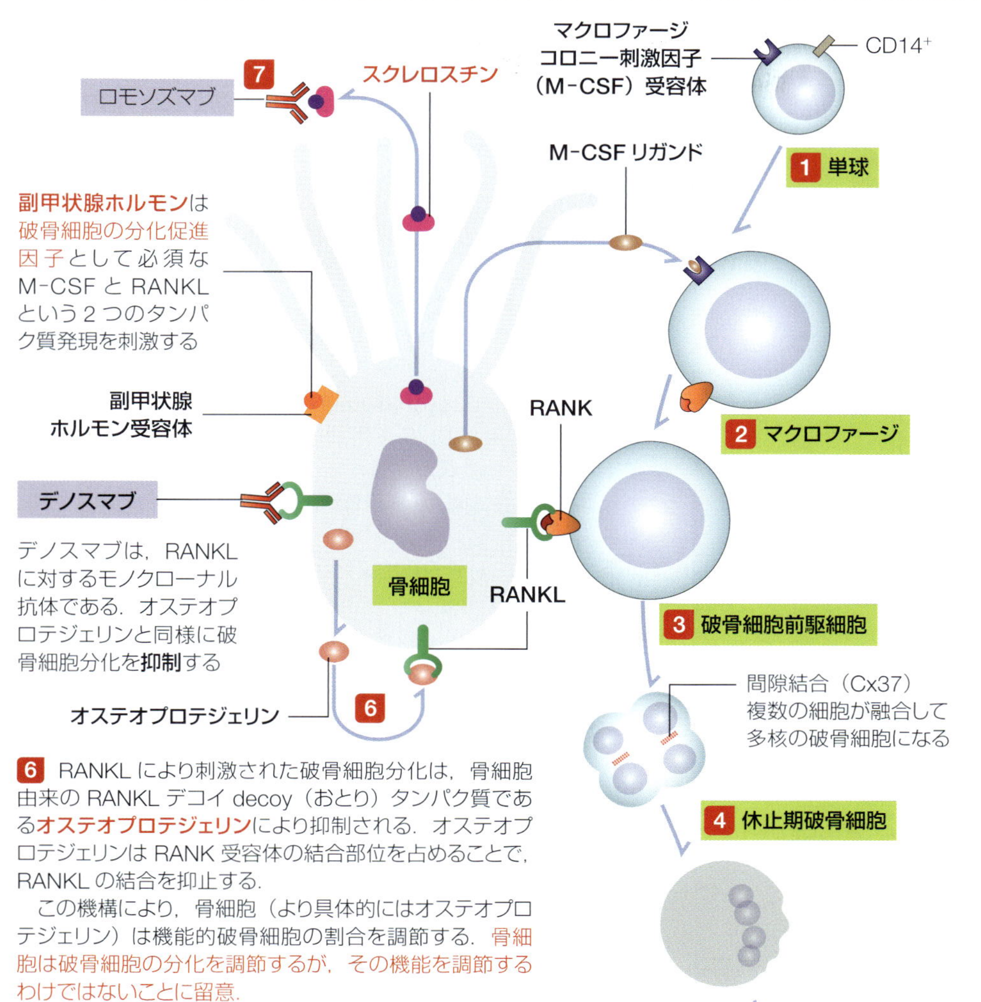

1 $CD14^+CD16^-$**単球**が，骨形成・リモデリングを起こす領域にたどり着く．細胞表面に **M-CSF** 受容体を発現する．

2 単球は**マクロファージ**に分化する．**M-CSF リガンド**が M-CSF 受容体に結合し，**RANK** の発現を誘導する．その**リガンドである RANKL** は骨細胞の表面に発現している．

3 骨細胞に発現する膜貫通タンパク質である **RANKL**（リガンド）は**単核**の破骨細胞前駆細胞にある RANK（受容体）3 量体に結合し，破骨細胞の分化を進める．

4 骨細胞から離れた**破骨細胞前駆細胞**は融合し，多核の休止期破骨細胞になる．この段階ではまだ骨吸収機能をもたない．Cx37 を含む間隙結合は細胞融合を助ける．

5 破骨細胞の機能的成熟は，**閉鎖帯**と**波状縁**が発達したときに完了する．閉鎖帯の形成には$\alpha_v\beta_3$インテグリンが必要である．

6 RANKL により刺激された破骨細胞分化は，骨細胞由来の RANKL デコイ decoy（おとり）タンパク質である**オステオプロテジェリン**により抑制される．オステオプロテジェリンは RANK 受容体の結合部位を占めることで，RANKL の結合を抑止する．

この機構により，骨細胞（より具体的にはオステオプロテジェリン）は機能的破骨細胞の割合を調節する．骨細胞は破骨細胞の分化を調節するが，その機能を調節するわけではないことに留意．

7 骨細胞が産生する糖タンパク質である**スクレロスチン**は骨芽細胞の機能を阻害する．運動時に骨格筋から分泌される**イリシン**は，骨細胞におけるスクレロスチンの発現を増加させる．

骨細胞は破骨細胞に作用して骨吸収を**制御**するが，以下の機構を介することに留意せよ．(1)最も高い破骨細胞の分化誘導能をもつ RANKL の産生，および(2)骨形成阻害作用をもつスクレロスチンの分泌．スクレロスチンは RANKL のデコイであるオステオプロテジェリンの抑制因子としても機能する．

スクレロスチンとイリシンは閉経後骨粗鬆症（PO）の新たな治療標的である．PO では骨ターンオーバーの亢進が特徴的であり，一般的に骨吸収は骨形成を凌駕する．モノクローナル抗体であるロモソズマブはスクレロスチンを阻害し，骨粗鬆症の患者で**骨形成を促進**させる．

ターゼ）がつくり出す酸性環境によって，骨の無機質成分が遊出し（**脱灰** demineralization），その後にカテプシン K と MMP-9 による有機マトリックス（I 型コラーゲンと非コラーゲンタンパク質）の分解が起きる．

胃の壁細胞における HCl の産生機構がハウシップ窩における酸性化と非常に似ていることに留意せよ（第 15 章参照）．

破骨細胞が働かなければ波状縁は消失し，破骨細胞は休止状態に入る．

破骨細胞は代謝状況の必要性に応じて一過性に活性化され，カルシウムを骨から血中へ移動させる．破骨細胞の活性は**カルシトニン** calcitonin（甲状腺濾胞にある **C 細胞** C cell で産生される），**ビタミン D_3** vitamin D_3，そして骨芽細胞や骨髄間質細胞からつくられる制御因子によって直接に制御される（次項参照）．

破骨細胞の分化（図 4.23，4.24）

破骨細胞の分化 osteoclastgenesis（図 4.23）は成熟骨細胞から

図 4.24 | RANK-RANKL 相互作用

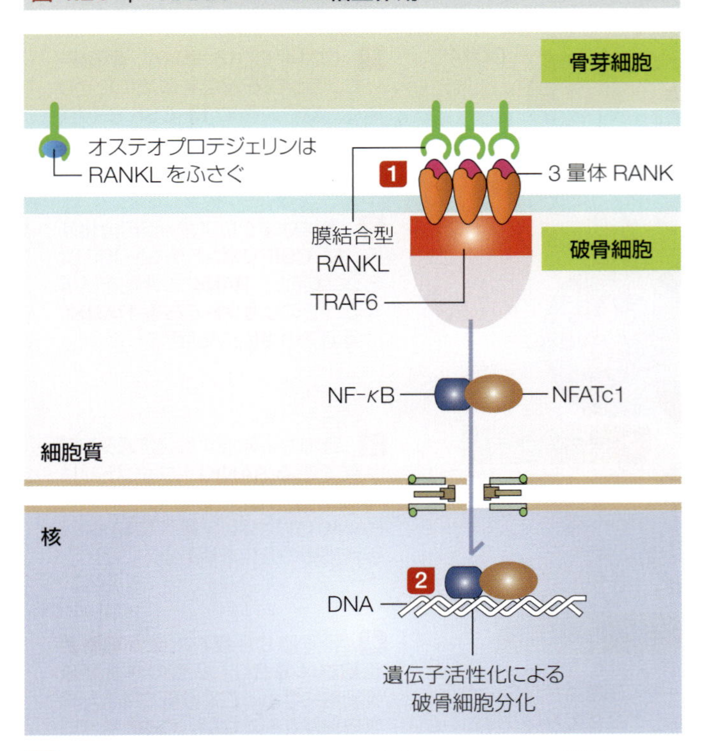

1 **膜結合型** RANKL の RANK への結合が RANK の 3 量体化を促し，**TRAF6** を代表とするアダプタータンパク質を引き寄せる．

2 その後，破骨細胞分化に関する転写因子である **NFATc1** や **NF-κB** を核移行させ，破骨細胞の分化に関する遺伝子発現を刺激する．

産生される**破骨細胞形成促進サイトカイン**と**破骨細胞形成抑制サイトカイン**により制御される．**破骨細胞促進サイトカイン**は以下を含む．

1. **マクロファージコロニー刺激因子** macrophage colony-stimulating factor（**M-CSF**）は単球－マクロファージ－破骨細胞の系譜の生存因子である．
2. **核因子 κB 受容体活性化因子**（**RANK**）receptor activator of nuclear factor kappa B（**NF-κB**）．
3. **RANKL** は **RANK リガンド**であり，破骨細胞の発達に重要な下流エフェクターサイトカインである．

オステオプロテジェリン osteoprotegerin（**OPG**）は**破骨細胞形成抑制サイトカイン**であり，破骨細胞の分化を抑制する．

破骨細胞はどのようにして分化するのだろうか．

成熟骨細胞の存在下で，単球－マクロファージ系である $CD14^{+}CD16^{-}$単球は M-CSF（成熟骨細胞から産生される）に反応し，前破骨細胞であるマクロファージとなる．

RANKL は**腫瘍壊死因子** tumor necrosis factor（**TNF**）**スーパーファミリー**のメンバーである．RANKL は，前破骨細胞の表面に存在する RANK 受容体と結合する．この結合は RANK の 3 量体化を誘導し，**TNF 受容体関連因子** TNF receptor-associated factor 6（**TRAF6**）とよばれるアダプタータンパク質を引き寄せる．TRAF6 は下流のシグナルカスケードを刺激し，その結果 NF-κB と**活性化 T 細胞核内因子** nuclear factor-activated T cell c1（**NFATc1**）の 2 種類の転写因子が核移行する．

核内では，これら 2 つの転写因子が前破骨細胞の分化を促す遺伝子発現を活性化する．

RANK-RANKL 結合は OPG によって調節される．**OPG** は“**デコイ** decoy（**おとり**）”として機能するが，この機構は成熟骨細胞により調節される．

成熟骨細胞はサイトカインである OPG を合成し，OPG は高い親和性をもって RANKL へ結合するため，破骨細胞の分化を阻害する．

OPG は RANK と競合する「生理学的なデコイ」として破骨細胞形成を調節する．OPG の RANKL への結合は RANK-RANKL 結合を妨げる．

副甲状腺ホルモン parathyroid hormone（**PTH**）は RANKL の発現を刺激して RANKL 量を増加させる．それが OPG 量に比して多くなると，骨吸収が促進する．過剰の PTH は破骨細胞の分化を促進させ，その結果骨吸収が増加すると血中カルシウムが上昇する．

デノスマブ denosumab は RANKL に対するモノクローナル抗体であり，オステオプロテジェリン同様の効果を示す．すなわち，副甲状腺ホルモンの刺激により破骨細胞の分化と活性が過剰になると骨が減少するが，これを抑制できる．

成熟骨細胞は骨マトリックスに埋まる最終分化段階の細胞であるが，ここから**スクレロスチン** sclerostin が産生される．これは Wnt シグナル経路のアゴニストであり，骨芽細胞による骨形成を抑制する．

骨粗鬆症

骨粗鬆症 osteoporosis（ギリシャ語 *osteon*［= bone，骨］，*poros*［= pore，孔］，*osis*［= condition，状態］）は，骨量の減少による骨の脆弱化と易骨折性で定義される．

骨粗鬆症をきたす主な要因は，性ホルモンである**エストロゲン** estrogen の欠乏であり，これは閉経後の女性に起こる．閉経後骨粗鬆症では免疫－炎症疾患でみられる多くの古典的症状を示すが，これはエストロゲン欠乏が骨吸収に向かいやすい慢性炎症状況をもたらすためのようだ．実際に炎症状態では，B 細胞からかなりの OPG が産生され，活性化した T 細胞と B 細胞からは TNF と RANKL が産生される．

骨粗鬆症では**破骨細胞の数が増加**し，古い骨の吸収量が新たに形成される骨量を超える．この骨吸収が促進した状態は，エストロゲン療法およびカルシウム・ビタミン D 補充療法で元に戻すことができる．骨粗鬆症や同疾患による骨折は男性でもみられる．

骨粗鬆症は，骨変形や骨折（脊椎，股関節，手首が典型的）がみられるまで無症状である．**椎骨** vertebral bone は**海綿骨**がほとんどで，薄い緻密骨よりなる表層部で囲まれている．これがつぶれたり前方に押し込まれたりして，疼痛や身長低下をきたす．

骨粗鬆症をもつ高齢者は，転んだときに大腿骨頸部骨折を起こすことがある．

ビスホスホネート製剤は骨吸収を抑え，骨量を増加させることで骨折を防ぐ．しかし，この薬剤を服用している患者で非典型的な大腿骨骨折や顎骨の骨壊死が報告されている．このような合併症のため，ビスホスホネート製剤の処方は減少している．

骨粗鬆症治療に対する新たな薬として，**スクレロスチン**に対する**モノクローナル抗体**である**ロモソズマブ**がある．上述したように，スクレロスチンは成熟骨細胞で産生され，骨芽細胞による骨形成を負に制御する．

全身振動刺激 whole body mechanical vibration（**WBD**）は骨形成を刺激する．この効果は直接的には骨細胞シグナリング，間接的には骨格筋の活性化を介したものである．

WBD療法では患者は電気で振動する台に立つ．これによって垂直方向の加速度が足から筋肉，そして骨へと伝わり，海綿骨の構造と皮質骨の厚さを適切に変化させる．

骨粗鬆症の診断には，放射線医学，あるいは**二重エネルギーX線吸収法** dual-energy X-ray absorptiometry（DEXA）による骨密度測定がよく用いられる．DEXAでは，X線源から照射される光子の吸収を測定することで，骨ミネラル量を測定する．

RANKLが破骨細胞の発達と骨吸収活性に深くかかわることがわかったため，骨疾患を治療する薬剤の開発が進んでいる．

RANKLに対するモノクローナル抗体，**デノスマブ** denosumab（Amgen）は，オステオプロテジェリンと同様の機能を有する．DEXA検査により骨密度減少がわかり，重症の骨粗鬆症と診断された女性は3ヵ月ごとに1年間，この抗体の皮下投与を受ける．デノスマブはオステオプロテジェリンに類似し，骨吸収を抑える．この効果は骨コラーゲンの分解産物を尿と血中でモニターすること，そして骨密度の増加により判定される．

デノスマブによる抗RANKL治療において懸念される点として，免疫系細胞（特にT細胞，そしてB細胞やマクロファージ）におけるRANKL-オステオプロテジェリンに関連するサイトカインの発現がある．RANKLに加えて活性化T細胞はTNFを産生する．TNFは骨芽細胞と骨細胞におけるRANKLの発現を促進し，RANKLとの直接的な相乗効果によって破骨細胞の分化と骨吸収を増幅させる．

これらの知見は，より激しく活性化したT細胞は骨吸収率を顕著に上昇させること，そしてこの免疫システムが新たな治療標的となることを示す．骨形成を促進させ，骨吸収を減らせば骨折の予防になる．

大理石骨病と骨軟化症

大理石骨病 osteopetrosis（ギリシャ語 *osteon*［= bone，骨］，*petra*［= stone，石］，*osis*［= condition，状態］）は，骨リモデリングにおける破骨細胞の機能不全によって引き起こされる症候群である．その機能はM-CSFが欠損した*op*／*op*変異マウスの研究で明らかになった．このマウスでは破骨細胞が欠失するため，大理石骨病と同様に骨量が増加する．

これに加え，マウス骨細胞における*Rankl*遺伝子の欠損によっても大理石骨病が起きる．これは破骨細胞数が減少して骨吸収が減少するためである．

この2つの事象は，M-CSFとRANKLが骨細胞から産生され，大理石骨病に関係することを示す．反対に，**骨硬化症** osteosclerosisでは骨芽細胞活性が高まって骨量が増加する．

常染色体潜性大理石骨病 autosomal recessive osteopetrosis（**ARO**）は乳幼児初期にみられ，最も重篤で生命を脅かすタイプの疾患である．AROは**炭酸脱水酵素II** carbonic anhydrase IIの欠損で発症し，腎尿細管性アシドーシスと脳の石灰化がみられる．**骨髄腔が狭小化**することから骨髄不全をきたし，そのため重篤な貧血や感染症が合併する．脳神経が圧迫されて聴覚や視覚が失われ，表情筋の麻痺などもみられる．

中間型常染色体性大理石骨病 intermediate autosomal osteopetrosis（**IAO**）は遺伝的に常染色体顕性あるいは常染色体潜性を示し，子どもにみられる．異常な器官の石灰化に加えて貧血や骨折を示すが，重篤な骨髄異常はみられない．

常染色体顕性大理石骨病 autosomal dominant osteopetrosis（**ADO**）は**アルバース・シェーンバーグ病** Albers-Schönberg diseaseともよばれ，AROやIAOと比べて最も頻度が高く，軽症を示す疾患である．複数の骨折と脊柱側弯（脊柱の異常な弯曲）を特徴とする．臨床的には比較的良性であるため，多くの患者では無症状であり，放射線検査によってのみ偶然にみつかる．

CLCN7（chloride channel voltage sensitive 7）遺伝子の変異はADOの75%にみられる．図4.22で述べたが，塩素チャネルはCl^-を骨吸収窩に輸送し，この部位の酸性化とそれによる効果的な骨吸収に寄与する．また，炭酸脱水酵素IIが破骨細胞による骨吸収に必須であることに留意すること．

骨軟化症 osteomalacia（ギリシャ語 *osteon*［= bone，骨］，*malakia*［= softness，軟らかい］）は，進行性に骨が軟化あるいは弯曲するという特徴をもつ疾患である．

軟化が起こるのは，ビタミンDの欠乏や腎尿細管の機能不全（第14章参照）によって**類骨の石灰化に欠陥**をきたすためである．若年者で成長板**軟骨**（第5章参照）**の石灰化**に欠陥を生じると，**くる病** rickets（**若年性骨軟化症** juvenile osteomalacia）とよばれる疾患になる．

骨軟化症はビタミンDの欠乏（例えば腸の吸収不良），あるいは遺伝性のビタミンD活性化障害（例えば**腎1α-水酸化酵素欠損**では，**カルシフェロール**が活性型ビタミンDである**カルシトリオール**に変換されない．第19章参照）が原因となって起こる．

骨軟化症と骨粗鬆症の患者では，共通の特徴として骨折がみられる．しかし，骨軟化症では骨形成に欠陥があり，一方骨粗鬆症では正常に形成された骨が弱体化することに留意．

結合組織 | 概念図・基本的概念

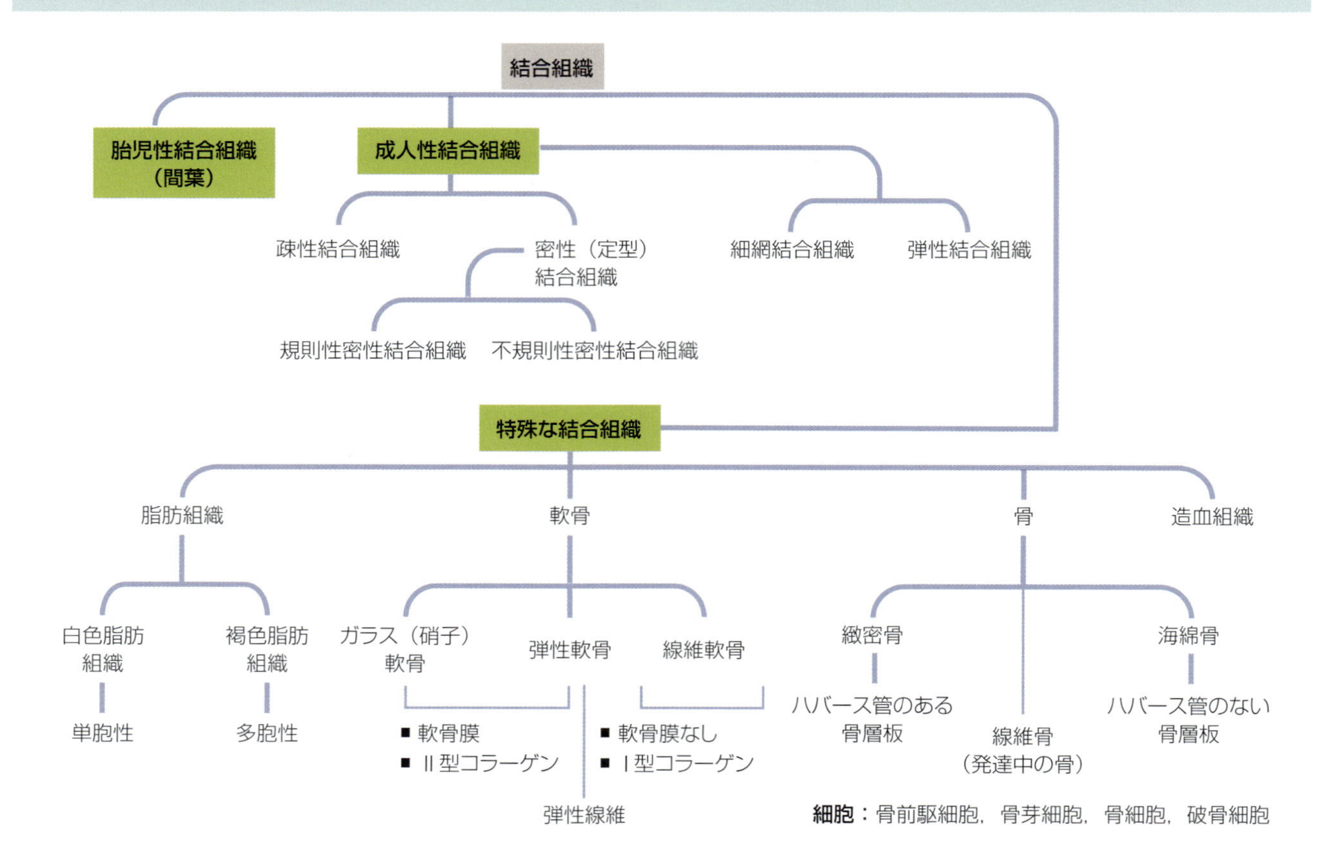

- 結合組織は，組織の機能成分あるいは実質に支持あるいは基質を提供している．結合組織の機能には代謝産物の貯蔵，免疫・炎症の応答，損傷後の組織修復などがある．
  結合組織は３つの主要なグループに分類される：
  ⑴胎児性結合組織．
  ⑵成人性結合組織．
  ⑶特殊な結合組織（脂肪組織，軟骨，骨，造血組織を含む）．
  胎児性結合組織（あるいは間葉組織）は細胞外マトリックスの割合が高い．この組織は臍帯で観察され，粘液様結合組織あるいはワルトンゼリーともよばれる．
  成人性結合組織は以下のように分けられる：
  ⑴疎性結合組織（線維より細胞の割合が多く，腸間膜や粘膜固有層に観察される）
  ⑵密性結合組織（細胞よりコラーゲン線維やコラーゲン線維束の割合が高い）．この組織はさらに２つに分けられる：
  ①不規則性密性結合組織（コラーゲン線維束の方向が一定でない，皮膚の真皮にみられる）
  ②規則性密性結合組織（コラーゲン線維束の方向が一定，腱にみられる）
  成人性結合組織は，そこに含まれる主要線維の種類によっても分類される．細網結合組織は細網線維を多く含む（III 型コラーゲン）．弾性結合組織は弾性線維が多く，大動脈壁ではシート状あるいは薄板状構造をつくる．

- 結合組織は３つの基本成分（細胞，線維，細胞外マトリックス［ECM，無構造基質ともよばれる］）からなる．結合組織はこれら細胞，線維，ECM の含有率によって分類されることに留意せよ．結合組織には２種類の細胞が存在する：
  ⑴組織固有の線維芽細胞．
  ⑵他から移動してきたマクロファージ，肥満細胞，形質細胞．
  線維芽細胞はさまざまなタイプのコラーゲン，エラスチン，プロテオグリカンの前駆体を合成する．
  コラーゲン合成は，定まった順番どおりに進む．プロコラーゲンは最初に合成されるコラーゲン前駆体で，ヒドロキシプロリンとヒドロキシリジンを含み，三重らせんが非らせん領域に挟まれた構造をとっている．これが線維芽細胞から分泌される．プロコラーゲンペプチダーゼがプロコラーゲンの非らせん領域を切断し，トロポコラーゲンになる．トロポコラーゲン分子は，リシルオキシダーゼの働きで重なりながら自己集束し，横紋をもつコラーゲン細線維となる．
  コラーゲン細線維は，プロテオグリカンと FACIT（不連続な三重らせんを有する細線維結合型コラーゲン）の働きで隣同士が架橋され，コラーゲン線維になる．光学顕微鏡で観察されるのは，このコラーゲン線維の束である．
  コラーゲンを産生するのは線維芽細胞だけではないことに留意すべきである．骨芽細胞，軟骨芽細胞，象牙芽細胞，平滑筋細胞もコラーゲンを産生する．上皮細胞もⅣ型コラーゲンを産生する．基底膜のうち，基底板がⅣ型コラーゲンを，網状層が III 型コラーゲンを含むことを学んだ．
  プロコラーゲンとトロポコラーゲンのプロセッシング，コラーゲン細線維の集合に異常をきたすと，さまざまなエーラス・ダンロス症候群になる．この疾患は皮膚の過度の弾性と関節の過度の可動性という特徴がある．

- エラスチンは弾性線維の前駆体で，その合成とプロセッシングも規程の順番を経る．線維芽細胞と平滑筋細胞はデスモシンとイソデスモシンを含むプロエラスチンを分泌し，一部が切断を受けてトロポエラスチンになる．これら細胞からは，フィブリリン１とフィブリリン２，フィビュリン１が分泌される．トロポエラスチン，フィブリリン１と２，フィビュリン１は結合して弾性線維になり，これがさらに会合して最終的な弾性線維の束になる．

フィブリリン1の異常は弾性線維の形成に影響を与え，特徴的なマルファン症候群をきたす．

次に，結合組織に移動してきた細胞をみてみよう．

マクロファージの主な由来は，骨髄でつくられる単球，そして胎生期の卵黄嚢に存在する前駆細胞である．

その特徴として貪食能をもつことが挙げられる．結合組織中のマクロファージの機能として，古くなった線維や ECM の更新があるが，最も重要なのはリンパ球への抗原提示である．後者は炎症あるいは免疫反応に必須である．

肥満細胞も骨髄に存在する前駆細胞に由来し，その前駆細胞は c-kit 受容体，幹細胞因子（c-kit 受容体のリガンド），免疫グロブリン E の受容体である FcεRI を発現する．

肥満細胞には 2 種類ある：

⑴結合組織の肥満細胞（CTMC）．

⑵粘膜の肥満細胞（MMC）．

結合組織と粘膜において，肥満細胞は染料とは異なる色に染まる異染性顆粒を含むようになる．この顆粒は血管作動性メディエーター（ヒスタミン，ヘパリン，走化性因子，キマーゼ，その他のプロテアーゼ）を含む．

これら顆粒成分は脱顆粒とよばれる現象を経て放出される．これは，特異抗原（あるいはアレルゲン）が FcεRI 受容体に結合している IgE 分子を 2 量体化させ，カルシウムがその細胞内貯蔵部位から細胞質に放出されることにより起きる．ロイコトリエンは肥満細胞の血管作動性物質である．しかしロイコトリエンは顆粒内に存在せず，細胞膜にあるアラキドン酸の代謝産物である．多くの血管作動性物質と同様に血管透過性を上げ，浮腫を起こす．

血中を流れる肥満細胞と好塩基球は，骨髄に存在する同じ前駆細胞に由来する．

肥満細胞はアレルギー過敏反応（例えば喘息，花粉症，湿疹など）で重要な役割を担う．肥満細胞症は形態的に変化した肥満細胞が全身性および局所性に増加する病気である．皮膚の肥満細胞は物理的な刺激によって活性化されるが，これは膨疹—潮紅反応（ダリエ徴候）をみるときに起きている．

形質細胞は B リンパ球（B 細胞）の分化によってできる．形質細胞は 3 つの形態学的特徴，すなわち⑴発達した粗面小胞体，⑵広がったゴルジ体，⑶大きな核小体をもつ．これらはタンパク質の合成・分泌活性の高さを示す指標となる．主な分泌タンパク質は免疫グロブリンであり，個々の形質細胞について単一クラスのものが産生される．

細胞外マトリックス（ECM）は，コラーゲン，非コラーゲン性糖タンパク質，プロテオグリカンからなる．

プロテオグリカンの凝集体はその主要な構成物質である．プロテオグリカンの構成要素であるコアタンパク質は，リンカータンパク質を介して線状分子のヒアルロン酸と結合する．ヒアルロン酸はプロテオグリカン凝集体の中心軸となる．さまざまなグリコサミノグリカン（ケラタン硫酸，デルマタン硫酸，コンドロイチン硫酸）がコアタンパク質に結合している．

ECM はマトリックスメタロプロテアーゼ（MMP）とメタロプロテアーゼ組織インヒビター（TIMP）のバランスにより維持されている．MMP は亜鉛依存性プロテアーゼで，コラゲナーゼ，ストロメリジン，マトリリジン，膜型 MMP などがある．

- 結合組織への腫瘍浸潤．被覆上皮（がん）や腺上皮（腺がん）由来の悪性腫瘍細胞は基底膜を破壊して直下の結合組織に浸潤できる．

上皮腫瘍が浸潤する際，その組織学的変化は異形成（細胞増殖の亢進と不完全な分化）から始まる．その後，上皮内がん（基底膜を超えない状態で上皮としての正常構造が失われる），微小浸潤がん（カドヘリンの発現抑制と基底膜の分解），そして浸潤がんへと進む．

カドヘリンの発現抑制により，上皮腫瘍細胞間のまとまりが崩れる．そしてプロテアーゼの産生により腫瘍細胞が浸潤し，結合組織成分に付着する．その後，自己分泌性運動刺激因子産生による細胞運動の活発化，血管透過性因子産生による栄養の供給確保，そして血管新生因子産生による血管新生誘導と腫瘍成長の促進が起こる．最後に，腫瘍細胞はケモカイン分子を表面に発現することで内皮細胞を通過しやすくなり，転移できるようになる．

- 脂肪組織は特殊な結合組織であり，2 種類ある：

⑴白色脂肪（WAT）は，長期間エネルギーを蓄える主要な組織．

⑵褐色脂肪（BAT）は熱を産生する．

間葉系幹細胞が WAT 前脂肪細胞および筋芽細胞／BAT 前脂肪細胞の共通の前駆細胞となる．WAT と BAT の由来細胞が異なることに留意せよ．

脂肪は，単一の脂肪滴として（単胞性），あるいは多数の小さな脂肪滴として（多胞性），貯蔵される．WAT は単胞性，BAT は多胞性である．

脂肪形成のマスターレギュレーター PPARγ（peroxisome proliferator-activated receptor γ）である．寒冷刺激や β-アドレナリン作動性シグナルによって WAT は BAT 様ベージュ脂肪細胞に分化転換する．トリカルボン酸サイクルの中間産物であるコハク酸は，ミトコンドリアにおける活性酸素種（ROS）の産生を促すことにより，BAT による熱産生を活性化できる．

WAT 脂肪細胞はリポタンパク質リパーゼを合成する．これは近くの血管の内皮細胞に運ばれ，遊離脂肪酸（FFA），およびトリアシルグリセロールが豊富な血漿リポタンパク質である超低密度リポタンパク質（VLDL）を脂肪細胞に運び込む．

脂肪は脂肪分解効果（絶食あるいは飢餓状態の期間）により消費される．このとき，カテコールアミン，グルカゴン，あるいは ACTH の刺激により，脂肪トリグリセリドリパーゼ（ATGL）が活性化する．細胞内の脂肪分解とは，細胞質の脂肪滴から FFA を放出することを意味する．ATGL はトリアシルグリセロールをジアシルグリセロールと FFA に加水分解する．ATGL 活性を阻害すると（食事摂取による抗脂肪分解効果）WAT の蓄積量は増加するが，これはインスリンとインスリン様成長因子により調整される．

WAT では脂肪滴の表面はペリリピンというタンパク質に覆われる．リン酸化ペリリピン 1 はその分子構造を変化させ，ATGL による脂肪分解を促す．

レプチンは WAT の脂肪細胞で産生されるペプチドで，食欲，エネルギーバランス，摂食を調節する．レプチンは，いくつかの視床下部神経核に存在するレプチン受容体（LepR）に結合する．レプチン欠損マウスは肥満と不妊症を示し，これはレプチンの投与で元に戻る．

BAT の脂肪細胞はミトコンドリアが豊富である．ミトコンドリアの成分で重要なものにアンカップリングプロテイン-1（UCP-1）がある．UCP-1 により，プロトンはその濃度勾配に従ってマトリックス方向へ再流入する．これによりエネルギーが熱として消費される（熱産生）．

- 軟骨も特殊な結合組織である．脂肪細胞と同様，軟骨芽細胞も間葉系幹細胞に由来する．通常の結合組織と同様，軟骨は細胞，線維，ECM から構成される．軟骨芽細胞と軟骨細胞は II 型コラーゲン線維（線維軟骨は例外で，軟骨細胞は I 型コラーゲンを産生する）とプロテオグリカンであるアグリカンを産生する．

軟骨は主要な 3 つの型に分けられる：

⑴ガラス（硝子）軟骨．

⑵弾性軟骨．

⑶線維軟骨．

軟骨は血管を欠いており，軟骨膜に覆われる（例外は線維軟骨と関節のガラス軟骨で，軟骨膜がない）．軟骨膜は 2 つの層からなる．外層の線維層には伸張した線維芽細胞様細胞と血管があり，内層は軟骨形成層である．

軟骨形成（軟骨の成長）は 2 つの機構により行われる：

⑴間質成長（軟骨内で）．

⑵付加成長（軟骨表面の軟骨膜で）．

間質成長では，軟骨小腔中の軟骨芽細胞とその周囲を取り囲む小腔周囲マトリックスが軟骨形成の中心となる．軟骨芽細胞は小腔中で細胞分裂し，そのまま留まって同系細胞群となる．同系細胞群は互いに小腔周囲間マトリックスによって隔てられている．間質成長は特に軟骨内骨化でよくみられる．

付加成長では，軟骨膜の軟骨形成層にある細胞が転写因子である *Sox9* 遺伝子を活性化させ，分化して軟骨芽細胞になる．付加成長により軟骨の表面に新たな軟骨層が加わる．

Sox9 遺伝子の異常は屈曲肢異形成症を引き起こす．この疾患では，長管骨の屈曲，骨盤と肩甲骨の低形成，脊柱異常がみられる．

- 骨．肉眼で観察すると，成熟した長管骨は，軸部分である骨幹とその両端にある骨端からなる．骨端よりだんだん細くなって骨幹に達するまでの移行領域は骨幹端とよばれる．成長期には，骨端と骨幹端の境に軟骨性の成長板が存在する．成長が止まると，成長板は遺残的な成長線に置き換わる．

骨幹は緻密骨からなる中腔性の円筒構造をなし，その中に骨髄がある．骨端は緻密骨の薄い層で囲まれた海綿骨からなる．骨膜は骨表面を覆う（例外は関節表面，および腱と靱帯が付着する部分）．骨内膜は骨髄腔側から裏打ちしている．

顕微鏡的構造としては，コラーゲン線維が規則的に配列する層板骨は成熟骨でよくみられる．また，コラーゲン線維が不規則的に配列する線維骨は発達中の骨で観察される．

緻密骨の断面には以下の構造がみられる：

⑴骨膜の外層は結合組織からなる．ここを骨膜の血管が貫いてフォルクマン管を通り，オステオン（骨単位）あるいはハバース管系を栄養する．骨膜外層には骨膜幹細胞が存在し，外傷時に反応して軟骨内骨化による骨形成にかかわる．骨膜内層は骨膜外層に由来するシャーピー線維により骨に固着される．

⑵外基礎層板．

⑶オステオンあるいはハバース管系は骨の長軸に沿った円柱構造をなす．中心を血管が走り，その周囲を骨層板が同心円状に囲む．それぞれの骨層板は骨小腔と放射状に伸びる骨小管を含み，骨細胞とその突起を収めている．骨細胞の細胞質突起は，間隙結合により互いに連絡する．イオンを含む液体は骨小管の内腔に存在する．

⑷内基礎層板．

⑸海綿骨（あるいは小柱骨）は中心管のない層板（ハバース系のない骨層板）からなるが小柱状に骨髄腔中に伸びる．

⑹骨内膜では，細網線維に支えられた骨前駆細胞が内腔を裏打ちする．骨内膜は骨髄の被膜とみなすこともできる．

骨の内側には骨内膜のコンパートメント，外側には骨膜のコンパートメントがあり，それぞれが骨形成細胞を保持していていることに留意せよ．すなわち，外傷の際には骨内膜では骨前駆細胞，骨膜では骨膜幹細胞が働く．2 つのコンパートメントは，緻密骨（皮質骨）で隔てられている．

- 骨の主要な 2 種類の細胞は，骨芽細胞と破骨細胞である．

骨芽細胞は間葉幹細胞に由来し，一方，破骨細胞は骨髄の単球から分化する．

- 骨芽細胞は典型的なタンパク質産生細胞で，副甲状腺ホルモンと IGF-1（成長ホルモンの刺激により肝臓で産生される）により調節される．骨芽細胞はⅠ型コラーゲンと非コラーゲン性タンパク質，プロテオグリカンを合成する．これらは骨マトリックスあるいは類骨の成分で，骨形成の際に沈着する．

成熟骨では，骨マトリックスは約 35% の有機成分と約 65% の無機成分（ヒドロキシアパタイトの結晶として沈着するリン酸カルシウム）からなる．

骨芽細胞と破骨細胞はサイトカインと非コラーゲン性タンパク質を産生するが，いくつかは覚えたほうがよい．サイトカインとしてはマクロファージコロニー刺激因子（M-CSF），RANKL，オステオプロテジェリン，そして非コラーゲン性タンパク質としてはオステオカルシン，オステオネクチン，オステオポンチンである．

サイトカインは破骨細胞の分化に必須である．オステオカルシンは骨形成を示す血液生化学マーカーである．オステオネクチンはⅠ型コラーゲンとヒドロキシアパタイトに結合する．オステオポンチンは閉鎖帯の形成時に働き，破骨細胞の骨吸収活性を維持する．

次に骨芽細胞の分化にかかわる分子についてみてみよう．転写因子である Sox9 の作用により，間葉幹細胞から前骨芽細胞が分化する．この細胞は分裂可能な骨前駆細胞であり，Runx2 という転写因子を発現する．前骨芽細胞は分裂できない骨芽細胞に分化するが，この細胞は転写因子である Runx2 とオステリクス Osterix（Osx）を発現する．

その後骨芽細胞は 3 つの運命をたどる：

⑴骨細胞への分化．

⑵骨表面を覆う細胞として休止期に入る．

⑶アポトーシス．

骨芽細胞の分化には Sox9／Runx2／Osx という 3 つの転写因子が関与する．

Runx2 欠損マウスでは，骨格は軟骨からなり，破骨細胞を欠いている．ヒトの鎖骨頭蓋骨異形成症では，鎖骨の低形成，頭蓋骨縫合の骨化遅延がみられ，*Runx2* 遺伝子発現の欠損が関連する．

- 骨吸収を行う活性型破骨細胞は，高い極性をもつ．吸収窩に面していない部位は帯状の閉鎖帯を有する．この部位には $\alpha_v\beta_3$ インテグリンが存在し，細胞質側では F- アクチン，細胞外では骨表面のオステオポンチンに結合する．破骨細胞の機能は，甲状腺 C 細胞から分泌されるカルシトニンによって調節される．

骨吸収窩（ハウシップ窩）に面した領域では波状縁がみられる．細胞質側にはミトコンドリア，被覆小胞，酸性小胞がある．

破骨細胞は多核細胞であり，これは分化の過程で多くの単球が融合した結果である．

骨髄の巨核球と混同しないように留意すべきである．破骨細胞は骨に密着した多核細胞であり，巨核球は造血細胞に囲まれ，多分葉核をもつ．

- 破骨細胞はどうのように骨を除くのだろうか？

破骨細胞により吸収除去された骨部位がハウシップ窩となる．骨吸収は 2 段階で行われる．

⑴酸性環境（約 pH4.5）により骨ミネラル成分が溶け出す．

⑵有機成分がカテプシン K によって分解される．

破骨細胞の細胞質中で，炭酸脱水酵素Ⅱは CO_2 と水からプロトンと重炭酸イオンをつくる．酸性小胞はその膜に H^+-ATPase を有し，これが刷子縁に融合する．ミトコンドリアから供給される ATP を使い，H^+ は H^+-ATPase ポンプを介してハウシップ窩に放出される．そして pH がますます下がって酸性になる．

重炭酸イオンは重炭酸イオン・塩素イオンエクスチェンジャーにより細胞外に放出される．一方，破骨細胞内に流入した塩素イオンは骨吸収窩に運ばれる．H^+ の移動量が非常に多いため，並行して行われる重炭酸イオン・塩素イオンの輸送機構は細胞内の電気的中性を維持するうえで重要である．

- 破骨細胞の分化．繰り返すが，破骨細胞前駆細胞は骨髄に存在する単球・マクロファージ系統のメンバーである．骨細胞は単球を引き寄せ，破骨細胞に変える．破骨細胞は骨リモデリングとカルシウムの遊離を担う．

破骨細胞は多段階ステップを経て分化し，これは成熟骨細胞から産生されるサイトカインの制御下にある．骨細胞は破骨細胞分化促進サイトカインを産生する：

⑴ M-CSF は単球表面にある M-CSF 受容体に結合し，単球をマクロファージに分化させる．

(2)マクロファージはRANKを発現し，破骨細胞の前駆細胞になる．RANKは骨細胞が産生するRANKLというリガンドに対する膜貫通型受容体である．
(3) RANK-RANKL結合により，破骨細胞の前駆細胞は破骨細胞に分化する．
(4)オステオプロテジェリンは破骨細胞の分化抑制因子である．これも骨細胞から産生され，RANKLに結合する．そしてRANKを介した骨細胞と破骨細胞前駆細胞の相互作用を阻害する．これにより破骨細胞の分化が止まる（破骨細胞の機能は阻害しない）．
(5)破骨細胞の前駆細胞は休止状態の破骨細胞となる．これらは互いに融合することで，大型で多核の破骨細胞になり，これが骨に付着すると機能型破骨細胞になる．
(6)$\alpha_v\beta_3$インテグリンがオステオポンチンと結合し，閉鎖帯を形成し始めると，破骨細胞は機能型になる．その後，H^+-ATPaseをもつ酸性小胞は，微小管上を走るモータータンパク質の働きで波状縁まで運ばれる．ハウシップ窩内の酸性化は炭酸脱水酵素IIの活性化とともに始まる．

- 骨粗鬆症，大理石骨病，骨軟化症は骨の構造と機能が病的に損なわれた状態である．

骨粗鬆症では骨量の減少により骨が脆弱となり，骨折しやすい．骨粗鬆症の主な原因として性ホルモンであるエストロゲンの欠乏があり，閉経後の女性でみられる．

破骨細胞数の増加が新たに形成される骨量を凌駕するため，RANKLに親和性のあるモノクローナル抗体，デノスマブにより破骨細胞前駆細胞の分化を抑える治療は有効である．これはオステオプロテジェリンの効果（RANKLがRANK受容体に結合するのを阻害する）に似ている．

大理石骨病は，骨リモデリングにおける破骨細胞の機能不全によって引き起こされる症候群である．M-CSFをコードする遺伝子の欠損は破骨細胞の分化を阻害する．

骨軟化症は，進行性に骨が軟化あるいは弯曲するという特徴をもつ疾患である．軟化が起こるのは，ビタミンDの欠乏や腎尿細管の機能不全によって類骨の石灰化に欠陥をきたすためである．

5 骨発生

キーワード　膜内骨化，軟骨内骨化，骨折，骨遺伝性疾患，関節リウマチ

骨はそれに付着する靱帯，腱，関節軟骨とともに，圧縮力，張力，剪断力といった力に抗することができる．児童から思春期にかけて獲得した骨量と老化に伴う骨の減少量は，骨粗鬆症や晩年の骨折リスクの程度を決定づける．骨は前身の結合組織が置換されることによって発達する．胎児では2つの**骨発生** osteogenesis（**骨形成**，**骨化**）の過程がみられる．(1)**膜内骨化**では，骨は原始結合組織あるいは間葉から直接に発生する．(2)**軟骨内骨化**では，骨組織は前身のガラス（硝子）軟骨，すなわち将来の骨の鋳型あるいは原基から置き換わる．本章では，2種類の主要な骨発生について概説することに加え，骨折の過程，代謝遺伝性疾患，関節リウマチの病態について，組織病理学および臨床医学的観点から述べる．

骨発生（骨形成あるいは骨化）

骨は間葉細胞の初期集合状態から直接発達するか（**膜内骨化** intramembranous ossification），あるいは前身組織である軟骨が鋳型となり，それが徐々に骨に置換されていく（**軟骨内骨化** endochondral ossification，すなわち軟骨内で骨が発生する）．

膜内骨化と軟骨内骨化における骨形成の初期メカニズムは基本的に同じである：

原始海綿骨とよばれる初期の小柱骨ネットワークが最初にでき，そして成熟骨へと変化していく．

膜内骨化（図5.1，5.2）

頭蓋骨の特定部位および鎖骨でみられる膜内骨化は次のような過程を経る（図5.1）：

1. 胎児性結合組織（間葉）が血管に富む結合組織に変わっていく．コラーゲン線維やプロテオグリカンを含む細胞外マトリックスの中で，**間葉系幹細胞** mesenchymal stem cell が集まる．
2. 集合した間葉系幹細胞は**直接に骨芽細胞** osteoblast に分化し，**類骨** osteoid あるいは**骨マトリックス** bone matrix を分泌し始める．類骨は骨マトリックスのうち有機成分を含む**非石灰化部分**をさす．

   非常に多くの骨化中心が発達し，互いに融合して**小柱骨** trabecula が連なる網工（ネットワーク）を形成する．この状態は海綿に似ており，いわゆる，**海綿骨** spongy bone（primary spongiosa）とよばれる．
3. 新たに形成された小柱骨のコラーゲン線維の走行は**不規則**なので，初期の膜内骨は**線維骨** woven bone と記述される．これは後の骨リモデリング時に形成される**層板骨** lamellar bone あるいは**緻密骨** compact bone と対比される．層板骨ではコラーゲン線維は**規則正しく**並ぶ．
4. **リン酸カルシウム** calcium phosphate が骨マトリックスあるいは類骨に沈着し，**石灰化**されていく．類骨は**付加的**に追加される．すなわち間質中での骨成長は起こらない．
5. 骨マトリックスの石灰化は2つの新たな発生過程を導く（図5.2）．その1つとして**骨芽細胞** osteoblast は**骨細胞** osteocyte として石灰化骨マトリックス中に埋まっていき，石灰化マトリックスは骨吸収を担う**破骨細胞**によりリモデリングを受ける．2つ目として血管周囲が石灰化によって部分的に閉ざされると，間葉系幹細胞が血球産生細胞へと分化し，**造血**という新たな役割を担うようになる．

   骨細胞は互いに骨細管中の細胞突起を通して連絡し合う．そして血管近傍に存在する骨前駆細胞である**前骨芽細胞** preosteoblast から新たな骨芽細胞が分化する．

最終的に以下の発達段階を経る：

1. **線維骨から層板骨（緻密骨）への転換**．層板骨では，新たに合成されたコラーゲン線維は規則的に配列する線維束を形成する．ハバース管内の血管を中心として，その周囲に同心円状に配列された層板は，**オステオン** osteon（**ハバース管系** haversian system）を形成する．膜状骨の中心部は海綿骨のままであり，外層と内層の層板骨に囲まれて**板間層** diploë をなす．
2. 外・内の結合組織層が増殖密集化して，外層は**骨膜** periosteum に，内層は**骨内膜** endosteum をつくる．これら層には骨前駆細胞が存在する．

出生時には骨の発達がまだ完了しておらず，各頭蓋骨間には間隙（**頭蓋泉門** fontanelle）が存在する．ここには骨発生組織がある．小児の骨は線維骨と層板骨の骨マトリックスをもっている．

軟骨内骨化（図5.3〜5.10）

軟骨内骨化は，軟骨の骨格鋳型が骨に置換されていく過程をいう．四肢，脊柱，骨盤の骨（付属肢骨）は**ガラス軟骨の鋳型**からつくられる．

膜内骨化でもみられたが，軟骨内骨化の過程では**一次骨化中心** primary ossification center が形成される（図5.3）．膜内骨化とは異なり，この骨化中心における骨発生は増殖した軟骨細胞がII型コラーゲンを含む細胞外マトリックスを沈着させることから始まる．

間もなく，軟骨の中心領域にある細胞は肥大し，**肥大軟骨細胞** hypertrophic chondrocyte のマーカーである**X型コラーゲン** type X collagen を分泌するようになる．

肥大軟骨細胞から分泌される**血管新生因子** angiogenic factor（**血管内皮細胞成長因子** vascular endothelial growth factor：**VEGF**）は軟骨膜からの血管侵入を誘導し，初期の骨髄腔を形成する．

このような過程を経て，**一次骨化中心**が形成される．鋳型となる軟骨軸の中ほどにある**マトリックスが骨化**するにつれ，肥大軟骨細胞は細胞死へと向かう．

同時に，骨膜内層の細胞が初期の骨形成能を示すようになる．そして，薄い骨性部からなる**骨膜輪** periosteal collar が骨軸の中央周囲に形成される．これが**骨幹** diaphysis となる．その結果，一次骨化中心は骨でできた円筒構造の内側に位置することにな

図 5.1 | 膜内骨化

膜内骨化

1 間葉細胞が集まるが，軟骨の中間生成物はつくらない．この過程は，**Wnt**，**ヘッジホッグ**，**線維芽細胞成長因子**（**transforming growth factor-β**：**TGF-β**）ファミリーのポリペプチドによる**パターン化シグナル**によって調節される．

2 間葉細胞が**骨芽細胞**に分化し，**骨芽体**（**未分化細胞の集団**）が形成される．骨芽体の中心にある骨細胞が細胞突起により連絡し合い，**機能的合胞体様構造**を形成する．骨芽細胞が骨芽体**表面**に並ぶ．

3 骨芽細胞により，**骨マトリックス**（類骨）が沈着する．その後，Ca^{2+}が血管から輸送され**石灰化**に使われる．そして**一次骨組織**が形成される．**破骨細胞**が骨組織の構築を開始する．

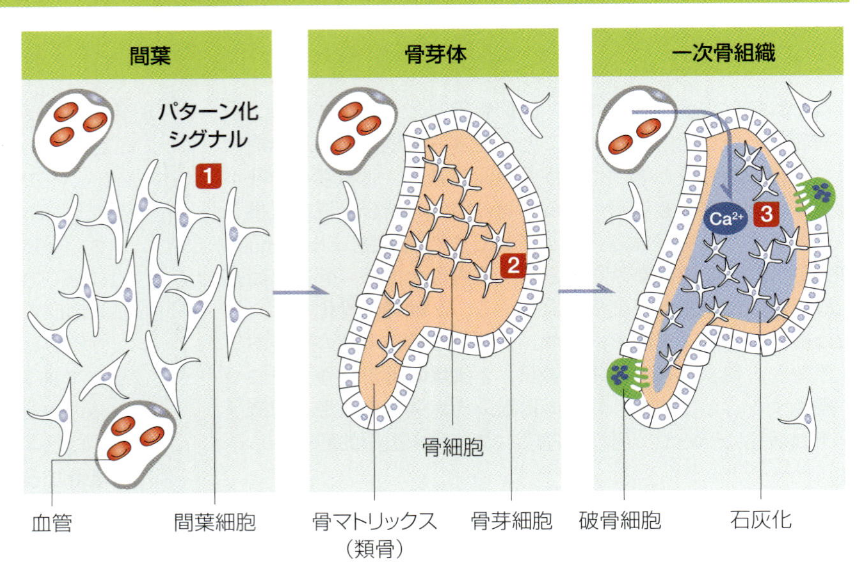

一次骨化中心の構成

膜内骨化の初期段階において，骨形成の核組織が形成される一方で，骨小柱は付加成長によって大きくなり，最終的に融合していく．

一次骨組織の形成は**間質**で始まるが，間もなく**付加的**な成長に変わる．

骨細胞は石灰化された類骨に取り囲まれる．

類骨表面では，骨芽細胞がマトリックスの付加的沈着を続ける．このマトリックスは主に**I型コラーゲン**と**非コラーゲン性タンパク質**である．

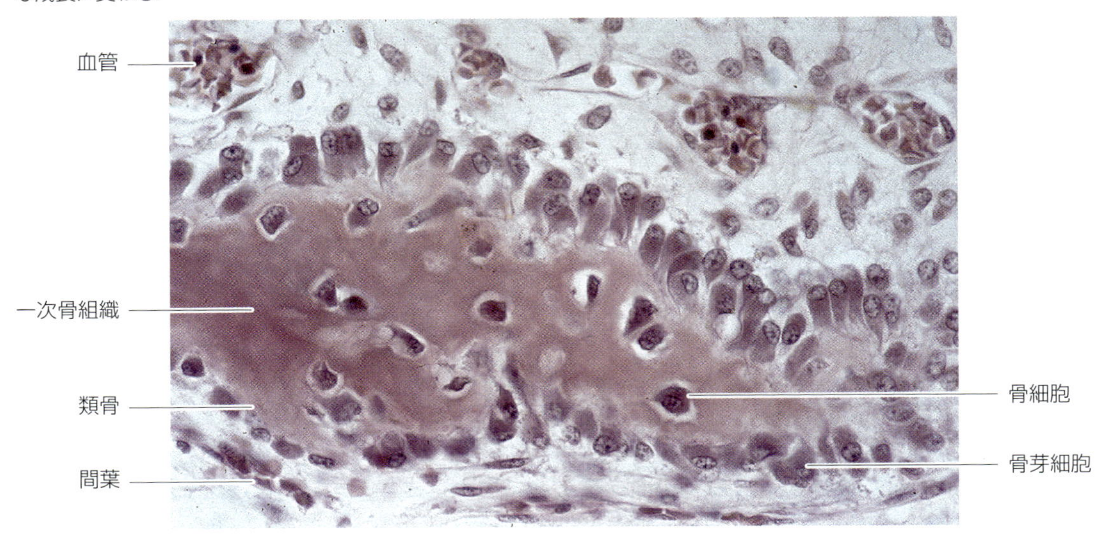

る．骨付加によって骨膜直下に形成された骨膜輪は線維骨からなる．骨膜輪は後に緻密骨に置換される．

引き続き，軟骨内骨化は以下の経過をたどる（図 5.4）：

1. 肥大軟骨細胞が占めていた空間に**血管**が侵入する．それらは分岐して，骨化中心のどちらか一方の端に向かって伸びる．毛細血管の先端は，石灰化した軟骨内の空間に伸びる．
2. **骨前駆細胞**（**前骨芽細胞** preosteoblast）と**造血幹細胞** blood development stem cell が，侵入した血管の周囲結合組織を通って，石灰化した軟骨の中心にたどり着く．その後，前骨芽細胞が骨芽細胞に分化し，石灰化した軟骨の表面に集まり，**骨マトリックス**（**類骨** osteoid）をつくり始める．
3. この発達段階において**一次骨化中心**は**骨幹**で起こるが，これは**骨膜輪**を伴い，軟骨鋳型中であることを特徴とする．

後に**二次骨化中心** secondary ossification center が**骨端**で発達する．

長管骨の長軸方向への成長はガラス軟骨の同方向の成長に依存

図 5.2 | 膜内骨化

膜内骨化

前頭骨，頭頂骨，そして一部の後頭骨，側頭骨，下顎骨，上顎骨は膜内骨化によって成長する．
膜内骨化は以下の特徴をもつ：
- **血管の豊富な原始結合組織**が必要．
- 骨形成の前に**軟骨**形成が**先行しない**．
- 間葉細胞の集まりが，**直接に**類骨を産生する骨芽細胞に分化する．

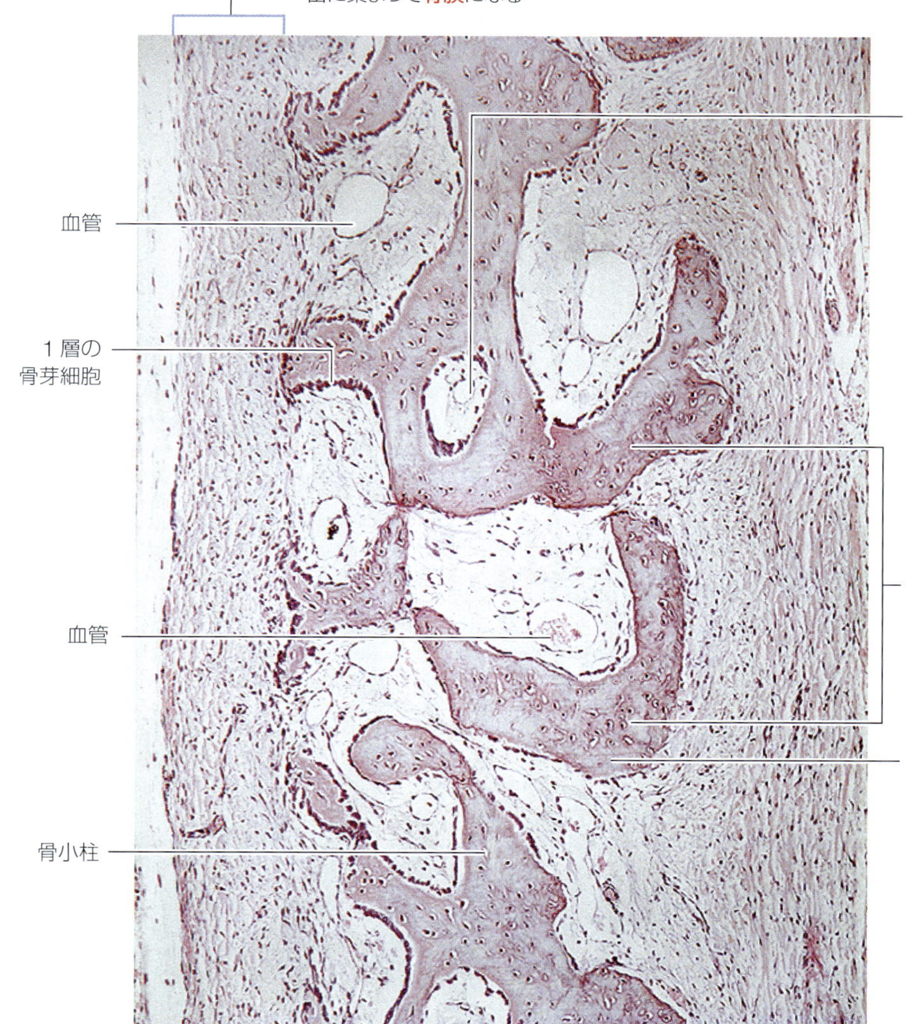

するが，その一方，軟骨の中心部はその中心から同じ程度離れた2つの骨化帯で骨に置き換わっていく．

二次骨化中心と骨端成長板（図 5.4）

ここまでは，胎生 3ヵ月までに長管骨の骨幹で起こる一次骨化中心の発達について解説してきた．

生後は**二次骨化中心**が**骨端**で発達する（図 5.4）．骨幹と同様，肥大した軟骨細胞の存在する空間に，血管と前骨芽細胞が軟骨膜から侵入する．

骨端のほとんどのガラス軟骨が海綿骨に置き換わるが，**関節軟骨** articular cartilage，および骨端と骨幹の間に位置する薄い円盤状の**骨端成長板** epiphyseal growth plate は置き換わらない．骨端成長板は，その後の骨の長軸方向への成長に重要である．そのメカニズムは後で説明する．

軟骨内骨化帯（図 5.3～5.8）

これまで，骨幹の中心における骨マトリックスの沈着はガラス軟骨鋳型が侵食（浸食）された後に起こることを学んだ（図 5.3,

図 5.3 | 軟骨内骨化：一次骨化中心

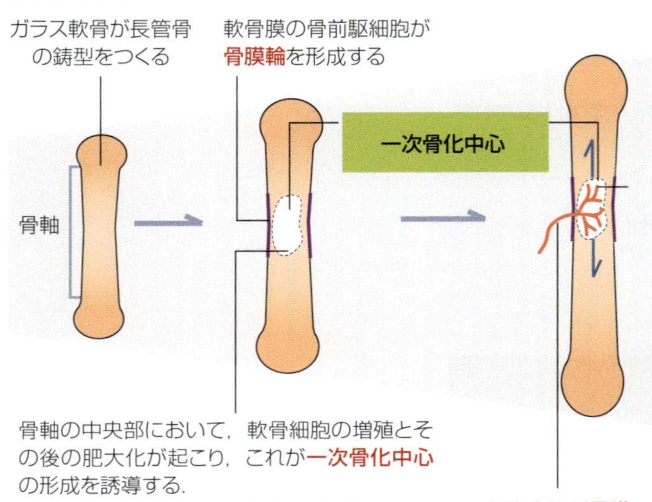

5.4）．この侵食の中心，すなわち**一次骨化中心**は，鋳型の中で拡大し，同時に**骨性輪** bone collar が形成される．

骨に置き換わるまで，軟骨は次第に除去されてその構造自体は弱くなる．しかし，この骨性輪が骨幹あるいは骨軸の中央部分を補強する．

連続して起こる軟骨の退化（侵食）と骨マトリックスの沈着過程は，組織切片で観察できる．軟骨の先端から始まり侵食部位に向かって**4つの主要な領域帯**に分けられ，以下の順に並ぶ：

1. **補充帯** reserve zone は原始ガラス軟骨からなる部分で，侵食と骨マトリックス沈着が進行する間にも，骨の伸長を担っている．
2. **増殖帯** proliferative zone は軟骨細胞の活発な増殖に特徴づけられる．軟骨細胞は軟骨鋳型の長軸方向に**重なるように**並ぶ（図 5.6，5.7）．
3. **肥大帯** hypertrophic zone は**軟骨細胞の細胞死**および小腔周囲マトリックスの**石灰化**がみられる部位をさす．

形態が崩壊しているにもかかわらず，もはや分裂しない肥大軟骨細胞は骨成長に重要な役割を果たす．肥大軟骨細胞は以下の機能的特徴を有する：

(1)**周囲の軟骨マトリックスの石灰化**を促す．

図 5.4 | 軟骨内骨化：二次骨化中心

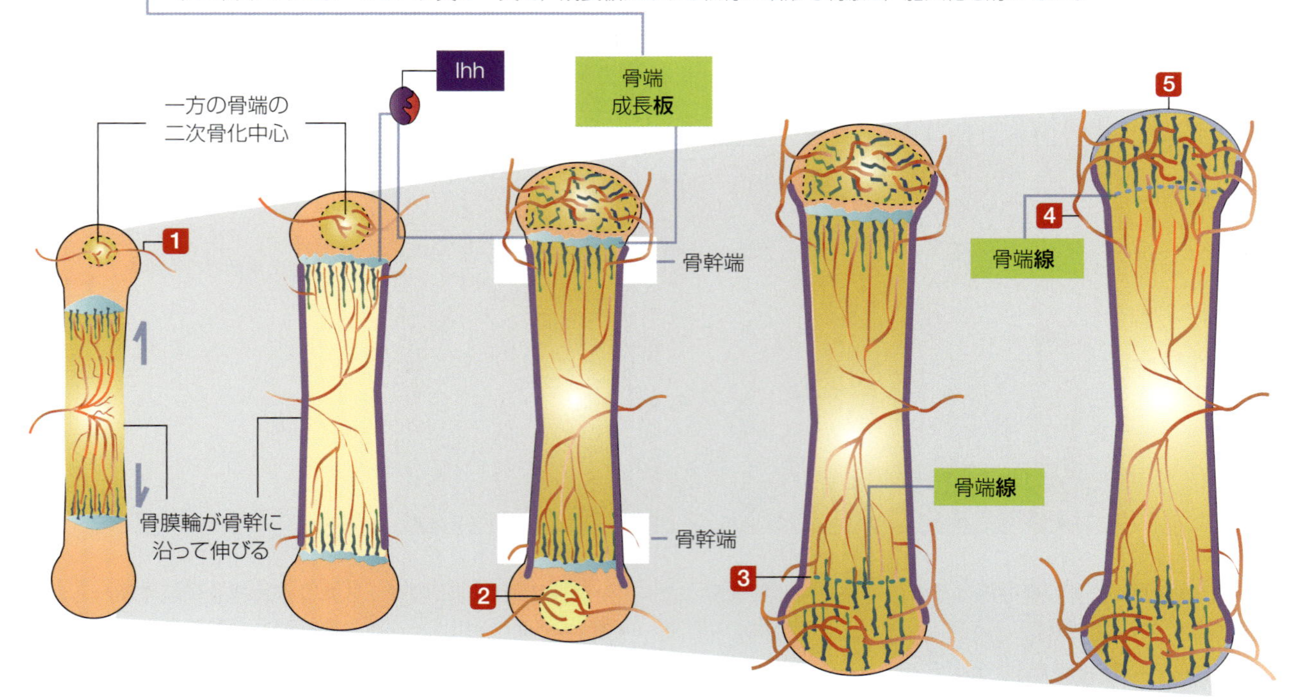

1 血管と間葉細胞が骨端に侵入して，二次骨化中心が形成される．

2 反対側の骨端にも二次骨化中心が現れる．

3 骨端板は骨端線に置き換わる．この過程は思春期から成熟期にかけて徐々に起こり，長管骨の長軸方向の伸長はそれ以上起こらない．

4 骨端と骨幹からの血管が互いに連絡する．

5 関節表面以外のすべての骨端軟骨が骨に置き換わる．

(2)**血管内皮細胞成長因子** vascular endothelial growth factor（**VEGF**）を分泌し，**新生血管を誘導**する．
(3)**マクロファージ**（**破軟骨細胞** chondroclasts とよぶ）をよび寄せて**軟骨マトリックスを侵食**する．
(4)**近くの軟骨膜に作用し，そこに含まれる軟骨細胞を前骨芽細胞に変化させ，骨性輪の形成を持続させる．**
(5)肥大軟骨細胞のマーカーである**X型コラーゲンを産生**する．
(6)役割を果たすと**アポトーシス**で死んでいく．

軟骨細胞の肥大化の結果，増殖軟骨細胞を隔てる**縦方向と横方向の隔壁**は圧迫されて薄くみえる．それら隔壁で石灰化がみられる．

血管の侵入部分に近い最も深い領域は，薄く断続する横方向の隔壁がみられ，発達中の骨髄腔から伸びてきた毛細血管の盲端に面する．骨髄腔は造血細胞を含む．

4. **血管侵入帯** vascular invasion zone では，肥大軟骨細胞から産生された VEGF に刺激されて血管新生が起きる．ここでは，血管が断片化した横方向の隔壁を貫き，それとともに前骨芽細胞，そしてマトリックスを吸収するマクロファージ様の破軟骨細胞が侵入する．

前骨芽細胞が骨芽細胞となり，石灰化した軟骨（図 5.6 お

図 5.5 | 軟骨内骨化：骨発生の領域帯

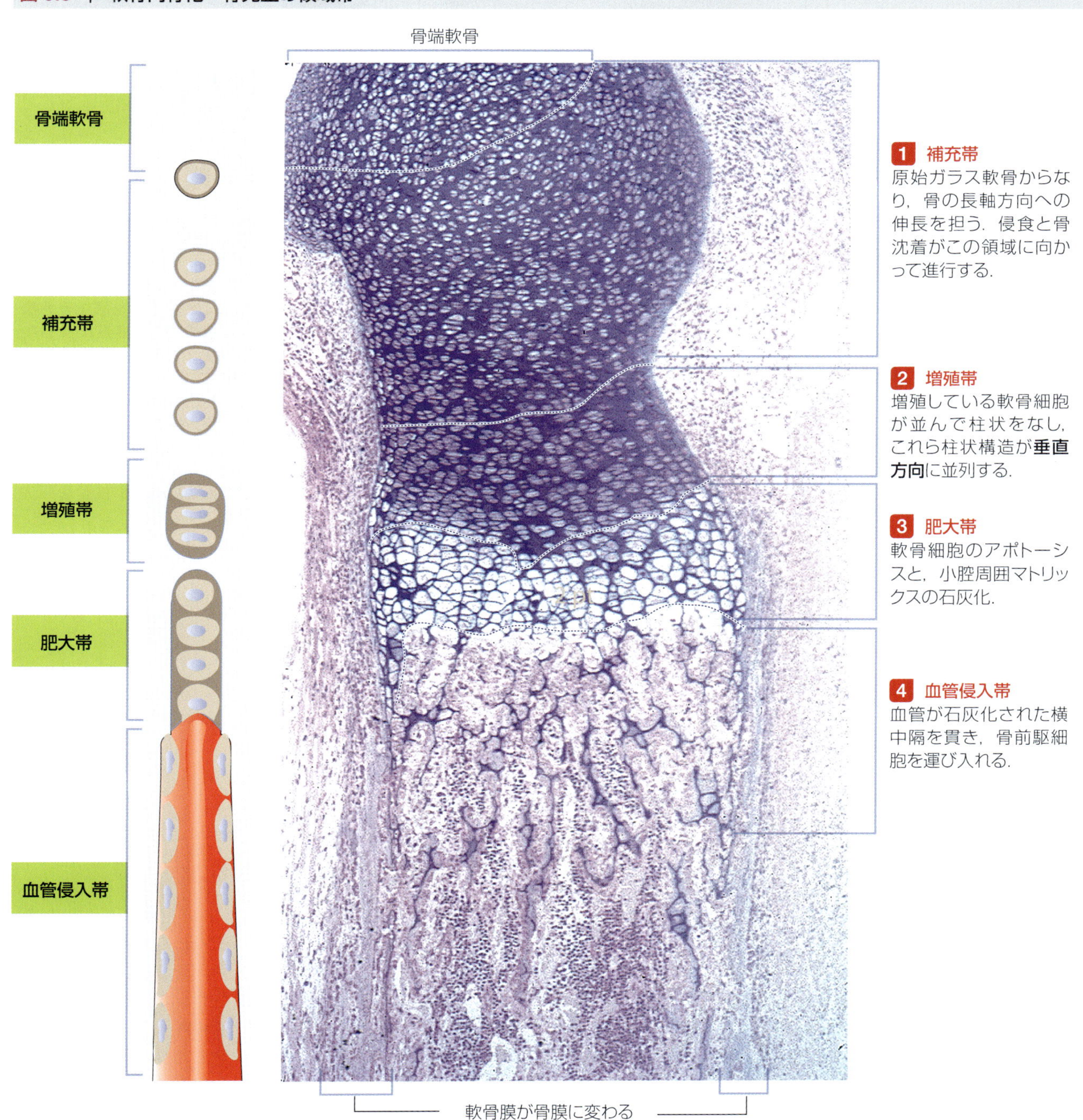

図 5.6 | 軟骨内骨化：骨発生の領域帯

各領域帯の名称は，そこでの主たる活性を反映している．
領域帯間の境界線は厳密ではない．

1 増殖帯

増殖帯では，**扁平な軟骨細胞が柱状**，あるいは成長軸に平行な集合体として並ぶ．軟骨細胞は小腔周囲マトリックスに隔てられている．1 つの集合体に含まれるすべての軟骨細胞は同一の小腔周囲マトリックスをもつ

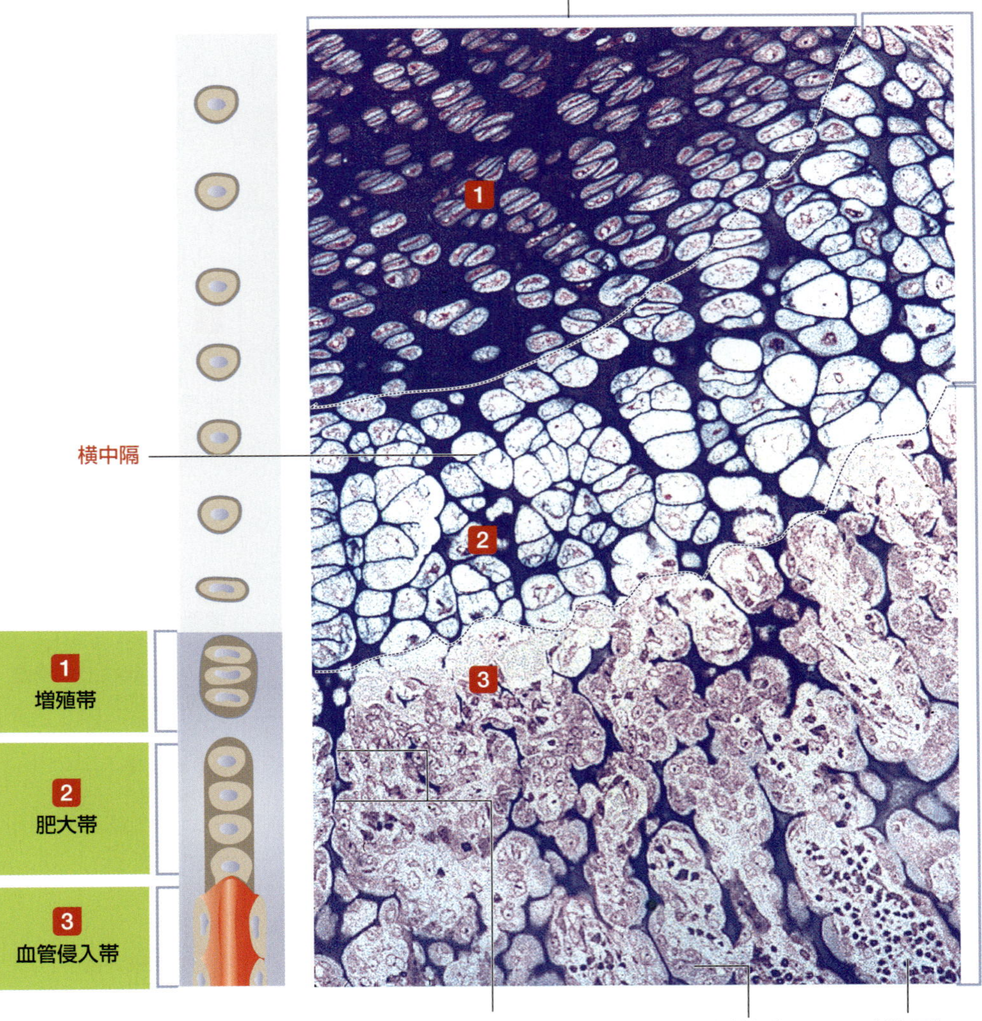

血管侵入帯の**縦中隔**は，骨芽細胞が最初に骨マトリックス（類骨）を沈着し始める部位である

2 肥大帯

肥大化した軟骨細胞は石灰化マトリックスをつくる．また，**X 型コラーゲン**を産生し，**血管内皮細胞成長因子**の分泌により血管を誘導し，軟骨膜細胞を骨芽細胞に変えて**骨膜輪**をつくる．そしてアポトーシスに陥る．

3 血管侵入帯

肥大化した軟骨細胞の最終段階において，血管がその**横中隔**を貫通し，血液に満ちた血管腔（小腔）を形成する．

縦中隔は小腔周囲マトリックスに相当するが，この部分は血管侵入により破壊されない．

血管侵入部位に付着した骨芽細胞は**縦中隔**に沿って類骨を沈着し始め，**小柱骨**を形成する．

よび図 5.8 の光学顕微鏡写真で青色に染まっている：好塩基性）の露出した表面を覆い始める．そして**類骨**（図 5.8 でピンク色に染まっている：好酸性）を沈着し始める．軟骨の支柱は次第に骨針に置換される．

類骨の沈着は骨発生の始まりを意味し，結果として**骨針** bone spicule（石灰化軟骨マトリックスを含む）が形成される．

後に骨針は**小柱骨**（骨層板を中心にもち，取り込まれた骨細胞を含むが，石灰化軟骨マトリックスは含まない）となる．その結果，発達中の骨の正中断面では**線維骨**が現れる．

骨幹の長軸方向の成長（図 5.9）

骨化が長軸の**両方向**，すなわち等しい距離にある肥大帯に向かって進む．同時に軟骨は失われ，新たに形成された骨針が破骨細胞によってリモデリングされるため，骨髄腔は増大する．

以下のように考えるとよい．軟骨内骨化では骨化前線とよぶべきものが肥大軟骨を骨に置換しながら侵攻し，その後方では破骨細胞が出来立ての骨針をリモデリングして骨髄腔を拡大する．

侵攻する前線に対し，増殖帯の軟骨細胞は反応して細胞分裂を活発化させ，肥大軟骨細胞への変化を遅らせる．増殖帯の軟骨細

図 5.7 | 軟骨内骨化：増殖帯と肥大帯

増殖帯

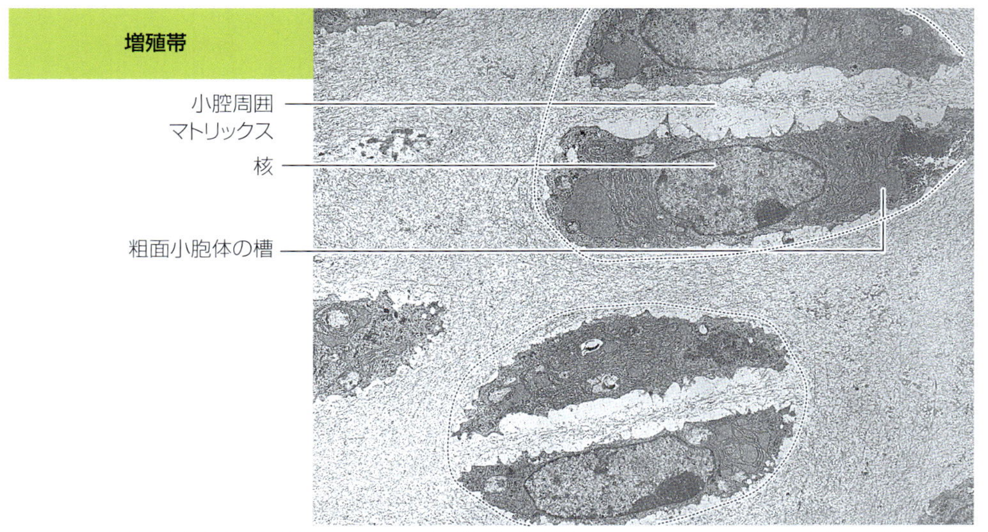

増殖帯の軟骨細胞は**垂直方向**に列をなして並ぶ.

それらはプロテオグリカンの豊富な共通の**小腔周囲マトリックス**をもつ.

拡大した粗面小胞体の槽には新たに合成されたマトリックスタンパク質が含まれることに留意せよ.

軟骨細胞は，互いに隔てられて大きくなる．これは肥大帯に入る細胞の特徴である.

肥大帯

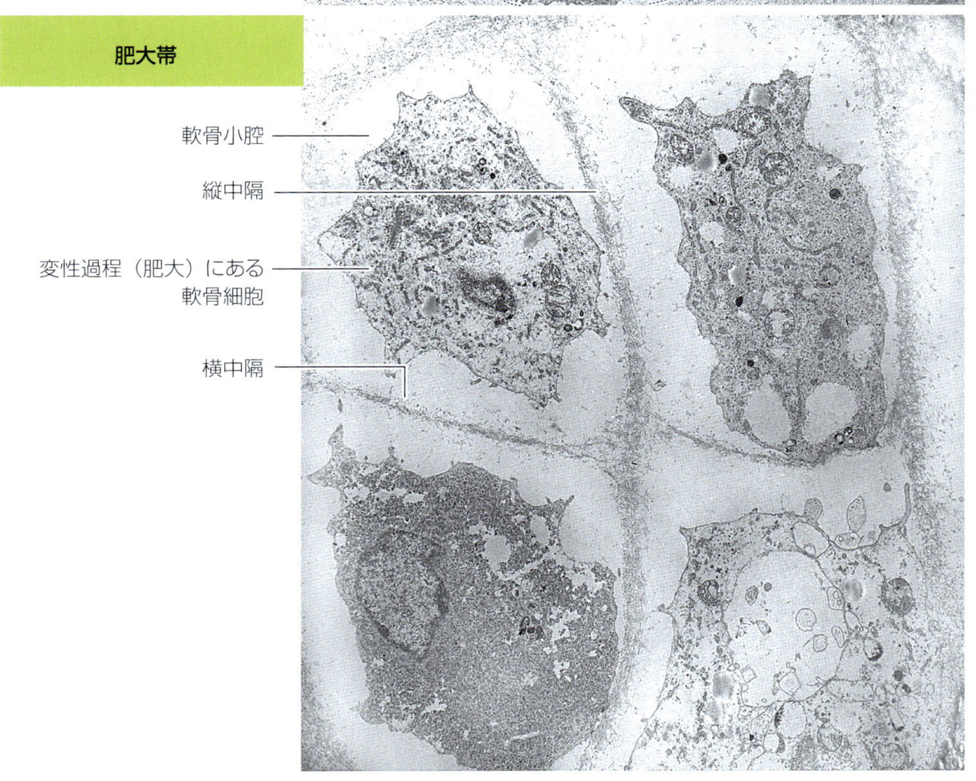

肥大帯では，細胞列の間にあるマトリックスは**縦中隔と横中隔**を形成し，それらは最終的に石灰化される．石灰化すると軟骨細胞への栄養供給ができず，細胞死が起こる．死んだ細胞の残骸は軟骨小腔にみられる．次に，肥大軟骨細胞は骨細胞に置き換わる.

一部の肥大軟骨細胞は特殊な分化過程をたどり，骨芽細胞あるいは骨髄の前駆細胞に分化する.

肥大帯直下に血管侵入が起こると，骨芽細胞が侵入し，石灰化マトリックスに類骨を沈着させる．このとき，破骨細胞は軟骨細胞やマトリックスの残骸を除去するために働く.

胞は骨端成長板に隣接する補充帯から供給を受ける.

このメカニズムにより，骨端成長板の軟骨細胞は，“追いかける”立場の骨形成－破骨細胞侵攻前線から距離を保ちながら“逃げる”.

その結果，骨幹と骨端の間に位置する骨端成長板は損なわれることなく活性を維持し，骨軸あるいは骨幹は長軸方向に成長する.

ヘッジホッグシグナリング：骨端成長板と小人症（図 5.10）

どのようにして成長板の軟骨細胞は，追いかけてくる骨化－破骨細胞前線から逃げ続けられるのだろうか.

長管骨が長軸方向に成長するメカニズムについて，骨端軟骨板領域に注目して考えてみよう.

インディアンヘッジホッグ Indian hedgehog（**Ihh**）シグナリングは，成長板の軟骨細胞を増殖状態に維持することで長軸方向の成長に寄与する.

Ihh はヘッジホッグファミリーの 1 つで，軟骨内骨化では初期の肥大軟骨細胞で発現する.

Ihh は以下のシグナル機能をもつ：

1. 近傍の軟骨膜の軟骨細胞を刺激して RUNX2 タンパク質を発現させ，骨芽細胞へ分化させる．**骨性輪**の形成を持続させる.

図 5.8 | 軟骨内骨化：血管侵入帯

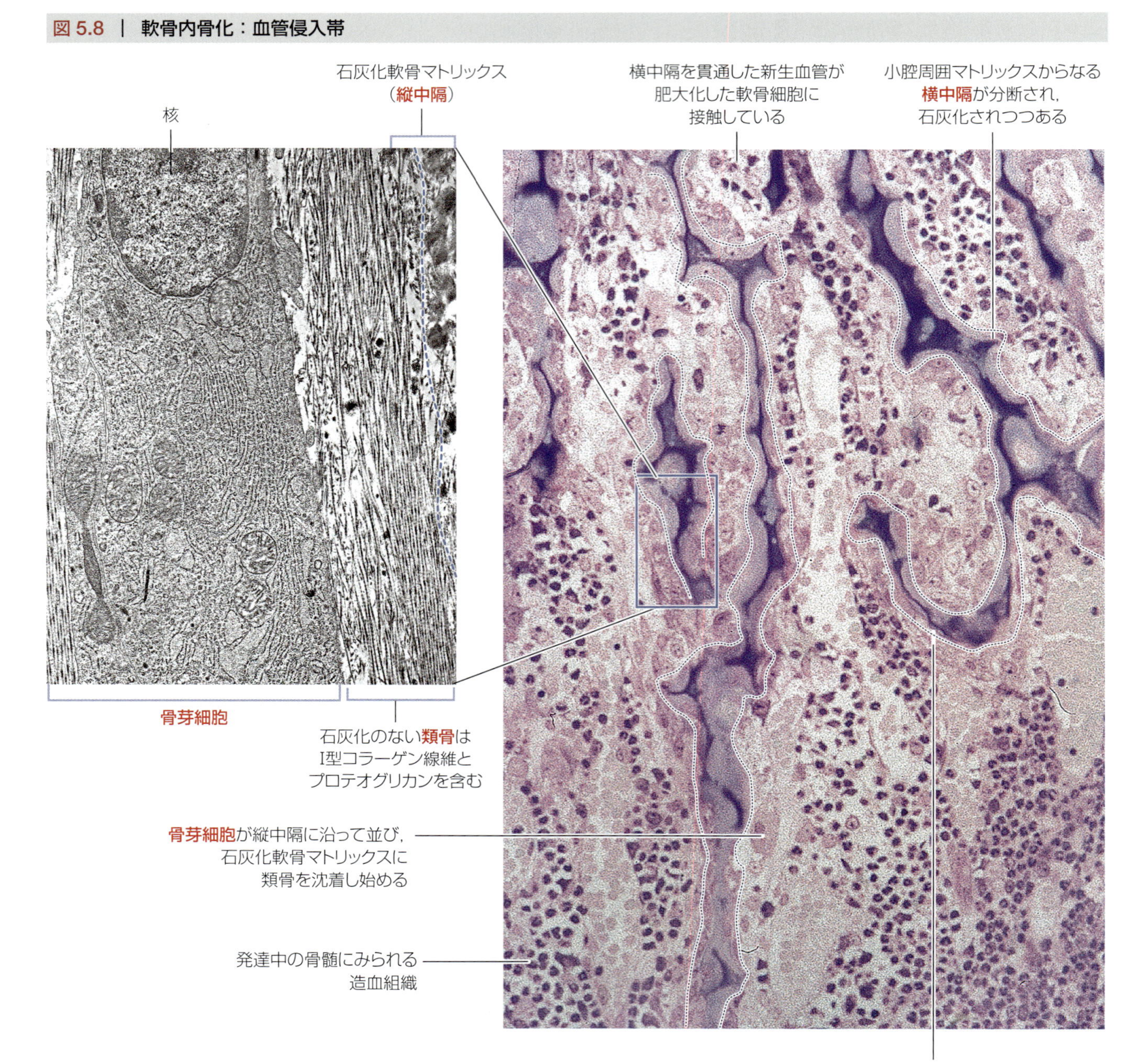

2. Ihh は軟骨膜中の軟骨細胞に働いて，**副甲状腺ホルモン関連ペプチド** parathyroid hormone-related peptide（PTHrP）の発現と分泌を促す．

PTHrP は 2 つの作用をもつ：

1. PTHrP は**補充帯**において軟骨細胞表面の 1 型受容体（PTHrR1）に結合し，細胞増殖を**刺激**する．
2. PTHrP は**増殖帯**にある軟骨細胞に作用して，その肥大化を**阻害**する．

本質的に，Ihh は細胞の肥大化を遅らせることによって成長板増殖帯の軟骨細胞を維持する．Ihh と PTHrP 間のフィードバックループが軟骨細胞の増殖と肥大化のバランスを制御する．

成長期の最後になると，骨幹と骨端が連続してつながり，骨端成長板は次第に消滅する．いったん成長板が消えると，それ以上の骨の伸長は望めない．

PTHrR1 に変異をもつ**ジャンセン骨幹端異形成症** Jansen's metaphyseal chondrodysplasia の患者は，成長板における軟骨細胞の成熟が早いため，**小人症** dwarfism となる（Box 5.A）．

海綿骨からオステオンへの変換（図 5.11）

骨が長軸方向に成長すると，骨幹では骨膜下に新たな骨層が付

図 5.9 ｜ 骨幹の長軸方向の成長

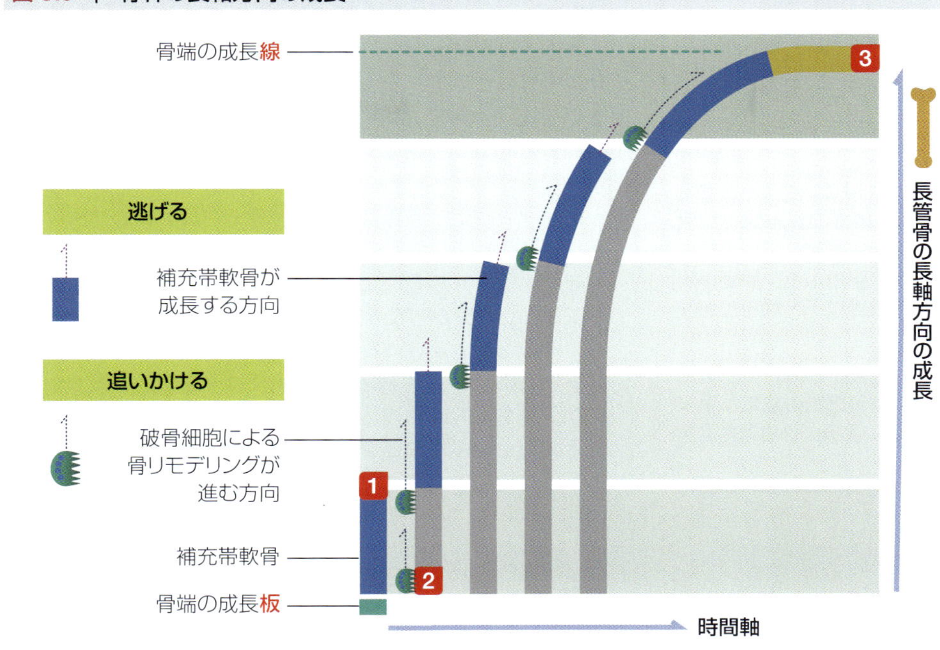

3 長管骨の成長が完了する．骨端の成長**板**は成長**線**になる．

2 **リモデリングを行う破骨細胞がいる前線**は，新生された骨小柱で占められていた領域を超えていく．こうして線維骨が緻密骨に変わる．

1 骨端部成長板で増殖する軟骨細胞により軟骨鋳型の長さが増す．

図 5.10 ｜ インディアンヘッジホッグ Ihh，成長板，そして長軸方向の骨成長

骨端成長板軟骨の成長

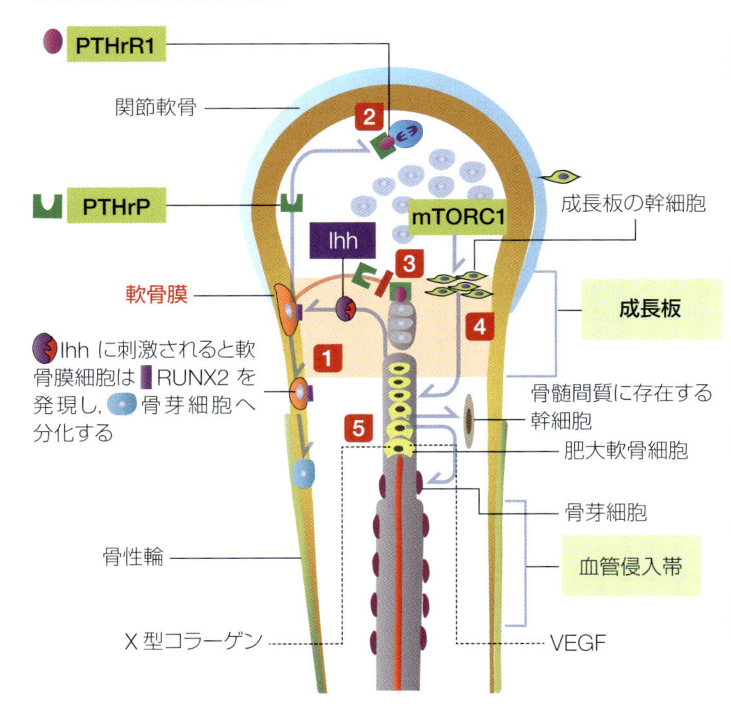

1 **インディアンヘッジホッグ**（**Ihh**）タンパク質は**初期肥大帯**の軟骨細胞から分泌され，軟骨膜（骨端）にある軟骨形成層の細胞に作用して，**副甲状腺ホルモン関連ペプチド**（**PTHrP**）の合成，分泌を促す．
Ihh は 2 つの機能をもつ：(1) **RUNX2** の発現を刺激して軟骨膜細胞から骨芽細胞への分化を誘導し，骨性輪の形成を調節する．(2)軟骨膜細胞から PTHrP の分泌を刺激する．

2 PTHrP は骨端の**補充帯**の軟骨細胞表面にある**1 型 PTHrP 受容体**（**PTHrR1**）に結合し，その増殖を**刺激**する．

3 PTHrP は**増殖帯**の軟骨細胞にも結合し，肥大軟骨細胞への分化を**阻害**する．

4 成長板は幹細胞を含み、それらは肥大帯軟骨の細胞列を維持する．肥大帯の軟骨細胞は骨芽細胞や骨髄間質の幹細胞になりうる．**mTORC1**（**mechanistic target of rapamycin complex1**）シグナル経路は成長板に存在する静止期幹細胞の自己複製能を維持する．

5 **後期肥大帯**の軟骨細胞は分化のマーカーとなる **X 型コラーゲン**と血管侵入を誘導する**血管内皮細胞成長因子**（**VEGF**）を分泌する．

加される（**付加成長** appositional growth）．

同時に骨幹の壁は内側から徐々に侵食され，骨髄腔の幅が広がる．結果として，骨幹あるいは軸部分の全幅は増加するが，それに比例して壁の厚さは増えない．

軟骨内骨化による骨形成において，小柱骨からなる海綿骨はどのようにして**ハバース管系** haversian system あるいは**オステオン** osteon に変化していくのだろうか．

まず，軟骨内骨化による骨新生において，鍾乳石のような**骨針**から**小柱骨**に変わっていく様子をみてみよう．

骨針 spicule は，石灰化軟骨からなる細長いコア部分が類骨でコートされた構造をなすことを思い出してほしい．その類骨は表面に存在する骨芽細胞から産生される．これに対し，小柱骨には石灰化軟骨がなく，骨細胞と骨層板からなるコア部分が骨芽細胞に被覆されており，骨芽細胞が骨表面に類骨を沈着している．血管が小柱骨に面していることを覚えておいてほしい．

いったん骨針が小柱骨に変わると，その小柱骨は次にオステオンに変化する．

オステオンは円柱状をなすが，その中央には縦走するトンネルがありそこに血管を含む．

骨軸の外側に位置する血管は骨膜の血管に由来する．その栄養血管の分枝は骨内膜に続く．

海綿骨からオステオンへの変換過程は以下のように進む（図5.11）：

1. 小柱骨の**縦走する縁**は，**溝**の境界となる．

溝には血管が含まれる（最初の血管侵入帯）．隆起と溝に骨芽細胞が並び，類骨の沈着を継続する．小柱骨からなる壁は石灰化した類骨からなり，その中に骨細胞が埋め込まれている．

その結果，互いの縦隆起が成長して接近し，溝の部分がトンネルに変わる．トンネルの表面は骨芽細胞に覆われ，血管がトンネル内に埋め込まれる．この血管は新たにつくられるオステオンの**縦軸**となる．

縦軸の管を走るこの血管は，貫通して**横軸方向**に向かう

Box 5.A | 骨幹端異形成症

- **1 型副甲状腺ホルモン関連ペプチド受容体**（PTHrR1）をコードする遺伝子の変異は，まれな疾患である常染色体顕性の**ジャンセン病** Jansen's disease，あるいは**骨幹端異形成症**を引き起こす．まれな型の小人症の所見，高カルシウム血症，副甲状腺ホルモンや副甲状腺ホルモン関連ペプチドが正常もしくは検出限界以下となることを特徴とする．
- **リガンドに依存しない変異** PTFrR1 の活性化により cAMP シグナル経路が持続的に活性化する．これが成長板（軟骨細胞の成熟が早まる）とカルシウム恒常性に重篤な異常をきたし，さらに骨格の異常をもたらす．

図 5.11 | 骨小柱からオステオンへの変化

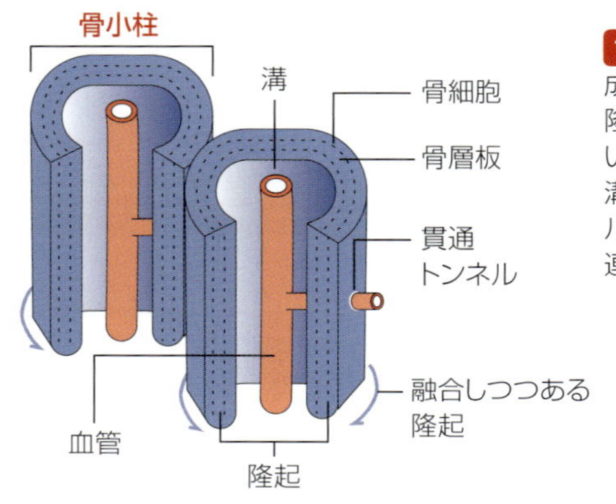

1 骨小柱からオステオンが形成される．複数の縦方向に走る隆起が骨小柱に沿ってでき，互いの方向に伸びる．隆起間の溝に存在する血管は貫通トンネルに分枝を伸ばし，隣の血管と連絡する．

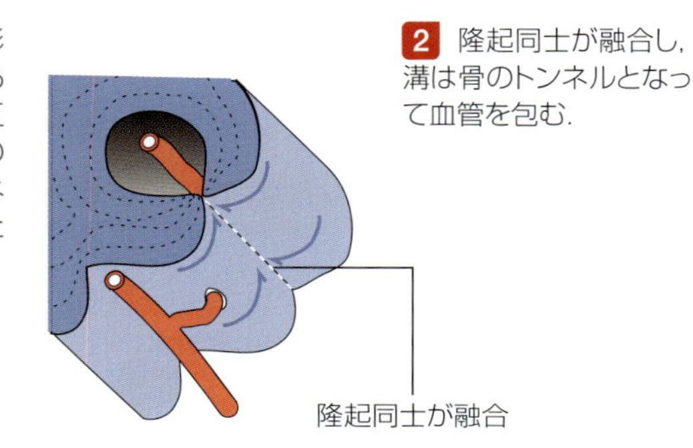

2 隆起同士が融合し，溝は骨のトンネルとなって血管を包む．

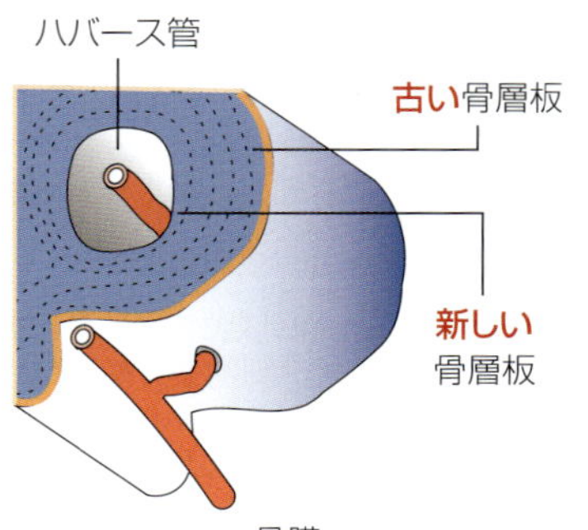

3 新たな骨層板がトンネルの周囲に付加され，血管を含むハバース管になる．

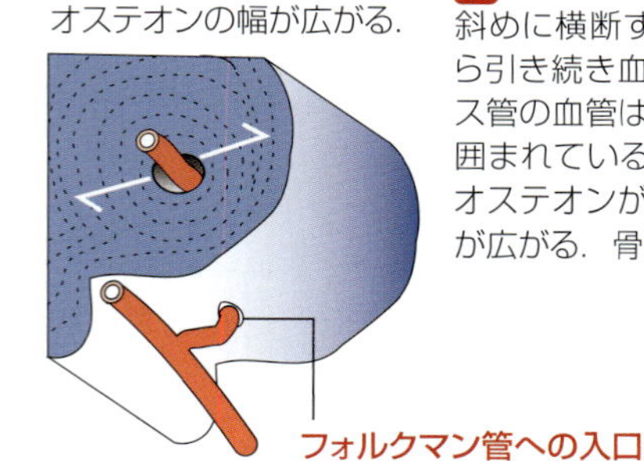

4 ハバース管の血管は，骨幹を斜めに横断するフォルクマン管から引き続き血液を受ける．ハバース管の血管は同心円状の骨層板に囲まれていることに注意．複数のオステオンがつくられ，骨軸の幅が広がる．骨髄腔の幅も広がる．

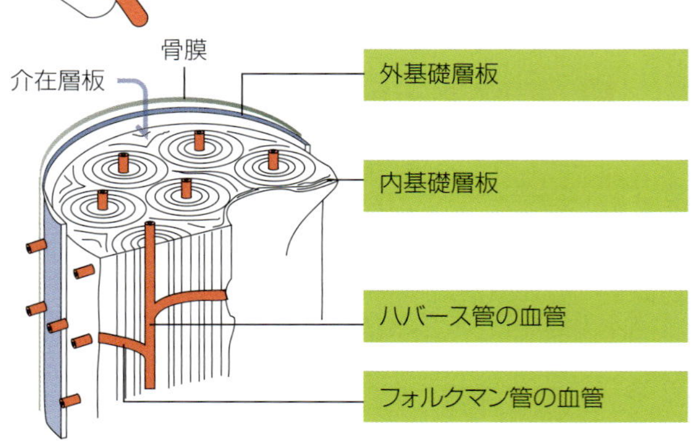

5 骨がフルサイズに達すると，**外および内基礎層板**が，複数のオステオンより構成される緻密骨の境界をなすようになる．**介在層板**はオステオン間にみられる．

オステオンがリモデリングによって新たなオステオンに置き換わると，元のオステオンの一部が間に残る．これが介在層板である．リモデリングは一生を通じて行われ，正常骨の維持機構の一翼を担う．

骨芽細胞の働きによって 1 つのオステオンができる一方で，他のオステオンが破骨細胞によって取り壊される．そしてまた新たなオステオンに置き換わる．

フォルクマン管 Volkmann's canal につながる隣接した管の中の同様な血管と連絡する．

2. トンネル内を裏打ちする骨芽細胞は新たな骨層板を同心円状に付加し，トンネルをハバース管系へと変えていく．**オステオンと異なり，フォルクマン管は同心円状の骨層板に囲まれない**．
3. 骨膜下における付加成長は持続して，骨層板を付加する．これらは徐々に**外基礎層板** outer circumferential lamella となり，骨軸全体を囲む．

骨の構築・再構築過程は，骨形成にかかわる骨細胞と骨吸収にかかわる破骨細胞が機能的にバランスを取りながら進む．最終的には，外基礎層板は複数のハバース管系あるいはオステオンの構造全体を包む構造となる．オステオン間は介在層板が埋めている．

4. 骨の内腔表面，すなわち**骨内膜**を覆う骨芽細胞は**内基礎層板** inner circumferential lamella を発達させる．この過程は外基礎層板と同様である．

円柱状のオステオンの間，およびオステオンと外基礎層板あるいは内基礎層板の間には**介在層板** interstitial lamellae が存在する．これは骨リモデリングの過程で残された古いオステオンに相当する．

骨リモデリング（図 5.12）

骨リモデリング bone remodeling とは，古い骨を新たな骨で置

図 5.12 ｜ 骨のターンオーバーとリモデリング

皮質骨（緻密骨）リモデリング（オステオン内で起こる）

1 活性化

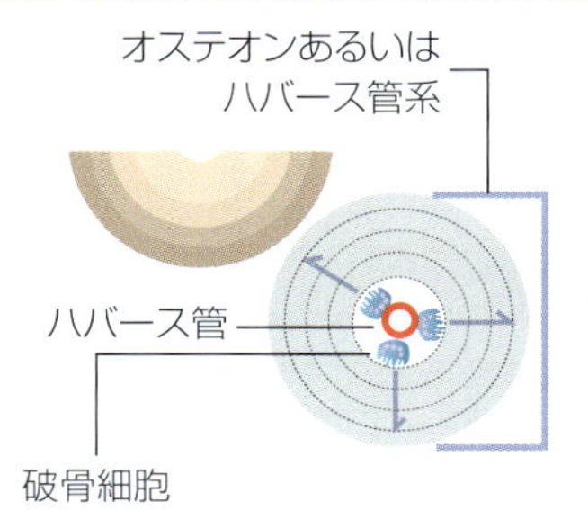

破骨細胞の前駆細胞がハバース管に集まり，破骨細胞に分化する．

破骨細胞は骨層板の管腔に面する側を覆い，骨吸収を開始する．この過程は内側の骨層板から外側方向へ向かう．介在層板はリモデリングしたオステオンの遺残である．

2 吸収

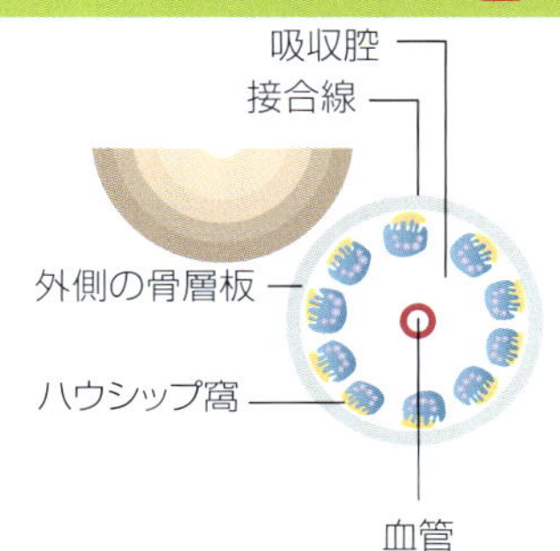

破骨細胞の前駆細胞が補充されながら骨層板の吸収が進み，元のオステオンの境界を少し越えるまで続く．

破骨細胞による骨吸収が止まると，骨芽細胞が出現する（破骨細胞から骨芽細胞への転換）．

3 反転

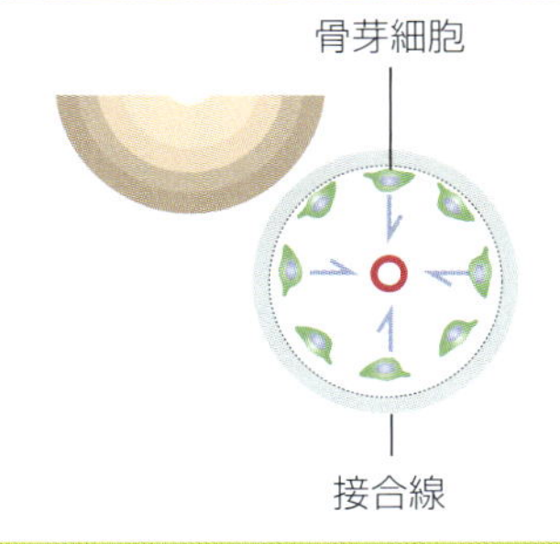

骨芽細胞は骨吸収から一転して，吸収腔の内側に類骨を分泌し，骨層板をつくり始める．接合線は新たにつくられた骨層板の境界を示す．

新生骨層板はオステオンの中心方向へ付加されていく．

4 形成

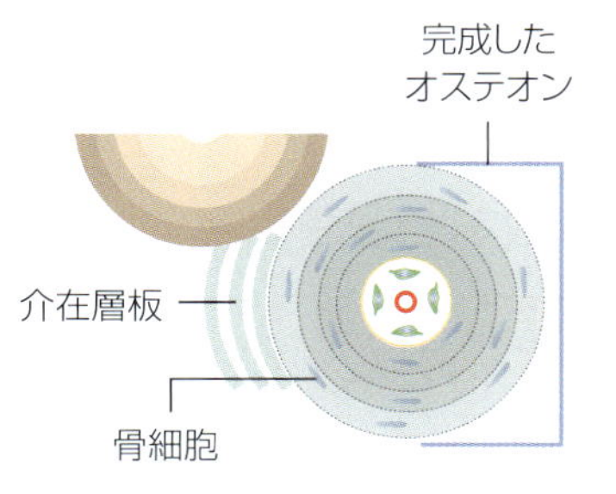

骨芽細胞は骨付加を継続し，最終的に石灰化骨の中に閉じ込められ骨細胞になる．

そして新たなオステオン，あるいはハバース管系が形成される．その結果，介在層板が残る．

海綿骨（小柱骨）リモデリング（骨の表面で起こる）

小柱骨リモデリングはオステオン内で起きる皮質骨リモデリングと異なり，骨表面で行われる．
骨梁の骨内膜表面で起こる現象で，皮質骨リモデリングと類似する機構で行われる．

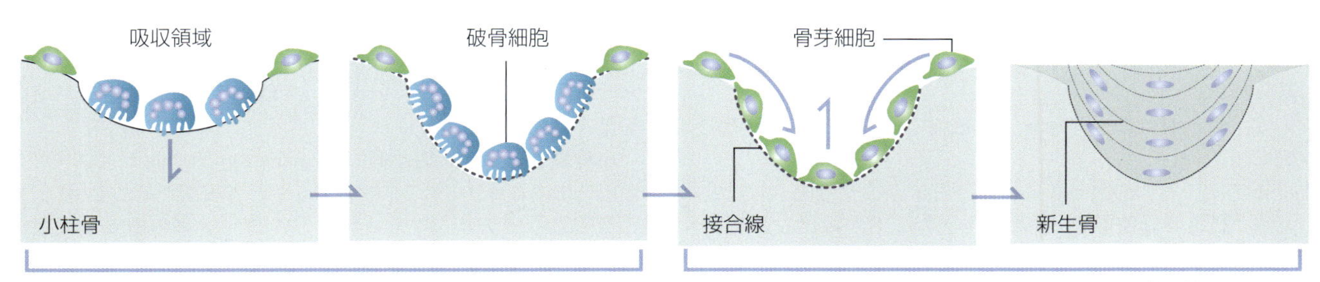

破骨細胞が接合線で区画される吸収空間をつくる．

その接合線表面を骨芽細胞が覆い，類骨を沈着し始める．
これは新生骨が吸収空間を埋めるまで続く．

基本事項 5.A | 骨折と治癒

骨折と治癒

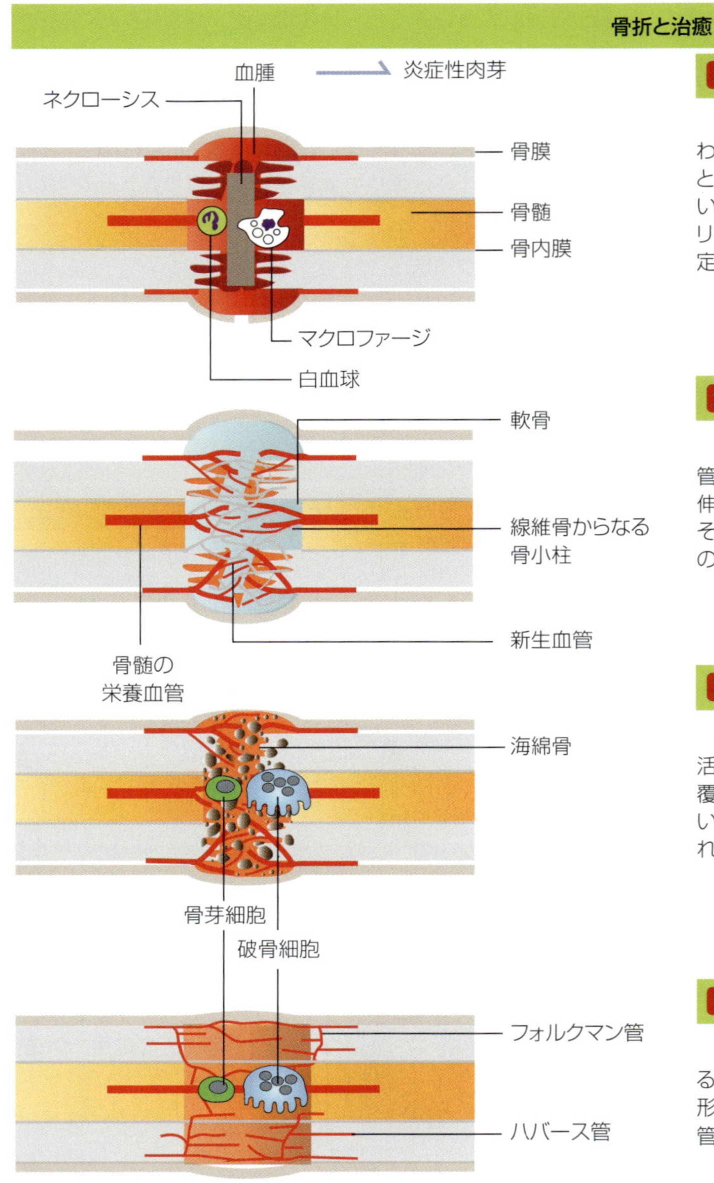

1 血腫／炎症フェーズ

骨折端の間では，骨膜下と骨髄腔に血液が溜まる．外傷が加わった反対側の骨膜も損傷しうる．骨折端のごく近傍では骨細胞と骨髄細胞が細胞死を起こし，壊死性の物質がみられる．引き続いて炎症反応が起きる．マクロファージと多形核白血球がフィブリン存在部位に移動し，炎症性肉芽が形成される．骨折部位が安定化する．

2 修復フェーズ：軟仮骨の形成

骨膜の幹細胞と骨内膜が修復を開始する．骨膜に由来する血管芽が炎症性肉芽に伸びる．骨髄の栄養動脈からも毛細血管が伸びる．軟骨が形成され，軟性仮骨が骨折端の安定に寄与する．その軟骨は徐々に線維骨からなる骨小柱に置換される．線維骨の石灰化が観察される．

3 修復フェーズ：硬仮骨の形成

骨膜幹細胞および骨内膜の骨前駆細胞に由来する骨芽細胞が活性化する．骨折端は骨膜側（外部）と内部にできた硬仮骨で覆われ，臨床的には再結合がみられる．しかし，修復は終了していない．壊死性の骨折端，および硬仮骨の部分でさえ再吸収される．さらに線維骨が緻密骨に置き換わっていく．

4 リモデリングフェーズ

破骨細胞は過剰な骨あるいは誤ってつくられた小柱骨を吸収する．骨細胞は新たな骨を沈着し，力の加わる線に沿って緻密骨を形成する．新たなハバース系あるいはオステオン，フォルクマン管が形成され，それらの中を血管が走る．

換する現象をさす．生涯にわたって持続的に行われ，起こる場所も定まっていない．以下の目的がある：

1. **顕微鏡レベルのダメージ（微小骨折 microcracking）を修復することにより適切な骨強度を保つ．**
2. **カルシウム恒常性を維持する．**

微小骨折は軽度の外傷によって起き，オステオンの一部領域のみに限られる．

例えば，骨小管へのダメージは骨細胞の細胞間連絡を分断し，細胞死を起こす．

微小骨折は，破骨細胞・骨芽細胞リモデリング（図 5.12 の上方で説明）により修復可能である．骨粗鬆症でみられるようにオステオンの構築に欠陥があると，微小骨折部位が広がり，完全な骨折となりうる．

正常では，吸収される骨量とそれを置換する新たな骨量は同じである．もしも新たな骨量が足りなければ，組織は弱くなり，自然発生的な骨折のリスクが生じる．

骨リモデリングには 2 種類ある：

1. **緻密骨リモデリング．**
2. **小柱骨リモデリング．**

緻密骨リモデリング compact bone remodeling は，古いハバース管系の吸収と，それに引き続いて起こる新たなハバース管系の構築をさす（図 5.12）．

小柱骨リモデリング trabecular bone remodeling はオステオン内で起こる皮質骨リモデリングと異なり，骨表面で起こる（図 5.12）．

緻密骨リモデリングと小柱骨リモデリングの重要な相違として，**小柱骨リモデリングで再構築された骨は層板をもつが，ハバース系をもたない**ことが挙げられる．別な言い方をすれば，その層板はハバース系でみられるように血管を取り巻いていない．

基本事項 5.A | 骨折と治癒（続き）

2 線維骨による修復領域

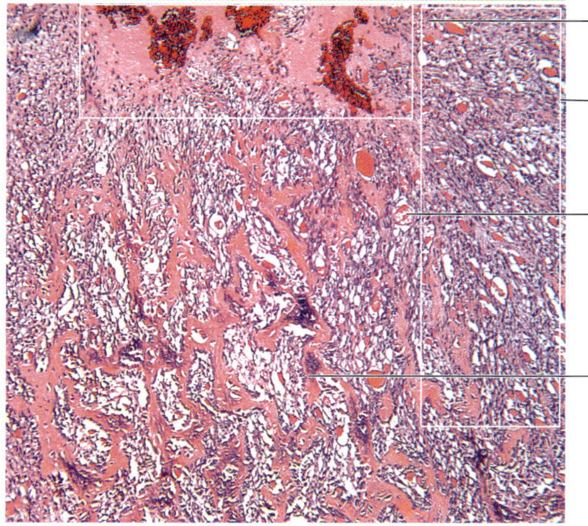

4 硬仮骨形成

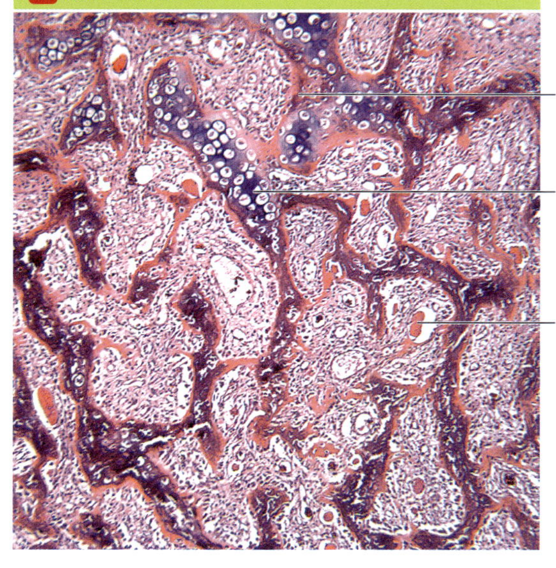

骨折と骨修復（基本事項 5.A）

外傷骨折 traumatic bone fracture は子どもから高齢者まで共通してみられる．皮質骨は中年期まで安定して維持されるが，女性ではエストロゲン欠乏，男性では性ステロイドの漸減により骨の喪失が進む．

小柱骨の喪失は性ホルモンレベルが正常でも，若年成人男女で起きる．

病的骨折 pathologic fracture は外傷に関係なく，何らかの骨の変化に起因する．例えば，骨粗鬆症や遺伝性コラーゲン欠損による骨形成不全症でみられる．

疲労骨折 stress fracture は目にみえないほどの小さな外傷（微小骨折）が骨の微細構造に生じるもので，スポーツ練習中に橈骨や脛骨の遠位端でみられる．骨折には以下の種類がある：

1. **完全骨折** complete fracture では，互いの骨断片が離れている．
2. **粉砕骨折** comminuted fracture では，完全骨折により 3 つ以上の骨断片が生じる．
3. **複雑（開放）骨折** compound（open）fracture では，骨折した骨断端が皮膚と軟部組織を貫通している．
4. **単純（閉鎖）骨折** simple（closed）fracture では，皮膚と軟部組織の損傷がない．

ポット骨折 Pott's fracture は脛骨遠位端の外傷を伴った腓骨遠位端の骨折である．**コレス骨折** Colles' fracture は手首付近の橈骨骨折である．

単純骨折は以下の過程を経て治癒する（基本事項 5.A）：

1. **血腫／炎症フェーズ** hematoma／inflammatory phase．骨折断端では大規模にハバース系とフォルクマン管を通る血管が断裂するため，出血と血液の貯留が起きる（**血腫**）．

   すぐに腫脹，疼痛，炎症反応が始まる．マクロファージ，単球，リンパ球，多形核細胞，そして線維芽細胞が骨折部に集まってくる．

   その結果，**肉芽組織**が骨折縁を膨らませるように覆い，骨断片をつなぐ．

   この一過性の**肉芽** granuloma の発達は骨折後 1 週間みられる．炎症性細胞と血小板から放出されるサイトカインによって，骨膜と骨内膜から骨前駆細胞が肉芽組織に移動してくる．この肉芽が問題なく形成され安定化するには，支持具による適切な固定が必要である．

2. **修復フェーズ** reparative phase：**軟骨性の軟仮骨** soft callus（ラテン語 *callus*［= hard skin，硬い皮膚］）**フェーズ**．貪食細胞が死細胞と傷害された骨組織を除去する．

   毛細血管が肉芽組織に侵入し，骨膜と骨内膜では骨前駆細胞から骨芽細胞が生じる．これらは線維芽細胞とともに骨修復を開始する．

   軟仮骨は**非石灰化軟骨**からなり，2 つの骨折骨断片をつなぐ．

   外傷から約 3〜4ヵ月後に骨膜あるいは骨内膜由来の骨芽細胞が侵入し，軟骨性の軟仮骨を**線維骨** woven bone に置き換える．

   骨芽細胞の侵入は骨折してできた 2 つの骨断端から始まり，その周囲に輪状の骨が新たにできる．この骨は海綿骨に典型的な線維骨からなる．

3. **修復フェーズ：骨性の硬仮骨フェーズ** hard bone callus phase．骨断片の結合は骨性の硬仮骨の発達により達成される．

   骨芽細胞は類骨を沈着し，それらが石灰化して線維骨が生じる．

4. **リモデリングフェーズ** remodeling phase．この修復過程は受傷後 2〜3ヵ月継続する．

   過剰の骨性仮骨は破骨細胞によって除去され，骨断片の間および周囲の線維骨は層板骨をもつ緻密骨に置換される．

図 5.13 | 代謝・遺伝性骨疾患：概念図

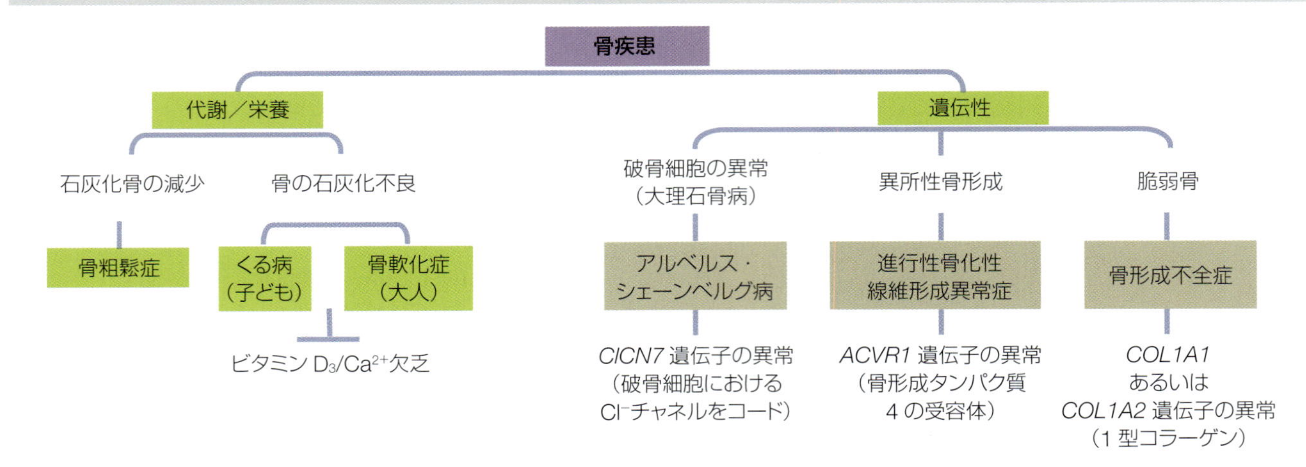

骨疾患（図 5.13）

これまで学んだように，骨化は骨芽細胞による骨形成と破骨細胞による骨吸収のバランスの上で成り立っている．また，この現象は局所の調節因子や循環血液由来のシグナル因子，例えば**副甲状腺ホルモン**，**ビタミン D_3**，**カルシウム**などの制御下にある．

骨吸収が過剰になると**骨粗鬆症** osteoporosis になるが，これがほとんどの非外傷性骨折の原因となる．骨吸収に欠陥があると大理石骨病になるが，この場合，骨密度は高いが脆弱であることを特徴とする．RANK-RANKL シグナル経路の医学的重要性についてはすでに述べたが，これは骨粗鬆症の薬理学的治療標的として位置づけられており，破骨細胞形成を制御する．

多くの代謝・栄養状況および遺伝的背景が骨形成，骨リモデリングに影響を与え，あるいは骨マトリックスの石灰化を乱して骨格を変化させうる（図 5.13）．

くる病 rickets と**骨軟化症** osteomalacia は，**骨マトリックス（類骨）の石灰化に異常**がある骨疾患のグループで，ほとんどの場合**ビタミン D_3** vitamin D_3 **の欠乏**に起因する．くる病は小児にみられ，骨の変形をきたす．骨軟化症は成人でみられ，骨マトリックスの石灰化が不足している．

大理石骨病 osteopetrosis は**破骨細胞の機能の異常**に特徴づけられる遺伝性疾患のグループである．骨は異常にもろく，軟らかい石のように壊れる．骨髄腔は発達せず，骨のリモデリングがないためにほとんどの骨は線維骨である．

破骨細胞形成に必要な**コロニー刺激因子 -1** 遺伝子の変異についてはすでに述べた．

常染色体顕性大理石骨病 autosomal dominant osteopetrosis（ADO）の臨床的亜型は**アルバース・シェーンバーグ病** Albers-Schönberg disease として知られ，**破骨細胞においてクロライドチャネル** chloride channel をコードする ***ClCN7* 遺伝子** *ClCN7 gene* に異なる変異を有する．Cl^-がハウシップ窩環境の酸性化に必要であり，分泌されたカテプシン K 酵素の活性化に寄与することを思い出してほしい．第 4 章の詳細と「大理石骨病」を参照．

進行性骨化性線維形成異常症 fibrodysplasia ossificans progressiva（FOP）は，非常にまれな結合組織の常染色体顕性遺伝疾患である．主な臨床症状は，出生時にみられる**骨格変形**（手と足）と，外傷により沈着する**軟部組織の石灰化**である（首と背中の筋）．靱帯，筋膜，腱膜，腱，関節包に異所性の骨形成も起こる．FOP を示す初期臨床所見として新生児における奇形があり，足趾が短く大きい．

FOP 患者は，**骨形成タンパク質 -4** bone morphogenetic protein-4（BMP4）の受容体である**アクチビン受容体タイプ 1A**（ACVR1）をコードする遺伝子に変異をもつ．

第 4 章で説明したが，BMP はトランスフォーミング成長因子 -β スーパーファミリーに属し，骨やその他組織の発達にかかわる（基本事項 3.B）．

ACVR1 は 509 のアミノ酸長をもち，この疾患ではその 206 番目のヒスチジンがアルギニンに置換されるという遺伝子変異がある．この単一アミノ酸の置換により，ACVR1 が異常に持続活性化され，結合組織や筋組織が二次的な骨格に変化する．胸部の筋で骨形成が起きると呼吸不全をきたし，予後が悪くなる．

骨形成不全症 osteogenesis imperfecta（**骨粗鬆症** brittle bone disease 原発性骨粗鬆症との鑑別が必要）は骨の脆弱性と易骨折性に特徴づけられる遺伝性疾患である．加えて難聴，脊柱側弯症，長管骨の屈曲，青色強膜，象牙質形成不全，低身長などもみられる．これら異常の原因は，1 型コラーゲンをコードする遺伝子（*COL1A1* あるいは *COL1A2*）の顕性変異である．骨形成不全の患者に対しては，骨折を防ぐために**ビスホスホネート剤** bisphosphonate により骨吸収を阻害して骨量を増やし，また**全身振動療法** whole body mechanical vibrations treatment により骨形成を刺激する．

関節（図 5.14）

骨は互いに**関節** articulation（joint）で連結され，これが動きを可能にしている．

3 つのタイプの関節がある：

1. **不動関節** synarthrosis はほとんど動かない関節（頭蓋骨，肋骨，胸骨）である．
2. **半関節** amphiarthrosis はわずかな動きを可能にする（椎間板，椎体）．
3. **可動関節** diarthrosis は自由に動く．

可動関節では，**関節包** joint capsule が骨の端同士を連結する

図 5.14 | 関節

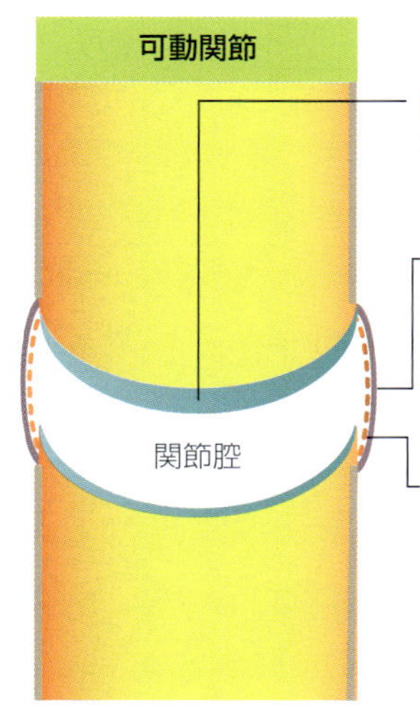

関節軟骨
ガラス軟骨．軟骨膜がなく，滑膜に覆われていない

関節包
血管をもつ密性結合組織からなり，**滑膜**によって裏打ちされている．
関節包は滑膜と連続しており，関節軟骨の縁に付着している

滑膜
血管を有する結合組織で 1 ～ 3 層の**滑膜細胞**で覆われる．
基底板はない．毛細血管は有窓性．**滑液**は毛細血管壁から濾過されてきたもので，
滑膜細胞が産生する**ルブリシン**（ヒアルロン酸・タンパク質複合体）を含む．ルブリシンが骨軟骨の摩耗を軽減する

可動関節の発生

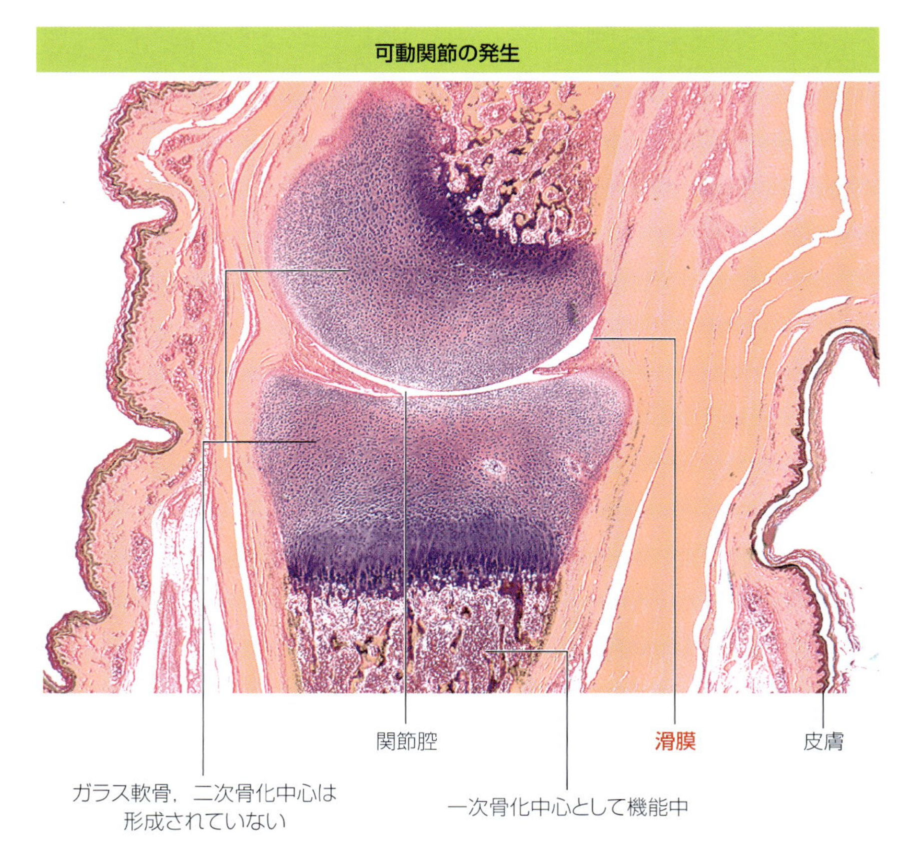

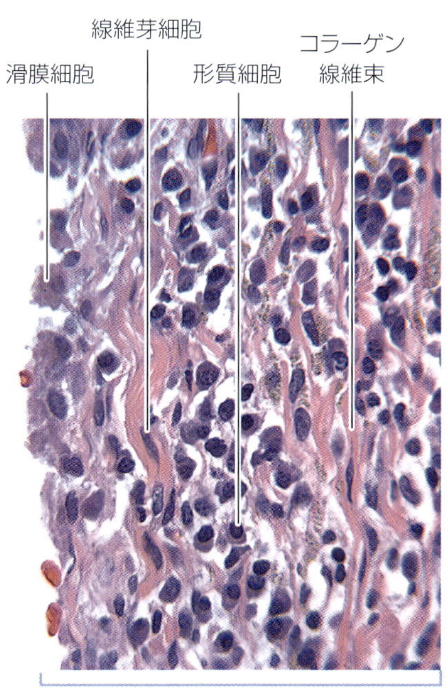

滑膜は，通常 1 ないし 2 層に並ぶ滑膜細胞による裏打ちと，その下の疎性結合組織から構成される．滑膜を覆う細胞には，**A 型**（**マクロファージ様滑膜細胞**）と **B 型**（**線維芽細胞様滑膜細胞**）がある．

（図 5.14）．**関節包**は関節腔を包む**滑膜** synovial membrane に裏打ちされている．**関節腔** synovial cavity には滑液中に糖タンパク質である**ルブリシン** lubricin があり，これは関節表面を覆うガラス軟骨の摩耗を軽減するために必要である．

関節軟骨は以下の点を除けば，ほぼ典型的なガラス軟骨である：**軟骨膜がない**こと，アーチが重なり合うような特殊なコラーゲン線維の配列をもつこと．このコラーゲンのアーケード構造は，関節表面に加わる物理的ストレスに対抗している．

関節包は 2 **つの層**よりなる：

1. 外層は血管と神経を伴った密性結合組織である．
2. 内層は滑膜とよばれる．1 ないし 2 層の**滑膜細胞**で覆われ，その下に結合組織がある（図 5.14）．

2 種類の滑膜細胞がある：

1. **A 型マクロファージ様滑膜細胞** type A macrophage-like synovial cells.
2. **B 型線維芽細胞様滑膜細胞** type B fibroblast-like synovial cells.

滑膜細胞と結合組織との間には基底板はない．結合組織は豊富

図 5.15 | 関節リウマチ

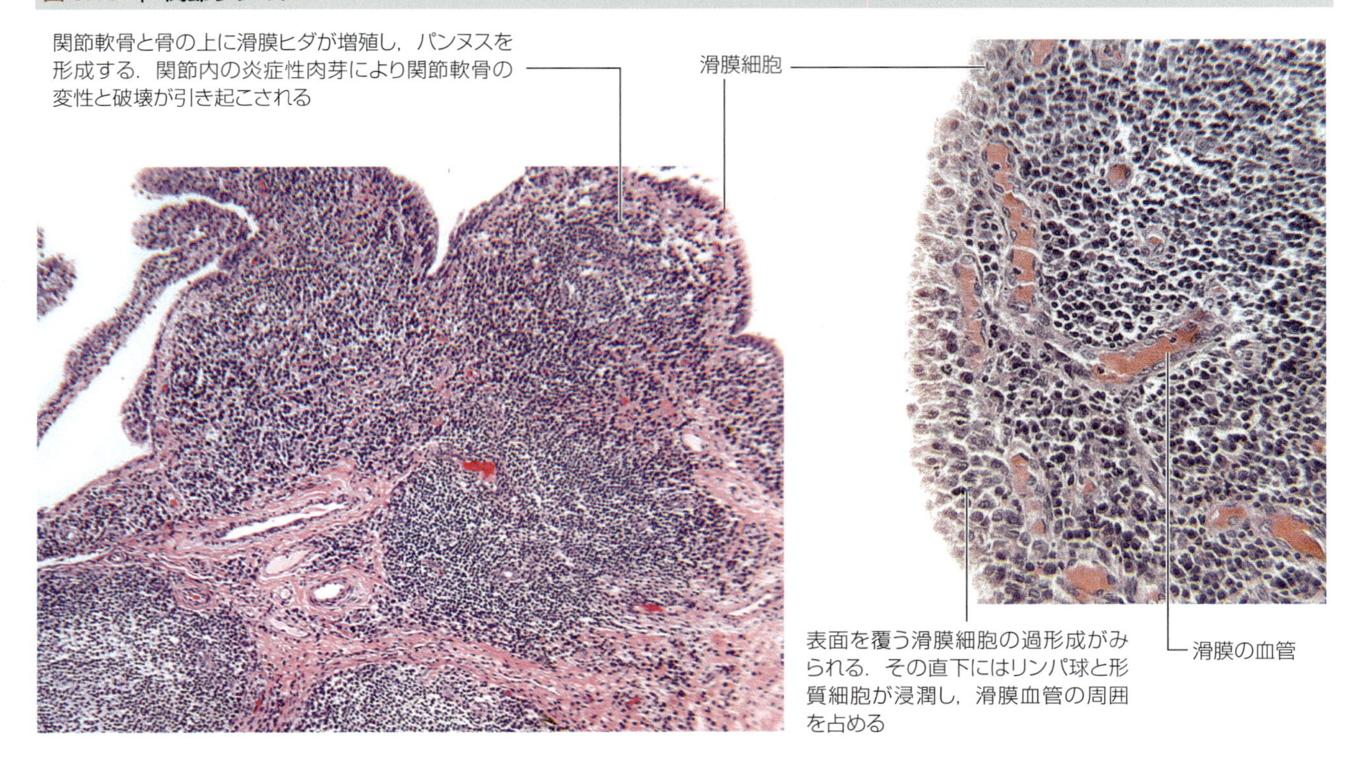

関節リウマチは慢性炎症性疾患で，**1** 活性化 CD4⁺ T細胞，形質細胞，**2** マクロファージ，**3** **滑膜細胞**の存在が特徴的である．それらにより，関節腔を覆う滑膜は**パンヌス**とよばれるヒダ状の炎症性組織へ変化する．パンヌス内では細胞反応として **4** コラゲナーゼ，メタロプロテアーゼ，その他のエフェクター分子が放出される．

関節リウマチでは，最初にペプチド抗原が T 細胞（CD4⁺）に提示される．次に**インターロイキン 15** が放出され，滑膜に普通に存在する滑膜マクロファージが活性化される．

滑膜マクロファージは**炎症促進サイトカイン**，**腫瘍壊死因子リガンド**，**インターロイキン 1，6** を分泌し，滑膜細胞の増殖を促す．そして滑膜細胞は**コラゲナーゼ**と**マトリックスメタロプロテアーゼ**を放出する．

好中球は**プロスタグランジン**，**プロテアーゼ**，**活性酸素種**を産生し，これらは**関節軟骨**とその下にある**骨組織**を破壊する．慢性炎症による関節軟骨の破壊，活性化した破骨細胞による関節周囲の骨膜近傍の骨の侵食，そして滑膜の肥大化は関節リウマチの特徴である．

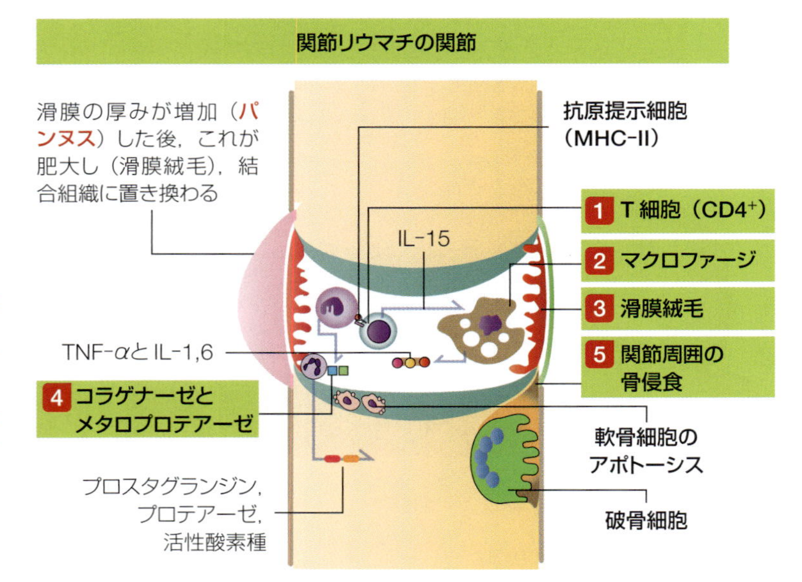

な**有窓型毛細血管**のネットワークをもつ．

滑液は，滑膜細胞の産物と毛細血管から濾過されてきたものからなる．滑液成分としては，**ヒアルロン酸**，**糖タンパク質**，そして**白血球**が多い．

関節リウマチ（図 5.15）

関節リウマチ rheumatoid arthritis は，関節の慢性炎症性破壊性の自己免疫疾患で，原因は不明である．

白血球が滑膜に浸潤すると，滑膜の炎症である**滑膜炎** synovitis が起きる．関節リウマチにおいて滑膜細胞によるサイトカイン産生は病理を考えるうえで重要である．最初に**活性化 CD4⁺T 細胞** activated CD4⁺ T cell が，滑膜の血管を越えて遊走してくる．不明の抗原により活性化される．活性化 CD4⁺T 細胞は，単球，マクロファージ，線維芽細胞様滑膜細胞に作用して，**腫瘍壊死因子リガンド**（**TNFL**），**インターロイキン -2**（**IL-2**），**インターロイキン -6**（**IL-6**）の産生，および**コラゲナーゼ** collagenase と**メタロプロテアーゼ** metalloproteinase（特に

MMP-1，3，8，13，14，16）の分泌を促す．

TNFL と IL-1 は関節リウマチの患者の滑液に検出される．これらは線維芽細胞様滑膜細胞，破骨細胞，軟骨細胞を刺激して，軟骨および骨を破壊するマトリックスメタロプロテアーゼを放出させる．

MMP 組織インヒビター tissue inhibitors of MMPs（TIMP）は，この進行する破壊的現象を元に戻すことはできない．好中球はプロスタグランジン，プロテアーゼ，活性酸素種を産生して滑膜炎を亢進させる．関節リウマチにおいて TNFL，IL-1，IL-6 は滑膜の炎症を増進させる重要なサイトカインである．

裏打ちする滑膜細胞の増殖（過形成），および摩耗防止に働く**ルブリシン**の発現低下は，軟骨細胞のアポトーシスを伴う関節軟骨の破壊，そしてその後に直下にある骨の破壊をもたらす．関節表面近くの骨膜に破骨細胞が侵入することによって骨の侵食が起きるが，この病態は診断されてから 1 年以内の患者のうち 80％でみられる．破骨細胞は滑膜のサイトカインにより活性化される．

関節リウマチを特徴づけるのは，自己抗体である**リウマチ因子** rheumatoid factor と**シトルリン化タンパク質に対する抗体**（anti-citrullinated protein antibody：**ACPA**）の産生である：

1. リウマチ因子は免疫グロブリンの Fc 領域に高い親和性をもつ自己抗体である．関節リウマチにおいては診断マーカーとしての役割をもつとともに，その病理にも深くかかわる．
2. 翻訳後修飾としてアミノ酸であるアルギニンがシトルリンに変わることでシトルリン化タンパク質の折りたたみ構造が変化し，免疫システムの選択的ターゲットとなる．ACPA 陽性患者は陰性患者よりも，病態の進行が思わしくない．

IL-6 は局所における $CD4^{+}T$ 細胞の活性化を刺激し，このことが B 細胞から**形質細胞** plasma cell への分化を促進する．この形質細胞は自己抗体であるリウマチ因子と ACPA を産生する．炎症メディエーター（サイトカインや免疫複合体）は血中を循環することになるため，臨床的な見地から，関節リウマチは心血管疾患，肺疾患，骨格疾患を含む全身性疾患につながる．

骨発生 | 概念図・基本的概念

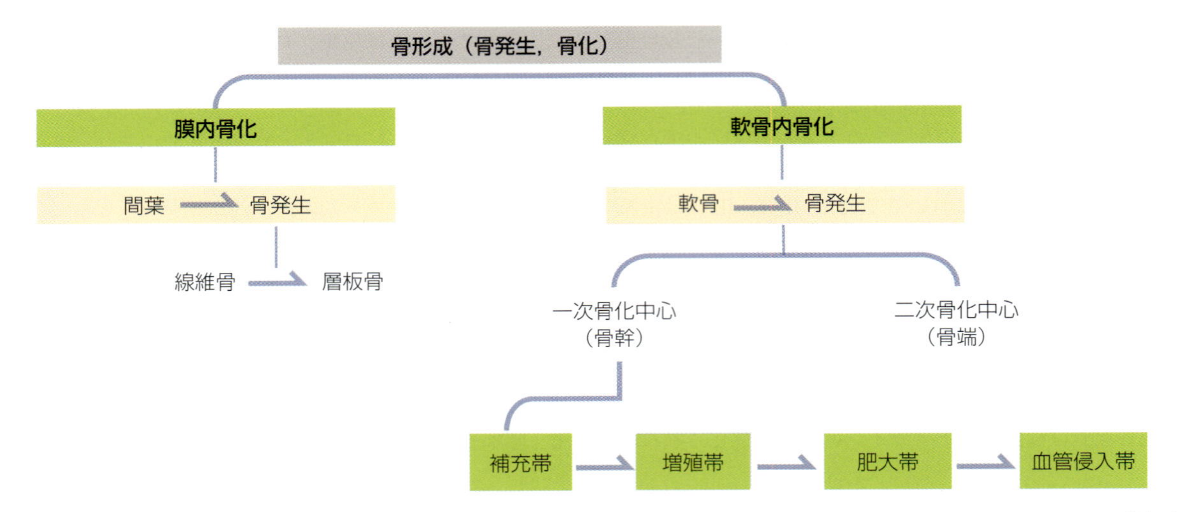

- **骨形成**（骨発生，骨化ともいわれる）には2つの過程がある：
  (1)**膜内骨化**
  (2)**軟骨内骨化**
  両者のメカニズムは基本的に同じである：原始小柱骨の網工（**原始海綿骨**ともよぶ）から成熟骨への変化．
  しかし，スタート段階が異なる：膜内骨化では**間葉からなる鋳型**が骨に変化し，軟骨内骨化では**ガラス軟骨の鋳型**ができてから，それが骨に置き換わる．

- **膜内骨化**は頭蓋の扁平骨で特徴的にみられる．以下の順に進む：
  (1)凝集あるいは間葉濃縮が，いくつかの部位で形成される．
  (2)間葉細胞は骨芽細胞に分化し，間質成長により**骨芽体**を形成する．
  (3)骨芽細胞は骨マトリックスあるいは類骨を沈着する．これはⅠ型コラーゲンと非コラーゲンタンパク質を含む．
  (4)血液に由来するカルシウムが類骨に沈着し，類骨が石灰化する．
  (5)骨芽細胞は石灰化マトリックスに囲まれ，骨細胞に分化する．骨細胞は細胞突起同士でつながり，ネットワークを形成する．
  (6)**初期骨組織**あるいは**一次骨化中心**の表面に新たな骨芽細胞が出現し，**小柱骨**を形成する．
  種々の小柱骨が付加成長により大きくなり，また互いに融合して**線維骨**を形成する．膜内骨化は間質成長で始まり，その後は付加成長が持続することに注意．
  最終ステップでは，外層と内層の線維骨から**ハバース管タイプ**の**層板骨**（血管が通る空間を層板骨が同心円状に囲む）への転換が起こる．
  この膜状骨の中心部は海綿骨のままであり，これは**板間層**とよばれる．外・内側の結合組織層は，それぞれ**骨膜**と**骨内膜**となる．

- **軟骨内骨化**は長管骨，脊柱，骨盤で特徴的にみられ，以下の順に進む．
  (1)ガラス軟骨の鋳型の中央で軟骨細胞が肥大化し，X型コラーゲンと血管内皮細胞成長因子（VEGF）を合成し始める．
  (2)軟骨膜から血管が侵入し，中央の肥大化した軟骨細胞に到達する．中央部分のマトリックスは石灰化し，**一次骨化中心**ができる．
  (3)骨軸あるいは**骨幹**の中央で軟骨膜内層の細胞が薄い骨膜輪をつくる．骨膜輪は膜内骨化の過程を経て**線維骨**となるが，ここは将来の骨膜直下の部位に相当する．
  (4)肥大化した軟骨細胞が占めていた空間に血管が侵入する．前骨芽細胞と造血細胞が血管周囲組織を介して到達する．
  (5)前骨芽細胞が骨芽細胞に分化して石灰化軟骨マトリックスに沿って並び，類骨を沈着し始める．そして鍾乳石のような骨針を形成する．ここで**一次骨化中心**が2つの部位からなることがわかる：**骨膜輪**と軟骨鋳型の内部にできた**骨化中心**である．

- その後2つのステップが続く：
  (1)**将来の長管骨の長軸方向の成長**．
  (2)**骨端における二次骨化中心の発達**．
  長管骨の長軸方向の成長はガラス軟骨の間質成長に依存する．その軟骨の中心は骨に置き換わっていく．
  二次骨化中心では，ガラス軟骨が**海綿骨**に置換される．関節軟骨と**骨幹端**（骨幹と骨端の間）にある薄い**骨端成長板**は置換されない．
  骨端成長板は軟骨を発達させる（軟骨形成）能力を保持し，思春期以降は**骨端線**に置き換わる．成長板における軟骨の発達と骨輪の形成は，インディアンヘッジホッグ（Ihh）という分泌タンパク質の傍分泌機構により調節される．
  Ihhは成長板近傍のガラス軟骨鋳型の初期肥大帯に存在する軟骨細胞から分泌される．これが軟骨膜細胞に作用してRUNX2を発現させ，骨芽細胞に分化させて骨輪の形成を持続させる．さらにIhhは軟骨膜の軟骨形成層に存在する細胞を刺激して**副甲状腺ホルモン関連ペプチド**（PTHrP）の合成を高め，骨膜細胞から骨芽細胞への分化を促す．これは骨膜に緻密骨をつくるためである．
  PTHrPは2つの作用をもつ：第1に，成長板の補充帯に存在する軟骨細胞表面の1型副甲状腺ホルモン関連受容体（PTHrR1）に結合し，細胞増殖を刺激する．第2に，増殖帯にある軟骨細胞に作用して，その肥大化を阻害する．本質的に，PTHrPは骨が定められた長さに達するまで，成長板の活性を維持する．

- **軟骨内骨化**は，組織学的に異なる4つの領域帯からなる：
  (1)**補充帯**はガラス軟骨からなる．この領域帯は骨化前線にある血管侵入帯と破骨細胞による骨吸収の“追いかける”に対して，“逃げる”位置関係にある．
  (2)**増殖帯**では軟骨細胞の分裂活性が高く，同系細胞群が連なる．この領域帯も血管侵入帯から“逃げる”．
  (3)**肥大帯**からはVEGFが分泌され，血管侵入帯の「後援者」的な働きをする．マクロファージ様の破軟骨細胞をよび寄せて石灰化軟骨マトリックスを吸収し，この領域帯のマーカーであるX型コラーゲンを分泌する．
  (4)**血管侵入帯**では，血管が発芽して石灰化軟骨の横中隔を貫通し，前骨芽細胞と造血細胞を運び込む．骨針の存在が特徴的であり，これは小柱骨に成長する．

骨針は縦に走る石灰化軟骨からなる中心部をもち，周囲は類骨で覆われている．類骨は骨針表面に並ぶ骨芽細胞によりつくられる．

小柱骨は骨細胞を伴った層板を中心部にもち（石灰化軟骨の中心部ではない），骨芽細胞に覆われる．骨芽細胞は表面に類骨を沈着させる．小柱骨は骨芽細胞によって構築され，破骨細胞によってリモデリングされる．その結果，線維骨または海綿骨が形成される．

線維骨は層板骨に変化し，ハバース管系をなす．ハバース管系は血管を中心軸にもち，周囲に骨層板が同心円状に配置する．

骨芽細胞は骨小腔に隔離された骨細胞に変わるまで骨形成を持続すること，成熟骨細胞はRANK-RANKLシグナル経路を介して破骨細胞の分化にかかわることを思い出してほしい．

- 小柱骨からオステオンへの変化は以下の過程を経る：
  (1)小柱骨の縦方向に走る複数の隆起が成長して互いに近づき，トンネルをつくる．この過程で骨膜の血管を取り巻きながらこれを包み込む．
  (2)この血管は将来的にハバース管系あるいはオステオンの中心となる．血液はフォルクマン管を通って横走する血管から供給される．縦方向に伸びるハバース管は同心円状の骨層板をもつが，横走するフォルクマン管はもたないことを覚えてほしい．
  (3)外基礎層板は骨膜下で付加成長が継続することにより形成される．一方，内基礎層板は骨内膜を覆う骨芽細胞により形成されるが，これも付加成長である．
  (4)骨軸または骨幹では骨膜下に新たな緻密骨が付加され，横幅が増える．同時に骨幹内側，すなわち骨内膜付近では線維骨が徐々に吸収されて骨髄腔の幅が広がる．その結果，骨幹は太くなるが骨膜下の緻密骨からなる壁はそれほど厚くならない．骨内膜側に依然存在する線維骨は層板骨からなるがハバース管をつくらないことに留意せよ．このことは線維骨あるいは小柱骨の骨は血管を取り込まないことを意味する．

- 骨リモデリングは生涯にわたって持続的に行われ，起こる場所も定まっていない．まず新生骨の置換，そして古い骨の骨吸収・骨産生過程でみられ，破骨細胞と骨芽細胞の協調作用によって行われる．
  2種類の骨リモデリングがある：
  (1)皮質骨リモデリング．
  (2)小柱骨リモデリング．
  皮質骨リモデリングは，古いハバース管系で起こる新たなハバース管系の構築をさす．破骨細胞が中心管に面した骨層板から侵食し始め，最外層の骨層板に到達する．分解吸収の過程で残された骨層板は周囲のオステオン間に位置する形となり，介在層板となる．
  破骨細胞が去って骨芽細胞が出現し，新たな骨層板の形成による再構築が始まる．これは吸収腔の辺縁から，血管が走る中心管に向けて進む．
  新生オステオンが再構築される際のスタート地点はセメントラインとして残る．これは骨（オステオン）の微細構造に力学的負荷がかかった時に生じる微小亀裂を緩和する働きがある．
  小柱骨リモデリングも同様に，破骨細胞による吸収と破骨細胞・骨芽細胞転換の過程を経る．主な相違は，オステオン内ではなく骨表面で起こることにある．

- 骨折は病的な原因および外傷によって起きる．骨折には以下の種類がある：
  (1)完全骨折（互いの骨断片が離れている）．
  (2)粉砕骨折（完全骨折により3つ以上の骨断片が生じる）．
  (3)複雑（開放）骨折（骨折した骨断端が皮膚と軟部組織を貫通している）．
  (4)単純（閉鎖）骨折（皮膚と軟部組織の損傷がない）．
  いくつかの骨折には特別な名称がつけられている．例えば，ポット骨折は脛骨遠位端の外傷を伴った腓骨遠位端の骨折，コレス骨折は手首付近の橈骨骨折である．
  骨折は以下の過程を経て治癒する：
  (1)血腫／炎症フェーズ　骨折後最初の1週間は，出血と炎症により一過性に肉芽組織ができる．骨断片はつながれ，骨折部位の適切な固定が必要である．
  (2)修復フェーズ（軟仮骨）　非石灰化軟骨からなる軟仮骨が2つの骨断片をつなぐ．
  (3)修復フェーズ（硬仮骨）　骨芽細胞により沈着した類骨が石灰化され，線維骨ができる．
  (4)リモデリングフェーズ（受傷後2～3ヵ月）過剰の骨性仮骨は破骨細胞によって除去され，線維骨は層板骨をもつ緻密骨に置換される．

- 代謝・遺伝学的要因による骨疾患には以下がある：
  くる病（子ども）と骨軟化症（大人）は，骨マトリックス（類骨）の石灰化に異常がある骨疾患のグループで，ほとんどの場合ビタミンD_3の欠乏に起因する．
  大理石骨病は破骨細胞の異常あるいは欠失に特徴づけられる遺伝性疾患のグループである．臨床的亜型として常染色体顕性代理石病（ADO）のアルベルス・シェーンベルグ病が知られ，破骨細胞においてクロライドチャネルをコードする*ClCN7*遺伝子に種々の変異を有し，相応する機能異常をもたらす．
  骨粗鬆症は老化に伴って骨量が減少する病態で，破骨細胞による骨吸収量が骨芽細胞による骨産生量を凌駕している．老化に伴う特徴として，男性では小柱骨が薄くなり，女性では小柱骨の数が減少する．
  進行性骨化性線維形成異常症（FOP）は結合組織の遺伝性疾患である．筋と結合組織の異所性石灰化，および骨格変形がみられる．
  骨形成タンパク質の受容体であるアクチビン受容体タイプ1A（ACVR1）に変異を有し，このため受容体が異常に活性化して非骨格組織に骨が沈着する．
  骨形成不全症は骨の脆弱性と易骨折性に特徴づけられる遺伝性疾患である（"brittle bone disease"）．加えて難聴，脊柱側弯症，長管骨の屈曲，青色強膜，象牙質形成不全，低身長などもみられる．これら異常の原因は，1型コラーゲンをコードする遺伝子（COL1A1［α-1ペプチド鎖］あるいはCIL1A2［α-2ペプチド鎖］）の顕性変異である．ミスセンス変異によりペプチド鎖が欠損するため，コラーゲン三重らせんのほとんどが異常をきたす．

- 関節は以下のように分類される：
  (1)不動関節はほとんど動かない．
  (2)半関節はわずかに動く．
  (3)可動関節は自由に動く．
  可動関節は外層の関節包とそれに続く骨膜からなる．関節包は血管に富む密性結合組織であり，関節と関節腔を包む．関節腔には滑液が含まれ，これはこの腔を裏打ちする滑膜に存在する細胞から産生される．

- 関節リウマチは，関節の慢性炎症性破壊性の自己免疫疾患で，原因は不明である．
  白血球が滑膜に浸潤すると，滑膜の炎症である滑膜炎が起きる．関節リウマチにおいて滑膜細胞によるサイトカイン産生は病理を考えるうえで重要である．
  裏打ちする滑膜細胞の増殖（過形成），および滑膜保護に働くルブリシンの発現低下は，軟骨細胞のアポトーシスを伴う関節軟骨の破壊，そしてその後に直下にある骨の破壊をもたらす．
  関節表面近くの骨膜に破骨細胞が侵入することによって骨の侵食が起きるが，この病態は診断後1年以内の患者のうち80％でみられる．破骨細胞は滑膜のサイトカインにより活性化される．
  白血球が滑膜領域に浸潤すると滑膜炎となる．一連の過程は未同定の抗原によって$CD4^+$T細胞が活性化することにより始まる．
  $CD4^+$T細胞と抗原提示細胞により滑膜細胞の増殖が惹起され，絨毛様構造（パンヌスとよばれる）を呈する．また，腫瘍壊死因子リガンド，インターロイキン，コラゲナーゼ，メタロプロテアーゼ（これらは炎症促進性エフェクター）の産生を誘導し，滑膜細胞による炎症反応を刺激し続ける．

6　血液と造血

キーワード　赤血球，白血球，造血幹細胞，骨髄，巨核球，白血病

血液は特殊な結合組織と考えられ，血漿，赤血球，白血球，血小板からなる．血液は簡単に採取できるうえ，その生化学的組成を調べることで正常な身体機能と病理学的な変化を知り，有効な診断に役立てることができる．造血は骨髄における多能性幹細胞の自己複製と分化によって行われ，これにより最終段階の成熟した細胞が血液循環に入る（毎時～1×10^9 個の赤血球と～1×10^8 個の白血球）．骨髄の微小環境（あるいはニッチ）では造血幹細胞のコロニーが存在しており，一定数の成熟血液細胞と血小板を産生・維持している．この章では血液細胞の形態と機能的特徴，発生過程，および特殊な造血ニッチにおける前駆細胞の分布について説明する．

血液

血液 blood は**細胞** cell と**血漿** plasma からなる．これら成分は，抗凝固剤存在下に採血された場合に遠心操作で分離される．沈殿する**赤血球** red blood cell（RBC）は血液量の 42～47％を占める．この赤血球の割合が**赤血球容積率**（**ヘマトクリット** hematocrit：ギリシャ語 *haima*［= blood，血］：*krino*［= to separate，分ける］）である．赤血球層のすぐ上に乗っている層が**バフィコート** buffy coat であり，**白血球** leukocyte（ギリシャ語 *leukos*［= white，白］：*kytos*［= cell，細胞］）と**血小板** platelet を含む．赤血球の上にある透明な上清画分が血漿である．健常成人の血液量は 5～6L である．

血漿（図 6.1）

血漿は血液の液状成分であり，塩と有機成分（アミノ酸，脂質，ビタミン，タンパク質，ホルモンを含む）からなる．抗凝固剤がない状態では，血液の細胞成分は血漿タンパク質（ほとんどが**フィブリノゲン** fibrinogen）とともに試験管内で**血餅** clot を形成する．このときの液性成分が**血清** serum とよばれ，本質的にフィブリノゲンを欠いた血漿のことである．

赤血球（RBC）（図 6.2）

RBC（**赤血球** red blood cell, erythrocyte ともよばれる．ギリシャ語 *erythros*［= red，赤］，*kytos*［= cell，細胞］）は，無核，両側の中央部が陥凹した円盤状の細胞で，直径は約 **7.8 μm**（固定しないで）である．オルガネラをもたず，形質膜とその直下の細胞骨格，ヘモグロビン，解糖系酵素のみから構成される．

赤血球（平均数：**4～6 × 10⁶／mm³**）は **120 日間**循環する．老化した赤血球は貪食によって除かれるか，あるいは脾臓で**溶血** hemolysis によって入れ替えられる．赤血球は血液中で**網状赤血球** reticulocyte によって入れ替えられる．網状赤血球は血液循環に入ってから 1～2 日でヘモグロビン合成と成熟を完了する．網状赤血球は循環赤血球の 1～2％を占める．赤血球は酸素と二酸化炭素を運び，循環系の中にのみ存在する．

赤血球の細胞骨格とヘモグロビンの異常（図 6.2）

溶血性貧血 hemolytic anemia の主な原因は**赤血球の破壊**である．正常赤血球の破壊は脾臓で起きるが，急性や慢性の溶血は血管内で起き，赤血球膜直下の**細胞骨格**，**代謝あるいはヘモグロビン**の異常に起因する．

1. **膜直下の細胞骨格の欠陥**：**楕円赤血球症** elliptocytosis と**球状赤血球症** spherocytosis は，細胞膜直下の細胞骨格の欠損により赤血球の形が変化したものである．

   楕円赤血球症は常染色体顕性疾患で，卵円形の赤血球の存在を特徴とし，スペクトリンサブユニットの自己結合能の欠陥，スペクトリンのアンキリンへの結合欠陥，プロテイン 4.1 の欠損，そして異常糖タンパク質により起こる．

   球状赤血球症もまた常染色体顕性で，**スペクトリン** spectrin の欠損が関係する．赤血球は球形で個々の径が異なり，多くは正常と異なって特徴的な中央の薄い部分がない．

   楕円赤血球症と球状赤血球症に共通の臨床所見は，**貧血** anemia，**黄疸** jaundice（ビリルビン産生が増加する結果起きる），**脾腫** splenomegaly（脾臓の増大）である．通常は**脾臓摘出** splenectomy で治療効果が得られる．これは楕円赤血球と球状赤血球を破壊する主要部位が脾臓だからである．

2. **代謝異常** metabolic defects：正常の赤血球はエネルギーを産生して，細胞形状および電解質量と水分量を維持している．このエネルギー産生は解糖系（エムデン・マイヤーホフ解糖系）およびペントースリン酸回路（ヘキソースモノリン酸側路）を介したグルコース代謝による．

図 6.1 ｜ 血液：血漿，血清，細胞

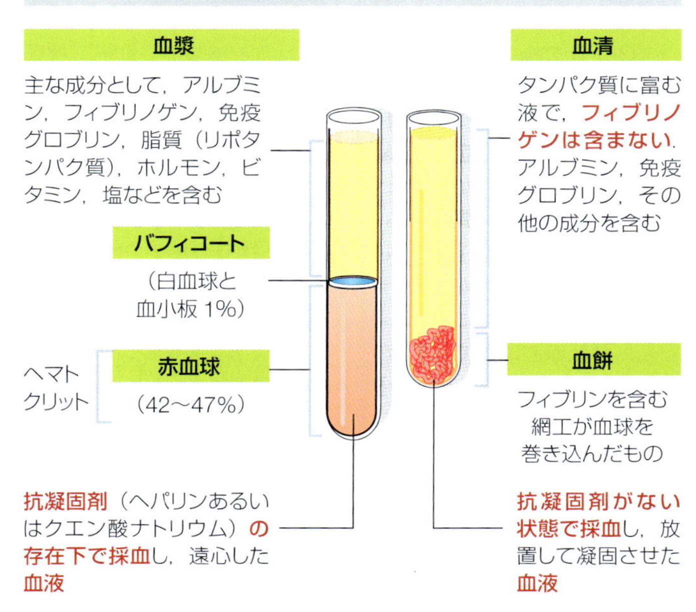

図 6.2 | 赤血球の細胞膜

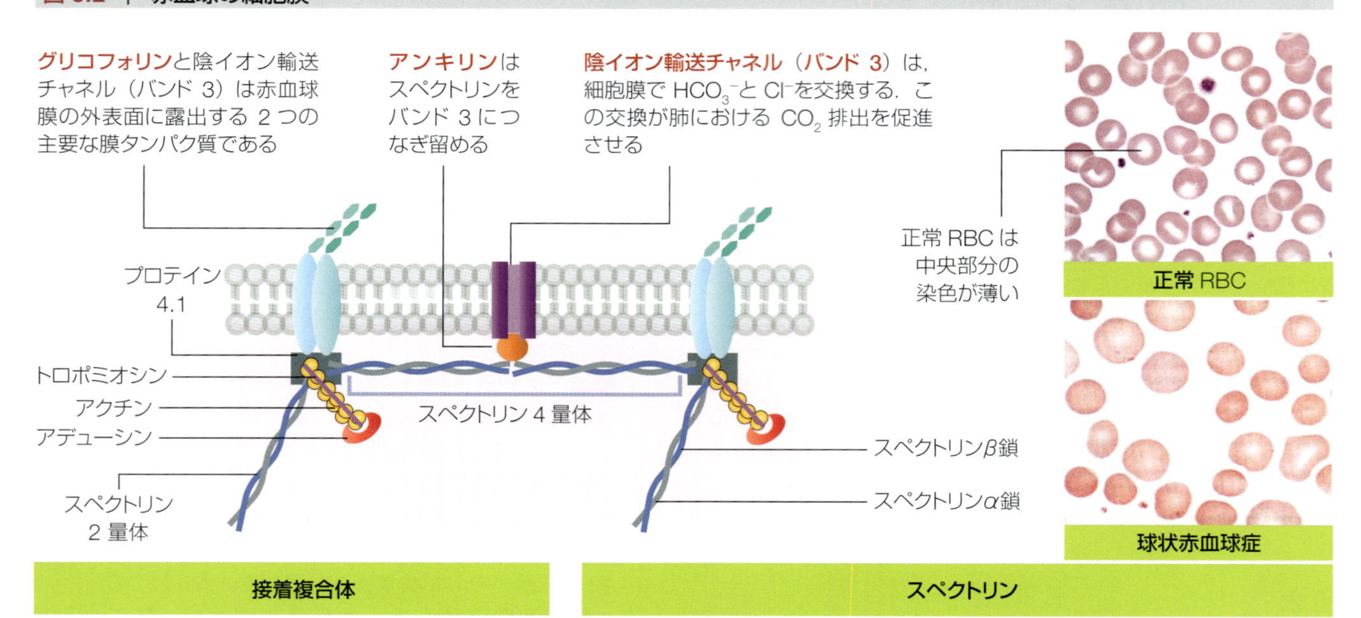

スペクトリン 4 量体は以下の 3 つのタンパク質からなる複合体に連結する：

1. 短い**アクチン**フィラメント：13 個程度の G–アクチンモノマー（単量体）で構成される．
2. **トロポミオシン**．
3. **プロテイン 4.1**．

プロテイン 4.1 はアクチン・トロポミオシン複合体をグリコフォリンにつなぐ．

アデューシンは**カルモデュリン結合タンパク質**でアクチンとスペクトリンの相互作用を促進する．

スペクトリンは以下の 2 つのポリペプチドからなる大きな 2 量体タンパク質である：⑴**スペクトリンα**（240kd），⑵**スペクトリンβ**（220kd）．

2 つのポリペプチド鎖は逆平行ペアとして結合し，約 100nm の杆状構造となる．

この 2 本鎖は，さらに頭同士が連結して **4 量体**を構成する．4 量体は赤血球の表面近くに存在する．

遺伝性球状赤血球症（HS）では，RBC は球状で，強固ではなく，脾臓で破壊される．これは細胞骨格異常によるもので，**スペクトリンα, β**，および**プロテイン 4.1** の結合にかかわる部位に異常がある．

Micrographs from Hoffbrand AV, Pettit JE: Color Atlas of Clinical Hematology, 3rd ed., London, Mosby, 2000 より．

赤血球で最も多いリン酸は 2,3- ジホスホグリセリン酸（2,3-DPG）でヘモグロビンからの酸素放出にかかわる．酵素であるグルコース 6 リン酸デヒドロゲナーゼ（G6PD）は，細胞膜とヘモグロビンを酸化物質によるダメージから守る．**G6PD 欠損症** G6PD deficiency では重症感染症，肝炎，糖尿病性ケトアシドーシスに起因する血管内溶血がみられるが，これは代謝異常による酸化ダメージが原因である．**ピルビン酸キナーゼ欠損症** pyruvate kinase deficiency でみられる代謝異常も溶血性貧血をきたす．

3. **ヘモグロビンの異常**：ヘモグロビンの遺伝子異常（$\alpha_2\beta S_2$）は**鎌状赤血球症** sickle cell anemia と**サラセミア** thalassemia（ギリシャ語 *thalassa*［= sea，海］．ギリシャとイタリアの海岸沿いの人々にみられる）を起こす．

鎌状赤血球症では，点変異によって β- グロビン鎖の 6 番目に位置する**グルタミン酸**が**バリン**に置換されている．

この欠陥のあるヘモグロビン（HbS）4 量体が酸素を離した赤血球中で集合し，多量体となる．そして，両側の中央がくぼんだ円盤状ではなく，硬化した形状変化の乏しい鎌状の細胞へと変化する．HbS は重症の**慢性溶血性貧血** chronic hemolytic anemia と**毛細血管後細静脈閉塞** obstruction of postcapillary venules をもたらす（第 10 章「脾臓」の項参照）．

サラセミア症候群は遺伝性の貧血で，正常のヘモグロビン 4 量体（$\alpha_2\beta_2$）のうち，α 鎖か β 鎖のどちらかの合成に欠陥がある．個々のサラセミア症候群の名称は，低下を示すグロビン鎖によって決まり，例えば**α- サラセミア**，**β- サラセミア**と記載される．

サラセミア症候群は，ヘモグロビン分子の合成障害と溶血に起因する貧血により定義される．

ヘモグロビン A1c（糖化ヘモグロビン）と糖尿病

平均**血漿グルコース濃度** plasma glucose concentration を知る指標として，**ヘモグロビン A1c** hemoglobin A1c（糖化ヘモグロビン，あるいはグルコースでコートされたヘモグロビン）の測定は臨床的に重宝される．グルコースが酵素を介さず非可逆的にヘモグロビン A1 に結合する．

ヘモグロビン A1c の正常値は 4～5.6% の間である．5.7～6.4% の間では**糖尿病** diabetes mellitus のリスクが増し，6.5% 以上では糖尿病となる．糖化ヘモグロビンは糖尿病予備軍や糖尿病の状態を評価するうえで有効であり，さらに治療においては，血清グルコースレベルの長期管理を達成することで心血管系，腎臓，網膜の合併症を予防できる．

図 6.3 | 胎児赤芽球症：新生児の溶血性疾患

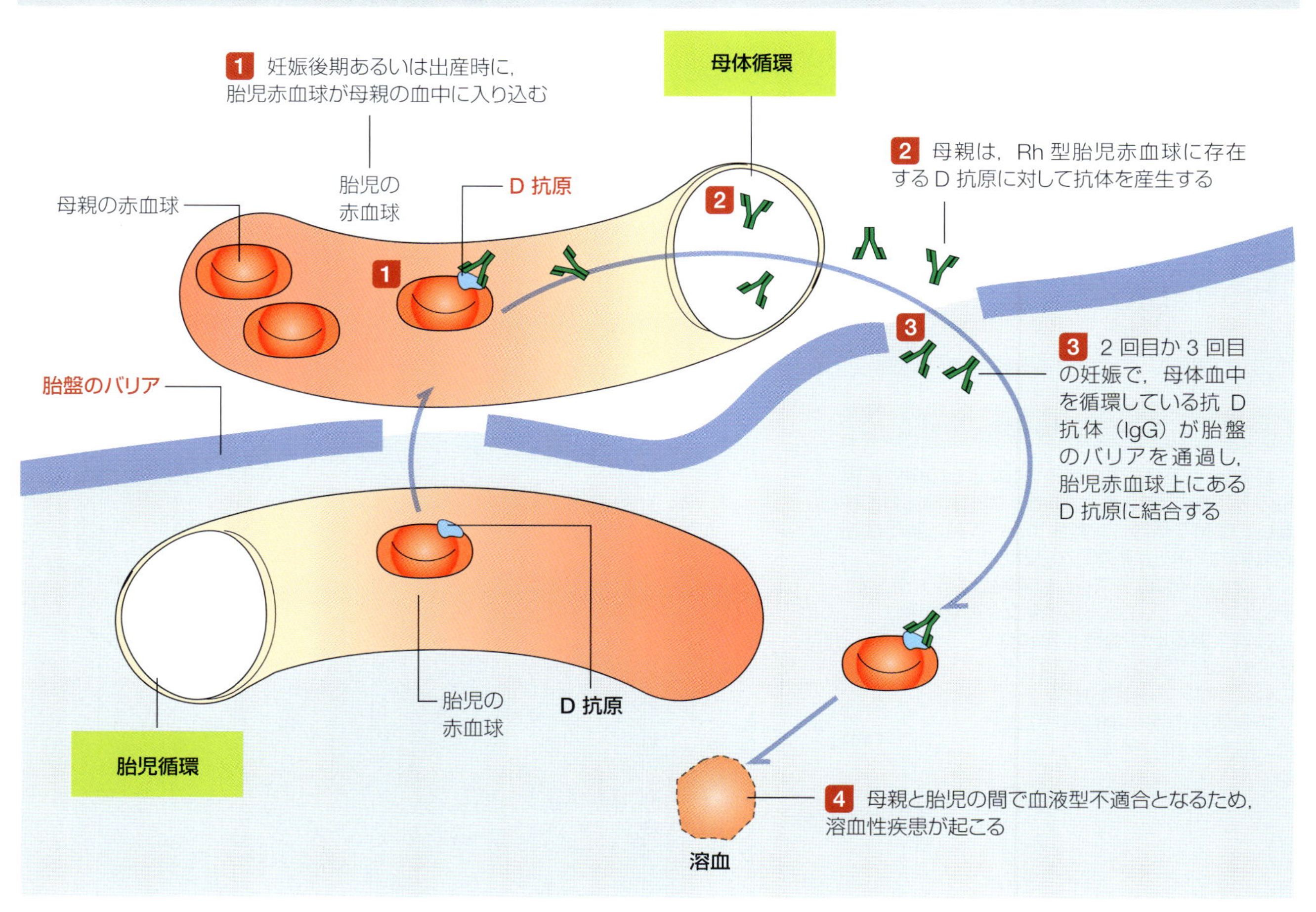

胎児赤芽球症（図 6.3）

胎児赤芽球症 erythroblastosis fetalis は抗体で誘導される新生児の溶血性疾患で，母親と胎児間の血液型不適合が原因となる（Box 6.A）．この不適合は，胎児が母親にとって異物となる赤血球抗原決定基を遺伝で引き継いだときに起こる．ABO および Rh 血液型抗原が特に問題となる．

基本的に，胎児**赤血球**は妊娠後期（細胞性栄養膜細胞がもはやバリアとして存在しない．第 23 章で述べる）あるいは出産時に母親の循環系に入り，母親はその表面にある抗原基に感作される．Rh 型では，**D 抗原** D antigen が Rh 不適合の主要因である．最初の妊娠で Rh 抗原に曝露されても胎児赤芽球症にはならない．このときは**免疫グロブリン M** immunoglobulin M（**IgM**）が産生されるが，この IgM は分子量が大きいために胎盤を通過できないからである．

その後の 2 度目あるいは 3 度目の妊娠で，強い**免疫グロブリン G** immunoglobulin G（**IgG**）による反応が引き起こされる（IgG は胎盤を通過できる）．Rh 陰性の母親は，Rh 陽性の胎児を出産した直後，抗 D グロブリンを投与される．この抗 D 抗体は，出産時に母親の循環系に漏れ入ったと思われる胎児赤血球上の抗原をマスクする．これが Rh 抗原への長期にわたる感作を防ぐ．

Box 6.A | 胎児赤芽球症における溶血

- 胎児赤芽球症における溶血は溶血性貧血と黄疸をきたす．
- 溶血性貧血は心臓と肝臓に低酸素障害を起こし，全身の浮腫を招く（**胎児水腫** hydrops fetalis：ギリシャ語 *hydrops*［＝ edema，浮腫］）．
- 黄疸は中枢神経系にダメージを与える（**核黄疸** kernicterus［ドイツ語で大脳核の黄疸］）．
- 高ビリルビン血症が顕著で，非抱合型ビリルビンが脳組織に取り込まれる．

Box 6.B | 血球数／μL または mm³

赤血球：4〜6 × 10^6
白血球：6,000〜10,000
　好中球　：5,000（60〜70％）
　好酸球　：150（2〜4％）
　好塩基球：30（0.5％）
　リンパ球：2,400（28％）
　単球　　：350（5％）
血小板：300,000
ヘマトクリット：42〜47％

図 6.4 | 好中球

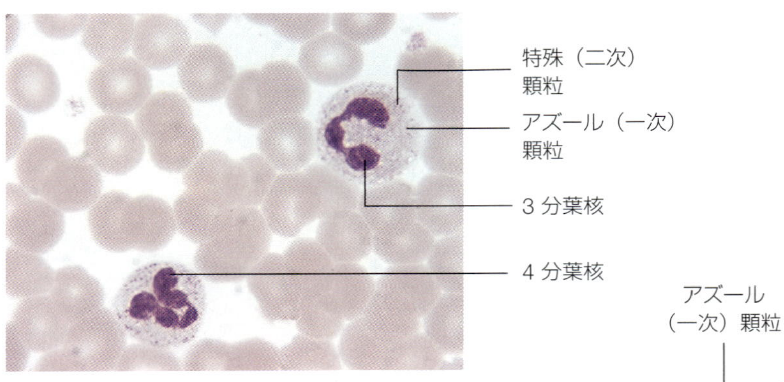

好中球は，総白血球の 50〜70%を占める（正常の血球塗抹標本で最も多い白血球）．直径 12〜15μm．非常に薄いピンク色の細胞質を有する（色では赤血球に近い）．

好中球はほとんど識別できない**一次顆粒**とより小さな**特殊（二次）顆粒**をもつ．

核（暗青色）は，通常 3〜5 個のへこみのある核に分葉している．

アズール
（一次）顆粒

特殊
（二次）
顆粒

ゴルジ野

分葉核

好中球の顆粒成分

好中球（**ライト–ギムザ染色**したときの細胞質顆粒のみえ方によりこうよばれる）は，感染部位に移動して細菌を認識し，貪食する．移動と消化は細胞質顆粒に存在する物質を必要とする．

一次（あるいは**アズール**）**顆粒**は**エラスターゼ**，**デフェンシン**，**ミエロペルオキシダーゼ**を含む．

二次（あるいは**特殊**）**顆粒**は**リゾチーム**，**ラクトフェリン**，その他の**プロテアーゼ**を含む．

特殊顆粒の弱い染色性のために，細胞質は明るくみえる．

白血球

白血球 leukocyte（6〜10 × 10^3／mm^3：Box 6.B）は**顆粒球** granulocyte と**無顆粒球** agranulocyte に分けられる．顆粒球は**細胞質に一次顆粒** primary cytoplasmic granule **および特殊（二次）顆粒** specific（or secondary）cytoplasmic granule **を含む**．無顆粒球は**一次顆粒のみ含む**（Box 6.C）．

顆粒球

顆粒球は貪食能を有する細胞で，**分葉核** multilobed nucleus をもち，直径は 12〜15 μm である．寿命は細胞種により異なる．細胞質顆粒の違いから 3 種類の顆粒球に分けられる．

好中球（図 6.4）

好中球 neutrophil は分葉核を有し，細胞質に一次顆粒と特殊（二次）顆粒をもつ（Box 6.C）．塗抹染色標本では，好中球は薄いピンク色を呈している．循環白血球の 50〜70%を占める好中球は，6〜7 時間の寿命をもち，結合組織中では 4 日間まで生きられる．

好中球は**毛細血管後細静脈** postcapillary venule から循環系を離れ，**オプソニン化** opsonization された細菌を除去し，結合組織中の炎症反応の拡大を防ぐ．急性炎症における細菌のオプソニン化，および関連する好中球の役割については，第 10 章で述べる．

Box 6.C | 一次顆粒と特殊顆粒

- 一次および特殊（二次）顆粒は酵素を含む．三次顆粒が報告されており，これはタンパク質（カテプシンとゲラチナーゼ）を含み，好中球の他の細胞への付着と貪食作用を助ける．
- 一次顆粒のマーカー酵素はペルオキシダーゼである．二次顆粒はアルカリホスファターゼを有し，ペルオキシダーゼを欠くことが特徴である．
- なぜ一次顆粒がライト染色で暗青色（**アズール** azure）に染まるのか．一次顆粒は硫化糖タンパク質をもち，おそらくこれが原因となっている．

図 6.5 | 好酸球

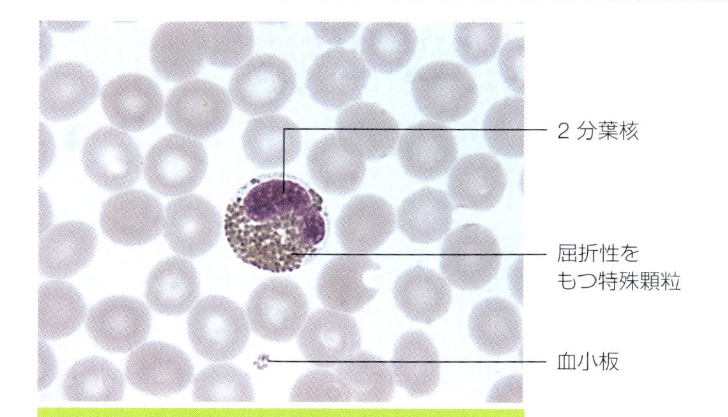

好酸球は，循環白血球の 1 ～ 5%を占める．**寄生虫（蠕虫）感染**や**アレルギー疾患**では，血中やある組織における好酸球数が増加する．直径 12 ～ 15μm.

細胞質には大きな屈折性の高い特殊顆粒を含む．この顆粒は明るい赤色を呈し，明瞭に認識できる．この顆粒は**カチオンタンパク質**を含む．

核は，典型的なものでは 2 分葉核である．

好酸球顆粒にみられる**シャルコーライデン結晶**（EPX, MBP1，ECP，EDN とともに貯蔵される）．この結晶はガレクチンの 1 種である（すなわち糖鎖結合能をもつ）．顆粒の**芯に結晶が含まれるのは好酸球の特徴である**

脂肪滴

2 分葉核

好酸球の顆粒成分

主要塩基性タンパク質 1（MBP1）
1. 好酸球顆粒の中心結晶の主要な成分である.
2. 寄生虫に結合して，その膜を破壊する（結合は Fc 受容体を介する）.
3. 好塩基球に作用して Ca^{2+}依存的にヒスタミンを放出させる.

好酸球性カチオンタンパク質（ECP）
1. ヘパリンを中和する.
2. MBP1 とともに寄生虫を断片化する.

好酸球由来ニューロトキシン（EDN）
リボヌクレアーゼ活性と抗ウイルス活性をもつ分泌タンパク質.

好酸球ペルオキシダーゼ（EPX）
微生物に結合し，マクロファージによる殺傷作用を促進する.

好酸球が産生する他の物質

サイトカイン（インターロイキン［IL］-2～IL6，その他），**酵素**（酸性ホスファターゼ，コラゲナーゼ，ヒスタミナーゼ，カタラーゼ，その他）**成長因子**（血管内皮成長因子［VEGF］，神経成長因子［NGF］，幹細胞成長因子［SCF］，その他）.
脂肪滴 lipid body（ロイコトルエン，プロスタグランジン）.

一次顆粒には**エラスターゼ** elastase，**デフェンシン** defensin，**ミエロペルオキシダーゼ** myeloperoxidase が含まれる．二次顆粒には**ラクトフェリン** lactoferrin，**ゲラチナーゼ** gelatinase，**リゾチーム** lysozyme とその他のプロテアーゼがみられる．好中球は補体系により産生される **C5a** に特異的な受容体をもつ（第 10 章参照）．好中球の **L-セレクチン** L-selectin と**インテグリン** integrin は内皮細胞のリガンドである**細胞間接着分子-1，2** intercellular-adhesion molecules 1，2（**ICAM-1，ICAM-2**）に結合する．これらリガンドの働きによって，好中球は血管外で抗菌作用と抗炎症作用を発揮できる．

好酸球（図 6.5）

好酸球 eosinophil は特徴的な 2 分葉核をもつ．細胞質は大きくて屈折率の高い顆粒で満たされ，これらは末梢血塗抹標本や組織切片の染色標本では赤色を呈する．

好酸球の顆粒に含まれるさまざまな成分と他の分泌分子を図 6.5 に挙げる．サイトカインである**インターフェロン-γ** interferon-γ と**ケモカインリガンド 11**（CCL11）chemokine ligand 11 が好酸球表面の受容体に結合すると，**好酸球脱顆粒** eosinophil degranulation が起きる．サイトカインの**インターロイキン-5** interleukin-5（**IL-5**）は好酸球の主要な機能制御因子である.

好酸球は循環白血球の **1～5%**を占め，半減期は約 18 時間である．IL-5 により好酸球は循環系を離れて結合組織に引き寄せられる.

好酸球は**寄生虫** parasite に対する防御の第一線に位置し，また

図 6.6 | 好塩基球

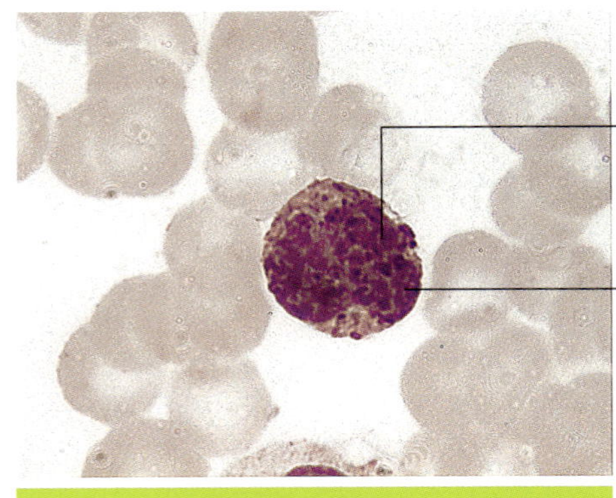

好塩基球は総白血球の 1%以下なので，みつけるのは困難である.
特殊顆粒は大きく，暗青色あるいは紫色に染まる．好塩基球も数個の一次顆粒を含む.
核は典型的なものでは 2 分葉であり，特殊顆粒に重なってはっきりしないことが多い.

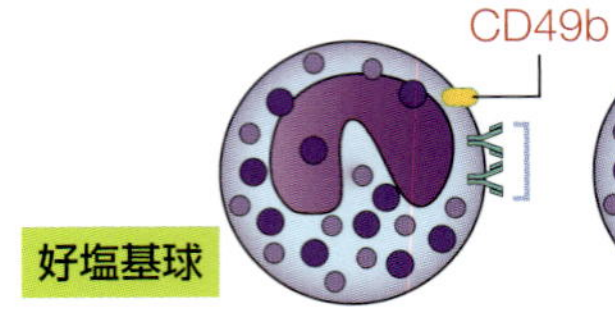

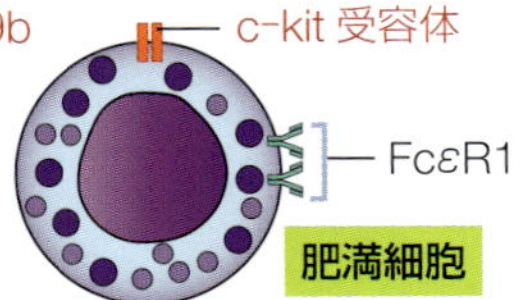

好塩基球の顆粒成分

好塩基球は大きな細胞質顆粒を含み，その中にヘパリンなどの**硫化**あるいは**カルボキシル化酸性タンパク質**を含む．**ライト-ギムザ染色**で暗青色に染まる.

好塩基球は結合組織中の**肥満細胞**と同様に **IgE 受容体**（FcεR1）を細胞表面に発現するが，**c-kit 受容体**と **CD49b** の発現が異なる．両細胞は抗原が結合して活性化されるとヒスタミンを放出して，アレルギー反応を起こす.

好塩基球の増加（150 個／μL 以上）は**好塩基球増加症** basophilia とよばれ，急性過敏反応，ウイルス感染，慢性炎症状態（例えば関節リウマチや過敏性大腸炎）でみられる.

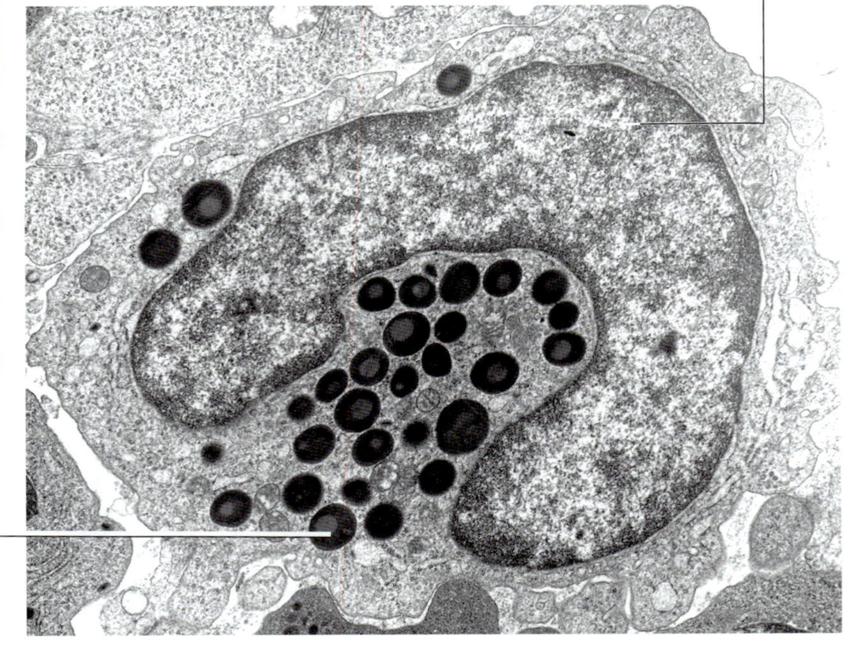

気管支喘息 bronchial asthma の誘発にも関与する（第 13 章参照）．**好酸球増加症** eosinophilia に付随する**好酸球性食道炎** eosinophilic esophagitis は，臨床的に嚥下障害と腹痛で定義される．この病態は真菌や昆虫のアレルゲンにより引き起こされる.

好塩基球（図 6.6）

好塩基球 basophil は大きな**異染性** metachromasia を示す細胞質顆粒をもつ．そのため 2 分葉核がはっきりしないことが多い.

好塩基球は循環白血球の 1％しか占めない．好塩基球は骨髄中で成熟が完了する．それに対し，**肥満細胞** mast cell は細胞質顆粒のない未熟な細胞として結合組織や粘膜に入る.

さらに好塩基球と肥満細胞は c-kit 受容体と CD49b の有無に関しては異なるが，Fc ε R1 を共通にもつ．すなわち，好塩基球は $c\text{-kit}^-\text{Fc}\varepsilon\text{R1}^+\text{CD49b}^+$ であり，肥満細胞は $c\text{-kit}^+\text{Fc}\varepsilon\text{R1}^+\text{CD49b}^-$ である.

好塩基球の寿命は短いが（約 60 時間），肥満細胞は数週間あるいは数ヵ月生存する．好塩基球と肥満細胞の細胞系譜の関係性については，さらに本章の造血の項で説明する.

好塩基球は**気管支喘息** bronchial asthma，およびアレルゲン（**アレルギー皮膚反応** allergic skin reaction）や**寄生虫** parasitic worms（**蠕虫** helminths）に対する **2 型免疫応答** type 2 immunity においてその機能を発揮する.

無顆粒球

無顆粒球 agranulocyte には**リンパ球** lymphocyte と**単球** monocyte がある．無顆粒球は，丸いあるいはへこみのある核を有し，リソソーム型の**一次顆粒** primary granule を有する.

Box 6.D | 好酸球性食道炎

- 通常，好酸球は消化管，特に盲腸によくみられるが食道ではまれである．しかし，嚥下障害と腹痛などの食道機能不全は，食道粘膜における好酸球の増加と関係する.
- 制御を失った好酸球増加は，TH2 細胞における IL5 と IL13 の過剰発現，および食道の炎症部位における好酸球化学走化性因子であるケモカインリガンド 26（CCL26）の存在に依存する.
- 好酸球性食道炎は**真菌**や**昆虫のアレルゲン**により引き起こされるようだ．治療としてステロイド剤による炎症過程のコントロール，および特異的モノクローナル抗体メポリズマブによる IL-5 の阻害がある.

図 6.7 | リンパ球

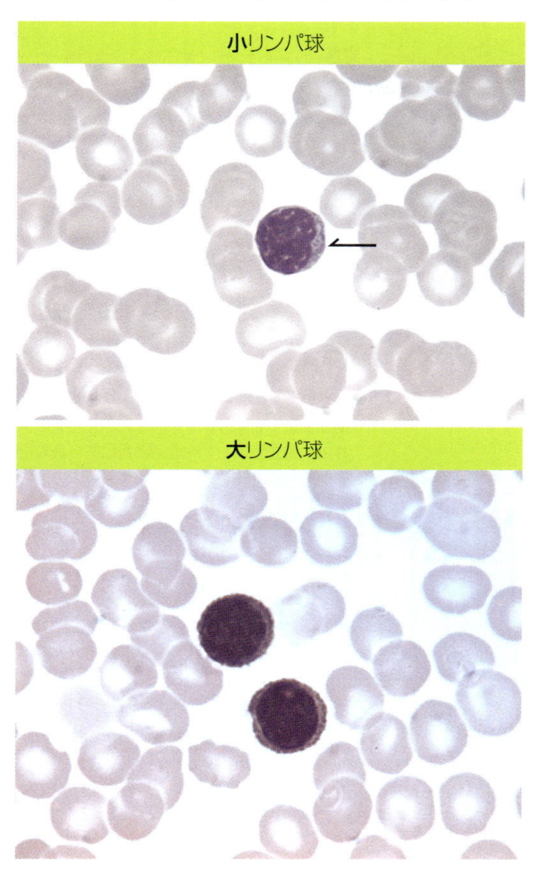

リンパ球は比較的多く，総白血球の 20 ～ 40%を占める．血中では直径約 9 ～ 12μm だが，正常の血液塗抹標本において，典型的なリンパ球は小さく，赤血球くらいの大きさである．

小リンパ球の核は濃く染まり，丸く，ややへこみがある（矢印）．核は細胞のほとんどを占め，細胞質部分は狭くなって薄い好塩基性の縁を残す．

大リンパ球は丸く，ややへこんだ核をもち，薄く染まる細胞質に囲まれる．数個の一次顆粒（リソソーム）が存在することもある．

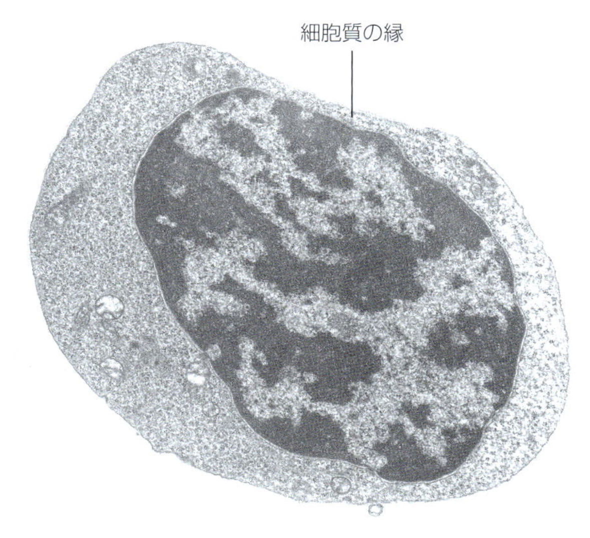

小リンパ球は循環リンパ球の 97%を占める．核が薄い細胞質にふちどられていることに注意．**大リンパ球**は循環リンパ球の 3%を占める．

リンパ球は 2 つの種類に分けられる：骨髄で産生される **B 細胞**，および骨髄で産生されるが胸腺で成熟を完了する **T 細胞**である．

より少ない種類として**ナチュラルキラー細胞**がある．

胎児発生過程で，リンパ球は**卵黄囊**，**肝臓**，**脾臓**に由来する．出生後は**骨髄**と**胸腺**が**一次リンパ器官**となり，そこで抗原に曝露されるまで発達する．

二次リンパ器官として**リンパ節**，**脾臓**，消化管や気道のリンパ集合体がある．

リンパ球（図 6.7）

リンパ球には，大型（リンパ球の 3％：9～12 μm）と小型（リンパ球の 97％：6～8 μm）のものがある．

どちらも核は丸く，ややへこんでいる．細胞質は好塩基性で，しばしば核周囲に薄い縁としてみえる．数個の一次顆粒が存在することがある．リンパ球は数日間あるいは何年間も生存する．

リンパ球は 2 種類に分類される：

1. **B リンパ球** B lymphocyte（**B 細胞** B cell ともよばれる）は骨髄でつくられ成熟する．抗原で活性化された B 細胞は，抗体を分泌する**形質細胞** plasma cell に分化する．
2. **T リンパ球** T lymphocyte（**T 細胞** T cell ともよばれる）は骨髄でつくられ，成熟は**胸腺** thymus において完了する．活性化された T 細胞は**細胞性免疫** cell-mediated immunity に関与する（詳細は第 10 章参照）．

単球（図 6.8）

単球 monocyte は直径 14～20 μm である．核は腎臓形あるい

図 6.8 | 単球

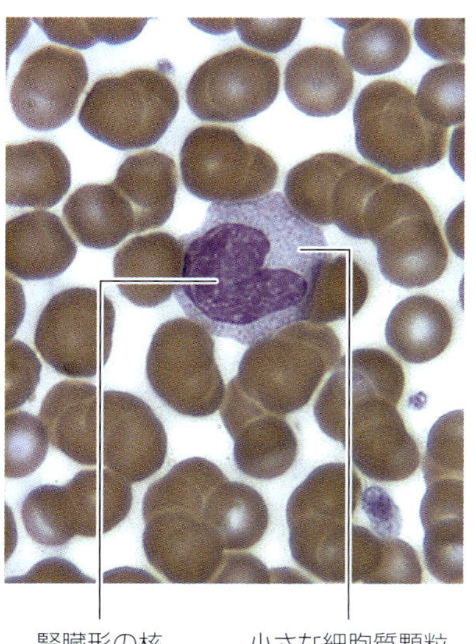

単球（総白血球の 2 ～ 8%）は最も大きな白血球で，大きさは 14 ～ 20μm である．

偏心性に位置する核は典型的には腎臓形で，繊細なクロマチンの糸状構造がみえる．

豊富な細胞質は薄い灰青色に染まり，小さな顆粒状のリソソームで占められている．

単球は血中に短時間しかおらず，末梢組織に入ってマクロファージとなり，より長く生きる．単球由来のマクロファージは，好中球よりも貪食効率の高い細胞である．

図 6.9 | ホーミングと炎症

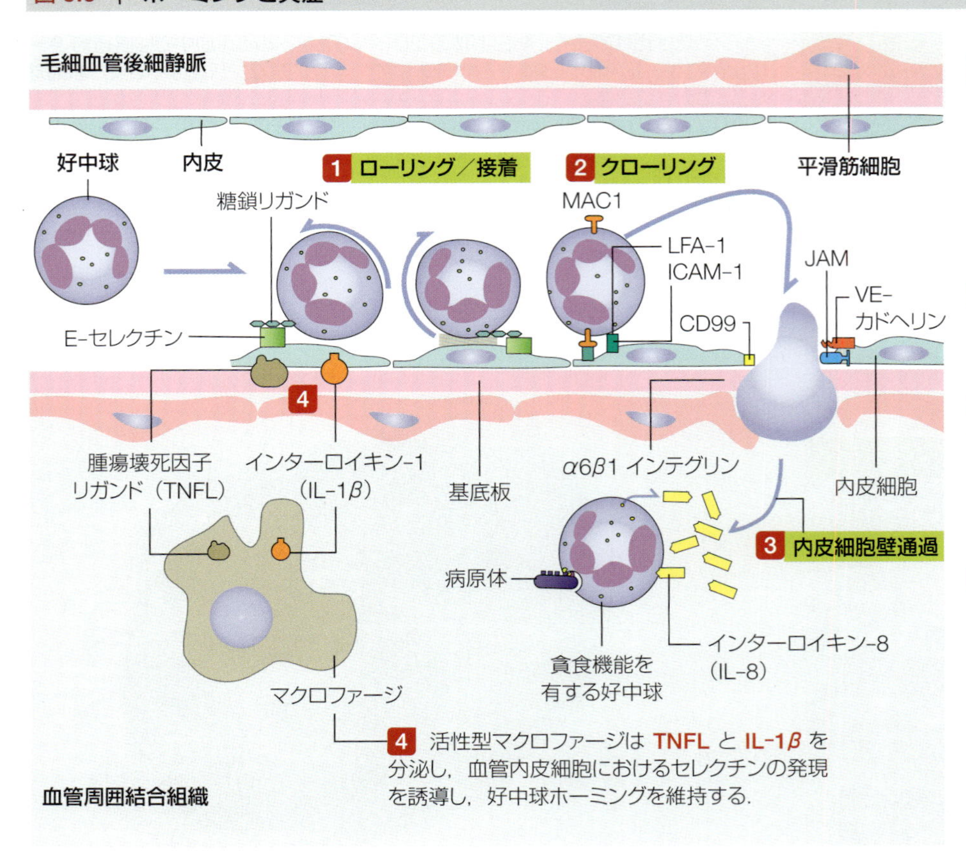

1 ローリング（転がる）／接着
白血球（図では好中球）は，自身の表面にある糖鎖リガンドと内皮細胞表面に誘導されるセレクチンとの間に可逆的な結合状態を確立する．この結合力は強いものではなく，細胞はローリングを続ける．

2 クローリング（這うように進む）
強力な結合が好中球と内皮細胞との間で確立される．この結合の一部は，内皮細胞上の細胞間接着分子である **ICAM-1** と **LFA-1**（**リンパ球機能関連抗原** lymphocyte function-associated antigen 1）と **MAC1**（αMβ2 インテグリン／マクロファージ抗原 1）を介する．

3 内皮細胞壁通過
貪食中の好中球から産生される **IL-8** の濃度勾配によって，好中球が内皮細胞を通過する．**CD99** はラミニン結合性の α6β1 インテグリンの発現を高めることで，この細胞遊出に貢献する．通過中の好中球は junctional adhesion molecules（**JAM**）と血管内皮カドヘリン（**VE-カドヘリン**）との結合を離す．

は卵形．細胞質顆粒は小さく，光学顕微鏡の分解能ではよくみえない．

単球は血液中を **12〜100 時間**循環し，結合組織に入る．結合組織中で単球は**マクロファージ** macrophage に分化し，細菌の貪食，抗原提示，そして死んだ細胞の処理にかかわる．骨では，骨芽細胞の調節下で単球は**破骨細胞**に分化する（第 4 章参照）．

白血球動員と炎症（図 6.9）

ホーミング（あるいは白血球動員）の分子機構については，第 1 章で述べた．この白血球動員の概念をより広く理解するために，**貪食能を有する好中球** neutrophil **が感染・炎症部位へ移動する機構について考える**（Box 6.E）．

外傷や感染に応答して免疫システムが働くためには，循環している白血球が血流側から**毛細血管後細静脈壁** post-capillary venular wall を越えて結合組織側に迅速に移動することが必要である．白血球の動員は許容された場所で起きる．病原体由来のエンドトキシンによって放出された**走化性因子** chemotactic factor により場所が特定され，血管内皮細胞表面に結合した宿主のケモカインにより先導される．

最初の段階は，好中球の表面にある糖鎖リガンドと血管内皮の**セレクチン** selectin（**E- セレクチン** E-selectin）との結合である．この結合によって，好中球は血管内皮細胞表面を転がりながら（ローリング）接着する．

2 番目の段階では，好中球が這いながら血管壁を移動する．ここでは好中球が血管内皮により強く結合することが必要であり，好中球上の活性化された**インテグリン** integrin がかかわる．イン

Box 6.E | 白血球の接着不全（LAD）

- 白血球が細静脈の血管内皮を通過して血管外の炎症の場に移動するには，セレクチン - 糖の相互作用，およびインテグリン（ほとんどが β1 と β2 インテグリン）が必要である．
- 3 種類の白血球接着不全症が報告されており，どれも創傷治癒不全，再発する感染や発熱，そして顕著な白血球増加症（血中白血球数の増加）を特徴とする．
- 白血球接着不全症 I（LAD I）は LFA-1 と MAC1 インテグリンに存在する β2 サブユニット（CD18 ともよぶ）の欠損により起きる．その結果，白血球のリクルート機構に欠陥を生じ，好中球は血管から出ることができない．LFA-1 と MAC1 は血管内皮の ICAM1 に結合し，これが血管壁の通過に必要であることを思い出してほしい．この患者では浸潤する炎症性細胞に好中球はいない．古典的には，生後に臍帯脱落が遅延することで LAD I を疑う．
- 白血球接着不全症 II（LAD II）では，内在性フコース代謝の先天的欠陥がある．このためセレクチンに結合するフコースを含むリガンドがない．LAD II の患者は子宮内発育あるいは生後発育が遅延し，生後まもなく重篤な精神障害がみられる．
- 白血球接着不全症 III（LAD III）は，キンドリン（β インテグリンの細胞質ドメインに相互作用する）の変異により診断される．

テグリンである**LFA-1**（**リンパ球機能関連抗原1** lymphocyte function-associated antigen 1，**αLβ2インテグリン** αLβ2 integrin としても知られる）と**MAC1**（macrophage antigen 1，**αMβ2インテグリン** αMβ2 integrin としても知られる）が血管内皮細胞表面のICAM-1と結合する．LFA-1とMAC1は共通して**β2インテグリン** β2 integrin をサブユニットとしてもつことに留意．**ICAM-1**は，炎症性サイトカインの**腫瘍壊死因子リガンド** tumor necrosis factor ligand と**インターロイキン-1β** interleukin-1β（**IL-1β**）により誘導される．これらサイトカインは炎症部位の活性型マクロファージから産生される．

内皮細胞の間を通り抜ける（**細胞間通過** paracellular migration）あるいは細胞本体を通過する（**細胞壁通過** transcellular migration）際には走化性因子であるIL-8を必要とする．この因子は炎症細胞（例えば好中球）で産生される．

内皮細胞の細胞壁通過 transendothelial migration あるいは**血管外遊出** diapedesis は，血管内皮細胞の接着分子，例えば**細胞接着分子** junctional adhesion molecules（**JAM**），**血管内皮カドヘリン** vascular endothelial cadherin（**VE-cadherin**），**CD99**の結合を分断することで促進される．また血管内皮細胞で産生される**CD99**が**α6β1インテグリン** α6β1 integrin の発現を上昇させて，血管基底膜と平滑筋層の通過を促進する．この基底膜と平滑筋層を突破すると，好中球は細胞骨格のアクチンを再構成させながら細胞膜を隆起させ始める．

急性炎症の場では好中球はアメーバ様に移動する．この現象は本来好中球がもつ特徴であり，炎症環境にはさほど影響されない．急性炎症における好中球の役割については，第10章で詳細に説明する．

肥満細胞，好酸球，喘息（図6.10）

肥満細胞 mast cell と**好酸球** eosinophil が他の部位から結合組織に移動してきたものであることはすでに述べた．この2つの細胞種は喘息の病因に重要な役割を有している．

喘息 asthma は，外来性（アレルゲン）あるいは内在性（不明）の因子が可逆性の気道閉塞，気道過敏を引き起こす状態で，肥満細胞－好酸球の相互作用を説明する好例となる．

好酸球は，活性化**TH2細胞** TH2 cell（ヘルパーTリンパ球のサブセット）から放出されたサイトカインであるIL-5により気管支粘膜に引き寄せられる．**IL-5**は好酸球上のインターロイキン-5受容体αサブユニット（IL-5Rα）に結合し，脱顆粒を誘導する．

2種類のIL-5特異的モノクローナル抗体，メポリズマブとレスリズマブは，IL-5のIL-5Rαへの結合を阻害する．最初の臨床試験によれば，これら抗体をステロイド薬とともに服用すると，気管支粘膜の好酸球数が50%，喀痰中では0%減少する．この結果は，好酸球性の喘息病態におけるIL-5の重要性を物語っている．

気管支粘膜では，肥満細胞と好酸球の間で双方向性のシグナル伝達が行われている．

肥満細胞と好酸球からメディエーターが放出されると，粘膜過敏性の増強（粘液栓の形成につながる），浮腫，気管支収縮（時間とともに気管支平滑筋層の肥大と過形成）が起きる．気管支収縮は気道の狭小化をもたらし，空気の流れを妨害する．

図6.10 ｜ 喘息における肥満細胞と好酸球の相互作用

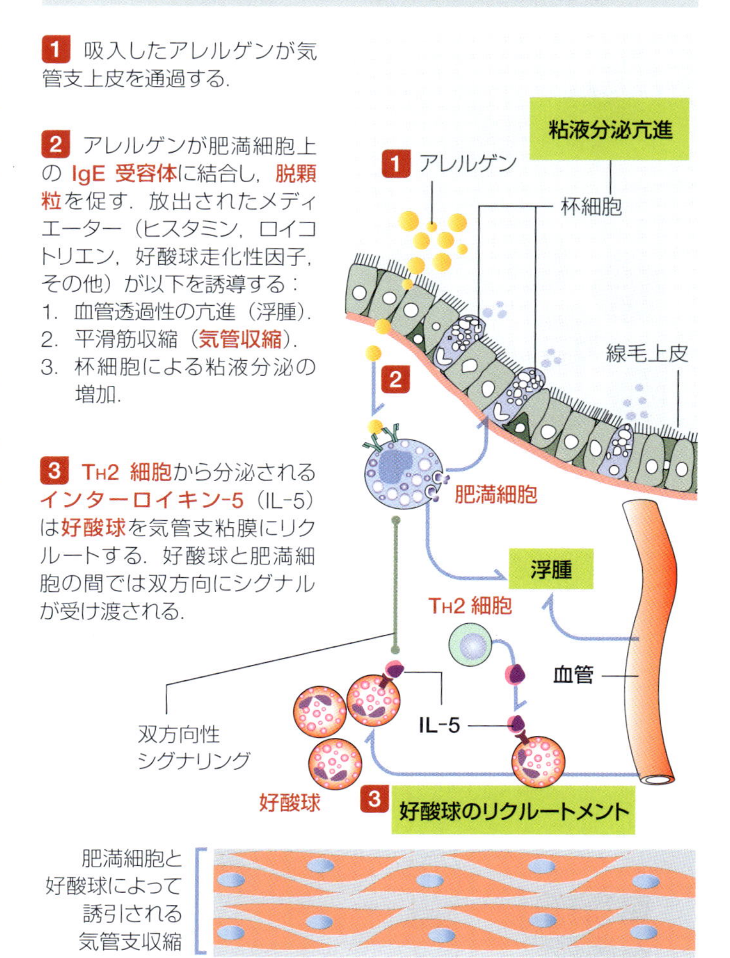

血小板（図6.11）

血小板 platelet は小さな（2～4 μm）細胞質断片であり，**巨核球** megakaryocyte に由来する．またその生成は**トロンボポエチン** thrombopoietin という腎臓と肝臓で産生される35～70 kDa（kd）の糖タンパク質により制御される．

巨核球は細胞質突起を発達させ，これが**前血小板** proplatelet となり，さらに前血小板が断片化して血小板になる．この分化過程には7～10日かかる．**血小板はトロンボポエチンに結合しこれを分解する．この機構が血小板産生を制御する．**

血小板の細胞膜は**糖タンパク質1b** glycoprotein 1b（**GP1b**）と**GP2b-GP3a**に覆われており，これらは**フォン・ヴィルブランド因子** von Willebrand's factor との結合にかかわる．そしてフォン・ヴィルブランド因子は血小板の血管内皮細胞への接着を仲介する．また，この因子は凝固因子である**第VIII因子** factor VIII も運ぶ．一方，**フィブリノゲン** fibrinogen はGP2b-GP3aに結合する．

血小板の細胞膜は内側に陥入して，**陥入膜システム** invaginated membrane system とよばれる**細胞質の水路網**を形成する．この構造は凝固因子の吸着を増すとともに，トロンビンで活性化された血小板においては顆粒内に貯蔵された分泌成分の流

図 6.11 | 血小板

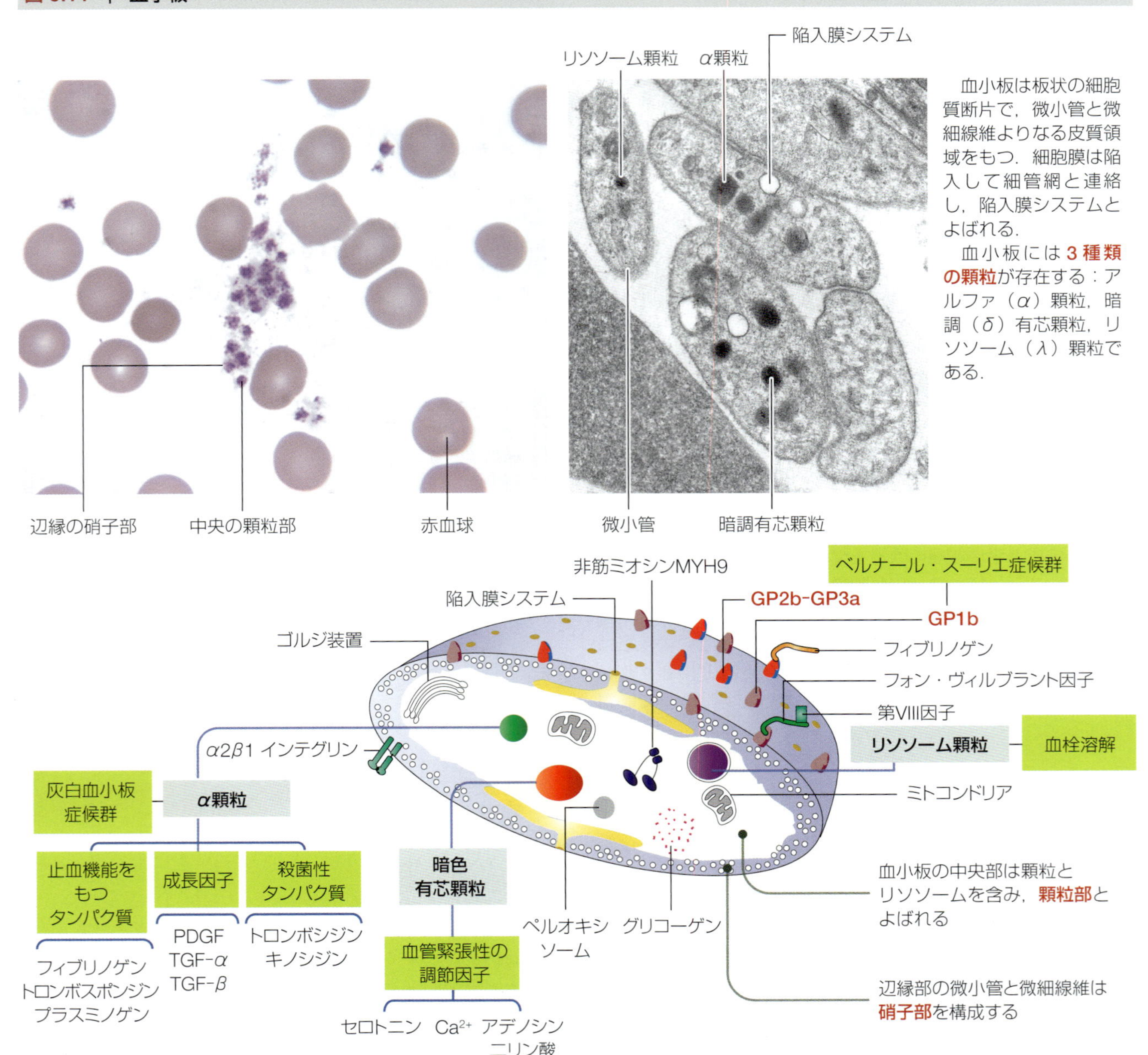

血小板は板状の細胞質断片で，微小管と微細線維よりなる皮質領域をもつ．細胞膜は陥入して細管網と連絡し，陥入膜システムとよばれる．

血小板には **3 種類の顆粒**が存在する：アルファ（α）顆粒，暗調（δ）有芯顆粒，リソソーム（λ）顆粒である．

路となってその放出を促す．**インテグリンα2β1** integrin α2β1 が細胞膜に局在する．

血小板の中央にある**顆粒部** granulomere は，ミトコンドリア，粗面小胞体，ゴルジ体，そして 3 種類の顆粒を含む：

1. **アルファ（α）顆粒** α granule は止血にかかわるタンパク質を貯蔵する．その種類として**血小板接着**（**フィブリノゲン** fibrinogen，**トロンボスポンジン** thrombospondin，**ビトロネクチン** vitronectin，**ラミニン** laminin，**フォン・ヴィルブランド因子**）や**血液凝固**（プラスミノゲン，α_2-プラスミン阻害剤）にかかわるもの，**血管内皮細胞の修復を担う成長因子**（**血小板由来成長因子** platelet-derived growth factor [PDGF]，**トランスフォーミング成長因子-αおよびβ** transforming growth factor-α［TGF-α］およびβ［TGF-β］），**抗微生物タンパク質** microbicidal protein（**トロンボシジン** thrombocidin，**キノシジン** kinocidin）がある．
2. **有芯（δ）顆粒** dense core granule は血管の**緊張**にかかわるメディエーターを含む（**セロトニン** serotonin）．
3. **リソソーム（λ）顆粒** lysosomal granule は血栓を融解する水解酵素を含む．

血小板の辺縁部は**硝子部** hyalomere とよび，微小管とミクロフィラメントを含む．血小板の形態変化，および傷害部位や炎症部位への移動と顆粒の放出を調節する．

α 顆粒は殺菌性タンパク質を含むことに留意しなければならない．血小板は病原微生物と相互作用することで，感染における生体防御に重要な役割を演ずる．この機能はトロンビン刺激により血小板から放出される**トロンボシジン**，および感染部位に白血球をよび寄せるケモカイン様の**キノシジン**により行われる．

これまでみてきたように，血小板は組織の傷害や感染を感知して抗微生物タンパクや創傷治癒にかかわるタンパク質を放出することで炎症・免疫反応とホメオスタシスをリンクする．血小板の重要な活性化因子は傷害・感染部位から放出されることに留意せよ．

血小板の宿主防御機能を知ることで，感染や敗血症の際に行われる**血小板輸血** platelet transfusion の重要性が理解できよう．

血液凝固異常（図 6.11，6.12：基本事項 6.A）

1 μL の血液に約 **300,000 個**の血小板が含まれ，**8〜10 日間**循環する．血小板は血液凝固を促進させ，傷ついた血管からの血液漏出を防ぐ．

紫斑病 purpura（ラテン語 *purpura* ［= purple，紫］）は出血により生じた皮膚の色素斑をさす．

直径 3mm より小さなものを**点状出血** petechiae とよぶ．

直径 1cm より大きなものは**斑状出血** ecchymose とよぶ．

ヘノッホ・シェーンライン症候群 Henoch-Schönlein syndrome は薬物過敏によるアレルギー性紫斑病で，点状・斑状出血が広く対称性にみられる．

血中血小板数の減少（**血小板減少症** thrombocytopenia）は**出血傾向**，および細菌や真菌の感染による高い罹患率と死亡率を招く．

血小板数が 150,000 個／μL 以下に減少すると，血小板減少症と定義される．血小板数が 20,000 個／μL 以下に減少すると，**自然出血** spontaneous bleeding をきたす．

血小板増加症 thrombocytosis では血中血小板数が増加する．

血小板減少症は以下の要因によって起こりうる：

1. **血小板産生の低下**．
2. **血小板破壊の増加**は，血小板や巨核球抗原に対する**抗体**（**特発性血小板減少性紫斑病** autoimmune thrombocytopenic purpura：**ITP**），薬剤（例えばペニシリン，スルホンアミド，ジゴキシン），がん化学療法によって起きる．
3. **微小血管における血小板凝集**（**血栓性血小板減少性紫斑病** thrombotic thrombocytopenic purpura：**TTP**）は，おそらく凝固促進因子の産生を伴う内皮細胞の病的変化に起因する．

GP1b・第 IX 因子複合体の欠損は**ベルナール・スーリエ症候群** Bernard-Soulier syndrome，第 VIII 因子と結合する**フォン・ヴィルブランド因子**の欠損は**フォン・ヴィルブランド病** von Willebrand's disease，という先天性出血性疾患を引き起こす（図 6.11，6.12；基本事項 6.A）．

これら 2 つの疾患では，巨大な血小板が血管内皮下の組織表面に接着できない．

正常血小板が傷害を受けた内皮細胞下の組織に接着し，凝集する過程で，GP1b・第 IX 因子・フォン・ヴィルブランド因子複合体が関係する．

灰白血小板症候群 gray platelet syndrome は α 顆粒の減少あるいは欠損に起因する常染色体潜性の遺伝性疾患であり，**大型血小板を伴う血小板減少症** macrothrombocytopenia を特徴とする．

α 顆粒は **PDGF** を含む．外傷の際にこの因子が分泌されると，血小板の接着性と創傷治癒能が増す．血小板は灰色にみえる．

MYH9（myosin heavy chain 9）関連疾患 MYH9（myosin heavy chain 9）related disorders も大型血小板を伴う血小板減少症を特徴とする．*MYH9* 遺伝子は非筋ミオシン重鎖 IIA をコードし，このアイソフォームは血小板と好中球に発現する．

この遺伝子欠陥では，骨髄において未熟な**前血小板** proplatelet が形成される．すなわちこれらは短く，少ない．本章では後に巨核球の発達と血小板の形成機構について解説する．

Box 6.F ｜ 血友病

- **血友病** hemophilia はよくみられる遺伝性疾患であり，重症の出血傾向を伴う．**第 VIII** あるいは**第 IX 因子**の遺伝子欠損によって起こる．
- これら血液凝固因子の遺伝子は X 染色体上にあり，ここに変異が起こると，伴性潜性遺伝の特徴をもつ**血友病 A** あるいは **B** になる．血友病は男性に発症し，女性はキャリアとなる．
- 肝臓で合成される**第 VIII 因子**の減少あるいは活性低下は**血友病 A** を引き起こす．**第 IX 因子**の欠損は**血友病 B** の原因である．
- すべての血友病において，大きな外傷や手術は重症の出血を招くので，正確な診断が重要である．血漿由来のあるいはリコンビナント製剤の因子が血友病患者の治療として入手できる．
- **フォン・ヴィルブランド病** von Willebrand's disease は最も多い出血性疾患であり，**フォン・ヴィルブランド因子**の欠損や異常に関連した遺伝性疾患である．

止血と血液凝固（基本事項 6.A）

止血 hemostasis のための血液凝固カスケードは，連続する酵素前駆体から活性型酵素への変換，および内皮細胞と血小板に依存する．**フィブリン** fibrin が形成され，血小板の栓を補強すると止血する．

血液凝固カスケードは以下の特徴をもつ：

1. 不活性な前駆体プロテアーゼ（例えば第 XII 因子）の存在に依存し，これがタンパク質分解により活性型酵素（例えば第 XIIa 因子）に変換される．
2. 内因性および外因性の経路よりなる．
3. 内因性と外因性の経路は共通の経路に収束する．

外因性経路 extrinsic pathway は血管外が損傷し，組織因子が放出されることによって誘発される．

内因性経路 intrinsic pathway は血液成分と血管壁に対するダメージにより刺激される．すなわち，第 XII 因子が内皮細胞下のコラーゲンに接触することで誘発される．この接触は血管壁の傷害に起因する．

内因性および外因性経路は，共通の重要なステップへと収束する．すなわち，**フィブリノゲンのフィブリンへの変換**である．これにより網目ができ，血小板が付着できるようになる．

まず，第 X 因子から第 Xa 因子への活性化と第 Va 因子活性化が起こり，その結果，**プロトロンビン** prothrombin が切断を受けて**トロンビン** thrombin になる．初期の血栓は血小板からなる．これが足場となってプロトロンビンがトロンビンになり，次にトロンビンがフィブリノゲンをフィブリンにする．

フィブリノゲンは肝細胞で産生され，3 つのポリペプチド鎖からなる．そのアミノ末端には陰性に荷電したアミノ酸が多数含ま

図 6.12 | 血液凝固あるいは止血

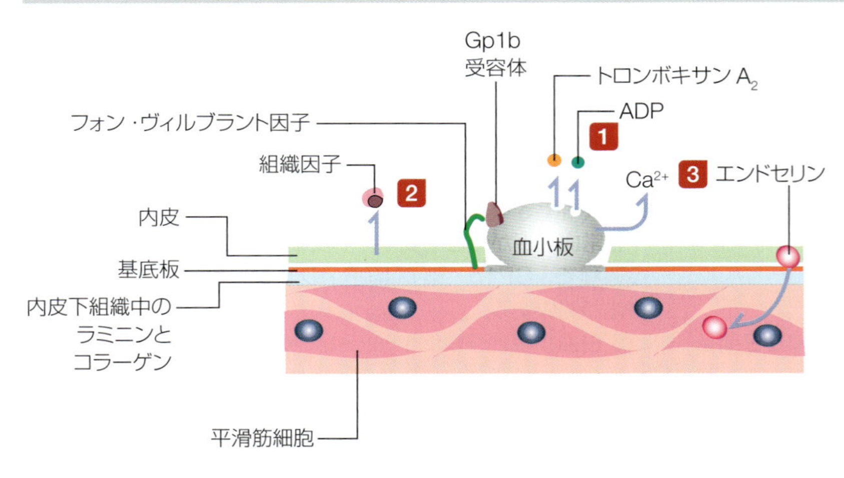

第 1 段階：損傷血管における血小板の内皮組織への接着

1 **活性化された血小板**は以下のものを放出する：アデノシン二リン酸（**ADP**）は損傷部位に他の血小板をよび寄せる，**トロンボキサン A_2** は血管収縮と血小板凝集を起こす，**Ca^{2+}**は凝固に関係する．

2 **内皮細胞**は**組織因子**を放出する．これは第 VIIa 因子に結合して第 X 因子を第 Xa 因子に変換させ，血液凝固の共通経路を開始させる．フォン・ヴィルブランド因子は血小板の**糖タンパク質 1b**（**Gp1b**）**受容体**に結合し，内皮下組織に存在するラミニンとコラーゲンへの血小板の接着を促進させる．

3 内皮細胞から分泌されるペプチドホルモンの**エンドセリン**は，平滑筋収縮，および内皮細胞と線維芽細胞の増殖を刺激し，修復過程を促進させる．

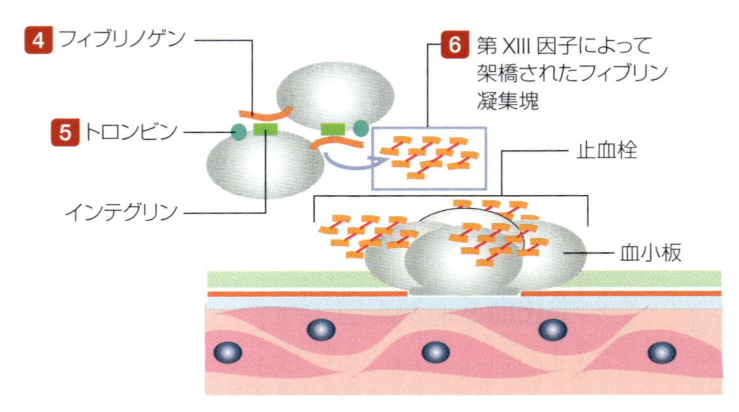

第 2 段階：血小板の凝集と止血栓の形成

4 血漿中の**フィブリノゲン**が，活性化されたインテグリンに結合し，血小板が互いに架橋される．

5 **トロンビン**が血小板上の受容体に結合し，**フィブリノゲン**に作用してフィブリノペプチドを切断し，フィブリンモノマー（単量体）を形成する．

6 **フィブリンモノマー**は凝集して軟らかいフィブリンクロット（凝集塊）になる．**第 XIII 子**がフィブリンモノマー同士を架橋する．血小板とフィブリンが止血栓を形成する．

正常状態ではラミニンとコラーゲンが内腔に露出することはないため，無傷の血管内皮は血小板凝集を誘導しない．

内皮細胞はプロスタサイクリンを分泌するが，これは血小板凝集と ADP 分泌の阻害因子である．

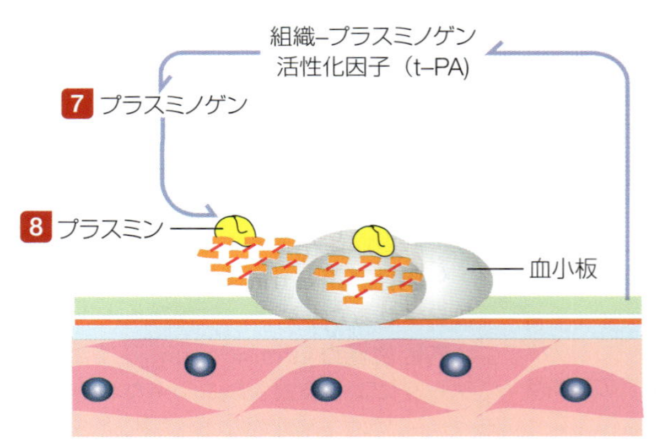

第 3 段階：血小板凝固促進過程の終了とフィブリン凝集塊の除去

7 **組織プラスミノゲン活性化因子**（損傷を受けた内皮細胞および内皮細胞下組織から産生される）によって，**プラスミノゲン**（血漿タンパク質）が**プラスミン**（プロテアーゼ）に変わる．

8 **プラスミン**がフィブリン凝集塊を溶かす．

れ，この性質のおかげで，フィブリノゲンは血漿中で可溶性を維持できる．

切断後にできた**フィブリン**分子は凝集し，網目をつくる．第 10 章では，このフィブリン網が急性炎症において好中球の移動を促進する作用をもつことを概説する．

造血

造血は血液形成の過程をいう．**胎児** fetus における**造血** hematopoiesis（ギリシャ語 *haima*［= blood，血液］，*poiein*［= to make，つくる］）の最初の波は，妊娠初期に**卵黄嚢** yolk sac の血島で始まる．血島は，**血管芽細胞** hemangioblast という造血および内皮細胞の共通の前駆細胞から発生する．

その後造血は，妊娠中期以降に**肝臓** liver，そして次に**脾臓** spleen で引き続き行われ，2 番目の波となる．胎生 7ヵ月目に**骨髄** bone marrow が造血を担う主要臓器となり，これが成人まで続く．成人では約 1.7L の骨髄に 10^{12} 個の造血細胞が含まれ，毎時約 1×10^9 の赤血球と約 1×10^8 の白血球が産生される．

骨髄は 2 つの微小環境からなり，**ニッチ**とよばれる：

1. **血管ニッチ**．

基本事項 6.A ｜ 血液凝固経路

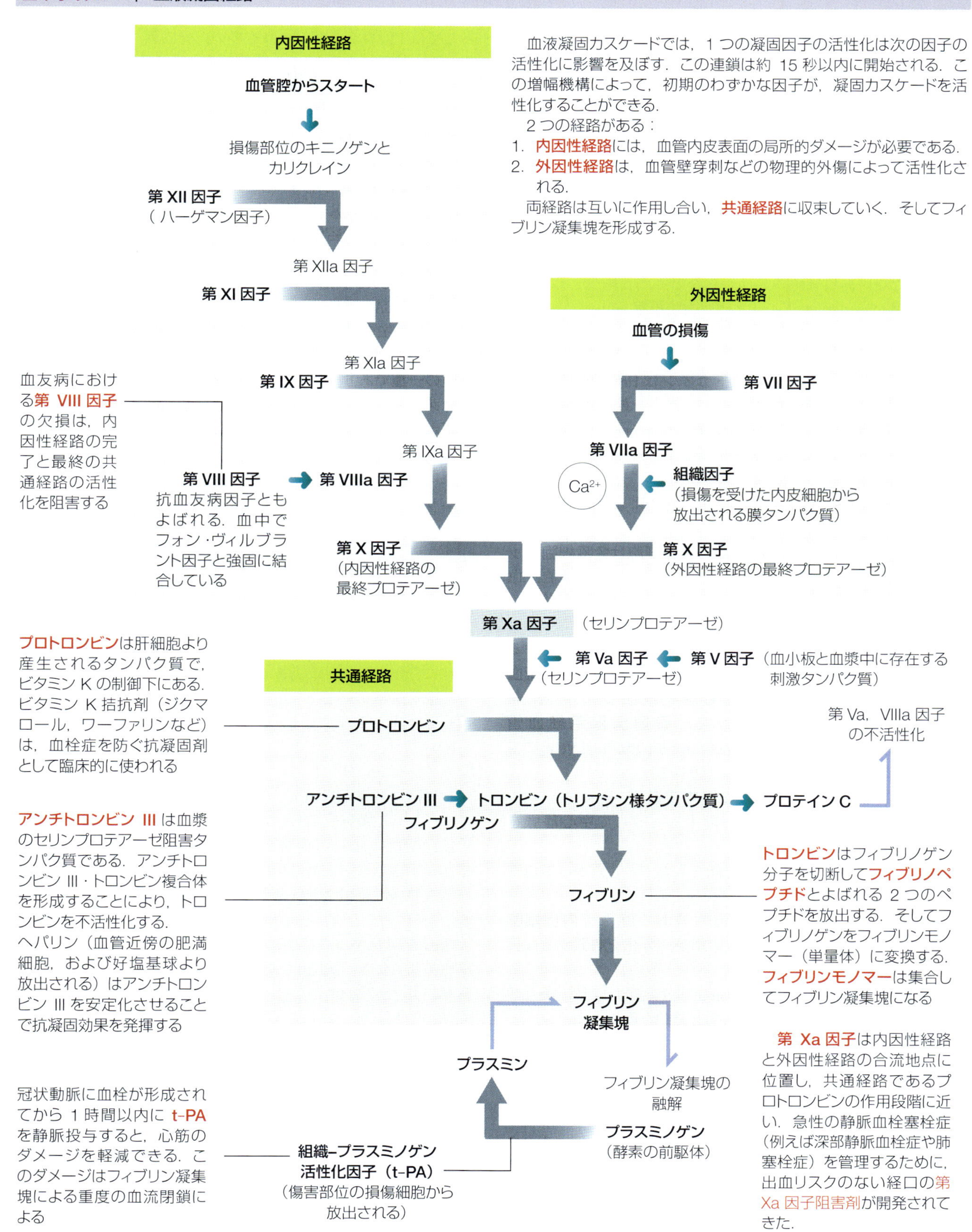

2. 骨内膜ニッチ.

ニッチは物理的な支持基盤となり，可溶性因子を保持し，細胞同士の相互作用の場を提供する．こうして造血幹細胞 hematopoietic stem cell（HSC）の自己複製，分化，静止状態を調節する．

正常条件において，ニッチはHSCの自己複製と分化のバランス，あるいは恒常性を維持させることができる．**骨髄異形成**，**老化**，**骨髄悪性腫瘍**などの病的状態では，ニッチは正常造血を変化あるいは抑制する．

血管ニッチ（図6.13，6.14）

血管ニッチ vascular niche は，**血管**およびその周囲に存在する造血能をもたない間質細胞の集団からなる．間質細胞としては，**間葉系幹細胞** mesenchymal stem cell，**脂肪細胞** adipose cell，**内皮細胞** endothelial cell，**間質細網細胞** reticular stromal cell，**マクロファージ** macrophage がある．

これら細胞から分泌されるサイトカインはHSCを制御する．また，血管近傍の空間は細胞外マトリックスである**IV型コラーゲン** Type IV collagen，**フィブロネクチン** fibronectin，**フィブリノゲン** fibrinogen，**フォン・ヴィルブランド因子**を含み，これらはサイトカインとともにHSCを調節する．

血管ニッチは，HSCが短期間に増殖・分化するための微小環境を提供する．

第10章で解説するように，B細胞の前駆細胞は**免疫細胞ニッチ** immune cell niche で発達するが，この過程には骨芽細胞，血管周囲の間質細網細胞（CAR細胞：後述参照），間質細網細胞，静脈洞の内皮細胞が関与する．

骨髄は血管が豊富であり，**栄養動脈** nutrient artery に由来する**中心縦走動脈** central longitudinal artery が栄養する．**骨髄毛細血管網** medullary capillary plexuses と**骨膜毛細血管網** periosteal capillary plexuses は互いに連絡する．**骨髄洞様毛細血管** medullary sinusoid は**中心縦走静脈** central longitudinal vein に集まり，**栄養静脈**を経て骨髄から出る（図6.13）．

成熟した造血細胞は，積極的な**経内皮遊走** transendothelial migration により洞様毛細血管に移動する．そして中心静脈を通って循環系に入る．

未成熟な造血細胞は血管内皮通過能をもたず，したがって血管外領域に留まる（図6.14）．

骨髄の洞様毛細血管壁は貪食活性のある特殊な**内皮細胞** endothelial cell からなり，造血細胞の増殖，分化を刺激する成長因子を産生することができる．

骨髄の**間質細網細胞** reticular stromal cell は造血成長因子とサイトカインを産生して血液細胞の産生と分化を調節する．

脂肪細胞 adipose cell は成長因子を合成するだけでなく，局所におけるエネルギー源を提供する．脂肪細胞数は老化と肥満に伴って増加し，また化学療法後にも増える．骨髄**マクロファージ** macrophage はアポトーシス細胞，および正染性赤芽球や巨核球に由来する核の遺残を除去し，また，粒子が骨髄に侵入するのを防ぐ．

骨内膜ニッチ

骨内膜ニッチ endosteal niche は骨内膜と骨髄の境界に存在する．前骨芽細胞（骨前駆細胞），骨芽細胞，破骨細胞から構成され，これらがHSCと相互作用する．骨内膜ニッチの細胞外成分としてはI型コラーゲンが最も多い．骨内膜ニッチは，長期にわたり静止状態にあるHSCの貯蔵部位と考えられている．

骨芽細胞は複数の造血サイトカインを産生するが，これには**顆粒球-コロニー刺激因子** granulocyte colony-stimulating factor（G-CSF），**マクロファージ-コロニー刺激因子** macrophage colony-stimulating factor（M-CSF），**顆粒球-マクロファージコロニー刺激因子** granulocyte-macrophage-colony stimulating factor（GM-CSF），IL-1，IL-6，IL-7が含まれる．骨芽細胞は，**ケモカイン受容体4** chemokine receptor type 4（CXCR4）に親和性のある**CXC-ケモカインリガンド12** CXC-chemokine ligand 12（CXCL12）を産生する．血管周囲の間質細網細胞は**CAR細胞** CAR cell（CXCL12-abundant reticular cell）とよばれ，CXCL12の主な産生細胞である．CXCL12-CXCR4複合体は，骨髄においてHSCの移動や局在を制御する．CAR細胞は間葉系幹細胞の一種であり，HSCと密接に関連する．

骨芽細胞はアンギオポエチン-1（HSCを正に制御する），トロンボポエチン（肝臓や腎臓でも合成される），オステオポンチンも発現する．オステオポンチンはHSCを静止状態に誘導するが，これはオステオポンチンが骨芽細胞に作用してインテグリンとカドヘリンを産生させHSCの骨内膜表面への接着を強めることによる．

造血細胞群（図6.15）

骨髄は3つの主要なグループからなる：

1. **HSC**は**自己複製** self-renewal できる．
2. **単能性幹細胞** committed precursor cell は，特定の細胞系譜に分化することが決まった前駆細胞である．
3. **成熟過程の細胞** maturing cell は単能性幹細胞から分化してきた細胞である．

HSCは自己複製ができ，2つの単能性幹細胞になる．そして特定の子孫細胞に分化していく：

1. **骨髄球系幹細胞** myeloid stem cell
2. **リンパ球系幹細胞** lymphoid stem cell

自己複製はHSCの重要な特性である．自己複製により幹細胞集団が保存され，また同時に，骨髄球性共通前駆細胞およびリンパ球性共通前駆細胞が供給され，それぞれの分化・成熟経路が進む．

HSCを同定するのは難しい．その主な理由は，これが総造血細胞の約0.05％（約10^6～10^7個の幹細胞）しかないからである．移植された骨髄がすべての骨髄に生着するには，正常HSCの5％だけがあればよい．

形態から造血幹細胞を同定することはできないが，特殊な表面マーカー（c-kit受容体とThy-1）によって認識できる． $CD34^+$単能性幹細胞集団は$CD34^-$細胞も含むため，化学療法によって単能性幹細胞が枯渇した場合に，悪性疾患の細胞移植療法として一般に使われる．

骨髄球系およびリンパ球系幹細胞は多分化能幹細胞 multipotential cell である． それぞれ血液およびリンパ器官の細胞生成を専門に行っている．

5つの**コロニー形成単位** colony forming-unit（CFU）が骨髄球

図 6.13 | 骨髄：構造と血管分布

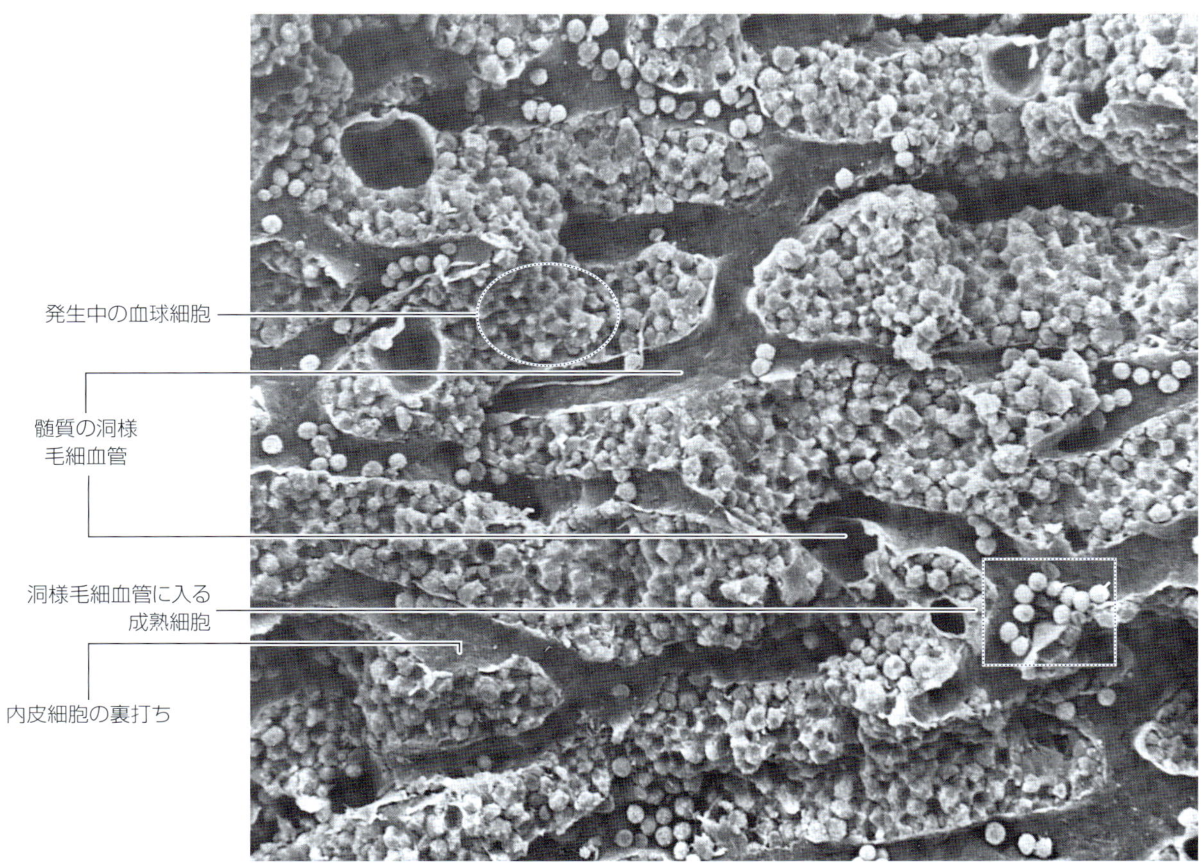

走査電子顕微鏡写真：Richard G. Kessel, Iowa City, Iowa. の厚意による.

髄質の洞様
毛細血管
間質細胞
内皮細胞の裏打ち
骨芽細胞
骨

骨端動脈
成長線
骨幹端動脈
中心縦走
動脈
骨髄腔
骨膜
毛細血管網
栄養動脈
栄養静脈
皮質
毛細血管
中心縦走静脈
骨髄
毛細血管網
骨髄洞様毛細血管

骨髄の色は，赤芽球系細胞の存在部位では**赤色**，そして脂肪細胞の場所では**黄色**となる．この赤色あるいは黄色骨髄は，造血要求に応じて変わりうる．成人において，赤色骨髄は頭蓋，鎖骨，椎骨，肋骨，胸骨，骨盤，四肢長管骨の端にみられる．

血管と神経は骨の外殻を貫通して骨髄に至る．**栄養血管**は長管骨の骨軸中央から侵入し，分枝して**中心縦走動脈**となる．これは**骨髄毛細血管網**を介して**骨髄洞様毛細血管**につながり，また，皮質毛細血管とも連絡する．皮質毛細血管と骨髄毛細血管はフォルクマン管とハバース管につながる．

洞様毛細血管は**中心縦走静脈**に集まる．骨膜の血管は骨膜毛細血管網となり，骨髄毛細血管と骨髄洞様毛細血管に連絡する．

図 6.14 | 骨髄：構造

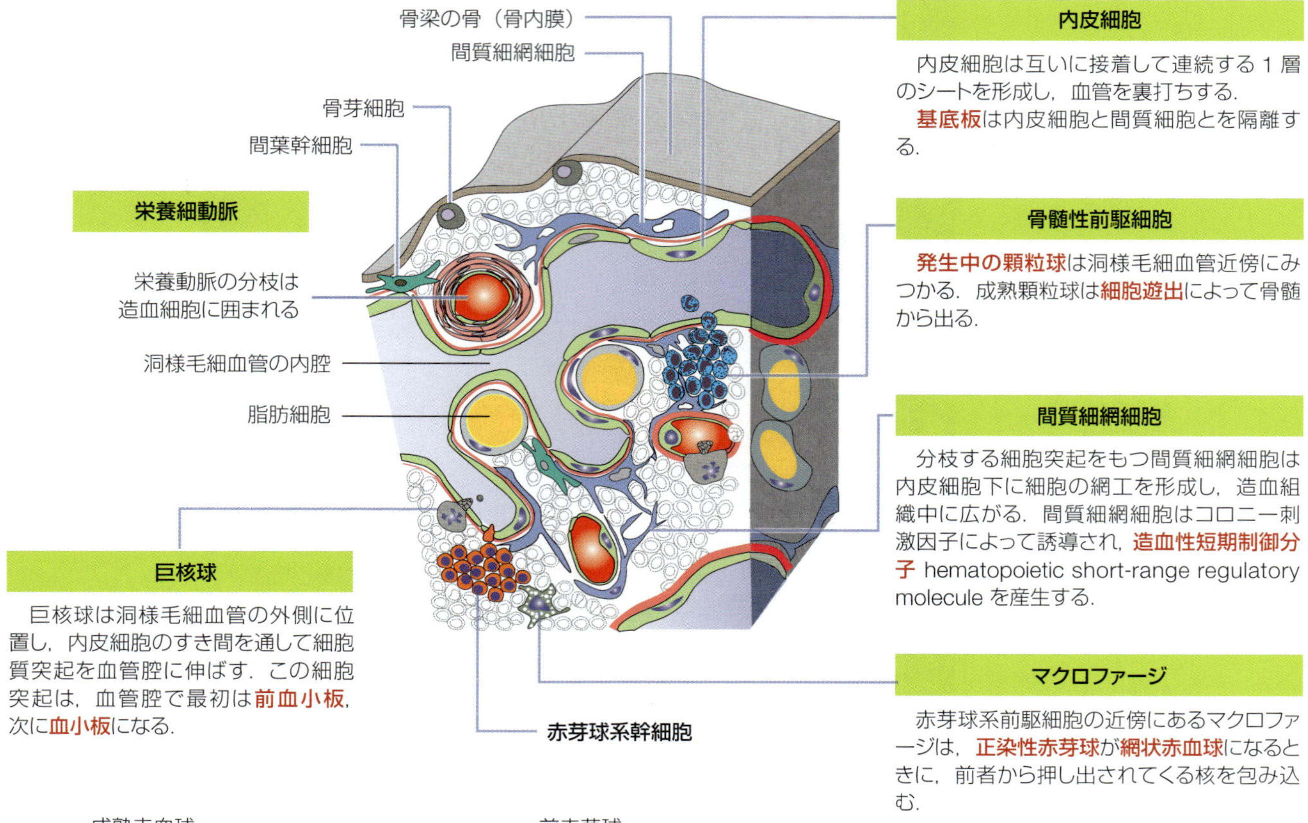

内皮細胞

内皮細胞は互いに接着して連続する 1 層のシートを形成し，血管を裏打ちする．

基底板は内皮細胞と間質細胞とを隔離する．

骨髄性前駆細胞

発生中の顆粒球は洞様毛細血管近傍にみつかる．成熟顆粒球は**細胞遊出**によって骨髄から出る．

間質細網細胞

分枝する細胞突起をもつ間質細網細胞は内皮細胞下に細胞の網工を形成し，造血組織中に広がる．間質細網細胞はコロニー刺激因子によって誘導され，**造血性短期制御分子** hematopoietic short-range regulatory molecule を産生する．

巨核球

巨核球は洞様毛細血管の外側に位置し，内皮細胞のすき間を通して細胞質突起を血管腔に伸ばす．この細胞突起は，血管腔で最初は**前血小板**，次に**血小板**になる．

マクロファージ

赤芽球系前駆細胞の近傍にあるマクロファージは，**正染性赤芽球**が**網状赤血球**になるときに，前者から押し出されてくる核を包み込む．

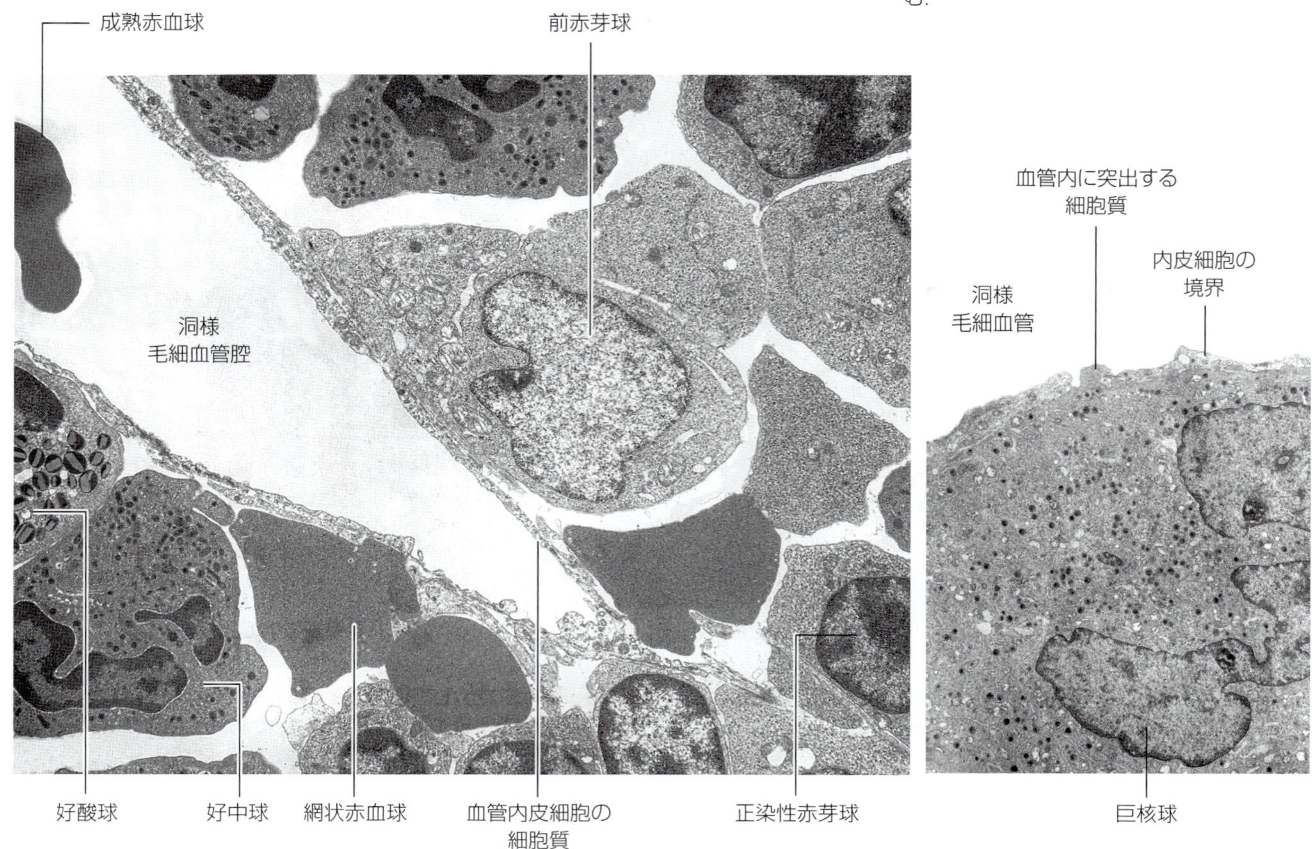

図 6.15 | 造血における細胞系統樹

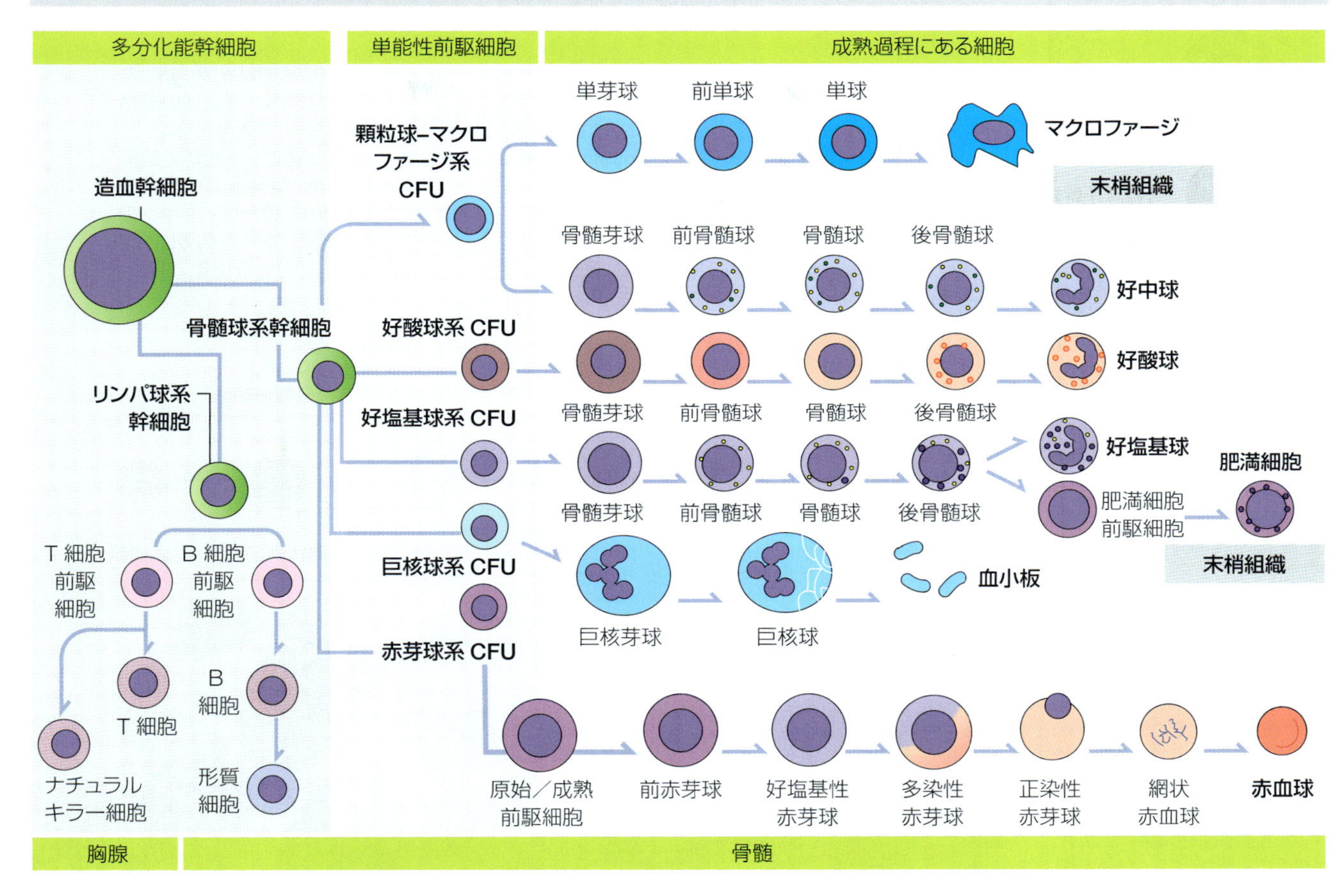

骨髄は以下の細胞から構成される：(1)造血幹細胞（HSC）は多分化能幹細胞で自己複製ができる，(2)単能性前駆細胞（骨髄球系幹細胞およびリンパ球系幹細胞），(3)成熟細胞．成熟細胞はコロニー形成単位（CFU）から発生する．

骨髄球系幹細胞は，赤血球（赤芽球系 CFU），血小板（巨核球系 CFU），好塩基球（好塩基球系 CFU），好塩基球と肥満細胞（好塩基球系 CFU），好酸球（好酸球系 CFU）の再生を担う CFU になる．単球，好中球は共通の単能性幹細胞（顆粒球・マクロファージ系 CFU）に由来する．リンパ球系幹細胞は，骨髄で B 細胞前駆細胞を，胸腺で T 細胞前駆細胞をつくる．詳細は第 10 章で述べる．

系幹細胞に由来する：

1. **赤芽球系 CFU** erythroid CFU は**赤血球**を産生する．
2. **巨核球系 CFU** megakaryocyte CFU は**血小板**を産生する．
3. **顆粒球‐マクロファージ系 CFU** granulocyte-macrophage CFU は**単球** monocyte と**好中球** neutrophil を産生する．
4. **好酸球系 CFU** eosinophil CFU．
5. **好塩基球系 CFU** basophil CFU は，好塩基球に加えて無顆粒の**肥満細胞前駆細胞** mast cell precursor を産生し，これが結合組織や粘膜に引き寄せられると顆粒をもった肥満細胞になる（第 4 章参照）．

リンパ球性幹細胞 lymphoid stem cell は造血幹細胞に由来し，T 細胞と B 細胞の前駆細胞に分化する．T 細胞と B 細胞の分化と成熟については第 10 章で学ぶ．

造血系の成長因子（図 6.16）

造血系の成長因子は，造血過程における細胞の増殖および成熟段階を制御する．さらに，骨髄で産生される多くの細胞の寿命を伸ばし，機能を広げる．いくつかのリコンビナント製剤は血液疾患に使われている．

造血系の成長因子は，**造血サイトカイン** hematopoietic cytokine としても知られる糖タンパク質であり，骨髄の内皮細胞，間質細胞，線維芽細胞，発生中のリンパ球，マクロファージから産生される．また，骨髄以外の細胞からもつくられる．

造血系の成長因子には以下の 3 つの主要なグループがある：

1. **コロニー刺激因子** colony-stimulating factor
2. **エリスロポエチン** erythropoietin（図 6.16）および**トロンボポエチン** thrombopoietin（ギリシャ語 *thrombos*［= clot，かたまり］，*poietin*［= to make，つくる］）
3. **サイトカイン** cytokine（元来**インターロイキン** interleukin）

コロニー刺激因子は，試験管の中で単能性幹細胞を刺激して増殖させ，細胞凝集塊あるいはコロニーを形成させることができるために，こう名づけられた．インターロイキンは白血球（主にリンパ球）で産生され，他の（傍分泌機構）白血球あるいは自身（自己分泌機構）に影響を与える．

造血細胞は分化段階によって，特有の**成長因子受容体** growth factor receptor の発現パターンを示す．リガンドが受容体に結合

図 6.16 | 赤芽球系統

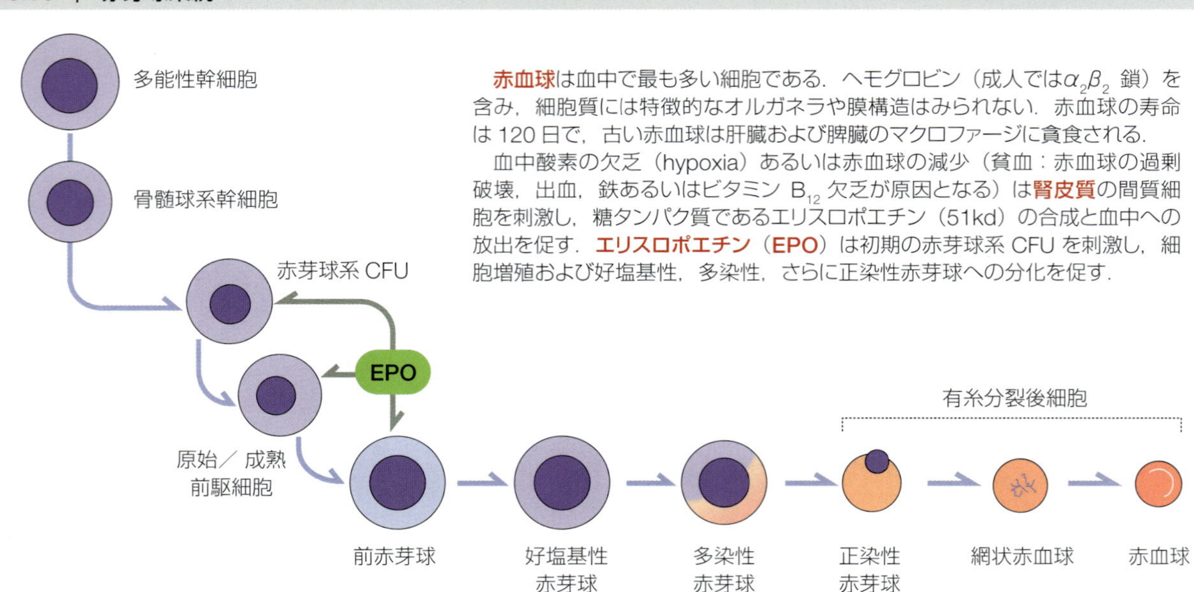

赤血球は血中で最も多い細胞である．ヘモグロビン（成人では$\alpha_2\beta_2$ 鎖）を含み，細胞質には特徴的なオルガネラや膜構造はみられない．赤血球の寿命は 120 日で，古い赤血球は肝臓および脾臓のマクロファージに貪食される．

血中酸素の欠乏（hypoxia）あるいは赤血球の減少（貧血：赤血球の過剰破壊，出血，鉄あるいはビタミン B_{12} 欠乏が原因となる）は**腎皮質**の間質細胞を刺激し，糖タンパク質であるエリスロポエチン（51kd）の合成と血中への放出を促す．**エリスロポエチン（EPO）**は初期の赤芽球系 CFU を刺激し，細胞増殖および好塩基性，多染性，さらに正染性赤芽球への分化を促す．

前赤芽球は確認できる赤血球系統中，最も初期の細胞である．成熟前駆細胞から**エリスロポエチン**の刺激により分化する．**核小体がみられる**．細胞質には，**ヘモグロビン**合成にかかわる遊離ポリソームが豊富にみられる．

ヘモグロビン合成は**好塩基性**，**多染性**，**正染性赤芽球**まで続く．

細胞質に鉄含有ヘモグロビンが蓄積するにしたがって，分化過程にある赤芽球細胞の核サイズは小さくなり，クロマチンは凝集し，遊離リボソームは減少する．**正染性赤芽球**の核ではクロマチン凝集が最大となる．核は脱出し，ゴルジ装置や小胞体はオートファジーにより処理される．

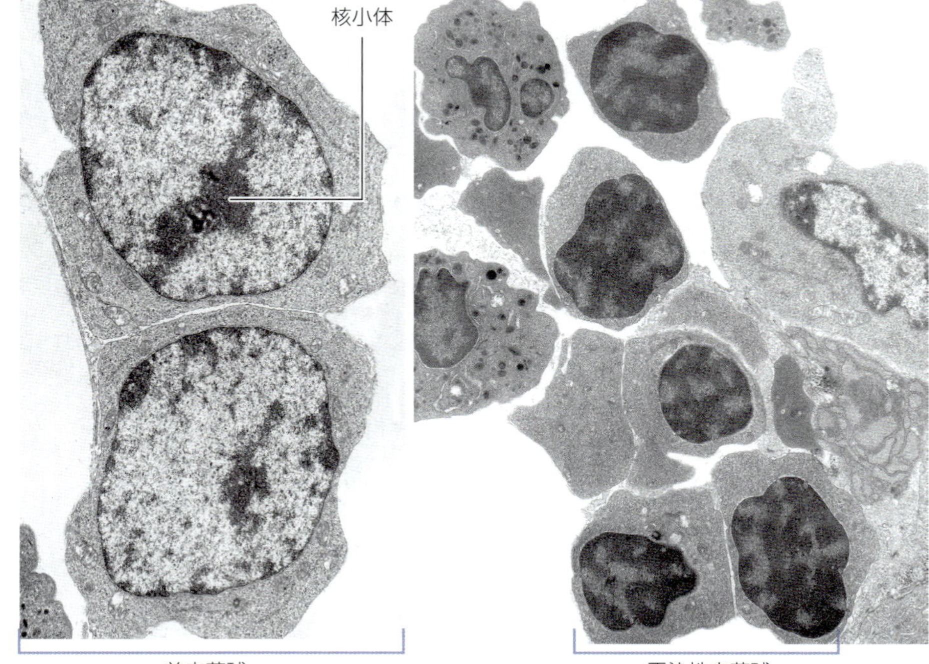

すると，受容体分子の構造が変化し，細胞内キナーゼを活性化させ，最後に細胞増殖を誘導する（第 3 章参照）．

個々の細胞系譜を解析するときには，特定の造血系成長因子の働きについて考える．

赤芽球系細胞（図 6.16～6.18）

CD34⁺ 細胞として認識される HSC の集団は赤芽球前駆細胞（赤芽球系 CFU）になり，これが赤芽球系細胞になっていく．

赤血球生成 erythropoiesis は以下の過程（図 6.16）を経る：**前赤芽球** proerythroblast，**好塩基性赤芽球** basophilic erythroblast，**多染性赤芽球** polychromatophilic erythroblast，**正染性赤芽球** orthochromatic erythroblast，**網状赤血球** reticulocyte，**赤血球** erythrocyte．

前赤芽球は 3～4 日のうちに 4 回の有糸分裂を経て，好塩基性赤芽球，多染性赤芽球，正染性赤芽球に分化する．これより後の段階では，正染性赤芽球は核を押し出し，**オートファジー** autophagy を起こして細胞小器官（例えばゴルジ装置や小胞体）を排除する．この初期の網状赤血球は血流に放出され，それから 1～2 日で成熟を完了する．

ヘモグロビン hemoglobin（Hb）の産生と蓄積は前赤芽球の形成に必要である．また，**Fe^{3+} 結合トランスフェリン受容体** Fe^{3+}-bearing transferrin receptor により獲得される鉄はヘモグロ

図 6.17 | エリスロポエチンと JAK-STAT シグナル伝達経路

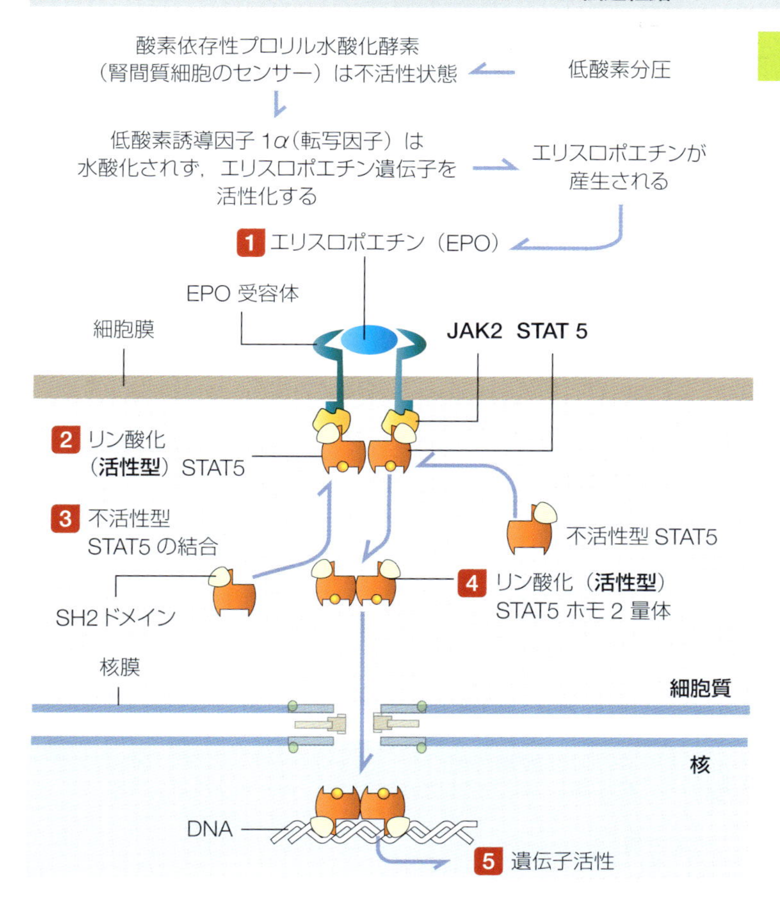

エリスロポエチンと JAK-STAT シグナル伝達経路

1 エリスロポエチン（EPO）は腎皮質の間質細胞で産生され，血流にのって骨髄に運ばれる．

2 骨髄において，EPO は**赤芽球系 CFU 前駆細胞**の初期段階に存在する**2 量体のエリスロポエチン受容体**に結合する．そして細胞質タンパク質である **STAT5**（signal transducers and activators of transcription 5）の **JAK2**（Janus kinase 2）への結合を誘導する．JAK2 は受容体の細胞質ドメインに結合するチロシンキナーゼである．

3 不活性型（非リン酸化型）STAT5 は，**SH2**（**S**rc **h**omology 2）ドメインをもつ．STAT5 は SH2 ドメインを介して JAK2 に結合する．

4 STAT5 はリン酸化を受け，ホモ 2 量体を形成する．リン酸化 STAT5 のホモ 2 量体は，核内へ移動する．

5 DNA に結合した後，リン酸化 STAT5 のホモ 2 量体は赤血球発生に必要な特定遺伝子の転写を活性化する（Box 6.G）．

Box 6.G | 貧血

- **貧血** anemia とは循環赤血球数の減少をいう．末梢血検査（低ヘモグロビン，低赤血球数，低ヘマトクリット）でわかる．
- 貧血は酸素運搬能の低下をきたし，この状態はヘモグロビンの酸素に対する親和性の低下，心拍量の増加，赤血球産生の増加により代償される．最もよくみられる貧血の原因は，**鉄欠乏**（摂取量低下，慢性出血，妊娠や授乳における必要量の増加）である．
- **ビタミン B_{12}** と**葉酸**の欠乏は**巨赤芽球性貧血** megaloblastic anemia を起こす（図 6.27）．この型の貧血では，異常に大きな赤血球前駆細胞（**巨赤芽球**）が大きな赤血球（**大赤血球**）に分化する．ビタミン B_{12} は通常，**内因子**と結合した後で小腸から吸収される．内因子は**胃の壁細胞**から分泌される糖タンパク質である．内因子産生の欠損（自己免疫性萎縮性胃炎あるいは手術による胃摘出）は，**悪性貧血** pernicious anemia を起こす．
- **真性多血症** polycythemia vera（**PV**）はフィラデルフィア染色体がみられない骨髄増殖性腫瘍の一種であり，ヤヌスキナーゼ（JAK-STAT）シグナル経路の過剰な活性化が特徴である．PV 患者の 5～15% は，発症後 10 年で急性白血病に転化する．**赤血球増加症**（循環 RBC 数の増加）と**転写因子である核因子エリスロイド 2** nuclear factor-erythroid 2（**NF-E2**）の増加がみられる．NF-E2 は赤芽球系細胞の成熟に伴うグロビン遺伝子発現を調節する．
- **再生不良性貧血** acquired aplastic anemia は**汎血球減少**と**骨髄低形成**により診断される．骨髄低形成はオートファジー活性化による HSC の顕著な減少に起因する．

ビン産生に必要である．鉄取り込みについては「巨核球」の項で解説する．

赤血球生成を主に制御するのは**エリスロポエチン** erythropoietin（**EPO**）である（図 6.17）．EPO は主に（90%）**腎臓**（腎皮質の間質細胞）でつくられる糖タンパク質で，**低酸素血症** hypoxia（呼気や組織における酸素レベルの低下）に反応する．

腎尿細管近傍の間質細胞は**酸素依存性プロリル水酸化酵素** oxygen-dependent prolyl hydroxylase を介して酸素レベルを感知する．この酵素は転写因子である**低酸素誘導因子 -1α** hypoxia-inducible factor-1α（**HIF-1α**）を水酸化し，エリスロポエチン遺伝子の活性を抑制する．**低酸素分圧では，この酵素は不活化状態であり，非水酸化 HIF-1α はエリスロポエチンの産生を促進する．**

エリスロポエチンは赤芽球系前駆細胞を刺激して増殖を促す．これは，細胞周期阻害因子のレベルを低下させること，およびサイクリンや抗アポトーシスタンパク質である $Bclx_L$ を増加させることによる．

慢性腎疾患 chronic renal disease においては，エリスロポエチンの合成がひどく障害されている．腎臓におけるエリスロポエチン産生の低下が原因となる貧血に対しては，リコンビナントエリスロポエチンを血管あるいは皮下を通して投与できる．

エリスロポエチン療法の効果は，**循環血液中の網状赤血球** reticulocyte **の増加**によって確かめることができる．網状赤血球

図 6.18 | 赤芽球系統

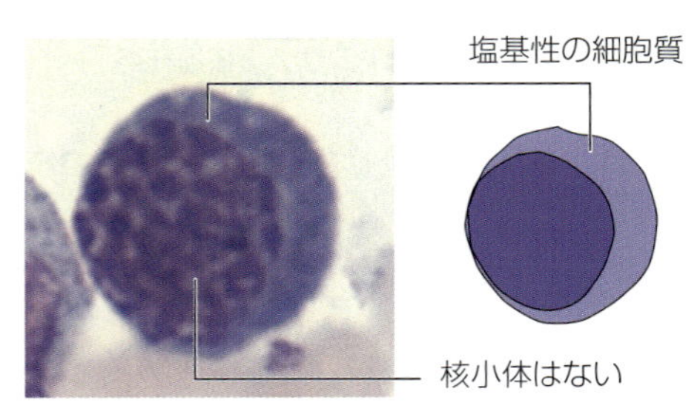

前赤芽球（図 6.16）

好塩基性赤芽球

好塩基性の強い細胞質をもつ大きな細胞（直径 12 ～ 16μm）．この好塩基性は豊富なポリソームによる．核はクロマチンの粗大凝集を含み，**核小体は通常みられない**．**細胞は細胞分裂できる**．

好塩基性赤芽球は前赤芽球から分化する．

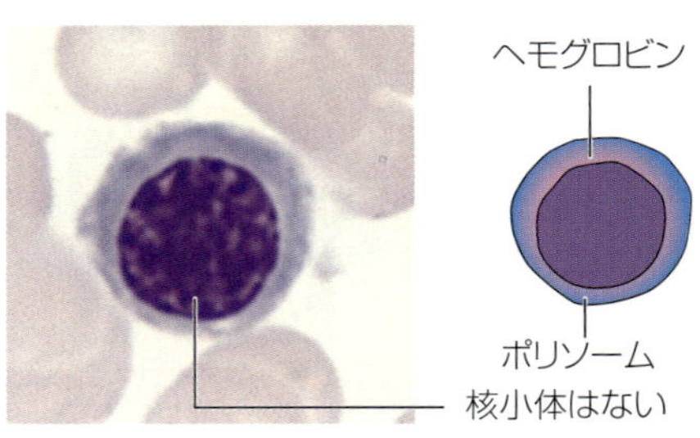

多染性赤芽球

直径は 9 ～ 15μm．核内は濃い斑点状のクロマチンが明るい部分で区画される．**核小体は通常みられない**．細胞質にはポリソームの凝集（明るい青色）がみられることがある．ここではヘモグロビン（明るいピンク色～灰色）合成が行われる．

多染性赤芽球から後に細胞分裂は起こらない．

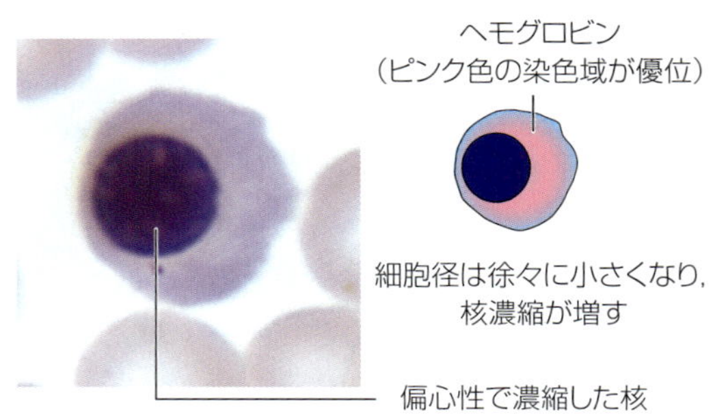

正染性赤芽球

直径は約 8 ～ 10μm．細胞質はピンク色で，網状赤血球の色にかなり似ている．**核は偏心性に位置しており**，**濃縮度が高い**（pyknotic）．**正染性赤芽球は分裂後細胞**（post-mitotic cell）**である**．

濃縮された核は一部の細胞質を縁に伴いつつ細胞から押し出され，残された部分は網状赤血球に移行する．押し出された核はマクロファージに取り込まれる．

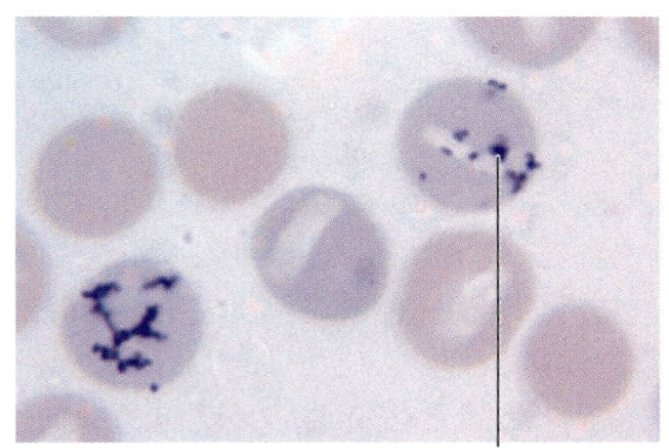

網状赤血球

無核の細胞で，直径は約 7 ～ 8μm．細胞質はピンク色で，正染性赤芽球に似る．通常の標本では，成熟赤血球と同一にみえる．**メチレン青**や**クレシル青**で**無固定の細胞を染める**と（supravital stain），ポリソームの線維状（網状）ネットワークがみえてくる．

網状赤血球は骨髄に 1 ないし 2 日留まり，末梢血に放出される．1 日循環すると成熟赤血球になる．

は，網状構造を形成する残余ポリソームを**生体染色** supravital stain することで同定できる（図 6.18）．

図 6.16 に注目してほしい．多染性赤芽球はエリスロポエチン非依存性で，分裂能があり，ヘモグロビン合成にかかわっている．正染性赤芽球，網状赤血球，成熟赤血球は**分裂後細胞** post-mitotic cell である（もはや分裂しない）．

白血球の発生（図 6.15）

白血球発生 leukopoiesis（ギリシャ語 *leukos* [= white，白]，*poietin* [= to make，つくる]）では，**顆粒球** granulocyte および**無顆粒球系** agranulocyte に属する細胞が形成される．現在の造血系統樹モデルでは**骨髄球系幹細胞は**，巨核球と赤芽球系前駆細胞のみならず，**顆粒球系の好中球** neutrophil，**好酸球** eosinophil，**好塩基球** basophil progenies **を産生する**．

顆粒球系細胞 granulocyte lineage は，**骨髄芽球** myeloblast，**前骨髄球** promyelocyte，**骨髄球** myelocyte，**後骨髄球** metamyelocyte，**杆状核球** band cell，**成熟型** mature form を含む．

2 元系統樹モデル（図 6.15）では，顆粒球・マクロファージ系前駆細胞は**好中球**と**単球** monocytes になる．**無顆粒球**は**リンパ球**と**単球**を含む．

顆粒球（図 6.19～6.22）

好中球とマクロファージの細胞系譜は共通の前駆細胞系譜，すなわち顆粒球 - マクロファージ系 CFU に由来する（図 6.19）．**好酸球と好塩基球は，それぞれ別個の好酸球系 CFU および好塩基球系 CFU に由来する**．

好中球，好酸球，好塩基球系の顆粒細胞は，骨髄での増殖，分化，成熟，貯蔵に関して類似するパターンを示す．詳細な経過

図 6.19 | 骨髄球系統

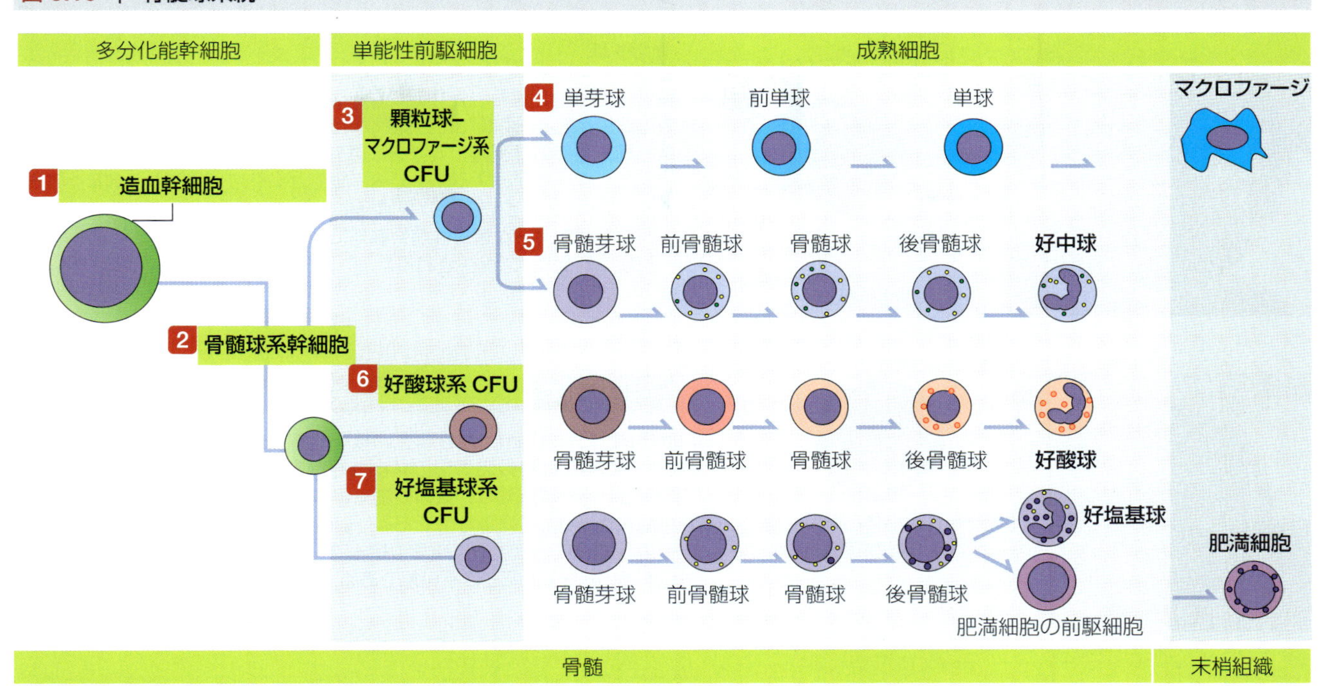

1 造血幹細胞（HSC）が骨髄球系幹細胞に分化する．

2 骨髄球系幹細胞は 5 つの単能性前駆細胞を産生する：(1)顆粒球-マクロファージ系コロニー形成単位（CFU），(2)好酸球系 CFU，(3)好塩基球系 CFU，(4)巨核球系 CFU（図にはない），(5)赤芽球系 CFU（図にはない）である．

3 顆粒球-マクロファージ系 CFU は単芽球および好中球系骨髄球になる．

4 単芽球は単球に分化し，これがマクロファージになる．

5 好中球系骨髄球は好中球になる．

6 好酸球系 CFU は好酸球をつくる．

7 好塩基球系 CFU は好塩基球と肥満細胞の前駆細胞になる．肥満細胞は末梢組織で成熟する（顆粒ができる）．

は，骨髄と血液中で最も多い顆粒球である好中球で観察するとよい．

好中球が初期前駆細胞から好中球に分化するには 10～14 日かかる．しかし，これは感染の存在および**顆粒球 - コロニー刺激因子**（CSF）や**顆粒球 - マクロファージ系 CFU** の投与によって促進される．

骨髄芽球，前骨髄球，骨髄球は分裂性のある細胞であり，**後骨髄球**および**杆状核球は分裂できない**が分化し続けている（図 6.19）．

顆粒球の成熟過程において典型的な特徴は，細胞質に**一次顆粒** primary granule（あるいは**アズール顆粒** azurophilic granule），および**二次顆粒** secondary granule（あるいは**特殊顆粒** specific granule）が出現することである（図 6.21，6.23）．骨髄芽球は細胞質顆粒のない未分化細胞である．好中球，好酸球，好塩基球の系譜において，前骨髄球と骨髄球は一次顆粒をもつ．

一次顆粒はこのように細胞の分化過程を通して存続する（図 6.21）．**二次顆粒は骨髄球にみられる**．

好酸球は好中球と同じ成熟過程を経る．好酸球に特異的な顆粒は好中球の顆粒より大きく，光学顕微鏡下では屈折性が高い．

好酸球の顆粒は，**好酸球ペルオキシダーゼ** eosinophil peroxidase（抗菌活性をもつ）とさまざまな陽イオン性タンパク質（**主要塩基性タンパク質** major basic protein と**好酸球陽イオンタンパク質** eosinophil cationic protein，抗寄生虫活性をもつ）を含んでいる．好酸球の顆粒に関連するタンパク質リストについては図 6.5 を参照せよ．

好塩基球系 CFU は好塩基球と肥満細胞の前駆細胞を産生する．この系譜の分化過程は転写因子である **GATA 結合タンパク質 2** GATA-binding protein 2（**GATA2**）と **CCAAT エンハンサー結合タンパク質 -α** CCAAT/enhancer-binding protein-α（**C/EBP α**）の発現によって制御される．

C/EBP α の欠損により肥満細胞の発達が促され，その過剰発現により好塩基球系譜の発達が誘導される．

また，**STAT5**（signal transducer and activator of transcription 5 の意）は骨髄における好塩基球前駆細胞の発達に必須である．

好塩基球 basophils は，粗大で異染色性を示す顆粒が細胞質を占め，しばしば核が不明瞭であることで，他から区別できる（図 6.22）．好中球や好酸球と同様に，好塩基球も骨髄中で成熟が完了する．

顆粒は，**ペルオキシダーゼ** peroxidase，**ヘパリン** heparin，**ヒスタミン** histamine，そして好酸球をよび寄せる物質である**カリクレイン** kallikrein を有する．さらなる形態と機能面の特徴については図 6.6 参照．

肥満細胞 mast cell は好塩基球のように顆粒を含む成熟細胞としてではなく，未成熟な前駆細胞として骨髄を出る．しかし肥満

図 6.20 | 骨髄球系統

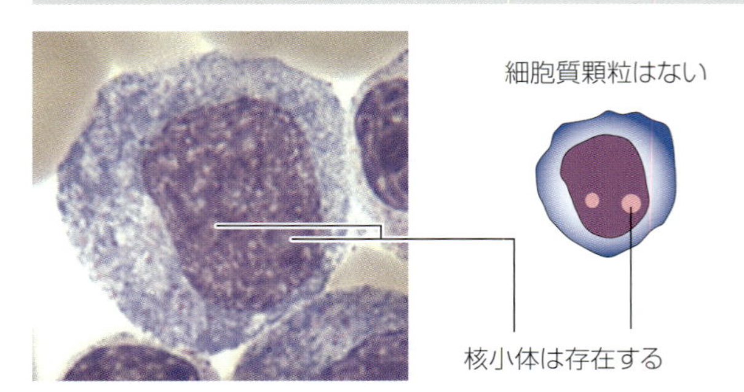

骨髄芽球

顆粒球の全分化過程（好中球シリーズが図示されている）を通して，主な変化は核構造と細胞質に生じる．例えば骨髄芽球（10 ～ 20μm：ライト染色で同定するのは困難）では，核は丸く，クロマチンは濃縮されていない．また，核小体がみえる．その後，細胞が分化するにつれ，核にへこみができ，分葉化してクロマチンが濃密になる．**骨髄芽球の細胞質は基本的に無顆粒である**．一次顆粒は前骨髄球に現れる．一方，特殊（あるいは二次）顆粒は骨髄球より産生される．

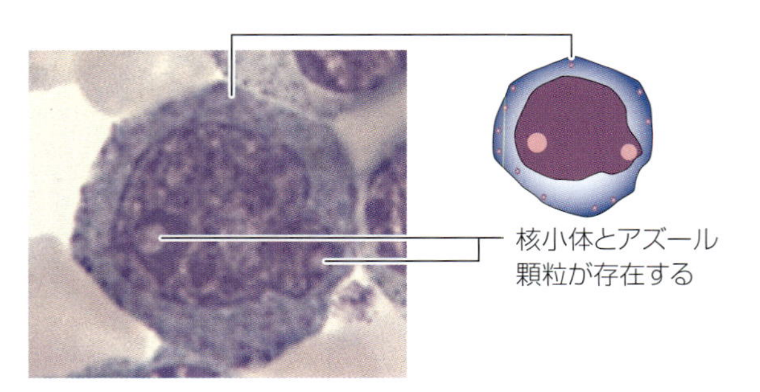

前骨髄球

直径約 15～20 μm．大きな丸い核をもち，クロマチンは濃縮されていない．1 つないし複数の卵形の核小体を有する．**赤色あるいはマゼンタ色に染色される一次顆粒は，この段階でのみ合成される**．細胞質は豊富な粗面小胞体を反映して好塩基性である．**前骨髄球は好中球，好酸球，好塩基球性の骨髄球に分化する**．通常の標本で，1 つの前骨髄球がどの顆粒球に分化するのかを知ることは不可能である．

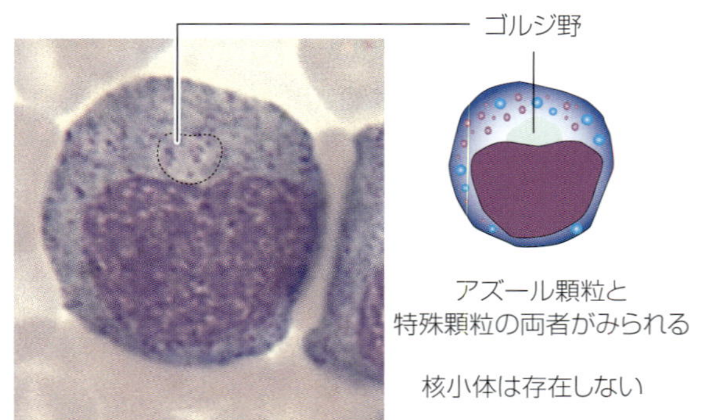

骨髄球

直径 12～18 μm．円形ないし卵形の核をもち，ややへこみをもつものもある．核小体はない．**好塩基性の細胞質には前骨髄球の段階で産生された一次顆粒，および骨髄球の段階で産生される特殊顆粒がみられる**．その後，骨髄球の細胞質は成熟した好塩基球，好酸球，好中球の細胞質に似てくる．**骨髄球は細胞分裂能を有する最後の段階である**．骨髄球は多くの特殊顆粒を産生するが，一次顆粒の数（前骨髄球で産生）には限りがあり，そのまま娘細胞に分配される．

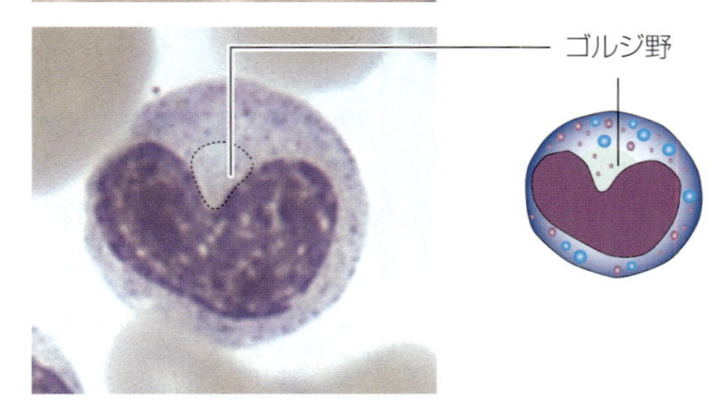

後骨髄球

直径 10～15 μm．分裂後細胞である．偏心性のソラマメの形状をもつ核は，濃縮したクロマチンを含む．細胞質はかなり成熟型のものに類似する．特殊顆粒の数は一次顆粒の数を凌駕する．

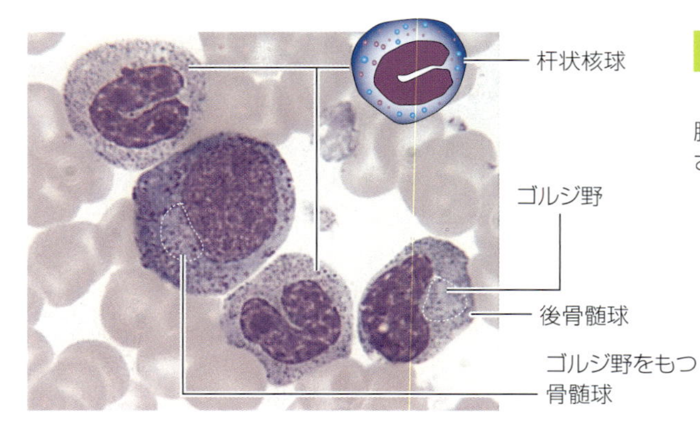

杆状核球

直径約 9～15 μm．核は U 字形で端は丸みを帯びる．細胞質は成熟細胞に似る．写真では 2 つの杆状核球が，骨髄球および後骨髄球と一緒に示されている．

骨髄球および後骨髄球では核近傍の染色が薄いため，ゴルジ野とわかる．

図 6.21 ｜ 骨髄球系統：細胞の種類

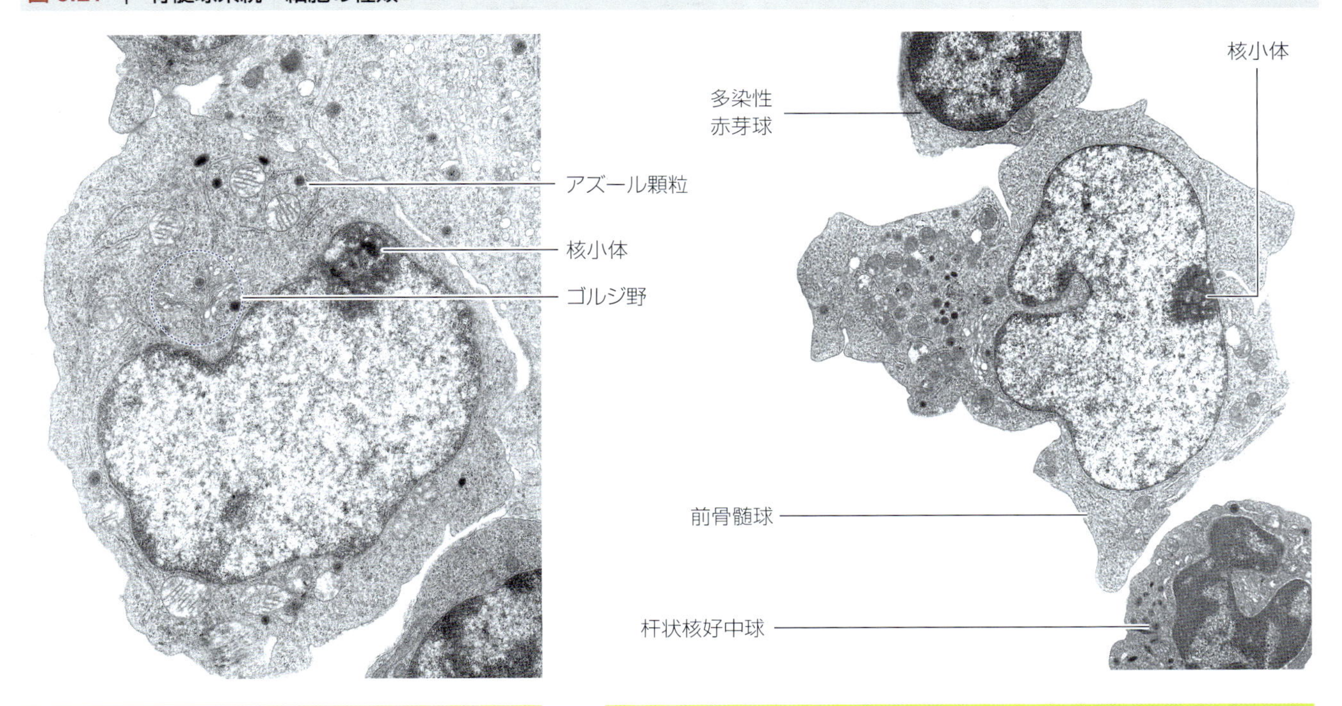

初期の前骨髄球前

前骨髄球に特徴的なものは**一次顆粒**（好中球系ではアズール顆粒）である．核は偏心性あるいは中心に位置し，**核小体が数個**みられる．

多形核好中球

前骨髄球の分化が進むと**一次顆粒**がさらに増えてくる．**前骨髄球**の直径は15～20 μm．同一視野にはかなり小さな**杆状核好中球**（9～15 μm）と**多染性赤芽球**（12～15 μm）がみられ対比できる．前骨髄球では依然核小体がみられる．

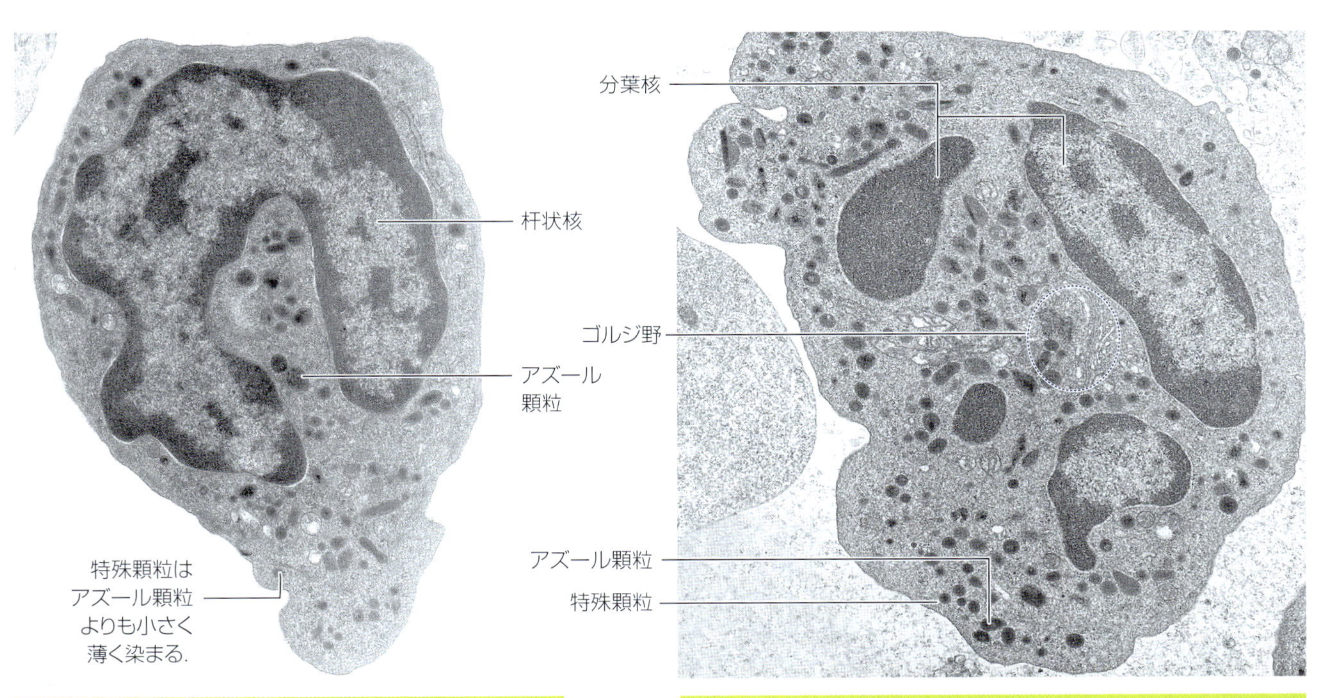

杆状核球

この**杆状核好中球**の細胞質には，**一次顆粒**と**特殊顆粒**の両者がみられる．

多形核好中球

この**多形核好中球**は**多分葉核**を有し，一次顆粒と特殊顆粒の両者がみられる．

図 6.22 | 骨髄球系統：好塩基球

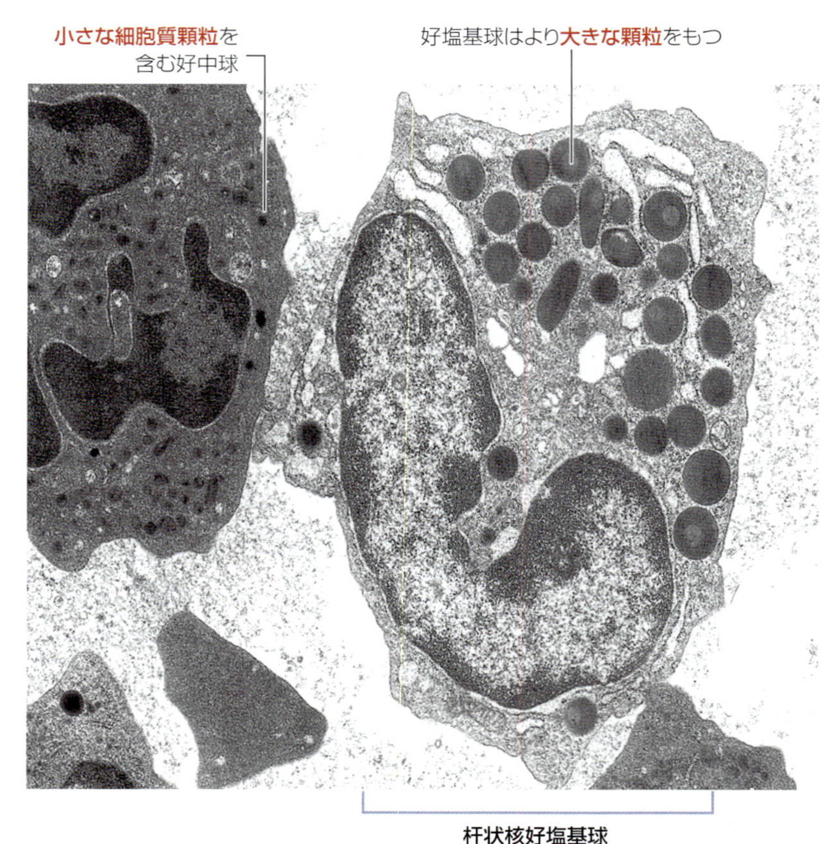

核

細胞質顆粒

好塩基球は**大きな細胞質顆粒**を含む．その中の物質が放出されるとアレルギーや炎症反応を誘導し，特に血管透過性に影響を及ぼす．

好塩基球増加は**骨髄増殖性疾患**でみられる．好塩基球様の細胞を伴う急性非リンパ性白血病ではヒスタミン放出に起因する症状が合併する．

図 6.23 | 単球の由来と運命

単球は**へこみのある核**をもつ．細胞質には**リソソーム**があり，**単球がマクロファージになると**その数は増加する．

単球は末梢血中で最大の細胞である．約 14 時間血中を循環した後に組織に侵入し，そこでさまざまな**組織特異的マクロファージ**（CD43+）に分化するか，あるいは血中に残って血管内皮細胞の機能を支える（CD43−）．胎生期には卵黄囊（YS）の赤血球骨髄球前駆細胞も YS マクロファージを産生する．

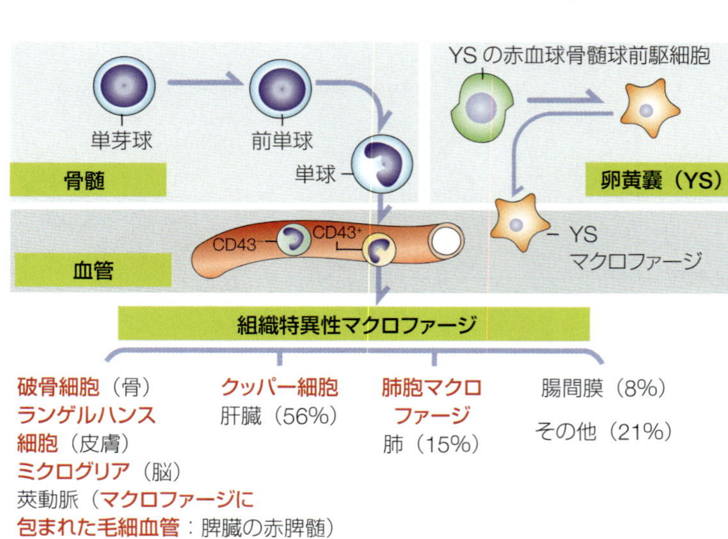

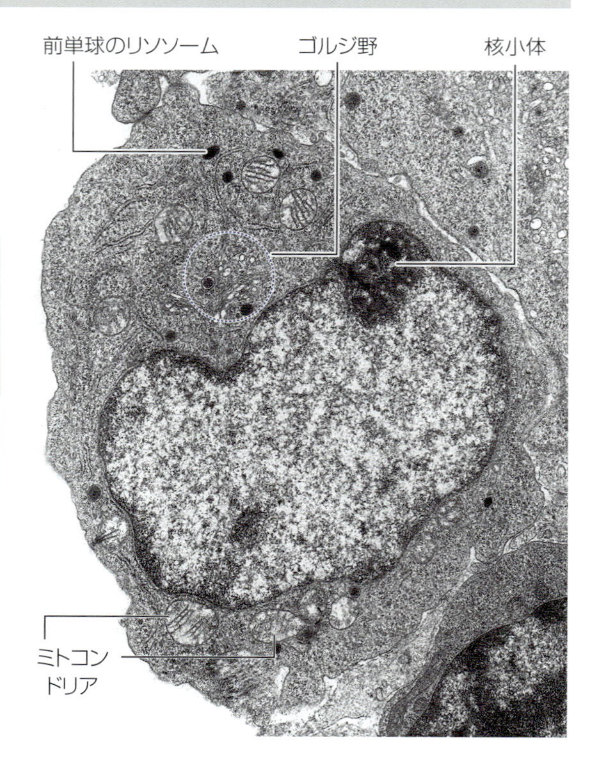

細胞は血管近傍にみられ，急性炎症の充血では血管拡張という重要な作用をもつ．

末梢組織にいる未分化な肥満細胞は，**免疫グロブリンE受容体** immunoglobulin E（Fc ε RI），および**幹細胞因子** stem cell factor に対する**受容体**でチロシンキナーゼをもつ **c-kit** を発現することで同定される．

第4章で解説したように，成熟した肥満細胞は2種類ある．

1. **結合組織肥満細胞**（connective tissue mast cell：**CTMC**）は血管周囲に存在する．
2. T細胞依存性の**粘膜肥満細胞**（mucosa mast cell：**MMC**）は，小腸絨毛や肺粘膜にみつかる．

CTMC と MMC は異染色性を示す数種類の顆粒を有する．これら顆粒は細胞が末梢組織で成熟する間に合成され，病原体に対する宿主反応として放出される．

繰り返し強調すべき重要事項は，好塩基球と肥満細胞は**2型免疫応答** type 2 immunity に関係するということである．この応答はアレルゲンや多細胞生物の寄生虫（蠕虫）に反応して起こり，T_H2 細胞，高濃度の免疫グロブリンE，好酸球増加症の存在下に進む．

無顆粒球，リンパ球（図 6.7，6.15）

リンパ球 lymphocyte は不均一な細胞集団からなり，それらは**起源，寿命，リンパ器官内での局在，細胞表面マーカー，機能**が互いに異なる．

HSC はB細胞およびT細胞系リンパ球を含むすべての造血細胞になる（図 6.15）．**B細胞** B cell **は骨髄で成熟し，それから他のリンパ器官に移動する．T細胞** T cell **は胸腺で成熟を完了し，その後特定のリンパ器官に移動する．**

リンパ芽球 lymphoblast は**前リンパ球** prolymphocyte になるが，これは成熟**リンパ球**になる前の中間段階にある細胞である．**BおよびT細胞は形態学的に類似するが，機能は異なる．**これについては第10章で述べる．

リンパ芽球（直径 8～12 μm）はリンパ球の前駆細胞であり，濃縮されていない核と大きな核小体をもつ．細胞質は多くのポリソームと数個の小胞体槽をもつ（図 6.7）．

リンパ球（直径 8 μm あるいはそれ以下）は丸い，あるいは少し陥入した部位のある濃縮された核をもつ．核小体はみられない．細胞質はやや好塩基性で，一般に顆粒はない．

単球（図 6.8，6.15，6.23）

単球は**顆粒球-マクロファージ系 CFU** granulocyte-macrophage CFU に由来する（図 6.15）．すでに述べたように，顆粒球・マクロファージ系 CFU は好中球系とマクロファージ系細胞になる．

特定の CSF の影響により，それぞれの前駆細胞は独自の分化過程に入る：

1. **顆粒球-コロニー刺激因子**（granulocyte colony-stimulating factor：**G-CSF**）は顆粒球前駆細胞を**骨髄芽球** myeloblast 経路に導く．
2. **顆粒球-マクロファージコロニー刺激因子**（granulocyte-macrophage colony-stimulating factor：**GM-CSF**）は単球前駆細胞を**単芽球** monoblast 経路に向かわせ，末梢血の単球および組織マクロファージの産生に寄与する．

マクロファージ-コロニー刺激因子（M-CSF）の受容体は，単球系細胞にしかみられない（第5章「破骨細胞形成」の項参照）．

単芽球 monoblast（直径 14 μm）は形態学的に骨髄芽球に似る．骨髄に存在するが確実に同定するのは難しい．細胞質は好塩基性で，核は大きく，1つないしそれ以上の核小体をもつ．後に続く細胞は**前単球**である．

前単球 promonocyte（直径 11～13 μm）は，やや陥入した大きな核と濃縮されてないクロマチンをもつ．核小体がみえることがある．細胞質はポリソームがあるために好塩基性で，一次顆粒（**ペルオキシダーゼ，アリルスルファターゼ，酸性ホスファターゼ**をもつリソソーム）をもつ．一次顆粒は前骨髄球のものよりも小さく少ない．**単芽球も前単球も分裂能を有する．**

単球 monocyte（直径 12～20 μm）は骨髄と血中にあり，細胞質の中央に位置する大きな，陥入のある核をもつ（図 6.8，6.23）．顆粒（**一次リソソーム** primary lysosome）と小さな空胞の存在が特徴的である．リソソームはプロテアーゼや水解酵素を含む．単球は走化性シグナルによって動き，微生物表面に接触する．この作用は免疫グロブリンGの Fc 部分に対する受容体，および微生物を覆う補体タンパク質に対する受容体により促進される．単球は活発な貪食細胞である．

マクロファージ macrophage は主に単球に由来すると考えられていた．しかし，組織固有あるいは特異的なマクロファージは胎生期に卵黄嚢の前駆細胞に由来することが明らかとなった．この意味で組織固有マクロファージは，胎生期に由来するものと単球から補充されるグループが混在する．

組織固有マクロファージの形態的・機能的特徴については第4章で述べた．第8章では中枢神経系における**ミクログリア** microglia の貪食機能について述べる．第11章では，表皮にある単球由来の**ランゲルハンス細胞** Langerhans cell について，その抗原に対する反応について述べる．第17章では，肝臓の機能における**クッパー細胞** Kupffer cell の重要な働きについて論ずる．第10章では脾臓におけるマクロファージの貪食能について考える．

コロニー刺激因子とインターロイキン（図 6.24）

G-CSF はさまざまな部位に分布する内皮細胞，線維芽細胞，マクロファージからつくられる糖タンパク質である．

合成型の G-CSF（フィルグラスチムあるいはレノグラスチムとして知られる）は用量依存的に血中の好中球増加をきたす．

G-CSF は，がん化学療法や骨髄移植の後で起こる**好中球減少症** neutropenia（neutrophil＋ギリシャ語 *penia* [＝poverty，不足]．循環血液中の好中球数が少ない）の治療に使われ，好中球を増加させる．また慢性好中球減少症の治療にも用いられる．

GM-CSF は，内皮細胞，T細胞，線維芽細胞，単球で産生される糖タンパク質で，好中球，好酸球，好塩基球，単球，樹状細胞の形成を刺激する．しかし，好中球減少症において好中球を増加させる効果は G-CSF より低い．

G-CSF と同様，合成型の GM-CSF（サルグラモスチムあるいはモルグラモスチム）は好中球減少症の治療に使用できる．

インターロイキンがB細胞，T細胞の形態・機能に関連することは第10章で述べる．IL-3 は造血幹細胞の増殖を刺激し，幹

図 6.24 | 造血成長因子

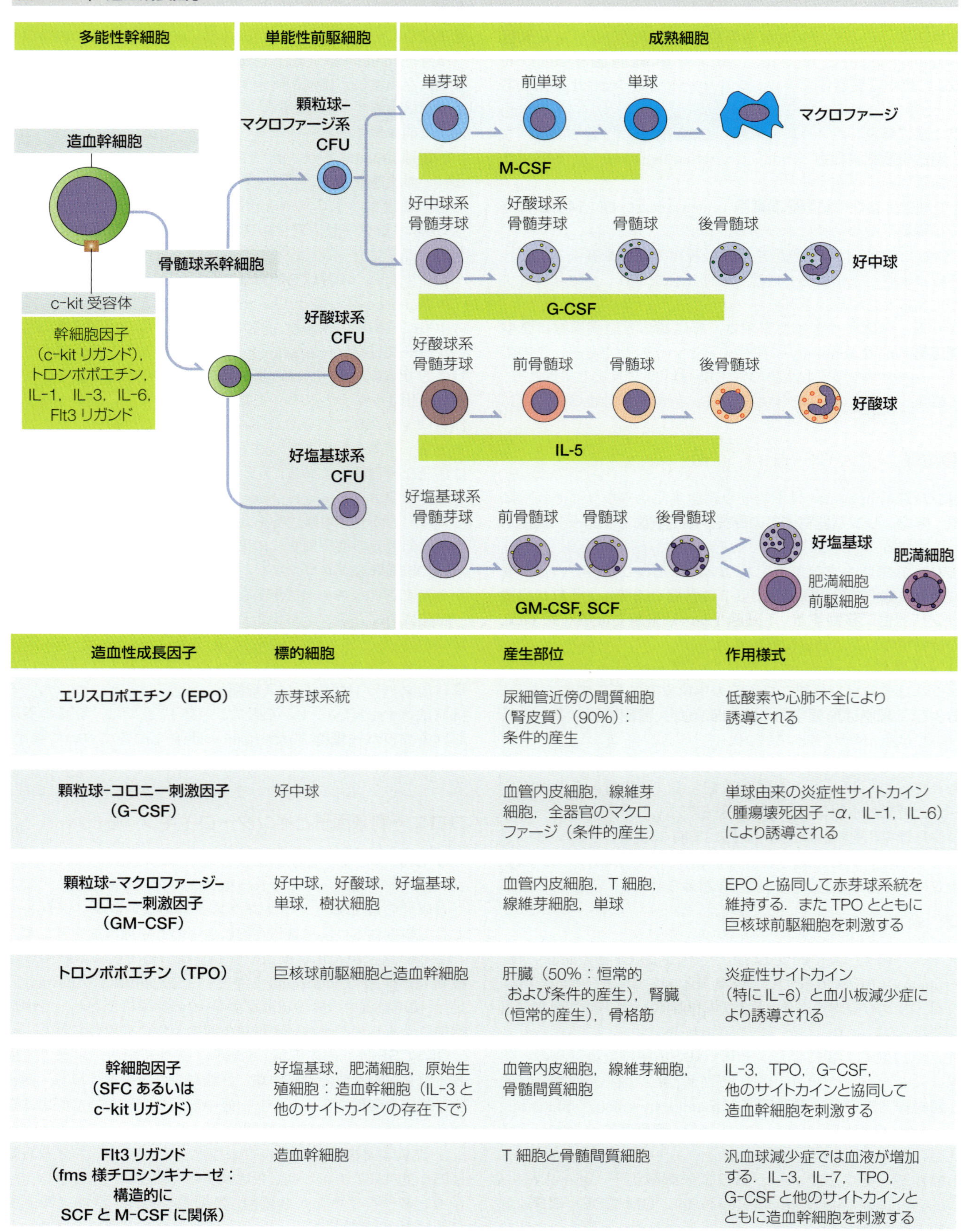

造血性成長因子	標的細胞	産生部位	作用様式
エリスロポエチン（EPO）	赤芽球系統	尿細管近傍の間質細胞（腎皮質）（90%）：条件的産生	低酸素や心肺不全により誘導される
顆粒球-コロニー刺激因子（G-CSF）	好中球	血管内皮細胞，線維芽細胞，全器官のマクロファージ（条件的産生）	単球由来の炎症性サイトカイン（腫瘍壊死因子 -α，IL-1，IL-6）により誘導される
顆粒球-マクロファージ-コロニー刺激因子（GM-CSF）	好中球，好酸球，好塩基球，単球，樹状細胞	血管内皮細胞，T 細胞，線維芽細胞，単球	EPO と協同して赤芽球系統を維持する．また TPO とともに巨核球前駆細胞を刺激する
トロンボポエチン（TPO）	巨核球前駆細胞と造血幹細胞	肝臓（50%：恒常的および条件的産生），腎臓（恒常的産生），骨格筋	炎症性サイトカイン（特に IL-6）と血小板減少症により誘導される
幹細胞因子（SFC あるいは c-kit リガンド）	好塩基球，肥満細胞，原始生殖細胞：造血幹細胞（IL-3 と他のサイトカインの存在下で）	血管内皮細胞，線維芽細胞，骨髄間質細胞	IL-3，TPO，G-CSF，他のサイトカインと協同して造血幹細胞を刺激する
Flt3 リガンド（fms 様チロシンキナーゼ：構造的に SCF と M-CSF に関係）	造血幹細胞	T 細胞と骨髄間質細胞	汎血球減少症では血液が増加する．IL-3，IL-7，TPO，G-CSF と他のサイトカインとともに造血幹細胞を刺激する

図 6.25 | c-kit 受容体

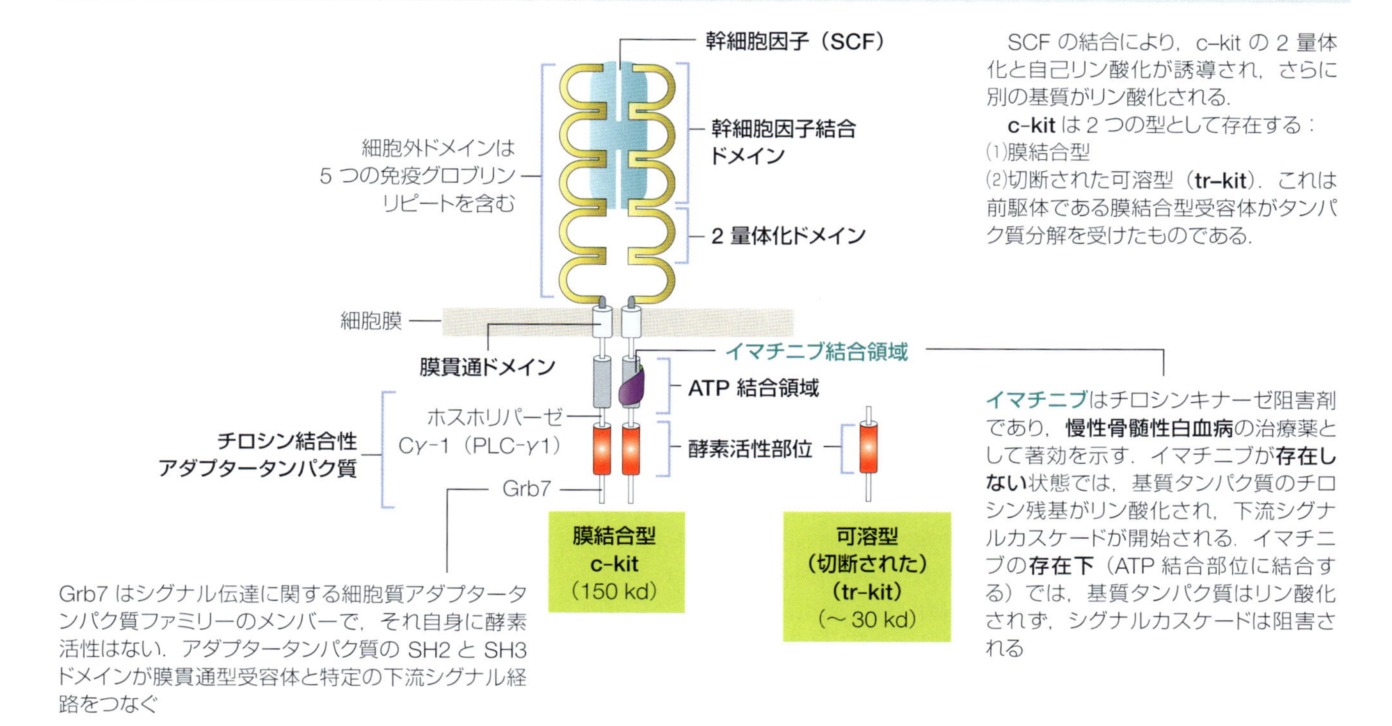

細胞因子，トロンボポエチン，IL-1，IL-6，**fms 様チロシンキナーゼ 3** fms-like tyrosine kinase 3（**Flt3**）リガンドを含む他の成長因子とともに作用する．IL-5 は好酸球系前駆細胞に特異的に作用する．

c-kit 受容体と幹細胞因子リガンド（図 6.25）

幹細胞（増殖）因子 stem cell factor（**SCF**）は胎児組織および骨髄の間質細網細胞から産生されるリガンドタンパク質である．SCF には 2 つの型，すなわち膜結合型および可溶型がある．可溶型はタンパク分解により膜結合型から切断されたものである．SCF はチロシンキナーゼである **c-kit 受容体** c-kit receptor に結合する．

c-kit 受容体は 5 つの免疫グロブリンモチーフからなる**細胞外ドメイン**をもち，SCF の結合と 2 量体化にかかわる．SCF の結合は c-kit 受容体の 2 量体化を誘導し，自己リン酸化が起こる．リン酸化 c-kit 受容体に特定のシグナル分子が結合する．

細胞質ドメインは ATP 結合部位と酵素活性部位をもつ．チロシンキナーゼ阻害剤である**イマチニブ** imatinib は ATP 結合部位に結合し，下流シグナルの活性化に関与する基質のリン酸化を阻害する．イマチニブは**慢性骨髄性白血病** chronic myeloid leukemia の治療薬として著効を示す．

SCF はそれ自身の造血刺激作用は弱いが，HSC の他のサイトカインに対する反応性を上げる．また，それ自身は細胞コロニーの形成を誘導しない．**Flt3**（fms-like tyrosin kinase 3）リガンドは c-kit 受容体と SCF に密接に関係する．SCF と同様，Flt3 リガンドはトロンボポエチン，SCF，インターロイキンと協同して HSC に作用する．

c-kit 受容体は c-kit がん原遺伝子により発現誘導がかかる．c-kit 受容体および（あるいは）SCF の遺伝子変異は以下の現象を引き起こす：

1. **貧血** anema.
2. **皮膚のメラニン細胞の発達**不全．
3. **発生中の精巣，卵巣における原始生殖細胞** primordial germinal cell **の移動，生存，増殖能**の低下（第 21 章参照）．
4. **肥満細胞** mast cell の発達不全．

可能性として SCF は骨髄移植だけでなく，遺伝性および後天性の造血障害に対する治療として使うことができる．

白血病

白血病 leukemia は最もよくみられる白血球の腫瘍性疾患である．特徴としては，骨髄における 1 つあるいは 2 つ以上の細胞系譜の腫瘍性増殖，頻繁な腫瘍細胞の末梢血循環，正常赤血球と血小板の成熟低下がみられる．

急性および慢性白血病がある．急性白血病では，骨髄細胞に関して未成熟細胞の増殖が甚大であり，また病気の進行が速い．

急性白血病は，リンパ系細胞に由来する場合は**急性リンパ性白血病** acute lymphoblastic leukemia（**ALL**），骨髄球系，赤芽球系，巨核球系の前駆細胞に由来する場合は**急性骨髄性白血病** acute myeloblastic leukemia（**AML**）に分類される．

関連する症状として，**貧血** anemia（赤血球の産生低下による），**感染** infection（正常白血球の産生低下による），**出血** bleeding（血小板数の低下による）がある．診断は骨髄標本の顕微鏡観察に基づく．ALL は小児に，AML は成人に発症する傾向がある．

急性白血病は **French-American-British（FAB）分類**によっ

て，細胞分化の程度にしたがった異なるタイプに分けられる．具体的には細胞化学的手法で細胞マーカーを検出し，**L1～L3**（リンパ性ALL）および**M1～M7**（骨髄性ALL）に分類する．

慢性白血病 chronic leukemia は**リンパ性**，**骨髄性**，**ヘアリー細胞型** hairy-cell type 白血病に分類される．これらは未成熟細胞の増殖能の低さと病気の進行の遅さに特徴づけられる．

慢性リンパ性白血病 chronic lymphocytic leukemia（**CLL**）は主に成人（50歳以上）にみられる．**B細胞** B cell の顕著な増殖，および末梢血における異常リンパ球数の増加を特徴とする．一般的な臨床所見として**リンパ節腫脹** lymphoadenopathy と**脾腫** splenomegaly がみられる．

慢性骨髄性白血病 chronic myeloid leukemia（**CML**）は骨髄における増殖性病態（異常な骨髄幹細胞の増殖）とみなされ，成人で発症しやすい．患者は**肝脾腫** hepatosplenomegaly と白血球増加症（末梢血中で骨髄球，後骨髄球，好中球が過剰）を示す．この病気は，約5年の慢性期を経て急性白血病に転化しうる．そうなると骨髄幹細胞移植が必要になる．

CML患者は通常**フィラデルフィア染色体** philadelphia chromosome をもつ．これは9番と22番染色体長腕の間の相互転座によってできたもので，t（9;22）（q34;q11）と表記される．9番染色体（q34領域）の *abl* 遺伝子が22番染色体（q11領域）の ***bcr* 遺伝子** breakpoint cluster region gene の特定部分に挿入されることで，**融合遺伝子** fusion gene が形成される．この融合遺伝子（*abl*／*bcr*）は細胞の形質転換にかかわる**チロシンキナーゼ** tyrosine kinase をコードし，腫瘍性の表現型を誘導する．**イマチニブ**はチロシンキナーゼの特異的阻害剤である．本章の最後にイマチニブとチロシンキナーゼについて言及する．

ヘアリー細胞白血病 hairy-cell leukemia（**HCL**）はまれなB細胞の白血病である．細胞は複数の細い細胞質突起をもつため，毛が生えているようにみえる．脾腫，リンパ節腫脹，繰り返す感染は一般的な臨床所見である．HCLは，除草剤であるエージェント・オレンジの曝露との関連が記録されている．

血小板と巨核球（図6.12，6.15，6.26）

血小板 platelet（thrombocyte ともよばれる．ギリシャ語 *thrombos*［= clot，血栓］）は小さな細胞質断片で無核であり，止血と血栓症で機能する．血小板の前駆細胞は**巨核芽球** megakaryoblast で，これは**巨核球系CFU**に由来する（図6.15）．

トロンボポエチン thrombopoietin は巨核球系CFUを刺激する．また，**肝臓**で産生され，エリスロポエチンに似た構造をもつ．トロンボポエチンの欠損は**血小板減少症** thrombocytopenia をきたし，過剰のトロンボポエチンは**血小板増加症** thrombocytosis を招く．

巨核芽球（直径15～50 μm）は，多くの核小体をもつ腎臓形をした核を有する．

巨核芽球は大きくなって，不定形の核をもちアズール顆粒の豊富な**前巨核球** promegakaryocyte（直径20～80 μm）になる．

さらにこれが成熟して巨核球になり，類洞近傍の**血管ニッチ** vascular niche に存在するようになる．1つの巨核球は約4,000個の血小板を産生する．

巨核球 megakaryocyte（直径50～100 μm，図6.26）は非常に多くの内膜系と不規則に分葉した核をもつ．この核は**核内有糸分裂** endomitotic nuclear division，すなわち**細胞分裂なしにDNA複製が起こる過程により形成される**（**倍数体核** polyploid nucleus）．約5日間かけて細胞は成熟し，血小板を産生し始めるが，その間に分葉核のDNA数は128nにも及ぶことがある．核小体はみられない．

巨核球は**破骨細胞** osteoclast と混同されやすい．破骨細胞は骨にある大きな細胞で，**多核であるが分葉はしていない**．

巨核球の細胞質には細胞膜の内側への陥入によってできる**分界帯** demarkation zone **のネットワーク構造**がみられる．**複数の細胞質突起が骨髄類洞内に伸び出し，ちぎれて遊離断片となる**．この遊離した細胞質突起は**前血小板** proplatelet となり，さらに血管内において細胞膜が侵入してできた**分離チャネルが癒合することで血小板になる**．巨核球の細胞質すべてが次第に前血小板と血小板になり，分葉核は押し出されてマクロファージに貪食される．血小板は血管機能の維持に重要である．血小板の活性化後に起きる止血の連続過程を思い出してほしい（図6.12）．

最後になるが，巨核球は骨髄ケモカインであるC-X-Cモチーフリガンド（**CXCL4**）とトランスフォーム成長因子β1（**TGFβ1**）を産生，分泌し，HSCの細胞周期を調節する．止血時においてCXCL4とTGFβ1は静止期にあるHSCの数を増やし，それらの減少は静止期HSCの増殖を促す．**HSCから分化した巨核球によって，その前駆細胞の集団サイズが調整されうることに留意せよ**．

鉄過剰症（基本事項6.B）

RBCの形成は，エリスロポエチンに加えて，**鉄代謝** iron metabolism，および水溶性ビタミンである**葉酸** folic acid（folacin）と**ビタミンB_{12}**（**cobalamin**）に大きく依存する．

鉄は酸素と二酸化炭素の運搬にかかわる．多くの鉄結合タンパク質，例えば赤血球のヘモグロビン，筋組織の**ミオグロビン**，**チトクローム**，さまざまな**非ヘム酵素**が，鉄を運搬・貯蔵する．

約65～75％の鉄が**ヘム** heme としてRBCの**ヘモグロビン**中に存在する．ヘムは骨髄において合成される分子で，**第1鉄イオン**の Fe（II）がテトラピロール環と**ヘマチン** hematin に結合するもの，および**第2鉄イオン**の Fe（III）がタンパク質に結合するものがある．肝臓は約10～20％の鉄を**フェリチン** ferritin として貯蔵する．

全身の鉄レベルは以下により調節される：

1. **吸収**：鉄は十二指腸で吸収される．
2. **リサイクリング**：鉄の主な供給源は老化赤血球からのリサイクル経路であり，脾臓と肝臓におけるマクロファージによる．
3. 肝臓における貯蔵鉄の**移動**．
4. 哺乳類は鉄の排泄における調整経路はもたない．その代わりにこの過程は鉄調整タンパク質である**ヘプシジン** hepcidin によって行われる．

血漿中において，鉄は**トランスフェリン** transferrin（**Tf**）に結合する．Tf は Tf 受容体に結合することで鉄を細胞に運び込む．Tf 欠損や Tf の結合部位が過剰に飽和してしまうときは，血漿鉄は実質組織の細胞質に蓄積する．

肝臓で産生される **Tf** と，母乳に含まれる**ラクトフェリン**

図 6.26 | 巨核球と血小板の由来

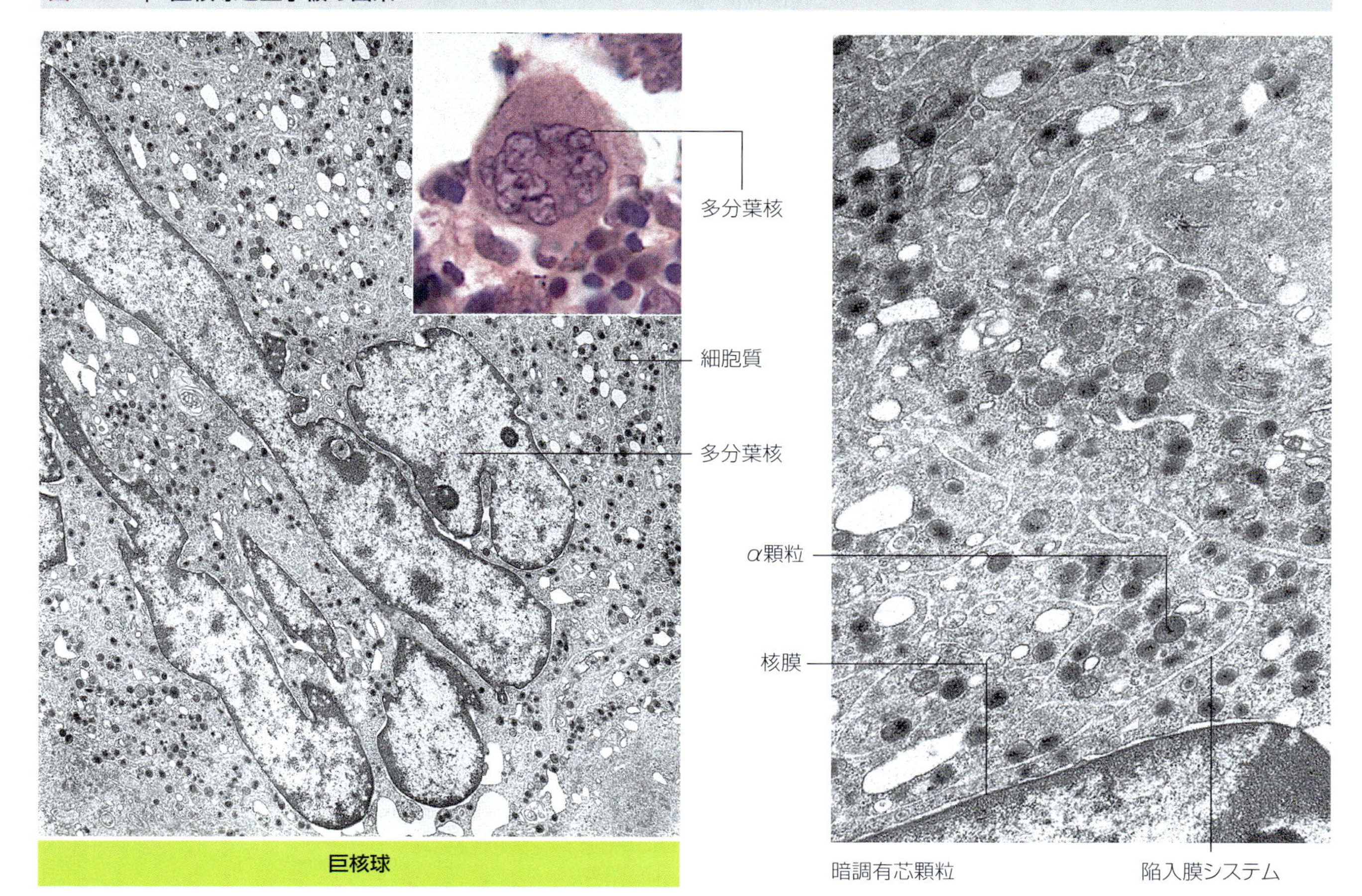

巨核球の分化と成熟（約 5 日間）は以下の過程により特徴づけられる：

1. **連続した有糸分裂**（DNA 量は 128n に達する）で，**細胞分裂を伴わない**．この過程は**核内倍加** endoreduplication として知られる．その結果，密集した多分葉核ができる．
2. **細胞質の成熟**を示すものとして，**暗調有芯顆粒**と**α顆粒**の増加，および陥入膜システムとして知られる膜水路と小管のネットワーク構造の発達がみられる．
3. **複数の細胞質突起がちぎれて断片化し，洞様毛細血管内へ放出される．** これらが新たな血小板になる．

巨核球の細胞質が成熟する間，細胞膜は陥入して水路を形成する．その結果，細胞質は分断され，直径約 3〜4μm の島状の細胞質ができる．

これら血小板を分画する水路は最終的に融合して，**前血小板**をつくる．通常，巨核球は，典型的には骨髄の洞様毛細血管のそば（血管ニッチ）に存在し，**複数の細胞質突起**を洞様毛細血管内に伸ばす．

これら突起は血流によりちぎれて断片化し，**前血小板** proplatelet になる．これがさらに洞内で細かくなって**血小板** platelet になる．

トロンボポエチン

血管内に伸びる大きな細胞質突起

内皮細胞を貫く幹の部分から，細胞質断片が血流によって削ぎ取られる

細胞質全体が突起となって血小板が産生されると，多分葉核は排出されてマクロファージに貪食される

前血小板

血小板

洞様毛細血管

マクロファージ

多分葉核

内皮細胞

基本事項 6.B | トランスフェリンの細胞内在化による鉄の取り込みと鉄に関連した疾患

鉄の取り込み・貯蔵・腸管輸送

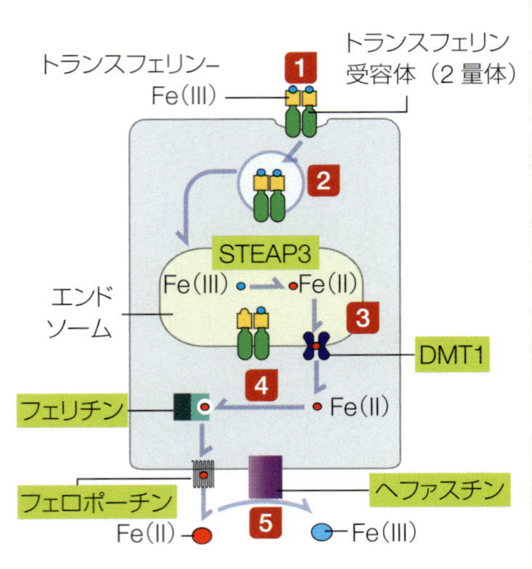

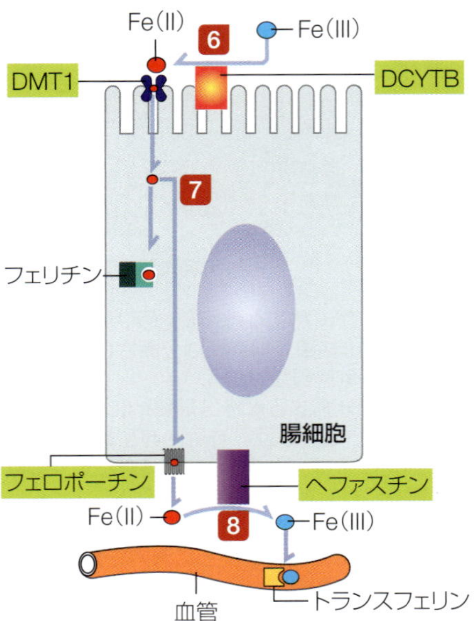

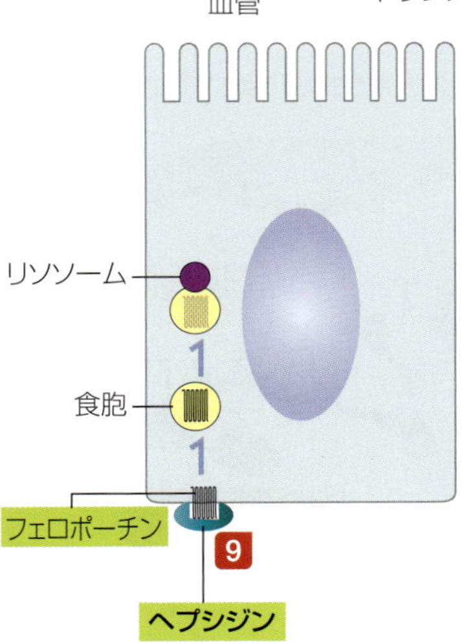

1 血漿の**トランスフェリン（Tf）–Fe（III）**複合体が Tf 受容体ダイマーに結合する．

2 **Tf–Fe（III）–Tf 受容体**複合体が内在化する．

3 エンドソーム内では pH が低いため，Fe（III）が Tf 受容体に結合している Tf から遊離する．エンドソームの還元酵素である **STEAP3** によって Fe（III）は Fe（II）になる．Fe（II）は二価金属トランスポーター-1（**DMT1**）により細胞質に放出される．

4 Fe（II）は**フェリチン**に貯蔵（非赤血球細胞において），あるいは赤血球ではヘモグロビン内に取り込まれる．

5 Fe（II）は**フェロポーチン**によって細胞外に運ばれ，膜結合フェロキシダーゼである**ヘファスチン**により Fe（III）に変換される．

6 食物中の第 2 鉄イオンである Fe（III）は，腸細胞（十二指腸から空腸）の刷子縁に存在する**三価鉄還元酵素**（**DCYTB**）によって第 1 鉄イオンの Fe（II）に変換され，DMT1 によって腸細胞内に運ばれる．

7 Fe（II）はフェリチン内に取り込まれるか，フェロポーチンにより細胞の側底面を横切って血漿中に運ばれる．Fe（II）はヘファスチンにより Fe（III）に変換される **8**．

9 **ヘプシジン**はフェロポーチンに結合することにより鉄輸送を阻害する．貧血や鉄欠乏状態では Fe（II）の細胞内貯蔵量は増加する．内在化されたフェロポーチンはリソソームで分解される．

A **小結節性肝硬変** micronodular cirrhosis．小結節が徐々に発達し，1 型コラーゲンを含む線維性組織によって島状に隔離される．青色の点は鉄を示す．鉄は生物学的な病原体ではなく，毒性をもつ物質であるため，小結節周囲には炎症性細胞がないことに留意せよ．

B **ヘモジデリン顆粒** hemosiderin granule が肝細胞の細胞質にみられる．**プルシアン青染色**により青く染まる．核はピンクに染まる．

ヘモクロマトーシス

デフェンシンファミリーに属する**ヘプシジン** hepcidin は肝細胞から分泌され，鉄の血漿への移行を調節する．

ヘプシジンはヒト *HAMP* 遺伝子にコードされる．**ヘプシジンはフェロポーチンに結合し，その内在化とリソソーム分解を促す．細胞膜からフェロポーチンを除くことによって鉄の移出が妨げられ，細胞質の鉄レベルが上昇してフェリチンに貯蔵される．**

貧血，鉄欠乏，炎症時にはこのネガティブ調節機構が変化しうる．血漿の鉄量が Tf の結合能力を超えると鉄過剰症になる．肝臓などの実質組織は，Tf に依存しない機構で鉄を取り込む．

遺伝性ヘモクロマトーシス hereditary hemochromatosis（**HH**）は鉄過剰疾患であり，3 遺伝子の**遺伝性欠陥**により，**ヘプシジン**の異常な発現をきたす（1 型 HH［最もよくみられ，肝硬変，線維化，糖尿病に特徴づけられる］，2 型 HH［若年性ヘモクロマトーシス：内分泌系と心臓の機能不全］，3 型 HH［Tf 受容体遺伝子に変異があり，ヘプシジンの発現が低下する］）．4 型 HH はフェロポーチンをコードする遺伝子の欠陥が原因である．**ヘモジデローシス** hemosiderosis は**後天性**の鉄過剰疾患である．

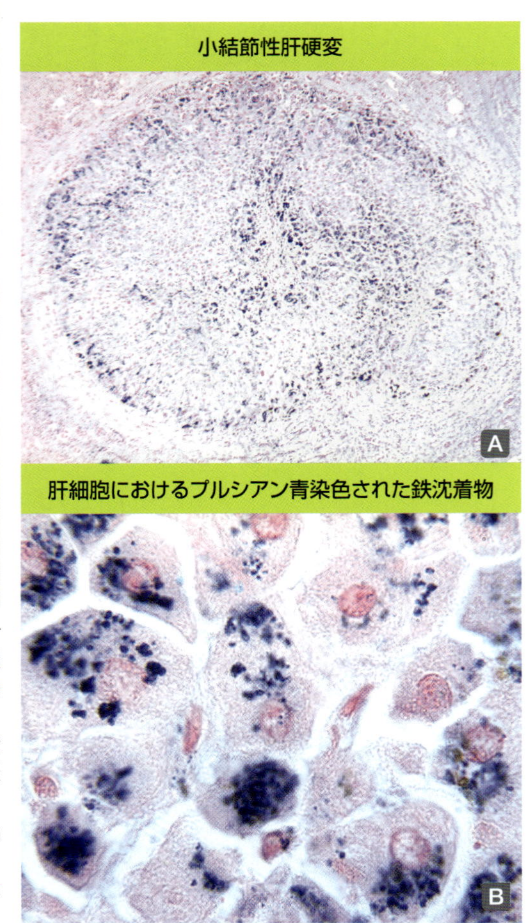

lactoferrin は，**鉄輸送**にかかわる非ヘムタンパク質である．2つの Fe（III）イオンと結合した Tf は**フェロトランスフェリン** ferrotransferrin，鉄をもたない Tf は**アポトランスフェリン** apotransferrin とよばれる．

Tf 受容体は2量体の膜タンパク質で，それぞれのサブユニットが Fe（III）に結合する．Tf-Fe（III）複合体の細胞内取り込みは Tf 受容体のリン酸化に依存し，これは Ca^{2+}- カルモデュリンとタンパク質キナーゼ C 複合体によって惹起される．

細胞内において，Fe（III）は酸性のエンドソーム内で遊離し，エンドソーム内の鉄還元酵素である **STEAP3** によって Fe（II）に変わる．その後，Fe（II）は**二価金属トランスポーター-1** divalent metal transporter-1（**DMT1**）によってエンドソームから細胞質に輸送され，フェリチンに貯蔵されるか RBC のヘモグロビンに取り込まれる．

Tf 受容体はリサイクルされて細胞表面に戻る．

フェリチン ferritin は肝臓で産生される主要タンパク質である．1つのフェリチン分子は 4,500 の鉄イオンを貯蔵できる．鉄がフェリチンの貯蔵限界を超えると，**ヘモジデリン** hemosiderin として沈着する．鉄をほとんどもたないフェリチンは**アポフェリチン** apoferritin とよばれる．

Fe（II）は細胞内貯蔵部位であるフェリチンから**フェロポーチン** ferroportin によって運び出される．このフェロポーチンの機能は，体の鉄レベルに応じて**ヘプシジン** hepcidin によって厳密に調整されている．運び出された Fe（II）は膜局在のフェロキシダーゼである**ヘファスチン** hephaestin によって Fe（III）に変換され，血液循環に入る．

ヘプシジンはヒト ***HAMP* 遺伝子** *HAMP* gene によりコードされ，**鉄輸送を負に制御する**．これは鉄トランスポーターであるフェロポーチンの発現を低下させることによる．ヘプシジンは負の調節因子として以下の主要機能をもつ：

1. 組織における鉄の隔離．
2. 血清鉄レベルを下げる．
3. 食物からの鉄吸収を下げる．

ヘプシジンがフェロポーチンに結合すると，フェロポーチンは細胞内に取り込まれてリソソームで分解される．このヘプシジンで誘導されるフェロポーチンの取り込み機構は，十二指腸の腸細胞，マクロファージ，肝細胞において，血液循環へ**流出する鉄量の減少**分を規定する．

体に鉄が豊富なときはヘプシジンの発現は増加し，鉄欠乏の際は減少する．

生理的条件下では肝臓のヘプシジン発現はさまざまなタンパク質により調節される：

1. **遺伝性ヘモクロマトーシスタンパク質** hereditary hemochromatosis は **HFE**（high iron［Fe］）ともよばれる．
2. **Tf 受容体** Tf receptor．
3. **ヘモジュベリン** hemojuvelin（**HJV**）．
4. **骨形態形成因子 6** bone morphogenetic protein-6（**BMP6**）．
5. **マトリプターゼ -2** matriptase-2．
6. **ネオジェニン** neogenin．
7. **Tf**．

これらのうち，どのタンパク質がなくなってもヘプシジン発現が欠損するが，特に HJV の場合に顕著である．

酸素欠乏状態では転写因子である**低酸素誘導因子** hypoxia-inducible factor（**HIF-1α**）が *HAMP* 遺伝子のプロモーターに結合し，ヘプシジンの発現を抑制する．本章の初めに，RBC 産生の誘導因子としてエリスロポエチン遺伝子の活性化があることを説明した．低酸素分圧では転写因子の **HIF-1α** が活性化し，エリスロポエチン産生を増強することを強調したい．

このように，**HIF-1α** は赤血球産生における2つの重要な要素，すなわち**エリスロポエチン**と**鉄**を供給するために必要である．

HAMP 遺伝子の発現調節に異常をきたすと，**遺伝性ヘモクロマトーシス** herediatry hemochromatosis（**HH**）などの鉄過剰症になりうる．肝細胞における大量の鉄沈着は非常に有害であり，肝硬変や肝臓線維化をきたす．

HH は4つの遺伝子欠陥が原因と考えられてきた：

1. **1 型 HH** HH type 1 は最もよくみられる鉄過剰症であり，肝臓，心臓，膵臓，皮膚における鉄吸収と鉄沈着の増加に特徴づけられる．時間とともに肝硬変，糖尿病，不整脈を生じる．*HFE* 遺伝子の変異は遺伝性ヘモクロマトーシスタンパク質（HFE）の異常をきたし，Tf の Tf 受容体への結合を阻害する．したがって鉄吸収の調節不全をきたす．
2. **2 型 HH** HH type 2 は**若年性ヘモクロマトーシス** juvenile hemocromatosis ともよばれ，肝臓ではなく，心臓と内分泌器官に機能不全をもたらす．生後 10 年あるいは 20 年以内に発症する．

   2 型 HH の原因は，ヘプシジンをコードする *HAMP* 遺伝子，あるいはグリコホスファチジルイノシトール（GPI）結合膜タンパク質である HJV をコードする *HFE2* 遺伝子の変異である．HJV 変異をもつ若年性ヘモクロマトーシス患者では，肝臓におけるヘプシジン発現が極度に抑制され，特定臓器に重度の鉄沈着がみられる．
3. **3 型 HH** HH type 3 の原因は Tf 受容体をコードする TFR2 遺伝子の変異である．この遺伝子変異によりヘプシジンの発現が影響を受ける．
4. **4 型 HH** HH type 4 は**フェロポーチン病** ferroportin disease ともよばれ，マクロファージが影響を受ける．異常なフェロポーチンは細胞膜に局在できない，あるいは効率的な鉄輸送ができない．

遺伝性疾患である**ヘモクロマトーシス** hemochromatosis は，鉄吸収の過剰と鉄沈着により特徴づけられ，定期的な瀉血および**イオンキレーター** ion chelator の服用が必要となる．後者は複合体になった鉄の尿中への排泄を促す．

月経過多による血液漏出や消化管出血による**鉄の減少**は，ヘモグロビンに含まれる鉄の減少を招く．RBC はより小さく（**小球性貧血** microcytic anemia），色素が減少する（**低色素性貧血** hypochromic anemia）．

巨赤芽球性貧血（図 6.27：基本事項 6.B）

巨赤芽球性貧血 megaloblastic anemia は，**ビタミン B_{12}** vitamin B_{12} あるいは葉酸の欠乏によって起きる．**葉酸** folic acid は葉酸代謝を制御し，DNA 合成に必要なプリン体やデオキシチミジン一リン酸（dTMP）の供給量を増加させる．

図 6.27 | 巨赤芽球性貧血

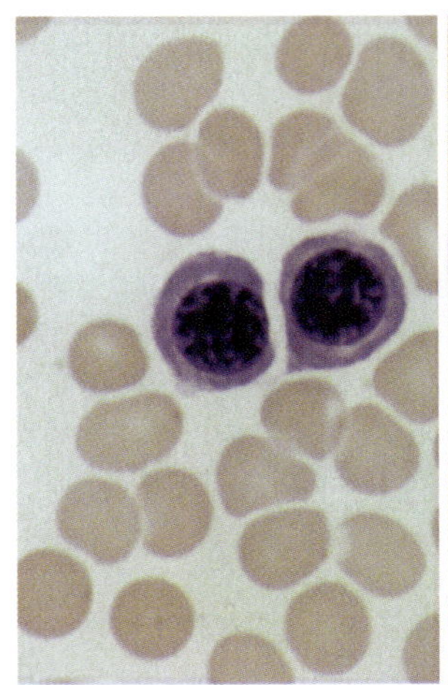

2つの多染性赤芽球がみえる．健常人の骨髄塗抹標本．メイグリュンワルドギムザ染色．

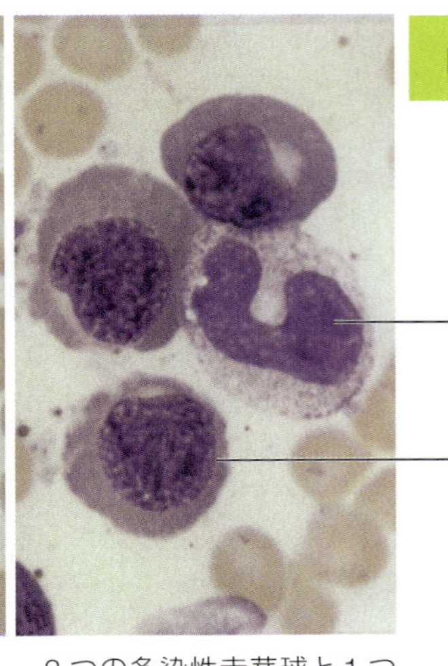

3つの多染性赤芽球と1つの大きな後骨髄球がみえる．**悪性貧血**患者の骨髄塗抹標本．メイグリュンワルドギムザ染色．

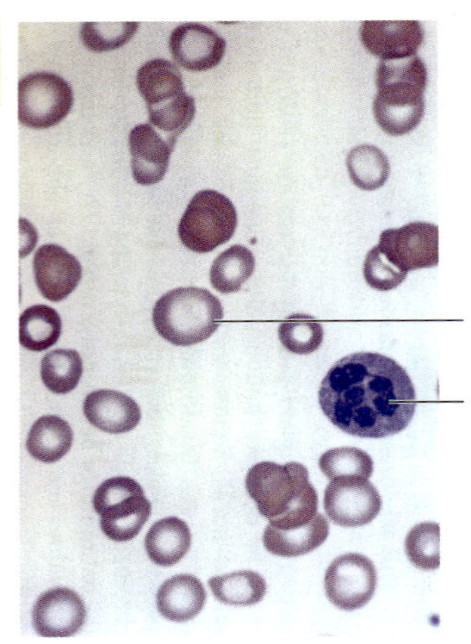

悪性貧血の患者では，好中球は過分葉した核をもち，赤血球は大球性である．血液塗抹標本．メイグリュンワルド染色．

写真：Wickramasinghe SN, McCullough J: Bood and Bone Marrow Pathology, London, Churchill Livingstone, 2003.

ビタミン B_{12}（**外因子** extrinsic factor として知られる）は，胃腺の壁細胞が産生する**内因子** intrinsic factor と結合する．ビタミン B_{12}- 内因子複合体は空腸において特異的受容体に結合し，腸上皮細胞内を移動して血中に入る．血中では輸送タンパク質である**トランスコバラフィリンⅢ** trans-cobalaphilin Ⅲに結合する．

主に内因子か胃酸，あるいは両者の産生不足が原因でビタミン B_{12} の減少が起こり，これにより葉酸代謝や葉酸の取り込みが影響を受け，骨髄での DNA 合成が障害される．肝臓は6年分のビタミン B_{12} を蓄えているため，ビタミン B_{12} の欠乏症はまれである．

欠乏状態では，赤芽球系幹細胞の成熟が遅延し，異常に大きい赤血球（**大赤血球** macrocyte）ができる．この細胞膜は脆弱なので，赤血球の破壊をきたす（**巨赤芽球性貧血**）．

小球性貧血 microcytic anemia は，正常より小さな RBC を特徴とする．小さいサイズはヘモグロビン産生の減少によるもので以下に起因する：

1. **ヘモグロビン産生の欠陥**．**サラセミア** thalassemia はヘモグロビン合成の病気である．そのサブタイプは関連するヘモグロビン鎖にちなんで名づけられている．
2. **鉄供給の制限**，および炎症時にみられる炎症性サイトカインによる**腎臓のエリスロポエチン産生の抑制**．
3. 最もよくみられる原因として，**ヘモグロビンのヘムグループへの鉄供給の欠陥**（**鉄欠乏性貧血**）．月経中の鉄喪失により，女性は男性よりも鉄欠乏に陥りやすい．
4. **ヘムグループ合成の欠陥**（鉄利用が可能な**鉄芽球性貧血** sideroblastic anemia）．鉄芽球性貧血は骨髄における**環状鉄芽球** ringed sideroblast の存在を特徴とする．これは非ヘム鉄で満たされたミトコンドリアをもつ赤芽球系前駆細胞である．

血液と造血 | 概念図・基本的概念

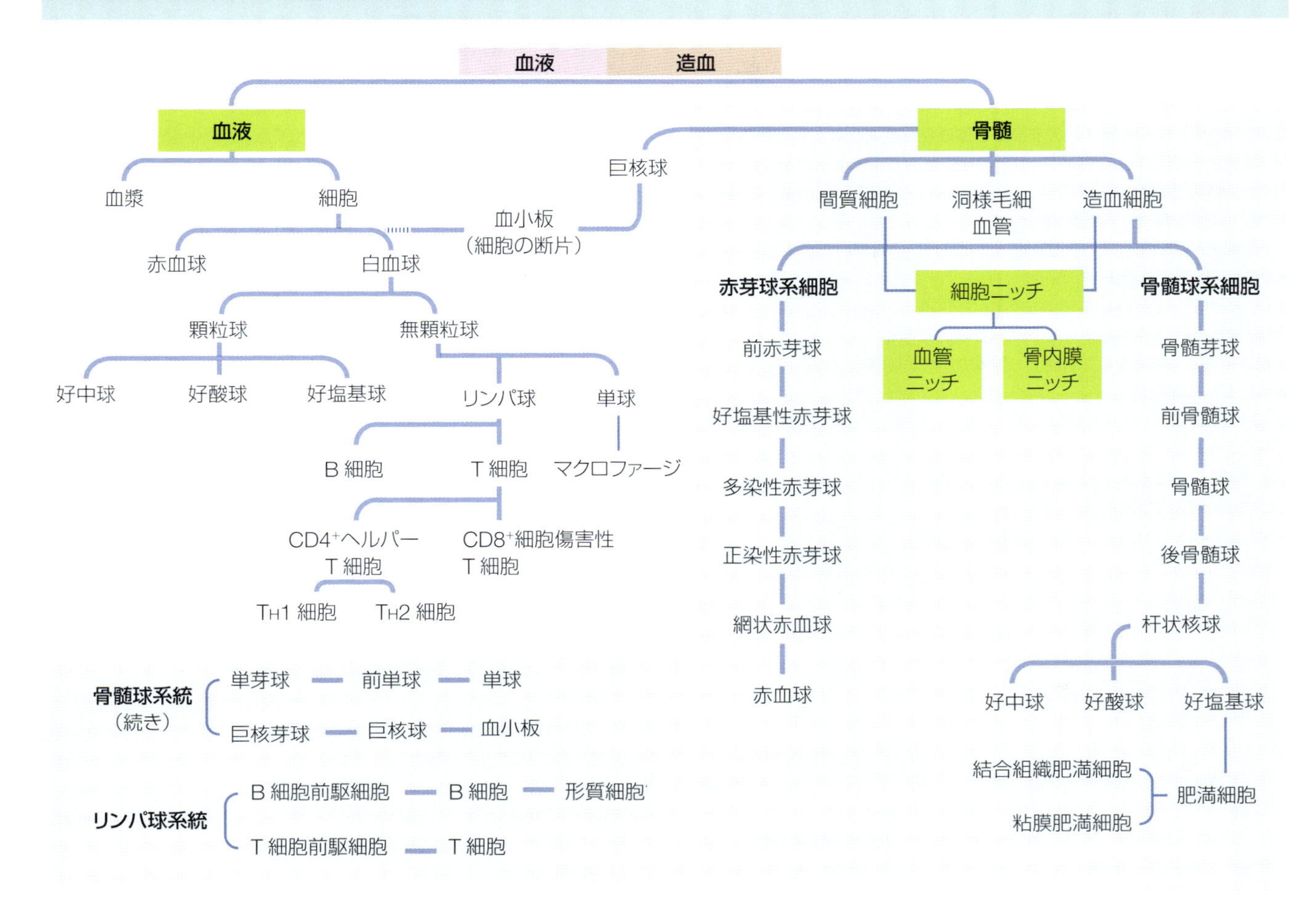

- 血液は特殊な結合組織であり，細胞と血漿（細胞外マトリックスに相当する）からなる．血漿は，タンパク質，塩，有機成分を含む．
  血漿はフィブリノゲンを含むが，血液凝固後に回収される血清はフィブリノゲンを含まない．血液の細胞成分として，赤血球（RBC），白血球（white blood cell）がある．血小板は巨核球の断片である．

- 赤血球（4〜6 × 10^6／mm^3：直径 7.8 μm）は無核で，ヘモグロビンを含む．ヘモグロビンはヘムタンパク質で，酸素と二酸化炭素の運搬に関与する．
  細胞膜にはグリコフォリンと陰イオン輸送チャネル（バンド 3）という 2 つの膜タンパク質が存在し，細胞骨格につながっている．スペクトリンはスペクトリンαとスペクトリンβからなる 2 量体で，アンキリンによりバンド 3 につなぎ留められる．スペクトリン 4 量体は 3 つのタンパク質複合体，F- アクチン，トロポミオシン，プロテイン 4.1 と結合する．アデューシンはカルモデュリン結合タンパク質で，F- アクチンとスペクトリンの相互作用を促す．
  楕円赤血球症（スペクトリンの自己結合能の欠陥，スペクトリンのアンキリンへの結合異常，プロテイン 4.1 とグリコフォリンの異常に起因する）と球状赤血球症（スペクトリンの欠損に起因する）は，赤血球の形が変化する疾患である．臨床所見は貧血，黄疸，脾腫である．
  鎌状赤血球症（β- グロビン鎖のグルタミン酸がバリンに置換されている）とサラセミア（グロビンα鎖かβ鎖に欠陥がある）はヘモグロビンに欠陥がある病態である．
  この 2 つの病態は，臨床的に慢性溶血性貧血を呈する．
  平均血漿グルコース濃度を知る指標として，ヘモグロビン A1c（糖化あるいはグルコース結合ヘモグロビン）の測定は臨床的に重宝される．ヘモグロビン A1c の正常値は 4〜5.6％の間である（訳注：日本では，正常値については，5.5％以下で，5.6〜6.4％は要注意，6.5％以上を異常［可能性が高い］）．
  胎児赤芽球症は抗体に起因する新生児の溶血性疾患で，母親と胎児間の Rh 不適合が原因となる．Rh 陰性の母親は，胎児赤血球表面の D 抗原に対する抗体をつくる．2 度目あるいは 3 度目の妊娠期間中に，抗 D 抗原抗体が胎児赤血球の溶血を起こす．胎児の臨床所見として，貧血と重症黄疸（脳にダメージを与えるものは核黄疸として知られる）がある．

- 白血球（6〜10 × 10^3／mm^3）は顆粒球（細胞質に一次および特殊［二次］顆粒を含む）と無顆粒球（一次顆粒のみ含む）に分けられる．
  3 種類の顆粒球がある：(1)好中球（5 × 10^3／mm^3），(2)好酸球（1.5 × 10^2／mm^3），(3)好塩基球（0.3 × 10^2／mm^3）である．
  好中球（直径 12〜15 μm）は以下の特徴をもつ：(1)一次顆粒（エラスターゼとミエロペルオキシダーゼ）および二次顆粒（リゾチームとその他のプロテアーゼ）をもつ．(2)細胞遊出によって血管に入り，ホーミング機構により血液循環から出る．(3)核が分葉している（多形分葉核細胞）．
  好酸球（直径 12〜15 μm）は以下の特徴をもつ：(1)細胞質顆粒は，好酸球ペルオキシダーゼ（EP：微生物に結合し，マクロファージによる貪食を促す），主要塩基性タンパク質（MBP：結晶成分となるタンパク質で，寄生虫の膜を破壊する），好酸球性陽イオンタンパク質（ECP：MBP とともに寄生虫を断片化する），好酸球由来ニューロトキシン（EDN：抗ウイルス作用をもつ）を含む．(2)アレルギー反応に関与する．(3) 2 分葉核と高屈折率の赤色顆粒をもつ．この顆粒にはガレクチンの一種であるシャルコーライデン結晶が含まれる．

喘息では好酸球と肥満細胞が作用することで粘液の分泌増加と気管支平滑筋の収縮をきたし，小径の気管支や細気管支が閉塞する．

通常，好酸球は消化管，特に盲腸によくみられるが食道ではまれである．しかし，嚥下障害と腹痛などをきたす食道機能不全は，食道粘膜における好酸球の増加と関係する．この病態は好酸球性食道炎として知られる．

好塩基球（直径 9～12 μm）は以下の特徴をもつ：(1)メタクロマジーを示す粗大な細胞質顆粒と二分葉核．(2)肥満細胞と同様にアレルギー反応に関与する．(3)血液循環から結合組織へ侵入する．

好塩基球と肥満細胞は c-kit 受容体と CD49b の有無において異なり，ともに Fcε R1 受容体をもつ．

無顆粒球には 2 種類ある：リンパ球と単球である．

リンパ球は大リンパ球（直径 9～12 μm）あるいは小リンパ球（直径 6～8 μm）として存在する．

リンパ球は B リンパ球（あるいは B 細胞：骨髄で発生し分化する）と T リンパ球（$CD4^+$ ヘルパー T 細胞と $CD8^+$ 細胞傷害性 T 細胞：骨髄で発生するが，胸腺で分化する）に分類される．T 細胞のサブセットとしては T_H1 と T_H2 細胞がある．詳細は第 10 章で学ぶ．

単球（直径 14～20 μm）は循環血液中に 12～100 時間存在し，結合組織中に侵入するとマクロファージとなる．他のマクロファージは，胎児発生期の卵黄嚢に存在する前駆細胞に由来する．また，骨に入ったものは，骨芽細胞が作用することで破骨細胞になる．

- **ホーミングあるいは白血球動員**とは，好中球，リンパ球，単球，その他の細胞が循環血液中から血管壁を通って結合組織やリンパ性器官・リンパ性組織に侵入する機構をさす．2 つの段階がある：
  (1)血管内皮細胞表面におけるセレクチン依存的な細胞接着とローリング．
  (2)インテグリン依存的な血管壁の通過である．ホーミングは，免疫反応，炎症反応，転移，組織形態形成に重要な役割を演じる．

インテグリン β サブユニットの欠損が原因で，白血球接着不全症 I（LAD I）となる．この疾患では白血球の移動が阻害され，創傷治癒に欠陥をきたし，炎症が持続する．セレクチンに結合する糖鎖リガンドに欠陥があると，白血球接着不全症 II（LAD II）になる．感染を繰り返し，慢性炎症をきたす．

- **血小板**（3 × 10^5／mm^3：直径 2～4 μm）は巨核球の細胞質断片である．巨核球はトロンボポエチンで刺激される．血小板はトロンボポエチンに結合し分解するが，この機構が血小板産生を調節する．細胞質突起を前血小板とよび，これが血液循環に入り，分断されて血小板となる．

血小板は，顆粒部とよばれる中央部にミトコンドリア，粗面小胞体，ゴルジ装置，そして 3 種類の異なる顆粒をもつ：
(1)アルファ（α）顆粒は止血機能に関連するタンパク質だけでなく，殺菌性のタンパク質（トロンボシジン，キノシジン）を貯蔵する．血小板は病原性微生物と相互作用しうる．よって感染に対する生体防御においても重要な役割を演じる．
(2)有芯（δ）顆粒は血管の緊張にかかわるメディエーターを含む．
(3)リソソーム（λ）顆粒は血栓を融解する水解酵素を含む．

血小板の辺縁部は硝子部とよび，微小管とミクロフィラメント，そして陥入膜システムをもつ．

血小板の細胞膜は糖タンパク質 1b（GP1b）と GP2b-GP3a に覆われており，これらはフォン・ヴィルブランド因子との結合にかかわる．これら 2 つのタンパク質と因子が欠損すると，出血性疾患になる（GP1b 受容体 - 第 IX 因子：ベルナール・スーリエ症候群，フォン・ヴィルブランド因子 - 第 VIII 因子：フォン・ヴィルブランド病）．

結合したフォン・ヴィルブランド因子は，今度は血小板の血管内皮細胞への接着を促す．フォン・ヴィルブランド因子は凝固因子である第 VIII 因子とも結合するが，フィブリノゲンは GP2b-GP3a 糖タンパク質に結合する．

血小板は血液凝固を促進し，損傷血管からの血液喪失を防ぐ．紫斑病は出血により生じた皮膚の色素斑をさす．直径 3mm より小さなものを点状出血とよぶ．直径 1cm より大きなものは斑状出血とよぶ．ヘノッホ・シェーンライン症候群は薬物過敏によるアレルギー性紫斑病で，点状・斑状出血が特徴的である．

血小板増加症では循環血小板数が増加する．血小板減少症では循環血小板数が減少（1.5 × 10^5／mm^3 以下）する．自己免疫性血小板減少性紫斑病（ITP）は，血小板と巨核球に対する抗体や薬物（ペニシリン，スルホンアミド，ジゴキシン）が原因となる．血栓性血小板減少性紫斑病（TTP）は凝固促進物質を産生する血管内皮細胞の病的変化に起因し，小血管における血小板凝集を引き起こす．

- **血液凝固あるいは止血**．タンパク質分解による酵素前駆体（第 X 因子とよぶ）から活性型酵素（第 Xa 因子とよぶ）への変換過程を含む．外因性経路（血管外の傷害により惹起される）と内因性経路（血管内，通常は血管壁の傷害により惹起される）がある．両経路は互いに作用し合って共通経路に収束していく．共通経路ではフィブリノゲンがフィブリンに変換され，血小板がフィブリン網に付着し始める．

血友病はよくみられる遺伝性疾患であり，重症の出血傾向を伴う．第 VIII あるいは第 IX 因子の遺伝子欠損によって起こる．

これら血液凝固因子の遺伝子は X 染色体上にあり，ここに変異が起こると，伴性潜性遺伝の特徴をもつ血友病 A あるいは B になる．血友病は男性に発症し，女性はキャリアとなる．

肝臓で合成される第 VIII 因子の減少あるいは活性低下は血友病 A を引き起こす．第 IX 因子の欠損は血友病 B の原因である．

すべての血友病において，大きな外傷や手術は重症の出血を招きうるため，正確な診断が重要である．血漿由来のあるいはリコンビナント製剤の因子が血友病患者の治療として入手できる．

- **造血**は，骨髄における（成人の場合）血球形成をさす．骨髄は 2 つの微小環境からなり，ニッチとよばれる：
  (1)血管ニッチ．
  (2)骨内膜ニッチ．

ニッチは物理的な支持基盤となり，可溶性因子を保持し，細胞同士の相互作用の場を提供する．こうして造血幹細胞（HSC）の自己複製，分化，静止状態を調節する．

血管ニッチは，血管に関連した部位であり，血管周囲に存在する造血能をもたない間質細胞の集団からなる．間質細胞としては，間葉系幹細胞，脂肪細胞，内皮細胞，多数の間質細網細胞，マクロファージがある．骨髄の間質細網細胞は造血成長因子とサイトカインを産生して血液細胞の産生と分化を調節する．骨髄マクロファージはアポトーシスに陥った細胞を除去する．

骨内膜ニッチは骨内膜と骨髄の境界に存在する．前骨芽細胞（骨前駆細胞），骨芽細胞，破骨細胞から構成され，これらが HSC と相互作用する．骨芽細胞は複数の造血サイトカインを産生するが，これには G-CSF（顆粒球 - コロニー刺激因子），M-CSF（マクロファージ - コロニー刺激因子），GM-CSF（顆粒球 - マクロファージ - コロニー刺激因子），IL-1，IL-6，IL-7 が含まれる．

造血細胞群．骨髄は 3 つの主要なグループからなる：
(1) HSC は自己複製できる．
(2)単能性幹細胞は，特定の細胞系譜の産生を担う．
(3)成熟過程の細胞は単能性幹細胞から分化してきた細胞である．
HSC は骨髄球系幹細胞とリンパ球系幹細胞になる．
骨髄球系幹細胞は 5 つのコロニー形成単位（CFU）になる．
(1)赤芽球系 CFU．
(2)巨核球系 CFU．

(3)好塩基球系 CFU.
(4)好酸球系 CFU.
(5)顆粒球・マクロファージ系 CFU.
顆粒球・マクロファージ系 CFU は好中球と単球になる.
CFU の増殖と成熟は**造血成長因子**(造血サイトカインとよばれる)に制御される.これらは骨髄間質領域と骨髄外の細胞でつくられる.造血成長因子には 3 つの主要なグループがある.
(1)**コロニー刺激因子**(CSF).
(2)**エリスロポエチン**(EPO).
(3)**サイトカイン**(主にインターロイキン).

- 赤芽球系細胞は以下の過程を経て成熟する:**前赤芽球**,**好塩基性赤芽球**,**多染性赤芽球**,**正染性赤芽球**,**網状赤血球**,**赤血球**.

EPO が主な制御因子であり,赤芽球系 CFU 細胞,それに由来する細胞(成熟/原始前駆細胞),および前赤芽球を刺激する.EPO は腎皮質の傍糸球体間質細胞でつくられる.エリスロポエチン療法の効果は,循環血液中の網状赤血球の増加によって確かめることができる.

- 白血球の発生は,**顆粒球系統**(好中球,好塩基球,好酸球)と**無顆粒球系統**(リンパ球と単球)の発生をさす.顆粒球系統は以下の過程を経る:**骨髄芽球**,**前骨髄球**,**骨髄球**,**後骨髄球**,**杆状核球**,**成熟型**.好中球とマクロファージの細胞系譜は共通の前駆細胞系譜,すなわち顆粒球・マクロファージ系 CFU に由来する.好酸球と好塩基球は,それぞれ別個の好酸球系 CFU および好塩基球系 CFU に由来する.好塩基球系 CFU は好塩基球と肥満細胞の前駆細胞を産生する.この系譜の分化過程は転写因子である GATA 結合タンパク質 2(GATA2)と CCAAT/エンハンサー結合タンパク質-α(C/EBPα)の発現によって制御される.顆粒球の特徴は,細胞質の**一次(アズール)顆粒**の出現(前骨髄球と骨髄球)と,その後の**二次あるいは特殊顆粒**の出現(骨髄球以降)である.一次顆粒は二次あるいは特殊顆粒と共存する.

すでに述べたように,無顆粒球はリンパ球と単球にかかわる.すなわち,無顆粒球はリンパ球と単球からなる.
リンパ球系は 2 つの経路をもつ:
(1) B 細胞は骨髄で発生,成熟する.
(2) T 細胞は骨髄で発生し,胸腺で成熟する.
リンパ芽球は**前リンパ球**になり,これがリンパ球に成熟する.B 細胞と T 細胞は形態学的に類似するが,機能は異なる.
単球は顆粒球・マクロファージ系 CFU に由来する.**単芽球**は**前単球**になる.最終段階が**単球**であり,これが結合組織ではマクロファージ,骨では破骨細胞に分化する.
無顆粒球は一次顆粒(リソソーム)を含む.

- **CSF とインターロイキン**.G-CSF は好中球の発生を刺激する.GM-CSF は好中球,好酸球,好塩基球,単球,樹状細胞(リンパ性器官,組織に存在する)を刺激する.インターロイキンはリンパ球系統の発生と機能に重要である.

インターロイキンは CSF,SCF,Flt3 リガンドと協同して造血幹細胞の発生を促す.

- **幹細胞因子**(SCF)は胎児組織および骨髄の間質細網細胞から産生されるリガンドタンパク質である.SCF には 2 つの型,すなわち膜結合型および可溶型がある.SCF はチロシンキナーゼである **c-kit 受容体**に結合する.SCF は HSC が他のサイトカインに反応できるようにする.

c-kit 受容体は c-kit がん原遺伝子により発現誘導がかかる.c-kit 受容体および(あるいは)SCF の遺伝子変異は以下の現象を引き起こす:貧血,皮膚のメラニン細胞の発達不全,発生中の精巣と卵巣における原始生殖細胞の移動・生存・増殖能の低下,肥満細胞の発達不全.

- **白血病**は最もよくみられる白血球の腫瘍性疾患である.急性および慢性白血病がある.

急性白血病は,リンパ系細胞に由来する場合は**急性リンパ性白血病**(ALL),骨髄球系,赤芽球系,巨核球系の前駆細胞に由来する場合は**急性骨髄性白血病**(AML)に分類される.
診断は骨髄標本の顕微鏡観察に基づく.ALL は小児に,AML は成人に発症する傾向がある.
慢性白血病はリンパ性,骨髄性,ヘアリー細胞型白血病に分類される.**慢性リンパ性白血病**(CLL)は主に成人(50 歳以上)にみられる.**慢性骨髄性白血病**(CML)は骨髄における増殖性病態(異常な骨髄幹細胞の増殖)とみなされ,成人で発症しやすい.
CML 患者は通常**フィラデルフィア染色体**をもつ.これは 9 番と 22 番染色体長腕の間の相互転座によってできたもので,t(9;22)(q34;q11)と表記される.
この融合遺伝子(*abl*/*bcr*)は細胞の形質転換にかかわるチロシンキナーゼをコードし,腫瘍性の表現型を誘導する.
ヘアリー細胞白血病(HCL)はまれな B 細胞の白血病である.

- **巨核球**(thrombocyte ともよばれる,直径 50〜100 μm)は血小板の前駆細胞であり,巨核芽球(直径 15〜50 μm)に由来する.巨核芽球は巨核球系 CFU に由来する.巨核球は不規則に分葉した核をもつ.この核は**核内有糸分裂**,すなわち細胞分裂なしに DNA 複製が起こる過程により形成される(**倍数体核**).

巨核球は破骨細胞と混同されやすい.**破骨細胞**も骨にある大きな細胞で,多核であるが分葉はしていない.
巨核球の細胞質には細胞膜の内側への陥入によってできる分界帯のネットワーク構造がみられる.複数の細胞質突起が骨髄類洞内に伸び出し,ちぎれて遊離断片となる.この遊離断片は**前血小板**となり,さらに分離チャネルが癒合することで**血小板**になる.血小板は血管機能の維持に重要である.

- **鉄過剰症**.RBC の形成は,エリスロポエチンに加えて,鉄代謝,および水溶性ビタミンである**葉酸**(folacin)と**ビタミン** B_{12}(cobalamin)に大きく依存する.

多くの鉄結合タンパク質,例えば赤血球のヘモグロビン,筋組織のミオグロビン,チトクローム,さまざまな非ヘム酵素が,鉄を運搬・貯蔵する.約 65〜75% の鉄が**ヘム**として RBC のヘモグロビン中に存在する.肝臓は約 10〜20% の鉄をフェリチンとして貯蔵する.
全身の鉄レベルは以下により調節される:
(1)吸収.鉄は十二指腸で吸収される.
(2)リサイクリング.鉄の主な供給源は老化赤血球からのリサイクル経路であり,脾臓と肝臓におけるマクロファージによる.
(3)肝臓における貯蔵鉄の移動.
血漿中では,鉄は**トランスフェリン**(Tf)に結合する.Tf は Tf 受容体を発現する細胞に鉄を運び込む.肝臓で産生される Tf と,母乳に含まれる**ラクトフェリン**は,鉄輸送にかかわる非ヘムタンパク質である.2 つの Fe(III)イオンと結合した Tf は**フェロトランスフェリン**,鉄をもたない Tf は**アポトランスフェリン**とよばれる.
Tf-Fe(III)複合体の細胞内取り込みは Tf 受容体のリン酸化に依存し,これは Ca^{2+}-カルモデュリンとタンパク質キナーゼ C 複合体によって惹起される.
細胞内において,Fe(III)は酸性のエンドソーム内で遊離し,エンドソーム内の鉄還元酵素である STEAP3 によって Fe(II)に変わる.その後,Fe(II)は DMT1(divalent metal transporter-1)によってエンドソームから細胞質に輸送され,フェリチンに貯蔵されるか RBC のヘモグロビンに取り込まれる.Tf 受容体はリサイクルされて細胞表面に戻る.
フェリチンは肝臓で産生される主要タンパク質である.鉄がフェリチンの貯蔵限界を超えると,**ヘモジデリン**として沈着する.鉄をほとんどもたないフェリチンはアポフェリチンとよばれる.

Fe (II) は細胞内貯蔵部位であるフェリチンからフェロポーチンによって運び出される. このフェロポーチンの機能は, 体の鉄レベルに応じてヘプシジンによって厳密に調整されている. 運び出された Fe (II) は膜局在のフェロキシダーゼであるヘファスチンによって Fe (III) に変換され, 血液循環に入る.

ヘプシジンは鉄輸送を負に制御する. 体に鉄が**豊富**なときはヘプシジンの発現は増加し, 鉄**欠乏**の際は減少する.

生理的条件下では肝臓のヘプシジン発現は次のようなさまざまなタンパク質により調節される: 遺伝性ヘモクロマトーシスタンパク質あるいは HFE (high iron [Fe]) ともよばれる, Tf 受容体, ヘモジュベリン (HJV), 骨形態形成因子 (BMP6), マトリプターゼ -2, ネオジェニン. これらのうち, どのタンパク質がなくなってもヘプシジン発現が欠損するが, 特に HJV の場合に顕著である.

酸素欠乏状態では転写因子である低酸素誘導因子 (HIF-1α) が *HAMP* 遺伝子のプロモーターに結合し, ヘプシジンの発現を抑制する. *HAMP* 遺伝子の発現調節に異常をきたすと, 遺伝性ヘモクロマトーシス (HH) などの鉄過剰症になりうる.

特発性血色素症の患者では, 鉄が過剰に吸収され組織に沈着する. 月経過多による血液漏出や消化管出血により, 赤血球の小型化をきたす (小球性貧血).

- 巨赤芽球性貧血は, ビタミン B_{12} あるいは**葉酸**の欠乏によって起きる.

ビタミン B_{12} は, 胃腺の壁細胞が産生する内因子と結合する. ビタミン B_{12}- 内因子複合体は空腸 (小腸) において特異的受容体に結合し, 腸上皮細胞内を移動して血中に入る. 血中では輸送タンパク質であるトランスコバラフィリン III に結合する. 葉酸とビタミン B_{12} が欠乏すると, 巨赤芽球性貧血になる.

7　筋組織

キーワード　骨格筋（横紋筋），心筋（横紋筋），平滑筋，筋疾患，筋の再生

筋組織は4つの基本的な組織の1つで，さらに，**骨格筋** skeletal muscle，**心筋** cardiac muscle，**平滑筋** smooth muscle の3つに分けられる．いずれも筋細胞あるいは筋線維とよばれる収縮機能に特化した細長い細胞で構成されており，ATPの加水分解によって得られるエネルギーを機械的なエネルギーに変換している．骨格筋の異常（筋疾患）は，先天性の原因の他，支配神経の障害，ミトコンドリアの機能不全，炎症（筋炎），自己免疫（重症筋無力症），腫瘍（横紋筋肉腫），外傷などが原因となる．心筋症は心臓の拍出機能と心筋の正常な電気的活動リズムに影響を与える．本章では，筋疾患における病態生理の理解のために，3つの筋組織における機能と分子的な枠組みの構造面について説明する．

骨格筋（図7.1）

筋細胞 muscle cell（あるいは**筋線維** muscle fiber ともよばれる）は，細長い多核の合胞体細胞で，結合組織の鞘によってまとめられて束となり，筋の起始部から停止部まで達している．

筋上膜 epimysium は密な結合組織の層であり，筋全体を包む．**筋周膜** perimysium は筋上膜から派生し，筋線維の束である**筋束（筋線維束）** fascicle を囲む．**筋内膜** endomysium は個々の筋細胞を囲む1層の繊細な細網線維と細胞外マトリックスである．血管や神経はこのような結合組織の鞘を通って筋の深部に達する．筋の収縮と弛緩に柔軟に対応する発達した毛細血管網が，個々の筋細胞を囲んでいる．

筋の両端部分では，筋束が規則性結合組織である腱に移行する**筋腱接合部** myotendinous junction が形成されている．この部位では，筋束を包んでいた結合組織の鞘は腱の結合組織と融合するが，筋束自体は放散し腱の結合組織と交互に入り込むような構造を示す．腱の結合組織線維は骨膜の**シャーピー線維** Sharpey's fiber を通り抜けて骨基質に貫入し筋を骨につなぎ留める働きをする．

骨格筋細胞（筋線維）

骨格筋細胞の起源は胎生期の筋芽細胞であり，これらが融合して，多核の合胞体である**管状筋細胞** myotube を形成する．

管状筋細胞はそれ以上分裂して増えることなく成熟し，直径10～100 μm，長さ数cmほどの細長い筋線維になる．

筋細胞の細胞膜（筋線維鞘あるいは**筋鞘** sarcolemma とよばれる）は，**基底板** basal lamina と**衛星細胞** satellite cell に囲まれている．衛星細胞の筋再生における重要性については後述する．

筋細胞膜は**横細管** transverse tubule あるいは**T細管** T tubule

図7.1　|　骨格筋の一般的な構造

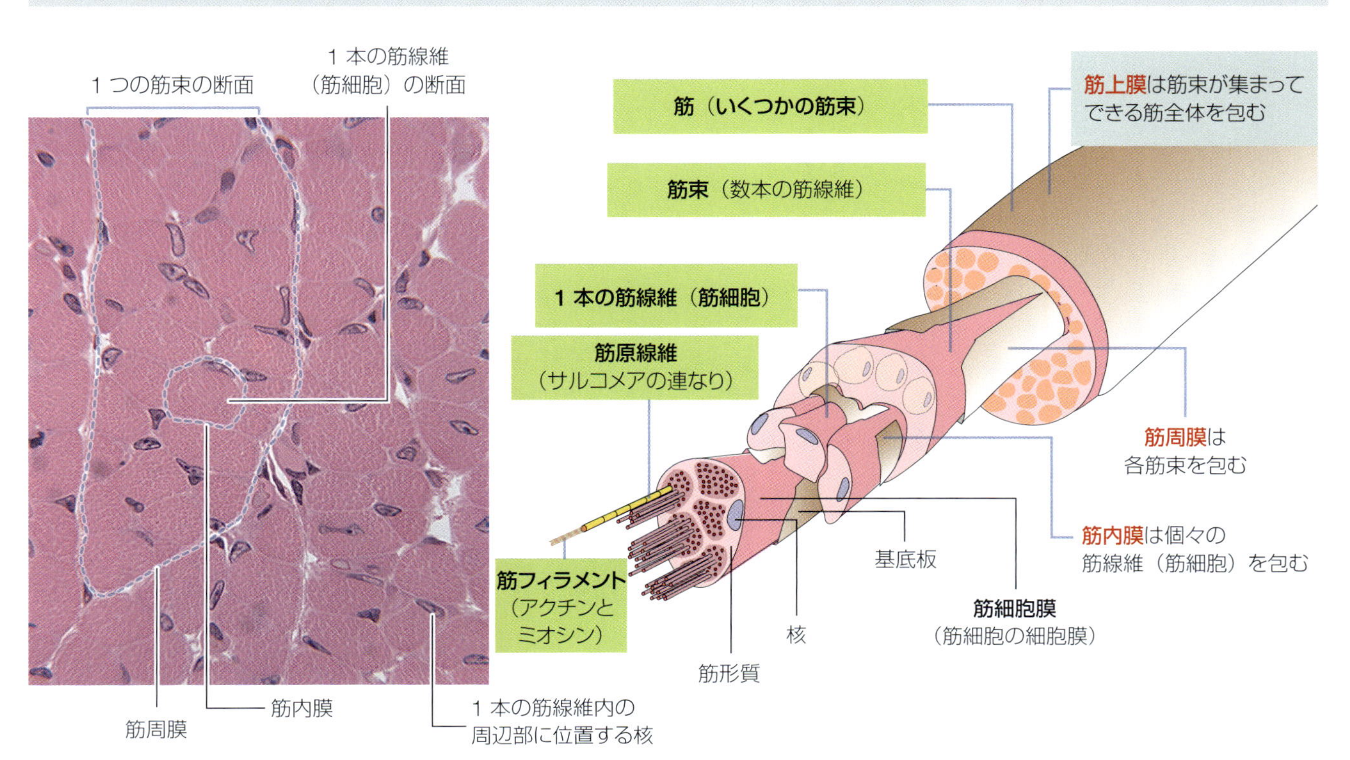

図 7.2 | 骨格筋（横紋筋）

筋形質中には，精巧で規則的な**筋原線維**の配列が認められる．筋原線維は 2 つの屈折率が異なる短い区域の繰り返しによって構成されている．すなわち，**暗い A 帯（暗帯）と明るい I 帯（明帯）**である．

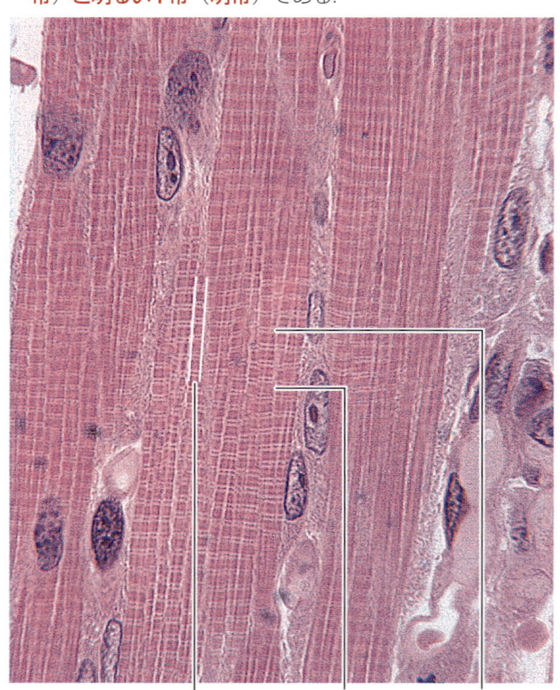

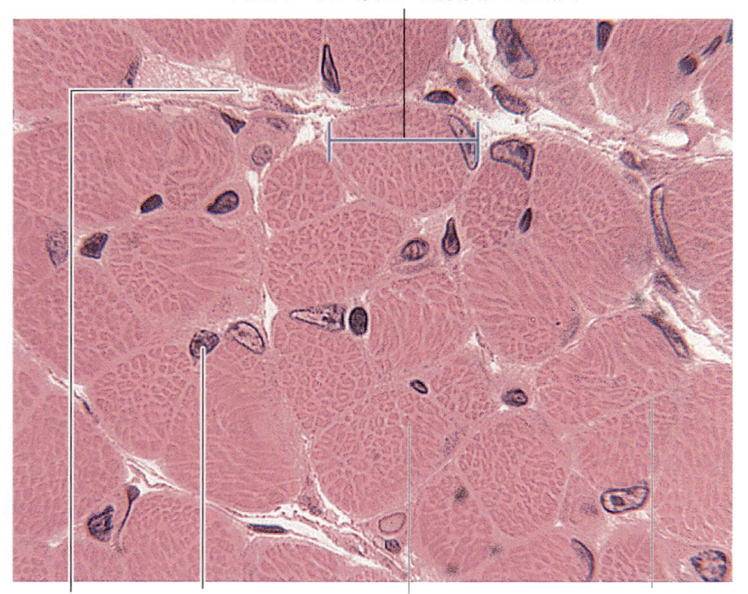

筋フィラメントが筋原線維の構成要素である．主な筋フィラメントには，細い**アクチン**フィラメントと太い**ミオシン**フィラメントの 2 つがある．横紋筋（骨格筋や心筋）の「横紋」は，アクチンフィラメントとミオシンフィラメントが規則的に配列することによってできる．アクチンは I 帯の，ミオシンは A 帯の主要成分である．隣り合う Z 板同士の間で，I 帯と A 帯は**サルコメア**（**筋節**）を形成している．

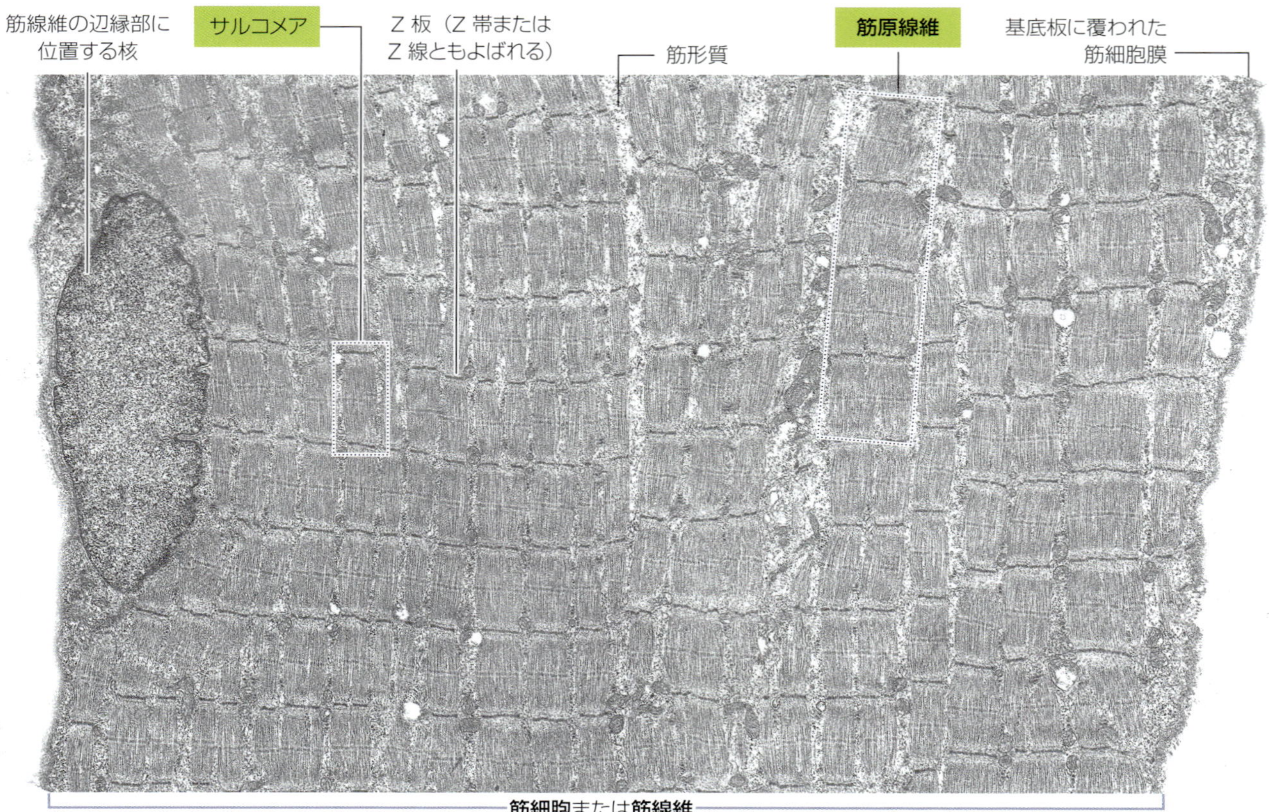

図 7.3 | 骨格筋細胞／筋線維

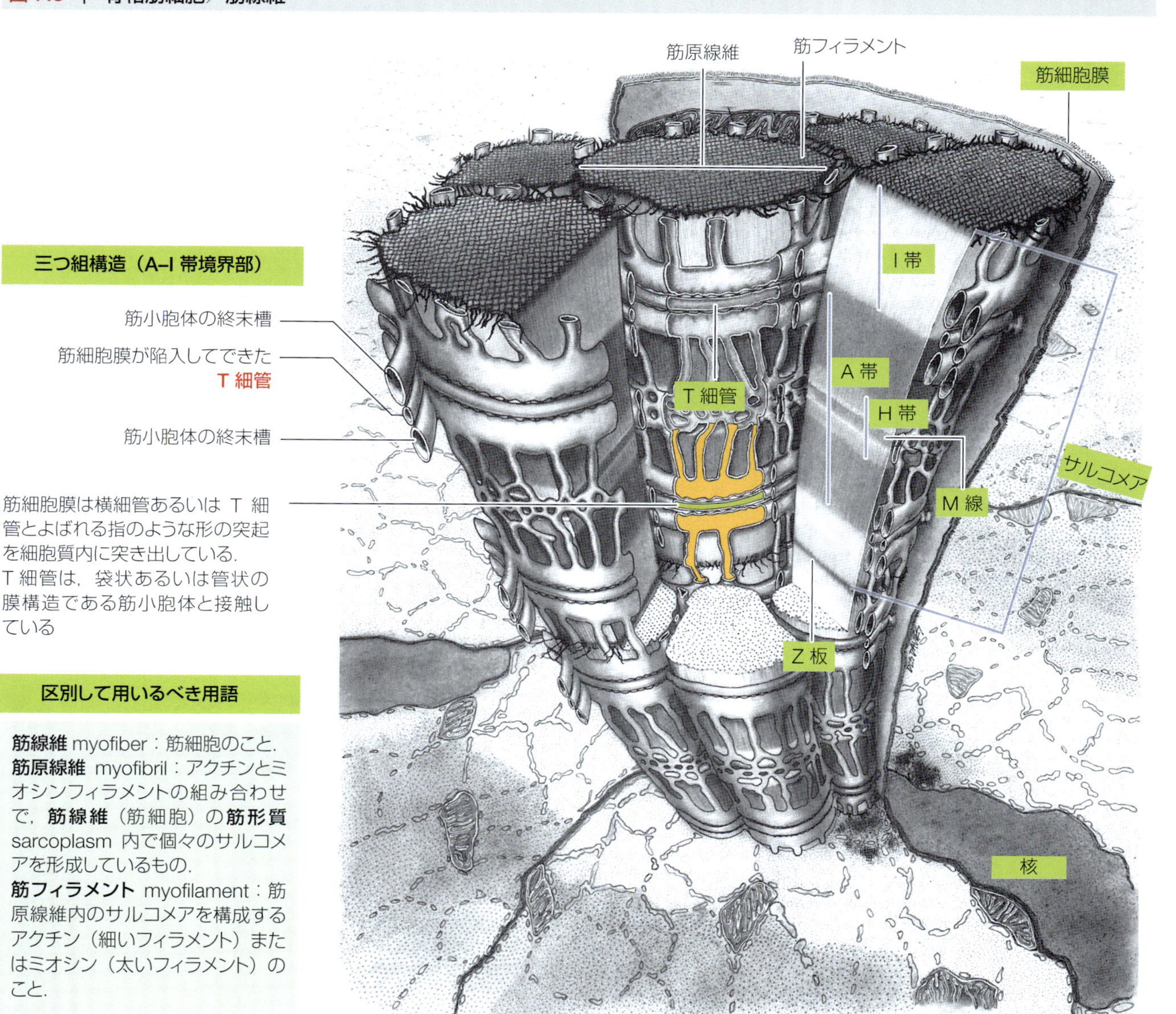

図：Kelly DE, Wood RL, Enders AC: Textbook of Microscopic Anatomy, 18th Edition, Baltimore: Williams & Wilkins, 1984 より．

とよばれる指のような形の突起を**筋形質** sarcoplasm 内に突き出している．

T 細管は，高濃度のカルシウムイオン（Ca^{2+}）を貯蔵している袋状あるいは管状の**筋小胞体** sarcoplasmic reticulum とよばれる膜構造と接触している．この接触部位は，中央の T 細管を両側から筋小胞体が挟むような形になることから，三つ組あるいは**三連構造** triad とよばれる．

筋線維内の多数の核は，辺縁部の筋細胞膜直下に存在している．

筋細胞質のおよそ 80％は，**明帯** light band と**暗帯** dark band を伴い**横紋**が際立つ**筋原線維（筋細線維）** myofibril とその周りを囲む大型の**ミトコンドリア**（**サルコソーム** sarcosome あるいは**筋粒体**とよばれる）で占められている．暗帯と明帯は交互に現れる屈折率が異なる短いセグメントのことで，その 1 回分の繰り返しは**サルコメア（筋節）** sarcomere とよばれる（訳注：正確には明帯の中央から暗帯を挟んで隣の明帯の中央までをさす）．同じ筋線維内の隣り合う筋原線維の**暗帯**（**A 帯**）と**明帯**（**I 帯**）は，お互いに整列するように配置しており，その結果，筋線維全体として縞模様あるいは**横紋構造**がはっきりと現れる（図 7.2）．

筋原線維は収縮性のタンパク質からなる 2 つの主要な筋フィラメント，すなわち**アクチン** actin を含む**細いフィラメント** thin filament と**ミオシン** myosin からなる**太いフィラメント** thick filament で構成されている．筋のタイプによって，ミトコンドリアは筋原線維に平行に並んでいたり，太いフィラメントの周囲を取り囲むように認められたりする．

サルコメア（筋節）（図 7.3，7.4）

サルコメア（筋節） sarcomere は，横紋筋の収縮機能単位であ

図 7.4 | サルコメア（筋節）

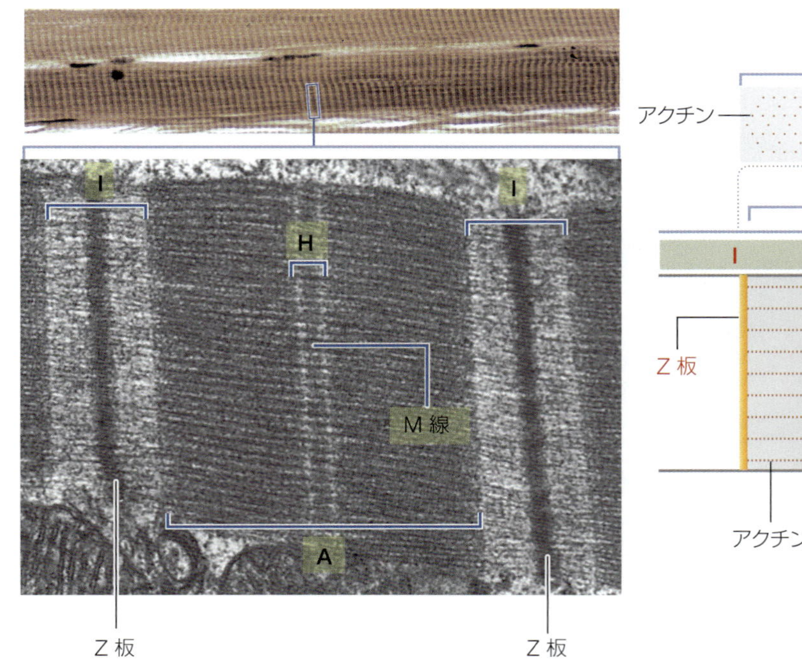

M 線は，両側に配列したミオシン分子の尾部同士が向き合って整列する線である．M 線は，A 帯の中央に明るくみえる**H 帯**を横断する

図 7.5 | トロポニン I，C，T とトロポミオシンの複合体

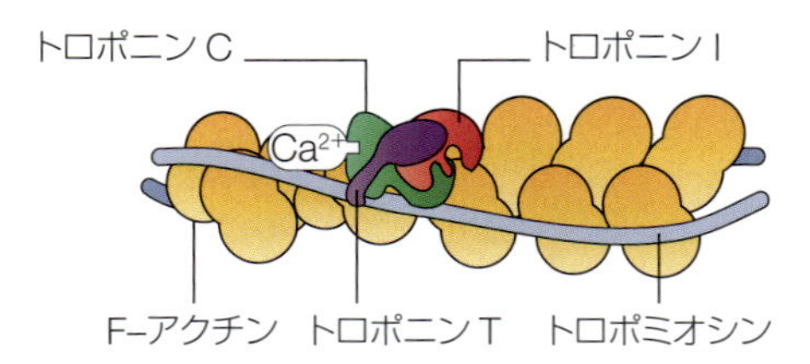

トロポミオシン，**トロポニン複合体**および細胞質（筋形質）中の **Ca^{2+} 濃度**が筋の収縮を制御している．

トロポミオシンはお互いに絡み合う 2 本のαヘリックス鎖からなる．この 2 本のαヘリックス鎖は，ミオシン頭部近くの F-アクチンの溝にはまり込んでいる．**トロポニン（Tn）**は 3 つのタンパク質（**TnI**，**TnC** および **TnT**）の複合体である．TnC は Ca^{2+}に結合，TnI はアクチンに結合，そして TnT はトロポミオシンに結合する．TnC は横紋筋にのみ存在する．

弛緩状態の筋では，Ca^{2+}は TnC の高親和性部位にのみ結合し，これによってトロポミオシンは F-アクチンと相互作用ができなくなっている．

筋の収縮時には，Ca^{2+}濃度が上昇する（図 7.13）．すると，Ca^{2+}は TnC の低親和性部位を占めるようになり，それまで結合していた高親和性部位から外れる．そのため，TnC の立体配置の変化が起こり，その変化は順に TnI, TnT, そしてトロポミオシンの立体配置に変化を起こすこととなる．結果として，F-アクチンがミオシンの頭部と相互作用できるようになり，筋の収縮が起こる．

図 7.6 | ミオシン II

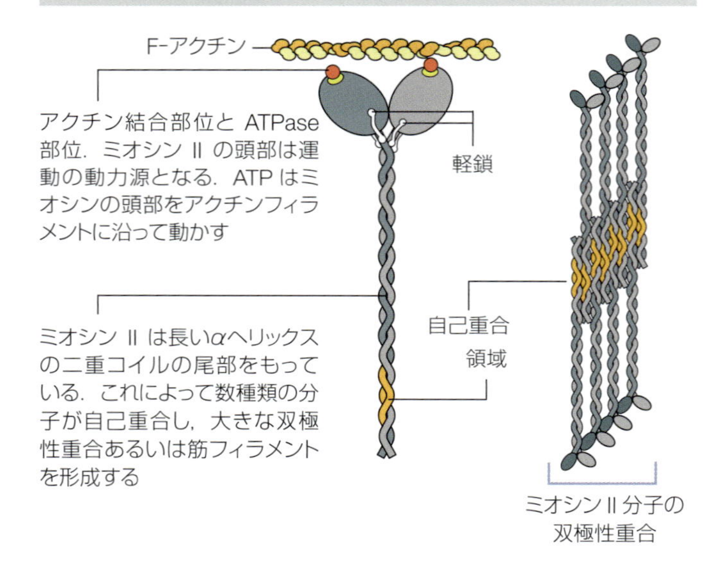

り，サルコメアの繰り返しは骨格筋と心筋の筋形質内で特異的にみられる規則正しい筋原線維の配列に相当する．

すでに述べたように，筋原線維は細いアクチンフィラメントと太いミオシンフィラメントからなる．細いアクチンフィラメントは **Z 板** Z disk（**Z 帯**，**Z 線**ともよばれる）の各側に付着して，Z 板から **A 帯**の中に延び，そこで太いミオシンフィラメントと交互にかみ合うように配置する．**α-アクチニン**は細いフィラメントを **Z 板**の各側につなぎ留める働きをする．

サルコメアの細いフィラメントと太いフィラメントが配列してつくる模様は，光学顕微鏡あるいは電子顕微鏡下で観察される帯状パターン（横紋）にほぼ相当する（図 7.2～7.4）．アクチンとミオシンの相互作用で収縮力が生み出され，Z 板で構成される**サルコメアの横方向の足場構造**が収縮力の効率的な伝達を可能にしている．

細いフィラメントは太さ 7 nm，長さ 1 μm のフィラメントで，**I 帯** I band を形成する．太いフィラメントは太さ 15 nm，長さ 1.5 μm のフィラメントであり，A 帯に存在する．

A 帯は明るい色調の **H 帯** H band（図 7.4）によって二分される．この H 帯の主な構成成分は，**クレアチンキナーゼ** creatine

図 7.7 | サルコメア：ネブリンとタイチン

ネブリンは，Z 板から 1 本の細いアクチンフィラメントの全長にわたって併走している．これによって**アクチンフィラメントの長さを一定に保つ安定器**のような役割を果たしている

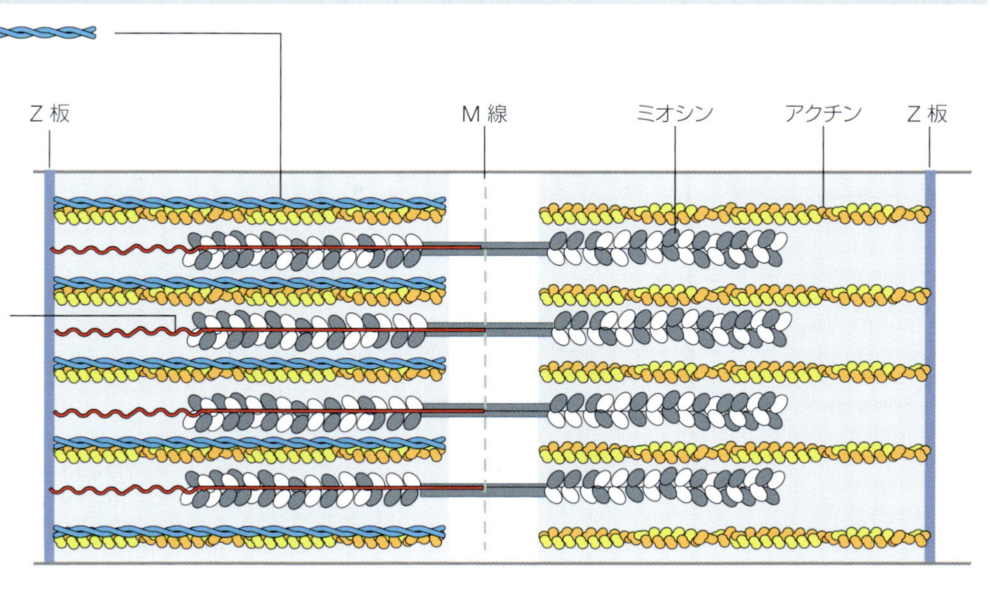

タイチンの各分子は Z 板から M 線まで及んでいる．タイチン分子の 1 区画はミオシンに密着し，サルコメアの太いフィラメントが中央部分に留まるように維持している．**タイチンはサルコメアの弾力性を調節し，筋が引き伸ばされたときの変位の幅を制限する**

図 7.8 | 骨格筋細胞の細胞骨格保護ネットワーク

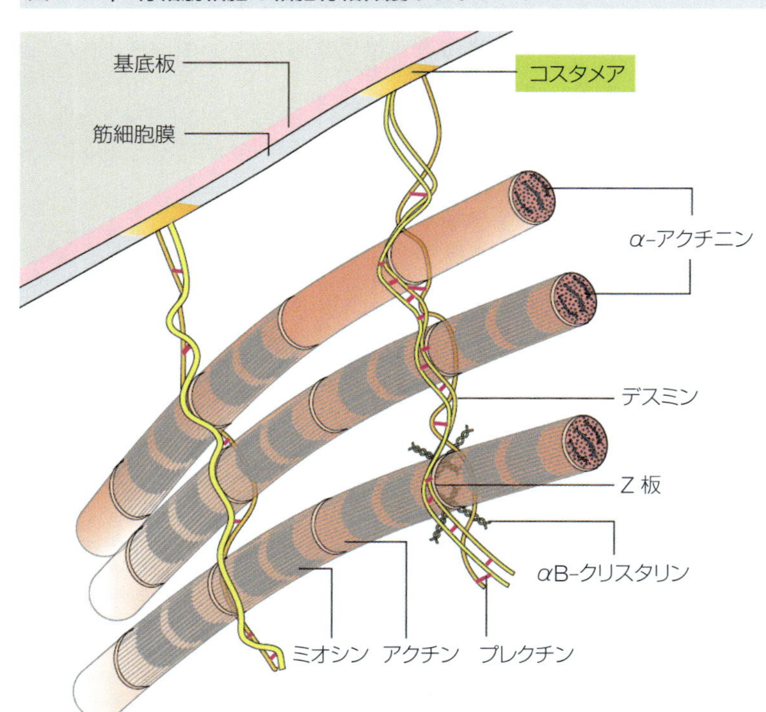

機械的ストレスから筋原線維を保護する細胞骨格ネットワークが Z 板のところで筋原線維を取り囲んでいる．

中間径フィラメントの**デスミン**は，筋原線維間を連結して束ねるとともに，その一方の端が**コスタメア**とよばれる筋細胞膜の特殊化した領域に付着することによって，筋原線維全体を筋細胞膜につなぎ留めている．これによって，個々の筋原線維の協調的な収縮が可能となっている．

プレクチンは隣接するデスミンフィラメント同士を連結する．

αB-クリスタリンはデスミンに付随する熱ショックタンパク質で，機械的ストレスによる損傷からこの中間径フィラメントを保護する働きをしている．

α-アクチニンはアクチンフィラメントの反矢じり端（プラス端）をZ板に付着させている．

kinase という酵素である．この酵素は，**クレアチンリン酸** creatine phosphate とアデノシン二リン酸（ADP）から ATP を生成する働きをもつ．持続的な筋収縮の際，クレアチンリン酸がどのように ATP レベルを維持するかについては後述する．

H 帯の中央を走るのは **M 線** M line であり，細いフィラメントとかみ合っていない太いフィラメント単独の部分を連結する架橋や線維に相当する．

サルコメアの構成成分（図 7.5～7.8）

サルコメアの細いフィラメントを構成する **F-アクチン** F-actin は，球状の単体分子である **G-アクチン** G-actin（第 1 章参照）が重合したもので，二重らせん構造をしている．

G-アクチン分子には方向性があって同じ向きに並んで重合するため，F-アクチンにも方向性が生じ，**反矢じり端** barbed end（プラス端あるいは B 端とよばれる）と**矢じり端** pointed end（マ

図 7.9 | サルコメア：筋の収縮

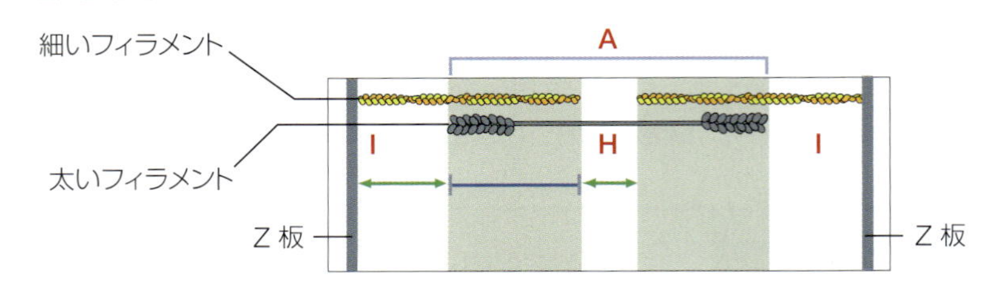

弛緩時の横紋筋

A 帯は太いミオシンフィラメントの存在する部位に相当する．H 帯は太いミオシンフィラメントの尾部で，細いアクチンフィラメントと重なり合わない部位である．

細いフィラメントは Z 板に付着する．Z 板は I 帯の中央に位置しているが，Z 板を挟んで細いフィラメントの向きは反対である．

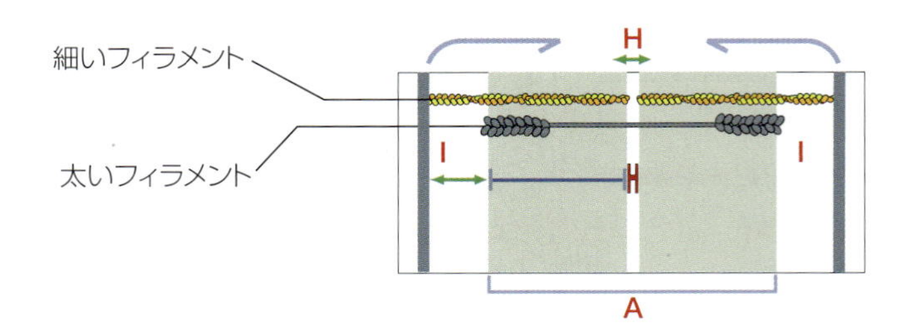

収縮時の横紋筋

太いミオシンフィラメントと細いアクチンフィラメントの長さは変化しない．

太いフィラメントと細いフィラメントが互いに滑走し，かみ合わせが深くなることによってサルコメアの長さは短縮する．これは **H 帯や I 帯の幅が減じる**ことで示される．

イナス端あるいは P 端とよばれる）が区別されるようになる．Z 板に付着するのは反矢じり端である．

F- アクチンはトロポミオシン tropomyosin **やトロポニン** troponin **と複合体を形成している．トロポミオシン**は F- アクチンの二重らせんの溝にはまり込んでいる．トロポミオシンは，ほぼ同一の α ヘリックス構造をもって互いに絡み合う 2 本のペプチド鎖で構成されている．トロポミオシンの 1 分子は **G- アクチン 7 つ分**の長さをもち，**トロポニン複合体** troponin complex にも結合している（図 7.5）．

トロポニンは**トロポニン I，C，T** という 3 つのタンパク質からなる複合体である．**トロポニン T** troponin T はトロポニン複合体をトロポミオシンに結合させる．**トロポニン I** troponin I はアクチンに結合する．**トロポニン C** troponin C は Ca^{2+} に対する高親和性と低親和性 2 つの結合部位をもち，骨格筋にのみ認められる．トロポニンによる筋収縮の制御のしくみは図 7.5 で説明されている．

太いフィラメントの主な構成成分である**ミオシン II** myosin II は，ATPase 活性（ATP を加水分解する活性）をもち，細いフィラメントの主成分である F- アクチンに可逆的に結合することができる．

ミオシン II 分子は 2 つの同一の**重鎖**と 2 対の**軽鎖**からなる（図 7.6 および第 1 章参照）．各重鎖の一端は球状の頭部を形成しており，この頭部のそれぞれに 2 種類の軽鎖，すなわち**必須軽鎖** essential light chain と**調節軽鎖** regulatory light chain が結合している．重鎖の球状の頭部は，以下の異なる 3 つの領域をもつ．

1. アクチン結合部位．
2. ATP 結合部位．
3. 軽鎖結合部位．

ミオシン II は，他の分子モーターであるキネシンやダイニンのように，ATP の化学的エネルギーを分子構造の変化のために用いることで動力を生み出している．**キネシン** kinesin や**ダイニン** dynein が微小管に沿って動くように，ミオシンはアクチンフィラメントに沿って動くことで筋を収縮させる．

ネブリン nebulin は大きな分子（600～900 kd）で，細い（F- アクチン）フィラメントに併走して Z 板に付着し，F- アクチンの長さを維持するための**スタビライザー**（安定器）として機能する（図 7.7）．

タイチン titin は，分子量数百万にも及ぶ非常に大きな分子で，およそ 34,000 個のアミノ酸で構成されている．個々のタイチン分子は，太い（ミオシン）フィラメントに随伴し，一端を Z 板に付着させ，もう一端は M 線近くのミオシンフィラメントが（アクチンフィラメントとかみ合っておらず）単独で存在するところまで達している．

タイチン分子は以下のような機能をもつ：

1. ミオシンフィラメントの重合の鋳型となることでその形成を調整している．
2. Z 板とミオシンフィラメントの端の間にバネ様の結合を形成することでサルコメアの弾力性を調整している．
3. 張力がかかったときのサルコメアの変位範囲を制限している．

Z 板はアクチンフィラメントのサルコメアへの付着点で，構成成分の 1 つの **α- アクチニン** α-actinin がフィラメントの反矢じり端を Z 板につなぎ留めている．

デスミン desmin は 55 kd の中間径（径 10 nm）フィラメントを構成するタンパク質で，骨格筋，心筋，平滑筋における収縮装置の機械的な健全性を維持するうえで不可欠な以下の 3 つの主要な役割を果たす：

1. デスミンは筋原線維と核を安定化させる．デスミン分子は Z 板の周囲を囲んでいる．デスミンフィラメントと Z 板との間やデスミンフィラメント同士は，**プレクチン** plectin フィラメントで連結されている．デスミンフィラメントは隣接する筋原線維の Z 板同士を結び，筋原線維を支持する格子構造を形成している．デスミンはまた筋細胞膜から核膜にも達している．
2. デスミンは筋原線維を筋細胞膜につなぎ留めている．デスミンは筋細胞膜に付随する**コスタメア** costamere（図 7.8）とよばれる特殊化した部位に付着する．コスタメアはジストロフィン関連タンパク複合体と協調し，収縮によって生じた力

図 7.10 | 筋収縮時のクレアチンサイクル

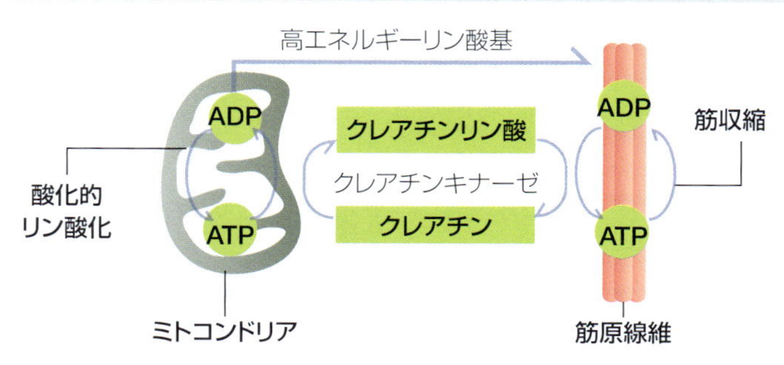

クレアチンリン酸が筋収縮の間の ATP を補充する

アクチンとミオシンの反応によって収縮が起こるときの化学的なエネルギー源は ATP である．ATP 濃度が低下すると，**クレアチンリン酸の加水分解**によってエネルギーが補われる．

クレアチンキナーゼは，可逆的にクレアチンリン酸を加水分解し，**クレアチン**と **ATP** をつくる反応を触媒する．クレアチンは，ミトコンドリア内で再びリン酸化されてクレアチンリン酸となり，ミトコンドリアから出る．このサイクルによって，高エネルギーリン酸基がミトコンドリアから筋原線維に繰り返し運ばれることになる．

図 7.11 | 神経筋接合部

神経筋接合部：運動終板

運動神経の軸索は筋細胞の近くで分岐し，それぞれシュワン細胞に覆われた**シナプス前終末**とよばれるふくらみを形成する．この終末のふくらみは，**運動終板**とよばれる筋細胞膜の領域に**シナプス間隙**を挟んでついている．各シナプス前終末は，**一次シナプス間隙**という筋細胞膜の陥凹にはまっている．一次シナプス間隙からは，さらに**接合部ヒダ**（二次シナプス間隙）が派生している．**アセチルコリン**受容体はこの**ヒダの稜線部**に見出され，**電位依存性 Ca^{2+} チャネル**はこのヒダの近傍にみられる．ヒダの中の**基底板**には**アセチルコリンエステラーゼ**が存在する．

Box 7.B には筋線維の機能的なタイプがまとめられている．

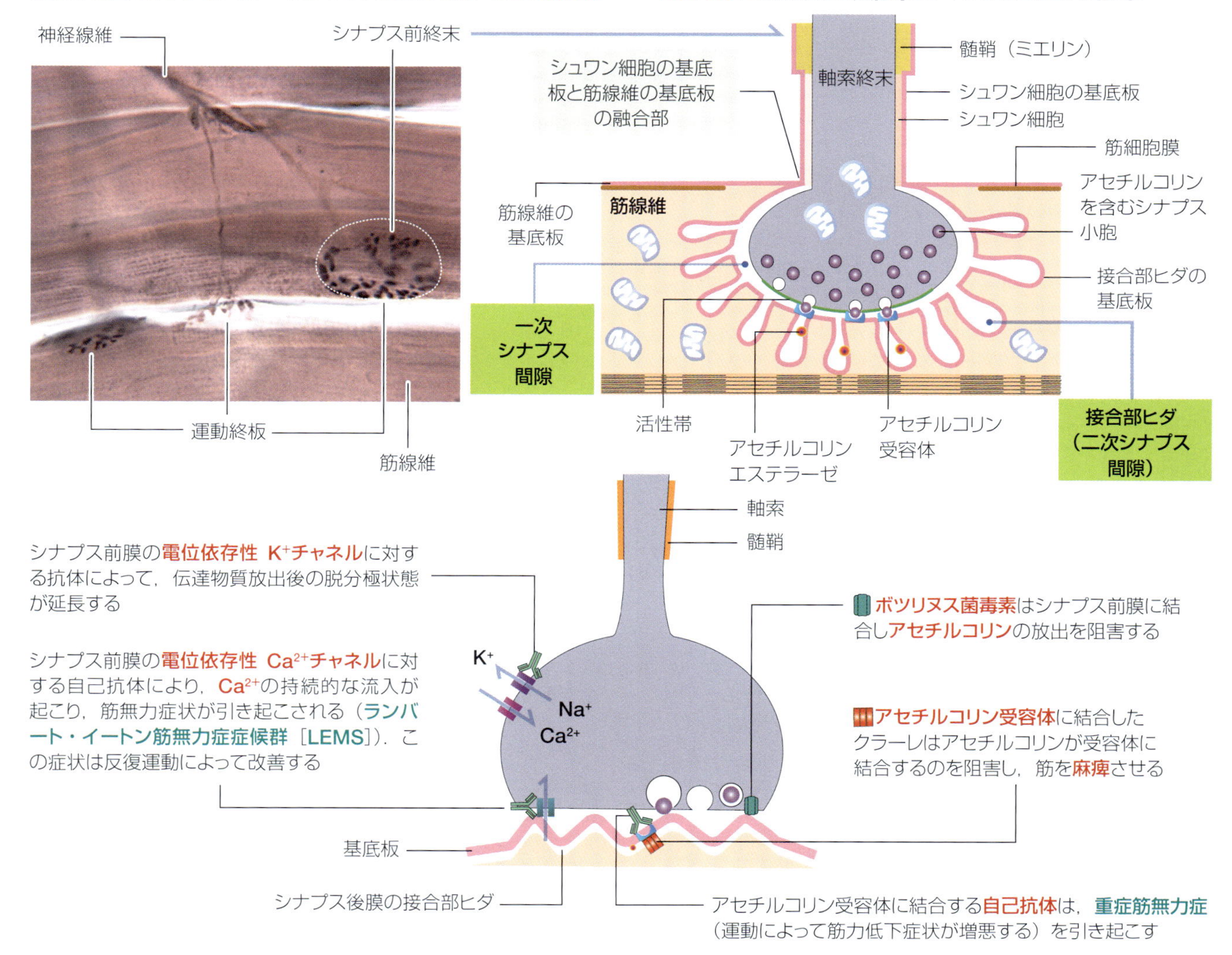

図 7.12 | 重症筋無力症

重症筋無力症は自己免疫疾患であり，**アセチルコリン受容体**や**筋特異的チロシンキナーゼ**（**MuSK**）あるいは**低密度リポタンパク受容体関連タンパク質 4**（**LRP4**）に対する自己抗体が産生される．抗体がこれらの受容体に結合することで，筋無力症状が引き起こされる．

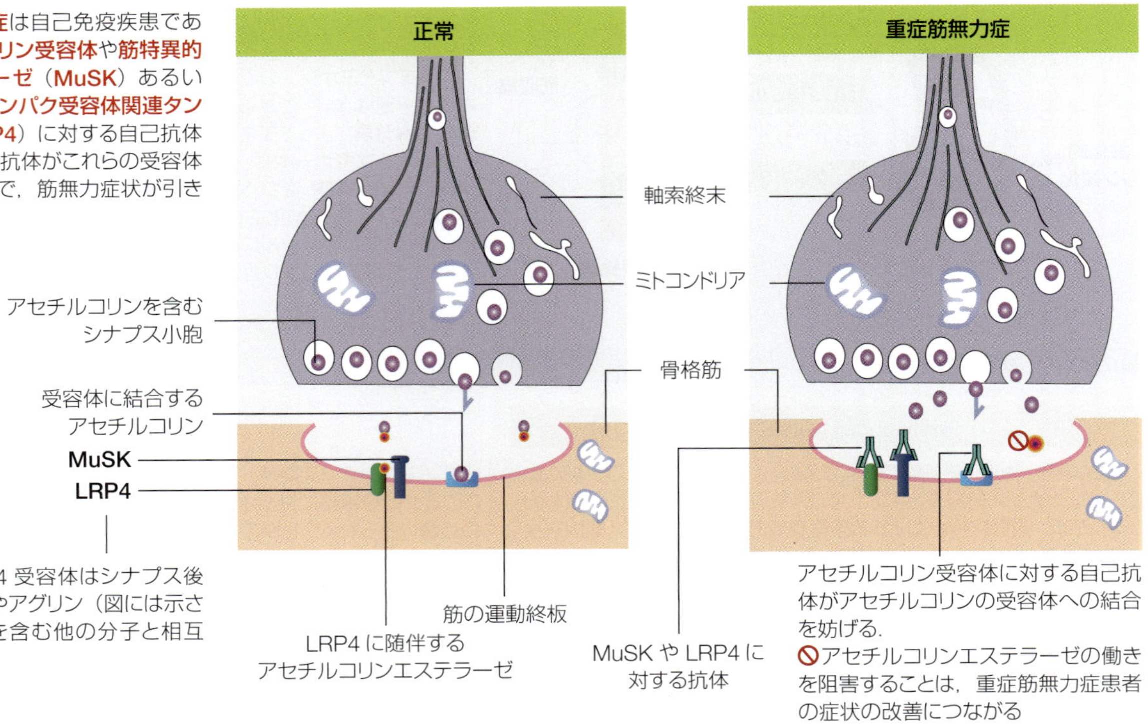

を Z 板から基底膜に伝え，筋細胞膜の健全性を保つとともに筋原線維の筋細胞質内での位置を安定化する．

3. デスミンは骨格筋や心筋でミトコンドリアの配置や機能を決定している．デスミンがないとミトコンドリアの適正な配置が失われ，ミトコンドリアの機能が障害される．この結果，エネルギーの枯渇やアポトーシスを促進するシトクローム C の流出による細胞死が起こることになる．

熱ショックタンパク質の 1 つの**αB-クリスタリン** αB-crystallin は，このデスミンフィラメントがストレスによって壊されることを防いでいる．これらデスミン，プレクチン，および αB-クリスタリンは Z 板における機械的なストレスに対する防御ネットワークとなっている．

これらの 3 つのタンパク質に異常があると，機械的な繰り返し刺激によって筋原線維の損傷が起こり，拡張型心筋症，骨格筋障害，平滑筋欠損の発症につながる．

筋収縮時のサルコメアの変化（図 7.9）

筋が収縮すると，筋の長さは収縮前に比べて約 3 分の 1 短くなる．筋の収縮に関する事項について以下にまとめてある：

1. 収縮に伴って，太いフィラメントも細いフィラメントもその**長さが決して変化しない**（A 帯の長さや Z 板と隣接する H 帯との距離は変化しない）．
2. 太いフィラメントと細いフィラメントが，互いに滑走してかみ合わせが深くなることにより**サルコメアの長さは短縮する**（H 帯や I 帯の幅が減じる）．
3. 2 つのタイプのフィラメントが，互いに相手のフィラメントの上を滑走する過程で収縮する力が生み出されている．

クレアチンリン酸（図 7.10）

筋が収縮している間，**クレアチンリン酸** creatine phosphate が ATP 供給の予備力として働くため，収縮中の筋における ATP 量は大きく変化しない．

図 7.10 に，ミトコンドリア内で起こるクレアチンリン酸の再生の様子を示す．クレアチンリン酸の再生はミトコンドリア内で起こり，拡散によって筋原線維に達したクレアチンリン酸は収縮中に消費された ATP を再生する．

神経筋接合部：運動終板（図 7.11）

神経筋接合部 neuromuscular junction は運動神経の終末が標的の筋とともにつくる特殊化した構造であり，光学顕微鏡で観察できる．

運動神経軸索は筋に入ると分岐し，**シュワン細胞** Schwann cell に覆われた**シナプス前終末** presynaptic bouton とよばれるふくらみを形成する．運動神経軸索の分枝は，それぞれ **1 本の筋線維を支配する**．もとの 1 本の神経軸索とその分枝によって支配されるすべての筋線維を**運動単位** motor unit とよぶ．精密なコントロールが必要とされる筋では，1 運動単位あたりの筋線維の数は少ない．一方，大きな筋では，1 運動単位に数百もの筋線維が含まれている．

有髄の運動神経線維が**筋周膜** perimysium に達すると髄鞘はなくなるが，シナプス前終末はシュワン細胞の突起に覆われている．シナプス前終末には，ミトコンドリアと神経伝達物質である**アセチルコリン** acetylcholine を中に含む小胞が存在している．神経伝達物質は軸索膜の細胞質側の**活性帯** active zone とよばれる電子密度の高い部分から放出される．

シナプス前終末は筋線維の陥凹にはまり込んでおり，両者の間のすき間は**一次シナプス間隙** primary synaptic cleft とよばれる．この部位では筋細胞膜が筋細胞質側に落ち込んで，深い**接合部ヒダ** junctional fold（**二次シナプス間隙** secondary synaptic cleft）を形づくっている．**アセチルコリン受容体**がこのヒダの頂上部に，**電位依存性 Na^{+} チャネル** voltage-gated Na^{+} channel はヒダのより深部に存在している．

シナプス間隙の間まで入り込んでいる筋線維の基底板には，**アセチルコリンエステラーゼ** acetylcholinesterase が存在している．この酵素によって，シナプス前終末からシナプス間隙に放出されたアセチルコリンは酢酸とコリンに分解され活性を失う．シュワン細胞を覆う基底板は，筋線維の基底板に続いている．

神経筋シナプス伝達の異常（図 7.11，7.12）

神経筋接合部におけるシナプス伝達は，**クラーレ** curare や**ボツリヌス毒素** botulinum toxin によって阻害される．

クラーレ（訳注：狩猟に使われる矢毒の一種）は，アセチルコリン受容体に結合し，アセチルコリンが受容体に結合することをブロックする．クラーレの誘導体は，筋弛緩が必要な外科手術の際に用いられている．

ボツリヌス毒素（**ボツリヌス菌** Clostridium botulinum の外毒素）は，アセチルコリンの放出をシナプス前側で阻害する．ボツリヌス毒素によって起こる食中毒では，筋の麻痺と自律神経の機能不全が起こる．

重症筋無力症 myasthenia gravis は，アセチルコリン受容体に対する自己抗体が産生される自己免疫疾患である（図 7.12；Box 7.A）．自己抗体が受容体に結合すると，アセチルコリンが結合できなくなり，正常な神経筋活動が阻害される．このため，進行的な筋無力症状が引き起こされる．

T 細管，カルシウムイオンと筋収縮（図 7.3，7.11，7.13）

三つ組（三連構造）とは中央の T 細管を両側から筋小胞体が挟むような構造であることや，骨格筋の筋細胞質中には筋原線維（おのおのの筋原線維はサルコメアの直線状の繰り返しである）が詰まっていることはすでに述べてきた．

それでは，収縮のための神経インパルスはどのように筋細胞内の筋原線維に達するのか．

興奮収縮のためのシグナルは，軸索を伝わってきた**活動電位** action potential に反応して，**アセチルコリン** acetylcholine（神経伝達物質）が軸索終末から放出されることによって始まる．放出されたアセチルコリンは**神経筋接合部** neuromuscular junction の神経終末と筋細胞間の狭い間隙を拡散する（図 7.11，7.13）．アセチルコリンが受容体につくことで生じた活動電位は，筋細胞膜から T 細管に広がり，筋細胞の深部に伝えられる．各サルコメアの **A-I 帯境界部付近**で **T 細管**がリング状の構造をつくっていたことを思い出してほしい．

T 細管の両脇に密着する**筋小胞体** sarcoplasmic reticulum にはカルシウムイオンが貯留されている．T 細管に活動電位が達するとカルシウムイオンが筋細胞質に放出され，これによって筋の収縮が始まる．この興奮から収縮に至る一連の過程は，約 15 ミリ秒の間に起こる．

Ca^{2+} が存在しないとき，筋は弛緩し，トロポニン・トロポミオシン複合体が，アクチンフィラメントのミオシン結合部位をふさいでいる．

脱分極シグナルが到達すると Ca^{2+} が筋小胞体の終末槽から放出される．これは，脱分極によって T 細管の膜に存在する **L 型電位依存性 Ca^{2+} チャネル** L-type voltage-sensitive Ca^{2+} channel が開き，次いでそれによって筋小胞体の膜に存在する**リアノジン感受性 Ca^{2+} チャネル** ryanodine-sensitive Ca^{2+} channel（受容体作動性 Ca^{2+} チャネル）が開くことによるものである．

筋細胞内では，Ca^{2+} は**トロポニン C** troponin C に結合し，トロポニン・トロポミオシン複合体の立体配置を変化させる．この結果，アクチンフィラメントのミオシン結合部位が露出され，ミオシン分子の頭部がアクチンフィラメントに結合して，ATP の加水分解が起こる．

すでにみてきたように，この ATP はミトコンドリアからのクレアチンリン酸の供給とクレアチンキナーゼが利用可能であるこ

Box 7.A | 重症筋無力症

- 重症筋無力症は**自己免疫疾患** autoimmune disease で，産生されたアセチルコリン受容体に対する自己抗体がシナプス後膜側の受容体や関連する分子に結合する．
- 抗体が結合するとアセチルコリンが受容体に結合することができなくなり，正常な神経筋間の刺激の伝達が妨げられる．そのため進行性の筋無力症状が起きることとなる．筋無力症状は通常，労作や筋の繰り返し使用（疲労）によって悪化する．筋無力症状はしばしば一方の眼の外眼筋に起きることがあり，複視や一方の眼だけに眼瞼下垂が起こるなどの左右で非対称性に症状が現れることがある．
- 重症筋無力症の診断は，関連する症状や徴候，および検査によってアセチルコリン受容体や筋特異的チロシンキナーゼ（MuSK）および低密度リポタンパク受容体関連タンパク質 4（LRP4）に対する特異的な抗体の存在が証明されることによって確定される（図 7.12）．

Box 7.B | 筋線維の機能的な分類

- 1 回の活動電位が 1 つの運動単位に入ることによって，筋の単収縮（短時間の収縮とそれに続く弛緩）が起こる．多くの骨格筋は，長時間姿勢を保つのに適した筋線維または強い運動を短時間行うのに適した筋線維で構成されている．
- ヒトのほとんどの骨格筋には，通常の染色法では区別することができないが，異なるタイプの筋線維が混合して存在している．
- 筋線維は大きく 3 種類に分類されている．すなわち，収縮は遅いが疲労しにくい I 型 type I（**赤筋線維** red fiber ともよばれる：**ミオグロビン** myoglobin と血液供給が豊富），収縮は速く疲労しにくさは中等度の IIA 型 type IIA（**白筋線維** white fiber），そして収縮が速く易疲労性の IIB 型 type IIB である．
- I 型，IIA 型，IIB 型の各筋線維は ATPase 活性の異なる**ミオシン重鎖** myosin heavy-chain のアイソフォームを有している．そのため，ATPase の酵素組織化学的染色を行うことによって各線維の型を知ることができる．

図 7.13 | 筋の収縮

骨格筋の収縮における Ca^{2+} の役割

細胞質中の Ca^{2+} は，筋の収縮と弛緩時の収縮性タンパク質の活性化と非活性化に重要な役割を果たす．骨格筋では，細胞質中の Ca^{2+} 濃度は，主に細胞質と筋小胞体内腔との間の Ca^{2+} の移動によって決定される．

運動神経終末から放出された**アセチルコリン**は，筋細胞膜に存在するアセチルコリン受容体に結合する．アセチルコリン受容体はリガンド結合依存性の Na^+ チャネルであり，これを通って Na^+ が筋線維の細胞質中に入る．

Na^+ の流入によって膜の電位がマイナス側からプラス側に変化する．このような**脱分極** depolarization によって細胞の収縮の一連の反応が起動される．

1 膜の脱分極シグナルは，筋細胞膜が陥入してできた **T 細管** T tube の膜を通じて骨格筋線維の深部に到達する．

2 脱分極によって，T 細管の膜状の **L 型電位依存性 Ca^{2+} チャネル**が開く．これは次いで**筋小胞体**膜上の**リアノジン感受性 Ca^{2+} チャネル** ryanodine-sensitive Ca^{2+} channel（**RyR1**：a ligand-gated Ca^{2+} channel）を開口させる．

3 筋小胞体内に貯留されていた Ca^{2+} は，開口した RyR1 チャネルを通って細胞質中に放出され，**トロポニン C** troponin C に結合してミオシンとアクチンの相互作用を制御することで**収縮**を開始させる．

4 **Ca^{2+} 依存性 ATPase** Ca^{2+}-dependent ATPase が Ca^{2+} の筋小胞体への帰還を促す．筋小胞体内では，Ca^{2+} は**カルセクエストリン** calsequestrin に結合し，筋小胞体を Ca^{2+} で再び満たすことになる．

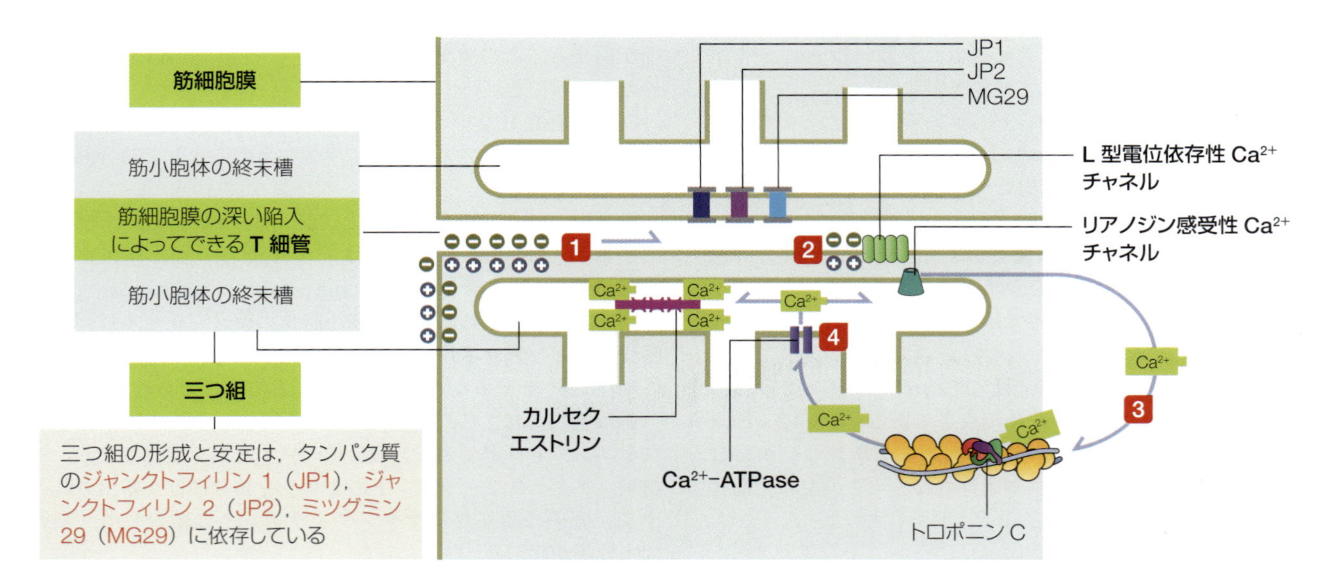

とによって一定のレベルが保たれている．

前述したように，**クレアチンキナーゼ** creatine kinese は，可溶性の酵素として**筋形質**中および H 帯の **M 線領域**の成分として見出され，リン酸をクレアチンリン酸から ADP に転移して ATP を産生する反応を触媒する．

ATP の加水分解によって生じるエネルギーはミオシン分子の頭部の変位を起こし，細い（アクチン）フィラメントは太い（ミオシン）フィラメントとより深くかみ合うように引き込まれる．その結果，A 帯と I 帯は完全に重なるようになる（図 7.9）．収縮は Ca^{2+} が取り除かれるまで続く．

要約すると，筋小胞体は各筋原線維の周囲を取り巻く滑面小胞体のネットワークで，Ca^{2+} を貯蔵しており，脱分極シグナルに反応して Ca^{2+} を放出する．

膜の脱分極が終わると，**Ca^{2+} 依存性 ATPase** Ca^{2+}-dependent ATPase の働きで Ca^{2+} は再び筋小胞体に取り込まれ，**カルセクエストリン** calsequestrin というタンパク質と結合する．この結果，筋の収縮は終了する．

筋ジストロフィ（図 7.14）

筋ジストロフィ muscular dystrophy（筋萎縮症，筋異栄養症ともよばれる）は，筋力低下，筋の萎縮，血清中の筋由来酵素活性の上昇，そして筋組織の変性を特徴とする先天性の筋疾患である．

筋ジストロフィは**ジストロフィン随伴タンパク質複合体** dystrophin-associated protein（DAP）complex を構成する分子の異常によって起こることが知られている．DAP 複合体は，**ジストロフィン** dystrophin と 2 つのサブ複合体，すなわち**ジストログリカン複合体** dystroglycan complex（α と β サブユニット）と**サルコグリカン複合体** sarcoglycan complex（α，β，γ，δ，ε，ζ サブユニット．図 7.14 には単純化のため 4 つだけ示している）で構成されている．

さらに，**シントロフィン** syntrophin（α，$\beta 1$，$\beta 2$，$\gamma 1$，$\gamma 2$ サブユニット），**ジストロブレビン** dystrobrevin，**サルコスパン** sarcospan などのタンパクも含まれる．このうち，ジストロフィン，シントロフィン，サルコスパンは筋形質に存在するのに対し，ジストログリカン，サルコグリカン，サルコスパンは細胞膜

図 7.14 | 筋ジストロフィ

ラミニン 2（α, β, γ鎖からなる）における変異は**先天性筋ジストロフィ**の原因となる.

ジストログリカン複合体はジストロフィンをラミニン 2 に連結する. ジストログリカンαはラミニン 2 のα鎖（メロシンとよばれる）に結合し，ジストログリカンβはジストロフィンに結合する．ジストログリカン複合体の異常による疾患はこれまで知られていない.

サルコグリカン複合体

ジストログリカン複合体

ラミニン 2

コスタメア

基底板

筋細胞膜

ジストロブレビン

シントロフィン

α-アクチン

サルコスパン

ジストロフィン

アクチン

デスミン

αB-クリスタリン

プレクチン

Z 板

サルコグリカン複合体のサブユニットは心筋と骨格筋に特異的である.

それらの異常で常染色体性潜性遺伝型の**肢帯型筋ジストロフィ**（**サルコグリカン異常症**として知られる）が起こる.

ジストロフィンは，収縮による機械的なストレスがかかるとき，細胞骨格と細胞外基質との間の連結を維持することによってサルコメアを強化し安定させる．ジストロフィンが欠失すると，DAP 複合体も消失して筋細胞膜に破綻が生じる．すると，細胞外から無秩序な Ca^{2+}の流入が起こり，筋細胞の壊死を招く.

ジストロフィンの欠損は，X 連鎖性（伴性）潜性遺伝することが知られている**デュシェンヌ型の筋ジストロフィ**で典型的に認められる.

ジストロフィン結合タンパク質 dystrophinassociated protein（**DAP**）**複合体**はジストロフィンの他，ジストログリカン複合体の構成要素やサルコグリカン複合体の構成要素を含む.

筋原性疾患（ミオパチー）の原因となる変異が知られている筋の構造タンパク質

Z 板はアクチンフィラメントの付着部位で筋原線維による張力を伝える働きをする.

デスミンフィラメント（中間径フィラメント）は Z 板を囲み，**プレクチン**がデスミンフィラメント同士および Z 板との間をつないでいる．この結合によって，デスミンフィラメントは(1)**隣り合う筋原線維の収縮を機械的に統合**し，(2)**Z 板を筋細胞膜のコスタメア領域に連結**する.

熱ショックタンパク質の 1 つの**αB-クリスタリン**は，デスミンがストレスで破壊されることを防ぐ.

デスミン，プレクチンおよびαB-クリスタリンが Z 板の周りでネットワークを形成し，機械的なストレスから筋原線維を保護していることに留意すること.

デスミンやプレクチン，あるいは**αB-クリスタリンに変異**があると，筋原線維が脆弱になり，持続するストレスで損傷されやすくなる.

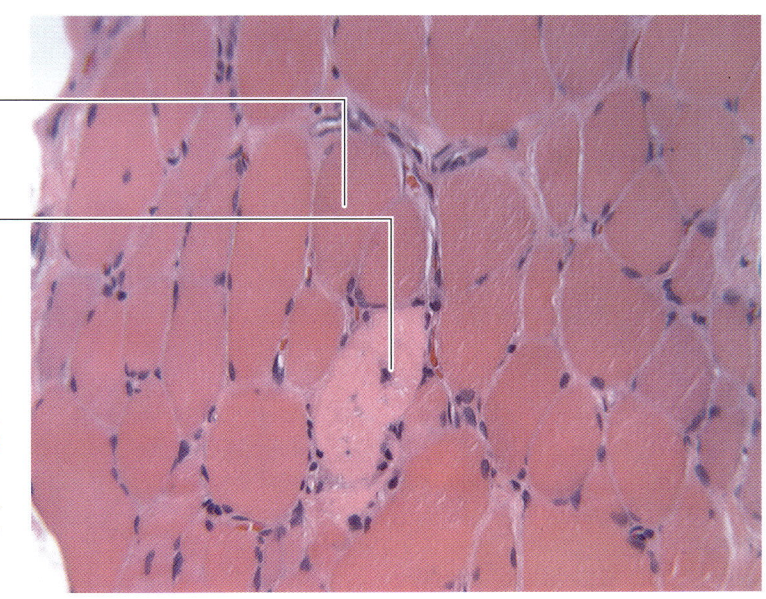

周辺部に位置する特徴的な核をもつ正常筋線維の断面

初期のデュシェンヌ型筋ジストロフィにおける変性しつつある筋線維

筋ジストロフィは，著しい筋力低下と筋萎縮，および筋線維の破壊を特徴とするさまざまな原因で起こる先天性の疾患群の総称である.

筋ジストロフィに関係する筋のタンパク質のうち，最も重要なのは**ジストロフィン**である．ジストロフィンの欠損によって DAP 複合体（**ジストログリカン複合体**と**サルコグリカン複合体**からなる）の消失が起こる.

ネクロプトーシス necroptosis の過程がデュシェンヌ型の筋ジストロフィにおける筋線維の変性に関与にしている（第 3 章参照）.

を貫く糖タンパク質である．ジストログリカンとシントロフィンの異常を原因とする筋ジストロフィ患者はまだ知られていない．

筋ジストロフィに関係する最も重要なタンパク質は**ジストロフィン** dystrophin である．これは分子量 427 kd の細胞骨格を構成するタンパク質で，F- アクチン，ジストログリカンおよびシントロフィンと結合する．

ジストロフィンが欠損すると DAP 複合体の構成要素もなくなる．**ジストロフィンの機能は，筋の収縮によってストレスがかかる間**，細胞骨格と細胞外マトリックスとの間の連結を保ち，**筋細胞膜を補強し安定化させることである．**

このジストロフィンの欠損によって起こるのが**デュシェンヌ型筋ジストロフィ** Duchenne's muscular dystrophy（**DMD**）である．この疾患の患者の多くは 10 歳代後半から 20 歳代前半の若い時期に，横隔膜などの呼吸筋の障害によって亡くなる．

DMD は X 連鎖潜性遺伝を示す疾患で，X 染色体上のジストロフィン遺伝子の異常によって起こる．

この疾患は男児が歩行を始めた後に気づかれることが多い．進行性の筋力低下と衰弱，突然の嘔吐（胃から十二指腸への内容物の通過の遅れによる）と腹痛がみられる．

典型的な臨床検査所見として**血清中のクレアチンキナーゼ** creatine kinase **の上昇**が認められる．筋生検による免疫組織学的な検査では，筋組織の傷害，**ジストロフィンの欠失**や**サルコグリカン**や他の DAP 複合体の大幅な**減少**が明らかとなる．

1 対の X 染色体のうち一方にのみ異常のある**ヘテロ接合体女性キャリア** heterozygote female carrier では，無症状あるいはわずかな筋力の低下，筋の痙攣，血清**クレアチンキナーゼ**活性の上昇が認められるだけである．

このような変異のある遺伝子をもった女性キャリアから，DMD を発症する男児あるいはキャリアの女児が産まれることになる．

肢帯筋型ジストロフィ limb-girdle muscular dystrophy の中の**サルコグリカン異常症** sarcoglycanopathy と分類されているものでは，α，β，γ および δ **サルコグリカン** sarcoglycan の遺伝子に異常のあるものが知られている．これらの異常によって，サルコグリカン複合体の形成に不具合が生じ，他のジストログリカンとの結合や，筋細胞膜と細胞外マトリックスとの関係が障害される．

衛星細胞と筋の修復（基本事項 7.A）

衛星細胞 satellite cells は成人において，傷ついた筋の修復を担当する**筋形成性幹細胞** myogenic stem cell である．筋が傷つくと一群の衛星細胞は以下の 2 つの過程に入る．1 つは筋原細胞として分化し傷ついた筋線維を置き換えることであり，もう 1 つは将来の動員に備えて自分自身を再生し補給しておくことである．

筋の形成過程で衛星細胞が何をするのかみていこう．筋の発生では，筋への分化が決まっている**前駆細胞**である**胚性筋芽細胞** embryonic myoblast が，鎖状に並んで融合し**管状筋線維** myotube を形成する過程がある．生後の衛星細胞の大部分は転写因子の **PAX7**（paired box protein 7）を発現する胚性筋芽細胞に由来する．

静止期の衛星細胞は**衛星細胞ニッチ**とよばれる微小環境に存在している．この微小環境は衛星細胞が筋の傷害に対して再生反応を起こす能力を維持するための成長因子を供給する．

衛星細胞はニッチの中で分裂をしない**静止状態**に留まることができるが，いったん筋が傷つけられると活性状態になる．

衛星細胞の活性化 SC activation は高度に制御された増殖のメカニズムからなり，衛星細胞は以下のようなことが可能になる：

1. 筋が傷ついていないときは静止状態を保つこと．
2. 静止状態の衛星細胞の予備数を維持するために**自己再生**すること．
3. **筋芽細胞に分化**し，傷ついた筋線維に融合できるようになること．

衛星細胞の活性化は**筋形成決定タンパク質** myogenic determination protein である **MYOD** と**筋形成因子 5** myogenic factor 5（**MYF5**）の発現誘導によって起こる．衛星細胞の筋芽細胞への分化には **PAX7 の発現低下**と**ミオジェニン** myogenin（**MYOG**）の発現が必要である．

筋芽細胞への分化が起こらなかった衛星細胞は，MYOD と MYF5 の発現を低下させ，PAX7 の発現を上げることで自己複製的増殖を行い，のちに静止期の衛星細胞となる．この目的は，将来の筋損傷時に反応する衛星細胞集団を補充しておくことである．

おわかりのように，PAX7 は衛星細胞の増殖と自己複製において不可欠の分子であり，損傷後の筋の修復効率を決めている．

衛星細胞は筋細胞膜表面のニッチを占め，筋の基底膜に覆われている．衛星細胞は **$\alpha 7 \beta 1$ インテグリン** $\alpha 7 \beta 1$ integrin と**神経接着分子** neural cell adhesion molecule（**NCAM**）を発現している．$\alpha 7 \beta 1$ インテグリンは細胞内の F- アクチンを基底板に連結する．NCAM は衛星細胞を筋線維の細胞膜に密着させている接着分子である．

衛星細胞の細胞サイクルを制御する分子メカニズムを解明することは，筋の変性疾患，特にデュシェンヌ型の筋ジストロフィや加齢に伴う筋の機能障害に対する新しい治療法の開発にもつながるものである．

筋紡錘とゴルジ腱器官（図 7.15）

中枢神経系は，常に四肢の位置や筋の収縮状態をモニターしている．そのため骨格筋には，被膜で覆われ筋と神経両方の要素からなる特殊化した**筋紡錘** neuromuscular spindle というセンサーが備わっている．

筋紡錘は紡錘形をした結合組織性の鞘あるいはカプセルに包まれた 2～14 本の特殊化した横紋筋線維からなる．この被膜は個々の筋線維を包む筋内膜に続いている．各筋線維は 5～10 mm ほどの長さしかなく，周囲の収縮性の筋線維に比べかなり短い．

筋紡錘内の特殊な筋線維は**錘内筋線維** intrafusal fiber とよばれ，筋紡錘の外にある特殊化していない**錘外筋線維** extrafusal fiber（ラテン語 *extra* [= outside，外]，*fusus* [= spindle，紡錘]）と区別される．

組織学的な特徴から，錘内筋線維はさらに以下の 2 つに分けられる：

1. **核袋線維** nuclear bag fiber とよばれ，横紋がなく，多くの核が存在する袋状の中央部分をもつ線維．

基本事項 7.A ｜ 衛星細胞と筋の修復

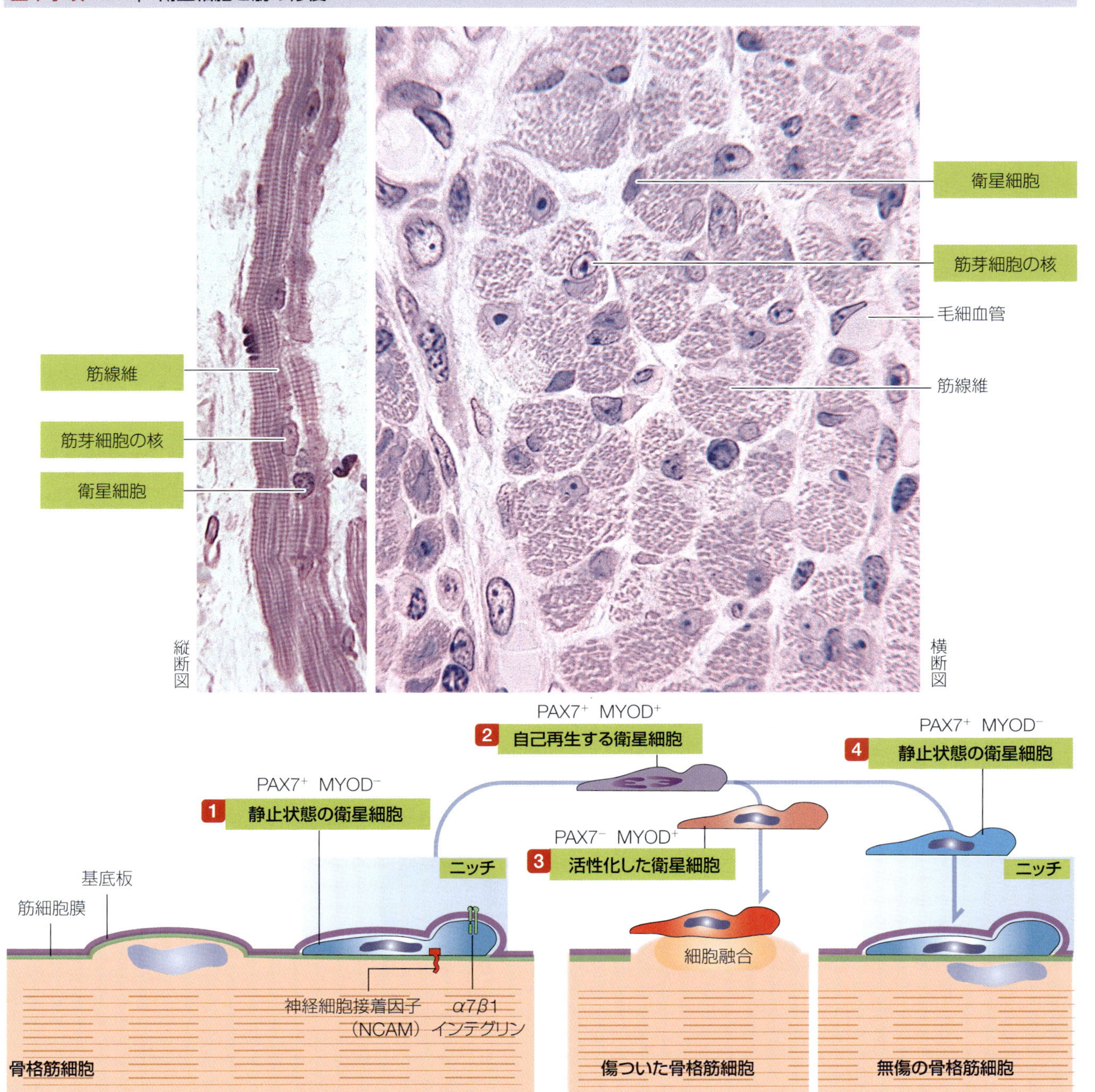

基底板が，骨格筋細胞と密着する**衛星細胞**をともに包んでいる．成人の静止状態の衛星細胞は特殊な**ニッチ**に存在しており，そこでストレスや傷害に反応して再び増殖を始めることができる．静止状態の衛星細胞は基底板とは$\alpha7\beta1$ インテグリンを，筋細胞膜とは NCAM を介して接着している．

1 衛星細胞は，(1)静止状態と(2)自己再生状態の 2 つの状態をたどる．静止状態では，衛星細胞は**ペアドボックス 7** paired box 7（**PAX7**）を発現させるが，**筋形成決定因子** myogenic determination protein（**MYOD**）の発現はみられない．

2 自己再生状態では，増殖中の衛星細胞は，PAX7 の発現を維持するとともに MYOD の発現を上昇させる（PAX7⁺ MYOD⁺）．

3 衛星細胞が増殖している間，活性化した衛星細胞の一部は，MYOD の発現と PAX7 の発現低下によって分化が決定され，筋の修復に関与する筋芽細胞を産生する．

4 あるいは，活性化した衛星細胞の別の集団は，MYOD の発現を抑え，PAX7 を発現させ，静止状態となる（PAX7⁺ MYOD⁻）ことによって自己再生を行う．

衛星細胞の自己再生状態によって，将来の筋修復過程を担当する適切な数の衛星細胞をつくり出すことができる．衛星細胞は成人における筋形成性幹細胞である．これらの細胞はお互いに融合したり，既存の筋線維に融合することによって筋線維を生成し，損傷された筋の修復を行う．

図 7.15 | 筋紡錘

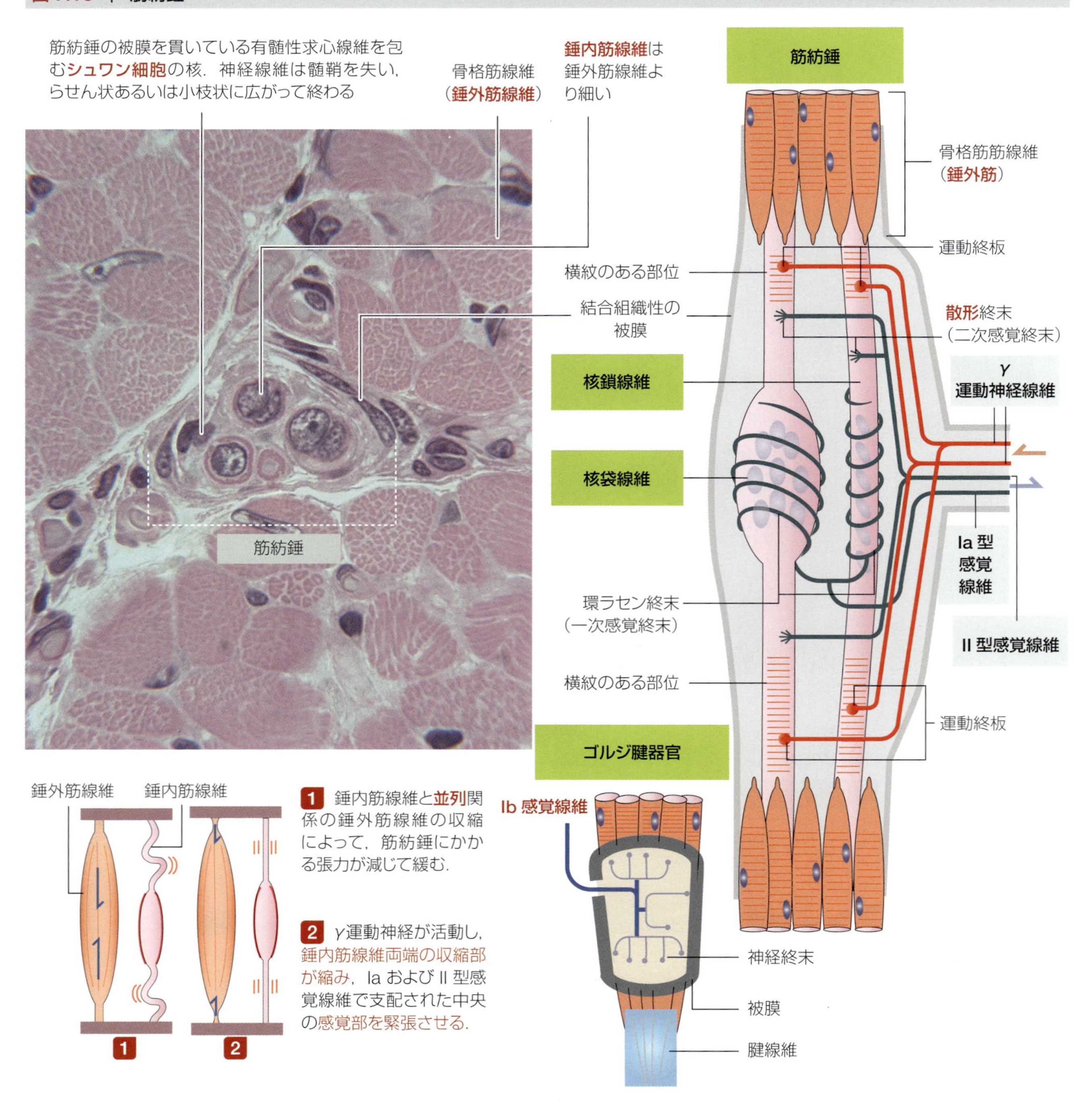

2. **核鎖線維** nuclear chain fiber とよばれ，中央部に核が鎖状に並んでいる線維．

核袋線維も核鎖線維も両端部は収縮特性をもつ横紋筋の構成要素からなる．

筋紡錘は2種類の感覚性神経線維による支配を受けている．1つは **Ia 型感覚線維** Ia fiber で，筋紡錘の被膜の中に入ると髄鞘を失い，核袋線維や核鎖線維の中央部に絡みつき**環ラセン終末** annulospiral ending あるいは**一次感覚終末**を形成する．これらは錘内筋線維にかかる張力を検知する．

中央部から離れた部位で，より細い **II 型感覚線維** type II sensory fiber が錘内筋線維の両端部に終止し，**散形終末** flower spray ending あるいは**二次感覚終末** secondary sensory ending を形成する．

脊髄には以下の2種類の**運動神経細胞** motor neuron が存在し，遠心性（運動性）線維を骨格筋に送っている：

1. 大型の **α 運動神経** α motor neuron で，**錘外筋線維** extrafusal fiber を支配している（図 7.15 には示されていない）．

図 7.16 | 心筋

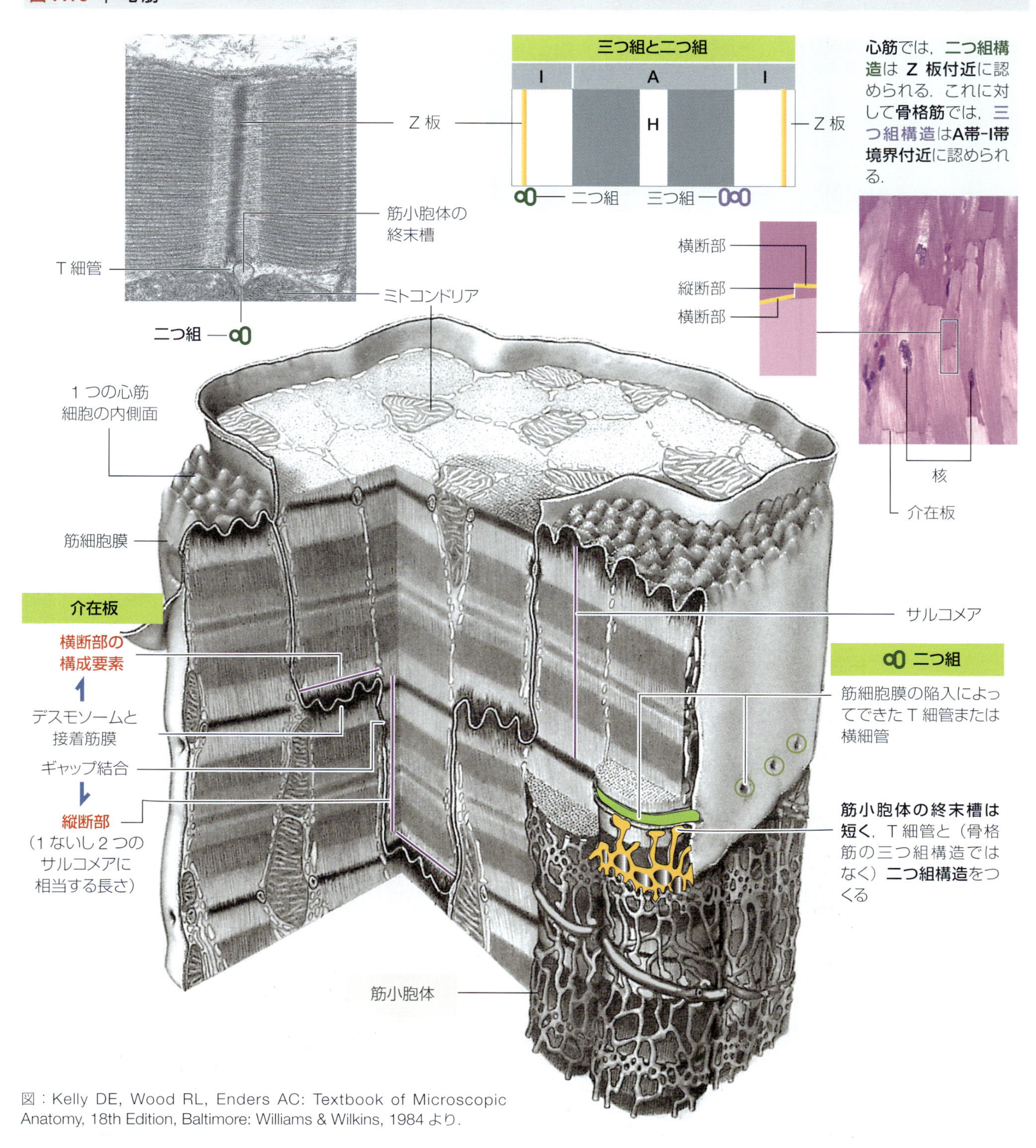

図：Kelly DE, Wood RL, Enders AC: Textbook of Microscopic Anatomy, 18th Edition, Baltimore: Williams & Wilkins, 1984 より．

2. 小型の **γ 運動神経** gamma motor neuron で，**錘内筋線維** intrafusal fiber を支配している（図 7.15 の γ 運動神経線維）．

筋紡錘は伸張反射の受容器で筋の緊張度を調整している．診察の中で検査される**膝蓋腱反射**（膝蓋腱を軽くたたくと膝が伸展する反射）などの**腱反射**にかかわっている．

筋紡錘はどのように機能しているのだろうか？　錘内筋線維は錘外筋線維と**並列関係**になっており，錘外筋線維が収縮（短縮）すると，錘内筋線維は緩む．この状態が続くと，**筋の長さ**に関する情報はそれ以上脊髄に届かなくなる．

この状態は，筋紡錘からの感覚入力によって γ 運動神経が活動し錘内筋線維を収縮させるというフィードバック機構によって是正され，筋紡錘は再び緊張する．

筋紡錘に加え，**ゴルジ腱器官** Golgi tendon organ あるいは**腱紡錘** neurotendinous spindle とよばれるセンサーが筋と腱の移行部付近に存在し，筋にかかる**張力**や筋の**収縮力**を感知している．

ゴルジ腱器官は，結合組織性の被膜をもち，中に数本の腱の膠原線維を入れている．

約 12 本ないしそれ以上の筋線維が，腱器官内の腱の線維に直列につながっている．**Ib 型感覚線維** Ib fiber の終末が被膜を突き抜けて腱器官内に入り，分枝して腱の線維に接触する．感覚線維の終末は腱にかかる**張力**によって刺激される．

ゴルジ腱器官からの求心性シグナルが脊髄に到達すると α 運動神経の活動が抑制され，張力がかかっている筋肉の収縮が緩むことになる．

この調節反応は，過剰な強い筋収縮によって筋自身が損傷されることを防ぐものである．

これに対して，筋紡錘は錘内筋線維の**長さ**の変化に反応することに注意が必要である．

最後にもう 1 つ加えると，筋紡錘やゴルジ腱器官，さらに関節の滑膜に付随する**パチニ小体** pacinian corpuscle などは**固有感覚受容器** proprioceptors（ラテン語 *proprius*［= one's own，己の］，*capio*［= to take，取る］）とよばれる．すなわち，体がどのような姿勢になっていて，空間の中をどのように動いているかを感知する装置のことである．

心筋（図 7.16〜7.18）

心筋細胞 cardiocyte（cardiac cell）は分岐のある円筒型をした長さ 85〜100 μm，太さ 15 μm ほどの細胞で（図 7.16，7.17），**中央に 1 つの核をもつ**（図 7.18）．

収縮性タンパク質の構成は骨格筋と同じであるが，膜系の構造には以下のような違いがある：

1. T 細管は，**Z 板の周囲に存在**し，A-I 帯結合部に存在する骨格筋の T 細管に比べてはるかに太い．
2. 筋小胞体は，骨格筋のものに比べてあまり発達していない．
3. 心筋では，骨格筋にみられるような三つ組ではなく，**二つ組** diad **構造**となっている．T 細管は 1 つの（骨格筋では 2 つ）筋小胞体槽と接触している．
4. 骨格筋より**多数のミトコンドリアが存在**し，それらのクリステもよく発達している．

心筋細胞は，互いの端と端を特殊化した細胞間接着装置である**介在板** intercalated disk という構造で接合している．介在板は「階段状」の構造をしており，筋線維に**直交**する方向の**横断部** transverse portion と線維に**平行**する方向の**縦断部** longitudinal portion からなっている．縦断部はサルコメア 1 つないしは 2 つ分の長さがある（図 7.16）．

横断部は以下の 2 つで構成されている：

1. **デスモソーム** desmosome，これは心筋細胞同士を機械的に連結している．
2. **接着筋膜** fascia adherens，これは α-アクチニンと**ビンクリン** vinculin を含み，各心筋細胞の一番端にあるサルコメアの細いフィラメントに対して付着部を与えている（図 7.18）．

ギャップ結合 gap junction は介在板の**縦断部**に限局して存在し，心筋細胞間のイオンの自由な移動を可能とし，心筋の収縮が同期して起こるようにしている．

図 7.17 | 心筋細胞間の相互作用

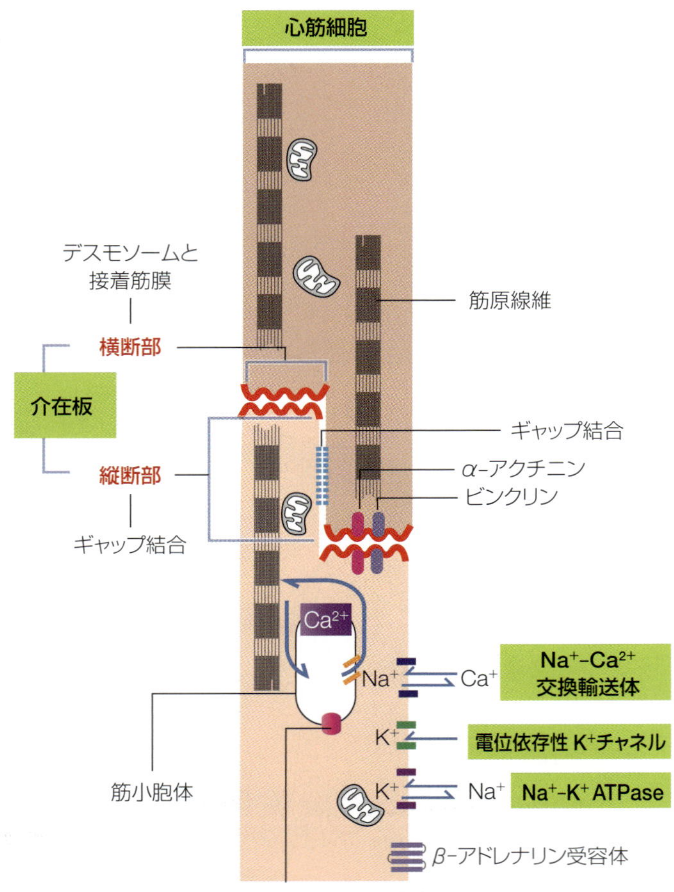

心臓の**刺激伝導系** conducting system の終末線維は，グリコーゲンに富んだ**プルキンエ線維** Purkinje fiber である．プルキンエ線維は，通常の収縮性の心筋に比べると，より太く，色素にあまりよく染まらず，筋原線維も少ない（さらに詳しくは第 12 章参照）．

輸送タンパク質群と心筋細胞膜（図 7.17）

心筋細胞の細胞膜には，特殊な**輸送タンパク質群** transport proteins が存在し，イオンの放出や再取り込みを行って，筋の収縮や弛緩を調節している．

Ca^{2+} 依存性 ATPase による Ca^{2+} の筋小胞体内への能動輸送は，**ホスホランバン** phospholamban によって調節されている．

さらに，このホスホランバンの活性は，リン酸化によって調節されている．ホスホランバンの量と活性は，**甲状腺ホルモン** thyroid hormone による調節を受け，心不全時や甲状腺機能障害時の拡張期機能に影響する．甲状腺機能亢進時には，心拍数と心拍出量の増加が起こることが知られている．グレーブス病 Graves' disease におけるホスホランバンの役割については，第 19 章で詳しく述べる．

その他，**Na^+-Ca^{2+} 交換輸送体** Na^+-Ca^{2+} exchanger，**電位依存**

図 7.18 | 心筋細胞

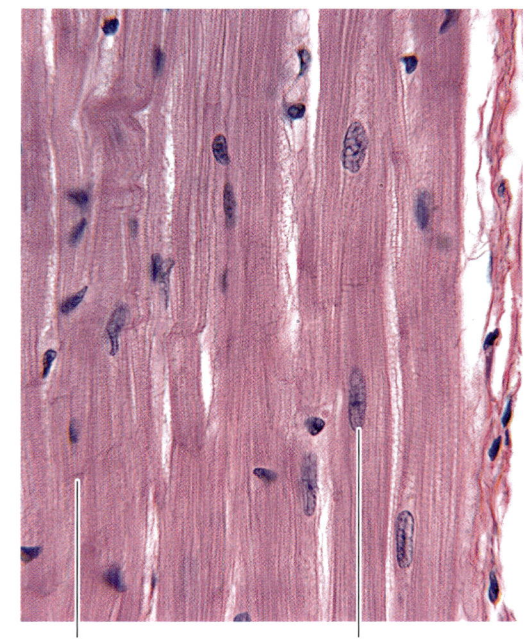

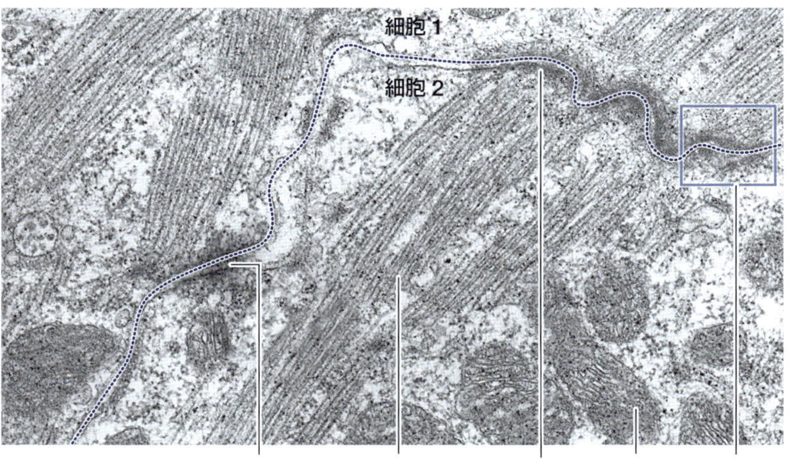

介在板は心筋に特異的な構造である．**横断部**は隣接する心筋細胞同士を連結する働きをしており，**接着筋膜** fascia adherens と**デスモソーム** desmosome で構成されている．**アクチン**と**α-アクチニン**は接着筋膜についており，**デスミン**はデスモソームにつながっている．介在板の筋線維に平行する方向に走る**縦断部**は，横断部と横断部の間に存在し，主に**ギャップ結合** gap junction で構成されている（この図には示されていない）．

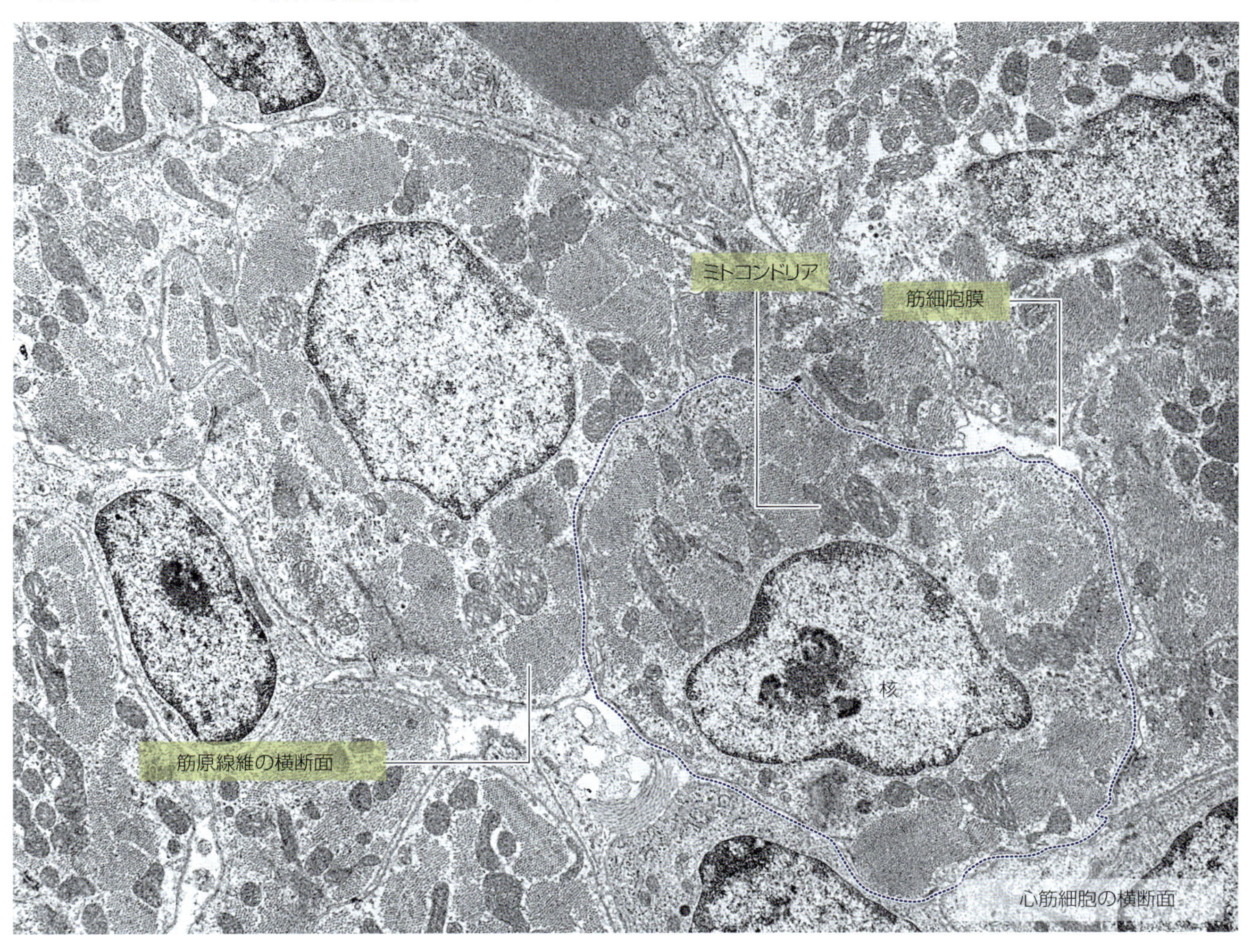

図 7.19 | 心筋梗塞

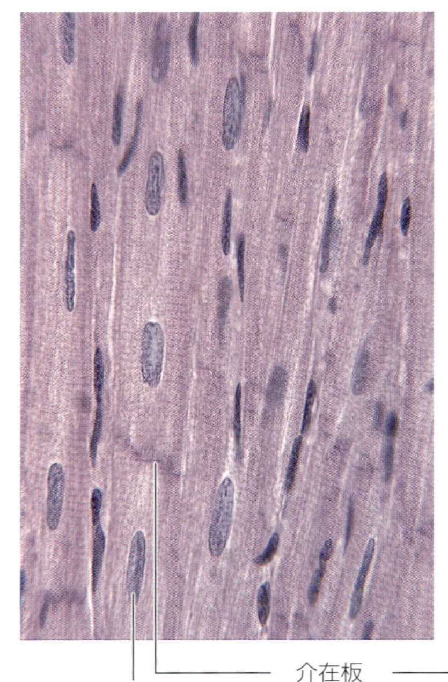
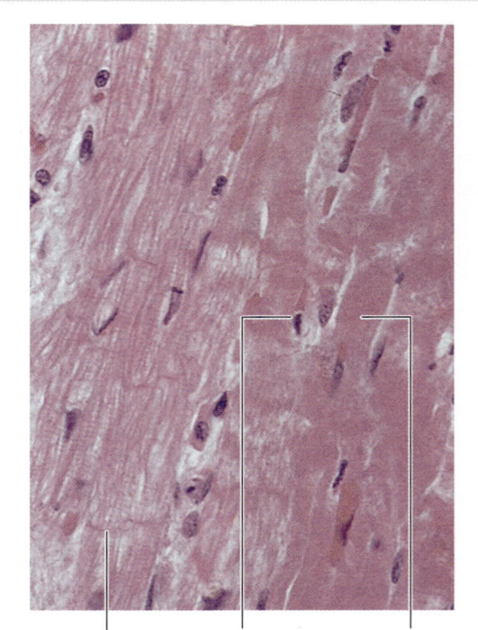
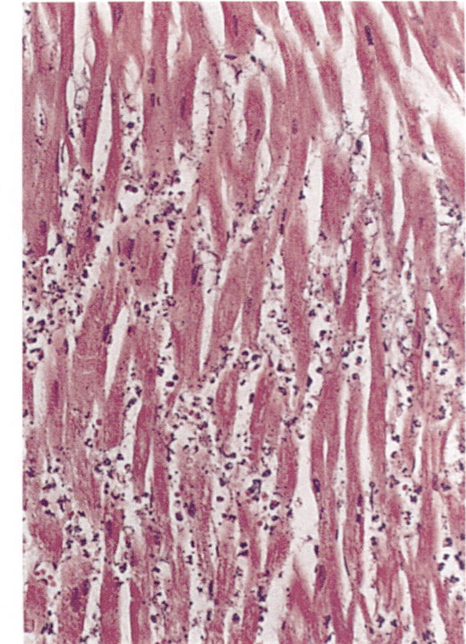

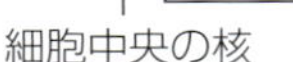

正常心筋は分岐して互いに吻合し合う横紋筋細胞からなる．横紋筋細胞は中心部に位置する核と筋原線維をもっている．介在板がそれぞれの心筋細胞同士をつないでいる．

冠状動脈の閉塞による**心筋虚血**が起きると，**24 時間**以内に心筋細胞は壊死する．

心筋細胞の細胞質はエオジンによく染まるようになり，正常心筋の特徴である横紋が認められなくなる．核はピクノーシス（凝縮し色素に濃染する状態になること）を起こし，不整形となる．乳酸脱水素酵素 1（LDH-1）やクレアチンキナーゼ MB*といった心筋に特異的な酵素が，壊死を起こした心筋から遊出し，血清中に検出されるようになる．

梗塞後数日間は，それらの酵素は高い血中レベルを保つ．

心筋梗塞発症から **3 日後**，壊死した心筋細胞は好中球に囲まれている．

発症後 3 週間経過すると（図にはない），壊死領域には毛細血管，線維芽細胞，マクロファージ，リンパ球などがみられるようになり，3 ヵ月後には壊死領域は瘢痕組織に置き換えられる．

***クレアチンキナーゼ** creatine kinase（CK）は M と B の 2 つの 2 量体からなる．CK-MM 型のアイソザイムは骨格筋と心筋で優位であり，CK-BB は脳や肺およびその他の組織に存在する．CK-MB は心筋に特異的に存在する．

左および中央の顕微鏡写真：Damjanov I, Linder J: Pathology. Mosby, 2000 より転載．

性 K^+ **チャネル** voltage-gated K^+ channel などが，細胞内の K^+ や Na^+ の量を調整している．**β-アドレナリン受容体** β-adrenergic receptor も筋細胞膜上に存在している．

心筋梗塞（図 7.19）

心筋梗塞 myocardial infarction は，動脈硬化によって冠状動脈が詰まり，心筋への血流が途絶することによって起こる．臨床症状の程度は，虚血に陥った部位の大きさや場所，血流が途絶えていた時間によって変わる．

血流が 20 分間以上途絶えると，心筋細胞の不可逆的な傷害が起こる．20 分より短い時間で血流が再開した場合，心筋細胞は生存可能であり，これは**再灌流** reperfusion という現象として知られている．

血栓溶解剤の使用による血流再開のための早期治療を成功させるには，治療開始のタイミングが重要である．心筋梗塞による組織学的な変化については図 7.19 にまとめてある．

クレアチンキナーゼ creatine kinase およびその **MB アイソザイム** MB isoenzyme（**CK-MB**）は心筋壊死の一般的なマーカーとして知られているが，より感度の高いマーカーとして，骨格筋には存在しない**心筋特異的トロポニン I** cardiocyte-specific troponin I がある．

心筋梗塞の患者において血清中の心筋特異的トロポニン I の濃度上昇を知ることで，死亡する危険度などの予後の予測や，それ以上の心筋壊死を防ぐための治療を行うことが可能となる．

平滑筋（図 7.20，7.21）

平滑筋 smooth muscle はシート状あるいは帯状の組織として，腸管，胆管，尿管，膀胱，気道，子宮，血管などの壁の中に認められる．

平滑筋細胞は骨格筋や心筋とは異なり**中央に核**をもち，**両端が**

図 7.20 | 平滑筋細胞

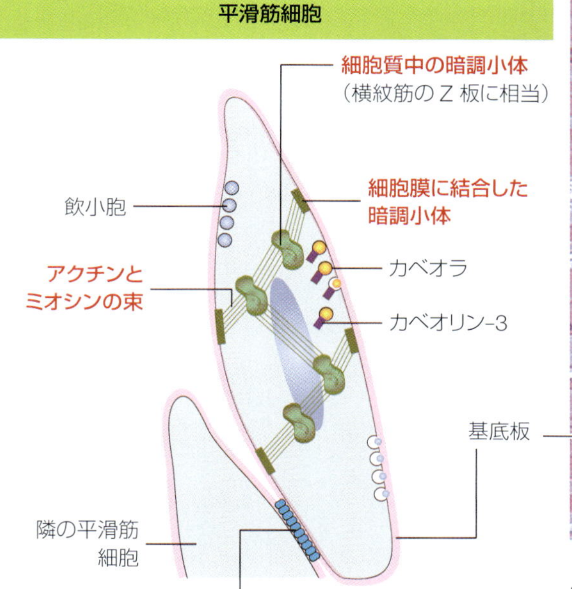

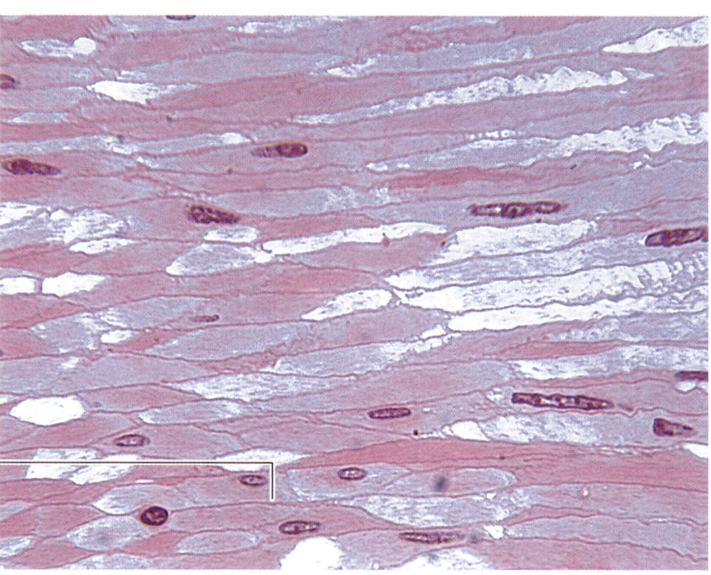

平滑筋細胞の**縦断面**(胃の筋層).卵形の 1 つの核が平滑筋細胞の中央部に認められる.**基底板**が各細胞の周囲を包んでいる.

平滑筋の特徴

平滑筋は,中空臓器の壁や**血管**の壁,眼の**虹彩**や**毛様体**,毛包の**立毛筋**などに存在する.平滑筋を構成する平滑筋細胞は,**中心部に核**をもつ紡錘形ないし線維状である.大血管の平滑筋細胞は,弾性線維である**エラスチン**を産生する.

カベオラは細胞膜の陥凹で,水や電解質の輸送(**飲作用** pinocytosis)にかかわる.

カベオリン-3 はカベオリン遺伝子群でコードされるタンパク質で,細胞膜の**脂質ラフト**に存在する.カベオリン-3 で構成された複合体は脂質ラフトの**コレステロール**に結合し,陥入してカベオラとなる.カベオラは細胞膜から遊離して**飲小胞**となる.

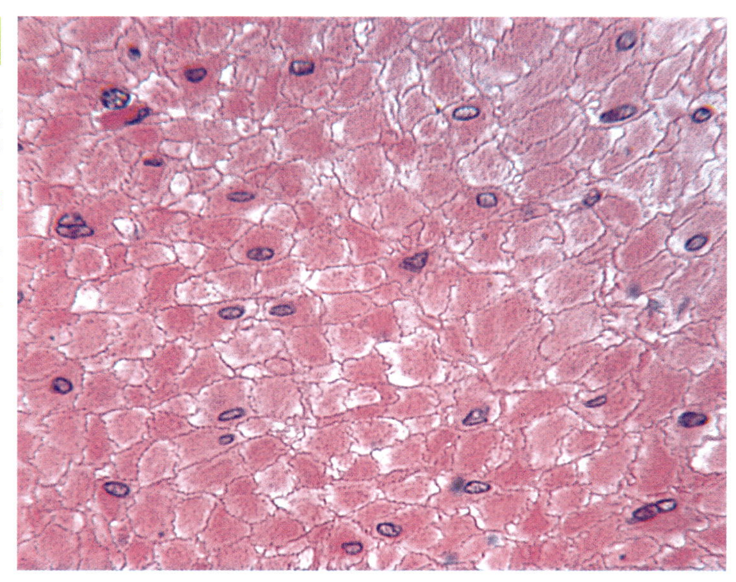

平滑筋の**横断面**.切れている位置によって中央部に位置する核が認められる細胞がある.

先細りの紡錘形の細胞である.

核の周囲の細胞質には,ミトコンドリア,リボソーム,粗面小胞体,ゴルジ装置,そして格子状に配列した太い**ミオシンフィラメント** myosin filament,細い**アクチンフィラメント** actin filament および**デスミン** desmin と**ビメンチン** vimentin からなる**中間径フィラメント** intermediate filament がある.

アクチンフィラメントと**中間径フィラメント**は,**暗調小体** dense body とよばれる構造に付着している.暗調小体は α-アクチニンに富み,細胞質中あるいは細胞膜に結合して存在している構造である.粗面小胞体ではなくポリリボソームが細胞骨格タンパクの合成を行っている.

細胞膜の陥入は**カベオラ** caveolae とよばれ,原始的な T 細管系として機能し,あまり発達していない筋小胞体に脱分極シグナルを伝える.

カベオラの**脂質ラフト** lipid raft からの生成とさまざまな組織における多彩な働きについて図 7.21 に示してある.平滑筋細胞は互いに**ギャップ結合**で連結しており,同期した収縮を行えるようになっている.**基底板**が各平滑筋細胞を包んでおり,おのおのの細胞がつくり出した収縮力を伝えるのに役立っている.

図 7.21 | カベオラの形成

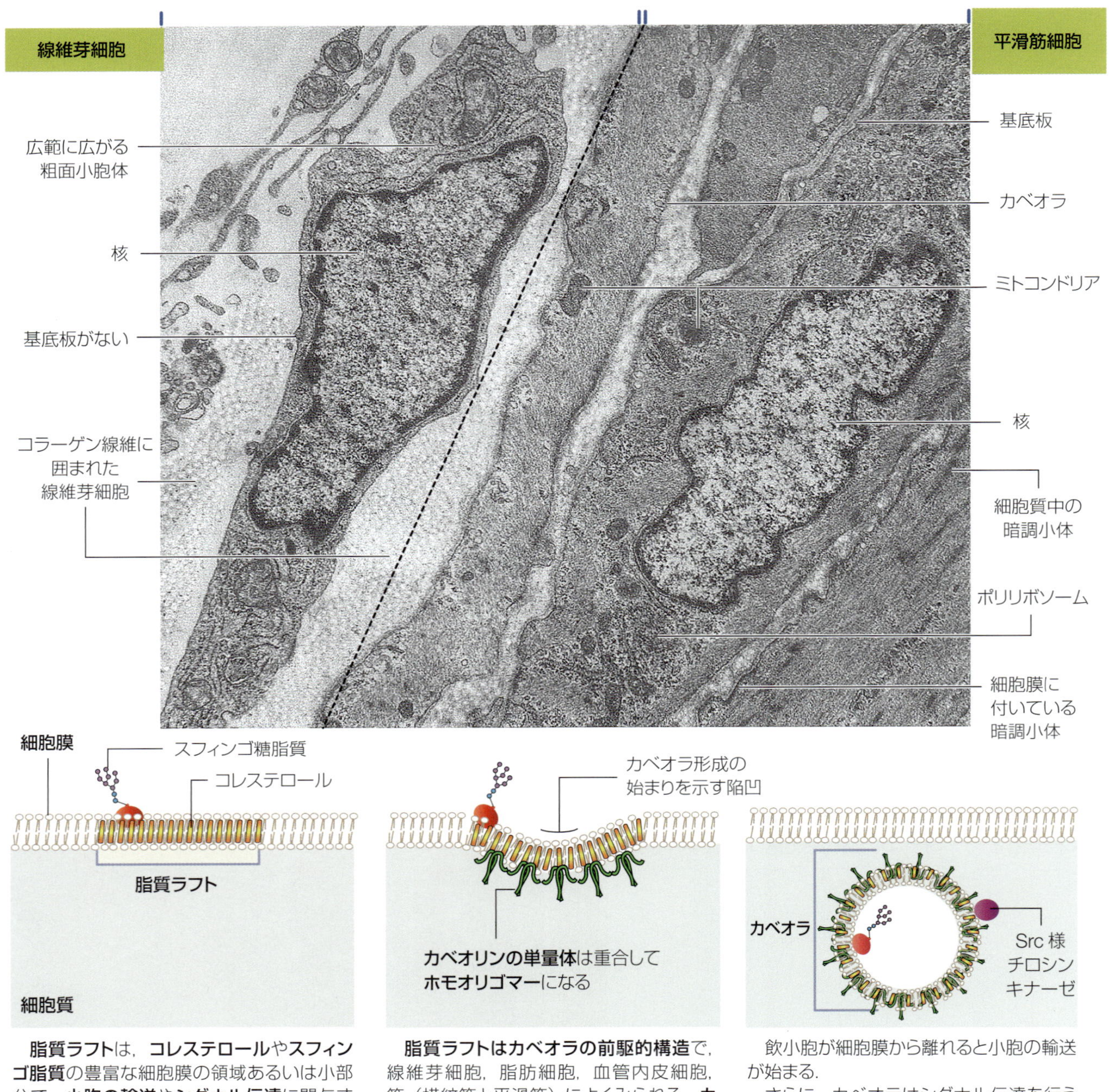

脂質ラフトは，**コレステロール**や**スフィンゴ脂質**の豊富な細胞膜の領域あるいは小部分で，**小胞の輸送**や**シグナル伝達**に関与する．

脂質ラフトはカベオラの前駆的構造で，線維芽細胞，脂肪細胞，血管内皮細胞，筋（横紋筋と平滑筋）によくみられる．**カベオリンタンパク質はコレステロールに結合する**．カベオリン遺伝子群は**カベオリン 1，2，3** からなる．

カベオリン遺伝子が発現されないときや組織の機能異常のときには，カベオラがみられない（例えば**ミオパチー**）．

飲小胞が細胞膜から離れると小胞の輸送が始まる．

さらに，カベオラはシグナル伝達を行う分子，例えば Src 様チロシンキナーゼ，G タンパク質，一酸化窒素などを濃縮する．

平滑筋の収縮機序

平滑筋の収縮性タンパク質の配列や収縮機序は，以下のような点で骨格筋や心筋とは異なっている：

1. アクチンおよびミオシンフィラメントは，骨格筋や心筋でみられるようなサルコメアとして整列して配置されていない．
2. **平滑筋には，トロポニンではなくトロポミオシンが存在し，**アクチンフィラメントに結合し安定化する．
3. 収縮のきっかけとなる Ca^{2+} は，細胞内の筋小胞体ではなく細胞外に由来する．

4. (平滑筋には存在しないトロポニンに代わって)**ミオシン軽鎖キナーゼ** myosin light-chain kinase（ミオシン軽鎖リン酸化酵素）が収縮線維に Ca^{2+} 感受性をもたらしている．

横紋筋におけるミオシンフィラメントとアクチンフィラメントの相互の滑走が収縮の基本であることは，すでにみてきたとおりである（図 7.9）．

平滑筋では，アクチンフィラメントとそれに伴うミオシン分子は，細胞質中あるいは細胞膜に結合して存在する**暗調小体**に付着している．暗調小体は横紋筋の Z 板に相当する構造であり，デスミンやビメンチンの中間径フィラメントによって細胞膜についている．

アクチン・ミオシン複合体が収縮すると，それらが付着している暗調小体同士が近づくように細胞の収縮が起こる．

ミオシン調節軽鎖の Ca^{2+} 依存性のリン酸化が，平滑筋の収縮に重要である．この機序については，第 1 章で，「細胞における異なる種類のミオシンの機能」について解説している中で述べている（図 1.32 参照）．

平滑筋のミオシンは**II 型ミオシン** type II myosin で，2 つの重鎖と 2 対の軽鎖からなっている．脱リン酸化された状態ではミオシン分子はたたみ込まれている．

II 型ミオシンがリン酸化されると伸展してフィラメント状に重合し，頭部にあるアクチン結合部位が露出される．この結果，ミオシンはアクチンフィラメントに結合できるようになり，細胞の収縮が起こる．

平滑筋は，**神経**，**ホルモン**，**伸張などの刺激**によって収縮する．

例えば，分娩時に**オキシトシン** oxytocin を静脈注射すると，子宮筋は刺激されて収縮する．

適当な刺激を受けると，細胞質中の Ca^{2+} 濃度の上昇が起こる．Ca^{2+} は**カルモデュリン** calmodulin に結合して**カルモデュリン・Ca^{2+} 複合体** Ca^{2+}-calmodulin complex になる．この複合体によって**ミオシン軽鎖キナーゼ**が活性化し，ミオシン軽鎖のリン酸化が起こる．Ca^{2+} 濃度が下がると，ミオシン軽鎖は酵素的に脱リン酸化され，筋は弛緩する．

筋組織 | 概念図・基本的概念

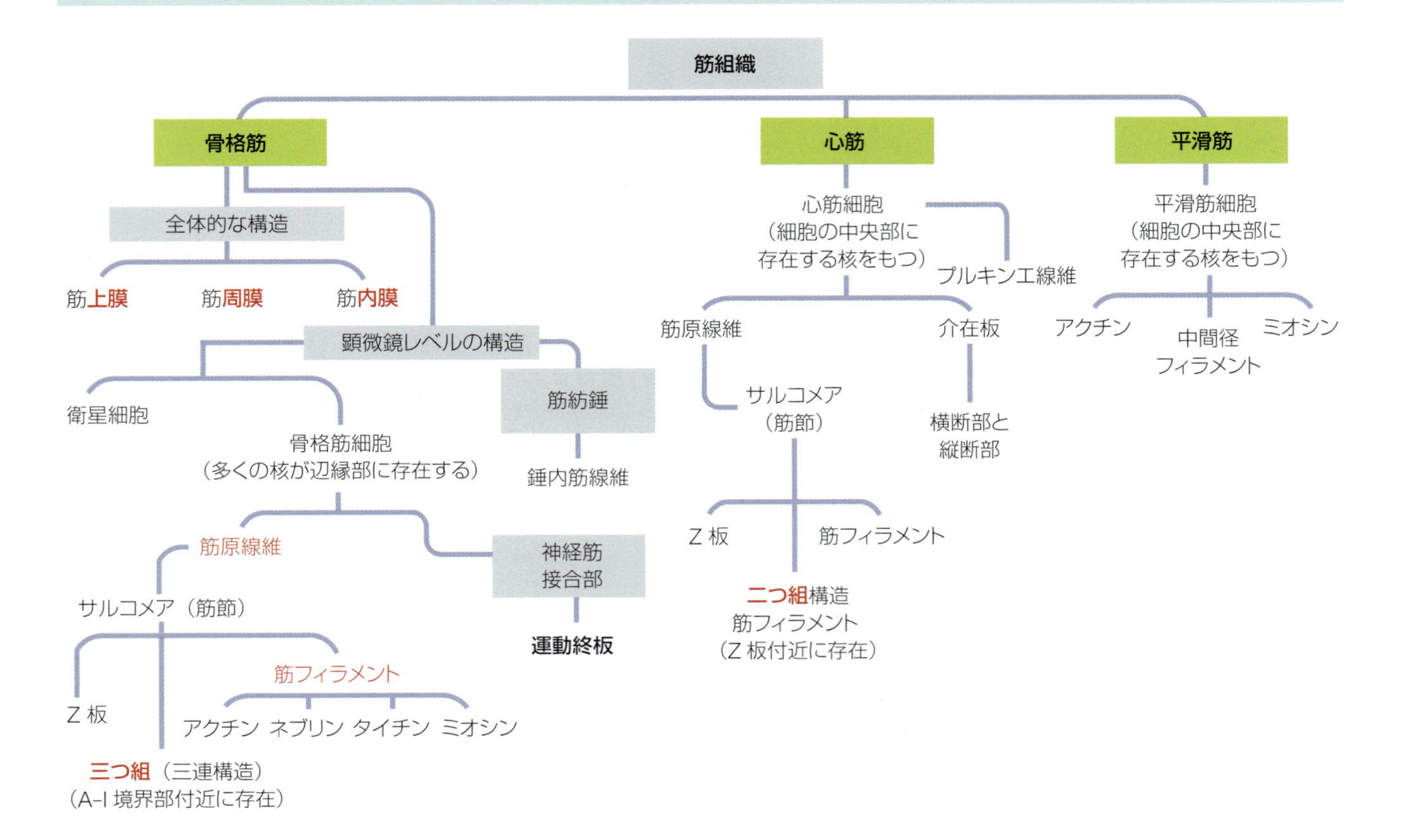

- 筋には以下の3種類がある:
  (1)骨格筋(横紋がある).
  (2)心筋(横紋がある).
  (3)平滑筋(横紋はない).

骨格筋は密生結合組織の膜である**筋上膜**で包まれている.筋上膜から派生した**筋周膜**が,**筋線維**(**筋細胞**ともよばれる)の束である**筋束**(**筋線維束**)を囲んでいる.筋束を構成する1本1本の筋線維は,細網線維や**基底板**に伴う細胞外マトリックスからなる薄い膜である**筋内膜**に包まれる.

骨格筋の筋線維(筋細胞)は,多数の**筋芽細胞**が融合してできた多核の合胞体細胞である.各筋細胞を包む細胞膜は**筋細胞膜**とよばれる.筋細胞膜は基底板と筋細胞膜に直接接する**衛星細胞**に囲まれている.

筋細胞膜からは**横細管**あるいは**T細管**とよばれる膜の突起が細胞質(**筋形質**とよばれる)の内方深部に向かって突出している.筋形質にはミトコンドリア(**筋粒体**ともよばれる)が存在する.

T細管の両脇には小胞体(**筋小胞体**とよばれる)の袋(**終末槽**)が存在しており,合わせて**三つ組**とよぶ.この構造はA帯とI帯の境界付近でみられる.

筋細胞の核は細胞の辺縁部に存在する.

筋形質内の主要な構造は**筋原線維**である.**筋原線維**は直線状に配列した**サルコメア(筋節)**の繰り返しでできている.サルコメアは2つの主要な**筋フィラメント**である**アクチン**と**ミオシン**からなる.

筋原線維と筋フィラメントの違いに注意.

これら2つの筋フィラメントの規則的な配列によって,骨格筋や心筋に特徴的な**帯状模様(横紋)**が形成される.横紋には,光学顕微鏡で色調が暗くみえる**A帯**と明るくみえる**I帯**がある.A帯はサルコメアの中央に位置し,サルコメアの端にあるZ板はI帯を二分する.A帯は**クレアチンキナーゼ**を含む**H帯**によって二分される.H帯の中央を**M線**が通る.

サルコメアの両端は**Z板**で境される.アクチンフィラメントはZ板の各側に付着しているが,**ミオシンフィラメント**はZ板には付着しない.アクチンには**トロポミオシン・トロポニン複合体**(トロポニンI,C,Tで構成される)と**ネブリン**が結合している.

ミオシン(ミオシンIIとよばれる)は2つの相同な**重鎖**(球状の頭部をもつ)と2対の**軽鎖**からなる.球状の頭部には,アクチンと結合する部位,ATPと結合する部位,軽鎖と結合する部位が存在する.ミオシンには**タイチン**が結合している.

各Z板は**中間径フィラメント**の**デスミン**で囲まれている.各デスミンフィラメントは**プレクチン**で連結され,**デスミン・プレクチン複合体**を形成している.この複合体は筋原線維をつなぐ格子状構造をつくり,一端は筋細胞膜の**コスタメア**に付着している.この構造によって,筋が収縮している間,筋原線維は安定した状態を保つことができる.

- 骨格筋線維には以下の3つのタイプがある.すなわち,**赤筋線維**(姿勢の維持に関与する),**白筋線維**(速い収縮を担う)そして**中間筋線維**(赤筋線維と白筋線維双方の特徴を併せもつ)である.各骨格筋には,3つのタイプの筋線維が混合して含まれている.

- **筋収縮**時,ミオシンフィラメントとアクチンフィラメントの長さは変化しないが,ミオシンとアクチンが相互に滑り込むことによってサルコメアの長さは短くなる.これはI帯とH帯の幅が狭くなることでわかる.ATPが筋収縮のエネルギー源である.

ミトコンドリア(特に筋粒体とよばれる)で産生されるクレアチンリン酸が,筋収縮の間ATP量を一定に保つ機能を果たす.クレアチンキナーゼは,**クレアチンリン酸**を加水分解しATPとクレアチンを産生するという可逆的な反応を触媒する．

運動神経の軸索は筋に入ると多数の枝に分かれ，その枝がおのおの 1 本の筋線維を支配する．1 本の運動神経軸索とその分枝によって支配される筋線維をまとめて運動単位とよぶ．

神経筋活動のシグナルは，神経のシナプス前終末から一次シナプス間隙に向かってアセチルコリンが放出されることである．一次シナプス間隙は筋細胞膜の陥凹であり，筋線維の基底板を伴っている．この基底板にはアセチルコリンエステラーゼが存在する．一次シナプス間隙には筋細胞膜のヒダである二次シナプス間隙も存在し，この中にも基底板が存在している．二次シナプス間隙のヒダの稜部にはアセチルコリン受容体が存在する．

アセチルコリンが受容体に結合し，筋細胞膜に脱分極が起こると，活動電位は T 細管を通って筋線維の深部に伝えられる．T 細管にはカルシウムイオンを蓄えた筋小胞体が接している．

筋形質中に放出されたカルシウムイオンは，トロポニン C に結合し，アクチンとミオシンの相互作用を引き起こすことによって筋収縮を開始させる．脱分極が終わると，カルシウムイオンは小胞体に再吸収され，カルセクエストリンに結合する．

ボツリヌス毒素はシナプス前終末側の膜に結合し，アセチルコリンの放出を阻害する．矢毒のクラーレはアセチルコリン受容体に結合し，アセチルコリンの受容体への結合をブロックして筋弛緩を引き起こす．重症筋無力症は，労作により筋無力症状が悪化する自己免疫疾患である．この疾患では，アセチルコリン受容体に対する自己抗体が受容体に結合することにより，アセチルコリンの結合が妨げられる．

- 筋ジストロフィは，筋力低下や筋萎縮症状，血中筋特異酵素の高値，生検による筋の変性像などを示す先天性の筋疾患群である．

以下に述べるようなタンパク質複合体が筋形質中や筋形質近傍の筋細胞膜に存在していることが知られている．一部はジストロフィン随伴タンパク質（DAP）複合体を構成する．これらは，収縮時に筋原線維を機械的に安定化させる働きをしている：

(1)ジストログリカン複合体はジストログリカン α とジストログリカン β からなる．ジストログリカン α はラミニン 2 の α 鎖に結合，ジストログリカン β はジストロフィンに結合する．現在までのところこの複合体の異常による疾患は知られていない．

(2)サルコグリカン複合体は 6 つの膜貫通サブユニット（α，β，γ，δ，ε，ζ）からなる．サルコグリカン異常症（例えば肢帯型筋ジストロフィなど）はこの複合体のサブユニットの異常によって起こる．

(3)ジストロフィンはジストログリカン複合体を筋形質内のアクチンに連結する．X 連鎖性（伴性）潜性遺伝性のデュシェンヌ型筋ジストロフィはこのジストロフィンの欠損によって生じる．ジストロフィンの欠失によって，シントロフィンや他の DAP 複合体の構成要素の消失が起こる．

(4)ジストロブレビン（α および β サブユニット）は筋形質中に存在する．

(5)シントロフィン（α，β1，β2，γ1，γ2 サブユニット）は筋形質中に存在し，ジストロフィンやジストロブレビンに結合する．

(6)サルコスパンは膜貫通タンパク質である．

- 衛星細胞は骨格筋の筋線維に密着し，筋線維の基底板にともに覆われている．衛星細胞は成熟した骨格筋組織においては静止状態にある．外傷や機械的ストレス刺激によって衛星細胞が活性化されると自己再生が可能となる．これによって静止状態の衛星細胞の予備を増やすか，筋芽細胞に分化し損傷された筋を修復する．筋芽細胞への分化の方向に活性化された衛星細胞内では筋形成決定因子（MYOD）と筋形成因子 5（MYF5）の発現上昇，および転写因子 PAX7 の発現低下がみられる．一方，静止状態へ向かう衛星細胞は PAX7 の発現を上昇させ，MYOD と MYF5 の発現を低下させる．

- 筋紡錘は被膜をもった特殊化した感覚器官であり，筋の収縮における筋の長さを検知する．運動神経と感覚神経が分布し，特殊な筋線維が存在する．筋紡錘内の筋線維は錘内筋線維とよばれ，筋紡錘の外の通常の筋線維とは区別される．錘内筋線維は錘外の筋線維と並列関係にある．

組織学的な違いから錘内筋は以下の 2 つに分けられる：

(1)核袋線維，横紋がなく多くの核を含む袋状の中央部と横紋をもち収縮する両端部分からなる．

(2)核鎖線維，中央部分が鎖状に核がつながったように並んでいるためこのようによばれる．核鎖線維にも横紋があり収縮する両端部分がある．

錘外筋線維が収縮すると錘内筋線維は緩む．この情報は感覚性線維によって脊髄へ伝えられ，錘内筋線維を支配する運動神経を活動させ，筋紡錘の錘内筋線維は緊張する．これが身体診察時に行われる腱反射（膝蓋腱反射）が起こるしくみである（訳注：筋紡錘は筋の長さをモニターしており，腱をたたくことで筋が伸ばされると筋紡錘からの一次感覚性線維が興奮し，脊髄の錘外筋を支配する α 運動神経を興奮させる．これによって筋全体の収縮が起こり，筋の長さはもとに戻るとされる）．

一方，ゴルジ腱器官は錘外筋線維に対して直列関係にあり，収縮時に筋にかかる張力を検知する．

- 心筋を構成する心筋細胞は，分岐のある円柱形をしている．心筋細胞の核は中心部にあり，細胞質中に筋原線維が存在する．サルコメアの構造は骨格筋とほぼ同じであるが，以下のような違いが認められる：

(1)T 細管系と筋小胞体の一部は二つ組構造となっている（三つ組ではなく）．

(2)二つ組は Z 板付近に位置する（A-I 帯境界部ではなく）．

(3)ミトコンドリアのクリステがよく発達している．

(4)心筋細胞は両端で介在板を介して隣の細胞と接している．

(5)介在板は，横断部（デスモソームや接着筋膜が存在する）と縦断部（ギャップ結合が存在する）が階段状に配置されたような外観を呈する．

筋原線維が少なくグリコーゲン顆粒が多く含まれる特殊なタイプの心筋線維は，プルキンエ線維とよばれ，心筋を同期して興奮させる刺激の伝導を担当している．

- 平滑筋は消化器系，泌尿生殖器系，気道系および血管系の壁内に認められる．

平滑筋細胞は細長い紡錘形で，中央に核をもち，基底板に覆われている．平滑筋細胞が膠原線維や弾性線維の成分を合成分泌する能力についてはすでに論じた．平滑筋細胞の細胞質には，アクチン，ミオシン，および中間径フィラメントが存在する．

平滑筋細胞に特徴的な構造として，カベオラがある．これは T 細管系の原始的な形と考えられている．

カベオラは脂質ラフトというコレステロールやスフィンゴ脂質に富んだ細胞膜の特殊化した部分から形成される．カベオリンタンパク質が脂質ラフトのコレステロールに結合して，カベオラの形成が始まる．カベオリンが存在しないとカベオラもみられなくなる．カベオラが細胞膜から離れると飲小胞となり，細胞内の小胞輸送系やシグナル伝達に関与する．

- 平滑筋の収縮のしくみは骨格筋や心筋とは異なっている．平滑筋にはサルコメアやトロポニンがなく，また，収縮に必要なカルシウムイオンも細胞内の筋小胞体ではなく細胞外に由来する．

ミオシン軽鎖キナーゼ（MLCK）が平滑筋におけるアクチン - ミオシン相互作用による収縮のカルシウム依存性を決定している．平滑筋の暗調小体は，横紋筋の Z 板に相当する構造である．暗調小体はデスミンとビメンチンの中間径フィラメントを介して細胞膜に接着している．

刺激に反応して細胞内でカルシウムイオン濃度が上昇すると，カルシウムイオンはカルモデュリンと結合し，カルシウム・カルモデュリン複合体が増える．この複合体によって MLCK が活性化される．活性化した MLCK はミオシン軽鎖をリン酸化し，これによって活性化したミオシンがアクチンに結合できるようになる．

8　神経組織

キーワード　中枢神経系，末梢神経経，自律神経系，神経細胞（ニューロン），神経膠細胞（グリア），シュワン細胞，神経変性疾患

神経組織は，解剖学的に(1)**中枢神経系** central nervous system，(2)**末梢神経系** peripheral nervous system および(3)**自律神経系** autonomic nervous system に分けられる．自律神経系は末梢神経系の下位の区分である．中枢神経系は脳と脊髄（眼の神経部分も含む）からなる．末梢神経系は神経（脳から起こる**脳神経** cranial nerve12 対，脊髄から起こる**脊髄神経** spinal nerve 31 対，およびそれらの特殊化した終末を含める）と**神経節**（感覚性神経節と自律神経性神経節からなる）．自律神経系は**交感神経系** sympathetic nervous system と**副交感神経系** parasympathetic nervous system に分けられる．中枢神経系と末梢神経系は，構造も機能も異なっており，特に神経生理学や神経薬理学的分野などでは違いが際立っている．中枢神経系を構成する基本的な細胞は**神経細胞（ニューロン）** neuron と**神経膠細胞（グリア）** glia である．末梢神経系では**衛星細胞** satellite cell と**シュワン細胞** Schwann cell という 2 種類の支持細胞があり，中枢神経系のグリア細胞に相当する．中枢，末梢そして自律神経系の組織学的側面や機能的側面に加えて，奇形や神経変性疾患，および神経血管機能障害の臨床的および病理学的側面は，関連する細胞および分子メカニズムと相関している．

神経系の発生（図 8.1，8.2）

中枢神経系は**外胚葉** ectoderm から発生する（図 8.1；Box 8.A，8.B）．**神経板** neural plate とよばれる単層の上皮性の板状構造は，急速に折れ曲がって丸くなり，中空性の**神経管** neural tube に発達する．この過程は**神経管形成** neurulation として知られる．

一方この間，神経板の特定の部位の細胞は，**神経堤細胞** neural crest cell に分化し，神経管とその上を覆う外胚葉から離れる．後に，**この神経堤細胞は，神経節のニューロンやその他の末梢神経系の構成要素を形成する**．神経管の閉鎖がうまくいかないと，さまざまな先天性の異常が生じる（Box 8.C）．

神経堤細胞は神経管から離れて以下のものに分化する：

1. 脊髄神経節や脳神経の神経節の感覚性ニューロン．
2. 自律神経の神経節に存在する交感および副交感性の運動ニューロンに分化する．

また神経堤細胞の中には，発生中の臓器内まで侵入し，**副交感性神経節**や**腸管神経節** enteric ganglion，および**副腎髄質のクロム親和性細胞** chromaffin cells of the adrenal medulla を形成するものもある．

シュワン細胞と脊髄神経節の衛星細胞も神経堤細胞から分化する．シュワン細胞は末梢神経線維において髄鞘を形成し，衛星細胞は脊髄神経節の神経細胞体を取り囲む．

初期の神経管は多列円柱上皮によって構成され，以下の 3 層が認められる（図 8.2）：

1. **脳室帯** ventricular zone．ここでは神経系の前駆細胞が神経系の細胞の大部分（小膠細胞を除く）を分化させる．
2. **中間帯** intermediate zone．ここは，ニューロンが皮質板に向かって移動したり，過剰のニューロンがアポトーシスを起こして排除されたりするところである．
3. **皮質板** cortical plate．ここは大脳皮質を形成していくところである．

脳室帯では，**神経上皮細胞** neuroepithelial cell あるいは**脳室細胞** ventricular cell とよばれる細胞が発生の早期に盛んに増殖し，脳室帯に残る**脳室上衣芽細胞** ependymoblast と中間帯に移動していく**グリア芽細胞** glioblast，および**最終分裂後のニューロン** post-mitotic neuron を分化させる．

最終分裂を終えた未熟なニューロンは，脳室帯を離れて中間帯に移動し，機能するニューロンに成熟していく．ニューロンの移動のメカニズムと異常が起こった場合の結果については Box 8.D にまとめてある．

この分化過程には，胸腺における T リンパ球の分化にみられるのと同じような選別の過程があり（第 10 章参照），その結果，ニューロンの多様性が生まれ，また死に陥るニューロンもある．その後，ニューロンは神経管の皮質板に達し分化を続ける．

脳室細胞または神経上皮細胞からの未熟なニューロンの産生が終了すると，今度は**グリア芽細胞**が産生されるように切り替わる．グリア芽細胞は**星状膠細胞（アストロサイト）** astrocyte と**稀突起膠細胞（オリゴデンドロサイト）** oligodendrocyte，および**上衣芽細胞** ependymoblast に分化する．上衣芽細胞は脳室面を覆う**上衣細胞** ependymal cell と脈絡叢を構成する**脈絡叢上皮細胞** choroid epithelial cell とに分化する．

発生の後期において，**グリア形成の切り替わり** gliogenic switch が起こり，グリア芽細胞が**オリゴデンドロサイト** oligodendrocyte を分化させるようになる．これによって，中枢神経系における**髄鞘（ミエリン）形成** myelination が開始される．また，アストロサイトの分化も始まり，この細胞の突起の先端が球状に少し膨らんで，中枢神経内の血管を囲む**血管終足** vascular end-foot が形成される．血管系の発達に呼応して，血液中の単球から**小膠細胞（ミクログリア）** microglia が分化する．ミクログリアは神経系の傷害に反応して活発な食作用を行う細胞になる．ニューロンとは違って，グリア芽細胞や分化したグリア細胞は腫

Box 8.A　|　外胚葉

- 外胚葉からは以下の 3 つの主要な構造が派生する．(1)表皮外胚葉 surface ectoderm，皮膚の表皮（派生物である毛，爪，脂腺を含む），眼の水晶体と角膜，下垂体前葉および歯のエナメル質をつくる．(2)神経管 neural tube（脳と脊髄に分化）．(3)神経堤 neural crest．
- 神経堤細胞は神経管から遊走すると末梢神経の構成要素（シュワン細胞，感覚性および自律神経性神経節のニューロン）や副腎髄質，皮膚のメラニン細胞，そして歯の象牙芽細胞などを形成する．

図 8.1 | 神経管の形成過程

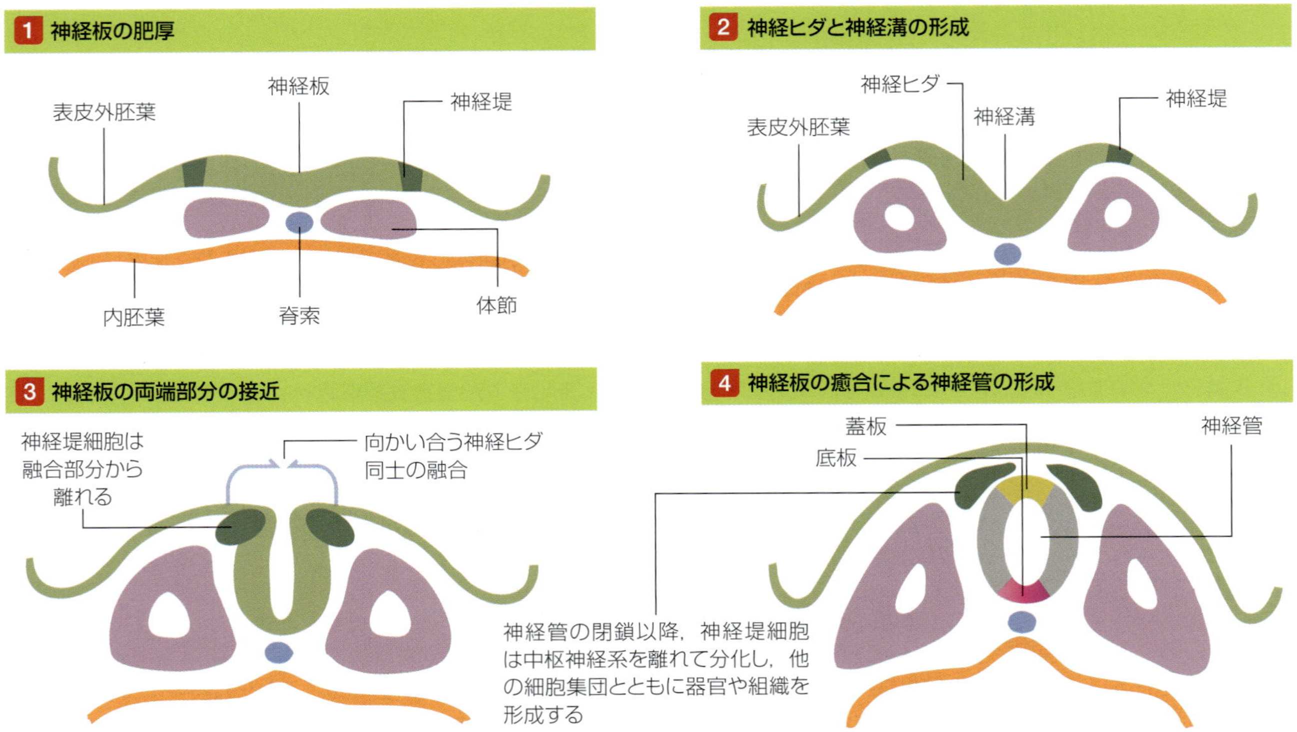

1 神経板の肥厚
表皮外胚葉
神経板
神経堤
内胚葉
脊索
体節
2 神経ヒダと神経溝の形成
神経ヒダ
表皮外胚葉
神経溝
神経堤
3 神経板の両端部分の接近
神経堤細胞は
融合部分から
離れる
向かい合う神経ヒダ
同士の融合
4 神経板の癒合による神経管の形成
蓋板
底板
神経管
神経管の閉鎖以降，神経堤細胞
は中枢神経系を離れて分化し，他
の細胞集団とともに器官や組織を
形成する

図 8.2 | ニューロンとグリア細胞の発生

神経管の組織発生
ニューロン
髄鞘
3 皮質板
稀突起膠細胞
（オリゴデンドロサイト）
星状膠細胞
（アストロサイト）
2 中間帯
1 脳室帯
脳室
神経管
グリア新生への
切り替え
神経新生
グリア新生
ニューロンの
アポトーシス
脳室帯の神経上皮細胞
上衣芽細胞
上衣細胞
脈絡叢上皮細胞

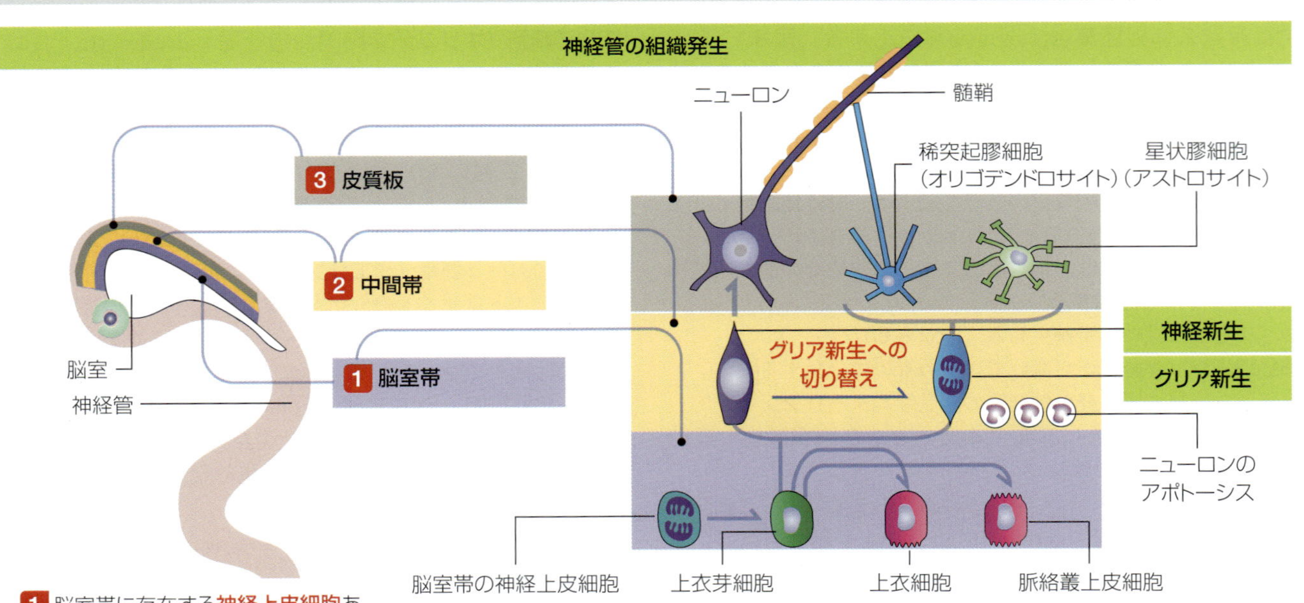

1 脳室帯に存在する**神経上皮細胞**あるいは**脳室細胞**とよばれる細胞が，**上衣芽細胞**，**未熟なニューロン**，**グリア芽細胞**を分化させる．

上衣芽細胞は，**脈絡叢上皮細胞**と**上衣細胞**に分化し，脳室腔に面し続ける．**脳室帯は最終的に上衣細胞層になる**．

2 **グリア新生への切り替え**とは，**転写因子の SOX9 と NFIA** nuclear factor I/A を誘導することで，それまでの神経新生からグリア（アストロサイトとオリゴデンドロサイト）を新生するように切り替わることである．ニューロン前駆細胞が脳室帯を離れて**中間層に入ると，過剰の最終分裂後のニューロンはアポトーシスを起こし，排除される**．

3 **グリア芽細胞**は皮質板に移動して，**星状膠細胞**（**アストロサイト**）と**稀突起膠細胞**（**オリゴデンドロサイト**）に分化する．オリゴデンドロサイトは最終分裂を終えたニューロンの軸索突起を包む髄鞘を形成する．髄鞘形成は皮質板で起こる．

瘍性グリオーマ glioma の重要な特徴である分裂能を保持している．

ヒトのニューロンの数は 10^9〜10^{10} 個といわれ，その 60〜70％は大脳皮質に存在している．大部分のニューロンは，出生時ないし出生後間もないうちに最終分裂を終えている．生後，脳が成長するにつれて，ニューロン同士の線維連絡の数と複雑さが増していく．

細胞の種類：ニューロン（図 8.3，8.4）

神経系の機能単位は，高度に分化した興奮性の細胞である神経細胞あるいは**ニューロン**とよばれる細胞である．通常のニューロンは，以下の 3 つの部分からなる：

1. **細胞体** soma（cell body）.
2. **樹状突起**（**デンドライト**）dendrite.
3. **軸索**（**アクソン**）axon.

細胞体は核とその周囲の細胞質からなる．そのため**核周囲部** perikaryon（ギリシャ語 *peri*［＝around，周辺］，*karyon*［＝nucleus，核］）とよばれることもある．

樹状突起は細胞体から起こる枝状の複数の突起で，その表面は**樹状突起棘** dendritic spine とよばれる小さな突起で覆われている．この樹状突起棘は，後述するように軸索終末との間にシナプスを形成する．

ニューロンは **1 本の軸索**（**突起**）axon を有している．軸索は細胞体の**軸索小丘**（**起始円錐**）axon hillock とよばれる部分から起こる．先端部は樹枝状に分岐し**終末分枝** telodendron となったのち，**シナプス終末** synaptic terminal あるいは**シナプスボタン** synaptic bouton とよばれる膨らみを形成して終わっている．

樹状突起も軸索もたくさんの枝分かれを行うが，軸索は主に遠位端で分岐する（終末分枝）のに対し，樹状突起では細胞体から直接多数の枝が出ていることに注意されたい．

細胞体と樹状突起の細胞膜が情報の**受容**と**統合**のために特化しているのに対し，軸索の細胞膜は，**活動電位** action potential あるいは**神経インパルス** nerve impulse という形で情報を**伝える**ために特化している．

ニューロンの種類（図 8.5）

細胞体から出る突起の**数**や**長さ**に基づいて，ニューロンを次のように分類することができる：

突起の数からは以下のように分けられる：

1. **多極性ニューロン** multipolar neuron は，**多数の突起**が多角形の細胞体から出ているニューロン．突起は 1 本の軸索と 2

Box 8.B ｜ 脳の発生

- 発生第 4 週の末までに，将来の中脳になる部分における神経管の屈曲によって，前脳胞 prosencephalon（前脳），中脳胞 mesenecephalon（中脳），菱脳胞 rhombencephalon（後脳）の 3 つの領域が明らかとなる．前脳胞の両側は膨らんで終脳 telencephalon（大脳半球）を形成する．6 週末までに，間脳 diencephalon（前脳胞で終脳にならなかった部分）から眼胞 optic vesicle（網膜と視神経をつくる）が伸び出す．

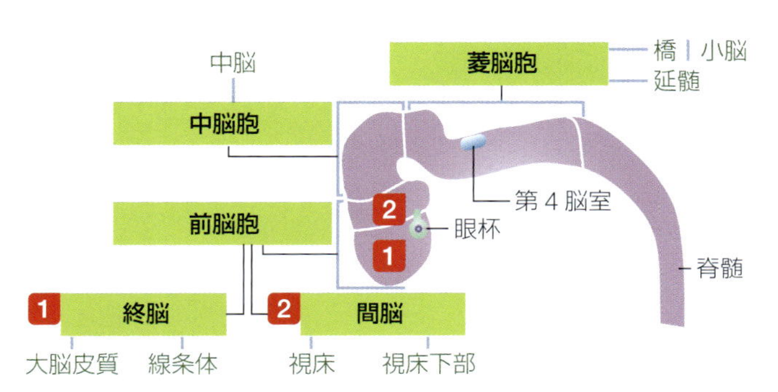

- この時点の胚子の脳胞領域には以下の構造がみられる．(1)前脳胞は，上述したように終脳と間脳からなる．終脳は大脳皮質 cerebral cortex と線条体 corpus striatum を形成し，間脳は視床 thalamus と視床下部 hypothalamus を分化させる．(2)中脳胞は中脳 midbrain を形成する．(3)菱脳胞は，橋 pons，小脳 cerebellum，そして延髄 medulla oblongata を形成する．
- 大脳半球（終脳）内の神経管内腔の拡大によって側脳室 lateral ventricles ができる．側脳室は間脳内の第 3 脳室 third ventricle につながっている．脈絡叢 choroid plexus（脈絡組織 tela choroidea とよばれる軟膜と上衣細胞由来の上皮からなる組織）が第 3 脳室の天井から垂れ下がる．第 3 脳室の床には漏斗 infundibulum，灰白隆起 tuber cinereum，乳頭体 mammillary body，および中脳の上端部分が存在する．この部位については第 18 章「神経内分泌」の脳下垂体の項で再び触れる．中脳の中脳水道 cerebral aqueduct は第 3 脳室と第 4 脳室 fourth ventricle をつないでいる．
- 図 8.2 でみたように，細胞分裂は脳室のすぐ外側の脳室帯 ventricular zone で起こる．細胞は各半球の皮質板 cortical plate に移動し大脳皮質を形成する．
- 第 14 週になると，前頭葉 frontal lobe，頭頂葉 parietal lobe，後頭葉 occipital lobe，側頭葉 temporal lobe が区別されるようになる．海馬 hippocampus は，半球内側の間脳につながる部位付近の大脳皮質が延伸してできる構造であるが，その後，側頭葉内に移動する．そして，その通った跡に，神経線維の束である脳弓 fornix が残される．脳弓の凹側には，脳弓に沿って脈絡裂 choroid fissure（側脳室内に突出する脈絡叢の陥入部）と尾状核尾部 tail of the caudate nucleus が存在する．
- 以下のような大小の交連線維束によって，左右の大脳半球はつながっている．(1)脳梁 corpus callosum，非常に大きな交連線維束で脳弓の上方で前後に広がっており，左右の大脳皮質の相同な部位同士をつないでいる．(2)脳梁に比べてかなり小さな前交連 anterior commissure は左右の嗅脳，あるいは嗅覚に関する部位および側頭葉同士を結ぶ．(3)後交連 posterior commissure と手綱交連 habenular commissure は松果体の前方に位置している．(4)脳弓交連 commissure of the fornix は一側の海馬と他側の海馬をつないでいる．
- 大脳半球の拡張した部分は間脳と接触し融合する．その結果，脳幹は中脳，橋，延髄の 3 部位と大脳皮質から直接脳幹に下行してくる神経線維束で構成されるようになる．視床から大脳皮質へ上行する線維と大脳皮質から脳幹に下行する線維によって，線条体 corpus striatum は尾状核 caudate nucleus と被殻 putamen に二分される．

図 8.3 | 神経細胞（ニューロン）の構成要素

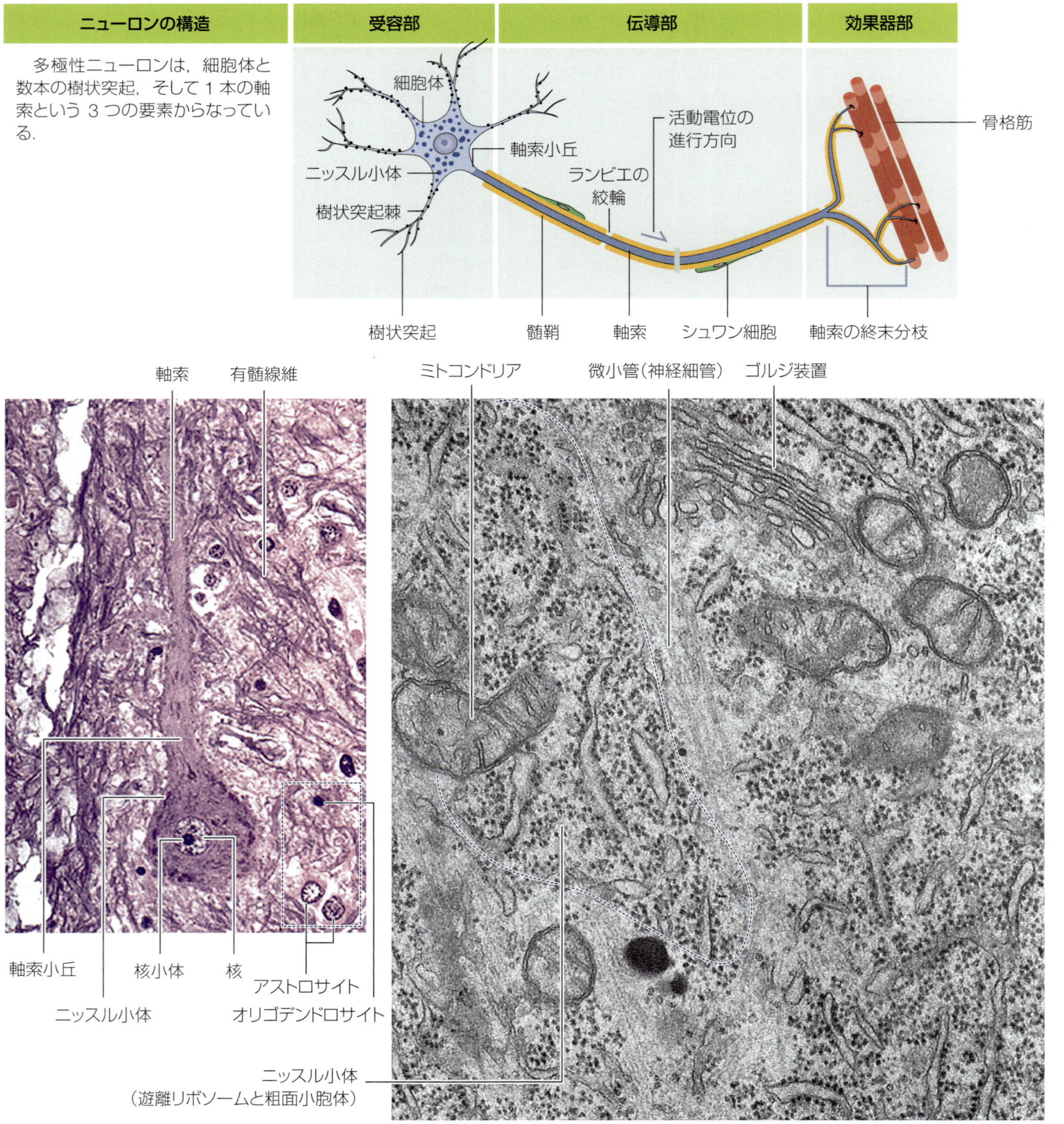

ニューロンの構造	受容部	伝導部	効果器部
多極性ニューロンは，細胞体と数本の樹状突起，そして 1 本の軸索という 3 つの要素からなっている．			

細胞体
ニッスル小体
樹状突起棘
樹状突起
軸索小丘
髄鞘
軸索
ランビエの絞輪
活動電位の進行方向
シュワン細胞
軸索の終末分枝
骨格筋

軸索
有髄線維
軸索小丘
ニッスル小体
核小体
核
アストロサイト
オリゴデンドロサイト

ミトコンドリア
微小管（神経細管）
ゴルジ装置
ニッスル小体（遊離リボソームと粗面小胞体）

電子顕微鏡写真：Kelly DE, Wood RL, Enders AC: Textbook of Microscopic Anatomy, 18th ed. Baltimore, Williams & Wilkins, 1984 より．

本以上の樹状突起からなる．多極性ニューロンは最も多いタイプで，大脳皮質の**錐体細胞** pyramidal cell や小脳皮質の**プルキンエ細胞** Purkinje cell に代表される．

2. **双極性ニューロン** bipolar neuron は**2 本の突起**をもつニューロンで，視覚系（網膜），聴覚系（蝸牛神経節），平衡覚系（前庭神経節）でみられる．
3. **偽単極性ニューロン** pseudounipolar neuron．細胞体から出る**1 本の短い突起**をもつもので，感覚性の脊髄神経や脳神経の神経節に認められる．発生当初は双極性ニューロンであったものが，後に突起が癒合して1本になり偽単極性ニューロンとなる（そのため「**偽**」という接頭語がついている）．

多極性ニューロンは，**軸索の樹状突起に対する長さの比**によって，さらに以下のように分類される：

図 8.4 ｜ 神経細胞（ニューロン）の細胞体の構成要素

樹状突起

樹状突起は，基本的にはシナプスを介してやってくる情報を受容する場所である．多くのニューロンの樹状突起の表面には**樹状突起棘**とよばれる突出があり，シナプスが形成される表面積を大きくしている．

多量の微小管やニューロフィラメント，それに粗面小胞体が，樹状突起の基部の中まで広がっていることがある．

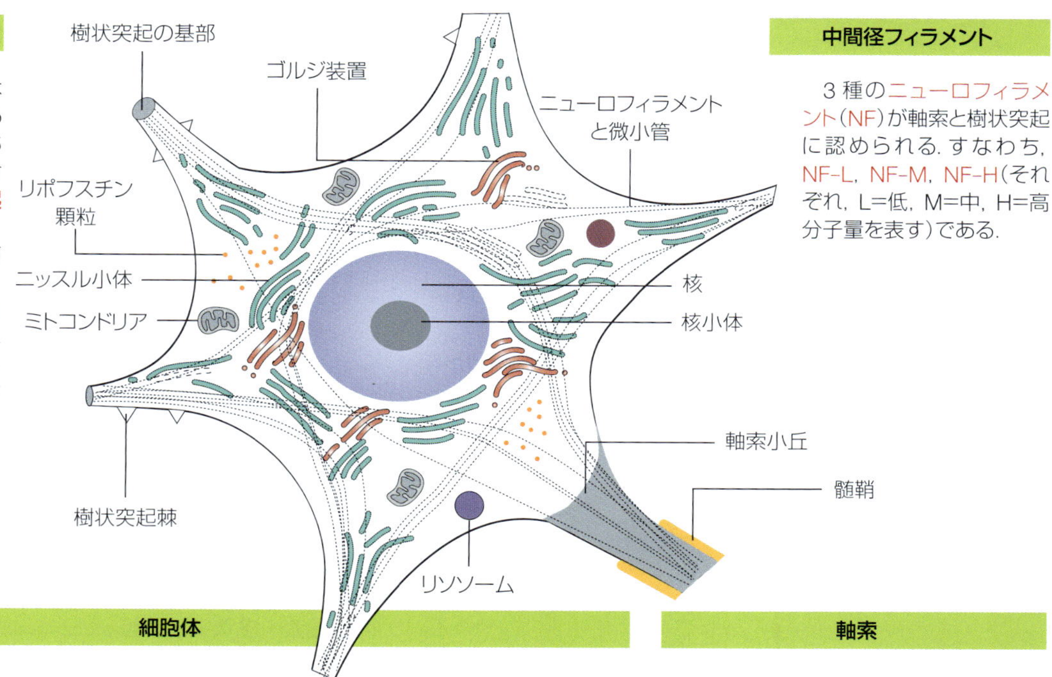

中間径フィラメント

3 種の**ニューロフィラメント（NF）**が軸索と樹状突起に認められる．すなわち，**NF-L**，**NF-M**，**NF-H**（それぞれ，L=低，M=中，H=高分子量を表す）である．

細胞体

細胞体は核とその周囲の細胞質からなり，ニューロン全体を養うセンターとして，タンパク質やリン脂質，その他の高分子の合成を行うオルガネラ（細胞内小器官）を有している．細胞体の特徴として，遊離または粗面小胞体に結合した**多量のリボソーム**が存在していることが挙げられる．それらは核酸を染める色素（塩基性色素）で染色すると大きな塊状にみえ，**ニッスル小体**とよばれる．顕著な**ゴルジ装置**と多量のミトコンドリアも細胞体内に存在している．**微小管**や**ニューロフィラメント**の存在も細胞体の際立った特徴の 1 つである．これらの細胞骨格の構成要素は，細胞体から樹状突起や軸索の中へ続いている．リソソームや黄色みがかったリポフスチン顆粒も細胞体に存在している．核は通常大きく，分散したクロマチン（ユークロマチン）を含み，1 ないし複数の明瞭な核小体を有している．

軸索

軸索が細胞体から起こるところは**軸索小丘**とよばれ，**ニッスル小体のない領域**である．軸索小丘の遠位側の続きである軸索初節は活動電位が発生し，神経活動の引き金になる部位である．次第に先が細くなる樹状突起とは違い，軸索の径は全長にわたって一定である．有髄線維では，髄鞘が軸索初節から終末分枝まで覆っている．軸索の多くは側副枝をもっている．

1. **ゴルジ I 型ニューロン** Golgi type I neuron は，軸索の長さが樹状突起の広がりを越えるもの．
2. **ゴルジ II 型ニューロン** Golgi type II neuron は，軸索の長さが樹状突起の範囲を越えず，細胞体の近くで終わっているものである．大脳皮質にみられる小型の**星状細胞** stellate cell はゴルジ II 型に分類される．

ニューロンや軸索をさす用語

中枢神経内では，機能的および構造的に関連したニューロンは集まって存在し，**神経核** nucleus を形成する．**神経網** neuropil という用語は，樹状突起，軸索分枝，数多くのシナプス，グリア細胞が密集した神経核内や細胞体間にみられる領域をさす．

ニューロンが**層状**に配列した構造は，**層** layer とよばれる（大脳皮質など）．ニューロンが縦方向に配列してグループを形成しているものは，**柱** column とよばれる（Box 8.E）．

中枢神経系内における**軸索の束**は，**路** tract や**索** funiculus，**束** fasciculus（bundle）あるいは**毛帯** lemniscus などとよばれる（例えば**視索** optic tract など）．

末梢神経系において，ニューロンは集合して**神経節** ganglion を形成する．神経節には**感覚性** sensory（脊髄神経節や三叉神経神経節）のものと**運動性** motor（内臓あるいは自律神経性）のものがある．**神経節から出る軸索**は束ねられ，部位によって神経

Box 8.C ｜ 神経管閉鎖障害

- 神経管の閉鎖異常によってさまざまな先天性異常が起こる．通常，深層の脳や脊髄の形成異常に伴って骨格系（頭蓋骨や脊柱）の異常も起こる．脳や脊髄の形成異常は神経胚期に起こる神経管の閉鎖がうまくいかないことに起因する．神経管の形成不全によって起こる先天異常を**神経管閉鎖異常**（**癒合不全**）dysraphic defects（defective fusion）とよぶ．
- **二分脊椎** spinal bifida は神経管**尾側部**の癒合不全によって起こる脊髄の形成異常であり，最も頻度が高い．二分脊椎の重症度は，露出される脊髄の範囲によって決まる．
- 神経管**吻側部**の異常によって起こる最も重篤な例は**無脳症** anencephaly である．これは脳とその周囲の頭蓋骨，髄膜，皮膚の欠損で，致死的である．
- **頭蓋**と**脊柱**の閉鎖不全は，**頭蓋脊椎披裂** craniorachischisis とよばれる．
- ヒトの神経管の閉鎖には，特異的な遺伝子（*Pax3*，*sonic hedgehog*，*openbrain*）の発現が必要である．閉鎖後，神経管は体表の外胚葉から，細胞接着分子の **N-カドヘリン** N-cadherin と**神経細胞接着分子** neural cell adhesion molecule（**NCAM**）の働きによって離れる．前述したように NCAM は免疫グロブリンスーパーファミリーの 1 つである．
- 受胎前後の時期（妊娠の 1ヵ月以上前から妊娠 3ヵ月までの間）に**葉酸**の入ったサプリメントを摂取することで，神経管閉鎖不全の発生をおよそ 50～75％防ぐことができる．

nerve，枝 ramus あるいは根 root などとよばれる．

シナプス終末とシナプス（図 8.6～8.8）

シナプス終末 synaptic terminal（図 8.6）は，活動電位に反応して化学的な伝達を行うために特殊化している．**シナプス** synapse は**シナプス前要素**である軸索終末の膜と**シナプス後要素**の受容側の膜（多くは樹状突起）との間の結合である．

シナプス前 presynaptic や**シナプス後** postsynaptic という用語は伝達の向きに関して用いられる：

1. **シナプス前**は情報を送る側（通常は軸索）をさす．
2. **シナプス後**は受ける側（樹状突起または細胞体，時に軸索）をさす．

シナプス前膜とシナプス後膜は，**シナプス間隙** synaptic cleft という空隙で隔てられている．これらの膜の内側は電子密度の高い物質で覆われており，それぞれ**シナプス前肥厚部** presynaptic density と**シナプス後肥厚部** postsynaptic density とよばれる．

シナプス前終末には，**神経伝達物質** neurotransmitter を入れた**シナプス小胞** synaptic vesicle（直径 40～100 nm）と**ミトコンドリア**が多数認められる．これらはニューロンの細胞体で形成され，分子モーターによる**軸索輸送** axonal transport によって運ばれてくる（図 8.7）．さらに，終末内には滑面小胞体，微小管，少量のニューロフィラメントなどが存在している．

シナプス後側がニューロンの**どの部位であるか**によって，シナプスは以下のように分類される（図 8.8）：

1. **軸索－樹状突起棘型** axospinous：軸索終末が樹状突起棘に接するもの．
2. **軸索－樹状突起型** axodendritic：軸索終末が樹状突起の幹に接するもの．
3. **軸索－細胞体型** axosomatic：軸索終末が細胞体に接するもの．
4. **軸索－軸索型** axoaxonic：軸索終末が他の軸索終末上に接するもの．

軸索輸送（図 8.7）

軸索内の細胞骨格とモータータンパク質のキネシンや細胞質ダイニンの役割については，第 1 章で説明した．

ここでは，以下のような軸索内の**両方向性の物質の輸送**について復習しておく：

1. **キネシン** kinesin によって，神経伝達物質とミトコンドリアが細胞体から軸索終末方向（微小管のプラス端）に向かって運ばれる**順行性輸送** anterograde axonal transport が行われる．
2. **細胞質ダイニン** cytoplasmic dynein によって，神経成長因子や再利用される軸索終末構成要素が，終末から細胞体方向（微小管のマイナス端）に向かって運ばれる**逆行性輸送** retrograde axonal transport が行われる（Box 8.F）．

すでにみてきたように，キネシンや細胞質ダイニンのモータータンパク質は球状の重いサブユニット（頭部）の中に動力部をもっており，微小管に結合しながら ATP を加水分解し，微小管のレールに沿って荷物を運ぶ．荷物はキネシンに軽い方のサブユニット（尾部）を介してついている．**ダイナクチン** dynactin は荷物がダイニンに接着するのにかかわるタンパク複合体である．

軸索輸送 axonal transport には以下の 2 種類がある：

1. **速い軸索輸送** fast axonal transport，これはシナプス小胞やミトコンドリアの輸送を担当する．
2. **遅い軸索輸送** slow axonal transport，これは細胞質中のタン

Box 8.D ｜ ニューロンの移動

- **中間帯** intermediate zone から**皮質板** cortical plate へのニューロンの移動は高度に調節された 3 つの段階を経て起こる：
  1. 細胞体からの**成長円錐** growth cone の伸び出し．
  2. 成長円錐に続く**先導突起** leading neurite の形成と突起内への中心体の移動．
  3. **中心体** centrosome から核に向かう**微小管** microtubule の形成である．

  微小管は核のまわりをかご状に囲み，核を中心体の方へ引っ張り移動させる（**核移動** nucleokinesis）．アクチンもこの移動過程に関与している．

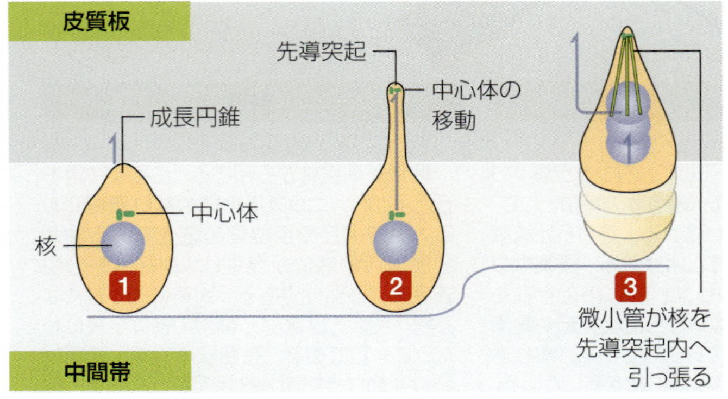

- ニューロンの移動に異常をきたすような変異は中枢神経系の発達と機能に重大な影響を与え，精神遅滞，てんかん，近視，頭蓋顔面奇形などを起こす．

Box 8.E ｜ 大脳皮質

- 大脳皮質（別名**外套** pallium．ギリシャ語 *pallium*［= shell，殻］）は**層**構造と**円柱状**構造を有しているが，それらは大脳皮質の領域によって違いがある．大脳皮質を丹念に調べることによって，領域の違いによる組織構造の違いを示すことができる．**ブロードマン** Broadmann の脳地図では，大脳皮質は 47 の領域に分けられている．
- ニューロンがつくる**層構造**は，大脳皮質の部位によって違いがある．3 層構造は，鈎（嗅覚に関係する嗅脳）の**古皮質** paleocortex と側頭葉内の海馬（記憶に関与）の**旧皮質** archicortex に認められる．6 層構造は**新皮質** neocortex（**新外套** *neopallium*）にみられ，皮質全体の 90% を占める．6 層構造の各層の名称については図 8.5 にまとめてある．
- 大脳皮質の垂直方向に並ぶ各層のニューロンは，突起を他の層に放射状に伸ばし，共通の機能に関与する．このような数百ものニューロンで構成される**柱状構造**は**機能円柱** cortical column とよばれ，大脳皮質の**機能的な単位**あるいは**モジュール**を表す．
- 主なニューロンとしては，**錐体細胞** pyramidal cell と**有棘星状細胞** spiny stellate cell および**無棘星状細胞** smooth stellate cell などがある．**双極細胞** bipolar cell は表層にみられる．

図 8.5 | ニューロンの種類：双極性，偽単極性，多極性ニューロン

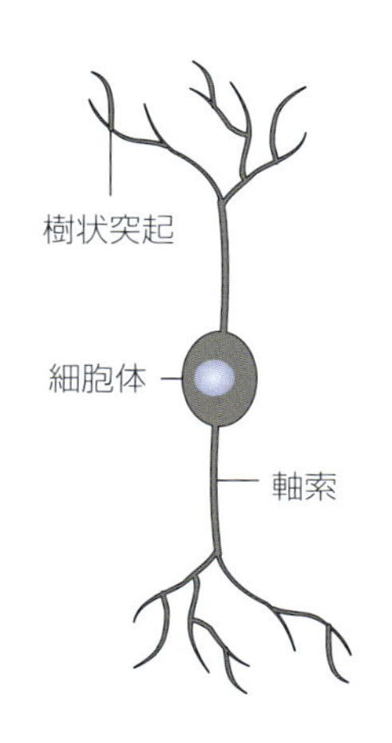

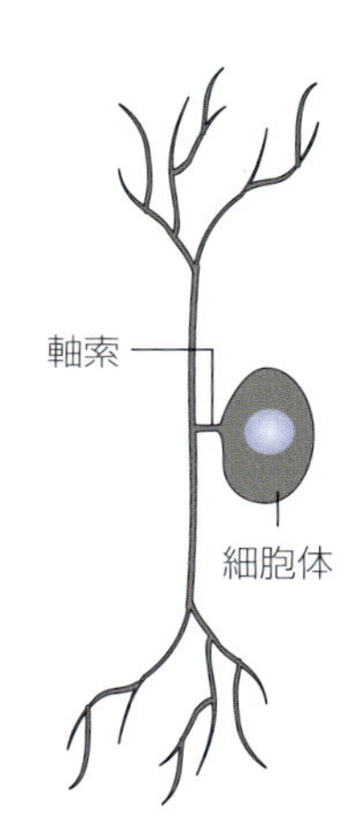

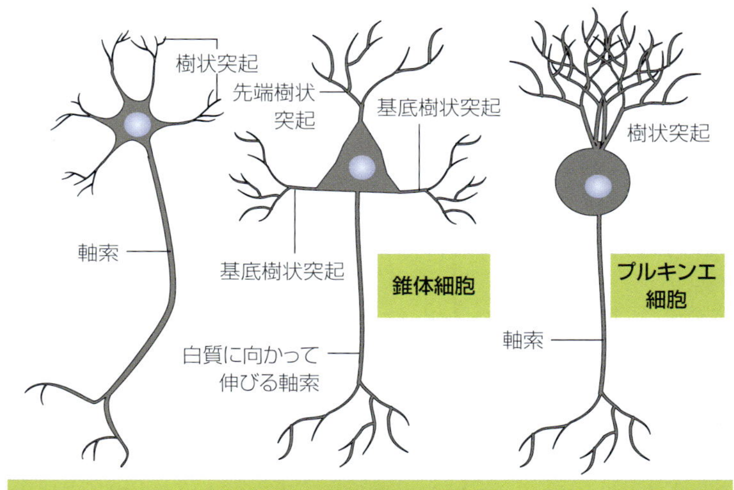

双極性ニューロン

細胞体の一方から軸索が出る．

双極性ニューロンは，**網膜**，**嗅上皮**，**前庭**および**聴覚系**などの感覚系でみられる．

偽単極性ニューロン

短い軸索が細胞体から出た後に二分する．偽単極性ニューロンの短い軸索はすぐに二分し，末梢側の枝は末梢からの情報を中枢側に伝え，中枢側の枝は脊髄に終わる．

これらの細胞は，**脳神経**や**脊髄神経**の感覚性**神経節**に認められる．

多極性ニューロン

多くの樹状突起と 1 本の軸索が，細胞体から起こっている．主な例として大脳皮質の**錐体細胞**や小脳の**プルキンエ細胞**が挙げられる．

大脳皮質の層

I 分子層
II 外顆粒層
III 外錐体細胞層
IV 内顆粒層
V 内錐体細胞層
VI 多形細胞層
白質

灰白質

樹状突起　細胞体　錐体細胞の軸索

錐体細胞

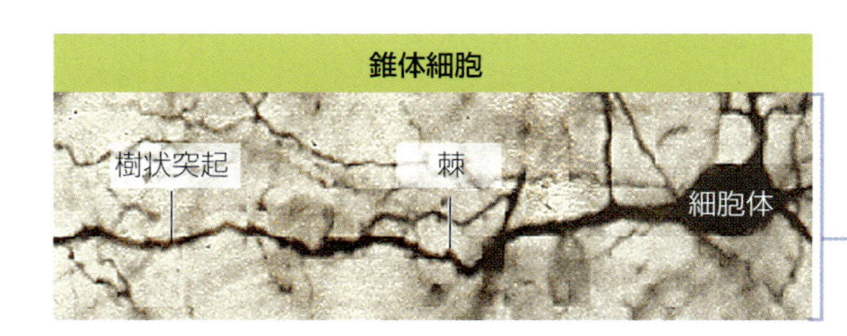

小脳皮質の層構造

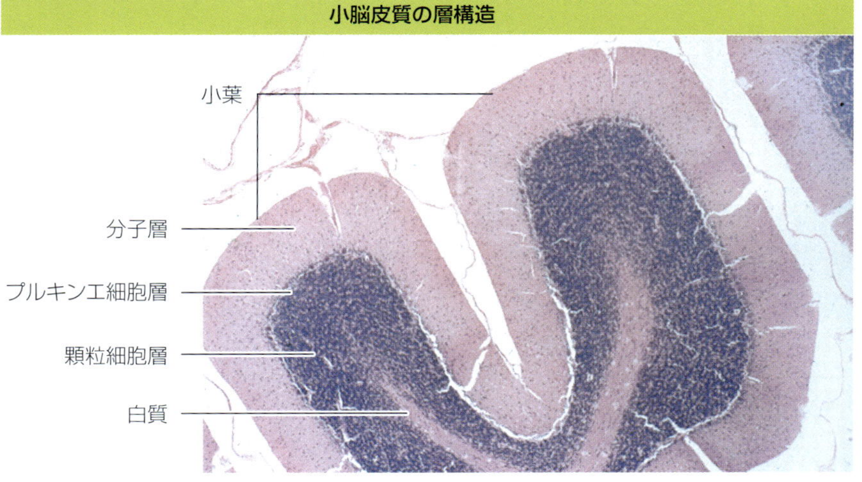

小脳は左右の半球とそれらをつなぐ中央部の**虫部**からなる．小脳半球には前葉と後葉があるが，それらはさらにいくつかの深い切れ込みである**裂**によって**小葉**に分けられる．**小脳扁桃**は後葉の重要な特徴的な部位である．それらは大後頭孔のすぐ上方に位置する．頭蓋内圧を亢進させる脳腫瘍によって，一方または両方の小脳扁桃が大後頭孔内に落ち込み，延髄を圧迫することがある（訳注：これを小脳扁桃ヘルニアとよぶ）．

プルキンエ細胞

プルキンエ細胞の顕微鏡写真：
Wan-hua Amy Yu, New York の厚意による．

図 8.6 | 化学的シナプス伝達

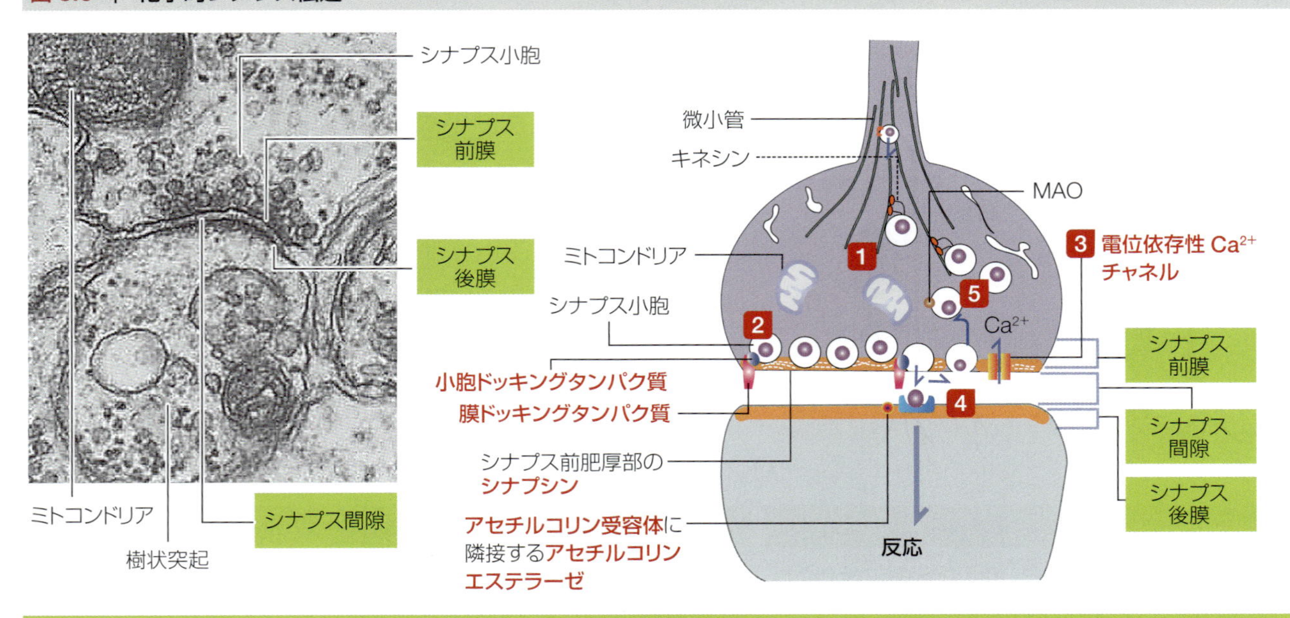

化学的シナプス伝達

1 神経化学伝達物質（アセチルコリン，グルタミン酸，γ-アミノ酪酸［GABA］，他）はシナプス小胞に蓄えられ，軸索終末まで順行性輸送によって運ばれる（キネシンによって媒介される）．

2 シナプス小胞の膜には，**小胞ドッキングタンパク質** vesicular docking protein があり，これは，シナプス前膜の**膜ドッキングタンパク質** membrane docking protein と結合する（シナプス前膜には，**シナプシン** synapsin フィラメントが多量にある）．

3 軸索終末部の脱分極によって**電位依存性 Ca^{2+}チャネル** voltage-sensitive Ca^{2+}はチャネルが作動し，高濃度の Ca^{2+}が終末内に流入する．CaCA の急激な上昇が引き金となり，シナプス小胞がシナプス間隙に開口して内容物を放出する．

4 シナプス間隙に放出された化学伝達物質は，シナプス後膜に存在する受容体（コリン作動性あるいはアドレナリン作動性）に結合し，情報を伝える．

化学伝達物質は酵素によってシナプス間隙で分解（アセチルコリンはアセチルコリンエステラーゼで）されるか，**5** 受容体を介した再吸収を受けて終末内に戻り（ノルアドレナリン［ノルエピネフリン］），ミトコンドリア内のモノアミンオキシダーゼ（MAO）によって分解される（訳注：化学伝達物質は他にも多種類あるが，ここではこの 2 つを例に述べている）．

電子顕微鏡写真：Ilya I. Glezer, New York の厚意による．

図 8.7 | 軸索輸送

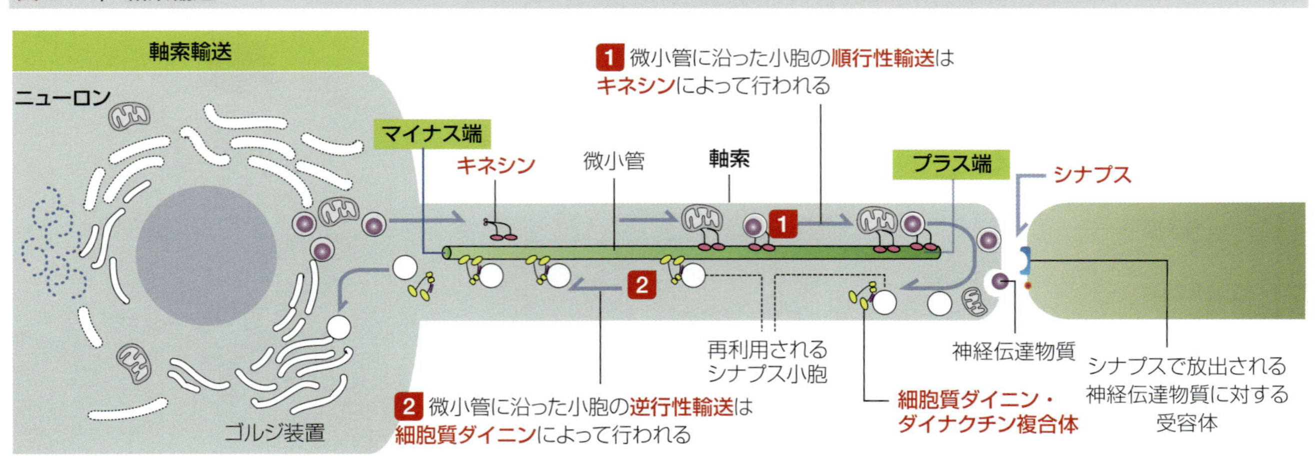

図 8.8 | シナプスの種類

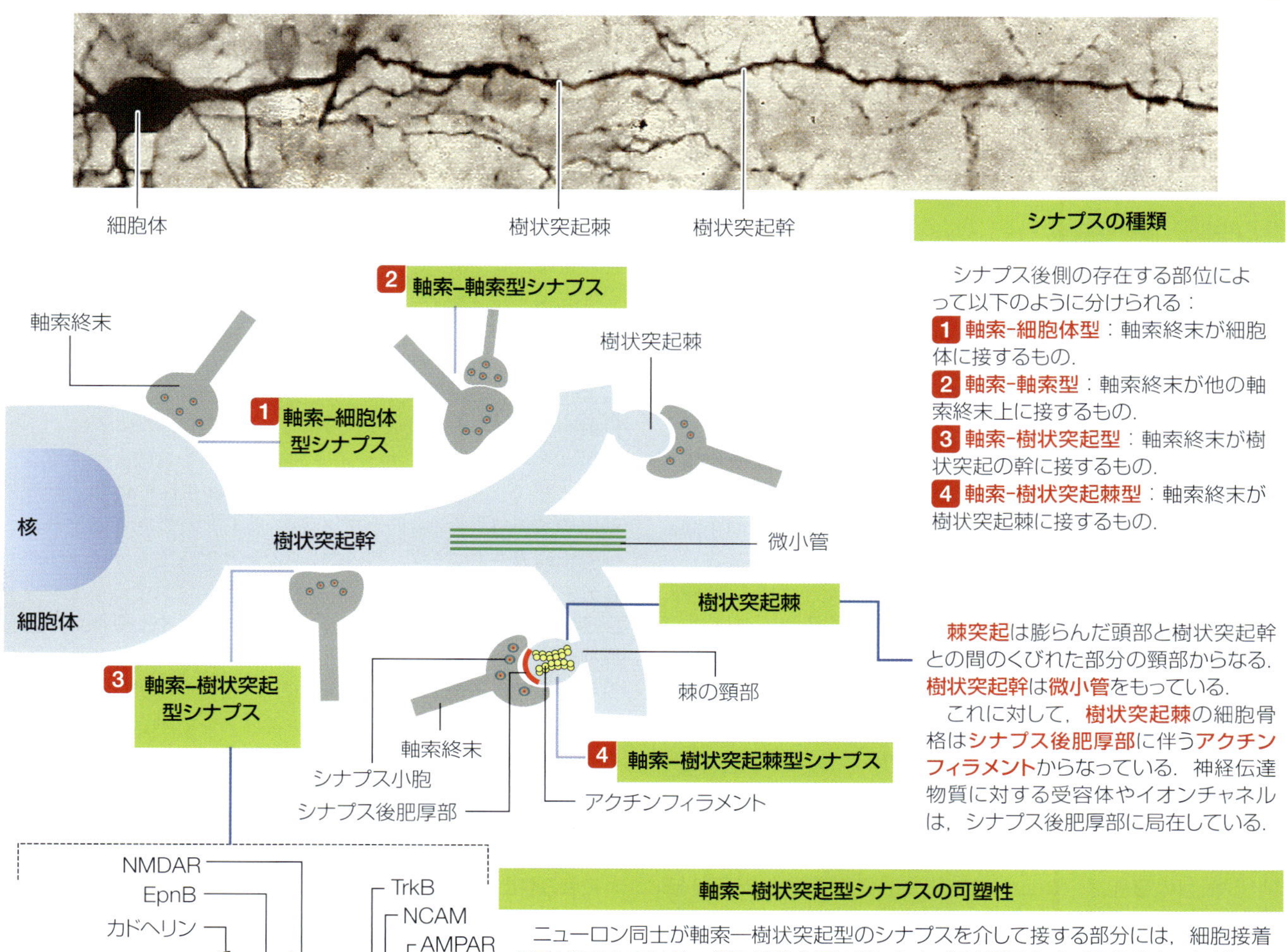

シナプスの種類

シナプス後側の存在する部位によって以下のように分けられる：

1 軸索–細胞体型：軸索終末が細胞体に接するもの．
2 軸索–軸索型：軸索終末が他の軸索終末上に接するもの．
3 軸索–樹状突起型：軸索終末が樹状突起の幹に接するもの．
4 軸索–樹状突起棘型：軸索終末が樹状突起棘に接するもの．

棘突起は膨らんだ頭部と樹状突起幹との間のくびれた部分の頸部からなる．**樹状突起幹**は**微小管**をもっている．

これに対して，**樹状突起棘**の細胞骨格は**シナプス後肥厚部**に伴う**アクチンフィラメント**からなっている．神経伝達物質に対する受容体やイオンチャネルは，シナプス後肥厚部に局在している．

軸索–樹状突起型シナプスの可塑性

ニューロン同士が軸索―樹状突起型のシナプスを介して接する部分には，細胞接着分子が存在している．細胞接着分子は単にシナプス前膜とシナプス後膜をつなげているだけではなく，シナプス結合の形成，機能，可塑性に関与する他の分子ともさまざまに関係する．**シナプス可塑性**の動的な調節が，学習や記憶機能の基盤であると考えられている．

シナプス後膜に存在する受容体型チロシンキナーゼである**エフリン B** ephrinB（**EphB**）は，**NMDA 受容体** *N*-Methyl-D-aspartate receptor（**NMDAR**）の活性を調節し，樹状突起棘の形態を変化させる．**βカテニン**と**カルシウム**が遺伝子発現を制御し，それによってもシナプスの変化が起こる．神経細胞接着分子（**NCAM**）は，チロシンキナーゼ受容体 B（**TrkB**）および **Fyn チロシンキナーゼ**と相互作用しシナプスの可塑性を制御する．NCAM はまた，迅速なシナプス伝達を媒介するグルタミン酸のイオンチャネル共役的受容体である **AMPA 受容体** α-amino-3-hydroxy-5-methyl-4-isoxazole propionic acid receptor（**AMPAR**）の調節にもかかわっている．

パク質や微小管やニューロフィラメントの重合のための細胞骨格タンパク質の輸送を担当する．

軸索輸送は神経原性の感染症においても重要な意義をもつ．例えば**狂犬病ウイルス** rabies virus は，この病気にかかっている動物に咬まれることで体内に入り，筋組織内で少なくとも 2～16 週間あるいはそれ以上の間増殖する．

増殖したウイルス粒子は，**アセチルコリン受容体** acetylcholine receptor に結合した後，神経線維の**逆行性輸送**によって運ばれ，その筋を支配するニューロンの細胞体に達する．

ウイルスはニューロン内で増殖を続け，やがて細胞体からウイルス粒子が出芽によって周囲に播種される．

それらのウイルスは近傍の軸索終末から取り込まれ，感染は中枢神経系内で広がっていくことになる．さらに，末梢神経内の**順行性輸送**によって，ウイルスは中枢神経系から唾液腺へ運ばれる．ウイルスは唾液中に入り，咬むことによって他の動物に感染していく．

狂犬病は**嚥下時に咽頭筋**の痛みを伴う**攣縮を起こす**ことから，**恐水病** hydrophobia（水を飲むのを嫌うという意味）ともよばれる．

テタヌス毒素 tetanus toxin は，植物的な芽胞として傷口から入り，体内で増殖した**破傷風菌** *Clostridium tetani* によってつくられるプロテアーゼ（タンパク質分解酵素）であるが，逆行性軸索輸送によって中枢神経内に運ばれ，脊髄で運動を抑制する伝達物質の放出を阻害する．このため，咀嚼筋の痙攣性収縮による**開口障害**（**牙関緊急** trismus ともよばれる），異常な筋反射亢進，呼吸困難などが特徴的な臨床症状となる．

グリア細胞

グリア細胞（**神経膠細胞**）glial cell（ギリシャ語 *glia* ［= glue，にかわ，接着剤］）は，ニューロンよりも数が多く，しかも増殖能力を保持している．そのため**脳腫瘍の多くは，良性であれ悪性であれ**，グリア細胞に起源がある**グリオーマ**（**神経膠腫**）glioma である．

浸潤性に成長する（腫瘍細胞が周囲の組織にしみこむように広がる）グリオーマが最も頻度が高く，かつ最も予後が悪い脳腫瘍である．グリオーマには，**アストロサイトーマ**（**星状膠細胞腫**）astrocytoma，**オリゴデンドログリオーマ**（**稀突起膠細胞腫**）oligodendroglioma，**グリオブラストーマ**（**膠芽腫**）glioblastoma などがある．

中枢神経系が傷害されたとき，グリア細胞は動き回って残骸を片づけ，損傷部位をふさぎ，その跡には**グリア性瘢痕**（**グリオーシス** gliosis）を残す．グリオーシスは神経線維の再生を阻害するといわれている．

中枢神経系には，以下の 2 種類のグリア細胞が存在する：

1. **星状膠細胞**（**アストロサイト**）astrocyte
2. **稀突起膠細胞**（**オリゴデンドロサイト**）oligodendrocyte

グリア細胞にはニューロンのように活動電位を発して遠くまで伝えたり，活動電位を受容したりする働きはない．

グリア細胞の機能は，ニューロンに対して構造的な支持を与え，神経活動およびニューロンと血管系との正常な機能を保つために必要な局所の環境を維持することである．

星状膠細胞（アストロサイト）（図 8.9）

アストロサイトは，正常な状態でも異常な状態でも中枢神経内で重要な役割を担っている．アストロサイトは血液脳関門の形成に貢献し，シナプス結合の形成にも関与する．さらにニューロンに対して，細胞外シグナルを通して代謝的あるいは構造的な支持を与えている．脳や脊髄の外傷，虚血あるいは出血性の卒中による傷害，さらに変性疾患による神経変性の後には，アストロサイトによる瘢痕形成が起こる．

アストロサイトには，**線維性アストロサイト** fibrous astrocyte と**原形質性アストロサイト** protoplasmic astrocyte の 2 つのタイプがある．

線維性アストロサイトは主に白質にみられ，枝分かれの少ない細くて長い突起をもっている．これに対し原形質性アストロサイトは，主に**灰白質中**に存在し，小さな枝分かれの多い短い突起をもっている．アストロサイトの突起の先端は，**終足** end-foot とよばれる膨らみになって終わっている．

アストロサイトの大きな特徴の1つは，グリアフィラメント（**グリア線維酸性タンパク質** glial fibrillary acidic protein ［GFAP］，中間径フィラメントの一種．第 1 章参照）が細胞質中に存在していることである．GFAP は，アストロサイトを免疫組織化学法で同定する際の有用なマーカー物質である．もう 1 つのアストロサイトのマーカーは，**細胞質性 10-ホルミルテトラヒドロ葉酸** cytosolic 10-formyltetrahydrofolate である．アストロサイトの核は大きく，卵形で，色素に淡く染まる．

また，アストロサイトの終足が血管壁を囲むように，あるいは軟膜や脳室表面に沿って互いに密着していることも中枢神経系の機能にとって重要な意義をもっている．アストロサイトの終足とニューロンの細胞質性突起は，脳の動脈，小動脈そして毛細血管の要素（血管内皮，平滑筋）と相互に機能的に関連しており，**神経血管単位** neurovascular unit（**NVU**）を構成している．

脳表面を覆う**軟膜** pia mater の内面と脳室の表面は，アストロサイトの終足によって完全に囲まれており，**グリア境界膜** glia limitans（glial limiting membrane）を形成している．グリア境界膜は，脳脊髄液で満たされた腔を脳実質内の間質液や求心性神経投射から隔てる役割を果たす．

ニューロンとアストロサイト間の分子のやり取りやクロストークによって，NVU における血流量が調整されている．動脈や小動脈の NVU は，平滑筋とアストロサイトの終足で囲まれた内皮細胞で構成されている．各種のイオンとアストロサイトの終足から分泌された分子，そして隣接するニューロンで産生された神経伝達物質などのクロストークによって，動脈や小動脈の平滑筋の機能が制御される．

毛細血管は内皮細胞やペリサイトに近接するアストロサイトの終足によって囲まれている．ニューロンの活動によるアストロサ

Box 8.F | ニューロンによる情報伝達

- 神経インパルスがシナプスを介して伝わることによって，シナプス後膜の**静止膜電位** resting membrane potential に変化が生じる（訳注：脱分極あるいは過分極方向に変化し，それぞれ興奮性シナプス後電位［EPSP］，抑制性シナプス後電位［IPSP］とよばれる）．その変化は樹状突起や細胞体の膜に広がっていく．
- その結果，軸索小丘（起始円錐）部の静止膜電位（通常，細胞外に対して細胞内が − 90〜− 60mV）が上昇し 0mV に近づき（**脱分極** depolarization），ある**閾値** threshold level に達すると，**電位依存性 Na^+ チャネル** voltage-gated Na^+channel が開いて Na^+ が細胞内に入り，膜電位は逆転する（細胞内がプラスになる）．
- この逆転に反応して **Na^+ チャネル**は閉じ，その後 1〜2 ミリ秒ほど閉じ続ける（**不応期** refractory period）．また，**K^+ チャネル**も開き，そこを通って K^+ が細胞外に流出し，膜電位は再分極する（訳注：この一連の膜電位の変化を**活動電位** action potential とよぶ）．
- 軸索起始部で起こった活動電位によって，近隣の軸索突起の膜でも活動電位が連鎖的に起こる．したがって，情報は膜の電気的な興奮（**活動電位または神経インパルス**）として軸索突起を伝わっていくこととなる．
- ニューロンとニューロンの接触あるいは**シナプス** synapse は，興奮の一方向性の伝達を行うために特殊化した構造である．ニューロン間の伝達は，**シナプス結合** synaptic junction という一方のニューロンの軸索終末ともう一方のニューロンの樹状突起または細胞体の間の特殊化した結合で行われる．
- 活動電位が軸索終末に到達すると化学伝達物質あるいは**神経伝達物質** neurotransmitter が放出され，それに応じた反応が引き起こされる（図 8.6）．

図 8.9 | 星状膠細胞（アストロサイト）

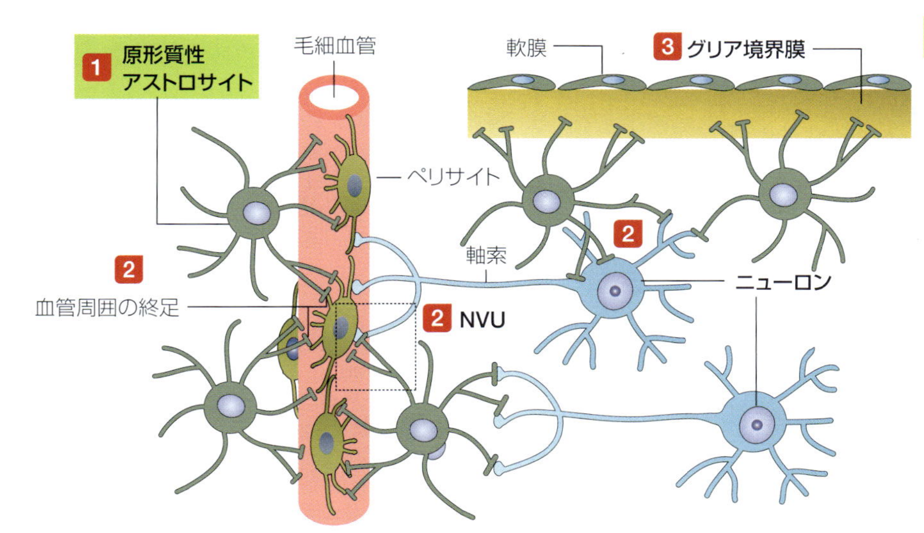

アストロサイト

1 原形質性**アストロサイト**は中枢神経内に存在する．突起を多数もつ細胞で，それらの先端は**終足**というふくらみで終わっている．

2 **アストロサイト**の終足はニューロン（樹状突起と細胞体），軟膜の内側，そして中枢神経内のすべての血管の周囲を覆っている．ペリサイトや血管の平滑筋細胞の機能は，局所の神経細胞と**アストロサイト**の終足によって形成される**神経血管単位**（**NVU**）によって調節されている．

3 軟膜の内側と脳室表面を裏打ちする**アストロサイト**の終足の集合は，まとめて**グリア境界膜**とよばれる．

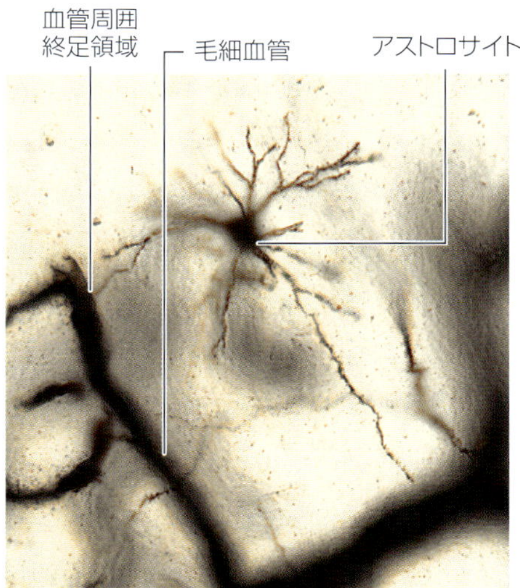

毛細血管における神経血管単位（NVU）

4 基底板
閉鎖結合
ニューロンからの投射
5
毛細血管内腔
アストロサイトの終足
ペリサイト
血管内皮細胞

中枢神経系内の**毛細血管**の内皮細胞は無窓型で，**閉鎖結合**によって互いにしっかりと結合している．

物質がニューロンに達するためには，必ず血管内皮を通らなければならない．しかし水やガス，それに脂溶性の分子は血管内皮を拡散によって通過できる．

その他の構成要素としては，

4 血管内皮細胞とペリサイトに共通の基底板．

5 ペリサイトと血管内皮細胞は**アストロサイト**の終足に囲まれている．この終足にはニューロンからの投射がきている．終足と神経終末間のシグナルのクロストークによって，脳の血液循環が調整されている．

イト中の Ca^{2+} 濃度の上昇と，内皮細胞に由来する血管作動性因子によってペリサイトの収縮と弛緩が制御され，脳血管の機能と健全性が維持されている．

アストロサイトの終足の脳血流と酸素供給における重要な役割に加えて，後の項では，ニューロンの細胞体と髄鞘に覆われていない軸索部分（ランビエの絞輪）を囲むアストロサイトについて説明する．

稀突起膠細胞（オリゴデンドロサイト）（図 8.10）

中枢神経系では，オリゴデンドロサイトは軸索を包み跳躍伝導に必須の**髄鞘** myelin をつくる．

オリゴデンドロサイトはアストロサイトより小さい．また，その核は不整形で色素に濃染する．細胞質にはゴルジ装置がよく発達しており，多量のミトコンドリアや微小管もみられる．1 つの稀突起細胞から数本の突起が伸び，それらがおのおの 1 本の軸索を包んで鞘状のミエリン鞘（髄鞘）を形成する．**このオリゴデンドロサイトによる髄鞘形成過程は末梢神経系におけるシュワン細胞による髄鞘形成過程と同様である．**

髄鞘（ミエリン）形成（図 8.11）

髄鞘は軸索の最初の部分から終末分枝までを包んでいる．1 つのオリゴデンドロサイトによってつくられる髄鞘の 1 区間は**絞輪間節** internode とよばれる．また，絞輪間節間の周期的な間隙は**ランビエの絞輪** node of Ranvier とよばれる．

1 つのオリゴデンドロサイトは多数の突起をもち，40 ないし 50 もの髄鞘の絞輪間節を形成しうる．ランビエの絞輪は軸索がむき出しになっているところで，**電位依存性 Na^+ チャネル** voltage-gated Na^+ channel が高密度に存在し，活動電位の**跳躍伝導** saltatory conduction において重要な役割を果たす．髄鞘をもった軸索で跳躍伝導が起こるとき，**活動電位**は 1 つのランビエの絞輪から隣の絞輪に「ジャンプ」して伝わっていく．

髄鞘形成の過程では，まず，細胞質を含んだオリゴデンドロサイトの突起が軸索の周りを囲み，完全に包み込むと，オリゴデンドロサイトの細胞膜の外葉同士が接触して**内軸索間膜** inner mesaxon を形成する．

さらにオリゴデンドロサイトの突起が軸索の周りを巻くと，そ

図 8.10 | オリゴデンドロサイトと中枢神経系と末梢神経系における髄鞘形成

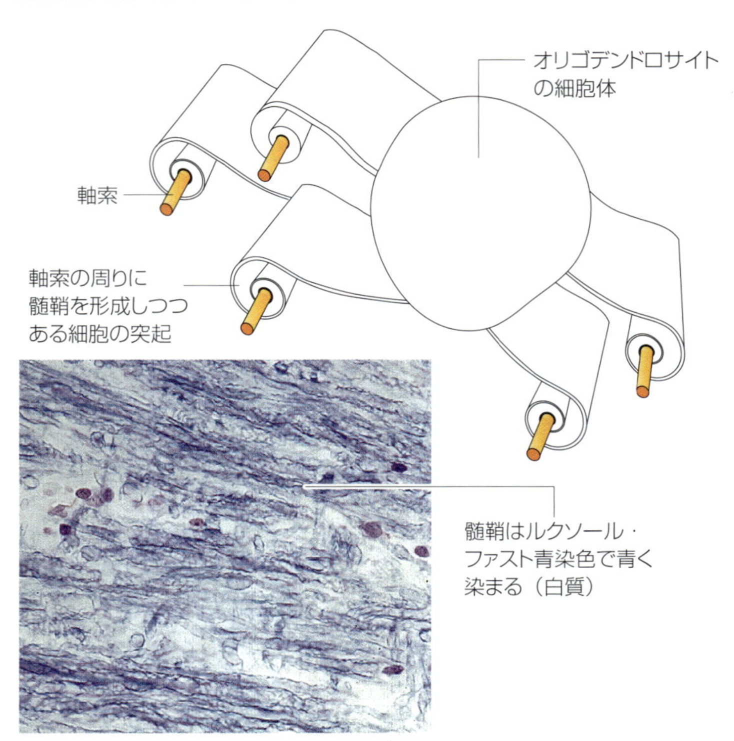

中枢神経系と末梢神経系における髄鞘形成

中枢神経系では，オリゴデンドロサイト（グリア芽細胞から分化）が，軸索の周りに髄鞘を形成する．中枢における髄鞘形成は，末梢における髄鞘形成とは以下のような点で違っている．

(1)オリゴデンドロサイトの細胞体は，末梢のシュワン細胞とは異なり，髄鞘に密着していない．
(2)1 つのオリゴデンドロサイトが数本の軸索の周囲に髄鞘を形成するのに対し，1 つのシュワン細胞は 1 本の軸索の周囲にだけ髄鞘をつくる．
(3)中枢では，髄鞘に付随する基底板はない．
(4)中枢内の有髄神経線維は，末梢でみられるような結合組織性の支持構造をもたない．
(5)中枢の髄鞘の内層と外層とは，ランビエの絞輪近くで別々の輪として終わる．また，オリゴデンドロサイトの細胞質が髄鞘内に取り残されることはない．これに対し，末梢では，シュワン細胞の細胞質が取り残される．
(6)中枢内では，ランビエの絞輪の部分はアストロサイトの終足によって覆われる．これに対して，末梢の絞輪部はシュワン細胞の突起によって覆われる．

中枢神経系と末梢神経系における細胞質と軸索の接触

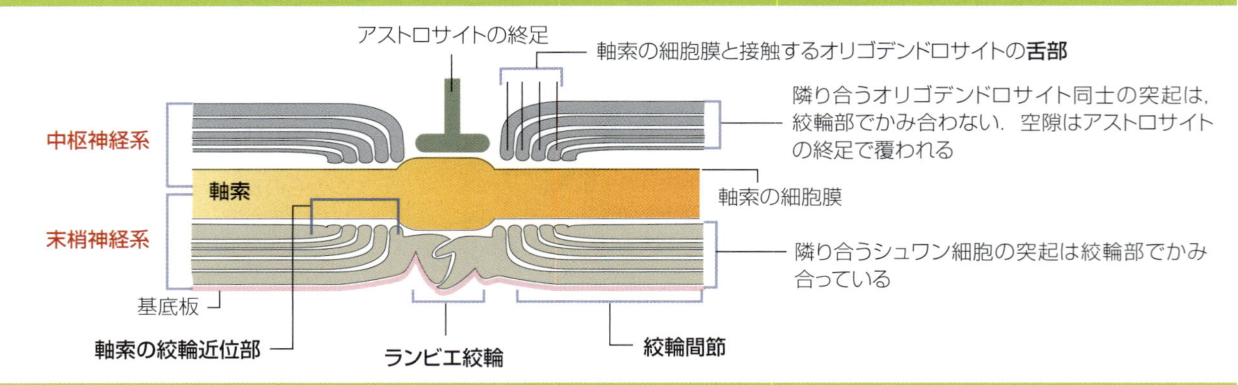

髄鞘を形成しているシュワン細胞間の結合

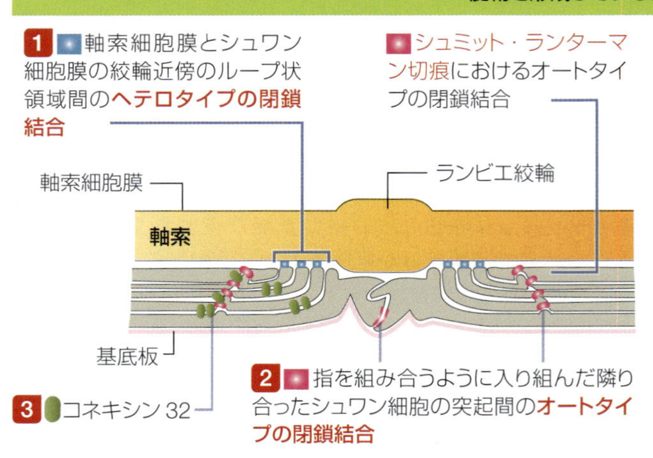

髄鞘を形成しているシュワン細胞の隣り合った膜同士は，**オートタイプ（同種細胞間）の接着装置**で結合されている．これは同じ細胞の膜の間に認められる接着装置のためオートタイプとよばれる．

1 ヘテロタイプ（異種細胞間）の閉鎖結合は，軸索細胞膜の絞輪近傍部とシュワン細胞舌部（**絞輪近傍部のループ状領域**）の間に認められる．

2 オートタイプ（同種細胞間）の閉鎖結合は，ランビエの絞輪部で指を組み合うように入り組んだ隣接するシュワン細胞の突起間同士やシュミット・ランターマン切痕部でみることができる．

閉鎖結合にはクローディンファミリーのクローディン 1，クローディン 2，クローディン 5，さらに ZO タンパク質群の ZO-1 や ZO-2 が存在している．

3 コネキシン 32（Cx32）がシュワン細胞内に発現している．Cx32 は絞輪近傍部とシュミット・ランターマン切痕部に集中している．Cx32 遺伝子の変異によって，脱髄疾患である X 連鎖遺伝型シャルコー・マリー・トゥース病が起こることが知られている．

の細胞膜の外葉同士が融合し，最初の**周期間線** intraperiod line が生じる．

これと同時に，突起内の細胞質は歯磨きがチューブから押し出されるように押しやられ，細胞膜の内葉同士が密接して，最初の**周期線** dense line とよばれる電子密度の高い線を形成する．

オリゴデンドロサイトの突起による軸索の巻き込みは，軸索が多層の被膜によって囲まれるまで続く．オリゴデンドロサイトの細胞膜の外葉同士と内葉同士が交互に癒合することによって，互いにかみ合った以下のような2つの渦巻き構造ができあがる：

1. **周期間線**（細胞膜の外葉同士が融合したものと細胞外腔の遺残）の渦巻き．
2. **周期線**（細胞膜の内葉同士が融合したもの）の渦巻き．

周期線は髄鞘の表層でみられなくなる．これは細胞膜の内面同士の間に細胞質が介在して離れるためである（**舌部** tongue）．周期間線も，舌部が髄鞘を離れるためここで終わる．

シュミット・ランターマン切痕 incisure of Schmidt-Lanterman は末梢および中枢神経線維の長軸方向の切片に認められる構造で，細胞質が髄鞘内に残っている部分に相当し，髄鞘の生存能力を保っている．

髄鞘のランビエの絞輪付近では，別の細胞質のリングが細胞膜の内葉同士を引き離して舌部を形成している．これらの舌部はランビエの絞輪近傍部で**軸索細胞膜** axolemma に接している．軸索はランビエの絞輪部で側副枝を分岐させる

向かい合って互いに入り組む**シュワン細胞**の突起同士，あるいはシュミット・ランターマン切痕部分の細胞膜同士は，**閉鎖結合** tight junction によって結合している．

このような結合は，**同じ**細胞種同士を結合させることから，**同種細胞間閉鎖結合**とよばれる．**異種細胞間閉鎖結合**は，軸索細胞膜とランビエ絞輪近傍部のシュワン細胞舌部（細胞質が細胞膜の内葉同士を引き離しているところ）の細胞膜との間に認められる．

閉鎖結合には，**クローディン** claudin ファミリー（クローディン1，クローディン2，クローディン5）や **ZO タンパク質群** zonula occuludens proteins（ZO-1，ZO-2）（図 8.10）が存在している．

閉鎖結合は，以下のような機能をもっている：

1. 髄鞘形成の過程で新しく形成された層を安定化させる．
2. 物質の選択的な透過機構として働く．
3. 脂質やタンパク質が特定の細胞膜上の領域から移動することを制限する．

コネキシン connexin 32（Cx32）はシュワン細胞に認められる．Cx32 は他のシュワン細胞との間隙（ギャップ）結合を形成せず，むしろ，シュミット・ランターマン切痕やランビエ絞輪近傍部にみられ，同じ細胞内の異なる部位間を結ぶチャネルを形成する．*Cx32* 遺伝子の変異によって，X 連鎖遺伝型の**シャルコー・マリー・トゥース病** Charcot-Marie-Tooth disease が起こることが知られている．この疾患では，下肢遠位部における進行性の運動・感覚障害を特徴とする末梢神経の脱髄性機能障害が起こる（Box 8.G）．

髄鞘（ミエリン）（図 8.12）

中枢神経系と末梢神経系の髄鞘のタンパク質や脂質の構成は，末梢神経系ではスフィンゴミエリンと糖タンパク質の含有量が多いことを除いてほぼ同様である．

以下の3つのタンパク質が特に重要である：

1. **ミエリン塩基性タンパク質** myelin basic protein（**MBP**）．
2. **プロテオリピッドタンパク質** proteolipid protein（**PLP**）．
3. **ミエリン P0 タンパク質** myelin protein zero（**MPZ** または P0）．

MBP は細胞膜の内葉に結合したタンパク質で，末梢神経系にも中枢神経系にも存在する．PLP は4回膜貫通型のタンパク質で，中枢神経系にのみみられる．PLP は，髄鞘の構造タンパク質として神経発生において重要な役割を果たす．

PLP 遺伝子の変異やオルタナティブスプライス産物である **DM20** は，**ペリツェウス・メルツバッハー病** Pelizaeus-Merzbacher disease の原因となる．この疾患は X 連鎖潜性遺伝病で，発症した男性患者では白質量とオリゴデンドロサイト数の減少が認められる．

共通してみられる特徴的な症状は，眼振，身体および精神の発達遅滞である．

末梢神経系におけるミエリンの主要なタンパク質は **MPZ** であり，機能的に中枢の PLP と同じ役割を果たす．膜上の MPZ ペアの細胞外ドメインは細胞外腔まで突き出し，向かい合う膜上の同様の分子ペアの細胞外ドメインと同種親和性に結合する．

この結合で形成された**同分子 4 量体**構造が，髄鞘のコンパクト化に重要な膜間の結合を担っている．MPZ の細胞内ドメインは，髄鞘形成を促す細胞内情報伝達に関与している．中枢神経系では膜タンパク質の PLP が互いに作用し合い，同様の膜安定化作用を担っている．

髄鞘タンパク質は抗原性が強く，中枢神経系の**多発性硬化症** multiple sclerosis や末梢神経系の**ギラン・バレー症候群** Guillain-Barré syndrome などの自己免疫性疾患において，自己抗体の抗原となる．

Box 8.G | シャルコー・マリー・トゥース病

- **シャルコー・マリー・トゥース病** Charcot-Marie-Tooth disease は欧米ではよくみられる末梢神経系を侵すさまざまな遺伝性疾患群である（訳注：日本では少ない）．常染色体顕性遺伝型の頻度が高いとされているが，遺伝的な原因は多様である．
- 最も多いのは **1 型シャルコー・マリー・トゥース病**で，髄鞘の構成要素の変異によって起こる脱髄性多発性神経障害（神経伝導速度の低下を伴う）である．**2 型シャルコー・マリー・トゥース病**は軸索性多発神経障害とよばれるもので，神経伝導速度は正常であるが，軸索輸送の異常（キネシンの変異による），膜輸送やタンパク合成の障害がみられる．
- **ミエリン P0 タンパク質** myelin protein zero（**MPZ**）は髄鞘の緻密化と情報伝達の2つの役割をもつ免疫グロブリンスーパーファミリーに属するタンパク質である．このタンパク質の遺伝子（*MPZ*）に変異がある患者では，細胞外ドメインの変異によって膜同士の接着が障害され，髄鞘の緻密化が不十分となる．そのため，MPZ の変異によって，**1B 型**や **2 型シャルコー・マリー・トゥース病**の遺伝的あるいは臨床的な多型が生じる．
- 末梢性髄鞘タンパク質 22（PMP22）をコードする *PMP22* 遺伝子の重複によって，最も頻度の高い **1A 型のシャルコー・マリー・トゥース病**が起こる．

図 8.11 | 髄鞘形成

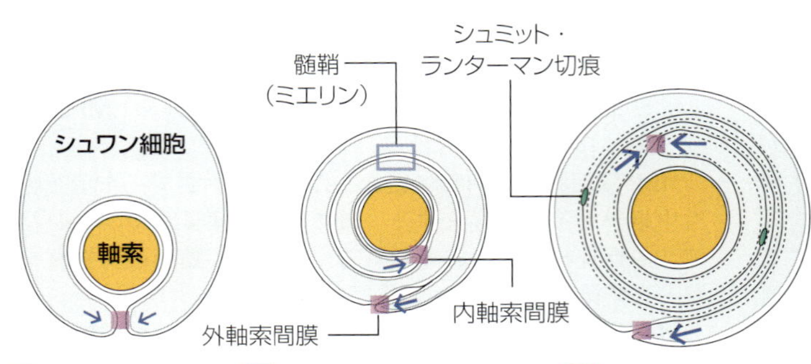

1 **末梢神経系**では，1 個の**シュワン細胞**は，1 本の軸索を囲む．

2 シュワン細胞の細胞膜が，軸索のまわりを渦巻き状に包んでいく．シュワン細胞の膜の会合する部分は，内および外軸索間膜を形成する．向かい合った細胞膜間の間隙はなくなっていく．

3 渦巻きは回転数を増やし，シュワン細胞の細胞膜は密に巻き込まれる．ところどころ，細胞質や細胞間隙が取り残される．

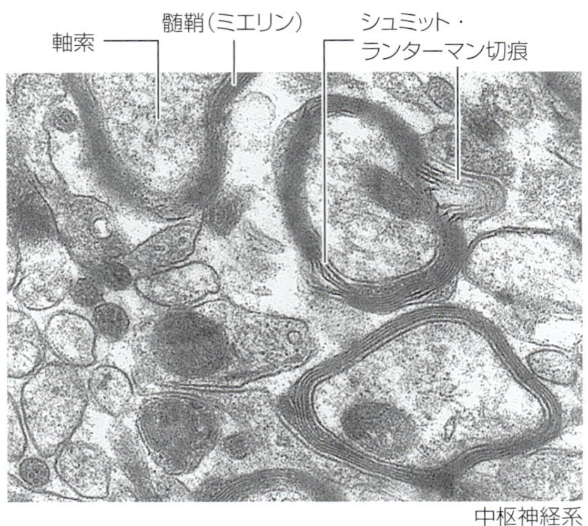

中枢神経系

周期線 ━━ は，シュワン細胞またはオリゴデンドロサイトの細胞膜の内葉同士が近接したもの

周期間線 ━━ は，軸索を渦巻き状に包んでいるシュワン細胞または稀突起膠細胞の細胞膜の外葉同士が，きわめて近接した（しかし密着はしない）ものである．狭い周期間線の間の空間は残存する**細胞外腔**である

細胞膜の内葉　細胞質　細胞膜の外葉　細胞外腔　細胞膜の内葉　細胞質

周期線（細胞膜の**内葉**同士が近接したもの）

周期間線（細胞膜の**外葉**同士が近接している）

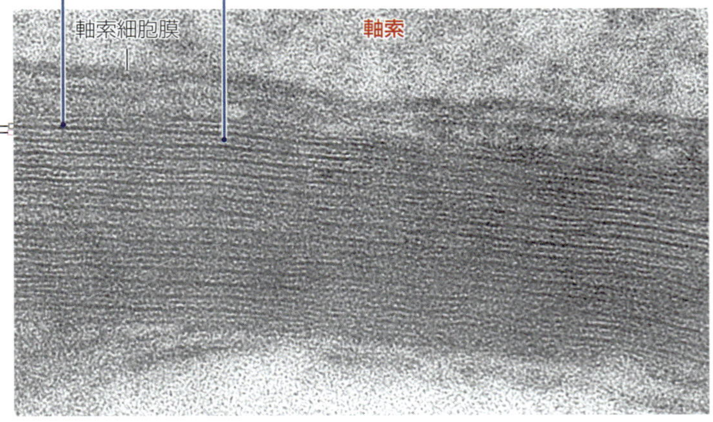

電子顕微鏡写真：Ilya I. Glezer, New York の厚意による．

無髄線維（図 8.13）

髄鞘をもたない軸索は主に灰白質にみられる．軸索は細く，個々にミエリンで覆われていない．

末梢神経系では，髄鞘をもたない**無髄線維** unmyelinated nerve fiber がみられる．この場合，1 つのシュワン細胞が複数の軸索を別々に細胞質で取り囲むように抱えるが，髄鞘は形成されない．

髄鞘をもつ有髄線維では，インパルスはランビエの絞輪部でのみ発生し，絞輪部から次の絞輪部まで**跳躍**して伝わっていき，その最大速度は 120 m/ 秒にも達する．髄鞘をもたない無髄線維では，伝導は**逐次的**に起こるため，最大速度は 15 m/ 秒程度まで**遅くなる**．

脱髄疾患（図 8.14）

脱髄疾患 demyelinating disease では，軸索ではなく髄鞘の構成が障害され，**オリゴデンドロサイトの生存**や**髄鞘構造の性質**に異常が起こる．

脱髄疾患は原因によって，**免疫原性**，**遺伝性**，**代謝性**，**ウイルス性**に分けられる．

免疫原性のものとしては，**多発性硬化症** multiple sclerosis と**単相性脱髄疾患** monophasic demyelination disease（例えば**視神経炎** optic neuritis）などがある．

多発性硬化症（図 8.14）は，中枢神経内のさまざまな部位に起こる脱髄によって引き起こされる神経症状が，臨床的に再燃・寛解を繰り返すか，あるいは持続的に進行することを特徴としてい

図 8.12 | 髄鞘（ミエリン）の構造

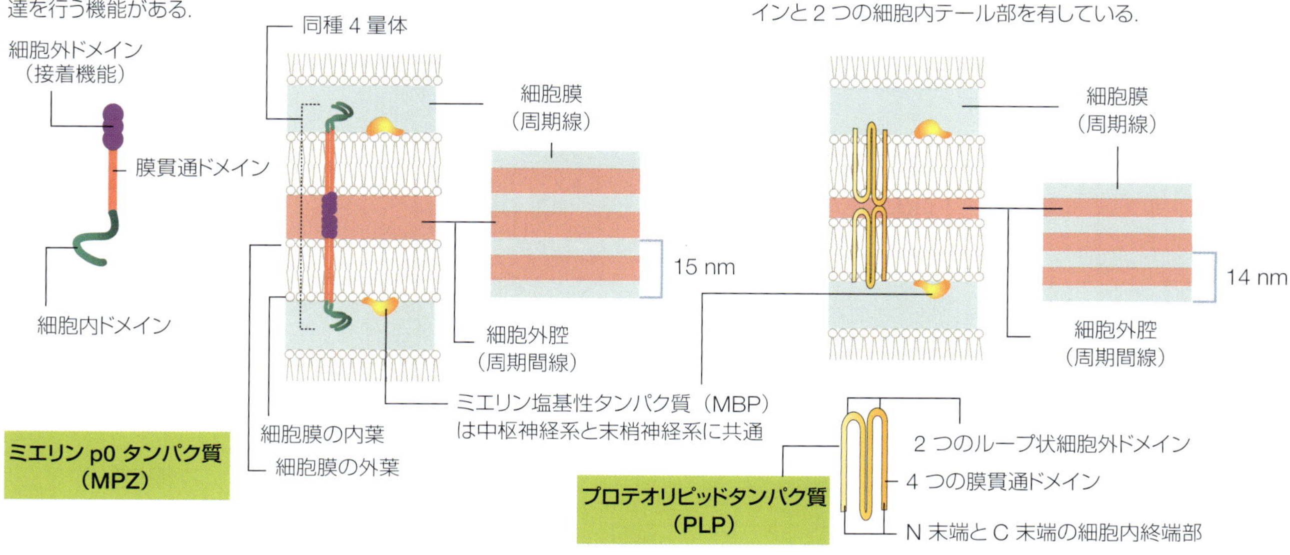

る．特に**脳**，**視神経**，**脊髄**などが好発部位となる．

この疾患が自己免疫疾患であることは，脳脊髄液中の**免疫グロブリン G** immunogloblin（IgG）量が増えることと，B 細胞性の **RASP2** タンパク質によって T 細胞の増殖が起こることから支持されている．特徴的な病理所見は，白質の有髄線維中に多数の**多発性硬化症プラーク**とよばれる脱髄域が認められること，および核断片を伴う反応性のアストロサイトである**クロイツフェルト細胞** Creutzfeldt cell が認められることの 2 つである．

副腎白質ジストロフィ adrenoleukodystrophy は **X 連鎖潜性遺伝性の脱髄疾患であり，進行性の脱髄が副腎皮質機能不全とともに起こることが知られている**．この疾患は X 連鎖潜性遺伝を示すので主に男性に起こる疾患である．**副腎白質ジストロフィタンパク質** adrenoleukodystrophy protein（**ALDP**）をコードする ***ABCD1* 遺伝子** *ABCD1* gene の変異によって起こる．ALDP は**極長鎖脂肪酸** very-long-chain fatty acid（VLCFA）を**ペルオキシソーム**内に運ぶタンパク質である．

ALDP の欠失や不足によって，VLCFA が血清中に蓄積する．高濃度の VLCFA は，髄鞘と副腎皮質に対して毒性を示すため，成人期の初期から中年期にかけて，下肢の進行性の脱力や硬直（**対麻痺**）が起こるようになる．

代謝性脱髄疾患として，**橋中心髄鞘崩壊** central pontine myelinolysis が知られている．これはアルコール乱用や低栄養状態の患者の低ナトリウム血症を急激に補正したときにみられる神経障害で，典型的な病理所見として，特に影響を受けやすい部位である**橋の中心部に左右対称性の脱髄**が認められる．

ビタミン B_{12} 欠乏 vitamin B_{12} deficiency によって，中枢神経系と末梢神経系に脱髄が起こる．

ウイルス性の脱髄は，**進行性多巣性白質脳症** progressive multifocal encephalopathy でみられる．この疾患は免疫不全状態の患者で，ウイルスがオリゴデンドロサイトへ日和見感染することによって起こる．

神経変性疾患（図 8.15，8.16）

脳の特定のニューロン群に変性が起こることによって，運動障害，認知症，自律神経失調などが起こる．神経変性疾患としては，以下のような疾患が挙げられる：

1. **筋萎縮性側索硬化症** amyotrophic lateral sclerosis（**ALS**）（図 8.15）．最もよくみられる成人に発症する運動ニューロン変性疾患で，運動ニューロンの進行性の変性により，一肢の中等度の筋力低下に始まり，嚥下や呼吸機能も麻痺するような重度の麻痺に進行し，約 3 年で死に至る．

   筋萎縮性とは，骨格筋が萎縮することを意味する．側索硬化とは，剖検時に患者の脊髄を触診すると，変性した側索部分が固く触れることを意味している．

   家族性にみられるものでは，**銅亜鉛型スーパーオキシドジスムターゼ 1** copper-zinc superoxide dismutase 1（*SOD1*）遺伝子の変異が知られている．異常な SOD1 は，キネシンによるミトコンドリアの軸索輸送に関与するいくつかのキナーゼを活性化できなくなることが知られている．

   さらに近年，*C9orf72*（第 9 染色体のオープンリーディングフレーム 72）遺伝子内の繰り返し配列の異常伸長が，しばしば ALS や**前頭側頭型認知症** frontotemporal dementia（**FTD**）の原因になっているという報告がなされている．

図 8.13 | 無髄神経の発達

無髄(ミエリンをもたない)神経線維

軸索の中には髄鞘（ミエリン）をもたないものがあり無髄線維とよばれる．各シュワン細胞は，細胞質の陥凹に埋め込むようにして多数の軸索を抱え込む．

このような形になるためシュワン細胞は個々の軸索を渦巻き状に包むことはできず，髄鞘は形成されない．

この場合，軸索の細胞膜は，間質組織に露出されており，部分的にシュワン細胞の周囲の基底板で保護されていることに注意．

このような無髄線維では伝導は（跳躍伝導ではなく）連続的に起こるため，伝導速度は遅い．

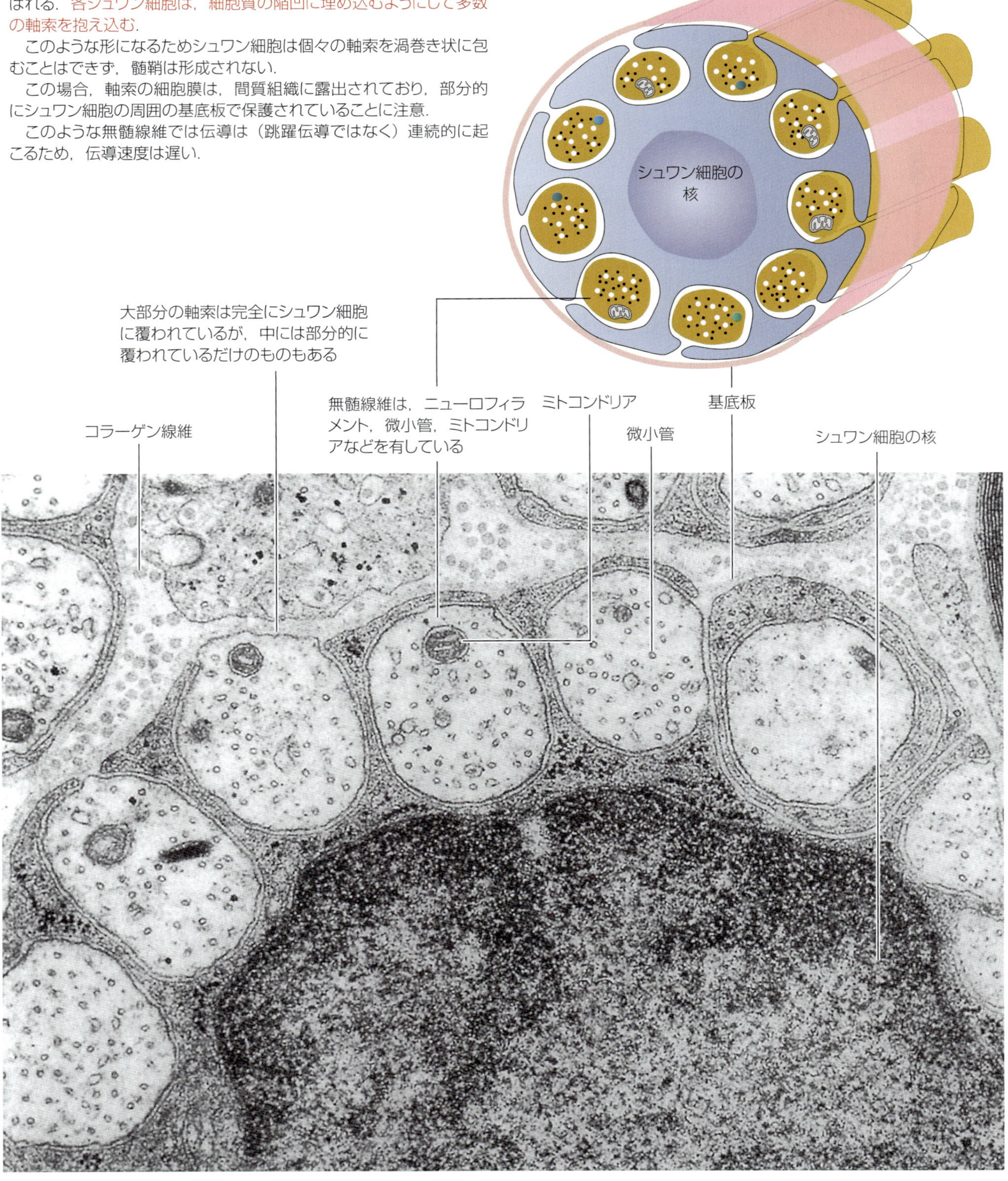

電子顕微鏡写真：courtesy of Alan Peters, Boston, MA の厚意による．

図 8.14 | 多発性硬化症発症のしくみ

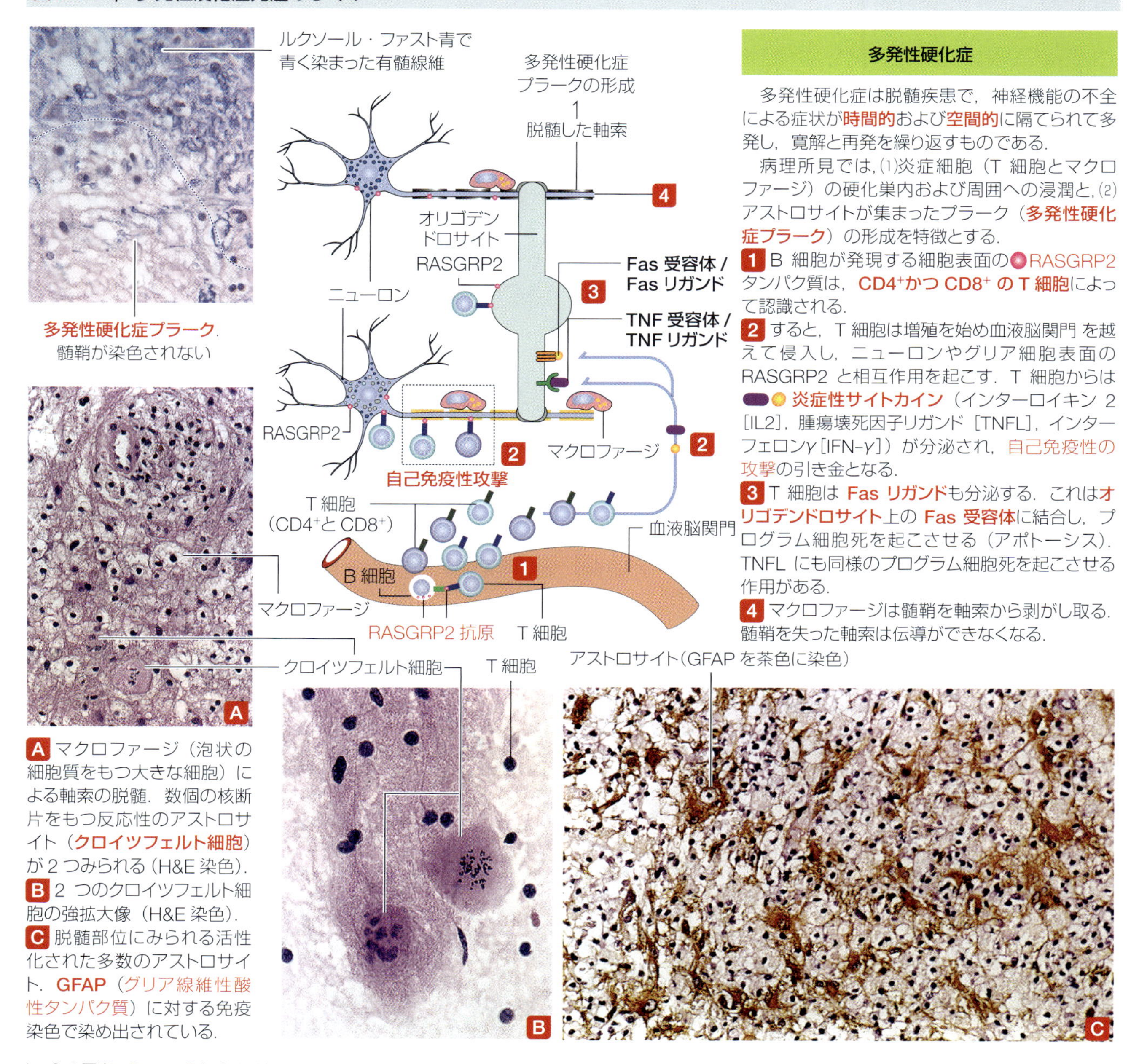

A マクロファージ（泡状の細胞質をもつ大きな細胞）による軸索の脱髄．数個の核断片をもつ反応性のアストロサイト（**クロイツフェルト細胞**）が 2 つみられる（H&E 染色）．
B 2 つのクロイツフェルト細胞の強拡大像（H&E 染色）．
C 脱髄部位にみられる活性化された多数のアストロサイト．**GFAP**（グリア線維性酸性タンパク質）に対する免疫染色で染め出されている．

多発性硬化症

多発性硬化症は脱髄疾患で，神経機能の不全による症状が**時間的**および**空間的**に隔てられて多発し，寛解と再発を繰り返すものである．

病理所見では，(1)炎症細胞（T 細胞とマクロファージ）の硬化巣内および周囲への浸潤と，(2)アストロサイトが集まったプラーク（**多発性硬化症プラーク**）の形成を特徴とする．

1 B 細胞が発現する細胞表面の RASGRP2 タンパク質は，**CD4⁺かつ CD8⁺ の T 細胞**によって認識される．

2 すると，T 細胞は増殖を始め血液脳関門を越えて侵入し，ニューロンやグリア細胞表面の RASGRP2 と相互作用を起こす．T 細胞からは **炎症性サイトカイン**（インターロイキン 2［IL2］，腫瘍壊死因子リガンド［TNFL］，インターフェロンγ［IFN-γ］）が分泌され，自己免疫性の攻撃の引き金となる．

3 T 細胞は **Fas リガンド**も分泌する．これは**オリゴデンドロサイト**上の **Fas 受容体**に結合し，プログラム細胞死を起こさせる（アポトーシス）．TNFL にも同様のプログラム細胞死を起こさせる作用がある．

4 マクロファージは髄鞘を軸索から剥がし取る．髄鞘を失った軸索は伝導ができなくなる．

A〜C の写真：Burger PC, Scheithauer BW, Vogel FS: Surgical Pathology of the Nervous System and its Coverings, 4th ed. Philadelphia, Churchill Livingstone, 2002 から引用

C9orf72 タンパク質の機能の欠失と *C9orf72*RNA の異常な繰り返し配列による毒性のある機能獲得により，ニューロン内での RNA 翻訳やオートファジー，およびライソゾームの働きに異常が生じ，疾患の進行につながっているものと考えられている．

2. **アルツハイマー病** Alzheimer's disease（図 8.16）．最も多い神経変性疾患で，進行性の皮質性認知症を引き起こす．言語，記憶，視覚，および情動や人格までもが侵される．

主な異常は以下のとおり：

(1)**βアミロイド** *β*-amyloid（Aβ）ペプチドを含むアミロイド細線維からなるプラークの細胞外腔への集積．**アミロイド細線維**（ギリシャ語 *amylon*［= starch，でんぷん］，*eidos*［= resemblance，類似］）は主にβシート構造を取っており，一部または全体的に折りたたまれていないタンパク質やペプチド構造をしている．

歴史的にみると，アミロイドーシスは 19 世紀の中頃に，亡くなった患者の臓器にヨードやコンゴーレッドで染まる沈着物が蓄積している病態として発見された．

アミロイド細線維の存在は，可溶性で機能していた正常なペプチドやタンパク質が，機能性を失ったこと，ならびに毒性のある中間体となって自己重合したことを表す．

折りたたみに失敗したり凝集したポリペプチド鎖が蓄積

図 8.15 | 筋萎縮性側索硬化症

正常な脊髄（H&E 染色）

中心管
灰白質
後角
後根神経節
後根神経節
脊髄神経
白質
運動神経が存在する前角
偽単極性神経細胞の集団

筋萎縮性側索硬化症（ルクソール・ファスト青染色）

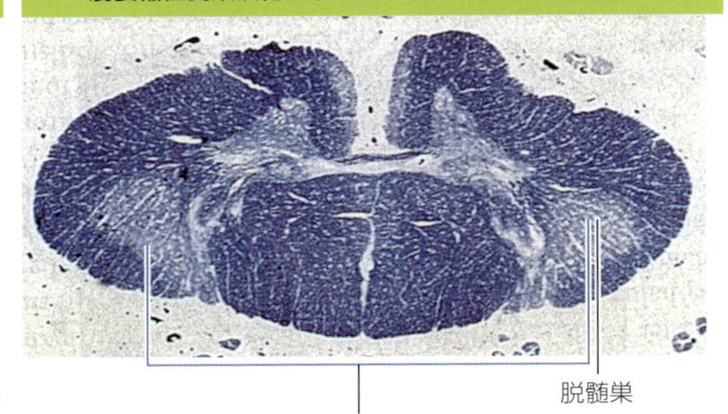

筋萎縮性側索硬化症の患者の脊髄の横断切片において外側皮質脊髄路の有髄線維の脱落が対称性に認められる．髄鞘染色

筋萎縮性側索硬化症（ALS，別名ルー・ゲーリック病ともよばれる）は，**脊髄と脳幹の運動神経の進行性の変性**を特徴とする重篤な症状をきたす疾患である．

「**筋萎縮性**」とは**骨格筋が萎縮**することを意味している．「**側索硬化**」とは，病理解剖時の**脊髄の触診で側索が硬く触れる**ことからつけられた．これは，外側皮質脊髄路も変性し，**アストロサイト**の増殖による**グリオーシス**が起こるためである．

ALS の 5 ～ 10%は家族性であり，他は孤発例であるとされている．**スーパーオキシドジスムターゼ 1（SOD1）**をコードする遺伝子の異常が，家族性 ALS のうちの 20%の原因とされている．残り 80%はそれ以外の遺伝子異常が原因である．特に，*C9orf72* 遺伝子における 6 つの塩基配列 GGGGCC の繰り返しの異常伸長によって，神経細胞内の転写，オートファジー，ライソゾーム機能の変調が起こり，ALS が引き起こされることが知られている．

SOD1 は，スーパーオキシド（酸素分子に 1 電子が加わった短寿命ラジカル，活性酸素の一種）を過酸化水素と酸素に変換する反応を触媒し，その反応に銅を必要とする酵素である．SOD1 の変異によって，ニューロフィラメント（NF-L，NF-M，NF-H）に異常が起こる．さらに，SOD1 の機能不全によってキネシンによるミトコンドリアの輸送に関与するいくつかのキナーゼを活性化することができなくなる．微小管の構造変化やニューロフィラメントの過剰なリン酸化によってモーター分子が荷物を運ぶために結合することができなくなり，**軸索輸送の障害**が起こる．この結果，小胞やミトコンドリアさらにニューロフィラメントなどの細胞核周囲への蓄積が起こり，神経機能の障害や軸索の萎縮が起きる．

臨床症状としては，腱反射の亢進，**ホフマン反射**（指の爪を挟んでから急に離すと指が屈曲する反射），**バビンスキー反射**（足底の刺激で母趾の背屈とその他の指の外転が起こる反射），**クローヌス**（ギリシャ語 *klonos*［=clonus，間代］，筋を急速かつ持続的に伸展させたとき，筋が周期的に収縮と弛緩を繰り返す現象）などがある．

写真：Damjanov I, Linder J: Pathology: A Color Atlas, St. Louis, Mosby, 2000 より．

物とならないように常に働いている**ユビキチン - プロテアゾーム系** ubiquitin-proteasome system やオートファジー系 autophagy system など，アミロイド形成に対抗するしくみについても留意されたい．

(2)老化したニューロンの細胞質中に認められる**神経原線維変化** neurofibrillary tangle の形成，

(3)アルツハイマー病特有の認知機能の低下を伴う進行性の**海馬シナプス機能の不全**．さらに，**血管の傷害**による虚血や**脳実質の炎症**（活性化したミクログリアやアストロサイト）などもアミロイドプラークの影響を増悪させている．

アミロイドプラークや神経原線維変化はニューロン数や白質量を減少させる．

Box 8.H と図 8.16 にアルツハイマー病の患者の脳内で起こっている主な分子メカニズム，特に**アミロイドプラーク** amyloid plaque の形成のしくみについてまとめてある．

βアミロイドペプチドの産生と分解の不均衡によるβアミロイドの蓄積が，アルツハイマー病の発症に至る最初の要因ではないかと考えられている．海馬の錐体細胞における神経原線維変化は，アルツハイマー病および他の**タウオパチー**tauopathy とよばれる**タウ** tau の異常を伴う神経変性疾患群において，共通に認められる特徴的な病理像である．

微小管関連タンパクである**タウ**の安定化作用に異常が起こると，ニューロン中にらせん状に絡み合ったタウの 2 量体が蓄積する．正常のニューロンでは，**可溶性のタウ**は微小管の重合と安定化を通して軸索内の小胞輸送を促進する．**過剰なリン酸化を受けたタウ**は不溶性となり，微小管への親和性を失って，互いにらせん状に絡みついて対合する．

3. **パーキンソン病** Parkinson's disease．アルツハイマー病に次いで多い神経変性疾患で，進行性の運動障害をきたす．臨床症状としては，いわゆるパーキンソン症状とよばれる安静時振戦，自発運動の遅延（**運動機能減少症**），筋強剛を特徴とする．病理的には中脳の**黒質** substantia nigra **におけるドーパミン作動性ニューロン** dopaminergic neuron **の欠落**による疾患とされている．

特徴的な病理所見としては，過剰リン酸化された**αシヌクレイン** α-synuclein がニューロンの細胞質内に蓄積すること（**レヴィー小体** Lewy's body），および糸状の封入体が軸索内に認められること（**レヴィーニューライト** Lewy's neurite）である．

αシヌクレインをコードする ***SNCA* 遺伝子** *SNCA* gene の

図 8.16 | アルツハイマー病

アミロイド前駆体タンパク質の構造

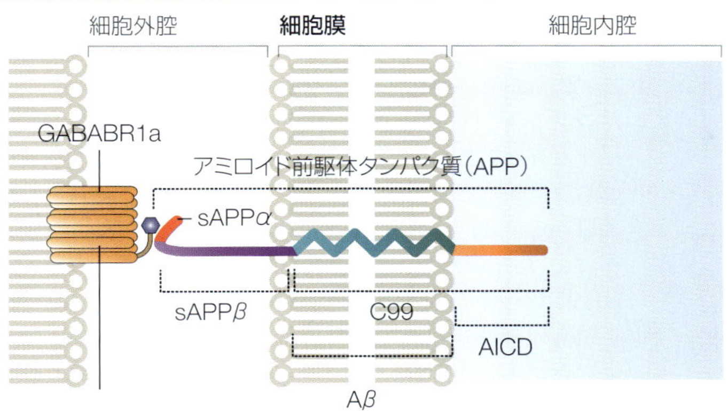

脳の発達段階で GABABR1a(GABAB 受容体サブユニット 1a)が APP の可溶性部分の sAPPαと相互作用する

アミロイド前駆体タンパク質のプロセッシング

1 アミロイドの生成過程の最初のステップは **BACE-1** によって sAPPβ断片が切り出されることである．この切断は細胞膜上で起こる．

2 残った C99 フラグメントは **γセクレターゼ**によって切断され，AβとAICDとなる．AICDは細胞質内に遊離し，核に至って転写シグナルとなる．

3 可溶性の Aβは細胞外腔へ放出され，そこで自己凝集して不溶性アミロイド細線維となり，アミロイドプラークを形成する．アミロイドプラークは特に大脳皮質や海馬に顕著に認められる．

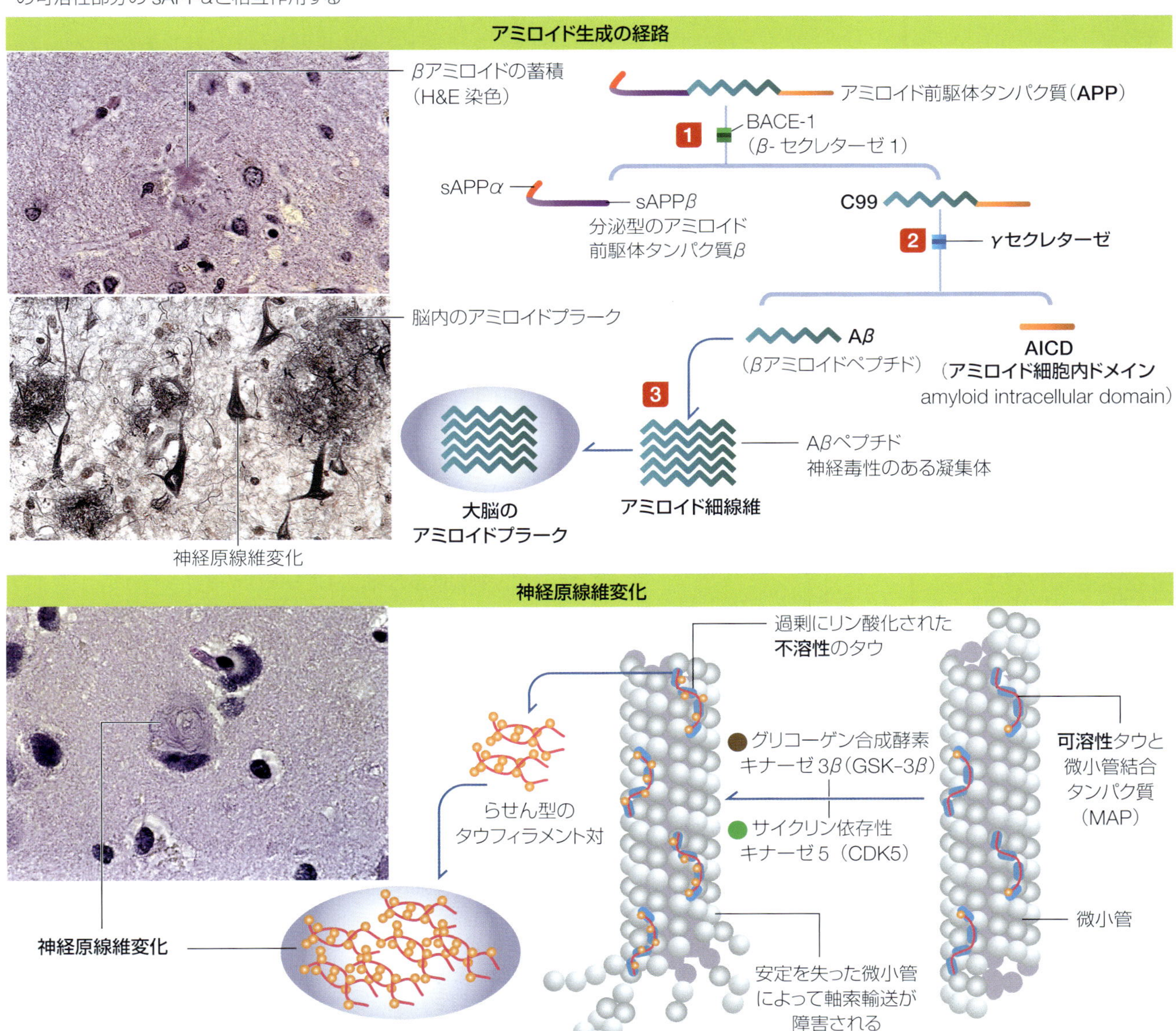

写真：Burger PC, Scheithauer BW, Vogel FS:Surgical Pathology of the Nervous System and itsCoverings, 4th ed. Philadelphia,Churchill Livingstone, 2002 より.

変異によって，**家族性の常染色体顕性遺伝を示すパーキンソン病**が起こる．

家族性のパーキンソン病との関連が知られているもう1つの遺伝子は *PARK2* Parkinson's disease protein 2である．*PARK2* はE3ユビキチンリガーゼである**パーキン** parkinをコードする．パーキンはミトコンドリアの品質維持にかかわっている．機能の低下したミトコンドリアは**活性酸素種** reactive oxygen species，ROSを産生するようになり細胞機能を害するようになる．

パーキンはどのように働くか？

マイトファジー mitophagyとは損傷されたミトコンドリアを排除する特別なしくみで，以下の2つの酵素が関与する．PINK1（PTEN［phosphatase and tensin homolog］induced putative kinase 1）とパーキンである．

細胞質中のパーキンはミトコンドリアが正常に機能しているときは不活性状態である．一方PINK1はミトコンドリアに随伴している．ミトコンドリアの機能が障害されるとパーキンがミトコンドリアの外膜につく．するとPINK1によって，パーキンの**ユビキチンリガーゼ** ubiquitin ligaseとしての活性が解き放たれる．活性化したパーキンはユビキチンタンパク質をミトコンドリア外膜のタンパク質に結合させ，機能不全のミトコンドリアを取り除くマイトファジーを開始させる．

第3章でみてきたように，ユビキチンリガーゼは，ユビキチンタンパク質鎖をタンパク質に付加する**ユビキチン化** ubiquitinationを行い，それらのタンパク質を**26Sプロテアゾーム** 26S proteasomeによる分解へと向かわせる．

過剰リン酸化αシヌクレインによる軸索輸送の障害，およびパーキンやPINK1の変異によって引き起こされる傷害されたミトコンドリアの蓄積は，家族性パーキンソン病の最初のステップであるドーパミンニューロンにおけるミトコンドリア由来の高い酸化ストレスを決定づける．

4. **ハンチントン病** Huntington's diseaseは遺伝性で成人期に発症する神経変性疾患で，筋の非協調性の収縮，認知機能低下および認知症を特徴とする．ハンチントン病と**球脊髄性筋萎縮症** spinal and bulbar muscular atrophy（SBMA，ケネディ病としても知られる）は**ポリグルタミン病（ポリQ病）** polyglutamine（polyQ）diseasesのグループに属する．

特定の神経系の遺伝子のコーディング領域でCAGリピートが蓄積する．SBMAは男性における神経変性疾患で進行性の運動ニューロン変性と球障害（構音障害と嚥下障害）が特徴で，**アンドロゲン受容体** androgen receptorタンパク質におけるポリQ鎖の伸長によって起こる．

ハンチントン病の原因遺伝子は**ハンチンチン** *huntingtin*（*HTT*）で，コーディング領域に多数のCAGリピートをもっており，ポリQ鎖を含むHTTタンパク質を発現する．

ハンチントン病については，第3章で，カスパーゼやシトクロム*c*の関与するアポトーシスに関連して説明している．

ポリQ鎖を含むHTTの凝集は，微小管の脱アセチル化を起こし軸索輸送を阻害する．微小管のアセチル化は，**αチュブリン** α-tubulinの可逆性の翻訳後修飾で，モータータンパク質と運ばれる荷物の複合体が軸索の微小管に結合するために必要とされる．

5. **脊髄性筋萎縮症** spinal muscular atrophy（SMA）は常染色体潜性遺伝を示し，主に子どもに起こる進行性神経変性疾患である．はじめに脊髄前角のα運動ニューロンの変性が起こることがSMAの特徴である．

SMAは survival motor neuron（SMN）1タンパク質をコードする ***Smn1* 遺伝子** Smn1 geneのホモ接合型欠失あるいは点変異によって生じる．SMNタンパク質の減少によって，**神経筋接合部**の構造と機能が障害される．

重症例では，生後すぐに人工呼吸器による呼吸補助が必要であり，生後数週間以内に亡くなることになる．新しい治療法は，SMNレベルを上昇させるための**ヌシネルセン** nusinersenの投与，あるいは筋の機能を改善するためSMAで侵される神経筋接合部の細胞骨格構造を保護することである．

Box 8.H | アミロイド蓄積

- 可溶性ペプチドやタンパク質の**不溶性アミロイド蓄積** amyloid depositへの変化が，**アルツハイマー病** Alzheimer's diseaseや**2型糖尿病** type 2 diabetes mellitusなどの病変に伴っている．
- 1回膜貫通型で受容体様のタンパク質である**アミロイド前駆体タンパク質** amyloid precursor protein（APP）が分子内で切断されることで，βアミロイドタンパク質が産生される．この過程はAPPがα，β，γセクレターゼ酵素複合体によって順に切断されることによって起こる（図8.16）．
- **αセクレターゼ活性をもつ3つの酵素**はADAM9，ADAM10，ADAM17（TNF転換酵素としても知られている）である．第1章でADAM（a disintegrin and metalloproteinase）ファミリーの構造と機能について述べている．
- **γセクレターゼ**は，プレセニリン1または2とニカストリン，APH-1（anterior pharynx defective 1），PEN-2（presenilin enhancer 2）の4種の分子がつくる複合体である．
- セクレターゼとADAMファミリーは**シェダーゼ** sheddaseである．これらの酵素は，規則的に膜内でタンパク質を切断する活性をもつ．膜貫通タンパク質は最初，膜に固定されているタンパク分解酵素（シェダーゼ）によって膜外ドメインを切断され，このドメインは細胞外に放出される．続いて，残った部分は膜貫通ドメイン内でさらに切断され，疎水性の高い（βアミロイドのような）ペプチドを細胞外に放出することになる．αセクレターゼ（ADAMファミリーで構成されている）あるいはβセクレターゼ（BACE，β-site APP-cleaving enzymeともよばれる．図8.16）はAPPの細胞外ドメインの切断に関与する．

小膠細胞（ミクログリア）（基本事項8.A）

ミクログリア microgliaは，胎生期の卵黄嚢に存在する**赤血球系骨髄前駆細胞** erythromyeloid precursor（EMP）に由来する．EMPは卵黄嚢由来のマクロファージとして脳実質内に入りミクログリアへと分化する．ミクログリアは自己複製によって細胞数を維持している．ミクログリアが，脳以外の組織マクロファージの前駆細胞である単球とは発生的にも機能的にも無関係であることに留意しなさい．

基本事項 8.A ｜ 小膠細胞（ミクログリア）

ミクログリアの起源と発達

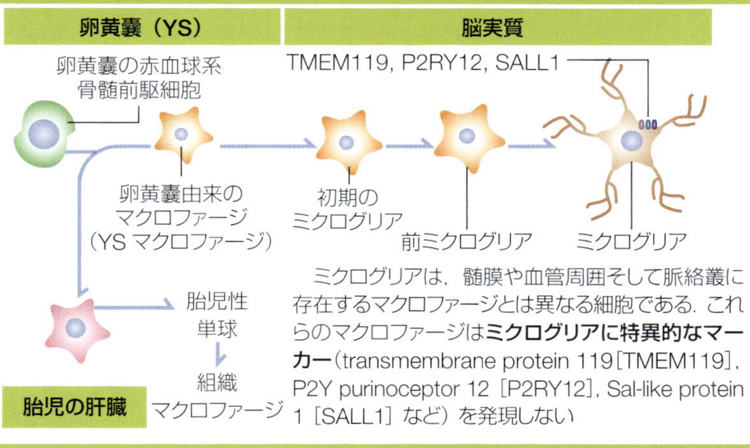

ミクログリアは，髄膜や血管周囲そして脈絡叢に存在するマクロファージとは異なる細胞である．これらのマクロファージは**ミクログリアに特異的なマーカー**（transmembrane protein 119［TMEM119］，P2Y purinoceptor 12［P2RY12］，Sal-like protein 1［SALL1］など）を発現しない

ミクログリアは**卵黄嚢** yolk sac（YS）に由来する．YS には赤血球系骨髄前駆細胞（YS EMP）が存在し，YS マクロファージを分化させる．

血液循環が始まると，YS マクロファージは胚子内の特に胎児の肝臓に多くが移動するが，一部は脳の実質内にも定着する．ミクログリアの前駆細胞は脳内で増殖し，早期のミクログリア，前ミクログリア，そしてミクログリアへと分化する．

胎児の肝臓に移動した YS マクロファージは，そこで骨髄細胞系の前駆細胞となる．この細胞はさらに単球に分化し，組織マクロファージとなる．ミクログリアが YS EMP に由来する YS マクロファージから派生するのに対して，組織マクロファージは，胎児肝臓の単球あるいは単球前駆細胞に分化する未成熟の造血幹細胞のいずれかに由来することに留意すること．

ミクログリアのパターン認識受容体と神経毒性

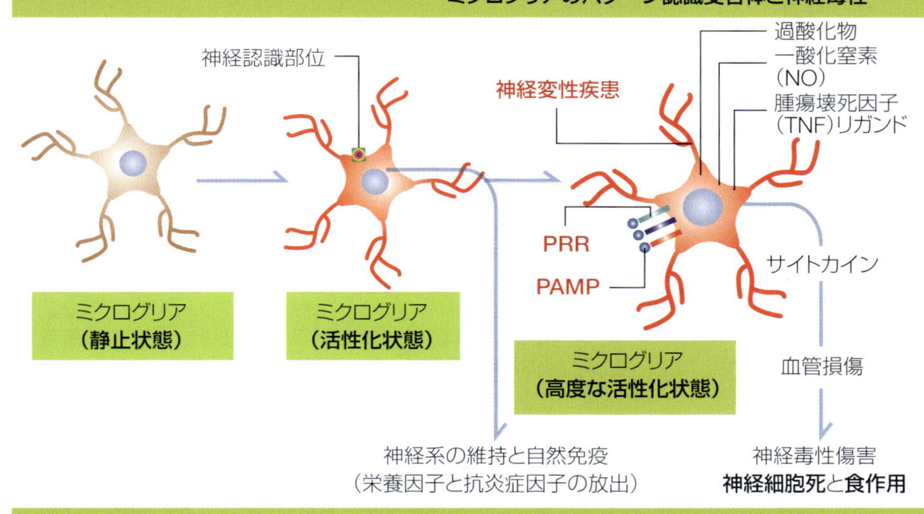

パターン認識受容体 pattern recognition receptor（**PRR**）は食作用にかかわる（病原体の認識，細胞外への過酸化物の分泌，炎症促進因子の放出と死んだ細胞の残骸の食作用による除去）．

病原体関連分子パターン pathogen-associated molecular patterns（**PAMP**）をもった分子が PRR に結合し，過剰な免疫反応が惹起されると，ミクログリアによる神経傷害が起こる．1 つのリガンドが複数の PRR で認識される場合がある（積算効果）．

そのようなリガンドとして，**アミロイドβペプチド**（アルツハイマー病），**α-シヌクレイン**（パーキンソン病），**後天性免疫不全症ウイルス**（HIV）などがある．

ミクログリアが認識する食細胞認識シグナル

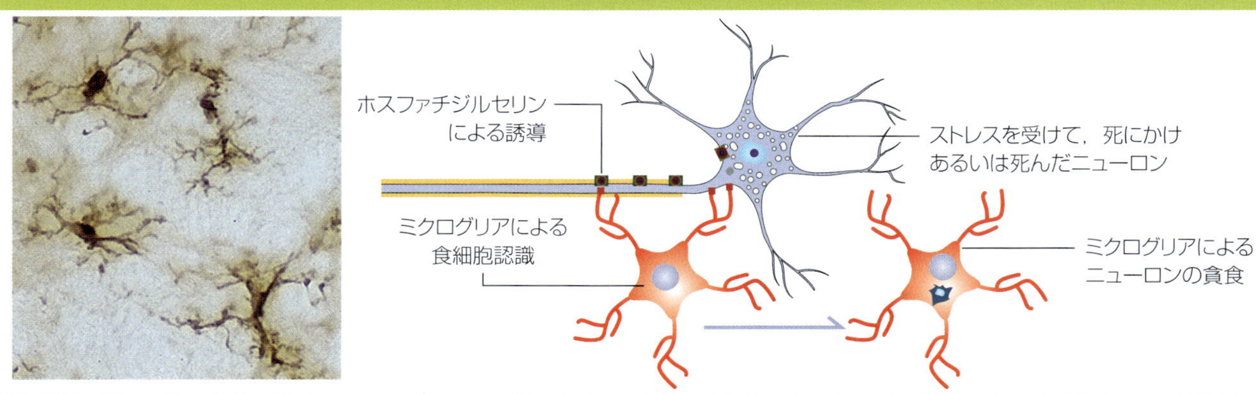

発生過程，炎症，神経疾患などにおいて，アポトーシスまたはネクローシスによって死にかけ，あるいは死んだ細胞の除去には，脳や脊髄に内在しているミクログリアの食作用が関与する．

ミクログリアは，リン脂質のホスファチジルセリンなどの**食細胞認識シグナル**（eat-me-signal）を感知する．細胞膜の内葉に存在するホスファチジルセリンは，ホスファチジルセリントランスロケースによって細胞膜の外葉に移り，細胞膜表面に現れる．ホスファチジルセリンは，ストレスを受け死にかけ，あるいは死んで取り除かれるべき細胞に印をつけ，ミクログリアの受容体に働きかけることで，死んだ細胞が丸ごと，あるいはストレスを受けたニューロンの一部分が数時間以内にミクログリアに取り込まれることを可能にしている．

ミクログリオーシス microgliosis とは組織損傷に対する大規模なミクログリアの反応を示す．これによって損傷された組織の修復または破壊除去が行われる（**反応性ミクログリオーシス**とよばれる）．

免疫組織化学写真：Wan-hua Amy Yu, New York. の厚意による

図 8.17 | 上衣と脈絡叢

脈絡叢

脈絡叢

第３脳室内腔

上衣細胞層

脳脊髄液の主な供給源である脈絡叢は，血管に富んだ組織で，脳の各脳室に存在している．

脈絡叢は，有窓の毛細血管と結合組織，そしてそれらを芯として周囲を囲む**脈絡叢上皮**からなる．

脈絡叢上皮は以下のもので構成されている．

(1)血液脳脊髄液関門となる**閉鎖結合**でつながった立方形の細胞．

(2)先端側の**微絨毛**．

(3)基底側の細胞膜のヒダ．

(4)豊富なミトコンドリア．

脈絡叢上皮は免疫系の細胞が中枢神経系内に入る部位である．

上衣

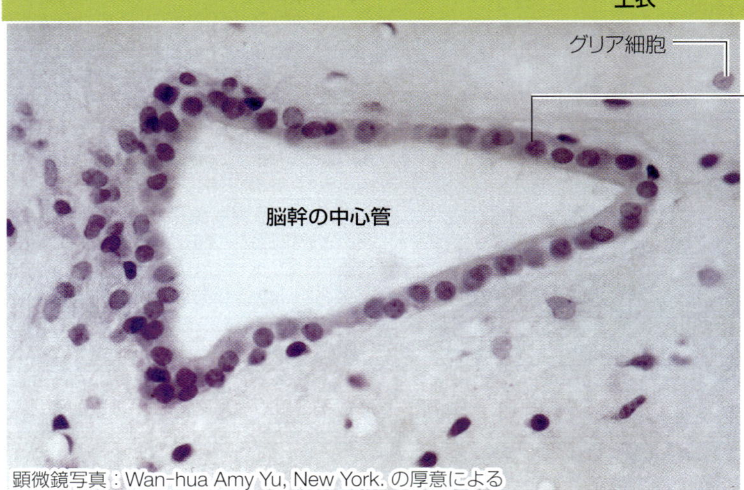

顕微鏡写真：Wan-hua Amy Yu, New York. の厚意による

上衣細胞上皮：脳室や脊髄の中心管の壁は単層立方上皮の上衣細胞によって覆われている．

上衣は以下の２つの細胞からなる．

1 上衣細胞は頂上領域に線毛と微絨毛をもち，ミトコンドリアに富んでいる．基底領域はアストロサイトの終足でつくられる層に接している．上衣細胞は互いに**接着帯**（**ベルトデスモソーム**）で結合している．

2 タニサイト（第３脳室）は，特殊化した上衣細胞で，上衣細胞と２つの点で異なっている．すなわち，(1)基底側の突起が，アストロサイトの終足の間を抜け血管まで達して終足を形成して終わっている．(2)タニサイトは，互いに，あるいは上衣細胞と**閉鎖結合**で連結している．

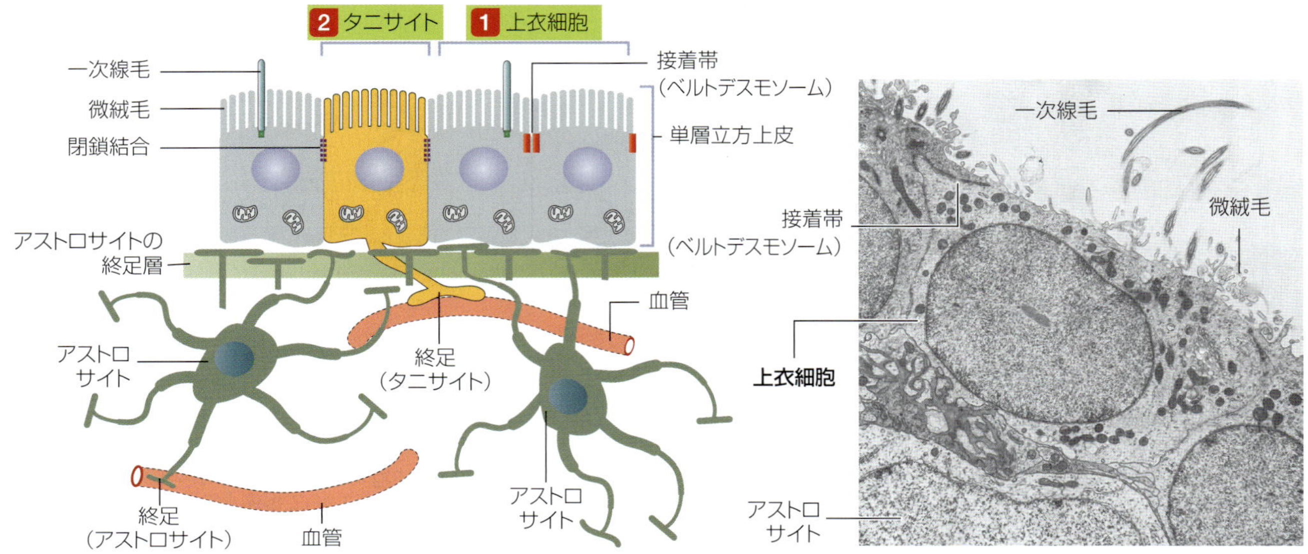

電子顕微鏡写真：Peters A, Palay SL, Webster H de F: The Fine Structure of the Nervous System, 2nd ed. Philadelphia,

図 8.18 | 脈絡叢

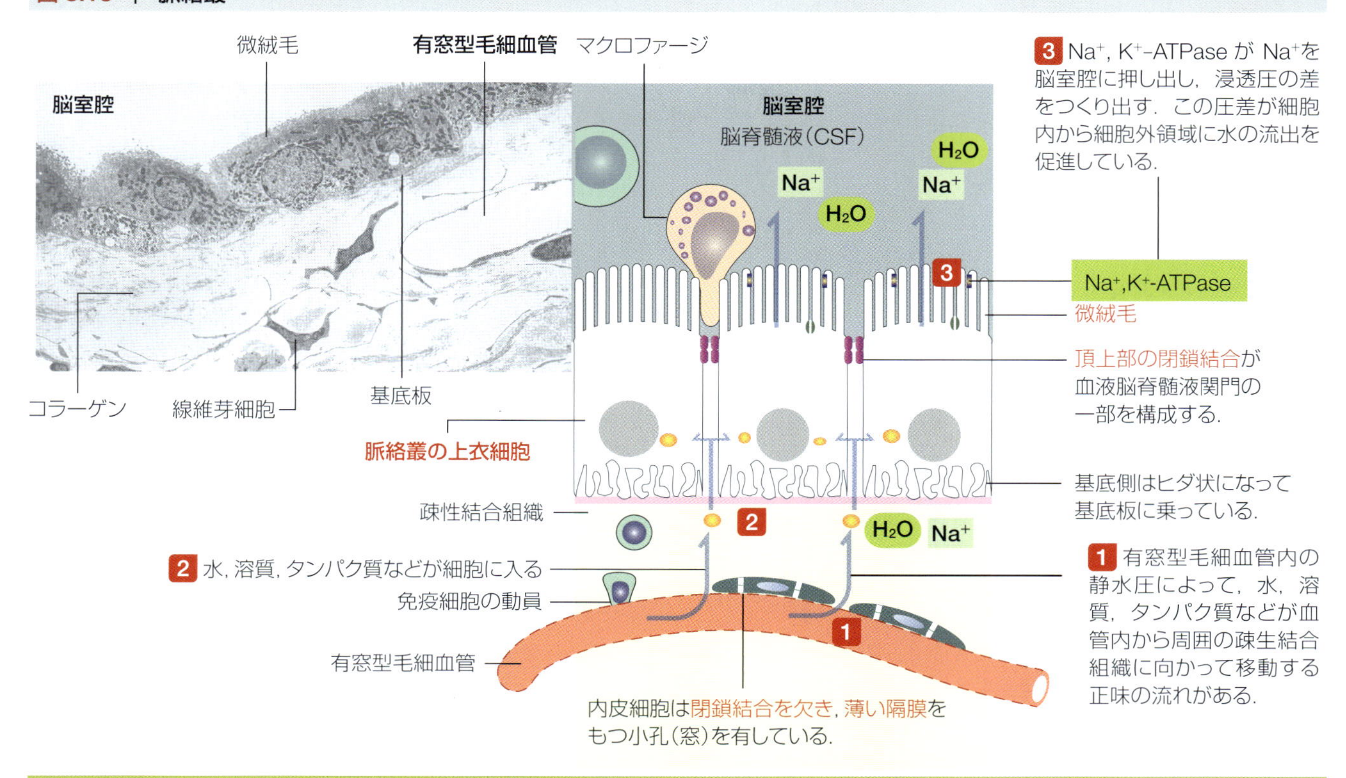

脈絡叢内の免疫細胞

脈絡叢には何種類かの免疫細胞（マクロファージと樹状細胞）が常在している．実際，脈絡叢はケモカインや細胞接着分子を発現しており，免疫細胞が上皮を越えて中枢神経内に入ることを可能としている．

脳脊髄液に含まれる免疫細胞の約 90% が T 細胞，5% が B 細胞，5% が単球，および 1% 未満が樹状細胞である．脳脊髄液中の免疫細胞は，中枢神経系を監視している．中枢神経系内の抗原は，適応免疫応答を引き起こす．インターロイキンやトランスフォーミング成長因子–βなどの脳脊髄液中のシグナル伝達分子は，マクロファージを損傷部位（例えば，脊髄の損傷部位）に動員する．

脳実質の血管の内皮とは対照的に，脈絡叢の毛細血管は**有窓型**であり多数の小孔が開いている．これらの小孔には，水や低分子を透過させる薄い隔膜が存在する．

電子顕微鏡写真：Peters A, Palay SL, Webster H de F:The Fine Structure of the Nervous System, 2nd ed.Philadelphia, WB Saunders,1976 より．

ミクログリアは中枢神経系において食作用をもつ細胞集団であり，脳の細胞の約 12% を占める．主に脳の灰白質に存在するが，中でも特に海馬，嗅脳，基底核，黒質における密度が高い．ミクログリアはニューロン，アストロサイトおよびオリゴデンドロサイトと相互作用する．

ミクログリアは，ニューロンへの栄養因子の供給，アポトーシスを起こした細胞の残骸の処理，機能不全に陥ったシナプスの除去，および**旺盛な食作用**や炎症関連物質（サイトカインやケモカインを含む）の産生に特徴づけられる脳実質内の継続的な免疫監視を行っている．ミクログリアの機能は，アストロサイトが産生する**トランスフォーミング増殖因子 -β** transforming growth factor β（**TGF-β**）の存在に依存している．

ミクログリア，アストロサイト，オリゴデンドロサイトを通常の組織学的手法で同定することは難しく，それらの同定には主に免疫細胞化学法や鍍銀法が用いられる．ミクログリアを他の組織マクロファージから区別する特異的マーカー分子としては，**トランスメンブレンタンパク質 119**（**TMEM119**），**P2Y プリン受容体 12**（**P2RY12**），**Sal 様タンパク質 1**（**SALL1**）などがある．

ミクログリアの機能（基本事項 8.A）

ミクログリアは**静止状態**では，**細胞質と分岐した突起をもつ**特徴的な形態を示す．

脳に損傷や免疫反応が起こると**活性化**して**アメーバ状**の形態となる．このとき，**CD14**，TMEM119，P2RY12，SALL1，さらに**ケモカイン受容体** chemokine receptor などの膜抗原の発現も伴う．

脳の発生過程では，活性化したミクログリアはアポトーシスを起こしたニューロンを取り除いたり，有害な残骸を片づけたり，神経栄養因子や抗炎症性因子を分泌してニューロンの生存を促したりするなどの役割を果たしている．

成熟した脳においては，ミクログリアは炎症部位や損傷部位に向かって遊走し，修復を促進している．

ミクログリアは時に過剰に活性化し，**活性酸素種**（ROS），**一酸化窒素** nitric oxide（NO），**腫瘍壊死因子リガンド** tumor necrosis factor ligand などの細胞傷害性物質を過剰に生産して**神経毒性作用** neurotoxic effect を表すことがある．

活性化したミクログリアは神経変性疾患（アルツハイマー病，パーキンソン病，多発性硬化症，筋萎縮性側索硬化症，ハンチントン病）の際に数多く認められ，**反応性ミクログリオーシス** reactive microgliosis とよばれる広汎性のミクログリア過剰活性化の状態をつくり出す．

上衣（図 8.17）

上衣 ependyma とは，脳室や脊髄の中心管の壁の表面を覆う**単層立方上皮** simple cuboidal epithelium のことである．上衣には，以下の 2 種類の細胞が存在している：

1. **上衣細胞** ependymal cell.
2. **タニサイト** tanycyte.

上衣細胞は単層立方上皮で，脳室や脊髄の中心管の壁の表面を覆う．胎生期の神経管の**脳室細胞**あるいは**神経上皮細胞**から生じる．

上衣細胞の先端（脳室腔）側には，多数の**微絨毛**と 1 本以上の線毛がある．隣り合う上衣細胞同士は**帯状のデスモソーム**（接着帯）で連結されている．基底側は**アストロサイトの終足**と接している．

タニサイトは上衣細胞が特殊化したもので，基底側から出る突起をもつ点が他の上皮細胞と異なっている．この突起はアストロサイトの終足の間を深部に伸び，血管の周囲まで達して終足を形成している．

脈絡叢（図 8.18，8.17）

脈絡叢は**脳脊髄液** cerebrospinal fluid（**CSF**）を産生する．発生の過程で，第 3 脳室と第 4 脳室の天井や側脳室の内側部では，神経管の壁が薄くなって上衣細胞と血管が豊富な軟膜とが接触するようになり，**脈絡組織** tela choroidea を形成する．やがて上衣細胞は分泌を行う細胞へと分化し，軟膜の血管とともに**脈絡叢** choroid plexus を形成する．

各脳室の脈絡叢は，細胞は極性がはっきりしている 1 層の立方上皮からなる．**頂端部** apical domain には微絨毛および脳脊髄液の分泌に必要な酵素とアクアポリンタンパク質が存在している．隣り合った細胞は**閉鎖結合**で連結されており，**循環系から脳脊髄液内にさまざまな分子が自由に入らないようにする血液脳脊髄液関門** blood-CSF barrier を構成している．**側底部** basolateral domain は指状のヒダを形成し，基底板の上に乗っている．

脳実質内の毛細血管と異なり，脈絡叢の毛細血管内皮は基底板で支持された**有窓型血管内皮** fenestrated endothelial cell となっている．このため，血漿中の高分子は自由に血管の外に出ることができる．しかし，細胞基底側の発達した指状ヒダ構造や細胞間の閉鎖結合の存在により，血管外に出た高分子がそのまま脳室内腔に出ていくことはできない．

脈絡叢にはさまざまな**免疫細胞**が存在している．マクロファージ，リンパ球そして樹状細胞は有窓型毛細血管から間質の結合組織内に遊走し，さらに経上皮通過によって脳室内の脳脊髄液に到達することができる．

脳脊髄液の主な働きは，脳から毒素や老廃物を取り除くことであるが，免疫細胞の存在は**中枢神経系における抗原監視機能**もはたしていることを示す．制御されない免疫反応は，多発性硬化症のような慢性の免疫病理的な状況をつくり出すことがある．

脳脊髄液（図 8.19）

側脳室，第 3 脳室および第 4 脳室の脈絡叢は，1 日あたり約 500 mL の脳脊髄液を分泌する．**脳脊髄液** cerebrospinal fluid（CSF）は，側脳室から室間孔を通って第 3 脳室に入る．ここから中脳水道を通って第 4 脳室に至り，正中口と外側口を通って脳と脊髄周囲のクモ膜下腔に出る．脳脊髄液の一部は大後頭孔を通って下り，約 12 時間で腰椎槽まで達する．

クモ膜下腔に出た脳脊髄液は，上矢状静脈洞のところで血管内へ戻る（図 8.19）．脳脊髄液はクモ膜の上皮を経て運ばれる．そこでは，微視的にはクモ膜細胞の絨毛と肉眼的にはクモ膜顆粒が，脳脊髄液を再吸収し血液循環系へ，あるいは局所のリンパ管系を経て頸部リンパ節へと送っている．

脈絡叢の上皮細胞は血液と脳脊髄液との間のバリアとして機能する．いくつかの物質は脈絡叢の毛細血管から漏れ出ることができるが，脳脊髄液の中に入ることはできない．脳脊髄液は衝撃緩衝材として，脳と脊髄を，頭蓋や脊柱にかかる外力から保護し支持する役割を果たす．

さらに，脳脊髄液は絶えず循環することによって，脳室やクモ膜下腔から老廃物を取り除く機能も果たしている．脳脊髄液の量は，頭蓋内の血流量によって変化する．頭蓋内や脊柱管内の各区域間で，脳脊髄液は自由に行き来しており，各区域間の圧力に違いが生じるのを防いでいる．

腰椎穿刺 lumbar puncture は脳脊髄液を採取して生化学的な検査を行うことや脳脊髄液の圧測定を目的として行われる手技である．長い針を第 3 と第 4（L3 と L4），ないし第 4 と第 5 腰椎（L4 と L5）の椎弓の間に斜めに刺入し，脳脊髄液を採取する．成人の脳脊髄液の総量は約 120 mL である．

脳と血管間の物質透過性の障壁（図 8.9）

脳は，脳底部で吻合する大きな血管からの血液で養われている．血管は脳底部から脳実質中に入るまで，クモ膜下腔を通って広がっている．

脳実質内では，血管の周囲はグリア細胞と血管内皮によってつくられた基底板によって囲まれる．これは**グリア境界膜** glia limitans とよばれる．

毛細血管の**無窓型内皮細胞** non-fenestrated endothelial cell は閉鎖結合で連結され，血管内から脳実質内への物質の拡散を防いでいる．

この**閉鎖結合が血液脳関門** blood-brain barrier **の構造的な基盤である**．この関門はグルコースやその他の限られた分子だけを自由に通し，その他の多くの分子，特に感染症や腫瘍の治療のために必要な強力な薬剤などを通過させない．もし血液脳関門が機能しなくなれば，組織液が脳実質内に増え，**脳浮腫** cerebral edema として知られる状態になる．

すでにみてきたように，血管内皮の外側には基底板が，その外側にはペリサイトとアストロサイトの終足さらに神経からの投射が存在する．

血管周囲のアストロサイトの終足には血液脳関門としての機能はないが，水分やイオンをニューロンの周囲の空間から血管内へ運ぶことによって，血液脳関門を維持することに役立っている．

図 8.19 ｜ 脳における物質透過性のバリア

脳のバリア

1 クモ膜脳脊髄液関門

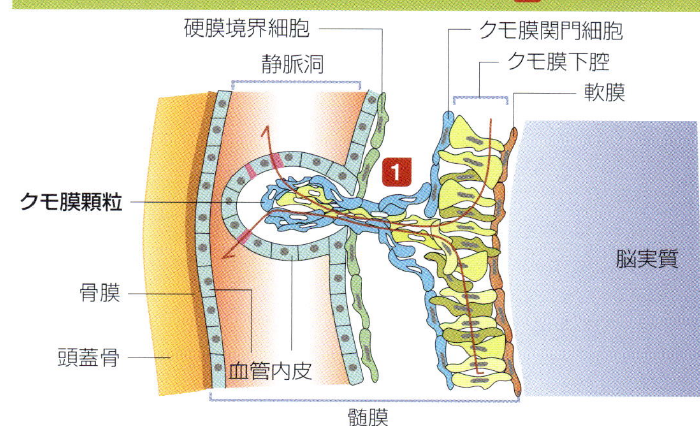

脳脊髄液は脳室内と中枢神経系の周囲を取り囲むクモ膜下腔を循環する．クモ膜は，クモ膜下腔に存在する脳脊髄液が硬膜の細胞外液に接触するのを防いでいる．脳脊髄液は，大脳半球周囲から**クモ膜の上矢状静脈洞内への突出であるクモ膜顆粒**へ導かれる．脳脊髄液は，静脈洞内皮細胞の中または間を通って血液中に戻る．脳脊髄液は，静脈洞の血管内皮細胞によって血液とは隔てられており，血液が静脈洞からクモ膜下腔に流れ出すこともない．脳脊髄液の流れが妨げられると，脳脊髄液が脳室内や脳の周囲に貯留し，いわゆる**水頭症**とよばれる状態になる．

2 血液脳脊髄液関門

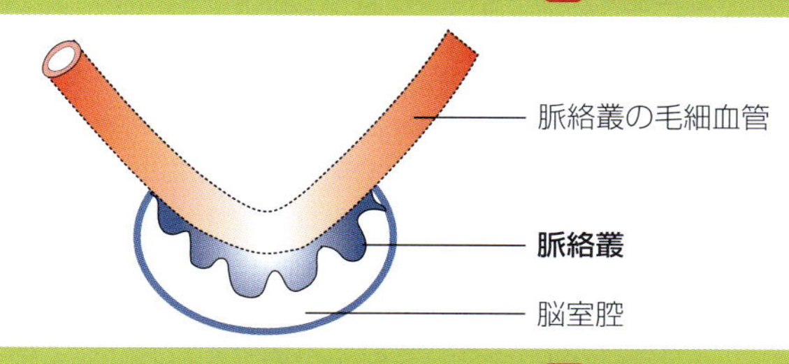

血管と脈絡叢とでおよそ 80 ～ 90％の脳脊髄液が産生される．残りは神経組織そのものに由来する（細胞外液）．**脈絡叢**による脳脊髄液の産生の過程では，限外濾過により，血漿成分が毛細血管内皮の小孔（窓）と周囲の結合組織を通過して血管外に出る．**脈絡叢上皮細胞は，この限外濾過された成分を分泌物，すなわち脳脊髄液に変換して分泌する**．

3 血液脳関門

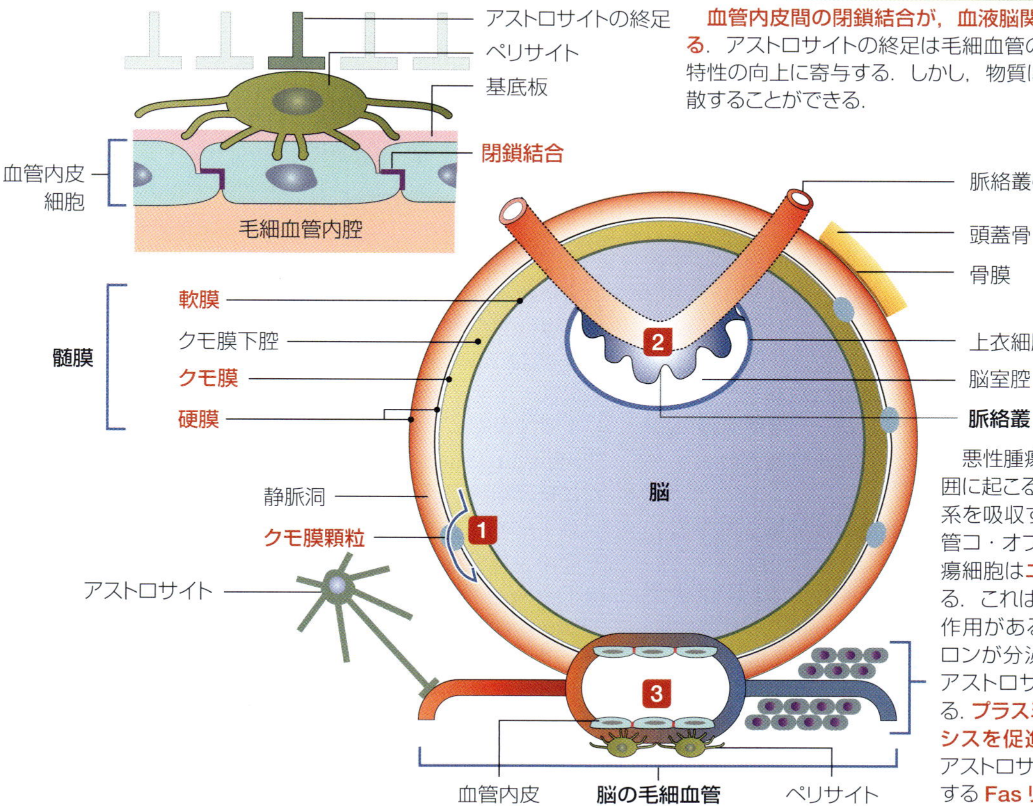

血管内皮間の閉鎖結合が，血液脳関門の主要な構成要素である．アストロサイトの終足は毛細血管の壁に接触し，この関門の特性の向上に寄与する．しかし，物質は終足の間を通り抜けて拡散することができる．

悪性腫瘍の**脳転移**の多くは血管周囲に起こる．腫瘍細胞は既存の血管系を吸収することで血流を得る（血管コ・オプション）．転移してきた腫瘍細胞は**ニューロセルピン**を分泌する．これは**プラスミン**をブロックする作用がある．プラスミンは，ニューロンが分泌した**プラスミノゲン**からアストロサイトが変換したものである．**プラスミンは腫瘍細胞のアポトーシスを促進し脳を守る働きがある**．アストロサイトはアポトーシスを誘導する **Fas リガンド**も分泌する．

図 8.19 には，脳における以下の 3 つの物質透過性の障壁についてまとめられている．

1. **クモ膜脳脊髄液関門** arachnoid-CSF barrier は，硬膜静脈洞に沿って存在する**クモ膜絨毛あるいは顆粒**で代表される閉鎖結合で連結された**クモ膜バリア細胞**によって形成されている．クモ膜絨毛は脳脊髄液を静脈系（上矢状静脈洞）に導く．
   クモ膜下腔の脳脊髄液は衝撃吸収装置として機能するとともに，脳を浮力で浮かばせ，脳本体の重みで神経根や血管がつぶされるのを防いでいる．
2. **血液脳脊髄液関門** blood-CSF barrier は，**脈絡叢の上皮細胞**間の閉鎖結合が関与している．この上皮細胞は脳脊髄液の分泌を行っている．この閉鎖結合によって，脈絡叢の毛細血管から漏出したいくつかの物質が上衣細胞の間を通って脳脊髄液中に流出することが妨げられていることを思い出しなさい．
3. **血液脳関門** blood-brain barrier は血管**内皮**細胞間の腔を密閉する閉鎖結合によって形成されている．

脳脊髄液の流れが妨げられたり，吸収がうまくいかなくなったりすると，液が脳室内や脳周辺に貯留する．

水頭症 hydrocephalus は，脳脊髄液が過剰に貯留し脳圧が上がる病的な状態である．正常な脳脊髄液の流れが妨げられることによって，脳室腔は拡張する．第 4 脳室からクモ膜下腔に出る小さな穴の閉塞が，多くの場合，水頭症の原因となる．

血液脳関門は悪性腫瘍細胞が脳に転移する妨げとなる．しかし，**脳への転移**の多くは**血管周囲**に起こる．この状態は，腫瘍細胞が既存の血管系を吸収することで血流を得る**血管コ・オプション** vascular co-option として知られている．

末梢神経系

末梢神経系とは，脳と脊髄以外のすべての神経要素を指し，脳に出入りする**脳神経** cranial nerve と脊髄に出入りする**脊髄神経** spinal nerve とがある．

末梢神経系には 2 種類の**支持細胞**が存在する：

1. **シュワン細胞** Schwann cell．中枢神経系のオリゴデンドロサイトに相当する．
2. **衛星細胞** satellite cell．感覚性および自律神経の神経節細胞の周囲を囲むシュワン細胞様の細胞である．これらについては後述する．

末梢神経の各軸索線維は，**シュワン細胞**によって覆われている．**髄鞘をもった有髄線維**では，シュワン細胞は中枢神経のオリゴデンドロサイトと同様の髄鞘を形成している．**無髄線維**の場合，1 つのシュワン細胞が複数の軸索それぞれを細胞質のポケット状の凹みに入れて抱えている．

シュワン細胞とオリゴデンドロサイトとの間には，以下の 2 つの重要な違いがある：

1. 1 つのシュワン細胞は 1 つの絞輪間節を構成するが，オリゴデンドロサイトは 1 つの細胞が 40 ないし 50 もの絞輪間節を形成しうる．
2. 末梢の無髄線維はシュワン細胞に包まれているが，中枢の無髄線維はオリゴデンドロサイトには包まれず，アストロサイトに囲まれる．

末梢神経の構造（図 8.20，8.21）

結合組織性の被覆構造によって末梢神経は 3 つの階層的な区画に分けられている．各階層を包む以下の 3 つの被膜はそれぞれ特徴的な構造を有している：

1. **神経上膜** epineurium.
2. **神経周膜** perineurium.
3. **神経内膜** endoneurium.

神経上膜は I 型コラーゲンからなり，神経全体を覆っている．また，動脈と静脈そしてリンパ管を含んでいる．

神経の中では，**神経周膜**が軸索を**神経束**に区分している．神経周膜は同心円状に並ぶ数層の**神経上皮性神経周膜細胞** neuroepithelial perineurial cell で構成されている．この細胞は以下のような特徴をもっている：

1. **基底板**，IV 型コラーゲンとラミニンからなり神経周膜細胞の周囲を囲んでいる．
2. 神経周膜細胞同士は閉鎖結合によって接着しており，拡散を防ぐ障壁である**血液神経関門**をつくっている．この関門は神経内膜の微小環境の恒常性の維持を担当している．

神経内膜は 1 本 1 本の軸索とそれに伴うシュワン細胞と髄鞘を囲んでおり，III 型コラーゲン，少数の線維芽細胞，マクロファージそして軸索間に存在する**神経内膜内毛細血管** endoneurial capillary とからなっている．

複数の**無髄軸索**はおのおの，シュワン細胞の細胞質のポケット状の凹みに包まれている．すでに述べたように，無髄線維は細胞膜が渦巻き状に積層する髄鞘形成過程を経ない．将来の神経病理学の参考のために，髄鞘を染め出すために広く使われる**ルクソール・ファスト青染色法** Luxol fast blue staining method を覚えておきなさい．

血液神経関門のもう 1 つの構成要素は，神経内膜内毛細血管の内皮である．神経内膜内毛細血管は神経に伴行する血管の枝で，内腔は閉鎖結合で互いに連結された無窓型血管内皮で覆われている．

節性脱髄と軸索の再生（図 8.22）

シュワン細胞を侵す疾患は，**節性脱髄** segmental demyelination とよばれる状態を引き起こす．

ニューロンや軸索が傷害されると，軸索の**順行性変性**（**ワーラー変性** Wallerian degeneration，英国の生理学者オーガスタス・ヴォルニー・ウォーラーAugustus Volney Waller［1816～1870］によって最初に記載された）を起こす．この変性の後には**軸索再生** axonal regeneration が起こりうる．この軸索の修復再生過程には**神経栄養因子** neurotrophin が関与している（Box 8.I）．

第 7 章で述べたように，**運動単位**が神経と筋の機能単位であるため，節性脱髄や軸索変性は**筋の麻痺や萎縮** muscle paralysis and atrophy を引き起こす．

1 つの例は，脊髄前角の α 運動ニューロンが変性することで起こる SMA（脊髄性筋萎縮症 spinal muscular atrophy）である．麻痺した筋に対して理学療法を施すことで，運動ニューロン線維が再生して再び筋の運動単位を支配するまでの間，筋の変性を避けることができる．

節性脱髄は，シュワン細胞の機能の異常や髄鞘に対する傷害，

図 8.20 ｜ 末梢神経

末梢神経の構成

神経線維が末梢神経の主な構成要素で，これはニューロンの**軸索**，**髄鞘**，**シュワン細胞**からなっている．

神経線維は周囲の結合組織によって**神経束**に束ねられる．神経束には有髄および無髄の神経線維が含まれる．

髄鞘をもった軸索は，**ランビエの絞輪**が区切りになる分節構造（**絞輪間節**）をもっている．1 つのシュワン細胞が，1 つの絞輪間節に髄鞘を形成する．

髄鞘の厚さは軸索の直径と比例関係にある．軸索が太いと，絞輪間節の距離も長くなる．

神経周膜の神経上皮性細胞（**神経上皮性神経周膜細胞**）は閉鎖結合によって結合しており，**血液神経関門**を形成している．

神経内毛細血管は，閉鎖結合で結合している無窓型内皮細胞からなり，血液神経関門の構成に寄与している．

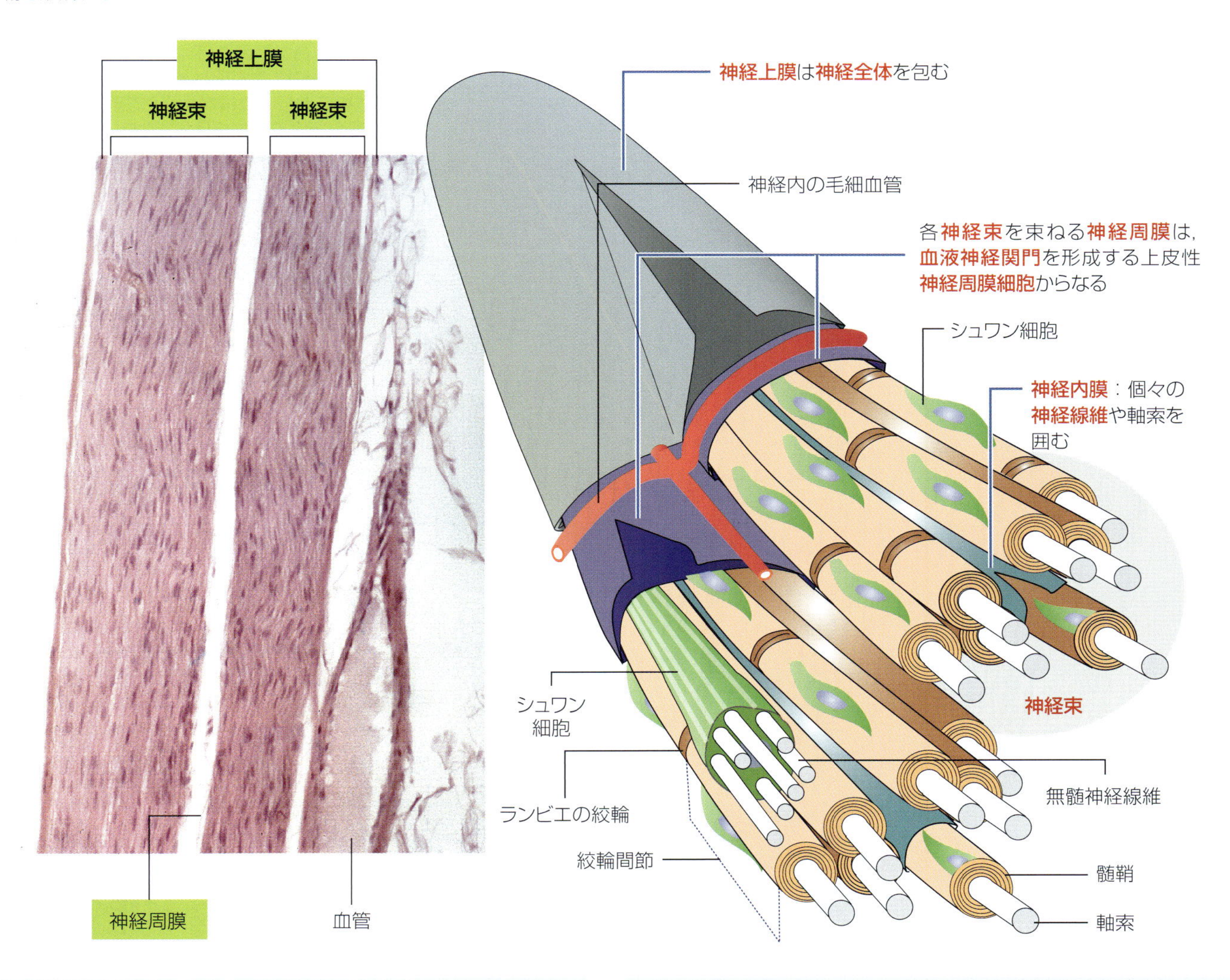

例えば神経を挫滅するような外傷があったときに起こる．神経が完全に切断された場合，他の神経の一部を移植してつながない限り再生する可能性は低い．

シュワン細胞の増殖には神経内膜の存在が重要である． 増殖したシュワン細胞は，切断された軸索の近位側の断端から出芽する再生軸索を標的の器官（例えば筋など）に導く役割を果たす．

時に，出芽した再生軸索が周囲の結合組織中に迷入し，シュワン細胞の増殖を伴って，**外傷性神経腫** traumatic neuroma とよばれる腫瘤を形成することがある．

この腫瘤は軸索の再生の妨げになるので，外科的に除去する必要がある．Box 8.J のシュワン細胞腫を参照．シュワン細胞腫は良性で被膜をもったシュワン細胞からなる腫瘍である．

軸索再生はきわめてゆっくりとした過程である．受傷後 2 週間で再生が始まり，再生が終わるのはうまくいって数ヵ月後である．

シュワン細胞は軸索のむき出しになっている部分を再髄鞘化していくが，絞輪間節の長さは変性前に比べて短くなる．

代謝障害や毒物によって起こる**軸索変性** axonal degeneration の中には，脱髄に続いてニューロンの細胞体まで逆行性に変性してしまうものがあり，**逆行変性ニューロパチー** dying back neuropathy とよばれる．

中枢神経系内での軸索の再生は現時点では困難であるが，その

図 8.21 | 末梢神経

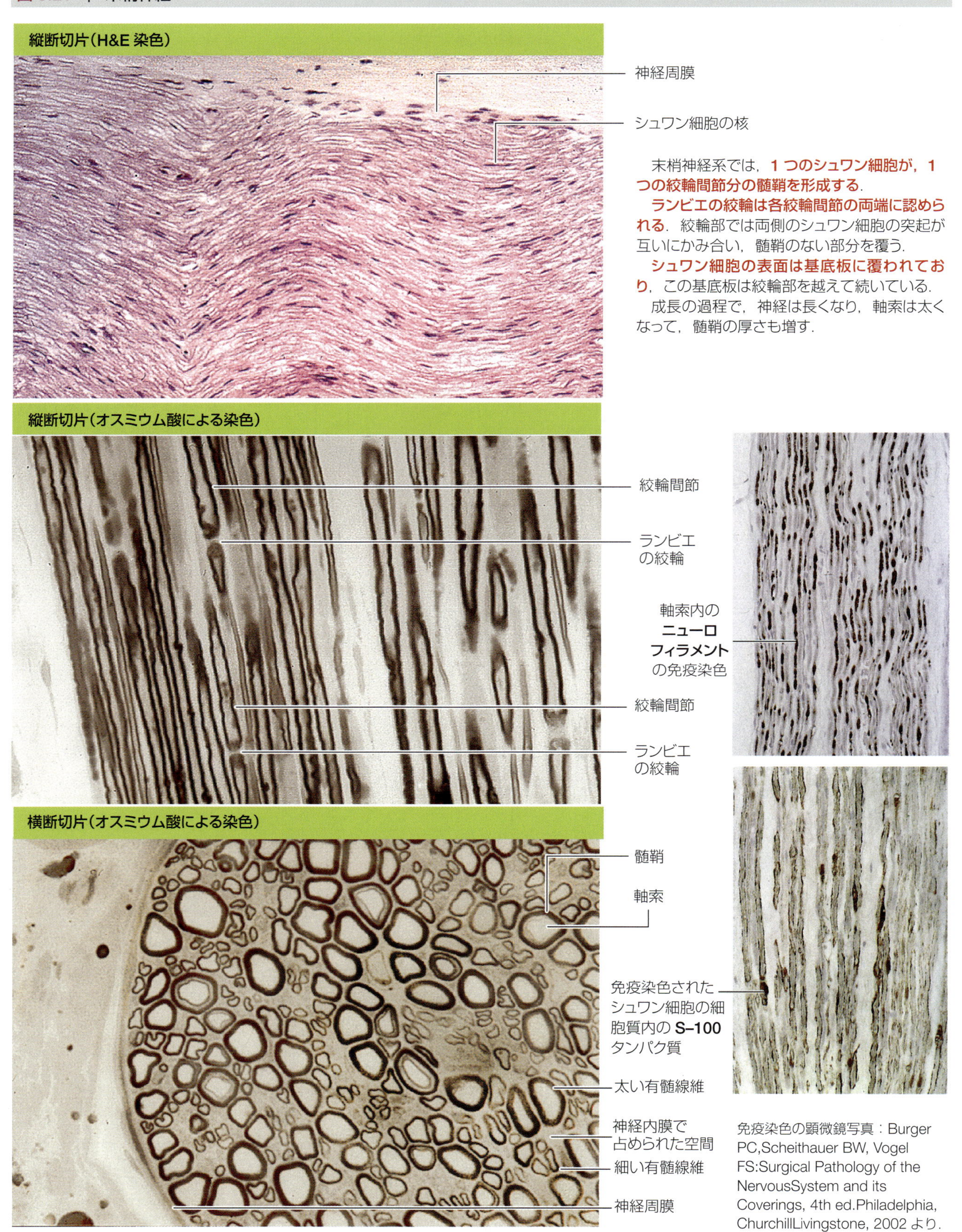

末梢神経系では，**1 つのシュワン細胞が，1 つの絞輪間節分の髄鞘を形成する**．

ランビエの絞輪は各絞輪間節の両端に認められる．絞輪部では両側のシュワン細胞の突起が互いにかみ合い，髄鞘のない部分を覆う．

シュワン細胞の表面は基底板に覆われており，この基底板は絞輪部を越えて続いている．

成長の過程で，神経は長くなり，軸索は太くなって，髄鞘の厚さも増す．

免疫染色の顕微鏡写真：Burger PC,Scheithauer BW, Vogel FS:Surgical Pathology of the NervousSystem and its Coverings, 4th ed.Philadelphia, ChurchillLivingstone, 2002 より．

図 8.22 | 末梢神経の変性と再生

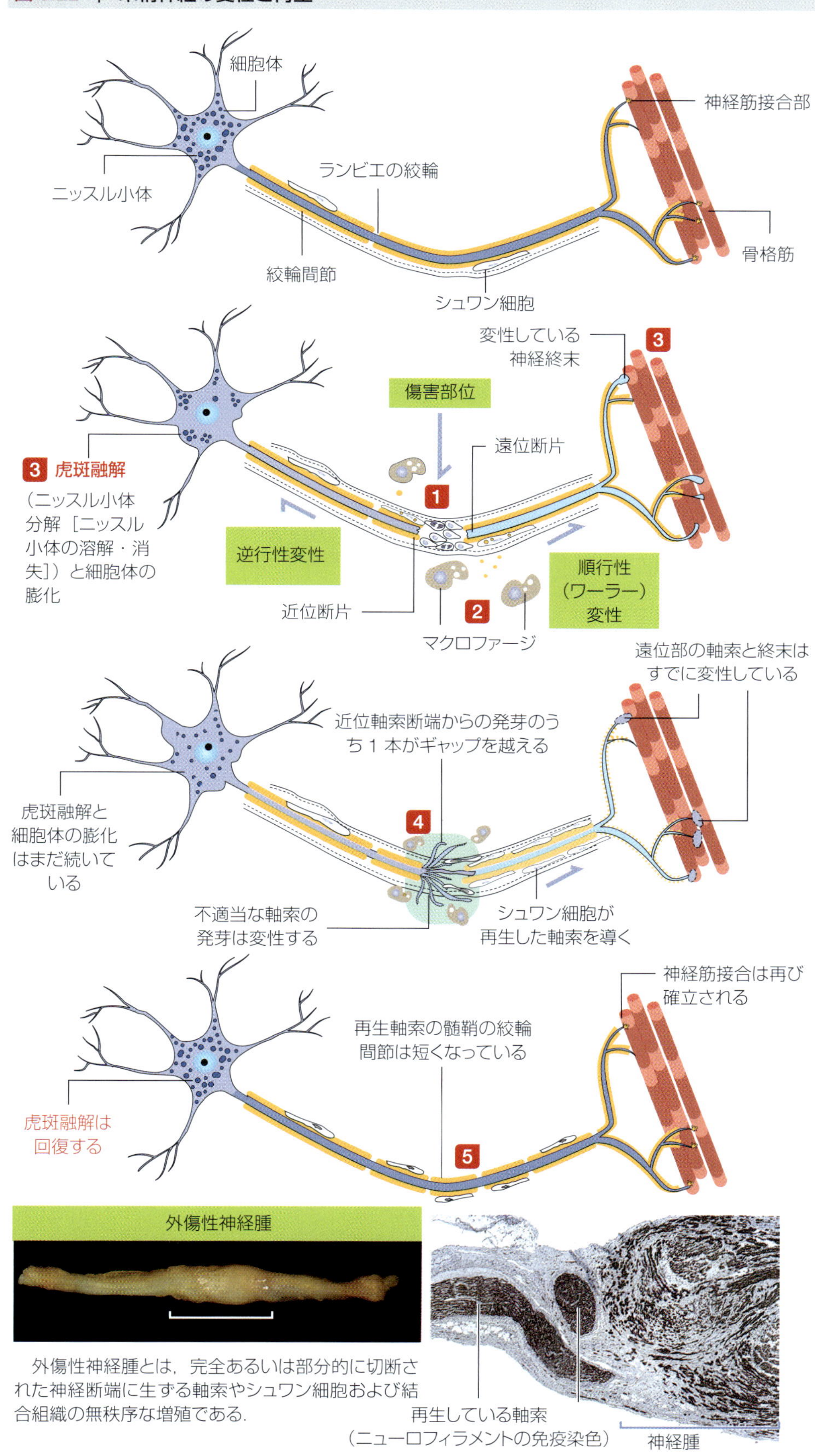

外傷性神経腫とは，完全あるいは部分的に切断された神経断端に生ずる軸索やシュワン細胞および結合組織の無秩序な増殖である．

軸索が，神経筋接合部に終わる正常な状態の運動ニューロンを示す．軸索はシュワン細胞でつくられた**髄鞘**と基底板，そして神経内膜に包まれている．

細胞体には，豊富な**ニッスル小体**（粗面小胞体についたリボソームや遊離リボソームの集団）がみられる．

1 傷害によって軸索が切断されると，シュワン細胞が分裂して増え，切断された軸索の**近位断端**と**遠位断端**の間を架橋する．
2 シュワン細胞は髄鞘を貪食し，ミエリン小滴がシュワン細胞から出される．それらは組織のマクロファージに貪食される．
3 **虎斑融解**（ニッスル小体分解）と軸索終末の変性が起こる．軸索の遠位側と近位側で変性が起こる（それぞれ**順行性変性**と**逆行性変性**）．

4 軸索の近位断端からは多くの**発芽**が起こり，シュワン細胞間を伸びる．そのうちの 1 本が存続し，遠位に向かって伸び（1 日約 1.5mm），再び筋を支配する．他の発芽は変性する．

中枢神経系では，軸索や髄鞘の変性は同様に起こり，残骸はミクログリアによって貪食される．

しかし，**再生過程は，いったんは始まるものの，神経内膜がないこととオリゴデンドロサイトが増殖しないことから，すぐに中断してしまう**．

5 再生軸索が標的器官（骨格筋）に達すると（数ヵ月後），シュワン細胞は髄鞘形成を始める．**絞輪間節は短い**．

再生した軸索は変性前より細い（変性前の 80%）ため，伝導速度は傷害される前より遅くなる．

写真：Burger PC, Scheithauer BW, Vogel FS:Surgical Pathology of the Nervous System and itsCoverings, 4th ed. Philadelphia, Churchill Livingstone, 2002 より．

理由としては以下の要因が挙げられる：

1. 神経内膜が存在しないこと．
2. オリゴデンドロサイトは増殖せず，1つの細胞が多数の軸索に髄鞘を形成していること．
3. アストロサイトによって軸索再生を妨げる瘢痕組織（**アストロサイトプラーク** astrocytic plaque）が形成されることである．

自律神経系

自律神経系は以下のように区分される：

1. **交感神経系** sympathetic nervous system．
2. **副交感神経系** parasympathetic nervous system．
3. **腸管神経系** enteric nervous system，心臓の局所的自律神経支配，膀胱の下位レベルの制御，生殖管の機能的神経支配．

いくつかの用語について確認する．

ニューロンの集団は**神経節** ganglion（**複数形** ganglia）を形成している．中枢神経外のニューロンの集団は神経刺激の中継点となる．神経節には**感覚性** sensory のもの（後根神経節や三叉神経節）と**運動性** motor のもの（内臓運動性あるいは自律神経節）とがある．

神経節から出る**神経線維束**は，部位により，**神経** nerves，**枝** ramus（複数は rami）あるいは**根** root とよばれる．

自律神経系を制御する中枢は，視床下部や脳幹に存在している．そこから，脳幹や脊髄の灰白質のニューロンに神経線維を送りシナプスを形成している．それらのニューロンからは**有髄の節前線維** myelinated preganglionic fibers が出て，中枢神経系を離れて自律神経節のニューロンにシナプスを形成する．

副交感神経系の節前線維は，脳幹または**仙髄領域**から中枢神経系を出る（頭仙系とよばれる）．脳幹から出る線維は，**動眼神経** oculomotor，**顔面神経** facial，**舌咽神経** glossopharyngeal，**迷走神経** vagus の**4つの脳神経**に乗って脳幹を離れる．

Box 8.I | 神経栄養因子

- ニューロンは末梢の構造に依存して生存している．神経栄養因子とよばれる末梢の標的器官で産生される特異的な因子が神経終末から取り込まれ，細胞体まで逆行性に運ばれている．神経栄養因子は発生過程で過剰に産生されるニューロンの生存，軸索や樹状突起の発達，さらに神経伝達物質の産生に必要とされる．神経栄養因子にはニューロンのプログラム細胞死あるいはアポトーシスを防ぐ働きがある．
- **神経栄養因子**には，**神経成長因子** nerve growth factor（**NGF**），**脳由来神経栄養因子** brain-derived neurotrophic factor（**BDNF**），**ニューロトロフィン-3** neurotrophin-3（**NT-3**），**ニューロトロフィン-4／5** neurotrophin-4／5（**NT-4／5**）がある．
- 神経栄養因子は2種類の受容体に結合する．1つは低親和性神経成長因子受容体 p75（約 75 kDa），もう1つは**チロシンキナーゼ受容体** tyrosine kinase receptor（Trk）とよばれる高親和性受容体ファミリー（約 140 kDa）である．このメンバーとして TrkA，TrkB，TrkC の3つが知られているが，NGF は主に TrkA に，BDNF と NT-4／5 は TrkB に結合する．NT-3 は TrkC に結合する．
- 神経栄養因子のシグナルが入ることによって，遺伝子の発現が促進あるいは抑制される．

Box 8.J | シュワノーマ（シュワン細胞腫，神経鞘腫）

- **シュワノーマ**（**シュワン細胞腫**，**神経鞘腫**）は，シュワン細胞からなる良性の被膜をもった腫瘍である．シュワン細胞がすべての末梢神経に存在するということに留意すれば，シュワノーマがさまざまな部位（頭蓋内，脊髄内，脊髄外）に起こることが理解できる．
- シュワノーマは神経線維束の表面あるいは内部に発生し，紡錘形の細胞型（**アントニA型**）あるいは多極性細胞型（**アントニB型**）の組織像を示す．多極性細胞型は変性過程を示すとされる．すべてのシュワノーマは **S-100 タンパク質** S-100 protein（神経堤細胞に由来する細胞に存在するカルモデュリン様の細胞質性タンパク質），**IV型コラーゲン** type IV collagen，および**ラミニン** laminin を発現する．シュワノーマは神経線維腫と鑑別される必要がある．神経線維腫にもシュワン細胞が含まれる可能性があるからだ（訳注：神経線維腫ではシュワン細胞の他，神経周膜細胞や線維芽細胞様の細胞が含まれる）．

腸管神経叢

腸管神経系は，腸管の壁内で相互に連絡する以下の**2つの神経叢**で構成されている：

1. **アウエルバッハ筋層間神経叢** myenteric plexus of Auerbach.
2. **マイスナー粘膜下神経叢** submucosal plexus of Meissner.

おのおの，ニューロンとそれに随伴する細胞，および神経叢間を通過する神経線維束で構成されている．腸管神経系については第 15 章と第 16 章で詳しく述べる．

交感神経系と副交感神経系（図 8.23）

胸髄と腰髄上部では，交感神経性節前ニューロンが有髄の節前線維を出す．節前線維は対応する前根内に現れ，傍脊椎交感神経幹の自律神経節に到達する．

交感神経系の節前線維は以下のいずれかをたどる：

1. 直近の神経節で節後ニューロンにシナプス結合する．**無髄の節後線維** unmyelinated postganglionic fibers は胸腰部の脊髄神経に入り，分布領域の血管や**汗腺**を支配する．
2. 一部の節前細胞は交感神経幹を**上行し**，上頸神経節，中頸神経節あるいは**星状神経節** stellate ganglion（下頸神経節と第1胸神経節が癒合したもの）で節後ニューロンにシナプス結合する．

   無髄の節後線維は，頭部，頸部，上肢，および心臓や**虹彩の瞳孔散大筋** dilator myoepithelial cells of the iris に分布する．

   ホーナー症候群 Horner's syndrome（Bernard-Horner syndrome）では，**縮瞳** miosis，**部分的眼瞼下垂** partial ptosis，顔面半側の発汗抑制（**片側顔面無汗** hemifacial anhidrosis）の症状を示す．

   これは**星状神経節**の節後ニューロンの構造や機能が障害されることで起こる．
3. 一部の節前線維は交感神経幹を**下行し**，腰部や仙骨部の交感神経節に至る．無髄の節後線維は腰仙骨神経叢に加わり，下肢の皮膚の血管に至る（訳注：骨盤神経叢に入り骨盤内臓に分布する線維もある）．
4. 一部の節前線維は交感神経幹を**通過**し，胸部や腰部の**内臓神経** splanchnic nerves 内の有髄線維となる．胸内臓神経（大・

図 8.23 | 交感神経節と感覚性（脊髄）神経節

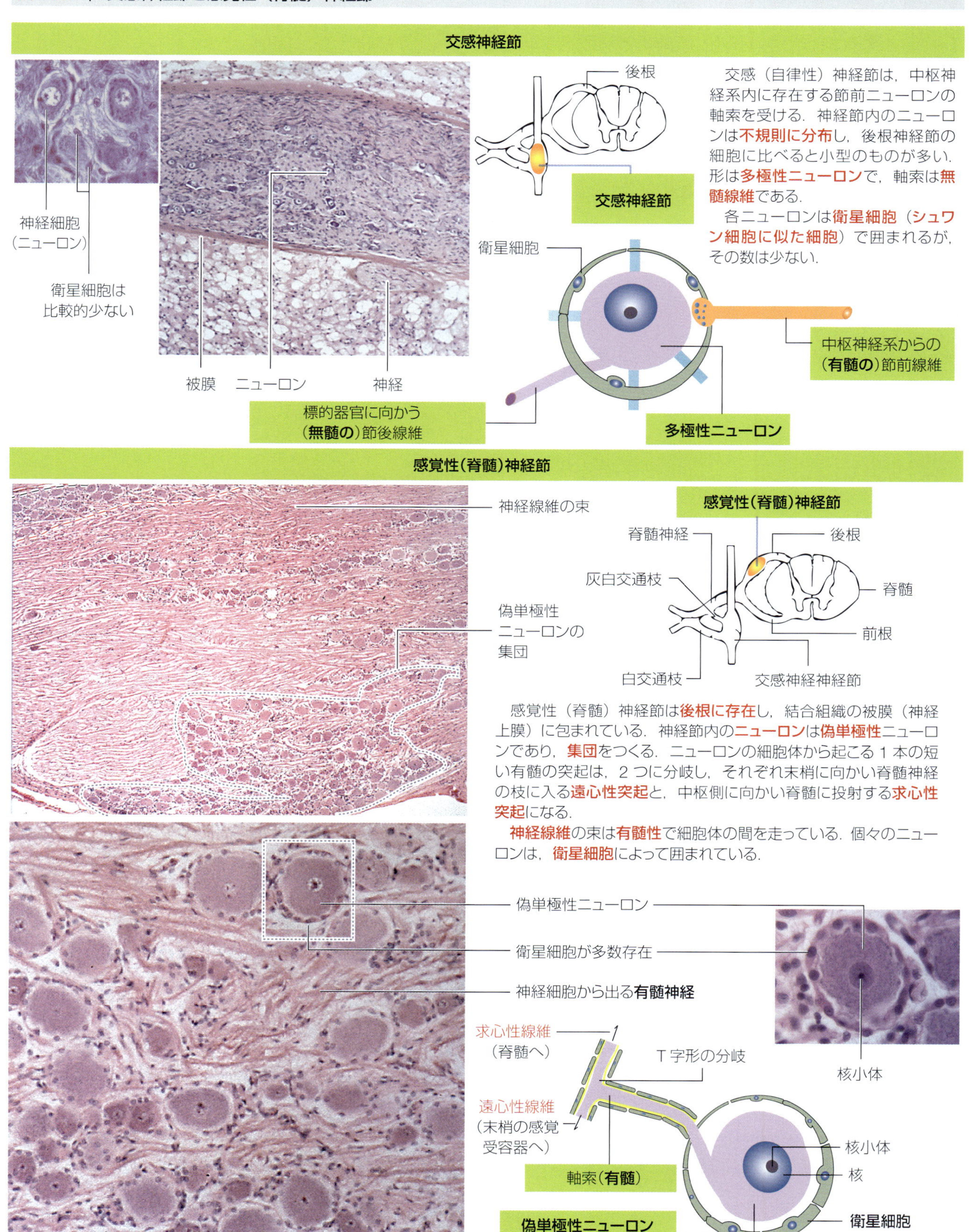

図 8.24 | 神経組織化学

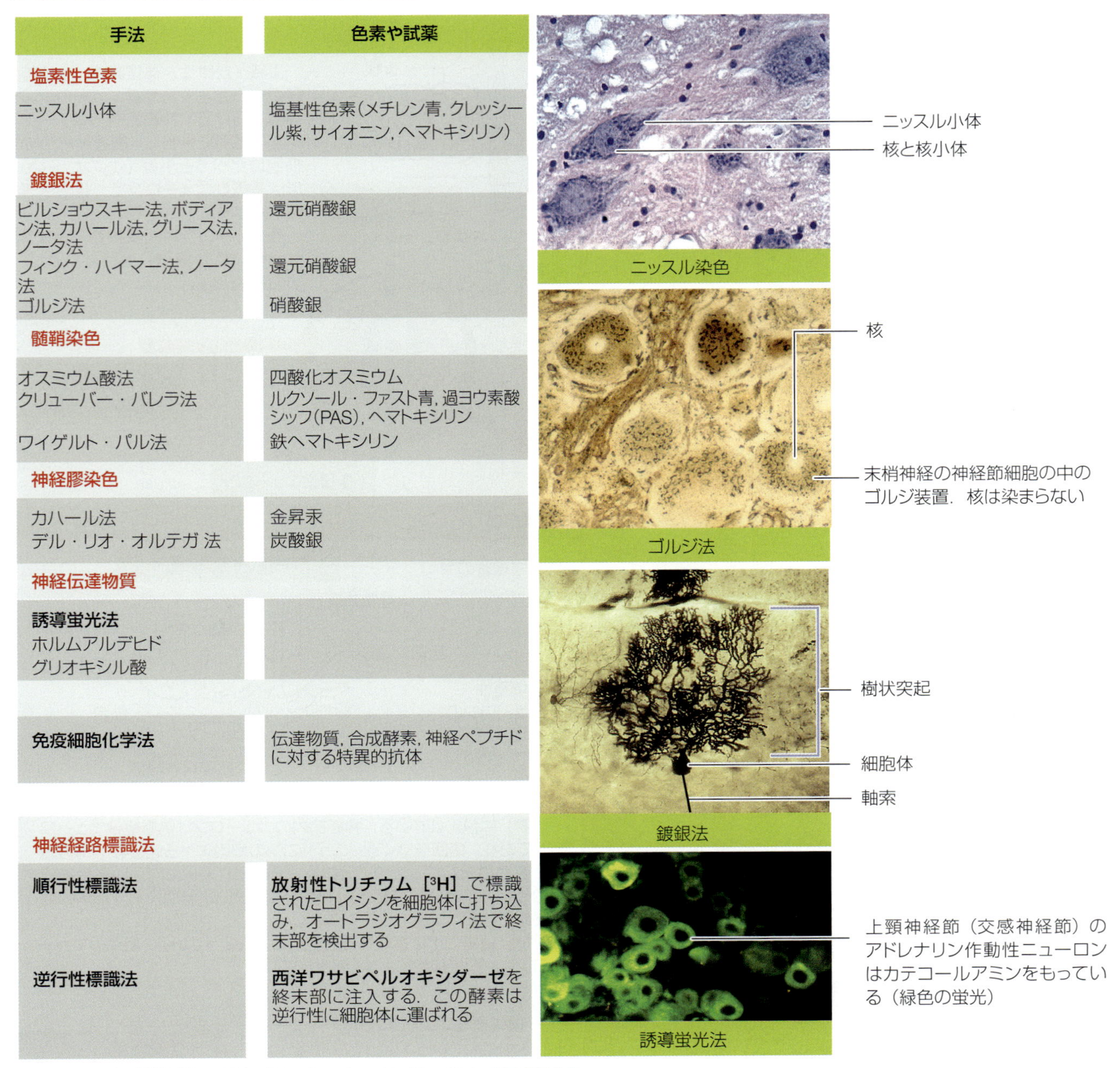

手法	色素や試薬
塩素性色素	
ニッスル小体	塩基性色素(メチレン青, クレッシール紫, サイオニン, ヘマトキシリン)
鍍銀法	
ビルショウスキー法, ボディアン法, カハール法, グリース法, ノータ法	還元硝酸銀
フィンク・ハイマー法, ノータ法	還元硝酸銀
ゴルジ法	硝酸銀
髄鞘染色	
オスミウム酸法	四酸化オスミウム
クリューバー・バレラ法	ルクソール・ファスト青, 過ヨウ素酸シッフ(PAS), ヘマトキシリン
ワイゲルト・パル法	鉄ヘマトキシリン
神経膠染色	
カハール法 デル・リオ・オルテガ 法	金昇汞 炭酸銀
神経伝達物質	
誘導蛍光法 ホルムアルデヒド グリオキシル酸	
免疫細胞化学法	伝達物質, 合成酵素, 神経ペプチドに対する特異的抗体
神経経路標識法	
順行性標識法	**放射性トリチウム [^{3}H]** で標識されたロイシンを細胞体に打ち込み, オートラジオグラフィ法で終末部を検出する
逆行性標識法	**西洋ワサビペルオキシダーゼ**を終末部に注入する. この酵素は逆行性に細胞体に運ばれる

プルキンエ細胞(鍍銀法)の写真:Wan-hua Amy Yu, New York の厚意による.
アドレナリン作動性ニューロン染色の写真:Edward W. Gresik, New York の厚意による.

小内臓神経)は横隔膜を貫通して腹腔に入り, 腹腔神経節, 上腸間膜動脈神経節, あるいは腎神経節で節後神経にシナプス結合する.

無髄の節後線維は, 大動脈やその枝に沿って走行し, 消化管, 肝, 膵, 腎などに分布する.

内臓の痛みを感知する感覚線維は, 交感神経系と副交感神経系の両方あるいは一方を通って中枢神経系に達する. 感覚ニューロンの細胞体は脊髄神経節(後根神経節)やいくつかの脳神経の感覚性神経節に存在している.

恐怖を感じたときは, 交感神経系が“感情に交感(共感)”して反応する. その結果, 心拍数は増加し, 瞳孔の散大が起こり, 皮膚は発汗し, 血流は皮膚や消化管から骨格筋に振り向けられる. 尿路系や消化器系の括約筋は収縮する.

副交感神経系は, 交感神経系の作用とバランスを取るように作用する. 副交感神経系が働くと, 心拍数は少なくなり, 腸管や消化液の分泌腺が刺激され, 腸の蠕動運動は盛んになる.

自律神経節(交感神経節)(図 8.23)

交感神経あるいは副交感神経の神経節は, 構造的には, 多極細胞とそれに結合する**有髄の節前線維**で構成されている.

交感神経系節前線維はアドレナリン作動性で，ノルアドレナリンを放出する．**副交感神経系節前線維は主にコリン作動性**で，アセチルコリンを放出する．

自律神経神経節内では**多極性ニューロンが不規則に並んでいる**．そこから起こる**無髄の節後線維**が標的器官に到達する．

多極性ニューロンの細胞体は扁平な一層のシュワン細胞に似た**衛星細胞**（訳注：骨格筋の衛星細胞とは異なる）の層に囲まれている．衛星細胞は，軸索や樹状突起部でそれらを覆うシュワン細胞に移行する．

感覚性神経節

脊髄神経節 spinal ganglion（**後根神経節** posterior root ganglion）は椎間孔に位置しており，そこで前根と脊髄神経節より遠位の後根が合して脊髄神経が形成される．

脊髄神経節と脳神経（三叉，顔面，舌咽，迷走）の感覚性神経節は，いずれも同じような構造をしている．

交感神経系の神経節と同様に，神経上膜と神経周膜の続きである結合組織性の被膜が，感覚性の各神経節の周りを覆っている．

ニューロンは**偽単極性**で，細胞体は扁平な**衛星細胞**に囲まれている．感覚性神経節の衛星細胞は，交感神経系の神経節に比べて数が多い．交感性神経節における多極性ニューロンの不規則な配置とは対照的に，偽単極性ニューロンは**集団をつくっている**．

各偽単極性ニューロンの細胞体からは1本の短い**有髄**の突起が起こる．この短い突起は脊髄神経の枝として**末梢側に向かう枝**と**中枢側に向かい脊髄に投射する枝**とに分岐する．

どうしてこのような枝分かれが意味をもつのか？

末梢の感覚受容器が刺激され神経インパルスがこのT字形の分岐部に到達すると，細胞体をバイパスし，そのまま中枢側の枝に伝わって脊髄に達し，刺激に対する迅速な反応を引き起こすことができるからだ．

神経組織学で用いられる手法（図 8.24）

神経組織には，他の基本的な組織にはみられない特徴がある．この概念は19世紀に“黒い反応”とよばれたニューロンを染め出す染色法の発見によって現れたものである．それまでは，ヘマトキシリン－エオジン法など通常の染色法で神経系の細胞を研究することは困難であった．

サンティアゴ・ラモニ・カハール Santiago Ramóny Cajal（スペイン生まれ．1852-1934）は神経解剖学者で，脳の切片を**カミッロ・ゴルジ** Camillo Golgi（イタリア生まれ．1843-1926）が開発した**硝酸銀**法（ゴルジ法）で染色し，ニューロンの形態を顕微鏡下に研究した．

ゴルジ染色された脳切片の観察に基づきカハールは，情報は各ニューロンにおいて樹状突起から細胞体，さらに軸索突起へと伝播するという考えを呈示した．カハールの一番の貢献は，脳は独立した細胞であるニューロンによって構成されているという説（**ニューロン説**）を示したことである．これは，それまでカミッロ・ゴルジも含めてほとんどの神経科学者が信じていた，細胞同士が突起を介して融合しネットワークをつくっているという説（**網状説**）とは異なる考えであった．

Box 8.K | 神経伝達物質：分類

- 神経伝達物質はニューロン内に存在する物質で，脱分極による神経終末へのカルシウムの流入によって神経終末から放出される．放出された神経伝達物質は，シナプス後膜の受容体に結合して作用する．その作用は，神経伝達物質が酵素により分解されることや能動輸送（再吸収）されることによって終了する．
- 神経伝達物質としては以下のような物質がある：
  アミノ酸：グルタミン酸，グリシン，γ-アミノ酪酸（GABA）．
  生体アミン：アセチルコリン，カテコールアミン（ノルアドレナリン，アドレナリン），ドーパミン，セロトニン，ヒスタミン．
  神経ペプチド：**エンケファリン**，エンドルフィン，サブスタンスP，血管作動性腸管ペプチド（VIP）．
  アデノシン：ATPの派生物．
  一酸化窒素（NO）：非古典的な神経伝達物質で脂溶性かつ水溶性の気体．
- 神経伝達物質に対する受容体：
  グルタミン酸受容体．
  GABA受容体．
  アセチルコリン受容体（ニコチン性とムスカリン性）．
  ヒスタミン受容体（H_1，H_2，H_3 受容体）．
  アデノシン受容体（G-タンパク質共役型受容体）．
  カテコールアミン受容体（α_1，α_2，β_1，β_2 受容体）他．

ニューロン同士の正確な接触の性質について明らかとなったのは，1950年代に電子顕微鏡によって**シナプス**の構造が観察できるようになってからである．

1906年，カハールとゴルジの2人の神経科学者は，それぞれ神経系の基本構造に関する相反する仮説を主張していたにもかかわらず，ノーベル生理学・医学賞を分け合うこととなった．

銀還元法（**鍍銀法**）reduced silver method はニューロンやグリアのさまざまな構造に銀を沈着させて，黒く染め出す（そのため“黒い反応”とよばれた）．**ゴルジ法** Golgi method は，特に樹状突起の観察に有用な方法である．ゴルジ法の変法の1つは細胞膜や**ゴルジ装置** Golgi apparatus の小胞を染め出すことができる（図8.24）．実際，ゴルジは彼の名を冠する細胞内小器官であるゴルジ装置を硝酸銀法で発見している．

塩基性色素 basic dye は，ニューロンの細胞質にあるニッスル物質（リボソームの核酸とタンパク質）を染め出すことができる．

髄鞘染色 myelin stain はリン脂質に結合するタンパク質に対して親和性のある色素（例えばルクソール・ファスト青など）を用いている．神経路の同定に有用な染色法である．ニッスル染色と髄鞘染色の組み合わせは神経病理学で用いられる．

西洋ワサビペルオキシダーゼに代表される神経標識物質は，微小ピペットで細胞体の周囲に注入してニューロンの投射先を順行性に調べる研究に使われてきた．

また，これを神経の終末部分に注入すると逆行性に取り込まれ，投射元のニューロンを同定することもできる．

神経伝達物質（例えば，カテコールアミン類，酵素，神経ペプチドなど，Box8.K参照）の特定のニューロンにおける局在を調べるような場合には，免疫細胞化学的手法を用いることができる．

神経組織 | 概念図・基本的概念

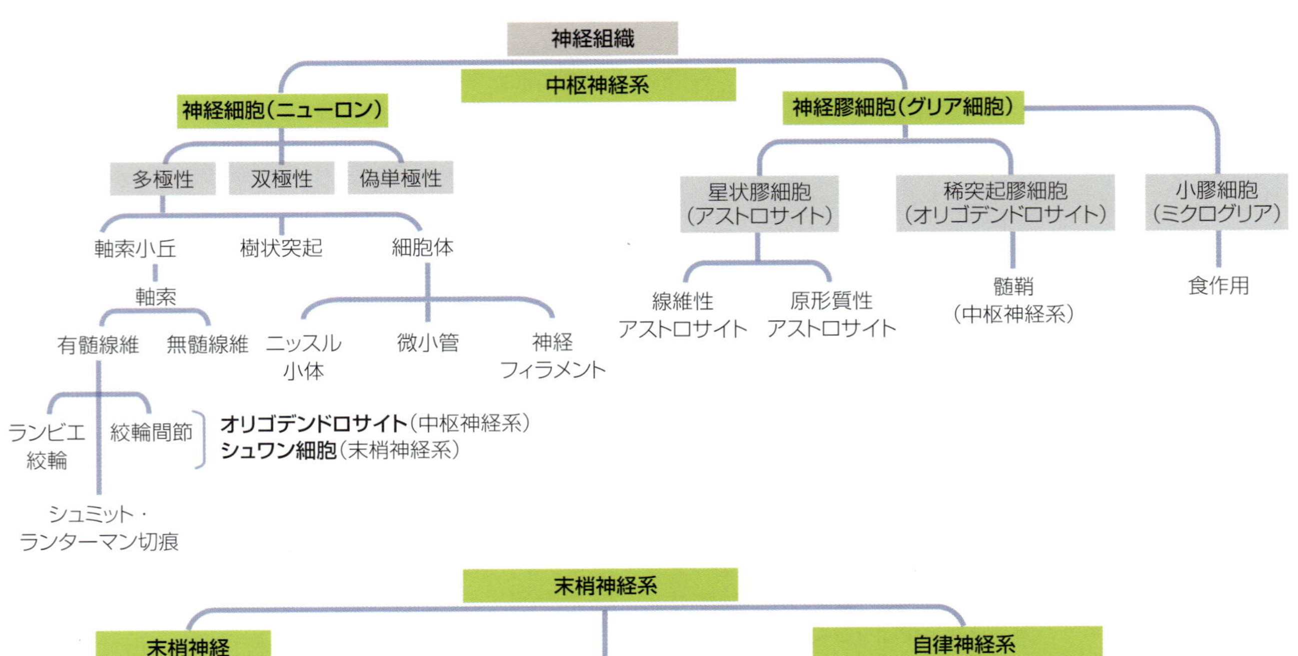

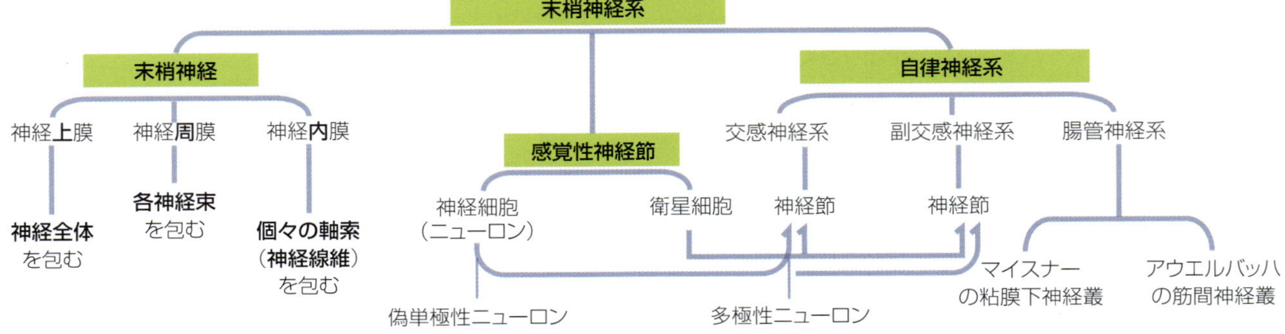

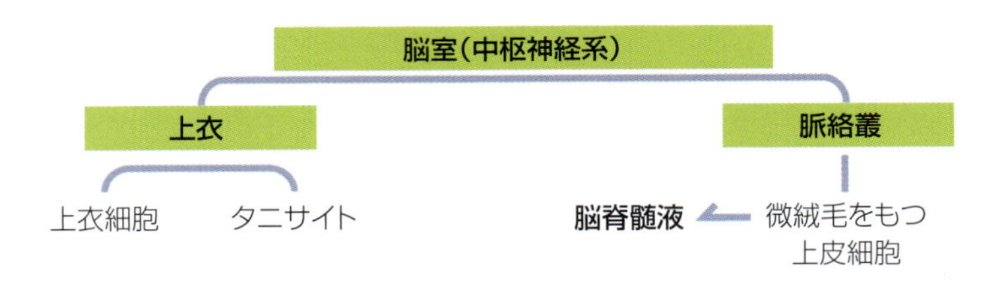

- 神経系は以下の部分からなる．
  (1)中枢神経系（脳，脊髄，網膜の神経部）．
  (2)末梢神経系（中枢神経系と末梢の受容器や効果器を結ぶ神経線維，神経節，神経終末）．

  中枢神経系の構成要素は神経細胞（ニューロン）と神経膠細胞（グリア細胞）（星状膠細胞［アストロサイト］および稀突起膠細胞［オリゴデンドロサイト］）である．

  末梢神経系にはシュワン細胞（末梢神経）と衛星細胞（神経節）が含まれる．

- 中枢神経系は原始外胚葉から発生する．神経板が折れ曲がり，中空の円筒である神経管を形成する．この過程は神経管形成とよばれる．

  神経管の一部は神経堤となり，神経堤は末梢神経系の神経節に存在するニューロン，シュワン細胞および衛星細胞を形成する．さらに，神経堤細胞はそれぞれ特定の経路を通って，メラニン細胞，平滑筋，頭部の軟骨や骨を形成する．副腎髄質や消化管の腸管神経叢を形成する神経堤細胞もある．

  神経管の閉鎖がうまくいかないと，二分脊椎，無脳症，頭蓋脊椎披裂などの先天性の異常が起こる．

- 神経系における機能単位はニューロンである．ニューロンは細胞体（核周部ともよばれる），多数の樹状突起（デンドライト）と１本の軸索突起（アクソン）で構成されている．樹状突起の表面には多数の棘状の突起である樹状突起棘が存在している．軸索突起の付け根の部分は軸索小丘とよばれる．一方，軸索突起の終末部は枝分かれし，まとめて終末分枝とよばれる．各枝の終端部はシナプス終末あるいは終末ボタンとよばれる膨らみを形成している．

  ニューロンの細胞体には２つの重要な構造，すなわちニッスル小体（ニッスル物質とも）とよばれるポリリボソームと粗面小胞体の集団と，ニューロフィラメンや神経微小管などの細胞骨格を構成するフィラメントが存在する．これらのフィラメントは樹状突起や軸索突起の中まで伸びている．ニッスル小体は軸索小丘のところまで広がり軸索内には入らないが，樹状突起の基部には入り込む．神経微小管は軸索内のシナプス小胞や他の分子の順行性および逆行性軸索輸送に重要な役割を果たしている．順行性の輸送はモーター分子のキネシンファミリーが，逆行性の輸送は細胞質ダイニンファミリーが担当している．

- ニューロンを突起の数で形態的に分類すると，以下のようになる：
  (1)多極性ニューロン（1本の軸索と多数の樹状突起をもつもので，大脳皮質の錐体細胞や小脳のプルキンエ細胞などに代表される）．
  (2)双極性ニューロン（2本の突起をもつもので，感覚神経系にみられる）．
  (3)偽単極性ニューロン（1本の短い神経突起が細胞体から出た後細胞体の近くで互いに反対方向へ向かう軸索突起と樹状突起の2本に分かれるもので，脊髄神経や脳神経の感覚性神経節に存在する）．この型のニューロンは単極性ニューロンともよばれることがある．

  多極性ニューロンは突起の長さから，さらに以下のように分類される：
  (1)ゴルジI型ニューロン（大脳皮質の錐体細胞や小脳のプルキンエ細胞のように軸索が樹状突起の広がりを超えて伸びている）．
  (2)ゴルジII型ニューロン（軸索が樹状突起の広がりを越えず，終末が細胞体の近くに存在するもので，大脳皮質の星状細胞などに代表される）．

- ニューロンや軸索の集団に対して，以下のような特別な用語が用いられる：
  (1)（神経）核は中枢神経系におけるニューロンの細胞体の集団を意味する．
  (2)神経線維網は神経核内や細胞体間に存在する樹状突起や軸索さらにグリアの突起の集団を意味する．
  (3)層は層状に並んで集合するニューロン群を意味する．
  (4)中枢神経系内における軸索の束は，路や索，束あるいは毛帯などとよばれる．
  (5)神経節は末梢神経系におけるニューロンの細胞体の集団をさす．神経節には，三叉神経節や脊髄神経節のような感覚性のものと，自律神経節のような運動性のものがある．
  (6)神経節から出る神経線維束は，部位により，神経，枝，根などとよばれる．

- シナプスとは，送り手側の軸索の終末のシナプス前膜と受け手側のシナプス後膜（多くは樹状突起の膜）との結合部である．シナプス前肥厚部とシナプス後肥厚部がシナプス間隙を挟んで接する．シナプス前肥厚部は，軸索の細胞膜に付随する特異的なタンパク質に相当する．それらの一部は，シナプス小胞についている特異的タンパク質やチャネルなどである．シナプス後膜には，伝達物質に対する受容体が含まれ，シナプス後肥厚部を形成している．

  シナプスには以下の種類がある：
  (1)軸索－樹状突起棘型シナプス（軸索終末は樹状突起の棘についている）．
  (2)軸索－樹状突起型シナプス（軸索終末は樹状突起の幹についている）．
  (3)軸索－細胞体型シナプス（軸索終末は細胞体についている）．
  (4)軸索－軸索型シナプス（軸索終末が他の軸索終末についている）．

- グリア細胞には以下の細胞が含まれる．
  (1)アストロサイト（星状膠細胞）（神経外胚葉に由来する）．
  (2)オリゴデンドロサイト（稀突起膠細胞）（神経外胚葉に由来する）．

  アストロサイトはさらに，線維性アストロサイト（白質に多い）と原形質性アストロサイト（主に灰白質にみられる）に分けられる．アストロサイトの細胞質には，中間径フィラメントであるグリア線維酸性タンパク質が存在する．

  脳内の毛細血管周囲や軟膜の内側は，グリア境界膜とよばれるアストロサイトの終足がすき間なく並んでいる構造で覆われている．

  オリゴデンドロサイトは中枢神経内における髄鞘（ミエリン）形成に関与している．1つのオリゴデンドロサイトが数本の軸索の髄鞘形成にかかわる（訳注：突起の数はタイプによって異なるが，平均で15本，多いもので40〜50本とされる）．末梢神経経では，グリア細胞に相当するシュワン細胞が髄鞘形成を行っている．1つのシュワン細胞は1本の軸索だけに髄鞘を形成する．1本の軸索全長にわたって形成される髄鞘は，多数のシュワン細胞によって形成されたものである．中枢神経系においては，ランビエの絞輪（絞輪間節で挟まれた部分）にはオリゴデンドロサイトの細胞質は存在せず，露出した部位はアストロサイトの終足突起で覆われている．

- 髄鞘（ミエリン）とは，オリゴデンドロサイトやシュワン細胞の細胞膜が整然と何重にも巻き重なってできた構造である．

  髄鞘形成では，オリゴデンドロサイトやシュワン細胞の突起が軸索を何重にも包んでいく．交互に起こる細胞膜の内葉同士と外葉同士の融合は，互いにかみ合う2本の渦巻きを形成する．そのうちの1つの渦巻きは周期間線で，細胞膜の外葉同士と細胞外腔の遺残からなる．もう1つは周期線で，細胞膜の内葉（細胞質側）同士が密接して電子密度の高い線を形成したものである．シュミット・ランターマン切痕は細胞質が髄鞘内に残っている部分であり，髄鞘の生存能力を維持している．

  髄鞘に特異的なタンパク質として，ミエリン塩基性タンパク質（MBP），プロテオリピッドタンパク質（PLP）およびミエリンP0タンパク質（MPZ）がある．MBPは細胞質性で細胞膜に結合するタンパク質であり，中枢神経系にも末梢神経系にも認められる．PLPは中枢神経にのみ認められ，神経発生に重要な役割を果たす．

  髄鞘は軸索を囲んで軸索を電気的に外界と絶縁し，Na^+チャネルをランビエの絞輪部に集合させることによって，神経インパルスの伝導効率をよくしている．その結果，活動電位が跳躍伝導（最速120m/秒）によって格段に速く伝わり，かつ神経活動に伴うエネルギー消費量は少なくてすむ．

  無髄線維は主として灰白質中に認められる．末梢神経系の無髄線維は細く，個別には被膜をもたない．それらはシュワン細胞の細胞質のポケット状の凹みに囲まれている．神経インパルスがランビエの絞輪部に限って発生し，絞輪部から絞輪部へジャンプして伝わる有髄線維とは対照的に，無髄線維における神経インパルスの伝導は連続的に伝わる逐次伝導（最速でも15m/秒程度）である．

- 脱髄疾患では，オリゴデンドロサイトの生存や髄鞘構造の性質に異常が起こる．脱髄疾患は原因によって，免疫原性，遺伝性，代謝性，ウイルス性に分けられる．

  免疫原性脱髄疾患としては，多発性硬化症と単相性脱髄疾患（例えば視神経炎）などがある．多発性硬化症は，中枢神経内のさまざまな部位に起こる脱髄によって引き起こされる神経症状が，臨床的に再燃・寛解を繰り返すか，あるいは持続的に進行することを特徴としている．特に脳，視神経，脊髄などが好発部位となる．

  特徴的な2つの病理所見は，白質の有髄線維中に多数の多発性硬化症プラークとよばれる脱髄域が認められること，および反応性のアストロサイトであるクロイツフェルト細胞が認められることである．

  副腎白質ジストロフィはX連鎖潜性遺伝性脱髄疾患であり，主に男性に起こる．進行性の脱髄は，副腎白質ジストロフィタンパク質（ALDP）をコードする*ABCD1*遺伝子の変異と関係している．ALDPは極長鎖脂肪酸（VLCFA）をペルオキシソーム内に運ぶタンパク質である．ALDPの欠失によって，VLCFAが血清中に蓄積する．高濃度のVLCFAは，髄鞘と副腎皮質に対して毒性を示す．これによって副腎皮質の機能が障害され機能不全となる．また，成人期の初期から中年期にかけて，下肢の進行性の脱力や硬直（対麻痺）が起こるようになる．

  代謝性脱髄疾患として，橋中心髄鞘崩壊が知られている．これは橋の中心部に起こる左右対称性の脱髄が関与する神経障害である．ビタミンB_{12}欠乏症によって，脊髄と末梢神経系に脱髄が起こる．

  進行性多巣性白質脳症は，免疫不全状態の患者で，ウイルスがオリゴデンドロサイトに感染することによって起こる脱髄疾患である．

- 神経変性疾患.

脳の特定のニューロン群に変性が起こることによって，運動障害，認知症，自律神経失調などが起こる．神経変性疾患としては，以下のような疾患が挙げられる：

(1)筋萎縮性側索硬化症（ALS）．進行性の運動ニューロンの変性により，一肢の中等度の筋力低下に始まり重度の麻痺に進行する疾患である．銅亜鉛型スーパーオキシドジスムターゼ1の変異が認められることがある．

C9orf72（第9染色体のオープンリーディングフレーム72）遺伝子内の繰り返し配列の異常伸長が，しばしばALSや前頭側頭型認知症（FTD）の原因になっている．GGGGCCの繰り返し配列の伸長は，双方向性に繰り返し配列をもつRNAに転写され，このRNAを元に2つの異なるジペプチドの繰り返しをもつタンパク質が合成される．C9orf72タンパク質の機能の欠失とC9orf72 RNAの異常な繰り返し配列による毒性のある機能獲得により，ニューロン内でのRNA翻訳やオートファジー，およびライソゾームの働きに異常が生じ，疾患の進行につながっているものと考えられている．

(2)アルツハイマー病．最も多い神経変性疾患で，進行性の皮質性認知症を引き起こし，言語や記憶が障害される．主な特徴はβアミロイドペプチドを含むアミロイドプラークの形成である．

(3)パーキンソン病．アルツハイマー病に次いで多い神経変性疾患で，中脳黒質のドーパミン作動性ニューロンの欠落によって起こる．特徴的な病理所見としては，過剰リン酸化されたαシヌクレインがニューロンの細胞質内に蓄積すること（レヴィー小体），および糸状の封入体が軸索内に認められること（レヴィーニューライト）である．

家族性パーキンソン病との関連が知られている遺伝子は，*PARK2*（*Parkinson's disease protein 2*）である．*PARK2*はE3ユビキチンリガーゼであるパーキンをコードする．パーキンはミトコンドリアの品質維持にかかわっている．機能の低下したミトコンドリアは活性酸素種（ROS）を産生するようになり細胞機能を害するようになる．第3章でみてきたように，マイトファジーとは損傷されたミトコンドリアを排除する特別なしくみで，PINK1（PTEN［phosphatase and tensin homolog］induced putative kinase 1）とパーキンの2つの酵素が関与する．

パーキンやPINK1の変異は，傷害されたミトコンドリアの蓄積に関与している．ドーパミンニューロンにおける傷害されたミトコンドリア由来の高い酸化ストレスが家族性パーキンソン病の最初のステップである．

(4)ハンチントン病はコーディング領域に多数のCAGリピートをもち，いわゆるポリQ HTTタンパク質を発現するハンチンチン（*HTT*）遺伝子によって引き起こされる神経変性疾患である．

ハンチントン病の特徴は，変異タンパク質のハンチンチンがニューロンの核内に蓄積したのち，カスパーゼの進行的な活性化とシトクロム*c*のミトコンドリアからの流出が起こることである．

(5)脊髄性筋萎縮症（SMA）は常染色体潜性遺伝を示し，主に子どもに起こる進行性神経変性疾患である．はじめに脊髄前角のα運動ニューロンの変性が起こることがSMAの特徴である．SMAはSMN（survival motor neuron）タンパク質をコードする*Smn1*遺伝子のホモ接合型欠失あるいは点変異によって生じる．

- ミクログリアは，胎生期の卵黄嚢に存在する赤血球系骨髄前駆細胞（EMP）に由来する．EMPは卵黄嚢由来のマクロファージとして脳実質内に入りミクログリアへと分化する．ミクログリアは自己複製によって細胞数を維持している．

ミクログリアは，脳以外の組織マクロファージの前駆細胞である単球とは，発生的にも機能的にも無関係である．

ミクログリアは食作用をもち，脳と脊髄を免疫によって防御する機能をもつ．脳に損傷や免疫反応が起こると活性化してアメーバ状の形態となる．このとき，受容体などの膜抗原の発現も伴う．

ミクログリアは時に過剰に活性化し，活性酸素種（ROS），一酸化窒素（NO），腫瘍壊死因子リガンドなどの細胞傷害性物質を過剰に生産して神経傷害性作用を表すことがある．活性化したミクログリアは神経変性疾患（アルツハイマー病，パーキンソン病，多発性硬化症，筋萎縮性側索硬化症，ハンチントン病）の際に数多く認められ，反応性ミクログリオーシスとよばれる広汎性のミクログリア過剰活性化の状態をつくり出す．

ミクログリア性の神経細胞傷害は，病原体関連分子パターン（PAMP）がパターン認識受容体（PRR）に結合し，過剰な免疫反応を引き起こしたときに起こる．ある1つの結合分子は複数のPRRによって認識される（蓄積効果）．PRRによって食作用（病原体の同定，細胞外活性酸素種の産生，炎症促進物質の放出および食作用による毒性物質の除去）が引き起こされる．

- 上衣は，脳室（脳）や中心管（脊髄）の壁の表面を覆う．

上衣には，以下の2種類の細胞が存在している：

(1)上衣細胞は，単層立方上皮で，先端（脳室腔）側には，微絨毛と1本以上の線毛をもつ．隣り合う上衣細胞同士は帯状のデスモソーム（接着帯）で連結されている．基底側はアストロサイトの終足と接している．

(2)タニサイトは上衣細胞が特殊化したもので，基底側から出て血管に達する突起をもつ．タニサイト同士あるいは上衣細胞とは閉鎖結合によってつながっている．

- 脈絡叢は脳脊髄液（CSF）を産生する．脈絡叢は，閉鎖結合でつながった一層の立方上皮からなる．各細胞の先端側（脳室腔側）には，Na^+を脳室内にくみ出すNa^+，K^+-ATPアーゼを含む微絨毛が存在する．脳室内の高いNa^+濃度によって，浸透圧による水の移動が促進される．基底面は多数のヒダが形成されている．

下層に存在する有窓型毛細血管内の静水圧によって，水，電解質，タンパク質の正味の流れがつくり出される．脈絡叢の上皮細胞は通過する物質を選り分け，物質によってはCSF中に出ないようにしている．

CSFは第4脳室から脳と脊髄のクモ膜下腔に出て，最終的に上矢状静脈洞に入り，中枢神経系から出ていく．脈絡叢やCSF中には，免疫細胞（マクロファージや樹状細胞）が存在している．

- 以下の脳における3つの物質透過性の障壁が知られている：

(1)クモ膜脳脊髄液関門はクモ膜とクモ膜顆粒からなる．クモ膜はCSFが硬膜とクモ膜顆粒の細胞外腔に触れることを防いでいる．一方，クモ膜顆粒では，CSFがクモ膜バリア細胞と内皮細胞を通って静脈系（上矢状静脈洞）に入ることができる．

(2)血液脳脊髄液関門は，脈絡叢の上皮細胞が担っており，CSF中に分泌されるタンパク質やその他の物質を選択している．

(3)血液脳関門は血管内皮細胞間の腔を密閉する結合によって形成されている．血管壁に接触するアストロサイトの終足もバリア機能に関与している．

転移性脳腫瘍は既存の脳の血管構築を組み入れることによって（co-option）血管新生を伴わずに成長する．脳への腫瘍の転移は血管周囲性である．

- 末梢神経系は，神経節をつくるニューロン，脊髄や神経節から出る軸索，さらにそれらを支持する細胞群で構成されている．

(1)シュワン細胞は中枢神経系におけるオリゴデンドロサイトに相当する．

(2)衛星細胞は自律神経系および感覚系の神経節に存在するニューロンの細胞体を囲んでいる．

有髄線維において，1つのシュワン細胞は1つの絞輪間節を形成している（中枢神経系のオリゴデンドロサイトは1つの細胞で数本の軸索に絞輪間節を形成している）．無髄線維の場合，1つのシュワン細胞の細胞質が数本の軸索を囲い込む（中枢ではアストロサイトが無髄線維を囲んでいる）．

- 末梢神経には結合組織性の被膜構造が存在する：

(1)神経上膜は1本の神経全体を覆う．

(2)神経周膜は神経上皮性神経周膜細胞で構成され，1本の神経をいくつかの神経束に分ける．神経上皮性神経周膜細胞は互いに閉鎖結合で接着しており，拡散を防ぐ障壁である血液神経関門を形成している．これによって神経内膜周囲の生理的な微小環境が維持されている．

(3)神経内膜は個々の軸索とそれを取り囲むシュワン細胞を一緒に包んでいる．

- 末梢神経の外傷性損傷（神経挫滅損傷）やシュワン細胞の機能を障害するような疾患によって，髄鞘の消失（節性脱髄）が起こる．ニューロンや軸索が傷害されると，軸索の順行性変性（ワーラー変性）を起こす．

毒物や代謝障害による軸索変性の特徴は虎斑融解とよばれる変性像であり，細胞体におけるニッスル小体（ポリリボソームと粗面小胞体）の消失に続いて脱髄が起こる．

節性脱髄や軸索変性は運動単位を侵して筋麻痺を引き起こす．末梢神経系においては軸索変性の後に軸索再生が起こりうるが，中枢神経系内での軸索の再生は現時点では困難である．その理由としては，神経内膜が存在しないこと，オリゴデンドロサイトはシュワン細胞と異なり増殖しないこと，さらに軸索再生を妨げるアストロサイト性の瘢痕組織（アストロサイトプラーク）が形成されることがある．

神経線維腫は，神経の完全あるいは不完全な切断部位から起こる軸索やシュワン細胞および神経周膜の結合組織の無秩序な増殖である．

- 自律神経系は以下のように区分される：

(1)交感神経系．

(2)副交感神経系．

(3)腸管神経系，心臓の局所的自律神経支配，膀胱の下位レベルの制御，生殖管の機能的神経支配．腸管神経系については第15章と第16章で詳しく学ぶ．

自律神経系には交感神経性および副交感神経性の神経節と中枢神経内のニューロンにつながる感覚性神経節がある．

自律神経性（交感神経性）神経節は多極性ニューロンで構成され，中枢神経系からの有髄の節前神経線維のシナプス終末を受ける．無髄の節後神経線維は多極性ニューロンから起こり標的器官に達する．

感覚性の脊髄神経節は後根に存在し（そのため後根神経節ともよばれる），偽単極性ニューロンで構成されている．偽単極性ニューロンの細胞体からは1本の短い有髄の突起が起こる．この短い突起は，T字形に分岐し，求心性に脊髄に投射する有髄線維と遠心性に末梢の感覚受容器に至る有髄線維になる．

自律神経性および感覚性の神経節は結合組織性の被膜（神経上膜の続き）に包まれる．各ニューロンは，シュワン細胞様の細胞である衛星細胞に囲まれる．

9　感覚器：眼と耳

キーワード　眼，眼球の層構造，光感受性細胞，耳，内耳，蝸牛，前庭系

眼は，自分で焦点を調節し，光の強さにも適応し，光刺激を大脳皮質の視覚野が詳細なイメージとして解釈可能な電気的な活動に変換することができる．ヒトの場合，眼は骨で囲まれた眼窩の中に納められ，**視神経** optic nerve によって脳とつながっている．眼球は，光を受容する**網膜** retina，すなわち光を感受する**杆体** rod と**錐体** cone を擁する眼球の内層の機能を保護し，補助する．耳は２つの部分，すなわち音波を増幅して感知し脳に送る聴覚機能に関する部分と，回転，重力，加速度などを感知する平衡感覚に関する部分からなる．本章では，目と耳の主要な組織学的な構成要素についての包括的な説明を行うとともに，病理学的，変性的および遺伝的要因による病態についても言及する．

眼（図 9.1）

眼球は**３つの層**からなっている．それらは，外から内に向かって，以下のとおり：

1. **強膜** sclera と**角膜** cornea.
2. **ブドウ膜** uvea（眼球血管膜）.
3. **網膜** retina.

眼球内には３つの互いに交通のある部屋がある．すなわち，**前眼房** anterior chamber，**後眼房** posterior chamber，および**硝子体腔** vitreous cavity である．**眼房水** aqueous humor は前眼房から後眼房に向かって流れている．**水晶体** lens は，ゲル状の**硝子体** vitreous humor で満たされた硝子体腔の前にある．骨性の**眼窩** orbit，**眼瞼** eyelid，**結膜** conjunctiva，**涙器** lacrimal apparatus（涙の分泌，排出に関与する涙腺，涙小管，涙嚢など）は，いずれも眼球を保護する役目をもっている．

眼動脈 ophthalmic artery は内頸動脈の枝で，眼球や眼窩の内容物に血流を供給する．**上眼静脈** superior ophthalmic vein と**下眼静脈** inferior ophthalmic vein が眼の血流が流出する主な静脈である．これらの静脈は，頭蓋の中の**海綿静脈洞** cavernous sinus に注ぐ．

眼の発生（図 9.2，9.3）

眼の層構造の関連を理解するためには，眼の発生について簡単に理解しておくことが肝要である．眼の構成要素は，以下の３つである：

1. 頭部の**表皮外胚葉** surface ectoderm.
2. **神経外胚葉** neuroectoderm の間脳領域の外側壁.
3. **間葉** mesenchyme.

神経管の間脳領域の両側外側壁が外にふくらんで，神経上皮細胞からなる**眼胞** optic vesicle を形成する．眼胞と間脳の間は，中腔性の**眼茎** optic stalk でつながっている（図 9.2）．次いで，頭部の表皮外胚葉が眼胞に向かって陥入し，**水晶体胞** lens vesicle と

図 9.1　｜　眼球の解剖

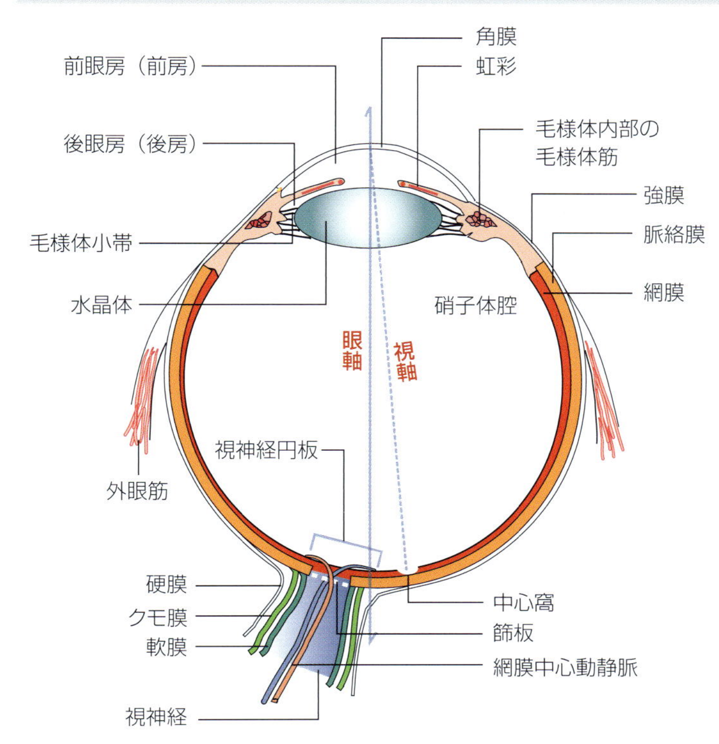

・眼には３つの部屋がある．すなわち，(1)角膜と虹彩の前面との間の**前眼房**（**前房**）anterior chamber，(2)虹彩の後面と水晶体の間の**後眼房**（**後房**）posterior chamber，(3)水晶体の後ろにあって，最も大きな部屋である**硝子体腔** vitreous cavity である．

・ヒトの眼球はおおむね球形で，直径は約 24mm である．眼球の前極は**角膜** cornea の中央である．

・眼球の後極は，**視神経円板** optic disk と網膜の浅い凹みである**中心窩** fovea の間に位置する．**解剖学的眼軸** anatomic axis（**眼球軸**ともよばれる）は，前後の両極を結んだ線である．**視線**（**視軸**）visual axis とは，瞳孔の中央と中心窩を結び，眼球を**耳側半**と**鼻側半**に分ける線である．

・眼球は，骨性の眼窩内を占める柔らかい組織のクッションで囲まれている．そのような組織として，疎性結合組織，脂肪組織，骨格筋，血管とリンパ管，神経，涙腺などがある．

・眼球の前方表面は**結膜** conjunctiva によって外皮につながっている．結膜は眼瞼の内側を覆ったのち，反転して眼球表面を覆い角膜の縁に達する．

図 9.2 | 眼の発生

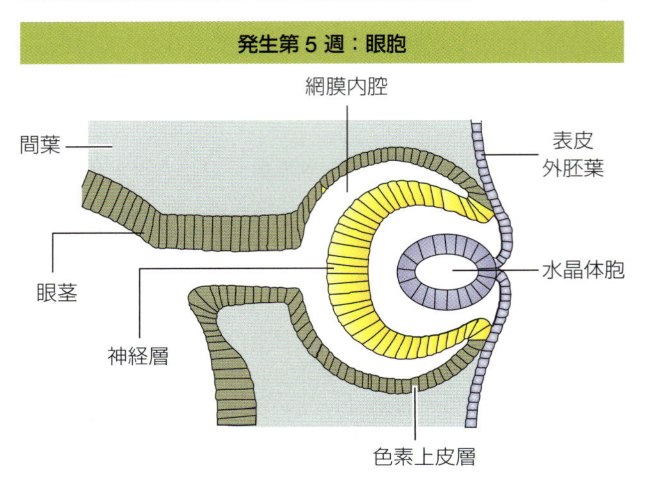

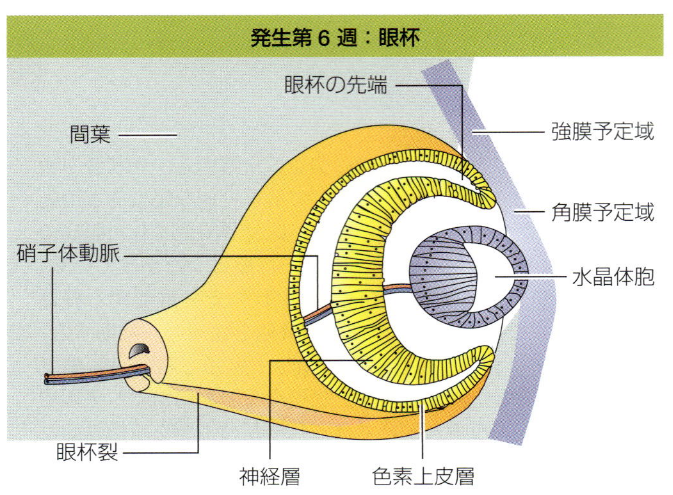

図 9.3 | 眼の発生

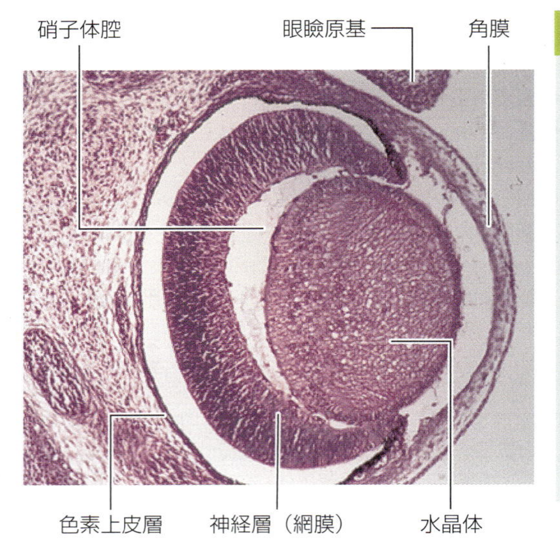

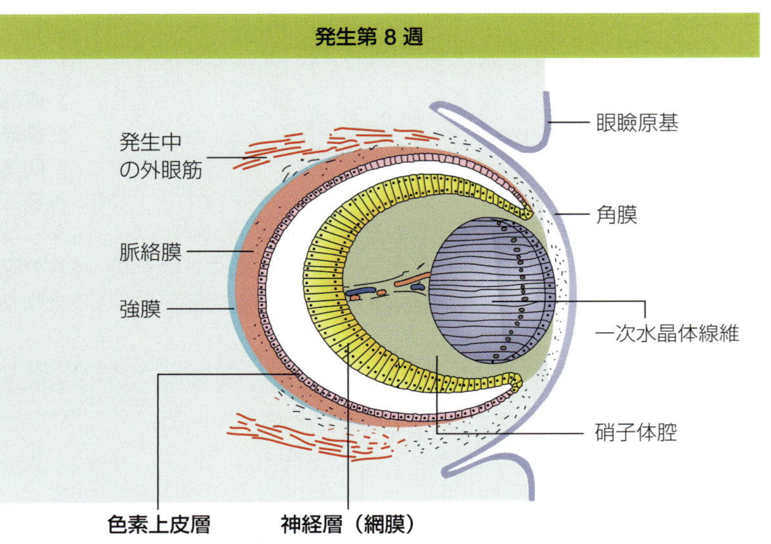

なって外胚葉から離れる．やがて，間葉が水晶体胞と隣接する眼胞を囲む．

眼胞は，外側の部分がくぼんで落ち込み，二重の細胞層の壁をもった杯のような形の**眼杯** optic cup となる（図 9.2）．眼杯の外側の細胞層が**色素上皮層** pigmented epithelium に分化するころ，眼杯と眼茎の腹側が溝状にくぼみ，**眼杯裂** optic fissure が形成される．眼杯の内側の細胞層は，増殖して層状に配列し，**網膜神経部** neural retina を形成していく．眼杯の中に入った間葉細胞はゼラチン様となり，**硝子体**となっていく．**水晶体胞**は，眼杯の自由端と周囲の間葉の近くに留まる．

眼杯の周囲では，間葉性の被膜が，血管に富んだ**脈絡膜外套** choroid coat と強膜や角膜の線維性成分を形成していく（図 9.3；Box 9.A）．血管を含んだ脈絡膜外套は，水晶体の後ろで**毛様体** ciliary body，**毛様体筋** ciliary muscle，および**毛様体突起** ciliary process を形成し，水晶体の前方では**虹彩** iris の間質（支質）を形成する．

毛様体突起は**眼房水** aqueous humor を分泌する．眼房水は，最初に**後眼房**（虹彩と水晶体の間）に留まり，後に瞳孔を通って，前眼房（虹彩と角膜の間）に進む．さらに，**シュレム管** canal of Schlemm に入り，前眼房から排出される．シュレム管とは，脈絡膜外套の前縁付近を周回する細い静脈（**強膜静脈洞**）のことで

Box 9.A | 角膜の発生

- 発生中の水晶体は，その表面を覆う表皮外胚葉を誘導して角膜へ分化させる．角膜予定域の間葉細胞がⅠ型とⅡ型コラーゲン線維を分泌し，最初の角膜実質（固有層）を形成する．
- **毛細血管の内皮細胞**が形成された角膜実質に侵入し，ヒアルロン酸を分泌する．このため角膜実質は水を含んで膨化する．
- さらに，周辺に存在していた**間葉細胞**が角膜実質内に侵入し，**ヒアルロニダーゼ** hyaluronidase を分泌し，ヒアルロン酸を分解する．これにより角膜実質は萎縮し，適当な厚さと透明性を獲得する．

図 9.4 | 眼球の 3 層構造

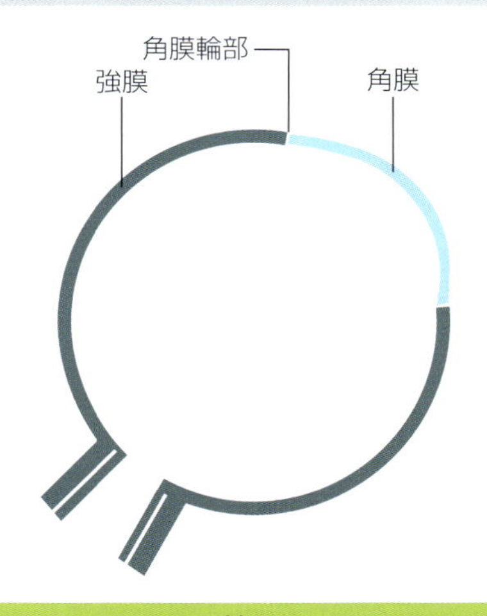

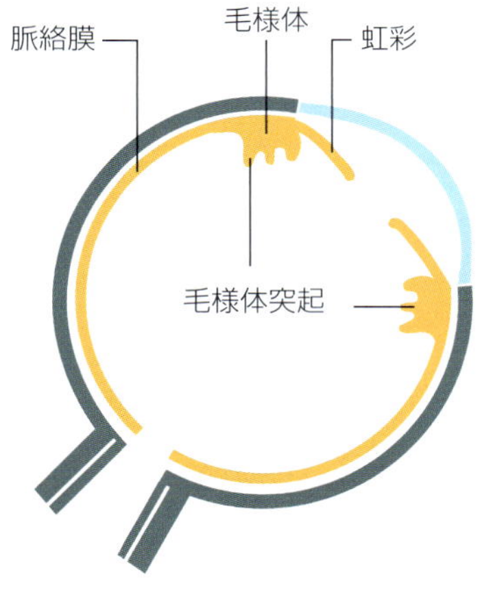

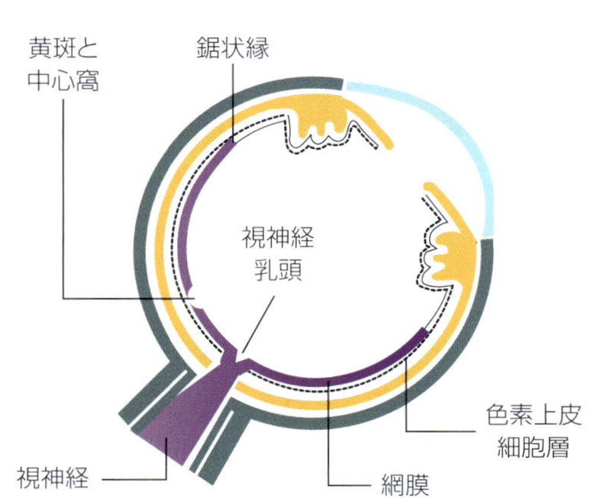

外層
強膜と角膜（眼球線維層）

角膜は透明．これに対し残りの部分である**強膜** sclera（ギリシャ語 *scleros*［=hard, 硬い］）は不透明で，内側をブドウ膜（眼球血管膜）という光を吸収する層で裏打ちされている．

角膜輪部は結膜の上皮が角膜の上皮に移行する部位である．また，透明な角膜と不透明な強膜の境でもある．強膜角膜層（眼球線維層）は，

1. 眼球内部の構造を保護する，
2. 眼球の内側からの圧力（眼圧）と協調して眼球の形と硬さを一定に保つ，という 2 つの働きをしている．

中層
ブドウ膜（眼球血管膜）

眼球の後ろ 2／3 にあって血管を含む層は脈絡膜とよばれる．眼球の前方では，血管層が肥厚し，**毛様体**を形成している．

毛様体からは，**毛様体突起**が内側に向かって突出する．血管層は虹彩としてさらに前方まで伸びている．虹彩の自由端は，**瞳孔**の縁をつくる．

1. 血管膜は**色素**をもっており，眼球内に余分な光が入るのを防ぎ，光の反射を減らす．
2. 血管は中層を走る．
3. 前方部は平滑筋を有している．**毛様体筋**と虹彩の**瞳孔括約筋**および**散大筋**である．毛様体筋は**毛様体小帯**の緊張を調節して水晶体の厚みを変える．したがって，**眼の調節機能**にとって重要な要素である．

内層
網膜

網膜は 2 つの層，すなわち⑴**外層の色素上皮層**と⑵**内層の網膜神経部**（脳層）からなっている．網膜の後ろ 2／3 は，光を感じることができるが（網膜視部），残りの前方 1／3 は**光を感じ取れない**（網膜毛様体部と虹彩部）．両者の境は鋸の歯状をしており，**鋸状縁** ora serrata（ギリシャ語 *ora*［=edge, 端］, *serrata*［=saw-like, 鋸のような］）とよばれる．

網膜には，光を受容するニューロンである**視細胞**（杆体と錐体），**伝達ニューロン**（双極細胞，神経節細胞）そして**連合ニューロン**（水平細胞とアマクリン細胞），さらに**神経膠細胞**であるミュラー細胞が存在している．

1 つの眼球に杆体および錐体はおよそ 1.25×10^8 個あるが，神経節細胞は 1×10^6 個ほどしかない．杆体や錐体の数は網膜の部位によって異なっており，最も解像度が高い**中心窩**（径 0.5mm）**には錐体だけが存在している**．網膜の神経節細胞から出た軸索は網膜表面を走り，**視神経乳頭**（**視神経円板**）に集まり，強膜に開いた多数の穴（**篩板**）を通って眼球を出て，**視神経**を形成する．

ある．

眼杯の前縁付近では，内層と外層の両方の細胞層が，**毛様体**と**虹彩**の**後側の上皮層**（**網膜虹彩部** retinal iris と**網膜毛様体部** retinal ciliary body）を形成する．この上皮層から，**瞳孔括約筋** sphincter pupillae muscle と**瞳孔散大筋** dilator pupillae muscle が形成される．

眼杯の内層は網膜神経部となり，**視細胞** photosensory cell，**双極細胞** bipolar neuron，および**神経節細胞** ganglionic neuron など（**水平細胞** horizontal cell，**アマクリン細胞**［**無軸索細胞**］amacrine cell，神経膠細胞である**ミュラー細胞** Müller cell も含む）に分化する．神経節細胞の軸索は網膜の**神経線維層** nerve fiber layer をつくり，眼茎に集まって眼杯裂を満たし**視神経** optic nerve となる．眼杯裂は，眼杯に出入りするものの通り道となる．

眼球の外層：強膜と角膜（図 9.4）

強膜 sclera は 0.4〜1.0 mm ほどの厚さで，線維芽細胞によってつくられたコラーゲン線維と弾性線維からなる線維層である．内側面は脈絡膜に面しているが，間にある**脈絡上板** suprachoroidal lamina として知られる疎性結合組織と弾性組織の薄い層が両者を隔てている．6 つの外眼筋の停止腱は，強膜の外層に付着している．

角膜（図 9.5）

角膜 cornea は厚さが 0.8〜1.1 mm で，強膜より小さな曲率半径をもつ．角膜は透明で血管はないが，きわめて豊富な神経終末をもっている．

角膜の前面は，角膜上皮細胞上の微絨毛によって保持されてい

図 9.5 | 角膜

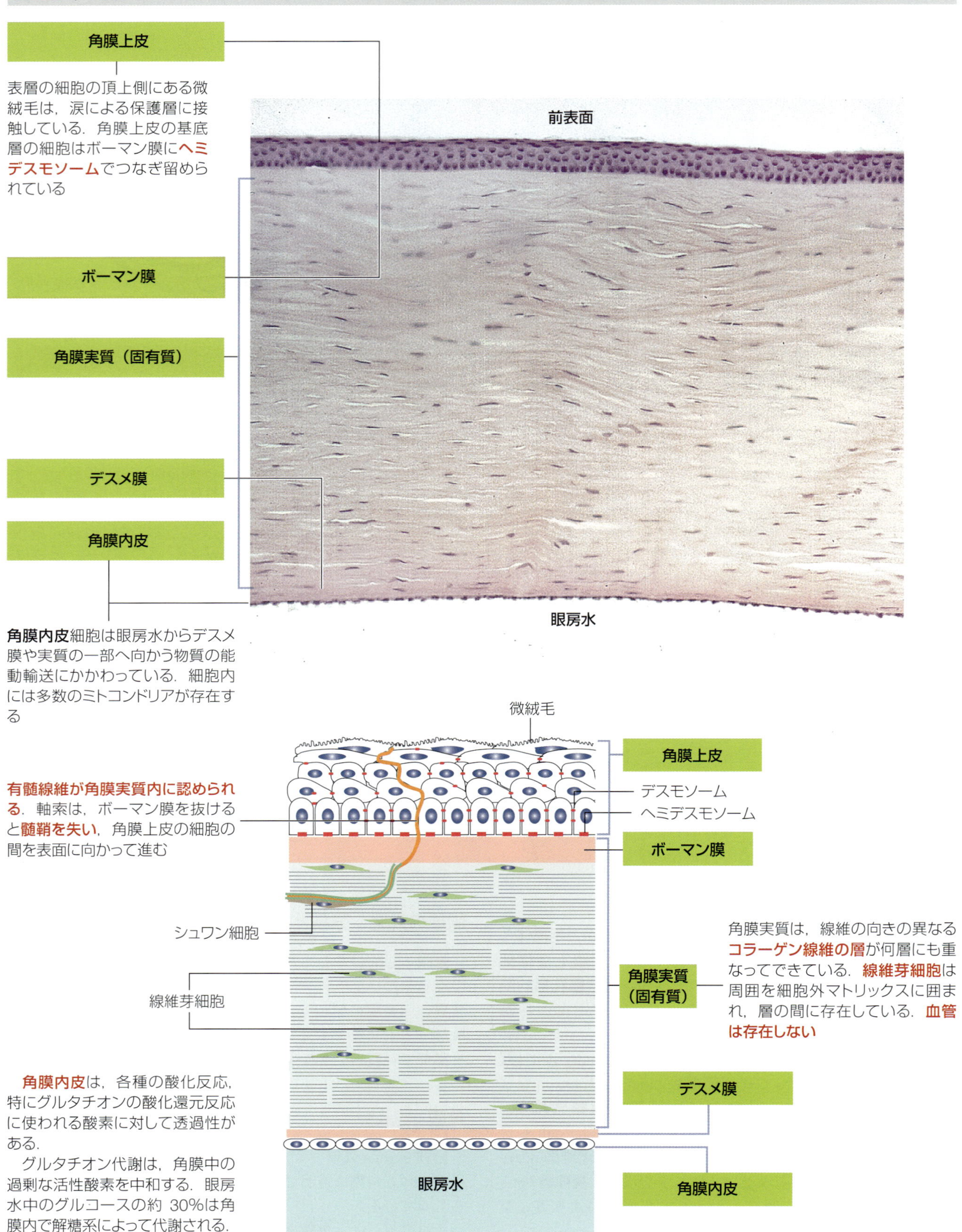

角膜内皮は，各種の酸化反応，特にグルタチオンの酸化還元反応に使われる酸素に対して透過性がある．

グルタチオン代謝は，角膜中の過剰な活性酸素を中和する．眼房水中のグルコースの約 30％は角膜内で解糖系によって代謝される．

図 9.5 ｜ 角膜（続き）

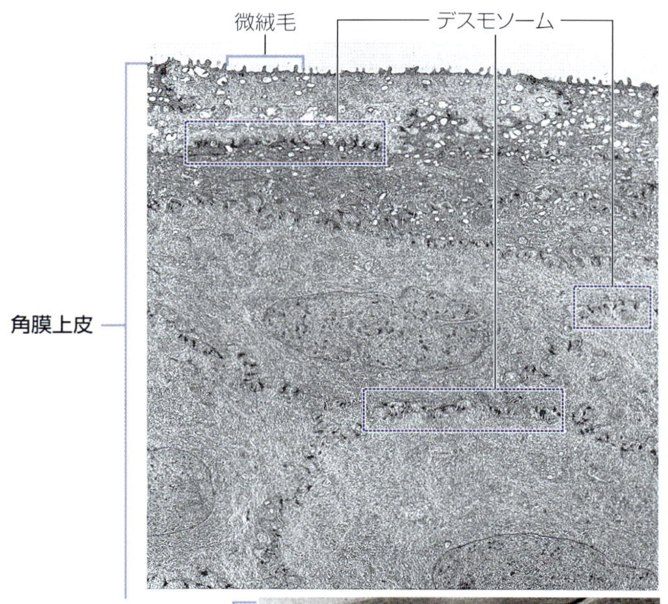

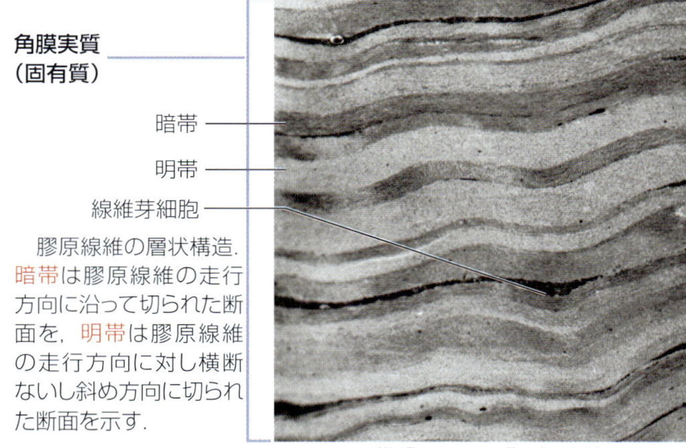

膠原線維の層状構造．暗帯は膠原線維の走行方向に沿って切られた断面を，明帯は膠原線維の走行方向に対し横断ないし斜め方向に切られた断面を示す．

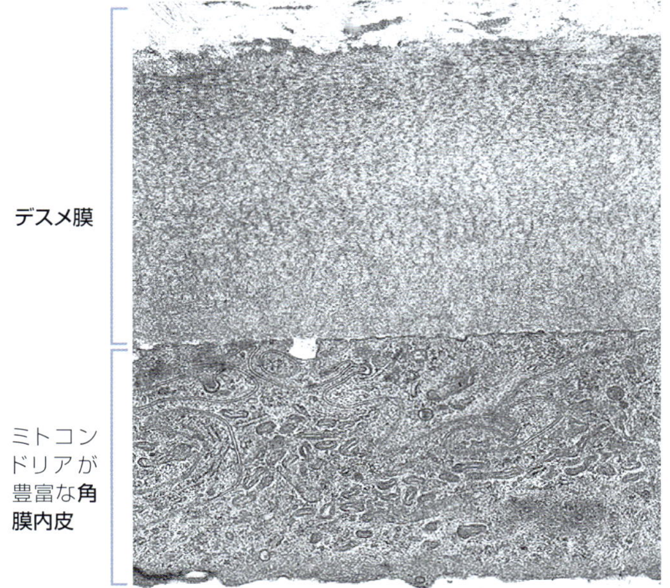

電子顕微鏡写真：Hogan MJ, Alvarado JA, Weddell JA: Histology of the Human Eye. Philadelphia, WB Saunders, 1971 より．

る涙の薄い層があるために常に湿っている．角膜は移植しても宿主の免疫反応によって拒絶されない数少ない器官の 1 つである．これは，角膜に血管とリンパ管がないためとされる．角膜は以下の 5 つの層からなる：

1. **角膜上皮** corneal epithelium.
2. **ボーマン膜（前境界板）** membrane of Bowman.
3. **角膜実質** stroma あるいは**固有質** substantia propria.
4. **デスメ膜（後境界板）** membrane of Descemet.
5. **角膜内皮** corneal endothelium.

角膜上皮は 5～7 層の細胞からなる角化しない重層扁平上皮で，各細胞間はデスモソームで連結され，最表層の細胞は**微絨毛** microvilli をもっている．

角膜の上皮は，神経の自由終末が多数存在するため刺激に対して非常に鋭敏で，傷の治癒能力がきわめて高い．**角膜輪部** limbus は角膜と強膜の移行部で，角膜上皮はここで結膜の上皮に移行する．

角膜上皮の深層の細胞の細胞質には**ケラチン 5** keratin 5 と**ケラチン 14** keratin 14（K5 と K14）が発現されているが，これらは表層の細胞では角膜に特異的な K3 と K12 に置き換わる．

角膜上皮は，**角膜輪部幹細胞** limbus stem cell（**LSC**）によって常に新しい細胞が供給されている．LSC は角膜輪部から角膜中央に向かって横方向に移動する．LSC の機能不全が起こると，角膜の透明性が失われ，角化した表皮様の上皮となって，一部または完全な失明を引き起こす．

ボーマン膜 Bowman's layer は厚さ 6～9 μm，I 型コラーゲン線維からなり，弾性線維を欠いている．この膜は透明で再生能力をもたない．ボーマン膜は角膜実質とは別構造と区別されるが，実際にはその最外層に他ならず，「膜」ではなく「層」に近い．ボーマン膜は外傷や細菌侵入に対する防護層となっている．

透明度の高い**角膜実質** stroma あるいは**固有質** substantia propria は，角膜の厚さのおよそ 90% を占める．**I 型**および **V 型コラーゲン**線維の束がつくる薄い層が，線維の向きを変えながら何重にも重なって，変形や外傷に耐える丈夫な**格子状**の構造をつくっている．

線維の各層は，**コンドロイチン硫酸** chondroitin sulfate や**ケラタン硫酸** keratan sulfate を含む**ムコ多糖タンパク質** proteoglycan に富んだ細胞外マトリックスによって隔てられている．

角膜上皮に向かう神経線維もこの層にみられる．

デスメ膜 Descemet's membrane は体内で最も厚い基底膜（厚さ 5～10 μm）の 1 つで，角膜内皮細胞によってつくられ，六角形の線維配列を特徴とする **VII 型コラーゲン** type VII collagen を含んでいる．

角膜内皮 corneal endothelium はデスメ膜の後側に沿って並び，前眼房に面している．単層の扁平上皮であるが，細胞間は物質を通さないようになっており，眼房水が角膜実質に入ることを防いでいる．角膜の透明性を保つうえで，角膜内皮の構造と機能が正常であることが重要である（Box 9.B）．

中層：ブドウ膜（眼球血管膜）（図 9.4，9.6～9.8）

ブドウ膜 uvea（眼球血管膜）は，血管に富み，色素をもつ層で，以下の 3 つの部位に分けられる（図 9.4；Box 9.C）：

1. **脈絡膜** choroid.

2. **毛様体** ciliary body.
3. **虹彩** iris.

脈絡膜は以下の3層からなる（図 9.6）：

1. **ブルッフ膜** Bruch's membrane はコラーゲン線維と弾性線維がつくる網状構造と基底板からなり，脈絡膜の最内層を構成する．基底板は網膜色素上皮細胞とその外側の**有窓型毛細血管** fenestrated capillary の内皮細胞に由来する．
2. **脈絡毛細管板** choriocapillary-layer は，網膜の外層部や中心窩に酸素と栄養を供給する有窓型毛細血管を含む．
3. **脈絡膜固有質** choroidal stroma は，コラーゲン線維や弾性線維に囲まれた径の大きな動脈と静脈，線維芽細胞，少数の平滑筋細胞，自律神経細胞，およびメラニン細胞からなる．

毛様体 ciliary body は，鋸状縁より前方で脈絡膜と網膜が眼球内に盛り上がってつくられる構造であり，以下の2部からなる：

1. **ブドウ膜部** uveal portion.
2. **神経上皮部** neuroepithelial portion.

ブドウ膜部はさらに以下の3つの要素からなる：

1. 脈絡膜外層部が前方へ続く部分で，**毛様体外層** supraciliaris としても知られる．
2. **毛様体筋** ciliary muscle．輪状の平滑筋組織で，**これが収縮すると，水晶体を支えている靱帯である毛様体小帯** ciliary zonule **が弛緩する**．
3. 毛様体筋へ血液を供給する**有窓型毛細血管** fenestrated capillary の層．

神経上皮部は2層の毛様体上皮を形成する：

1. 外層で，網膜色素上皮の続きの**色素上皮細胞層** pigmented epithelial layer．この層は，ブルッフ膜の続きの基底板で支持されている．
2. 内層の**無色素上皮細胞層** non-pigmented epithelial layer．この層は網膜神経部の続きである．

これら2つの色素上皮層と無色素上皮層の特徴は以下のとおり：

1. **2つの層の細胞は先端面を向かい合わせている**．
2. 二重の上皮層は後方部では平坦であるが（平坦部），前方部ではヒダ状（ヒダ状部）になり，**毛様体突起** ciliary processes を形成する．
3. **眼房水**は有窓型毛細血管によって養われる毛様体突起の上皮細胞から分泌される（図 9.8）．

虹彩 iris は毛様体の続きで，水晶体の前に位置している．その位置で，虹彩は，眼房水が後眼房から前眼房に入る門としての役割と眼内に入る光の量を調整する役割をもっている．

虹彩は，以下の2つの部分に分けられる（図 9.7）：

1. **前ブドウ膜面** anterior uveal あるいは**虹彩間質** stromal とよばれる前面．
2. 後面の**神経上皮面** neuroepithelial.

前ブドウ膜面は間葉由来で不規則な凹凸があり，細胞外マトリックスに埋まった**線維芽細胞** fibroblast と**メラニン細胞** melanocyte からなっている．メラニン細胞の量によって虹彩の色が決まる．アルビノでは，豊富な血管があるため虹彩はピンク色にみえる．虹彩の血管は放射状に走り，瞳孔径の変化による収縮や伸展に対応できるようになっている．

後面（内面）の**神経上皮面**は**2層の色素上皮細胞層**からなる．毛様体の色素上皮細胞層の続きにあたる外層は，**瞳孔散大筋** dilator pupillae muscle に分化する**筋上皮細胞** myoepithelial cell からなっている．**瞳孔括約筋** sphincter pupillae muscle の**平滑筋**は，瞳孔周囲の虹彩間質の中に存在している．

眼球内の3つの部屋（図 9.1，9.9，9.10）

眼球内には，以下の3つの部屋がある：

1. **前眼房** anterior chamber.
2. **後眼房** posterior chamber.
3. **硝子体腔** vitreous cavity.

前眼房は，前方は**角膜内皮**，後方は**虹彩前面**と**水晶体瞳孔部**，および**毛様体基部**で囲まれた腔である．前眼房の辺縁部には**線維柱帯** trabecular meshwork があり，眼房水の**シュレム管** canal of Schlemm への排出口となっている（図 9.9，9.10）．

後眼房（図 9.9）は，前方は**虹彩後面**，後方は**水晶体前面**と**毛様体小帯**に囲まれた腔である．辺縁部は眼房水を分泌する**毛様体突起**で占められている．

Box 9.B | 角膜移植

- **角膜移植** corneal transplantation（**全層角膜移植** penetrating keratoplasty ともよばれる）は最も普及している臓器移植の1つで，成功率は90％を超える．
- この高い成功率には，以下のような角膜や眼球のさまざまな特徴や微小環境が関与している：

(1)**クラスⅡ主要組織適合抗原** major histocompatibility complex（MHC）class Ⅱの発現が無視できるか全くない．

(2)**角膜が免疫抑制因子を分泌し**，Tリンパ球と補体の活性化を阻止している（第10章参照）．

(3)角膜の細胞が **Fas リガンド** Fas ligand を発現し，角膜に対して炎症を起こすような細胞をアポトーシスによって殺して排除している（第3章「アポトーシス」の項参照）．

(4)角膜には**ランゲルハンス細胞** Langerhans cell（第11章参照）や**抗原提示細胞** antigen presenting cell がほとんどない．

(5)角膜には**血管もリンパ管も存在せず**，免疫系の細胞や液性因子が角膜にやってこない．

(6)**角膜輪部幹細胞** limbus stem cell が傷ついた角膜の修復を担当する．

Box 9.C | ブドウ膜（眼球血管膜）

- **ブドウ膜（眼球血管膜）** uvea は臨床的に重要である．**ブドウ膜炎** uveitis と総称されるいくつかの炎症性疾患がここで起こる．虹彩（**虹彩炎** iritis），毛様体（**毛様体炎** cyclitis），脈絡膜（**脈絡膜炎** choroiditis）が炎症の場となる．
- ブドウ膜炎は，**免疫原性の疾患**や**感染症**に続発して起こることがある（例えば**サイトメガロウイルス感染** cytomegalovirus など）．脈絡膜炎に伴う滲出液によって，網膜剝離が惹起されることがある．また，炎症によって脈絡膜が傷害されると，脈絡膜血管系に栄養供給を依存している視細胞の変性が起こる．
- 脈絡膜に多数存在しているメラニン細胞から，**眼球メラノーマ（悪性黒色腫）** ocular melanoma が発生することがある．これは，全身転移を起こす悪性度の高い腫瘍である．

図 9.6 | 脈絡膜

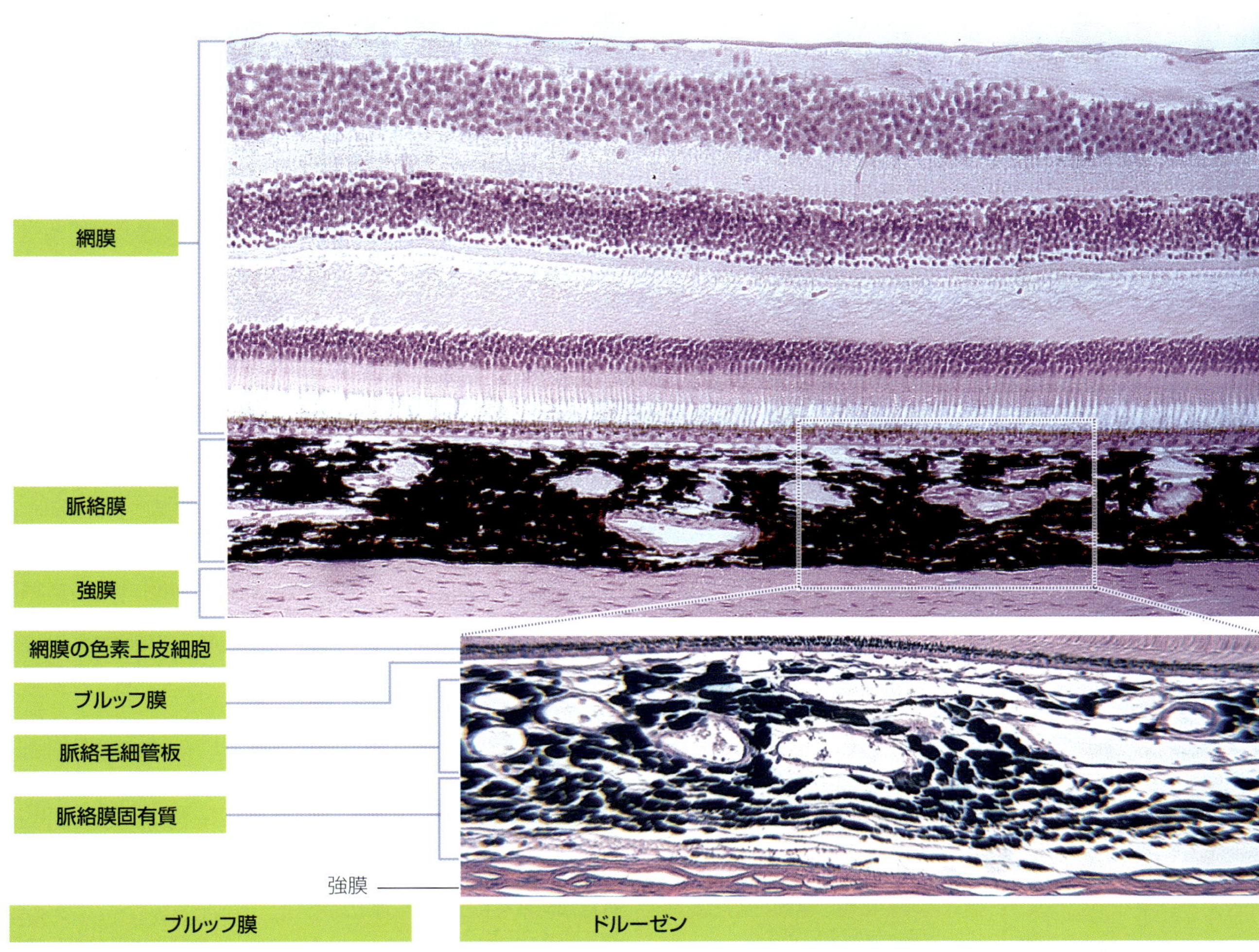

ブルッフ膜

ブルッフ膜は以下の要素で構成される：

1. 網膜の**色素上皮細胞の基底板**.
2. 1 の外層にある**コラーゲン線維と弾性線維**.
3. 外層にある脈絡膜毛細血管の**内皮細胞の基底板**.

ドルーゼン

大きな**ドルーゼン** drusen（ドイツ語で「石のような小結節」という意味）がブルッフ膜の内側に蓄積すると，視細胞と血管との間の距離が遠くなる．距離が離れすぎると，酸素や栄養不足に陥った色素上皮細胞や視細胞の変性が起こる．

加齢黄斑変性で最初に現れる徴候がドルーゼンの形成である．ドルーゼンに含まれるタンパク質としては，アポリポタンパク質 E，βアミロイド（補体第 1 因子：C1 に結合）およびビトロネクチンなどがある．

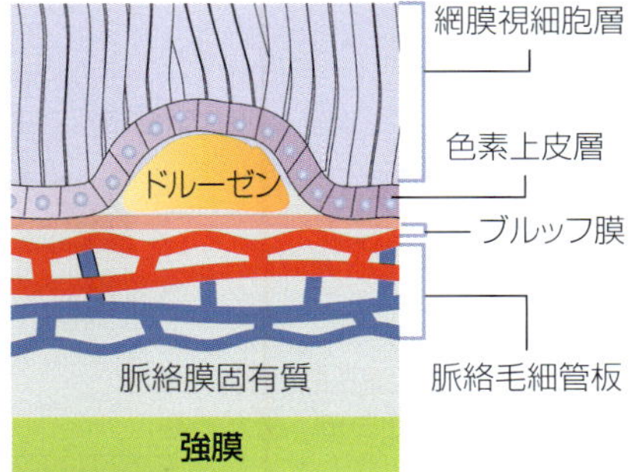

脈絡毛細管板

この層の毛細血管は動脈（後毛様体動脈の枝）や静脈（渦静脈に連なる）と脈絡膜固有質中で連絡する．

脈絡毛細管板は，網膜の外層部に栄養を供給する．

脈絡膜固有質

脈絡膜固有質には，コラーゲン線維，少数の平滑筋細胞，自律神経のニューロン，動静脈，メラニン細胞が存在する．

メラニン細胞の量には個人差があり，色の濃い人は多く，薄い人は少ない．

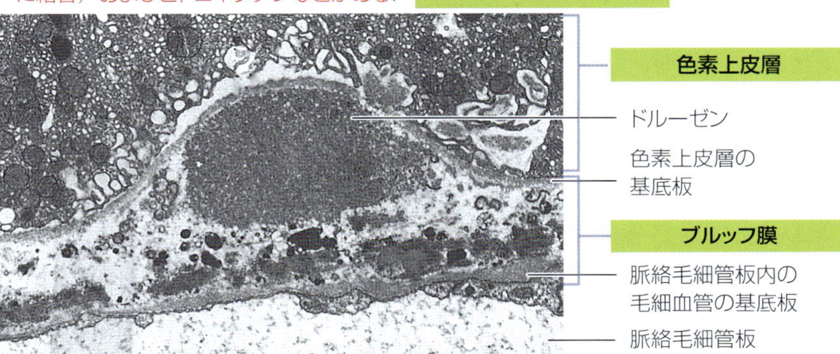

電子顕微鏡写真：Hogan MJ, Alvarado JA, Weddell JA: Histology of the Human Eye. Philadelphia, WB Saunders, 1971 より．

図 9.7 | 毛様体

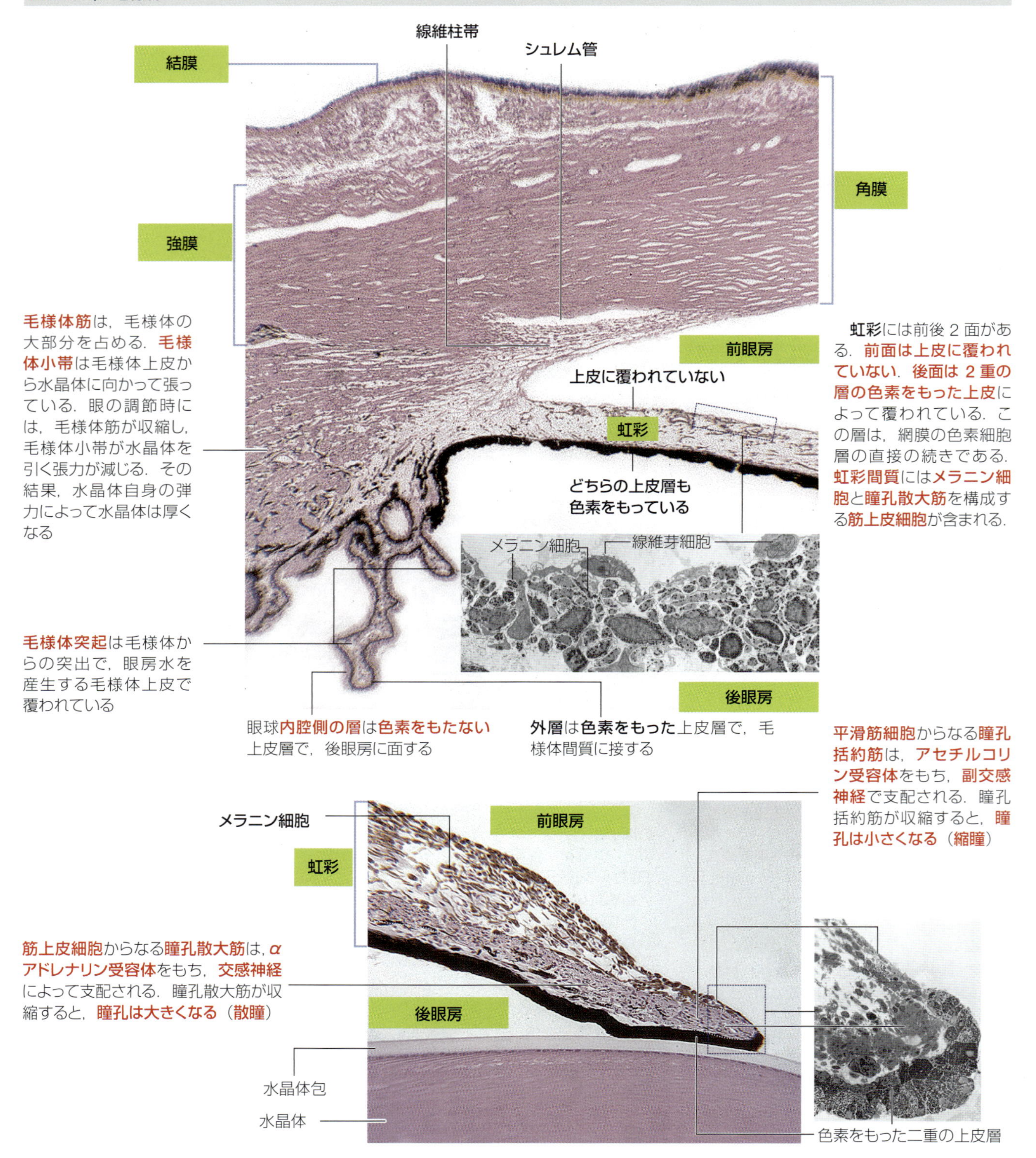

毛様体の上皮層は，網膜が鋸状縁を越えて前方へ張り出したものであり，毛様体の眼球内腔面を覆う．内外 2 つの層が区別される．(1) 眼球**内腔面側の色素をもたない上皮**は網膜神経部の延長で，後眼房に面している．(2)**外層の色素をもった上皮**は色素上皮層の続きで，毛様体間質に接している．毛様体上皮が虹彩の基部に近づくと，内側の上皮にも色素の蓄積が認められるようになり，内外両層とも色素をもつようになる．**眼房水は，毛様体上皮細胞によって分泌される**．これらの上皮細胞は**有窓型毛細血管**によって養われている．この図では毛様体突起についている毛様体小帯はみられないが，図 9.11 でみることができる．

電子顕微鏡写真：Hogan MJ, Alvarado JA, Weddell JA: Histology of the Human Eye. Philadelphia, WB Saunders, 1971 より．

図 9.8 | 毛様体上皮と眼房水の分泌

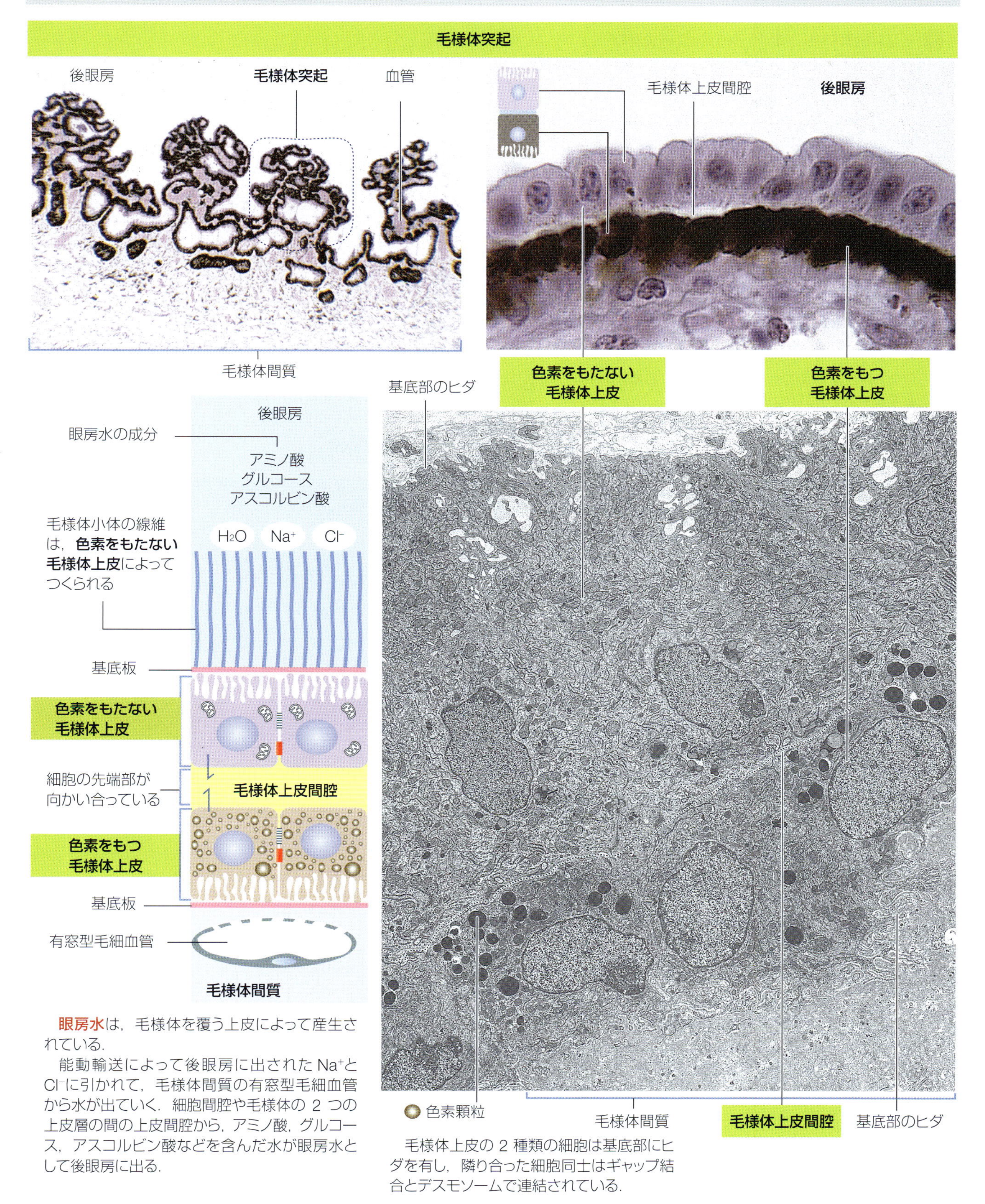

眼房水は，毛様体を覆う上皮によって産生されている．

能動輸送によって後眼房に出されたNa^{+}とCl^{-}に引かれて，毛様体間質の有窓型毛細血管から水が出ていく．細胞間腔や毛様体の 2 つの上皮層の間の上皮間腔から，アミノ酸，グルコース，アスコルビン酸などを含んだ水が眼房水として後眼房に出る．

毛様体上皮の 2 種類の細胞は基底部にヒダを有し，隣り合った細胞同士はギャップ結合とデスモソームで連結されている．

電子顕微鏡写真：Hogan MJ, Alvarado JA, Weddell JA: Histology of the Human Eye. Philadelphia, WB Saunders,1971 より．

図 9.9 | 眼房水が流れる経路

1 矢印は**毛様体突起を覆う上皮によって産生された眼房水が流れる**経路を示している.

2 眼房水は後眼房から瞳孔を通って前眼房に入り，虹彩角膜角（隅角）部で線維柱帯を経由してシュレム管に入る．**シュレム管は，内皮によって覆われている**．眼房水は薄い内皮に覆われた結合組織性の網目構造である線維柱帯を透過してシュレム管に入る.

3 **房水静脈**はシュレム管に入った眼房水を集め**強膜上静脈**に導く.

眼房水が排出される量は，産生される量と均衡を保っている．このため，眼圧は一定に保たれる（23 mmHg*）.

図中の四角で囲まれたAとBの領域は，それぞれ，下段のシュレム管やその周囲の構造を示す図や電子顕微鏡写真に相当する（**訳注*：日本人の正常値は 10 ～ 21 mmHg である**）.

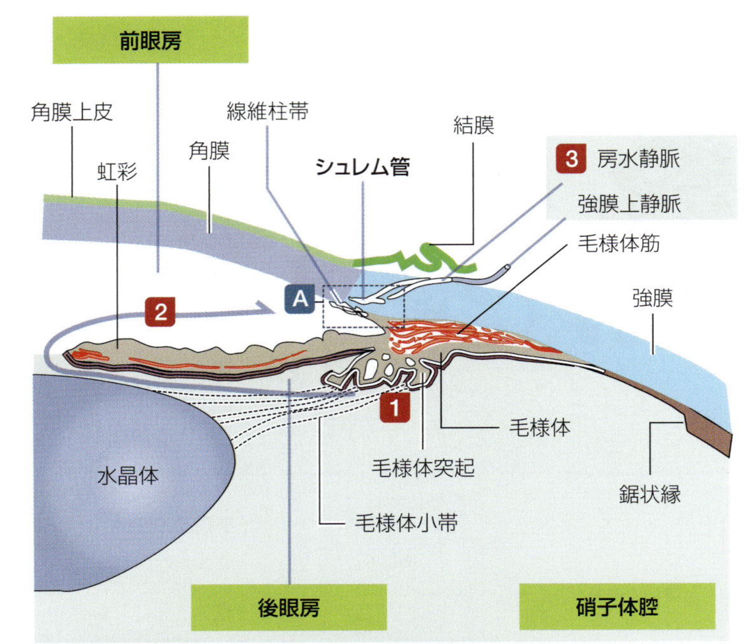

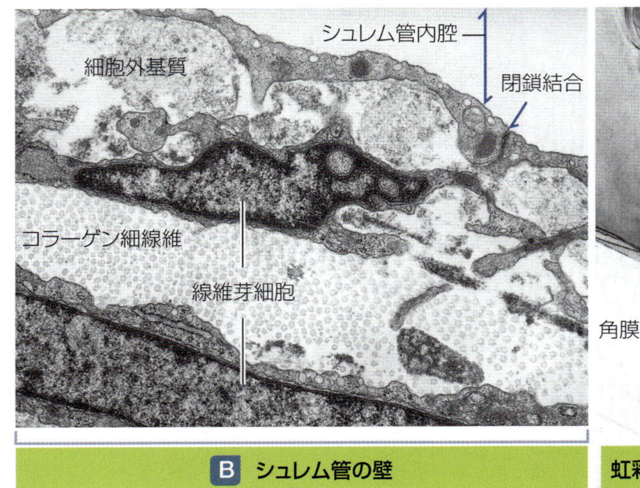

B シュレム管の壁

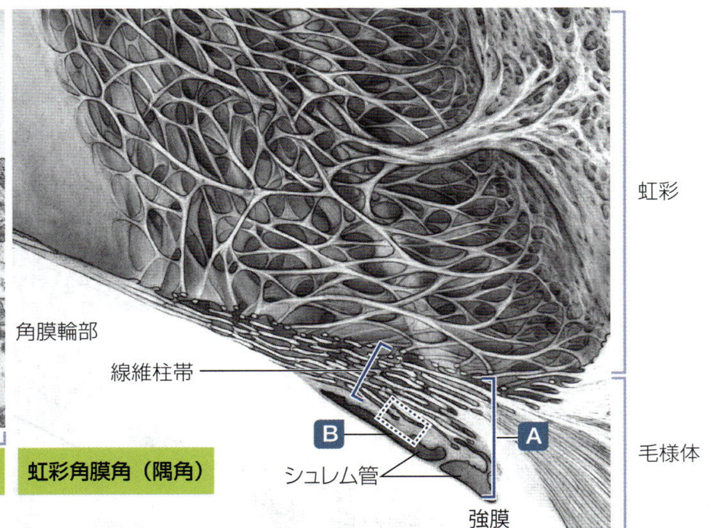

虹彩角膜角（隅角）

電子顕微鏡写真およびモノクロの図：Hogan MJ, Alvarado JA, Weddell JA: Histology of the Human Eye. Philadelphia, WB Saunders,1971 より.

硝子体腔は水晶体と網膜の間の腔で，透明なゲル状の物質の**硝子体** vitreous humor で満たされている．硝子体は眼の構成要素の中で最も多く，角膜から網膜に至る光路の中で最も長い部分がここを通る.

硝子体はほとんど水（99%）で，他に，**ヒアルロン酸** hyaluronic acid と **II 型コラーゲン線維** type II collagen fibrils などが含まれる．II 型コラーゲン線維は軟骨に含まれるコラーゲン線維に近いものである．結合組織の細胞外マトリックスの項で述べたように，ムコ多糖の１つであるヒアルロン酸は，水にきわめて強い親和性をもっている．コラーゲン線維間に存在し，水を多量に保持することができるヒアルロン酸の量によって，硝子体全体の体積が決まる．ヒアルロン酸と II 型コラーゲン線維は**硝子体細胞** hyalocyte によってつくられる.

水晶体（図 9.11）

角膜，3 つの眼内の腔，水晶体の三者はいずれも透明で，光が網膜に到達するまでに必ず通過する構造である．角膜表面は空気と組織の境界面であり，屈折率の差が大きい（屈折力が大きい）．これに対し，水晶体は，屈折率が空気に比べて大きい水で囲まれていることに留意されたい（訳注：屈折率の差が小さいので，水晶体の屈折力は角膜に比べて小さい）.

水晶体 lens は両側が凸面の形をし，血管がなく透明で弾力性がある（図 9.11）．エラスチンと多糖類の基質からなる**毛様体小帯** ciliary zonule が毛様体から起こり，水晶体包の赤道付近に付着している．毛様体小帯は水晶体の位置を保つとともに，眼の**調節** accommodation 時には，毛様体筋の活動による張力の変化を

図 9.10 ｜ シュレム管

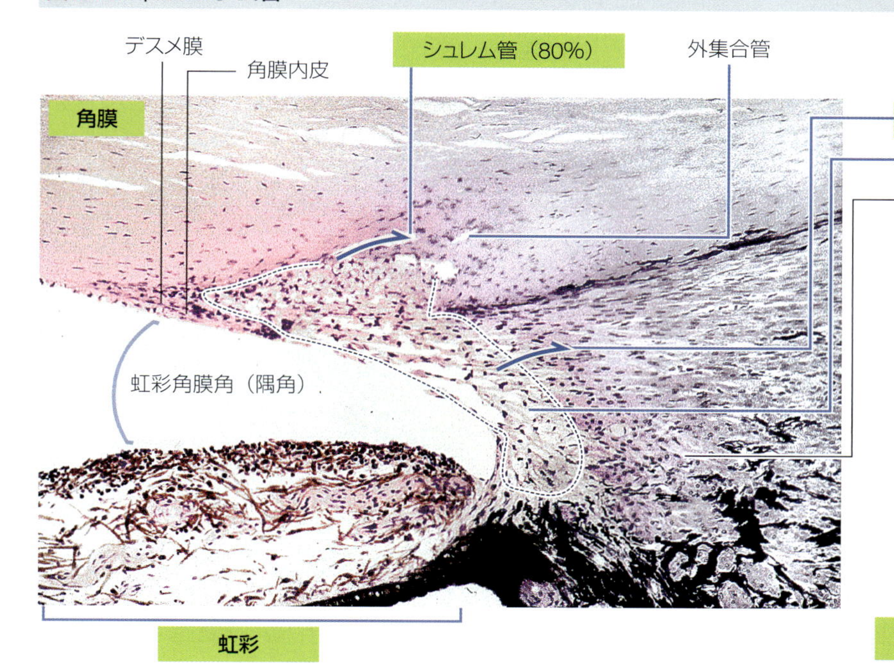

シュレム管は**虹彩角膜角（隅角）**の頂点部で，**完全に1周する**ほぼ**輪状の腔**である．

シュレム管は，毛様体でつくられた眼房水の主な排出路（80%）である．残り（20%）の眼房水は毛様体筋の周囲の疎生結合組織中に浸透していき（**ブドウ膜強膜流**），強膜に達すると，血管やリンパ管で運び去られる．

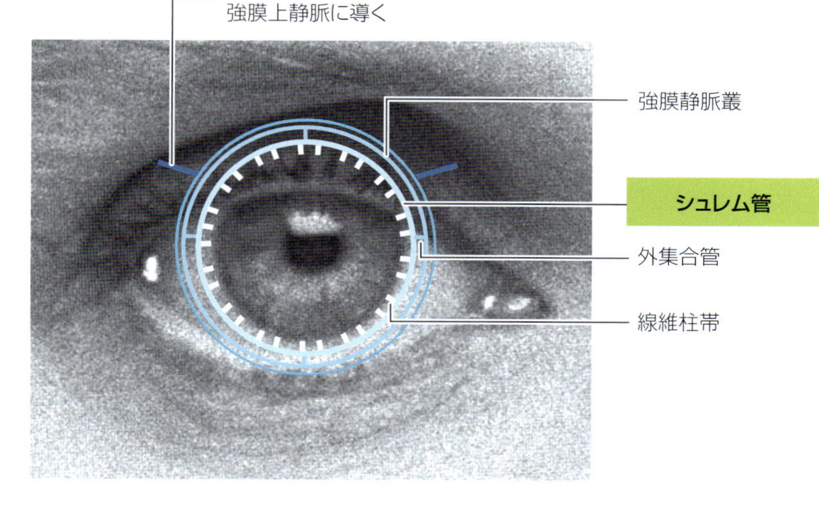

緑内障

眼房水の流出路の閉塞は眼圧の上昇を招き，徐々に網膜を障害し，治療が施されなければ失明につながる．この状態を**緑内障**という．眼の痛みや吐き気が典型的な症状である．

2つの型の緑内障がある：

1. **隅角開放型**は最も多いタイプで，眼房水は線維柱帯を通過できるが，シュレム管に閉塞があるもの．
2. **隅角閉鎖型**は，ブドウ膜の炎症（ブドウ膜炎）などにより，眼房水が隅角の線維柱帯に到達できない状態である．

眼房水の流出路を再建する目的で行われる手術には，レーザー光線を使って角膜縁付近で線維柱帯に小孔を開けるような手術（**レーザー線維柱帯形成術**）もある．

水晶体に伝えて，その形と屈折力を変化させる．毛様体小帯はテントの支柱を支える張り綱のように水晶体を支えている

水晶体は，**水晶体質** lens substance とよばれる殻状あるいは層板状構造が同心円状に積層した構造をしている．水晶体の深部は**水晶体核** lens nucleus，表層部は**水晶体皮質** lens cortex とよばれる．**水晶体の前面には水晶体上皮** lens epithelium **という単層の上皮が存在し，この上皮は水晶体を構成する新しい細胞の供給源となっている**．水晶体の後面には上皮が存在しない．これは，発生初期には上皮が存在するものの，その後消えてしまうためである．水晶体上皮と水晶体質はともに**水晶体包**に包まれている．

水晶体包 lens capsule は，水晶体全体を包んでいる厚く透明で弾力性のある基底膜様の構造である．細胞はなく，**IV 型コラーゲン** type IV collagen fibrils と**ムコ多糖** glycosaminoglycan **性の基質**で構成されている．水晶体包の前方部のすぐ後ろには，単層の**立方上皮**である水晶体上皮が存在している．この上皮は水晶体の前面を覆い，水晶体赤道部付近まで達している．**水晶体の皮質部**には，**水晶体上皮細胞から赤道領域で派生し**，細長く伸展し同心円状に配列した**水晶体皮質線維細胞** cortical lens fiber cell が存在している．水晶体皮質線維細胞には核もオルガネラも存在しているが，線維が水晶体の中心部（**水晶体核線維細胞領域** nuclear lens fiber cell region）に近づくと，それらはなくなってしまう．

水晶体線維細胞の分化は，**コネキシン 43** connexin 43（**Cx43**），**Cx46** connexin 46 および **Cx50** connexin 50 と以下のような特徴的な細胞骨格タンパク質の発現による：

1. 中間径フィラメントでクリスタリンに対する接着部位をもつ**フィレンシン** filensin.
2. 水晶体に特異的なタンパク質の**クリスタリン** crystallin（α，β，γ）である．フィレンシンとクリスタリンは水晶体線維

図 9.11 | 水晶体

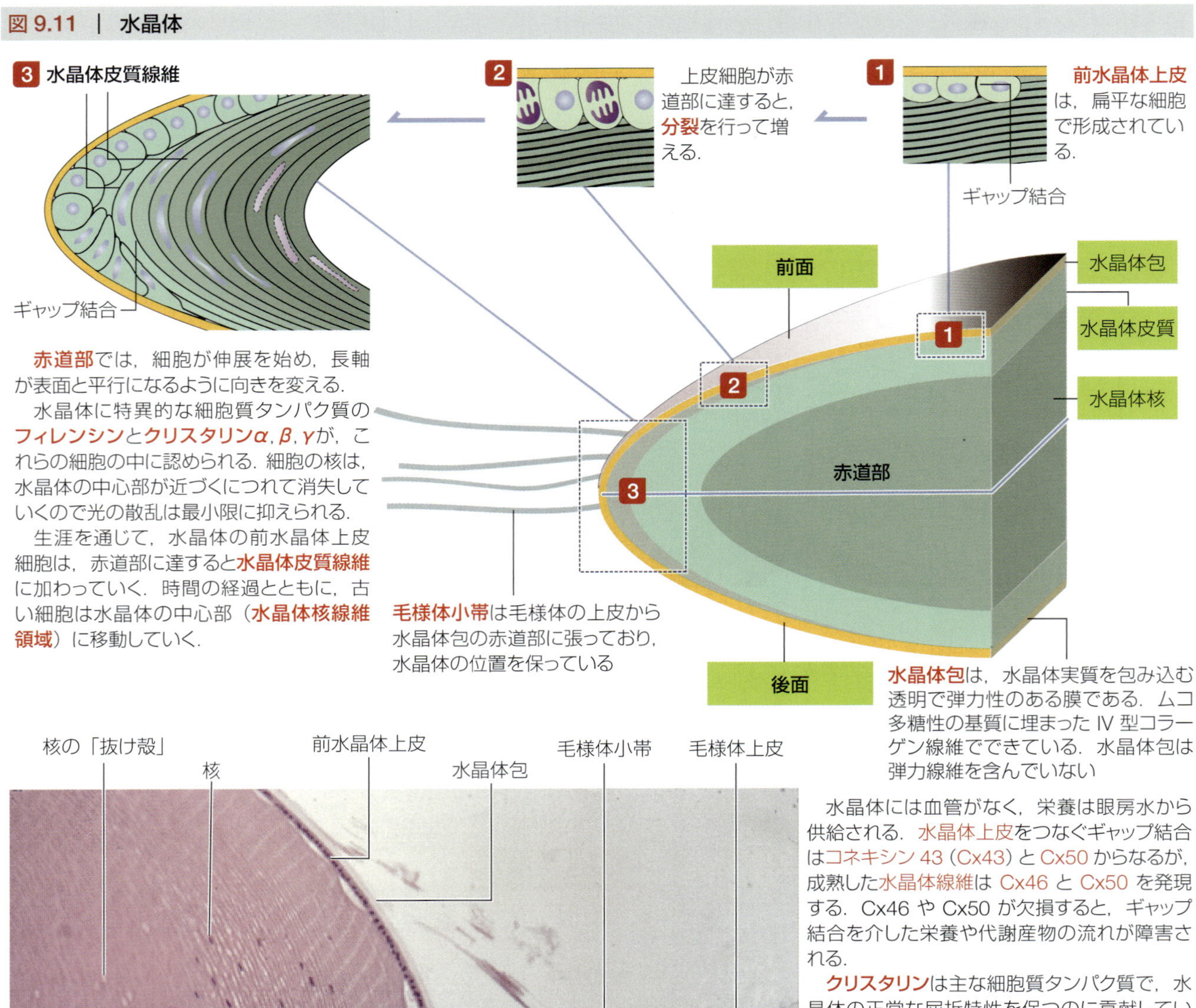

水晶体には血管がなく，栄養は眼房水から供給される．水晶体上皮をつなぐギャップ結合はコネキシン 43（Cx43）と Cx50 からなるが，成熟した水晶体線維は Cx46 と Cx50 を発現する．Cx46 や Cx50 が欠損すると，ギャップ結合を介した栄養や代謝産物の流れが障害される．

クリスタリンは主な細胞質タンパク質で，水晶体の正常な屈折特性を保つのに貢献している．クリスタリンとフィレンシンは**可溶性**タンパク質として水晶体線維細胞の細胞質中に存在している．これらのタンパク質が**可溶性でなくなる**と（加齢や糖尿病による），水晶体に濁りが生じる．この状態は**白内障**として知られる．

水晶体が主に代謝するのはグルコースである．グルコースの濃度が上がると（糖尿病），副産物の**ソルビトール**が蓄積する．過剰なソルビトールはクリスタリンの可溶性を減じ，水晶体を濁らせることになる．

細胞の形と透明性を維持する（Box 9.D）．

水晶体線維細胞は内側の**縫合部** suture region で互いにかみ合う．このような会合部位では，ギャップ結合（Cx46 と Cx50 を含む）が，反対向きの線維細胞の突起同士を連結している．水晶体の皮質の深部や中心部分は，核や細胞内小器官をもたない古い水晶体線維からなる．細胞内小器官をもたないことと水晶体線維が密に詰まっていることで，光の散乱が最小限に抑えられている．水晶体は利用しうるグルコースのうち 80% を代謝する．

調節（図 9.12）

遠くの物も近くの物も，網膜上にくっきりとした輪郭をもって像を結ぶことができるのは，水晶体の**形**が変化するためである．眼の**調節** accommodation とは，**近くの物**に焦点を合わせるときには水晶体がより**丸く厚みを増し**，**遠くの物**に焦点を合わせるときには**薄くなる**過程のことをさす．

調節機能によって，水晶体の焦点距離が変化し，水晶体の中心から網膜までの距離が網膜上に明瞭な像を結ぶために最適な距離になる．

調節機能には以下の 3 つの要素が関与する：

1. **毛様体筋** ciliary muscle.
2. **毛様体** ciliary body.
3. 水晶体の赤道付近に付着する**毛様体小帯** ciliary zonule.

毛様体筋が**収縮する**と，毛様体は水晶体に近づくように盛り上がる．すると，毛様体小帯の**張力が低下**し，弾力性のある水晶体包によって水晶体の**丸みが増す**．丸みを増した水晶体は焦点距離が短くなり，**近くの物がよくみえる**ようになる．

毛様体筋が**弛緩する**と，毛様体は水晶体から遠ざかるので，毛様体小帯の**張力が増す**．その結果，毛様体小帯が水晶体を周りから引っ張るようになるため，水晶体はより**扁平になり，遠くの物がよくみえる**ようになる．この状態は，**正視眼** normal vision, emmetropia（ギリシャ語 *emmetros*［= in proper measure，適正］，*opia*［= pertaining to the eye，目に関する］）とよばれる．

もしも眼軸が長すぎるか水晶体が十分扁平にならなければ，遠

Box 9.D | 白内障

- **白内障** cataract とは，老化に伴い水晶体タンパク質の溶解度が低下することによって引き起こされる水晶体の濁りである．このような状態は，凝集したフィレンシンやクリスタリンによる光の散乱を引き起こし，物をよくみえなくする．白内障は皮質部にも，核や後部の水晶体包下の部分にも起こりうるが，加齢によるものの大部分は，**皮質性白内障** cortical cataracts である．
- 水晶体の濁った部分は，正常な部分に比べて光をより吸収したり散乱させたりするため，網膜上の像の輪郭が滲んだりコントラストが低下したりして，視覚の鋭敏さが失われることになる．
- 白内障に対する手術では，はじめシュレム管の後ろの角膜周囲部を小さく切開する．次に，水晶体包の前面を開いて，水晶体の皮質部と核を超音波で砕いて吸引除去する．このとき，水晶体包の後部は残す．最後に，小さなチューブ状に巻かれた弾力性のあるシリコンの眼内レンズを水晶体包内に挿入し，元の形になるよう展開させる．処置の終了後，切開した小さな傷を縫合する必要はない．

図 9.12 | 眼の調節

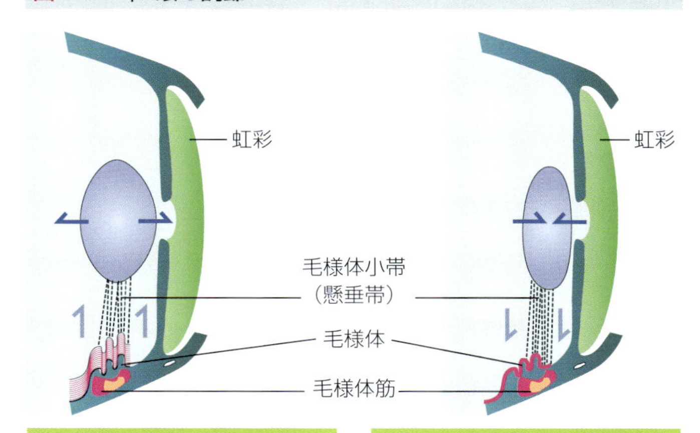

近くをみるとき	遠くをみるとき
1 毛様体筋が収縮する	1 毛様体筋が弛緩する
2 毛様体とそれについている毛様体小帯が水晶体に近づく	2 毛様体とそれについている毛様体小帯が水晶体から遠ざかる
3 水晶体にかかる張力が減じ，自身の弾力で水晶体の厚みが増す	3 水晶体にかかる張力が増し，水晶体は薄くなる

図 9.13 | 網膜の各部位

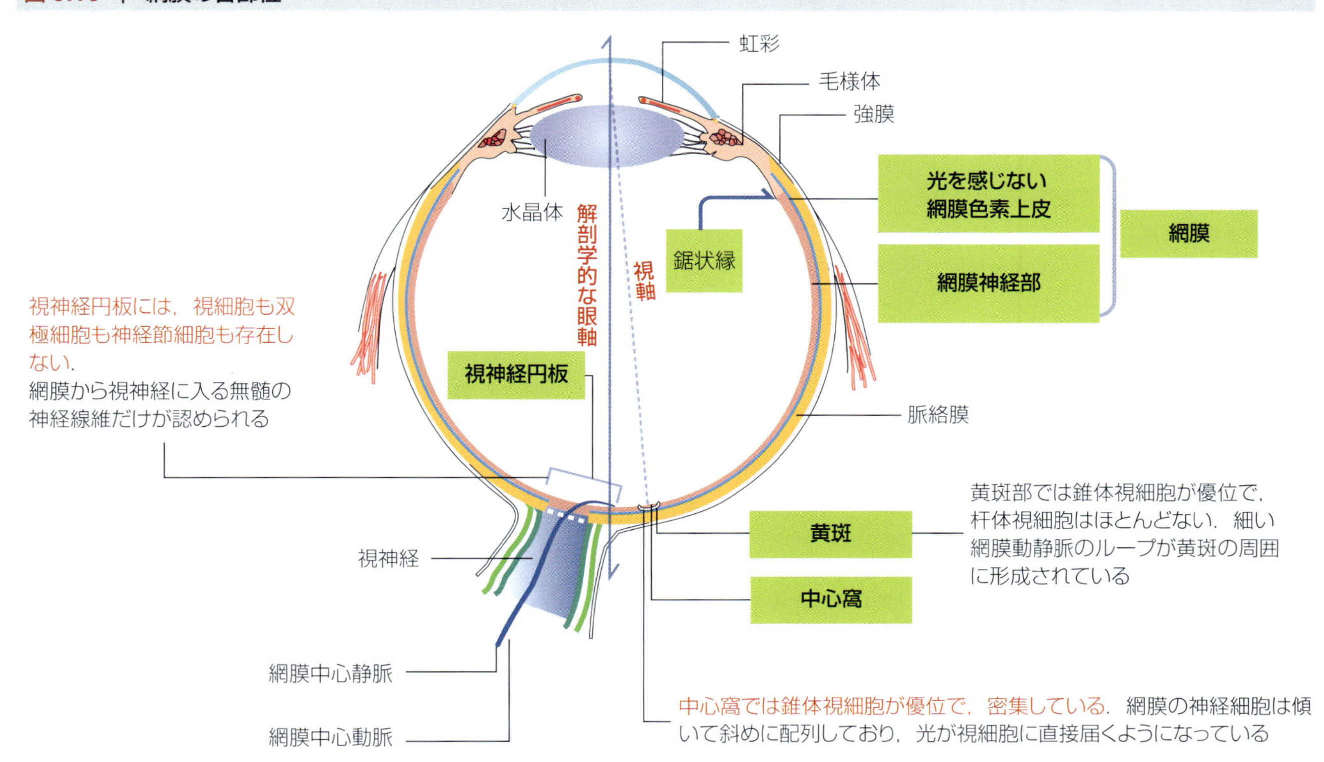

くの物は**網膜面より前**で結像してしまう．この場合，遠くの物は焦点が合わずにボケてしまうが，近くの物は明瞭にみえる．このような状態は**近視** nearsightedness，myopia（ギリシャ語 *myein* [= to shut，閉ざす]）とよばれる．

眼軸が短すぎるか水晶体が扁平すぎるとき，遠くの物は**網膜面より後ろ**で結像する．この場合，遠くの物は明瞭にみえるが，近くの物はみえにくくなる．この状態は**遠視** farsightedness，hyperopia（ギリシャ語 *hyper* [= above，上]）とよばれる．

加齢によって水晶体の弾力性が低下すると，近くの物に焦点が合いにくくなる．これは**老眼** presbyopia（ギリシャ語 *presbys* [= old man，老人]）とよばれる．

調節機能の障害は，眼鏡を使用することによって矯正できる．近視には凹レンズ，遠視には凸レンズが使われる．

内層：網膜（図 9.13～9.15）

網膜 retina は以下の２つの部分からなっている（図 9.13；Box 9.E，9.F）：

1. 外層の**光を感受しない網膜色素上皮** retinal pigmented epithelium.
2. 内層の**光を感受する網膜神経層** neural layer of retina.

網膜色素上皮は単層立方上皮で，**視神経円板**の縁から**鋸状縁**まで広がり，そこから毛様体上皮の色素層に続いていく．

立方上皮の頂上領域（視細胞に向かう面）は**閉鎖結合** tight junction で密封され，物を通さない**血液網膜関門** external retinal barrier を形成している（図 9.14）．

メラニン色素 melanin の顆粒は頂上側の細胞質や突起の中に存在しており，視細胞に達する過剰な光を吸収している．

網膜色素上皮細胞の頂上面には**微絨毛**があって，**視細胞** photoreceptors（錐体と杆体）の外節部分を囲んでいる．

この部分で，網膜神経部と色素上皮細胞は，無構造の細胞外マトリックスである**視細胞間マトリックス** interphotoreceptor matrix を介して接触している（図 9.15）．

内層の網膜神経層は，**視神経円板** optic disk の外側縁から**毛様体上皮**後縁まで広がっている．

ここには，臨床的にも解剖学的にも重要な記憶すべき以下の２つの構造がある：

1. **中心窩** fovea centralis. 径 2.5 mm 程度の浅いくぼみ．
2. **黄斑** macula lutea. 中心窩を囲む黄色をした領域である．

中心窩は，**視軸** visual axis **が通り，最も物を詳細にみることができるところである**．この部位の構造については後でまた触れる．

網膜の細胞層（図 9.14）

網膜神経層には４種類の細胞群がみられる：

1. **視細胞** photoreceptor neuron である**杆体** rod と**錐体** cone.
2. **伝達ニューロン**である**双極細胞** bipolar cell と**神経節細胞** ganglion cell.
3. **連合ニューロン**である**水平細胞** horizontal cell と**アマクリン細胞（無軸索細胞）** amacrine cell.
4. **支持をする神経膠細胞**である**ミュラー細胞** Müller cell.

視細胞：杆体と錐体（図 9.15～9.17）

杆体 rod（図 9.15）と**錐体** cone（図 9.16）は，それぞれ網膜上の特定の部位に分布している．**錐体**は主として**中心窩付近に多く**，色覚と詳細な視覚に関与する．**杆体**は中心窩の**周辺部に多く**，周辺視野と暗所視を担当している．

杆体も錐体も特殊化した構造と機能の極性をもつ細長い細胞で，以下の２つのセグメントからなる：

1. **外節** outer segment.
2. **内節** inner segment.

外節は扁平な**膜性の円板**が積み重なった構造を有し，これらの円板には**視色素** photopigment が含まれている．円板ははじめ細胞膜の陥入によってつくられるが，**結合線毛** modified cilium とよばれる外節と内節をつなぐ細い結合部分から遠ざかるにつれて，この構造は細胞膜から離れ外節の細胞質中で円板状になる．

内節でつくられたさまざまな種類の円板の成分は**モーター分子** molecular motor（**キネシン** kinesins と**細胞質ダイニン** cytoplasmic dyneins）によって運ばれ，細い結合線毛の部分を通って外節に至

Box 9.E | 網膜剥離

- 外傷，血管障害，代謝異常あるいは老化などの原因によって，網膜の２つの層の間が解離すると，**網膜剥離** detachment of the retina となる．網膜剥離は網膜神経部の細胞の生存を脅かすが，レーザー光を用いた手術によって修復することができる．
- 網膜色素上皮と網膜神経部との間が離れることの臨床的な重大性は，色素上皮細胞が以下のような重要な機能を果たしていることから明らかである：
  1. 脈絡膜の血管から網膜神経部の外層部への栄養輸送を行う．
  2. 網膜神経部からの代謝産物を除去する．
  3. 錐体視細胞や杆体視細胞の外節から脱落する視細胞円板を貪食し，再利用する．
  4. 網膜色素上皮が固く接着しているブルッフ膜の基底板成分を産生する．
  5. 光を受容する視色素であるロドプシンの産生に必須の役割を担う．すなわち，色素上皮細胞は光で異性化した**オールトランス型レチノール** all-trans retinol を **11- シス型レチナール** 11-*cis*-retinal に転換し，**間質性レチノイド結合タンパク質** interstitial retinoid binding protein（**IRBP**）を使って視細胞に戻す．IRBP は視細胞間マトリックスに存在する主要なタンパク質の１つである（図 9.15）．

Box 9.F | 網膜

- 網膜は神経外胚葉に由来するので，脳の「出先機関」ということもできる．網膜は，外側の色素上皮細胞層と内側の網膜神経層という２つの細胞層で構成されている．
- 網膜の色素上皮細胞は，単層の立方上皮で，メラニン色素をもっている．
- 網膜神経層は，後ろは視神経円板の縁から，前は毛様体上皮まで広がっている．
- 視神経円板は，網膜から視神経に入る神経線維によってつくられる視神経乳頭を含む．視神経乳頭は視細胞を欠き，網膜の盲点になっている．
- 中心窩は最も解像度の高い視覚受容を行う部位である．

図 9.14 | 網膜の層構造

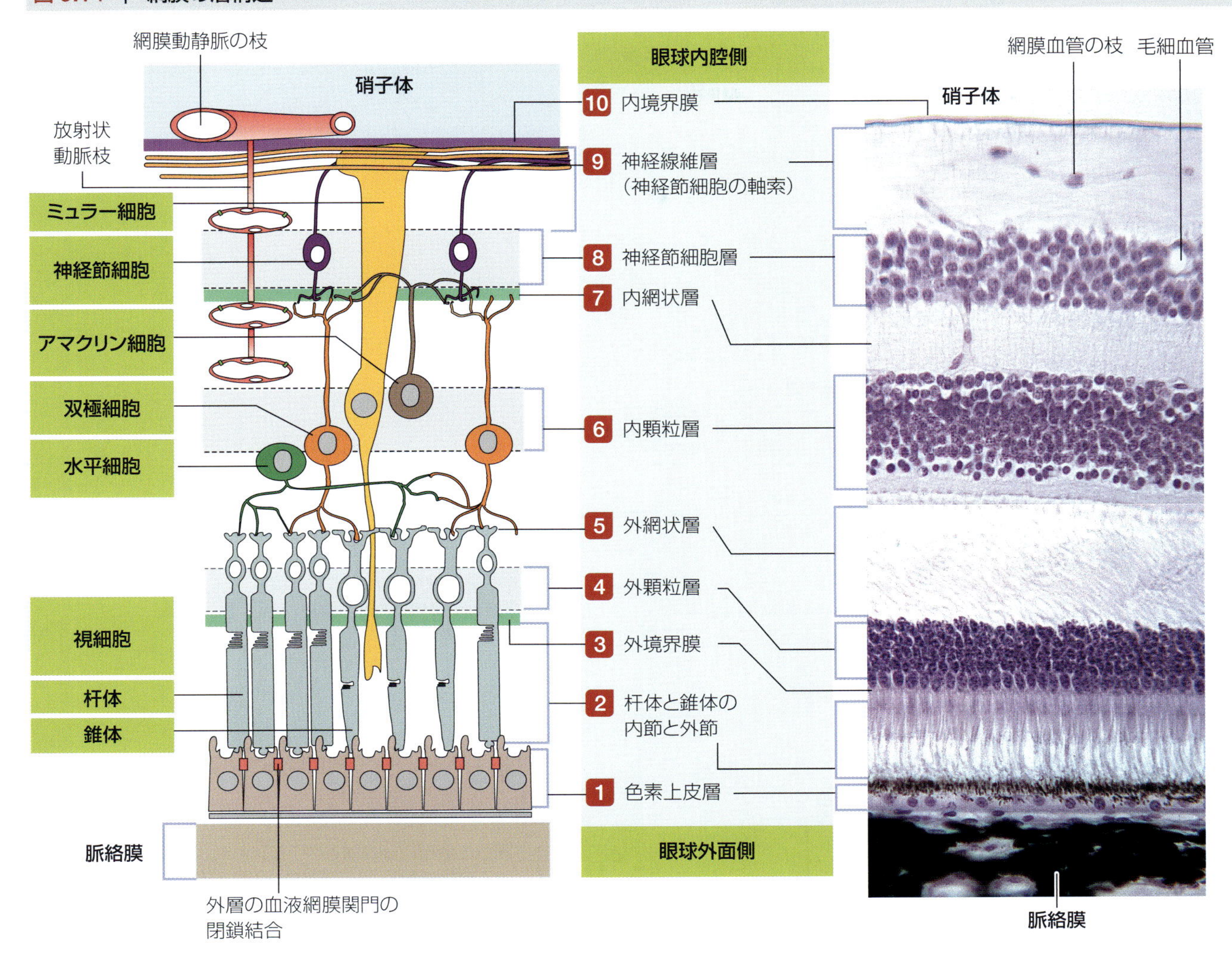

光は，錐体と杆体の視細胞に到達するまでに，網膜の各層を通過する．網膜の光学顕微鏡写真で観察される各層について，各層の細胞間のシナプスも含めて隣の模式図で説明してある．

網膜表面の動脈や静脈から放射状に伸びる枝は，網膜の内腔側の層で**毛細血管床**によって互いにつながっている．**網膜毛細血管床**は**閉鎖結合**で連結された**内皮細胞**によって裏打ちされており，内層の**血液網膜関門**を形成している．**外層の血液網膜関門は，網膜色素上皮細胞同士を連結する閉鎖結合で形成されている**．

以下の点に留意．

- 錐体と杆体の核は，**外顆粒層**に存在している．
- 錐体および杆体の軸索は，**外網状層**に至り，双極細胞の樹状突起とシナプス結合する．
- 双極細胞の核は**内顆粒層**を形成する．
- 双極細胞の軸索は神経節細胞の樹状突起と**内網状層**でシナプス結合する．
- **神経節細胞**の軸索が視神経を構成する．
- **ミュラー細胞**は網膜のほぼ全層にわたって突起を伸ばしている．**内境界膜**はその基底板であり，核は内顆粒層の一部を形成している．
- **外境界膜**は錐体と杆体視細胞，およびミュラー細胞との間の接着複合体（**接着帯**）に相当する．
- **水平細胞**は数個の杆体または錐体とシナプス結合する．
- **アマクリン細胞**は双極細胞の軸索および神経節細胞の樹状突起とシナプス結合する．

る．**線毛内の輸送**のしくみについては第 1 章で述べている．

円板は絶え間なく更新されている．新しい円板は結合線毛の近くで加えられ，古い円板は順次，網膜色素上皮（先端方向）に向かって移動し，最も先端に達すると色素上皮細胞による貪食を受けて脱落する．1 つの円板の寿命は約 10 日間である．

視細胞の**内節**には，ATP の産生を行う多数のミトコンドリア，ゴルジ装置，粗面および滑面小胞体が観察される．結合線毛は周辺の 9 対の微小管（**周辺軸糸** outer doublet microtubules）からなるが，中心にある 1 対の微小管（**中心軸糸** central pair microtubules）を欠いている．視細胞の終末側は神経細胞の軸索終末に相当し，双極細胞や水平細胞の突起とシナプス結合を形成する．

杆体と錐体の間には 3 つの大きな**違い**がある：

1. **杆体の外節は円筒状であるのに対して，錐体の外節は円錐状である．**
2. **杆体**の終末は小さなふくらみで，**杆体小球** rod spherule とよばれ，双極細胞の樹状突起や水平細胞の突起とシナプス結合する．**錐体**の終末はもっと太く，**錐体小足** cone pedicle とよばれ，やはり双極細胞や水平細胞とシナプス結合する．杆体

図 9.15 | 視細胞：杆体

杆体視細胞

結合線毛は視細胞の内節（タンパク質やその他の物質が産生される場）と外節（円板が積層している）をつないでいる．**線毛内の輸送機構**（第 1 章「細胞内骨格」の項参照）は，微小管を基盤とするモーター分子（キネシンと細胞質ダイニン）を用いてタンパク質や小胞などを内部から外節に運んでいる．結合線毛は近位部の産生部位から遠位部の組み立て部位への分子の移動を促進している．

微小管のプラス／マイナスの方向性の違いによって，分子モーターによる順行性および逆行性の輸送が可能となっている．

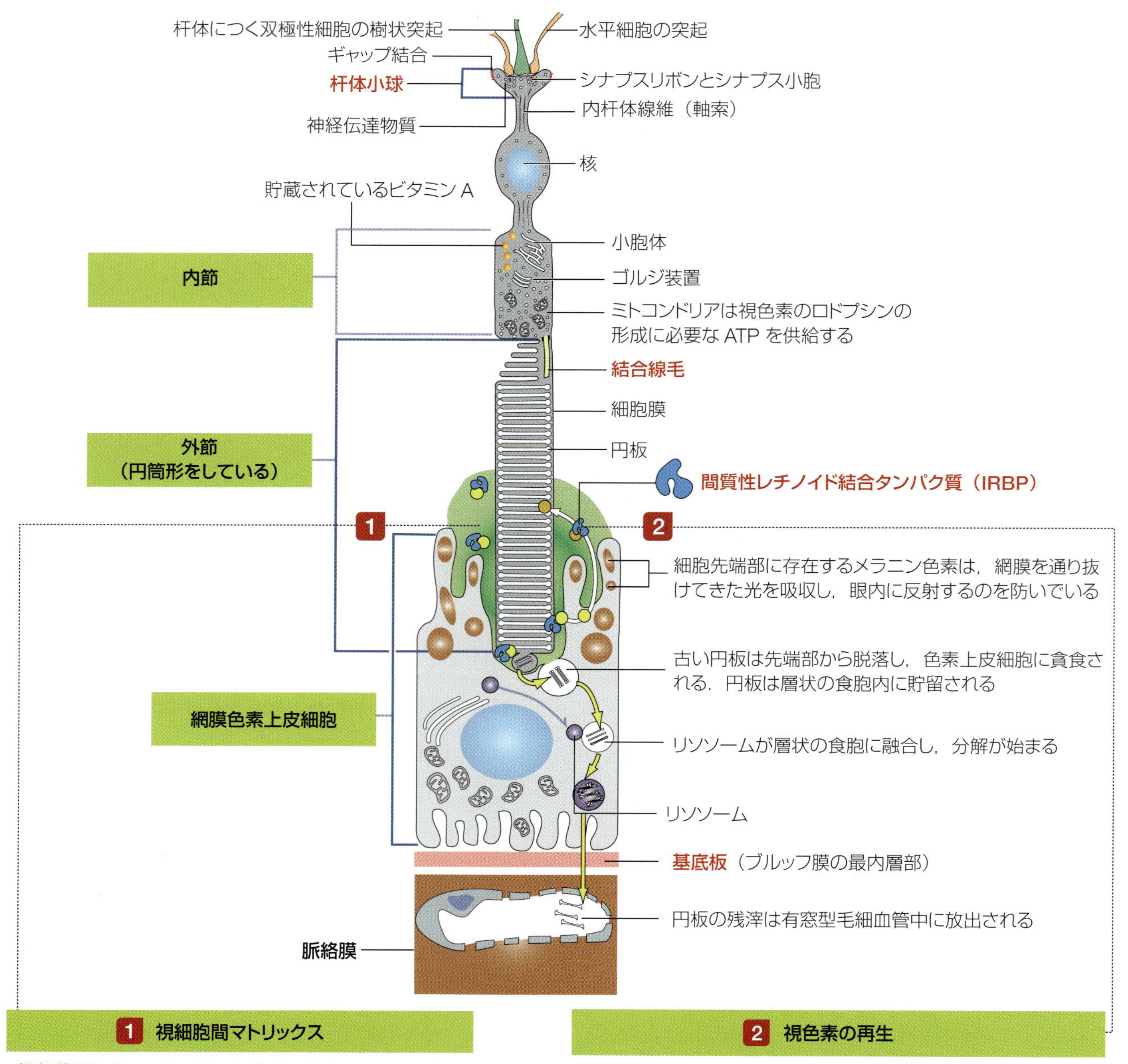

1 視細胞間マトリックス

視細胞間マトリックスは，細胞外に存在するタンパク質，糖タンパク質，ムコ多糖類の混合体で，視細胞の外節部と網膜色素上皮細胞をその粘性で接着している．

このマトリックス中の主なタンパク質に，**間質性レチノイド結合タンパク質**（**IRBP**）がある．IRBP はオールトランス型レチノールを色素上皮に運び，11-シス型レチナールを視細胞に戻す働きをしている．

2 視色素の再生

退色した視色素は**オプシン**と**オールトランス型レチノール**からなる（図 9.17）．視色素の再生は，**色素上皮細胞内**の酵素によってオールトランス型レチノールを **11-シス型レチナール**に戻す過程である．視細胞には，必要な酵素がない．

IRBP は退色によって生じたオールトランス型レチノールを網膜色素上皮細胞に運び，変換された 11-シス型レチナールを視細胞に戻す．視細胞内で11-シス型レチナールはオプシンと結合しロドプシンが再生される．

図 9.15 | 視細胞：杆体（続き）

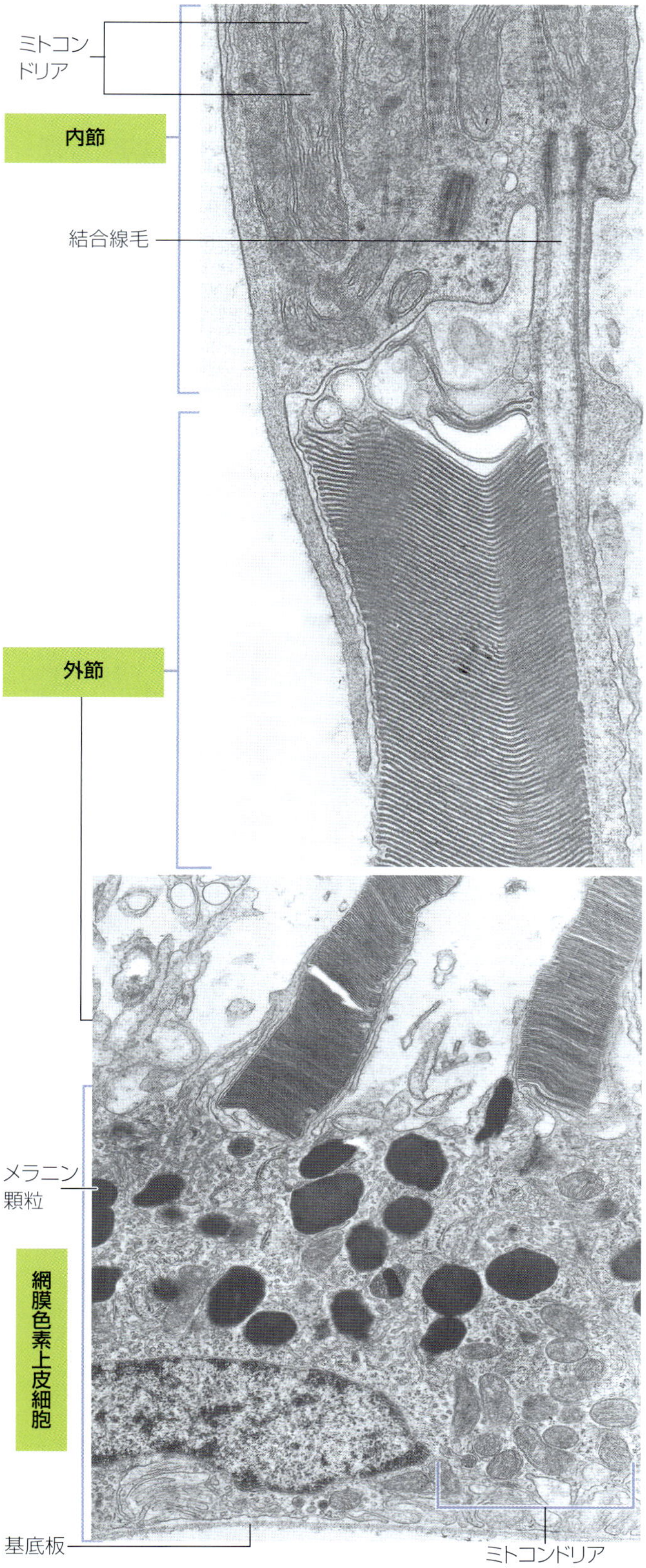

電子顕微鏡写真：Hogan MJ, Alvarado JA, Weddell JA: Histology of the Human Eye.Philadelphia, WB Saunders, 1971 より.

と錐体のシナプス終末（小球と小足）には，**シナプス小胞** synaptic vesicle に囲まれた**シナプスリボン** synaptic ribbon という特異な構造がある（Box 9.G）．さらに，杆体と錐体の終末間には**ギャップ結合** gap junction が存在している．この**錐体－杆体カップリング** cone–rod coupling は，杆体だけが活性化するような暗い光の状態を伝える．

3. 杆体には**ロドプシン** rhodopsin という赤い視色素（図 9.17）が含まれている．錐体の視機能には別の**ヨードプシン** iodopsin というロドプシンよりさらに赤よりの光を吸収する視色素が関係しているようである．ロドプシンもヨードプシンも膜貫通タンパク質で，**補欠分子族** prosthetic group の **11- シス型レチナール** 11-*cis*-retinal と結合している．補欠分子族と結合していないタンパク質だけの場合は，**オプシン** opsin とよばれる．

光が杆体に当たるとロドプシンの色が赤から黄色に変化する．光を吸収することでレチナール発色団の立体配置が，シス型からトランス型へと変化する．光によって 11- シス型レチナールから活性型のオールトランス型レチナールへの異性化が起こることは，錐体でも杆体でも共通の現象である．

錐体における色情報の受容は，ロドプシンと相同の 3 種類の視色素によるものである．各色素はそれぞれ異なる光の吸収波長をもち，青（420nm），緑（535nm），赤（565nm）の光に感受性を有する．

伝達ニューロン：双極細胞と神経節細胞（図 9.18）

双極細胞は，水平細胞と錐体または杆体視細胞との相互作用で得られた情報を受け取る．**神経節細胞**は網膜からの出力神経細胞

Box 9.G | シナプスリボン

- リボンシナプスにみられるシナプスリボン synaptic ribbon とは，視細胞のシナプス前膜近くにみられる細長い電子密度の高い構造で，多数の神経伝達物質を入れたシナプス小胞に囲まれている．1 つの神経終末には最大 100 個ほどのリボンが存在する．
- リボンシナプスは神経伝達物質の迅速な放出を長時間にわたって維持するために特殊化している．
- シナプス小胞はリボンにつなぎ留められていたり，つなぎ留められていない（遅れて放出するため），あるいはシナプス前膜に近接している（すぐに放出するため）．
- シナプスリボンの特質は迅速な小胞の輸送と伝達物質の放出である．視細胞や双極細胞のリボンシナプスは，カルシウム依存性に毎秒数百個のシナプス小胞からの伝達物質の放出を行うことができる．**キネシンモーター分子の KIF3A** kinesin motor protein KIF3A がシナプス小胞をシナプスリボンからシナプス前膜に運ぶ（この部位は電位依存性 L 型カルシウムチャネルが存在するところである）．
- シナプスリボンは，以下の部位にみられる．すなわち，(1)視細胞の軸索終末が双極細胞や水平細胞とシナプス結合する部位（外網状層），および(2)双極細胞と神経節細胞あるいはアマクリン細胞との間のシナプス結合の部位（内網状層）である．さらに，内耳の有毛細胞や松果体の松果体細胞にも認められる．
- シナプスリボンの足場の主な構成要素は，RIBEYE（A）ドメインと RIBEYE（B）ドメインをもつ RIBEYE タンパク質 RIBEYE protein サブユニットの集合体である．

図 9.16 | 視細胞：錐体

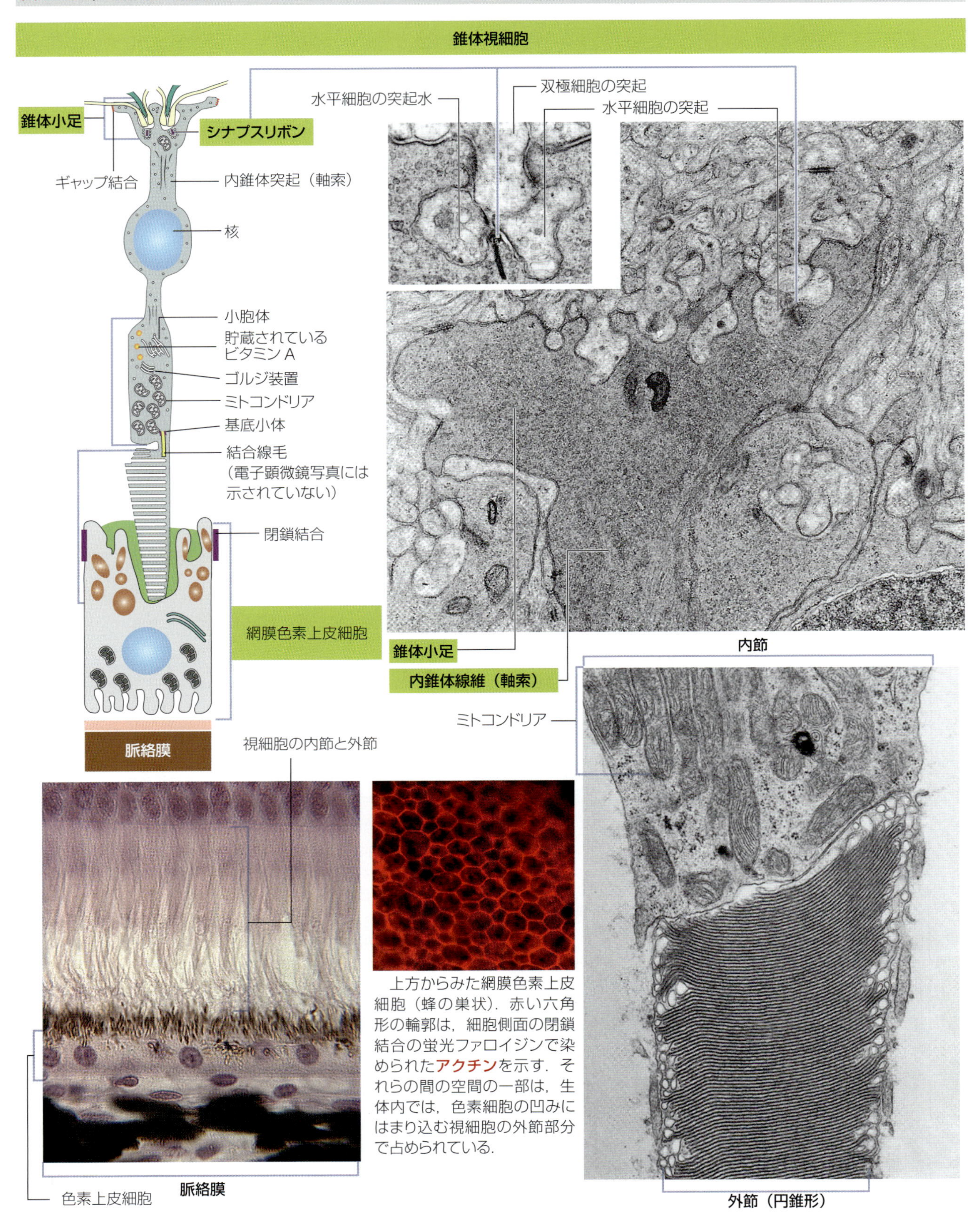

上方からみた網膜色素上皮細胞（蜂の巣状）．赤い六角形の輪郭は，細胞側面の閉鎖結合の蛍光ファロイジンで染められた**アクチン**を示す．それらの間の空間の一部は，生体内では，色素細胞の凹みにはまり込む視細胞の外節部分で占められている．

電子顕微鏡写真：Hogan MJ, Alvarado JA, Weddell JA:Histology of the Human Eye. Philadelphia, WB Saunders,1971 より．

図 9.17 ｜ 視色素：ロドプシン

視細胞は光に対して「**退色反応**」とよばれる過程で反応している．退色反応では，視色素のロドプシンが光子を吸収し，光に感受性の少ない別の分子に変わる．

大部分の感覚受容器では，刺激に対して脱分極が起こり，神経伝達物質が放出される．しかし視細胞では，光により刺激されると細胞膜の膜電位が**過分極**し，神経伝達物質の放出が止まる．この過分極は，視細胞内へのイオンの流れが止まることによる．

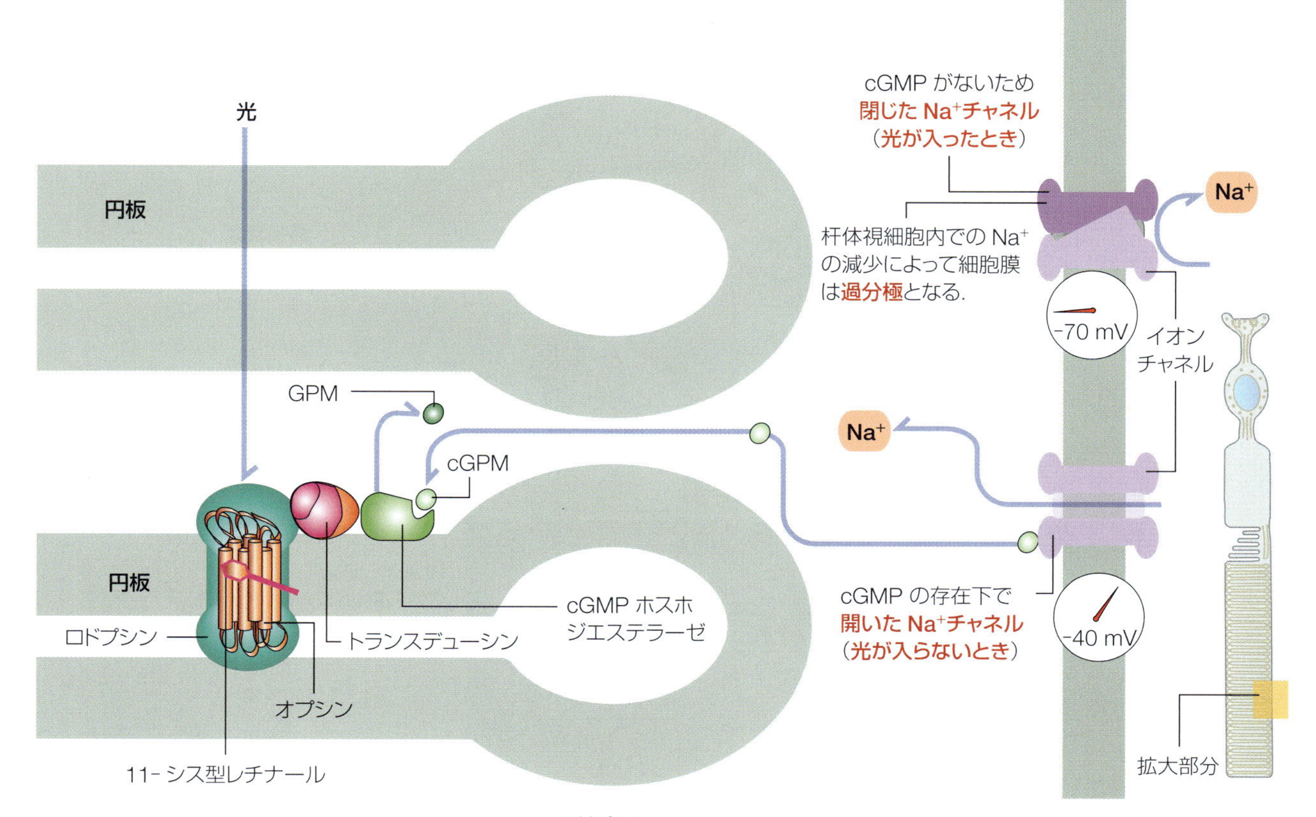

ロドプシンは杆体と錐体の外節の円板の膜に存在する視色素である．ロドプシンは，**オプシン**と発色団である **11-シス型レチナール**（ビタミン A 誘導体）の 2 つの構成要素からなる．オプシンが，レチナールに吸収される光の波長を決定する．光がロドプシンに当たると，**11-シス型レチナール**が**オールトランス型レチナール**に異性化し，ロドプシンのコンフォメーションが変化し，退色が起こる．この変化によって，膜上の二次シグナル伝達分子の**トランスデューシン** transducin とよばれるタンパク質が活性化される．トランスデューシンは G タンパク質ファミリーの一員である．トランスデューシンは，次いで，**cGMP ホスホジエステラーゼ** cGMP phosphodiesterase を活性化させる．この酵素は **cGMP** を分解し，**GMP** にする．cGMP の分解は **Na+チャネルの閉鎖**を招き，Na+の細胞内への流入が止まる．この結果，細胞内の電位が下がり，杆体全体の膜電位が過分極し神経伝達物質の放出が止まる．

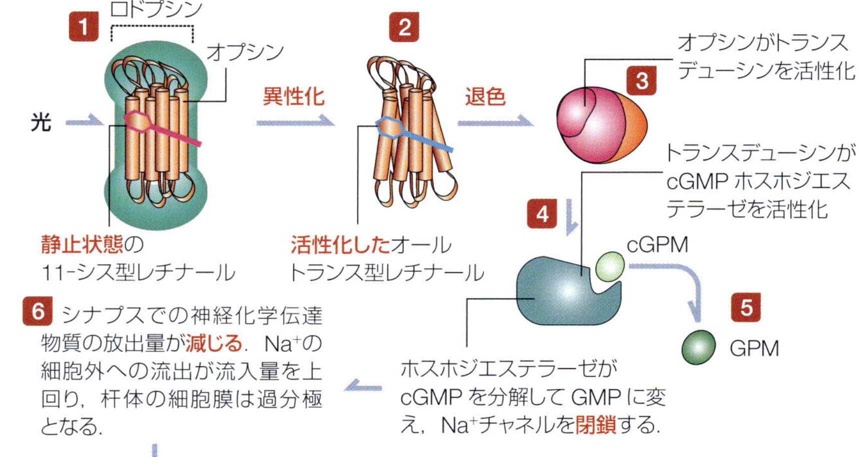

6 シナプスでの神経化学伝達物質の放出量が**減じる**．Na+の細胞外への流出が流入量を上回り，杆体の細胞膜は過分極となる．

7 光による刺激の結果，ロドプシンはオプシンとレチナールに分かれる．この過程は「**退色反応** bleaching」とよばれる．11-トランス型レチナールはオールトランス型レチノール（ビタミン A ともよばれる）に還元される．これは次いで，**網膜色素上皮**細胞内の酵素で酸化され 11-シス型レチナールとなる．11-シス型レチナールは，**間質性レチノイド結合タンパク質**（**IRBP**）によって視細胞に戻され，再びオプシンと結合し，ロドプシン分子を再生する．ロドプシン分子が再生される間，cGMP が産生されて Na+チャネルが開くため，細胞膜の Na+の透過性は正常に戻る．

図 9.18 | 杆体の小球と錐体の小足

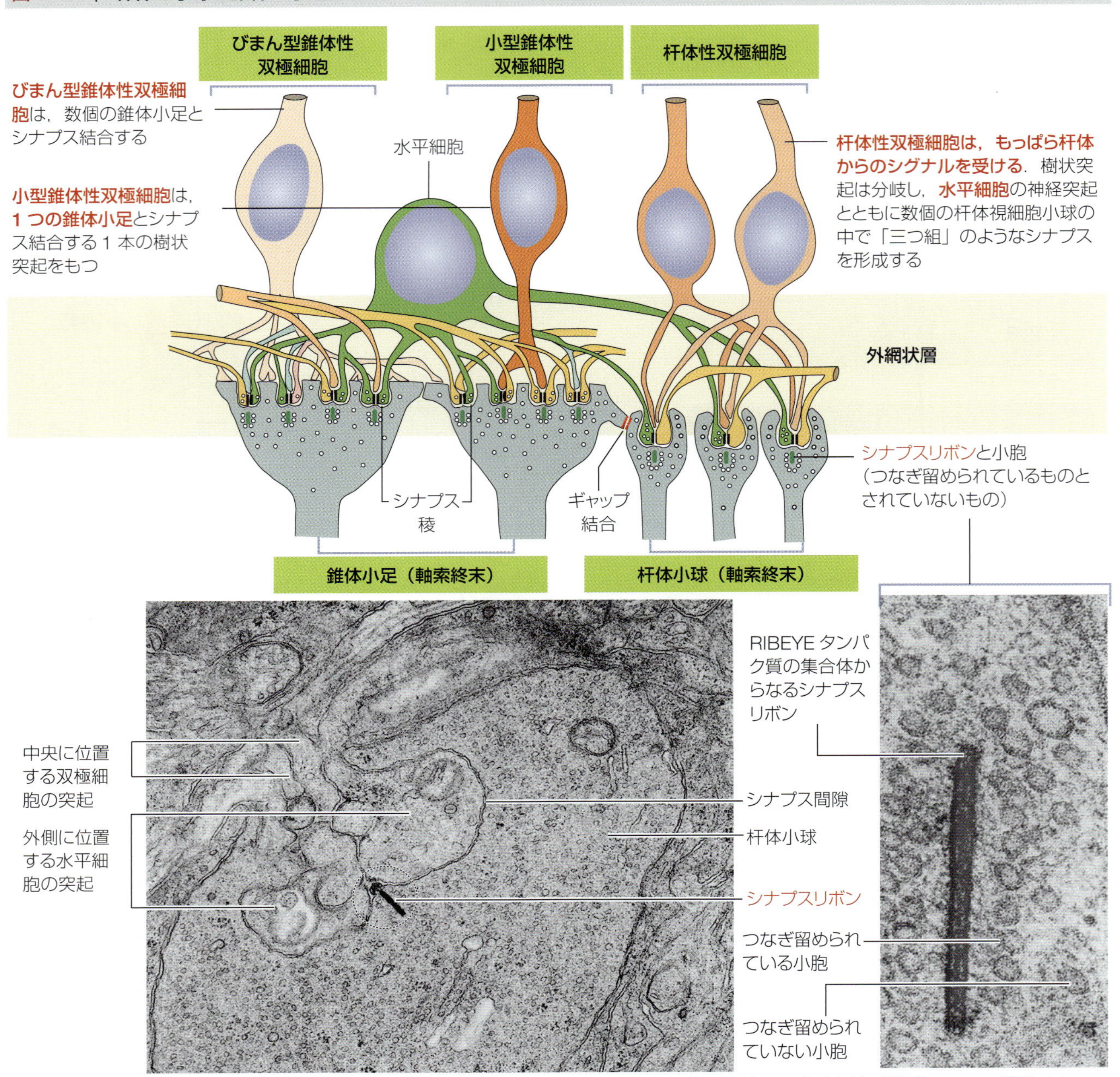

電子顕微鏡写真：Hogan MJ, Alvarado JA, Weddell JA: Histology of the Human Eye. Philadelphia, WB Saunders, 1971 より.

シナプスリボンの構造

錐体と杆体視細胞および双極細胞の出力側の終末は**リボンシナプス**となっている（**Box 9.G**）.

リボンシナプスのシナプス前膜の近くには，電子密度の高い細長い構造である**シナプスリボン**が存在している．これには，つなぎ留められていない自由な小胞，つなぎ留められている小胞，そして常に伝達物質を放出している小胞などが伴っている.

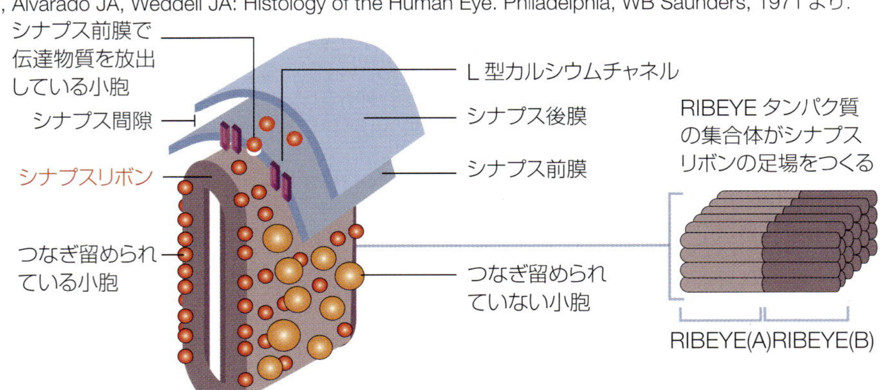

であり，その軸索は視神経を形成する．

杆体と錐体はそれぞれ別の種類の双極細胞と化学シナプスを確立し，シグナルの伝導を網膜内の並行する流れに分割する．双極細胞は大きく2つに分けられる：

1. **杆体性双極細胞** rod bipolar cell は**杆体小球**と結合している．
2. **錐体性双極細胞** cone bipolar cell は**錐体小足**と結合している．錐体性双極細胞は，さらに以下の2つに分られる：
   (1)**小型錐体性双極細胞** midget cone bipolar cell.
   (2)**びまん型錐体性双極細胞** diffuse cone bipolar cell.

びまん型錐体性双極細胞の樹状突起は**外網状層** outer plexiform layer で分岐し，複数の錐体小足とシナプス結合する．反対の軸索側は**内網状層** inner plexiform layer へ突起を伸ばし，複数の神経節細胞の樹状突起とシナプス結合する．

小型錐体性双極細胞は，**1つの錐体小足**とシナプス結合し，反対側の軸索は**1つの神経節細胞とシナプス結合する**．

したがって基本的に，**小型錐体性双極細胞は1つの錐体視細胞と1本の視神経線維とを連結する**．それに対し，**びまん型の錐体性双極細胞はより広い入力と出力経路をもつ**．双極細胞の核は**内顆粒層** inner nuclear layer を構成する．

神経節細胞の樹状突起は**内網状層**に伸び，軸索は**視神経** optic nerve を形成する．神経節細胞にも2種類が認められる：

1. **びまん型神経節細胞** diffuse ganglion cell は，複数の双極細胞とシナプス結合する．
2. **小型神経節細胞** midget ganglion cell は，1つの小型双極細胞とだけ樹状突起を介してシナプス結合する．小型神経節細胞は錐体からの情報だけを受け取ることに注意．

第18章「松果体」の項において，イメージ形成機能には関与しない神経節細胞の一群について述べている．この一群は，**内在性光感受性網膜神経節細胞** intrinsically photosensitive retinal ganglion cell（**ipRGC**）とよばれる**メラノプシン産生神経節細胞群** melanopsin–producing ganglion cell である．この細胞群は内因性の**概日リズム** circadian clock を外界の明るさや睡眠に合わせて調節することに関与している．

連合ニューロン：水平細胞とアマクリン細胞（無軸索細胞）（図9.18，9.19）

水平細胞 horizontal cell は視細胞の下の層でネットワークを形成する網膜ニューロンである．これらの細胞は時間的および空間的に視覚活動を平均化し，視覚信号のコントラスト向上に関与している．**アマクリン細胞** amacrine cell は網膜内網状層に存在する介在ニューロンである．この内網状層では双極細胞と神経節細胞がシナプス結合している．

水平細胞もアマクリン細胞も，軸索と樹状突起の区別がなく，**両方向に刺激を伝える神経突起** neuritic process だけをもっている．両細胞の核は，ともに内顆粒層を構成する．

水平細胞は視細胞のシナプス終末に終わる**突起**を出す．1本の突起が枝分かれして，**杆体小球**と**錐体小足**の両方とシナプス結合する（図9.18）．これらのシナプスは**網膜外網状層**に存在する．このような水平細胞の突起の広がり方は，**水平細胞が網膜上で隣接する杆体と錐体の情報を統合する**働きをしていることを示している．

アマクリン細胞は**内顆粒層**の内層端にみられる．1本の神経突起をもち，これが枝分かれして双極細胞の軸索の終末や神経節細胞の樹状突起などをつないでいる（図9.19）．

図9.19 | 伝達性と連合性のニューロン

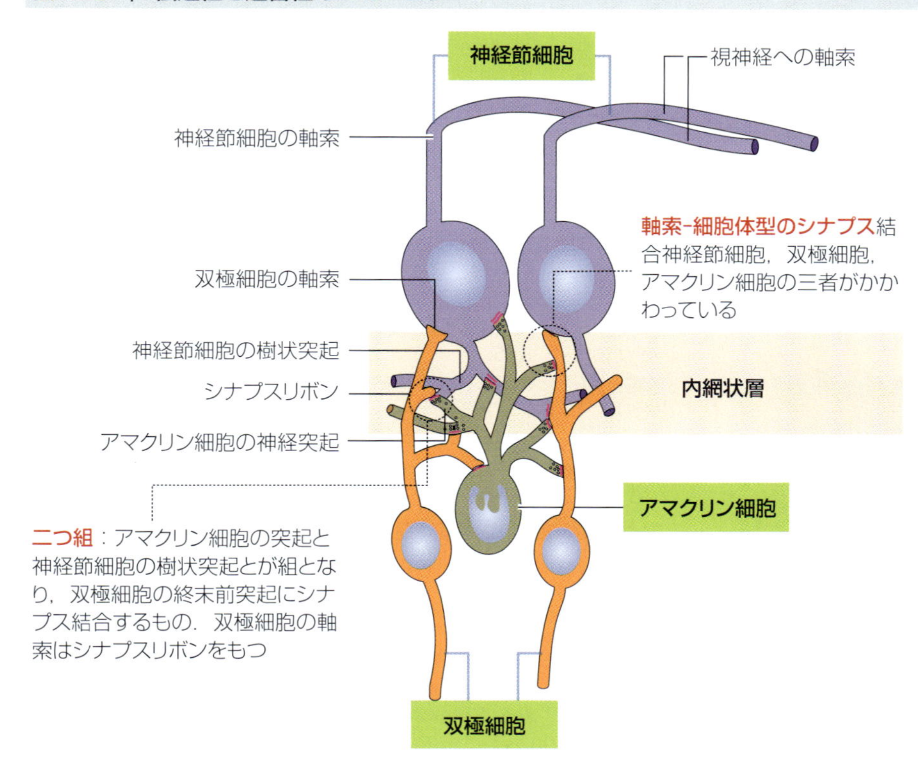

アマクリン細胞ははっきりとした軸索突起をもたないが，分岐の著しい突起をもっている．アマクリン細胞の機能は双極細胞の出力を検出し，変化させることである．アマクリン細胞の異常は**先天性の眼振**の原因となる．

双極細胞は錐体および杆体からの視覚情報を集める．**先天性停止性夜盲** congenital stationary night blindness（**進行しない夜盲**［**CSNB**］）では，双極細胞が影響を受けることがある．

神経節細胞は網膜の出力細胞で，その軸索は視神経円板に集まり，視神経を形成する．神経節細胞は**緑内障**や**レーバー遺伝性視神経症** Leber's hereditary optic neuropathy（**LHON**）に関与する．

支持をする神経膠細胞：ミュラー細胞

ミュラー細胞 Müller cell の核は**内顆粒層**にあるが，細胞質性の突起は**内境界膜** inner limiting membrane と**外境界膜** outer limiting membrane の両方に達している．内境界膜はミュラー細胞の基底板であり，網膜と硝子体を分けている．

ミュラー細胞の細胞質性の突起は，視細胞や双極細胞，神経節細胞間のすき間を埋めている．ミュラー細胞の外方へ伸びる突起は，内節のところで視細胞と**接着帯** zonula adherens で結合し，さらに，この部位から外方に向かって**微絨毛** microvilli を突出させて，ニューロンである視細胞とグリアであるミュラー細胞の間の関係を安定化させている．ミュラー細胞に加えて小膠細胞（ミクログリア）も，網膜のすべての層で認められる．

中心窩と視神経円板（図 9.20，9.21）

周囲を**黄斑** macula lutea で囲まれた**中心窩** fovea centralis は，通常の明るさのとき，あるいは薄暗いときに，最も分解能の高い視覚能力を発揮する部位である．**視神経円板** optic disk（**視神経乳頭** optic papilla も含む）は，物をみることができない部位である．

中心窩は視神経円板の外側（**耳側**）にある．**この部位には，錐体は多いが杆体と毛細血管は存在しない**．錐体は双極細胞とシナプス結合し，両者とも中心窩の周辺に向かって**傾いている**．この構造上の特徴により，光は妨げられずに視細胞に達することができる．**黄斑**は中心窩を取り囲むように存在し，内層に含まれる黄色い色素（**ルテイン** lutein と**ゼアキサンチン** zeaxanthin）を特徴とする．

図 9.20 | 中心窩

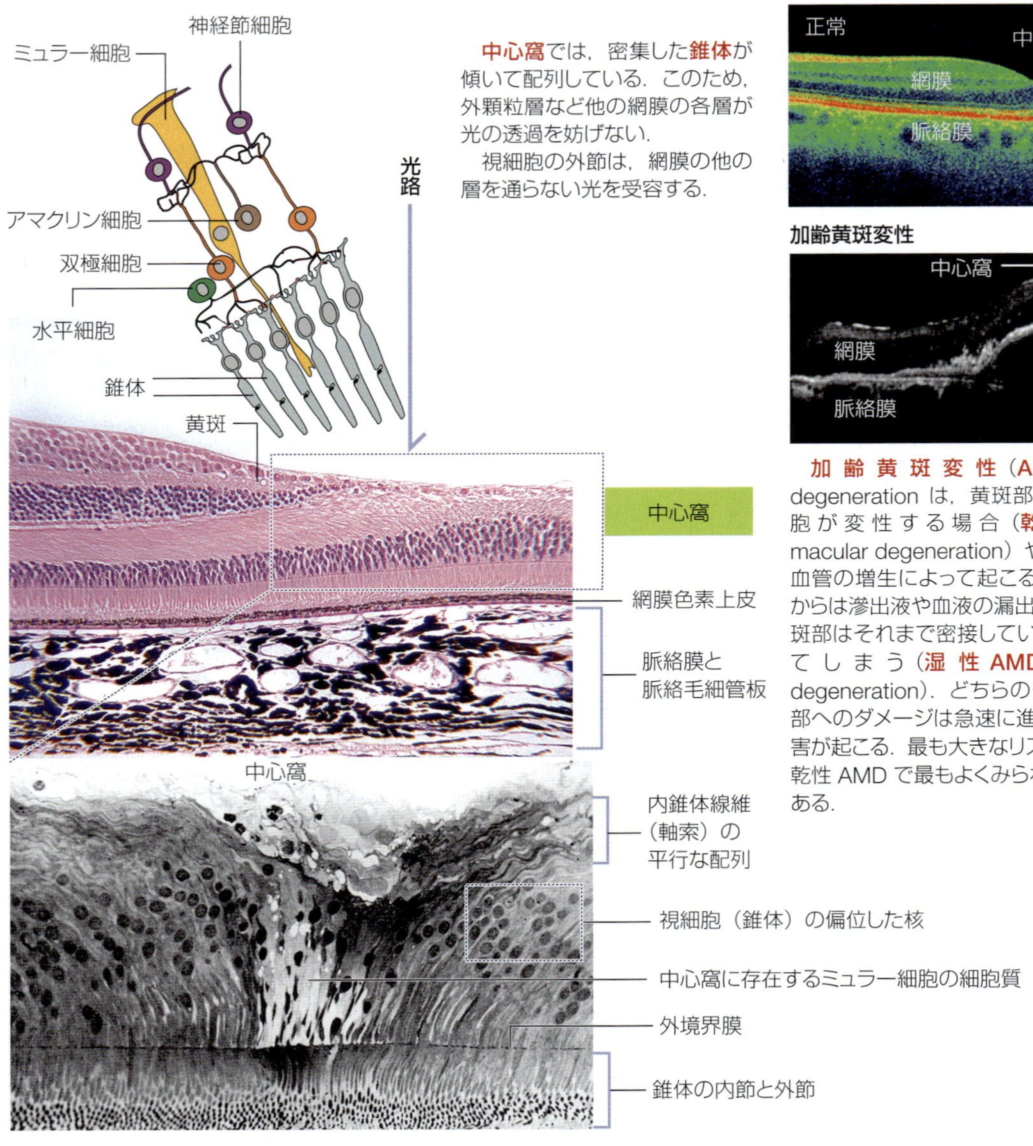

中心窩では，密集した**錐体**が傾いて配列している．このため，外顆粒層など他の網膜の各層が光の透過を妨げない．

視細胞の外節は，網膜の他の層を通らない光を受容する．

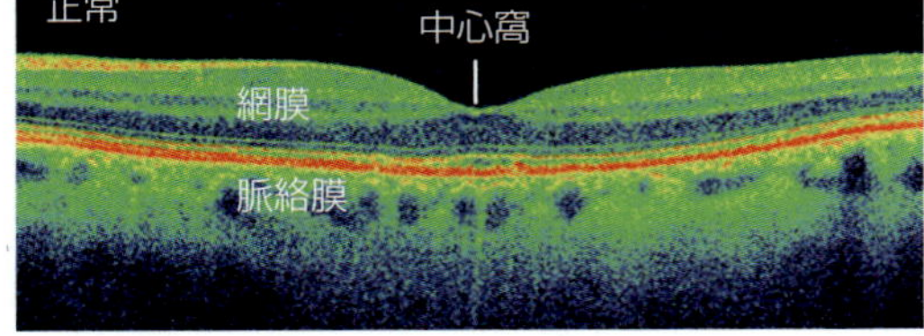

加齢黄斑変性

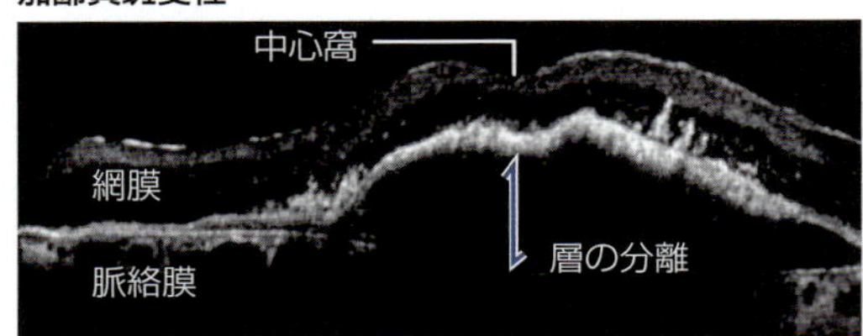

加齢黄斑変性（**AMD**）age-related macular degeneration は，黄斑部で視細胞や網膜色素上皮細胞が変性する場合（**乾性 AMD** dry age-related macular degeneration）や，黄斑部の深部で異常な血管の増生によって起こる場合がある．新生した血管からは滲出液や血液の漏出が起こり，これによって，黄斑部はそれまで密接していた脈絡毛細管板から離されてしまう（**湿性 AMD** wet age-related macular degeneration）．どちらのタイプの AMD でも，黄斑部へのダメージは急速に進み，痛みを伴わない視覚障害が起こる．最も大きなリスクファクターは加齢である．乾性 AMD で最もよくみられる初期徴候は**ドルーゼン**である．

光干渉断層撮影像．上の写真：Howard P. Phillips, Hawthorne, NY．下の写真：Michael P. Kelly, Duke University Eye Center, Durham, NC の厚意による．モノクロの顕微鏡写真：Hogan MJ, Alvarado JA, Weddell JA: Histology of the Human Eye. Philadelphia, WB Saunders, 1971 より．

図 9.21 | 視神経円板と中心窩

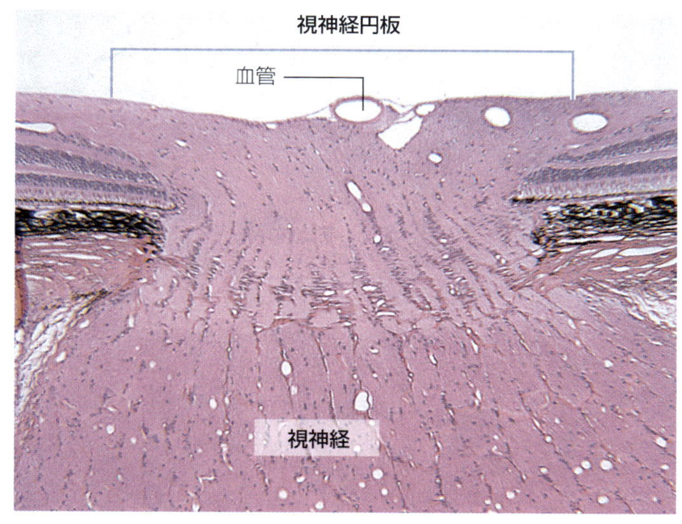

網膜の血管

網膜の血管は，眼底鏡あるいは**蛍光眼底造影検査** fluorescein angiography によってみることができる．**眼圧が上昇すると**，視神経円板は**凹んで**みえる．頭蓋内圧が高くなった場合，視神経円板はふくらみ（**乳頭浮腫** papilledema），静脈は拡張する．

蛍光眼底造影検査は，網膜の状態を知るための有用な検査である．検査では，はじめ蛍光色素を静脈から注入する．蛍光色素は約 10 ～ 15 秒で網膜の血管に達するので，網膜の血管内を流れる蛍光色素の像を専用のカメラで記録する．蛍光色素によって血管からの異常な漏出や血管の詰まりが明らかとなる．通常，静脈は動脈より径が太いことに注意．

神経節細胞の軸索は，**視神経円板**で向きを変え**視神経**の中へ入る．視神経円板は視細胞を欠き，**盲点**に相当する．視神経円板の中心部には浅いくぼみの**円板陥凹**があり，この部は他の部位に比べて青白くみえる．**緑内障**で軸索の数が減ると，この円板陥凹の領域が相対的に拡大するようになる．

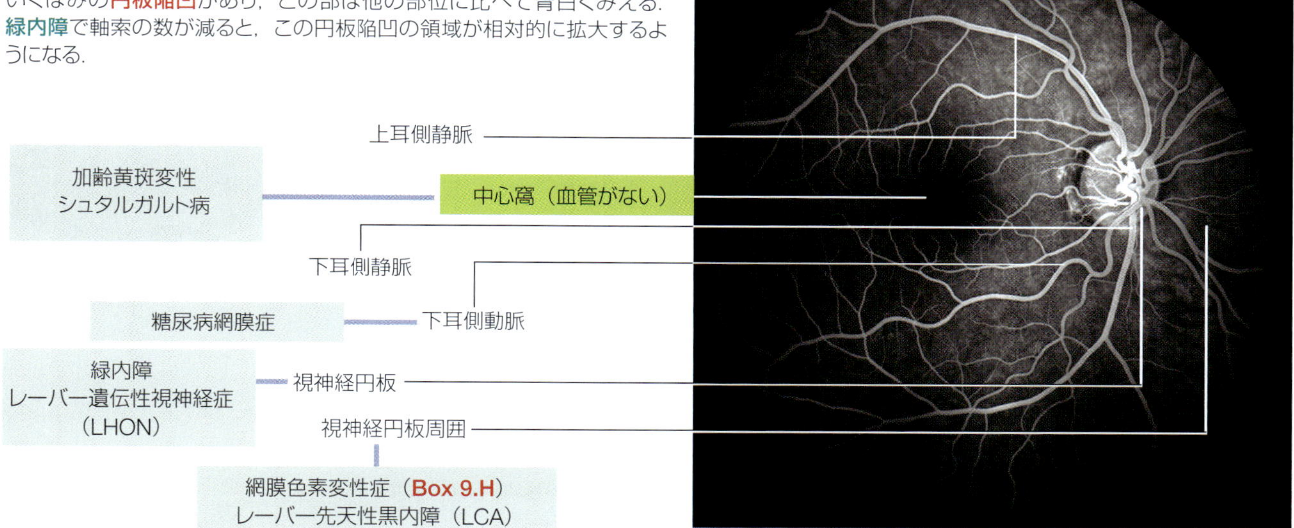

蛍光血管造影写真は Michael P. Kelly, Duke University Eye Center, Durham, NC. の厚意による.

網膜から出る神経節細胞の軸索の出口は，**視神経円板**である．視神経円板は，以下の 2 つで構成されている：

1. **視神経乳頭**．視神経に入る軸索によって高まった部位である．
2. 視神経の軸索に貫かれる強膜の**篩板** lamina cribrosa．視細胞は視神経円板の縁より内側には存在しないため，この部位は「盲点」となる．**網膜中心動静脈は視神経円板を貫いている**．

眼瞼，結膜，涙腺（図 9.22，9.23）

眼球の前方は，**眼瞼** eyelids，**結膜** conjunctiva，および**涙腺** lacrimal gland からの分泌液（涙）によって保護されている．

眼瞼 eyelid は以下の 2 つの部分（図 9.22）からなっている：

1. 外側の**皮膚部分**．骨格筋の**眼輪筋** oculi muscle と薄い結合組織の真皮の上を重層扁平上皮の表皮が覆っている．

Box 9.H | 網膜色素変性症

- **網膜色素変性症** retinitis pigmentosa（RP）には，失明に至る数多くの先天性網膜障害が含まれている．RP の最初の症状は，杆体の変性による夜盲である．網膜の血流供給が低下し，網膜の表面に色素がみられるようになる（網膜色素変性症の名前の由来）．
- RP の原因遺伝子は X 染色体と第 3 染色体にある．視色素のロドプシンの遺伝子も第 3 染色体の同じ領域にマッピングされる．**ロドプシン遺伝子** *rhodopsin* gene の変異が RP を起こす．杆体の機能に必須のタンパク質であるペリフェリン peripherin の異常でも家族性の RP が起こるが，この遺伝子は第 6 染色体に存在している．

図 9.22 | 眼瞼

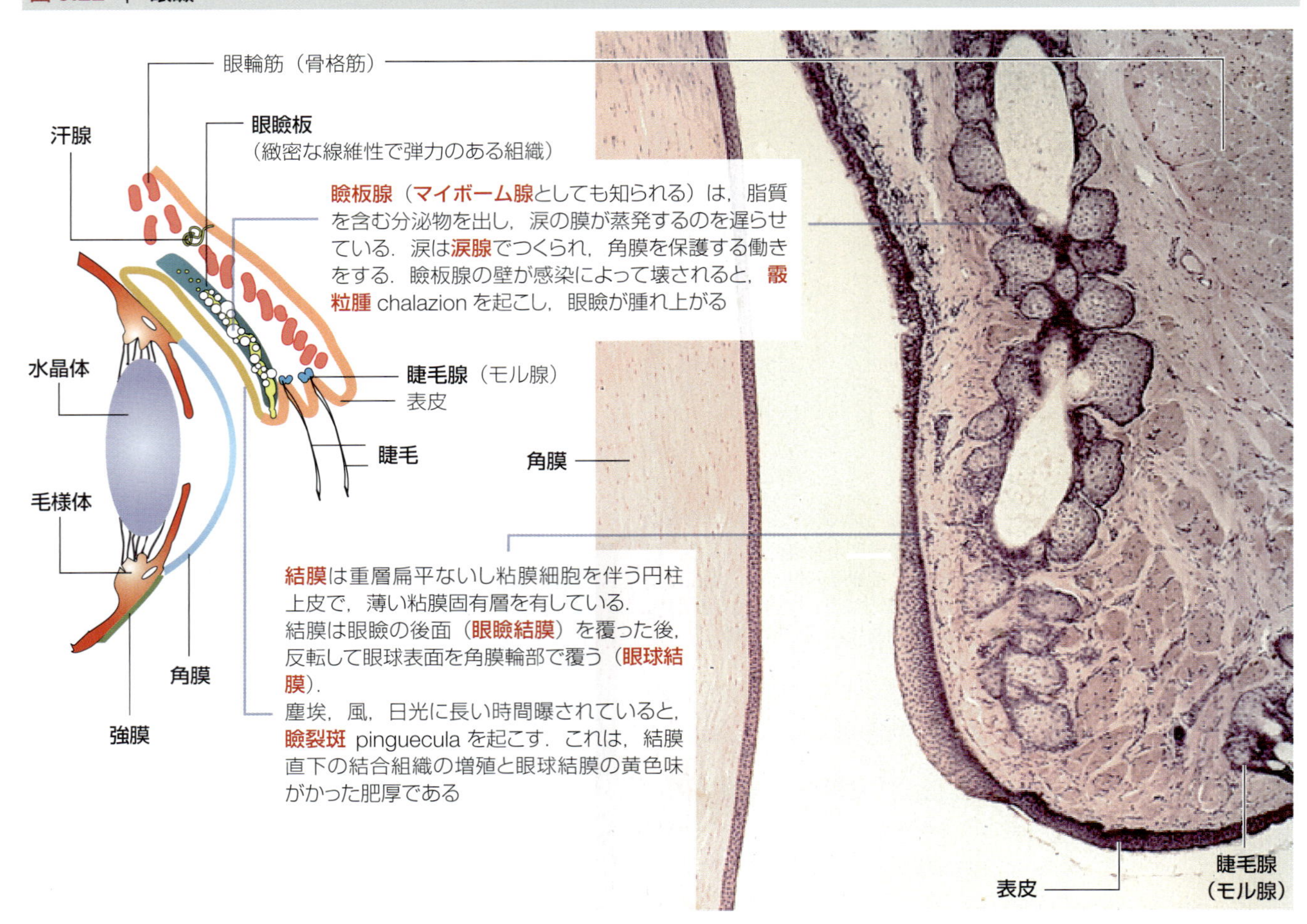

図 9.23 | 涙腺

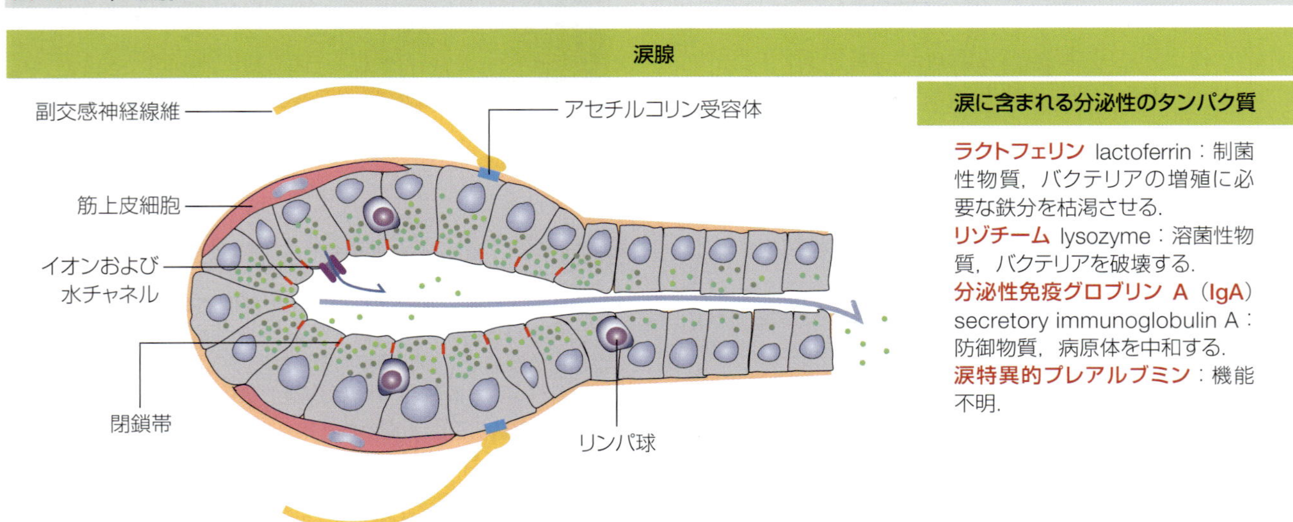

涙に含まれる分泌性のタンパク質

ラクトフェリン lactoferrin：制菌性物質，バクテリアの増殖に必要な鉄分を枯渇させる．
リゾチーム lysozyme：溶菌性物質，バクテリアを破壊する．
分泌性免疫グロブリン A（IgA） secretory immunoglobulin A：防御物質，病原体を中和する．
涙特異的プレアルブミン：機能不明．

2. 内側の薄い粘膜である**結膜** conjunctiva で覆われている部分（Box 9.I）．

皮膚で覆われた部分には，以下のような皮膚の付属物が備わっている：

1. **汗腺** sweat gland と**脂腺** sebaceous gland．
2. **睫毛**（まつげ）eyelash は眼瞼の縁にある 3，4 列の硬毛の列である．睫毛は汗腺の変化した睫毛腺（**モル腺** Moll gland）を伴っている．

結膜に接してその裏に存在しているのは，**眼瞼板** tarsal plate である．これは弾性のある線維質の緻密結合組織で，中に大型の脂腺である**瞼板腺** tarsal gland（**マイボーム腺** meibomian gland）を入れている．瞼板腺は眼瞼の縁のところにそれぞれ開口している．眼瞼板は眼瞼の「硬さ」の元になっている

眼瞼の皮膚で覆われた部分と結膜で覆われた部分の境は，臨床的に**溝** sulcus とよばれている．これはマイボーム腺の開口部と睫毛の間の灰色がかった線である．

結膜 conjunctiva は皮膚の続きで，角膜の周辺部まで広がっている．結膜の上皮は，粘液を分泌する杯細胞を含む重層の多角形ないし円柱上皮からなる．

角膜輪部のところで結膜の上皮は重層扁平上皮となって，角膜上皮に続いていく．毛細血管を含む固有層が上皮層を裏打ちしている．

涙腺 lacrimal gland（図 9.23）は涙液を産生し分泌する．涙ははじめ結膜嚢内を満たし，その後，**鼻涙管** nasolacrimal duct という排出管を通って鼻腔に出ていく．通常はそこで蒸発するが，分泌量が増えた場合は鼻汁として排出される．

涙腺は導管，腺房，**筋上皮細胞**をもった**漿液腺**で，12～15 の独立した導管をもつ葉に分かれている．涙は**涙点** lacrimal punctum から**涙小管** lacrimal canaliculus を通って**涙嚢** lacrimal sac に入り，**鼻涙管**を通って鼻腔の下鼻道に導かれる．

涙腺は以下のような神経支配を受けている：

1. **副交感神経線維** parasympathetic nerve fiber．**翼口蓋神経節** pterygopalatine ganglion に由来し，腺細胞上の**アセチルコリン受容体** acetylcholine receptor が神経終末から出される**アセチルコリン** acetylcholine を受容している．
2. **交感性神経線維**．**上頸神経節** superior cervical ganglion からやってくる．

まばたきをすると，涙腺が軽く圧迫され涙が分泌される．涙は常に結膜と角膜の表面を濡らし，埃の粒子を洗い流している．

結膜上皮から分泌される粘液や瞼板腺から分泌される脂肪分，さらに頻繁に行われるまばたきのため，涙の薄い膜（**涙膜** tear film）**は容易には乾かないようになっている**．涙には，抗菌作用をもつ酵素である**リゾチーム** lysozyme，**ラクトフェリン** lactoferrin，**分泌性免疫グロブリン**（**IgA**），さらに**涙特異的プレアルブミン** tear-specific prealbumin などが含まれている．結膜への化学的あるいは物理的な刺激，強い光，激しい感情の動きなどによって，涙は過剰に分泌される．また，涙の分泌障害や眼瞼の損傷によって角膜が乾燥する状態（**ドライアイ** dry eye あるいは**乾性角結膜炎** keratoconjunctivitis sicca）が起こる．放置すれば，角膜潰瘍や穿孔，眼房水の流失を招き失明に至る．

Box 9.I ｜ 赤目と結膜炎

- **赤目** red eye とは，頻繁にみられる比較的良性の目の異常であるが，時に失明の危険のある場合もある．**結膜下出血** subconjunctival hemorrhage は急な赤目の原因であり，外傷，出血傾向，高血圧，抗凝固剤の服用などで起こる．痛みや視力低下などはきたさない．
- **結膜炎** conjunctivitis は，最もありふれた赤目の原因である．結膜表面の血管が拡張し，結膜の浮腫と充血を起こす．膿性の分泌物は細菌感染（多くはグラム陽性菌による）を示す．ウイルス性の感染の場合は水様の分泌物が観察される．

耳

耳は以下の 3 つの部分で構成されている：

1. **外耳** external ear は，音を集めて外耳道から鼓膜まで誘導する．
2. **中耳** middle ear では，空気の振動としての音の波が鼓膜の機械的な振動に変換され，**耳小骨** ear ossicles に伝えられる．耳小骨を伝わる間に振動の振幅は減じるが，強さ（力）は増し，液で満たされた内耳の高い抵抗に打ち勝てるようになる．
3. **内耳** inner ear には，**聴覚** hearing と**平衡覚** balance の 2 つの感覚に対する受容装置がある．ここでは，**膜迷路** membranous labyrinth を満たす**内リンパ** endolymph とよばれる液体の機械的な振動や動きを，**有毛細胞** hair cell という共通の感覚細胞によって，電気的なインパルスに変換している．

内耳には，2 つのシステムがある：

1. 音を感知する**聴覚系** auditory system．
2. 頭部や体の動きや傾き（平衡覚）を感知する**前庭系** vestibular system．

外耳（図 9.24）

耳介 auricle は音を集める．集められた音は**外耳道** external acoustic meatus を通って**鼓膜** tympanic membrane に達する．

耳介は，**弾性軟骨**の芯を毛包と脂腺をもった皮膚が囲む構造をしている．

外耳道は耳介と**鼓膜**をつなぐ通路で，その外側 1／3 の壁は軟骨，内側 2／3 の壁は側頭骨からなり，その表面を皮膚が覆っている．

ここの皮膚の特徴は，茶色味がかった分泌物である**耳垢** cerumen を分泌するらせん管状のアポクリン腺をもつことである．耳垢は皮膚に防水性を与え，外耳道を虫などの異物から守る働きをしている．

中耳（図 9.24）

中耳（または**鼓室** tympanic cavity ともよばれる）は，側頭骨の中で鼓膜と内耳の間にある空気で満たされた空間である．中耳の主な機能は，音を鼓膜から液体で満たされた腔である**内耳に伝達**することである．

音は小さな靱帯で連結された 3 つの**耳小骨** auditory ossicle（**ツチ骨** malleus，**キヌタ骨** incus，**アブミ骨** stapes）を介して伝達される．この連結では，一方でツチ骨の腕（ツチ骨柄）が**鼓膜**に密着し，他方でアブミ骨底が**骨迷路**の開口部である**前庭窓** oval

図 9.24 | 外耳，中耳，内耳の概要

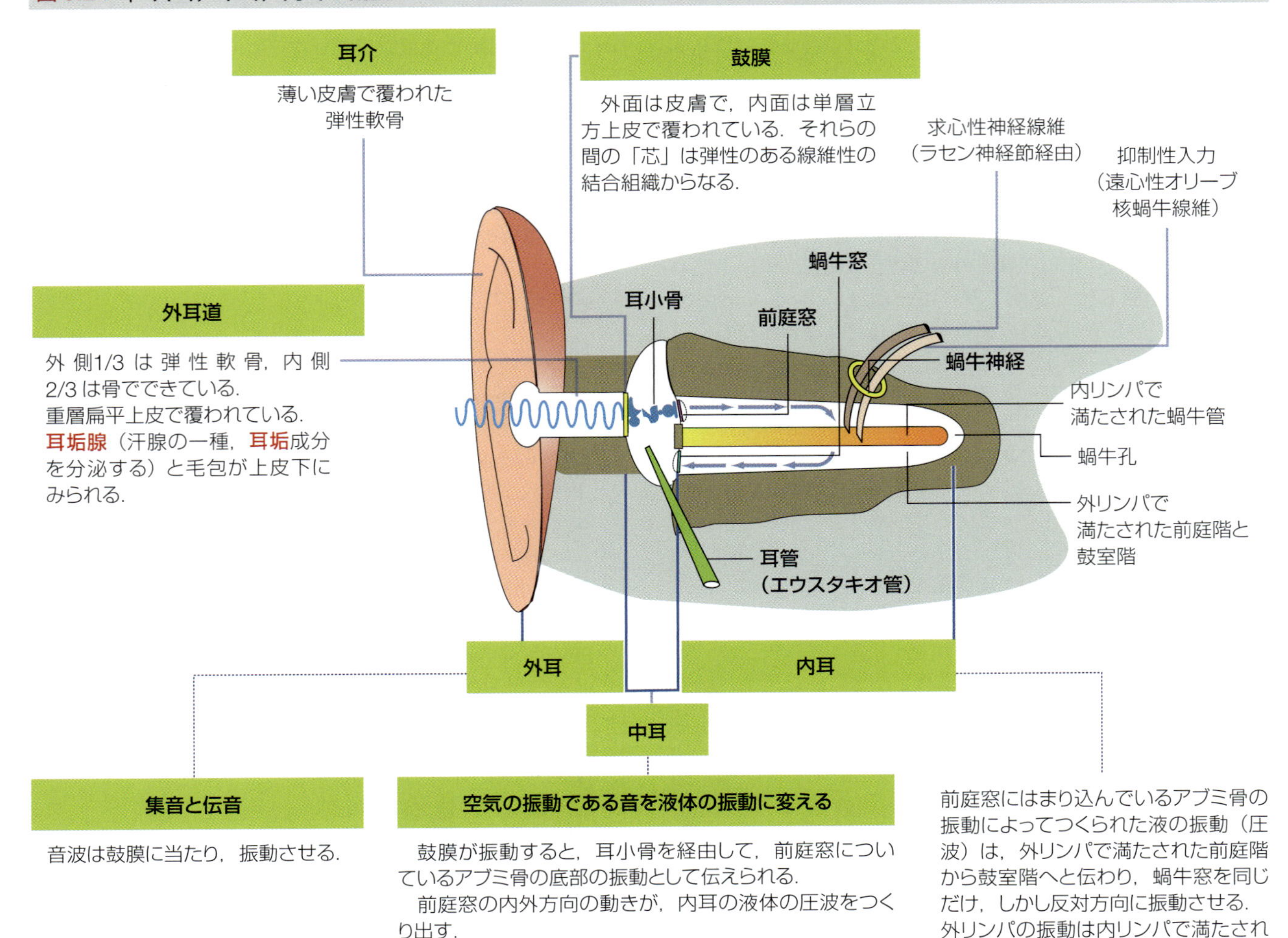

window についている．**鼓膜張筋** tensor tymapny muscle（三叉神経支配）と**アブミ骨筋** stapedius muscle（顔面神経支配）は，3つの耳小骨間の機能的な連結を維持している．

耳小骨は以下の2つの機能を果たす：

1. **鼓膜の振動を調整する．**
2. **前庭窓に十分な力を伝えるために，入ってくる音波を増幅する（振幅は減じるが，力は増す）．**

耳硬化症 otosclerosis や**中耳炎** otitis media は耳小骨の動きを阻害し，聴力障害をきたす．

鼓室は扁平ないし立方上皮に覆われ，その下の支持層の結合組織には腺が存在しない．

鼓膜は卵円形で，中心部近くにツチ骨柄がつくために円錐形のくぼみがある．

互いに線維の方向が異なる2層のコラーゲン線維が芯をつくり，その両側を単層の扁平ないし立方の上皮が覆っている．

耳管 auditory tube（**エウスタキオ管** eustachian tube）は，中耳と咽頭鼻部を連結している．中耳の近くではこの管の壁は側頭骨で囲まれているが，やがて**弾性軟骨** elastic cartilage に代わり，さらに耳管咽頭口の近くでは**ガラス（硝子）軟骨** hyaline cartilage になる．

場所によって違いのある線毛上皮細胞（咽頭口の近くでは背の低い円柱上皮ないし多列上皮）と粘液分泌腺が耳管の内腔を覆っている．

耳管の機能は中耳腔と外界との間に気圧差が生じないように調整することである．

中耳の発生異常には，中耳の構成要素，例えば**鼓室輪** tympanic ring の欠損によるものなどがある．鼓室輪は鼓膜と耳小骨を支える構造である．

鼓室輪は**第1鰓弓** first pharyngeal arch（ツチ骨とキヌタ骨）と**第2鰓弓** second pharyngeal arch（アブミ骨）の中胚葉や**耳管鼓室陥凹** tubotympanic recess（**第1鰓嚢** first pharyngeal pouch）などに由来する．

内耳：内耳の発生（図 9.25）

内耳とそれに伴う**神経節**（**蝸牛神経節** cochlear ganglion と**前庭神経節** vestibular ganglion）のニューロンは，頭部の外胚葉の**耳板**

図 9.25 | 内耳の発生

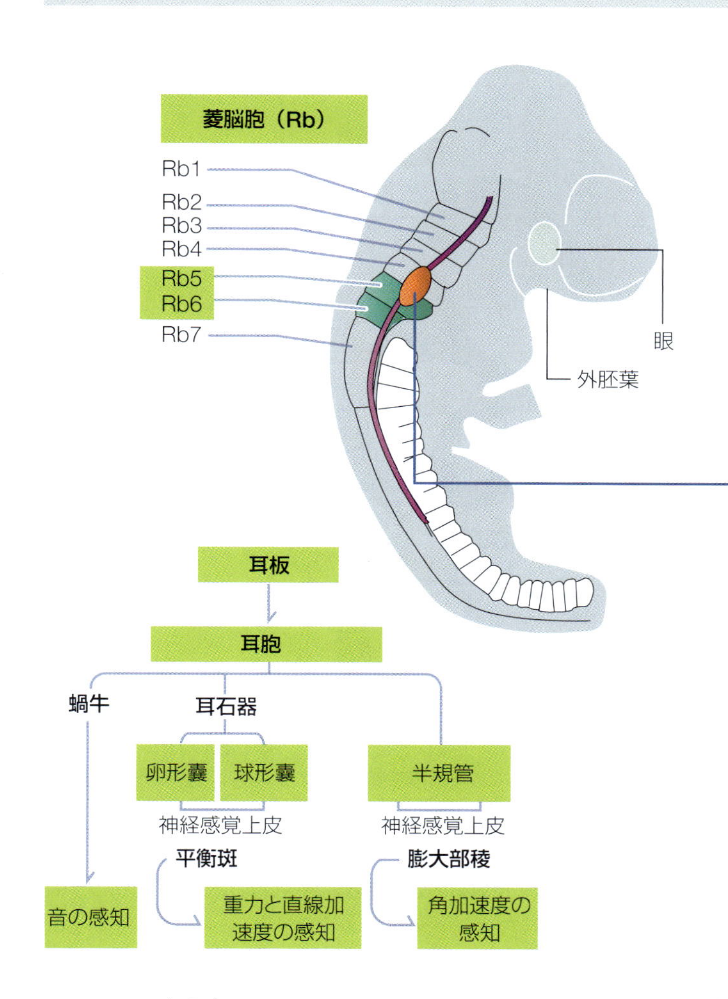

内耳の組織および細胞の起源

神経堤からは，蝸牛の血管条のメラニン細胞と内耳神経のシュワン細胞が派生する．

表皮外胚葉からは耳胞が生じ，これから**膜迷路**（3 つの半規管，卵形嚢，球形嚢，蝸牛管）が形成される．

神経感覚上皮細胞は 3 つの膨大部稜と卵形嚢と球形嚢に集まっている．

間葉からは耳胞の周りを包む**被膜**がつくられ，これは**骨迷路**（骨半規管，前庭，蝸牛）になっていく．

内耳の発生：耳胞

内耳の発生は，**ロンボメア**（**Rb**）とよばれる菱脳胞の分節性の小さなふくらみに発現する遺伝子によって制御されている．特に，Rb5 と Rb6 の発生を制御する遺伝子と鰓弓の神経堤細胞に発現する遺伝子が，内耳の発生も制御している．

Rb5 と Rb6 から分泌される**線維芽細胞成長因子-3** fibroblast growth factor-3（**FGF-3**）の影響によって，耳板が陥入して**耳胞**を形成する．**FGF-3 に対する受容体**は，コルチ器の有毛細胞とその下の支持細胞に発現する．

***Pax2*（*paired box 2*）遺伝子**の作用によって，耳胞は伸展し背側の前庭領域と腹側の蝸牛領域を形成する．**内リンパ管**の形成は，Rb5 と Rb6 から分泌される FGF-3 によって制御されている．

半規管は ***Prx1*（*periaxin 1*）遺伝子**と ***Prx2* 遺伝子**の影響下に前庭領域から発生する．

otic placode に由来する．

耳板は陥入して中空の**耳胞** otic vesicle（または otocyst）を形成する．神経管の菱脳部分から**神経堤細胞** neural crest cell が遊走し，耳胞の周囲に分布する．

耳胞には，*Pax2*（*paired box 2*）**遺伝子**の作用で，長く伸びた背側の前庭部と腹側の蝸牛部が生じる．***Pax2* 遺伝子** *Pax2* gene が欠損すると，**蝸牛** cochlea も**蝸牛神経節**も形成されない．

内リンパ管 endolymphatic duct は，**第 5** と**第 6 ロンボメア**（菱脳分節）の細胞から分泌される**線維芽細胞成長因子 -3** fibroblast growth factor-3（**FGF-3**）の影響によって，耳胞に陥入が生じて形成される．

計 7 つのロンボメアからも，**菱脳**（のちの延髄，橋，小脳）の発生のためのシグナルが供給される．

2 つの**半規管** semicircular duct は前庭部から派生し，***Prx1* 遺伝子** *Prx1* gene（periaxin1）と ***Prx2* 遺伝子** *Pax2* gene の制御下で発生する．

聴覚領域（蝸牛）と前庭領域（半規管）は，それぞれ別の遺伝子の制御下で発達することに注意（それぞれ *Pax2* と *Prx* 遺伝子）．

図 9.25 に内耳の各部分が耳胞からどのように発生してくるのかを表す系統図を示す．

内耳の全体構造（図 9.26，9.27）

内耳は側頭骨の岩様部中にある**骨迷路** osseous labyrinth に入っている．骨迷路は腹側の聴覚系と背側の前庭系を含む**膜迷路** membranous labyrinth（図 9.26）を入れている．

前庭部の膜迷路は合わせて 5 つの部分からなる：

1. 2 つの**袋**（**卵形嚢** utricle と**球形嚢** saccule，これらは**耳石器** otolith organs ともよばれる）．
2. **卵形嚢**から起こる 3 つの**半規管** semicircular canals（外側，前，後の半規管）である．各半規管はそれぞれ 3 つの互いに直交する面に沿って配置されている．

聴覚系の膜迷路は**蝸牛管** cochlear duct で，これは前庭の前方のらせん形の骨の管の中にある．

膜迷路の中は**内リンパ** endolymph で満たされている．この液は K^+ 濃度が高く，Na^+ 濃度が低い．**外リンパ** perilymph は膜迷路と骨迷路の間の空間を満たす液で，Na^+ 濃度が高く，K^+ 濃度が低い（図 9.27）．

前庭系

半規管は，頭部と体の**回転運動** rotational movements（**角加速度** angular accelerations）に反応する．

図 9.26 | 膜迷路

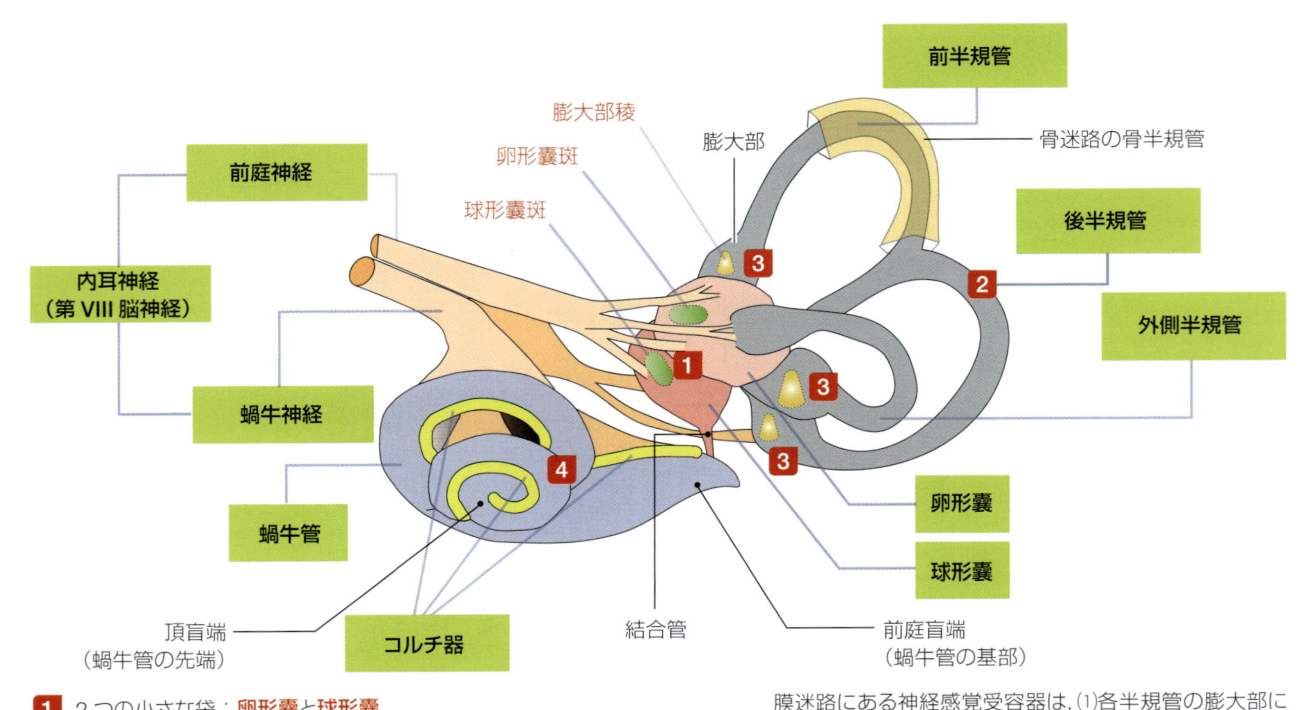

1 2 つの小さな袋：**卵形嚢**と**球形嚢**.

2 卵形嚢に通じる 3 つの**半規管**．**膨大部**は半規管の基部のふくらみで，半規管と卵形嚢をつなぐ.

3 各膨大部には**膨大部稜**がある．膨大部稜の神経感覚受容器は頭の回転を検知し，体全体の姿勢制御に必要なシグナルを発生する.

4 **蝸牛管**.

膜迷路にある神経感覚受容器は，(1)各半規管の膨大部にある**膨大部稜**，(2)卵形嚢の**卵形嚢斑**，球形嚢の**球形嚢斑**および(3)蝸牛管の**コルチ器**である.

結合管は球形嚢を蝸牛管の**前庭盲端**の近位部と連結する．蝸牛管の反対側の盲端は**頂盲端**とよばれる.

耳石器（卵形嚢と球形嚢）は，**直線的な動き**（**重力** gravity や**直線加速度** linear acceleration）に反応する.

前庭器官 vestibular organ の神経感覚細胞は，**内耳神経** vestibulocochlear nerve（第 VIII 脳神経ともよばれる）の前庭枝の求心性線維に支配される.

前下小脳動脈の枝の**迷路動脈** labyrinthine artery が内耳に血液を供給する．半規管には，**茎乳動脈** stylomastoid artery（外頸動脈系の枝，顔面神経に伴うように茎乳突孔に入り鼓室や半規管に分布）からも血液が供給される.

半規管（図 9.28）

半規管 semicircular canal の管は骨迷路の中にある．3 つの管は**卵形嚢** utricle につながっている．卵形嚢と球形嚢から起こる管は，合して**内リンパ管** endolymphatic duct となり，側頭骨中の細管を通って頭蓋腔の硬膜の 2 層の間で**内リンパ嚢** endolymphatic sac とよばれる小さなふくらみとなって終わる.

半規管が卵形嚢につくところに，**膨大部** ampulla とよばれる小さなふくらみがある.

各膨大部には，**膨大部稜** crista ampullaris とよばれる盛り上がりがある．ここで頭部の角加速度（回転）が感知される．膨大部稜には，**クプラ**（**小帽**）cupula というゼラチン様の物質の塊で覆われた**神経感覚上皮** neurosensory epithelium が存在する.

クプラには**オトジェリン** otogelin というクプラを神経感覚上皮に接着させている糖タンパク質が含まれている.

神経感覚上皮は 2 種類の細胞で構成されている：

1. **有毛細胞** hair cell.
2. **支持細胞** supporting cell.

他の神経感覚受容細胞と同様に，有毛細胞は，持続する刺激に対して，閾値の**偏位**に対する順応と感受性の回復とをミリ秒単位ないしそれ以下の時間で行うことで対応している.

支持細胞の基底側は基底板についているのに対して，有毛細胞は支持細胞の先端側がつくるくぼみの中にはまり込んでおり，基底板には接していない.

有毛細胞の先端面には，50〜100 本の特殊化した**不動毛** stereocilia と 1 本の**動毛** kinocilium が存在する（訳注：不動毛と動毛を総称して感覚毛とよぶ).

不動毛はアクチン線維を含む**クチクラ板** cuticular plate で補強されている．不動毛と動毛の自由端は，**クプラ**の中に埋まっている．クプラは膨大部の天井や壁に接触しており，膨大部を 2 つに仕切るような働きをする.

膨大部稜には以下の 2 種類の有毛細胞が存在している：

1. **I 型有毛細胞** type I hair cell.

図 9.27 | 内リンパ腔と外リンパ腔

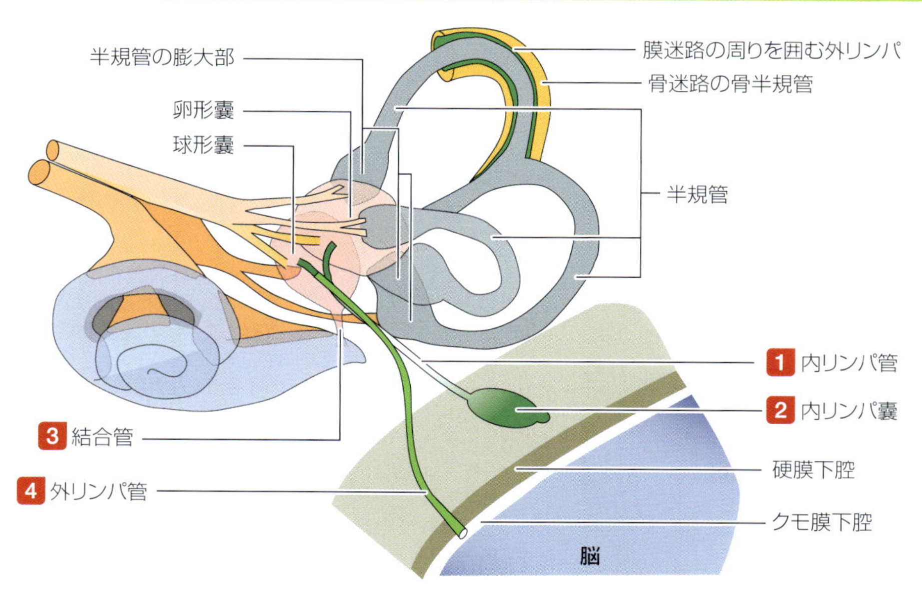

1 卵形嚢と球形嚢から出る細い管が合流し**内リンパ管**を形成する.
2 内リンパ管の終端は，袋状の**内リンパ嚢**になって終わる．内リンパ嚢は，頭蓋腔に出て硬膜の2層の間に存在している.
3 **結合管**は球形嚢をらせん形の膜迷路である**蝸牛管**の基部に連結する.
4 **外リンパ管**は前庭部（球形嚢や卵形嚢が入っている）から脳の周囲のクモ膜下腔につながっている．外リンパ液は，脳脊髄液に似た組成で，膜迷路の周りを囲んでいる.

2. **II 型有毛細胞** type II hair cell.

2つの型の有毛細胞は，細胞内の構造は似ているが，以下のように細胞の形と神経支配が異なっている：

1. I 型有毛細胞の**求心性神経**（神経伝達物質として**アスパラギン酸**や**グルタミン酸**をもつ）の終末は，支持細胞と有毛細胞の間に入り込み，**杯様ネットワーク** calyx-like network **を形成**して有毛細胞の球状の底側面を包み込む.
   細胞質には，**シナプスリボン** synaptic ribbon とそれに伴うシナプス小胞がみられる（網膜にみられるものと同様である）.
2. 円筒形をしたII型有毛細胞と結合する求心性線維の終末は，杯様ネットワークを形成せず，**単純な終末ボタン** terminal bouton を形成する.

求心性線維に加えて，どちらの型の有毛細胞も，**アセチルコリン** acetylcholine を含むシナプス小胞をもった**遠心性神経**の支配を受けている．遠心性神経は感覚細胞の感受性を調節している.

支持細胞と有毛細胞は，先端部近くにある細胞接着装置によって互いに接合している．支持細胞の特徴的な構造は，**先端部の密な終末扇** terminal web と**短い微絨毛** short microvilli である．動毛や不動毛など有毛細胞に特徴的な構造は支持細胞にはみられない.

耳石器官：卵形嚢と球形嚢（図 9.29，9.30）

卵形嚢と球形嚢には，**平衡斑** macula という神経感覚上皮が存在する．卵形嚢と球形嚢からの細い管が合流して**内リンパ管**となり，**内リンパ嚢**に終わっている．**結合管** ductus reuniens によって球形嚢は蝸牛管の底部とつながっている.

半規管の膨大部稜の神経感覚上皮と同様に，平衡斑は有毛細胞と支持細胞からなっている（図 9.29）.

平衡斑は**耳石膜** otolithic membrane とよばれるゼラチン様物質に覆われている．この膜は炭酸カルシウムとタンパク質の複合体の小さな結晶である**耳石** otolith を含む.

耳石は半規管の膨大部のクプラの中にはみられない.

半規管の膨大部や平衡斑の有毛細胞はどのように働くかについて説明する.

頭部の回転によって内リンパの相対的な流れが起こりクプラは傾く．また，頭が傾いたり，重力や直線加速度が作用すると耳石膜の位置が変化する．このようなクプラの傾きや耳石膜の位置の変化によって有毛細胞の不動毛と動毛の位置も変位する（図 9.29）.

不動毛が動毛に近づくように変位するとき，有毛細胞の膜が**脱分極**し，有毛細胞についている求心性神経も**刺激され興奮する**.

不動毛が動毛から遠ざかるように傾くと，有毛細胞は**過分極**を起こし，求心性神経も**興奮しない（抑制される）**.

最後に，平衡斑の有毛細胞には**極性** polarity があり，その並び方にも極性があるという重要な点について触れる（図 9.30）．**有毛細胞の極性**は動毛と不動毛の配置によるもので，その極性が，**ストリオーラ** striola とよばれる仮想の線に向かうかあるいは遠ざかるように配列している．すなわち，ストリオーラによって，平衡斑の有毛細胞集団は，極性が互いに逆方向を向いた2つの

図 9.28 | 膨大部稜の構造

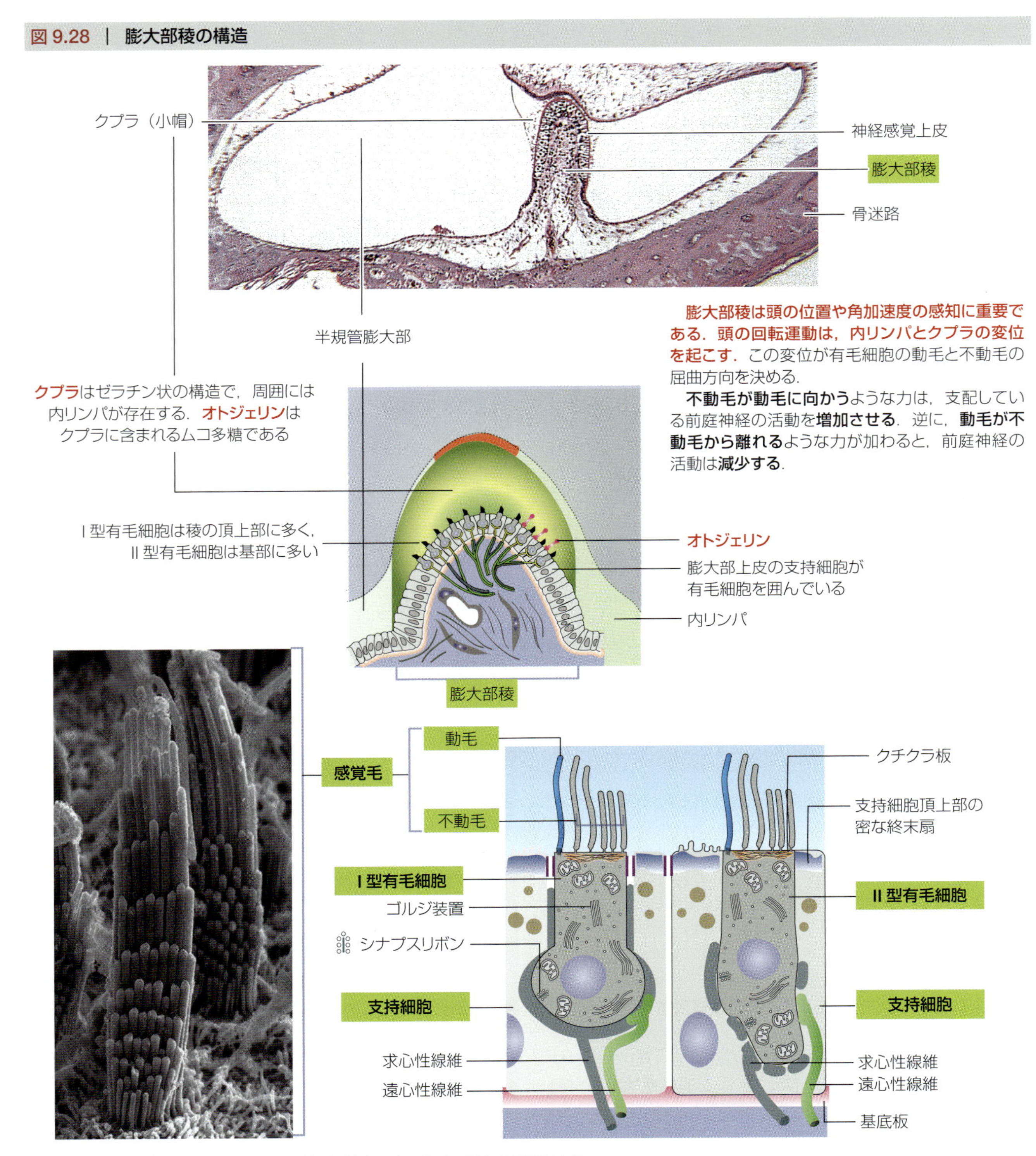

走査電子顕微鏡写真：David N. Furness, Keele University, Keele, UK. の厚意による．

グループに分けられることになる．ストリオーラに対する有毛細胞の向きは，以下のように存在部位によって異なる：

1. 卵形嚢では，有毛細胞の**動毛側がストリオーラに向いている**．
2. 球形嚢では，動毛側が**ストリオーラとは反対側を向いている**．

このように有毛細胞の配置の向きがストリオーラを挟んで反対であることによって，特定の頭部の動きに対して，特定の有毛細胞グループの感覚毛が変位することとなる（訳注：ストリオーラはU字形をしているので，特定方向の動きに対して感覚毛を変

図 9.29 | 球形嚢と卵形嚢の平衡斑の構造

平衡斑は，球形嚢と卵形嚢の壁に存在する感覚受容領域である．平衡斑は頭部の直線的な動きや頭の傾きを感知する．卵形嚢の平衡斑は水平面に平行であり，球形嚢の平衡斑は垂直面に平行である．

単層の基底板をもった支持細胞の層が有毛細胞を抱えている．有毛細胞にはⅠ型とⅡ型がある．1 本の長い動毛と 50～100 本の短い不動毛が，有毛細胞の先端面から突き出ている．

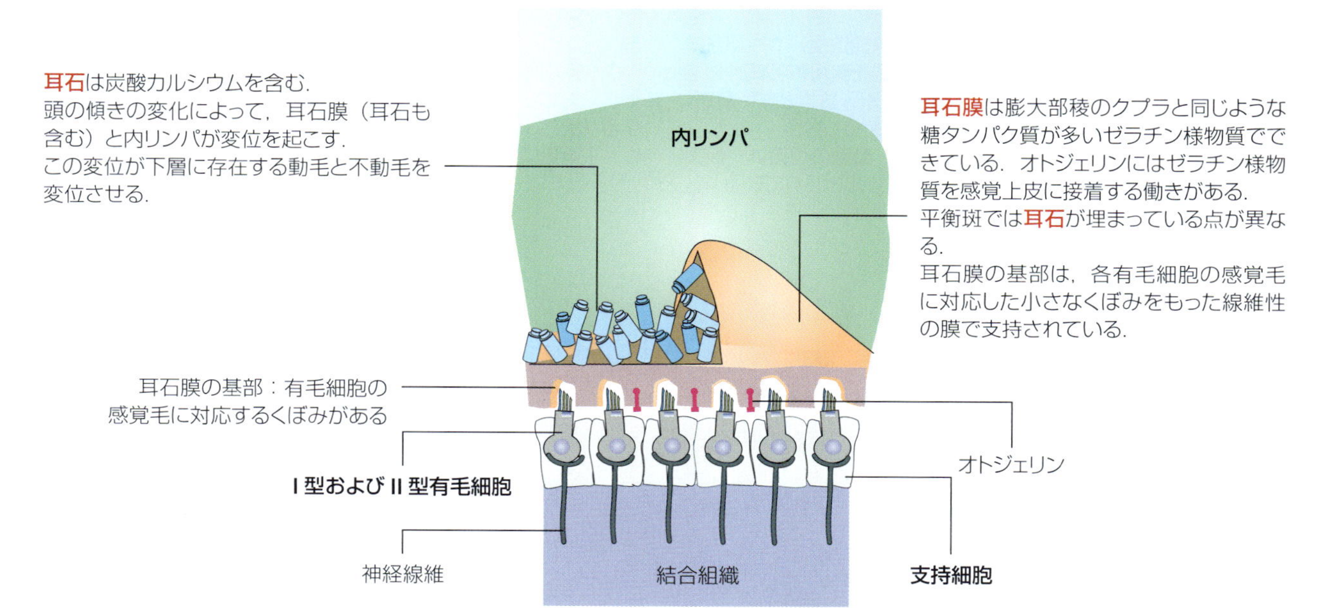

1 不動毛の基部にあるクチクラ板 cuticular plate が，不動毛が細胞質側に沈み込むことを防いでいる．

2 しかし動毛の基部にはクチクラ板による支持がないため，不動毛が動毛に近づくような動きが起こると，動毛は細胞質側に押し込まれるような形になる．

3 このような押し込まれるような動きが細胞膜を変形させ，脱分極の引き金になる．

4 不動毛の変位が動毛から遠ざかるような動きである場合は，動毛はもち上げられるような形になり，過分極を引き起こす．

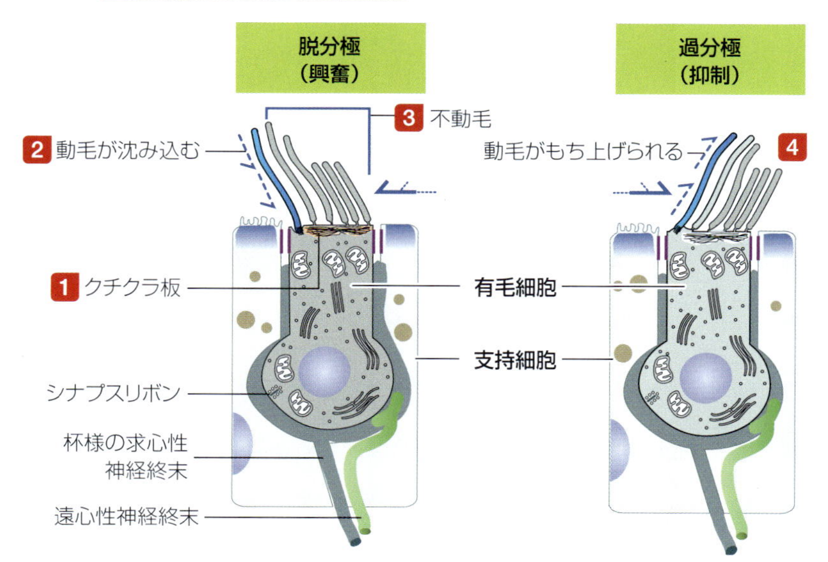

位させる有毛細胞グループはさらに細かく分けられる）．

もう一度，半規管の膨大部稜は頭部や体の**回転**（**角加速度**）に反応するのに対して，卵形嚢と球形嚢の平衡斑は**並進運動**（**重力**や**直線加速度**）に反応することを確認すること．

蝸牛（図 9.31～9.33）

蝸牛管はらせん形をした膜性の管で，骨性の**蝸牛** cochlea の中に入っている．蝸牛管は**基部** base と**先端部** apex からなり，全長 34 mm で約 2⅔ 回転している．

蝸牛は，以下の **3 つのらせん形の部屋**に分かれる（図 9.31～9.33）：

1. **蝸牛管** cochlear duct（**中央階** scala media ともよばれる）は中間の腔で，内リンパで満たされている．
2. 蝸牛管の上方には**前庭階** scala vestibuli がある．ここは前庭窓から続く腔である．
3. 蝸牛管の下方には**鼓室階** scala tympani がある．ここは鼓室窓へつながっている．

前庭階と鼓室階は外リンパで満たされており，両者は蝸牛先端

図 9.30 | 平衡斑の構造

平衡斑の神経感覚上皮

神経感覚上皮は，基底膜に接触する**支持細胞**に埋め込まれた**I 型**と**II 型有毛細胞**で構成されている．

生体の中で有毛細胞の先端部から突出している動毛と不動毛は，**平衡砂**（耳石）を含む**耳石膜**に覆われている．

頭部の前後方向や上下方向の運動時（**直線加速度**）や頭部を傾けたとき（重力），平衡砂は内リンパ内で位置を変え有毛細胞の感覚毛 hair bundles を変位させる．平衡斑（卵形嚢斑と球形嚢斑）の神経感覚上皮は頭部の回転運動に対しては反応しない．

平衡斑の有毛細胞は**方向性をもっている**．**動毛**の位置は，仮想的な線である**ストリオーラ** striola に対して方向づけられている．ストリオーラは有毛細胞を動毛の位置が反対である 2 つの群に分ける線である．

卵形嚢では，動毛がストリオーラ側に位置するようになっている．これに対し**球形嚢**では，動毛はストリオーラの反対側に位置している．

これらの向きによって，頭部のある方向への運動が起こったとき，それに対応して特定の 1 群の有毛細胞の**感覚毛**が変位することになる（訳注：ストリオーラは直線ではなく円弧や曲線状であるため，平衡斑にはさまざまな向きの有毛細胞が存在している）．

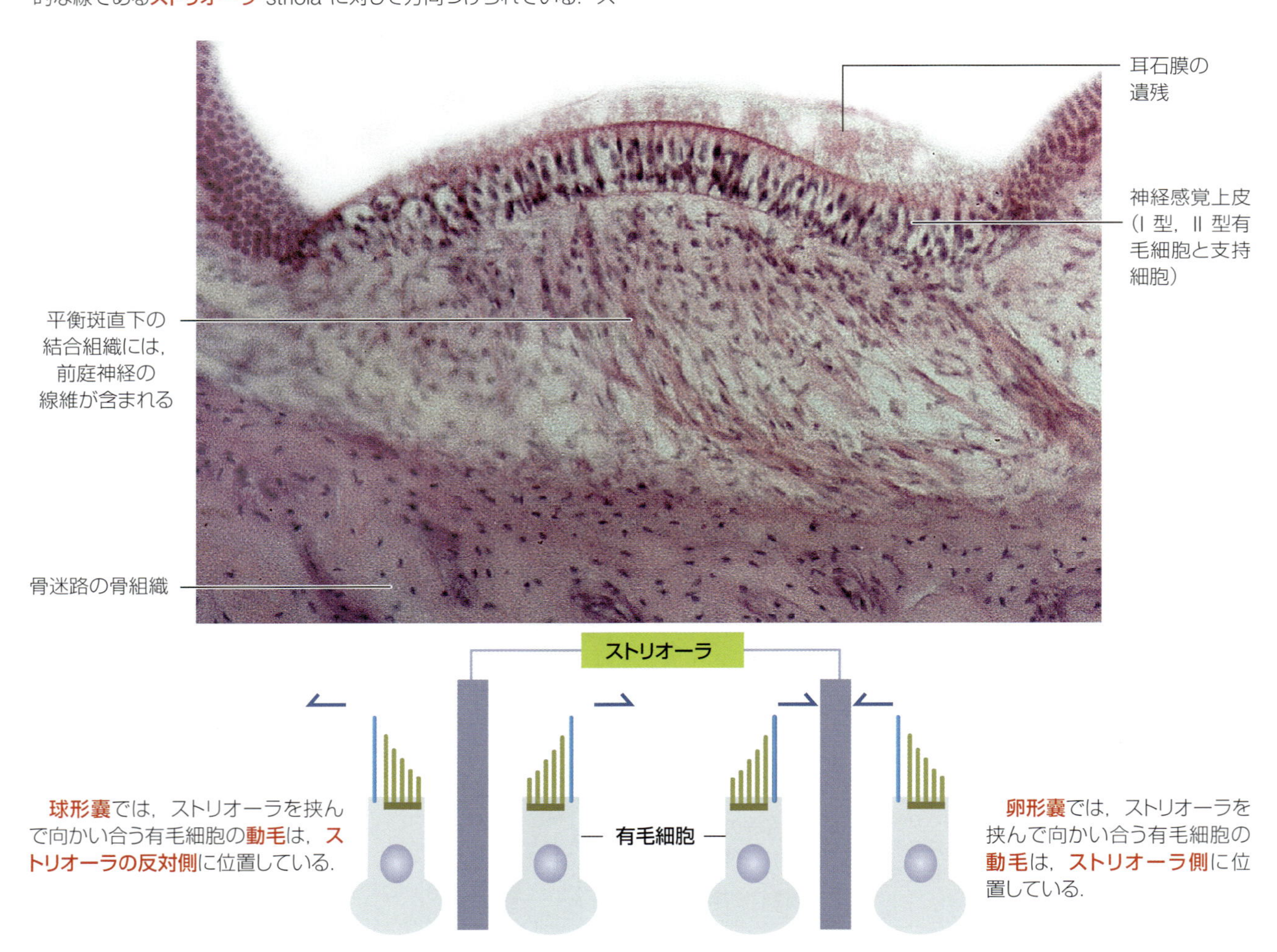

にある**蝸牛孔** helicotrema（図 9.33）で交通している．

断面でみると，中央階（蝸牛管）の壁は以下の 3 つの要素からなる：

1. 底面は**基底板** basal lamina.
2. 上面は**前庭膜** vestibular membrane（**ライスナー膜** Reissner's membrane）.
3. 外側面は**血管条** stria vascularis.

血管条の細胞や毛細血管からは，内リンパが分泌される．血管条は，**基底細胞** basal cell（神経堤細胞あるいは中胚葉由来），**中間細胞** intermediate cell（神経堤に由来するメラニン細胞様の細胞），および**辺縁細胞** marginal cell（上皮由来）の 3 種類の細胞からなる多列上皮に覆われている．

辺縁細胞には**カリウム ATPase** ATPase K^+pump が存在し，内リンパ中へのカリウムイオン放出にかかわっている．

基底細胞は中間細胞とギャップ結合でつながっている．

中間細胞には **Kcnj10**（potassium inwardly rectifying channel, subfamily J, member 10, 内向き整流性 K^+ チャネルのサブファミリー J の第 10 メンバー）が存在し，これが蝸牛内電位と膜電位を

図 9.31 | 蝸牛各部の位置関係

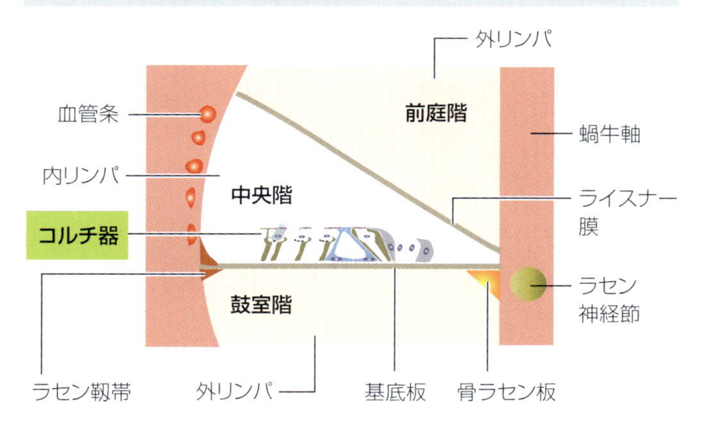

つくり出し，さらに内リンパの産生を行っている．

カリウムイオンが有毛細胞から内リンパに再び戻ることで，有毛細胞の機能にとって重要な内リンパ中のカリウムイオンの適度な高濃度が維持されている（Box 9.J）．

蝸牛の芯をつくる骨は**蝸牛軸** modiolus とよばれる．蝸牛軸から外側に向かって張り出す骨の板は**骨ラセン板** spiral osseous lamina とよばれ，基底板の内側縁と接合する．基底板の外側縁は**ラセン靱帯** spiral ligament につながっている．

コルチ器（図 9.34）

コルチ器 organ of Corti は蝸牛の神経感覚上皮性要素である．

単純化すると，コルチ器には小さなトンネル構造がある．このトンネルの内方（蝸牛軸側）には**1 列の内有毛細胞** inner hair cell の列，外方には**3 列の外有毛細胞** outer hair cell の列が存在している．**内柱細胞** inner pillar cell および**外柱細胞** outer pillar cell がトンネルの側壁を形成している．

内有毛細胞と外有毛細胞はそれぞれ，**内指節細胞** inner phalangeal cell と**外指節細胞** outer phalangeal cell に支持されて，蝸牛の基底部から蝸牛頂まで存在している．

蓋膜 tectorial membrane が**ラセン板縁** spiral limbus から外方に張り出しコルチ器の一部を覆っている．

内有毛細胞は，聴神経を介して大部分のシグナルを中枢に送り出す**神経感覚受容細胞**である．外有毛細胞は，音波に対応した基底板の変位を機械的に増幅する役割を果たす．

基底板の動きは，有毛細胞を蓋膜に近づけたり遠ざけたりする．

有毛細胞に関連する構造として，細胞の頂上面にある**不動毛束** hair bundle がある．

Box 9.J | メニエール病

- 膜迷路と内リンパ嚢の分泌細胞は，内リンパと外リンパのイオンのバランスを維持している．
- 過剰な量の内リンパが**メニエール病** Ménière's disease の原因となる．この病気は，めまい（周囲の空間が回転しているという感覚），吐き気，頭位によって起こる**眼振** nystagmus（頭位による不随意で周期的な眼の動き），嘔吐，および**耳鳴** tinnitus を特徴とする．

1 つの不動毛束は 50～150 本の**不動毛**からなり，長いものから短いものに順に並んでいる．**蝸牛の有毛細胞には動毛は存在しない．**

聴覚の分子的，機械的メカニズム（図 9.35，9.36）

有毛細胞の不動毛束を構成する各不動毛には，**アクチンフィラメント** actin filament の束でできた芯が存在する（図 9.35）．アクチンフィラメント束の先端側ではアクチンモノマーの付加が行われており，この過程を**ワーリン** whirlin というタンパク質とともに制御しているのが**ミオシン XVa** myosin XVa である．ワーリンやミオシン XVa の欠損により，不動毛が短くなってしまう異常が生じる．

不動毛の付け根の部分では，アクチンフィラメント束は**ラディキシン** radixin というタンパク質で安定化されている．不動毛同士は細胞外フィラメントによって相互に連結されている（**不動毛間結合** interciliary link）．**ミオシン VIIa** myosin VIIa と関連タンパク質からなる**サイドリンク** side link は，不動毛軸部の側面同士を連結している．**チップリンク** tip link（**カドヘリン 23** cadherin 23）は，不動毛の先端部と背の高い方の隣の不動毛の側面の間をつないでいる．チップリングにかかる張力は**ミオシン 1c** myosin 1c で制御されている．

不動毛間結合に異常があると，不動毛の配列の乱れが起こり，**網膜色素変性症** retinitis pigmentosa（失明）を伴った**感音性難聴** sensorineural deafness を特徴とする**アッシャー症候群** Usher's syndrome が起こる．

不動毛間結合は，Ca^{2+} を通過させる**機械電気変換（MET）イオンチャネル** mechanoelectrical transduction ion channel（MET チャネル）の開閉を制御する．不動毛の束が背の高い方へ倒れるように曲がると MET チャネルが開くのに対し，逆方向に曲がるとチャネルは閉じる．

不動毛間結合によって MET チャネルの開閉が同期して起こるようになっている．MET チャネルは，音の刺激を電気的な刺激に変換することや音の周波数同調にきわめて重要である．

蓋膜は外有毛細胞の不動毛に接するゲル様の細胞外基質で，II，V，IX 型コラーゲン，**α**および**β-テクトリン** α，β-tectorin，さらにクプラ（膨大部稜）や耳石膜（平衡斑）にも存在する**オトジェリン** otogelin からなる．

前述したように，オトジェリンはクプラや耳石膜を有毛細胞に接着させる重要な働きがあるが，蓋膜をラセン板縁に接着させるのには必ずしも必要ではないようである．

基底板やコルチ器が剪断力で変位すると（図 9.36），外有毛細胞の不動毛が蓋膜に当たる．すると硬い不動毛は**傾く**（不動毛は曲がらない）．

この不動毛の剛性は，不動毛の先端の複雑な一群のタンパク質によって決定されることに留意する（図 9.35）．最も重要なことは，この傾きによって生じた不動毛間の張力によって MET チャネルが開くことである．

不動毛の傾きが最も背の高い不動毛に向かうものである場合は**脱分極** depolarization が起こる．

これに対して，不動毛の傾きが最も背の低い不動毛に向かうものである場合は**過分極** hyperpolarization が起きる．

ラセン神経節（蝸牛神経節） spiral ganglion は蝸牛軸の中にあ

図 9.32 | 蝸牛

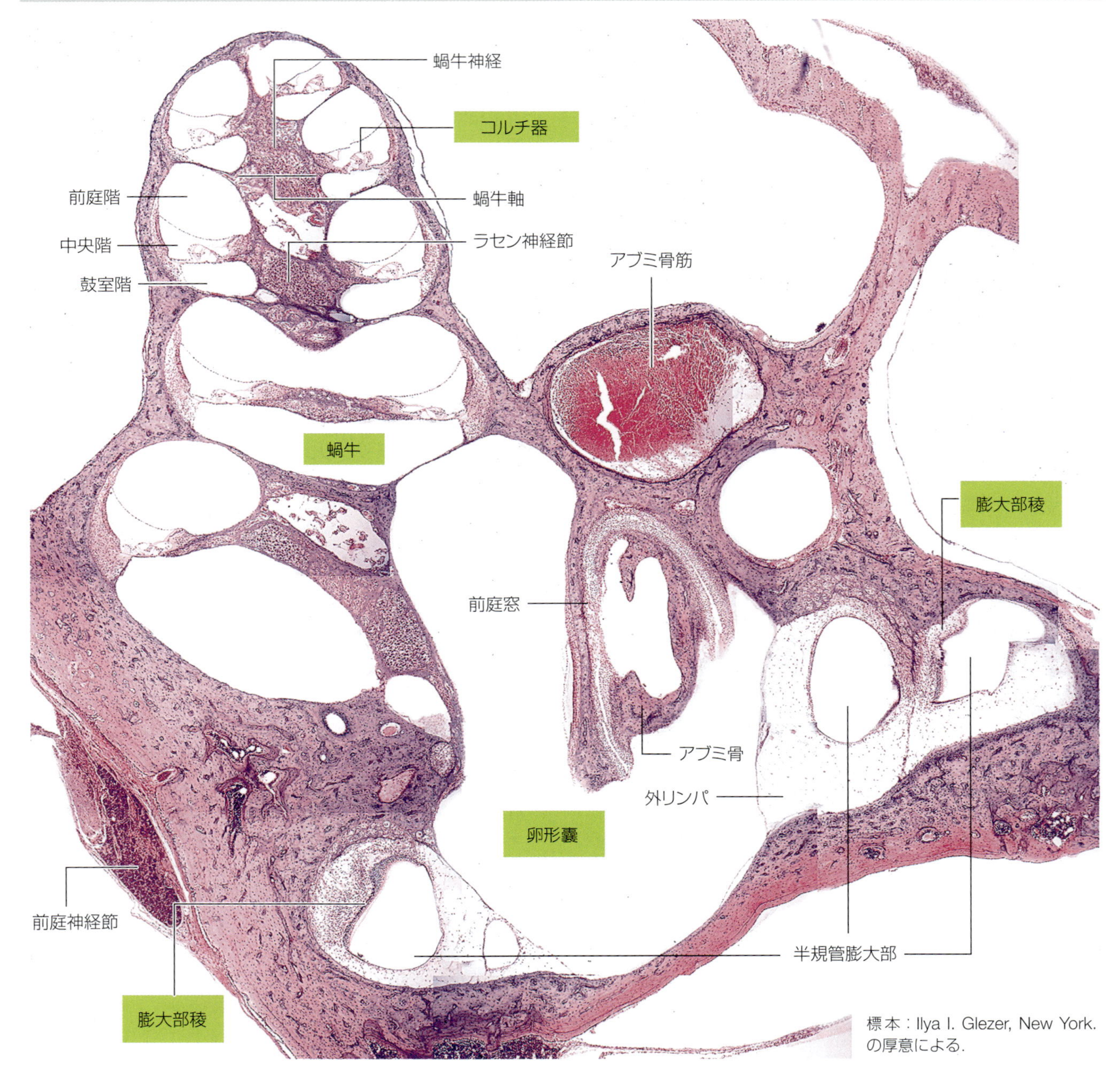

蝸牛 cochlea（ギリシャ語 *kochlias* ［=spiral-skelled snall，渦巻状の殻をもつカタツムリ］）は，骨性の軸の周りを 2 ½ 回転以上するラセン形の管である．骨性の軸である**蝸牛軸**の中には**蝸牛神経節**（**ラセン神経節**）があって，蝸牛の内側にラセン状に配列している．神経節は双極性ニューロンからなり，⑴末梢側の突起は有毛細胞を支配し，⑵中枢側の突起は蝸牛軸の中に入り，そこで蝸牛神経（第 VIII 脳神経の蝸牛神経部）を形成する．

蝸牛の中の膜迷路は蝸牛管ないし**中央階**とよばれる構造で，蝸牛の骨迷路のほぼ全長にわたって存在し，骨迷路を⑴**前庭階**と⑵**鼓室階**の 2 つの管に分割する仕切りとなっている．

前庭膜（**ライスナー膜**）と**基底板**の 2 つの膜が蝸牛の中を仕切り，内リンパを入れる蝸牛管を外リンパで満たされた前庭階および鼓室階から隔てている．

蝸牛管の外側の壁は**血管条**とよばれる血管が豊富な組織で，これは骨迷路の内側を覆い，**内リンパ**のユニークな組成の形成と維持を担当している．

蝸牛を仕切る蝸牛管は蝸牛の最先端部までは達しておらず，ここの**蝸牛孔**とよばれる小開口部（**図 9.33**）で前庭階と鼓室階はつながっている．

蝸牛の基部では，アブミ骨底が**前庭窓**を，第 2 鼓膜が**鼓室窓**をふさぎ（図にはない），前庭階と鼓室階をそれぞれ中耳腔から隔てている．

図 9.33 | コルチ器：内耳における音変換装置

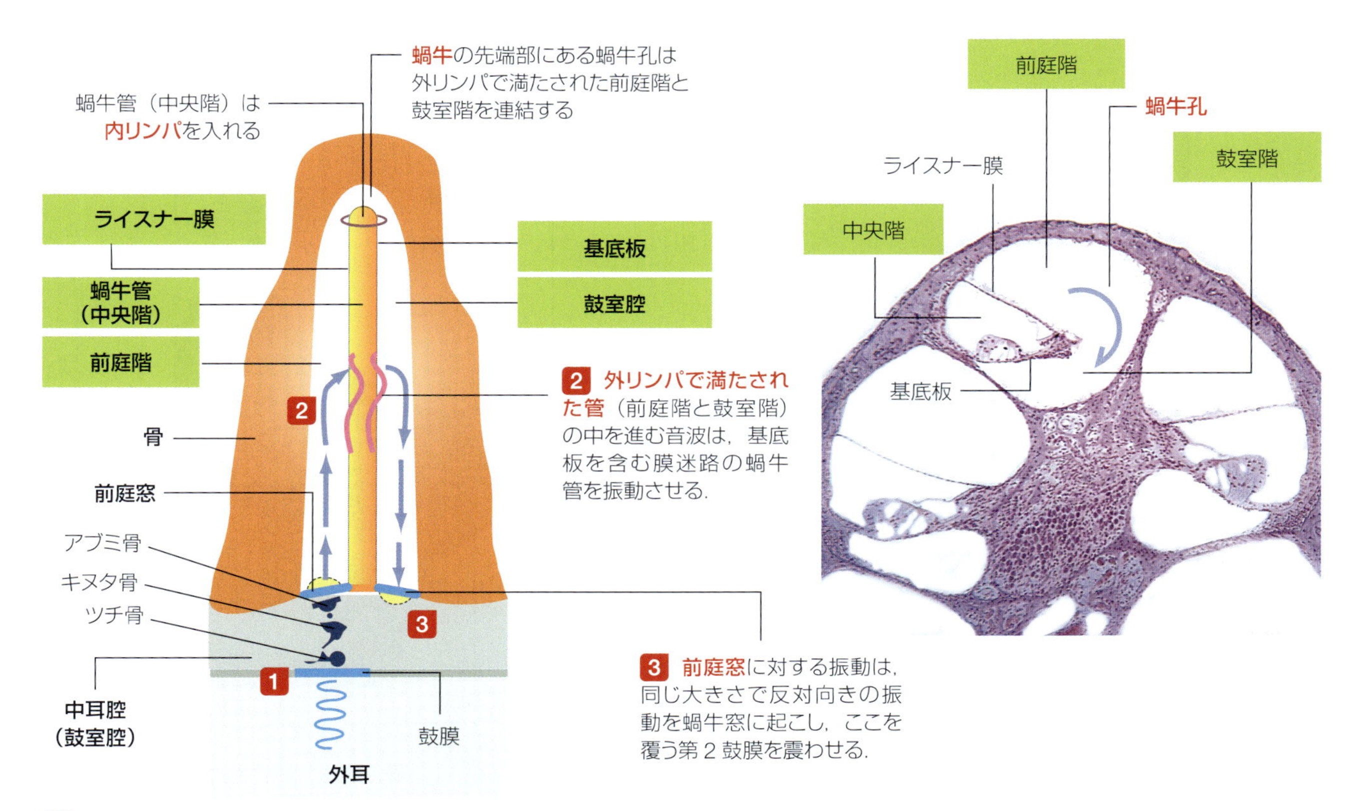

1 空気を伝わって来た音が，（耳小骨を伝わって）前庭窓に向かって押し込むように**アブミ骨**を動かすと，その動きは圧縮されない外リンパ液によって蝸牛管に伝えられる．**ツチ骨**は鼓膜についている．**キヌタ骨**はツチ骨とアブミ骨の間に位置している．

る．双極性ニューロンの末梢側突起は，骨ラセン板の中に入ったのち髄鞘を失い，基底板を貫いて内有毛細胞と外有毛細胞の底面にシナプス結合をつくる．

ラセン神経節には以下の 2 種類の双極性ニューロンが存在している：

1. **I 型ニューロン**（90〜95%）は，内有毛細胞とシナプス結合を行う．
2. **II 型ニューロン**（5〜10%）は，外有毛細胞とシナプス結合する．

I 型，II 型ニューロンの中枢側突起は，内耳神経の蝸牛神経を構成する．遠心性の**上オリーブ核蝸牛線維** olivocochlear fiber は基底板に沿って走り，内および外有毛細胞に終わる．ラセン神経節や前庭神経節のニューロンは，**ニューロジェニン-1 遺伝子** *neurogenin-1* gene が欠損すると発生できないことが知られている．

以下の 2 つの要素が音の感知に重要な役割を果たす（図 9.36）：

1. 内リンパの K^+ の高濃度と外リンパの Na^+ の高濃度が電位差を決める．イオン濃度は血管条の吸収と分泌作用によって調整されている．
2. 鼓室階の液（外リンパ）の動きが基底板の動きを起こし，有毛細胞の背の高い不動毛が蓋膜によって変位させられる．

その結果，不動毛の先端にあるイオンチャネルが開き，K^+ が細胞内に流れ込んで脱分極を起こす．脱分極すると，有毛細胞の底側部に過剰量の Ca^{2+} **が流れ込み**，有毛細胞と求心性線維の間のシナプスで神経伝達物質の放出が起こり，神経線維が刺激される．この部位に**リボンシナプス** ribbon synapse が存在していることに留意する．

外リンパと有毛細胞間での電位差の変化は，音の大きさに対応している．

聴覚障害と平衡感覚（図 9.37）

有毛細胞の先端部には，細胞骨格の要素が比較的多く含まれている．有毛細胞は，機械的な入力，例えば蓋膜や耳石膜に埋まっている感覚毛の変位などを電気的なシグナルに変え，シナプスを介して求心性神経線維に伝える．

転写因子の **Pou4f3**（POU domain, transcription factor 4, class 3）がないと，有毛細胞は特異的なマーカー分子（例えば，通常はみられない**ミオシン VI** myosin VI や**ミオシン VIIa** myosin VIIa な

図 9.34 | コルチ器

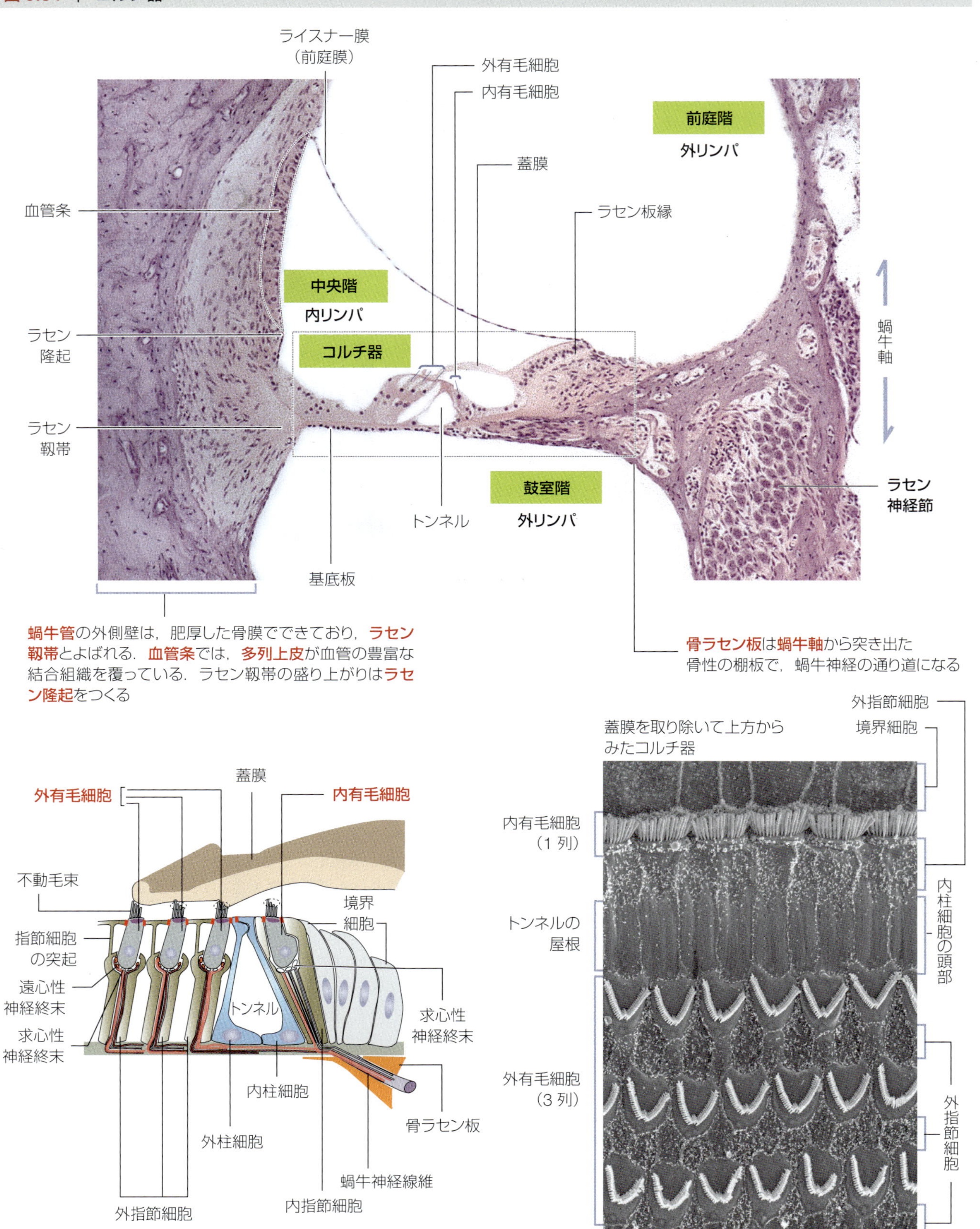

走査電子顕微鏡写真：David N. Furness, Keele University, Keele, UK. の厚意による.

図 9.35 | 有毛細胞の不動毛束の分子構造

不動毛束：階段状に配列した不動毛の並び

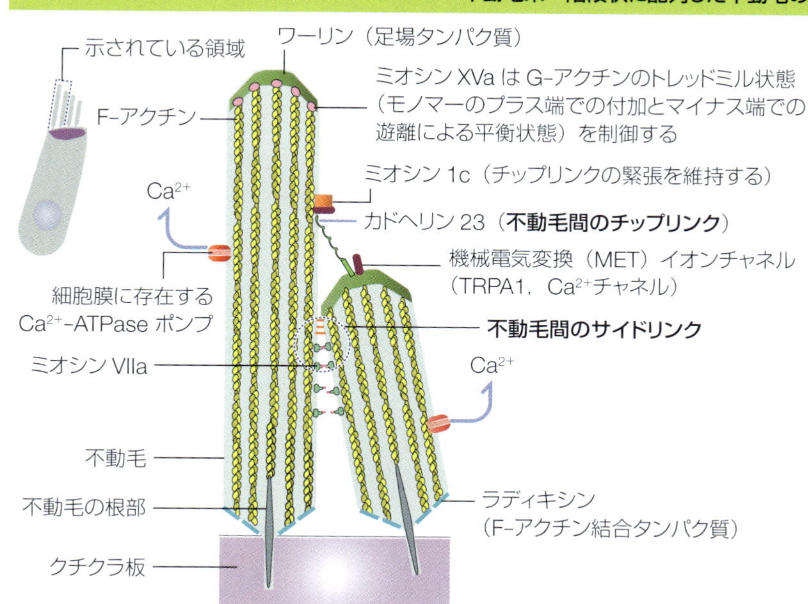

鼓膜から中耳の 3 つの耳小骨，さらに蝸牛内を圧力波として伝わってきた音の振動によって，不動毛束の屈曲が起こる．音波は最終的に基底板の変位を起こし，有毛細胞に電気的な反応を引き起こす．

音による基底板の動きは有毛細胞の不動毛束を傾かせ，不動毛間チップリンク（例えば Ca^{2+}依存性カドヘリン 23）でつながれた TRPA1（transient receptor protein A1）に代表される機械電気変換（MET）イオンチャネルを活性化させる．チップリンクの緊張はミオシン 1c で維持されている．チップリンクに力が加わることによって TRPA1 が活性化され，Ca^{2+}の透過性が上がる．細胞膜性 Ca^{2+}-ATPase ポンプが存在している．サイドリンク（例えばミオシン VIIa）は隣り合う不動毛の動きを同期させる．

有毛細胞の各不動毛にはアクチンフィラメントで構成される芯が存在する．この芯の先端側はワーリン whirlin という足場タンパク質が覆っており，ミオシン XVa も結合している．また，アクチンモノマーの付加も行われている．

図 9.36 | コルチ器の機能

内リンパと外リンパ

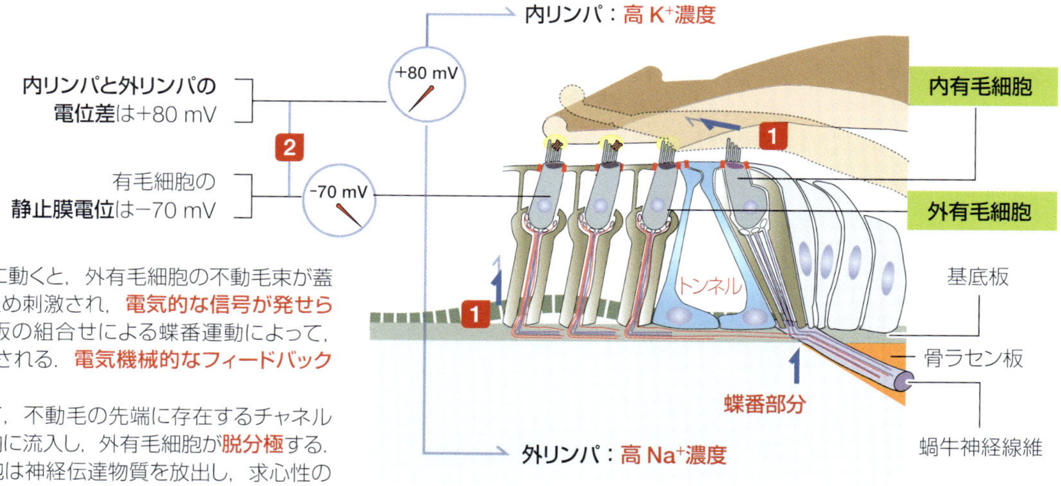

内リンパ：高 K^{+}濃度
内リンパと外リンパの**電位差**は+80 mV
+80 mV
2
有毛細胞の**静止膜電位**は−70 mV
−70 mV
内有毛細胞
外有毛細胞
1
トンネル
基底板
骨ラセン板
蝶番部分
外リンパ：高 Na^{+}濃度
蝸牛神経線維

1 **基底板**が上方に動くと，外有毛細胞の不動毛束が蓋膜にあたって傾くため刺激され，**電気的な信号が発せられる**．蓋膜と基底板の組合せによる蝶番運動によって，内有毛細胞も刺激される．**電気機械的なフィードバックが生成される**．

この変位によって，不動毛の先端に存在するチャネルが開く．K^{+}が細胞内に流入し，外有毛細胞が**脱分極**する．脱分極した有毛細胞は神経伝達物質を放出し，求心性の蝸牛神経を興奮させる．活動電位は神経によって伝えられ，脳に達する．

2 内リンパと細胞内との大きな電位差（150mV）は，不動毛の機械的な変位に対する有毛細胞の感受性を増強する．

ど）を発現し，有毛細胞もラセン神経節細胞も変性してしまう．

すでに述べたように，蓋膜も耳石膜も，**α-テクトリン** α-tectorin，**β-テクトリン** β-tectorin，および**オトジェリン** otogelin を含んでいる．α-テクトリンやオトジェリンをコードしている遺伝子に変異が起こると，聴覚障害や平衡感覚障害が生じることが知られている（図 9.37）．

コネキシン 26 connexin 26 という支持細胞上のギャップ結合の構成要素であるタンパク質の遺伝子が変異すると，細胞間質から血管条への内リンパ中の K^{+} の再利用サイクルが阻害され，**聴覚障害**（**難聴**）deafness が起こる．コネキシン 26 は有毛細胞には存在していない．

血管条の神経堤由来のメラノサイト（メラニン細胞）の数が減

図 9.37 | 聴覚障害

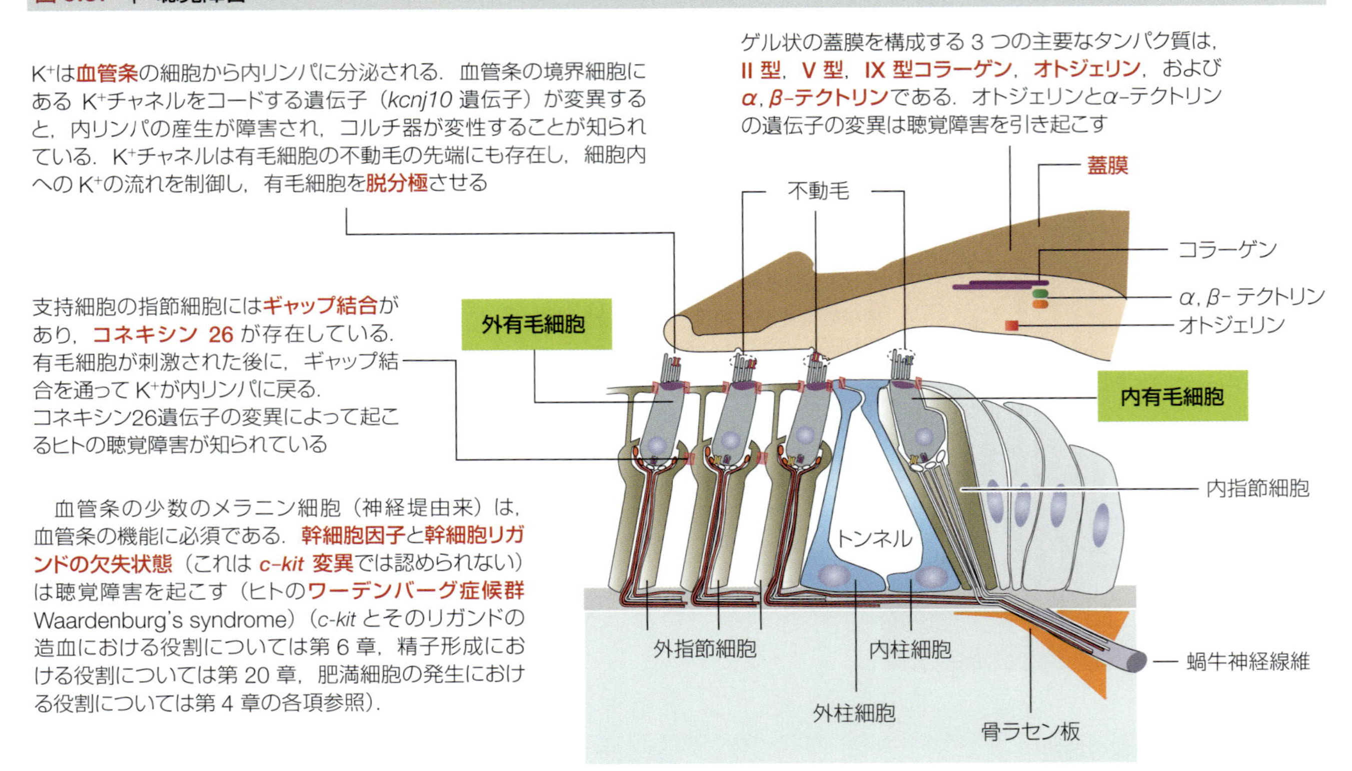

少する変異をもつマウスが何種類か知られている．

血管条においてメラノサイトがどのような役割を果たしているかは不明であるが，***c-kit* 遺伝子** *c-kit* gene（幹細胞因子の受容体とそれにつく分子をコードする．詳しくは第 6 章参照）の欠損マウスでは血管条の機能が障害され，耳が聞こえないことが知られている．

ヒトにおける**ワーデンバーグ症候群** Waardenburg's syndrome は常染色体顕性遺伝形式の先天性難聴で，色素細胞の異常，例えば部分的なアルビノなどと内耳神経の発達異常を伴う．色素細胞と神経節細胞が，神経堤細胞という共通の起源から遊走してくる細胞であることを思い出すこと．

感覚器：眼と耳 ｜ 概念図・基本的概念

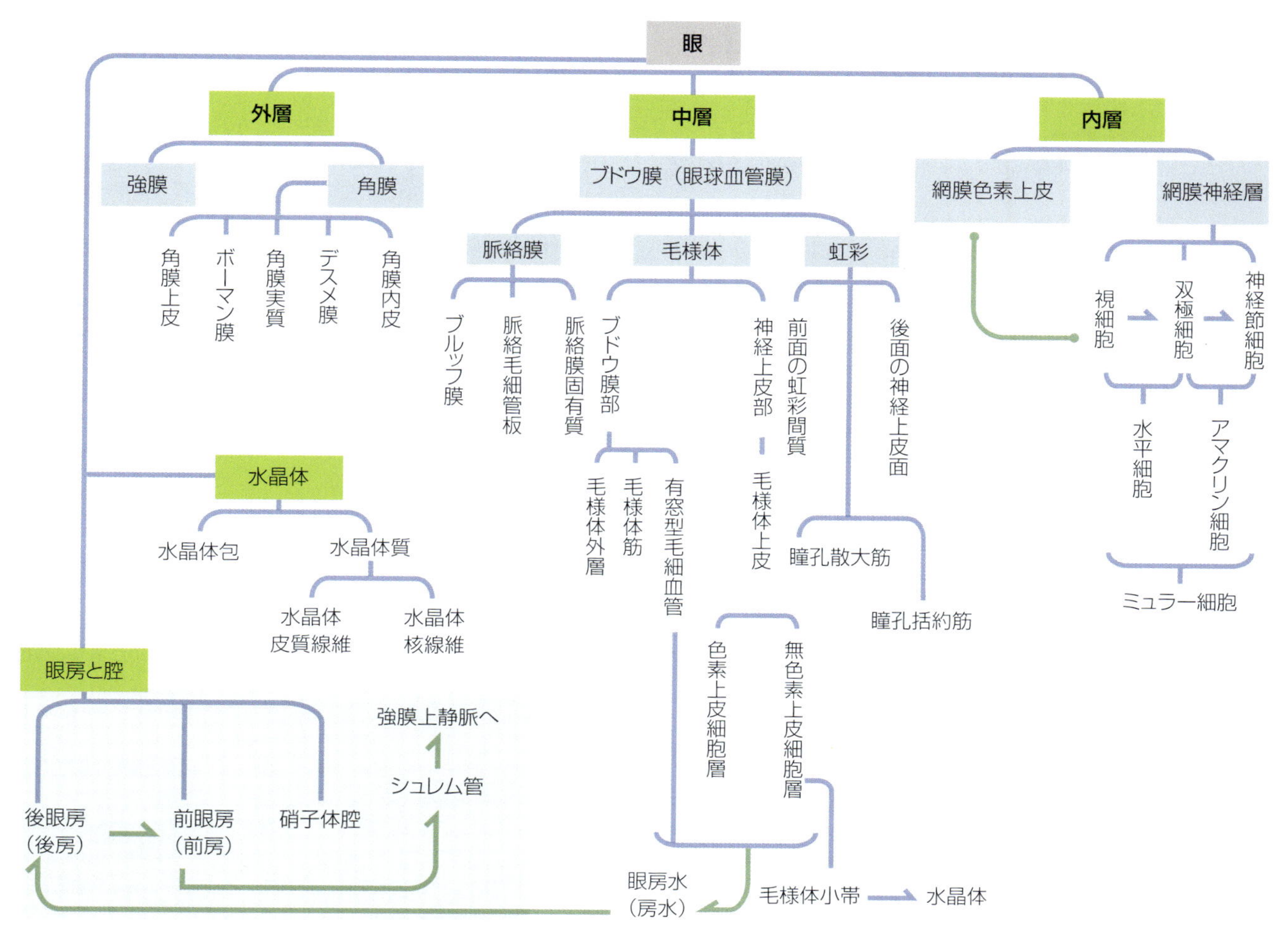

- **眼**

眼球は表層から深層に向かって，以下の３つの層でできている：
(1)強膜と角膜．
(2)ブドウ膜．
(3)網膜．

互いに交通している以下の３つの腔所が存在している：
(1)前眼房（角膜内皮と虹彩の前面の間の腔）．
(2)後眼房（虹彩の後面と水晶体の前面の間，および水晶体に付属する毛様体小帯）．
(3)硝子体腔（水晶体と網膜の間）．

毛様体から分泌された眼房水は，後眼房から前眼房に向かって移動し，虹彩角膜角部の線維柱帯からシュレム管へ導かれる．

眼球は骨性の眼窩，眼瞼，結膜，さらに涙器で保護されている．内頸動脈の枝である眼動脈が眼球や眼窩内の構造物を養っている．

- 眼球の構成要素は以下の３つの異なる起源をもつ：
(1)頭部の表皮外胚葉．
(2)胚の神経外胚葉の側壁（間脳部分）．
(3)間葉．

間脳部分が両側に丸くふくらんでできた眼胞は，陥入して２層性の眼杯となる．

この２層のうちの外層は網膜色素上皮層となり，内層は網膜に分化する．

眼胞に近接する表皮外胚葉は眼杯内に陥入し，水晶体を形成する．

眼杯の外層に接する間葉は血管に富んだ脈絡膜外套（毛様体，毛様体筋，毛様体突起を生ずる），さらに強膜や角膜に分化する．

眼杯の陥入部に進入した間葉は硝子体を形成する．

- **眼球の外層：強膜と角膜．** 強膜は線維芽細胞によってつくられたコラーゲン線維と弾性線維からなる厚い線維層である．角膜は血管を欠くものの神経終末が存在する透明な組織であり，以下の５層からなる：
(1)外界と接する重層扁平上皮性の角膜上皮．
(2)ボーマン膜あるいは層とよばれる支持膜．
(3)規則的に線維が配列する角膜実質．
(4)デスメ膜．
(5)角膜内皮，眼房水に接する単層扁平上皮．

- **眼球の中層：ブドウ膜（眼球血管膜）．** ブドウ膜は以下の３つの部分に分けられる：
(1)脈絡膜．
(2)毛様体．
(3)虹彩．

脈絡膜は内から外に向かって以下の３層からなる：
(1)ブルッフ膜（網膜色素上皮細胞の基底膜，これは，その外側の有窓型毛細血管内皮細胞の基底膜，さらに両者の間の結合組織で構成されている．ここはドルーゼンがみられる部位である．**ドルーゼン**とは，βアミロイド，補体第1因子，ビトロネクチン，アポリポタンパク質Eなどを含む沈着物で，失明の原因となる**加齢黄斑変性**の指標とみなされている．

(2)**脈絡毛細管板**，網膜の外層を栄養する血管網である．

(3)脈絡膜固有質（メラニン細胞，血管，自律神経系ニューロンを含む）．

鋸状縁より前方に存在する**毛様体**は，以下の2つの部位からなる：

(1)**ブドウ膜部**は毛様体外層ともよばれ，毛様体小帯の張力を変えることによって水晶体の曲率を変化させる毛様体筋と有窓型毛細血管が存在している．

(2)**神経上皮部**は毛様体の2層の上皮細胞層（色素上皮細胞層と網膜神経部の続きである無色素上皮細胞層）を形成する．2つの細胞層は，先端側同士が向かい合うように並んでおり，眼房水を分泌する．

虹彩は毛様体の続きである．上皮がなくメラニン細胞と線維芽細胞を含む前面（ブドウ膜面あるいは虹彩間質）と，2層の色素上皮で覆われた後面（神経上皮面）をもつ．虹彩間質内には筋上皮細胞（瞳孔散大筋）と平滑筋（瞳孔括約筋）が存在する．

水晶体は，両面のふくらんだ透明で弾力性のある血管をもたない構造で，毛様体小帯によって固定されている（毛様体小帯は毛様体上皮から起こり，水晶体包の赤道部に付着している）．

水晶体は，以下の3つの要素からなる：

(1)水晶体包．

(2)水晶体上皮．

(3)水晶体質（水晶体皮質線維および水晶体核線維よりなる）．

フィレンシンとクリスタリン（α，β，γ）が水晶体に認められる中間径フィラメントである．水晶体の曇りである**白内障**は，それらのタンパク質の可溶性の変化によって起こる．

- **調節**とは，水晶体がより丸くなったり（より近くの物が網膜上に像を結ぶ），扁平になったり（より遠くの物が網膜上に像を結ぶ）する過程である．

調節機能には，毛様体筋，毛様体，毛様体小帯が関与する．

毛様体筋が収縮すると，毛様体全体が水晶体の方に近づくことになる．この結果，毛様体小帯にかかる張力が減少し，水晶体は自身の弾力性でより丸くなり，近くの物がみえるようになる．

逆に，毛様体筋が弛緩すると，毛様体全体が水晶体から遠ざかることとなり，毛様体小帯にかかる張力が増す．これによって水晶体はより扁平になり，遠くの物がみえるようになる．

毛様体筋が弛緩した状態で，遠くの物が網膜面上に結像する状態を**正視眼**とよぶ．**近視**とよばれる状態は，眼軸が長すぎるか水晶体が十分扁平にならないために，遠くの物が網膜面より前で結像する状態である．

遠視とよばれる状態は，眼軸が短すぎるか水晶体が扁平すぎるために，遠くの物が網膜面より後ろで結像する状態である．年配者では水晶体の弾力性が低下するため，遠視傾向（近くの物がみえづらい）となり，いわゆる**老眼**とよばれる状態になる．

内層：網膜．網膜は以下の2つの部分からなる：

(1)**光を感知しない外層の**単層立方上皮である**網膜色素上皮**（視神経円板の縁から鋸状縁まで広がる）．

(2)**光を感知する内層の網膜神経層**（視神経円板の縁から毛様体上皮まで広がる）．

これら2つの層が，外傷，血管性病変，代謝障害，あるいは加齢などによって離れると，**網膜剥離**となる．

網膜色素上皮細胞は以下の4つの重要な役割を果たしている．(1)脈絡膜の血管から網膜神経部の外層部への栄養輸送を行う，(2)網膜神経部からの代謝産物を運び去る，(3)錐体視細胞や杆体視細胞の外節から脱落する視細胞円板を貪食し，再利用する，(4)光で退色した視色素であるロドプシンの再生を行う．網膜色素上皮細胞の基底板はブルッフ膜の構成要素である．

網膜神経層には以下の4種類の細胞群がみられる：

(1)**視細胞**（杆体と錐体）．

(2)**伝達ニューロン**（双極細胞と神経節細胞）．

(3)**連合ニューロン**（水平細胞とアマクリン細胞［無軸索細胞］）．

(4)**支持をする神経膠細胞のミュラー細胞**．

これらの細胞は，図9.14に示すような10層構造を形成している．各層の名称は覚えるべきであるが，各層に関連することや細胞の特徴などを意識することが重要である：

網膜には明瞭な細胞の核が集まっている以下の3つの層がある：

(1)視細胞の核が存在している**外顆粒層**．

(2)双極細胞，水平細胞，アマクリン細胞，およびミュラー細胞の核が集まっている**内顆粒層**．

(3)神経節細胞の核が存在する**神経節細胞層**．網状層と境界膜は網膜の細胞同士が接触する場所を表している．

視細胞（杆体と錐体）は細長い細胞で，2つのセグメントからなっている：

(1)外節は扁平な膜性の円板が積み重なった構造をしている．

(2)内節はさまざまな細胞成分の産生の場となっている．

特殊化した結合線毛が外節と内節をつないでいる．この線毛はモーター分子（キネシンや細胞質ダイニン）に対して微小管を提供している．これによって，外節の円板が産生されるところにさまざまな物質を運ぶことが可能となっている（線毛内輸送）．

杆体と錐体には以下の3つの違いがある：

(1)杆体の外節は円筒状であるのに対して，錐体の外節は円錐状である．

(2)杆体の終末は杆体小球とよばれるのに対し，錐体の終末は錐体小足とよばれ，どちらも双極細胞や水平細胞とシナプス結合する．

(3)杆体は暗所視に適したロドプシンという視色素をもっているのに対して，錐体には色を識別するためのヨードプシンという類似の視色素が含まれている．

双極細胞と神経節細胞は，視細胞によって発せられたインパルスを伝達する．

水平細胞と**アマクリン細胞（無軸索細胞）**は，軸索と樹状突起の区別がなく，両方向に刺激を伝える神経突起だけをもっている．

ミュラー細胞は円柱状の細胞で，視細胞や双極細胞，神経節細胞間のすき間を埋めている．ミュラー細胞の外方へ伸びる突起は，視細胞の外側部に接着帯で結合し，微絨毛を突出させている．この部位は外境界膜に相当する．一方，網膜の内層表面に存在する内境界膜はミュラー細胞の基底板に相当する．

シナプスリボンを含む**リボンシナプス**が視細胞の小球や小足，さらに双極細胞に認められる．リボンシナプスは他に有毛細胞（内耳）と松果体細胞（松果体）にも存在する．

シナプスリボンはシナプス前膜近くに存在する高電子密度の細長い構造物で，つながれていない自由な小胞，つながれた小胞，そして常に伝達物質を放出している小胞を伴っている．RIBEYEタンパク質集合体がリボンの足場をつくっている．

- 黄斑の中央に位置する**中心窩**は，高解像度の視覚のために特殊化した部位である．

視神経乳頭を含む**視神経円板**（神経節細胞の軸索が外へ出る部位であり，血管が通る部位でもある）は，物をみることができない部位である（網膜の盲点）．

- **眼瞼**は以下の2つからなる：

(1)外側の皮膚部分．

(2)内側の結膜部分．

結膜の皮膚部分には，汗腺と脂腺，睫毛とそれに伴う睫毛腺（モル腺）が存在する．瞼板（弾性のある線維質の緻密結合組織）は結膜の裏側に面して存在している．大型の脂腺である瞼板腺（マイボーム腺）が，眼瞼の縁に開口している．

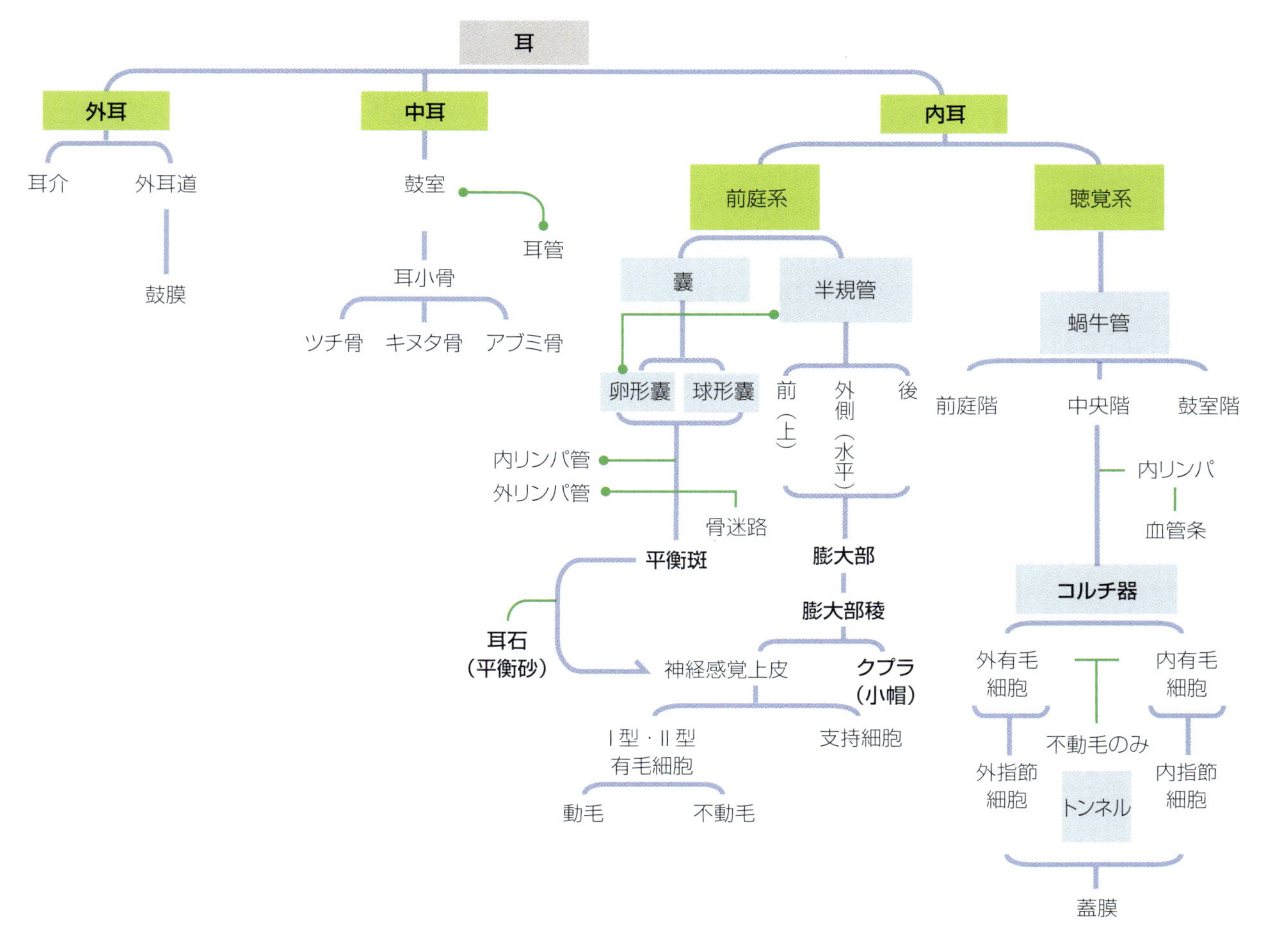

結膜（粘液分泌杯細胞を含む重層の多角形ないし円柱上皮）は皮膚の続きで，角膜輪部のところで重層扁平上皮となり，角膜上皮に続いていく．

• 涙腺は漿液性房状管状腺で筋上皮細胞を伴う．まばたきによって涙腺が圧迫され，液体（涙）が分泌される．

• 耳
  耳は３つの部分で構成されている：
  (1)外耳.
  (2)中耳.
  (3)内耳.

• 外耳は耳介と外耳道からなる．耳介で集められた音波は外耳道を介して鼓膜まで伝えられる．

• 中耳（鼓室）は側頭骨内にある空気で満たされた腔で，耳小骨（ツチ骨，キヌタ骨，アブミ骨）が存在する．耳小骨は互いに連結し，その一方の端のツチ骨柄は鼓膜についており，もう一方の端のアブミ骨底は内耳の骨迷路の開口部である前庭窓にはまり込んでいる．
  耳小骨は鼓膜の動きを調整するとともに，入ってくる音波を増幅して前庭窓に伝える．
  中耳炎や耳硬化症は耳小骨の動きを障害し，難聴を起こすことがある．
  中耳と咽頭鼻部を連絡する耳管あるいはエウスタキオ管（咽頭に近づくにつれ弾性軟骨から硝子軟骨に変化する）は，鼓室内と外界の空気圧が等しくなるよう調整する役割を果たしている．

• 内耳は骨迷路とその中に存在する膜迷路で構成されており，平衡感覚系と聴覚系に分けられる．
  膜迷路の中は内リンパ（K^+ 高濃度，Na^+ 低濃度）で満たされている．一方，膜迷路と骨迷路の間の腔には外リンパ（Na^+ 高濃度，K^+ 低濃度）が存在している．

• 平衡感覚系の膜迷路は以下の要素で構成されている：
  (1)２つの袋（球形嚢と卵形嚢）.
  (2)卵形嚢につながる３本の半規管（外側，前，後半規管）.
  各半規管が卵形嚢につながるところには膨大部とよばれるふくらみがある．
  球形嚢と卵形嚢から出た内リンパ管は１つにまとまって頭蓋腔に至り，硬膜の２層の間に，内リンパ嚢という小さな袋を形成している．
  内リンパの量が異常に増えると，めまい，悪心，頭位によって起こる眼振，嘔吐，耳鳴りなどを特徴とするメニエール病を引き起こす．
  各半規管の膨大部には神経感覚上皮で覆われた膨大部稜という高まりが存在する．この神経感覚上皮はⅠ型およびⅡ型有毛細胞，および支持細胞で構成されている．
  膨大部稜の上にはクプラ（小帽）とよばれるゼラチン様の物質がのっており，その周囲には内リンパが存在している．
  半規管は，頭部や体の回転（角加速度）に反応して活動する．
  有毛細胞の先端側には 50〜100 本の不動毛（アクチンを含むクチクラ板で支持されている）と１本の動毛が存在している．動毛や不動毛の自由端はクプラの中に埋め込まれており，内リンパの動きで変位する．
  卵形嚢と球形嚢の平衡斑は（回転を伴わない）並進する動き（重力と直線加速度）に反応する．平衡斑は神経感覚上皮（Ⅰ型およびⅡ型の有毛細胞とその支持細胞）とそれを覆う耳石膜で構成されている．耳石膜は膨大部の小帽に似たゼラチン様の物質であるが，炭酸カルシウムを主成分とする耳石（平衡砂ともよばれる）が埋まっている点が異なっている．

回転による内リンパの動きや直線加速度によってクプラや耳石膜の位置が変わると，有毛細胞の不動毛と動毛の位置も変位する．

不動毛が動毛に近づくように変位するとき，有毛細胞の膜が脱分極し，有毛細胞についている求心性神経も刺激され興奮する．

不動毛が動毛から遠ざかるように傾くと，有毛細胞は過分極を起こし，求心性神経も興奮しない（抑制される）．

また，平衡斑の有毛細胞には極性があり，その並び方にも極性があるということも重要である．有毛細胞の極性は動毛と不動毛の配置によるもので，その極性が，ストリオーラとよばれる仮想の線に向かうか，あるいは遠ざかるように配列している．すなわち，ストリオーラによって平衡斑の有毛細胞集団は，極性が互いに逆方向を向いた 2 つのグループに分けられることになる．ストリオーラに対する有毛細胞の向きは，以下のように存在部位によって異なる：

(1)卵形嚢では，有毛細胞の動毛がストリオーラ側に向いている．
(2)球形嚢では，動毛がストリオーラとは反対側を向いている．

- **聴覚系**は蝸牛とよばれるらせん状の管で構成されている．
  蝸牛には以下の 3 つのらせん形の部屋が存在する：
  (1)**蝸牛管**（中央階ともよばれる．膜迷路に属し内リンパで満たされている）．
  (2)**前庭階**，前庭窓から続く．
  (3)**鼓室階**，蝸牛窓に終わる．
  前庭階と鼓室階は外リンパで満たされており，頂上部の**蝸牛孔**で交通している．**血管条**は蝸牛管の外方に位置し，**内リンパ**を産生する．
  蝸牛軸は，蝸牛の内方に位置するらせん形をした骨性の軸で，中にラセン神経節（蝸牛神経節）を容れる．

- **コルチ器**は蝸牛の神経感覚上皮であり，有毛細胞と支持細胞で構成されている．前庭系でみられたクプラや耳石膜の代わりに，コルチ器の神経感覚上皮は**蓋膜**（コラーゲン，αおよびβテクトリン，およびオトジェリンからなる）と接している．
  コルチ器には以下の 2 種類の有毛細胞が存在する：
  (1)**内有毛細胞**：1 列．
  (2)**外有毛細胞**：3 列．
  内有毛細胞と外有毛細胞は**内柱細胞**と**外柱細胞**に囲まれたトンネルによって隔てられており，**指節細胞**によって支持されている．
  コルチ器の有毛細胞には動毛がなく，不動毛だけが存在している．
  不動毛にはアクチンフィラメントの芯がある．
  アクチンの束の先端部ではアクチンの単体がつけ加わっている．不動毛同士は細胞外のフィラメント（不動毛間結合）で結びつけられている．不動毛間結合は，Ca^{2+} を通過させる機械電気変換（MET）イオンチャネルの開閉を制御する．

- **聴覚障害**の原因として知られているのは，蓋膜に通常存在するα‐テクトリンやオトジェリンの欠失，蝸牛管の支持細胞間のギャップ結合におけるコネキシン 26 の欠失，さらに内耳神経節の発生不全（**ワーデンバーグ症候群**）である．不動毛間結合に異常があると，不動毛の配列の乱れが起こり，網膜色素変性症（失明）を伴った蝸牛性の感音難聴を特徴とする**アッシャー症候群**が起こる．

10　免疫・リンパ系

キーワード　免疫の種類，リンパ球，抗原提示細胞，T 細胞受容体，主要組織適合複合体，リンパ節，胸腺，脾臓，がん免疫療法

上皮は天然の物理的なバリアであり，病原体が身体へ侵入するのをブロックして，感染を防いでいる．病原体が上皮バリアの防御を突破して身体へ侵入した場合には，免疫系を構成する細胞が集結し，侵入した病原体や抗原に対抗する．免疫系は自然免疫と獲得免疫からなり，これらが相互に働きながら感染症に直面して無力化する．白血球，特に好中球は急性炎症において最初の防衛線となる．リンパ球とマクロファージ（大食細胞）は慢性炎症に対応する．本章では，一次および二次リンパ性器官の構造と機能，そしてそれらの全身的防御作用と局所的防御作用への関与について解説する．また，がん免疫療法についても言及する．

免疫・リンパ系の構成（図 10.1，10.2）

リンパ組織には，**一次リンパ性器官** primary lymphoid organ と**二次リンパ性器官** secondary lymphoid organ がある．

一次リンパ性器官は，免疫系の細胞成分を産生する．これには，以下の 2 つがある（図 10.1）：

1. **骨髄** bone marrow.
2. **胸腺** thymus.

二次リンパ性器官は免疫応答の場である．これには，以下の 4 つが含まれる：

1. **リンパ節** lymph node.
2. **脾臓** spleen.
3. **扁桃** tonsil.
4. **肺**と**消化管**粘膜にみられるリンパ球と抗原提示細胞の集まり（すなわち，**気管支付属リンパ組織** bronchial-associated lymphoid tissue［BALT］と，**パイエル板** Peyer's patch を含む**消化管付属リンパ組織** gut-associated lymphoid tissue［GALT］）.

病原体はどこからでも体内に侵入できるので，**リンパ組織**は広く分布している．

免疫機構としてのリンパ性器官の主な機能は，**病原体**や**抗原** antigen（細菌，ウイルス，寄生虫）の侵入から身体を守ることである．この防御機構，すなわち**免疫応答** immune response の基本は，**自己**と**非自己の物質**を識別する能力である．

リンパ組織の鍵となる2つの細胞成分は，**リンパ球** lymphocyte と**アクセサリー細胞** accessory cell である（図 10.2）．リンパ球には，2 つの主要なグループがある：

1. **B 細胞**は，細胞と結合していない抗原や結合した抗原に反応する．
2. **T 細胞**は，さらに**ヘルパーT 細胞** helper T cell と**細胞傷害性**（cytolytic または［cytotoxic］）**T 細胞**の 2 群に分けられる．これらの T 細胞は，特別な分子によって提示された細胞結合性の抗原に反応する．

2 つの**一次リンパ性器官**（骨髄と胸腺）を離れると，成熟した B 細胞と T 細胞は，血中を循環し，**二次リンパ性器官**（リンパ節，脾臓，扁桃）の 1 つに到達する．

B 細胞と T 細胞は，**高内皮細静脈** high endothelial venule という特殊な細静脈を通って，血流を離れる．この細静脈は，普通の扁平な内皮細胞の代わりに丈の高い内皮細胞をもつため，こうよばれている．

アクセサリー細胞には，単球由来の 2 種類の細胞，**マクロファージ（大食細胞）** macrophage と**樹状細胞** dendritic cell が含まれる．皮膚表皮の**ランゲルハンス細胞** Langerhans cell は樹状細胞の一例である．この他，**濾胞樹状細胞** follicular dendritic cell という第 3 のアクセサリー細胞が，リンパ節のリンパ小節にみられる．濾胞樹状細胞は，本来の樹状細胞とは異なり，骨髄前駆細胞に由来しない．

細胞の由来や分化，リンパ球とアクセサリー細胞の関係を論じる前に，免疫系の特徴を明らかにする必要がある．そのうえで，それぞれ固有の免疫反応の特徴を示す主なリンパ性器官について，個々にその構造的な特色をまとめることにする．

免疫の種類（図 10.3）

一般に**免疫** immunity とは，細菌やウイルス，寄生虫の抗原を含む外来（非自己）物質や**病原物質**に対する細胞や組織の反応であり，以下の 2 つに分けられる：

1. 自然免疫.
2. 獲得免疫.

新生児の**自然免疫** innate（natural）immunity は，最も単純な防御機構であり，過去の病原物質への曝露を必要とせず，マクロファージや樹状細胞によって素早く反応が誘発される．

このとき，**トル様受容体** Toll-like receptor（**TLR**，Box 10.A）が，体内に侵入した病原体の成分（核酸やタンパク質，脂肪や多糖類など）に対して自然免疫を引き起こす．異なる TLR はそれぞれ個別の微生物の保存された構造を認識する．これが自然免疫に特異性を与える．

後で詳しく述べるが，血清タンパク質，膜結合型制御タンパク質と受容体によって構成される**補体系** complement system も自然免疫における重要な機構であり，病原体の侵入によって速やかに活性化される．すなわち活性化したトル様受容体と補体系によって炎症性サイトカインが産生・分泌され，炎症反応が開始する．

獲得免疫 adaptive（acquired）immunity は，病原物質に曝露したときに，その病原物質の排除と免疫記憶の形成を目的として発達する．

獲得免疫を得るには，**遺伝子再構成** gene rearrangement として知られるメカニズムによって抗原特異的な受容体をもったリンパ球が多種多様につくられ，その中から特定のリンパ球が選択（**クローン選択** clonal selection）される必要がある．もともと自然免疫では，クローン選択も免疫学的な記憶ももたない細胞が，自身の発現することができる限られた数の**パターン認識受容体**

図 10.1 | 造血組織におけるリンパ球系細胞の起源

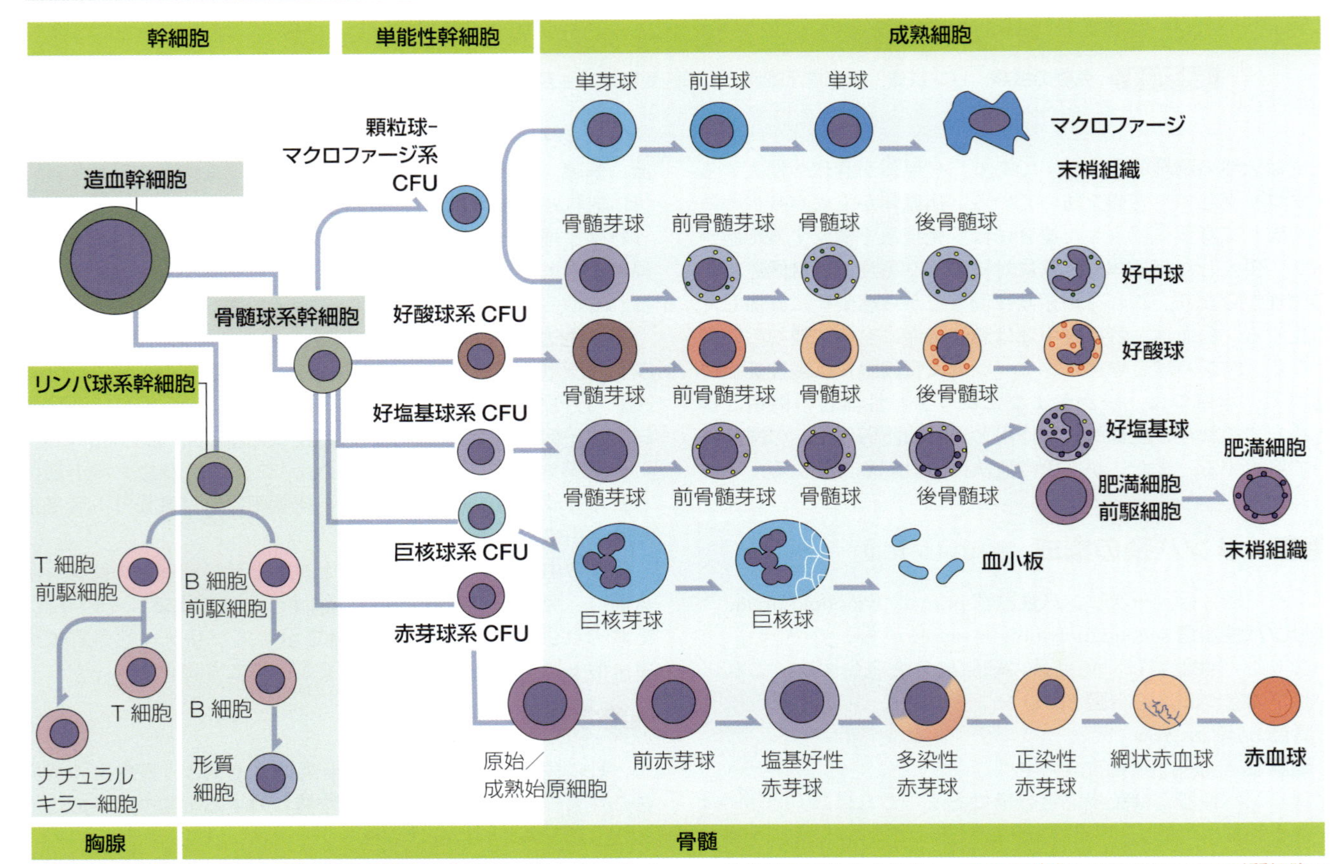

免疫系の細胞は，骨髄の多能性幹細胞に由来する．第 6 章で述べたように，多能性幹細胞は，2 系統の前駆細胞，すなわち**リンパ球系幹細胞**と**骨髄球系幹細胞**に分かれる．リンパ球系幹細胞は B リンパ球と T リンパ球をつくり，骨髄球系幹細胞は白血球，赤血球，巨核球，マクロファージをつくる．

骨髄外で活性化されると，**B リンパ球**は抗体を産生する**形質細胞**に分化する．**T リンパ球**は**胸腺**内で，他の免疫細胞を活性化する細胞（ヘルパー細胞）か，細菌やウイルスに感染した細胞を傷害する細胞（細胞溶解性または細胞傷害性細胞）に分化する（訳註：**CFU**：**コロニー形成単位** colony forming-unit.）．

Box 10.A | トル様受容体

- **トル様受容体（TLR）**は，**病原体関連分子パターン（PAMP）**を認識する．この *PAMP* という言葉は，自然免疫系の細胞によって認識される幅広い種類の病原体に関連したタンパク質を示す．
- 活性化された TLR は，**次に転写因子 NF-κB 経路**を活性化し（第 3 章参照），サイトカインの発現を制御する．活性化された NF-κB 経路は，共刺激分子（CD40，CD80，および CD86）の発現を誘導するとともに，インターロイキンや腫瘍壊死因子-α やケモカインなどの炎症性サイトカインの産生を促すことで自然免疫と獲得免疫に関与する．
- TLR の細胞内ドメインは，インターロイキン -1 受容体の細胞質領域と構造的な相同性がある．これは **Toll-インターロイキン -1 受容体（TIR）ドメイン**として知られ，下流のタンパク質を誘導することでシグナル伝達に関与する．
- TLR の細胞外領域にはロイシンに富む反復配列のモチーフ（LRR モチーフ）がある．それに対し，インターロイキン受容体の細胞外領域には 3 つの免疫グロブリン様領域がある．LRR は，付属のタンパク質によって促進された PAMP（例えばリポ多糖）の認識にかかわる．

pattern-recognition receptor を利用して微生物の生命要素を認識しているわけなので，獲得免疫は，自然免疫が洗練されたものとみなすことができる．

獲得免疫には，抗原（病原物質）に対する以下の 2 種類の反応形式がある：

1. **第 1 の形式**は，第 4 章で述べたように，B 細胞の最終分化段階である形質細胞が産生する**抗体** antibody による反応である．この反応は，**液性免疫** humoral immunity として知られ，細胞外の抗原または細胞表面に結合した抗原に働く．病原物質によって産生された抗原や毒素に抗体が結合すると，これがマクロファージの貪食能を促進し，一方で白血球と肥満細胞を動員することで，それぞれサイトカインと調節物質を活用して反応を強める．こうして液性免疫は，たゆまぬ抗体の産生と記憶細胞の産生を行うこととなる．
2. **第 2 の形式は，食細胞による病原物質の取り込みを必要とする**．細胞内の病原物質は抗体と結合できないため，細胞を介した反応，すなわち**細胞性免疫** cell-mediated immunity が必要になる．T 細胞，B 細胞，抗原提示細胞が，細胞性免疫

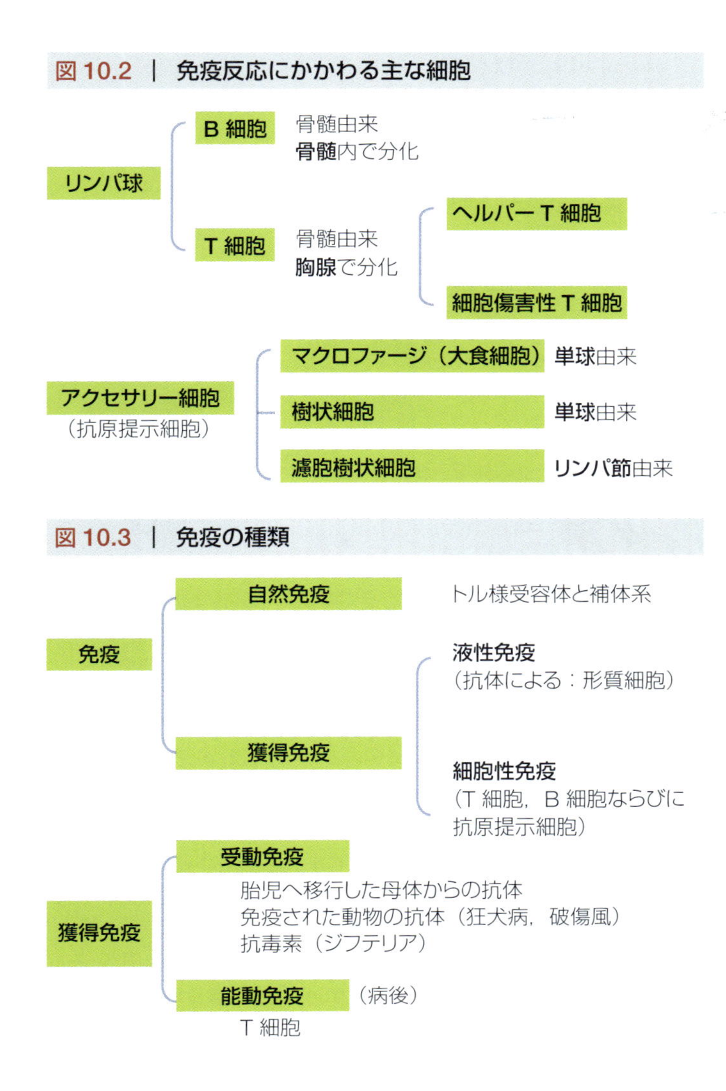

の鍵を握る細胞である．

獲得免疫を得ることで，病原物質と再度遭遇したときに，個体の防御が可能となる．この防御は同じ病原物質に対して特異的なので，獲得免疫のことを**特異的免疫** specific immunity ともよぶ．

受動免疫 passive immunity は，免疫された個体から，病原物質に曝露されていない（もしくは反応できない）他の個体へ，血清やリンパ球が移動した際の一時的な免疫である．母体から胎児への抗体物質の移送は，能動免疫が発達するまでの間，新生児を感染から守るという形の受動免疫である．これに対して**能動免疫** active immunity は，病原物質に曝露されたことによってできる免疫である．

獲得免疫の特性

外来の病原物質に対して発達する液性免疫，細胞性免疫には，いずれも以下のような特性がある：

1. **特異性** specificity：抗原の特異的なドメインが，個々のリンパ球によって認識される．リンパ球の細胞膜受容体がどのようにして，抗原提示細胞によって示された抗原の構造の微妙な多様性を区別し，反応するかは後に述べる．このような細胞間における抗原分子と細胞膜受容体分子の相互作用は**免疫学的シナプス** immunologic synapse として知られている．
2. **多様性** diversity：リンパ球は，多種多様の抗原のドメインを認識し，反応できるよう，遺伝子再構成というメカニズムを利用して抗原の受容体を修飾する．
3. **記憶** memory：リンパ球が抗原に曝露されると，2つのことが起こる．1つは細胞分裂による抗原特異的なクローンの増殖で，もう1つは貯蔵される**記憶細胞** memory cell の産生である．記憶細胞は，再び同じ抗原に曝露された場合，より早く能率的に反応することができる．
4. **自己の制限** self-limitation：免疫応答は，特異的な抗原により刺激される．抗原が中和されるか消えるかしたとき，反応は止まる．
5. **寛容** tolerance：免疫応答は，非自己抗原の除去に努めるが，自己抗原には「寛容」である．免疫寛容は，自己抗原に特異的な受容体を発現するリンパ球を排除するという選択のメカニズムにより達成される．自己寛容（と特異性）の破綻により生じる一連の障害は，**自己免疫疾患** autoimmune disease とよばれる．

骨髄における B 細胞の分化と成熟（図 10.1，10.4）

骨髄は，リンパ球系幹細胞から B 細胞，T 細胞が生じる場所である．同じ造血幹細胞から，B 細胞，T 細胞の前駆細胞となる**リンパ球系幹細胞** lymphoid stem cell が生じる（図 10.1）．**B 細胞は骨髄中で成熟するが，T 細胞は胸腺で成熟する．**

骨髄内の B 細胞の幹細胞は，**インターロイキン-7** interleukin-7（**IL-7**）を産生する**骨髄支質細胞** bone marrow stromal cell によってもたらされる特殊な微小環境（**ニッチ** niche）の中で増殖・成熟する（図 10.4）．

成熟過程で，B 細胞はその表面に，**免疫グロブリン M** immunoglobulin M（IgM）ないし **D**（IgD）を発現する．この細胞表面の IgM（ないし IgD）は，**免疫グロブリン α**（**Igα**）と **β**（**Igβ**）という互いに結合した2つのタンパク質と関係して，**B 細胞抗原受容体複合体**を形成する．**Igα** と **Igβ** の細胞内ドメインは，**免疫受容体チロシン活性化モチーフ** immunoreceptor tyrosine-based activation motif（**ITAM**）とよばれるチロシンの多いドメインをもつ．

B リンパ球抗原受容体複合体に抗原が結合すると，ITAM 内のチロシンがリン酸化され，B 細胞のさらなる分化に必要な遺伝子発現を誘導する種々の転写因子を活性化する．

骨髄内に存在する自己抗原は，B 細胞表面の IgM や IgD の抗原結合能の特異性を試すのに用いられる．これは，B 細胞が成熟を続けて，末梢のリンパ組織に入り，外来の（非自己）抗原と相互作用をもつことができるようになるために，事前に必要とされるテスト段階といえる．

B 細胞上の2つ以上の IgM や IgD 受容体分子と**強く**結合した**自己抗原** self-antigen は，**アポトーシス** apoptosis を引き起こす．B 細胞抗原受容体複合体との**親和性が弱い自己抗原**の場合は，B 細胞は生き残り，成熟することができる．このとき，IgM や IgD が Igα と Igβ に結合してつくる ITAM はシグナルの伝達に働き，その結果 B 細胞がさらに分化・成熟して，成熟した B 細胞が循環系へ流入する．

図 10.4 | 骨髄での B 細胞の分化

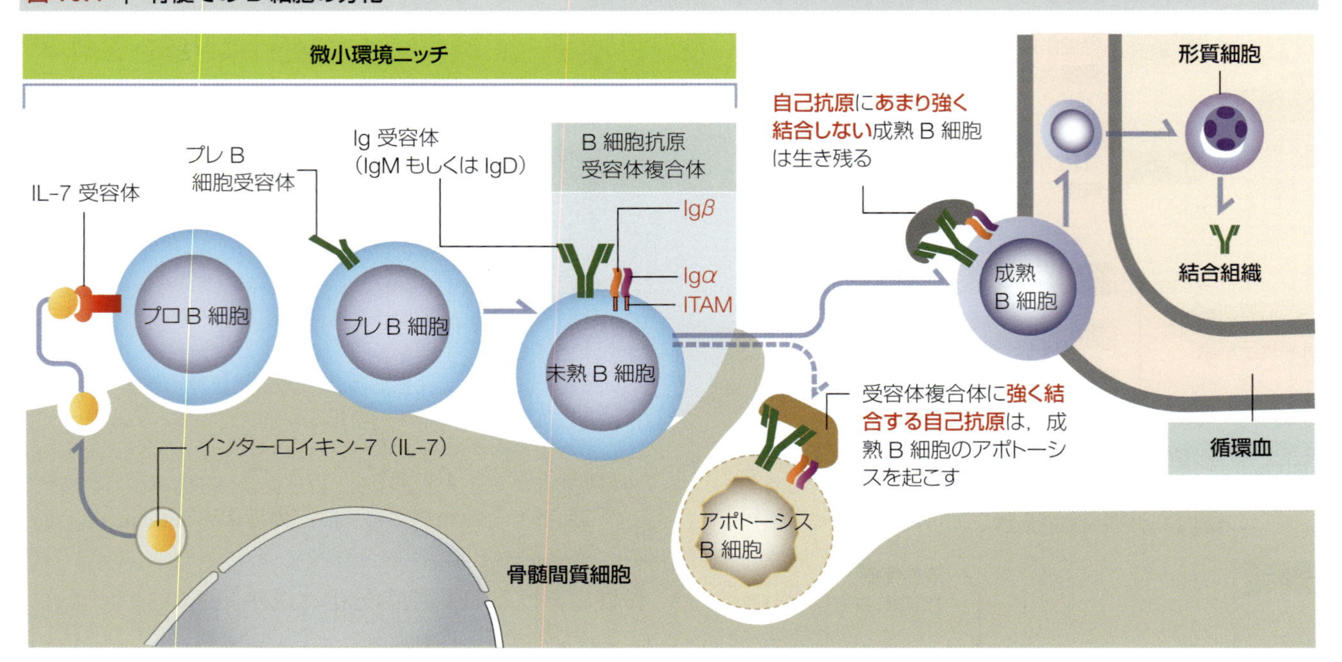

主要組織適合複合体（MHC）と ヒト白血球抗原（HLA）（図 10.5）

T 細胞の抗原認識とそれに続くシグナル伝達は獲得免疫の開始において鍵となるステップである．

T 細胞への抗原提示は，主要組織適合遺伝子座の遺伝子にコードされた特別なタンパク質によって行われる．このタンパク質は，抗原提示細胞，すなわちマクロファージの表面にある．

抗原提示細胞は，体内をパトロールし，抗原をみつけて貪食により細胞内に取り込み，それらを抗原ペプチドの断片に分解して，**主要組織適合複合体** major histocompatibility complex（**MHC**）と結合させる．その結果，**抗原ペプチド断片と MHC の複合体**（抗原ペプチド・MHC 複合体 **pMHC**）が細胞表面に現れることになり，T 細胞によって pMHC が認識される．

マウスの *MHC* 遺伝子産物には，**MHC クラス I** と **MHC クラス II** の 2 種類がある．

1. MHC クラス I は，2 つの（ポリ）ペプチド鎖からなる．1 つは，*MHC* 遺伝子座によりコードされた 3 つのドメイン（α_1，α_2，α_3）からなる α 鎖で，もう 1 つは，*MHC* 遺伝子座によりコードされない **β_2- ミクログロブリン** β_2-microglobulin である．

   抗原は，α_1 と α_2 ドメインでつくられた溝にはまり込む．**CD8** は，**細胞傷害性 T 細胞**の表面にある**補助受容体** co-receptor で，MHC クラス I の α_3 ドメインに結合する．
2. MHC クラス II は，α 鎖と β 鎖の 2 つのペプチド鎖からなる．両鎖は *MHC* 遺伝子座にコードされている．この α_1 と α_2 ドメインが，抗原と結合できる溝をつくる．**CD4** は，**ヘルパー T 細胞**の表面にある補助受容体であるが，MHC クラス II の β_2 ドメインに結合する．

CD4 と CD8 は細胞表面において T 細胞を識別するマーカーで，CD と略される**白血球分化抗原** cluster of differentiation designation の一員である（Box 10.B）．

すべての有核細胞は MHC クラス I 分子を発現する．MHC クラス II 分子は，抗原提示細胞（マクロファージ，樹状細胞，B 細胞），胸腺上皮細胞と内皮細胞に限られている．

ヒトで MHC に相当する分子は，**ヒト白血球抗原** human leukocyte antigen（**HLA**）である．HLA 分子は構造的にも機能的にもマウス MHC 分子に相同性があり，その遺伝子座は，ヒト第 5 染色体上にある（β_2- ミクログロブリンは第 15 染色体上にある）．

ヒトでは，**MHC クラス I 遺伝子座**に，3 つの主要タンパク質，すなわち **HLA-A**，**HLA-B**，**HLA-C** がコードされている．**MHC クラス II 遺伝子座**には，**HLA-DR**（訳注：R は抗原に関係した related の意），**HLA-DQ**，**HLA-DP** がある．

T 細胞受容体（基本事項 10.A）

T 細胞は，MHC によって提示された抗原ペプチド（pMHC）を認識するための細胞表面受容体をもっている．これによって T 細胞の活性化とエフェクター機能の誘導が開始される．

抗原認識には，**免疫学的シナプス**という機構，すなわち抗原提示細胞と T 細胞の安定した接着の形成と，それに続く T 細胞による活性化したシグナル伝達のカスケードが関係する（Box 10.C）．

抗原提示細胞によって提示された pMHC が T 細胞によって認識されて機能的な反応へ翻訳される仕組みは，自己と外来抗原を区別したり，腫瘍抗原を認識したり，あるいは自己免疫反応を回避する際の鍵となるステップである．

MHC クラス I や MHC クラス II 分子により提示される特異的な pMHC を認識する受容体は，**T 細胞受容体** T cell receptor（**TCR**）とよばれる．

TCRは，2つのジスルフィド結合した膜貫通性ペプチド鎖である**α鎖**と**β鎖**からなる．α－β鎖の2量体は，リガンドの結合に対しての特異性を示すが，それだけでは細胞内シグナル伝達を活性化する能力がない．

TCRがシグナルの活性化能を獲得するためには，複数の変換タンパク質の手助けが必要である．この変換タンパク質には**CD3γ**，**CD3δ**，**CD3ε**，**CD3ζ**があり，いずれも**免疫受容体チロシン活性化モチーフ** immunoreceptor tyrosine-based activation motifs（ITAM）をもっている．リン酸化されたITAMはSH2ドメインをもつタンパク質，特にチロシンリン酸化酵素である**ZAP70**をTCRへ動員する．このITAM細胞質ドメインは，これまでは，シグナル伝達機能に関与するB細胞抗原受容体複合体の構成要素であると報告されていた．

TCRによって始まるシグナル伝達は，ZAP70，**LCK**（**リンパ球キナーゼ** lymphocyte cell kinase），**LAT**（**T細胞活性化リンカー** linker for activation of T cell）の3つの関連タンパク質のチロシンリン酸化によって統合され，伝播される．LCKはTCRのシグナル伝達において重要な役割を果たすタンパク質である．

では，どのようにTCRのシグナル伝達が開始されるのだろうか．pMHCがリガンドとしてTCRに結合することによってTCR複合体の構造が変化し，CD3の鎖がリン酸化を受けやすくなる．CD3ζは正常状態では個別に存在するが，pMHCがTCRに結合すると2量体を形成し，ITAMのチロシン残基がリン酸化され，活性化状態になる．このITAMの活性化によりLCKが動員され，その濃度が上昇するとシグナル伝達が開始される．

Box 10.B | CD抗原

- モノクローナル抗体によって認識される細胞表面の分子は，**抗原**とよばれる．これらの抗原は，細胞集団を同定し，特徴づけを行うことのできる**マーカー**である．細胞集団のメンバーを区別し，定義された構造をもつ**表面マーカー**で，しかもモノクローナル抗体によって同一集団の他のメンバーをも区別できるマーカーのことを，**白血球分化抗原**（**CD**）とよぶ．
- **CD4**を発現する**ヘルパーT細胞**は，**CD8**を発現してCD4を発現しない**細胞傷害性T細胞**と区別することができる．
- CDマーカーによって炎症や免疫反応に関与するT細胞を分類することができる．**CD抗原は，シグナル伝達によってT細胞を活性化するだけでなく，細胞同士の相互作用や接着を促進する**．

Box 10.C | 免疫シナプス機構

- 特定の免疫反応の開始と制御は，T細胞と**抗原提示細胞**（**APC**）間での情報伝達に依存する．T細胞とAPCとが接する部位で行われる分子のやりとりにより生じる免疫応答は，**免疫シナプス機構**として知られている．免疫シナプス機構は，細胞間の接着とシグナル伝達装置の組み合わせである．
- 免疫シナプス機構における分子の制御と活性についての骨組みは，APCの表面分子（MHCクラスIとクラスII）細胞の表面分子（T細胞受容体と補助受容体）の多様性によってもたらされる．免疫シナプス機構は，胸腺皮質におけるT細胞の成熟や活性化，分化に重要な役割をもつ．また免疫シナプス機構の概念は，骨髄におけるB細胞の成熟にもあてはまる．

このような活性化には，多数のTCRを誘導する必要があるのだろうか．実は，1つのpMHC複合体に複数のTCRが加わることができる．言い換えれば，抗原ペプチドが低濃度でも，pMHCとTCRの結合が短時間でも，TCRシグナル伝達を開始することが可能なのである．

LCK，CD4，およびCD8補助受容体（基本事項10.A，図10.5）

TCRと連携して活性化するタンパク質に加え，T細胞はMHCに結合する補助受容体をもっている．CD4，CD8は，T細胞の表面タンパク質で，それぞれMHCタンパク質に対して選択的に作用する（基本事項10.A）．

CD4とCD8は，免疫グロブリンスーパーファミリーの仲間である．この仲間は，その数はさまざまだが，免疫グロブリン様の細胞外ドメインをもっている．**一方，CD4とCD8の細胞内ドメインはLCKと結合する**．

LCKはタンパク質リン酸化酵素であるSrcファミリーに属し，補助受容体であるCD4とCD8の細胞内ドメインに結合する．CD8とCD4がそれぞれMHCクラスIとMHCクラスIIと結合する際にLCKが動員される．

CD4の末端にある2つの免疫グロブリン様ドメインは，MHCクラスIIのβ_2ドメインと結合する．CD8にある単一の免疫グロブリン様ドメインは，MHCクラスIのα_3ドメインに結合する．

pMHCリガンドのTCRへの結合の後，LCKはCD3鎖のチロシン残基をリン酸化する．これはタンパク質リン酸化酵素であるZAP70の結合と活性化を可能にする．その後，ZAP70は膜貫通型アダプタータンパク質であるLATをリン酸化し，これによって多数のアダプタータンパク質が動員される．

このようにして，**CD4陽性（CD4$^+$）ヘルパーT細胞はMHCクラスIIに伴った抗原を認識**し，**CD8陽性（CD8$^+$）細胞傷害性T細胞（CTL）は，MHCクラスIによって提示される抗原に反応する**（図10.5）．

胸腺における胸腺細胞の成熟：正と負の選択（図10.6）

胸腺細胞とよばれる骨髄由来のTリンパ球前駆細胞の胸腺への動員は，**CCケモカイン受容体7** CC-chemokine receptor 7（CCR7），CCR9およびCXCケモカイン受容体4 CXC-chemokine receptor 4（CXCR4）を含む多数のケモカイン受容体に依存する．

T細胞の分化成熟過程で，胸腺では以下の2つの大きな出来事が起こる：

1. **TCR**のタンパク質成分をコードする遺伝子の再編成．
2. TCRに付随した**補助受容体CD4**，**CD8**の一時的な共存．胸腺細胞はその成熟過程においてCD4とCD8の発現によって特徴づけられる3つの段階を経る．

骨髄由来の前駆細胞が胸腺皮質に入るときは，成熟T細胞に特異的な表面分子はみられない．**この前駆細胞はCD4とCD8を発現していないので，「ダブルネガティブ」（DN）胸腺細胞といわれる**．

DN胸腺細胞は**胸腺の上皮細胞**および支質の構成成分と相互作用したのち，増殖分化し，最初のT細胞特異的分子，すなわちTCRと補助受容体のCD4とCD8を発現する．

これまでみてきたように，TCRは**α鎖**と**β鎖**の2つのサブユ

基本事項 10.A | T 細胞受容体と主要組織適合複合体（MHC）クラス I とクラス II の構造

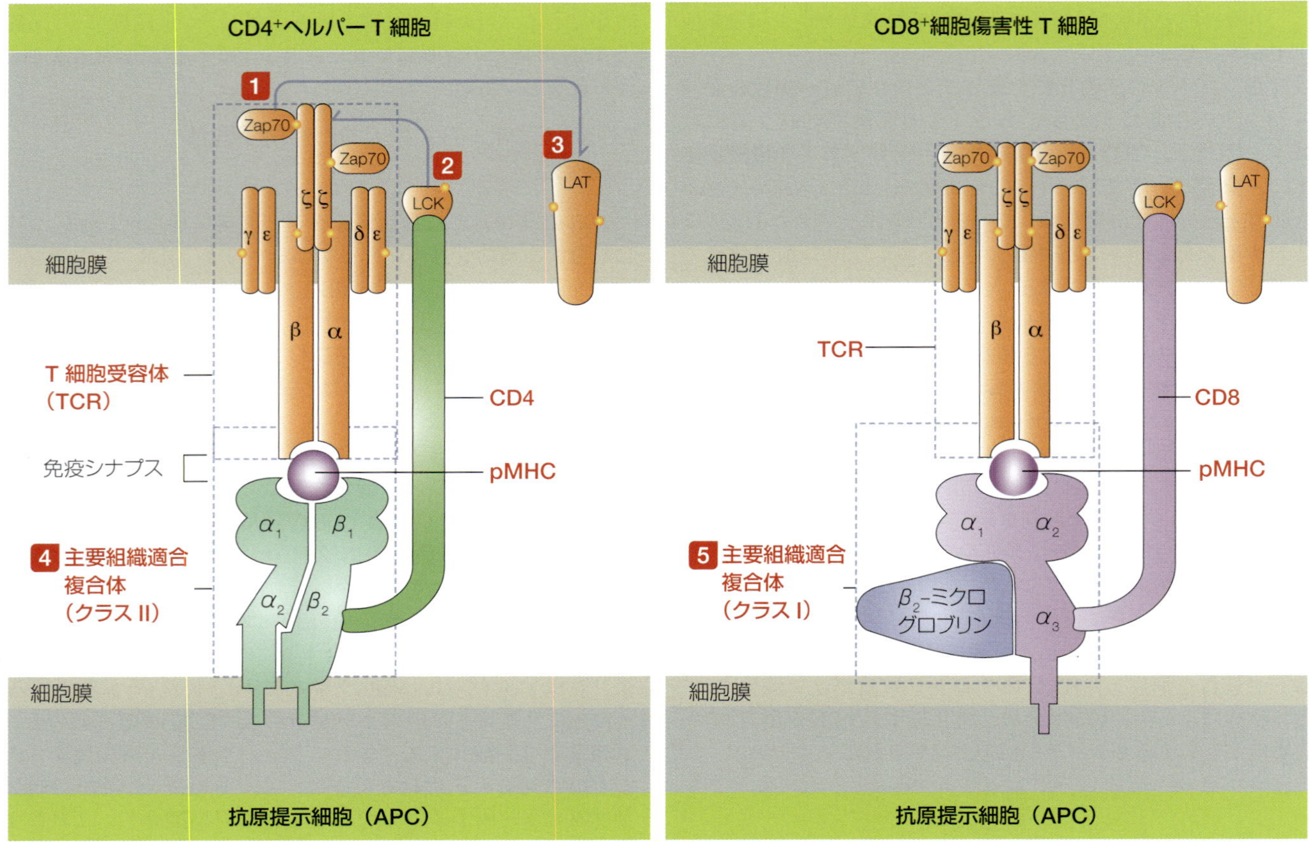

T 細胞受容体（TCR）の構造とシグナリング．TCR は，ペプチド鎖であるα鎖とβ鎖からなり，これがリガンド結合時の特異性を担うヘテロダイマーをつくっている．TCR のシグナル変換活性は，CD3γ，CD3δ，CD3ε，CD3ζのホモダイマーを含む多数の非共有結合性タンパク質に依存する．これらのホモダイマーは TCR$\alpha\beta$／CD3$\varepsilon\gamma$／CD3$\varepsilon\delta$／CD3$\zeta\zeta$として集合する．各サブユニットは 1 つの**免疫受容体チロシン活性化モチーフ** immunoreceptor tyrosine-based activation motif（**ITAM**）をもつが，CD3ζは 3 つの ITAM をもっている（図には示されていない）．

1 **主要組織適合複合体** major histocompatibility complex（**MHC**）に結合した抗原ペプチド（**pMHC**）に TCR が結合すると，**免疫シナプス**を確立し，TCR シグナル伝達を開始する．pMHC と TCR の相互作用により，ITAM のチロシン残基がリン酸化され，TCR は細胞内シグナル伝達を開始することが可能になる．

2 pMHC と TCR の相互作用はさらに CD8 ないし CD4 補助受容体を動員する．**CD8** と **CD4** は，それぞれ MHC クラス I とクラス II に結合する補助受容体である．**LCK**（**リンパ球キナーゼ** lymphocyte cell kinase の意）は Scr チロシンキナーゼファミリーに属し，CD4 と CD8 の細胞内ドメインに結合する．これは，LCT による CD3 サブユニットの細胞質ドメインにある ITAM のチロシンリン酸化の引き金となる．この出来事がチロシンタンパク質キナーゼ ZAP70 を TCR へと導き，**ZAP70** は LCK によって活性化される．

3 活性化した ZAP70 の主な標的は，膜貫通型アダプター **LAT**（**活性型 T 細胞リンカー** linker for activation of T cells の意）である．ZAP70 による LAT のチロシンリン酸化は他のアダプター分子を動員し，シグナル伝達を進行させる．これは，いくつかの転写因子の活性化や細胞内局在の変化を導く．これらのシグナルイベントは，細胞増殖，サイトカイン生産，細胞移動，そしてエフェクター機能など，T 細胞の多くの反応につながる．

主要組織適合複合体（MHC）のクラス I とクラス IIT 細胞は，MHC に結合して提示されたときのみ，ペプチド抗原を認識する．CD8⁺ 細胞傷害性 T 細胞は，MHC クラス I 分子により提示された抗原を認識する．CD4⁺ ヘルパー T 細胞は，MHC クラス II 分子と結合した抗原を認識する．この特性を **MHC 拘束性**という．

それぞれの MHC クラス分子は，細胞外ペプチドが結合する溝を 1 つもっている．これは 1 対の MHC にコードされた免疫グブリン様の鎖でつくられている．各鎖のα_1 とβ_1 は抗原提示細胞の細胞膜に固定されており，会合してペプチドを結合する溝をつくる．ここは pMHC が TCR と結合して免疫シナプスを確立する場所になる．

4 補助受容体 CD4 の細胞外ドメインは，MHC クラス II のβ_2 に結合する．

5 MHC クラス I は，細胞膜に固定されたα鎖 と，そこに結合するβ_2-ミクログロブリンからなるヘテロ 2 量体であり，ここに抗原ペプチドが結合する．補助受容体 CD8 の細胞外ドメインは MHC クラス I のα_3 領域に結合する．

TCR シグナル伝達の制御

E3 ユビキチンリガーゼと脱ユビキチン化酵素は，エフェクタータンパク質の安定性と機能を調節することにより，TCR シグナル伝達の応答を制御する．ユビキチン化は TCR シグナルを制御するとともに，胸腺における胸腺細胞の分化過程での自己免疫を防いでいる．この分化の過程で，特異的なシグナルエフェクターと制御タンパク質の制御は，胸腺細胞の自己および非自己 pMHC に対する感受性を決定する．成熟した胸腺細胞では，TCR シグナル伝達の強度を制御する抑制細胞表面タンパク質をもつ．このタンパク質には，**CTLA4**（**細胞傷害性 T 細胞タンパク質 4** cytotoxic T lymphocyte protein 4 の意）と **PD-1**（**プログラム細胞死タンパク質 1** programmed cell death protein 1 の意）がある．

図 10.5 | ヘルパーT 細胞と細胞傷害性 T 細胞の概観

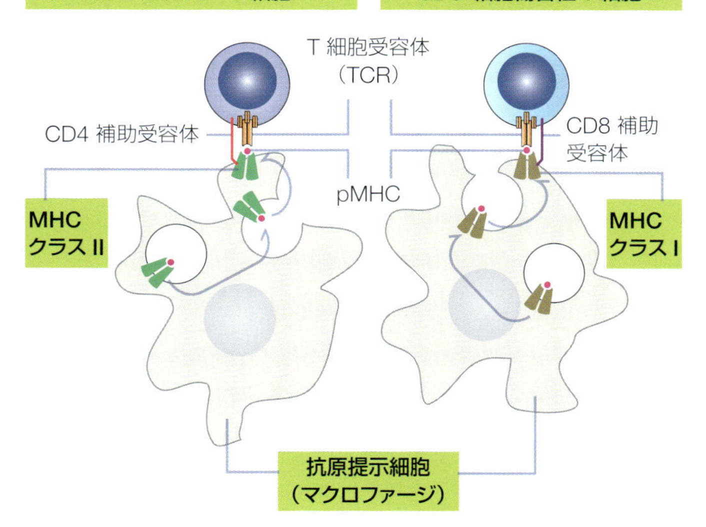

抗原は抗原提示細胞に取り込まれて分解され，そのペプチド片は主要組織適合複合体（MHC）と結合して T 細胞の TCR へと提示される．

CD4$^+$ヘルパー T 細胞の TCR は，MHC クラス II に関係する抗原（pMHC）を認識する．

CD8$^+$細胞傷害性 T 細胞（細胞傷害性胸腺由来リンパ球［CTL］）は，MHC クラス I によって提示された抗原と免疫シナプスを確立する．

図 10.6 | 胸腺における胸腺細胞の成熟

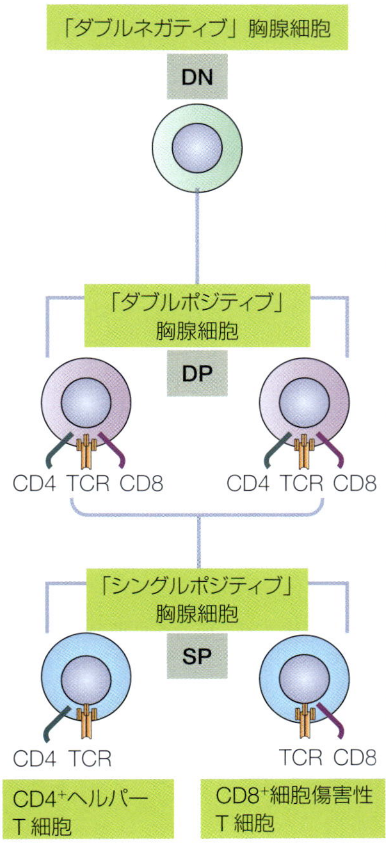

骨髄から胸腺に入った胸腺細胞の前駆細胞は，成熟 T 細胞に特徴的な表面分子，すなわち **T 細胞受容体（TCR）**，**補助受容体 CD4** および **CD8** の発現を欠いている．これらの細胞は「**ダブルネガティブ（DN）」胸腺細胞**とよばれる．DN 胸腺細胞は胸腺の被膜下**皮質領域**にみられる．

胸腺細胞は，TCRα鎖およびβ鎖をコードする遺伝子の再構成を開始し，同一細胞上に，**補助受容体 CD4** と **CD8** を発現する．これらの細胞は「**ダブルポジティブ（DP）」胸腺細胞**として知られる．DP 胸腺細胞は胸腺の**皮質**深部にみられる．

自己の MHC 分子に結合する受容体をもった胸腺細胞は，**CD4** と **CD8** の**いずれか一方**の発現を失い，TCR の発現レベルが増す．これらは，成熟した「**シングルポジティブ（SP）」胸腺細胞**である．SP 胸腺細胞は胸腺の**髄質**にみられる．

ニットでできている．各鎖は，個々の T 細胞においてペプチド鎖の配列が異なる．この多様さは遺伝子セグメントの任意の組み合わせで決定されており，**胸腺細胞選択** thymocyte selection とよばれるスクリーニングの過程で，胸腺細胞がどの外来抗原を認識できるかと関係している．その選択の結果は，発現する TCR が，胸腺の MHC に結合した自己ペプチド（pMHC）に対しどれくらいの親和性をもつかによって決まる．

胸腺細胞の成熟は，同一細胞上に，**補助受容体の CD4 と CD8，さらに低レベルの TCR が発現された段階へと進む**．これらの細胞は「**ダブルポジティブ**」（**DP**）**胸腺細胞**として知られている．

そこで 3 つの可能性が生じる：

(1) TCR と自己 pMHC の相互作用が適度な強さで TCR シグナル伝達を開始した場合，DP 胸腺細胞は増殖し，次の段階（SP ステージ）へ分化する．この結果を**正の選択** positive selection とよぶ．

(2) 発現した TCR が自己 pMHC と親和性をもたなかった場合，正の選択に必要な TCR シグナル伝達は開始されず，DP 胸腺細胞はアポトーシスによる細胞死を迎える．この結果を**非選択** non-selection とよぶ．

(3) 胸腺細胞が発現した TCR が自己 pMHC と高い親和性をもち，TCR シグナル伝達が強力に活性化された場合，DP 胸腺細胞はアポトーシスによる細胞死を迎える．この結果を**負の選択** negative selection とよぶ．

選択された胸腺細胞は，自己の MHC を認識する**自己 MHC 拘束性** self-MHC-restricted をもち，**自己寛容** self-tolerant である．自己の MHC を認識できる細胞は最終的に成熟し，2 つの補助受容体（CD4 と CD8）のうちのどちらか 1 つを発現する「**シングルポジティブ**」single-positive（**SP**）**胸腺細胞**となる．この過程は**クローン選択** clonal selection とよばれる．

MHC 拘束と 2 つの補助受容体（CD4 ないし CD8）は pMHC の認識とその後のシグナル伝達の発生において重要な役割を果たすことを覚えておかなければならない．胸腺細胞において，CD4 と CD8 に大きく関与する LCK は，TCR-CD3 複合体との相互作用を確立する．これは，CD4（または CD8）と TCR が MHC 分子に結合することに依存する．

選択された自己 MHC 拘束性の胸腺細胞は，さらにテストされる．すなわち，**外来ペプチドと自己 MHC を認識する胸腺細胞のみが生き残ることになる**．**体内の組織特異抗原**（**自己分子**）と結合する胸腺細胞がある場合は，アポトーシスによって排除され，マクロファージによって片づけられる．

では，胸腺細胞をテストするための外来ペプチドと自己ペプチドはどこからやってくるのだろうか．

胸腺の**皮質**の中で枝状の突起を互いに連結させている**皮質胸腺上皮細胞** cortical thymic epithelial cell は，すでに選択されて自己 MHC 拘束性と自己寛容を示すようになった胸腺細胞に対し，自己および**非自己ペプチド**を合成し，提供する．

胸腺皮質での正の選択を終えた胸腺細胞は，CC ケモカイン受容体 7（CCR7）を発現するようになり，さらに胸腺の髄質へと集められる．胸腺**髄質**には，**髄質胸腺上皮細胞** medullary thymic epithelial cell が存在し，**CCR7** のリガンドであるケモカインを生産している．CCR7 は，**潜在的に自己反応性**のある胸腺細胞に対する**負の選択**を効果的に行うのに役立っている．

胸腺細胞は胸腺内での分化成熟を終えた後に，血流に入り，末梢リンパ組織へ移行して，抗原提示細胞の表面にある抗原を探すようになる．話を戻し，胸腺細胞の成熟過程についてさらに詳しくみていく．

CD4$^+$T 細胞サブセット：TH1，TH2，TH17 および TFH 細胞（図 10.7）

B 細胞が，CD4$^+$ヘルパーT 細胞の生産するサイトカインによって，免疫グロブリンを分泌する形質細胞へと分化することは，すでにみてきたとおりである．

B 細胞は抗原を提示することができるため，T 細胞と直接的に相互作用することが許される．これによって T 細胞から B 細胞の形質細胞分化を誘導するサイトカインが分泌される．形質細胞は**エフェクター細胞** effector cell であり，抗体をつかって細胞外の病原体を中和する．これに対し，T 細胞は細胞外の病原体を制御あるいは殺すための一次エフェクター細胞である．

CD4$^+$T 細胞には 4 種類のサブセットが存在する．すなわち，**TH1**，**TH2**，**TH17** および **TFH**（T follicular helper）**細胞**である．これらは，特定の病原体や免疫学的機能に反応して特異的なサイトカインを産生しており，そのレパートリーで細胞を区別する．

1. **TH1 細胞**は，**インターフェロン-γ** interferon-γ（IFN-γ）を生産する．**1 型細胞性免疫**と定義されるその機能は，細胞内の病原体（**結核菌** *Mycobacterium tuberculosis*，**リーシュマニア原虫** *Leishmania major*，**トキソプラズマ原虫** *Toxoplasma gondii* など）に関与する．TH1 細胞によって生産されたインターフェロン-γは TH1 細胞自身の分化を促進し，TH2 細胞の増殖を抑制する．
2. **TH2 細胞**は **2 型細胞性免疫**と定義される免疫反応において機能する．これは，**腸内寄生虫** helminthic intestinal parasite（ギリシャ語 *helmins*［= chelminthic，蠕虫］）の感染からのホストの保護と損傷を受けた組織の回復において重要な役割を果たす．

TH2 細胞は特定の**インターロイキン** interleukin（IL），すなわち IL-4，IL-5，IL-9 そして IL-13 を生産する（TH2 細胞は，IFN-γを分泌することができない）．TH2 細胞が生産する IL のうち，IL-5 は好酸球を増加させ，IL-4 と IL-9 は腸管の寄生虫を排除するために肥満細胞を増加させる．そして，IL-4 と IL-13 はマクロファージを活性化させる．IL-4 はさらに B 細胞の IgE 産生を導くことで，肥満細胞，好塩基球，好酸球の反応を活性化させる．一方で，TH2 細胞由来の IL-4 は TH1 細胞の活動を抑制する．これまでみてきたように，TH1 細胞と TH2 細胞は，それぞれサイトカイン IFN-γと IL-4 を生産し，お互いの働きを抑制する．

3. **TH17 細胞**は IL-17 を分泌し，細菌や真菌の感染に関与する．これは **3 型細胞性免疫** type 3 cell-mediated immunity と定義される．IL-17 は好中球とマクロファージを動員し，活性化する．
4. TFH 細胞は，リンパ節の胚中心明調帯において B 細胞の生存，増殖，分化を促進する．TFH 細胞と相互作用した B 細胞は胚中心の暗調帯に移行しさらに増殖する．増殖した B 細胞は再び明調帯に入り，抗原と TFH 細胞との接触を確立する．TFH 細胞によって選択された B 細胞は寿命の長い形質細胞や生涯にわたって存続するメモリーB 細胞へ分化する．TFH 細胞はさらに B 細胞の抗体反応に関与する．つまり，B 細胞が生産する Ig のクラスを IgM から IgG へ切り替えるスイッチの役割を担う．

どのように CD4$^+$ ヘルパーT 細胞は助けるのか（図 10.8）

CD4$^+$ ヘルパーT 細胞は，pMHC-MHC クラス II 複合体を認識したときに活性化される．

MHC クラス II に結合する pMHC をもった細胞が存在するときには，CD4$^+$ ヘルパーT 細胞は有糸分裂によって増殖し，種々の**サイトカイン** cytokine を分泌する．**IL** ともよばれるこれらの化学的シグナルは，次に B 細胞を引き寄せる．この B 細胞の表面には，それぞれ特異性のある受容体分子（**Ig 受容体**）が存在する．**ヘルパーT 細胞と異なり，B 細胞は MHC 分子がなくても遊離の抗原ペプチドを認識することができる．**

増殖中のヘルパーT 細胞が産生する IL が，B 細胞を活性化すると，B 細胞も分裂し，免疫グロブリン **Ig を分泌する形質細胞** plasma cell に分化する．

分泌された Ig は自由に拡散し，抗原ペプチドに結合して中和したり，酵素やマクロファージによる抗原の破壊を誘発したりする．

形質細胞は，それぞれ**ただ 1 つのクラスの Ig** しか合成しない（毎秒数千の Ig 分子がつくられている．形質細胞の寿命は 10〜20 日）．

ヒトでは，**IgG**，**IgA**，**IgM**，**IgE**，**IgD** の 5 つのクラスの Ig が知られている（Box 10.D）．異常な形質細胞が骨や骨髄に集積

Box 10.D | 免疫グロブリン

- 免疫グロブリン（Ig）分子，すなわち抗体は，同一の軽鎖（L 鎖）2 本と同一の重鎖（H 鎖）2 本という 4 本のポリペプチド鎖からなる．1 つの L 鎖は 1 つの H 鎖とジスルフィド結合で接続する．また 2 本の H 鎖は互いにジスルフィド結合で接続する．
- H 鎖と L 鎖には，抗原認識に関与する可変部（Fab 領域）と C 末端側の定常部（Fc 領域）がある．H 鎖の定常部（Fc 領域）はエフェクター機能をもつ．

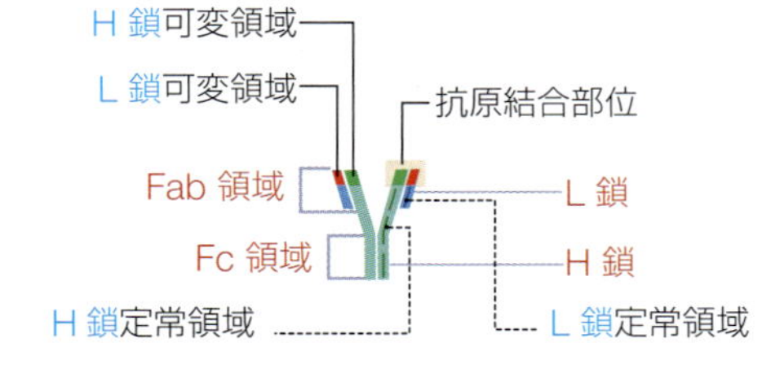

- 免疫グロブリンは膜に結合するか，分泌される．
- 免疫グロブリンの種類：IgA は J 鎖によって結合することにより 2 量体を形成し，粘膜免疫に関与する．IgD は未成熟な B 細胞の抗原に対する受容体である．IgE は肥満細胞と好塩基球の活性化（脱顆粒）に関与する．IgG は最も豊富に存在する免疫グロブリンで，胎盤関門を通過することができる唯一の免疫グロブリンである．オプソニン化，すなわち病原体の貪食を促進する機構に関与する．IgM は通常 5 量体として存在する．

図 10.7 | CD4⁺T 細胞：サブセットと機能

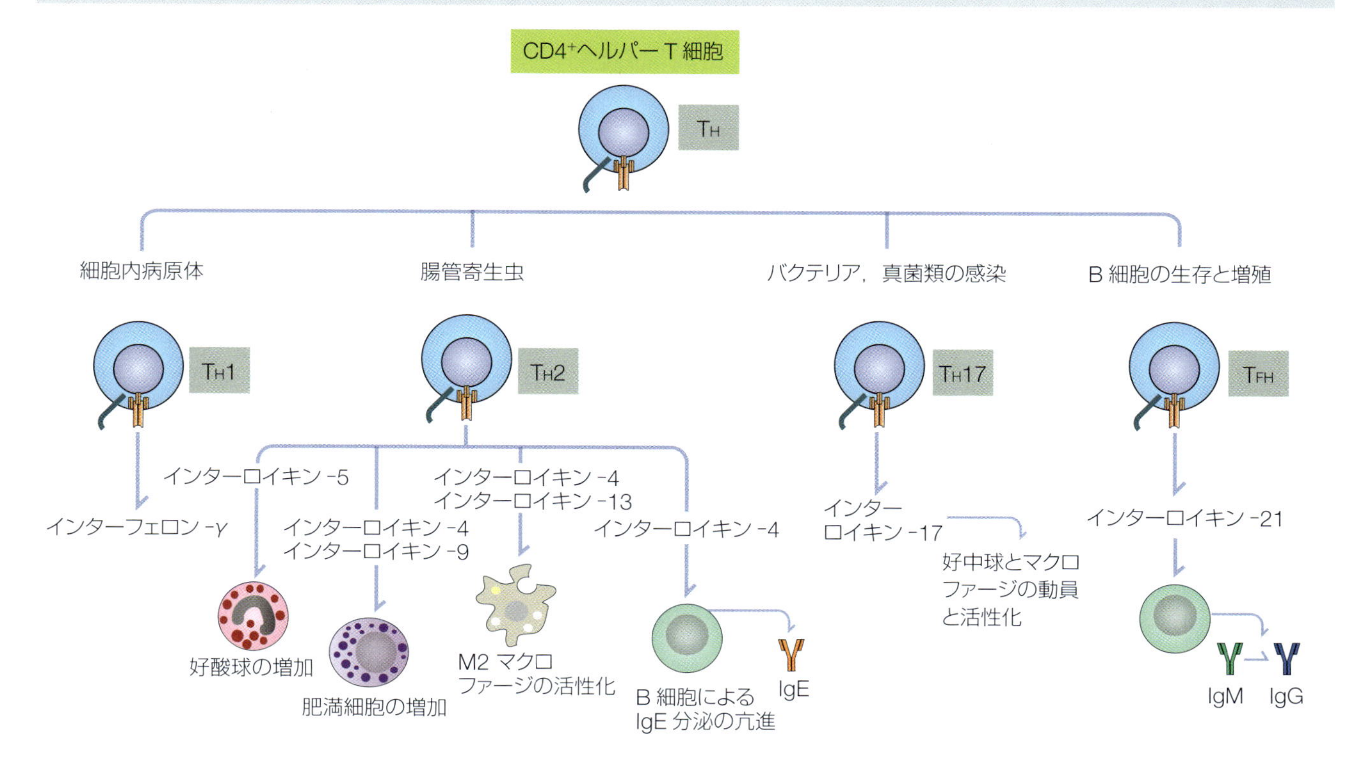

サイトカインの産生の様子から，CD4⁺ヘルパー T 細胞（T_H）を 4 つのサブセット，すなわち T_H1, T_H2, T_H17，T_{FH}（**濾胞性ヘルパー T 細胞** T follicular helper cell の意）に区別する．T_H 細胞の多くは，多様な病原体や炎症性因子に曝露される上皮バリアに存在する．

T_H1 細胞は，**インターフェロン -γ** interferon-γ（IFN-γ）を産生し，その機能は細胞内の病原体（**結核菌** *Mycobacterium tuberculosis*，**リーシュマニア原虫** *Leishmania major*，**トキソプラズマ原虫** *Toxoplasma gondii* など）に関与する（1 型細胞性免疫）．

T_H2 細胞は特別な**インターロイキン** interleukin（IL），すなわち IL-4，IL-5，IL-9 および IL-13 を分泌し，蠕虫類（線虫や吸虫）の寄生に関与する（2 型細胞性免疫）．T_H2 細胞は数種類の IL を生産し，好酸球や腸管の肥満細胞を増加させて寄生生物を排除する．さらに，杯細胞による粘液の分泌やマクロファージの活性化を促進する．CD4⁺T_H2 細胞は IFN-γを分泌することはできない．IL-4 は，B 細胞による**免疫グロブリン E** immunoglobulin E (IgE) の分泌を促進する．

T_H17 細胞は IL-17 を分泌し，バクテリアや真菌類の感染に関与する（3 型細胞性免疫）．IL-17 は炎症部位において好中球とマクロファージを動員し，活性化する．

T_{FH} 細胞は，リンパ節の胚中心において，B 細胞の生存，増殖そして分化を担う．T_{FH} 細胞は IL-21 を分泌し，B 細胞による Ig 生産において IgM から IgG クラスへの切り替えを誘導する．

Box 10.E | 多発性骨髄腫

- 多発性骨髄腫は，骨髄と骨の中で形質細胞が異常に増殖することにより生じる．悪性化した形質細胞の過剰な増殖により，骨折や骨髄での正常の血液細胞の産生に障害が起こる．そのため貧血や異常出血，易感染性が生じることがある．脊椎内での骨髄腫細胞の増殖により脊髄が圧迫されると，背部痛やしびれ，麻痺の原因ともなる．
- 骨髄腫細胞は，異常な免疫グロブリンを過剰に産生する．これはベンス・ジョーンズタンパク質とよばれ，血清や尿中に出現する．腎臓での免疫グロブリンの集積は，腎不全を引き起こすことがある．
- 骨髄移植（同じ患者からの自家移植，あるいは健康で適合性のあるドナーからの同種移植）は，化学療法に耐性ないし非反応性の患者（レシピエント）に行う治療の一形態である．最初に，非常に高用量の化学療法と低線量の放射線療法で患者の骨髄を枯渇させ，次にドナーの骨髄細胞を血中に投与する．その結果，造血幹細胞は骨髄に移動し，再び定着する．

し，骨の破壊と正常な血球産生に影響を及ぼすことがある．このような病的状態を多発性骨髄腫とよぶ（Box 10.E）．

一部の T 細胞と B 細胞は**記憶細胞** memory cell となり，同じ抗原に将来遭遇することに備えてそれを除去する準備をしている．**二次免疫応答** secondary immune response（以前，抗体産生を引き起こした同一抗原との再度の遭遇）は，より迅速に起こり，その規模もより大きい．記憶細胞は何年も再循環し，外来抗原に向けた監視を行っている．

CD8⁺ 細胞傷害性 T 細胞はどのようにして傷害するか（図 10.9）

CD4⁺ ヘルパーT 細胞のもう 1 つの働きは，**サイトカインを分泌して，CD8⁺ 細胞傷害性 T 細胞の増殖を刺激する**ことである．この細胞傷害性 T 細胞は，抗原提示細胞の表面にある pMHC-MHC クラス I 複合体を認識する．**細胞傷害性（細胞毒性）T 細胞**は **TCR** と **CD8 補助受容体**を発現する．

CD8⁺ 細胞傷害性 T 細胞による**標的細胞の排除**には以下の過程

図 10.8 | ヘルパーT 細胞

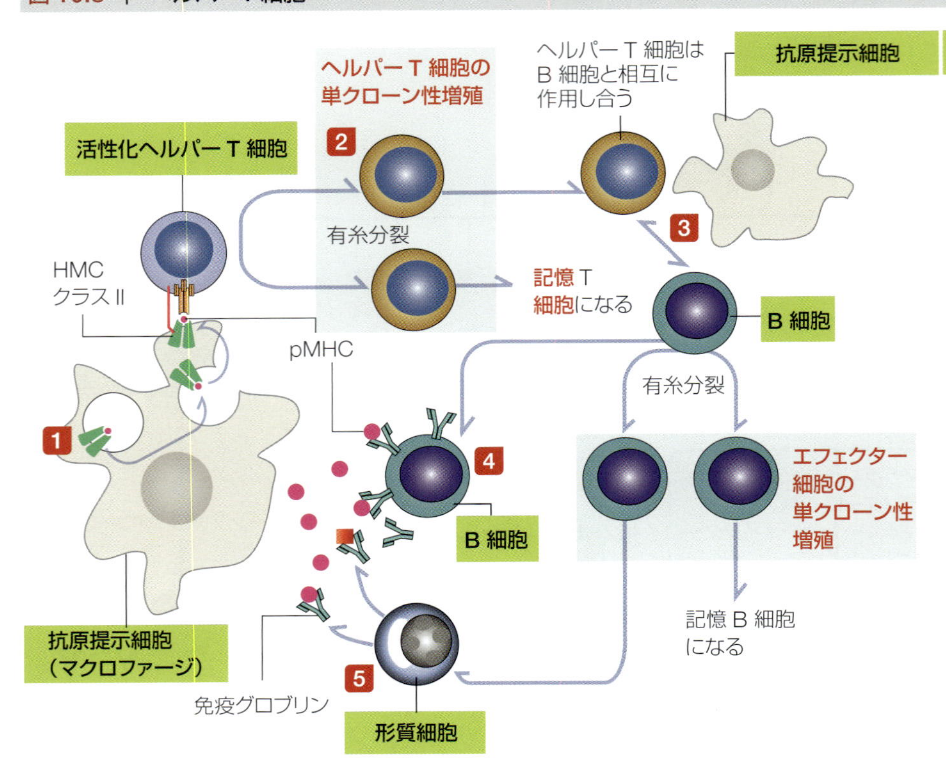

CD4⁺ヘルパーT 細胞の動き

1 マクロファージ（抗原提示細胞）は，MHC クラス II と結合した抗原（**pMHC**）を貪食し，ヘルパーT 細胞に提示する（**細胞調節性免疫**）.

2 活性化したヘルパーT 細胞は，有糸分裂を行い，抗原提示の場におけるヘルパーT 細胞の数を増やす.

3 抗原提示細胞の存在下で，ヘルパーT 細胞は B 細胞との相互作用により，(1)細胞外で B 細胞と遊離抗原の直接接触を促し，(2)B 細胞の増殖を起こす.

4 細胞表面に対して特異的な免疫グロブリンをもつ B 細胞が反応の場に行き，すばやく遊離抗原を中和する.

5 B 細胞は形質細胞に分化し，遊離抗原を阻害するための免疫グロブリンを分泌する（**液性免疫**）.

図 10.9 | 細胞傷害性 T 細胞

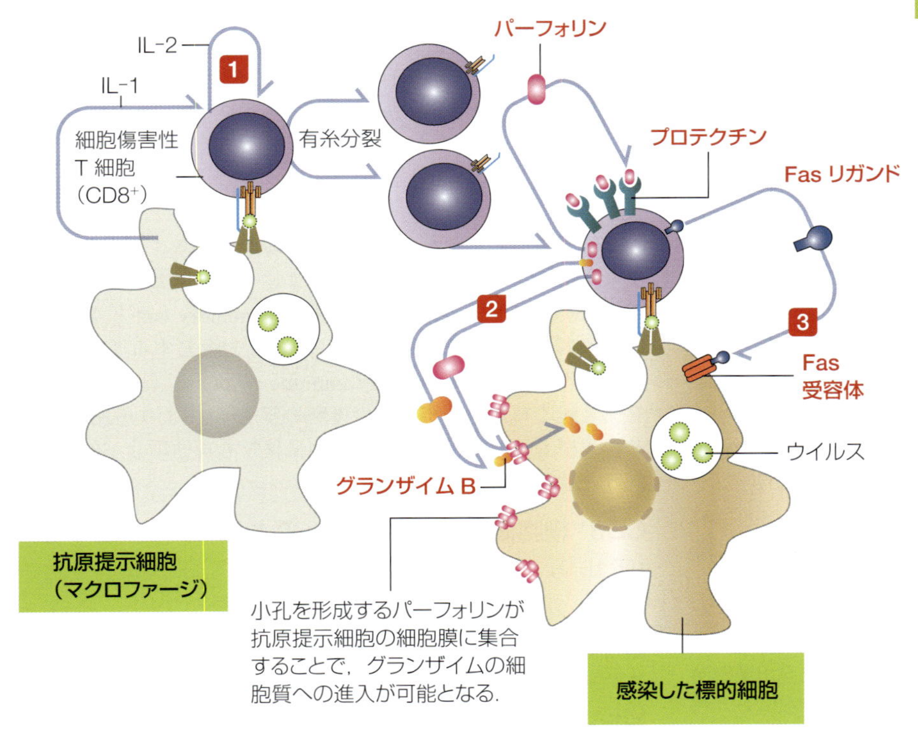

CD8⁺細胞傷害性 T 細胞の動き

1 CD8⁺細胞傷害性 T 細胞は，抗原提示細胞に結合し，抗原提示細胞から分泌された（**傍分泌**）インターロイキン-1（IL-1）と，自身が産生した（**自己分泌**）インターロイキン-2（IL-2）により活性化する．細胞傷害性T 細胞は，有糸分裂で数を増やす.

2 病原体の抗原を取り込んだ抗原提示細胞の存在下で，細胞傷害性 T 細胞は，細胞膜に**小孔をつくるパーフォリンというタンパク質**を放出し，感染した標的細胞を殺す．CD8⁺細胞傷害性 T 細胞は，パーフォリンと結合する細胞表面分子の**プロテクチン**で細胞自身を守る．しかし，感染した抗原提示細胞はプロテクチンをもたず，パーフォリンの作用を受けやすい．パーフォリンは，グランザイム B（**アポトーシスを促進するプロテアーゼ**）を標的細胞へ運ぶことを促す.

3 細胞傷害性 T 細胞によって放出される **Fas リガンド**は，標的細胞の Fas 受容体と結合して，グランザイムとともに標的細胞を**アポトーシス**により破壊する.

がある：
1. 標的細胞の表面にあるインテグリンや細胞接着分子の助けを借りて，抗原提示細胞にしっかりと結合する．
2. 細胞膜に小孔をつくるタンパク質（**パーフォリン** perforin）を放出して細胞膜を傷害する．

この小孔は，**グランザイム** granzyme（アポトーシス誘導性プロテアーゼ）や水，塩類などを無秩序に細胞内へ流入することを促す．細胞傷害性T細胞自身は，**プロテクチン** protectin という膜タンパク質をもち，これでパーフォリンを不活性化することで細胞膜の中にパーフォリンが入り込むのを防いでいる．

細胞傷害性T細胞は，**アポトーシス**（第3章参照）でみられる**Fas-Fas リガンド機構**によって，さらに標的細胞を破壊する．

細胞傷害性T細胞の受容体が標的細胞表面の抗原を認識すると，細胞傷害性T細胞内に Fas リガンドが産生される．標的細胞表面の Fas 受容体に Fas リガンドが相互作用すると，プロカスパーゼがカスパーゼ（細胞死を決定する物質）に活性化され，アポトーシスに至るカスケードを誘導する．

ナチュラルキラー細胞（図 10.10）

ナチュラルキラー細胞 Natural killer（NK）cell は，リンパ球の一種であり，ウイルスに感染した細胞やがん細胞に遭遇すると活性化する．免疫監視機構における NK 細胞の役割から，がん治療において NK 細胞を標的とした治療法の開発が着目されている．

NK 細胞の迅速な細胞傷害活性は，**抗原活性に依存しない**．代わりに，NK 細胞はサイトカイン（INF-γ と IL）や**樹状細胞** dendritic cell に感作される必要があり，それが最適なエフェクター反応を導く．樹状細胞は非自己抗原の有無について環境を監視する特殊な抗原提示細胞で，みつけた抗原を細胞内に取り込んで処理した後に，抗原特異的なT細胞や NK 細胞に提示する．NK 細胞はT細胞系にもB細胞系にも属さないので，TCR も発現しない．

NK 細胞はヒトのほとんどの組織や末梢血に存在するが，リンパ節や扁桃腺にはそれほど多くない．骨髄と二次リンパ性器官が NK 細胞を生産する場所と考えられている．

各組織に存在する NK 細胞は，**CD56 受容体**を有する．また通常細胞の MHC クラスⅠ分子とは**抑制的**に，活性化リガンドとは**活性的に作用する受容体**を有する．MHC クラスⅠ分子をもたない標的細胞は，活性化したマクロファージに由来する**腫瘍壊死因子リガンド** tumor necrosis factor ligand や**パーフォリン**を介した NK 細胞の細胞破壊機能を活性化する．

活性化した受容体や抑制的な受容体は，シグナルのバランスを伝達し，これによって NK 細胞による正常細胞の認識が制御されている．

例えば，腫瘍細胞で MHC クラスⅠの発現が抑制されている場合，NK 細胞は MHC 欠損腫瘍細胞を破壊する．逆に，腫瘍細胞がリガンドを過剰に発現することもあり，その場合は NK 細胞の活性化した受容体でそのリガンドを認識する．これにより活性化した受容体のシグナルが，抑制的な受容体のシグナルよりも優位になり，腫瘍細胞は NK 細胞によって溶解される．

後天性免疫不全症候群（AIDS）

（基本事項 10.B）

後天性免疫不全症候群 Acquired immunodeficiency syndrome（AIDS）は，ヒト免疫不全1型ウイルス（HIV-1）によって引き起こされ，日和見感染，悪性腫瘍，中枢神経の変性疾患に関連した明らかな免疫抑制が特徴である．

HIV は，マクロファージや樹状細胞，そして特に CD4 陽性のヘルパーT細胞に感染する．HIV は動物のレトロウイルスの中のレンチウイルス亜科に属し，長期間潜伏して細胞感染を起こす．

HIV には，HIV-1 と HIV-2 の2タイプがある．HIV-1 は AIDS の原因となる．

感染性の HIV の遺伝子は，2つの RNA 鎖からなる．この RNA 鎖はウイルスタンパク質の芯に埋まっており，周囲は感染細胞由来の脂質のエンベロープに包まれている．HIV の粒子は血中，精液，その他の体液中に存在しており，性交渉や針刺しにより感染する．

ウイルスの脂質エンベロープは，*env* というウイルス遺伝子のシーケンスによってコードされる糖タンパク質 gp41 と gp120 を含んでいる．

gp120 は宿主細胞の CD4 タンパク質と結合すると，その構造を変化させ，**宿主細胞のケモカイン受容体**（CCR5 もしくは CXCR4）に結合する．糖タンパク質 gp41 は，HIV と細胞の融合を仲介し，ウイルスの侵入を可能にする．

基本事項 10.B は，HIV 感染に伴う細胞の動向をまとめたものである．また Box 10.F は HIV の増殖サイクルをまとめたものである．

ウイルスの増殖サイクルに基づいた**抗レトロウイルス療法** antiretroviral therapy（ART）は，HIV-1 の非感染細胞への感染を減らすかほぼ完全に抑制する．

例えば，HIV 融合阻害剤である**エンフブルタイド** enfuvirtide は gp41 と CD4 の融合を阻害する．また，CCR5 受容体の**アンタゴニスト** antagonist である**マラビロク** maraviroc は，gp120 を介した CCR5 受容体へのウイルスの結合を防ぐ．

HIV 感染に直接関連する出来事は，免疫応答のスタートを担っ

Box 10.F | HIV の増殖サイクル

- レトロウイルスの生活サイクルは，ウイルスが細胞に結合・侵入し，その遺伝物質（RNA）とタンパク質を細胞質内に導入することで開始する．
- 典型的なレトロウイルスのゲノムには3つのタンパク質のコーディング領域（*gag*，*pol*，*env*）がある．これらはそれぞれウイルスの芯となるタンパク質，逆転写酵素，エンベロープの構成成分を規定している．
- 細胞質内で，逆転写酵素によってウイルス RNA が DNA に変換され，これが細胞の DNA 内に組み込まれる．この過程は組み込み integration とよばれる．
- プロウイルスの DNA によって，ウイルスタンパク質と RNA が合成される．
- ウイルスタンパク質と RNA が集合し，新しいウイルス粒子が細胞から発芽する．

図 10.10 | ナチュラルキラー細胞

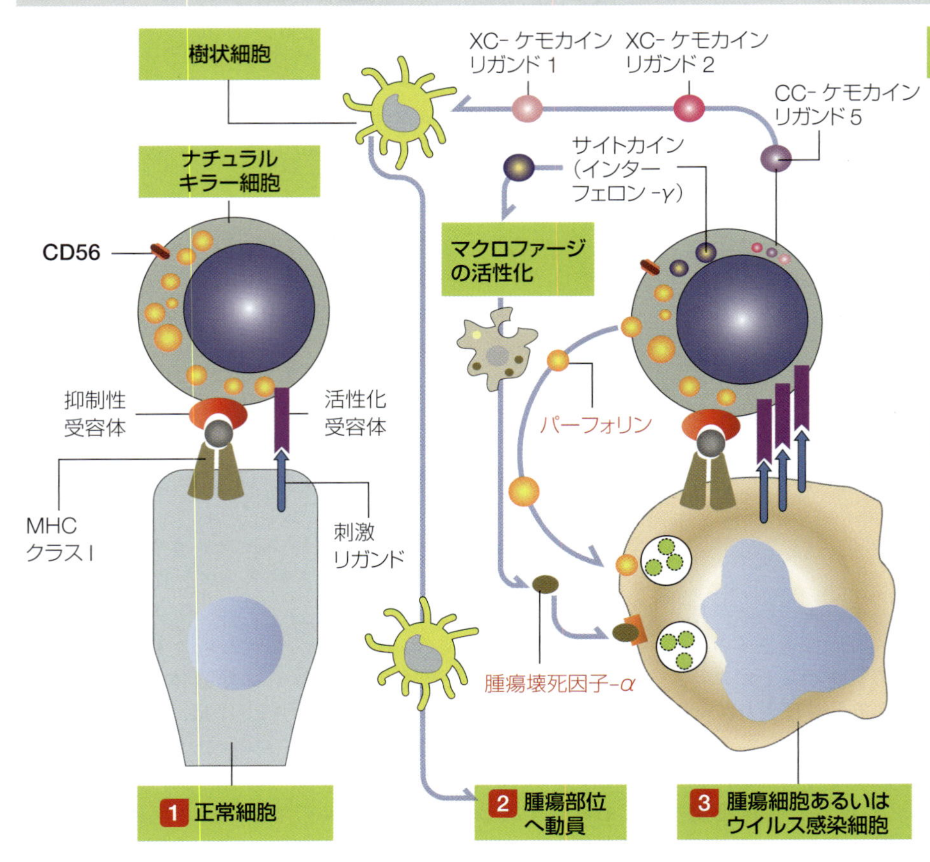

ナチュラルキラー細胞の動き

ナチュラルキラー（NK）細胞は，血液と末梢リンパ性器官でのリンパ球の約10%を占める．NK 細胞は，CD56，抑制性と活性化表面受容体，さらにパーフォリンを含む豊富な細胞質顆粒を発現する．

1 NK 細胞が，MHC クラス I と活性化リガンドを発現する正常細胞に接触すると，NK 細胞の抑制性受容体が MHC クラス I 分子と結合し，活性化受容体は刺激リガンドと結合する．この時細胞溶解は起こらない．

2 さらに，NK 細胞によって放出されたケモカインは，樹状細胞を腫瘍部位に動員する．

3 腫瘍細胞あるいはウイルス感染細胞により MHC クラス I が発現せず，抑制性受容体の中和ができないと，NK 細胞は活性化される．また，標的細胞の過剰な刺激リガンドが，NK 細胞の活性性受容体の機能をさらに強める．活性化された NK 細胞は，反応して標的細胞へパーフォリンを放出し，サイトカインを分泌して，マクロファージを活性化する．活性化されたマクロファージは，腫瘍壊死因子リガンドを介してより効果的に標的細胞を破壊する．

て HIV の排除を導いてくれる $CD4^+$ ヘルパーT 細胞が破壊されることにある．

$CD8^+$ 細胞傷害性 T 細胞（ウイルスが感染した細胞に結合する）と **B 細胞**（抗体を産生する形質細胞になる）は，HIV 感染に対する獲得免疫の応答を示すものである．HIV 抗原に対する抗体は，感染後 6～9 週以内に検出される．

過敏症（アレルギー反応）（図 10.11）

過敏症 hypersensitivity は，病原体から守るのではなく，有害な宿主反応を招いてしまう特異的な免疫応答のことである．これには以下の 4 型がある：

1. **1 型過敏症**．IgE とアレルゲンに起因し，**肥満細胞** mast cell と**好塩基球** basophil の脱顆粒を誘導する（第 4 章参照）．
   アレルギー allergy は，Fc ε RI という特別な受容体に結合した IgE が関与する免疫応答である．抗原や**アレルゲン** allergen が 2 つの IgE 分子に結合すると，IgE 分子と Fc ε RI 受容体の凝集を起こす．これがシグナル伝達を起こし，メディエーターやサイトカインの放出を導くことになる．
   これには 2 段階，すなわち：
   アレルゲンへの初回曝露に引き続く**感作相** sensitization phase と，アレルゲンに曝露された後に生じる**効果相** effector phase がある．
   ヘルパーT 細胞の 2 つのサブセット（TH1 と TH2）が，特異的な抗原で活性化されたときにも，こうした応答を引き起こしうることにも注意したい．
2. **2 型過敏症**．この反応は，細胞膜に結合した抗原に対して，抗体が産生されることで引き起こされ，細胞溶解が生じる．2 型過敏症は補体系に影響することもある．この過敏症の例としては，**自己免疫性溶血性貧血** autoimmune hemolytic anemia や **Rh 不適合** Rh incompatibility が挙げられる．これらは**胎児赤芽球症** erythroblastosis fetalis を引き起こす（第 6 章参照）．
3. **3 型過敏症**．可溶性の抗原抗体複合体が形成されることによって生じ，補体系を活性化する．この例には，抗原を皮内注射した際に起こる**アルサス反応** Arthus reaction がある．アルサス反応では，顕著な好中球の浸潤，**紅斑**（皮膚の発赤），浮腫が認められる．
   関節滑膜に抗体抗原複合体が蓄積することが原因である 3 型過敏症と，その結果として生じる炎症性の損傷は，**関節リウマチ** rheumatoid arthritis（第 5 章参照）や**感染性関節炎** infectious arthritis，**全身性エリテマトーデス** systemic lupus erythematosus などでみられる．
4. **4 型過敏症**．**遅延型過敏症** delayed hypersensitivity ともよばれる．抗原と T 細胞，マクロファージの相互作用が関与し，それにより肉芽腫を形成する．**結核** tuberculosis，**ハンセン病** leprosy，**サルコイドーシス** sarcoidosis，および**接触性皮膚炎** contact dermatitis が臨床例である．

基本事項 10.B ｜ 免疫系と HIV 感染

HIV 増殖サイクル

pol（ポリペプチド）
gag（群特異的抗原）
env（エンベロープ）
ウイルスのエントリー
ウイルス RNA
ウイルス DNA
新たな HIV 粒子
ヌクレオカプシド
gp120
CD4
CCR5/CXCR4
1
2
3
逆転写酵素
4 組み込み
8 出芽
プロウイルス
5 転写
細胞の DNA
ウイルスタンパク質
エンベロープタンパク質
脂質膜
6 翻訳
感染した細胞
ウイルス RNA
7 集合

後天性免疫不全症候群（AIDS）

ヒト免疫不全1型ウイルス（HIV-1）は，免疫細胞に感染し，その細胞を破壊する．

CD4 はヘルパー T 細胞の補助受容体であるが，HIV-1 のエンベロープタンパク質である**糖タンパク質 120** glycoprotein 120（**gp120**）の受容体となる．gp120 は，CD4 に結合した後に構造を変化させ，さらにケモカイン宿主細胞補助受容体 **CCR5** ないし **CXCR4** と結合する．CD4 はマクロファージ上でも発現しているため，マクロファージもこのウイルスに感染しうる．

このウイルスは，症状が現れるまで何年にもわたり宿主の細胞内で複製を繰り返す（臨床的な潜在感染）（1～5 の HIV 増殖サイクルを説明した **Box 10-F**）．HIV 感染の早期に誘導されるのは，ウイルスエンベロープタンパク質 **gp120** に対する抗体と，コアタンパク質 **p24** に対する抗体である．

HIV 感染初期では，感染したヘルパー T 細胞が破壊されると，また補充される．CD4 細胞が破壊される率が補充能力を超えたとき，細胞性免疫は低下し，患者は致命的な日和見感染症にかかりやすくなる．CD4 ヘルパー T 細胞数が，AIDS の時間的進行程度を示す最もよい指標となる．

CD4 ヘルパー T 細胞は，HIV 感染による細胞毒性により，または細胞傷害性 T 細胞の直接作用により破壊される．血液バンクでは，供血者の gp120 に対する抗体をスクリーニングしている．しかし，特に感染初期には，この抗体レベルが低いこともある．ウイルスの生物学的特徴に基づいた**抗レトロウイルス療法**（**ART**）は，ウイルスの感染をほとんど，あるいは完全にブロックする．

HIV 感染に対する免疫機構の反応

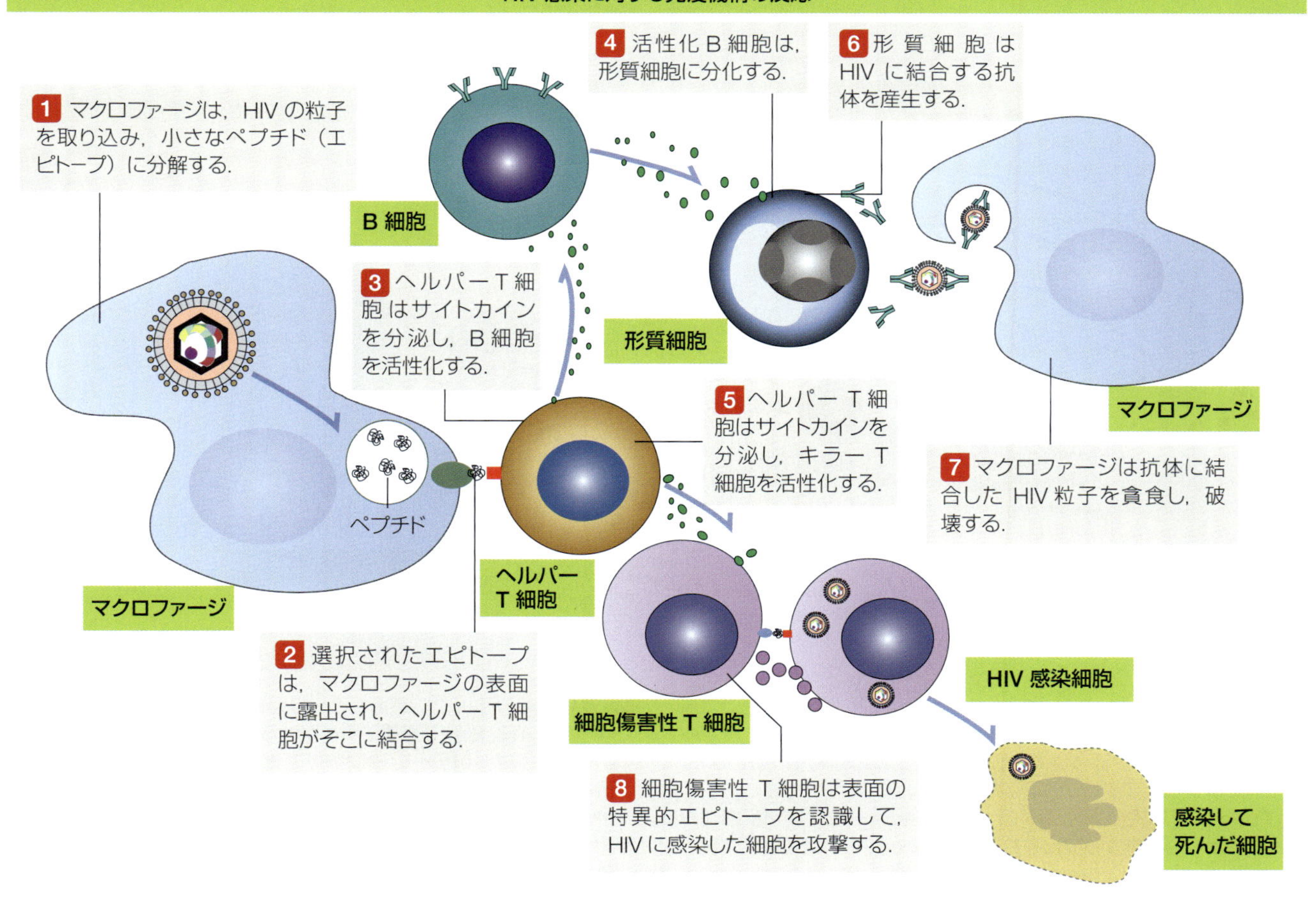

図 10.11 | 1 型過敏症反応．アレルギー

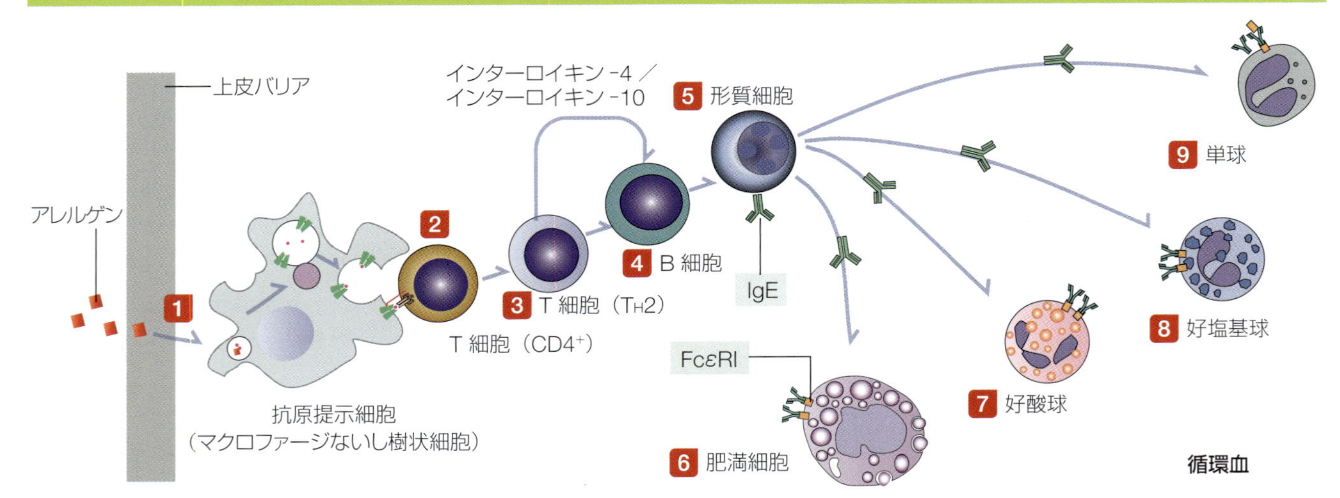

アレルゲンはアレルギーを引き起こす．これは，IgE 抗体が重要な役割を担う免疫応答である．

1 アレルゲンが防御機構（例えば上皮組織）を破壊する．
2 抗原は，抗原提示細胞により，ヘルパー T 細胞に提示される．
3 アレルゲンの性質により，いずれかのヘルパー T 細胞（T_H1 または T_H2）が動員され，IgE の産生が促進される．小腸の寄生虫感染は，T_H2 細胞を活性化する．
4 T_H2 細胞は，インターロイキン（IL）-4，IL-10 や他のサイトカインを産生し，B 細胞の増殖や他のエフェクター細胞（肥満細胞，好塩基球，好酸球）の分化を促す．
5 B 細胞は，IgE を産生する形質細胞に分化する．
6 IgE は，肥満細胞（結合組織の自由細胞）表面の FcεRI 受容体に結合する．
7 **8** **9** 循環血中の好酸球，好塩基球，単球も FcεRI 受容体を発現し，IgE が結合する．T_H1 細胞（図示していない）は，ウイルス感染に反応してインターフェロン-γを産生する．

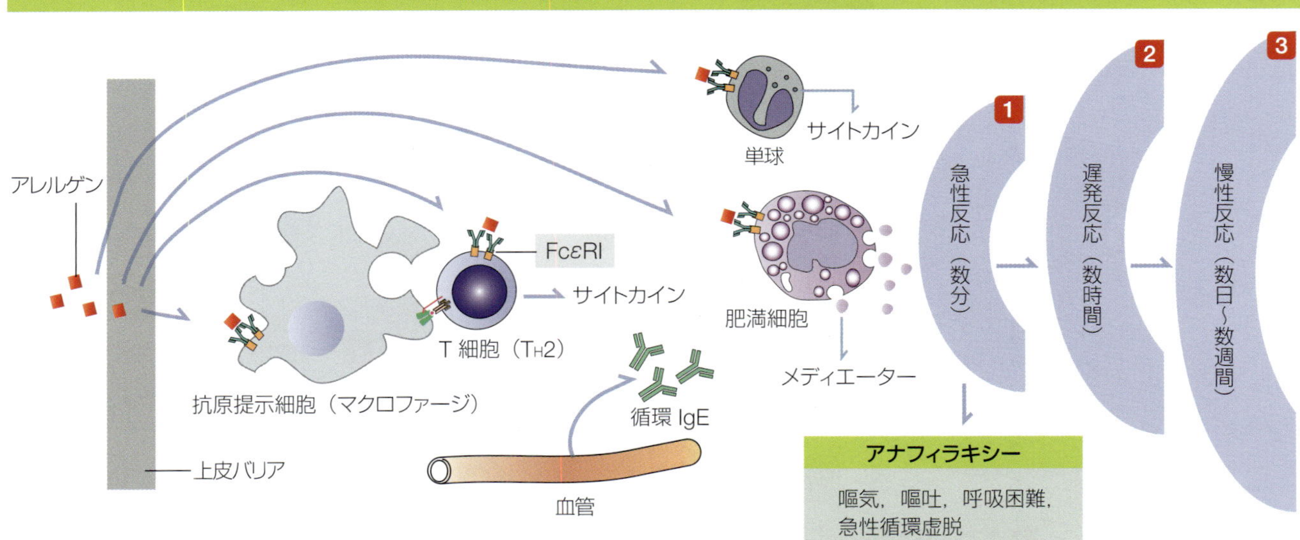

感作後に同じアレルゲンに曝露されると，FcεRI 受容体をもつ抗原提示細胞，T_H2 細胞，単球が現れる．IgE は遅滞なく FcεRI 受容体に結合できる．この受容体は凝集し細胞シグナル応答の引き金となる．受容体の凝集は，3 タイプの反応からなる．

1 **数秒～数分以内の急性反応**（アナフィラキシー，急性喘息反応）は，肥満細胞と好塩基球から放出されるメディエーターにより誘発される．
2 **遅発反応**（アレルゲン曝露の **2～6 時間後**）は，循環血中の好酸球，好塩基球，TH2 細胞を患部に引き寄せる．
3 **慢性反応**は，**数日～数週間**かけて進行し，多数のサイトカイン，メディエーター，および炎症物質によって，反応を起こした組織の構造や機能を変化させる（例えば気管支喘息における病理組織）．慢性反応による炎症を抑えるためには，副腎皮質ステロイドが必要である．

ツベルクリン反応検査における**マントゥー反応** mantoux reaction は，遅延型過敏症の典型例である．**結核菌** *Mycobacterium tuberculosis* から精製したタンパク質を皮膚に注射すると，すでに結核菌に感作（曝露あるいは感染による）された個体では，感作 $CD4^+$ ヘルパーT細胞が活性化し，マクロファージの動員と活性化を担うサイトカインを分泌する．

この局所反応は，皮膚への注射後48時間以内に紅斑および浮腫として観察される．

慢性肉芽腫は，引き金となった病原体そのものに対する免疫応答というよりは，放出された抗原に対しての持続的な免疫応答によって増幅された組織反応である．ヘルパーT細胞（ないし細胞傷害性T細胞），マクロファージ，多核巨細胞の存在は慢性肉芽腫の特徴である．したがって，慢性炎症の過程を取り扱うには，4型過敏症と慢性肉芽腫について立ち戻る必要がある．

補体系（基本事項 10.C）

補体系の主な機能は，**オプソニン化** opsonization（ギリシャ語 *opsonein*［= to buy provisions，食物を買う］）として知られるメカニズムにより，**食細胞**（マクロファージと好中球）**が病原体や標的細胞を直接破壊**できるようにすることである．**オプソニン化ではタンパク質を分解する酵素の複合体が産生される．**

補体は，病原体を排除するための急速かつ効果的なメカニズムを供給し，組織の損傷や慢性的な感染を防いでいる．宿主の組織においては，細胞表面に調節タンパク質があるため，補体の活性化を抑制し，思わぬ損傷から自分の身を守ることができる．

補体系は約20の**血漿タンパク質** plasma protein からなるが，これらは主に肝臓で合成され，病原体に対する組織の反応を補完（すなわち強化）している．補体系のいくつかの成分は，**活性化した酵素**に変換される前の**前駆酵素** proenzyme である．

補体系カスケードの活性化は，以下の異なる3つの経路によって生じる：

1. 抗体と病原体に結合した抗体，あるいはアポトーシスを起こした細胞を使う経路（**古典経路**）．
2. マンノース結合レクチンが細菌の炭水化物成分と結合することを利用した経路（**レクチン経路**）．
3. 補体系の前駆酵素であるC3の自然活性化を利用した経路（副経路）．

補体系のカスケードに不可欠な分子は**C1**である．C1は，**C1q**（免疫グロブリンの**Fc部分**に結合する親和性をもつ）の6量体に，**C1rとC1sが加わった**ものである（基本事項 10.C）．

C1qの球状の頭部が，すでに病原体の表面に結合している免疫グロブリンのFc部に結合すると，C1rが活性化されC1sを活性型のセリンプロテアーゼに変換する．**C1sの活性化が補体の活性化を導くカスケードの第1段階である．**

第2段階は，C1sによるC4の分解である．

2つの断片がつくられ，小さい方のC4aは捨てられ，大きな断片C4bが病原体の表面に結合する．

第3段階では，補体タンパク質**C2**がC1sによりC2a（捨てられる）とC2bに分解される．C2bはすでに病原体表面に結合しているC4bに結合し，**C4b・2b複合体**をつくる．これは，**C3転換酵素** C3 convertase とよばれる．

第4段階では，**C3**がC3転換酵素によりC3a（捨てられる）とC3bに分解される．C3bはC3転換酵素に結合する．**C4b・2b・3b複合体**は**C5転換酵素**とよばれ，補体タンパク質C5をC5a（捨てられる）とC5bに分解する．C5bはC5転換酵素に結合する．

最終段階は，貪食細胞の表面でオプソニン化された病原体が補体受容体に結合することである．C6，C7，C8，C9は付加的な補体タンパク質である．C9は（他の補体によって形成される）タンパク質複合体と結合し，**膜侵襲複合体** membrane attack complex（MAC）を形成する．この膜侵襲複合体は細胞溶解を引き起こす小孔であるため，細胞の破壊過程が直接進行することになる．

補体系について覚えておかなければならない重要な特徴は以下のとおりである：

1. C3aとC5aという補体系フラグメントは，酵素のカスケードで産生されるもので，前炎症反応活性を有する．
2. C3aとC5aの補体フラグメントは，白血球を炎症部位に誘導し，そこで白血球が活性化し，その他の細胞を活性化する．
3. 他のフラグメント（C3b，C4b）は，標的物に印をつけ，食細胞による破壊を可能にする．
4. 病原体の破壊は，膜侵襲複合体（**膜を貫通して細胞を傷害する小孔**）の最終的な凝集を介して行われる．
5. **補体系の調節タンパク質**（CRegs：CD55やCD46，CD59など）は，補体系フラグメントの産生を制御し，すでに産生されているフラグメントの分解を促進し，膜侵襲複合体の凝集を阻害することで最終的な細胞溶解作用を阻止している．**これらの調節タンパク質は細胞表面に存在しており，宿主細胞が活性化された補体系カスケードによって不要な損傷を受けないように保護をしている．CD59は，C9とC8の結合を阻害することにより，膜侵襲複合体の細胞溶解作用を抑制している．CD59**はまた，T細胞の活性も調節している．
6. **発作性夜間血色素尿症** paroxysmal nocturnal hemoglobinuria（PNH）では，暗色尿によって代表される溶血や貧血，腹痛や背部痛，血栓形成などの症状が出現する．これは**赤血球にCD59がなく**，補体系の細胞傷害の影響を受けやすいためである．

PNHを治療するため，補体系カスケードを止めるための治療法が開発されている．

炎症

生体に侵入した病原体（バクテリア，ウイルス，寄生虫やその他の異物）は局所的に組織を破壊し，炎症反応を引き起こす．

急性炎症 acute inflammation は組織損傷に対する最初の非特異的な反応である．もし組織の損傷が長引き，破壊（**壊死** necrosis）が続くと**慢性炎症** chronic inflammation へと発展する．

病原体が中和され，取り除かれた場合に，損傷を受けた組織がきれいになり，元の組織と同様の構造と機能を取り戻す過程を**回復** restoration あるいは**再生** regeneration とよぶ．もし，損傷が激しく広範囲であったり，再生ができなかったりする場合には，その影響を受けた部分は，**瘢痕組織** scar tissue に置き換わる．この過程を**線維性修復** fibrous repair とよぶ．病原体が組織内に留まり，感染が生じると，組織の破壊が継続し，慢性炎症によっ

基本事項 10.C | 補体系

補体系の活性化経路

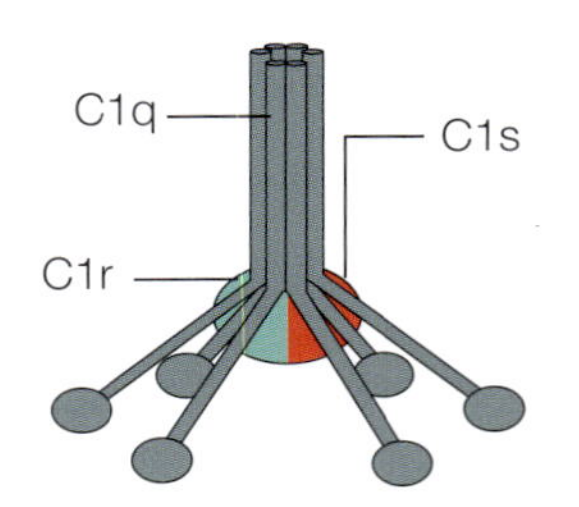

C1 は，補体活性化経路の第 1 成分である．C1 は 3 つの成分からなる：

1. **C1q** は，球状の頭部で終わる 6 つの杆状ドメインからなる分子．
2. **C1r** は，プロエンザイム．
3. **C1s** は C1r の基質で，活性化された C1r によりプロテアーゼに変換される．

分類学的命名

大文字「**C**」の後に続く数字は，補体カスケードの構成要素を表す．

C1，C2，C3，C4，C5 などの切断によってできた産物には，小文字をつけて表し，小さなフラグメントは「**a**」，大きなフラグメントは「**b**」とする．

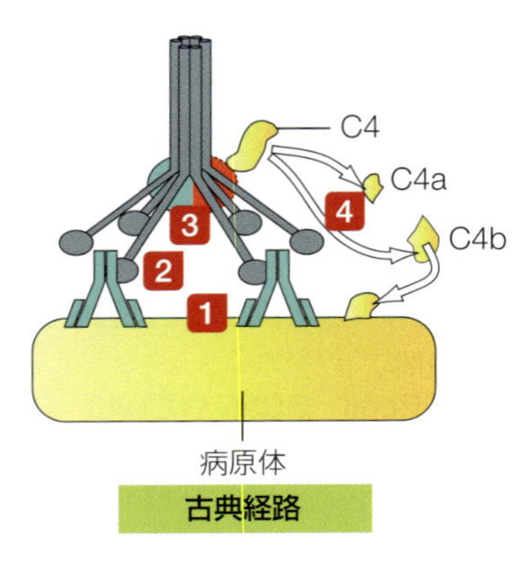

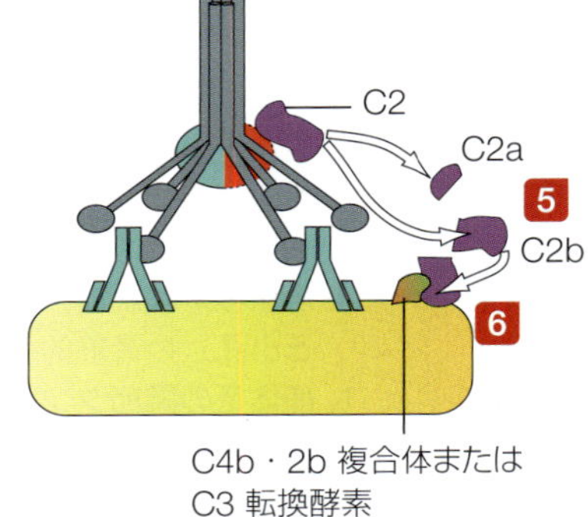

C3a と **C5a** は**炎症性フラグメント**で，白血球を感染部へ誘導し，これを活性化する．

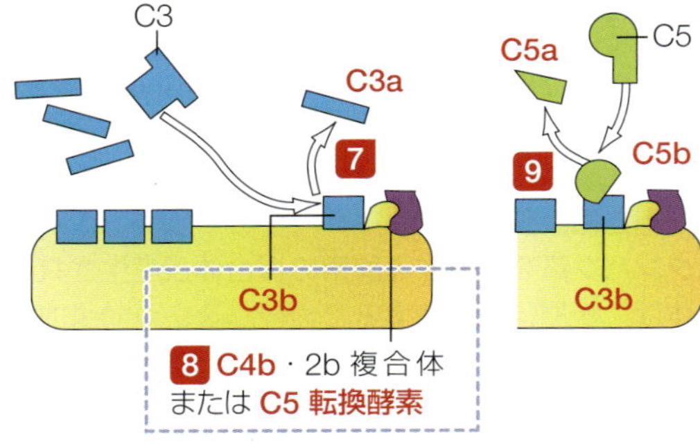

1 免疫グロブリン (Ig) が，病原体 (例えば細菌) の表面に結合する．

2 C1q の球状ドメインが，Ig の Fc 部分に結合する（1 つの Ig に 1 つの球状ドメイン）．

3 結合した C1q は C1r を活性化し，次いで C1s を活性化する．この変換で，補体カスケードの始点であるセリンプロテアーゼができる．

4 プロテアーゼ C1s は，補体タンパク質 C4 を C4a と C4b の 2 つのフラグメントに分解する．C4b は病原体の表面に結合する．

補体系は病原体の存在下で速やかに活性化するため，素早く効果的に病原体を排除し，炎症を引き起こすことができる．

膜の**補体制御タンパク質**（**CRegs**）は，自己免疫疾患や炎症性疾患において，組織の傷害を調節するのに重要である．CRegs は，そばにいる細胞を予期せぬ損傷から守る．

5 C1s は，補体タンパク質 C2 を C2a と C2b の 2 つのフラグメントに分解する．

6 C2b は，すでに病原体に結合している **C4b** と結合して，C4b・2b 複合体をつくり，**C3 転換酵素**として作用する．

オプソニンのフラグメントである **C3b** と **C4b** は，標的とする病原体が食細胞によって排除されるように，これを標識する．

7 C3 転換酵素は，補体タンパク質 C3 を **C3a** と **C3b** の 2 つのフラグメントに分解する．1 つの C3 転換酵素は約 1,000 の C3 分子を C3b に分解できる．

8 一部の C3b 分子は，C3 転換酵素に結合して **C4b・2b・3b** 複合体をつくり **C5 転換酵素**として作用するか，病原体の表面に結合する．C3b は補体系の主な**オプソニン**である．

9 C5 は C5 転換酵素の C3b に結合して，C5 を **C5a** と **C5b** に分解し，病原体のオプソニン化は完成する．

10 病原体がオプソニン化される補体カスケードは，貪食細胞（マクロファージや好中球）による**病原体の取り込み**や破壊を可能にする．

11 補体成分は，貪食細胞の表面にある**補体受容体**に結合し，内部に取り込まれる．

補体タンパク質 C6，C7，C8，C9（ここには出ていない）は**膜侵襲複合体**（**MAC**）とよばれる小孔を形成することで，ある種の病原体の溶解にかかわる．

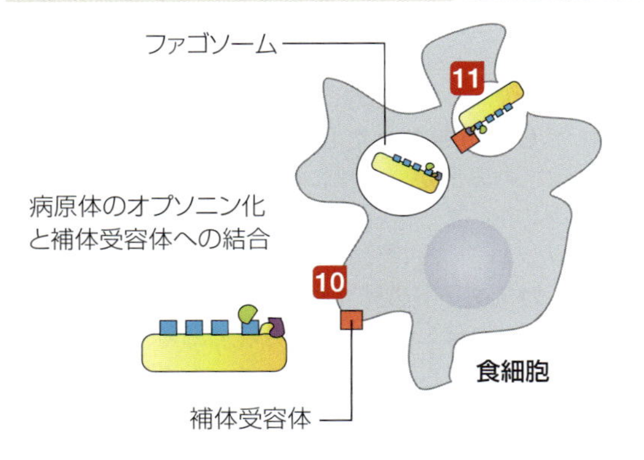

CRegs は膜タンパク質であり，**CD55**，**CD46**，**CD59** がある．これらは変換酵素の活性を抑制する．また不活性プロテアーゼが細胞を溶解する MAC の形成を抑制することを可能にする．

図 10.12 | 概念図：急性炎症

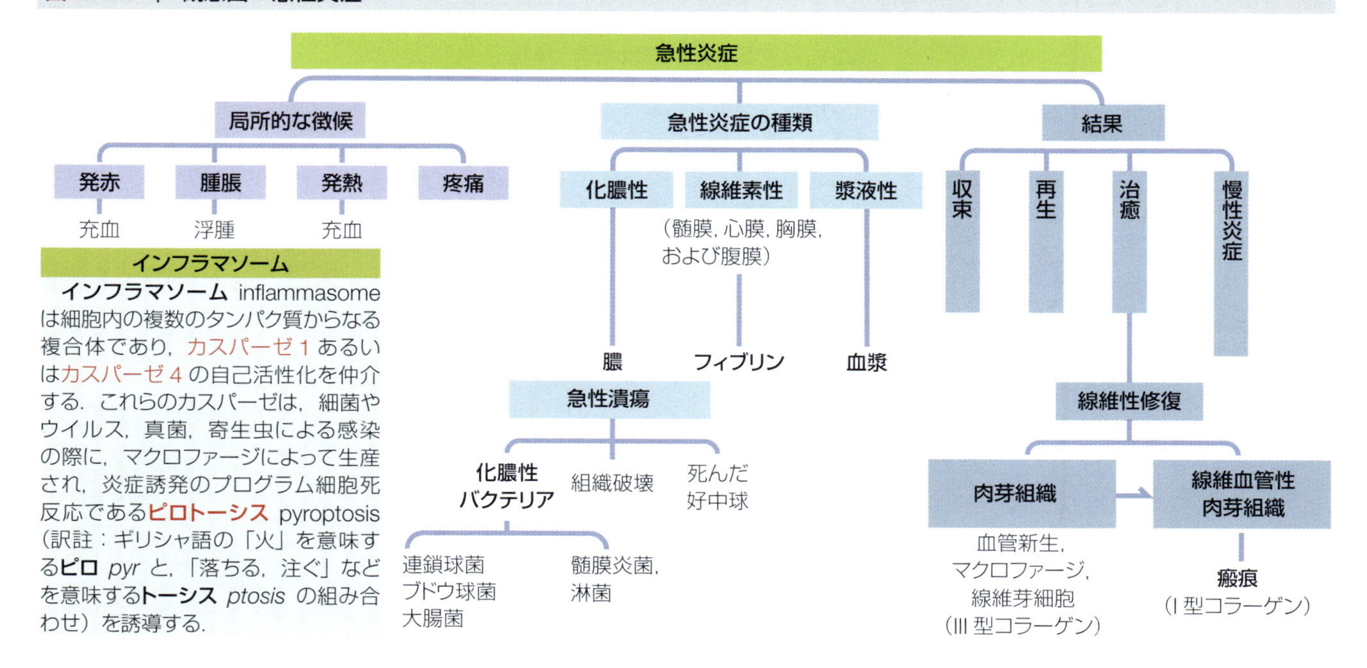

て，免疫応答と線維性修復が同時に進行する．

急性炎症（図 10.12，10.13）

急性炎症の発症を決定する出来事として以下の 2 つがある：

1. **損傷に対する小血管の反応**．血管拡張は，損傷組織への血流を増加させる（この状態を**充血** hyperemia とよぶ）．まず，肥満細胞，好塩基球，血小板が**ヒスタミン**を放出する．血管内皮細胞は**一酸化窒素**を放出し，血管壁を構成する平滑筋を弛緩させるので，血流が増加する．

毛細血管と小静脈の浸透性の増加によって，**間質腔** interstitial space に体液（もしくは**滲出液** exudate）が蓄積し，組織が腫脹する．滲出液はタンパク質（特に**フィブリン** fibrin）を多く含む間質液である．一方で**漏出液** transudate はタンパク質成分の少ない間質液である．**流出液** effusion は体腔（腹膜，胸膜，心膜）に貯留した体液の総称（滲出液も漏出液も含む）である（訳注：exudate と effusion はどちらも滲（浸）出液と訳されることが多いが，両者を区別するために本書では effusion を流出液とした）．

フィブリン fibrin は**フィブリノゲン** fibrinogen から生成される．フィブリノゲンは**トロンビン** thrombin によって切断され，**フィブリノペプチド** fibrinopeptide と**フィブリンモノマー** fibrin monomer になる．これらは集合し，**フィブリン網状構造** fibrin meshwork を形成する．フィブリンは好中球の移動に必要な構造を提供するとともに，サイトカインファミリーである**ケモカイン**を発現させる．ケモカインは接着細胞の**走化性** chemotaxis を誘導する（第 3 章参照）．走化性とは，細胞の周辺に特定の分子が存在したときに，細胞がある一定の方向に移動する性質のことである．

これらの微小血管系における出来事は，1 世紀に**ケルスス** Celsus によって，古典的な炎症の兆候として定義づけられた．すなわち，*rubor*（**発赤** redness），*tumor*（**腫脹** swelling），*calor*（**発熱** heat），*dolor*（**疼痛** pain）である（図 10.12）．**充血** hyperemia は最初に現れる 3 つの兆候で認められる．疼痛は局所的なメディエーターの放出と間質液による神経末端の圧迫によって生じる．

2. **損傷部位への好中球の動員**（図 10.13）．組織常在マクロファージによって生産された**化学走化性因子** chemotactic factor は，循環する血液中の**好中球**を，損傷を受けた組織へ動員する．

第 1 章と第 6 章で述べたように，好中球は**ホーミング（帰巣）** homing の過程を経て損傷部位へやってくる．ホーミングとは，白血球（特に好中球，リンパ球，単球）の末梢血から特定の部位への動員である．

ホーミングは炎症性メディエーターが引き金となって生じる血管内皮表面の変化に始まる．この炎症性メディエーターには，**肥満細胞**によって放出された**ロイコトリエン** leukotriene や組織常在**マクロファージ**によって生産された**サイトカイン**（**腫瘍壊死因子関連リガンド** tumor necrosis factor ligand と **IL-1**）が含まれる．

ホーミングは基本的には，つなぎ留め（**テザリング** tethering），転がり（**ローリング** rolling），固着（**アドヒージョン** adhesion），這い回り（**クローリング** crawling），通り抜け（**トランスミグレイション** transmigration）という一連の過程を含んでいる．

白血球が血管内皮上に**つなぎ留められ**（tethering），**転がり**（rolling），**固着**（adhesion）する過程には，**セレクチン** selectin が関与する．セレクチンは白血球の表面に存在する**セレクチンリガンド糖鎖** selectin ligand glycoconjugate に結合する．

白血球は，**転がり**（rolling）ながら，血管内皮表面にあるケモカインと結合することで活性化される．

その後，血管内皮を這い回り，内皮細胞を通り抜けて，血管の外へ遊走する．好中球の表面に発現した**インテグリン** integrin（LFA1［lymphocyte function-associated antigen 1］と **MAC1**［macrophage antigen 1］）は内皮細胞表面の **ICAM1** と **ICAM2**（intercellular cell adhesion molecule 1 and 2）という分子に結合する．

図 10.13 | 急性炎症における好中球の機能

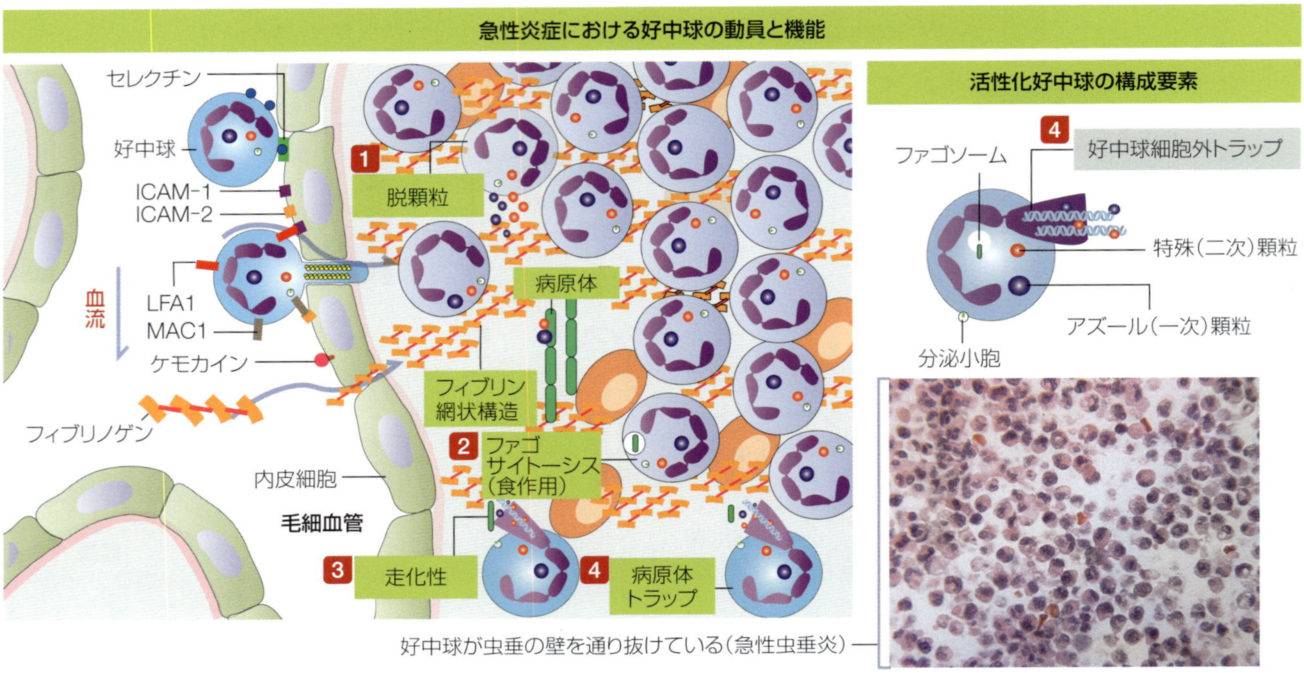

急性炎症における好中球の動員と機能

活性化好中球の構成要素

好中球が虫垂の壁を通り抜けている(急性虫垂炎)

充血 hyperemia：**肥満細胞**，**好塩基球**，**血小板**が放出する**ヒスタミン**によって開始される血流の増加（**充血**）と血管漏出は，好中球を損傷部位へ動員する．血管内皮細胞によって生産される**一酸化窒素**は，血管拡張の引き金となる．これは，一酸化窒素が血管壁の平滑筋を弛緩させることによる．**フィブリノゲン**は**トロンビン**によって切断され，**単量体フィブリン**となり，急性炎症を生じている部位に集まって**フィブリン網状構造**を形成する．

好中球の血管外への遊出：このプロセスには，炎症性メディエーターによって条件が整えられた血管内皮表面における好中球のつなぎ留め（**テザリング** tethering），転がり（**ローリング** rolling），固着（**アドヒージョン** adhesion），這いまわり（**クローリング** crawling）そして通り抜け（**トランスミグレイション** transmigration）とよばれる一連のプロセスが含まれる．血管内皮表面の構造変化は，病原体の出現時に**常在マクロファージ**と**肥満細胞**から放出されるヒスタミン，ロイコトリエン，炎症性サイトカイン（腫瘍壊死因子リガンドとインターロイキン 1）によって促進される．血管内皮上の**ケモカイン**は，炎症性サイトカインの結合を安定化させる．

血管内皮細胞によって**セレクチン**が急速に合成され，これが動員された好中球の糖鎖リガンドと結合し，好中球のつなぎ留め（**テザリング**）と転がり（**ローリング**）を開始する．固着（**アドヒージョン**）は好中球による**インテグリン LFA1** lymphocyte function-associated antigen 1 と **MAC1**（macrophage antigen 1）の発現，**血管内皮細胞による細胞内接着因子** intercellular cell adhesion molecules **ICAM1** と **ICAM2** の発現とともに始まる．血管内皮の停止部位では，好中球はアクチン細胞骨格を再重合し仮足を伸ばす．最後に好中球はケモカインの濃度勾配を目印にして血管内皮と基底膜を 7〜10 分で通り抜ける．このとき多くの場合は，血管内皮細胞同士の間をすり抜けるが，血管内皮細胞を突き抜ける場合もある．

以下の好中球によるイベントは急性炎症部位で生じる：

1 脱顆粒 degranulation：アズール顆粒（一次顆粒と特殊果粒［二次顆粒］）に含まれるプロテアーゼ様タンパク質と酵素の放出．

2 食作用（**ファゴサイトーシス** phagocytosis）：病原体はファゴソームに取り込まれる．

3 走化性 chemotaxis：ケモカイン存在下において，好中球は貪食するために病原体に近づく．

4 病原体トラップ pathogen trapping：好中球は，**好中球細胞外トラップ** neutrophil extracellular trap（**NET**）とよばれる細胞内構造物を細胞外へ放出する．この NET は DNA とヒストンタンパク質からなるコアと付随するいくつかの抗菌タンパク質（**ミエロペルオキシダーゼ** myeloperoxidase，**ラクトフェリン** lactoferrin，**カテプシン** cathepsin，**ディフェンシン** defensin および**菌膜透過性タンパク質** bacterial permeability protein）で構成される．この NET は，病原体の捕獲と固定に用いられ，それらを殺すこともある．

第 6 章でみてきたように，好中球は，**ミエロペルオキシダーゼ** myeloperoxidase と**ディフェンシン** defensin を含んだ**アズール（一次）顆粒** azurophilic（primary）granule と，**ラクトフェリン** lactoferrin と**ゼラチナーゼ** gelatinase を含んだ**特殊（二次）顆粒**を細胞質にもっている．

ゼラチナーゼは好中球が移動できるように，細胞外マトリックスの構成要素を分解する．さらに，好中球は**分泌小胞**をもっており，活性化するとその内容物を細胞表面に放出し，インテグリンを介した細胞結合を誘導する．

好中球は以下のいくつかの方法によって病原体を排除することができる：

1. **食作用**（**ファゴサイトーシス** phagocytosis）．これは抗菌タンパク質が細胞質顆粒からファゴソームに放出される現象である．
2. **好中球細胞外トラップ** neutrophil extracellular traps（**NET**）**の放出**．好中球は，病原体の拡散を防ぎ，食作用を促進させるために NET を放出する．**NET は，DNA とヒストンタンパク質からなるコアと付随するいくつかの酵素で構成され**

図 10.14 ｜ 概念図：急性炎症と慢性炎症の比較

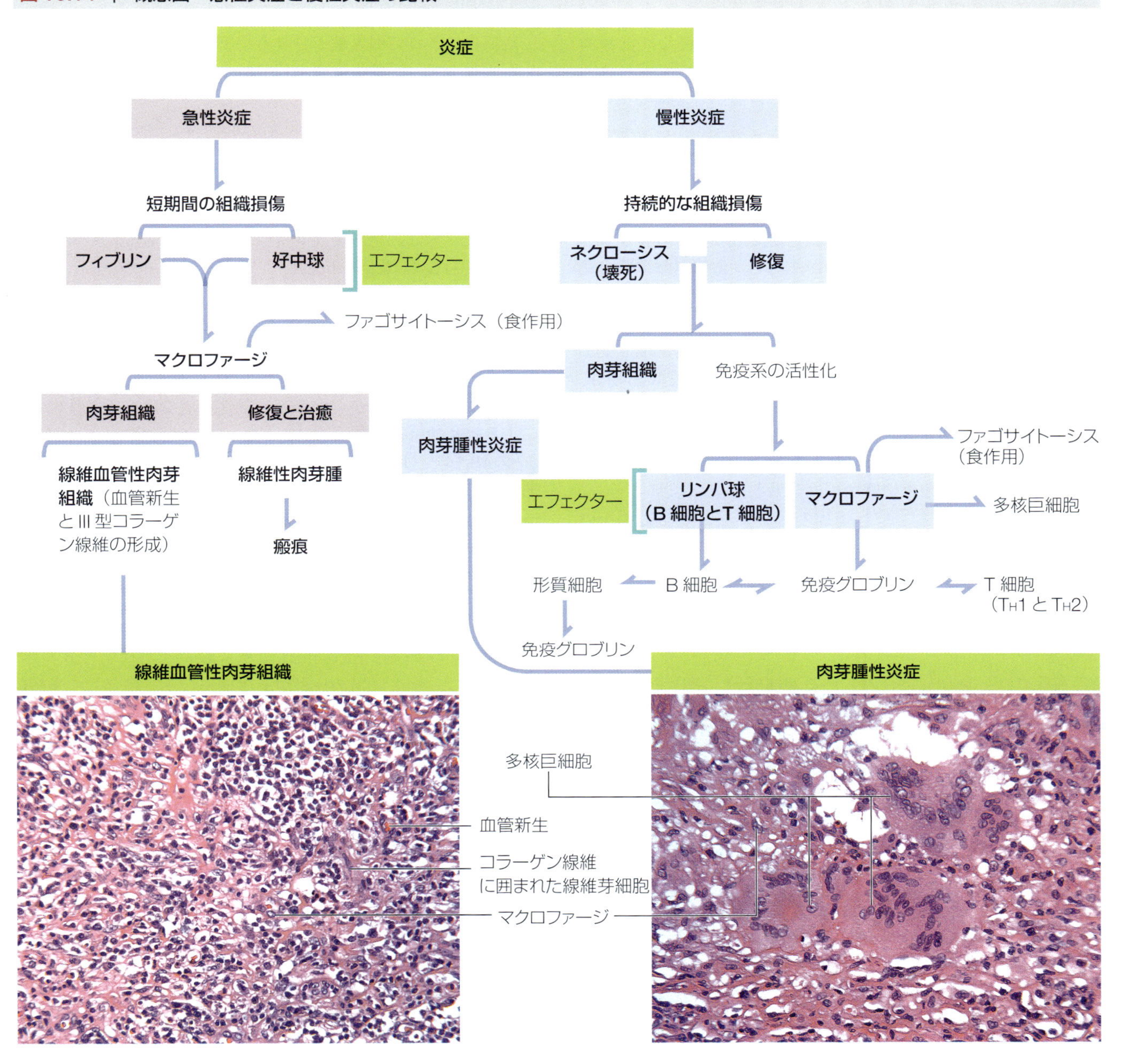

る．この酵素はアズール顆粒と特殊顆粒から放出される．

3. **脱顆粒** degranulation．病原体を直接殺すために脱顆粒が起こる．好中球の細胞質顆粒に含まれるプロテアーゼ様タンパク質と**活性酸素種** reactive oxygen species の発生にかかわる酵素は，直接的に微生物を殺したり無害化したりする作用がある．

急性炎症の収束（図 10.14）

急性炎症の収束には以下の 2 つの目的がある：

1. 著しい組織損傷からの宿主の保護．
2. 慢性炎症へつながる急性炎症の拡大増幅の抑制．

急性炎症の収束は，**抗炎症相** anti-inflammatory phase と**消炎症相** pro-resolving phase からなる．

抗炎症相においては，抗炎症メディエーター（IL-10 など）が放出される．さらに，nuclear factor（NF）-κB 経路の炎症誘発活性が抑制される．NF-κB 経路の詳細について，特に，**ネクロトーシス** necroptosis を起こす副経路としての炎症性シグナル伝達に関しては，第 3 章を参照してもらいたい．

好中球の炎症部位への動員は，IL-1 やケモカイン受容体のアンタゴニストによって抑制される．また，血管内皮細胞表面からの腫瘍壊死因子リガンドの除去によっても抑制される．

消炎症相 pro-resolving phase では，好中球とマクロファージの炎症誘導活性が抗炎症活性へ切り替わる．好中球は，**プロテクチン** protectin を含む**消炎症メディエーター**を生産し，マクロファージは，**マレシン** maresin（**ma**crophage mediator in **res**olving **in**flammation の意）を分泌する．

消炎症メディエーターは，好中球の移動を阻止し，マクロファージの前駆体である**単球** monocyte を動員する．これによって，マクロファージによる死んだ好中球の貪食や，炎症部位の壊死した細胞やフィブリンの除去を助ける．

治癒と組織修復は，抗炎症相と消炎症相の効果を合わせることによって増強される．治癒には**肉芽組織** granulation tissue の形成が含まれる．損傷を受けた組織は，新しい毛細血管（血管新生）と，マクロファージ，線維芽細胞に置き換えられる．線維芽細胞が継続的に増殖してⅢ型コラーゲンが沈着し，血管（細静脈と細動脈）に平滑筋細胞が加わることで，線維血管性肉芽組織 fibrovascular granulation tissue が形成される．Ⅲ型コラーゲンはⅠ型コラーゲンの束と入れ替わり，**コラーゲン性瘢痕** collagenous scar を残すことになる．**基本的にフィブリンを含む滲出物は，最初に肉芽組織に置き換わり，続いて線維性瘢痕** fibrous scar **に置き換わる．このプロセスを線維性修復とよんでいる．**

第5章の中で骨折がどのように修復されるかを学んだ．前述の線維性修復は，強固な骨の修復には適用されない．

骨形成と軟骨形成とともに，追加のステップとして必要なのは，骨折した骨の両端をつなぐための石灰化した骨，すなわち仮骨 callus の形成である．この仮骨がやがて再構築されると，骨折前の骨の構造まで修復されたことになる．

急性炎症の種類（図 10.12）

急性炎症には，炎症部位にみられる**液体成分**（**滲出液** exudate もしくは**流出液** effusion）の種類に基づいて以下の3種類が考えられる：

1. 急性化膿性炎症 suppurative acute inflammation．好中球と死細胞の残骸が多数を占め，好中球由来のタンパク質分解酵素の働きによってこれらが液化され**膿** pus となった場合を急性化膿性炎症とよぶ．小児の急性盲腸炎や反復性中耳炎はその例である．

特定の細菌は急性化膿性炎症を引き起こす．これは膿状組織の集塊が包み込まれた膿胞 pustule（皮膚の表面に現れるもの）や膿瘍 abscess に発展することもある．細菌に起因して局所的に膿が溜まることを化膿 pyogenic（pus-producing）とよぶ．

2. **急性線維素性炎症** fibrinous acute inflammation．髄膜，腹膜，胸膜および心膜の表面に**フィブリン** fibrin を主成分とする**流出液** effusion が貯留したものを急性線維素性炎症とよぶ．フィブリンの流出液が瘢痕組織に置き換わる線維性修復では，影響を受けた組織の表面が肥厚する．これは場合によっては，心膜腔のようなスペースの閉塞につながることもある．
3. 急性漿液性炎症 serous acute inflammation．血漿由来の体液で**タンパク質成分をあまり含んでいないもの**を**漏出液** transudate といい，これが貯留するものを急性漿液性炎症とよぶ．火傷やウイルス感染，あるいは毒物（アイビー，オーク，漆など）によって生じた皮膚の水泡がこれにあたる．また，うっ血性心不全や，血管あるいはリンパ管の梗塞によって胸膜腔，腹膜腔および心膜腔などに**流出液** effusion が貯留した場合も急性漿液性炎症の例となる．

慢性炎症（図 10.15）

病原体によって引き起こされる持続的な組織の損傷は慢性炎症を引き起こす．慢性炎症の過程では，組織の壊死と修復が数年に及ぶ長期間にわたって同時に進行する．

慢性消化性潰瘍 chronic peptic ulcer は，慢性炎症の一例で，病原体（ヘリコバクターピロリ）が常在していたり，胃酸の過剰産生があったり，非ステロイド抗炎症剤の作用によって引き起こされる（第15章参照）．

慢性炎症では，急性炎症で特徴的にみられる細胞や組織の様相に加え，**リンパ球** lymphocyte と**マクロファージ** macrophage による**免疫系** immune system がみられる．

マクロファージは2つの機能をもつ．すなわち，食細胞として壊死組織や死細胞を貪食して排除する一方で，免疫学的機能の一部を担う抗原提示細胞ともなる．

組織病理学的側面からみると，慢性炎症では，線維性肉芽組織による線維性修復が認められ，リンパ球とマクロファージも現れる（図 10.14）．**リンパ球** Lymphocyte，**マクロファージ** macrophage，**形質細胞** plasma cell は，**慢性炎症でみられる細胞** chronic inflammatory cell の典型的な組み合わせである．

急性炎症では好中球が中心的な働きをすることをみてきた．慢性炎症ではマクロファージが主要な役割を果たしている．マクロファージはインターフェロン γ によって単球から分化する．

ある種の疾病では，肉芽種が慢性炎症の特徴となり，肉芽腫性炎症 granulomatous inflammation と定義される構造様式を示す．肉芽腫では，マクロファージが上皮様になり，融合して**多核巨細胞** multinucleated giant cell を形成する．

肉芽腫（図 10.15）は，中心に壊死した領域があり，その周りを活性化した上皮様マクロファージと多核巨細胞が混在した領域が囲んでいる．マクロファージを含む領域は，リンパ球（$CD4^+T$ 細胞）が囲み，さらにその周囲には線維芽細胞とコラーゲンからなる被膜様の構造が存在して周囲の組織と境界をなしている．

何が肉芽腫性炎症を引き起こすのか．

1. 著しい病原性をもっていないにもかかわらず，病原体が明確な免疫応答（抗原提示細胞であるマクロファージとリンパ球との相互作用）を誘発することができる．この条件を満たすヒトの疾病は，結核 tuberculosis（結核菌による），ハンセン病（らい菌による），梅毒（梅毒トレポネーマによる）などがある．

肉芽腫の中心部の物理的，生化学的特徴は病原体に依存する．例えば，結核の肉芽腫 tuberculous granuloma では**乾酪化** caseation した柔らかいチーズの塊のような中心部が認められる．その周囲には，**ラングハンス細胞** Langhans cell とよばれる多核巨細胞が散在する．

サルコイドーシスの肉芽腫 sarcoidosis granuloma は，線維化した中心部をもち，多核巨細胞にはシャウトマン小体 schaumann body とよばれる球状の石灰沈着物がみられることがある．

2. 生物でない異物（例えば肺に取り込まれたシリコン）は好中球が生産する酵素では排除できない．したがって体内に残留し続け肉芽腫性炎症の原因となる．また，サルコイドーシス sarcoidosis（肺，リンパ節，脾臓および肝臓に影響を与える）を誘発する未知の病原体も肉芽腫性炎症の原因となる．

図 10.15 | 結核性肉芽腫の発生

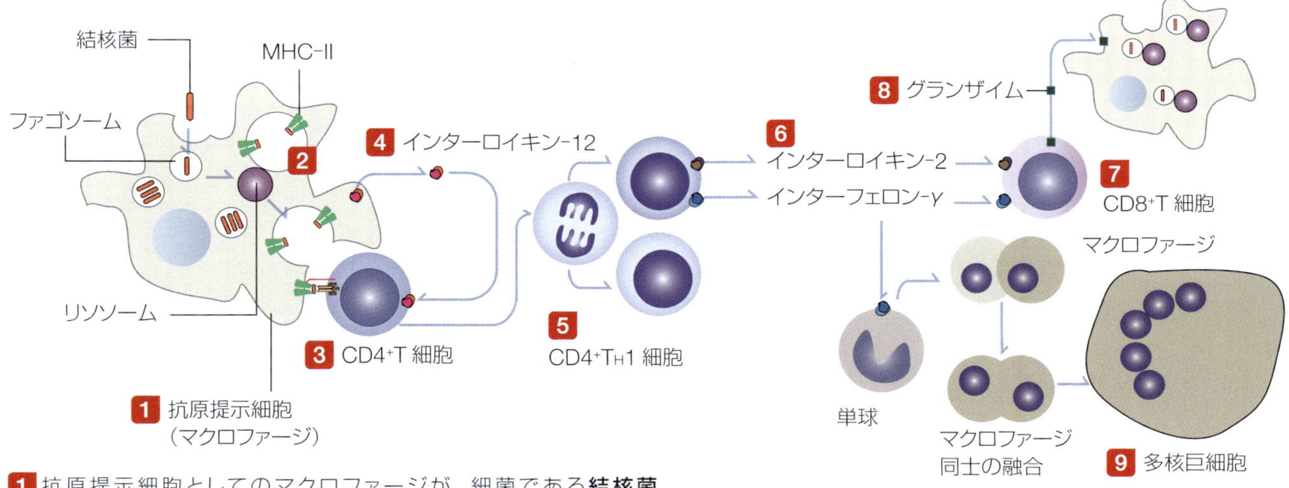

1 抗原提示細胞としてのマクロファージが，細菌である**結核菌** *Micobacterium tuberculosis* をファゴソームに取り込む．
2 結核菌は自身の防御機能を働かせ**ファゴソーム**での分解を 2，3 日遅らせる．その間に結核菌はマクロファージの中で自らを複製することができる．その後，リソソームがこの小胞に結合し，成熟したファゴソーム（ファゴリソソーム phagolysosome）を形成する．結核菌の断片は **MHC クラス II**（主要組織適合複合体クラス II）と結合し，細胞外へ曝露される．
3 **CD4⁺T 細胞**はこの曝露された抗原と結合する．
4 マクロファージは**インターロイキン-12** interleukin-12 を分泌し，CD4⁺T 細胞の増殖を刺激する **5**.
6 **CD4⁺TH1 細胞**は**インターロイキン-2** interleukin-2 と**インターフェロン-γ** interferon-γを生産・分泌することで，**CD8⁺T 細胞**を活性化する．
7 活性化した CD8⁺T 細胞は，結核菌を取り込んでいるマクロファージをグランザイム酵素によって攻撃する **8**.
9 数週間後，動員されてきた**単球**は**インターフェロン-γ**によって活性化され，**マクロファージ**へと分化する．マクロファージ同士が結合し**多核巨細胞**（結核感染では**ラングハンス細胞**として知られる）となる．これらのイベントは **4 型過敏症**あるいは**遅延性過敏症**を定義づける．

肉芽腫

ラングハンス細胞
線維芽細胞領域
リンパ球領域
マクロファージと多核巨細胞の混在領域
（4 型・遅延型過敏症の指標）
乾酪壊死

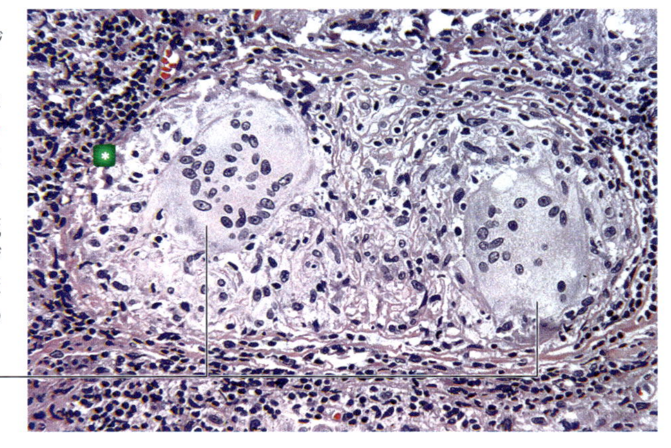

リンパ節における**サルコイドーシス肉芽腫**. 乾酪壊死は存在しない. 優勢的に存在する細胞はマクロファージと多核巨細胞である. リンパ球は肉芽組織の内側にはほとんど観察されない. 結合組織による境界がリンパ節のリンパ球との接触部位にみられる. (*)

リンパ性器官

これまでに示した免疫系の基本原理は，それぞれのリンパ性器官がどのようにして構成され組織の恒常性を維持しているのかを理解するのに役立つ．リンパ性器官は，身体が何らかの免疫学的な危機に直面したときに免疫防御応答が生じる場である．主要なリンパ器官は以下の 3 つである：

1. **リンパ節** lymph node
2. **胸腺** thymus
3. **脾臓** spleen

リンパ節（図 10.16，10.17）

リンパ節 lymph node の働きは，リンパ（液）を濾過し，B 細胞を分化・維持し，T 細胞を蓄えておくことである．リンパ節はリンパ（液）に運ばれる抗原を検出し，これに反応する．

リンパ節は被膜に包まれており，実質は**皮質** cortex と**髄質** medulla に分けられる（図 10.16）．**被膜** capsule は，脂肪組織に囲まれた密度の不均一な結合組織からなる．リンパ節の凸面の被膜には，多数の**輸入リンパ管** afferent lymphatic vessel が貫いている．輸入リンパ管には**弁**があり，リンパ節に流入するリンパ液が逆流することを防いでいる．

図 10.16 | リンパ節

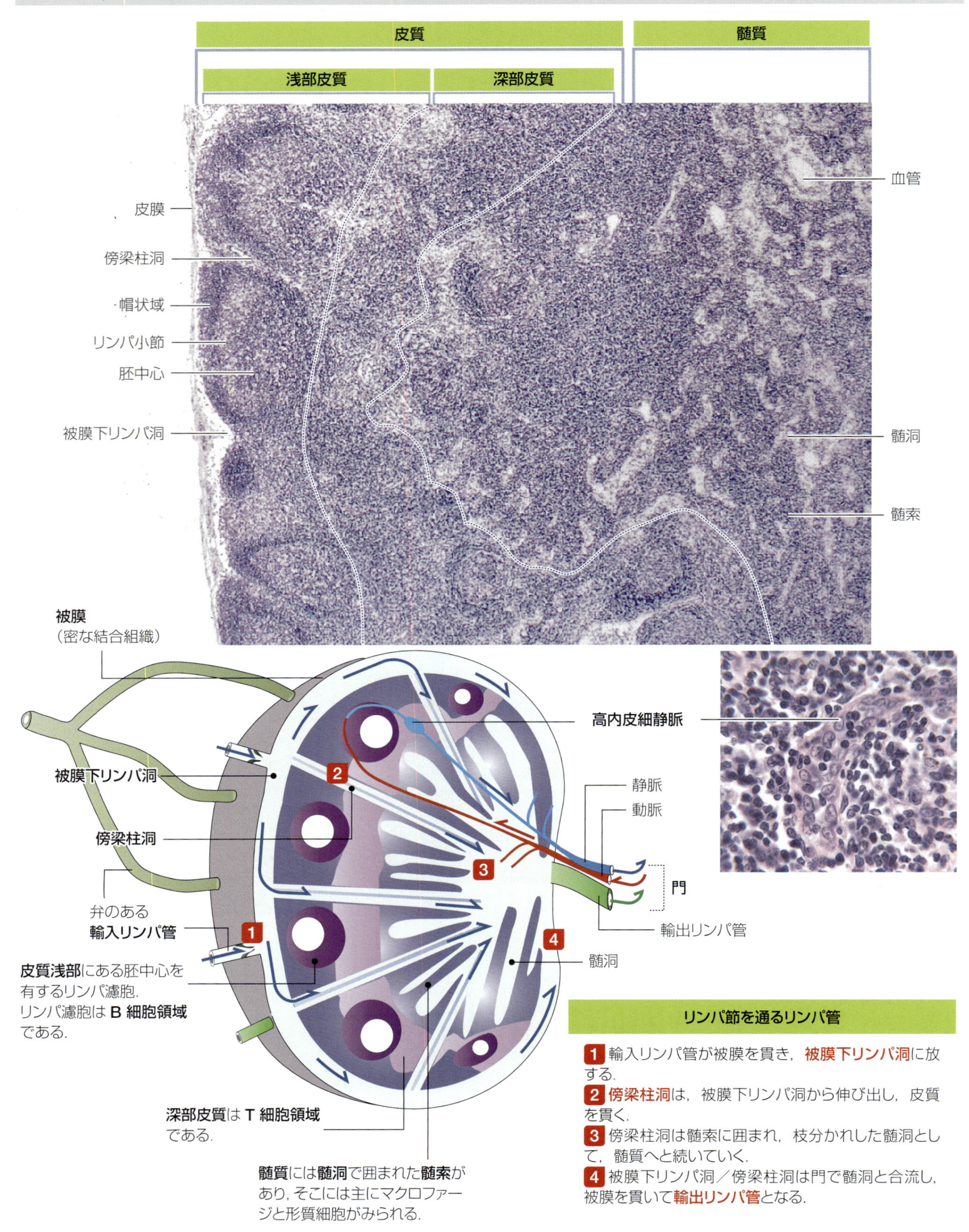

リンパ節を通るリンパ管

1 輸入リンパ管が被膜を貫き,**被膜下リンパ洞**に放する.
2 **傍梁柱洞**は,被膜下リンパ洞から伸び出し,皮質を貫く.
3 傍梁柱洞は髄索に囲まれ,枝分かれした髄洞として,髄質へと続いていく.
4 被膜下リンパ洞/傍梁柱洞は門で髄洞と合流し,被膜を貫いて**輸出リンパ管**となる.

リンパ節の支質（もしくは実質）は線維芽細胞様の**細網細胞** reticular cell と**細網線維** reticular fiber からなり，相互に連結して三次元的な網状の構造を形成している．これによってB細胞とT細胞の区画化がされ，生存しやすい環境がつくられる．またこの網により，抗原とシグナル分子がリンパ節の深部へ輸送されるようになっている．細胞の区画化は抗原や炎症に対する獲得免疫応答を確実にする．

皮質 cortex には，以下の2つの領域がある：

1. **浅部皮質** outer cortex．ここには**リンパ濾胞** lymphoid follicle が存在する．
2. **深部皮質** deep（もしくは inner）cortex．ここには**CD4⁺ヘルパーT細胞**と**高内皮細静脈**がある．深部皮質は，リンパ液によって運ばれてきた特定の抗原に曝された際に，主に CD4⁺ ヘルパーT細胞がB細胞に作用し，その増殖と分化を誘導する領域である．

リンパ濾胞 lymphoid follicle（図 10.17）は以下の構造からなる：

1. **帽状域** mantle（皮質に面した部分）．
2. **胚中心** germinal center．胚中心には主に増殖中のB細胞（すなわち**リンパ芽球**），**濾胞樹状細胞** follicular dendritic cell（FDC），遊走中の**樹状細胞**，**マクロファージ**，**細網細胞**を認める．このうち細網細胞は，細網線維（III 型コラーゲン）を産生する支持細胞である．

一次リンパ濾胞 primary lymphoid follicle は帽状域と胚中心を欠くが，**二次リンパ濾胞**は帽状域と胚中心をもっている．帽状域と胚中心は，**抗原刺激に応答して発達する**．

濾胞樹状細胞は，枝分かれした突起をもつことからこの名がついており，リンパ濾胞内でネットワークをつくっている．遊走中の樹状細胞が骨髄由来でT細胞と情報交換をするのに対して，常在する濾胞樹状細胞は骨髄の前駆細胞に由来しない．この細胞は胚中心の辺縁にみられ，成熟B細胞と情報交換をしている．すなわち，濾胞樹状細胞は自身の表面に抗原を捕捉し，これをB細胞が認識する．

そこで，高親和性の表面免疫グロブリンをもったB細胞は活性化し，髄索へ移動し，形質細胞へと分化する．そして IgM や IgG を髄洞や輸出リンパ管の中に分泌する（図 10.17）．

成熟B細胞と濾胞樹状細胞の情報交換は，B細胞がアポトーシスに陥るのを防いでいる．その結果，低親和性の表面免疫グロブリンをもったB細胞だけが，アポトーシスに陥る．リンパ濾胞の中のマクロファージはアポトーシスに陥ったB細胞を貪食している．

リンパ洞は，内皮細胞に裏打ちされた空間である．リンパ洞は被膜下では**被膜下リンパ洞** subcapsular sinus として存在し，さらに被膜から伸びた結合組織の小柱（梁柱）に沿って，皮質に進入する**傍梁柱洞** paratrabecular sinus となる．高い貪食能をもったマクロファージは，被膜下リンパ洞と傍梁柱洞に沿って分布し，洞内を流れるリンパ液中の特定の異物を排除している．リンパ液は，被膜下リンパ洞から傍梁柱洞へ入り，髄洞に流れ込んだ後に1本の輸出リンパ管から出て行く．被膜下リンパ洞のリンパは，傍梁柱洞や髄洞を通らずに，輸出リンパ管に注ぐこともできる．

深部皮質に位置する**高内皮細静脈**（HEV）は，B細胞やT細胞の多くがリンパ節に流入する部位である．

髄質は，**門** hilum を除いて皮質に囲まれている．門はリンパ節の凹面にあり，**輸出リンパ管**と**静脈**がリンパ節から出て，**動脈**が入り込むところである．

髄質は大きく2つの成分からなる：

1. **髄洞** medullary sinusoid は，内皮細胞で裏打ちされた空間で，細網細胞やマクロファージを含んでいる．
2. **髄索** medullary cord には，B細胞，マクロファージ，**形質細胞**がいる（図 10.17）．活性化したB細胞は，皮質から移動し，髄索に入り込んで形質細胞になる．これは戦略的に重要な配備といえる．なぜなら，形質細胞はリンパ節を離れずに髄洞の内腔に直接免疫グロブリンを分泌することができるからである．

リンパ節炎とリンパ腫（図 10.18）

リンパ節は，輸入リンパ管からリンパ節に入ったリンパ行性の微生物（細菌，ウイルスおよび寄生虫）に対する防御の場である．この防御機構は，リンパ小節内のB細胞と深部皮質 CD4⁺T 細胞との緊密な相互作用によるものである．

第12章では，間質液（血漿が濾過されたもの）が，毛細リンパ管にあたる**盲端** blind sac に運び込まれることを述べている．

この間質液は，**リンパ** lymph として毛細リンパ管に入り，集合リンパ管へ流れ込み，これが輸入リンパ管となって局所リンパ節へ入っていく（Box 10.G）．リンパ節はリンパ管によって次々とつながっているので，**1つのリンパ節の輸出リンパ管は，次のリンパ節の輸入リンパ管になっている**．

可溶性抗原も粒状の抗原も，間質液とともに排導され，抗原を運ぶ皮膚の樹状細胞（ランゲルハンス細胞：第11章参照）と同様にリンパ管に入り，リンパ節に運ばれる．

抗原を保有した樹状細胞は CD4⁺ ヘルパーT細胞の多い深部皮質に侵入する．一方，可溶性抗原と粒状抗原は，常在マクロファージや樹状細胞によってリンパの中で捕らえられる．これらの細胞は戦略的に被膜下リンパ洞や傍梁柱洞に配置されている．

局所的な細菌の曝露（例えば歯や扁桃腺の感染など）に対して

Box 10.G | リンパ液の流れと樹状細胞の移動

- リンパ液をリンパ管へ運ぶ終末輸入リンパ管は集合リンパ管に由来する．
- 終末輸入リンパ管は，リンパ節の皮質の結合組織を貫いて，その内容物を被膜下リンパ洞に注ぐ．
- リンパ節へ向かうリンパ液の流れは，集合リンパ管の壁内にある平滑筋（内因的なポンプ活動）とその周囲の組織の運動（受動的な外因的活動）によって調節される．
- 集合リンパ管には弁があるため，リンパ液や細胞（例えば樹状細胞や白血球）は，リンパ節から次のリンパ節へと一方向性に流れることができる．弁は，次のリンパ節へ進んだリンパ液の逆流を防いでいる．
- 樹状細胞は高い移動能をもつ．これらは見張り番として末梢に分布し，外来抗原の存在をモニターする．樹状細胞は，二次リンパ性組織，特にリンパ節に移動し，深部皮質の記憶T細胞と相互作用をする．1つの例として，表皮内のランゲルハンス細胞がある．

図 10.17 | リンパ濾胞

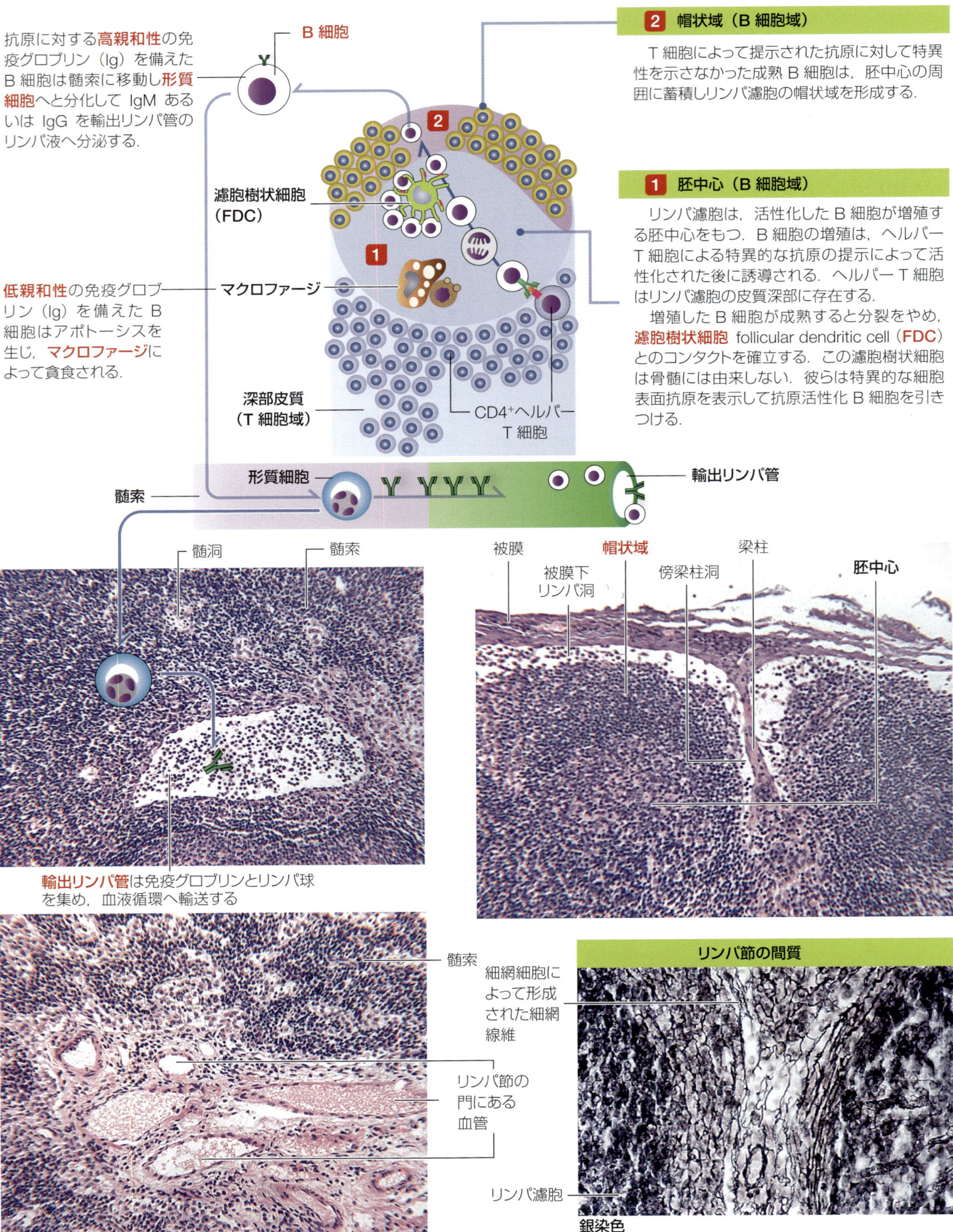
抗原に対する高親和性の免疫グロブリン（Ig）を備えたB細胞は髄索に移動し形質細胞へと分化して IgM あるいは IgG を輸出リンパ管のリンパ液へ分泌する.
B 細胞
2 帽状域（B 細胞域）
T 細胞によって提示された抗原に対して特異性を示さなかった成熟 B 細胞は，胚中心の周囲に蓄積しリンパ濾胞の帽状域を形成する.
1 胚中心（B 細胞域）
リンパ濾胞は，活性化した B 細胞が増殖する胚中心をもつ．B 細胞の増殖は，ヘルパー T 細胞による特異的な抗原の提示によって活性化された後に誘導される．ヘルパー T 細胞はリンパ濾胞の皮質深部に存在する.
増殖した B 細胞が成熟すると分裂をやめ，濾胞樹状細胞 follicular dendritic cell（FDC）とのコンタクトを確立する．この濾胞樹状細胞は骨髄には由来しない．彼らは特異的な細胞表面抗原を表示して抗原活性化 B 細胞を引きつける.
濾胞樹状細胞（FDC）
低親和性の免疫グロブリン（Ig）を備えた B 細胞はアポトーシスを生じ，マクロファージによって貪食される.
マクロファージ
深部皮質（T 細胞域）
CD4⁺ヘルパー T 細胞
形質細胞
髄索
輸出リンパ管
髄洞
髄索
被膜
帽状域
梁柱
被膜下リンパ洞
傍梁柱洞
胚中心
輸出リンパ管は免疫グロブリンとリンパ球を集め，血液循環へ輸送する
髄索
細網細胞によって形成された細網線維
リンパ節の門にある血管
リンパ節の間質
リンパ濾胞
銀染色

図 10.18 | ホジキンリンパ腫

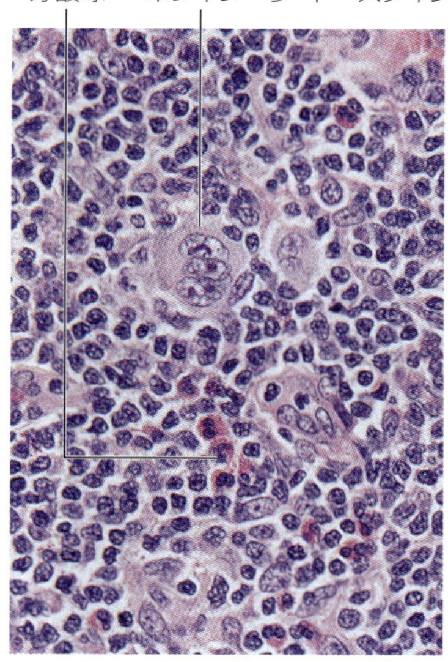
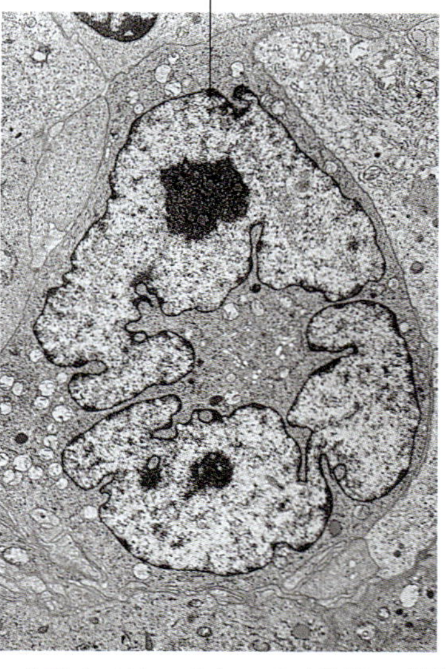

組織像：Hoffbrand AV, Pttit JE: Color Atlas of Clinical Hematology. 3rd Edition. Philadelphia, Mosby, 2000.
電子顕微鏡写真：Damjanov I, Linder J: Pathology: A Color Atlas. Philadelphia, Mosby, 2000. より.

ホジキンリンパ腫：B 細胞リンパ腫

ホジキンリンパ腫（**HL**）は最も頻度の高いリンパ腫の1つで，しばしば若年成人が罹患する．古典的な HL の組織学的特徴は，**ホジキン・リード・スタインバーグ**（**HRS**）**細胞**という，胚中心の B 細胞を起源とする腫瘍細胞の存在である．HRS 細胞では，CD20，CD79A，CD19，CD22 のような B 細胞抗原や免疫グロブリンをほとんど発現しない．代わりに正常の B 細胞ではみられないような CD30，CD15，CD70 などの分子を発現する．

HL の約 40%の症例で HRS 細胞に **EB ウイルス**の感染がみられることから，HL の発症におけるこのウイルスの重要な役割が示唆される．HRS 細胞は多核あるいは多分葉核の細胞で，核内にはエオジン好性の封入体をもつ．

HRS 細胞は，好酸球と CD4$^+$T 細胞を引き寄せるサイトカインを分泌する．CD4$^+$T 細胞は，リンパ組織で HRS 細胞の成長を刺激する．

免疫反応が急性である場合，細胞増殖と浮腫により被膜が膨張するため，局所リンパ節が腫大し，痛みが生じる．この状態が**急性リンパ節炎**である．

リンパ腫 lymphoma は，組織塊をつくるリンパ組織の腫瘍である．リンパ球性白血病の名は，骨髄が関連する**リンパ性腫瘍**に対して用いられる．

ほとんどのリンパ腫（80%）は B 細胞由来であり，残りが T 細胞に由来する．リンパ腫には**ホジキンリンパ腫** Hodgkin's lymphoma や**非ホジキンリンパ腫** non-Hodgkin's lymphoma がある．この疾患は臨床的に，圧痛のない局所あるいは全身のリンパ節腫大（結節性疾患）を特徴とする．

古典的なホジキンリンパ腫に認められる**ホジキン・リード・スタインバーグ細胞** Hodgkin-Reed-Sternberg cell（図 10.18）は，多核あるいは分葉核の，大きな B 細胞由来の腫瘍細胞であり，周囲を T 細胞，好酸球，形質細胞，マクロファージで囲まれている（混合細胞型）．

他のグループのリンパ腫には，**形質細胞腫瘍**がある．この腫瘍は形質細胞，すなわち最終的に分化した B 細胞を含んでいる．形質細胞腫瘍（**多発性骨髄腫**）は骨髄を起源とし，骨破壊の原因となることから，骨折による痛みが生じる（Box 10.E）．

胸腺

胸腺の発生（図 10.19）

胸腺 thymus の発生の概略を知ることは，このリンパ性器官の構造と機能の理解に有用である．

咽頭弓由来の**間葉組織**から胸腺の被膜，梁柱，血管が生じる．また**胸腺上皮の原基**には，胸腺が正常に機能するために必要な細胞群，すなわち**骨髄由来の胸腺前駆細胞**，**樹状細胞**，**マクロファージ**が誘導される．

胎生期には，胸腺に肝臓由来の T 細胞がみられる．造血中に骨髄でつくられた T 細胞の前駆細胞は，**未熟な胸腺細胞**として胸腺に入ってくる．そして免疫能のある胸腺細胞（**CD4$^+$ または CD8$^+$ が圧倒的**）に成熟し，血液によってリンパ節や脾臓，他のリンパ組織に運ばれる．

ヒトの胸腺は出生前に完全に発達する．T 細胞の産生は思春期以前が最も多い．思春期以後は，胸腺は退縮し，成人での T 細胞の産生は減少する．一連の T 細胞の系統がそろうと，新たに T 細胞がつくられなくても免疫能は維持される．

リンパ節や脾臓と胸腺が特に異なる点は，胸腺の支質が**胸腺上皮細胞** thymic epithelial cell（**TEC**）からなることである．この細胞は網状に分布し，骨髄から到来した T 前駆細胞，すなわち分化中の**胸腺細胞**と密接に接触することができる．胸腺と異なり，リンパ節や脾臓の間質には細網細胞や細網線維があるが，間質の上皮細胞はない．

胸腺上皮細胞の発達

自己抗原に対する寛容と自己免疫疾患に関連して，胸腺上皮細胞（TEC）を有する胸腺の発達の過程には 2 つの重要な側面がある：

1. **皮質の胸腺上皮細胞** thymic epithelial cell（**cTEC**）と**髄質の胸腺上皮細胞** medullary thymic epithelial cells（**mTEC**）**は単一の前駆細胞から生じる**．

cTEC と mTEC の分化は，転写因子 Foxn 1 **によって制御されるが**，この分化は胸腺細胞の前駆体が骨髄から到着する前に始まっている．

この分化によって，サイトケラチンが発現し，デスモソームによる細胞間接着が確立する．この 2 つは上皮細胞の典型的な特徴である．表皮の重層扁平上皮と異なり，TEC は目の粗い細網

図 10.19 | 胸腺の発生

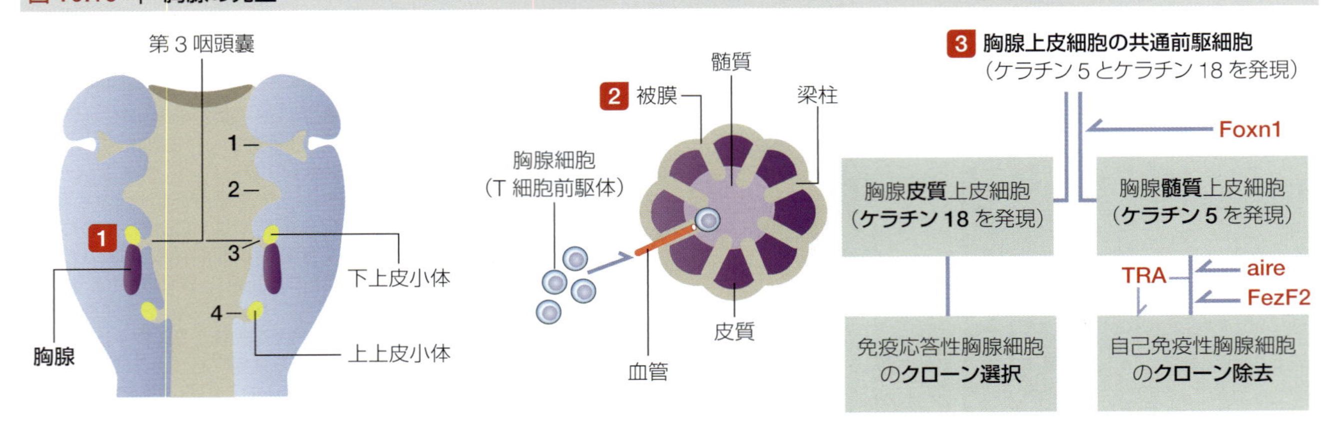

1 胸腺原基は，両側の内胚葉性**第３咽頭嚢**の尾部を起源とし，増殖し，胸部へ移動し，結合組織に接するようになる．

同部より発達した上皮小体の組織は，胸腺とともに移動して下上皮小体となる．上上皮小体は第４咽頭嚢を起源とする．1〜4の番号は咽頭嚢を示す．

2 **被膜**は神経堤の間葉から生じる．被膜由来の梁柱は，将来胸腺の皮髄境界部となる部に向かって伸び出し，胸腺を**不完全な小葉**に分ける．

14 週までに，胸腺細胞の前駆細胞が骨髄から血管を介して胸腺に達する．それまでに**胸腺上皮細胞**（**TEC**）が互いに手をつなぎ合い，三次元的な網状構造を形成し，**マクロファージ**が出現している．17 週までに胸腺で胸腺 T 細胞の産生を始める．

3 TEC は，分化中の胸腺細胞のクローン選択とクローン除去に重要な役割を果たす：

(1)共通の前駆細胞（ケラチン５と 18）から，皮質（ケラチン５）と髄質（ケラチン 18）が生じる．

(2)TEC は３つの重要な転写因子，**Foxn1**（フォークヘッドボックス N1 の意），**aire**（自己免疫制御タンパク質の意）および **FezF2**（FEZ ファミリージンクフィンガー２の意）を発現する．

Foxn1 は TEC の分化に重要である．**aire** と **FezF2** は，**髄質 TEC**（**mTEC**）による一連の組織特異的自己抗原（TRA）の発現を調節している．TRA は通常時は発現していないが，この発現により，自己反応性胸腺細胞を同定し，排除することが可能になる．

ヒトでは，*aire* 遺伝子の変異により，カンジダ症と外胚葉形成異常を伴う自己免疫性内分泌不全症（APECED）が生じる．Fezf2 タンパク質はマウス大脳皮質の発生に必要である．ヒト *FEZF2* 遺伝子の変異は自閉症と腫瘍性疾患に関与する．

を形成して，胸腺細胞との密接な接触を可能にする．

Foxn1 遺伝子の変異により，**ヌードマウス**あるいは**胸腺欠損マウス**が生じる．TEC と同様の方法で，*Foxn1* の遺伝子は上皮の角化細胞の分化を制御している（第 11 章参照）．

2. **転写因子の aire**（**自己免疫制御タンパク質** autoimmune regulator の意）と **FezF2**（**FEZ ファミリージンクフィンガー2** FEZ Family Zinc Finger 2 の意）は，mTEC において，**組織特異的自己抗原** tissue-restricted antigen（TRA）と総称される微量自己タンパク質の遺伝子の発現を誘導する．こうしたタンパク質の発現により，自己の**組織特異的抗原を認識する胸腺細胞**（自己反応性胸腺細胞）**を排除**することができる．

カンジダ症と外胚葉形成異常を伴う**自己免疫性内分泌不全症** autoimmune polyendocrinopathy-candidiasis-ectodermal dystrophy（APECED）とよばれるヒト常染色体疾患は，*aire* 遺伝子の変異と関連している（Box 10.H）．

胸腺の構造（図 10.20〜10.22）

胸腺は **2 つの葉** lobe からなる．それぞれはさらに，独立した**皮質** cortex と共有される**髄質** medulla からなる**不完全な**いくつかの**小葉** lobule に分かれている（図 10.20）．

小動脈を伴った結合組織性の**被膜** capsule が，この小葉を取り囲む．被膜からは，**隔壁** septum（複数形は septa）または**梁柱** trabecula（複数形は trabeculae）が胸腺の内部に向かって伸び出す．梁柱内の**小動静脈**は，胸腺支質の TEC と連絡を増す（図 10.21）．ディジョージ症候群は TEC が発生しない先天性免疫不全症である（Box 10.I）．

皮質には**胸腺上皮細胞** TEC があり，膠原線維の支持を受けて TEC 同士がつながって３次元的な網状構造をとる．毛細血管の周囲は，**デスモゾーム**で互いに結合した TEC によって取り囲まれている．

この TEC と毛細血管の間には，**二重の基底板**がみられる．一方の基底板は cTEC からのものであり，もう一方の基底板は内皮細胞のものである．マクロファージも近接してみられる．

cTEC と内皮細胞は，その基底板とともに機能的な**血液胸腺関門** blood-thymus barrier（図 10.22）を形成する．

毛細血管に寄り添うマクロファージは，血管から胸腺へ漏れ出した抗原が，皮質の中で分化途上にある胸腺細胞と反応しないようにしており，その結果，自己免疫反応の危険から逃れることができる．

胸腺細胞分化の最初のステップは皮質で行われる．皮質の被膜

図 10.20 | 区画化された胸腺組織

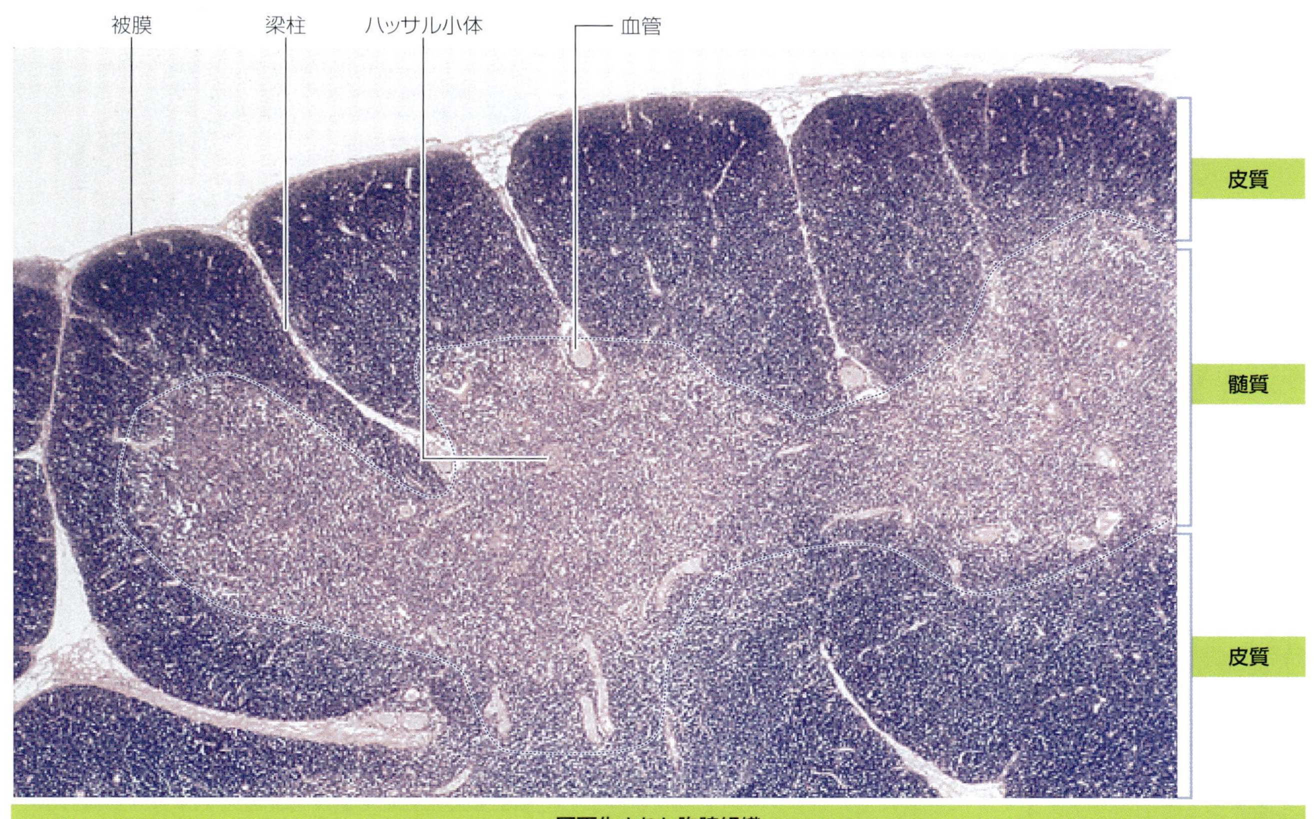

胸腺は，いくつかの不完全な小葉からなる．各小葉は，**外側の皮質**は独立しているが，**中心の髄質では隣接した小葉間に境界がない**．**梁柱**は被膜が**皮髄境界部**まで伸び出したものであり，各小葉の境界となる．

皮質は，支質細胞と分化中のT細胞（**胸腺細胞**），マクロファージ，皮質胸腺上皮細胞からなる．**MHC クラス I**，**クラス II** 分子は，皮質胸腺上皮細胞の表面に存在する．

組織標本においては，皮質が特徴的な濃い青色に核染色されるのは，T 細胞がびっしり詰まっていることを反映している．これは，胸腺細胞が少ない髄質がそれほど好塩基性でないことと対照的である．

ハッサル小体は**髄質**に特徴的な構成成分であり，皮質にはみられない．

Box 10.H | *aire* 遺伝子と自己免疫

- カンジダ症と外胚葉形成異常を伴う自己免疫性内分泌不全症（APECED）はヒトの常染色体性疾患で，自己免疫性多腺性内分泌不全症（APS-1）としても知られる．この疾患は，自己免疫による内分泌臓器の破壊，カンジダ菌感染症の排除不全，外胚葉形成異常組織を特徴とする．
- ある種の臓器（例えば網膜や卵巣，精巣，胃，膵臓など）の特定の構造に限定された組織特異抗体が産生されて，炎症反応が起こる場合は，*aire* 遺伝子の数個の変異の1つと関連がある．
- **転写因子** transcription factor aire は，**髄質胸腺上皮細胞**にいくつかの組織特異抗原（例えばサイログロブリン，インスリン，網膜S抗原，卵巣の透明帯の糖タンパク質，中枢神経系のプロテオリピドタンパク質など）の発現を可能にする．これらの自己タンパク質により，胸腺髄質の中で自己反応性T細胞を排除することができる．
- aire が欠損した個体では自己タンパク質が発現せず，自己反応性胸腺細胞が末梢に運ばれてしまう．つまり，自己反応性胸腺細胞がクローン排除を受けないため，自己寛容が機能しなくなる．

Box 10.I | ディジョージ症候群

- **ディジョージ症候群** DiGeorge syndrome は，遺伝性の免疫不全疾患で，胸腺上皮細胞が発達せず，胸腺と上皮小体が痕跡的になるか欠損する．22 番染色体上の遺伝子欠失が原因である．
- この患者は先天性心臓疾患や上皮小体機能低下症（血中カルシウム濃度の低下を示す），口蓋裂，行動的・精神学的問題を伴い，感染症に対する感受性が増す．
- 胸腺上皮細胞による胸腺の組織化が失敗した場合は，骨髄由来T細胞前駆細胞は分化できない．胸腺上皮細胞は表面に MHC クラス I とクラス II を発現しており，これらの分子はT細胞のクローン選択に必須である．ディジョージ症候群ではこれらが欠如し，機能するT細胞の産生に影響を及ぼす．ディジョージ症候群では，B 細胞の発達には影響がない．
- ヌードマウス（胸腺欠損マウス）は，胸腺と毛包の正常な発達に関与する胸腺上皮細胞と表皮細胞が，その分化に必要な**転写因子** Foxn1 を発現しないマウスの系統である．したがって，ヌードマウスはディジョージ症候群と同等である．

図 10.21 | 胸腺の構造

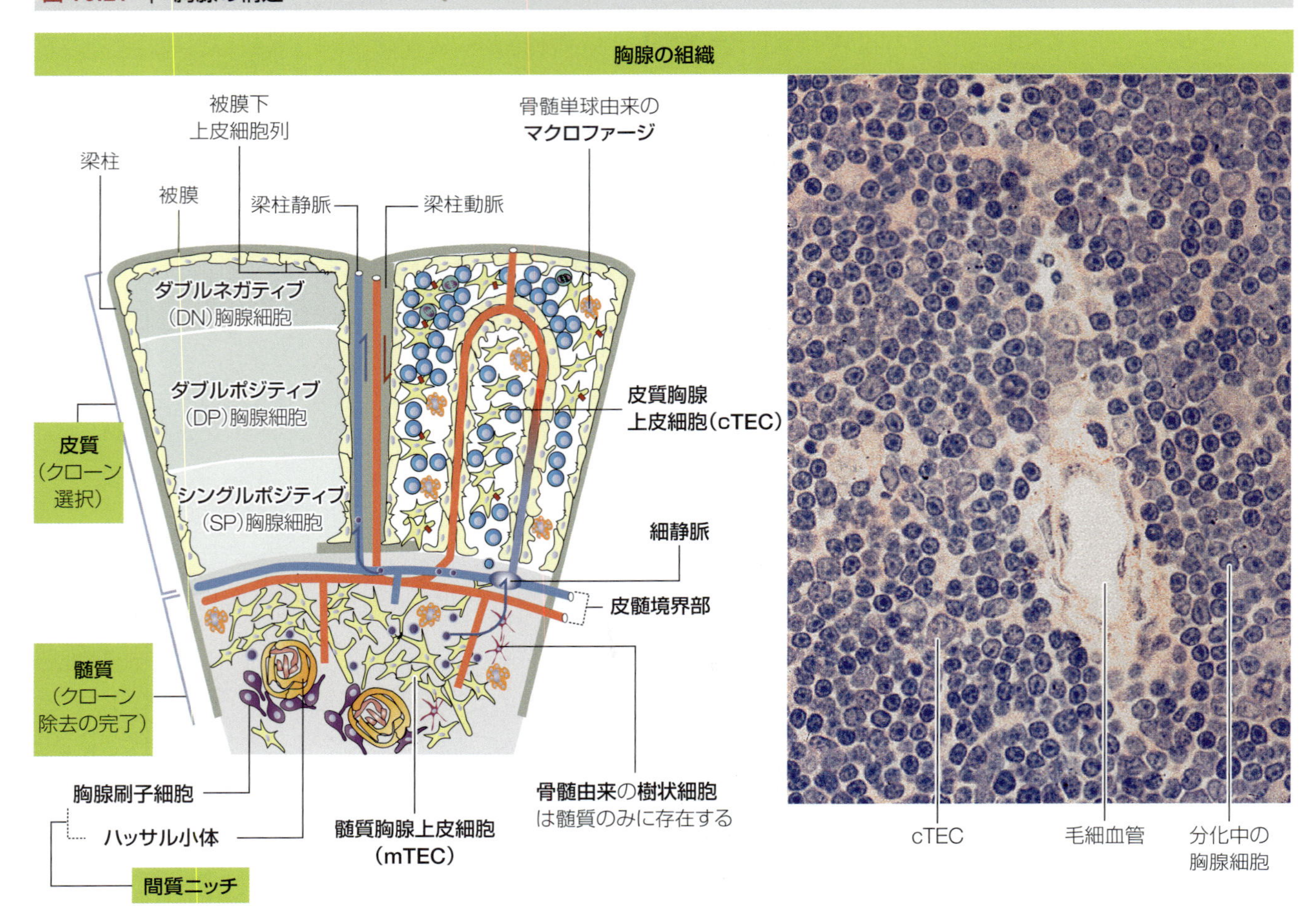

ハッサル小体

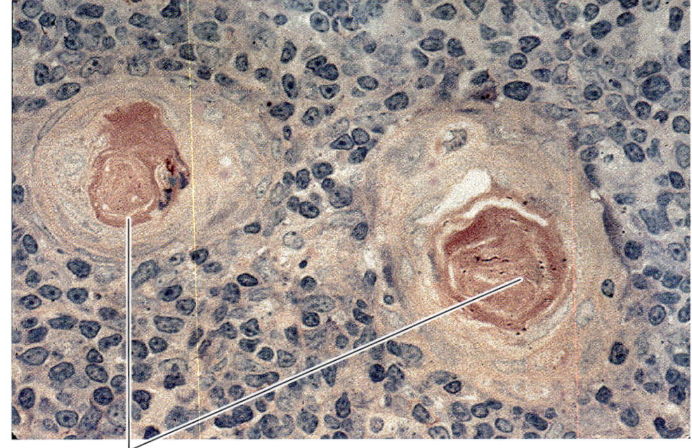

ハッサル小体は胸腺の髄質にのみ存在する．この小体は最終分化し角質化した mTEC の集合体であり，mTEC のサブセットである**胸腺刷子細胞**とよばれる細胞と接触している．

ハッサル小体と胸腺刷子細胞は胸腺髄質に特異的なニッチ（すき間）を構成している．

胸腺刷子細胞は化学感受性遺伝子である *Tas2r* と MHC クラス II を細胞表面に発現する．また，**インターロイキン-25** interleukin-25（IL-25）を胸腺特異的ニッチに分泌し，胸腺細胞の後期分化に貢献する．

分化中の胸腺細胞の分布

胸腺は，2 種類の細胞集団によって構成されている．胸腺特異的な**支質細胞**と**発達段階の胸腺細胞**である．この胸腺細胞は，自己寛容を示し，外来抗原を認識するように訓練されている．

支質細胞には，(1)梁柱や血管周囲も裏打ちする**被膜下上皮細胞**，(2)**皮質胸腺上皮細胞** cortical thymic epithelial cell（**cTEC**），(3)ハッサル小体になる**髄質胸腺上皮細胞** medullary thymic epithelial cell（**mTEC**），(4)皮質と髄質の**マクロファージ**（クローン選択で排除されてアポトーシスに陥った T 細胞の除去に関与），(5)髄質に限られる**骨髄由来**の**樹状細胞**がある．

基本的に，cTEC は胸腺細胞分化の**初期段階**において，**正の選択** positive selection を調整し，mTEC は**後期**に**負の選択** negative selection を調整する．

発達中の胸腺細胞には，成熟のさまざまな段階が含まれている．**ダブルネガティブ**（DN）**胸腺細胞**とよばれる未成熟胸腺細胞は，血管を通って胸腺皮質に入り，被膜下領域で増殖する．

ダブルポジティブ（DP）**胸腺細胞**は，浅部皮質に移動し，そこで**クローン選択**のために，細胞表面に MHC クラス I，クラス II 分子をもつ上皮細胞に接触する．

シングルポジティブ（SP）**胸腺細胞**は，深部皮質に移動する．胸腺細胞の大部分（80～85%）は皮質にある．一方，髄質には残り 15～20%の胸腺細胞があり，**クローン除去**（自己応答性胸腺細胞の排除）を受ける．

図 10.22 | 血液胸腺関門

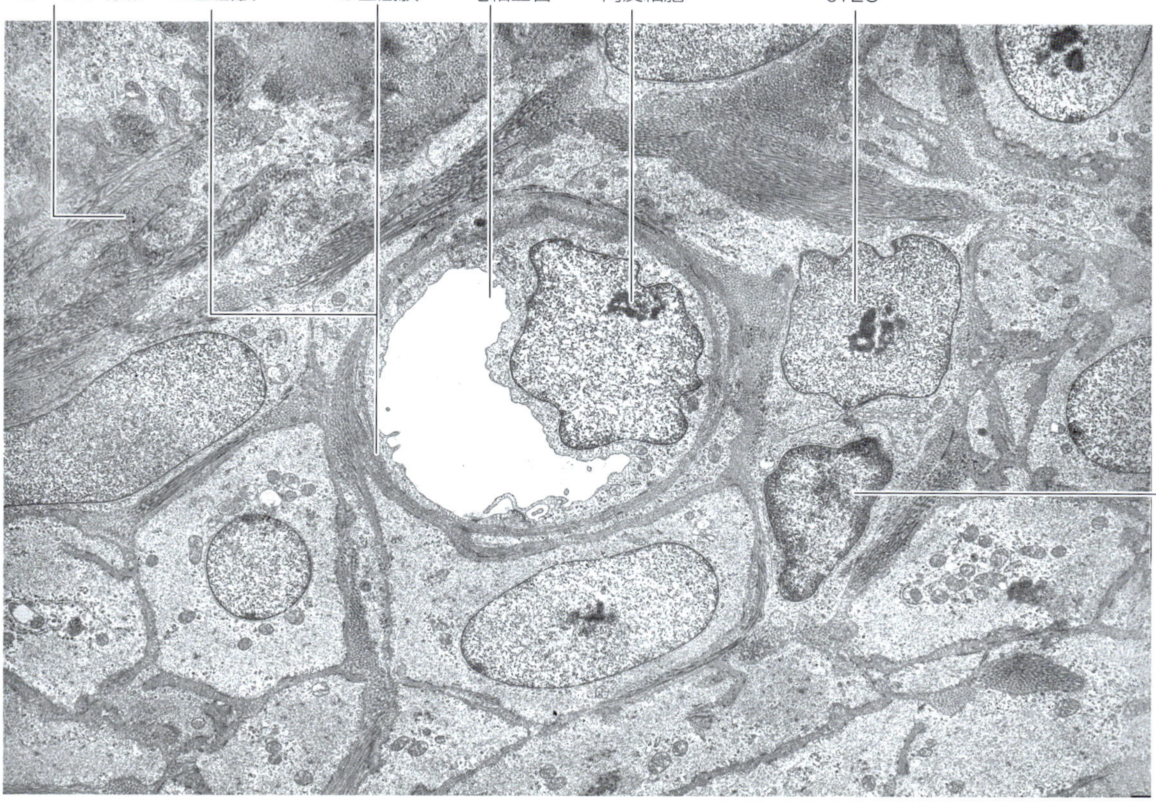

皮髄境界部の毛細血管後細静脈

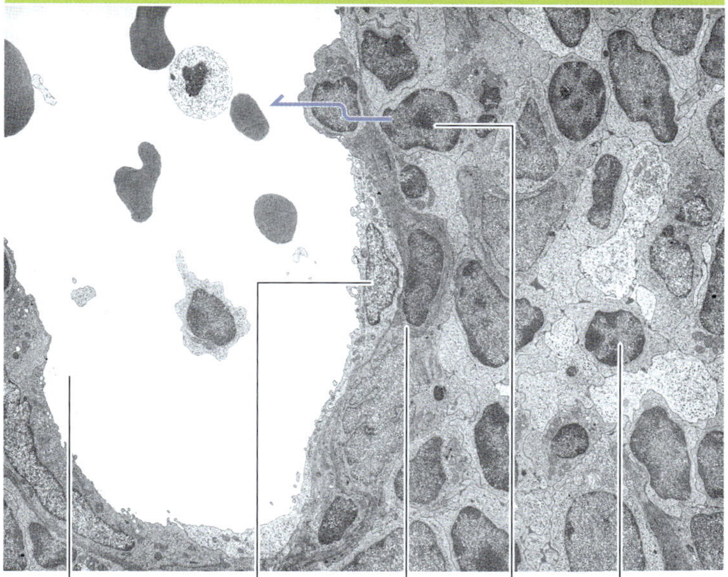

胸腺髄質の上皮細胞の助けで分化を完了した成熟 T 細胞は，内皮細胞を通り抜けて皮髄境界部の毛細血管後細静脈の内腔へ移行する．

胸腺皮質の血液胸腺関門

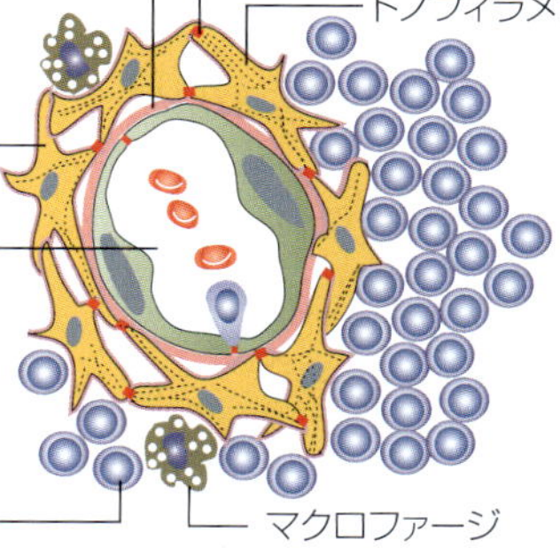

血液胸腺関門は，デスモソームで結合した皮質胸腺上皮細胞 cortical thymic epithelial cell（cTEC）と，内皮細胞，その間の二重の基底板で構成される．毛細血管の内皮細胞同士の結合は閉鎖結合による．

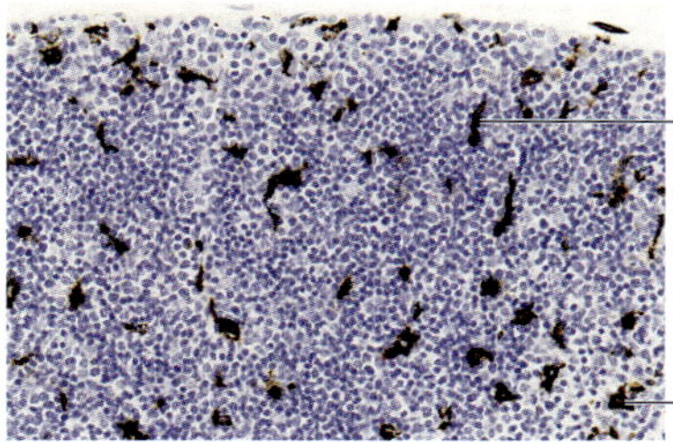

免疫組織化学染色像：Martín-Lacave I, García-Caballero T: Atlas of Immunohistochemistry. Madrid, Spain. Ed. Díaz de Santos, 2012. より．

に接する外側の部分では，ダブルネガティブ（$CD4^-$ $CD8^-$の意）の胸腺細胞が増殖し，補助受容体であるCD4やCD8とともにプレTCRの発現を導くための遺伝子再編の過程に入る．

皮質の深部では，成熟した胸腺細胞がダブルポジティブ（$CD4^+$ $CD8^+$）となり，ペプチド・MHC複合体に対する受容性をもつようになる．T細胞の**正の選択**は，表面にMHCクラスⅠとクラスⅡ分子を発現するcTECの存在下で始まる．MHCクラスⅡ分子が$CD4^+$T細胞の分化に必要であり，MHCクラスⅠ分子が$CD8^+$T細胞の分化に必要である．

自己のMHC分子を認識するが自己抗原は認識しない胸腺細胞は，正の選択によって成熟することができる．MHCを認識できない胸腺細胞は選択されず，**プログラム細胞死** programmed cell death，すなわち**アポトーシス**により排除される（訳注：プログラム細胞死とアポトーシスは本来同義ではないが，ここでは積極的な細胞死の意味で使っている）．

aire 遺伝子と *FEZF2* 遺伝子の制御のもと，mTECによって産生された自己のMHCとTRA（**組織特異的抗原** tissue-restricted antigen）の両方を認識する胸腺細胞は，樹状細胞やマクロファージによる**負の選択**（**クローン除去**）を受けて排除される．

発達中の胸腺細胞の約95%が，胸腺皮質で成熟せずに死滅する．ダブルポジティブ胸腺細胞は生存のシグナルがない場合3日以内にアポトーシスに陥り，正のシグナルがあると，シングルポジティブ胸腺細胞への分化が可能となる．

シングルポジティブ胸腺細胞は，生存のため正のシグナルを受けて末梢へ出て行かないと，1週間以内にアポトーシスにより排除される．

胸腺の髄質を観察すると，1つの小葉の髄質は，近接する小葉の髄質と連続していることがわかる．

髄質には，皮質から移動してきた**成熟胸腺細胞**が存在する．胸腺細胞の成熟は髄質で完了し，そののち皮髄境界部で毛細血管後細静脈に入り，胸腺を出る．

髄質にみられるmTECとそのサブセットは，**ハッサル小体** Hassall's corpuscle を形成する．ハッサル小体は，胸腺の髄質のみに存在する．

ハッサル小体は最終分化を経て角化したmTECの集合体であり，**胸腺刷子細胞** thymic tuft cell とよばれるmTECのサブセット接触している．

ハッサル小体と胸腺刷子細胞は胸腺の髄質に**特異的なニッチ**を形成する（図10.21）．

胸腺刷子細胞は *Tas2r* **化学感覚遺伝子** chemosensory gene とMHCクラスⅡを細胞表面に発現し，**インターロイキン-25（IL-25）**を髄質特異的ニッチに分泌する．これは，胸腺細胞の後半の分化と選択に貢献する．

血液胸腺関門は髄質にはみられない．一方で，**ハッサル小体は髄質にしかみられない**．さらに，cTECとmTECという特殊な細胞が，胸腺細胞の選択のためのチェックポイントとして必要であることにも注意が必要である．

脾臓（図10.23，10.24）

脾臓 spleen は，体内で最も大きい二次リンパ性器官である．脾臓には**皮質と髄質の区別がない**．

脾臓は以下の機能の異なる2つの構成要素からなる：

1. **赤脾髄** red pulp.
2. **白脾髄** white pulp.

白脾髄は，脾臓の免疫にかかわる部分である．白脾髄の構成細胞はリンパ節の細胞と似ているが，抗原がリンパからではなく血液から入ってくる点が異なる．**赤脾髄は，血液のフィルターとして働き，循環血から古くなり傷害を受けた赤血球や微生物を取り除く**．また，**赤血球の貯蔵の場でもある**．

細菌は赤脾髄のマクロファージに認識され，直接排除されたり，補体タンパク質（肝臓でつくられる）と免疫グロブリン（白脾髄でつくられる）に包まれた後に排除さたりする．補体と免疫グロブリンに覆われた細菌やウイルスがマクロファージに排除されるスピードは非常に速く，腎臓や髄膜，肺の感染を防いでいる．

脾臓の血管系（図10.25，10.26）

脾臓は**被膜** capsule で覆われている．その被膜は，弾性線維や平滑筋（種によりさまざま）を伴った，交織性の密性結合組織でできている．

被膜から生じる**脾柱** trabecula は，赤脾髄に出入りする血管（**脾柱動脈** trabecular artery と**脾柱静脈** trabecular vein）や神経を導いている．

脾臓の血管系は腎臓や肺など血液の供給が豊富な臓器と類似しているが，その概略を知ることは脾臓の機能と構造を理解するために有用である（図10.25）．

脾動脈は脾門から入り，**脾柱動脈**となり，脾柱の結合組織に沿って脾髄に分布する．

この動脈が脾柱を離れると，**動脈周囲リンパ鞘** periarteriolar lymphoid sheath（**PALS**）というT細胞の鞘に包まれ，リンパ組織（白脾髄）を貫く（図10.26）．この動脈を**中心動脈／細動脈** central artery／arteriole という．中心動脈・細動脈は白脾髄を離れ，**筆毛動脈** penicillar artery となる．筆毛動脈はマクロファージが莢状に包む**毛細血管**（**莢状毛細血管** macrophage-sheathed capillary）となって終わる．

莢状毛細血管は**脾洞** splenic sinusoid へ直接注ぐ（**閉鎖循環** closed circulation）か，**赤脾髄**で開放終末血管として終わる（**開放循環** open circulation）．後者は**ヒトの脾臓で観察される**．脾洞は集合（脾髄）静脈に注ぎ，脾柱静脈，脾静脈となる．

白脾髄（図10.25，10.26）

白脾髄には，以下のものが含まれる：

1. **中心動脈／細動脈**とそれを包むT細胞の鞘（PALS）．
2. B細胞からなる**脾濾胞** splenic follicle．抗原提示細胞，濾胞樹状細胞，線維芽細胞性細網細胞，およびマクロファージも白脾髄に存在する．

げっ歯動物では，中心動脈・細動脈から放射状に細動脈が分枝する．この細動脈を**放射状細動脈** radial arteriole とよび，脾濾胞の周囲を囲む**辺縁帯** marginal zone に終わる．

放射状細動脈はヒトの脾臓ではみられない．ヒトでは中心動脈・細動脈は，筆毛動脈，莢状毛細血管を経て赤脾髄の脾索に直接開くが，これは典型的な開放血液循環系の配置である．中心動脈／細動脈と脾洞は直接的にはつながらない．

図 10.23 | ヒト脾臓の構造の概観

ヒト脾臓の概観

脾臓は構造的に**赤脾髄** red pulp と**白脾髄** white pulp の 2 つの領域で構成される．赤脾髄は，血液の濾過に関与しており，これにより損傷・老化した赤血球を取り除くことができる．白脾髄は免疫応答に関与し，赤脾髄から**辺縁帯** marginal channel に入り込んだ血液の中の病原体や抗原をスクリーニングしている．辺縁帯は赤脾髄と白脾髄の境界に位置する．

ヒトの脾臓の血管系は脾動脈から枝分かれした動脈で構成され，マクロファージが莢状に包む毛細血管（**莢状毛細血管** sheathed capillary）となって終わる．莢状毛細血管は赤脾髄の脾索に注ぐ．血管は脾臓の被膜から伸びた結合組織の脾柱の中を通って白脾髄と赤脾髄へと伸びる．

白脾髄の中で中心動脈・細動脈はリンパ組織に囲まれる．このリンパ組織は，(1)T 細胞からなる**動脈周囲リンパ鞘** periarteriolar lymphoid sheath（**PALS**）と(2)B 細胞からなる脾濾胞（脾小節），の 2 つに分けることができる．この PALS と脾濾胞が脾臓の白脾髄を構成する．

中心動脈・細動脈は**筆毛動脈** penicillar artery となって白脾髄を離れ，莢状毛細血管をつくり，それが赤脾髄の脾索に開口する．ヒトの脾臓は開放循環系であり，循環する血液が毛細血管から自由に赤脾髄に流れ込む．つまり莢状毛細血管は脾洞には直接連絡していない．細網細胞がつくる支質，血液，脾索，脾洞が赤脾髄を構成する．

血液は，脾洞に達する前に，脾索の細網細胞の網でろ過される．脾洞の壁は細長い内皮細胞（杆状細胞）が平行に並んでおり，それぞれの間にはすき間がある．このすき間を通って血液が脾洞にしみ出る．脾洞血液は集合静脈に集められる．集合静脈は合流し最終的に脾静脈となる．脾臓には輸入リンパ管は存在しない．

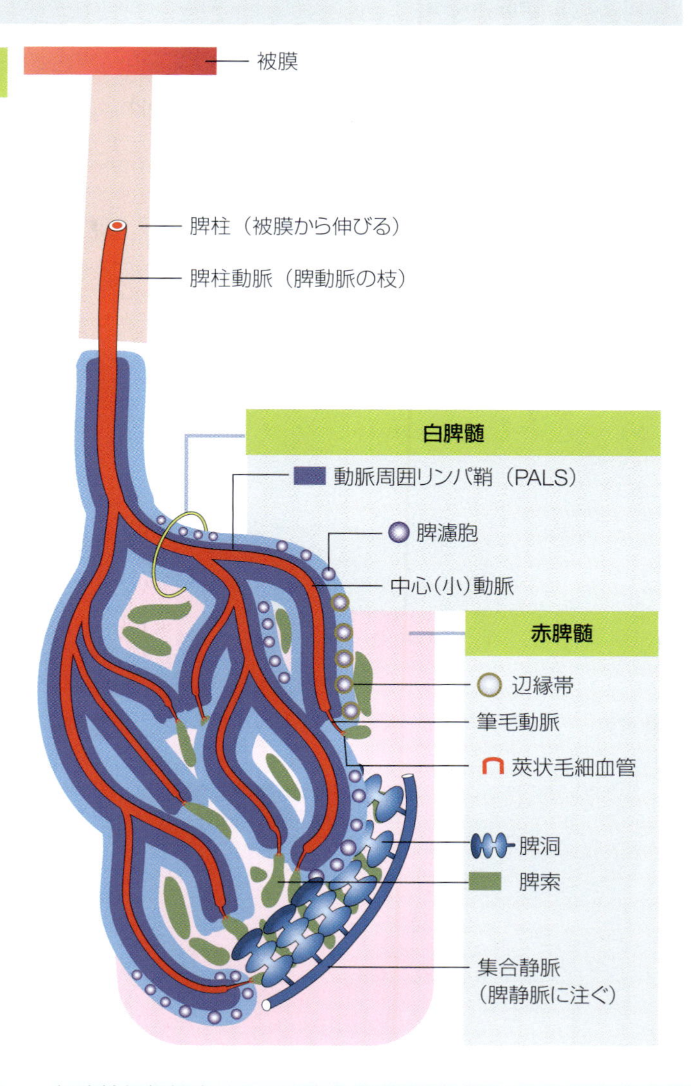

マクロファージ，樹状細胞そしてリンパ球はいったいどのようにして脾濾胞に動員されるのだろうか．白脾髄において，T 細胞と B 細胞は区画化されて存在していたことを思い出してほしい．PLAS は T 細胞を含んでおり，脾濾胞は B 細胞を擁している．

B 細胞，T 細胞，樹状細胞，そして抗原提示マクロファージは**辺縁帯** marginal channel を通って白脾髄へアクセスする．細網細胞は，白脾髄と赤脾髄の境界で辺縁帯を裏打ちする．辺縁帯は脾臓の脾濾胞への入り口となり，細胞のエントリーや血液媒介抗原の白脾髄へのアクセスを可能にする．

抗原提示細胞は，どのようにして血液を媒介してやってくる病原体や抗原を検知するのだろうか．ヒトの脾臓の血液循環は開放血管系であることを忘れてはいけない．病原体と抗原を含んだ動脈血は筆毛動脈と莢状毛細血管を通って赤脾髄に入る（図 10.26）．

病原体と抗原は赤脾髄において抗原提示細胞に効果的に捕らえられ，辺縁帯を通って白脾髄へ運ばれる．これによって速やかな免疫応答が可能になる．この免疫応答は，辺縁帯の近くに存在するマクロファージ，樹状細胞，T 細胞そして B 細胞を含むいくつかのタイプの免疫細胞によって増強される．支質細胞，線維芽細胞性細網細胞，そして濾胞樹状細胞の集団は，免疫反応を調整するためのサイトカインを生産する．

赤脾髄（図 10.27）

赤脾髄には，細胞間にスリットがある細長い内皮細胞によって裏打ちされた**脾洞** splenic sinusoid が張り巡らされている．**脾索** splenic cord は，脾洞を隔てる組織で，**ビルロート索**（cord of Billroth）という名でも知られている．

脾索には，**形質細胞**，**マクロファージ**，**血液細胞**が含まれており，すべてが**細網細胞**と**細網線維**からなる支質に支えられている．

マクロファージの細胞質突起は脾洞に接しており，内皮細胞間のスリットから洞内へ伸び出だして，粒状物質を採取している．

脾洞（図 10.27）は非連続性の血管腔で，**肋骨のような形の内皮細胞**が洞の長軸に沿って平行に並んでいる．内皮細胞の先細りした細胞端には，接着複合体がみられる．

おのおのの脾洞は，非連続性の**基底板**に覆われる．これは樽の「たが（フープ）」のように内皮細胞を裏打ちしている．隣り合う「たが」は，基底板物質のひもで結びつけられている．さらに，ゆ

図 10.24 | 脾臓

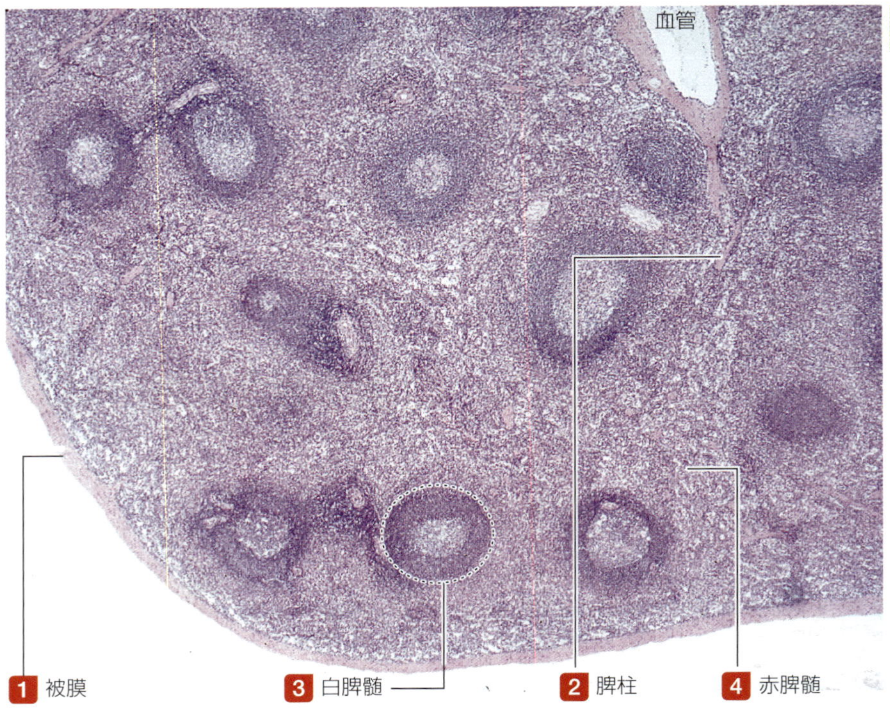

脾臓の概観

低倍率で脾臓の切片を観察する場合，以下の特徴が認められる．

1 脾臓は，コラーゲン線維，弾性線維，平滑筋を含む**被膜**に包まれる．

2 被膜から伸び出して枝分かれする**脾柱**が，脾臓実質に入る．

3 脾柱には脾柱動脈と脾柱静脈がある．脾臓には皮質や髄質はなく，輸入リンパ管もない．脾臓にはたくさんの球状の構造があり，この構造は明るい色の中心とそれを囲む濃い色の領域からなる．この球状の構造は**脾濾胞**（脾小節）である．脾濾胞は**白脾髄**の一部である．

4 そして白脾髄は**赤脾髄**によって囲まれる．赤脾髄は，血液で満たされた**脾洞**と，リンパ・細網細胞の板状の組織でできた**脾索**からなる．リンパ節や胸腺とは対照的に，脾臓は皮質と髄質の区別を欠くことに注意が必要である．

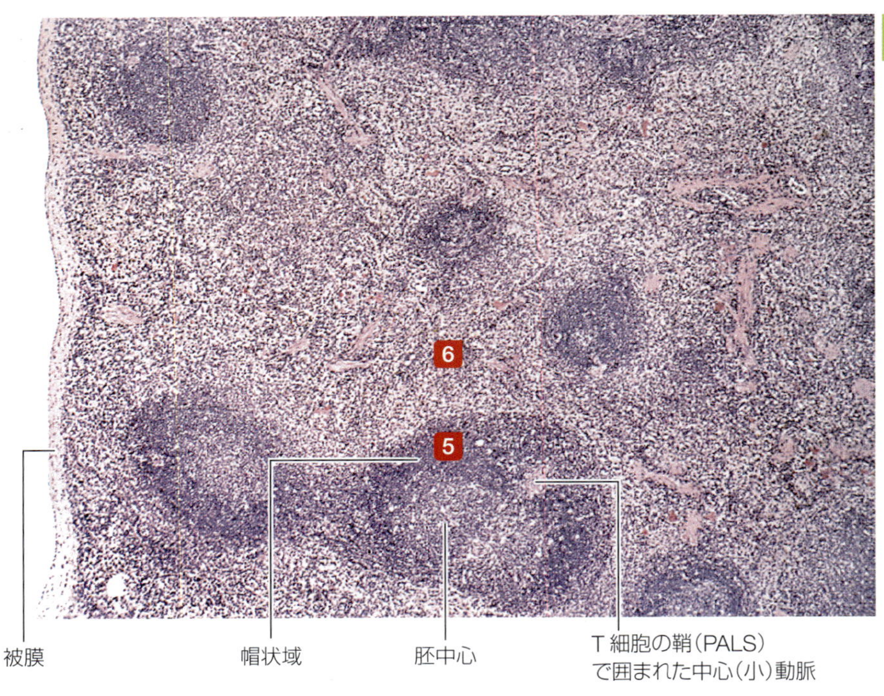

白脾髄と赤脾髄

5 **白脾髄**は 4 つの要素からなる：(1)**中心動脈・細動脈**，(2)動脈周囲リンパ鞘（**PALS**），(3)B 細胞（濾胞外周域にみられる），細網細胞および抗原提示細胞からなる**脾濾胞**（脾小節），(4)胚中心．

6 **赤脾髄**は，白脾髄を取り囲む．後述するが，白脾髄と赤脾髄は，辺縁帯を介してつながっている．**辺縁帯**は白脾髄の区画と赤脾髄の区画の間にできた透過性のある壁（ゲート）である．

赤脾髄は，大量の血液が供給される．この血液には血液を介して脾臓に入ってくる抗原が含まれている，これが，輸入リンパ管から抗原が入るリンパ節と異なる点である．白脾髄はリンパ節の皮質にあるリンパ小節と似ているが，中心動脈・細動脈の存在が特徴である．脾臓には輸入リンパ管はない．

るい**細網線維**のネットワークも脾索を取り囲む．その結果，血液細胞は，紡錘状の内皮細胞とそれを束ねる基底板と細網線維の間にできた狭いスリットを通り，障害されることなく通り抜けることができる．

鎌状赤血球症（図 10.28）

鎌状赤血球症 sickle cell anemia については，第 6 章において，赤血球の形態のところで少し述べている．ここでは，鎌状赤血球が赤脾髄の狭い空間を通過するときの運命について焦点を当ててみる．また，破壊された鎌状赤血球の処理に関して，脾洞のマク

図 10.25 ｜ 脾臓の血管系

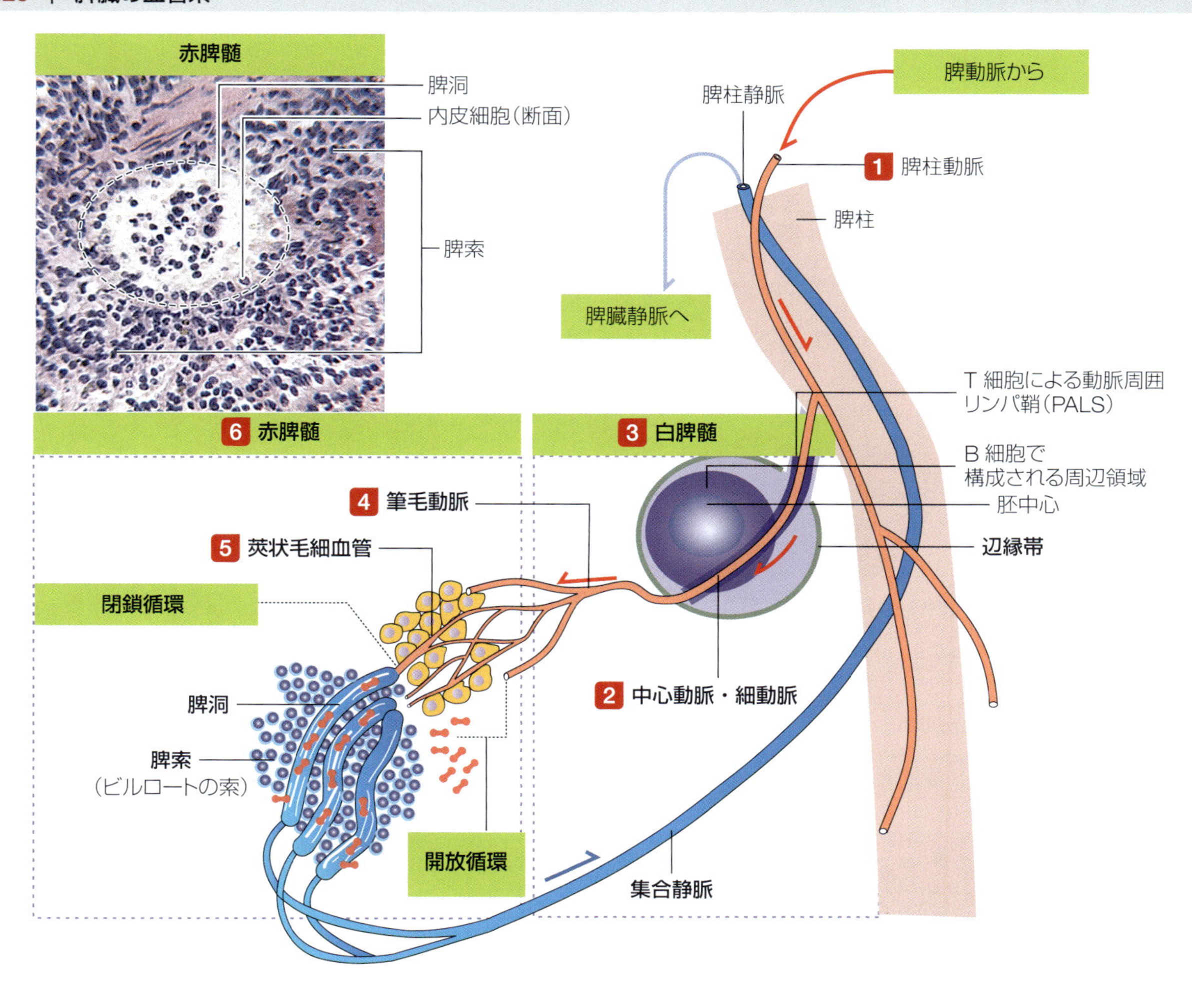

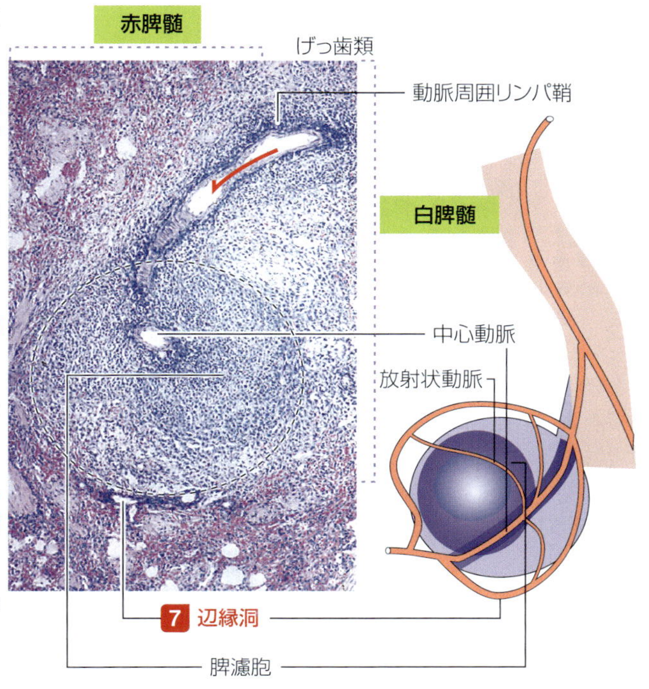

1 **脾柱動脈**は（被膜から伸びた）結合組織性の脾柱を通って，脾臓に入る．

2 脾柱動脈が脾柱を離れると，白脾髄の中でT細胞に包まれ，**動脈周囲リンパ鞘**(PALS)を形成する．こうして，脾柱動脈は白脾髄の**中心動脈・細動脈**となる．

3 白脾髄は，(1)**中心動脈・細動脈**，(2)**PALS**，(3)**脾濾胞**（B 細胞で構成される**傍濾胞域**と**胚中心**），(4)**辺縁帯**（白脾髄と赤脾髄の接続ゲート）の 4 つの要素からなる．

4 中心動脈・細動脈からの血液は**筆毛動脈**へ運ばれ，やがて**マクロファージで囲まれた莢状毛細血管**で終わる．

5 この莢状毛細血管は**脾洞**に注ぐか（**閉鎖循環**，**ヒト以外**），または赤脾髄の支質へ注ぐ（**開放循環**，**ヒト**）．

6 **赤脾髄**は，(1)**筆毛動脈**，(2)**莢状毛細血管**，(3)**脾洞**，(4)**脾索**（**ビルロートの索**）の支質とそれをつくる**細網細胞**，(5)**循環血のすべての血球**からなる．

7 げっ歯類では，中心（小）動脈から**放射状動脈**が枝分かれし，白脾髄を取り囲む**辺縁帯に辺縁洞**をつくる．

図 10.26 | 脾臓の血管系

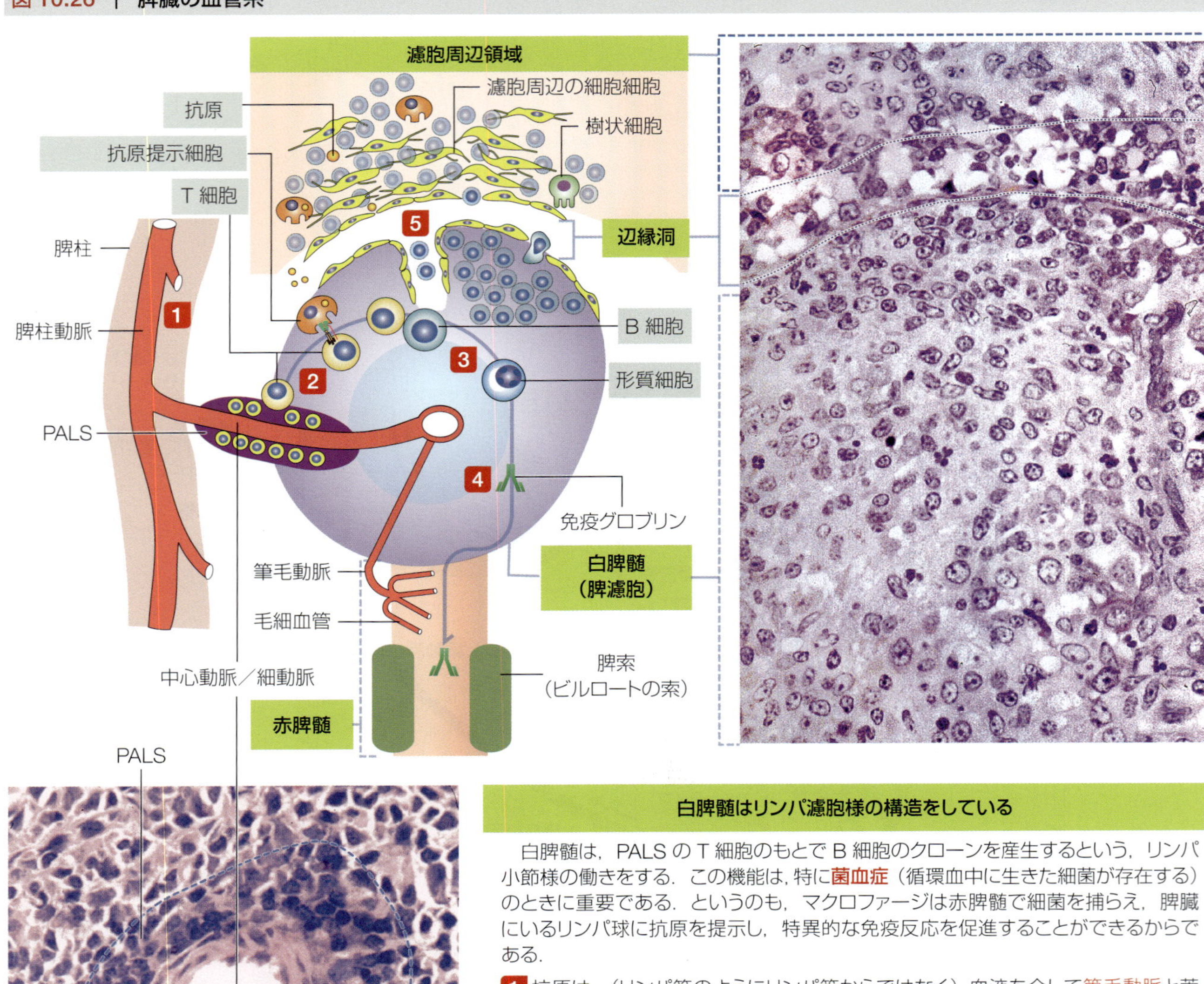

白脾髄はリンパ濾胞様の構造をしている

白脾髄は，PALS の T 細胞のもとで B 細胞のクローンを産生するという，リンパ小節様の働きをする．この機能は，特に**菌血症**（循環血中に生きた細菌が存在する）のときに重要である．というのも，マクロファージは赤脾髄で細菌を捕らえ，脾臓にいるリンパ球に抗原を提示し，特異的な免疫反応を促進することができるからである．

1 抗原は，（リンパ節のようにリンパ管からではなく）血液を介して**筆毛動脈**と莢状**毛細血管**を通って赤脾髄に入る．
2 **抗原提示細胞**は，血液を介して赤脾髄に入ってきた抗原や病原体を検知し，**PALS 由来の T 細胞**によってサンプルされる．
3 T 細胞は **B 細胞**と接触し，これにより B 細胞が増殖して，**形質細胞**へ分化する．
4 形質細胞は，赤脾髄と循環血中へ免疫グロブリンを放出し，この免疫グロブリンが血液中を循環する特異的抗原を捕らえる．
5 リンパ球，マクロファージ，樹状細胞は線維芽細胞様細網細胞に裏打ちされた**辺縁洞**を通って再び白脾髄へ集まる．

ロファージの機能についても考えてみることにする．

酸素分圧が減少すると，鎌状赤血球は真っ先に毛細血管後細静脈に接着し，不可逆的に貼りついてしまうので，それが詰まって血管の閉塞を引き起こす．

鎌状赤血球の破壊が進むと貧血になる．また，ヘモグロビンがこぼれだすので，ビリルビンの産生が増す（**慢性高ビリルビン血症**）．

鎌状赤血球による**脾洞の閉塞**で**脾腫** splenomegaly（脾臓の腫大）が生じ，菌血症を起こした場合には，脾臓による細菌除去機能が破綻し，患部では**疼痛発作**が生じる．梗塞を引き起こす同様の血管閉塞は，腎臓，肝臓，骨，網膜でもみられる．

無脾症

脾臓が欠損する**無脾症** asplenia は，以下の条件で観察される：

1. **外科的無脾症**．健康体でも外傷により脾臓を摘出することがある．また，**血液性疾患**（**遺伝性球状赤血球症** hereditary spherocytosis，**βサラセミア** β-thalassemia，**鎌状赤血球症**など），**自己免疫性疾患**（**免疫性血小板減少性紫斑病** immune thrombocytopenic purpura），あるいは**脾臓の悪性腫瘍**（リンパ腫）などの治療の一部として，脾臓を外科的に摘出することがある．
2. **機能的無脾症**．鎌状赤血球症の患者に観察される．**自己梗塞**

図 10.27 ｜ 赤脾髄

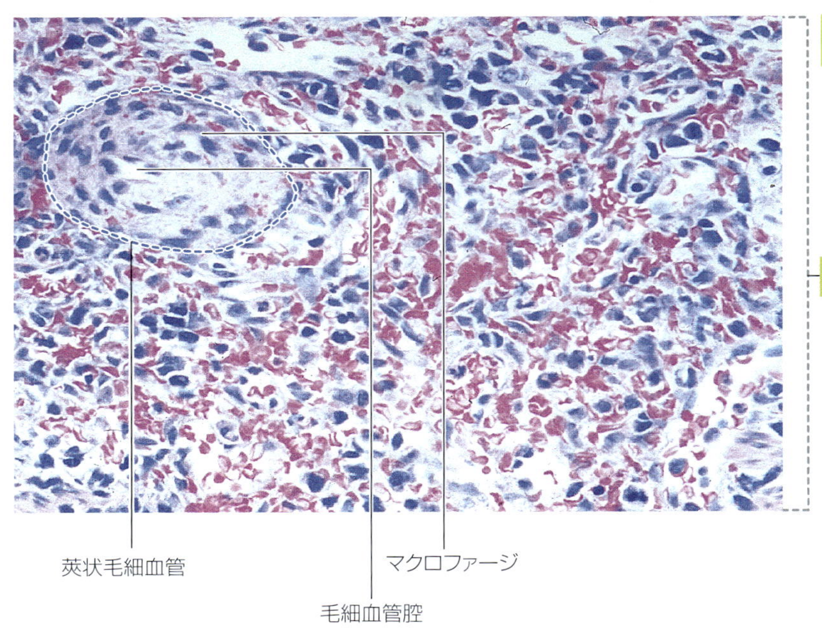

莢状毛細血管

筆毛動脈
脾索
（ビルロートの索）
莢状毛細血管
脾洞

それぞれの**筆毛動脈**の枝は，マクロファージや細網細胞に囲まれた毛細血管となる．多くのマクロファージは貪食した赤血球を含んでいる．マクロファージは，単球に由来する．

莢状毛細血管の主な機能は，老化した細胞や異物を血中から取り除くことである．

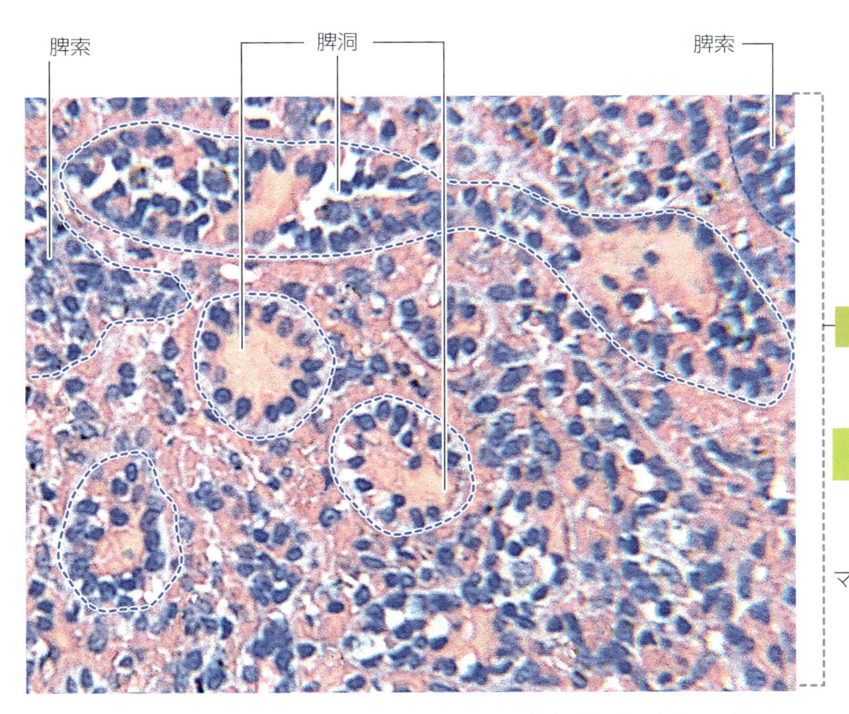

赤脾髄の**脾洞**は，血管腔の長軸方向に配列する**杆状内皮細胞**からなる．個々の内皮細胞は，細いすき間（スリット）によって側面では離れているが，両端では閉鎖結合で結合している．**基底板と細網線維からなる輪状線維が，脾洞を網状に囲んでいる．**

このように網状の配列をとることで，赤血球が脾洞の壁を通過することができる．ここには**形質細胞**も観察される．脾洞を囲む**マクロファージ**は，循環血中の異物や細胞の残骸を取り込み，破壊する役割をもつ．

脾洞の主な機能は，血液の濾過である．肝類洞のクッパー細胞も，同様に血中の異物除去に働くことを思い出してほしい．

脾洞

形質細胞
マクロファージ
基底板
細網線維
杆状内皮細胞
内皮細胞の
間のすき間

図 10.28 | 鎌状赤血球症と脾臓

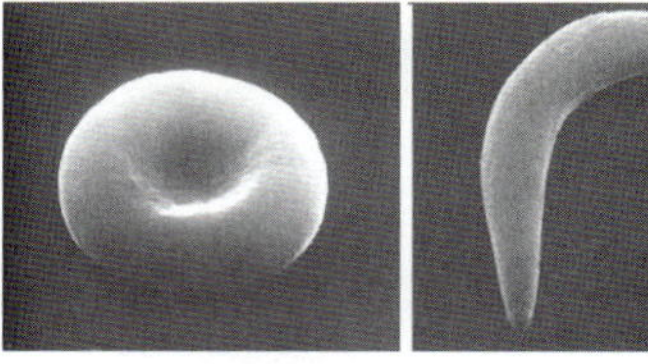

ヒドロキシ尿素療法は急性血管閉塞症の発症率を低下させ，末端組織の損傷を防ぐ．ヒドロキシ尿素はリボヌクレオシドニリン酸還元酵素阻害剤であり，初期赤血球前駆細胞の動員を亢進し，赤血球による胎児ヘモグロビン（HbF）の合成を増加させる．高レベルの HbF は，鎌状赤血球症の臨床経過を改善する．ヒドロキシ尿素は，痛みを軽減し，生活の質を向上させるとともに痛みの強い危機的状況を減少させる．

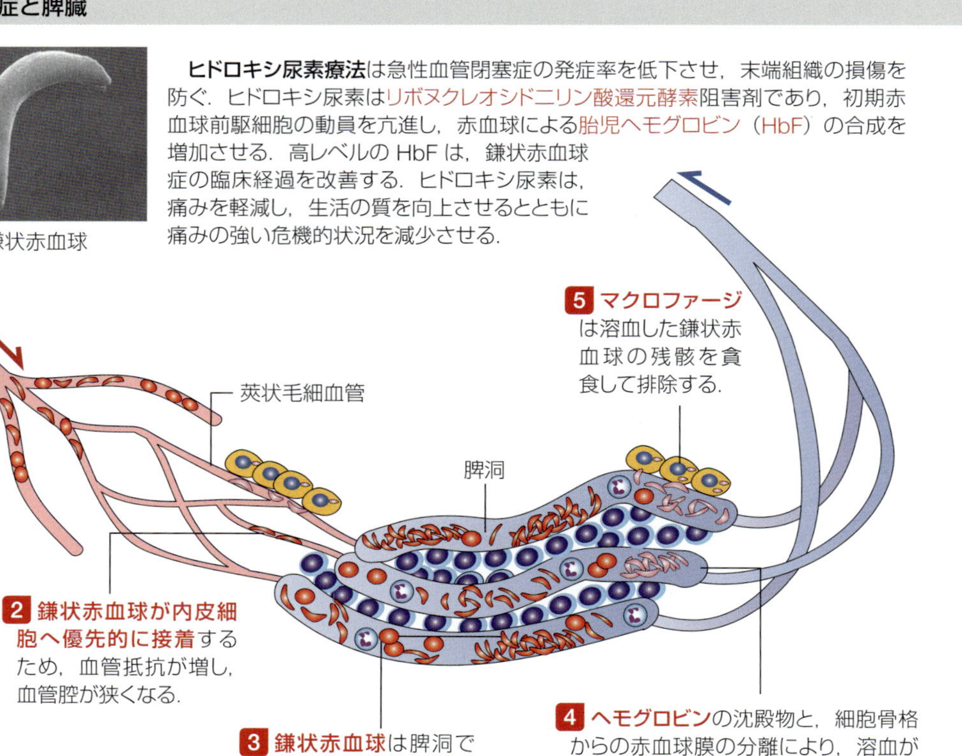

鎌状赤血球症は，正常ヘモグロビン（HbA）がヘモグロビン S（HbS）と置き換わったものである．この置換は点変異（mRNA レベルでは［GAG］グルタミン酸をコードする核酸 CTC が CAC となり［GUG］バリンをコードするものに置き換わる）による．この点変異は，ヘモグロビンのβ-グロブリン鎖の物理化学的な性質を変化させている．ホモ接合体では，変異遺伝子のためすべてのヘモグロビンが異常で，酸素分圧の正常･異常にかかわらず赤血球は鎌状となり，溶血性貧血がみられる．ヘテロ接合体では HbA と HbS が混在し，酸素分圧が下がったときのみ鎌状赤血球と貧血がみられる．

不可逆的な鎌状赤血球は，**脾洞**で捕捉され，そばにいるマクロファージに破壊される．溶血は赤脾髄の莢状毛細血管で起こりうる．

走査電子顕微鏡写真：Stamatoyannopoulos G, Majerus PW,Perlmutter RM, Varmus H: The Molecular Basis of BloodDiseases, 3rd ed. Philadelphia, WB Saunders, 2000 より．

による脾臓の機能低下は生後 1 年頃から現れ始め，6 歳から 8 歳頃には確立する．

3. **先天性無脾症**．他の異常，特に**先天性心疾患**（アイブマーク症候群 Ivemak syndrome）に関連して現れる．

脾臓摘出後の患者にみられる敗血症は，菌血症における脾臓の重要性をよく現わしている．この敗血症は，主に**肺炎連鎖球菌**（**肺炎双球菌**）*Streptococcus pneumoniae*（pneumococcus）によって引き起こされる．

脾臓摘後の敗血症は，生命を脅かす感染症で，発熱，寒気，筋肉痛，嘔吐あるいは下痢などの症状を示す．急性進行性敗血症の場合は，50％近くが致命的である．

したがって，**ワクチン接種**（肺炎球菌，ヘモフィルスインフルエンザ b 菌，髄膜炎菌，インフルエンザウイルスに対する）が無脾症の患者に推奨される．すでに微生物に対する抗体をもっている成人の場合は，菌血症にはかかりにくい．抗体が十分でない小児では罹患しやすくなる．したがってこれを**予防する抗菌療法**が推奨される．

ある程度までは，肝類洞のクッパー細胞が白脾髄の役割を補って，循環血中の細菌を検知・除去している．

がん免疫療法（図 10.29）

がん治療には，外科手術，化学療法，放射線療法が行われている．一方で，免疫系が腫瘍の退縮に貢献することが知られている．

腫瘍は，T 細胞の代謝やエフェクター細胞の機能に影響を与えるという，好ましくない微細環境をつくり，これによって免疫系のコントロールを回避する．そこで，腫瘍細胞に対する免疫応答を強化し，T 細胞のエフェクター機能を障害するような戦略が開発されている．

この腫瘍に対する戦略の 1 つが，がん免疫療法である．T 細胞レセプター（TCR）が抗原提示細胞あるいは腫瘍細胞の表面上の主要組織適合複合体（MHC）クラス I あるいは MHC クラス II のいずれかによって提示された抗原を認識することは，すでに学んだ．

この抗原と MHC の関与に引き続き，TCR によって送られる特異性シグナルは，第 1 シグナル（認識信号）とよばれる．ただし，T 細胞が，エフェクター機能につながる完全な活性化を達成するためには，**第 2 シグナル**（**オン／オフスイッチ** on／off switch）とよばれる共刺激シグナルを必要とする．

図 10.29 | がん免疫療法

T 細胞

1 第1シグナル

2 第 2 シグナル（オン／オフスイッチ）

T 細胞受容体（TCR）

MHC による抗原提示

MHC クラス II

細胞膜

抑制共刺激受容体 PD1

活性共刺激受容体

3

共刺激リガンド PDL1 または PDL2

細胞膜

抗原提示細胞または腫瘍細胞

プログラム細胞死タンパク質 1（PD1）経路

1 抗原と MHC の関与に引き続き，TCR によって送られる特異性シグナルは，第 1 シグナル（認識信号）とよばれる．

2 ただし，T 細胞が，エフェクター機能につながる完全な活性化を達成するためには，第 2 シグナル（**オンオフスイッチ** on ／ off switch）とよばれる共刺激シグナルを必要とする．

3 活性と抑制に働く共刺激受容体は T 細胞のオンオフスイッチとして働く．代表的な抑制共刺激受容体は，**プログラム細胞死タンパク質 1** programmed cell death protein 1（PD1）であり，PD1 のリガンド（PDL1 あるいは PDL2）と結合親和性がある．

CD8⁺T 細胞

TCR

4 PD1

ニボルマブ

腫瘍関連抗原

MHC

5 PDL1

腫瘍細胞

6 活性化 CD8⁺T 細胞

7 インターフェロン -γ

PDL1

腫瘍退縮

活性化 CD8⁺T 細胞

CD28

8 CTLA4

イピリムマブ

B7

TCR

MHC

樹状細胞

PD1 と PDL1 相互作用の賦活化

4 がん免疫療法は，標的免疫グロブリンを利用して，PD1 経路を遮断することを基礎とする．PD1 は，負のシグナル伝達によって CD8⁺T 細胞を監視する**抑制共刺激受容体**である．

5 抗腫瘍 T 細胞は腫瘍細胞によって動員され，抑制共刺激 PDL1 によって機能的に再教育される．

6 ニボルマブで PD1 を阻害すると，機能的な T 細胞が増殖・蓄積するので，腫瘍の退縮を誘導することができる．

7 PDL1 の発現は，活性化した T 細胞から放出されるサイトカイン（**インターフェロン-γ** interferon-γ）で刺激された後に，**抗原提示細胞**か**腫瘍細胞**，あるいはその両方により増強される．

このメカニズムは，T 細胞応答の過剰な活性化を防ぐが，T 細胞の破壊行動を制限するので腫瘍細胞抵抗性も決定する．

CTLA4 と B7 相互作用の賦活化

8 CD8⁺T 細胞は，**細胞傷害性 T 細胞抗原 4** cytotoxic T lymphocyte antigen 4（**CTLA4**）を細胞表面に発現する．CTLA4 は**樹状細胞**の B7 に結合し，CD28 との相互作用を阻害する．CTLA4 と B7 の相互作用は CD8⁺T 細胞の活性化を抑制する．免疫グロブリンである**イピリマブ** ipilimumab は CTLA4 をブロックし，CD8⁺T 細胞を再活性化させ，腫瘍の退縮を誘導する．

・腫瘍細胞は，非活性化免疫チェックポイントによって CD8⁺T 細胞による破壊から自らを守る．がん免疫療法では，CD8⁺T 細胞によって生産されるチェックポイントタンパク質，PD1 と CTLA4 をモノクローナル抗体であるニボルマブとイピリマブをそれぞれ用いて阻害し，CD8⁺T 細胞を再活性化させる．

・腫瘍細胞を直接破壊するがん化学療法とは対照的に，がん免疫療法の効果はニボルマブとイピリマブを併用療法で増強されることにも注意してもらいたい．

免疫の監視を回避するために腫瘍はエキソソームを使って PDL1 を輸送する

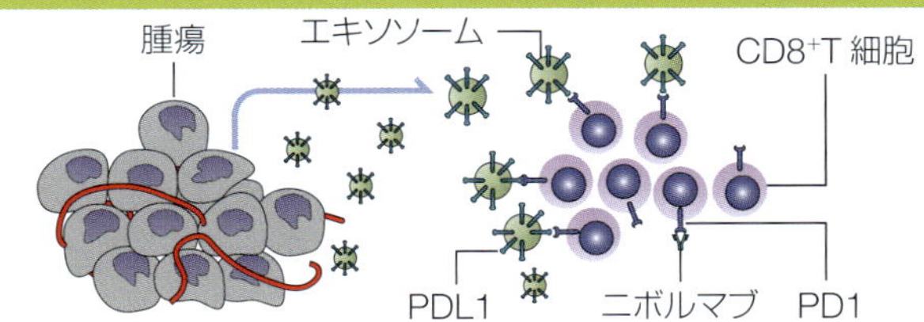

腫瘍細胞は細胞外小胞を分泌する．この小胞の多くは**エキソソーム**を形成し，腫瘍細胞表面の PDL1 を運搬する．エキソソームによって運ばれた PDL1 は，CD8⁺T 細胞の機能を抑制し，腫瘍の成長を加速させる．しかし，このエキソソーム由来 PDL1 と PD1 の結合は，PD1 阻害抗体（**ニボルマブ** nivolumab）によって阻害される．PD1 療法後のエキソソーム由来 PDL1 の増加は，腫瘍細胞の CD8⁺T 細胞活性化に対する適応反応の現れである．PDL1 は抗 PD1 抗体によるがん免疫療法の臨床的予測因子となる．

T細胞のオン／オフスイッチの役割をするのは，**活性**と抑制に働く共刺激受容体である．代表的な抑制共刺激受容体は，**プログラム細胞死タンパク質 1** programmed cell death protein 1（**PD1**）で，**PD1 のリガンド**（**PDL1** あるいは **PDL2**）と結合親和性がある．PD1 は，防御免疫と免疫寛容のバランスを保つうえで必須である．したがって，T細胞は，自らの機能を働かせるために PD1 チェックポイントをパスしなければならない．しかし，多く腫瘍は PDL やその他の抑制因子を強く発現して，T細胞の活性化のスイッチを切ってしまう．このメカニズムによって，腫瘍は効果的な免疫応答を回避することができる．

PD1 経路の重要な機能の 1 つは，炎症を収束させて，免疫恒常性を回復することによって，宿主組織の免疫学応答を制限することである．PD1 あるいは，PDL1 を欠損したマウスはウイルス感染に対して致死的である．

PD1 は，T細胞の急激な活性化が起こっているときに，$CD4^+T$ 細胞と $CD8^+T$ 細胞に発現する．また，メモリーT細胞，制御性T細胞，寛容T細胞の一部のサブセットによっても発現が起こる．そのほかにも，B細胞，**ナチュラルキラー細胞** natural killer（NK）cell，ある種の骨髄細胞によっても PD1 の発現が起こる．したがって，PD1 を阻害すると，これらの細胞が関与する免疫学的応答に大きな打撃を与えることができる．

PD1 の発現は，造血系細胞（T細胞，B細胞，樹状細胞，マクロファージなど）と非造血系細胞（内皮細胞，膵島細胞，胎盤の合胞体栄養細胞やケラチノサイトなど）を含むさまざまな細胞系譜によって起こる．これに対して，PDL2 の発現はマクロファージ，樹状細胞そして B細胞に限定される．PDL1 は主にがん細胞が発現する．

がん免疫療法の発展は主に PD1 経路の阻害方法の確立による．PD1 を阻害することにより，機能的な $CD8^+T$ 細胞が集積するので，これが腫瘍の退縮につながる．

PD1 と PDL1 のモノクローナル抗体は，さまざまながん（黒色腫，非小細胞肺がん，頭頸部扁平上皮がん，腎細胞がん，ホジキンリンパ腫，膀胱がん等）の治療のために開発されてきた．しかし PD1 治療後においても，ほとんどの患者には安定した症状の回復がみられなかった．

ここで生じる問題は，がんの再発を防げるのか，再発した腫瘍は PD1 阻害に対する反応性を維持しているのか，そして再発腫瘍が未知の分子抵抗経路を獲得しないかという点である．

PD1 阻害剤は $CD8^+T$ 細胞集団を増加させる．これらの細胞は腫瘍の微小環境に引きつけられて，抗原提示細胞や腫瘍細胞と相互作用をする．しかし，腫瘍細胞は，潜在的に免疫原性の変異タンパク質（新抗原）を生産する可能性のある多くの変異をもっている．こうした変異タンパク質は患者の免疫系によって認識されない．

別の戦略は，T細胞と樹状細胞との相互作用を通して，T細胞を活性化させることである．これには，CD28，B7，TCR，MHC が関与する（図 10.29）．

T細胞タンパク質 CTLA4（訳注：**細胞傷害性 T リンパ球抗原 4** cytotoxic T lymphocyte antigen 4 の意）は樹状細胞上の B7 タンパク質と結合し，CD28 との相互作用をブロックすることで，T細胞の活性化を防いでいる．活性化した T細胞に発現し，B7 に結合する．モノクローナル抗体である**イピリマブ** ipilimumab で CTLA4 を阻害すると，T細胞は再び活性化し，腫瘍細胞を破壊することができる．

ニボルマブ nivolumab と**イピリマブ** ipilimumab は，免疫チェックポイントを標的とした抗体である．免疫系のエフェクター細胞を再活性化することによって腫瘍細胞を破壊するようにデザインされていることに注意してほしい．

腫瘍細胞は PDL1 を運ぶエキソソームを分泌する（図 10.29）

腫瘍細胞は，PDL1 を運ぶエキソソームを生産して放出する．エキソゾームは細胞外小胞として PDL1 を輸送し，T細胞上の PD1 受容体と相互作用する．

このメカニズムによって，腫瘍細胞は $CD8^+T$ 細胞の働きを抑制し，腫瘍の成長を促進する．実際に，PDL1 を運ぶ循環エキソソームは抗 PD1 療法の初期段階において増加する．この増加は，T細胞の活性化に対する腫瘍細胞の適応反応である．しかし，抗 PD1 療法では，PD1 受容体がブロックされているので，エキソソーム由来の PDL1 による賦活化から T細胞は守られる．腫瘍 PDL1 は，特に抗 PD1 療法の効果がなかった患者において，抗 PD1 療法に対する臨床反応の予測指標として用いられてきた．

免疫・リンパ系 | 概念図・基本的概念

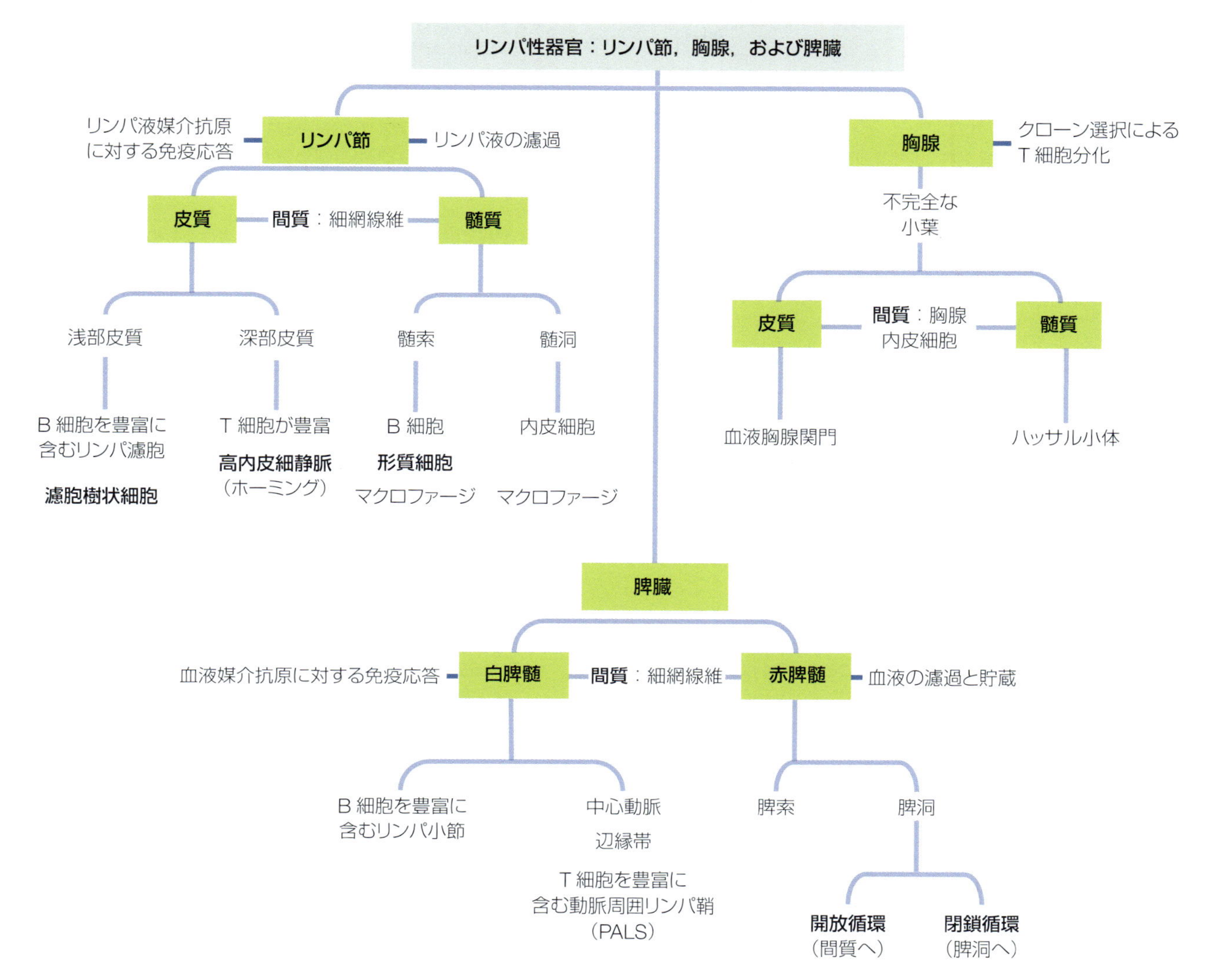

- 免疫・リンパ系の構成．リンパ組織は，一次リンパ性器官と二次リンパ性器官からなる．
  一次リンパ性器官は骨髄と胸腺である．
  二次リンパ性器官には，リンパ節，脾臓，扁桃の他，いくつかの器官にある集合リンパ組織，特に消化管におけるパイエル板（消化管付属リンパ組織 GALT とよぶ）や，肺の気管支付属リンパ組織（BALT）が含まれる．

- 免疫・リンパ系の主な機能は，病原体や抗原（細菌，ウイルス，寄生虫）から身体を守ることである．この防御機構，すなわち免疫応答の基本は，自己の抗原と非自己（外来）の抗原とを識別する能力である．
  免疫系の鍵となる 2 つの細胞成分は，リンパ球とアクセサリー細胞である．
  リンパ球には，以下の 2 つの主要なグループがある：
  (1) B 細胞．骨髄を起源とし，その中で分化し，抗原（細胞結合性抗原や，細胞に結合していない抗原）に反応する．
  (2) T 細胞．骨髄を起源とし，胸腺で分化する細胞で，細胞結合性抗原に反応する．
  アクセサリー細胞は単球由来の細胞で，マクロファージと樹状細胞がある．リンパ節のリンパ小節内にみられる濾胞樹状細胞はこれらと異なり，骨髄に由来しない．

- 免疫には，以下の 2 つのタイプがある：
  (1)自然免疫．過去の病原体や抗原に曝露されている必要がない．この形式の免疫では，上皮バリア，食細胞（マクロファージや好中球），ナチュラルキラー細胞，肝細胞で合成される補体系のタンパク質が関与する．
  (2)獲得免疫．過去に病原体や抗原に曝露されている必要がある．この形式の免疫には，形質細胞によって産生される抗体が介在するもの（液性免疫）と，T 細胞や B 細胞と相互作用をもつ抗原提示細胞が病原体を取り込むことを必要とする免疫（細胞調節性または細胞性免疫）がある．
  受動免疫は，病原体や抗体に曝露された別の個体で産生された免疫グロブリンによってもたらされる一時的な免疫である．能動免疫は，個体が直接的に病原体や抗原に曝露されたことによって生じる永久的な形式の免疫である．

  獲得免疫には，以下のような特性がある：
  (1)抗原に対する特異性がある．
  (2)反応する細胞は，同一の抗原のいくつかの領域を認識するため，多様性がある.
(3)初回の抗原曝露後に記憶細胞が産生される.記憶細胞は,再び同じ抗原に曝露された際,より早く反応することができる.
(4)免疫応答には自己の制限がある.すなわち,抗原が中和されるか消えたとき,反応は止まる.
(5)免疫応答は,自己抗原に対し寛容である.寛容の欠如により自己免疫疾患が生じる.

- B細胞は骨髄を起源とし,骨髄内で成熟する.プロB細胞は,インターロイキン-7(骨髄支質細胞によって産生される)の影響を受けて,プレB細胞を生じる.プレB細胞は,未成熟なB細胞を生じて,成熟B細胞として血流に放出される.

B細胞の成熟過程には,自己抗原を認識して結合する受容体の発現がある.自己抗原と強く結合するB細胞は,アポトーシスによって排除される.結合が弱いとB細胞は生存し,その成熟が完了し,血流に放出される.

- マクロファージ(抗原提示細胞)によるT細胞への抗原提示は,細胞性免疫や,胸腺内での免疫担当T細胞のクローン選択の基礎となる.マウスでは,細胞表面にある主要組織適合複合体(MHC)とよばれるタンパク質複合体により,抗原提示が行われる.このMHCに結合した抗原ペプチドはpMHCとよばれる.ヒトでMHCに相当する分子は,ヒト白血球抗原(HLA)とよばれる.

MHC分子には,以下の2種類がある:
(1) MHCクラスI(α鎖とβ_2-ミクログロブリンの2つのポリペプチド鎖からなる).
(2) MHCクラスII(α鎖とβ鎖の2つのペプチド鎖からなる).

細胞傷害性T細胞表面の補助受容体であるCD8にはMHCクラスI分子が結合し,ヘルパーT細胞表面の補助受容体であるCD4にはMHCクラスII分子が結合する.

ヒトでは,MHCクラスIに相当する分子は,HLA-A,HLA-B,HLA-Cと名づけられた3つの変異体によって構成される.

同じくMHCクラスIIに相当する分子は,HLA-DR,HLA-DQ,HLA-DPという3つの変異体により構成される.

- 免疫グロブリンスーパーファミリーの仲間である補助受容体の他に,T細胞は表面にT細胞受容体(TCR)の複合体をもつ.

抗原認識には,以下の3つの要素が必要となる:
(1) MHCクラスIまたはII.TCRにpMHCを提示する.
(2) TCR.pMHCの結合によって活性化する.
(3)補助受容体のCD4またはCD8.TCRの共活性化因子.

TCRは,ジスルフィド結合したα鎖とβ鎖という2つの膜貫通性ペプチド鎖からなる.α鎖とβ鎖のヘテロダイマーは,TCRがリガンドに特異的に結合することを可能にしているが,シグナル伝達を開始する能力を欠いている.シグナル伝達を開始するには,TCRが多数の変換タンパク質と相互作用する必要がある.この変換タンパク質には,CD3γ,CD3δ,CD3ε,CD3ζが含まれる.これらのタンパク質はそれぞれ免疫受容体チロシン活性化モチーフ(ITAM)をもつ.TCRにリガンドが結合するとITAMがリン酸化され,SH2ドメインをもつタンパク質,特にチロシンタンパク質キナーゼZAP70をTCRへ動員する.

TCRによって開始されたシグナル伝達は,ZAP70,LCK(リンパ球キナーゼの意)およびLAT(T細胞活性化リンカーの意)の3つのタンパク質のチロシン残基のリン酸化によってさらに伝達される.

CD4,CD8は,T細胞の表面タンパク質で,それぞれMHCタンパク質に対して選択的に作用する.CD4とCD8は,免疫グロブリンスーパーファミリーに属する.このファミリーの仲間は,さまざまな数の細胞外免疫グロブリン様ドメインをもっている.CD4とCD8の細胞内ドメインはLCKとの結合能を有する.LCKはZAP70,LATとともにTCRの活性化因子であることを覚えておくべきである.

- 骨髄由来の胸腺細胞が胸腺の皮質で成熟するには,自己抗原と非自己(外来)抗原への曝露だけでなく,成熟T細胞の,胸腺上皮細胞(TEC)表面にあるMHCクラスI分子とMHCクラスII分子に対する認識が必要となる.

選択過程にある胸腺細胞表面における,TCRと補助受容体のCD4,CD8の発現は,成熟に必要で,これらの分子はクローン選択やクローン除去の基盤となる.

胸腺細胞の成熟過程では,補助受容体やTCRのない胸腺細胞が胸腺へ到達する(ダブルネガティブ[DN]細胞).成熟が進むにつれて,胸腺細胞はTCRと補助受容体のCD4とCD8を発現し(ダブルポジティブ[DP]細胞),最終的には$CD4^+$または$CD8^+$陽性のシングルポジティブ(SP)細胞となる.

成熟過程で胸腺細胞は,クローン選択を受けるためにMHCに拘束され,自己抗原に対し寛容である一方で,非自己抗原と結合しなければならない.MHC分子に結合しない胸腺細胞や自己抗原と結合するT細胞は,クローン除去を受ける(アポトーシスによって排除される).

最終的なチェックは胸腺髄質で行われ,転写因子aireで制御された髄質TEC(mTEC)が,多数の自己抗原を発現し,これを成熟T細胞がサンプリングする.

*aire*遺伝子の変異は,カンジダ症と外胚葉形成異常を伴う自己免疫内分泌不全症(APECED)と関連している.この疾患はヒトの常染色体疾患で,自己免疫性多腺性内分泌不全症としても知られる.自己応答性T細胞が末梢へ運ばれると,さまざまな自己免疫疾患が生じる.

- $CD4^+$T細胞にはTH1,TH2,TH17,およびTFH細胞の4種類のサブセットが存在する.これらの細胞の種類は,特定の病原体に対して生産する特異的なサイトカインのレパートリーと免疫学的機能によって定義づけられる.

(1) TH1細胞.インターフェロン-γ(IFN-γ)を生産する.1型細胞性免疫と定義されるその機能は,細胞内の病原体に関与する.
(2) TH2細胞.2型細胞性免疫と定義される免疫反応で機能する.これは,腸内寄生虫の感染からのホストの保護において重要な役割を果たす.TH2細胞は特定のインターロイキン(IL)を生産する.これらのILのうち,IL-5は好酸球を増加させる,IL-4とIL-9は,腸管の寄生虫を排除するために肥満細胞を増加させる,また,IL-4とIL-13はマクロファージの活性化に働く.
(3) TH17細胞.IL-17を分泌し,細菌や真菌の感染に関与する.これは3型細胞性免疫と定義される.
(4) TFH細胞は,リンパ節の胚中心明調帯においてB細胞の生き残り,増殖,分化を誘導する.

- $CD4^+$ヘルパーT細胞の機能.

pMHCに曝露されると,T細胞は有糸分裂によってその数を増し,B細胞を誘導する.T細胞の影響を受けて,B細胞も有糸分裂によりその数を増す.

B細胞の一部は記憶B細胞となるが,残りは形質細胞となって免疫グロブリンを分泌して,細胞外の抗原を中和する.ヘルパーT細胞は,ヒト免疫不全ウイルス1型(HIV-1)の標的となり,後天性免疫不全症候群(AIDS)の原因となる.

- $CD8^+$細胞傷害性T細胞の機能.

$CD8^+$細胞傷害性T細胞(CTL)は抗原提示細胞によって誘導され,有糸分裂によりその数を増す.CTLは,(例えばウイルスに感染した際の)抗原提示細胞に結合して,パーフォリン(細胞膜に小孔をつくるタンパク質)やグランザイム,Fasリガンドを放出して,病的細胞のアポトーシスを誘導する.

- ナチュラルキラー(NK)細胞の機能.

NK細胞は,T細胞やB細胞とは異なり,抗原による活性化を受けない.

また，TCR も発現していない．NK 細胞はインターフェロンやマクロファージが生産するサイトカインによって活性化する．

NK 細胞は CD56 と活性表面受容体と抑制表面受容体を発現している．NK 細胞は，MHC クラスⅠ（腫瘍細胞あるいはウイルス由来ではない）による抑制受容体の中和に失敗すると活性化する．活性化した NK 細胞は標的細胞にパーフォリンを放出するとともに，マクロファージを活性化させるためにサイトカインを分泌する．

- 過敏症は，宿主を病原体から守るのではなく，害を及ぼす宿主の免疫反応である．これには以下の 4 つがある：
  (1) 1 型過敏症．IgE とアレルゲンを起因とする反応であり，**肥満細胞**と**好塩基球**の**脱顆粒**を誘導する．
  (2) 2 型過敏症．細胞膜に結合した抗原に対する抗体によって引き起こされる反応で，細胞溶解を生じる．症例としては，胎児赤芽球症を引き起こす自己免疫性溶血性貧血や **Rh 不適合**などがある．
  (3) 3 型過敏症．可溶性の抗体抗原複合体によって決定付けられ，補体系を活性化する．皮内注射におけるアルサス反応がその一例である．
  (4) 4 型過敏症．遅延型過敏症ともよばれ，抗原，T 細胞，マクロファージの相互作用が関与する．これらの相互作用は肉芽腫を形成する．ツベルクリン反応検査におけるマントゥー反応は，遅延型過敏症の古典的な例である．

- 補体系は，オプソニン化として知られる機構により病原体を破壊する．補体系のタンパク質はほとんどが肝細胞で産生され，抗体やマンノース結合レクチンや C3 の自然活性化の効果を「補完」する．多数の補体タンパク質により膜侵襲複合体（MAC）が構築され，これにより感染細胞の細胞溶解が引き起こされる．

  補体系の調節タンパク質（CRegs）は，補体系カスケードの活性を調節して，意図せぬ巻き添えから保護している．CRegs の CD59 は，MAC の最終的な形成を阻害するため，特に重要である．

  発作性夜間血色素尿症は，CD59 を欠損した赤血球が破壊されることが原因となる．保護されていない赤血球は，補体系に破壊される．

- 急性炎症は組織損傷に対する最初の非特異的反応である．もし組織の損傷が継続し，破壊（**壊死**）が続くと慢性炎症へと発展する．

  急性炎症を決定づける出来事には，損傷に対する小血管の再生と損傷部位への好中球の動員の 2 つがある．

  (1) 損傷に対する小血管の再生．血管拡張は，損傷組織への血流を増加させる（この状態を充血とよぶ）．

  毛細血管と細静脈の透過性が亢進すると，**間質腔**に滲出液が蓄積し，組織が腫脹する．

  滲出液はタンパク質（特に**フィブリン**）を多く含む間質液である．**フィブリン**は**フィブリノゲン**から生成される．**フィブリノゲン**は**トロンビン**によって切断され，**フィブリノペプチド**と**フィブリンモノマー**になる．これらは集合し，**フィブリン網状構造**を形成する．

  一方で漏出液はタンパク質成分の少ない体液である．流出液は体腔（腹膜，胸膜，心膜）に貯留した液体成分の総称である．

  これらの微小血管系における出来事は，以下の 4 つ古典的な炎症の兆候として定義づけられる：
  (i) 発赤．
  (ii) 腫脹．
  (iii) 発熱．
  (iv) 疼痛．

  充血は最初に現れる 3 つの兆候で認められる．疼痛は局所的なメディエーターの放出と体液による神経末端の圧迫によって生じる．

  (2) 損傷部位への好中球の動員．常在（組織）マクロファージによって生産された**走化性因子**は循環する血液中の好中球を傷害を受けた組織へ動員する．好中球はいくつかのメカニズムによって病原体を排除することができる：
  (i) 食作用（**ファゴサイトーシス**）．貪食した病原体を閉じ込めたファゴソームに細胞質果粒から抗菌タンパク質を送り込む．
  (ii) 好中球細胞外トラップ（NET）．好中球は，病原体の拡散を防ぎ，食作用を促進させるために NET を放出する．このトラップは，DNA とヒストンタンパク質からなるコアと付随するいくつかの酵素で構成される．
  (iii) 脱顆粒．好中球の細胞質果粒に含まれるプロテアーゼ様タンパク質と**活性酸素種**からの副産物生成を触媒する酵素は，直接的に細菌を破壊あるいは無毒化する作用がある．

  急性炎症の収束には以下の 2 つの目的がある：
  (1) 著しい組織損傷からの宿主の保護．
  (2) 慢性炎症へつながる急性炎症反応の拡大の抑制．

  急性炎症の収束は，**抗炎症**と**消炎症**の 2 つの段階がある．
  (1) 抗炎症相（段階）では，IL-10 のような抗炎症メディエーターが放出される．さらに，**炎症促進活性を有する** NF-κB 経路が抑制される．
  (2) 消炎症相（過程）では，好中球とマクロファージの炎症誘発活性が抗炎症活性に切り替わる．好中球は，プロテクチンを含む消炎症メディエーターを生産し，マクロファージは，同じく消炎症メディエーターであるマレシンを分泌する（訳注：**マレシン**の名は，英語の **ma**crophage mediator in **res**olving **in**flammation からきている）．

- 治療と組織の修復は，抗炎症と消炎症の効果を組み合わせることによって増強される．治療には肉芽組織の形成が含まれる．損傷を受けた組織は，毛細血管（血管新生），マクロファージおよび線維芽細胞に置き換えられ，最終的に線維血管性肉芽組織の形成に帰着する．

  要点：基本的にフィブリンを含む滲出液は，最初に肉芽組織に置き換わり，続いて**線維性瘢痕**に置き換わる．このプロセスを線維性修復とよぶ．

  急性炎症は，炎症部位にみられる滲出液あるいは流出液の違いに基づいて以下の 3 種類が存在する：
  (1) 急性化膿性炎症．好中球と死細胞の残骸が多数を占め，好中球由来のタンパク質分解酵素の働きによってこれらが液化され膿となった場合．特定の細菌は急性化膿性炎症を引き起こし，これが膿状組織の集積を包み込んだ膿胞（皮膚の表面に現れるもの）や膿瘍に発展することもある．細菌に起因する局所的な膿の形成を化膿（pus-producing）とよぶ．
  (2) 急性線維素性炎症．フィブリンを主なタンパク質成分とする**流出液**が髄膜，腹膜，胸膜および心膜の表面に貯溜する場合．
  (3) 急性漿液性炎症．タンパク質成分をあまり含んでいない血漿由来の体液の場合．

  病原体によって引き起こされる持続的な組織の損傷は慢性炎症を引き起こす．慢性炎症の過程では，組織の壊死と修復が数年に及ぶ長期間にわたって同時に進行する．

  ある種の疾病では，肉芽腫が慢性炎症の特徴として現れ，**慢性肉芽性炎症**を定義づけする構造パターンが認められる．この構造パターンでは，マクロファージが肉芽腫の一部として，上皮様の形態をとる．また，マクロファージ同士が互いに融合して多核巨細胞になる．

  肉芽腫は典型的には，中心に壊死した領域があり，その周りを活性化した上皮様マクロファージと多核巨細胞が混在した領域が囲んでいる．その周りはリンパ球（$CD4^+$）が囲み，さらにその周囲は線維芽細胞とコラーゲンからなる領域によって囲まれ，周囲の組織とは被膜に包まれたように境界をなしている．

  肉芽腫の中心部の特徴は病原体に依存する．例えば，結核性肉芽腫では**乾酪化**した柔らかいチーズの塊のような中心部が認められ，その周囲には，ラングハンス細胞とよばれる**多核巨細胞**が散在する．サルコイドーシス肉芽腫では，線維化した中心部をもち，その周囲には多核巨細胞が存在する．この細胞は，シャウトマン小体とよばれる石灰化沈着物をもつことがある．

- 3 つの主要なリンパ器官はリンパ節，胸腺，脾臓である．

- **リンパ節**．リンパ節の主要な機能は，リンパ液を濾過することである．リンパ節は結合組織の被膜に囲まれ，被膜より内部に向かって仕切り（梁柱）が伸びる．リンパ節の支質には，細網線維（III 型コラーゲン）の三次元的なネットワークがある．リンパ節の凸面には，弁をもった輸入リンパ管の流入部がある．リンパ液は被膜下リンパ洞と傍梁柱洞を通って浸透する．臍門から動脈がリンパ節に進入し，静脈と輸出リンパ管が出ていく．

 リンパ節は次の 2 つの領域からなる：

 (1)皮質．

 (2)髄質．

 皮質は，B 細胞を含むリンパ小節（リンパ濾胞）のある浅部皮質と，CD4$^+$ T 細胞が優位な深部皮質に分けられる．

 リンパ小節，すなわち濾胞は，被膜に面した帽状域と，その下の**胚中心**からなる．胚中心は，増殖中の B 細胞が濾胞樹状細胞（FDC）と互いに接触し合うところである．ここにはマクロファージも存在する．マクロファージは，リンパ液中の粒状物質を取り込み，抗原をオプソニン化し，アポトーシスに陥った B 細胞を貪食する．FDC は抗原提示機能を有する．B 細胞と T 細胞は，傍皮質の毛細血管後細静脈を通過して，リンパ節に到達する．

 髄質は，**髄索**と髄洞からなる．髄索には，B 細胞，形質細胞，マクロファージが留まる．**髄洞**は内皮細胞に裏打ちされた空間で，皮質から到達したリンパ液を含んでいる．門に近い髄質には大きな血管がみられる．急性リンパ節炎は局所的な細菌の曝露に対する急性免疫反応として生じる．細胞増殖と浮腫により被膜が引き延ばされるので，局所リンパ節が腫大し，痛みが生じる．

 リンパ腫は，リンパ組織の腫瘍である．ほとんどのリンパ腫（80%）は B 細胞由来であるが，残りは T 細胞に由来する．リンパ腫には**ホジキンリンパ腫**や**非ホジキンリンパ腫**がある．

- **胸腺**．胸腺の主な機能は，骨髄由来の胸腺細胞から T 細胞を産生することである．胸腺は，内胚葉の第 3 咽頭嚢に由来する（下上皮小体も同部を起源とする）．胸腺は結合組織の被膜に囲まれており，被膜から内部に向かって梁柱が伸び出す．血管は梁柱や被膜にある．

 胸腺は，不完全な小葉からなる．それぞれの小葉は，完全に分かれた皮質と，隣接した小葉同士が連なる髄質からなる．

 組織学的に同定できる胸腺の 2 つの重要な特徴は，以下の 2 つである．

 (1)**皮質にリンパ小節がない**．

 (2)髄質に**ハッサル小体**と**胸腺刷子細胞**がある．

 また機能と関連した特徴として，胸腺皮質にみられる**血液胸腺関門**と皮髄境界部の毛細血管後細静脈の 2 つがある．

 胸腺の支質には，デスモソームによって互いに接続した，**胸腺上皮細胞**（TEC）の三次元的なネットワークがある．TEC は共通の前駆細胞を由来とし，転写因子である Foxn1 が活性状態のときに**皮質 TEC（cTEC）**ならびに**髄質 TEC（mTEC）**となる．*Foxn1* 遺伝子の不活性化によって胸腺の成長が阻害され，その結果として T 細胞の発育が障害され，**先天性免疫不全**をきたす．

 cTEC は，その表面にクローン選択に必要な MHC を発現する．*aire* 遺伝子によって活性化された mTEC は，自己応答性 T 細胞のクローン除去に必要な自己タンパク質を発現する．*aire* 遺伝子の変異は，多様な自己免疫性疾患（**多腺性自己免疫症 APECED** を含む）の原因となる．

- **脾臓**．脾臓には次の 2 つの機能がある：

 (1)**白脾髄**は脾臓の免疫成分であり，その構成成分は，血液を介した抗原をみつけ，反応する．

 (2)**赤脾髄**は，老朽化したり傷ついたりした赤血球や微生物を循環血液中から除去するフィルターとなる．

 リンパ節と胸腺の組織学的な差異に注意が必要である．脾臓には皮質と髄質の区別がない．

 脾臓は被膜に覆われている．その被膜は，弾性線維や平滑筋を伴った，交織性の密性結合組織でできている．被膜から生じる**脾柱**は，赤脾髄に出入りする血管（**脾柱動脈**，**脾柱静脈**）や神経を導いている．

 脾動脈は脾門から入り，脾柱動脈となり，脾柱の結合組織に沿って脾髄に分布する．この動脈が脾柱を離れると，**動脈周囲リンパ鞘（PALS）**という T 細胞の鞘に包まれ，リンパ組織（白脾髄）を貫く．

 ヒトでは，赤碑髄と白脾髄の間に辺縁帯があり，これによって免疫担当細胞と抗原提示細胞が赤脾髄で病原体や抗原を捕まえた後に白脾髄へ移動することができる．

 B 細胞と T 細胞は抗原提示細胞と協力して，速やかに免疫防御反応を開始する．

 中心動脈は白脾髄を離れ，**筆毛動脈**となる．筆毛動脈はマクロファージが莢状に包む毛細血管（**莢状毛細血管**）となって終わる．莢状毛細血管は脾洞へ直接注ぐ（**閉鎖循環**）か，赤脾髄で開放終末血管として終わる（**開放循環**）．

 脾洞は集合静脈に注ぎ，脾柱静脈，脾静脈となる．

 脾臓には生物種によって異なる 2 つの血液循環系が存在することに注意すべきである：

 (1)**開放血液循環**．赤血球，病原体，抗原が赤脾髄の脾索に入る．**開放血液循環はヒトの脾臓にみられる**．

 (2)**閉鎖血液循環**．動脈は脾洞の洞様毛細血管へ続く．閉鎖血液循環はヒトでは観察されない．

 脾臓には覚えておくべき特殊な構造がある：

 (1)脾臓には皮質と髄質の区別がない．

 (2)リンパ節のリンパ小節とよく似た構造が，白脾髄にもあり，B 細胞と抗原提示細胞の集まる胚中心が存在する．リンパ節のリンパ小節がリンパを扱うのとは異なり，白脾髄には動脈・細動脈を囲む T 細胞の鞘（PALS）をもち，血液に運ばれる病原体や抗原（そのほとんどが辺縁帯を介して白脾髄にやってくる）を捕まえて処理するための免疫細胞が集まっている．

 (3)赤脾髄は血液のろ過と老化赤血球の除去を担う 2 つの構造をもつ．

 (i) 脾洞は，格子状に並んだ内皮細胞によって隔てられた血管腔である．血液細胞は，その隙間（スリット）を通り抜けることができる．

 この内皮細胞は，不連続な基底膜とまばらな細網線維によって囲まれている．血液細胞の内外の行き来は内皮細胞とまばらな支質によって容易になっている．

 (ii) 脾索は脾洞を分けている．脾索にはマクロファージ，形質細胞，血液細胞が存在する．脾臓のマクロファージは，処理された赤血球のヘモグロビンを再利用し始める．これによってビリルビンが生産される．

- **無脾症**．脾臓が欠損することで，以下の患者にみられる：

 (1)**外科的な無脾症**．外傷により脾臓を切除した健常者，または血液性疾患（**遺伝性球状赤血球症**，**ベータサラミヤ**，**鎌形赤血球症**など），自己免疫性疾患（**免疫性血小板減少性紫斑病**），**脾臓の悪性腫瘍**（リンパ腫）などで脾臓を摘除した患者にみられる．

 (2)**機能的無脾症**．鎌形赤血球貧血症の患者に観察される．鎌形赤血球貧血症では，脾臓の自己閉塞によってさまざまな症状を発症する．

 (3)**先天性無脾症**．他の異常，特に先天性心疾患（**アイブマーク症候群**）に関連してまれに観察される．

- **鎌形赤血球症**は点突然変異によって正常のヘモグロビン（Hb A）がヘモグロビン S（Hb S）に置き換わったことにより生じる遺伝性の赤血球疾患である．

 ヘテロの個体では Hb A と Hb S が混在する．酸素分圧の低下時には，赤血球の鎌状化とその結果として，貧血が観察される．

 酸素分圧が減少したり酸素が欠乏したりしたときに，赤血球の鎌状の変形と**溶血性貧血**が生じる．

 鎌状赤血球の破壊が増加すると，溶血した赤血球からヘモグロビン放出され，過剰なビリルビン合成につながる（慢性高ビリルビン症）.

- がん免疫療法戦略は，腫瘍関連抗原を発現する腫瘍細胞に対する免疫応答を増強するために開発されている.

  一般的な戦略は以下の原理に基づく：

  (1)この抗原とMHCの関与に引き続き，TCRによって送られる特異性シグナルは，第1シグナル（認識信号）とよばれる．ただし，T細胞が，エフェクター機能につながる完全な活性化を達成するためには，第2シグナル（オン／オフスイッチ）とよばれる共刺激シグナルを必要とする.

  (2)T細胞のオン／オフスイッチの役割をするのは，活性と抑制に働く共刺激受容体である．代表的な抑制共受容体は，プログラム細胞死タンパク質（PD1）で，そのリガンド（PDL1またはPDL2）との結合親和性がある．PD1は，宿主組織中の免疫学的反応を制限する.

  (3)PD1は，T細胞の急激な高活性化が起こっているときに，$CD4^+$T細胞と$CD8^+$T細胞に発現する．PDL1は，主にがん細胞が表現する.

  (4)がん免疫療法の発展は主にPD1経路の阻害方法の確立による．PD1を阻害することにより，機能的なT細胞が集積し，これが腫瘍の退縮につながる.

  別の戦略は，T細胞と樹状細胞との相互作用を通して，T細胞を活性化させることである．これには，CD28，B7，TCR，MHCが関与する.

  T細胞タンパク質CTLA4（細胞傷害性Tリンパ球抗原4の意）は樹状細胞上のB7タンパク質と結合し，CD28との相互作用をブロックすることで，T細胞の活性化を防いでいる．活性化したT細胞に発現し，B7に結合する．モノクローナル抗体であるイピリマブでCTLA4を阻害すると，T細胞は再び活性化し，腫瘍細胞を破壊することができる.

11 外皮系

キーワード　表皮，真皮，毛包，脂腺，汗腺，乾癬，創傷治癒

皮膚は身体と環境の間にある第1のバリアである．皮膚は，微生物やウイルスなどの病原体や，物理的・化学的因子に対する防衛線となる．皮膚がバリアとして機能するためには，樹状細胞やマクロファージをはじめとする免疫担当細胞や常在するケラチノサイトによる能動的な防御機構が必要であり，これによって，無害な共生生物と有害な病原体を区別することができる．多くの伝染性の免疫疾患は，それぞれに特徴的な皮膚の変化をもたらす．これは，正しい診断材料となる．さらに，皮膚には特有の疾病も存在する．

皮膚は，臨床における理学的検査において特に重要である．皮膚の色から病気の様子がわかることもある．例えば，黄色い色は**黄疸** jaundice を表す．青黒い色は**チアノーゼ** cyanosis で，心血管系や呼吸器系の病的状態を反映している．青白い色は**貧血** anemia を示唆し，皮膚の色素の欠落は**白色症** albinism を示す．本章では，皮膚と表皮から派生する器官の概観と，そこにみられる炎症と腫瘍の症状について解説する．

皮膚の概観と種類（図 11.1）

外皮は，身体で最も大きな臓器である．これには以下の2つの構成要素がある：

1. **皮膚**.
2. 爪，毛髪，腺（汗腺，脂腺，乳腺）のような**表皮由来の構造**.

皮膚には，いくつかの**機能**がある：

1. **保護**（機械的機能）.
2. 脱水を防ぐための**水バリア**.
3. **体温調節**（保温と熱の放散）.
4. **非特異的防御**（微生物に対するバリアと，免疫を担当する樹状細胞が働く場所の提供）.
5. **塩の排泄**.
6. **ビタミンDの合成**.
7. **感覚器**.
8. **性的シグナル**.

皮膚は以下の3層構造をしており，それぞれが互いに固く結びついている：

1. 外胚葉に由来する外側の**表皮** epidermis.
2. 中胚葉に由来するその下の**真皮** dermis.
3. 肉眼解剖の**浅筋膜** superficial fascia に相当する**皮下組織** hypodermis（subcutaneous layer）.

皮膚は一般に，以下の2つの型に分けられる．

1. **厚い皮膚** thick skin.
2. **薄い皮膚** thin skin.

厚い皮膚（厚さ5mm以上）は手掌，足底を覆い，厚い表皮と真皮をもつ．薄い皮膚（厚さ1～2mm）は体の残りの部分を覆い，表皮は薄い．

手掌と足底，そして手指と足趾の皮膚の表面には，**溝**で分けられた狭い**表皮稜** epidermal ridge がある（図 11.1）．表皮稜の跡は**指紋**の文様をつくり，法医学的な同定に有用である．

それぞれの表皮稜の輪郭は，その下の**真皮稜**の輪郭と一致する．表皮稜が下層へ伸び出すことで，**真皮稜**は2つの**二次真皮稜**（**真皮乳頭**）に隔てられる．結果的に表皮稜の伸び出しは，**乳頭間脚** interpapillary peg となる．

後述するが，皮膚にある汗腺の導管は乳頭間脚の先端を通って表皮表面に開口する．

この表皮稜と真皮稜の配列によって，表皮と真皮は互いにかみ合うように密着し，その接触面は**ヘミデスモソーム** hemidesmosome によって基底板にしっかりと固定される．

表皮（図 11.2，11.3）

詳細な解説の前に，表皮とそれを構成する細胞の概観について述べる．

表皮の**重層扁平上皮**は，4種類の細胞からなる（図 11.2）：

1. **ケラチノサイト** keratinocyte は，主たる細胞であり，主に中間径フィラメントのタンパク質である**ケラチン** keratin をつくることから，この名がついている．
2. **メラノサイト** melanocyte は神経堤由来の細胞で，**メラニン** melanin の産生にかかわる．
3. **ランゲルハンス細胞** Langerhans cell は組織に常在する樹状細胞であり，骨髄の前駆細胞に由来する．この細胞は，抗原提示を行い，$CD8^+$T 細胞と情報を交換する．
4. **メルケル細胞** Merkel cell は，神経堤由来の細胞で，触覚に関係する．

ケラチノサイトは，**5層**を形成する：

1. **基底層** stratum basale（**基底細胞層** basal cell layer）.
2. **有棘層** stratum spinosum（**有棘細胞層** spinous or prickle cell layer）.
3. **顆粒層** stratum granulosum（**顆粒細胞層** granular cell layer）.
4. **淡明層** stratum lucidum（**明細胞層** clear cell layer）.
5. **角質層** stratum corneum（**角化細胞層** conified cell layer）.

最初の層には活発に代謝を行う細胞があり，最後の2層では細胞内と細胞間の分子の変化と関連した変化である**ケラチン化** keratinization，すなわち**角化** cornification が起こる．

基底層と**有棘層**は，**マルピギー層** stratum of Malpighi を形成する．

基底層（または**胚芽層** stratum germinativum）は，基底板上の1層の円柱または背の高い立方のケラチノサイトからなる．ヘミデスモソームとそれに関係する中間径フィラメントは，基底細胞の基底面を基底板に固定する．基底層の細胞は分化と有糸分裂の釣り合いをとりながら，傷害の修復を行う．

分裂する基底細胞の一部は基底層の**幹細胞** stem cell として留まるが，他は**有棘層**へ移動する．そして円柱または立方形から多角形に変化し，分化を開始する．この分化過程で，ケラチンを合

図 11.1 | 皮膚の概観

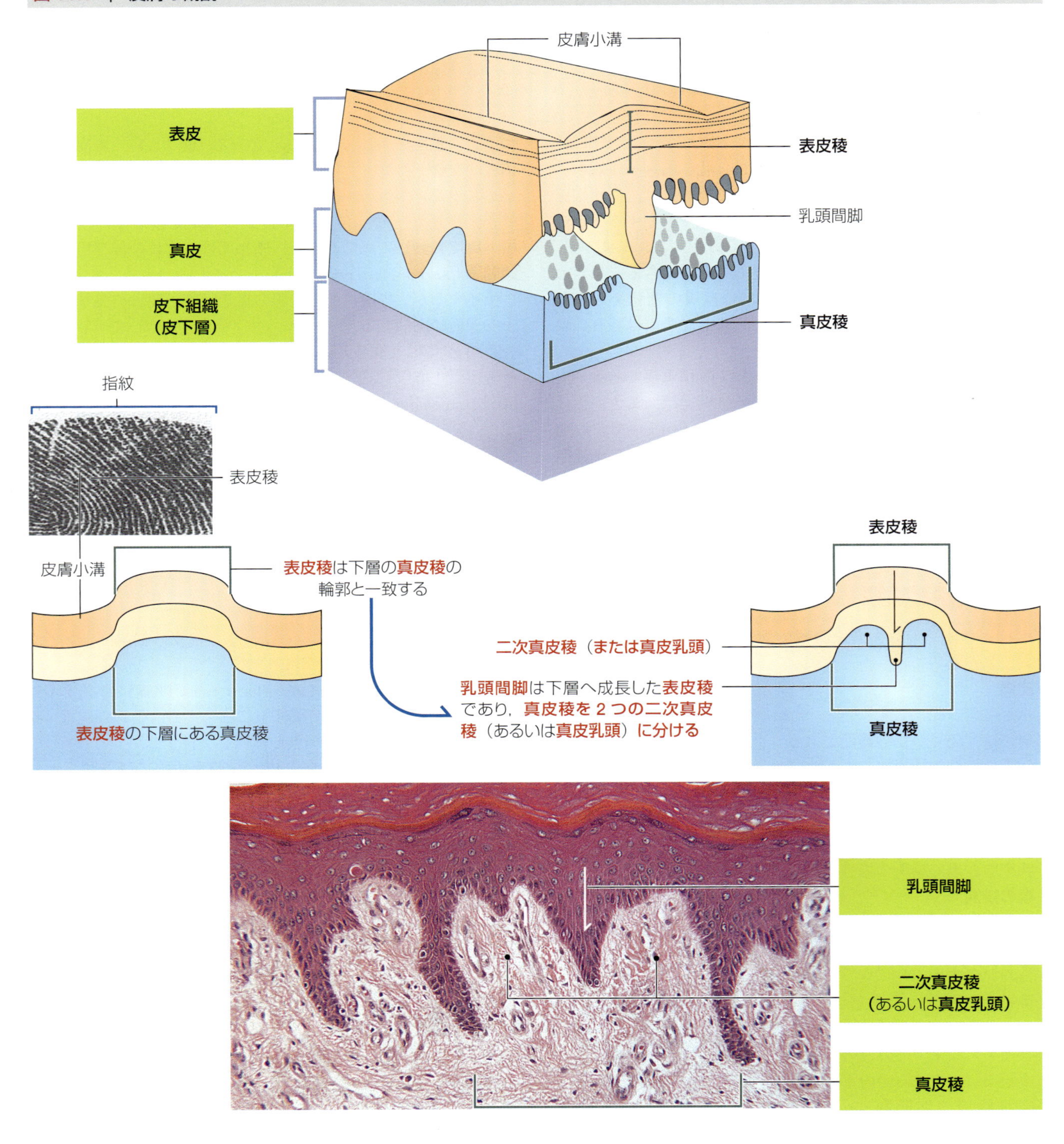

成するケラチノサイトとなり，基底細胞とは明確に区別されるようになる．表皮の安定性と柔軟性は，**デスモソーム** desmosome と**ヘミデスモソーム** hemidesmosome に関連する細胞質の中間径フィラメントによるものである．光学顕微鏡下で観察される中間径フィラメントの束を**張フィラメント** tonofilament とよぶ．

顆粒層のケラチノサイトはケラチンと脂質に類似した細胞質成分からなる黒い顆粒をもつ．

淡明層と**角質層**は，最終的に成熟分化したケラチノサイトからなり，表皮の最外層を構成する．これらの層は厚い皮膚で発達しており，毒物や脱水から身体を守る皮膚の防御バリアとして働く．

図 11.2 | 表皮の構成（厚い皮膚）

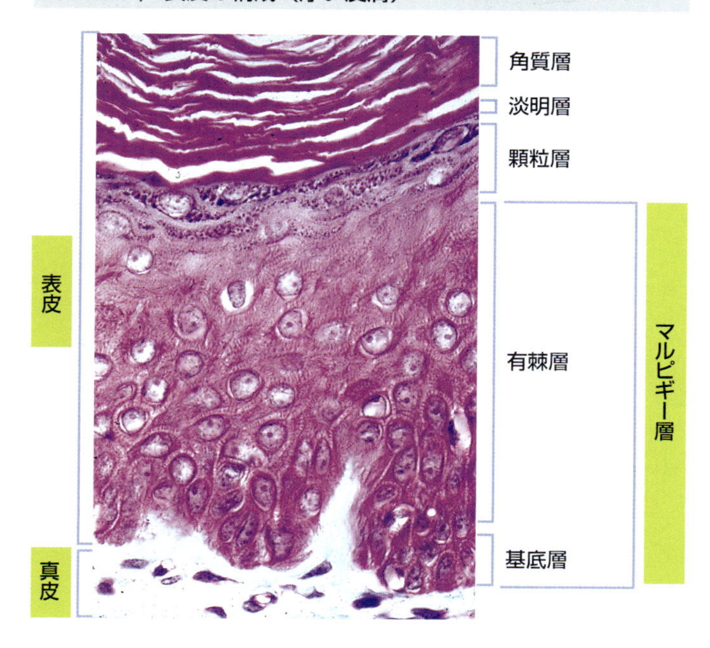

ケラチノサイトの分化（図 11.4～11.7）

表皮の各層を構成するケラチノサイトの分化にはそれぞれ特徴がある（図 11.4）.

有棘層 stratum spinosum のケラチノサイトは，卵形の核をもった多角形の細胞である．細胞質には層状の芯をもった小さな顆粒がみられ，**被膜顆粒** membrane-coated granule または**層板小体** lamellar body とよばれる（図 11.5）．ケラチン中間径フィラメントは細胞質の棘状の突起の中に伸び，デスモソームの**緻密斑** dense plaque に接する．

顆粒層 stratum granulosum は，不整形の**ケラトヒアリン顆粒** keratohyalin granule をもったケラチノサイトが数層集まっている．この顆粒は，**プロフィラグリン** profilaggrin とよばれるタンパク質からなり，限界膜はなく，ケラチン中間径フィラメントにからまっている．**層板小体**は有棘層のケラチノサイトに最初に現れ，顆粒層で数を増す．層板小体は，**糖脂質**の**アシルグルコシル** acylglucosyl を含んでいる．

顆粒層には，**クラウディン 1 と 4** をもつ**閉鎖結合**がみられる．

層板小体の糖脂質内容物は細胞間隙に放出され，多層構造をつくり，淡明層のケラチノサイトの表面を覆う．この糖脂質の被膜は，表皮の水に対するバリアとなる．

淡明層 stratum lucidum は，顆粒層の上層で**角質層** stratum corneum の直下にある層として組織学者が指摘するものである．しかし，その細胞学的特徴はそれほどはっきりしていない（図 11.5，11.6）．

淡明層も角質層も，無核のケラチノサイトの層である．ケラチノサイトの細胞質には，**トランスグルタミナーゼ** trasnglutaminase で触媒される過程で**フィラグリン** filaggrin と架橋したケラチン中間径フィラメントの凝集が認められる．

フィラグリンはケラチン中間径フィラメントを強固な束にまとめ，これにより角質層の特徴である細胞の平坦化を導く．このケラチン・フィラグリン複合体は細胞膜の内側に沈着し，**周辺帯**（角質肥厚膜）という構造を形成する（図 11.7）．

インボルクリン，**スモールプロリンリッチタンパク質** small proline-rich protein（SPR），**トリコヒアリン** trichohyalin（THH），**ロリクリン** loricrin は，数種の**トランスグルタミナーゼ**（T1，T3，および T5）によって架橋された付加的なタンパク質である．これらは，デスモソームのある位置で，細胞膜を裏打ちする角質細胞の周辺帯を補強している．

細胞の外側には，セラミド，脂肪酸，およびコレステロールからなる不溶性の脂質複合体が存在する．この複合体は，細胞内の層板小体から細胞外へ押し出されたものである．この脂質複合体が周辺帯と架橋して**複合周辺帯**を形成する．

まとめると，角質層のケラチノサイトの細胞膜はケラチン・フィラグリン複合体を含む周辺帯からなり，これらは THH・インボルクリン・SPR・ロリクリン複合体によって補強されている．この THH 複合体の形成は，トランスグルタミナーゼによって触媒される．

インボルクリンに架橋した細胞外の不溶性の脂質により，細胞膜は液体を透過しないようになる（透過性バリア）．周辺帯は，表皮最外層の死んだ細胞に弾力と機械的な抵抗力を与える．周辺帯の疾患については Box 11.A を参照．

最終段階まで分化した角質層のケラチノサイトは，強い抵抗力の複合周辺帯をもつ扁平な角質鱗からなる．角質鱗は表皮の表面から脱落し，下層のケラチノサイトと順次入れ替わる．

表皮の 2 つの追加的特徴：

1. ケラチノサイトの分化過程にみられる**各細胞層に特異的なケラチンの発現**.
2. F- アクチンが裏打ちをする**閉鎖結合**と，ケラチン中間径フィラメントが裏打ちをする**デスモソーム**（図 11.6）および**ヘミデスモソーム**の存在．これらの結合は，表皮の細胞層における細胞－細胞間や，細胞基底板間の接着や柔軟性を担っている．

顆粒層から角質層への移行においての重要な変化は，**デスモソームの細胞内プラークが周辺帯へ統合**されることである．

これらの角質層における変形デスモソームは，**コルネオデスモソーム** corneodesmosome とよばれ，接着する細胞間に隙間があり，ここでそれぞれの細胞の**デスモコリン 1 同士**が結合している．デスモコリン 1 は Ca^{2+} 依存性カドヘリンファミリーに属するタンパク質である．もう 1 つの構成要素はコルネオデスモシン corneodesmosin である．角質層の最外層では，カゼプシンとカルパイン酵素によって，コルネオデスモシンが分解され，角質層の剝離が生じると考えられている．

顆粒層から角質層への移行の間に生じる細胞の核とミトコンドリアの消失にもタンパク質分解プロセスが必要であることに注意してほしい．

表皮における細胞接着の崩壊は，水疱形成や表皮剝離，増殖性疾患などにみられる（Box 11.B）．

メラノサイト（図 11.3，11.6）

メラノサイト melanocyte は樹枝状の突起をもつ細胞で，表皮基底層にみられる（図 11.3）．この細胞は，**神経堤**から移動した

図 11.3 | 表皮に移動してきた細胞

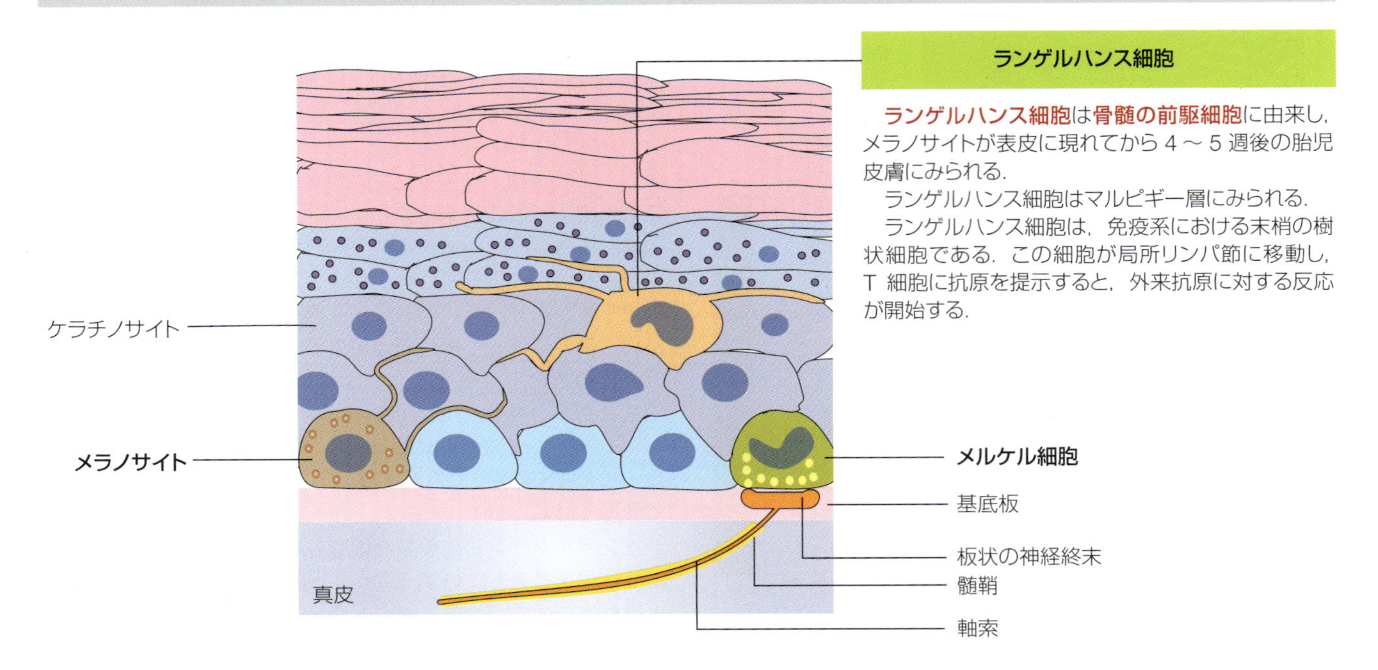

ランゲルハンス細胞

ランゲルハンス細胞は**骨髄の前駆細胞**に由来し，メラノサイトが表皮に現れてから 4 ～ 5 週後の胎児皮膚にみられる．

ランゲルハンス細胞はマルピギー層にみられる．

ランゲルハンス細胞は，免疫系における末梢の樹状細胞である．この細胞が局所リンパ節に移動し，T 細胞に抗原を提示すると，外来抗原に対する反応が開始する．

メラノサイト

メラノサイトは**神経堤**由来の細胞で，胎生 8 週からみられる．

メラノサイトは最初に表皮に到達する細胞である．

細胞体は基底層にある．1 つのメラノサイトの細胞突起が，約 36 個のケラチノサイトと接触し，**表皮・メラニン単位**をつくっている．

メラノサイトとケラチノサイトの間にはデスモソームによる結合はない．

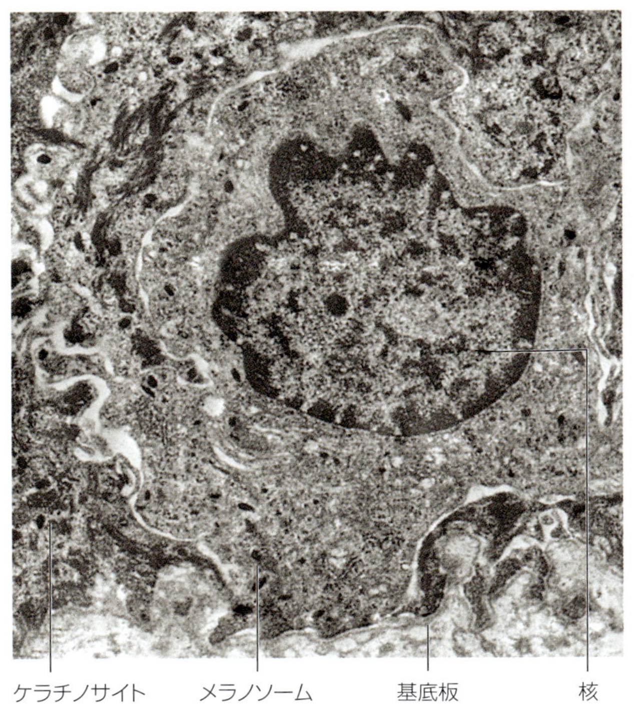

電子顕微鏡写真：Gray's Anatomy, 38th edition, New York, Churchill Livingstone, 1995 より．

メルケル細胞

メルケル細胞は**神経堤**由来である．

メルケル細胞は，妊娠 8 ～12 週ごろ，手掌と足底の表皮に出現する．触覚受容器であるが，神経内分泌機能をもっている可能性がある．

メルケル細胞は基底板に接している．細胞質には**顆粒**がみられる．**板状の神経終末**が，有髄の軸索に結合している．表皮の基底板を貫く短い軸索の部分には，髄鞘がない．

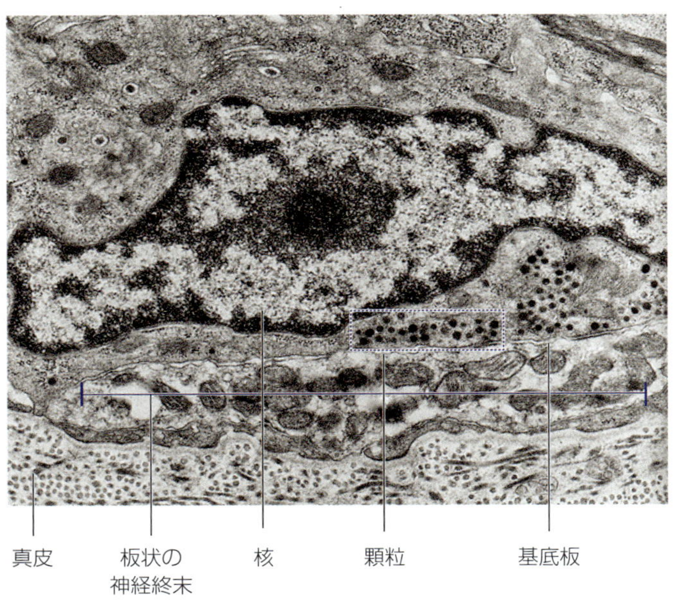

電子顕微鏡写真：Patricia C. Cross, Stanford, CA の厚意による．

図 11.4 | ケラチノサイトの分化：ケラチンの発現

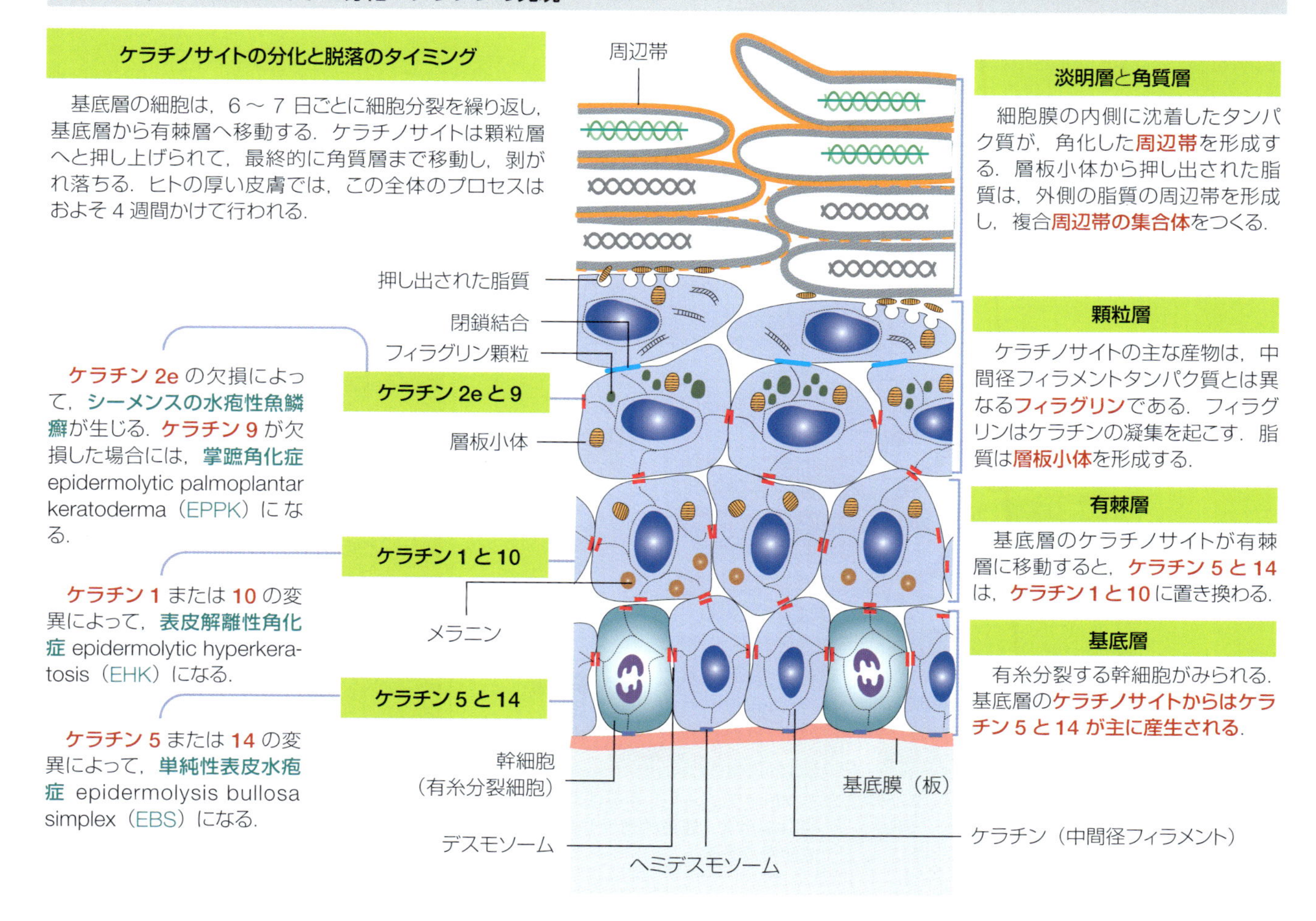

前駆細胞の**メラノブラスト** melanoblast から生じる．

メラノブラストのメラノサイトへの分化は，膜結合型のチロシンキナーゼである **c-kit 受容体**と相互作用をもつ，**幹細胞因子** stem cell factor というリガンドで調節されている．肥満細胞，原始胚細胞，造血幹細胞の分化も幹細胞因子と c-kit 受容体との相互作用に依存することを思い出してほしい．

メラノサイトは分化の途上にある表皮の中に入るが，分化中のケラチノサイトとはデスモソームによる接着をもたず，独立して存在する．メラノサイトのターンオーバーはケラチノサイトよりゆっくりである．

メラノサイトによるメラニンの産生（図 11.8，11.9）

メラニンは**メラノサイト**によって産生される色素である．メラニンは皮膚，毛，目に色を与え，電離放射線に対する**光防護** photoprotection となる．皮膚と毛では，メラノサイトがメラニンを別の細胞に受け渡しているが，目では，網膜，毛様体，および虹彩の色素上皮の中に蓄積されている．メラニンは，黒色と茶色の**ユーメラニン** eumelanin と赤色と黄色の**フェオメラニン** pheomelanin の共重合体である．

メラノサイトの分化は**小眼球症関連転写因子** microphthalmia-associated transcription factor（MITF）によって制御されている．MITF は 2 つの重要な役割をもつ．すなわち，メラノサイトの細胞周期の停止とメラニン生産にかかわるタンパク質をコードする遺伝子の発現誘導である（Box 11.C）．

メラノサイトが産生する**メラニン**は**メラノソーム** melanosome の中に含まれる．メラノソームは，メラノサイトの中で 4 つの異なる段階を経て形成，成熟する（図 11.8）：

Box 11.A | 周辺帯の疾患

- **葉状魚鱗癬** lamellar ichthyosis（ギリシャ語 *ichthys*［＝ fish，魚］，*osis*［＝ condition，状態］）患者の約 50% が，トランスグルタミナーゼ -1 遺伝子変異を有する．罹患者はコロジオン膜（生下時にみられる皮膚の乾燥と鱗屑）を呈する．この疾患は，周辺帯タンパク質の架橋の障害により生じる．
- **フォーヴィンケル症候群** Vohwinkel's syndrome や進行性対側性紅斑角皮症はロリクリンの欠損により生じる．手掌や足底の角質増殖症（角質層の厚みが増す）が観察される．
- **X 染色体性魚鱗癬**は，脂質代謝障害に関連した常染色体性潜性遺伝疾患である．ステロイドスルファターゼの欠損により，手掌や足底の厚く浅黒い鱗屑や角膜の混濁が生じる．角質層の細胞間隙にコレステロール硫酸塩が蓄積することで，落屑やインボルクリンの細胞外脂質層への架橋が障害される．コレステロール硫酸塩は，落屑に関係したプロテアーゼを抑制する．

図 11.5 | 表皮透過性バリアの構成要素

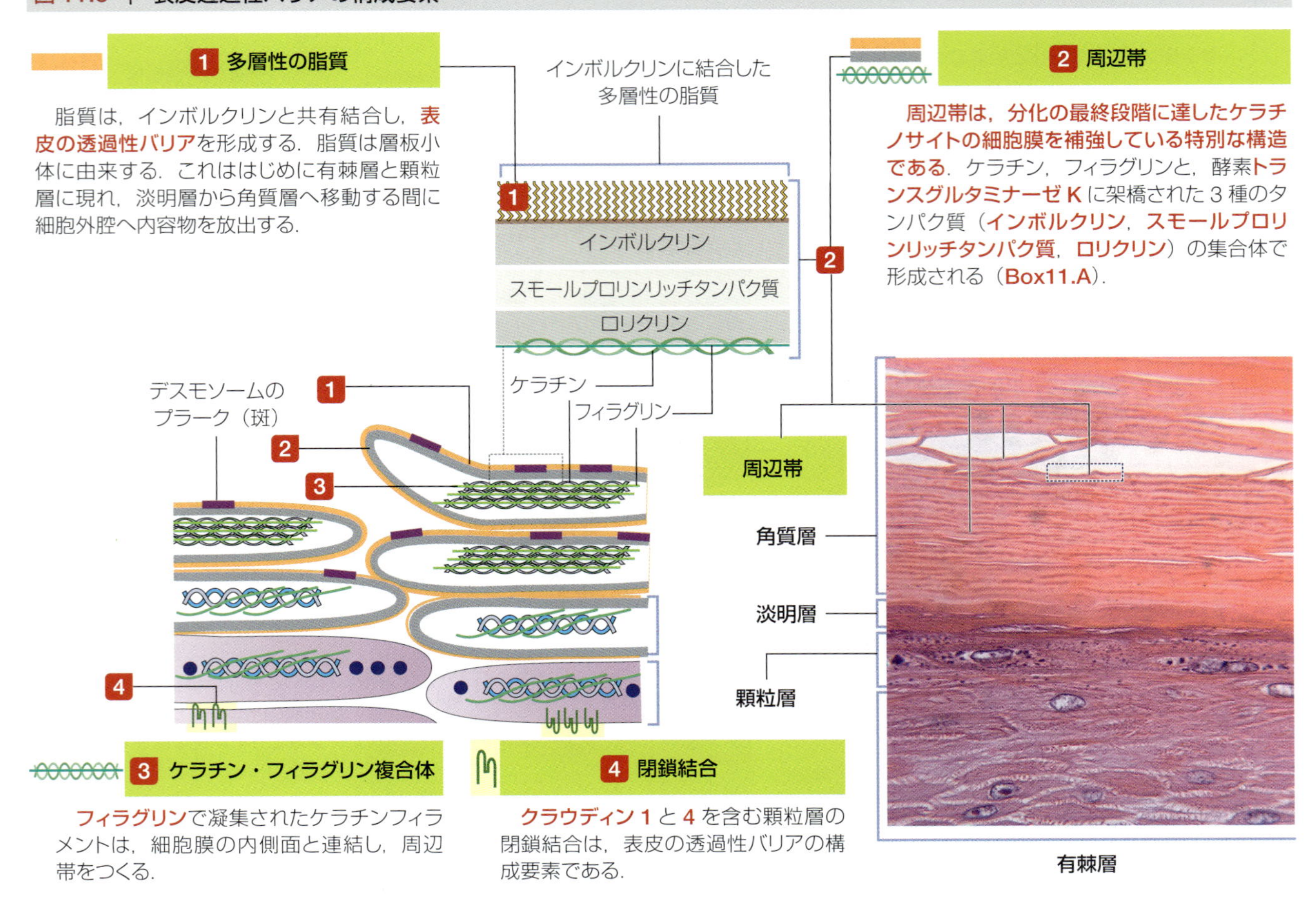

脂質は，インボルクリンと共有結合し，**表皮の透過性バリア**を形成する．脂質は層板小体に由来する．これははじめに有棘層と顆粒層に現れ，淡明層から角質層へ移動する間に細胞外腔へ内容物を放出する．

周辺帯は，分化の最終段階に達したケラチノサイトの細胞膜を補強している特別な構造である．ケラチン，フィラグリンと，酵素**トランスグルタミナーゼ K** に架橋された 3 種のタンパク質（**インボルクリン，スモールプロリンリッチタンパク質，ロリクリン**）の集合体で形成される（**Box11.A**）．

フィラグリンで凝集されたケラチンフィラメントは，細胞膜の内側面と連結し，周辺帯をつくる．

クラウディン 1 と **4** を含む顆粒層の閉鎖結合は，表皮の透過性バリアの構成要素である．

図 11.6 | 有棘層のデスモソーム，メラノサイト

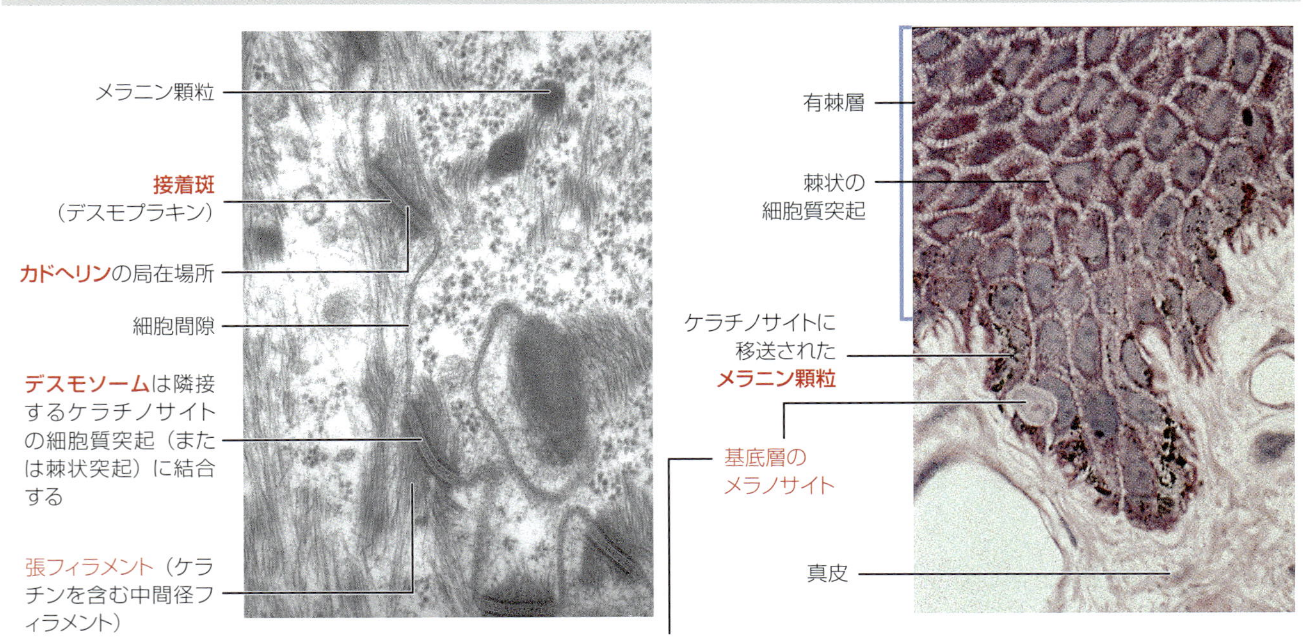

メラノサイトは**基底層**にみられる．メラニン顆粒は隣接するケラチノサイトに存在する．ケラチノサイトは基底層から離れ，表層へ向かって配列する．ケラチノサイトの**棘状の細胞質突起**には注目するべきである．これらの突起はデスモソームを裏打ちする**ケラチンの中間径フィラメント**を含み，隣接する細胞のそれと結合する．

図 11.7 | ケラチノサイト

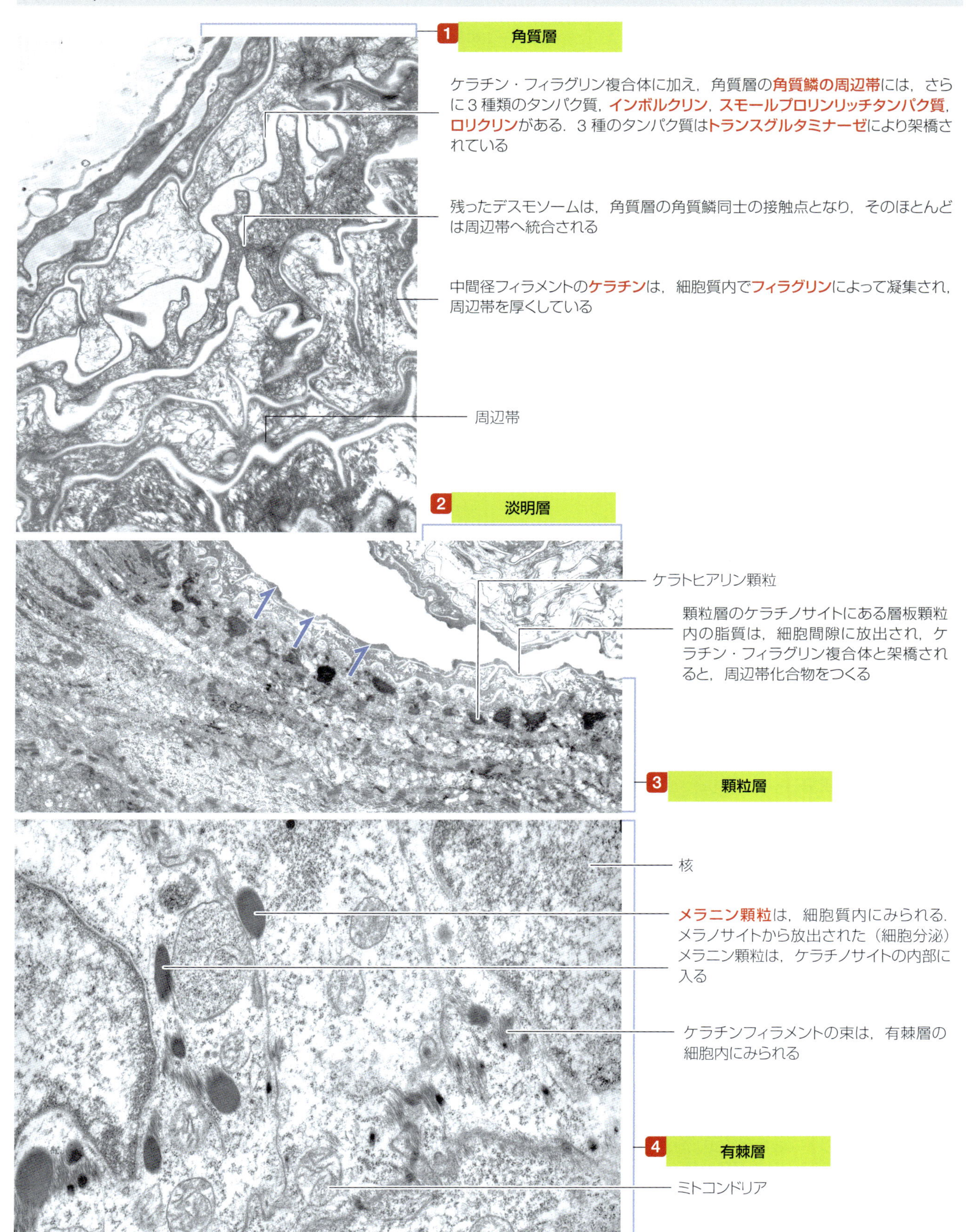

図 11.8 | メラノソームの生合成

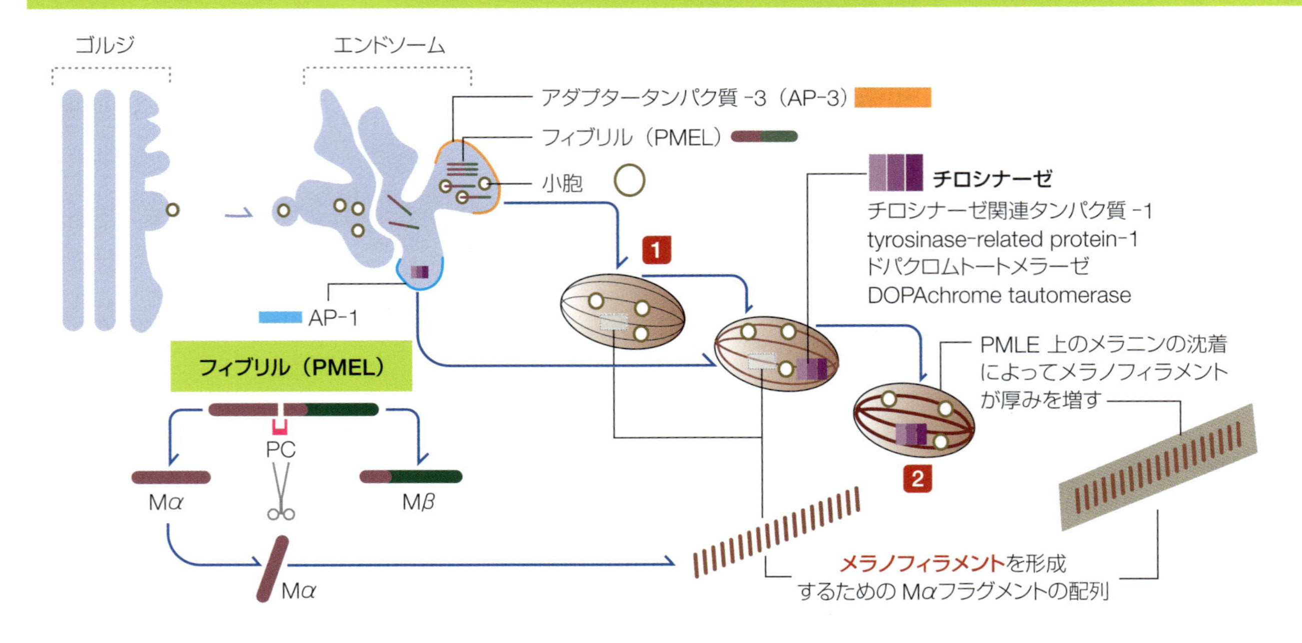

1 **プレメラノソーム**は初期エンドソームの区画に由来し，**小胞**と**メラノフィラメント**を含んでいる．メラノフィラメントは Mαフラグメントからなる．Mαフラグメントは，**フィブリル** fibril（**PMEL**）**線維**に由来し，PMEL 線維が**プロタンパク質転換酵素** proprotein convertase（PC）によって Mαと Mβのフラグメントに分断されることによって生じる．**アダプタータンパク質-3**（**AP-3**）と **AP-1** は，エンドソームからメラノソームが形成される経路を開始する．

2 **メラノソーム**は Mαを含むメラノフィラメント上に沈着し，これが次第に厚みを増していく．**メラニンはチロシンを酸化し，DOPA**（3,4-dihydroxyphenylalanine）に変換することによって生じる．

1. **プレメラノソーム**は，膜結合型**アダプタータンパク質 3** adapter proteins-3 および **1**（AP-3 と AP-1）が駆動する選別機構によって，初期エンドソームから生じる．メラノソーム形成の第 1 段階と第 2 段階において，プレメラノソームは **PMEL 線維** PMEL fibril を含むだけで，メラニン色素を欠いている．PMEL 線維は**プロタンパク質転換酵素**によって切断され，Mα と Mβ とよばれるフラグメントになる．Mα フラグメントは，メラニン沈着の足場である**メラノフィラメント** melanofilament の形成を始める．
   遺伝子疾患である**ヘルマンスキー・パドラック症候群** Hermansky-Pudlak syndrome（HPS）では，AP-3 タンパク質に依存したプレメラノソームの選別が阻害されている．この遺伝子疾患は，眼皮膚白皮症や，血小板の不足や欠乏による出血によって特徴づけられる．また，肺線維症や肉芽腫性大腸炎を認める場合もある．
2. メラノフィラメントが十分に形成されると，第 3 段階が始まる．メラニン生合成は，メラニン生合成酵素であるチロシナーゼや，**チロシナーゼ関連タンパク質 -1** tyrosinase-related protein-1，さらに**ドパクロムトートメラーゼ** DOPAchrome tautomerase によって，プレメラノソームの中で始まる．これらの酵素は，AP-3 でコーティングされたエンドソームが出芽してプレメラノソームになる際に，積み荷として仕分けされる．

Box 11.B | 角化疾患

- **基底層**
  主なケラチン：ケラチン 5，14
  疾患：単純性先天性表皮水疱症
- **有棘層**
  主なケラチン：ケラチン 1，10
  疾患：表皮解離性角化症
- **顆粒層／角質層**
  主なケラチン：ケラチン 9（手掌と足底）
  疾患：表皮剥離性掌蹠角化症
- **デスモソームの障害**
  デスモプラキン：カドヘリン
  疾患：線条掌蹠角化症
- **周辺帯（CCE）**
  ロリクリン，トランスグルタミナーゼ 1（TGA-1）
  疾患：フォーヴィンケル症候群（ロリクリン），
  先天性魚鱗癬様紅皮症（TGA-1）
- **CCE に影響する脂質代謝異常**
  疾患：シェーグレン・ラルソン症候群

図 11.9 | ケラチノサイトへのメラノソームの移送

メラノソームの移送

ケラチノサイト
メラニン顆粒
メラノサイト
メラノソーム
樹状突起内のメラノソーム
プレメラノソーム

メラノソームは，隣接する有棘層のケラチノサイトへ**樹状突起**（細胞質突起）から輸送される．**メラニン顆粒**は隣接するケラチノサイトに吸収される．メラニン顆粒は紫外線から核を守る盾となる．

メラノソームは，キネシンにより微細管に沿って樹状突起の中を運ばれる．末梢に到達すると，メラノソームは微細管を離れ（樹状突起の細胞膜直下にある）**F-アクチン**と結合する．この結合は，**Rab27a**（メラノソームの膜に存在）に結合した**メラノフィリン**（アダプタータンパク質）が，モータータンパク質の**ミオシン Va** をメラノソームに誘導することによって行われる．メラノソームは周囲のケラチノサイトに移送される．

グリセリ症候群は毛髪や皮膚の部分的な白色症に関連する疾患で，**ミオシン Va** 遺伝子変異により生じる．グリセリ症候群患者の一部は，*Rab27a* とメラノフィリン遺伝子変異も有している．

ケラチノサイト
メラノサイトの樹状突起
メラノソームの開口分泌
メラノソーム
Rab27a
メラノサイト
キネシン
微小管
メラノフィリン
ミオシン Va
F-アクチン

メラニンは，**チロシン** tyrosine が酸化されて **3,4-ジヒドロキシフェニルアラニン** 3,4-dihydroxyphenylalanine（**DOPA**）になることでつくられる．この酸化反応は，チロシナーゼによって触媒される．チロシナーゼの活性は，チロシナーゼ関連タンパク質-1 によって調節されている．DOPA は次にユーメラニンに変換され，これが Mα を含んだ凝集前のメラノフィラメントの足場に蓄積する．

3. 第 4 段階は，メラニンの沈着過程であり，プレメラノソーム内の線維構造が，メラニンの沈着によって覆われることによって完了する．メラノソームは，モータータンパク質の**キネシン**により微細管に沿って輸送され，メラノサイトの樹状突起（F-アクチンが含まれる）の先端に運ばれ，最終的に隣

Box 11.C | メラノサイトの分化

- メラノサイトの分化過程は，**小眼球症関連転写因子** microphthalmia-associated transcription factor（MITF）によって制御される．MITF には，(1)メラノサイトの細胞周期の停止と，(2)メラニン産生に関連したタンパク質をコードする遺伝子発現の刺激という 2 つの主要な機能がある．

1 メラノサイトは細胞周期を停止し，メラニンの合成に必要なタンパク質を発現する．転写因子 MITF は，成熟した**メラノサイト**の集団の中に一定数のメラノサイト前駆細胞を維持し，それらの**分化を制御する**．MITF の発現は，**α-メラノサイト刺激ホルモン** α-melanocyte-stimulating hormone（**α-MSH**）が**メラノコルチン受容体 1** melanocortin receptor 1（**MC1R**）に結合することによって誘導される．

2 α-MSH が MC1R に結合すると，**サイクリックアデノシン一リン酸** cyclic adenosine monophosphate（cAMP）が産生され，DNA 上の **cAMP 応答配列結合タンパク質** cAMP response-element binding（CREB）が活性化する．活性化した CREB は MITF の発現を増加させる．MITF はメラノサイトの細胞質に移行し，**細胞外シグナル調節キナーゼ** extracellular-related kinase（ERK）経路によってリン酸化される．リン酸化 MITF は核内に戻り，**チロシナーゼ**などの酵素の発現を増加させる．これらの酵素はメラニン合成，細胞周期の停止，およびメラノサイトの維持に働く．

MITF の機能障害は**白色症**や**若白髪**の原因となる．**黒色腫**の患者では，MITF の過剰発現がみられる．黒色腫は皮膚悪性腫瘍の 4% に相当し，皮膚がんによる死亡の 80% を占める．MITF の過剰発現がみられる患者は予後不良で，通常は化学療法に抵抗性を示す．MITF の機能抑制は，黒色腫治療の最適な標的である．

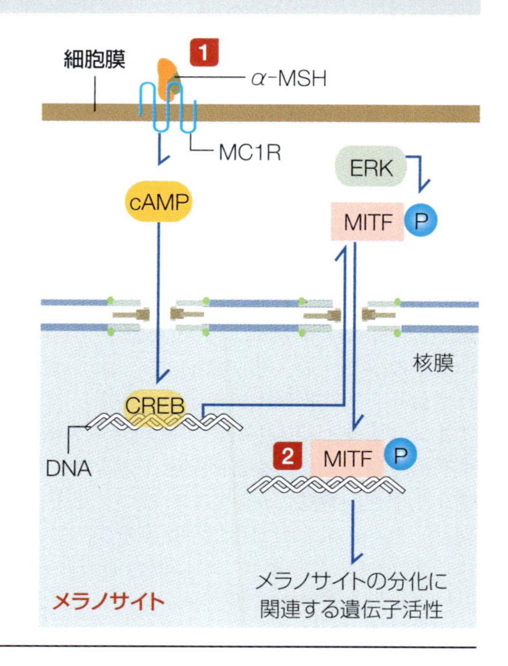

接するケラチノサイトにメラニンが受け渡される（図 11.9）.

メラノソームの受け渡しは，メラノフィリンとよばれるアダプタータンパク質が，メラノソームの膜に挿入された **Rab27a** というタンパク質と結合したときに行われる．F- アクチンを使った分子モーターの**ミオシン Va** は，この Rab27a・メラノフィリン複合体に結合し，メラノソームを細胞膜へと輸送する．開口放出によって押し出されたメラニンは隣接するケラチノサイトに捕捉され，エンドサイトーシスによって細胞内に取り込まれる（図 11.7 下図）．ミオシン V という特殊な分子の特徴については，第 1 章で述べた．

白色症 albinism は細胞がメラニンを形成できないことに起因する．**グリセリ症候群** Griscelli syndrome はミオシン *Va* の遺伝子変異により生じる．グリセリ症候群患者には，白髪，部分的な白色症がみられ，時に神経学的異常や免疫不全（細胞傷害性 T 細胞の小胞輸送や分泌欠損による）を伴う．これと類似の色素沈着障害は，*Rab27a* 遺伝子やメラノフィリン遺伝子変異によっても生じる．

ランゲルハンス細胞（樹状細胞）（図 11.10）

ランゲルハンス細胞 Langerhans cell は骨髄由来の細胞で，免疫学的な見張り役として表皮に存在し，免疫反応，特に T 細胞への抗原提示に関与している．

抗原に刺激されたランゲルハンス細胞は，表皮を離れ，真皮のリンパ管に入り，局所リンパ節へ移動し，その深部皮質で T 細胞とのやりとりをする．抗原に活性化された T 細胞は，再び血液循環に乗って表皮抗原のある部位に到達し，炎症性サイトカインを放出することで抗原の中和を図る．

ランゲルハンス細胞は，メラノサイト同様，有棘層のケラチノサイトの間に細胞質突起を伸ばした，いわゆる樹状細胞である．

ランゲルハンス細胞とケラチノサイトはデスモソームでは結合せず，**E- カドヘリン** E-cadherin を介して結合する．ランゲルハンス細胞は，細胞表面マーカーである **CD1a** を発現する．CD1a は抗原の取り込みと T 細胞への提示を仲介する．

ランゲルハンス細胞の核にはくびれがあり，細胞質には特徴的なテニスラケット形の封入体（**バーベック顆粒** Birbeck granule）がみられる．これには**ランゲリン** langerin というタンパク質が含まれている．

ランゲリンは膜貫通型の C 型レクチン（カルシウム依存性で炭水化物認識ドメインをもつ）で，マンノースを含む微生物断片の取り込みを促進し，エンドソーム区画へ運搬する．

ランゲルハンス細胞は，CD1a とランゲリンを用いて，**らい菌** *Mycobacterium leprae* に対する細胞性免疫応答を誘導する．らい菌が原因である，**らい病** leprosy は，**ハンセン病**としても知られており，四肢を侵す神経疾患である．

ミエリンをつくるシュワン細胞がらい菌の最初の標的である．早期の段階では，感染者の顔面や全身に皮膚結節（**多角巨細胞を備えた慢性肉芽腫**）がみられ，続いて患部の麻痺や感覚障害が出現し，その結果として手指や足趾を失うこととなる．病気が進行すると失明する．すべての症例の治療において，リファンピシン，クロファジミン，ダプソンを含む多剤併用療法が用いられる（Box 11.D）.

メルケル細胞（図 11.3）

メルケル細胞 Merkel cell はケラチノサイトと形がよく似ており，基底層にみられ，指尖や口唇に多い．この細胞は**機械受容細胞** mechanoreceptor cell で，デスモソームにより隣接するケラチノサイトと接し，真皮から表皮へ伸びる求心性有髄神経線維と連絡している．神経線維は，表皮の基底板を通過する直前に無髄となり，**板状の知覚**終末をつくり，メルケル細胞と接触する．

核は不整形で，細胞質には多くの**顆粒**が含まれる．顆粒にはおそらく神経伝達物質が含まれている．皮膚の感覚受容器について考える場合には，メルケル細胞について立ち戻る必要がある．

真皮（図 11.1，11.11）

真皮は，明確な境界のない次の 2 層からなる：

1. **乳頭層** papillary layer は乳頭間脚よって分けられた多数の真皮乳頭からなり，表皮脚とかみ合い真皮表皮接合部を形成する（図 11.1）.

   この接合面では，基底部のケラチノサイト（基底細胞）がヘミデスモソームによって基底板へ固定されている．疎性結合組織（線維芽細胞，膠原線維と細い弾性線維を含む）がその上を覆う表皮を機械的に固定し，これに栄養を供給する．
2. その下の**網状層** reticular layer は，太いコラーゲン線維束と疎な弾性線維からなる．

   基底層のケラチノサイト（基底細胞）の基底面にある**ヘミデスモソーム** hemidesmosome は，**プレート／プラーク繋留タンパク質複合体** plate／plaque-anchoring protein complex（図 11.11 で概説する）によって表皮を基底板や真皮乳頭層に固定している．

   ヘミデスモソームの分子構成要素は，皮膚の**水疱症**を理解するうえできわめて重要である．ヘミデスモソームと中間径フィラメントの臨床的意義については第 1 章で述べた．

後に学ぶことになるが，**毛包** hair follicle，**汗腺** sweat gland，**脂腺** sebaceous gland は表皮に由来する構造で，真皮のさまざまな深さに存在する．

創傷治癒（図 11.12）

皮膚は，外部からの攻撃に対する効果的な保護バリアである．表皮の一部が損傷または破壊された際には，**創傷治癒**とよばれる一連のメカニズムによって速やかに修復される必要がある．

損傷認識期と，それに続く損傷修復期があるが，全体は以下のようになる：

1. **止血** hemostasis（出血と感染を防ぐためのフィブリンと血小板の集塊の形成）.
2. **炎症** inflammation（免疫担当細胞の動員）.
3. **増殖** proliferation（表皮の再上皮化，血管新生，および肉芽組織の形成）.
4. **再生**と収束.

損傷の直後に，転写非依存性で拡散する損傷シグナル伝達が随所に起こり，損傷認識期が開始する．損傷応答シグナルとしては，細胞内カルシウムイオン（Ca^{2+}）の増加，**ATP**，**過酸化水素水**，および一酸化窒素の放出などがある．

図 11.10 | 表皮抗原提示樹状細胞としてのランゲルハンス細胞

1 ランゲルハンス細胞は，骨髄の**単球前駆細胞**に由来する．表皮内で単球は**ランゲルハンス細胞（樹状細胞）**となり，自身の表面にある**E-カドヘリン**を通してケラチノサイトとやりとりをする．
ランゲルハンス細胞は，抗原提示細胞として表皮に接触する外来抗原を監視する．樹状細胞は真皮にも存在する．

2 ランゲルハンス細胞は，**ランゲリン**（マンノース基に結合する C 型レクチン）と **CD1a** を通して表皮の抗原を取り込む．

3 ランゲルハンス細胞は表皮を離れリンパ系に入り，所属リンパ節へと輸送される．

4 リンパ節へ移動したランゲルハンス細胞は，その深部皮質で T 細胞とのやりとりをする．
表面抗原に活性化された T 細胞は，再び血液循環に乗って表皮抗原のある部位に到達し，炎症性サイトカインを放出する．

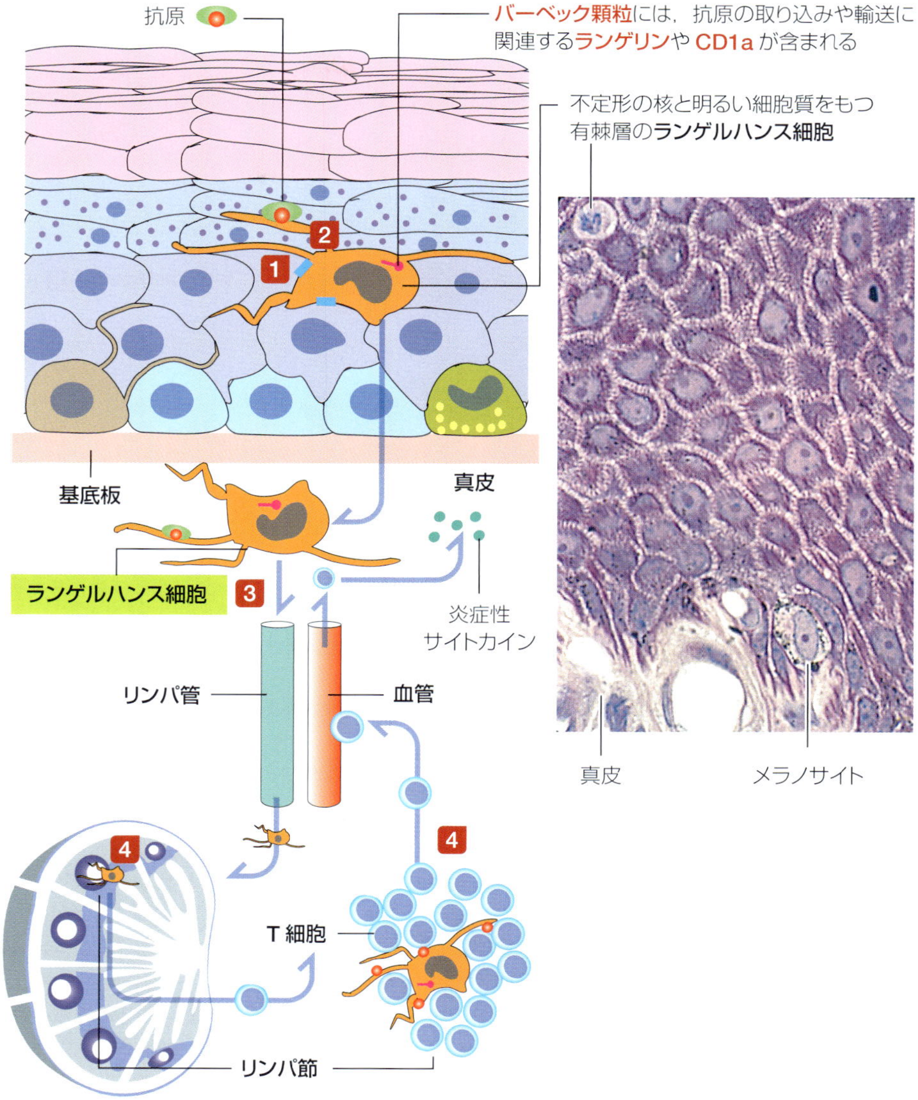

一酸化窒素の産生は，細胞骨格の変化と **MAP キナーゼ・キナーゼ** mitogen-activated protein kinase kinases（MAPKK）の活性化を誘導し，炎症性ケモカインとサイトカインの放出を引き起こす．これらの転写非依存性のシグナル伝達は，迅速かつ強力ではあるが，損傷治癒においては非特異的で，正確性に欠く**損傷認識のステップ**である．

次に，一時的な**肉芽組織**の形成を目的として，**転写依存性のシグナル伝達** transcription-dependent signaling が働き，**損傷修復のステップ**を開始する．

創傷治癒は，開放創を一時的に覆うための**血栓**の形成に始まる．すでに学んだように，血栓は，血小板が架橋フィブリン分子の線維網に埋まってできる．架橋フィブリン分子は，トロンビンでフィブリノゲンが切断されることによって形成される．

血小板の α 顆粒には**血小板由来成長因子** platelet derived growth factor（PDGF）が含まれている．PDGF とその他の成長因子は，白血球が創傷部にたどり着く前に，血小板の脱顆粒により

Box 11.D | ハンセン病

- **ハンセン病** leprosy は，皮膚，鼻粘膜，および末梢神経の慢性感染症である．
- ハンセン病は，**らい菌** *Mycobacterium leprae* によって引き起こされる．この杆菌は皮膚のシュワン細胞，内皮細胞，およびマクロファージの細胞内に認められる．神経障害によって四肢の麻痺や変形（鷲手，垂れ足）を生じる．ハンセン病は，典型的な慢性経過中に急性発作を起こすことがある．
- ハンセン病には 2 つの組織型がある．
  1. らい腫反応．細胞内に抗酸菌（らい菌）を認める多数のマクロファージが真皮に存在する．
  2. 類結核反応．マクロファージ，多核巨細胞，およびリンパ球（T 細胞）からなる非乾酪性肉芽腫によって特徴づけられる．
- 病原菌をみつけることは困難である．肉芽腫は皮神経束の中を伸びる傾向にあり，汗腺を破壊し，真皮表層を侵食する．

図 11.11 | ヘミデスモソーム

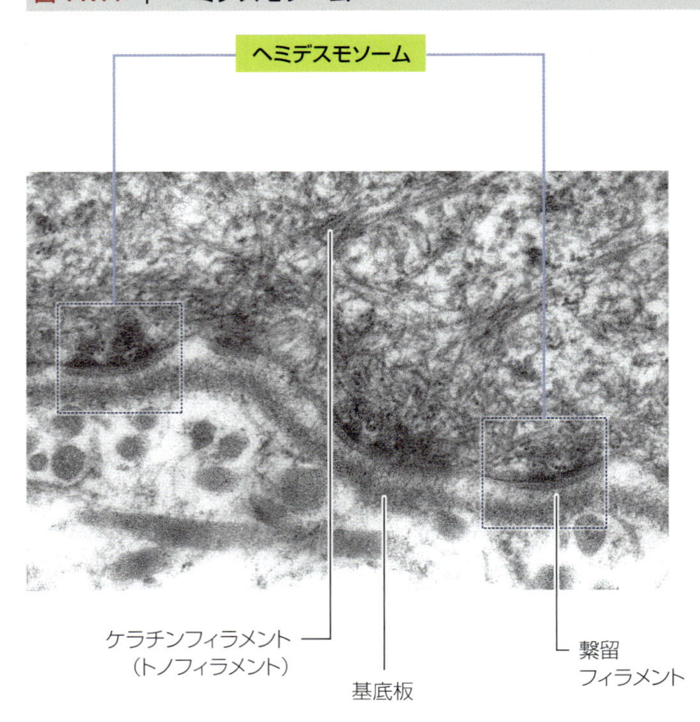

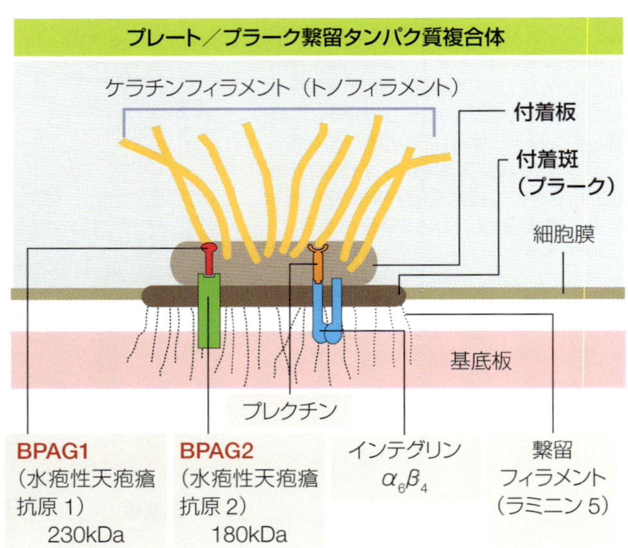

BPAG1(プラキンファミリーの1つ)と**BPAG2**(細胞外にコラーゲン様領域を有する膜貫通タンパク質)は,基底板を中間径フィラメントに結合する.

プレクチン(プラキンファミリーの1つ)と**インテグリンサブユニットのβ_4**(**インテグリンα_6**と複合体を形成する)は,基底板を中間径フィラメントにつなぎ留める.

放出される.同時に,出血を減らすために血管が収縮する.

血栓形成が起こる間,ケラチノサイトと内皮細胞は,**サイトカイン**である**システイン-X-システイン** cysteine-x-cysteine(**CXC**)と**CXC 受容体**を発現することにより,転写依存性の損傷シグナル伝達を開始する.これによって好中球や単球,リンパ球が創部に誘導される.*CXC* 受容体遺伝子が欠失すると,**創傷治癒が遅延する**.

好中球は数分以内に創傷部に到達し,炎症性サイトカインを放出して,真皮の局所の線維芽細胞と表皮のケラチノサイトを活性化する.次に,単球が誘導されて**マクロファージ**になる.マクロファージはサイトカインを生産し,創傷部の病原体や壊死物質を貪食する.

再上皮化は,創傷端から離れた位置にある基底層ケラチノサイトが増殖を始めたときに開始する.その際,F-アクチンを含む葉状仮足(**ラメリポディア** lamellopodia)が形成されることにより,増殖しながら移動する**最先端** leading edge ができ上がる.

この細胞移動をもたらす応答には,いくつかの**創傷応答遺伝子**の活性化と発現の増加が必要である.これらの遺伝子には,細胞骨格制御因子(Rho GTPase など)や電位依存カルシウムチャネル制御因子などがある.電位依存カルシウムチャネルは細胞内へのカルシウムの流入を増加させ,アクチン細胞骨格の変化を促している.

創傷応答遺伝子機構の一部として,線維芽細胞が隣接した組織から移動してきて,III 型コラーゲン(細網線維)と他の細胞外基質タンパク質を生産・蓄積するようになる.

血管新生は,**血管内皮成長因子** vascular endothelial growth factor(VEGF)が新しい血管と**肉芽組織**の形成を刺激した場合に生じる.肉芽組織のピンクで顆粒状の外観は,多数の毛細血管が形成されるために生じる.

ケラチノサイトの突起の最先端の動きは,ヘミデスモソームによる基底板との接着を破壊し,障壁となるフィブリン塊を分解することによって促進される.フィブリン塊を完全に分解するために,ケラチノサイトは,**プラスミノゲンアクチベーター**の発現を上方制御(アップレギュレーション)し,フィブリン塊内の**プラスミノゲン** plasminogen を**プラスミン** plasmin に変換する.

マトリックスメタロプロテアーゼファミリー(MMP-2,MMP-9)は,真皮の線維芽細胞が産生する MMP の阻害因子(TIMP-1,TIMP-2)の下方制御(ダウンレギュレーション)のもとで,ケラチノサイトがヘミデスモソームの接着から自由になることを助けている.MMP と TIMP については,第 4 章で解説している.

創傷表面の**再上皮化**は,**表皮成長因子ファミリー** epidermal growth factor family の仲間によって誘導される.これには,上皮成長因子(**表皮成長因子** epidermal growth factor:**EGF**),**トランスフォーミング成長因子-β** transforming growth factor-β(TGF-β),**ケラチノサイト成長因子** keratinocyte growth factor が含まれる.

創傷表面が1層のケラチノサイトで覆われると,新たな重層扁平上皮が創縁から中心に向かって順に形成される.新たなヘミデスモソームは,MMP の不活性化とともにつくられる.

組織の修復と炎症の収束は,創傷を受けて 3,4 日以内に始まる.下層にある真皮の結合組織が収縮し,創縁を互いに引き寄せる.マクロファージは,線維芽細胞によって産生された MMP の助けを借りて,肉芽組織を徐々に取り除き,**瘢痕組織** scar tissue の形成を始める.

局所レベルで PDGF,線維芽細胞成長因子,TGF-β に刺激された皮膚の線維芽細胞は,増殖を始め,III 型コラーゲンと細胞

図 11.12 ｜ 概念図：創傷治癒

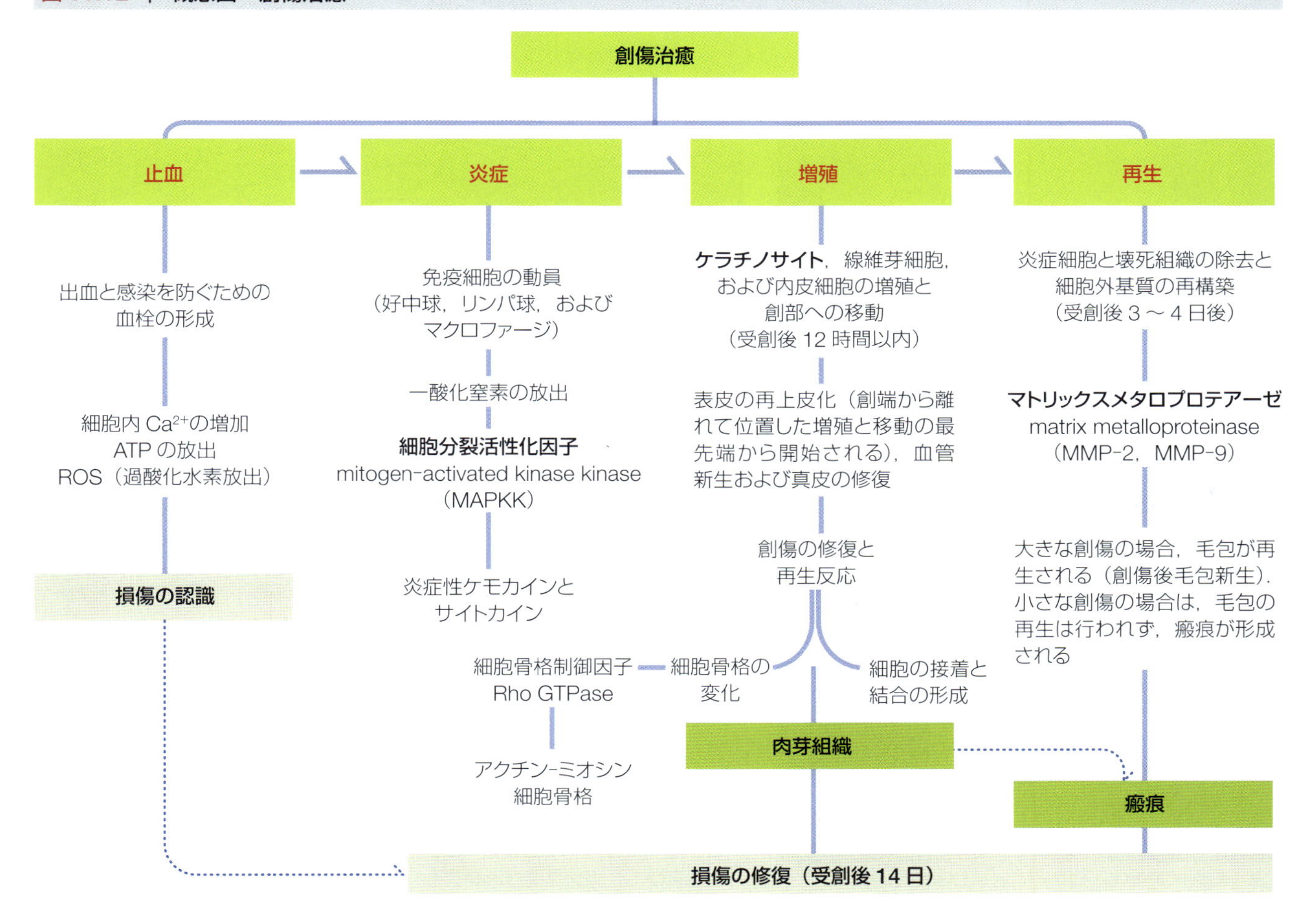

外マトリックスを沈着させる．

創傷を受けた約 1 週間に，多数の線維芽細胞が**筋線維芽細胞**（平滑筋細胞に似た細胞）に変化し，創傷部の収縮が起こる．次の段階に，I 型コラーゲンの沈着が起こることで修復の過程が始まり，瘢痕組織ができ上がる．

レチノール retinol（**ビタミン A**）はレチノイン酸の前駆物質で，表皮を含めた上皮の分化に必要なホルモン様物質である．**レチノイド** retinoid は，正常の皮膚の表皮に対して増殖効果をもつ．この効果は，メッセンジャーRNA（mRNA）レベルで調節されており，細胞分化を抑制したり細胞増殖を刺激したりすることにより変化する．

レチノイン酸は，**細胞性レチノール結合タンパク質（CRAB）**と結合しており，おそらくレチノイン酸の細胞内濃縮の調節に関係している．ステロイドホルモンや甲状腺ホルモンと同様に，レチノイン酸は 2 種類の核内受容体，すなわち**レチノイン酸受容体** retinoic acid receptor（**RAR**）と**レチノイド X 受容体** rexinoid receptor（**RXR**）に結合する．

RAR／RXR のヘテロ 2 量体複合体は，DNA 上の**レチノイン酸応答配列** retinoic acid-responsive element（**RARE**）に対して結合親和性があり，レチノイン酸応答遺伝子の発現を制御する．

レチノイドは，にきびや乾癬の瘢痕形成を防いだり，その他の鱗屑を伴う疾患の予防に使用されたりする．

乾癬（図 11.13）

乾癬 psoriasis は，慢性の免疫性炎症性皮膚疾患である．白い鱗屑に覆われた輪郭明瞭な斑（プラーク）状の患部が特徴で，**乾癬プラーク**とよばれる．通常，肘や膝や頭皮や臍，腰部に観察される．身体外傷により創傷部位に乾癬プラークが生じることがある．

乾癬プラークの組織学的特徴を以下に示す：

1. **表皮ケラチノサイトの持続的な過剰増殖と分化周期の短縮．** これにより，基底層から角質層へのケラチノサイトの移動が加速される．
2. 真皮と表皮内の炎症細胞（特に **17 型ヘルパーT 細胞［TH17］**，樹状細胞，好中球）の存在（微小膿瘍）．
3. 表皮乳頭の伸び出しと著明な**血管新生**．

インターロイキン -23 は **TH17 細胞**を活性化する．TH17 細胞は古典的な TH1 細胞や TH2 細胞などのサブセットとは異なる．

炎症性サイトカインである**インターロイキン -17（IL-17）**は，TH17 細胞の主要エフェクターである．IL-17A はケラチノサイトを刺激して，抗原（LCED3 を含む），抗菌ペプチド，サイトカイン（CCL20 を含む），その他の炎症性タンパク質を分泌する．これらのペプチドは，TH17 細胞，好中球，樹状細胞を含む炎症細胞を動員し，表皮に**微小膿瘍**を形成する．

図 11.13 | 乾癬

乾癬

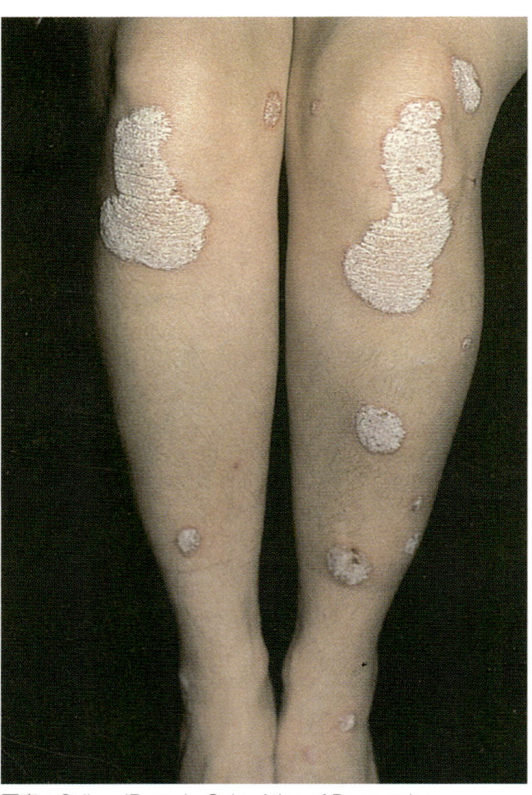
写真：Callen JP, et al.: Color Atlas of Dermatology. Philadelphia, WB Saunders, 1993 より.

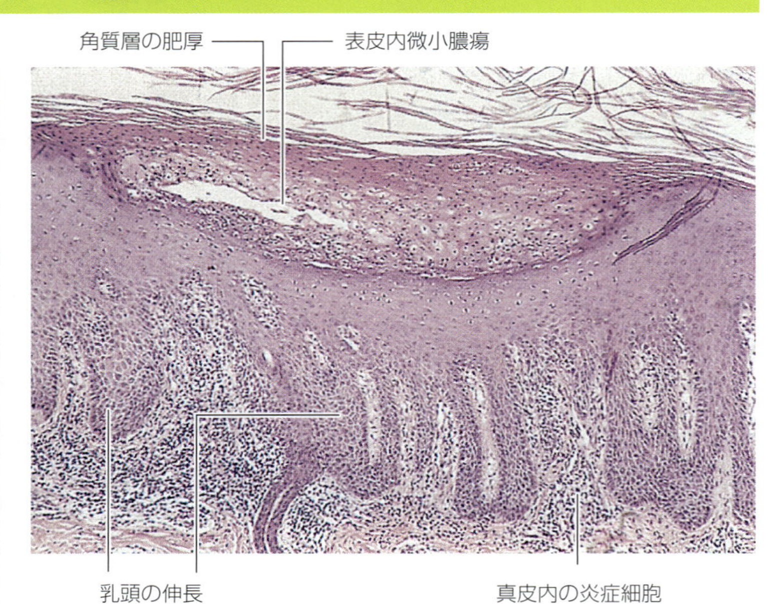

乾癬は，免疫反応性の表皮・真皮の慢性炎症疾患で，以下の特徴がある：

1. 持続的なケラチノサイトの過剰増殖と短縮された細胞分化周期．ケラチノサイトは，基底層から表層まで通常の皮膚では 28 ～ 30 日かかるところを，3 ～5 日で移動する．また顆粒層がみられないことがある．赤い鱗状の**プラーク**（斑）がみられる．
2. 真皮の毛細血管叢の異常な血管新生．血管は拡張し，屈曲する．
3. 表皮と真皮への炎症細胞（特に活性化 T_H17 細胞）の浸潤．好中球が表皮に迷入し，微小膿瘍を形成する．

乾癬の病原性サイクル

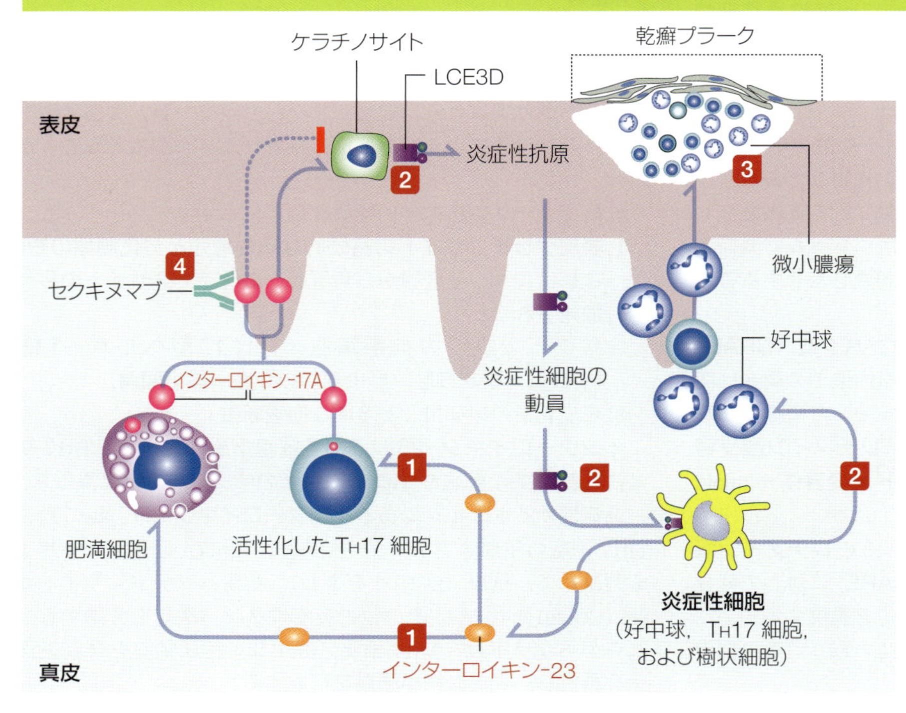

1 **インターロイキン-23** 存在下において，**17 型ヘルパー（T_H17）細胞**は活性化し，**インターロイキン-17A（IL-17A）**を産生する．**肥満細胞**もまた IL-17A を産生する．

2 IL-17A はケラチノサイトを刺激し，その分化プログラムを修正する．これが，乾癬プラークの形成に結びつく．ケラチノサイトは，炎症性抗原（LCE3D を含む），抗菌ペプチド，およびケモカイン（CCL20 を含む）を産生する．これらの因子は，炎症細胞（好中球，T_H17 誘導性 T 細胞，および樹状細胞）を動員する．

3 炎症細胞は慢性的に発達する微小膿瘍，乾癬プラーク，および皮膚炎症部のサイトカインの分泌をもたらす．

4 リコンビナントヒト免疫グロブリン G1κ モノクローナル抗体である**セクキヌマブ** secukinumab は，IL-17A に特異的に結合し中和することによって，**病原性サイクル**を破綻する．

IL-17A によって刺激されたケラチノサイトは異常な細胞増殖と分化によって持続的な過形成を起こす．ケラチノサイトは，基底層から表層まで，正常の皮膚で 28〜30 日かかるところを 3〜5 日で移動する．

乾癬の治療では，IL-17A の抑制をターゲットにする．**セクキヌマブ**は，組換えヒト免疫グロブリン G1k モノクローナル抗体であり，IL-17A に特異的に結合して中和することで，病原性の表皮真皮サイクルを破綻する．

表皮の腫瘍

ケラチノサイトの局所的な増殖は，表皮の多様な腫瘍グループに結びつく．これには，**過誤腫（表皮母斑）** hamartomas（epidermal nevi），**反応性過形成（偽表皮腫性過形成）** reactive hyperplasias（pseudoepitheliomatous hyperplasia），**良性腫瘍（棘細胞腫）** benign tumors（acanthomas）や**前がん状態の異形成** pre-malignant dysplasias，**上皮内** in situ や**浸潤性** invasive の悪性腫瘍などがある（Box 11.E）．

表皮母斑は，表皮の発達の異常による変形で，過剰になったケラチノサイトが異常成熟（**角化症** hyperkeratosis）や表皮の表面隆起（乳頭腫症）を起こすことによる．首，体幹，四肢に局在する．

偽上皮腫性過形成は，慢性的な刺激（人工肛門の周辺など）や，真皮の多様な炎症過程（真菌症など）に対する反応として現れる．

棘細胞腫は，角質増殖症，角質不全症，棘融解（細胞間接着の消失）などの異常な角質化を特徴とする良性腫瘍である．その一例の**脂漏性角化症**は，中年層にみられ，皮膚が灰褐色に変色する．

前がん状態の上皮過形成は，悪性への形質転換の可能性がある．このグループには，日光や日焼け用ベッドの光に曝された高齢者の顔，耳，頭，手，腕などに生じる**日光角化症** solar keratosis が含まれる．表皮は正常より薄くなり，ケラチノサイトの正常の細胞学的特徴も，層状の配列も失われている．

ボーエン病 Bowen's disease は，皮膚の上皮内扁平上皮細胞がんである．核の異形を示すケラチノサイトが無秩序に配置するのが特徴である．その下の真皮には，普通は血管が増加し，炎症細胞の浸潤が増す．

ケーラー紅色肥厚症は陰茎の上皮内がんで，一般的に包茎手術（割礼）を受けていない人の陰茎亀頭にみられる．

浸潤性悪性腫瘍は**基底細胞がん**（最も一般的）と**扁平上皮がん**を含む．**黒色腫**（**メラノーマ** melanoma）は最も危険な皮膚がんの形態である．

基底細胞がん basal cell carcinoma（**BCC**）は，日光に曝露された皮膚（特に頭頸部）に多くみられる皮膚がんである．**毛包隆起**から生じる（図 11.16 参照）．BCC の注目すべき側面は，このがんが間質の成長に依存している点で，腫瘍の転移の頻度が少ないことの説明にもなっている．

遺伝的要因も，BCC に対する感受性に影響を及ぼしている．BCC でしばしば変異している *PTCH* 遺伝子は，**腫瘍抑制遺伝子**であり，**ヘッジホッグシグナル伝達経路**（第 3 章参照）の一部にあたる．いくつかのスムーズンド阻害剤は，ヘッジホッグを介した BCC の治療に用いられる（訳注：**スムーズンド** smoothened はヘッジホッグシグナルに含まれる膜貫通タンパク質）．**ビスモデギブ** vismodegib はその 1 つである．また，Wnt 経路阻害剤（抗 Lrp6 抗体）も BCC の退縮を引き起こす．

扁平上皮がん Squamous cell carcinoma（**SCC**）は皮膚がんの中で 2 番目に多いがんである．BCC と同様に，直射日光に曝される領域の皮膚にみられる．

高リスクの**ヒトパピローマウイルス** human papilloma virus（**HPV**）への感染は，SCC の発症に関与する．例えば，HPV-16 は，頭頸部にみられる SCC の亜型である．SCC は毛包，特に毛包隆起の細胞から生じる可能性がある（図 11.16 参照）．典型的な SCC では，真皮に浸潤する異常なケラチン含有扁平上皮細胞で構成されている．角質化による**角質真珠** horn pearl の形成がしばしばみられる．

黒色腫（メラノーマ）は，表皮の基底層にありメラニン生産能をもつメラノサイトに由来する．大きい**先天性母斑**や**非定形型の母斑**があり，数が多い場合は，前がん病変とみなされる．

BRAF 遺伝子（**がん原遺伝子** proto-oncogene B-Raf の意）の変異は，黒色腫の多くで観察される．*Raf* 遺伝子は細胞質セリン・スレオニンキナーゼをコードしている．この酵素の活性は GTPase Ras との結合によって制御されている（図 3.8）．すべての変異はキナーゼドメイン内にあり，変異した BRAF タンパク質のキナーゼ活性を上昇させる原因となる．

結節型黒色腫の組織病理学的特徴を図 3.19 に示す．

黒色腫の臨床的特徴は，頭文字で表した **ABCD** で定義される．すなわち，**非対称 A**symmetry，**境界不明瞭 B**order irregularity，**色の多様性 C**olor variation，**直径 6mm 以上 D**iameter greater than 6 mm である．

黒色腫には以下の 4 型がある：

1. **表在拡大型黒色腫**は，最も頻度が高い．すべての年齢層で発症し，男性では体幹部に，女性では下肢に多くみられ，皮膚表面に浸潤的である．
2. **悪性黒子型黒色腫**は，表在拡大型に類似している．先行して

Box 11.E | 表皮の腫瘍

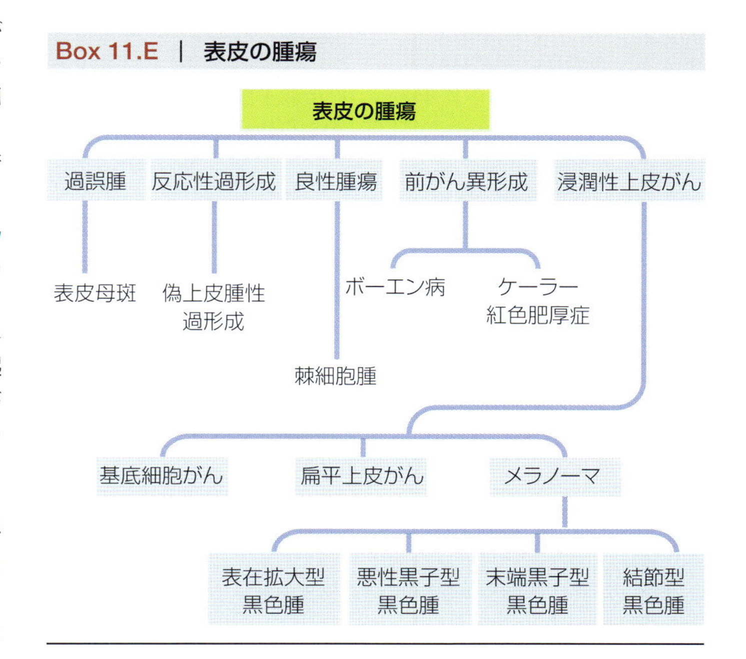

悪性黒子 lentigo maligna とよばれる，徐々に進行する不規則な斑点がみられる．これが浸潤するようになると，**悪性黒子型黒色腫** lentigo maligna melanoma とよばれる．
3. 末端黒子型黒色腫も，浸潤を始める前に表層に広がる．白人では最も珍しい黒色腫であるが，アフリカ系米国人やアジア人ではかなり一般的である．
4. 結節型黒色腫は，最初に診断された時点で，たいてい浸潤している．このタイプの黒色腫は最初から垂直方向の成長を示すので，前出の3タイプが，浸潤性や垂直方向の成長を始める前に放射状（表面方向）に成長するのとは対照的である．

上皮の抗菌タンパク質

体の表面組織である皮膚（約 $2\,m^2$ に及ぶ）は，病原体として作用する可能性のある細菌，真菌，ウイルス，寄生虫に常に曝露されている．

上皮抗菌タンパク質 epithelial antimicrobial proteins（**AMP**）は，ケラチノサイト，汗腺，脂腺よって産生されるもので，微生物を殺したり不活化したりする．AMP は皮膚バリアの破綻に反応して速やかに分泌され，感染に対して一過性の防御を行う．AMP には，**β-ディフェンシン** β-defensins と**カテリシジン** cathelicidin が含まれる．

毛包のケラチノサイトは，表皮ケラチノサイトと比較した場合，恒常的に高レベルのβ-ディフェンシンとカテリシジンを生産している．汗腺と脂腺の分泌細胞は，他の AMP と抗菌性脂質も生産している（本章後述）．真皮の肥満細胞は，細胞質顆粒に大量のカテリジンを貯蔵している．皮膚の損傷後に，感染に対抗するためにこれらが放出される．

AMP はどのように機能するのだろうか．

ディフェンシンとカテリシジンは非酵素系の働きによって細胞壁あるいは細胞膜の構造を崩壊させ，微生物を溶解させる．

ディフェンシンとカテリシジンは，微生物が AMP に対する耐性を発達させるための能力を，回避することができる．

微生物がもつリポ多糖類は，炎症性サイトカインの産生を引き起こす．（もっとも AMP シグナル伝達は，**ケモカイン受容体**を介して，炎症反応を活性化することも抑制することも可能である）．産生されたサイトカインは，好中球を動員し，これが**トル様受容体** Toll-like receptor（**TLR**）の**シグナル伝達**が関与する急性炎症応答を誘発する．TRL の詳細については，第 10 章参照．

アトピー性皮膚炎，酒皶（しゅさ），および乾癬は，AMP 産生不足と部分的に関係している．例えば，黄色ブドウ球菌に感染すると，皮膚における AMP の産生が増加する．しかし，TH2 細胞が産生するサイトカインは，皮膚の炎症中に，アトピー性皮膚炎患者の AMP の発現を部分的に抑制してしまう．

これに対して，酒皶と乾癬の患者では，感染に対する感受性は強くならない．これらの患者のケラチノサイトは過剰なカテリジンを生産し，皮膚の不適切な炎症反応を引き起こす．

皮膚：血液とリンパ液の供給（図 11.14）

皮膚の血管供給には，**体温調節**という主要な機能がある．二次的な機能では，**皮膚とその付属器を栄養する**ことである．血管の配列は，必要とされる熱の損失や保持に応じて，速やかに血流を調節することを可能にしている．

皮膚には，相互に結びついた 3 種の血管網がある：
1. 真皮乳頭層に沿った**乳頭下血管叢** subpapillary plexus.
2. 真皮の乳頭層と網状層の境界付近にみられる**皮膚血管叢** cutaneous plexus.
3. 皮下組織（皮下脂肪組織）にみられる**皮下血管叢** subcutaneous plexus.

乳頭下血管叢は，各真皮乳頭内に単一の毛細血管ループをつくる．一方，乳頭下血管叢からの静脈血は，皮膚血管叢の静脈に注ぐ．

皮下血管叢と皮膚血管叢の分枝は，皮下組織の脂肪組織，汗腺，毛包の深部を栄養する．

動脈循環と静脈循環の間につくられる**動静脈吻合** arteriovenous anastomosis（**シャント** shunt）は，毛細血管網を通らない迂回路である．末端部（手，足，耳，口唇，鼻）の皮膚の網状層や皮下組織でよくみられ，体の体温調節に役立っている．自律神経の血管運動制御のもとで，この血管シャントは，熱の損失を減らすように表層の血管叢を通る血流を制限して，深部の血液循環を確保する．顔面のようないくつかの領域での皮膚の血液循環は，感情の影響も受けている．

動静脈シャントの特殊型に，**グロムス装置** glomus apparatus がある．これは，指，つま先，爪の下の真皮にみられ，体温調節に関与している．グロムス装置は立方形の周皮細胞に似たグロムス細胞に囲まれた内皮細胞の管からなり，豊富な神経支配を受けている．

グロムス腫瘍 glomus tumor は良性で，非常に小さい（直径約 1mm）赤青色の結節である．寒さに敏感で，断続的で局所的な強い痛みがある．外科的切除により，すぐに痛みから解放される．

Box 11.F に，「皮膚の血管障害」を補足的に示してある．

リンパ管は内皮細胞に裏打ちされた盲管で，真皮乳頭層の下に位置し，間質液を集めてこれを血液循環に戻す．またリンパ管は，ランゲルハンス細胞を所属リンパ節に輸送している．

皮膚の感覚受容器（図 11.15）

感覚受容器は，特殊なニューロンと上皮様細胞からなり，物理的な刺激を受け取り電気信号に変換して中枢神経系に伝える．大別すると 3 つのカテゴリーの感覚受容器が存在する：
1. **外部受容器** exteroceptor. 外部環境に関する情報を提供する．
2. **固有感覚受容器** proprioceptor. 筋（筋紡錘など），腱，関節包にあり，体の位置や運動に関する情報を提供する．
3. **内部受容器** interoceptor. 体内の臓器からの感覚情報を提供する．

皮膚の感覚受容器は，**刺激の種類**に基づいて分類される：
1. **機械受容器** mechanoreceptor は，組織または受容器自身の機械的変形（例えば伸展，振動，圧，触覚）に反応する．
   ヒトの皮膚には 4 つの主要な機械受容器がある：
   (1)**メルケル触盤** Merkel disk.
   (2)**マイスナー小体** Meissner corpuscle.
   (3)**ルフィニ終末** Ruffini ending.
   (4)**パチニ小体** pacinian corpuscle.
   最初の 2 つは表皮と真皮の結合部分に存在し，残りの 2

図 11.14 | 皮膚の血管支配

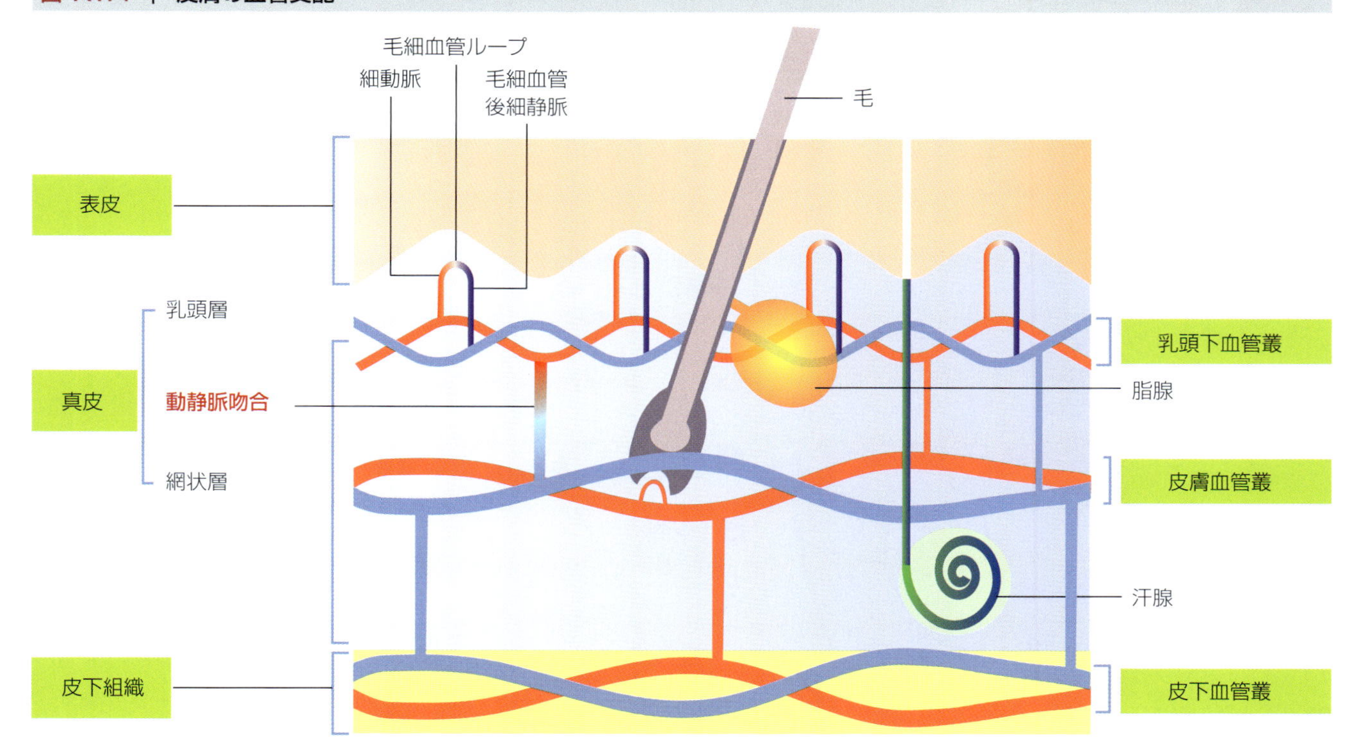

動静脈吻合 arteriovenous anastomose（**AVA**）は，毛細血管を回避する迂回路で，細動脈と細静脈が直接連絡する．**AVA は**皮膚を栄養する毛細血管の血流には寄与しないで，**体温を調節する構造として機能する**．寒さに曝されると AVA は閉じられ，熱の放出時には拡張する．寒さによる AVA の血管収縮は，**交感神経の支配**による．AVA の平滑筋細胞にはα_2アドレナリン受容体があり，AVA を支配する交感神経から放出されるノルアドレナリンに，この受容体が応答する．**レイノー現象**が認められる患者では，寒冷曝露に対して，過剰な AVA の収縮が生じる．皮膚の毛細血管の血流は，交感神経性の血管収縮の影響を受けない．

つは真皮深層と皮下組織に存在する．

マイスナー小体，ルフィニ終末，パチニ小体，および後述のクラウゼ小体は，**被膜に包まれた受容器**である．**クラウゼ小体**は，特別な部位にのみ存在する**温度受容器** thermoreceptor である．

メルケル触盤の神経終末は，繊細な触覚を識別する．この神経終末は，扁平な円盤状構造をつくり，メルケル細胞に付着する．メルケル細胞は，指先や口唇の表皮基底層にみられる．

マイスナー小体（触覚小体）は真皮上層にみられ，表皮へ膨れ出るように存在する．マイスナー小体は，主に指先や瞼に存在する．この受容器は，**能動的接触** active touch をした際の形と肌触りの感知に適している．

ルフィニ終末は真皮深層にみられる．関節における皮膚の伸張や変形を感知する．また，物を握ったときや指の位置や動きを調節するときに働く（例えば，パソコンのキーボードを打つときなど）．

パチニ小体は，真皮深層または皮下組織に存在する．深部に届く一過性の圧力や，高周波振動の刺激に反応する．パチニ小体は，骨膜，関節包，膵臓，乳房，陰部にみられる．

2. **温度受容器**は温度刺激（暖かさ，あるいは寒さ）に応答する．**クラウゼ小体**は被膜に覆われるが，機械受容器ではない．この受容器は**寒さ**を感じる**温度受容器**である．クラウゼ小体は，目の結膜，口唇と舌の粘膜，および神経上膜にみられる．さらに，陰茎や陰核にもみられる（これらは陰部神経小体ともよばれる）．

3. **侵害受容器** nociceptor は痛みに応答する．**自由神経終末**が

Box 11.F | 皮膚の血管障害

- 皮膚の血管異常は珍しくない．皮膚の血管病変の中には新しい血管の増殖（血管新生）に由来するのではなく，もともと存在していた血管に由来するものもある．
- **血管の奇形**（血管過誤腫と血管奇形），**血管の膨張**（毛細管拡張症），**腫瘍**（血管腫，カポジ肉腫，および血管肉腫）がある．
- 局所的，全身的な血管疾患は表皮の血管網に影響を与える（第 12 章参照）．血管炎には，血管壁の炎症と損傷のある 1 群の疾患が含まれる．皮膚血管炎のほとんどの症例は，小動静脈，特に細静脈に影響を及ぼす．
- 小血管から真皮への血液の血管外漏出により生じる非炎症性**紫斑**には，小さいもの（**点状出血**，直径 3mm 未満）あるいは大きいもの（**皮下溢血斑**）がある．血液凝固障害，赤血球疾患（鎌形赤血球症），外傷が一般的な原因である．
- **急性蕁麻疹**は，真皮の浮腫に関係する血管の透過性の亢進によって引き起こされる一時的な反応である．肥満細胞の脱顆粒と決定因子として放出されるヒスタミンの作用機構については，第 4 章で解説している．

図 11.15 | 皮膚の感覚受容器

1 マイスナー小体

真皮乳頭に存在する．被膜をもった触覚をつかさどる機械的刺激受容器．指先，口唇，舌などにみられる．

2 メルケル細胞

神経提由来で表皮の基底層に存在する．被膜のない高感度の触覚受容器である．指先と口唇にみられる．

5 自由神経終末

ミエリンのない細胞あるいはシュワン細胞．痛みと温度に応答する．表皮，真皮，および角膜の上皮にみられる．

6 毛包周囲神経終末

神経線維は毛包の基底部と毛幹を包む毛の動きで刺激される．

7 クラウゼ小体

被膜をもった温度受容器．寒さを感知する．目の結膜，唇と舌の粘膜，および神経上膜にみられる．

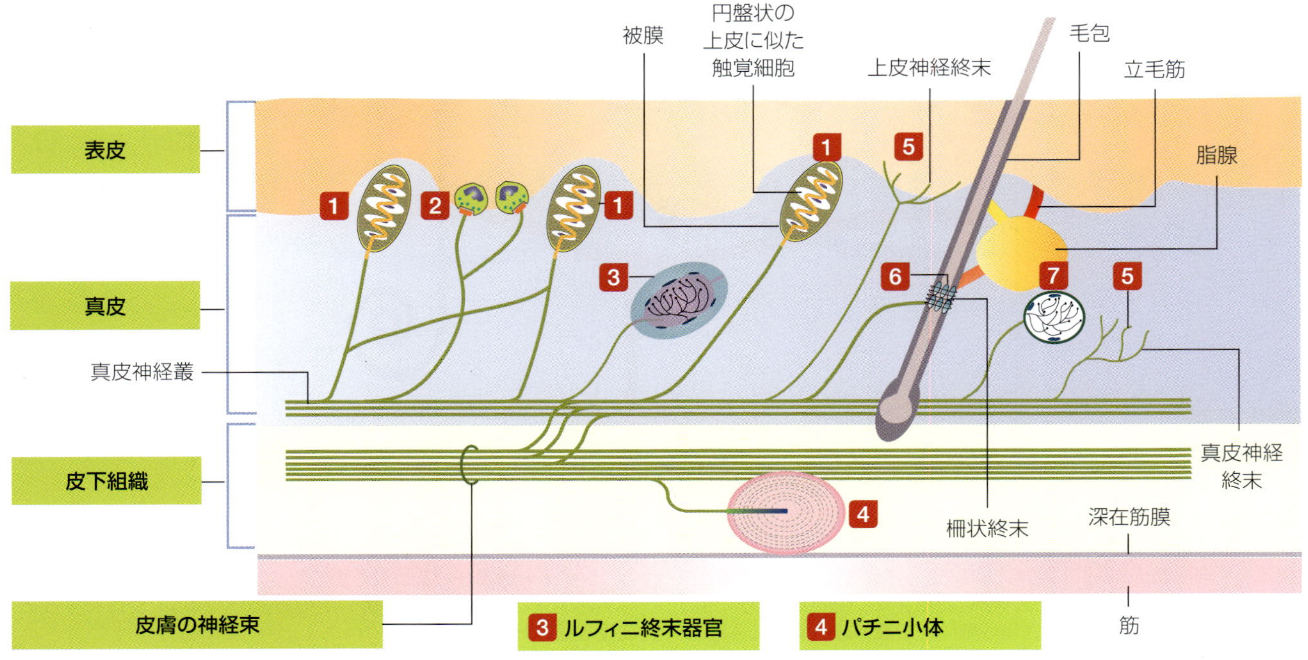

皮膚の神経束

脊髄神経の枝である皮神経は，真皮に**真皮神経叢**をつくり，この神経叢から敏感な神経線維が出て表層へ分布する．真皮神経叢から出た神経線維は知覚性の終末を提供する．

3 ルフィニ終末器官

皮膚の伸張と暖かさに応答する．皮膚と関節包にみられる．

4 パチニ小体

圧刺激を感知する．皮下組織と深在筋膜にみられる．

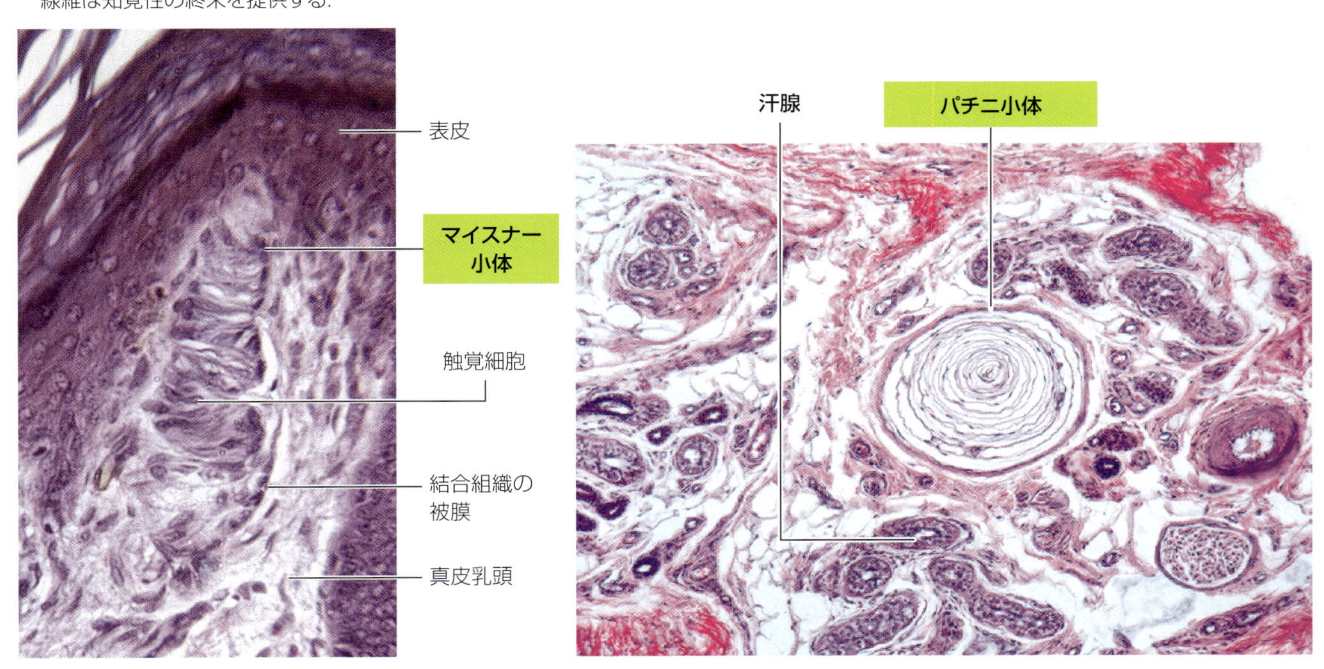

痛みを感知する．自由神経終末は，脊髄神経の**皮膚枝**からなる**真皮神経叢**に由来している．

皮膚表面に向かって伸びる感覚神経線維は，コラーゲン線維の間へ枝を出す直前に髄鞘を脱ぎ捨て，裸の軸索となり，**真皮神経終末**となるか，あるいは表皮の中で**表皮神経終末**を形成する．

非常に鋭敏な**毛包周囲神経終末** peritrichial nerve ending は，脂腺のすぐ下で毛包に巻きついている．神経終末の有髄部は，毛包の外根鞘に沿って柵状に配列した裸の神経終末を形成し，その周りは円周状の神経終末によって囲まれる．毛が曲がると，この毛包周囲神経終末が刺激される．

侵害受容器による痛みの認識は，組織障害に対する古典的な応答の 1 つである**急性炎症**（第 10 章参照）と関係がある．

損傷を受けた細胞は，**サブスタンス P** を含む化学伝達物質を放出し，局所の血管と神経終末に働きかける．サブスタンス P は，肥満細胞の脱顆粒を誘導し，放出されたヒスタミンが血管拡張と血漿の漏出を促進する．その結果，傷害を受けた部分の周辺に浮腫が起こる．

充血 hyperemia は，先の尖ったもので皮膚を引っ掻いた際に生じる**ルイスの三重反応**で説明される．すなわち，この反応は，**潮紅** flush（毛細血管の拡張），**発赤** flare（細動脈の拡張による赤みの広がり），および**膨疹** wheal（局所的な浮腫）からなる．3 つの反応はおよそ 2，3 分で完了する．

まとめると，侵害受容器，すなわち痛みの感知器は皮膚の表面近くにみられる．メルケル触盤とマイスナー小体は，微細な機械的受容器で，表皮と真皮の結合部に存在し，軽微な触刺激を感知する．パチニ小体とルフィニ終末は，被膜をもった大型の機械受容器で，真皮深層と皮下組織にみられ，一過性の強い触刺激に反応する．

皮下組織（浅在筋膜）（図 11.15）

皮下組織 hypodermis，すなわち皮膚の皮下層は，真皮に続くさらに深い層である．疎性結合組織と脂肪細胞からなり，体の部位に応じて厚さはさまざまである．

皮下組織は皮膚の可動性を高めている．その脂肪組織は断熱，代謝エネルギーの貯蔵の他に，衝撃吸収材としても働く．頭部や頸部では皮下組織に筋が含まれる（例えば広頸筋など）．眼瞼，陰核，陰茎の皮下組織には脂肪組織はみられない．

毛包の発生

毛包は皮膚に散在する．発生の過程で，表皮と真皮の相互作用により，汗腺と毛包が生じる．

毛包の原基（**毛芽** hair germ）は，表皮基底層の細胞集塊として生じる．これは，真皮の中胚葉の線維芽細胞から放出されるシグナル分子に誘導されている．基底層の表皮細胞の集団が真皮に向かって伸び出すと，真皮の線維芽細胞が，毛芽の下に小結節（**真皮乳頭** dermal papilla）を形成する．

真皮乳頭が毛芽の中心に押し入ると，その部分の毛芽の細胞が分裂・分化して角化した毛幹をつくるようになる．毛芽にいるメラノサイトは，メラニンを産生し毛幹へ送りだしている．

毛芽の側面にある球状の突起（**毛包隆起** follicular buldge）には**クローン原性ケラチノサイト**とよばれる幹細胞が存在している．この細胞は，形態形成のシグナルに反応して，移動し，毛幹や表皮，脂腺を再生することで，**毛包脂腺単位** pilosebaceous unit を形成する．

出生後 18 日ほどで形態形成がいったん完了すると，成人の毛包の最初の周期が開始する．ヒトの胎児にみられる最初の毛は細く，色素を含まずまばらであり，**胎毛（生毛）** lanugo とよばれる．胎毛は出生前に脱落し，短く色素のない**産毛** vellus に置き換わる．産毛は**終毛** terminal hair に置き換わるが，いわゆる皮膚の毛のない部分（例えば，成人の前頭部，新生児の腋窩）には産毛が残される．

毛包は表皮が管状に陥入したもので，毛の成長に関与する．

毛包は以下のサイクルを繰り返し，絶え間なく再生されている：

1. **成長期** anagen.
2. **退行期** catagen.
3. **休止期** telogen.

休止期の最初の 28 日間は，真皮からの成長抑制因子（主に骨形成タンパク質）によって，毛包は休止状態になる．次に休止期から成長期にかけて，Wnt シグナルが増加し，幹細胞が活性化されることによって新しい毛の成長が開始する．成長期，退行期，そして休止期のサイクルは生涯にわたって継続される．

毛包の構造（図 11.16）

おのおのの**毛包**は，以下の 2 つの部分で構成される：

1. **毛幹** hair shaft.
2. **毛球** hair bulb.

毛幹は角化した糸状の構造物で，身体表面のほぼすべてに存在するが，厚い皮膚の手掌・足底，手指・足趾の側面，乳輪，亀頭や陰核などには認められない．

毛球は，陥入した毛包の拡張した終末部にあたる．この毛球の中に，毛母**基細胞**に近接するように，血管のある結合組織の芯（**真皮乳頭**）が進入する．

毛幹の横断像では，角化した細胞からなる同心円状の 3 層構造を示す：

1. **毛小皮** cuticle.
2. **毛皮質** cortex.
3. **毛髄質** medulla（細い毛ではみられない）.

毛幹は**硬ケラチン** hard keratin でできており，以下の組織で囲まれている：

1. 表皮が下に向かって成長した**外根鞘** external root sheath.
2. 毛球（**毛母基細胞**）から発生した**内根鞘** internal root sheath. 内根鞘は**軟ケラチン** soft keratin の 3 層（外側から**外上皮細胞層** Henle's layer，**内上皮細胞層** Huxley's layer，毛幹の毛小皮に隣接した根鞘小皮）からなる．

毛と内根鞘の角化は，**角化形成帯** keratogenous zone とよばれる部分で起こる．これは成熟中の表皮細胞が硬ケラチンに移行する領域にあたる．外根鞘は毛球に由来しない．

毛包は結合組織の層に包まれており，**立毛筋** arrector pili muscle を伴っている．立毛筋は結合組織性毛包と表皮に対し斜めに走る平滑筋線維束である．立毛筋は**自律神経系**によって制御され，恐怖や強い感情，低温時に収縮する．毛が立つとき，立毛筋が付着している表皮には溝ができ，いわゆる**鳥肌**とよばれる状

図 11.16 | 毛包の構造

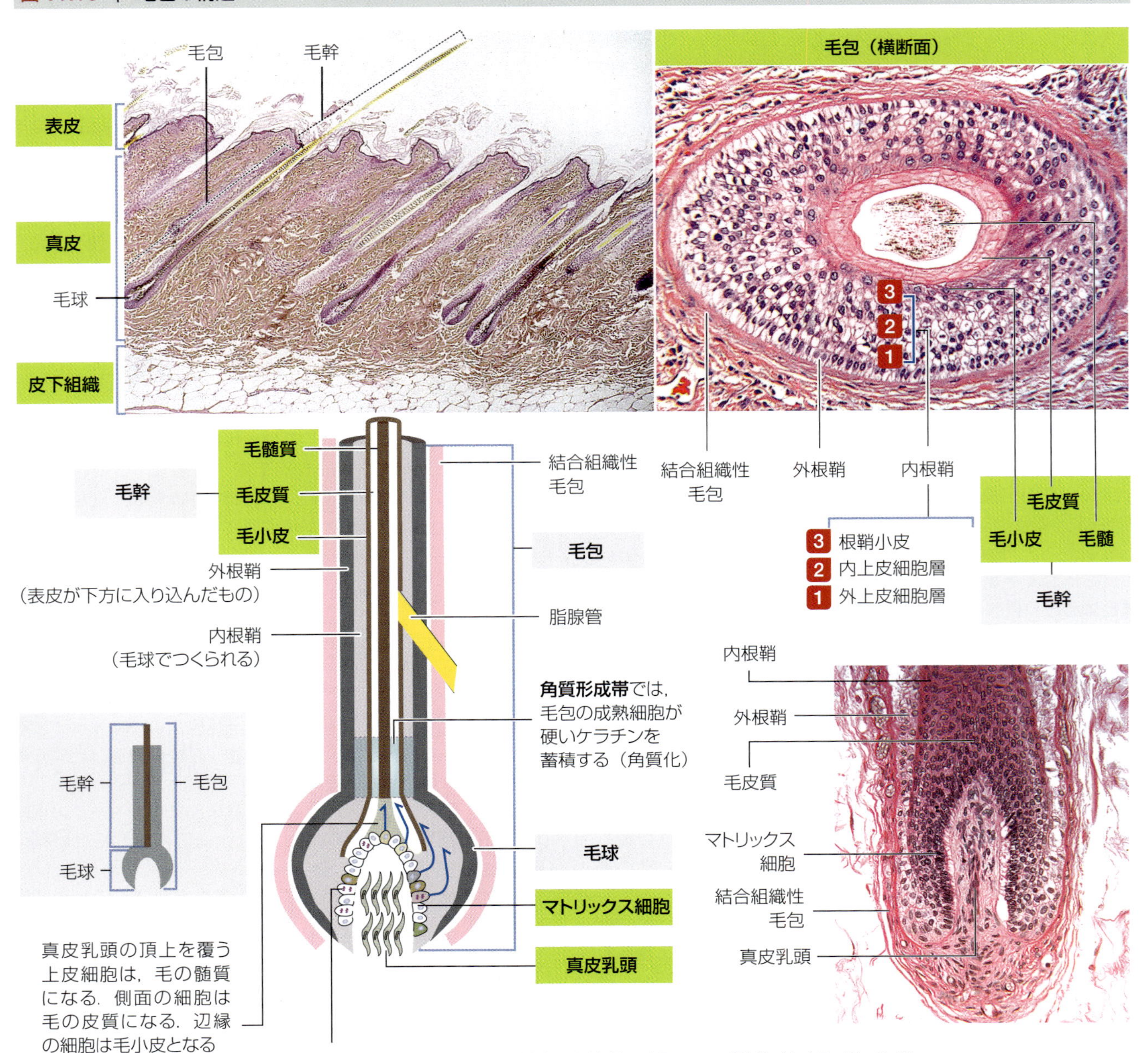

毛母基の細胞分裂帯は，表皮の基底層と比較できる．この領域にはメラノサイトが存在し，メラニンを毛母基の細胞に渡すことで毛に色を与えている．**グリセリ症候群**の患者では，メラニンを含んだメラノソームの輸送に関連するミオシン *Va* 遺伝子に変異がみられるため，銀髪になる

態になる．

毛包は**脂腺**を伴っており，この脂腺の導管は毛包の内腔につながっている．立毛筋が収縮し，毛が立つと皮脂が毛包の内腔へ押し出される．

毛の色は，毛幹におけるメラニンの量と分布によって決まる．金髪にはメラノソームがほとんどない．グレーの髪には，メラノサイトとメラニンがほとんどみられない．赤い髪では，化学的に性質の異なるメラニンがあり，メラノソームは楕円ではなく丸い形をしている．

毛包の基部に巻きついている**毛包周囲神経終末** peritrichial nerve ending は，毛の通常の組織切片でははっきりしない．この神経は，毛の運動によって刺激を受ける．

メラニンを含んだメラノソームがケラチノサイト（毛球の**毛母細胞**）へ輸送される際のミオシン *Va* の関与や，**グリセリ症候群**（ミオシン *Va*，*Rab27a*，メラノフィリン遺伝子の変異によって生じる）の患者における皮膚の色素沈着の欠損については，すでに本章の最初に述べた．

図 11.17 | Lgr5⁺ バルジ幹細胞の移動経路

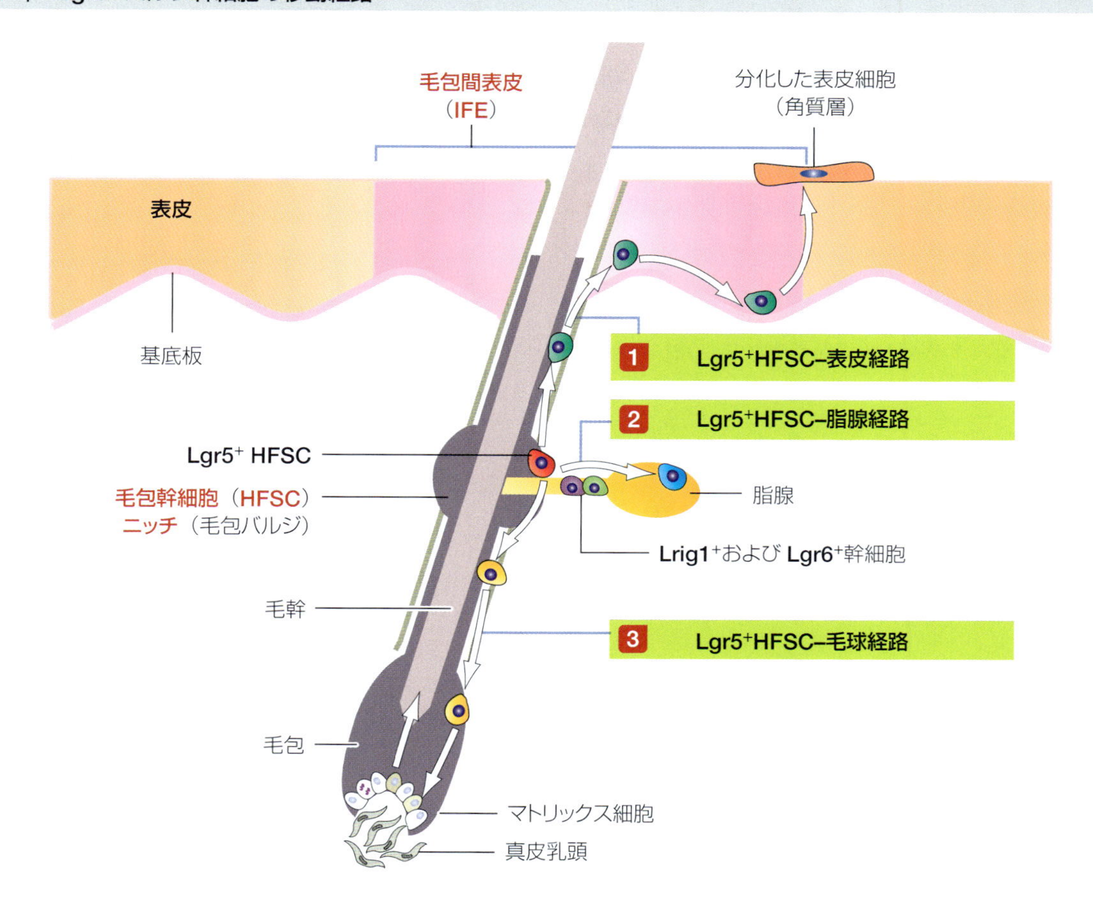

毛包の外根鞘には**毛包幹細胞** hair follicle stem cell（**HFSC**）巣が存在する．この中にいる **Lgr5⁺細胞**は，多能性である．この細胞は，表皮系の細胞へ分化し，毛包間表皮，毛球，脂腺へとそれぞれ独立した移動経路をたどることができる．

1 HFSC–表皮経路．幹細胞は，上方の**毛包間表皮** interfollicular epidermis（**IFE**）へ向かう．その際，基底板に沿って移動する．HFSC は基底層で増殖し，分化しながら垂直方向へ押し出され，最終的に角質層のケラチンを豊富に含んだ細胞になる．**扁平上皮がん**，**基底細胞がん**，および**毛包腫**は，毛包隆起に存在する細胞が由来であり，それぞれに特異的な遺伝子経路が活性化することによって生じる．

2 HFSC–脂腺経路．Lrig1⁺，Lgr6⁺，およびその他の前駆細胞は脂腺を再生するが，IFE の修復にも関与する．

3 HFSC–毛球経路．幹細胞は下方へ移動し，**真皮乳頭**（毛乳頭）の頂上部辺縁の**毛母基細胞**となる．これらの細胞は新しい毛の形成を担う．真皮乳頭に存在する線維芽細胞と近傍の脂肪細胞によって放出される制御因子（**骨形成因子** bone morphogenetic protein，**ノッチ** Notch，および**ウイングレス** Wnt）は，毛母基細胞の増殖能力の維持と毛に関する各細胞系譜への分化において不可欠である．

Lgr5⁺ バルジ幹細胞経路（図 11.17）

皮膚は傷害を受けた後，効率的に修復され，組織のバリアとしての特性を回復する．しかし，汗腺や脂腺といった正常な皮膚の機能に必要な付属器は失われる．

表皮の幹細胞と，それに関連した付属器は，機能的な皮膚バリアの回復に寄与している．皮膚が損傷を受けた後，毛包の外根鞘と連続する**毛包間表皮** interfollicular epidermis（IFE）は，毛幹の発達に関与する．

重症の熱傷で表皮を失った患者では，**ロイシンリッチリピートをもつ G タンパク質共役型受容体** leucine rich repeat containing G protein–coupled receptor（Lgr5⁺）幹細胞が，**毛包隆起** follicular buldge にある**毛包幹細胞巣（ニッチ）** hair follicle stem cell（HFSC）niche から上方に移動して，高い増殖能と自己複製能を有する基底層の細胞集団になることで，**表皮**を再生する．これらの HFSC から**毛包**や**脂腺**も生じる．

脂腺の維持には隆起幹細胞は関与せず，Lgr6⁺ 前駆細胞や Lrig⁺ 前駆細胞がその役割を担う．これらの細胞は腺を維持するだけでなく IFE に寄与することができる．

どのシグナル伝達経路が皮膚の幹細胞集団の維持に関与しているのだろうか．

Wnt シグナル伝達は IFE に存在するケラチノサイトの増殖を刺激する．

ソニックヘッジホッグ Sonic Hedgehog（Shh）**シグナル伝達**

は，毛包と脂腺の幹細胞が増殖，分化するときに発現する．

Wnt と Shh シグナル伝達は，負の調節因子である**Notch シグナル伝達**に依存している．

さらに，真皮の線維芽細胞と脂肪細胞によって産生される**骨形成因子** bone morphogenetic protein 2 と 4（BMP2，BMP4）は，細胞増殖を抑制し，隆起幹細胞を休止状態に保つ．

休止状態の隆起幹細胞は，自らの休止状態を保つために，BMP6 を産生する．

毛包隆起の細胞が発現する活性化がん遺伝子は，その種類により特殊なタイプの腫瘍を引き起こす可能性がある．例えば，**扁平上皮がん** squamous cell carcinoma（Ras がん遺伝子の活性化），**基底細胞がん**（ヘッジホッグシグナル経路の PTCH／Gli1／2 が活性化），**毛包腫瘍** hair-follicle tumor（Wnt シグナル経路の活性化）がある．

Wnt，HH，Notch，BMP シグナル経路については，第 3 章参照．

皮膚の腺．脂腺（図 11.18）

皮膚の腺には以下の 3 つがある：

1. **脂腺** sebaceous gland.
2. **汗腺** sweat gland（エックリン汗腺とアポクリン汗腺）.
3. **乳腺** mammary gland（第 23 章で述べる）.

脂腺は**全分泌の単純嚢状腺**で，手掌と足底を除く皮膚全体に分布する（図 11.18）．**脂腺の分泌部** secretory portion は**真皮**にあり，その**導管は毛包の頸部に開口する**．脂腺には毛と独立したものもあり，これら口唇，口角，亀頭，小陰唇，乳輪の皮膚表面に直接開口する．

脂腺の分泌部は数個の胞状の腺房集団からなり，短い管で導管につながっている．

各腺房は，小さな脂肪滴をたくさんもった多房性脂肪細胞とよく似た細胞が並んでできている．導管は，毛の外根鞘や表皮（マルピギー層）と連続する重層扁平上皮である．

この腺の脂性の分泌物（**皮脂** sebum）は，毛の表面と表皮に放出される．さらに，脂腺は**カテリシジン** cathelicidin とヒト**β-ディフェンシン** β-defensin（BD1，BD2，および BD3）を産生する．これらは表皮表面の水・脂質防御バリアを強固にする内因性 AMP である．

汗腺（図 11.19，11.20）

汗腺には以下の 2 つのタイプがある：

1. **エックリン（メロクリン）汗腺** eccrine（merocrine）sweat gland（図 11.19）.
2. **アポクリン（メロクリン）汗腺** apocrine（merocrine）sweat gland（図 11.20）.（訳注：腺の分泌様式は，古典的には全分泌（ホロクリン分泌），離出分泌（アポクリン分泌），漏出分泌（メロクリン分泌）に分けられる．しかし電子顕微鏡的には，エックリン汗腺もアポクリン汗腺も分泌は開口放出の形態をとり，どちらもメロクリン分泌に属することから，ここではメロクリン汗腺という括弧書きがなされているものと思われる．）

エックリン汗腺は，**体温調節**の役割をもつ**コイル状の単一管状腺**で，**コリン作動性神経** cholinergic nerve に支配されている．

エックリン汗腺の**分泌部**は，以下の 3 種類の細胞からなる：

1. **明調細胞** clear cell.
2. **暗調細胞** dark cell.
3. **筋上皮細胞** myoepithelial cell.

明調細胞は，隣り合う細胞間に**細胞間分泌細管** intercellular canaliculi をつくり，基底板上には豊富なミトコンドリアを含む基底陥入をもつ．この細胞は汗の水分と塩分（主に Na^+ と Cl^-）のほとんどを分泌する．

暗調細胞は明調細胞の上に位置し，糖タンパク質を分泌する．この糖タンパク質には，AMP であるヒト**β-ディフェンシン**（BD1，BD2），**カテリシジン**，および**ダーミシジン** dermicidin が含まれる．AMP は，脂腺からの分泌や明調細胞の水溶物の分泌とともに，正常時・炎症時のいずれの条件下においても産生される．

筋上皮細胞は，基底板と明調細胞の間にみられる．これらの収縮は，腺の分泌を助ける．

エックリン汗腺の**導管部**では，**立方形の細胞が 2 層に並び**，**アルドステロン**の影響下で，NaCl や水分の一部を再吸収している．

嚢胞性線維症 cystic fibrosis の患者では，導管での NaCl の再吸収ができなくなっている（次項を参照）．

導管は表皮に侵入すると，**らせん状に走行**し，表面の**汗口** sweat pore に開く．表皮内では，導管はその上皮の壁を失い，ケラチノサイトに囲まれる．

アポクリン汗腺はコイル状をしており，腋窩，恥丘，肛門周囲にみられる．

アポクリン汗腺は，エックリン汗腺より大きな分泌腺房をもつ．

この分泌部は真皮や皮下組織にある．エックリン汗腺の導管は表皮に開くが，アポクリン汗腺の**導管は毛包に開く**．アポクリン汗腺は思春期後に機能し始め，**アドレナリン作動性神経**に支配される．

アポクリン汗腺の 2 つの特殊な例として知られるのは，外耳道の**外耳道腺** ceruminous gland と，眼瞼の縁にある**モル腺** gland of Moll という 2 つの腺である．

外耳道腺は，色素性脂質である**耳脂** cerumen を産生している．この導管は，脂腺の導管とともに外耳道の毛包の中に開口している．

モル腺の導管は，眼瞼表皮の自由表面ないし睫毛の中に開口している．

嚢胞性線維症（図 11.21）

嚢胞性線維症 cystic fibrosis は**嚢胞性線維症膜貫通調節因子** cystic fibrosis transmembrane conductance regulator（CFTR）をコードする遺伝子の変異によって生じる常染色体潜性遺伝疾患である．嚢胞性線維症に関連する遺伝子は第 7 染色体上にある．

臨床的観点からみると，進行性嚢胞性線維症の肺疾患を特徴づけるのは，慢性細菌性気道感染と進行性気管支拡張症である．CFTR を介した塩化物と重炭酸塩の輸送が障害されると，慢性の

図 11.18 | 脂腺：全分泌

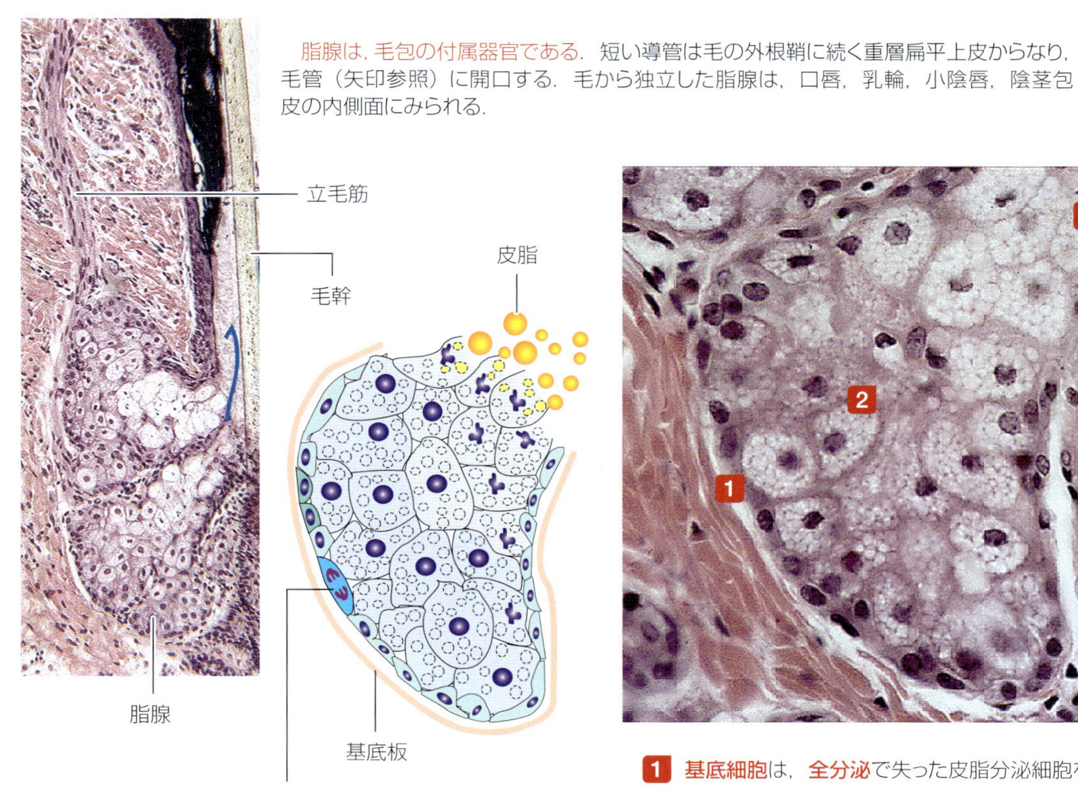

脂腺は，毛包の付属器官である．短い導管は毛の外根鞘に続く重層扁平上皮からなり，毛管（矢印参照）に開口する．毛から独立した脂腺は，口唇，乳輪，小陰唇，陰茎包皮の内側面にみられる．

基底細胞は，有糸分裂し，腺房の中央に移動して脂肪を蓄積する．

皮脂は分泌細胞からの脂性分泌物である．皮脂は，全分泌により放出され，分泌物の一部となった細胞は壊れる．

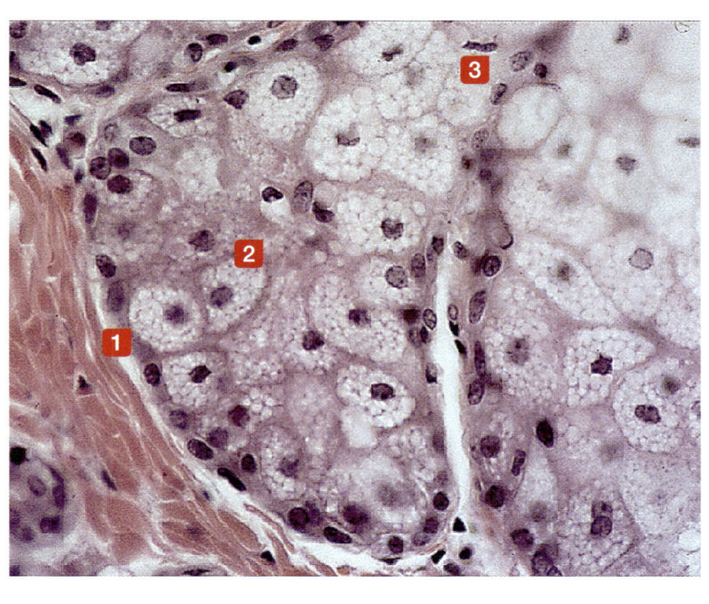

1 基底細胞は，全分泌で失った皮脂分泌細胞を再生する．

2 基底細胞上の皮脂分泌細胞は，細胞質の脂肪滴内に脂性分泌物を蓄積し始める．

3 腺房の導管近位部では，皮脂分泌細胞の核が縮んで変性し，癒合した皮脂が短い導管に放出される．この腺房は固有の内腔をもたない．

気道感染が起こり，嚢胞性線維症の患者に多くの病的症状を導くとともに，死に至らしめる．

CFTR は，分泌における Cl^- チャネルの役割に加え，いくつかの輸送タンパク質の調節も担っている．これらの輸送タンパク質には，上皮ナトリウムチャネル（ENaC），K^+ チャネル，ATP の放出経路，陰イオン交換体，重炭酸ナトリウム輸送体，アクアポリン水チャネルが含まれる．多くの上皮細胞にみられる CFTR を介した Cl^- の分泌は，CFTR チャネルの活性とチャネルの数を制御することによって調節されている．これは，細胞膜からの CFTR チャネルの挿入と除去によって達成される．

気道表面へ塩化物と重炭酸塩を導く CFTR チャネルの障害は，気道表面を覆う粘液の pH を低下させる．酸性になった気道表面の粘液層は，抗菌活性が落ちている．

呼吸器，胃・腸管，生殖器の上皮組織や外分泌腺は，CFTR の変異の影響を受ける．反復する肺感染症，膵臓の機能不全，脂肪便，肝硬変，腸閉塞，男性不妊症などが，嚢胞性線維症の臨床症状である．

汗腺の導管には，Cl^- と HCO_3^- の輸送に関与する CFTR をもった上皮細胞が並んでいる．アセチルコリンなどのアゴニストが，**サイクリックアデノシン一リン酸** cyclic adenosine monophosphate（cAMP）の増加を引き起こすと，プロテインキナーゼ A が活性化し，**アデノシン三リン酸** adenosine triphosphate（ATP）がつくられる．この ATP に CFTR の 2 つの ATP 結合ドメインが結合すると，CFTR チャネルが開く．

汗腺の導管で CFTR が欠損すると，**管腔からの塩化ナトリウムの再吸収が減少**し，**汗の Cl^- 濃度が上昇する**．気道上皮（第 13 章参照）では，CFTR の欠損で，**気道への Cl^- の分泌が減少または消失**し，Na^+ と水の活発な再吸収が起こり．その結果，防御層である気道表面を覆う粘液層の水分含有量が減少する．

指の爪（図 11.22）

爪は，手指や足趾の指（趾）節骨先端の背面にある硬ケラチンの板である．**爪板** nail plate は，**爪床** nail bed という皮膚表面（基底層と有棘層のみからなる）を覆っている．

爪体は，**外側爪ヒダ** lateral nail fold に囲まれている．外側爪ヒダは近接する表皮と似た構造をもつ．

外側爪ヒダが傷害されると炎症が進行する．この過程は**爪甲弯入症** onychocryptosis といわれ，しばしば第 1 足趾の爪にみられる（趾内生爪）．

爪板の近位縁は，**爪根** nail root，すなわち**爪母基**のある部位で，白い半月形の**爪半月** lunula がみられる領域にあたる．**爪母**

図 11.19 | エックリン汗腺：漏出分泌

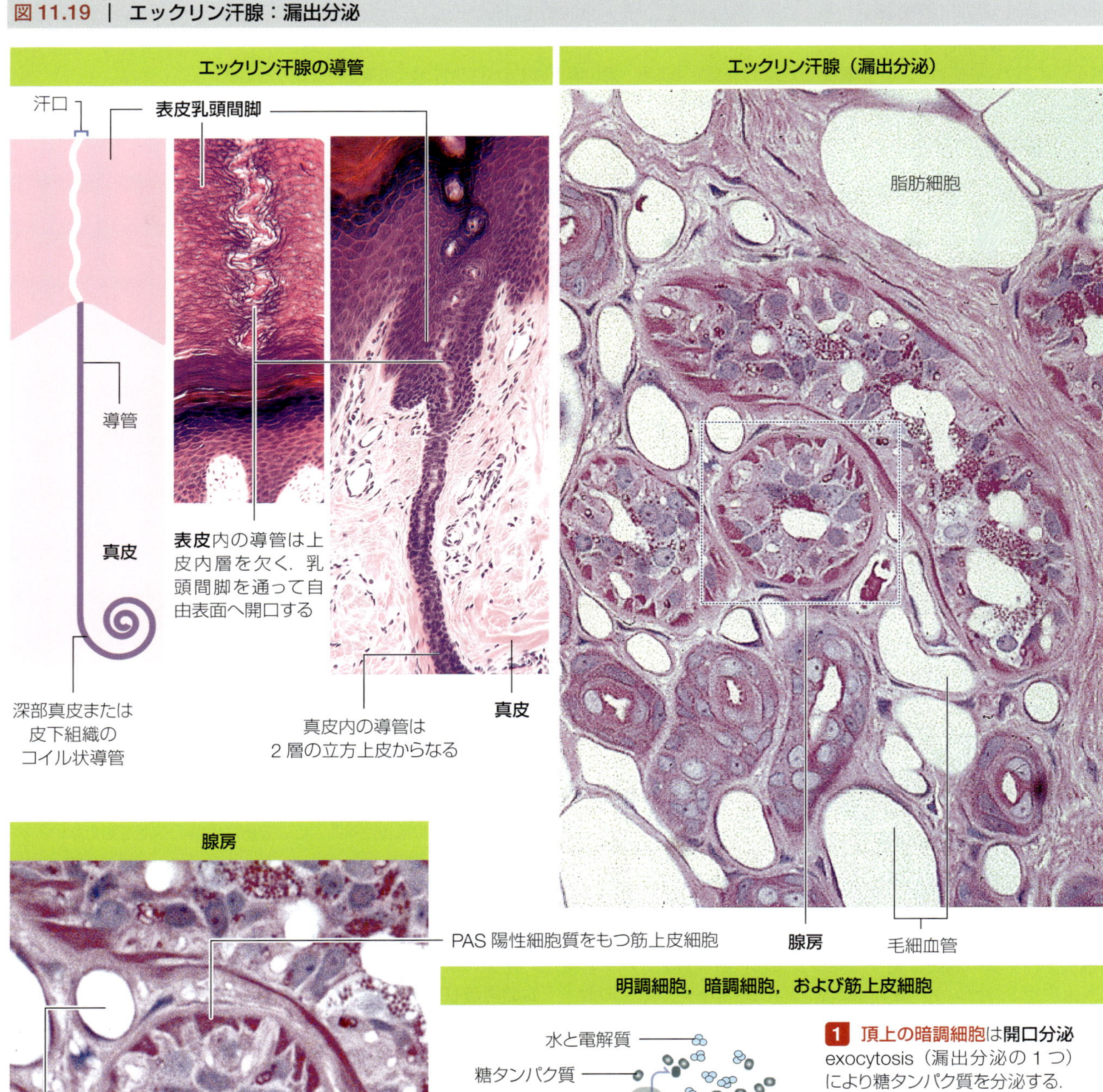

明調細胞，暗調細胞，および筋上皮細胞

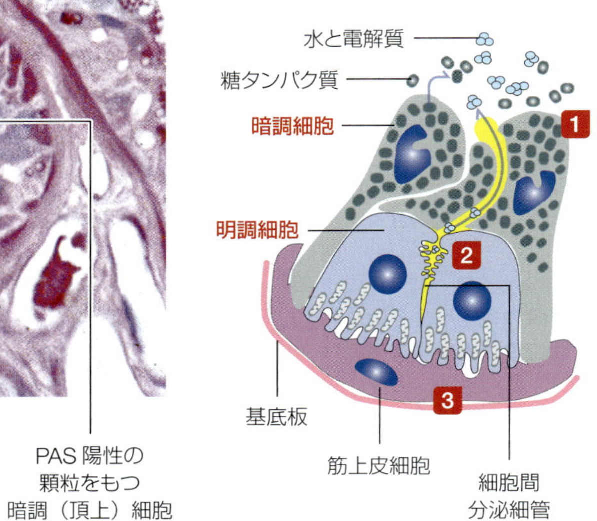

1 **頂上の暗調細胞**は**開口分泌** exocytosis（漏出分泌の 1 つ）により糖タンパク質を分泌する．

2 **基底部の明調細胞**は，細胞間分泌細管に水分と電解質を分泌する．この細管は頂上の暗調細胞の細胞間を通って腺房内腔に達している．明調細胞内にみられるミトコンドリアと基底陥入は，水分と電解質の輸送を担う細胞の典型的な特徴である．

3 **筋上皮細胞**は，基底板と明調細胞の間にみられる．細胞質が PAS 陽性を示すことから，基底部に配置する様子を示すことができる．

図 11.20 | アポクリン汗腺：漏出分泌

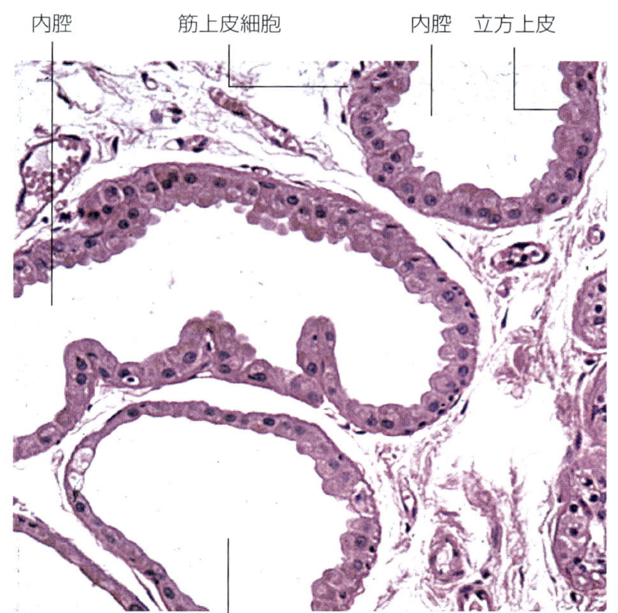

E.W. Gresik, New York. の厚意による.

アポクリン汗腺

アポクリン汗腺は，**腋窩**，**肛門周囲**，**恥丘**にみられる.

アポクリン汗腺のコイル状の部分は，エックリン汗腺のもの（径～0.4mm）より**広い**（径～3mm）.

アポクリン汗腺は真皮にあり，**導管は毛包の毛管に開いている**.

分泌細胞は立方上皮で，エックリン汗腺同様，**筋上皮細胞が基底面にみられる**. **分泌機能は，思春期以後に始まる**. その分泌物は，局所の細菌によって分解されて特有のにおいを獲得する.

アポクリンとよばれるのは，分泌細胞の頂上部が分泌によりちぎれるという誤った解釈によるもので，これらの汗腺は，**漏出分泌により分泌物を放出している**.

図 11.21 | 嚢胞性線維症と汗腺

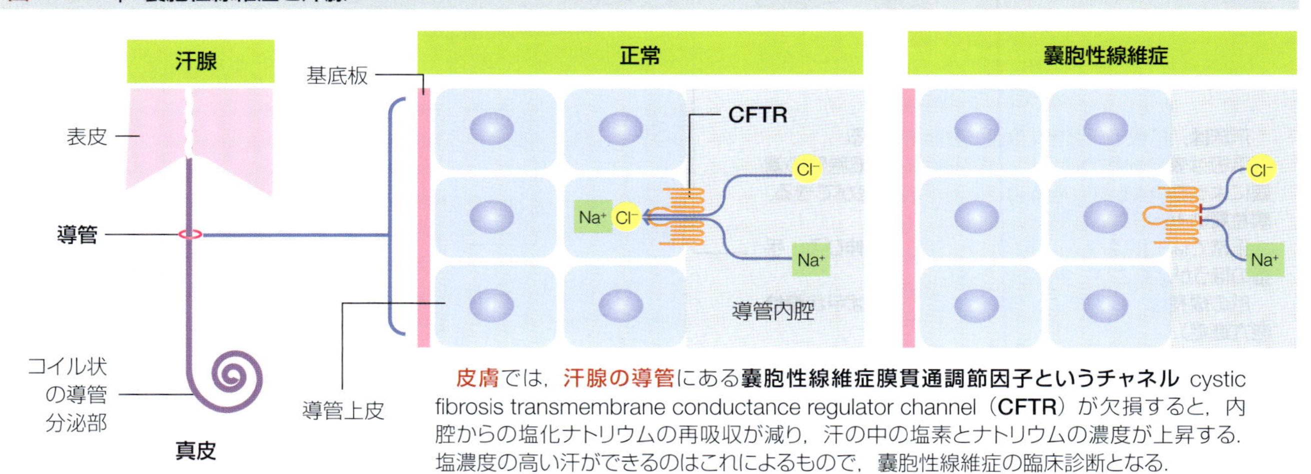

皮膚では，**汗腺の導管**にある**嚢胞性線維症膜貫通調節因子というチャネル** cystic fibrosis transmembrane conductance regulator channel（**CFTR**）が欠損すると，内腔からの塩化ナトリウムの再吸収が減り，汗の中の塩素とナトリウムの濃度が上昇する. 塩濃度の高い汗ができるのはこれによるもので，嚢胞性線維症の臨床診断となる.

基は，爪板の形成にかかわる表皮である.

爪板の遠位部は爪の遊離端となる.

爪板は，角化した上皮細胞がつくる緻密な鱗屑からなる. 爪板の近位縁は**上爪皮** eponychium によって覆われるが，特に皮膚の角質層からヒダ状に突出した部分は**小皮** cuticle とよばれる.

小皮の欠損は爪母基の炎症や感染を起こしやすく，**爪板異栄養症** nail plate dystrophy を引き起こす.

爪板の遠位および遊離縁では，表皮の角質層が厚くなり，**下爪皮** hyponychium という構造をつくる. 下爪皮は，爪母基を細菌や真菌の侵入から守っている.

図 11.22 | 爪の構造と形成

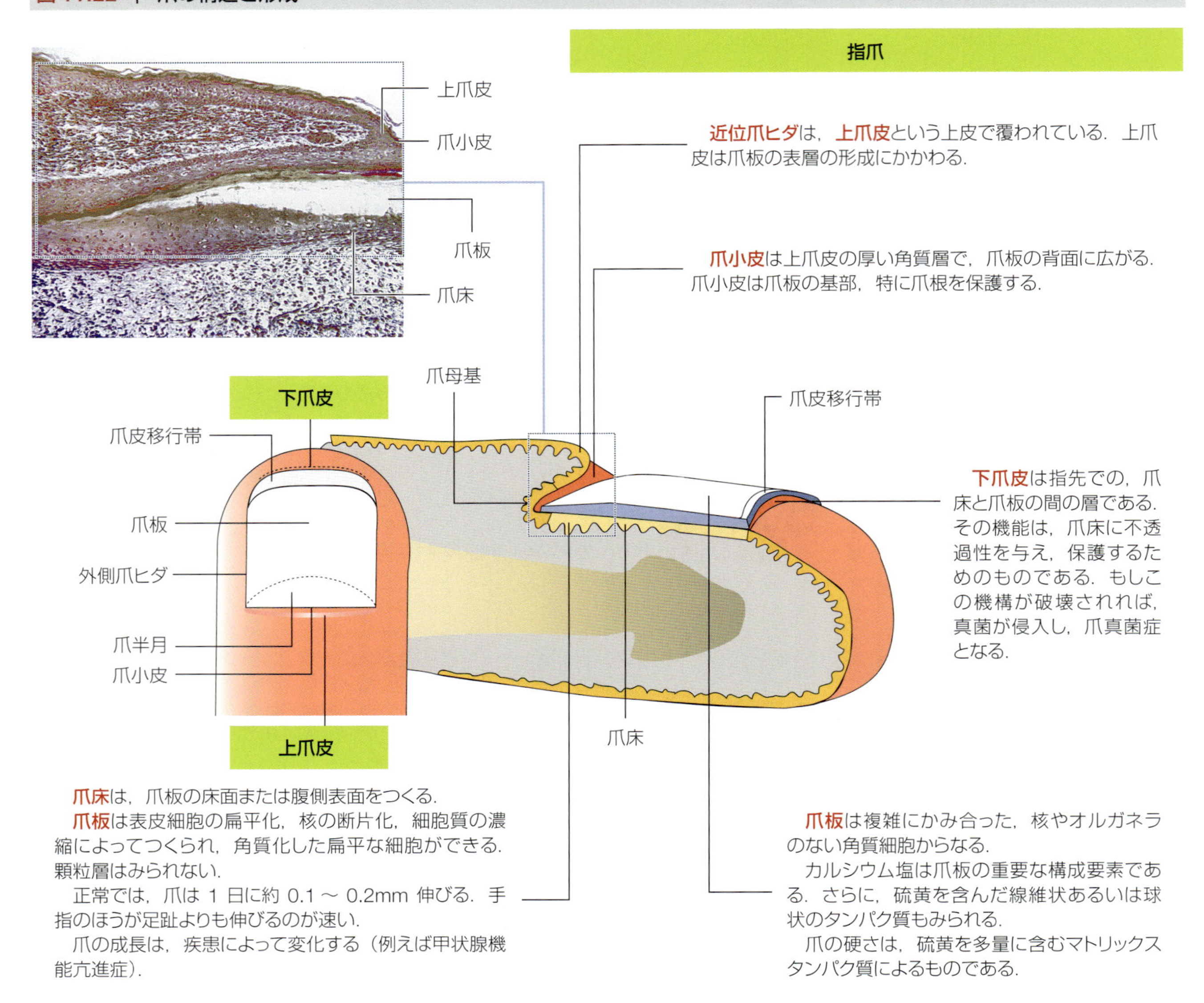

外皮系 | 概念図・基本的概念

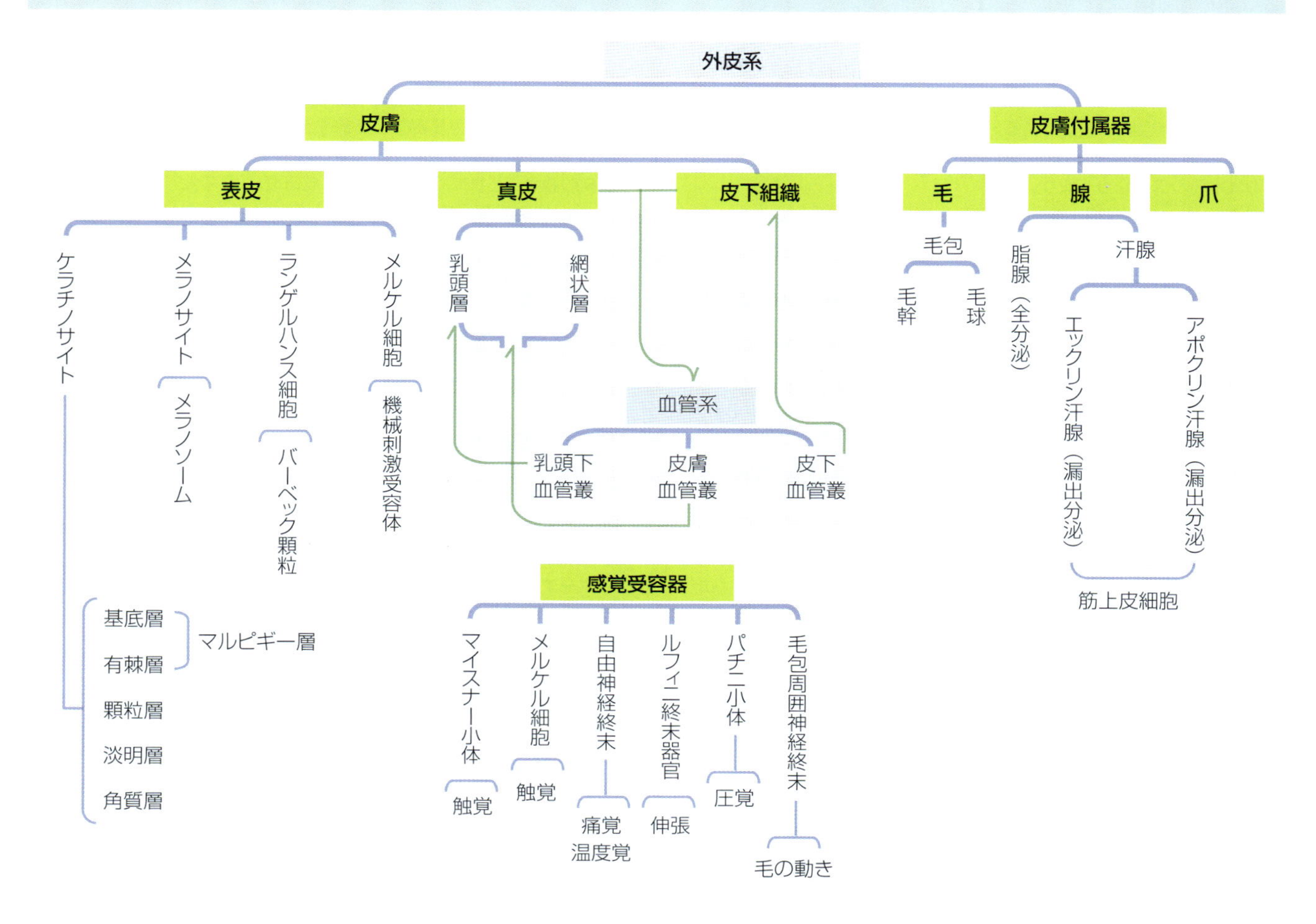

- 皮膚は以下の３つの層からなる：
  (1)表皮．
  (2)真皮．
  (3)皮下組織．
  皮膚には２つのタイプがある：
  (1)厚い皮膚．
  (2)薄い皮膚．
  表皮と真皮は強固にかみ合っている．表皮稜と真皮稜が結合し，表皮由来の乳頭間脚が真皮稜を二次真皮稜（あるいは真皮乳頭）に分ける．多数の真皮乳頭が表皮とかみ合う．真皮と表皮の接触面はヘミデスモソームよって固定されている．

- 表皮は以下の異なる４種の細胞からなる重層扁平上皮である．
  (1)ケラチノサイト（外胚葉由来）．
  (2)メラノサイト（神経堤由来）．
  (3)ランゲルハンス細胞（骨髄由来の樹状細胞）．
  (4)メルケル細胞（神経堤由来）．

  ケラチノサイトは以下の５層に分布する：
  (1)基底層（幹細胞を含む）．
  (2)有棘層（有棘細胞層）．
  (3)顆粒層（顆粒細胞層）．
  (4)淡明層（明細胞層），厚い皮膚に顕著．
  (5)角質層（角化細胞層）．
  ケラチノサイトは互いにデスモソームと閉鎖結合によって結合する．

- ケラチノサイトの分化には，次のような特徴がある：
  (1)表皮各層における特異的なケラチンを発現．基底層ではケラチン５と14，有棘層ではケラチン１と10，顆粒層ではケラチン2eと９を発現する．
  (2)顆粒層における層板小体とケラトヒアリン顆粒の存在．層板小体に含まれる糖脂質（アシルグルコシルセラミド）は，細胞間隙に押し出されて多層性の脂質層を形成する．
  (3)角質層における周辺帯の存在．周辺帯は，細胞内ではケラチン・フィラグリン複合体とトリコヒアリン（THH）・インボルクリン・SPR（スモールプロリンリッチタンパク質）・ロリクリンタンパク質複合体の結合物である．細胞外の多層性脂質層はインボルクリンに固定されている．
  (4)デスモソームと閉鎖結合（クラウディン１と４を含む）が存在する．

- メラノサイトは樹枝状の細胞で，表皮基底層にみられる．この細胞は，c-kit 受容体（一種のチロシンキナーゼ）とそのリガンド（幹細胞因子）の制御のもと，神経堤から移動する．
  メラノサイトは，メラノソームの中のメラニンを産生する．メラニンは，チロシンがチロシナーゼによって酸化されて DOPA（3,4- ジヒドロキシフェニルアラニン）となり，DOPA がメラニンに変換されることによって生じる．
  メラノソームは，メラノサイトの樹枝状の突起に沿って輸送される．その際，キネシンが微細管に沿ってメラノソームを運び，細胞膜下のF-アクチンフィラメントまで届ける．

輸送のレールを微細管からF-アクチンに切り替えるには，メラノフィリンというアダプタータンパク質とRab27a（メラノソーム膜上の受容体）との結合が関与する．メラノソーム・Rab27a・メラノフィリン複合体は，ミオシンVaを使いF-アクチンに沿って運ばれ，一種の外分泌機序（**細胞分泌**）によって細胞間隙に放出される．

有棘層のケラチノサイトは，このメラニンの入ったメラノソームを，エンドサイトーシスによって取り込む．

ミオシンVa，メラノフィリン，Rab27aの遺伝的な欠損により，メラニンの輸送が阻害される．グリセリ症候群とその亜型では，部分的な白色症，時に神経学的異常，免疫不全がみられる．

小眼球症関連転写因子（MITF）は，メラノサイトの分化（細胞周期の停止，メラニン産生，細胞の寿命）を制御する．

- **ランゲルハンス細胞**は，表皮の樹状細胞で，骨髄由来である．メラノサイトと同様に，ランゲルハンス細胞は樹枝状の突起をもち，E-カドヘリンを介してケラチノサイトと接触している．

ランゲルハンス細胞の目印となる構造にバーベック顆粒がある．バーベック顆粒にはランゲリンとCD1aタンパク質が含まれており，抗原の取り込みと提示に働く．

ランゲルハンス細胞は，表皮で抗原を取り込んだ後に，所属リンパ節へ移動し，その深部皮質でT細胞とやりとりをする．抗原に活性化されたT細胞は，再び血液循環に乗って表皮抗原のある部位に到達し，表皮応答を引き起こす炎症性サイトカインを放出する．

- **メルケル細胞**は表皮基底層にみられる機械受容器で，隣接するケラチノサイトとデスモソームによって結合している．

- **創傷治癒**．皮膚は，効果的な保護バリアを維持するために，ただちに修復される．損傷の認識の最初のステップは，転写非依存性で拡散する損傷シグナルによって行われる．損傷の修復は転写依存性シグナルに依存する．

創傷治癒は以下の4つのステージからなる：

(1)止血．出血と感染を防ぐためのフィブリンと血小板の集塊の形成．

(2)炎症．感染から損傷部位を保護するための白血球の動員．ケラチノサイトと内皮細胞は，**サイトカインCXC**（システイン-X-システイン）とその受容体を発現し，白血球を誘導する．単球も損傷部位に動員され，マクロファージになる．

(3)増殖．血管新生と細胞増殖．毛細血管に富む肉芽組織が認められる．

(4)再生．ケラチノサイトはプラスミノゲンアクチベーターを発現し，フィブリン塊内のプラスミノゲンをプラスミンに変換する．プラスミンとマトリックスメタロプロテアーゼ（真皮の線維芽細胞によって産生される）が，基底層ケラチノサイトの基底板との固定をゆるめ，再上皮化が開始する．

表皮成長因子とケラチノサイト成長因子が再上皮化を刺激する．また，血小板由来成長因子（PDGF）やトランスフォーミング成長因子-βの刺激を受けた真皮の線維芽細胞は，増殖を開始する．さらに多数の線維芽細胞が筋線維芽細胞に変化し，真皮を収縮させる（瘢痕を伴う治癒）．

- **乾癬**は，特徴的な乾癬プラーク（斑）を形成する炎症性の皮膚疾患である．乾癬プラークは，通常は肘，膝，頭皮，臍，腰部に観察される．異常な細胞増殖と分化によって引き起こされる表皮の持続的な過形成が観察される．ケラチノサイトは，基底層から表層まで3〜5日で移動する（通常の皮膚では28〜30日かかる）．

乾癬プラークは以下の組織学的特徴をもつ：

(1)表皮ケラチノサイトの異常な増殖．基底層から角質層へケラチノサイトの移動の加速によって引き起こされる．

(2)真皮と表皮内の炎症性細胞，特に17型ヘルパーT細胞（T_H17），樹状細胞，好中球の存在．これらは微小膿瘍を引き起こす．炎症性サイトカインであるインターロイキン-17A（IL-17A）はT_H17細胞の主要なエフェクターである．

(3)表皮乳頭の伸び出しと顕著な血管新生．

IL-17Aによって刺激されたケラチノサイトは，異常な細胞増殖と分化によって持続的な過形成を生じる．乾癬の治療は，炎症性サイトカインIL-17Aを治療的に阻害することを標的としている．

- **表皮の腫瘍**．これには，過誤腫（表皮母斑），反応性過形成（**偽表皮腫性過形成**），良性腫瘍（**棘細胞腫**），前がん異形成，上皮内がんと浸潤性上皮がんなどが含まれる．

表皮母斑は，表皮の発達の異常による変形で，過剰になったケラチノサイトが異常成熟（角化症）や表皮の表面隆起（乳頭腫症）を起こすことによる．

偽上皮腫性過形成は，慢性的な刺激（人工肛門の周辺など）や，真皮の多様な炎症過程（真菌症など）に対する反応として現れる．

棘細胞腫は，角質増殖症，角質不全症，棘融解（細胞間接着の消失）などの異常な角質化を特徴とする良性腫瘍である．高齢者の脂漏性角化症は，その一例である．

前がん状態の上皮過形成は，悪性への形質転換の可能性がある．このグループには，日光や日焼け用ベッドの光に曝された高齢者の顔，耳，頭，手，腕などに生じる**日光角化症**が含まれる．

ボーエン病は，皮膚の上皮内扁平上皮細胞がんである．核の異形を示すケラチノサイトが無秩序に配置するのが特徴である．

ケーラー紅色肥厚症は陰茎の上皮内がんで，一般的に包茎手術（割礼）を受けていない人の陰茎亀頭にみられる．

浸潤性悪性腫瘍は基底細胞がん（最も一般的）と扁平上皮がんを含む．黒色腫（メラノーマ）は最も危険な皮膚がんの形態である．

基底細胞がん（BCC）は，日光に曝露された皮膚（特に頭頸部）に多くみられる皮膚がんである．毛包隆起から生じる．BCCでは，しばしば*PTCH*遺伝子の変異が認められる．この遺伝子は，腫瘍抑制遺伝子であり，ヘッジホッグシグナル伝達経路に含まれる．

BCCの治療には外科手術が必要である．しかし，ヘッジホッグシグナル異常に起因するBCCの治療には，いくつかのスムーズンド阻害剤が用いられる．スムーズンド阻害剤であるビスモデギブとWnt経路の阻害剤である抗Lrp6抗体の併用はBCCを退縮させる．

扁平上皮がん（SCC）は皮膚がんの中で2番目に多いがんである．基底細胞がんと同様に，直射日光に曝露される領域の皮膚にみられる．高リスクの**ヒトパピローマウイルス**（**HPV**）への感染，例えば，HPV-16への感染は，頭頸部にみられるSCC亜型の原因となる．

黒色腫（メラノーマ）は，表皮の基底層にありメラニン生産能をもつメラノサイトに由来する．大きい先天性母斑や非定形型の母斑があり，数が多い場合は，前がん病変とみなされる．

*BRAF*遺伝子（**がん原遺伝子**の意）の変異は，黒色腫の多くで観察される．*Raf*遺伝子は細胞質セリン・スレオニンキナーゼをコードしており，その活性はGTPase Rasとの結合によって制御されている．

黒色腫の臨床的特徴は，頭文字で表したABCDで定義される．すなわち，非対称Asymmetry，境界不明瞭Border irregularity，色の多様性Color variation，直径6mm以上Diameter greater than 6 mm，である．

黒色腫には以下の4型がある：

(1)表在拡大型黒色腫は最も頻度が高い．

(2)悪性黒子型黒色腫は表在拡大型に似る．先行して**悪性黒子**とよばれる，徐々に進行する不規則な斑点がみられる．これが浸潤するようになると**悪性黒子型黒色腫**とよばれる．

(3)末端黒子型黒色腫も，浸潤を始める前に表層へ拡大する．白人では最も珍しい黒色腫であるが，アフリカ系米国人やアジア人ではかなり一般的である．

(4)結節型黒色腫は，最初に診断された時点で，たいてい浸潤している．

このタイプの黒色腫は最初から垂直方向の成長を示すので，前出の3タイプが，浸潤性や垂直方向の成長を始める前に放射状（表面方向）に成長するのとは対照的である．

- 上皮の抗菌タンパク質（AMP）は，ケラチノサイト，汗腺，脂腺によって産生されるもので，微生物を殺したり不活化したりする．

AMPは皮膚バリアの破綻に反応して速やかに分泌され，感染に対する一時的な防御となる．AMPには以下の2つが含まれる：

(1)β-ディフェンシン．
(2)カテリシジン．

ディフェンシンとカテリシジンは非酵素系の働きによって細胞壁あるいは細胞膜の構造を崩壊させ，微生物を溶解させる．アトピー性皮膚炎，酒皶，乾癬は，AMP産生不足と部分的に関係している．

- 真皮は以下の2層からなる：

(1)乳頭層（膠原線維束と細い弾性線維をもった疎性結合組織）．
(2)網状層（膠原線維束と太い弾性線維からなる密性結合組織）．

真皮には，相互に結びついた以下の3種の血管網がある：

(1)真皮乳頭層に沿った乳頭下血管叢．
(2)真皮の乳頭層と網状層の境界付近にみられる皮膚血管叢．
(3)皮下組織（皮下脂肪組織）にみられる皮下血管叢．

真皮の血管網の主な機能は体温調節で，二次的な機能は皮膚と付属器の栄養供給である．

- 皮膚の血管の異常は珍しくない．これには以下のようなものが存在する．

(1)血管の奇形：血管過誤腫および血管奇形．
(2)血管の膨張：毛細管拡張症．
(3)腫瘍：血管腫，カポジ肉腫，および血管肉腫．

血管炎の分類には混乱がある．その中には血管壁の炎症と傷害が含まれている．

皮膚の血管炎は小血管に由来し，そのほとんどは細静脈である．

小血管から真皮への血液の血管外漏出によって生じる非炎症性紫斑は，小さいもの（点状出血，直径3mm未満）と大きなもの（皮下溢血斑）がある．血液凝固障害，赤血球疾患（鎌形赤血球症），外傷が一般的な原因である．

急性蕁麻疹は，血管の透過性の増加によって引き起こされる一時的な反応である．血管の透過性の増加は，真皮の浮腫に関係する．

- 感覚受容器は，特殊なニューロンと上皮様細胞からなり，物理的な刺激を受け取り電気信号に変換して中枢神経系に伝える．

一般的に以下の3つに分けることができる：

(1)外部受容器：外部環境に関する情報を提供する．
(2)固有感覚受容器：体の位置や運動に関する情報を提供する．
(3)内部受容器：体内の臓器からの感覚情報を提供する．

刺激の種類によって皮膚の感覚受容器は以下のように分類される：

(1)機械受容器：機械的な刺激に反応する．ヒトの皮膚には4つの主要な触覚に対する機械受容器が存在する．

メルケル触盤：指先や口唇の表皮基底層にみられる．メルケル触盤の神経終末は，扁平な円盤状構造をしており，メルケル細胞に接して繊細な触覚を識別する．

マイスナー小体：真皮上層にみられ，指先や瞼の表皮へ膨れ出るように存在している．この受容器は，能動的接触をした際の形と肌触りの感知に適している．

ルフィニ終末：真皮の深層にみられる．関節における皮膚の伸張や変形を感知する．

パチニ小体：真皮深層または皮下組織に存在する．深部に届く一過性の圧力や，高周波振動の刺激に反応する．パチニ小体は，骨膜，関節包，膵臓，乳房，陰部でみられる．

マイスナー小体，ルフィニ終末，パチニ小体，クラウゼ小体は被膜に包まれた受容器である．ただし，クラウゼ小体は温度受容器で，結膜，口唇と舌の粘膜，および神経上膜でみられる．

(2)温度受容器：温度変化に反応する．クラウゼ小体は冷たさを感知する．クラウゼ小体は，結膜，口唇と舌の粘膜，および神経上膜でみられる．
(3)侵害受容器：痛みに応答する．自由神経終末が痛みを感知する．自由神経終末は，脊髄神経の皮膚枝からからなる真皮神経叢に由来している．

侵害受容器による痛みの認識は，組織障害に対する古典的な反応の1つである急性炎症（第10章参照）と関係がある．損傷を受けた細胞は，サブスタンスPを含む化学伝達物質を放出し，局所の血管と神経終末に働きかける．サブスタンスPは，肥満細胞の脱顆粒を誘導し，放出されたヒスタミンが血管拡張と血漿の漏出を促進する．

充血は，先の尖ったもので皮膚を引っ掻いた際に生じるルイスの3重反応で説明される．すなわち，この反応は，潮紅（毛細血管の拡張），発赤（細動脈の拡張による赤みの広がり），および膨疹（局所的な浮腫）からなる．3つの反応はおよそ2，3分で完了する．

- ハンセン病（leprosy）は，らい菌によって引き起こされる皮膚，鼻粘膜，末梢神経の慢性感染症である．らい菌は，皮膚のシュワン細胞，内皮細胞，マクロファージの細胞質の杆菌として観察される．神経障害によって，四肢の麻痺（鷲手，垂れ足）を生じる．

ハンセン病には2つの組織学型がある：

(1)らい腫反応．細胞内に抗酸菌（らい菌）を認めるマクロファージが真皮に多数存在するのが特徴である．
(2)類結核反応．マクロファージ，多核巨細胞，およびリンパ球（T細胞）からなる非乾酪性肉芽腫によって特徴づけられる．病原菌（杆菌）を見つけることは困難である．

肉芽腫は，皮神経束の中を伸びていく傾向にあり，汗腺を破壊し，真皮表層を侵食する．

- 皮膚付属器

毛（あるいは毛包脂腺単位）．胎児に最初にみられる毛は細く，色素を含まず，胎毛（生毛）とよばれる．

胎毛は出生前に，産毛に置き換わる．

産毛は終毛に置き換わるが，皮膚の毛のない部分（例えば成人の前頭部）には残される．

毛包は絶えず以下の再生サイクルを繰り返す：

(1)成長期．
(2)退行期．
(3)休止期．

毛包は表皮が管状に陥入したもので，それぞれの毛包は，以下の2つの部分で構成される：

(1)毛幹（毛髄質，毛皮質，毛小皮．このうち毛小皮は内根鞘に接する）．
(2)毛球（毛包の拡張部）．

毛包は表皮が落ち込んでできた外根鞘をもち，その外側は結合組織に囲まれる．

真皮乳頭は毛球へ伸びる（毛乳頭）．

毛は毛球の基部から発生する．

毛球には，細胞分裂の盛んな毛母基と，毛細胞の角化が起こる角化形成帯の2層がある．

毛包には，以下の2つの構造が付属している：

(1)立毛筋，筋の両端は，それぞれ毛包の外根鞘と表皮へつく．
(2)脂腺，導管は毛包の内腔に連絡する．毛包周囲神経終末，脂腺のすぐ下で毛包に巻きついている．この神経は，毛の運動によって刺激を受ける．

- 皮膚の発生

重症の熱傷で表皮を失った患者では，ロイシンリッチリピートをもつGタンパク質共役型受容体（$Lgr5^+$）幹細胞が，**毛包隆起**にある**毛包幹細胞巣**（**HFSC**）ニッチから上方に移動して，表皮を再建する．

$Lgr5^+$ 幹細胞は，高い増殖能と自己複製能を有する基底層の細胞集団になる．HFSCから毛包や脂腺も生じる．

以下のシグナル伝達経路が皮膚幹細胞の維持に関与している：

(1)**ウイングレス**（**Wnt**）シグナルは，**毛包間表皮**（**IFE**）にあるケラチノサイトの増殖を亢進する．

(2)**ソニックヘッジホッグ**（**Shh**）シグナルは，毛包と脂腺の幹細胞の増殖，分化において発現する．

(3) Wnt と Shh シグナルは**Notch シグナル**によって負の制御を受ける．

(4)さらに，真皮の線維芽細胞と脂肪細胞によって産生される**骨形成因子2と4**（**BMP2**，**BMP4**）は，細胞増殖を抑制し，隆起幹細胞を休止状態に保つ．

- **皮膚の腺**には以下の3つがある：

(1)**脂腺**．

(2)**汗腺**（**エックリン汗腺**と**アポクリン汗腺**．**どちらも漏出分泌**）．

(3)**乳腺**．

脂腺は全分泌の単純嚢状腺で，その分泌部は真皮にあり，導管は毛包に開口する．分泌部（腺房）の細胞は小さな脂肪滴（皮脂）をもつ．

エックリン汗腺はコイル状の単一管状腺で，その主な機能は体温調節である．分泌部は以下の3種類の細胞からなる：

(1)基底部の**明調細胞**．隣り合う細胞間に細胞間分泌細管があり，水分と電解質を分泌する．

(2)その上の**暗調細胞**．糖タンパク質を分泌する．これには抗菌ペプチド（AMP）であるヒト**β-ディフェンシン**（BD1，BD2），**カテリジン**，および**ダーミシジン**がある．

(3)**筋上皮細胞**，その収縮は，腺の分泌を助ける．

導管部は，重層立方上皮でできている（ただし，乳頭間脚のケラチノサイトが導管の壁を構成する表皮内を除く）．

アポクリン汗腺はコイル状をしており，腋窩，恥丘，肛門周囲にみられる．腺房はエックリン汗腺よりも大きい．エックリン汗腺の導管が表皮に開口するのに対し，アポクリン汗腺の導管は毛包に開口する．アポクリン汗腺の例として，外耳道の外耳道腺と眼瞼の縁にあるモル腺が挙げられる．

- **嚢胞性線維症**は上皮の塩素イオン（Cl^-）の輸送に関連した遺伝性疾患で，嚢胞性線維症膜貫通調節因子（CFTR）というチャネルタンパク質が関与している．エックリン汗腺の導管の上皮にはCFTRがある．このCFTRの欠損により管腔からの塩化ナトリウム（NaCl）の再吸収が減少し，汗のCl^-濃度が上昇する（**塩皮**）．

- **指の爪**．爪は硬ケラチンの板である．この爪板で覆われた**爪床**は，皮膚の基底層と有棘層のみでできている．

爪板は角化上皮細胞の鱗屑でできている．爪板の近位縁は，**爪根**，すなわち爪母基のある部位で，白い半月形の**爪半月**がみられる領域にあたる．爪板の遠位および遊離縁では，表皮の角質層が厚くなり，**下爪皮**という構造をつくる．爪板の近位縁は**上爪皮**によって覆われ，皮膚の角質層を保護している．

12 心血管系

キーワード 心筋細胞，動脈，静脈，毛細血管，リンパ管，内皮細胞，血管新生，脈管形成

心血管系 cardiovascular system は，連続して完全に閉じた内皮の管のネットワークである．心血管系の一義的な目的は，新鮮な血液を限られた範囲の静水圧で，すべての器官に広がる**毛細血管床** capillary bed に灌流することである．内皮の管を囲む壁は，各部位の機能に応じた構造になっている．心臓は循環系の主役で，ポンプとして機能する．泌尿器系と呼吸器系の構造は，血管系の構造に基づいている．心血管系の病的な状態は，腎臓や肺の正常な機能に大きな影響を与える．本章では，心臓，血管，リンパ管の構造的特徴を説明し，浮腫，血管炎，粥状動脈硬化症，血栓症，塞栓症，梗塞などの主要な病態と統合する．

心血管系（図 12.1）

循環には，**体・末梢循環** systemic or peripheral circulation と**肺循環** pulmonary circulation がある．

動脈 artery は，高い圧で血液を運び，管壁は筋性で厚い．**静脈** vein は，末梢組織から心臓へ戻る血液が流れる管で，圧は低く，その壁も薄い．

血圧 blood pressure は，心血管系の場所により異なる．心臓が血液を大動脈に連続して拍出するため大動脈圧は高く（約 100 mmHg），動脈圧は**収縮期圧** systolic level（120 mmHg）と**拡張期圧** diastolic level（80 mmHg）の間を上下する．

血液が体循環を巡り最終的に上・下大静脈から右心房に戻ると，血圧は最低値を示す．毛細血管においては，動脈側の末端で 35 mmHg に対し，静脈側の末端では 10 mmHg と低くなる．肺動脈圧も大動脈のように脈波をなすが，収縮期圧はずっと低く（25 mmHg），拡張期圧も 8 mmHg である．体循環の毛細血管床での平均圧 17 mmHg に比べ，肺の毛細血管圧はわずか 7 mmHg にすぎない．

心臓（図 12.2）

心臓 heart は，内皮の管が折りたたまれたもので，その壁は厚く，制御されたポンプとして働く．心臓は血圧を生み出す主役である．

心臓の壁は 3 層からなる：

1. **心内膜** endocardium は，**内皮層** endothelial lining と**内皮下結合組織** subendothelial connective tissue からなる．
2. **心筋層** myocardium は，**横紋心筋線維** striated cardiac muscle fiber の機能的合胞体で，大きく次の 3 種類に分けられる：**心房筋** atrial muscle，**心室筋** ventricular muscle，および**特殊伝導心筋線維** specialized excitatory and conductive muscle fiber．
3. **心膜** pericardium．心膜の臓側板である**心外膜** epicardium は壁側の心膜腔に面し，摩擦の少ない**中皮** mesothelium に覆われる．

心臓は 2 つの心筋線維合胞体からなる：

図 12.1 ｜ 血圧と血管区分

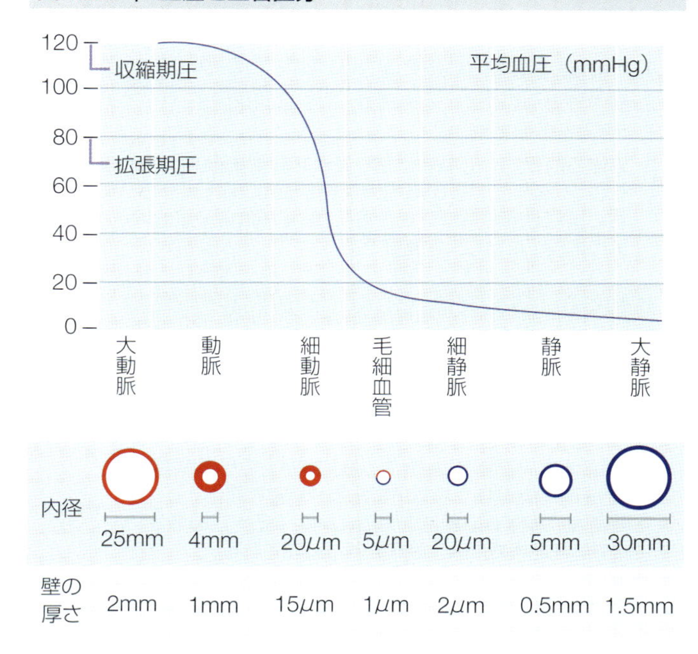

1. **心房合胞体** atrial syncytium は両心房壁をつくる．
2. **心室合胞体** ventricular syncytium は両心室壁をつくる．心房と心室は，房室弁口を囲む線維性結合組織により隔絶している．

心臓刺激伝導系（図 12.2，12.3）

心臓は 2 つの**刺激伝導系** conductive system をもつ：

1. **洞結節** sinus node または**洞房結節** sinoatrial（S-A）node（**洞房系** sinoatrial system）は興奮を発生し，心筋の収縮リズムをつくる．
2. **（房室）伝導系**（atrioventricular）conductive system では，**結節間路** internodal pathway により興奮を洞房結節から**房室結節** atrioventricular（A-V）node に伝え，房室結節で興奮が心室に伝わる前に遅延し，**房室束** atrioventricular bundle により興奮を心房から心室に伝え，さらに**左脚と右脚** left and right bundles に分かれた**プルキンエ線維** Purkinje fiber によって心室の全域に伝わる．

心房筋細胞は，拡張時に，**心房性ナトリウム利尿ペプチド** atrial natriuretic peptide（ANP）とよばれるホルモンを分泌する．この因子は，腎糸球体濾過率を増加させることによって利尿とナトリウムの排泄の両方を促進する（ナトリウム利尿）．こうして血液量が減少し，心房筋細胞の伸展は緩和する．

前述のように，組織学的には個々の心筋細胞は中央に 1 つの核をもち，**介在板** intercalated disk を挟んで互いに連結している．連結した細胞間の介在板の縦走部には**間隙（ギャップ）結合**

図 12.2 | 心臓（プルキンエ線維）

心臓の壁は 3 層構造である：

1 **心内膜**．血管の内膜に相当する．

2 **心筋層**．血管の中膜に連続する．

3 **心外膜**（**心膜臓側板** visceral layer of the pericardium）．血管の外膜に似る（図示されていない）．

心筋層は 3 種の細胞からなる：

1. **収縮性心筋細胞**．血液を送り出し循環させる．
2. **筋内分泌心筋細胞**．心房性ナトリウム利尿因子（ペプチド）を分泌する．
3. **結節心筋細胞**．心臓の収縮リズムを制御するよう特殊化している．これらの細胞の存在部位は，⑴上大静脈．右心房結合部の**洞房結節**，および⑵心房中隔と心室中隔の内膜下にある**房室結節**である．

伝導障害

心房細動は，心房の協調的な収縮に影響を与える最も一般的な心調律障害である．その結果として⑴心室への血液充填効率が低下し，心拍出量が減少する．⑵心房内の血流が低下し，血栓が脳動脈に到達し，虚血性脳卒中の引き金となる．**房室ブロック**や**心室細動**などの伝導障害は，心房から離れた場所，特に**房室結節**や**心室**で発生する．心室細動は，急性心筋梗塞の患者に発生する．この急性の生命の危機的状態には，**除細動器**が必要である．

内皮下結合組織層は線維芽細胞のつくるコラーゲン線維と弾性線維からなる．この層は，小血管，神経，刺激伝導系（**プルキンエ線維**）を含む．内皮下層は，僧帽弁と三尖弁の遊離縁に停止する乳頭筋と腱索にはみられない．

プルキンエ線維は房室結節から伸びて興奮伝達する心筋線維の束である．心室中隔の内膜下にみられる．プルキンエ線維は，その**位置**，**大きめのサイズ**，**明るく染まる細胞質**（グリコーゲン含有）によって，普通の心筋から区別される．

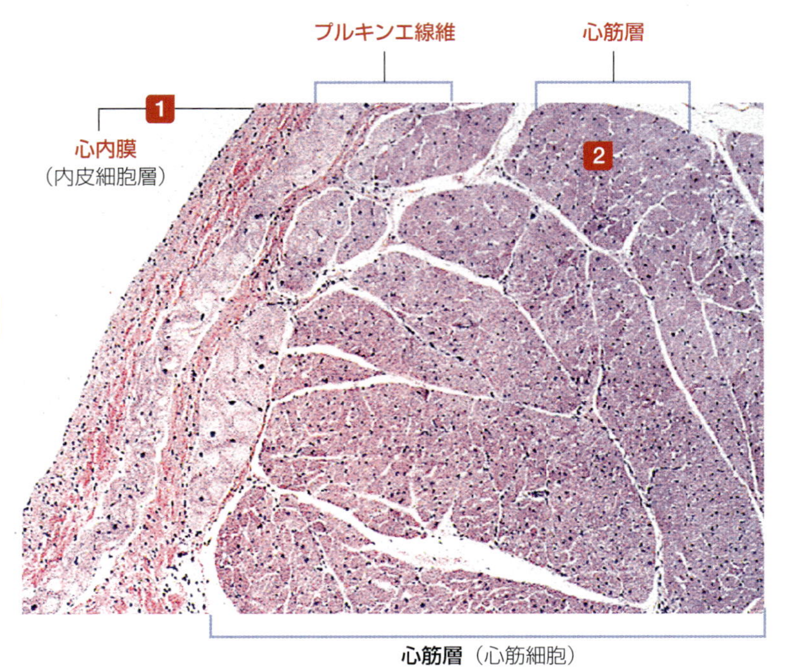

図 12.3 | 心房性ナトリウム利尿ペプチド

心房筋細胞：心房性ナトリウム利尿ペプチド

ミトコンドリア　サルコメア　心房筋細胞内顆粒

ANP を含む心房筋細胞内顆粒

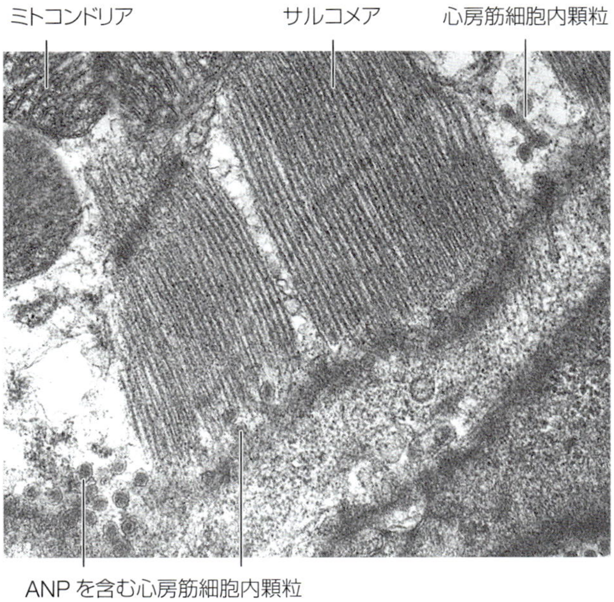

心房筋細胞は膜結合性顆粒を蓄えており，その密度は食塩と水の摂取量の変化により変わる．心房筋細胞の顆粒には，**心房性ナトリウム利尿ペプチド**（**ANP**）の前駆体が含まれている．

ANP は，**利尿**（ギリシャ語 *diourein* [=urinate，利尿]）と**ナトリウム利尿**（ラテン語 *natrium* [=sodium，ナトリウム]+ギリシャ語 *diourein* [=urinate，利尿]）を刺激する強力なポリペプチドホルモンである．心房筋細胞の外に出た ANP 前駆体は，急速な酵素分解を受けて循環型 ANP になる*．

ANP が**ナトリウム利尿ペプチド受容体 NPR1，NPR2，NPR3**（グアニルシクラーゼ活性をもつ）に結合すると，グアノシン三リン酸（GTP）がサイクリックグアノシン一リン酸（cGMP）に変換される．cGMP は，cGMP 依存性キナーゼを活性化し，標的タンパク質の特定のセリン残基およびスレオニン残基をリン酸化させる．

ANP は，神経下垂体から放出されるポリペプチドである**バソプレシン**や，**アンギオテンシン II**（**Ang II**）の作用に拮抗する．

Ang II は，肝臓で産生される**アンギオテンシノーゲン**（**AGT**）が**レニン**によって分解され，全身の血中に放出されるペプチドである．

ANP は，ナトリウムと水の再吸収によってもたらされる心不全を引き起こしうる**循環血液量過多**と**高血圧を防ぐ**．

（*訳注：ANP は心房筋細胞ですでに活性化されながら，成熟型ホルモンとして分泌される）

図 12.4 | 大動脈

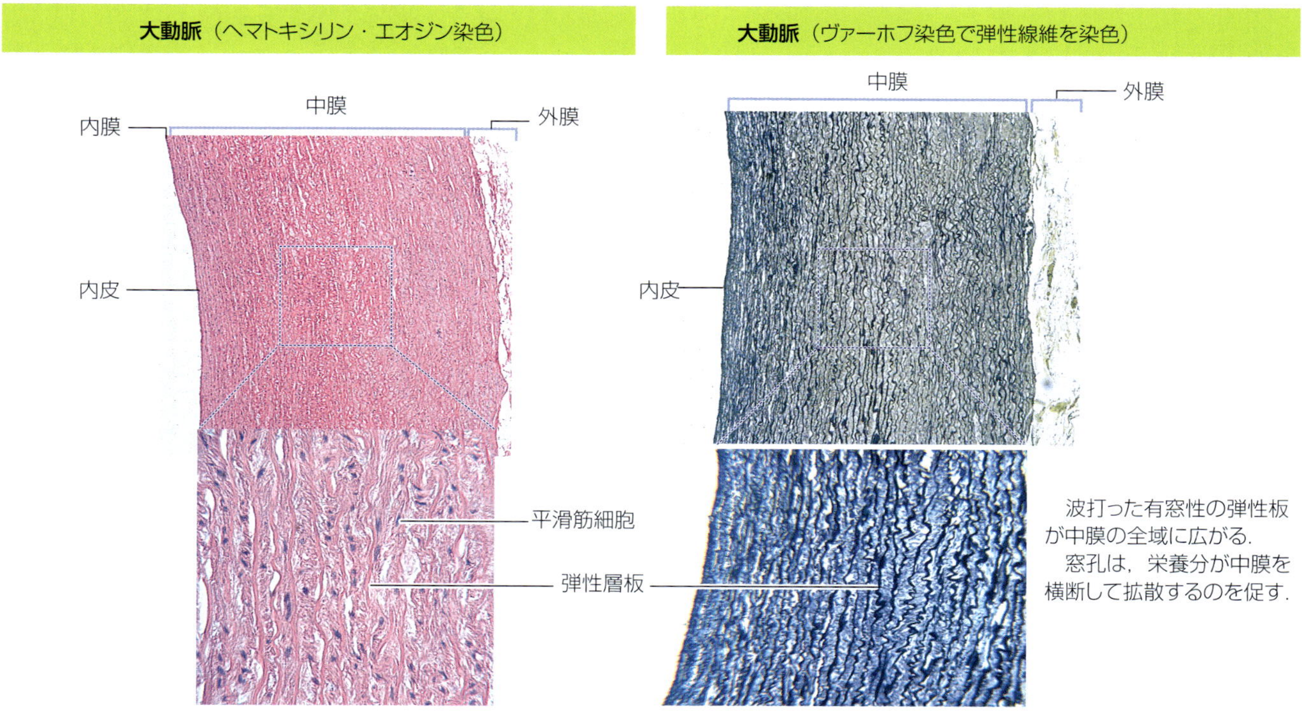

大動脈（ヘマトキシリン・エオジン染色）

内膜
中膜
外膜
内皮
平滑筋細胞
弾性層板

大動脈（ヴァーホフ染色で弾性線維を染色）

中膜
外膜
内皮

波打った有窓性の弾性板が中膜の全域に広がる.
窓孔は，栄養分が中膜を横断して拡散するのを促す.

gap junction が存在し，イオンは自由に拡散し，活動電位が細胞から細胞へと急速に広がっていく．間隙結合が介在板の横走部（**接着帯** fascia adherens［**上皮の接着帯** zonula adherens に相当］と**デスモソーム** desmosome）をバイパスするため，細胞間の電気抵抗は低い．

心筋線維とプルキンエ線維の相違（図 12.2）

プルキンエ線維は，心室中隔両面の心内膜下にある．プルキンエ線維が通常の心筋線維と異なる点は，筋原線維が少なく筋線維の辺縁部にしかないこと，線維が太いこと，アセチルコリンエステラーゼ反応陽性，グリコーゲンが豊富なことなどである．

プルキンエ線維は心筋線維に合するとその特徴を失う．プルキンエ線維は，他の心筋と同様に横紋をもつが，非典型的な介在板で結合する．

血管

動脈

動脈は，血液を心臓から毛細血管まで運ぶ．心収縮期に拍出された血液は動脈に貯留し，拡張期も続けて流れる．

動脈壁は 3 つの**膜** tunics とよばれる層からなる：

1. **内膜** tunica intima は最内層である．心臓の内腔面を覆う心内膜に連続する**内皮層** endothelial lining，疎性結合組織性の中間層である**内皮下層** subendothelium，および弾性線維性の外層の**内弾性板** internal elastic lamina からなる．
2. **中膜** tunica media は中間の層である．多少のコラーゲン線維や細胞外マトリックス，および不規則に断裂する**弾性線維鞘**（窓あき［有孔］弾性線維膜）に包まれた**平滑筋細胞**からなる．
   コラーゲン線維は平滑筋を支える枠組みをなし，血管壁の拡張を制限する．静脈は，動脈より多量のコラーゲン線維を含む．
3. **外膜** tunica externa（adventitia）は，主として結合組織からなる外層である．外膜と中膜の境界に**外弾性板** external elastic lamina がある．

太い血管（動静脈）の外膜には，中膜の外半部へ酸素と栄養を補給する小血管（**脈管の脈管** vasa vasorum）がある．

心臓から毛細血管までの動脈は，大きく 3 つに区分される：

1. **大径の弾性型動脈** large-sized elastic artery.
2. **中径の筋型動脈** medium-sized muscular artery.
3. **小径の動脈** small-sized artery または**細動脈** arteriole.

大径の弾性型動脈（搬送血管）（図 12.4）

大動脈 aorta とその太い枝（腕頭動脈，総頸動脈，鎖骨下動脈，総腸骨動脈）は弾性型動脈である．これらは中径の**分配動脈** distributing artery に心臓から血液を導き送るので，**搬送動脈** conducting artery である．

大径の弾性型動脈には 2 つの大きな特徴がある：

1. 心臓から血液を高圧で受ける．
2. 心臓から間欠的に拍出される血液を連続的に循環させるようにする．

弾性型動脈は，心収縮期にふくらみ心拡張期に復元することで，間欠的な拍出を連続的な血流へと変換している．

弾性型動脈の内膜は，内皮と内皮下結合組織からなる．

中膜には，多量の有孔弾性線維鞘がみられ，弾性線維層板の間の狭い間隙に平滑筋細胞がある．コラーゲン線維は全層にみられるが，特に外膜に多い．平滑筋細胞は弾性線維とコラーゲン線維

図 12.5 | 動脈の構造

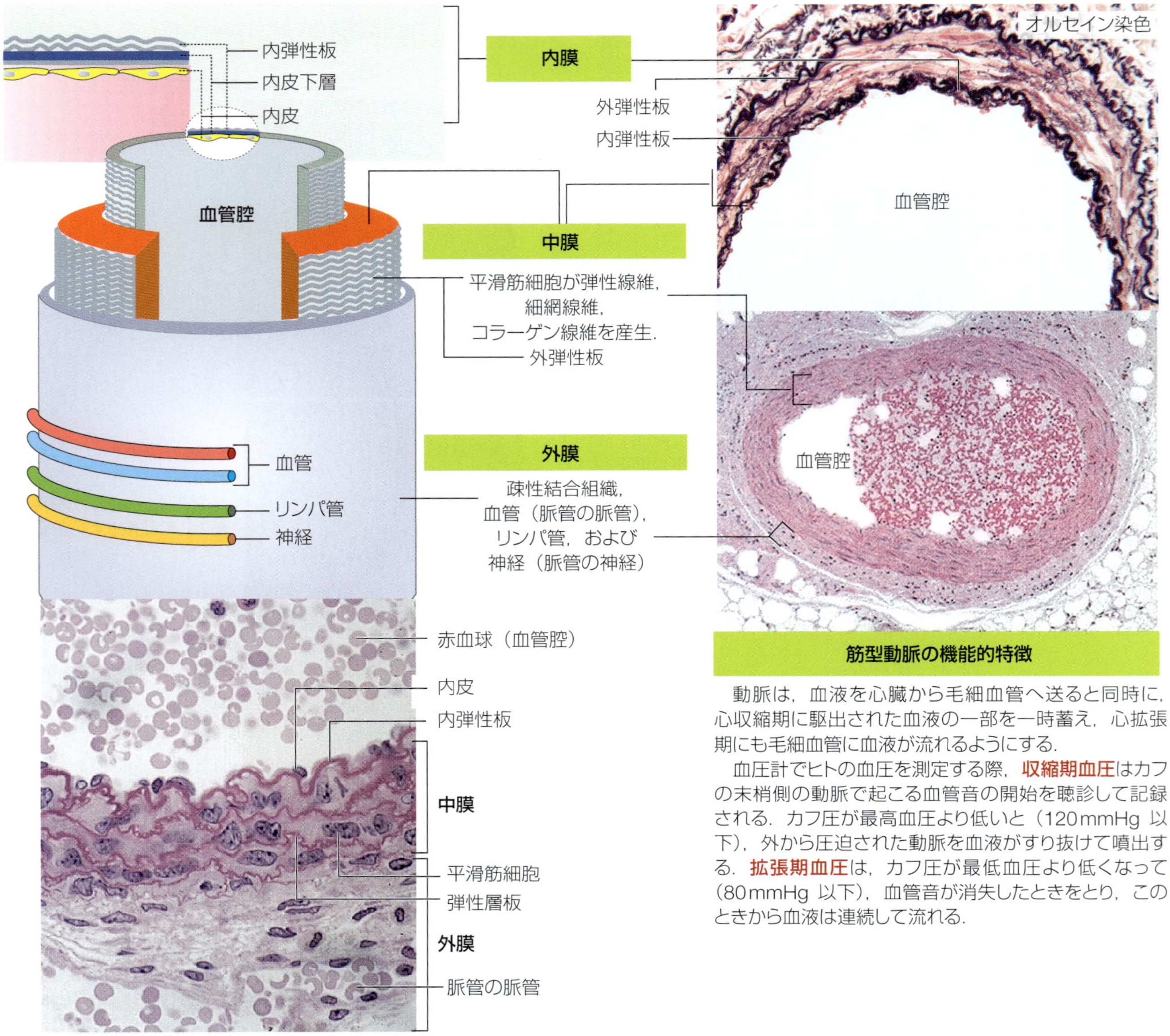

内弾性板
内皮下層
内皮
内膜
血管腔
中膜
平滑筋細胞が弾性線維，細網線維，コラーゲン線維を産生．
外弾性板
血管
リンパ管
神経
外膜
疎性結合組織，血管（脈管の脈管），リンパ管，および神経（脈管の神経）
赤血球（血管腔）
内皮
内弾性板
中膜
平滑筋細胞
弾性層板
外膜
脈管の脈管
オルセイン染色
外弾性板
内弾性板
血管腔
血管腔

筋型動脈の機能的特徴

動脈は，血液を心臓から毛細血管へ送ると同時に，心収縮期に駆出された血液の一部を一時蓄え，心拡張期にも毛細血管に血液が流れるようにする．

血圧計でヒトの血圧を測定する際，**収縮期血圧**はカフの末梢側の動脈で起こる血管音の開始を聴診して記録される．カフ圧が最高血圧より低いと（120 mmHg 以下），外から圧迫された動脈を血液がすり抜けて噴出する．**拡張期血圧**は，カフ圧が最低血圧より低くなって（80 mmHg 以下），血管音が消失したときをとり，このときから血液は連続して流れる．

の両方を産生する．太い弾性型動脈の外膜には，血管（**脈管の脈管** vasa vasorum）や神経（**脈管の神経** nervi vasorum），リンパ管がみられる．

大動脈瘤

動脈が拡張したものを**動脈瘤** aneurythm といい，静脈が拡張したものは**静脈瘤** varix という．

大動脈瘤には2つの主な型がある．**梅毒性大動脈瘤** syphilic aneurysm（梅毒が少なくなったため，比較的まれ）と**腹部大動脈瘤** abdominal aneurysm である．

梅毒性大動脈瘤は上行大動脈と大動脈弓に多い．腹部大動脈瘤は，粥状動脈硬化による大動脈壁の脆弱化が原因で起こる．

大動脈瘤では，拡張した大動脈の部分で血流が乱れ，雑音が生じる．動脈瘤の重篤な合併症として，大動脈解離がある．これは，内膜に裂け目が生じてそこから血液が入り，内膜と中膜，中膜と外膜の間に壁内血腫が形成される．**大動脈解離**は，失血による高い死亡率を伴う．

マルファン症候群 Marfan's syndrome では，常染色体優性遺伝でフィブリリン1遺伝子 *fibrillin 1* gene の異常により解離性大動脈瘤，骨格異常および眼の異常が生じる．フィブリリンは，大動脈，骨膜，水晶体の毛様体小帯にみられる弾性線維の主要な構成成分である．

筋型動脈（分配血管）（図 12.5）

大径の動脈から中径の動脈，小動脈および細動脈へと順次移行する．

中径の動脈は**分配血管** distributing vessel で，各器官の機能的

図 12.6 ｜ 細動脈（抵抗血管）

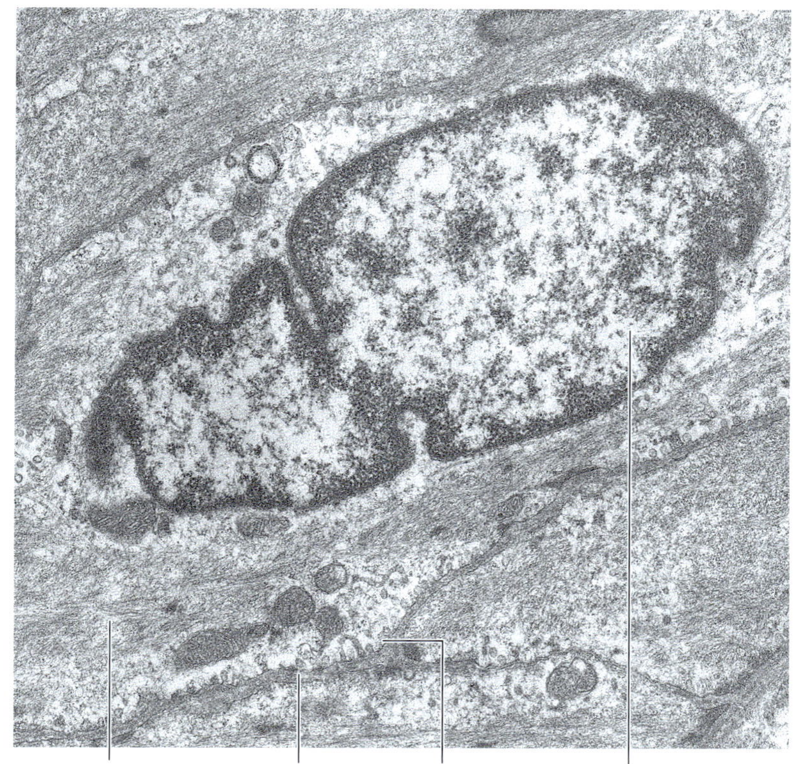

細動脈

血管平滑筋細胞　内皮細胞

血管平滑筋細胞は，全末梢抵抗，動静脈の緊張，および全身の血液分布を制御するのに重要な役割を担っている．

血管平滑筋細胞の細胞質は，アクチンとミオシンのフィラメントをもち，その収縮はカルシウムによって制御される．内圧の上昇に応じて細動脈平滑筋が収縮し，圧の低下で弛緩する．

な要求に応じて血液の選択的配分を行う．中径の動脈の例としては，橈骨動脈，脛骨動脈，膝窩動脈，腋窩動脈，脾動脈，腸間膜動脈，肋間動脈などがある．中径の**筋型動脈** muscular artery の直径は約 3mm かそれ以上である．

内膜は 3 層からなる：

1. **内皮** endothelium.
2. **内皮下層** subendothelium.
3. **内弾性板** internal elastic lamina.

内弾性板は孔のあいた弾性線維の帯で，固定標本では平滑筋層（中膜）の収縮によりしばしば波打ってみえる．

中膜では，弾性線維成分が著明に減り，平滑筋線維が増える．比較的太い血管では，中膜と外膜の間に外弾性板がみられる．

細動脈（抵抗血管）（図 12.6）

細動脈，毛細血管，細静脈は**微小血管系**を構成し，細胞間のコミュニケーションが最も多く行われる場所である．**細動脈** arteriole は，動脈系の終末の枝である．細動脈は局所における血管収縮と血管拡張によって，各毛細血管床への血液配分を制御している．**血管の緊張**（血管平滑筋の部分的な収縮）の調節は，主に細動脈のレベルで行われる動脈機能である．

細動脈の壁には輪走する平滑筋があり，血管収縮と血管拡張に適応している．細動脈は**抵抗血管** resistance vessel とみなされ，体循環血圧の主な決定要因となる．

小動脈・細動脈の径は 20〜130 μm である．これらの血管は内腔が狭いため，閉じると血流に対する抵抗が高まる．

内膜は内皮，内皮下層，内弾性板からなる．中膜は 2〜5 層の輪走する平滑筋からなる．外膜は若干のコラーゲン線維組織からなり，血管を周囲組織につなぎ留めている．

本来の細動脈を通り過ぎると**メタ細動脈** metarteriole となり，動脈系の最終末部となる．1 層のしばしば不連続な平滑筋層をもち，重要な局所循環の調節を行う．

毛細血管（交換血管）（図 12.7）

毛細血管 blood capillary（**交換血管** exchange vessel）は，単層の透過性の高い**内皮細胞** endothelial cell からなり，**周皮細胞** pericyte に覆われた基底板で囲まれた非常に細い管である．周皮細胞は基底膜と接触し，時には内皮細胞とも接触して，血管の安定性や経内皮輸送を調節している．

毛細リンパ管には周皮細胞がない．しかし，集合リンパ管には平滑筋細胞層があり，これが相動性収縮と緊張性収縮を行うことでポンプ機能を果たしている．

毛細血管の直径は 5〜10 μm と，1 個の赤血球が通るのに十分な太さで，ガスの拡散に十分な薄さ（0.5 μm）である．

微小循環の場である**微小血管床** microvascular bed は，**終末細動脈** terminal arteriole（およびメタ細動脈），**毛細血管床** capillary bed，そして**毛細血管後細静脈** postcapillary venule からなる．

毛細血管床は，血液が持続的に流れている比較的太い毛細血管（**優先路あるいは主通路** preferential or thoroughfare channel という）と，間欠的に流れる細い毛細血管（**真毛細血管** true capillary

図 12.7 | 微小循環

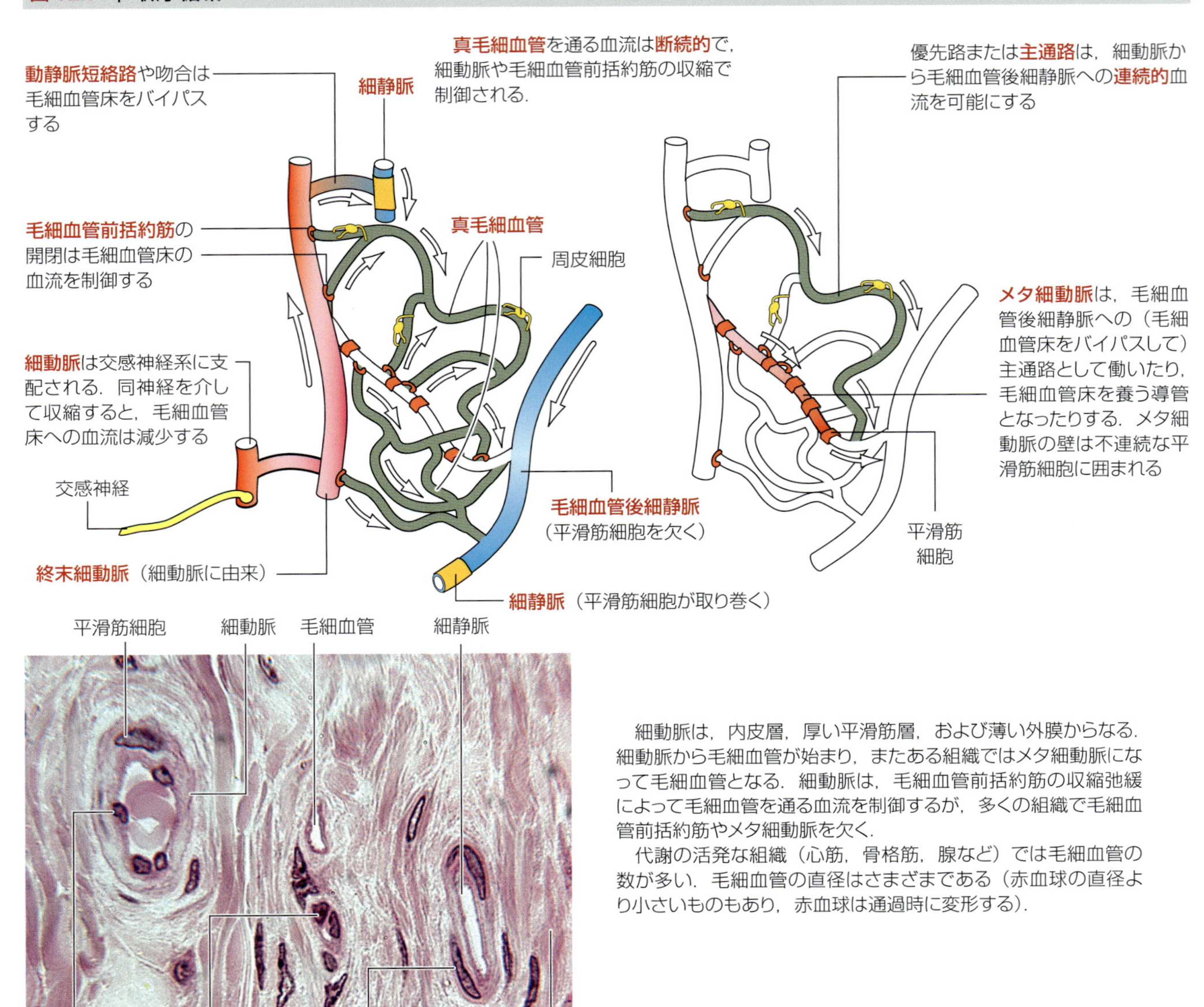

細動脈は，内皮層，厚い平滑筋層，および薄い外膜からなる．細動脈から毛細血管が始まり，またある組織ではメタ細動脈になって毛細血管となる．細動脈は，毛細血管前括約筋の収縮弛緩によって毛細血管を通る血流を制御するが，多くの組織で毛細血管前括約筋やメタ細動脈を欠く．

代謝の活発な組織（心筋，骨格筋，腺など）では毛細血管の数が多い．毛細血管の直径はさまざまである（赤血球の直径より小さいものもあり，赤血球は通過時に変形する）．

という）からなる．

微小血管床に入る血液の量は，細動脈やメタ細動脈からの真毛細血管起始部にある**毛細血管前括約筋** precapillary sphincter の平滑筋線維が収縮して調節される．

機能的な需要が減少すると，多くの毛細血管前括約筋が閉じ，血流は主通路に追いやられる．

毛細血管後細静脈は，炎症時に白血球が血管外に遊走する主な場所である．

動静脈短絡路 arteriovenous shunt または **動静脈吻合** arteriovenous anastomosis は細動脈と毛細血管後細静脈を直結することで，微小血管床をバイパスする．

三次元的な微小血管構築は，器官ごとに異なる．組織の微小領域における局所の血流は，組織の局所条件（栄養や代謝産物，その他の物質の濃度）によって調節される．

毛細血管の型（図 12.8，12.9）

毛細血管には形態学的に 3 つの型がある（図 12.8）：

1. **連続型**.
2. **有窓型**.
3. **不連続型（類洞）**.

連続型毛細血管 continuous capillary は，**単層扁平な内皮** simple squamous endothelium と**基底板** basal lamina に包まれる．**周皮細胞** pericyte が内皮と基底板の間にみられる．周皮細胞はある種の平滑筋細胞に似た未分化細胞で，基底板に密着して不規則な配列をしている．内皮細胞は**閉鎖結合** tight junction で接着し，**カベオラ** caveolae や**飲小胞** pinocytotic vesicle によって液や溶質を輸送している．連続型毛細血管は，脳，筋，皮膚，胸腺，および肺にみられる．

図 12.8 | 毛細血管の種類

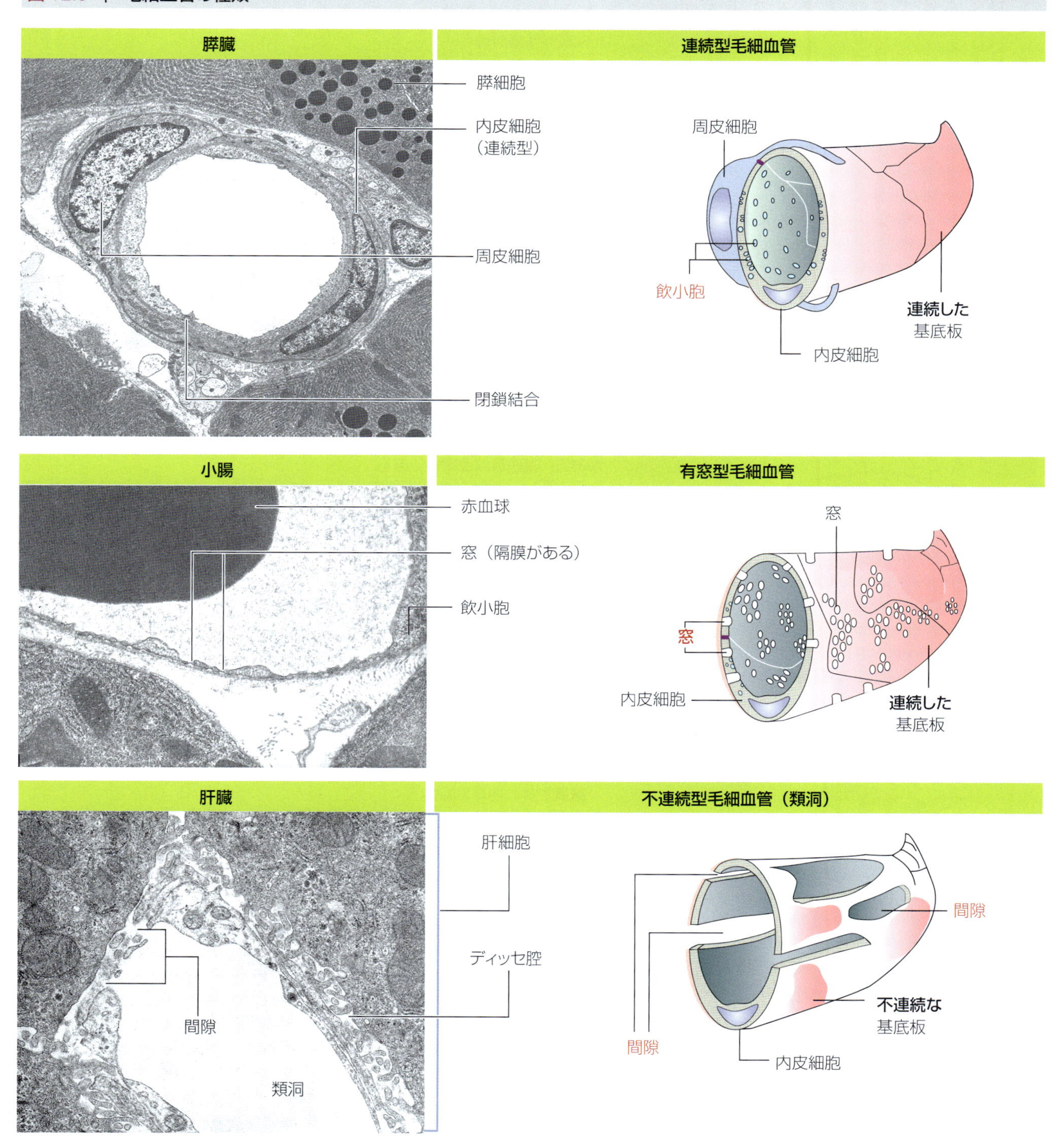

有窓型毛細血管 fenestrated capillary には，**孔** pore または**窓** fenestra があり，そこには**隔膜** diaphragm のある場合とない場合がある（図 12.9）．隔膜のある有窓型毛細血管は腸管，内分泌腺，および尿細管周囲にある．隔膜のない有窓型毛細血管は腎糸球体に特徴的である．この特別な場合では，基底板が重要な透過バリアとなっている．

不連続型毛細血管 discontinuous capillary は，内皮と基底板が不完全で間隙や孔が内皮間または内皮内にみられるものである．不連続型毛細血管と**類洞** sinusoid は，血液と実質組織が密接に関係する場合（例：肝臓，脾臓，骨髄）にみられる．

動脈性および静脈性門脈系（図 12.10）

一般的には，細動脈からの血液は毛細血管網へ流入し，それから細静脈へと流出する．

図 12.9 | 毛細血管の機能

連続型毛細血管

内皮細胞は，完全な（連続した）細胞質をもっている．この型は筋，脳，胸腺，骨，肺，その他の組織にみられる．

カベオラや小胞が，物質や液体を運んで（**飲作用**），細胞質を横切る双方向性の物質輸送路となる（**トランスサイトーシス**）．細胞質内小胞はカベオリンというタンパク質に覆われている．

基底板は**連続**している．肺では，薄い内皮細胞の細胞質で肺胞から血液へ（O_2），血液から肺胞へ（CO_2）のガス拡散のガス拡散ができる．

有窓型毛細血管

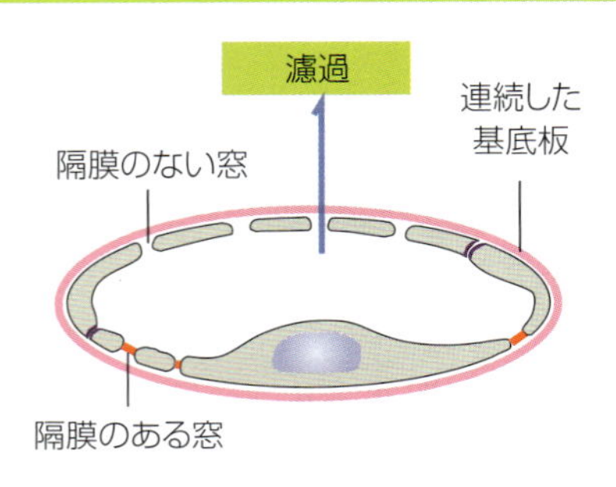

内皮細胞は多数の窓（径 10～100nm）をもち，**隔膜のある場合とない場合とがある**．**基底板**は**連続性**である．

この型は，相当な液体の移動のある組織（腸絨毛，脈絡叢，眼球の毛様体）にみられる．

腎糸球体の有窓型内皮細胞は厚い基底板に支持されている．

不連続型毛細血管（類洞）

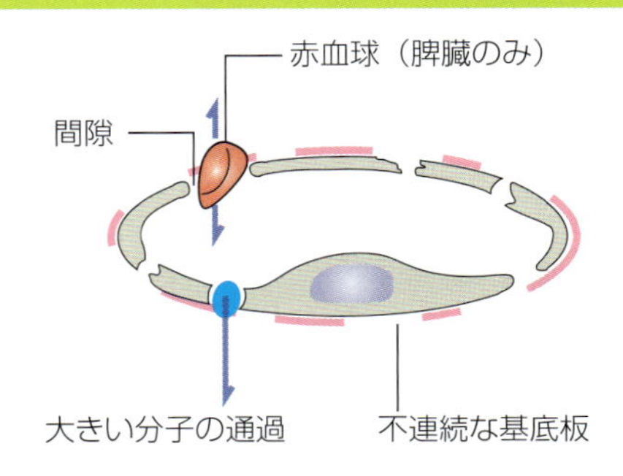

不連続型毛細血管の間隙は，有窓型毛細血管の孔より大きい．**基底板**も**不連続**である．

脾臓では，内皮細胞は長く伸びて，腔内へ突き出ている．**基底板**は**不完全**で，細網線維で囲まれている．血球は脾洞の壁を容易に通り抜けられる．

標準的な配置から外れる 2 つの毛細血管系がある：

1. **動脈性門脈系** arterial portal system（腎糸球体）．
2. **静脈性門脈系** venous portal system（肝臓）．

腎臓では，**輸入細動脈** afferent arteriole が糸球体という毛細血管網に注ぐ．

糸球体毛細血管は合流して**輸出細動脈** efferent arteriole となり，これは枝分かれして直血管という別の毛細血管網になる．直血管はヘンレのループの脚を囲み，尿の生成に重要な役割を担っている．糸球体系は腎小体での血液の濾過に不可欠のものである．

門脈系 portal system では，腸管の毛細血管は門脈に注ぎ，肝臓に至る．肝臓では門脈は枝分かれし，肝細胞索の間にある静脈性の類洞に注ぐ．血液は類洞から集合静脈へ流れ，下大静脈を経て心臓に戻る．

同様の門脈系が下垂体にもみられる．細静脈が，視床下部（正中隆起）にある一次洞様毛細血管網と下垂体前葉の二次毛細血管網とを連絡し，**下垂体門脈系** hypophyseal-portal system をなしている．この系は視床下部からの放出因子（放出ホルモン）を運び，下垂体前葉細胞から血中へホルモンが分泌されるのを刺激する．毛細血管内皮バリアの機能面に関する追加事項は Box 12.A を参照．

静脈（収容・貯留血管）（図 12.11）

静脈系は，毛細血管床の端において，構造的には連続型毛細血管に似るが管腔の広い**毛細血管後細静脈**で始まる．

毛細血管後細静脈 postcapillary venules は，血球が**血管外遊出** diapedesis（ギリシャ語 *dia* [= through，通過して]，*pedan* [= to leap，走る]）とよばれている機構によってよく遊走する部域で，基底板およびコラーゲン線維と線維芽細胞からなる外膜によって支持される内皮細胞の管である．

リンパ性組織では，毛細血管後細静脈の内皮細胞の背丈がより高くなっている．この**高内皮細静脈** high endothelial venule は，

図 12.10 | 毛細血管の配列：門脈系

通常の配列

細動脈　毛細血管　細静脈

一般に，**毛細血管網は細動脈と細静脈の間にある**.

動脈性門脈系

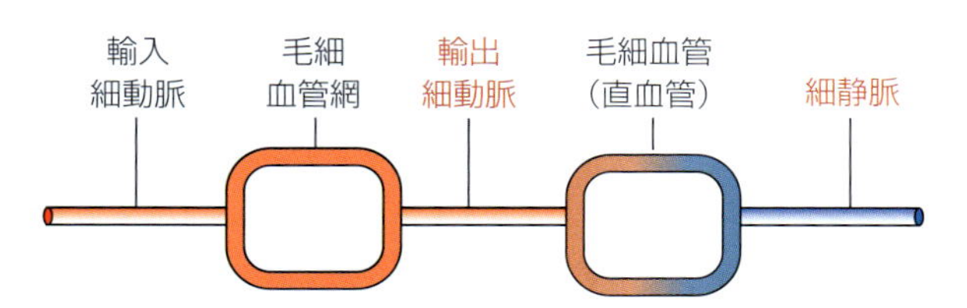

腎臓では，**細動脈が 2 つの毛細血管網の間に挟まっている**．輸入細動脈は，毛細血管の塊である**糸球体**になる．これらの毛細血管は集まって輸出細動脈となり，さらにこれはネフロンを取り巻く毛細血管網（尿細管周囲毛細血管網や直血管）となる．

静脈性門脈系

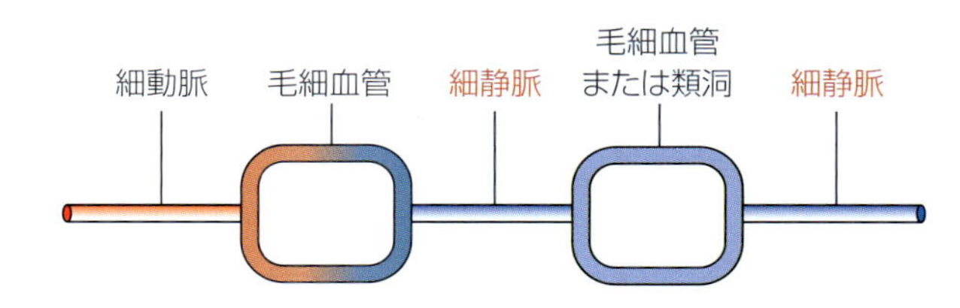

肝臓や下垂体では，**静脈が太い毛細血管，すなわち洞様毛細血管網となったのち，静脈に注ぐ**．この分布様式を**静脈性門脈系**という．

Box 12.A | 毛細血管内皮バリア

- 機能的な観点から，毛細血管内皮のバリアは 3 つの主要なカテゴリーに分類される．

1. 保護型内皮バリア．**血液脳関門** blood-brain barrier（BBB）はこのカテゴリーに属する．BBB の毛細血管内皮細胞は，主にクローディン 5 による閉鎖結合とアストロサイトの終足および脳毛細血管を取り囲む周皮細胞によって封じられている（第 8 章参照）．
2. 許容型内皮バリア．**腸血管関門** gut-vascular barrier（GVB）は，食物抗原の侵入を積極的に排除し，腸内細菌叢を保存し，また血行性細菌拡散を阻止し，さまざまなクラスの分子トランスポーターを発現している（第 16 章参照）．
3. 免疫調節内皮バリア．**血液網膜関門** blood-retinal barrier（BRB）は，このカテゴリーに属する．BRB は眼球の免疫優位な状態を維持し，網膜のホメオスタシスと視覚機能を調節する（第 9 章参照）．

リンパ性器官におけるリンパ球の**ホーミング** homing 機構に関与している．

毛細血管後細静脈は集合して**筋型細静脈** muscular venule となり，さらに集まって**集合細静脈** collecting venule となりながら，次第に太い**静脈** vein（**収容・貯留血管** capacitance or reservoir vessel）へと導かれる．

静脈は，同じ径の動脈と比較して，やや薄い壁をしている．静脈の高い収容力はその壁の伸展性によるもので（**コンプライアンス血管** compliance vessel），収容される血液量は静脈の容積に比べて大きい．

内圧のわずかな上昇も血液量の大きな増加を引き起こす．

静脈も動脈のような層構造を示す．しかしながら，中膜と外膜の境界はしばしば不鮮明である．腔面には，基底板を伴う内皮がある．明瞭な内弾性板はみられない．

筋性の中膜は，動脈の中膜より薄く，平滑筋線維の方向は不規則ながらもほぼ輪状である．縦走するものが，腸骨静脈，腕頭静脈，上・下大静脈，門脈，腎静脈にみられる．

外膜は，神経線維をほとんど伴わず，コラーゲン線維と線維芽細胞からなる．太い静脈では，脈管の脈管が壁に入る．

静脈の典型的な特徴は，逆流を防ぐ**弁** valve の存在である．弁は内膜の腔内への突出で，内皮細胞で覆われ，弾性線維とコラーゲン線維で補強されている．

静脈瘤 varices（静脈の拡張）の例としては，痔核（直腸の内・外静脈叢の静脈瘤），精索静脈瘤（精索の蔓状静脈叢の静脈瘤），下肢静脈瘤，食道静脈瘤（門脈圧亢進症や肝硬変に伴うもの）などがある．

血管炎（基本事項 12.A）

血管炎 vasculitis は，血管の急性および慢性の炎症と定義される．その原因は，感染性病原体や免疫学的病原物質である．細菌，リケッチア，梅毒，真菌などの感染により，血管炎，血栓性静脈炎（静脈壁の血栓と炎症），仮性動脈瘤（細菌の酵素の溶解作用による血管壁の拡張）などが起こる．

動脈壁の炎症性疾患の多くは，免疫を基盤とした病因が関与している．

図 12.11 | 静脈の構造

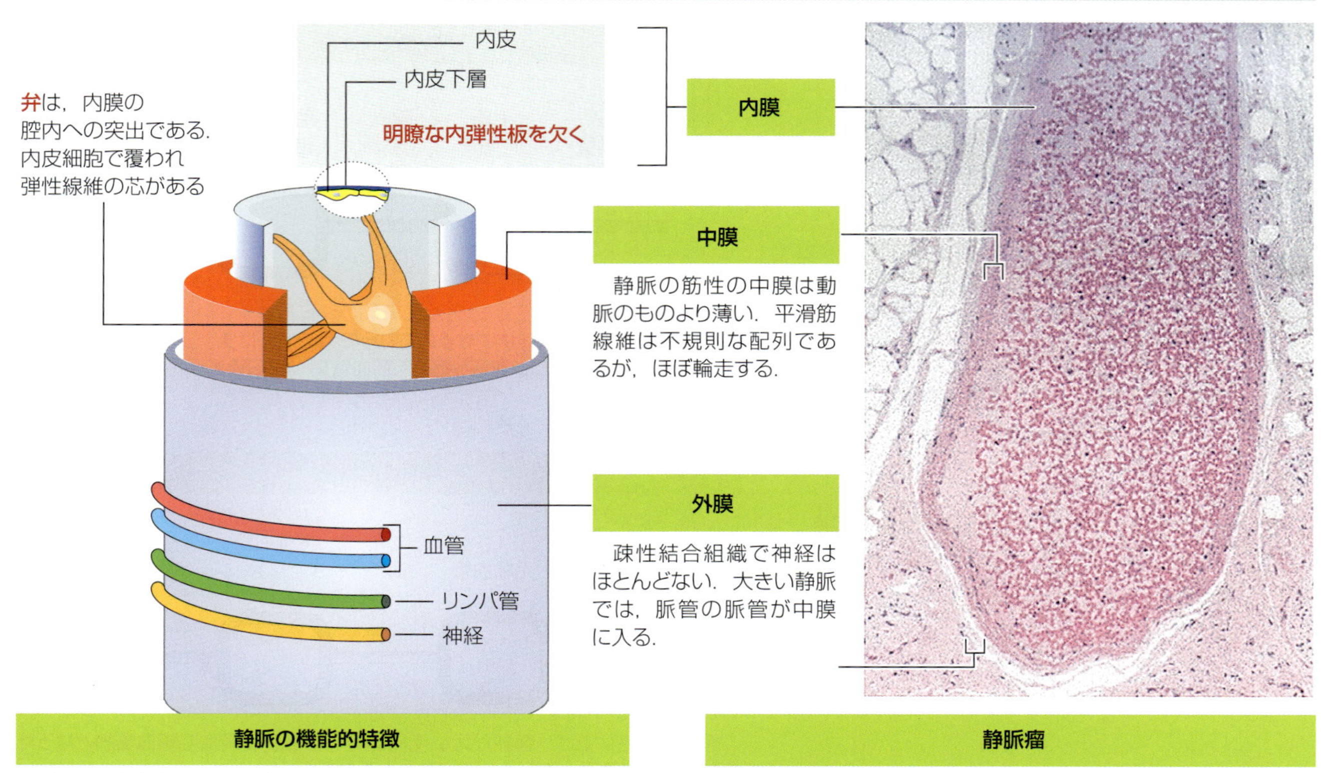

静脈の機能的特徴

静脈は高収容血管で，全血液量の 70%を入れている．

動脈に比べて，中膜に細網線維や弾性線維を伴う平滑筋線維束が少ない．

四肢の静脈は内在性の血管運動能をもっているが，血液を心臓に戻すのは，周囲の筋の収縮による外力と血流を一方通行にする弁の働きによる．

静脈瘤

静脈瘤 varicose vein は，内圧の上昇に起因して筋性中膜の内部が弱くなるか，心臓に血液を戻すのを妨げるような弁の構造上機能上の欠陥によって生じる．

静脈瘤は体のどの静脈にでも生じうるが，最もよくみられるのは下肢の伏在静脈，肛門直腸部の静脈（**痔核**），下部食道の静脈（**食道静脈瘤**）および精索内の静脈（**精索静脈瘤**）である．

血管炎には次のようなものがある：

1. **巨細胞性動脈炎** giant cell arteritis は，50 歳以上の成人によくみられる血管炎で，側頭動脈，眼動脈，椎骨動脈をよく侵す．頭痛，肩や股関節の痛み，顎跛行，赤血球沈降速度の上昇などが一般的な所見である．側頭動脈の生検では，ほとんどの症例で壁に巨大多核細胞（マクロファージ）やリンパ球の浸潤，内膜の肥厚，血栓症が認められ，本疾患の性状が確認される．
2. **バージャー病** Buerger's disease（**閉塞性血栓血管炎** thromboangiitis obliterans）は，タバコを大量に吸う若い男性に多くみられる手足の中・小動脈の病気である．典型的な症状は，跛行や運動時の血流不足による手足の痛み，寒さで手足の指が白くなる**レイノー現象** Raynaud's phenomenon である．上肢と下肢の血管造影では，一般的に閉塞部や狭窄部がみられる．
3. **結節性多発動脈炎** polyarteritis nodosa（PAN）は，皮膚，腎臓，肝臓，心臓，消化管などの中・小動脈の壁を侵す．PAN は，活動性の B 型肝炎や C 型肝炎との関連が指摘されており，注射薬物乱用者に多くみられる．血液中の免疫複合体（免疫グロブリンとウイルス抗原）が血管壁に蓄積する．
4. **巨細胞性大動脈炎** giant cell aortitis（**高安動脈炎** Takayasu's arteritis）は，40 歳以下のアジア人女性に高頻度で発症する希少疾患で，大動脈とその分枝を侵す．炎症期と閉塞期からなる疾患で，大動脈およびその分枝が狭窄と分節状に拡張することで脈がなくなる．高安動脈炎と巨細胞性動脈炎は組織学的に類似しており，どちらも血管壁の破壊と巨大な多核細胞を示す（訳注：高安動脈炎と巨細胞性動脈炎は異なる疾患とされる）．
5. **川崎病** Kawasaki's disease は，小児の冠状動脈をはじめ，大・中・小動脈も侵す．発熱，口内・口唇・咽頭粘膜の潰瘍，リンパ節腫脹を伴う．患児は重篤な合併症を起こすことなく回復する．
6. **チャーグ・ストラウス症候群** Churg-Strauss syndrome（CSS）は，喘息，鼻炎，好酸球増加症を伴う全身性血管炎である．罹患した血管の生検では，血管周囲の好酸球浸潤が確認される．CSS の原因は不明である．
7. **ウェゲナー肉芽腫症** Wegener's granulomatosis は，呼吸器や腎臓の壊死性動脈炎である．

   血管壁には，血管炎，肉芽腫，広範囲の壊死がみられる．
8. **ヘノッホ・シェーンライン紫斑病** Henoch-Schönlein purpura（HSP）は，小児の血管炎の中で最も一般的な病気である．紫斑（皮膚や粘膜の紫色の斑点），関節炎，腎炎，腹痛などを

基本事項 12.A | 血管炎

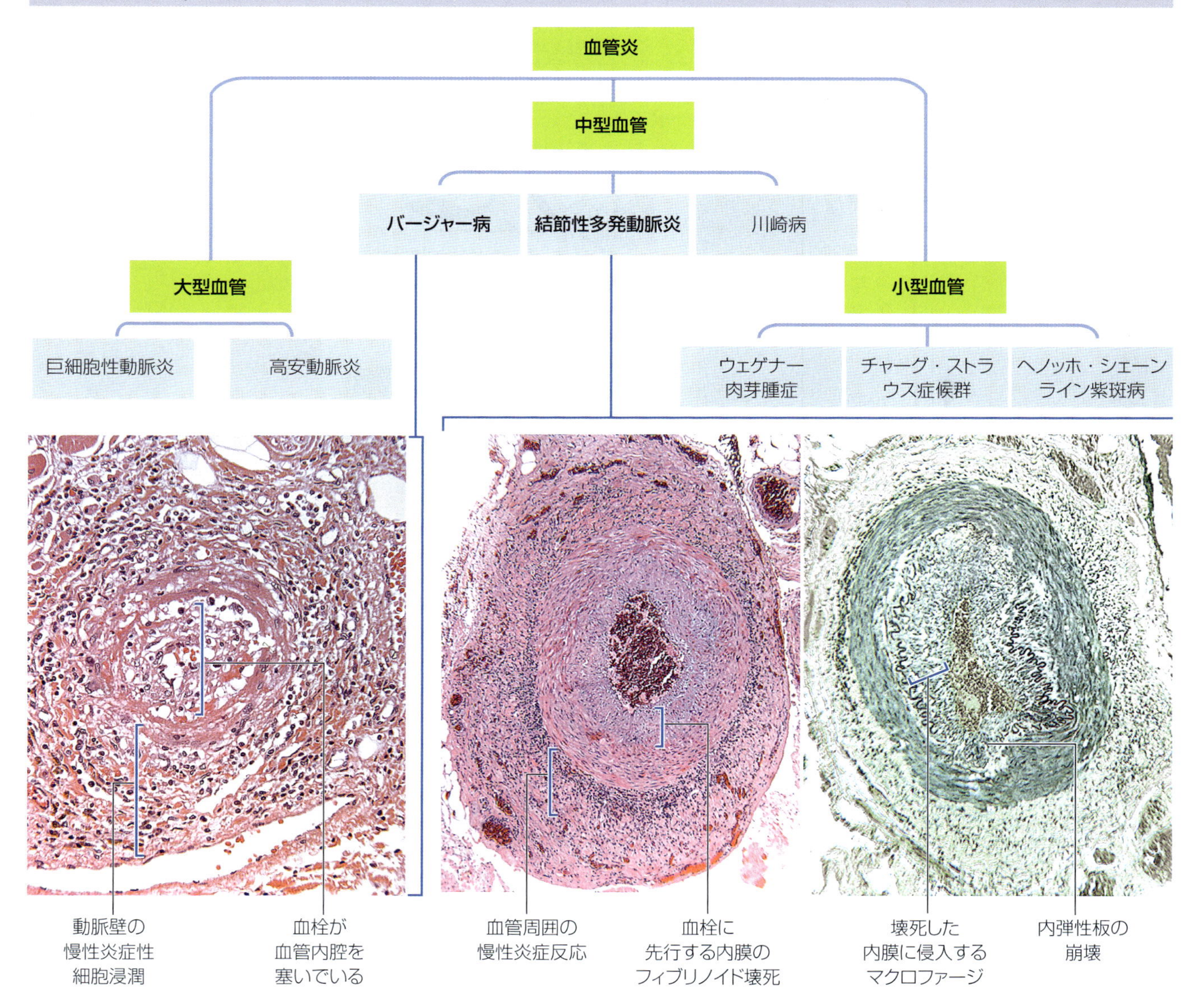

伴う．

多くの場合，HSP は上気道感染症に続いて発症する．皮膚生検での典型的な所見は，侵された血管壁に免疫グロブリン A が沈着していることである．HSP は，たいてい数週間で治癒する．

リンパ管（図 12.12）

リンパ管系の機能：

1. 免疫細胞とリンパをリンパ節に運ぶ．
2. 組織間隙に貯留する余分の体液を除去する．
3. 脂質を含んだ粒子である**キロミクロン**を腸絨毛の**乳糜**リンパ管（中心リンパ管）を通じて運ぶ．

リンパの流れは低圧で一方向である．

毛細リンパ管 lymphatic capillary は組織間隙に網をつくり，毛細血管の近傍で拡張した盲端の管（**盲管**）をもって始まる．毛細リンパ管は，過剰の組織液すなわち**リンパ** lymph を集め，組織内にいる免疫細胞のリンパ管系への進入口となる．毛細リンパ管は，多くの組織にみられるが，軟骨，骨，上皮，中枢神経系，骨髄および胎盤にはみられない．

毛細リンパ管の壁は，単層のボタン状の接合部をもつ柏の葉状の内皮細胞で構成され，完全な基底膜をもたない．

繋留フィラメント anchoring filament の束が内皮を引き離し，組織圧が高くても毛細リンパ管がつぶれないようにすることで，可溶性の組織成分を取り込むことができる．

組織間液の貯留は正常な循環状態で生じ，盲端の毛細リンパ管から過剰の液が取り込まれる．毛細リンパ管腔の内容量が増大すると，重なり合っている細胞質片が開いて液を導き入れる．毛細リンパ管に液が充満すると，重なり合った細胞質片が第一次の弁開口部として働き，液が間質へ逆流するのを防ぐ．

毛細リンパ管は**集合管前リンパ管** precollecting lymphatic vessel に集まって，**集合リンパ管** collecting lymphatic vessel に流入する．集合リンパ管は平滑筋に取り囲まれており，相動性収縮と緊張性収縮によりポンプ作用がある．

図 12.12 | 毛細リンパ管の起始盲端部

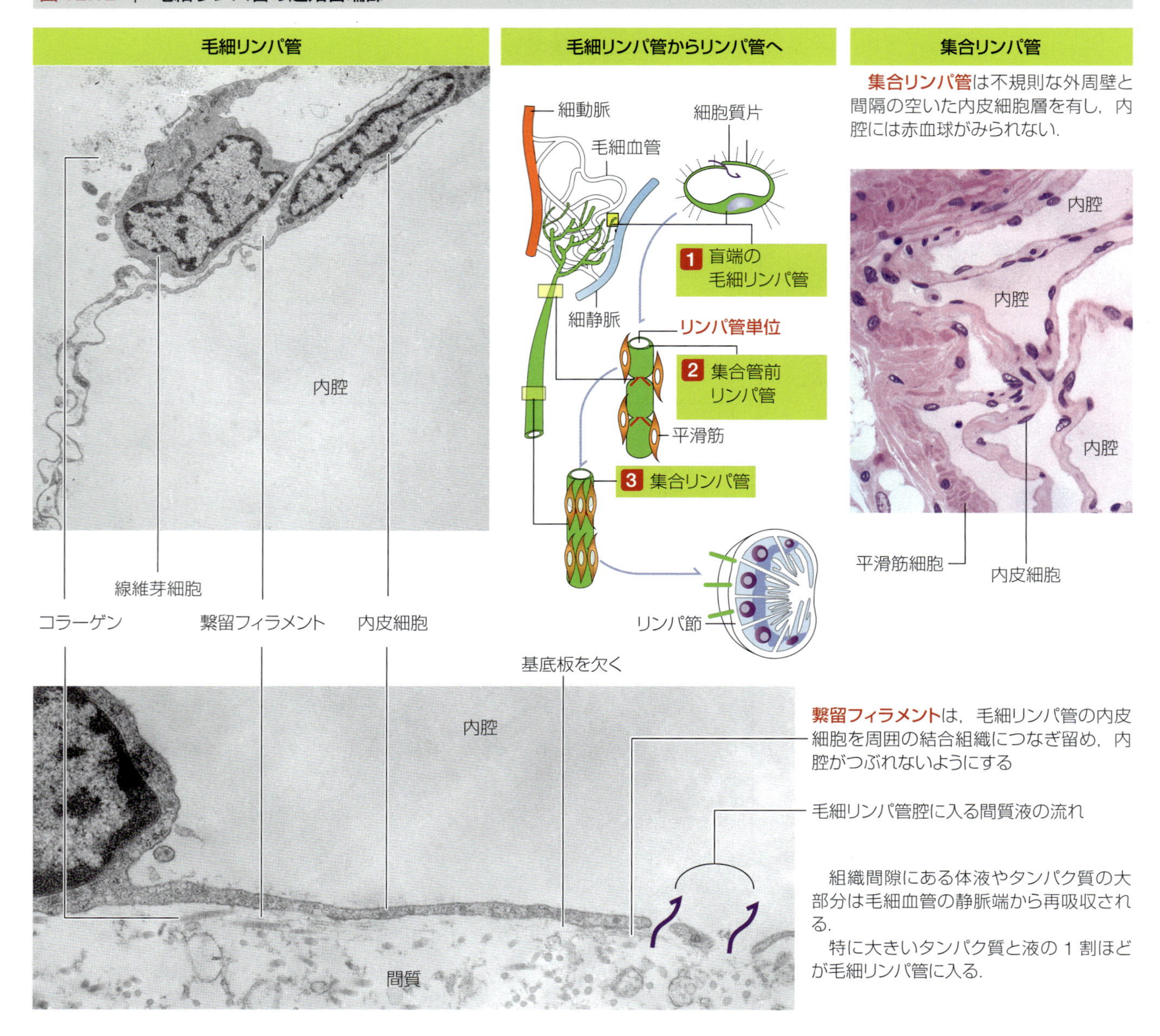

Box 12.B | リンパ管疾患

- リンパ浮腫 lymphedema は，異常なリンパ管の発達やリンパ管の損傷のためにリンパの輸送が障害されることによって生じる．組織間隙に液やタンパク質が貯留すると，リンパ浮腫となる．組織間隙のタンパク質の豊富な液が炎症反応を惹起し，線維化や異常な免疫応答，さらに結合組織の脂肪変性を引き起こす.
- フィラリア症 filariasis（象皮病 elephantiasis）は，蚊に刺されて媒介されるバンクロフティー糸状虫 *Wuchereria bancrofti* あるいはマレー糸状虫 *Brugia malayi* がリンパ管に寄生することで発症する．リンパ管の障害が下肢や性器の慢性のリンパ浮腫を引き起こす．フィラリア症は熱帯の国々でみられる.
- 乳糜性腹水 chylous ascites と乳糜胸 chylothorax は，脂肪を高濃度に含んだ液，すなわち乳糜が腹腔や胸腔に貯留することによって起こる．原因としては，外傷，リンパ管の閉塞や発達異常がある.

集合リンパ管は内部を**弁**で隔てられた球状の分節構造をなす．このそれぞれの分節を**リンパ管単位** lymphangion といい，これが順番に収縮することによってリンパの流れを一方向にし，逆流を防ぐ.

集合リンパ管はリンパ節の近くで**終末リンパ管** terminal lymphatic vessel となる．これら終末リンパ管は分枝して求心性リンパ管となり，リンパ節の被膜を通過して，リンパや内容物を被膜の下の腔に放出させる．リンパ節は，リンパ管の走行に沿って分布して，胸管や右リンパ本管に入る前にリンパを濾過する．1 日に全部で 2〜3L のリンパがつくられる（Box 12.B).

リンパは，2 つの本幹を経由し，静脈へ戻っていく：

1. **太い胸管** thoracic duct.
2. **細い右リンパ本幹** right lymphatic duct.

より大きなリンパ管は 3 層構造で，小静脈に似るが，内腔が広い．
内膜は，内皮と薄い結合組織の内皮下層からなる．
中膜には，コラーゲン線維によって分離された輪走するいくつかの平滑筋細胞がある．
外膜は，弾性線維を伴う結合組織である．
静脈と同様，リンパ管にも**弁**があり，その数は多い．胸管の構造は中径の静脈に似ているが，顕著な筋性中膜がみられる．

浮腫

浮腫 edema は，組織液（**間質液** interstitial fluid）の量が増加しリンパ管の排出能力を超えるか，リンパ管が閉塞したときに起こる．皮下組織は間質液の貯留能をもち，臨床的に浮腫となる．
皮下の浮腫は，右心不全により，全身の静脈系の静水圧が上昇することで起こる．
激しく毛細血管を損傷（熱傷）した患者では，血管内液と血漿タンパク質とが組織間隙へ逃げる．間質に集まったタンパク質は毛細血管外の浸透圧を増加させ，血管内液がさらに減少する．

出血

血管の破裂は，主要な動脈や静脈への外傷や，壁の脆弱性による血管破裂によって引き起こされ，**出血** hemorrhage の原因となる．
大量の血液を失うと，血液量減少性ショックを引き起こし血圧が著しく低下する．心臓や脳の血流を維持するため，消化器系や腎臓から血液を動員させる．
血腫 hematoma とは，組織内に局所的に血液が溜まった状態で，通常は外傷後に発生する．**硬膜下血腫**は，頭部外傷や高齢者の自然な血管破裂の結果，脳の表面に血液が溜まったものである．
点状出血 petechiae（直径 3mm 以下），**紫斑** purpura（直径 10mm 以下），**斑状出血** ecchymosis（直径 10mm 以上：あざ）は，皮膚の小さな出血である．加齢に伴い，皮下脂肪が減少することで皮膚の柔軟性が失われて薄くなり，ちょっとした傷でも血管が破れやすくなる．

アテローム性動脈硬化症（基本事項 12.B）

アテローム（粥状）硬化症 atherosclerosis とは，内膜に脂質や細胞，結合組織が沈着してできる**アテローム性プラーク（粥腫）** atherosclerotic plaque に起因する動脈壁の肥厚と硬化である．アテローム性動脈硬化は高血圧にさらされる動脈にしばしばみられるが，静脈は侵されず，心筋梗塞や脳卒中，虚血性壊疽などの原因となる．
アテローム性動脈硬化は，コレステロールを取り込んだマクロファージが動脈壁に集積することで起こる**慢性炎症性疾患**である．アテローム性動脈硬化は，その発症のすべての段階で炎症の特徴がみられる．
アテローム性動脈硬化の過程は，内皮細胞の機能不全の結果として内膜にコレステロールを含んだ**低密度リポタンパク質** low density lipoprotein（**LDL**）が蓄積することで始まる．
機能不全の内皮は**血管細胞接着分子 -1** vascular cell adhesion molecule-1（**VCAM-1**）を発現し，内皮細胞の表面に単球が接着し，内皮を通過して血管の内膜の中に達するようになる．
そこで単球は，細胞表面に**スカベンジャー受容体 -A** scavenger recepter-A（**SR-A**）を発現したマクロファージに分化する．SR-A を介して変性 LDL（酸化 LDL）を取り込み，これがぎっしりと詰まると，マクロファージはコレステロールを担った**泡沫細胞** foam cell となる．
マクロファージ泡沫細胞は動脈硬化巣の**アテローム・コア** atheroma core を形成する．アテローム・コアは増大し続け，筋層の平滑筋細胞が内膜に遊走し，アテローム・コアを覆うコラーゲンを含んだ**線維性キャップ** fibrous cap を形成する．内皮が線維性キャップを覆う．
脂質のコアは増大し，免疫反応を引き起こして T 細胞を誘引する．T 細胞の刺激を受けて，マクロファージ泡沫細胞はメタロプロテアーゼを産生し，T 細胞の産生した炎症性サイトカインも働いて，線維性キャップは脆弱化し破綻しやすくなる．破綻すると，**血液凝固性組織因子** procoagulant tissue factor の存在下で**血栓症**を招く．血栓が大きくなると，やがて血管の内腔は狭小化し閉塞する．
ご覧のように，マクロファージによるリポタンパク質のクリアランスは，当初は有益にみえるが，時間の経過とともにマクロファージの機能が低下し，炎症性メディエーターや細胞外マトリックスプロテアーゼの分泌を通じて，炎症反応に寄与するようになる．次第に，死にかけたマクロファージが脂質を放出するようになり，アテローム・コアが拡大していく．
関与する主な血管は，**腹大動脈**，**冠状動脈**および**脳動脈**である．
冠動脈硬化は虚血性心疾患の原因となり，動脈病変に血栓が合併すると心筋梗塞が起こる．冠動脈硬化のリスクには，循環血液中の**低密度リポタンパク質（LDL）**コレステロールの増加，トリグリセリドを多く含むリポタンパク質の増加，または**高密度リポタンパク質（HDL）**コレステロールの減少が関連している．
脳動脈の**アテローム血栓症** atherothrombosis は，神経疾患で最も頻度の高いものの 1 つである**脳梗塞** brain infarct，いわゆる**脳卒中** stroke の主因となる．
腹大動脈のアテローム性動脈硬化は，腹部大動脈瘤につながり，時に拡張部が破裂して致死的な大量出血を引き起こす．

内皮の機能（図 12.13）

血液から細胞外空間への分子や細胞の通過，そして拡散，濾過，飲小胞による溶媒と溶質の交換を制御する毛細血管バリアの構成要素としての上皮細胞の構造についてはすでに述べた．
動脈や静脈の内皮は連続した単層を形成しているのに対し，毛細血管の内皮細胞が連続性，有窓性，不連続性のいずれかであるのとは対照的である．
内皮細胞は，分子や気体の通過を可能にし，血球や大きな分子を保持し，外部からの刺激から保護する能力をもっているが，すべての内皮細胞が同じというわけではない．
内皮細胞は，局在する血管の種類や臓器により，異なる分子的・機能的特性を示す．
内皮細胞は，既存の血管から新たな血管を形成する血管新生と

基本事項 12.B | 粥状動脈硬化症（アテローム硬化症）

1 内皮細胞機能不全

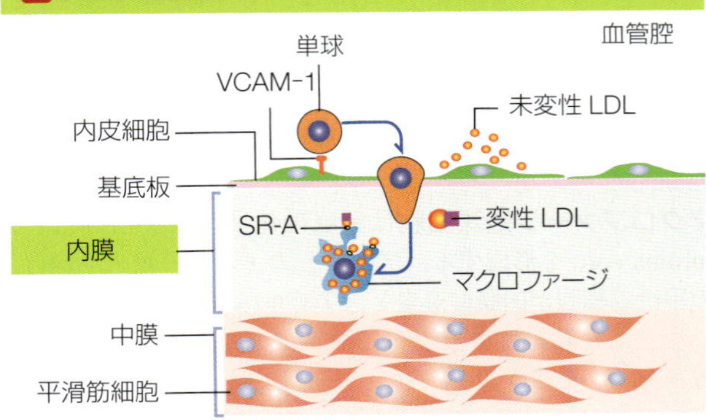

高コレステロール血症によって動脈の内皮が損傷すると，**血管細胞接着分子-1**（**VCAM-1**）への接着により内膜に単球がホーミングする．内膜の中で，単球はマクロファージに変化して**スカベンジャー受容体-A**（**SR-A**）を発現し，コレステロールが豊富な変性**低密度リポタンパク質**（**LDL**）を取り込む．LDL を含んだ多胞性沈着物のため，マクロファージは泡沫状にみえる．

2 アテローム硬化巣の形成

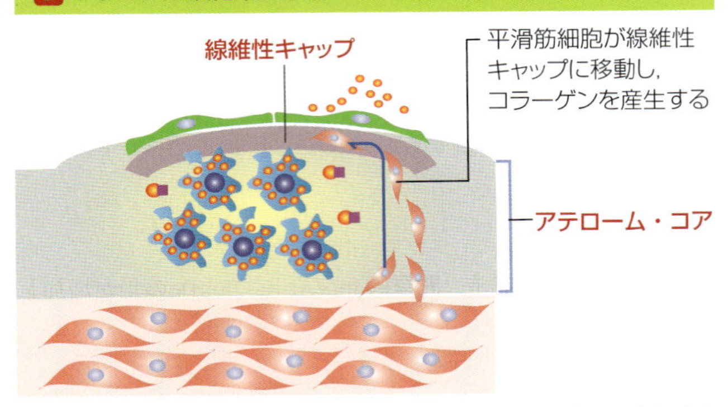

動脈硬化巣は，内膜で発達し，多数のマクロファージの泡沫細胞と**線維性キャップ**を伴った**アテローム・コア**からなる．

線維性キャップは，中膜から移動してきた平滑筋細胞によって生成されたコラーゲン線維を含む．

3 T 細胞-マクロファージ相互作用

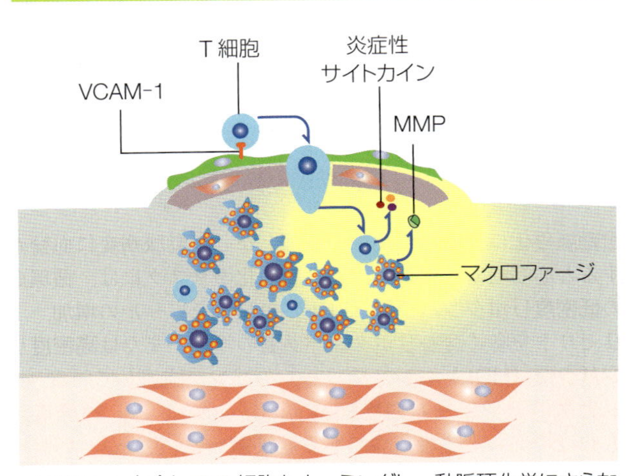

VCAM-1 を介して T 細胞もホーミングし，動脈硬化巣にさらなる炎症性要素が加わる．T 細胞・マクロファージの相互作用の結果，マクロファージから**メタロプロテアーゼ**（**MMP**），T 細胞から**炎症性サイトカイン**が産生される．

4 硬化巣の破綻と血栓性

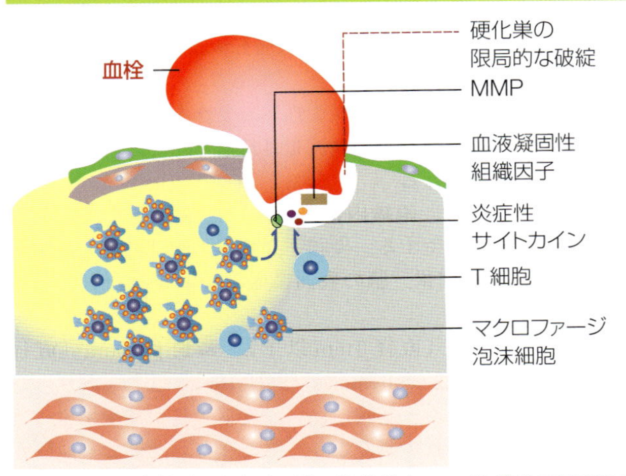

MMP と炎症性サイトカインは，線維性キャップを弱めて破綻に至らせる．硬化巣は血栓のもとになり，マクロファージによる**血液凝固性組織因子**の産生の結果，動脈内腔の狭窄または閉塞に至る**血栓症**を引き起こす．

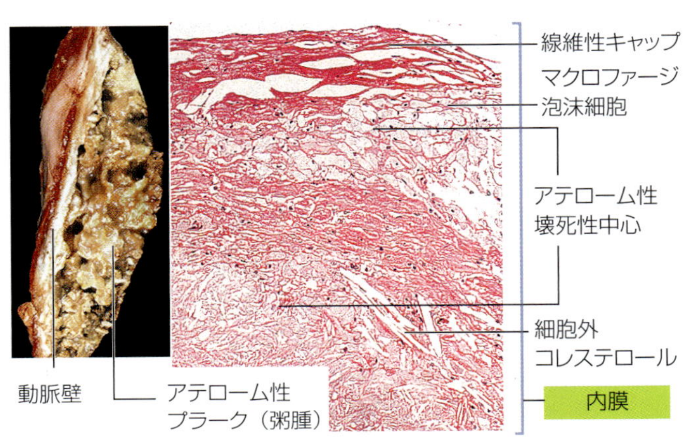

動脈硬化性プラークが成長すると，壊死したコアが線維性のキャップで覆われる．このキャップが血圧の脈動に耐えられなくなると，プラークの縁近くに表面的な亀裂が生じる．

冠状動脈血栓症の約 70%は**プラークの破裂**によるものである．残りの30%は**内皮のびらん**が原因である．内皮びらんとは，線維性キャップの破裂を伴わずに内皮が欠損し，急性の血栓形成に至ることをいう．

なお，線維性被膜には平滑筋細胞と平滑筋細胞が産生するコラーゲンが含まれている．コラーゲンは線維性被膜の安定性に寄与している．

動脈硬化性石灰化は通常プラークの安定性をもたらすが，小さな石灰化結節はプラークを不安定にする．

写真：Damanjov I, Linder J: Pathology: A Color Atlas,St. Louis, Mosby, 2001 より．

図 12.13 | 内皮の機能

アンギオポエチン 2 は内皮細胞間の閉鎖結合を制御する

1 内皮細胞間の閉鎖結合が破壊されると，漏出が生じる．内皮細胞は，サイトカインである**アンギオポエチン 2**（**Ang2**）やその他のサイトカインを細胞質内の小胞に蓄えており，生理的・病理的な刺激に応じて放出される．Ang2 の分泌が亢進すると，内皮を不安定にするシグナルが誘発され，内皮の閉鎖結合が広範囲に破壊されることになる．

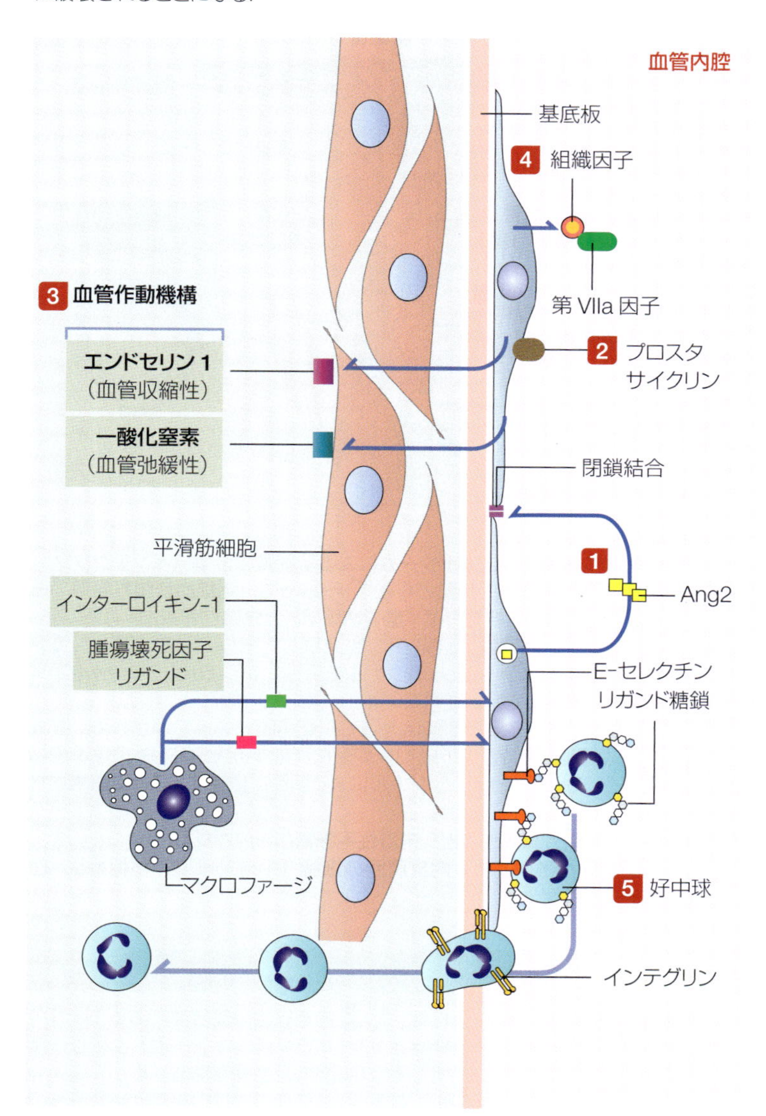

内皮細胞はプロスタサイクリンを産生する

2 プロスタサイクリンは，アラキドン酸からプロスタサイクリンシンターゼが触媒して内皮細胞によりつくられる．プロスタサイクリンは血小板が内皮に接着するのを抑え，**血栓形成を防止する**．またプロスタサイクリンは**血管拡張因子**でもある．

内皮細胞は平滑筋の活動性を変化させる

3 内皮細胞は平滑筋**弛緩因子**（**一酸化窒素**など）や，平滑筋**収縮因子**（**エンドセリン 1** など）を分泌する．

内皮細胞は血液凝固を引き起こす

4 内皮細胞は，**組織因子**を放出する．この因子は第 VIIa 因子に結合して第 X 因子を第 Xa 因子に転換し，血液凝固経路の共通の経路を開始させる（第 6 章「血液凝固」の項参照）．

トロンビン（血小板表面の受容体に結合する）は，フィブリノゲンに作用しフィブリン単量体を生成する．**フィブリン単量体**は，自己集結し第 XIII 因子で架橋された軟らかいフィブリン凝血塊を生じる．

血小板とフィブリンはともに，血管壁が損傷を受けたときに止血栓をつくる．

内皮細胞は白血球や抗原の通過を制御するゲートである

5 内皮細胞は，血管外の結合組織で炎症反応に関与している細胞（例えば，**好中球**）の内皮通過を促進したり，制限したりする．

活性化されたマクロファージは，腫瘍壊死因子リガンドやインターロイキン-1 を分泌する．これらは，内皮細胞における **E-セレクチン**の発現を誘導し，内皮を横切る細胞通過を許容するようになる．

腸には細菌が全身循環に入るのを防ぐ**許容型**内皮関門があり（**腸血管関門**），中枢神経系には脳の正常機能に影響を及ぼさないで保護を可能にする**保護型**内皮関門がある（**血液脳関門**）．

いう過程を経て，特殊な機能を獲得できる．

病的な状態では，内皮細胞によるアンギオポエチン 2 の分泌が亢進することで，内皮細胞間の閉鎖結合が乱れ，内皮の透過性に影響を与える．

内皮細胞は，血管壁の平滑筋を収縮させたり弛緩させたりする**血管作動性物質** vasoactive substance を産生することができる．

一酸化窒素 nitric oxide（NO）は，アセチルコリンやその他の物質の刺激で内皮細胞によって L-アルギニンから合成され，グアニル酸シクラーゼを活性化し，結果的にサイクリックグアノシン一リン酸（cGMP）の産生を活性化し，血管壁の平滑筋の弛緩を誘導する．

エンドセリン 1 endothelin 1 は，内皮細胞によってつくられる非常に強い**血管収縮性ペプチド** vasoconstrictor peptide である．

プロスタサイクリン prostacyclin は，内皮細胞においてシクロオキシゲナーゼやプロスタサイクリンシンターゼの作用によりアラキドン酸から合成され，サイクリックアデノシン一リン酸（cAMP）の作用で血管平滑筋を弛緩させる．合成プロスタサイクリンは，重症の**レイノー現象** Raynaud's phenomenon（手足の指が血管攣縮によって疼痛を伴って白くなる）や虚血，肺高血圧症の治療において血管を拡張させるのに用いられる．また，プロス

基本事項 12.C | 脈管形成と血管新生

脈管形成（胚子期の）

二元的な内皮細胞（EC）前駆体：胚子期には，中胚葉から卵黄嚢の血管内面を覆う EC が生じる．卵黄嚢の EC は，次に**赤血球・骨髄系前駆細胞（EMP）**を生み出す．EMP は胚子内に移動し，胚子の血球系に分化する．EMP はまた，EC タイプに戻り，血管内面を覆う中胚葉由来の EC と結合する．多様な EC が成体になっても存在する．

血管芽細胞（EC 前駆体）は増殖し，内皮性毛細管を形成し，動脈または静脈となる．増殖は，間葉系細胞から分泌される**血管内皮増殖因子（VEGF）**と**血管内皮増殖因子受容体-2（VEGF-R2）**の相互作用によって制御される．内皮性毛細管の形成は，**VEGF** と **VEGF-R1** の相互作用に依存している．

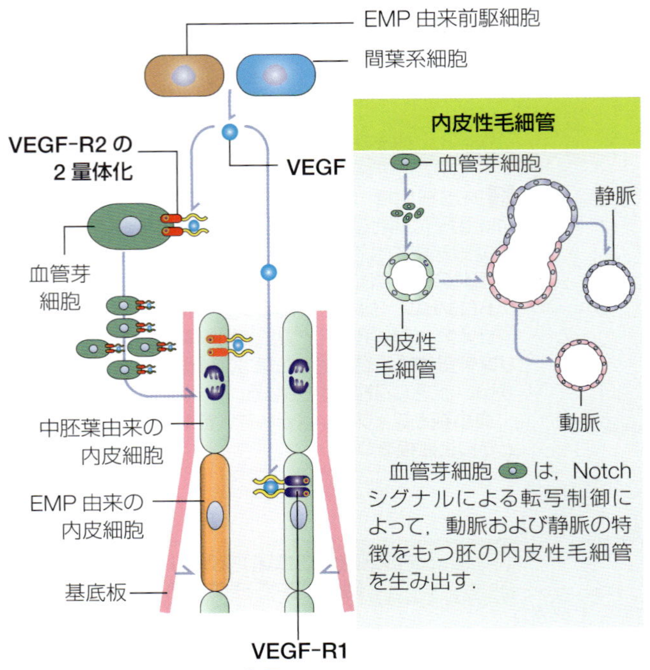

VEGF-R1 と VEGF-R2 は，細胞外の免疫グロブリン様ドメインと細胞内のチロシンキナーゼドメインをもっている．これらは 2 量体を形成する．

血管新生（胚子期，胎児期，成体期の）

血管新生では，**既存の血管**から，血管の発芽，分枝，吻合によって，新しい血管や血管網が形成される．

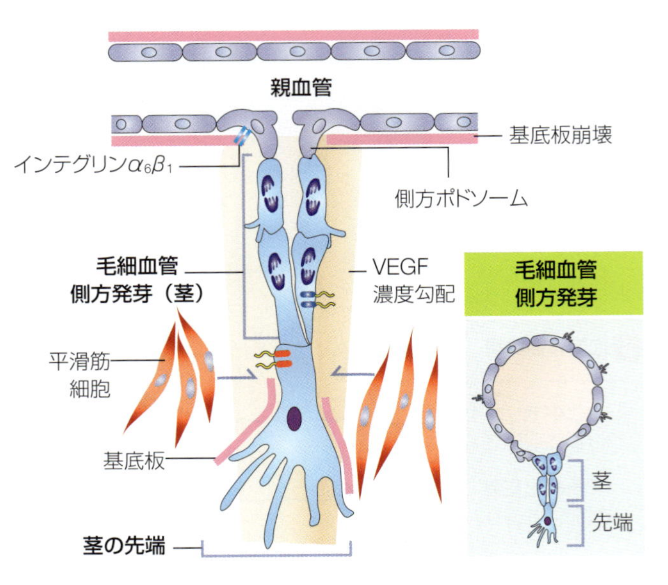

親内皮細胞の側方**ポドソーム**による基底膜の分解（**インテグリン$\alpha_6\beta_1$** と誘導性 **VEGF 勾配**の存在下）によって，**毛細血管側方発芽**の形成が可能となる．各発芽は，**茎**（増殖部）と**先端**（伸長部）からなる．

先端細胞は VEGF-R2 を発現しており，一方，茎は VEGF-R3 および Notch シグナルを活性化する Delta-like protein 4（DLL4）によって制御されている．

スプラウトの移動と増殖は，VEGF の勾配によって導かれる．茎細胞と先端細胞の特定は，VEGF 勾配に反応する VEGF-R の差次的な発現と，DLL4-Notch シグナルによる調節に依存することに留意されたい．

内皮細胞が成熟すると，**内皮性毛細管**が形成される．

基底膜が形成され，**内皮周囲の細胞**（平滑筋細胞）**が加わり**，血管新生が完了する．

成熟血管の特殊化

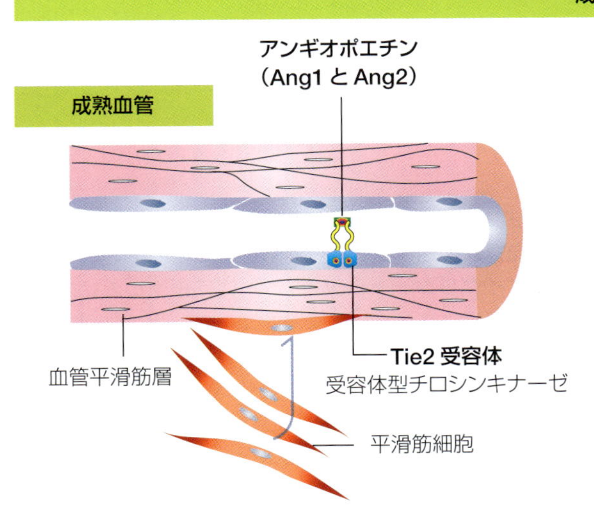

アンギオポエチン 1（ **Ang1**）は， **内皮細胞の受容体である Tie2**（免疫グロブリン様ドメインと EGF 様ドメインをもつチロシンキナーゼ）と相互作用し，内皮周囲の平滑筋細胞をリクルートして成熟した血管を形成する．

Ang リガンドと Tie 受容体の複合体は，炎症時に白血球の接着と血管外への遊出を可能にする毛細血管後細静脈の表現型をとる血管に存在する．

もう 1 つのアンギオポエチンである **Ang2** は Tie2 と相互作用して，内皮細胞と細胞外マトリックスの接触を失わせる．その結果，**血管が退縮する**．血管退縮は，血液やリンパ管の機能的特殊化の決定要因である生理的な流れによるずり応力によって引き起こされる．

血管退縮は，内皮細胞が成長しない（静止期）か，死滅することによって生じる．静止期は，成人の血管およびリンパ管においてほとんどの内皮細胞に共通する可逆的な状態である

基本事項 12.C ｜ 脈管形成と血管新生（続き）

血管新生経路

血管新生に関する主なキー・シグナル伝達経路は以下である：
（1）血管内皮細胞成長因子(VEGF)-VEGF 受容体(VEGF-R)経路.
（2）Tie（tyrosine kinase with immunoglobulin-like and EGF-like domains）受容体-アンギオポエチン（Ang）経路.
（3）Notch 受容体経路.

VEGF 受容体

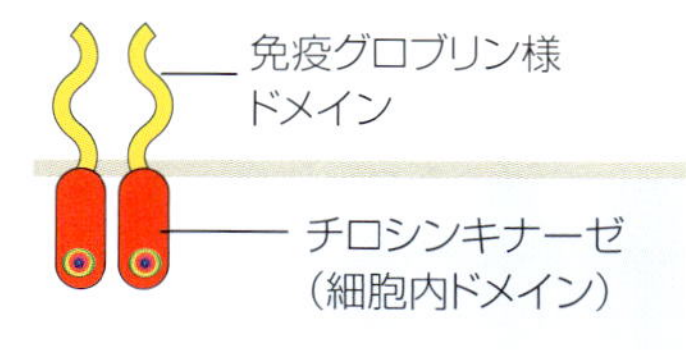

Tie 受容体

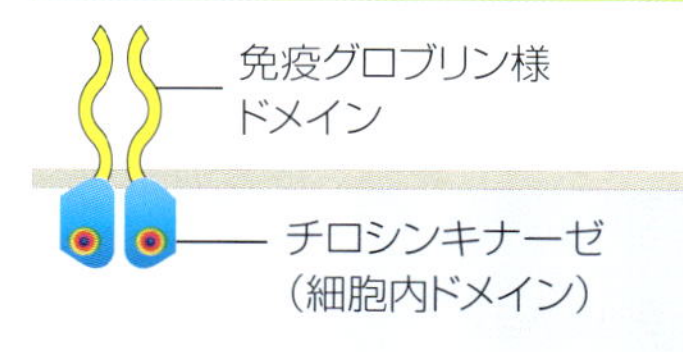

VEGF-R と Tie 受容体は，細胞内チロシンキナーゼドメインを有する．VEGF-R と Tie 受容体へのリガンドの結合は，それらの 2 量体化とその後の自己リン酸化をもたらす．リン酸化された受容体は，内皮細胞の増殖と分化を伴う血管新生につながるさまざまな細胞質シグナル伝達分子と相互作用する．

血管新生因子（内皮細胞由来の VEGF［および VEGF-R］）は，内皮細胞の増殖と血管新生を**刺激**する．血管新生には，DLL4（先端細胞を制御する）とアンギオポエチン-2（内皮細胞の閉鎖結合を不安定にする）の参加が必要である．

抗血管新生因子（トロンボスポンジン-1，アンギオスタチン）は，血管新生を**ブロック**するか，血管新生の退縮を誘導する．

Notch 受容体

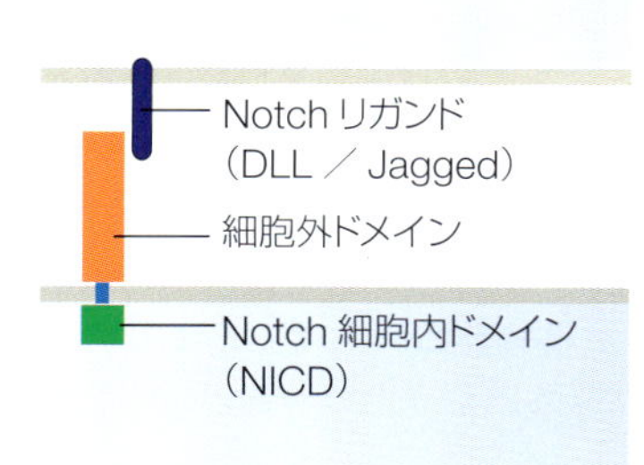

Notch 受容体にリガンド（**DLL/Jagged**）が結合して活性化されると，**Notch 細胞内ドメイン**（**NICD**）が放出されて，細胞核に移動し，血管新生に関与する遺伝子発現を調節する（先端細胞の成長の制御による）．

がん細胞増殖時の血管新生

がん細胞は侵襲的な態度をとり，結合組織の反応を誘発する．この反応には，顕著な**腫瘍内血管新生**，白血球の浸潤，血管新生促進因子の貯蔵と白血球の動員を促進する細胞外マトリックス（ECM）の増加が含まれる．

血管新生は，血管新生促進性の VEGF を分泌する**内皮細胞**の活動によって制御されている．腫瘍関連血管（TABV）の内皮細胞は，多くの窓構造をもっていて漏出しやすく，増殖，遊走および管形成の機能が亢進し，好気的な解糖に依存してエネルギー需要を満たしている．

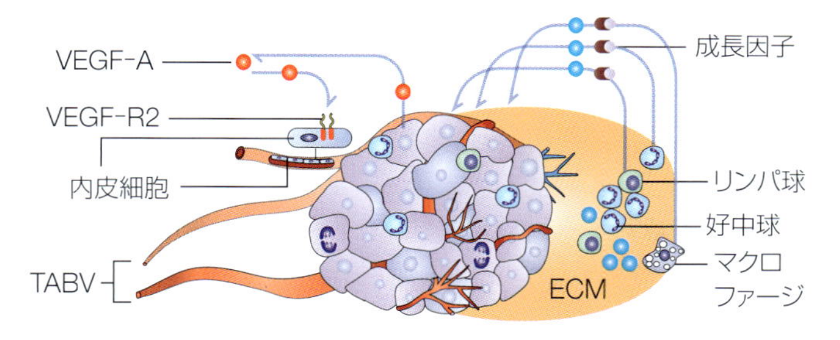

タサイクリンは，血栓形成のもとになる血小板凝集の防止に用いられる．

毛細血管内皮細胞の透過性は組織特異的である．肝臓の類洞は腎糸球体よりもアルブミンに対して透過性が高い．

さらに，局所的な透過性もある．静脈末端のほうが動脈末端よりも透過性が高い．毛細血管後細静脈は，白血球に対して非常に高い透過性をもっている．

内皮細胞は，栄養素の移動を制御することにより，臓器特異的な代謝要求に適応する．例えば，心筋における脂肪酸の内皮輸送は，ATP を産生するため異化を必要とすることに関連している．また，脳の毛細血管の内皮細胞は，グルコーストランスポーター GLUT1 を優先的に発現しており，血液から脳へのグルコースの輸送を促進している．

最後に，細胞ホーミングと炎症の過程において内皮細胞の意義を思い起こしてほしい．

脈管形成と血管新生（基本事項 12.C）

血管系は，2 通りの機序でつくられる：

1. **脈管形成** vasculogenesis は，自由遊走性の**血管内皮前駆細胞** vascular endothelial progenitor，すなわち**血管芽細胞** angioblast が胚子形成の過程で卵黄嚢原始血管網と体幹軸性血管を形成することである．脈管形成は，胚子の生存に必須である．
2. **血管新生** angiogenesis は既存の血管から始まる過程で，胎生期にも成人にもみられる．成人の血管新生は，子宮の月経周期，胎盤増殖，創傷治癒および炎症反応においてみられる．

悪性腫瘍（Box 12.C「カポジ肉腫」参照），眼疾患（加齢黄斑変性症），炎症などの病態では，血管新生が過剰になる．

腫瘍の血管新生は，臨床的に重要な特異的形態のものである．

内皮細胞は，脈管形成と血管新生に異なる方式で関与する．内皮細胞は遊走・増殖し，血液を含む管として組み立てられる．

内皮周囲細胞（平滑筋細胞，周皮細胞，および線維芽細胞）が動員され，新生された内皮の管を取り囲む．

特定の分子メカニズムと発生パターンが脈管形成と胚発生を制御する．

血管形成促進分子と**血管形成阻害分子**は，発生過程や成体組織での新しい血管の形成や，既存の血管の維持や再構築に重要な役割を果たしている．

第 1 の経路には，血管新生分子である**血管内皮細胞増殖因子** vascular endothelial growth factor（**VEGF**）が含まれ，3 つの異なる 2 量体チロシン受容体キナーゼである **VEGF-R1**，**VEGF-R2**，**VEGF-R3** に結合親和性をもつ．これらは内皮細胞の表面に存在する．

VEGF が VEGF-R に結合すると，受容体のホモ 2 量体化またはヘテロ 2 量体化が誘導され，チロシンキナーゼが活性化され，受容体の細胞内ドメインのチロシン残基が自己リン酸化される．

VEGF-R1，R2，R3 は，7 つの細胞外免疫グロブリンホモロジードメインリピート，膜貫通ドメイン，チロシンキナーゼドメインという似た構造をもつが，活性化やシグナル伝達の様式が異なる．

第 2 の経路は，**Tie2**（免疫グロブリン様ドメインと EGF 様ドメインをもつチロシンキナーゼ tyrosine kinase with immunoglobulin-like and EGF-like domain）が含まれる．Tie2 は，内皮細胞の増殖を誘導または抑制するのに必要なシグナルカスケードを調節する受容体である．

アンギオポエチン angiopoietin **1 と 2（Ang1 と Ang2）**は，Tie2 受容体に結合する．Tie2 に結合した Ang1 は血管を安定化させる作用（血管新生作用）があり，Ang2 は血管を不安定化させる作用（血管新生作用）がある．また，抗血管新生因子である**トロンボスポンジン-1** や**アンギオスタチン**は，血管新生をブロックしたり，血管新生の退縮を誘導したりする．

Notch 受容体 Notch receptor は，**第 3 の経路**である（図 12.16）．Notch 受容体シグナルは，内皮細胞をアポトーシスから保護するよう VEGF-R の発現を活性化して，内皮細胞の生存を促進する．

Notch 受容体**デルタ様リガンド** Delta-like ligands（DLL1，DLL3 と DLL4）と**ジャグド** Jagged（Jagged 1 と Jagged 2）は，VEGF の作用を制御することで，正常および腫瘍の血管新生において重要な役割を果たしている．

Notch シグナルの活性化は細胞－細胞相互作用に依存している．細胞－細胞相互作用が起こるのは，Notch 受容体の細胞外ドメインが近くの細胞の表面にあるリガンドと相互作用したときである．

その臨床的意義から，基本事項 12.C にまとめられている脈管形成と血管新生の基本的な側面を学ぶとよい．脈管形成と血管新生を理解することは，虚血組織の血管再生や，がん，眼，関節，皮膚などの疾患における血管新生を抑制する治療戦略の開発につながる．

Box 12.C | カポジ肉腫

- カポジ肉腫 Kaposi's sarcoma は，赤色や紫色の血管性結節を特徴とする腫瘍で，皮膚（顔，下肢），粘膜（鼻，口，咽頭），肺，肝臓，脾臓，消化管などに生じ，AIDS 患者に多くみられる．
- 血管性パッチ，プラークまたは結節は，紡錘形の腫瘍細胞と高度に発達した血管腔で構成される（病理組織像参照）．紡錘形細胞は血液やリンパ管内皮細胞マーカーを発現している．
- HIV 感染者は，免疫力が著しく低下しているため，カポジ肉腫関連ヘルペスウイルス Kaposi's sarcoma-associated herpesvirus（KSHV）として知られるヒトヘルペスウイルス 8 human herpesvirus 8（HHV8）に感染しやすい．
- 古典的なカポジ肉腫はゆっくりと（10 年以上かけて）発症するが，HIV 感染者の病変はより攻撃的で拡大する性質がある．

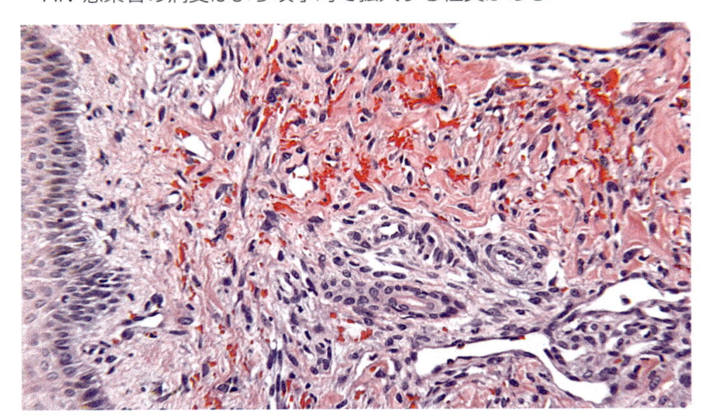

真皮内に不定形の壁の薄い血管がその内面を内皮細胞で覆われながら増殖する．赤血球は血管内腔または血管外にある．周囲の結合組織には，紡錘形の細胞群がみられる．

血管新生と腫瘍増殖（基本事項 12.C）

腫瘍には酸素や栄養を運ぶための血液供給が必要で，血管新生は既存の血管から新しい血管をつくり出す．

血管新生の必須のトリガーは低酸素である．低酸素状態の微小環境で成長したがん細胞は，VEGF-A を分泌し，隣接する血管の内皮細胞が発現する VEGF-R2 と結合することで，腫瘍の血管新生を開始する．

先端細胞は，発達中の血管芽から分離し，VEGF-A に対して運動性をもつようになり，新しい血管芽の成長を開始する．先端細胞の破壊と運動性の獲得は，アンギオポエチン 2 と DLL4 によって刺激される不安定な内皮細胞間の閉鎖結合に依存している．

第 4 章の基本事項 4.A を復習し，上皮内がん期の上皮性腫瘍では，血管を隔てる基底膜が無傷でいることに注意すること．浸潤期では，がん細胞は血管新生を含む結合組織反応を引き起こす．言い換えれば，腫瘍の浸潤性は，血管新生因子と血管新生阻害因子が関与する血管新生反応と平行している．

新たに発達した腫瘍関連血管（TABV）は，不連続な内皮細胞の層で裏打ちされているため，漏出性があり，がん細胞の侵入や転移を促進する．

がん細胞は VEGF-A などの血管新生因子を分泌するが，血中から腫瘍関連間質細胞に集められた好中球，リンパ球，腫瘍関連マクロファージによって，さらに血管新生 VEGF や化学誘引物質が供給される．

がん治療の一環として，血管新生作用を阻害する血管新生療法が実施されている．しかし，腫瘍内の異常な血管構造は，効果的な血管灌流を妨げる．さらに，腫瘍細胞は，VEGF-A などの血管新生促進因子の臨床的な中和に立ち向かうための適応反応を示すことがある．

血栓，塞栓，梗塞（図 12.14）

ここでは，動脈・静脈系の血液に影響を与える病的な状態について考えてみる．

血栓症とは，血管内に血の塊（血栓）ができて，血流が妨げられることである．

以下の 3 つの要因（**ウィルヒョウの 3 要因** Virchow's triad という）のうち 1 つ以上が血栓症の原因となる：

1. **内皮機能不全** endothelial dysfunction は，アテロームに伴う直接的な外傷や炎症によって生じるもので，アテローム血栓症とよばれる状態である．正常な状態では，内皮は血栓症を予防している．内皮の損傷は，血栓形成の起点となる血小板の接着と凝集を誘発する．
2. **血流の減少**は，座りっぱなしの行動（例えば，飛行機で長時間座っていること）や，血管の損傷部位を越えて起こることがあり，その結果，血小板が内皮細胞の表面に接触し，血液

図 12.14 ｜ 概念図：心血管系病理

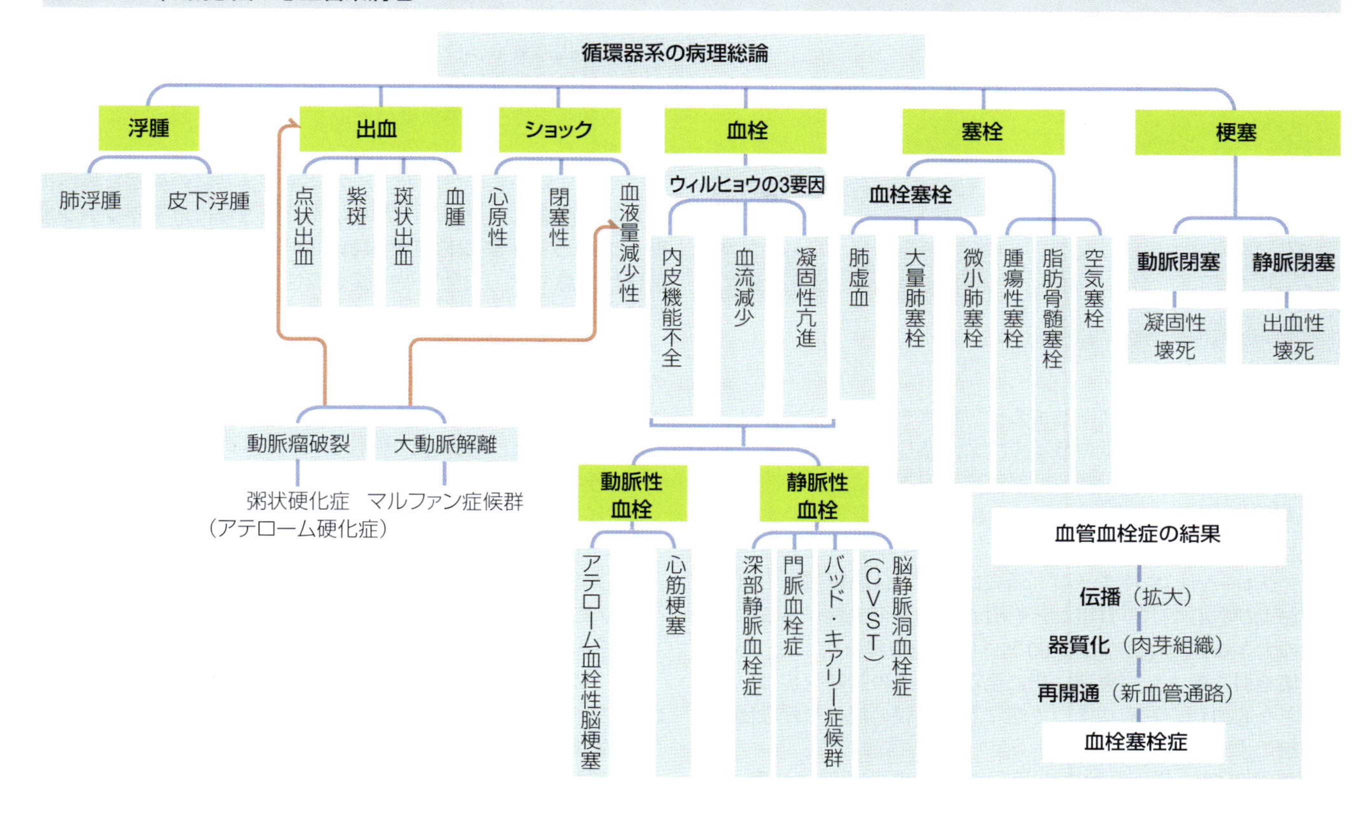

凝固カスケードの構成要素を活性化する．

3. **血液が固まりやすい状態**（凝固性亢進）は，エストロゲン療法に伴うフィブリノゲンとプロトロンビンの濃度上昇，血小板リン脂質に対する自己抗体，第 Xa 因子がトロンビンを活性化するための補因子である第 V 因子の一般的な変異（ライデン変異）などが原因となっている．トロンビンはフィブリノゲンを切断してフィブリンを形成し，血栓のもととなる緻密な網目構造を形成することを忘れてはならない．

血栓は，血管内で形成された血液凝固カスケードの構成要素（血小板，フィブリン，補足された血球）が層状になったものであることに注意．一方，血腫などの凝血塊は，血管外で形成された同様の非構造成分からなる．

動脈の内腔の 75％以上が閉塞すると，血流と酸素供給が低下する（低酸素症）．動脈の内腔の 90％を超える閉塞は，無酸素状態（酸素の完全な欠乏）と梗塞（組織の壊死）を引き起こす．

血栓症には 2 つの異なる型がある：

1. **静脈血栓症** venous thrombosis.
2. **動脈血栓症** arterial thrombosis.

静脈血栓症は静脈内で血栓が生じたものである．

これには以下のものがある：

1. **深部静脈血栓症** deep vein thrombosis（**DVT**）．腸骨静脈，大腿静脈，膝窩静脈，下腿の静脈に最も多くみられる．患部の腫れ，痛み，赤みは DVT の特徴的な徴候である．
2. **門脈血栓症** portal vein thrombosis．通常，肝門脈が侵され，門脈圧亢進と肝血液供給量の減少を引き起こす．肝硬変や膵炎と関連している．
3. **バッド・キアリー症候群** Budd-Chiari syndrome は，肝静脈または は下大静脈の閉塞によって引き起こされる．この血栓症では，腹痛，腹水，肝腫大がみられる．
4. **パジェット・シュロッター病** Paget-Schroetter disease は，上肢の静脈（腋窩静脈や鎖骨下静脈など）が血栓によって閉塞することで起こる病気である．健康で若い人が激しい運動をした後にみられる．
5. **脳静脈洞血栓症** cerebral venous sinus thrombosis（**CVST**）は，硬膜静脈洞が血栓により閉塞することで起こる脳卒中の一種である．

動脈血栓症は動脈内に血栓が生じたものである．これには，以下のものがある：

1. **脳卒中**．アテローム血栓症の脳卒中は，太い血管（内頸動脈，椎骨動脈，ウィリス動脈輪など）や細い血管（ウィリス動脈輪の枝）に存在するアテロームに起因する．
2. **心筋梗塞** myocardial infarction．**心筋虚血** myocardial ischemia はゆっくりとした血管の閉塞によって生じ，心筋梗塞は急激な血管の閉塞による．

一般的に，動脈の閉塞では凝固性壊死が起こり，静脈の閉塞では出血性壊死が起こる．

血栓は，**増殖**によりそのサイズを拡大し，**線溶**により溶解し，**肉芽組織の変化**により組織化され，**再開通**により血流を回復させることができる．

血栓の潜在的な結果として，**血栓塞栓症**がある．これは，血栓が断片化され，**塞栓**となり，他の血管に移動することである．移動先の血管の内腔が狭い場合，血栓塞栓はそれ以上先へ進めず，

図 12.15 | 概念図：高血圧

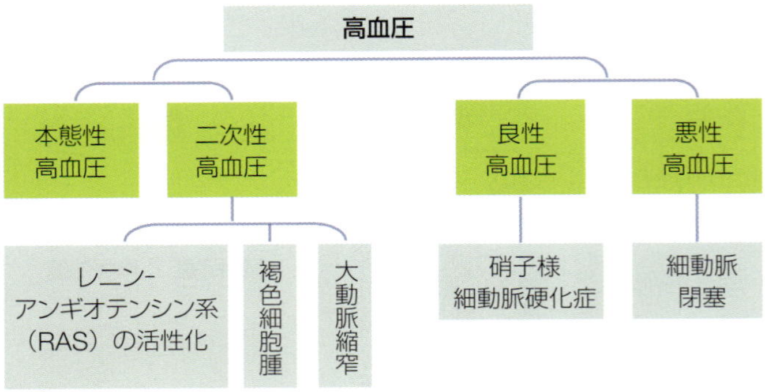

内腔を閉塞して局所の血流を詰まらせ，梗塞を引き起こす．

血栓塞栓のうち，体循環の静脈で生じた塞栓物が心臓を経由して肺動脈の枝に詰まると，肺血栓塞栓症を引き起こす．

ほとんどの塞栓症はDVTに由来するので，血管系の閉塞の程度や罹患した肺動脈の大きさに応じて，血栓塞栓症は肺動脈圧の上昇，アテローム血栓性肺卒中（場合によっては肺梗塞を引き起こす）および右心系への負担などを引き起こす可能性がある．

突然の大きな閉塞（肺血管の 60％，広範型肺塞栓症）は，心血管の崩壊を引き起こし，急速に死に至る．軽度の肺塞栓症は，末梢の小さな肺血管の閉塞によって起こり，胸膜の痛みや呼吸困難を引き起こす．

心臓の壁の血栓は，大動脈を通って体循環の動脈に移動し，脳，腎臓，脾臓，腸，下肢の動脈を閉塞する．

すべての塞栓症が動脈や静脈の血栓塞栓症に由来するわけではない．**腫瘍塞栓症** tumor embolism は**血行性転移**の原因となる．重度の骨折では，**脂肪や骨髄の塞栓物**が静脈系に入り，右心系を通って肺動脈に到達することがある．偶発的に空気が静脈循環に送り込まれると，**空気塞栓症**を引き起こす．

高血圧（図 12.15）

ここまでで，慢性炎症性動脈疾患であるアテローム性動脈硬化症の病態について理解できた．アテローム性動脈硬化と動脈硬化は同じように聞こえるが，違いがある．

動脈硬化 arteriosclerosis とは，動脈の壁が厚く硬くなることで，その原因については触れていない．

動脈硬化の最も一般的な原因は，**アテローム**の発生によるアテローム性動脈硬化によるものである．アテロームが大径の動脈や中径の動脈を侵し，動脈壁の肥厚や硬化を引き起こすことは，すでに学んだ．

また，血管中膜の欠陥が，腹大動脈や脳動脈の異常な局所拡張である**動脈瘤**につながることも学んだ．さらに，**マルファン症候群**や**エーラス・ダンロス症候群** Ehlers-Danlos syndrome などの遺伝性疾患では，大動脈の中膜が変性し，大動脈解離が生じる可能性があることを学んだ．

高血圧症（拡張期血圧が 90 mmHg 以上）も，**小血管**（細動脈）の壁に変性変化を起こす疾患である．脳，心臓，腎臓の血管系と大動脈が最も侵されやすい：

高血圧には 2 つのタイプがある：

1. **原発性（本態性）高血圧** primary（essential）hypertension は，明らかな原因がなく，通常，遺伝的素因，肥満，飲酒，加齢に関連している．
2. **二次性高血圧** secondary hypertension は，第 14 章で述べる**レニン-アンギオテンシン系** renin-angiotensin system（**RAS**）の活性化に関連している．

Na^+ 代謝や血液量に影響を与える RAS にかかわる遺伝子の変異が重要な要因となります．その他，**褐色細胞腫** pheochromocytoma（副腎髄質のアドレナリン・ノルアドレナリン産生腫瘍），先天的な大動脈の狭窄（**大動脈縮窄** coarctation of the aorta），片側腎動脈の硬化による狭窄（異常狭窄）などがある．

臨床的に高血圧には 2 つのタイプがある：

1. **良性高血圧** benign hypertension は，**小動脈**の中膜の筋肥大，内膜と内弾性板の肥厚，血管内腔の縮小によって引き起こされる緩やかな血圧上昇である．

   細動脈の壁の平滑筋細胞が硝子様変性して肥厚し（**硝子様動脈硬化** hyaline arteriolosclerosis），血管の正常な収縮・拡張ができなくなるものである．
2. **悪性高血圧** malignant hypertension は，血管の中膜平滑筋細胞の急性壊死と内膜のフィブリンの沈着が起こる．**フィブリノイドの壊死**は血管内腔の縮小を引き起こし，いくつかの臓器で細動脈抵抗を増加させる．網膜出血がよくみられる．

心血管系 | 概念図・基本的概念

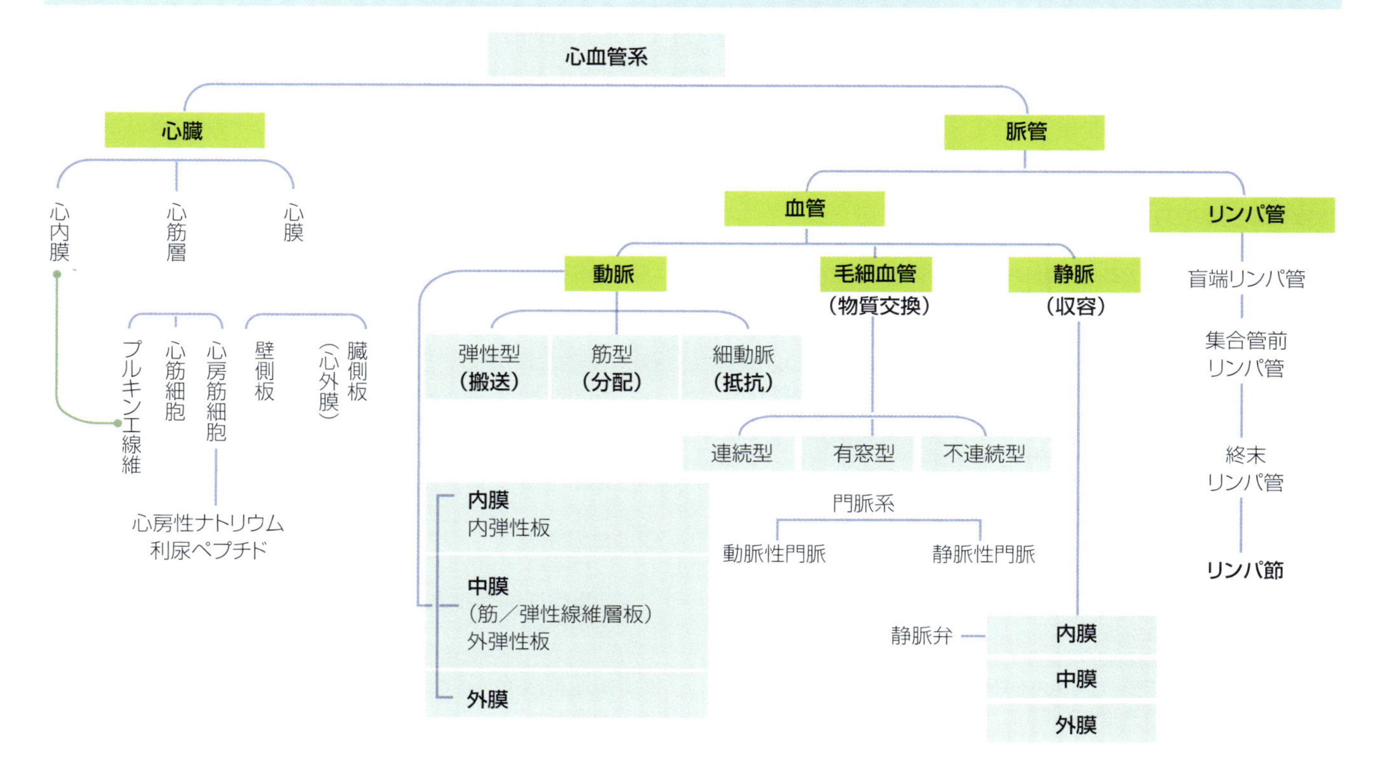

- 心臓．心臓の壁は 3 層からなる：
  (1)心内膜．内皮と内皮下結合組織とからなる．
  (2)心筋層．心筋の 3 種：心房筋，心室筋，およびプルキンエ伝導心筋線維（プルキンエ線維）からなる．心房筋細胞は，利尿およびナトリウム利尿を促すタンパク質，心房性ナトリウム利尿ペプチドを分泌する．
  (3)心外膜．中皮に覆われ漿膜性心膜腔に面する．心外膜は心膜の臓側板である．

心臓の刺激伝導系を構成するものは，洞結節（洞房［S-A］結節），結節間路（洞結節と房室（A-V）結節を連絡），房室束（心房と心室を連絡），右脚と左脚のプルキンエ線維である．

心筋細胞は中央に核をもつ横紋筋細胞で，介在板によって互いに結合されている．介在板の横部に接着帯とデスモソームがあり，間隙結合が縦部に存在する．細胞質には筋原線維が含まれている．

プルキンエ線維は，心室中隔の両側に沿って心内膜下にある．プルキンエ線維は，心筋細胞と比較して直径が大きく，筋原線維の数が少なく，細胞質にグリコーゲンを豊富に含んでいる．

- 循環の区分：
  (1)体（末梢）循環．
  (2)肺循環．

心血管系のさまざまな部位で血圧が異なることを覚えておくこと．血管の構造は，維持しなければならない血圧に合わせている．全身を流れた血液は，末梢の大静脈を通って心臓の右心房に戻るときに圧力が最も低くなる．

動脈は血液を心臓から毛細血管まで運ぶ．動脈の壁は 3 層からなる：
(1)内膜（内皮細胞，内皮下結合組織，内弾性板）．
(2)中膜（平滑筋細胞がコラーゲン線維と弾性線維鞘で囲まれる）．
(3)外膜（結合組織，血管，神経）．

動脈は，大きく 3 つに区分される：
(1)大径の弾性型動脈．
(2)中径の筋型動脈．
(3)小動脈または細動脈．

大径の弾性型動脈は搬送血管である．大動脈が代表例である．中膜には有孔弾性線維鞘と弾性線維層板間の平滑筋細胞が存在する．大動脈瘤は，粥状硬化症または弾性線維の合成やアセンブリの不全（マルファン症候群，解離性大動脈瘤）によって起こる．

中径の筋型動脈は分配血管である．中膜は，弾性線維の減少と平滑筋線維の増加を示す．中膜・外膜接合部に外弾性板がみられる．

細動脈は抵抗血管である．細動脈は，血管収縮と血管拡張によって微小循環への血液分布を調節し，体循環血圧の主な決定要因である．中膜は 2〜5 層の平滑筋で構成されている．

毛細血管は物質交換血管である．微小循環の場である微小血管床は，終末細動脈，毛細血管床，毛細血管後細静脈からなる．

毛細血管床は，血液が持続的に流れているやや太い毛細血管（優先路あるいは主通路という）と，間欠的に流れる細い毛細血管（真毛細血管という）からなる．毛細血管前括約筋（平滑筋細胞）は，細動脈または終末細動脈から真毛細血管の起始部位に配置されている．

終末細動脈から毛細血管後細静脈に通じる通過血管により，毛細血管循環がバイパスされることがある．動静脈短絡路，または動静脈吻合は，細動脈を毛細血管後細静脈に連絡して微小血管床をバイパスする．

毛細血管には 3 つの型がある：
(1)連続型．
(2)有窓型．
(3)不連続（類洞）型．

連続型毛細血管は，完全な単層扁平な内皮によって内面が覆われ，連続した基底板に支持される．平滑筋細胞様の周皮細胞は，内皮細胞と基底板との間にみられる．内皮細胞の特徴は 2 つあり，閉鎖結合による接着と，カベオラや飲小胞による溶質や液の輸送である.

有窓型毛細血管には，孔または窓があり，そこには隔膜のある場合とない場合がある．基底板は連続している.

不連続型毛細血管は，不完全な内皮細胞と基底板をもち，内皮細胞の間や細胞内に間隙がみられる.

機能的な側面から，毛細血管内皮バリアは次の３つのグループに分類される：

(1)保護型内皮バリア（血液脳関門）.
(2)許容型内皮バリア（腸血管関門）.
(3)免疫調節内皮バリア（血液網膜関門）.

静脈は収容・貯留血管である．静脈系は，基底膜と疎性結合組織性の外膜に囲まれた内皮の管からなる毛細血管後細静脈（血球が血管外遊出により組織へ遊出する場）から始まる．リンパ性組織では，毛細血管後細静脈の内皮細胞の背が高い（高内皮細静脈）．毛細血管後細静脈は集合して筋型細静脈となり，さらに集まって集合細静脈となりながら，次第に太い静脈へと導かれる．静脈には次の特徴がある：

(1)中膜と外膜の境界はしばしば不鮮明である.
(2)明瞭な内弾性板はみられない.
(3)内膜が血管腔内へ突出した弁があり，血液の逆流を防ぐ.

• 血管炎．血管炎は血管の急性もしくは慢性の炎症である．感染性病原体や免疫性病原物質によって引き起こされる.

細菌感染後の細菌酵素の分解活性により，血管炎，血栓性静脈炎（静脈の血栓と壁の炎症），仮性動脈瘤（血管壁の拡張）などが引き起こされる.

動脈壁の炎症性疾患の多くは，免疫を基盤とした病因が関与している：

(1)抗原抗体複合体が血管壁に蓄積すると，補体カスケードが活性化される.
(2)活性化された補体カスケードから放出される走化性フラグメントやサイトカインに引き寄せられた好中球が，セリンプロテアーゼ３やミエロペルオキシダーゼを放出し，血管壁にダメージを与える.
(3)好中球の細胞質成分に反応する抗体（抗好中球細胞質抗体：ANCA）が，活性化した好中球から酵素を放出し，血管壁の損傷を引き起こす.
(4)セリンプロテアーゼ３はC-ANCA（細胞質ANCA）を生成する．P-ANCAはミエロペルオキシダーゼに対する抗体で，免疫染色で好中球の核周囲パターン（核周囲ANCA）を示す.

血管炎の種類には次のものがある：

(1)巨細胞性動脈炎は，50歳以上の成人によくみられる血管炎で，側頭動脈，眼動脈，椎骨動脈をよく侵す.
(2)バージャー病（閉塞性血栓血管炎）は，タバコを大量に吸う若い男性に多くみられる手足の中・小動脈の病気である.
(3)結節性多発動脈炎（PAN）は，皮膚，腎臓，肝臓，心臓，消化管などの中・小動脈の壁を侵す．PANは，活動性のB型肝炎やC型肝炎との関連が指摘されている.
(4)巨細胞性大動脈炎（高安動脈炎）は，40歳以下のアジア人女性に高頻度で発症する希少疾患で，大動脈とその分枝を侵す.
(5)川崎病は，小児の冠状動脈をはじめ，大・中・小動脈も侵す.
(6)チャーグ・ストラウス症候群（CSS）は，喘息，鼻炎，好酸球増加症を伴う全身性血管炎である.
(7)ウェゲナー肉芽腫症は，呼吸器や腎臓の壊死性動脈炎である.
(8)ヘノッホ・シェーンライン紫斑病（HSP）は，小児の血管炎の中で最も一般的な病気である.

リンパ管は，免疫細胞とリンパをリンパ節に運び，組織間隙に貯留する余分の体液を除去し，そしてキロミクロンを乳糜リンパ管で集めて運ぶ．リンパの流れは低圧で一方向である.

毛細リンパ管は，内皮細胞が内面を覆う拡張した盲管として始まり，基底板を欠き，繋留フィラメントの束で開いた状態に維持される．リンパ管は，軟骨や骨，上皮，中枢神経系，胎盤にはみられない.

毛細リンパ管は，集合管前リンパ管に集まって，集合リンパ管に流入する．集合リンパ管は平滑筋に取り囲まれ，内因性のポンプ作用がある.

リンパ管単位は，内腔側にある弁によって仕切られた球状の分節である.

終末リンパ管はリンパ節の近くにみられる．リンパは，太い胸管および，より細い右リンパ本幹を介して血流に戻る.

リンパ浮腫は，異常なリンパ管の発達やリンパ管の損傷のためにリンパの輸送が障害されることによって生じる.

フィラリア症（象皮病）は，リンパ管の寄生虫感染によって引き起こされる．下肢と性器の慢性リンパ浮腫が特徴的である.

乳糜性腹水と乳糜胸は，脂肪を高濃度に含んだリンパ（乳糜）が腹腔や胸腔に貯留したもので，原因としては外傷やリンパ管の閉塞や発達異常がある.

• 特殊な毛細血管の配列：

(1)動脈性門脈系（腎糸球体）：輸入細動脈から毛細血管網へ，そして（細静脈ではなく）輸出細動脈に流出する.
(2)静脈性門脈系（肝臓と下垂体）：毛細血管からの静脈が再び静脈性毛細血管，すなわち類洞となってから静脈に続く.

• 内皮細胞の機能：

(1)（アラキドン酸から）プロスタサイクリンを産生し，内皮への血小板の付着および血管内血栓形成を回避し，血管壁の平滑筋細胞を弛緩させる.
(2)血管新生因子を産生し，正常な創傷治癒と腫瘍の血管新生に関与する.
(3)組織因子を放出して第VIIa因子を活性化し，第X因子を第Xa因子に変換することにより，血液凝固を開始する.
(4)平滑筋の活動を制御（一酸化窒素による血管拡張，エンドセリン１は血管収縮を引き起こす）.
(5)炎症細胞の移動の制御．結合組織中のマクロファージは，腫瘍壊死因子リガンド（TNFL）とインターロイキン-1を産生し，炎症細胞のホーミングを促進して，病原体の作用をブロックする.

• 動脈疾患．粥状硬化症とは，内膜に脂質や細胞，結合組織が沈着してできる動脈硬化巣に起因する動脈壁の肥厚と硬化である.

アテローム性動脈硬化は，慢性炎症性疾患で，変性低密度リポタンパク質（LDL）を取り込むマクロファージになる単球が関与している.

アテローム・プラークの形成には４つの段階がある.

(1)内皮細胞の機能障害．高コレステロール血症により動脈の内皮が損傷すると，内膜に血液中の単球が集まってくる．内膜では，単球がスカベンジャー受容体A（SR-A）を発現するマクロファージに変化し，変性コレステロールを多く含む低密度リポタンパク質（LDL）を内包する．LDLを含んだ多胞性の沈着物により，マクロファージは泡沫状にみえる.
(2)アテローム動脈硬化性プラークの形成．内膜に形成されたアテローム硬化性プラークは，豊富なマクロファージ・泡沫細胞を含むアテローム・コアと線維性キャップからなる．線維性キャップには，中膜から移動してきた平滑筋細胞が産生するコラーゲン線維が含まれている.
(3)T細胞とマクロファージの相互作用．よび寄せられたT細胞は，動脈硬化プラークに新たな炎症性成分をもたらす．T細胞とマクロファージの相互作用により，マクロファージはメタロプロテアーゼ（MMP）を産生し，T細胞は炎症性サイトカインを産生する.
(4)プラークの破壊と血栓症．MMPと炎症性サイトカインにより，プラークの線維性キャップが弱くなり，破壊される．マクロファージによる凝固促進作用のある組織因子の産生により，プラークの血栓形成能が高まり，動脈内腔の閉塞を引き起こすことになる.

侵されやすい重大な血管は，腹大動脈，冠状動脈，および脳の動脈で，腹部大動脈瘤，心筋梗塞，脳梗塞（脳卒中）を起こす.

家族性高コレステロール血症は，LDLを取り込む受容体の欠損に起因するリポタンパク質代謝における遺伝的欠陥である.

- 以下の用語は，血管の損傷による出血に関するものである.

出血は，主要な動脈や静脈の外傷や，壁の脆弱性による血管の破裂によって起こる.

大量の血液が失われると，深刻な血圧低下を伴う血液量減少性ショックが起こる.

血腫とは，組織内に血液が局所的に蓄積したもので，通常は外傷の後に発生する.

皮膚の小さな出血は：

(1)点状出血（直径 3mm 以下のもの）.

(2)紫斑（直径 10mm 以下）.

(3)斑状出血（直径 10mm 以上）.

- 脈管形成と血管新生.

内皮細胞の前駆体．胚子期では，中胚葉由来の間葉系細胞から，卵黄嚢の血管内面を覆う内皮細胞が生じる．卵黄嚢の内皮細胞は，次に赤血球・骨髄系前駆細胞（EMP）を生み出す.

EMP は胚子内に移動し，胚子の血球系に分化する．さらに，EMP は内皮細胞タイプに戻り，血管内面を覆う中胚葉由来の内皮細胞と結合し，成体になっても存続するさまざまな種類の内皮細胞集団を形成する.

EMP は，胎生期に原始的な赤血球や免疫細胞を生成することに注意．また，第 4 章で述べたように，EMP は組織常在マクロファージを生成し，それが成体になっても残存することも忘れないように.

脈管形成は胚発生時に血管内皮前駆細胞（血管芽細胞とよばれる）により開始するプロセスである.

脈管形成では，血管芽細胞が増殖し，血液を包含した管に組み上がる．内皮周囲細胞（平滑筋細胞，周皮細胞，および線維芽細胞）が血管の形成を完成させるために動員される．内皮の増殖は，間葉系細胞によって分泌された血管内皮増殖因子（VEGF）がその受容体 VEGF-R1 に結合して調節する．アンギオポエチンは，内皮細胞の受容体 Tie2 と相互作用して，内皮周囲細胞（周皮細胞と平滑筋細胞）を動員する.

血管新生は既存の血管をもとに形成される過程で，胚子と成人で観察される．内皮細胞は脈管形成および血管新生に関与している．血管新生では，毛細血管の発芽（茎と先端からなる）が既存の内皮細胞のポドソーム podosome から起こる.

内皮細胞は VEGF およびアンギオポエチンによって刺激され，血管内皮の管を形成する．内皮周囲の平滑筋細胞の動員が引き続いて起こり，血管の発達を完成させる.

Notch 受容体経路は，VEGF-VEGF-R および Tie1- アンギオポエチン経路とともに，血管新生の過程に寄与する.

- 腫瘍の血管新生．血液の供給を止め，腫瘍を兵糧攻めにする．血管新生経路を遮断する腫瘍の抗血管新生治療法が開発されている.

- 以下の用語は，血流に影響する血液の状態に関するものである.

血栓症とは，血管内に血の塊（血栓）が形成され，血流が阻害されること.

血栓症は，以下の 3 つの要因（ウィルヒョウの 3 要因）のうち 1 つ以上が原因となって発症する：

(1)内皮機能不全．アテロームに伴う直接的な外傷や炎症により発生するもので，アテローム血栓症とよばれる.

(2)血流の減少．これは，座りっぱなしの行動（例えば，飛行機で長時間座っていること）や，血管の損傷部位を越えて起こることがある.

(3)血液が固まりやすい状態（凝固性亢進）.

血栓は，血管内で形成された血液凝固カスケードの構成要素（血小板，フィブリン，補足された血球）が層状になったものである．対照的に，血腫などの血栓は，血管外で形成された同様の非構造成分からなる.

動脈の内腔の 75％以上が閉塞すると，血流と酸素供給が低下する（低酸素症）.

動脈の内腔の 90％以上が閉塞すると，無酸素状態（酸素の完全な欠乏）になり，梗塞（組織の壊死）になる.

血栓症には 2 つの異なる型がある：

(1)静脈血栓症.

(2)動脈血栓症.

静脈血栓症は静脈内で血栓が生じたものである．これには以下のものがある：

①深部静脈血栓症（DVT）．腸骨静脈，大腿静脈，膝窩静脈，下腿の静脈に最も多くみられる.

②門脈血栓症．通常，肝門脈が侵され，門脈圧亢進と肝血液供給量の減少を引き起こす．肝硬変や膵炎と関連している.

③バッド・キアリー症候群は，肝静脈または下大静脈の閉塞によって引き起こされる．この血栓症では，腹痛，腹水，肝腫大がみられる.

④パジェット・シュロッター病は，上肢の静脈（腋窩静脈や鎖骨下静脈など）が血栓によって閉塞することで起こる病気である．健康で若い人が激しい運動をした後にみられる.

⑤脳静脈洞血栓症（CVST）は，硬膜静脈洞が血栓により閉塞することで起こる脳卒中の一種である.

動脈血栓症は動脈内に血栓が生じたものである．これには，以下のものがある：

①脳卒中．アテローム血栓症の脳卒中は，太い血管（内頸動脈，椎骨動脈，ウィリス動脈輪など）や細い血管（ウィリス動脈輪の枝）に存在するアテロームに起因する.

②心筋梗塞．心筋虚血はゆっくりとした血管の閉塞によって生じ，心筋梗塞は急激な血管の閉塞による．一般的に，動脈の閉塞では凝固性壊死が起こり，静脈の閉塞では出血性壊死が起こる.

血栓は，増殖によりそのサイズを拡大し，線溶により溶解し，肉芽組織の変化により組織化され，再開通により血流を回復させることができる.

血栓の潜在的な結果として，血栓塞栓症がある．これは，血栓が断片化され，塞栓となり，他の血管に移動することである.

移動先の血管の内腔が狭い場合，血栓塞栓はそれ以上進行できず，内腔を閉塞して局所の血流を詰まらせ，梗塞を引き起こす.

血栓塞栓症は，体循環の静脈で生じた塞栓物が心臓に移動して肺動脈の枝に詰まると，肺血栓塞栓症を引き起こす.

突然の大きな閉塞（肺血管の 60％，広範型肺塞栓症）は，心血管の崩壊を引き起こし，急速に死に至る.

軽度の肺塞栓症は，末梢の小さな肺血管の閉塞によって起こり，胸膜の痛みや呼吸困難を引き起こす.

心臓の壁の血栓は，大動脈を通って体循環の動脈に移動し，脳，腎臓，脾臓，腸，下肢の動脈を閉塞する．重度の骨折では，脂肪や骨髄の塞栓物が静脈系に入り，右心系を通って肺動脈に到達することがある.

- 高血圧症（拡張期血圧が 90mmHg 以上）も，小血管（細動脈）の壁に変性変化を起こす疾患である．脳，心臓，腎臓の血管系と大動脈が最も侵されやすい.

高血圧には 2 つのタイプがある：

(1)原発性（本態性）高血圧は，明らかな原因がなく，通常，遺伝的素因，肥満，飲酒，加齢に関連している.

(2)二次性高血圧は，レニン - アンギオテンシン系（RAS）の活性化に関連している.

臨床的に高血圧には 2 つのタイプがある：

①良性高血圧は，小動脈の中膜の筋肥大，内膜と内弾性板の肥厚，血管内腔の縮小によって引き起こされる緩やかな血圧上昇である.

②悪性高血圧は，血管の中膜平滑筋細胞の急性壊死と内膜のフィブリンの沈着が生じ，小血管の壁を侵す．フィブリノイドの壊死は血管内腔の縮小を引き起こし，いくつかの臓器で細動脈抵抗を増加させる．血圧上昇は，網膜出血と滲出液を伴い，高血圧網膜症の特徴となる.

13　呼吸器系

キーワード　鼻腔，喉頭，気管，肺葉，肺細葉，胸膜，肺気腫，肺がん

呼吸器系 respiratory system は，機能の異なる3部からなる：

1. **気道部** air-conducting portion.
2. 血液と大気の間でガス交換する**呼吸部** respiratory portion.
3. 胸郭の呼吸運動による**換気機構** ventilation mechanism.

気道部は，**鼻腔** nasal cavity，**副鼻腔** associated（paranasal）sinus，**鼻咽頭（咽頭鼻部）** nasopharynx，**咽頭口部** oropharynx，**喉頭** larynx，**気管** trachea，**気管支** bronchus，および**細気管支** bronchiole が順に連なったものである．咽頭口部は，飲食物の嚥下にも関与する．気道部は，呼吸部に出入りする呼気・吸気の通り道である．呼吸部は，**呼吸細気管支** respiratory bronchiole から**肺胞管** alveolar duct，**肺胞嚢** alveolar sac，そして**肺胞** alveolus へと連なる．主な機能は大気と血液の間のガス交換である．呼吸を行うためには換気機構が必要である．次の4つの要素が協力して，空気の流入（**吸息** inspiration）と流出（**呼息** expiration）を可能にする：

1. 胸郭.
2. 肋間筋.
3. 横隔膜.
4. 肺の弾性結合組織.

本章では，呼吸器系の構造と機能を取り上げ，病的な異常を理解できるようにする．

呼吸器系

鼻腔と副鼻腔（図 13.1）

鼻腔と副鼻腔は，非常に広い表面積で以下を行う：

1. 空気の加温と加湿
2. 吸気中の塵埃の除去

さらに，鼻腔の天井部と上鼻甲介の一部には特殊な**嗅粘膜** olfactory mucosa がある．

各側の鼻腔は**鼻中隔** septum によって隔てられ，**前庭** vestibule，**呼吸部**，および**嗅部** olfactory area からなる（図 13.1）．

空気は**外鼻孔** nostril／naris から入り，そこは**角化重層扁平上皮** keratinized squamous epithelium に覆われる．**前庭** vestibule では上皮は**非角化** non-keratinized となる．

呼吸部の粘膜は，**杯細胞** goblet cell **を伴う偽重層（多列）線毛上皮** pseudostratified ciliated epithelium で覆われ，その下に結合組織が**漿粘液腺** seromucous gland を伴って（粘膜）**固有層** lamina propria をなしている．固有層には**豊富な表在性静脈叢** superficial venous plexus があり，**海綿（勃起）組織** cavernous（erectile）tissue として知られる．固有層は，鼻腔壁の骨・軟骨膜に連なっている．

左右の鼻腔の外側壁から3枚の弯曲した骨性の巻板が突出し，その表面を粘膜が覆っている：**上・中・下鼻甲介** superior, middle, and inferior turbinates or conchae（ラテン語 *concha*［= shell，貝殻］）．

杯細胞と漿粘液腺の分泌物は，鼻甲介粘膜の表面を潤し，吸気を加湿する．

静脈叢の血液は空気の流入と逆方向に流れ（**対向流** countercurrent flow），入ってきた空気を加温する．鼻粘膜，特に鼻中隔前部には非常に血管が多く，外傷や急性炎症（**鼻炎** rhinitis）で容易に出血（**鼻出血** epistaxis）しやすい原因となる．

鼻甲介の骨の隆起は気流を乱流にし，鼻腔の呼吸部粘膜表面の粘液層に空気が触れやすくする．空気中の微粒子は粘液層に付着し，線毛運動によって後方に運ばれて鼻咽頭に達し，そこで唾液と一緒に飲み込まれる．

副鼻腔は頭蓋骨中の空気を含んだ腔所で，**上顎** maxillary，**前頭** frontal，**篩骨** ethmoid および**蝶形骨洞** sphenoid sinus がある．副鼻腔の内面は薄い**偽重層（多列）円柱線毛上皮**で覆われ，杯細胞や固有層の腺に乏しい．副鼻腔には海綿（勃起）組織はみられない．

副鼻腔から鼻腔に連絡している開口部も，鼻腔内面と同様の上皮で覆われている．篩骨洞は上鼻甲介の下で開口し，上顎洞は中鼻甲介の下方で開く．

咽頭鼻部

鼻腔の後方部は**咽頭鼻部（鼻咽頭）**で，軟口蓋の高さで咽頭口部に続く．

耳管 auditory tube（**エウスタキオ管** eustachian tube）が，中耳から伸びて鼻咽頭の外側壁に開口する．

鼻咽頭は鼻腔のような**偽重層（多列）円柱上皮**に覆われ，咽頭口部では**非角化重層扁平上皮**に変わる．多くの**粘膜関連リンパ組織** mucosa-associated lymphoid tissue（**MALT**）が鼻咽頭上皮下にあって，**ワルダイエル輪** Waldeyer's ring（両側の口蓋扁桃，咽頭扁桃，舌扁桃，および粘膜関連リンパ組織からなる）をつくっている．**咽頭扁桃** nasopharyngeal tonsil は，炎症により肥大すると**アデノイド** adenoid とよばれ，鼻咽頭の後上壁にある．

嗅上皮（図 13.2，13.3）

嗅上皮は吸気中のニオイを感知する．嗅上皮には主に3種類の細胞がある（図 13.3）：

1. **基底細胞** basal cell.
2. **嗅覚ニューロン** olfactory sensory neuron（OSN）.
3. **支持細胞** supporting（sustentacular）cell.

基底細胞は，支持細胞と OSN の**両方**を生み出す前駆細胞集団である．OSN の寿命は約 30〜60 日である．

OSN は高度に分化した**双極性細胞**である（図 13.3）．**頂上領域（頂部）** apical region は粘膜表面に面し，特殊化した樹状突起が**球状終末** knob-like ending（**樹状突起球**，**嗅小胞** olfactory vesicle／olfactory knob）をなしている．球状終末には，約 10〜20 本の

図 13.1 | 鼻腔

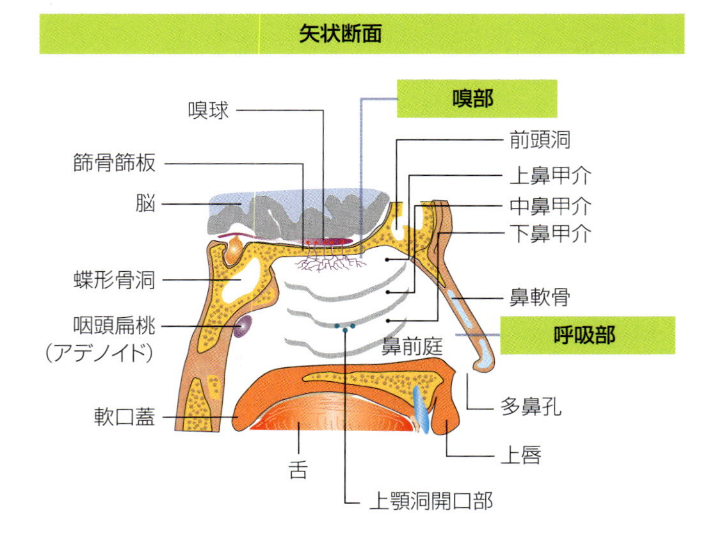

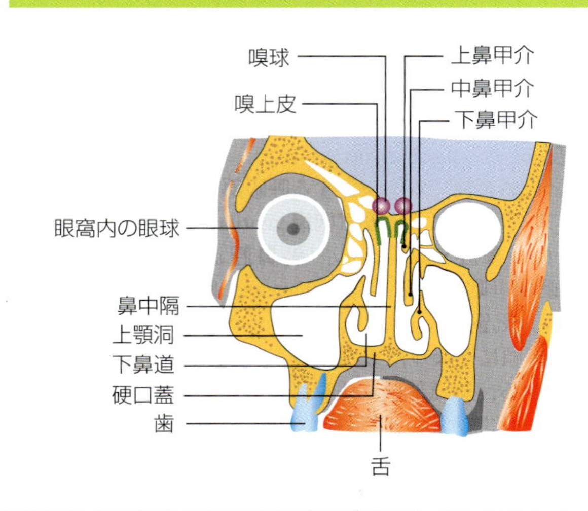

異型線毛（嗅小毛） modified cilium がある．OSN の基底部から軸索が出る．

OSN からの軸索は，グリア様細胞に囲まれた細い無髄神経線維束（**嗅神経糸** olfactory fila：ラテン語 *filum*［＝ thread，糸］）となる．神経線維束は，第 1 脳神経として**篩骨篩板**の多数の孔を貫いて，**糸球体**で**僧帽細胞** mitral cell（**嗅球**のニューロン）の樹状突起に接触し，適切なシナプス結合を確立する（Box 13.A）．

支持細胞は非感覚上皮細胞で，先端に多数の微絨毛があり，粘膜表面に内容物を放出する分泌顆粒をもつ．

嗅腺 olfactory serous gland（**ボーマン腺** Bowman's gland）は上皮下に存在し，ニオイを放つ物質の溶けた漿液を分泌する．この分泌液は，非常に多くのニオイ分子に高い親和性をもった**ニオイ結合タンパク質** odorant-binding protein（**OBP**）を含んでいる．

OBP はニオイ物質を異型線毛の表面にある受容体に運び，感知された後にはニオイ物質を除去する．なお，嗅腺の分泌物には，リゾチームや免疫グロブリン A（**IgA**：形質細胞が分泌）のような生体防御物質が含まれている．

ニオイ物質の伝達経路：

1. G タンパク質とアデニル酸シクラーゼ 3 の活性化により，サイクリックアデノシン一リン酸（cAMP）が生成される．
2. cAMP はタンパク質のリン酸化を制御し，OSN の成長と生存に関与する遺伝子の転写を制御する．
3. cAMP は，サイクリックヌクレオチドゲート（CNG）イオンチャネルに結合し，Ca^{2+} と Na^{+} の流入と細胞内 Cl^{-} の流出を可能にする．
4. イオンの流れが修飾された繊毛の細胞膜を脱分極させ，活動電位が発生して OSN の軸索を伝わり，嗅球にある糸球体のシナプスに到達する．
5. 糸球体は，感覚入力信号が収束して活性化し，脳の扁桃体皮質内側部に伝達される機能ユニットとして機能する．

Box 13.A | 嗅上皮

- 嗅上皮は，嗅覚ニューロン（OSN），基底細胞（OSN に分化する幹細胞）および支持細胞からなる．これらの細胞は，その核の位置および形状に基づいて同定できる（図 13.3）．
- OSN は双極性ニューロンである．2 つの部分すなわち，10〜20 本の不動性異型線毛（嗅小毛）をもつ頂部の樹状突起球と，篩骨篩板を通る神経線維束を形成する基底部の軸索からなる．
- 線毛には嗅覚受容体（OR）がある．約 1,000 の *OR* 遺伝子があるが，おのおのの OSN は 1 つの遺伝子だけを発現する．
- ボーマンの漿液腺の分泌物にはニオイ結合タンパク質が含まれている．
- 同じ OR をもつ OSN からの軸索が，嗅球で 1〜3 個の糸球体に終わる．主として僧帽細胞の樹状突起終末が，糸球体内に伸びている．僧帽細胞の軸索は嗅索を形成している．
- 嗅細胞は 30〜60 日の寿命で，基底細胞から再生される．
- 嗅上皮の一時的または永久的な損傷は，無嗅覚 anosmia（ギリシャ語 *an*［＝ not，ない］，*osme*［＝ sense of smell，嗅覚］）を引き起こす．

喉頭（図 13.4）

喉頭 larynx の主な 2 つの機能は：

1. 発声．
2. 嚥下時に気管を閉じ，食物や唾液が気道に入るのを防ぐことである．

喉頭壁は，硝子軟骨性の**甲状軟骨** thyroid cartilage と**輪状軟骨** cricoid cartilage，および喉頭の内腔に延び出している**線維弾性軟骨が芯をなす喉頭蓋** epiglottis とからなる．

外喉頭筋 extrinsic laryngeal muscle が**舌骨** hyoid bone から喉頭について，嚥下時に喉頭を引き上げる．

内喉頭筋 intrinsic laryngeal muscle は下喉頭神経に支配され，甲状軟骨と輪状軟骨をつなぐ．内喉頭筋が収縮すると，声帯の緊張度が発声に合わせて変化する．上・下喉頭動脈（それぞれ上・下甲状腺動脈に由来）が喉頭を養う．リンパ管叢は，上部の頸リンパ節および気管に沿うリンパ節に注ぐ．

喉頭は 3 つの領域に区分される：

1. **声門上領域** supraglottis：喉頭蓋から前庭ヒダ（仮声帯）およ

図 13.2 | 嗅粘膜

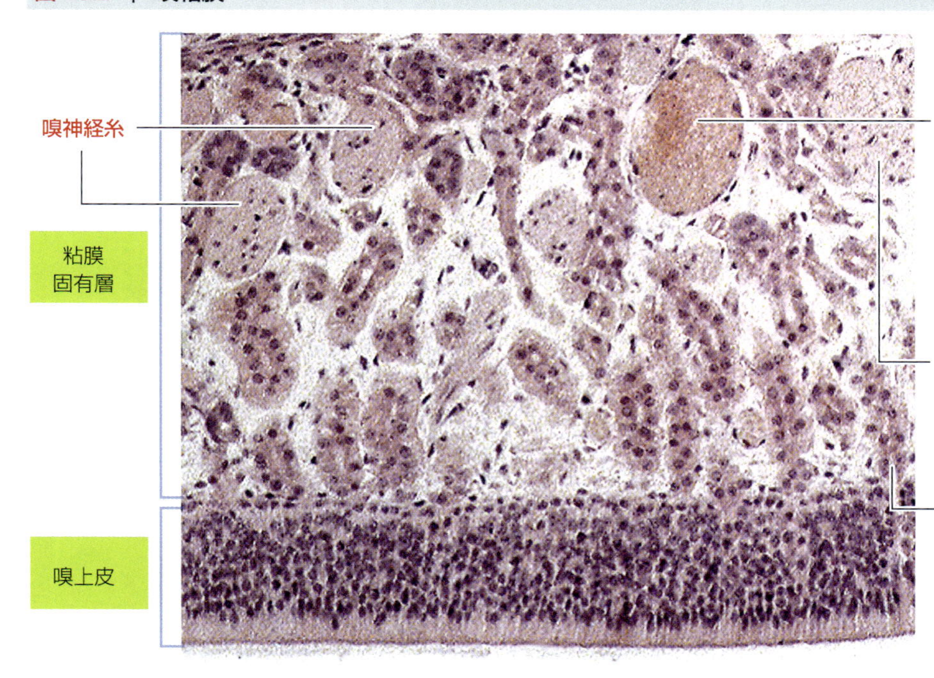

び喉頭室.

2. **声門領域** glottis：声帯ヒダ（声帯）および前後の交連.
3. **声門下領域** subglottis：声帯より下の領域で，輪状軟骨の下縁まで.

ウイルスや細菌による上気道感染症は，通常，声門上領域や声門領域を侵す．嗄声や一過性の声枯れが典型的な症状である.

強制吸息時，声帯は**外転**し，声帯間隙が開大する.

発声時，声帯は**内転**し，声帯間隙が線状のすき間となる．その間を空気が通って声帯の自由縁が振動し，音を出す．声帯の大部分をなす内喉頭筋の収縮が声帯の緊張度を増し，音の周波数を変化させる（Box13.B）.

喉頭の粘膜は，咽頭および気管の粘膜に続く．**重層扁平上皮**が喉頭蓋の**舌面**，および咽頭面の小さな伸び出し部と**声帯**を覆う．喉頭のその他の部分は，杯細胞を伴う偽重層（多列）線毛上皮が覆う.

喉頭漿粘液腺は，声帯以外のすべての粘膜固有層にみられる．**声帯**の粘膜固有層は3つの層からなる：

1. 浅層は，弾性線維のほとんどない細胞外マトリックスからなる層で，**ラインケのスペース** Reinke's space として知られている.
2. 中間層は，弾性線維を伴っている.
3. 深層，豊富な弾性線維とコラーゲン線維を含む.

声帯を構成するのは，固有層の中間層と深層である．声帯の振動にはラインケのスペースと上皮の被覆が関係している.

ラインケの浮腫 Reinke's edema はウイルス感染や激しい咳などで固有層の表層部に液体が溜まることで起こる.

謡人結節 singer's nodule は上皮に覆われた固有層の中に小さな線維化の集合体が生じるもので，声帯の縁が互いに接触するようになる.

粘膜固有層には通常，**肥満細胞**が豊富である．肥満細胞は，浮腫や喉頭閉塞などの潜在的な医学的緊急事態につながる過敏反応に関与する.

クループ croup は小児の喉頭気管気管支炎で，炎症の過程で気道が狭くなり，**吸気時喘鳴**をきたす.

気管と主気管支（図 13.5〜13.7）

気管 trachea は，呼吸器系**気道部**の主要な部分で，喉頭からの続きである.

気管竜骨（カリナ）において，気管は，左右の**主気管支** primary (main) bronchus に分かれて各肺の肺門に入る．**肺門** pulmonary hilum から，主気管支，**肺動脈**，**肺静脈**，**神経**，および**リンパ管**が肺に出入りする.

気管支の第二次分枝（葉気管支）に随伴する結合組織が中隔となって，各肺を**肺葉** pulmonary lobe に分ける.

右肺は3葉，左肺は2葉からなる.

続く気管支の分枝（区域気管支）によって，各肺葉はさらに**肺区域** bronchopulmonary segment に分けられる．**肺区域は，外科**

Box 13.B | 声帯ヒダ，声帯

- 声帯ヒダ（声帯）には表層部のカバーと中心部のコアの2つの領域があり，異なる構造特性をもつ.
- **カバー**は重層扁平上皮と粘膜固有層浅層（ラインケのスペース）で構成される．**コア**は，粘膜固有層中間層および深層（声帯靱帯に相当）と，声帯筋や甲状披裂筋からなる．カバーは柔軟性があるが，コアは硬く，収縮性があって硬さを調節できる.
- 発声時には，声帯のカバーは横の動きと縦のうねり（粘膜波動として知られる）を示す．声帯のコアで剛性が変化すると粘膜波動が変わる．声帯の剛性が増加すると，粘膜波の速度が増大し，周波数が上がる.

図 13.3 | 嗅上皮

1 **嗅覚ニューロンの軸索**は 10 ～ 100 の束になって，篩骨篩板を貫いて**嗅球**に達する．嗅球では，軸索終末は**糸球体**とよばれるシナプス構造を形成し，**僧帽細胞**のシナプス端末と接続する．

2 嗅覚信号は，**僧帽細胞**によって，**嗅索**を通って**脳の扁桃体皮質内側部**に送られる．

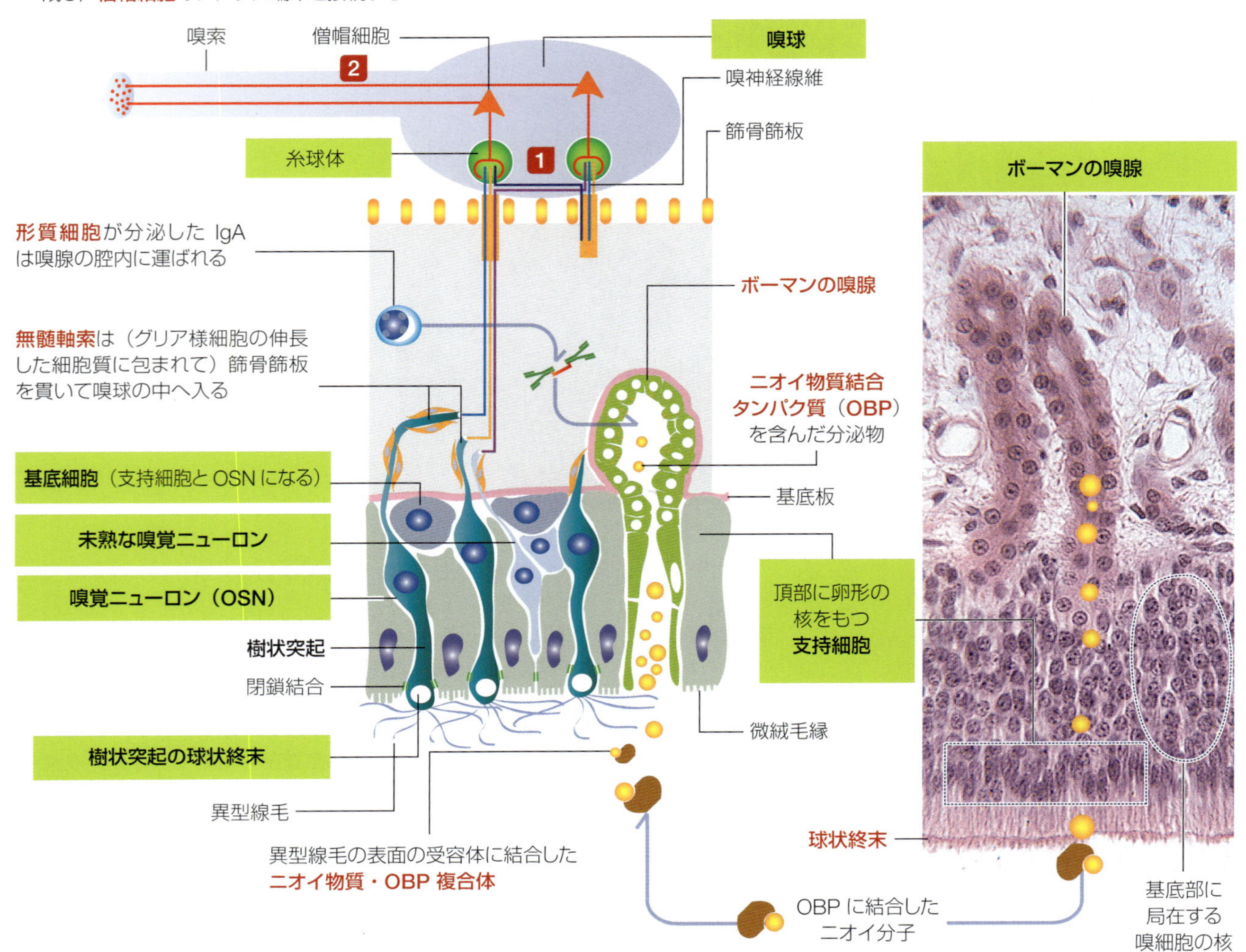

嗅覚ニューロン

嗅覚受容体タンパク質は，異型線毛の細胞膜に挿入された G タンパク質共役型受容体の膜貫通部である．各嗅覚ニューロンは嗅覚受容体の 1 タイプのみを発現し，1 つの受容体はいくつかの異なるニオイ物質に結合する可能性がある．

ニオイ物質・OBP 複合体は，その細胞質側の受容体に共役した Gαタンパク質を活性化する．Gαタンパク質活性化アデニル酸シクラーゼ 3 は，アデノシン三リン酸（ATP）からサイクリックアデノシン一リン酸（cAMP）への変換を触媒する．cAMP は，CNG チャネルを開き，Na^+とCa^{2+}の**流入**を促進する．Ca^{2+}はCl^-の**流出**を活性化する．活動電位が発生し，嗅覚ニューロンの軸索を通って**糸球体**へ，さらに嗅神経を通って脳へと伝達される．

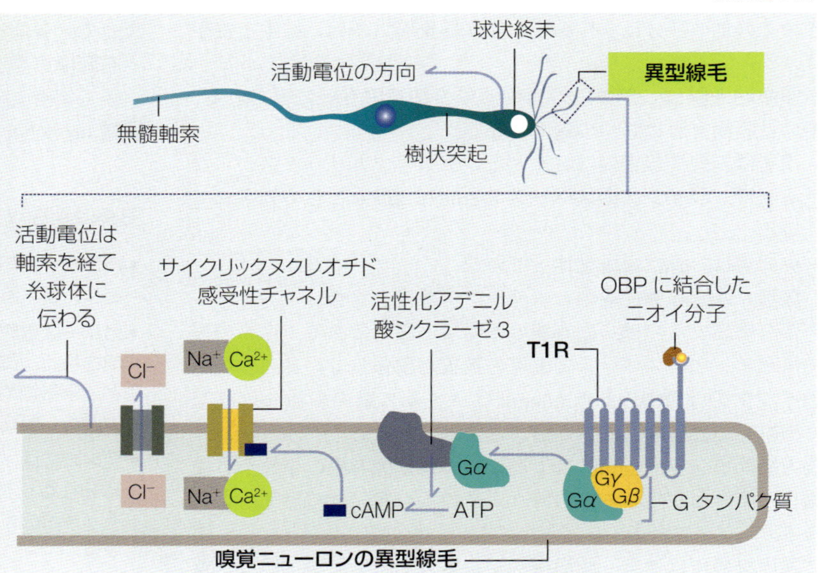

図 13.4 | 喉頭

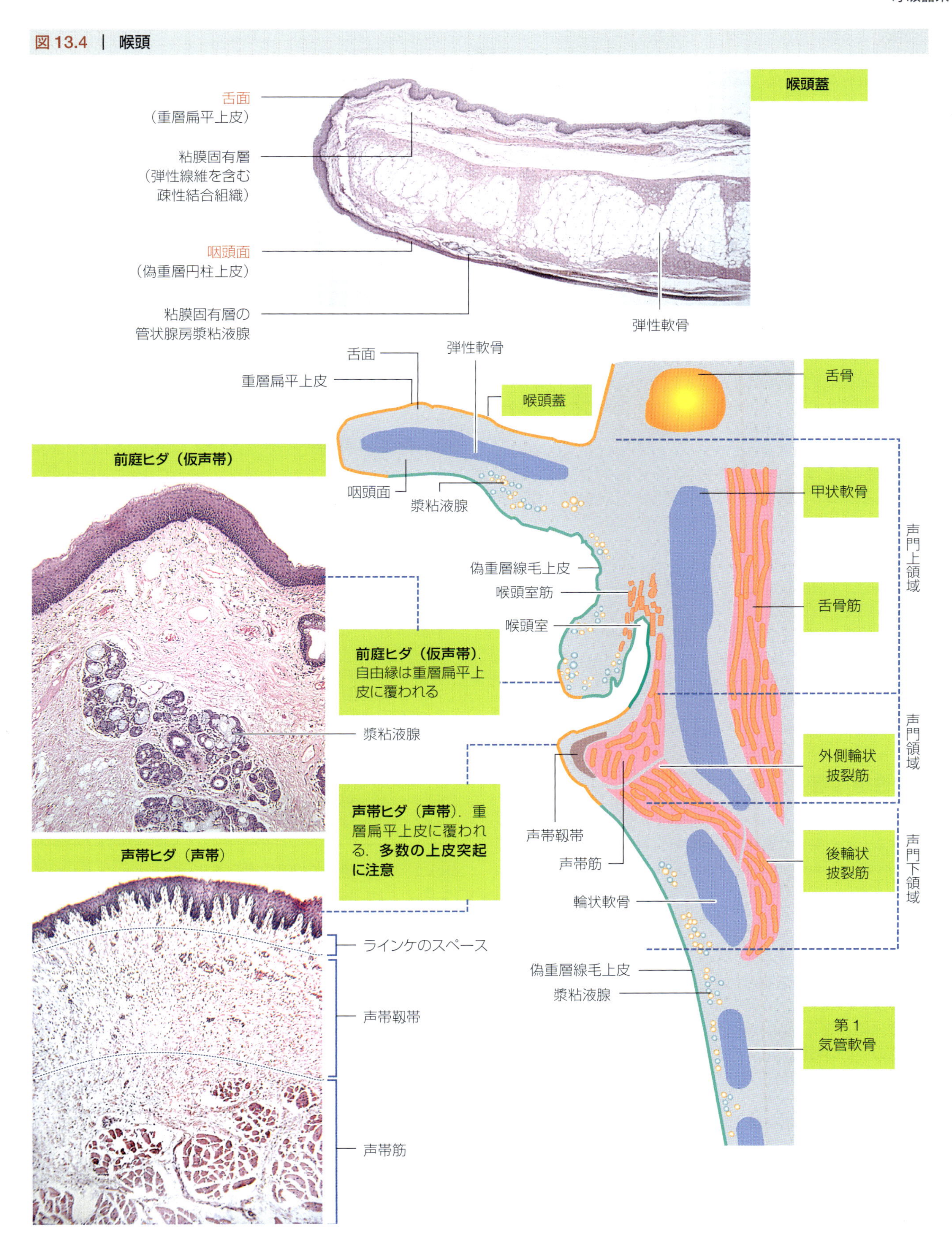
喉頭蓋
舌面
(重層扁平上皮)
粘膜固有層
(弾性線維を含む
疎性結合組織)
咽頭面
(偽重層円柱上皮)
粘膜固有層の
管状腺房漿粘液腺
弾性軟骨
舌面
弾性軟骨
重層扁平上皮
喉頭蓋
舌骨
前庭ヒダ(仮声帯)
咽頭面
漿粘液腺
甲状軟骨
声門上領域
偽重層線毛上皮
喉頭室筋
舌骨筋
喉頭室
前庭ヒダ(仮声帯).
自由縁は重層扁平上
皮に覆われる
漿粘液腺
声門領域
外側輪状
披裂筋
声帯ヒダ(声帯). 重
層扁平上皮に覆われ
る. 多数の上皮突起
に注意
声帯靱帯
声帯ヒダ(声帯)
声帯筋
後輪状
披裂筋
声門下領域
輪状軟骨
ラインケのスペース
偽重層線毛上皮
漿粘液腺
声帯靱帯
第 1
気管軟骨
声帯筋

的に切除できる肺の解剖学的な単位である．さらなる気管支の分枝により，肺区域はいくつかの**段階的な小区域**に分けられる．

気管と主気管支は，明瞭な基底板上の**偽重層（多列）円柱線毛上皮**に覆われる．数種の細胞が同定されている（図 13.5）：

1. **円柱線毛細胞** columnar ciliated cell は大多数を占め，基底板から管腔まで達する．
2. **杯細胞** goblet cell は線毛のない細胞で豊富に存在し，基底板から管腔まで達する．これらはムチンポリマーの **MUC5AC** や **MUC5B** を産生する（図 13.5，13.6）．
3. **基底細胞** basal cell は，基底板に接するが，管腔には達しない．基底細胞から線毛細胞や杯細胞が生じる．Notch シグナル伝達経路は，線毛上皮細胞よりも分泌性杯細胞への分化を促進する．
4. **クルチツキー細胞** cells of Kulchitsky は**神経内分泌細胞**で，基底板に接して存在し，主に葉気管支の分岐部にみられる．この細胞はよく小細胞肺がん small cell lung cancer（SCLC，燕麦細胞がんともいう）を生じさせる．また，セロトニン，カルシトニン，**抗利尿ホルモン** antidiuretic hormone（ADH），**副腎皮質刺激ホルモン** adrenocorticotropic hormone（ACTH）などのペプチドホルモンを分泌する．

粘膜固有層には弾性線維がある．**粘膜下層**には**粘液および漿液腺**がみられ，杯細胞とともに気道の粘液の成分を産生する（Box 13.C）．

気管と肺外気管支の枠組みは，積み重なった **C 字形の硝子（ガラス）軟骨**で，各軟骨は軟骨膜と癒合する**線維弾性層** fibroelastic layer によって囲まれる．

気管と一次気管支（主気管支）では，軟骨の "C" の開いた側が食道に向かって後方にある．最下端の気管軟骨は**竜骨** carinal cartilage といわれる．**気管筋** trachealis muscle の横走線維が軟骨端の内方につく．分枝した気管支では，**軟骨輪**（図 13.5）は不定形な**軟骨片**に変わり（図 13.7），平滑筋束がらせん状に取り巻く．

嚢胞性線維症（図 13.6）

嚢胞性線維症 cystic fibrosis は潜性遺伝疾患で，小児や若年者に発症する．この疾患は**嚢胞性線維症膜コンダクタンス制御因子** cystic fibrosis transmembrane conductance regulator（CFTR）をコードする遺伝子の突然変異によって引き起こされ，その結果，**塩化物イオン分泌が減少し，ナトリウム吸収が増加して，気道内腔液が不十分となる**（Box13.D）．

呼吸器と消化器におけるこれらの変化の結果：

1. **粘液の排出機序が低下**して感染症，炎症，損傷の慢性的サイクルが生じる．
2. 高度に絡み合う MUC5AC と MUC5B ポリマーからなる**孔サイズの小さい粘液ゲルマトリックスが形成**されて病原体が入り込み，感染を防御するはずの好中球が身動きできなくなる．

肺疾患は粘稠な粘液が気道を塞ぐために起こり，細菌感染を続発する．咳嗽，慢性の化膿性分泌物，粘膜下腺のムチン産生細胞の増加および呼吸困難は，この慢性閉塞性肺疾患 chronic obstructive pulmonary disease（COPD）の典型的症状である．これらは，X 線写真上，気管支拡張症 bronchiectasis（局所的な気管支の拡張）としてとらえられる．

多くの患者で，粘液による膵管の通過障害により膵機能不全が起こる．膵臓の小導管は，重炭酸に富む液をセクレチンの刺激により分泌する．このセクレチンは，胃で酸性になった内容物が十二指腸に入ってくると，腸内分泌細胞から分泌される（第 17 章参照）．皮膚では汗腺の塩分分泌が過剰となり，これは嚢胞性線維症の診断に用いられる（第 11 章参照）．

この疾患の治療には，気管支ドレナージを促進する理学療法，感染に対する抗生物質投与，そして膵酵素補充療法などがある．

気管支樹の肺内区域（図 13.7，13.8）

肺実質内では，区域気管支が大小の**亜区域気管支** subsegmental bronchus に分枝する．細い亜区域気管支は細気管支に移行する．

細気管支になると，軟骨片が消失し，弾性線維が増加する．肺内区域は最終的に，**肺小葉**と**肺細葉**から構成される．

Box 13.C | 気道粘液

- 気道粘液は，吸入した粒子を捕捉し，それらを線毛運動や咳によって肺から運び出す．過剰な粘液や排出不全は，気道疾患全般に共通した特徴である．
- 気道粘液は 3 種類の細胞により産生される：(1)杯細胞，(2)粘液および漿液細胞，(3)終末細気管支のクラブ細胞（旧クララ細胞）．
- 粘液は以下のものを含有する：(1)ムチン MUC5AC と MUC5B，(2)抗菌性分子（ディフェンシン，リゾチーム，免疫グロブリン A），(3)免疫調節分子（セクレトグロビンとサイトカイン），(4)保護分子（トレフォイルタンパク質とヘレグリン）．
- 正常な気道粘液は，97% が水分，3% が固形分（ムチン，非ムチンタンパク質，塩分，脂質および細胞残渣）である．粘液の水和性は粘性と弾性を決定し，線毛作用や咳による粘液の正常な排出に必須の特性である．
- 気道粘液は，(1)線毛周囲層と，その上の(2)粘液ゲル層の 2 層からなる．MUC5AC と MUC5B 重合分子が連続的に合成・分泌され，吸入した粒子や病原体，肺に有害な溶存化学物質を除去するために線毛運動で排出される粘液ゲル層を補充する．

Box 13.D | 嚢胞性線維症遺伝子

- 嚢胞性線維症遺伝子は，アデノシン三リン酸（ATP）結合ドメイン（ATP 結合カセット）をもつことから ABC トランスポーターファミリーに属するタンパク質 CFTR をコードしている．CFTR は，イオン，糖，アミノ酸の輸送に ATP の加水分解を必要とする．嚢胞性線維症患者の 70%は，CFTR タンパク質の全 1,480 個のアミノ酸のうち，508 個のアミノ酸が欠損している．
- ABC トランスポーターファミリーの一員である CFTR は，Cl^-チャネルとして機能するために，ATP の加水分解とサイクリックアデノシン一リン酸（cAMP）依存性のリン酸化の両方を必要とするという点で，かなり珍しい．
- 嚢胞性線維症患者における CFTR の遺伝的変異は，塩化物イオン輸送の欠陥とナトリウム吸収の増加をもたらす．また，CFTR チャネルは重炭酸イオンの輸送も行っている．CFTR の遺伝的突然変異は，重炭酸イオン輸送の低下と関連しており，その結果，カルシウムによるムチンの過剰な架橋が生じる．

図 13.5 | 気管

気管

C 字形の硝子軟骨．開いた側が食道に向く
気管筋
粘膜下腺
平坦な後面
外膜（脂肪組織）
迷走神経
内腔
粘膜上皮
基底板
弾性板
漿粘液腺を伴う粘膜下層
粘膜固有層

気管の上皮

1 円柱線毛細胞

頂部の濃く染まる領域は，内腔へ突出する線毛が起始する基底小体が一線に並んだものである．円柱線毛細胞は全細胞数の約 30% を占める．

2 杯細胞

細胞頂部には，内腔側へエキソサイトーシスで分泌された粘液分泌物があり，粘液保護膜をつくる．杯細胞は全細胞数の約 30% を占める．

3 基底細胞

この細胞は自由腔面にまで達しておらず，上皮細胞の幹細胞として働く．基底細胞は全細胞数の約 30% を占める．

気管支内分泌細胞（クルチツキー［図には示されていない］）

小さな顆粒をもつ神経内分泌細胞が，上皮の基底領域に観察される．葉気管支の分岐部に多い．

これらは**散在性の内分泌系**である（以前は **APUD アミン前駆体取り込み脱炭酸系** amine precursor uptake and decarboxylation system として知られていた）．

これらの細胞は，消化器系にみられる消化管内分泌細胞に似て，抗利尿ホルモンやセロトニン，カルシトニン，ソマトスタチン，その他の薬理作用のわかっている小ペプチドを生合成する．気管支内分泌細胞は，**小細胞肺がん（SCLC）**を生じ，気管支内に増殖し，局所のリンパ節に急速に転移する．

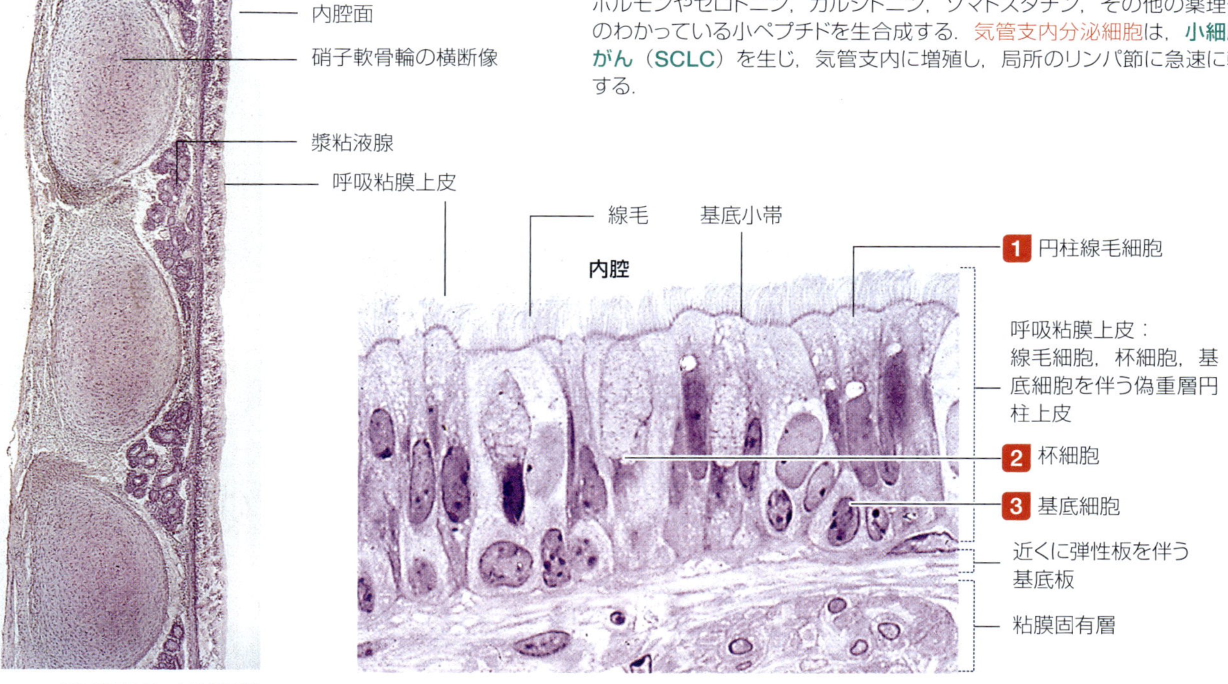

MUC5AC MUC5B
粘液層
粘液ゲル層
線毛周囲層
線毛細胞
杯細胞
基底細胞

気道粘膜の組成と機能

気道粘液は，吸入した空気中の病原体や微粒子，有害化学物質を捕捉するものである．粘液は，杯細胞，粘膜下腺およびクラブ細胞の産生した糖タンパクのムチンと水を含む細胞外ゲルである．

気道粘液は，⑴**線毛周囲層**，および⑵**粘液ゲル層**の 2 層からなる．**MUC5AC** と **MUC5B** は架橋結合する糖タンパク質のモノマーで，多量の液体を保持し，粘液の潤滑作用と，粘弾性を維持できるようにしている．低粘度・低弾性であることは，線毛運動と咳嗽によって粘液を排出するのに効果的である．MUC5AC は杯細胞によって，MUC5B は杯細胞と粘膜下腺（図には示されていない）によって分泌される．

図 13.6 | 嚢胞性線維症

嚢胞性線維症
コンダクタンス制御因子（CFTR）

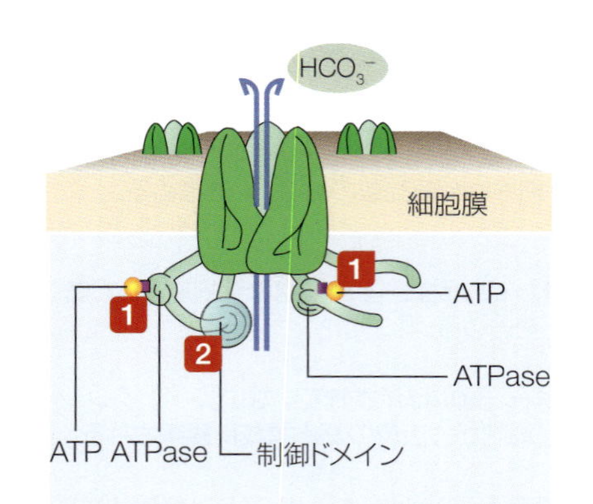

3 つの細胞質ドメインが塩素透過 CFTR チャネルを制御する：

1 **2 つの ATP 結合ドメイン**（**ATPase**）
2 **制御ドメイン**

ATP が結合して**制御ドメインがリン酸化する**と，チャネルは Cl^- を通すようになる．CFTR チャネルは HCO_3^- も輸送する．

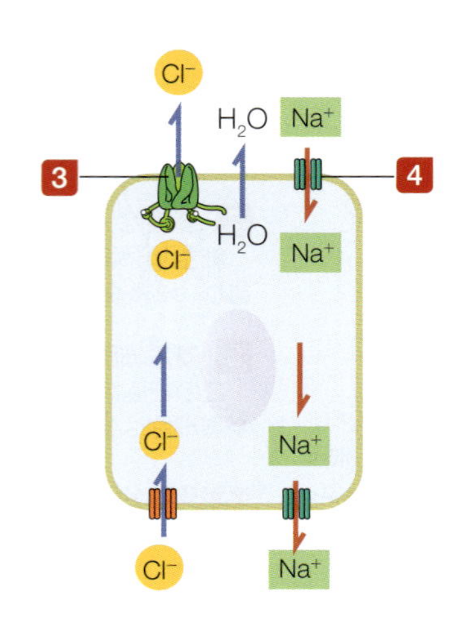

健常者の場合，気道内面の上皮細胞は 2 種類のチャネルを有する：

3 CFTR チャネルは Cl^- を出す．
4 もう一方のチャネルは，Na^+ を取り込む．

水は，浸透圧の作用で Cl^- の動きにつれて移動する．この機構により，杯細胞や粘液腺で産生される粘液が水分を含み，粘性が低下する．

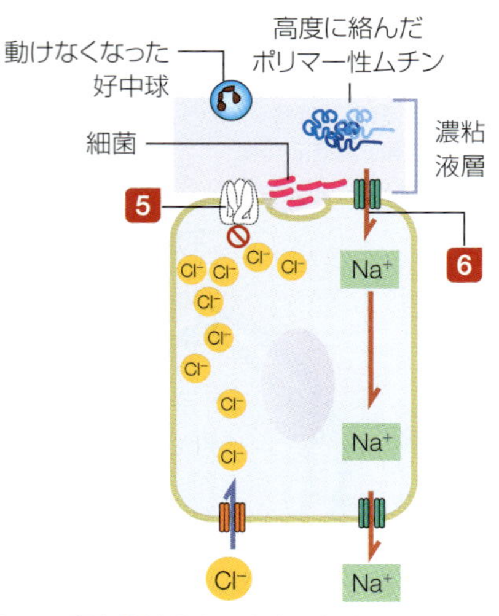

嚢胞性線維症の患者の場合，

5 CFTR チャネルの不足または欠損により，Cl^- の動きが妨げられる．
6 細胞は過剰の Na^+ を取り込む．

Cl^- の分泌減少と Na^+ 吸収の増加の結果，粘液中の水分が不足する．粘液は，高度に絡んだムチンポリマーを含み，濃くなって，細菌と好中球を捕捉する．細胞の破壊が起こる．

肺小葉と肺細葉（図 13.9，13.10）

終末細気管支 terminal bronchiole とその末梢域の肺組織は，**肺小葉** pulmonary lobule をなしている（図 13.9）．肺小葉には，**呼吸細気管支** respiratory bronchiole，**肺胞管** alveolar duct，**肺胞嚢** alveolar sac，および**肺胞** alveolus が含まれる．

肺細葉 pulmonary acinus **とは，呼吸細気管支の支配する肺領域をいい，肺のガス交換の単位である**．したがって，肺細葉は肺小葉のサブコンポーネントとなる．肺小葉には終末細気管支が含まれている点が肺細葉との違いである．

肺小葉－細葉の概念は，肺気腫 emphysema **を理解するうえで重要である**．肺気腫では，終末細気管支より末梢の気腔の不可逆的拡張で，壁の破壊を伴う．

呼吸細気管支より末梢は**肺胞管**である．呼吸細気管支から肺胞管のはじめの部分にかけて，内腔面に突出する特有の**平滑筋隆起**（球状に隆起した筋束）と**散在する弾性線維**を伴う断続的な壁構造がみられる（図 13.9，13.10）．

末梢端では，平滑筋隆起は消失し，基本的に**Ⅰ型肺胞上皮細胞**からなる上皮に覆われる．

肺胞管は，分枝して 2 つまたはそれ以上の**肺胞嚢**となる．肺胞嚢は**肺胞**からなり，気道の終点である．

クラブ細胞（旧クララ細胞）（図 13.11）

クラブ細胞 club cell は，以前**クララ細胞** clara cell とよばれていたもので，線毛のないドーム状の頂上領域をもつ上皮細胞である．

クラブ細胞は**終末細気管支の上皮細胞の 80%** を占めている．

その機能は細気管支上皮を保護することである．気道が損傷すると，クラブ細胞は増殖し移動して肺胞上皮細胞を補充する．このプロセスは，肺胞の**細気管支化** alveolar bronchiolization として知られている．さらに，増殖したクラブ細胞は，線毛細胞や追加のクラブ細胞を生み出すことができる．

クラブ細胞は以下を産生する：

1. **サーファクタントタンパク質 SP-A と SP-D** は，気管支上皮の表面をコーティングするとともに，嚢胞性線維症の膜貫通型コンダクタンスレギュレーターチャネルを介した**塩化物イオン**の輸送を制御している．

   塩化物イオンの輸送は，サイクリックグアノシン一リン酸（cGMP）-グアニリルシクラーゼ C の機構で制御されている．
2. **MUC5AC と MUC5B のモノマー**，気道粘液中にポリマーとして存在するムチン．
3. 抗炎症性の**クラブ細胞分泌タンパク質**（**CCSP，別名セクレトグロビンファミリー1A メンバー1：Scgb1a1**）は，気道上皮の慢性的な傷害や感染に対する保護に関与している．気道の慢性的な損傷は，正常な上皮の修復と分化を阻害し，クラブ細胞の数や肺や血清中の CCSP のレベルが低下することが特徴である．

閉塞性細気管支炎（**OB**）または**狭窄性細気管支炎**は，進行性の気流障害を特徴とする．OB は，クラブ細胞の機能不全に起因し，細気管支周囲の著しい炎症と閉塞性の線維化を示し，終末細気管支を狭小化させる．

図 13.7 | 肺内気管支樹の区分

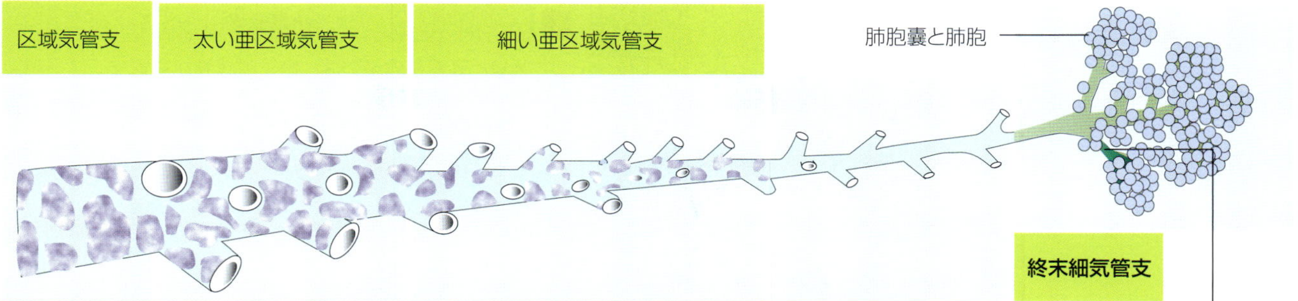

肺実質に入ると，気管支は葉気管支（肺内二次気管支）に分かれる．右肺は３本，左肺は２本の葉気管支を受ける．

葉気管支は，区域気管支（三次気管支）へと分岐し，各肺区域に入る．さらに枝分かれして大小の亜区域気管支となる．

終末細気管支の担う領域を**肺小葉**という

終末細気管支から分かれた各呼吸細気管支が担うのが**肺細葉**である

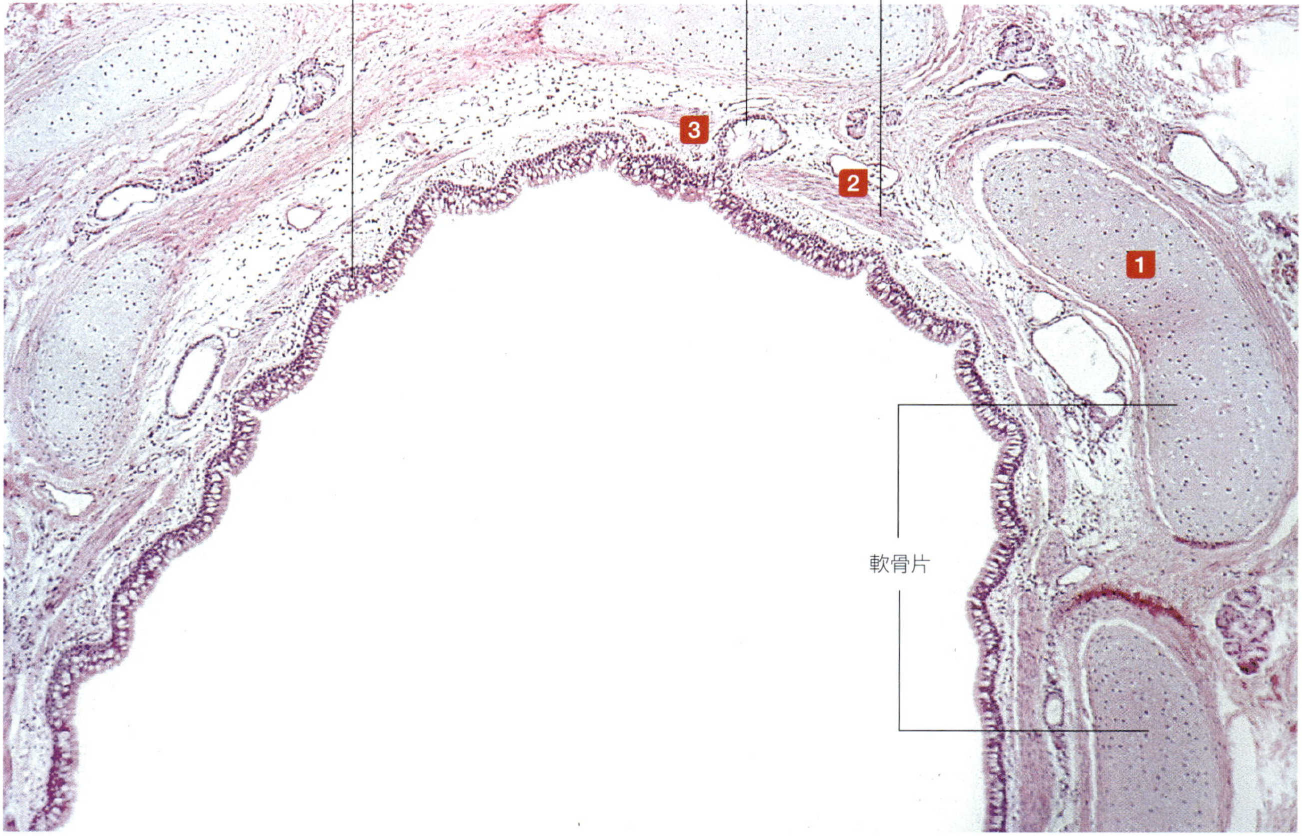

1 気管支が細くなると，不規則な**軟骨片**がみられる．各軟骨片は硝子軟骨からなり，軟骨膜と混ざり合う結合組織線維束に取り囲まれる．

2 平滑筋線維束は，粘膜と軟骨片との間にみられる．粘膜は典型的な呼吸気道上皮に覆われている．

3 漿粘液腺は粘膜固有層にみられ，分泌腺房は平滑筋細胞束の層を越えて突出している．導管は気管支腔に開口する．

図 13.8 | 肺内気管支樹

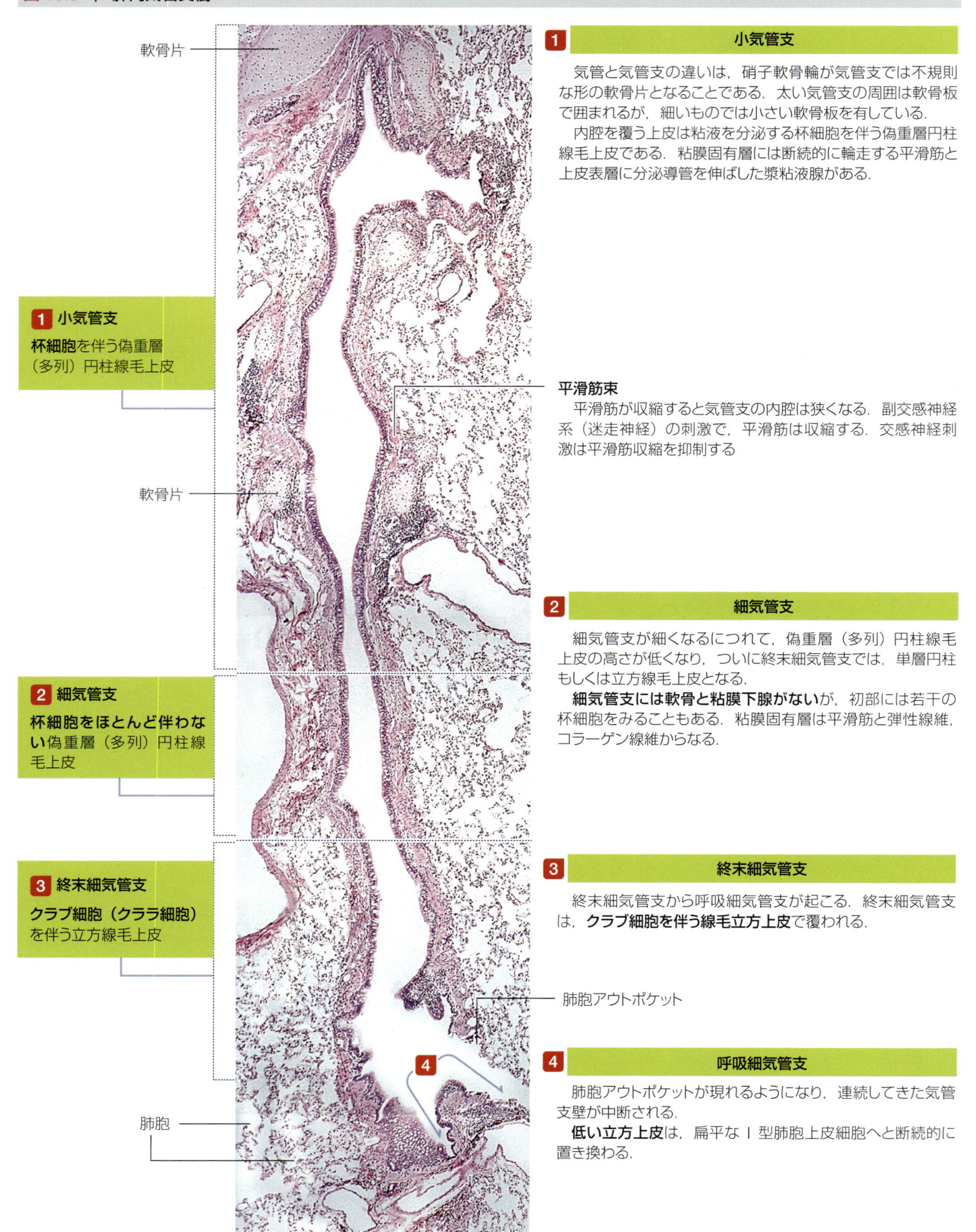

1 小気管支

気管と気管支の違いは，硝子軟骨輪が気管支では不規則な形の軟骨片となることである．太い気管支の周囲は軟骨板で囲まれるが，細いものでは小さい軟骨板を有している．

内腔を覆う上皮は粘液を分泌する杯細胞を伴う偽重層円柱線毛上皮である．粘膜固有層には断続的に輪走する平滑筋と上皮表層に分泌導管を伸ばした漿粘液腺がある．

平滑筋束

平滑筋が収縮すると気管支の内腔は狭くなる．副交感神経系（迷走神経）の刺激で，平滑筋は収縮する．交感神経刺激は平滑筋収縮を抑制する

2 細気管支

細気管支が細くなるにつれて，偽重層（多列）円柱線毛上皮の高さが低くなり，ついに終末細気管支では，単層円柱もしくは立方線毛上皮となる．

細気管支には軟骨と粘膜下腺がないが，初部には若干の杯細胞をみることもある．粘膜固有層は平滑筋と弾性線維，コラーゲン線維からなる．

3 終末細気管支

終末細気管支から呼吸細気管支が起こる．終末細気管支は，**クラブ細胞を伴う線毛立方上皮**で覆われる．

4 呼吸細気管支

肺胞アウトポケットが現れるようになり，連続してきた気管支壁が中断される．

低い立方上皮は，扁平なⅠ型肺胞上皮細胞へと断続的に置き換わる．

図 13.9 | 肺小葉と肺細葉

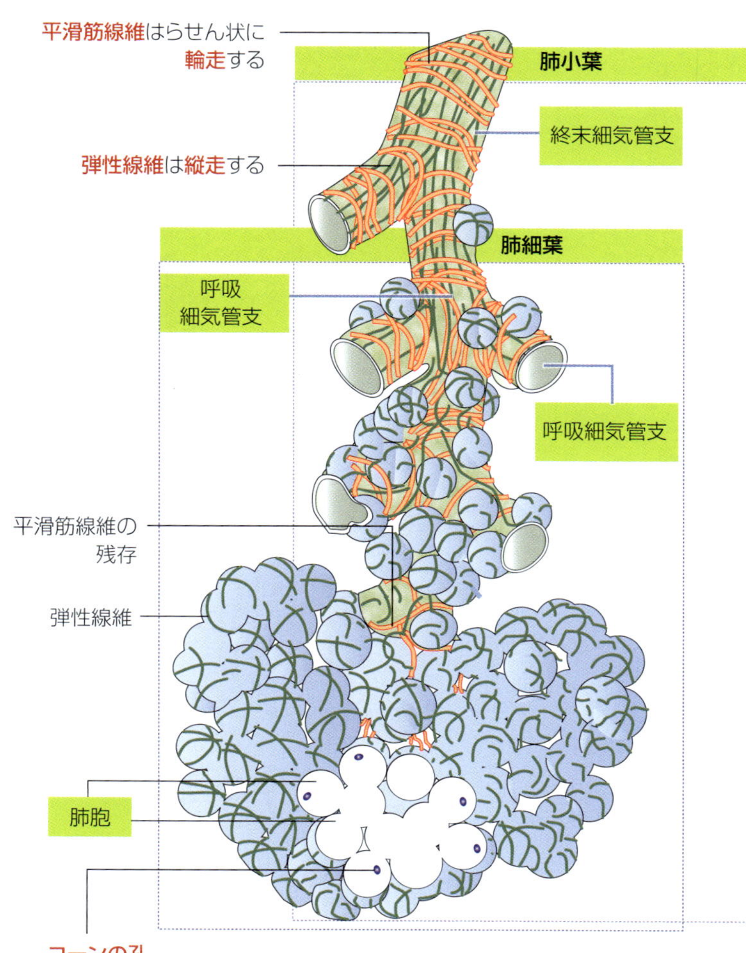

コーンの孔

コーンの肺胞中隔孔 alveolar pores は，隣接する肺胞を連結する．孔は，小さな細気管支の閉塞時に側副呼吸路を確保する．こうして，閉塞していない細気管支とそれに伴う肺胞が**コーンの孔** pores of Kohn を通じて肺胞換気を提供し続ける．

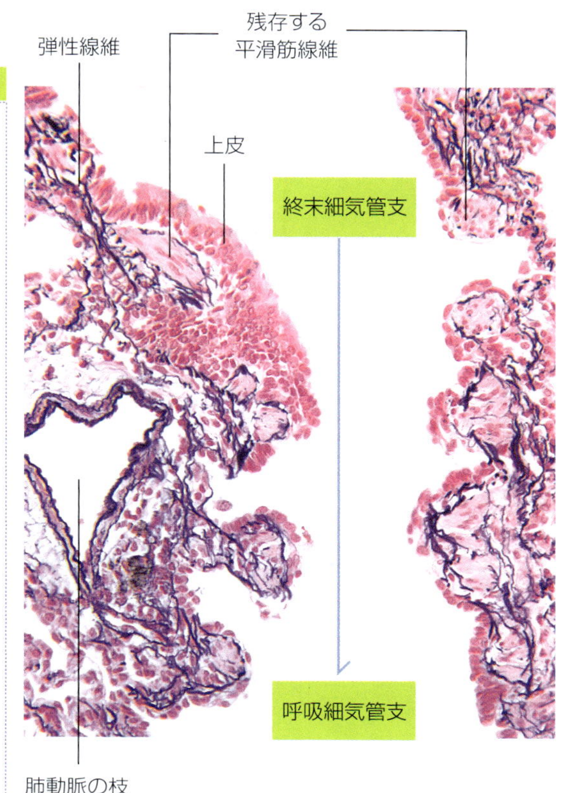

オルセイン染色の標本で，濃青色に染色された弾性線維が，終末細気管支と呼吸細気管支の壁に，また肺動脈の枝の壁（内膜と外膜）にもみられる．

弾性線維が残存する平滑筋線維を取り囲んでいることに注目．

終末細気管支の上皮には，低倍像ではみえにくいが，**クラブ細胞**（クララ細胞）がある．

肺の呼吸部（図 13.12）

終末細気管支は，**呼吸細気管支**（径 0.2〜0.5mm）となり分岐を3回繰り返す．**呼吸細気管支は，肺の気道部から呼吸部への移行部にあたる**．

はじめは**単層立方上皮細胞**に覆われる．分枝するにつれ，**丈が低く無線毛**の立方上皮になる．

呼吸細気管支は分枝して，**肺胞管** alveolar duct になる．肺胞管は**肺胞嚢** alveolar sac に続く．いくつかの肺胞が肺胞嚢に開いている．

肺胞（図 13.10，13.12〜13.15）

各肺には約3億個の空気の袋，すなわち**肺胞** alveolus があり，それらの総表面積は 75 m² にもなり，酸素と二酸化炭素の交換に利用される．

各肺胞は，毛細血管を伴う**単層扁平上皮細胞**が並んだ薄い壁からなり（図 13.13），**空気血液関門** air-blood barrier の一部をなしている（図 13.14）．

肺胞上皮 alveolar epithelium は2種類の細胞からなる（図 13.12，13.13）：

1. **1型肺胞細胞** alveolar type 1（AT1）cell は，数は上皮細胞数の約 40% であるが，面積は肺胞表面の 90% を占める．
2. **2型肺胞細胞** alveolar type 2（AT2）cell は細胞数の約 60% を占めるが，面積は肺胞表面の 10% にすぎない．AT2 細胞に大きく依存して肺胞上皮表面は修復保全されている．

AT2 細胞は，肺胞上皮の幹細胞を構成する．AT2 細胞は，局所的な必要性に応じて，Wnt（wingless）シグナル伝達経路のタンパク質の存在下では自己複製を行い，Wnt 経路の阻害剤である Axin2 axis inhibition protein 2 の存在下では増殖して AT1 細胞に分化する．

肺胞の修復における AT2 細胞の重要性を考えると，その制御を理解することで，細胞ベースの治療法や，急性の損傷や慢性閉

図 13.10 | 終末細気管支から呼吸細気管支への移行

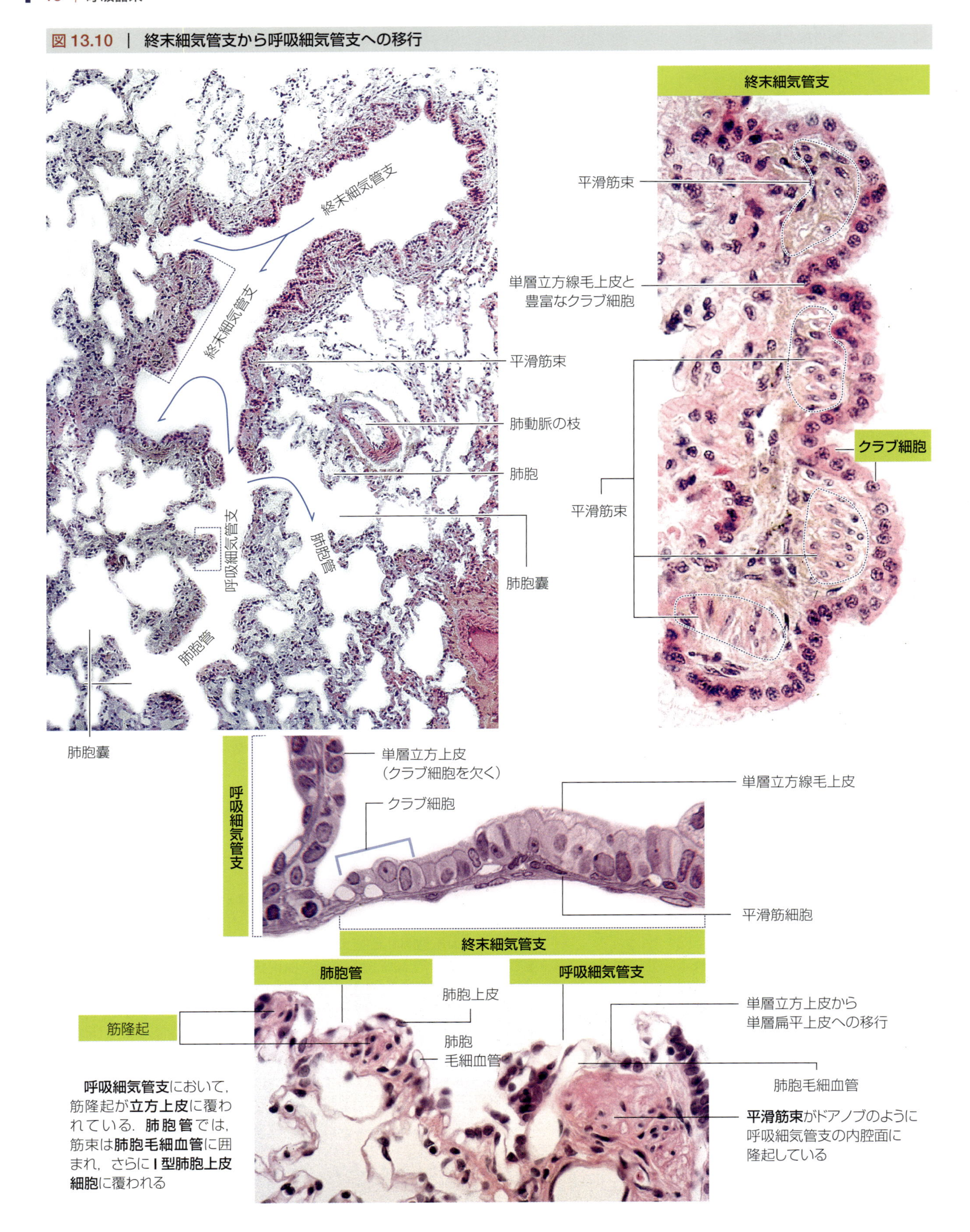

呼吸細気管支において，筋隆起が**立方上皮**に覆われている．**肺胞管**では，筋束は**肺胞毛細血管**に囲まれ，さらに**I 型肺胞上皮細胞**に覆われる

図 13.11 ｜ クラブ細胞の構造と機能

クラブ細胞（クララ細胞）

終末細気管支では，**線毛のないクラブ細胞**が線毛立方体細胞からなる単層上皮に共存している．気道が傷害されると，クラブ細胞は増殖して気管支上皮を再生し，さらには移動して肺胞上皮細胞を補充する．このプロセスは，肺胞気管支化として知られている．

クラブ細胞は以下のものを生産する．(1)**サーファクタントタンパク質 SP-A** および **SP-D**：気管支上皮の表面をコーティングし，おそらく**塩化物イオン**の輸送も制御していると考えられる．(2)ムチン **MUC5AC** と **MUC5B** の単量体：気道粘液中にポリマーとして存在する．(3)抗炎症性**クラブ細胞分泌タンパク質**（**CCSP**）：気道のホメオスタシスを傷害や感染から守るのに関与している．

電子顕微鏡でみると，クラブ細胞の先端ドーム状の領域の細胞質には，電子密度の高い**分泌顆粒**，**ミトコンドリア**および多数の**小胞**が存在する．

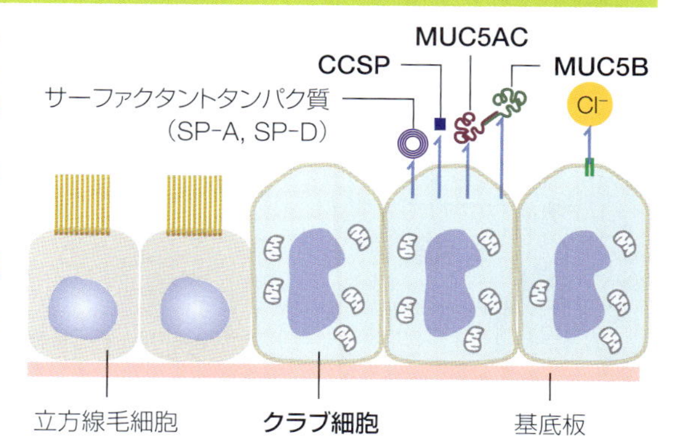

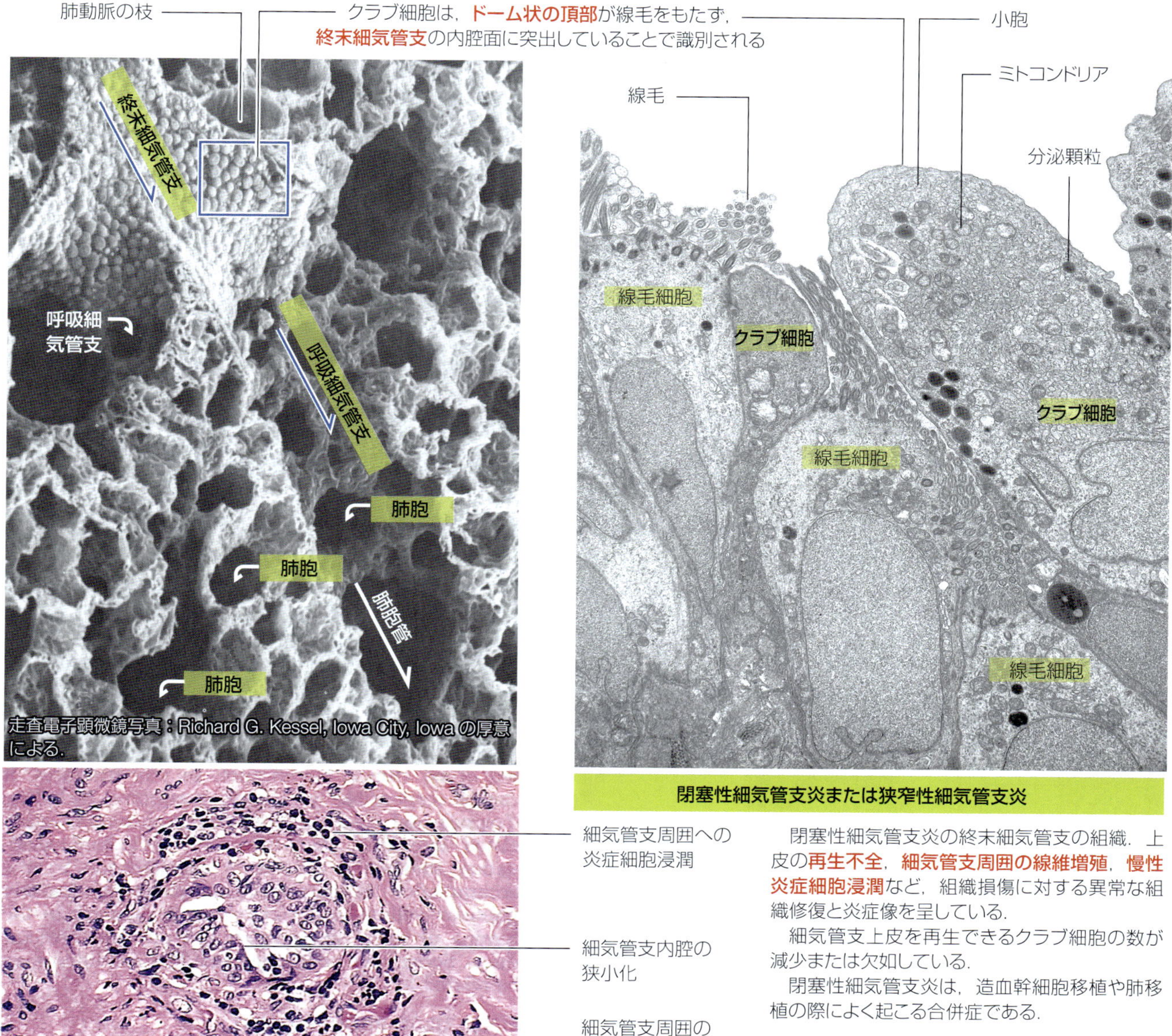

走査電子顕微鏡写真：Richard G. Kessel, Iowa City, Iowa の厚意による．

閉塞性細気管支炎または狭窄性細気管支炎

閉塞性細気管支炎の終末細気管支の組織．上皮の**再生不全**，**細気管支周囲の線維増殖**，**慢性炎症細胞浸潤**など，組織損傷に対する異常な組織修復と炎症像を呈している．

細気管支上皮を再生できるクラブ細胞の数が減少または欠如している．

閉塞性細気管支炎は，造血幹細胞移植や肺移植の際によく起こる合併症である．

病理組織像：Weidner N, Cote RJ, Suster S, Weiss LM: Modern Surgical Pathology, St. Louis, Saunders, 2003 より．

図 13.12 | 呼吸細気管支の区画：肺胞管，肺胞嚢，肺胞

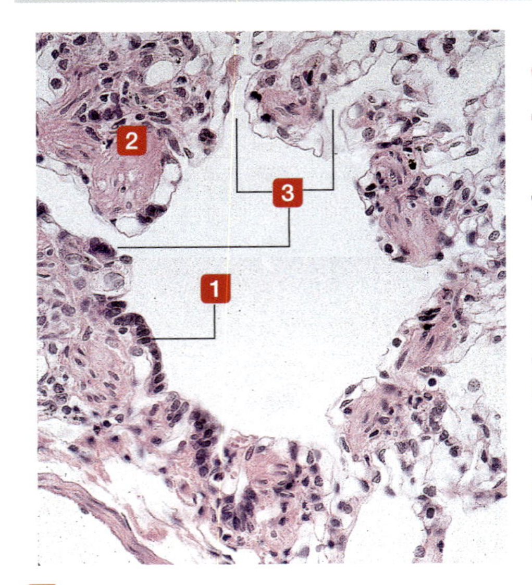

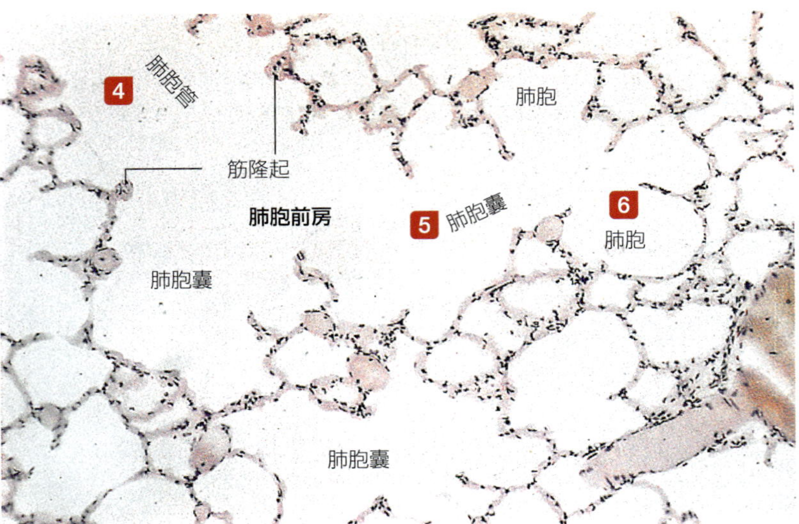

1 **呼吸細気管支**の上皮は，**若干の線毛**あるいは**無線毛立方上皮細胞**（**クラブ細胞**）からなる．**杯細胞はもはやみられない**．平滑筋細胞と弾性線維の束が壁内に観察される．壁内に軟骨板はなく，粘膜固有層に腺もない．

2 **平滑筋線維束**（**筋隆起**）は，**副交感神経線維**に支配され，収縮すると気管支腔が狭くなる．**喘息**では，筋収縮が肥満細胞から出るヒスタミンによって引き起こされ，持続する．弾性線維が筋隆起にみられる．

3 **呼吸細気管支**の壁には，ところどころ袋状にふくらんだ**肺胞**が存在する．

4 1 つの細気管支が分岐して数本の**肺胞管**になる．肺胞嚢の壁は肺胞の開口部となる．わずかに筋隆起が低い立方から扁平単層上皮に覆われ，肺胞開口部にみられる．

5 **肺胞嚢**は，肺胞が集まって共有している共通の空隙をいう．肺胞管と肺胞の間の結合部を**肺胞前房** atrium という．

6 いくつかの**肺胞**が肺胞嚢に開く．

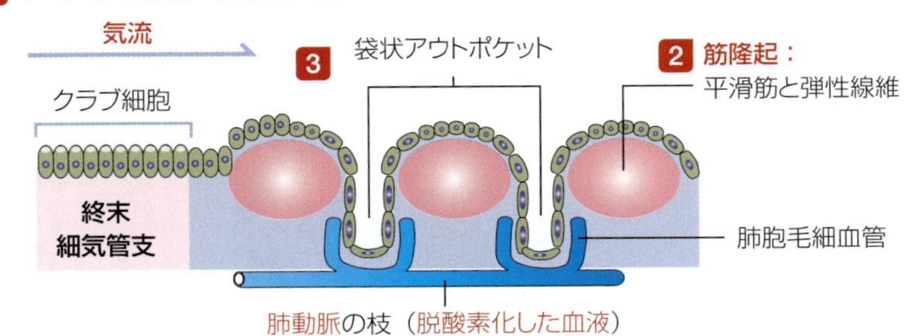

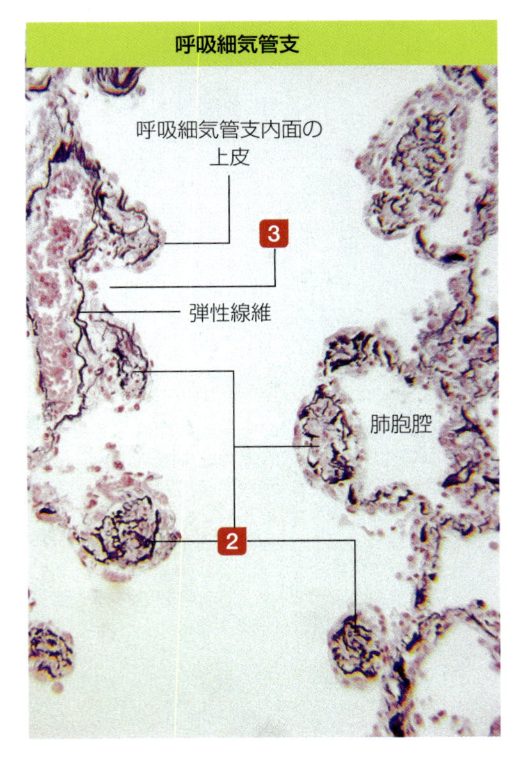

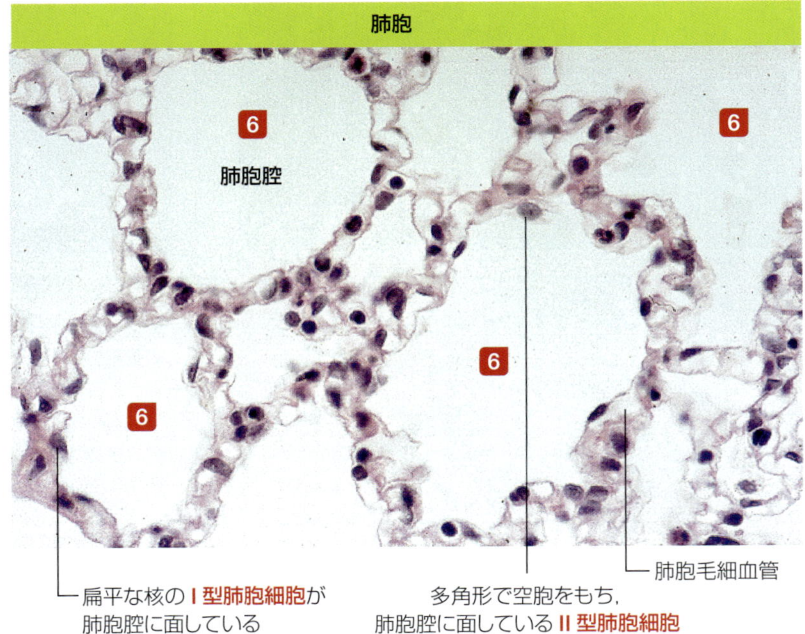

図 13.13 | 肺胞

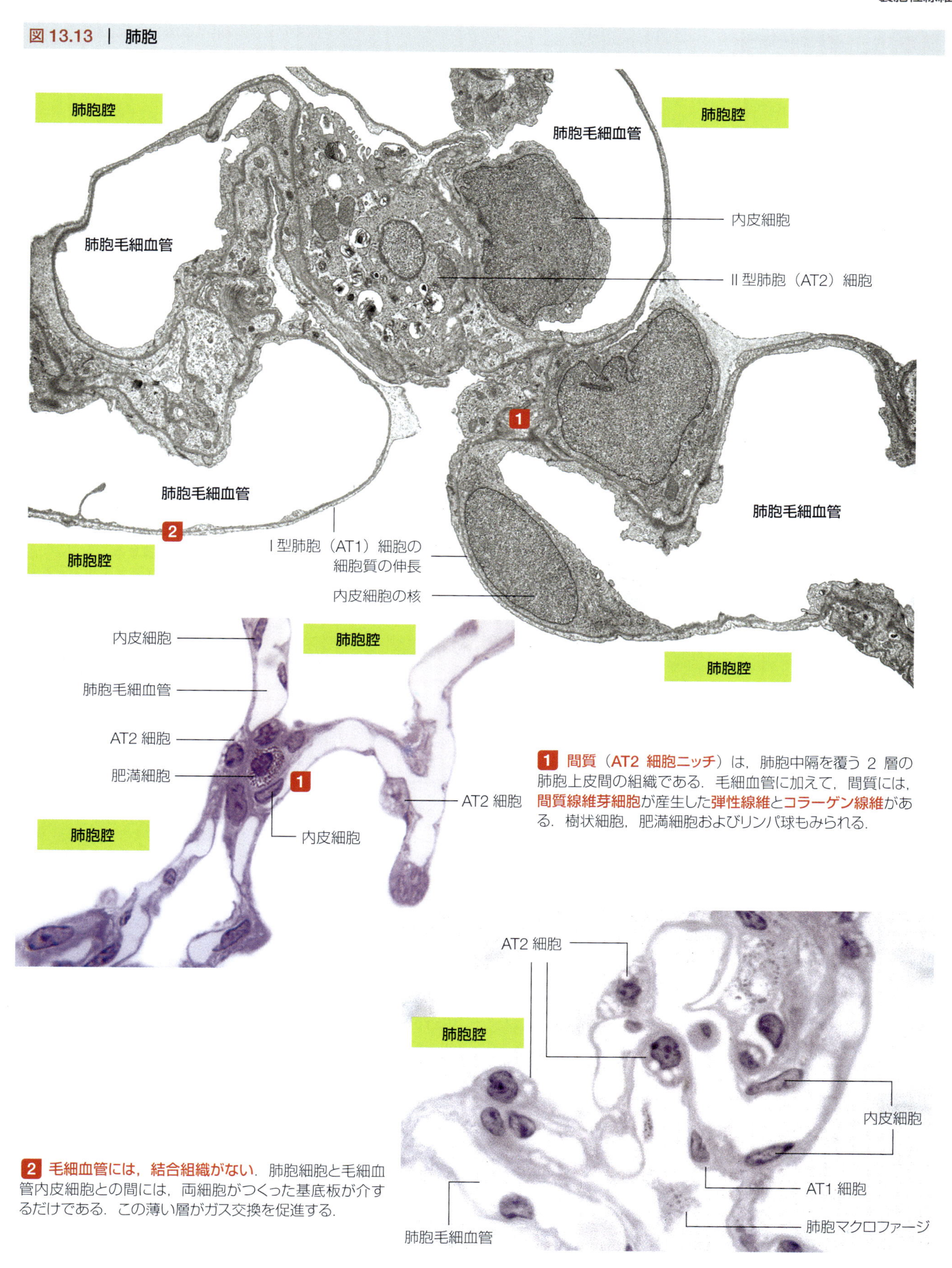

1 **間質（AT2 細胞ニッチ）**は，肺胞中隔を覆う 2 層の肺胞上皮間の組織である．毛細血管に加えて，間質には，**間質線維芽細胞**が産生した**弾性線維**と**コラーゲン線維**がある．樹状細胞，肥満細胞およびリンパ球もみられる．

2 **毛細血管には，結合組織がない**．肺胞細胞と毛細血管内皮細胞との間には，両細胞がつくった基底板が介するだけである．この薄い層がガス交換を促進する．

図 13.14 | 空気血液関門

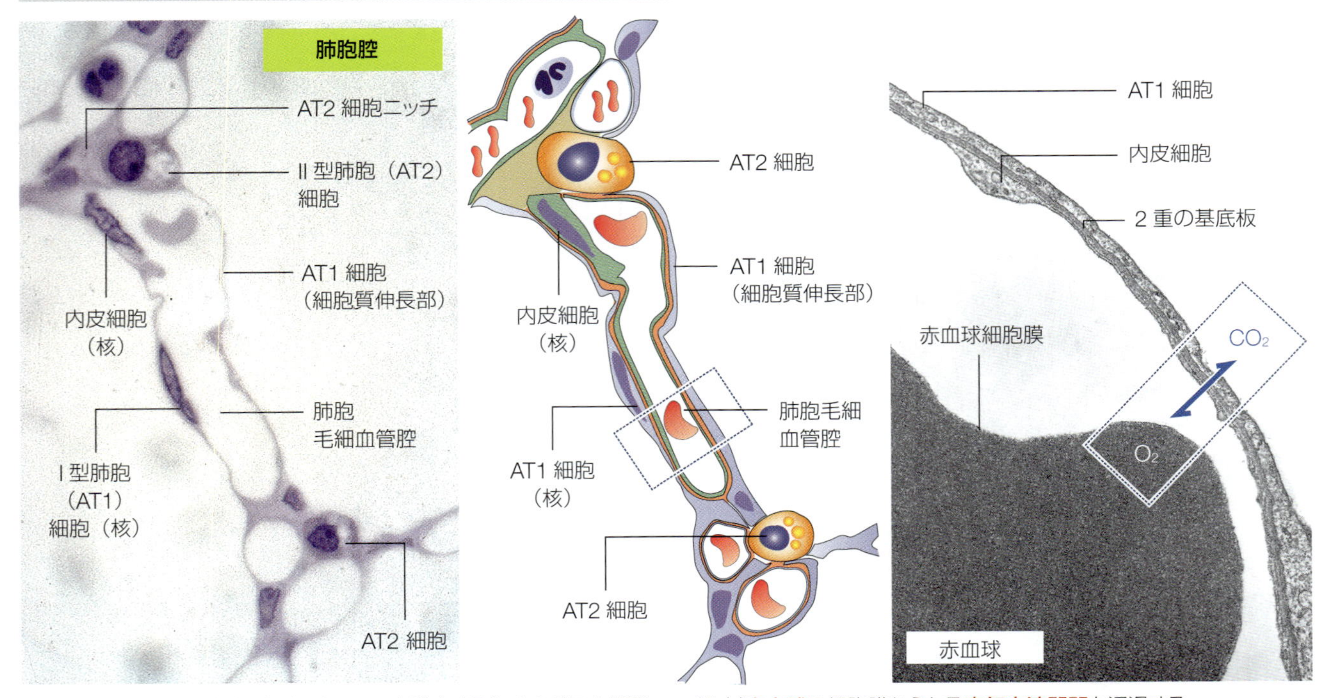

肺は血液に O_2 を供給し血液から CO_2 を除去するためのガス交換器である．肺胞毛細血管は，肺胞腔に密着している．

受動拡散によるガス交換は，(1)**AT1 細胞**の細胞質伸長部，(2)AT1 細胞と内皮細胞がつくる **2 重の基底板**，(3)連続型**内皮細胞**の細胞質伸長部，(4)**赤血球**の細胞膜からなる**空気血液関門**を通過する．

AT2 細胞は，肺胞の表面張力を減じ肺胞虚脱を防止する脂質タンパク質複合体の**サーファクタント**（界面活性物質）を分泌して，間接的にガス交換過程に寄与している．

肺胞ガス交換と酸塩基平衡

不適正な換気による **CO_2 の分圧**（**Pco_2** で表す）の変化は，**酸塩基平衡**障害をもたらし，**血液の pH** の変化を引き起こす．

Pco_2 が増加すると血液の pH は低下し，Pco_2 が減少すると血液の pH は上昇する．換気が増えると Pco_2 が低下し，換気が減ると Pco_2 は増加する．

血液の pH と Pco_2 は換気率の決定的な制御因子で，脳（延髄），頸動脈小体，および大動脈弓小体にある**化学受容体**で感知される．

塞性肺疾患や特発性肺線維症のような変性過程後の肺の内因性修復を促進できる可能性がある．

各肺胞は肺胞嚢に開く．しかし，一部は呼吸細気管支に直接開く．**これが呼吸細気管支の特徴で，終末細気管支は肺胞を伴わない．**

呼吸細気管支の丈の低い立方上皮は，肺胞の扁平な AT1 細胞に続く．

肺胞中隔のその他の細胞：

1. **肺胞マクロファージ**（図 13.15）（**塵埃細胞**ともよばれる）．骨髄単球に由来し，頻繁に肺胞腔内と間質にみられる．
2. **肺胞樹状細胞**（図 13.15）．活発に肺胞内の気中抗原を探索し，T 細胞に抗原提示する．樹状突起をサーファクタント層に伸ばしている．
3. **間質線維芽細胞**（図 13.13）．Wnt タンパク質を産生・分泌する．これらの細胞は，毛細血管内皮細胞，AT1 細胞および周囲の細胞外マトリックスとともに，AT2 細胞の微小環境（ニッチ）を構成する．

肺胞毛細血管の内面は連続型内皮細胞に覆われ，I 型肺胞細胞との間に両細胞によってつくられた 2 重の基底板を挟んで相対している．

肺胞内皮細胞は，アンギオテンシン I（ANG I）をアンギオテンシン II（ANG II）に変換する**アンギオテンシン変換酵素** angiotensin-converting enzyme（ACE）を含んでいる（第 14 章参照）．

リンパ管は肺胞間隙にはほとんど存在しない．その代わりに，細動脈，肺動脈や気管支動脈の枝の壁に隣接して観察される．複数の小さな血管周囲リンパ管は，肺胞間質の流体バランスを維持する役割を果たしている．

II 型肺胞（AT2）細胞（図 13.16，13.17）

AT2 細胞は，隣り合う肺胞中隔 alveolar septum **のなす角**に位置することが多い．より扁平な I 型肺胞細胞と比べて，II 型肺胞細胞は多角形をしており，空胞化して周囲の上皮面から突出している．

II 型肺胞細胞の自由表面には，短い微絨毛がある（図 13.16）．細胞質には，電子密度が高く限界膜をもった**層板小体** lamellar body があり，これは**肺サーファクタント**を含む分泌顆粒である．サーファクタントは開口分泌により放出され，通常，肺胞表面を覆う薄層の液として広がる（図 13.16）．

この機構により，**肺サーファクタントは，空気－液界面の表面**

図 13.15 ｜ 肺胞および間質マクロファージ

肺胞および間質マクロファージ

肺胞マクロファージには大きく分けて 2 つのクラスがある：(1) **肺胞マクロファージ**：肺胞内腔に存在する．肺胞マクロファージは，肺胞の表面を覆っている界面活性剤を異化するのに不可欠である．(2)**間質マクロファージ**：線維芽細胞や肺胞毛細血管と狭い肺胞間空間を共有し，薄い肺胞壁によって肺胞内腔から分離されている．

肺胞マクロファージには 2 つの異なる供給源がある：(1)**胎生期卵黄嚢**に前駆体のある自己再生マクロファージ．(2)**単球**由来のマクロファージ．

内皮細胞

肺胞腔に樹状突起を伸ばす**肺胞樹状細胞**

弾性線維産生線維芽細胞

弾性線維

肺胞腔

肺胞毛細血管

肺胞毛細血管の内皮細胞

間質マクロファージ

肺胞マクロファージ（塵埃細胞ともいわれる）は，肺胞腔と肺胞間質の間を移動できる

II 型肺胞細胞は多角形で，サーファクタント産生上皮細胞である

I 型肺胞細胞は単層扁平上皮細胞である

（肺動脈由来の）細動脈壁に付随する**傍肺胞リンパ管**

肺胞毛細血管は，肺胞周囲に互いに吻合した網工を形成し，閉鎖結合する**連続型の内皮細胞**をもつ．

内皮基底板は**肺胞基底板**と癒合し，肺胞毛細血管は肺胞壁に密着する（ガス交換に適した領域）．

あるところでは，結合組織が肺胞毛細血管を取り巻く場合もある．このようなところでは水分が毛細血管から間質へと移動でき，肺動脈または気管支動脈の末梢枝の細動脈の近傍にある**傍肺胞リンパ管**に流入する．リンパ管は，肺胞間中隔にまれにみられる．

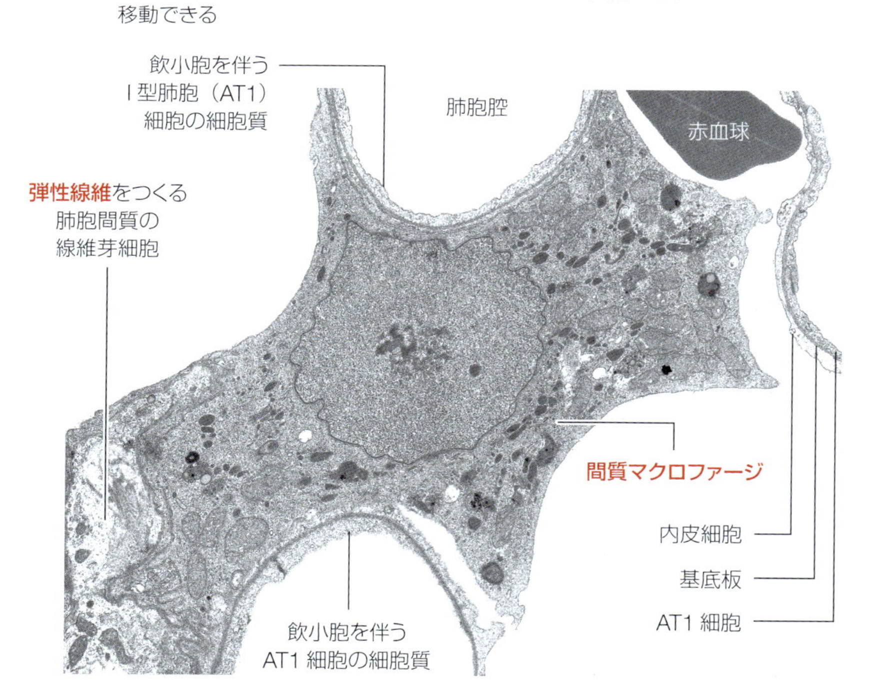

肺胞腔内のマクロファージ

細胞質にヘモジデリンを含む**肺胞マクロファージ**

肺胞マクロファージ alveolar macrophage は，肺胞の内腔面を遊走する歩哨細胞である．この細胞は，吸入した塵埃や細菌で気道内面の粘液層に捕捉されなかったものを監視する．

細菌の代謝物で刺激されると，マクロファージは化学走化性因子を放出し，白血球の血管外への遊走を促す．これによって，マクロファージも侵入する微生物を中和するのに参加する．**肺胞樹状細胞**は，肺胞内の気中にある抗原を検査し取り込んで T 細胞に提示する．

心疾患のある患者では，肺胞マクロファージは赤血球を貪食し，ヘモグロビンを分解したことを示す**ヘモジデリン** hemosiderin で満たされた多くの空胞を有している．

肺胞マクロファージは，肺胞から気管支の表層に遊走し，上気道に向かう線毛の作用によって咽頭に運ばれる．そこで唾液と一緒に飲み込まれる．

図 13.16 | II 型肺胞細胞

II 型肺胞（AT2）細胞

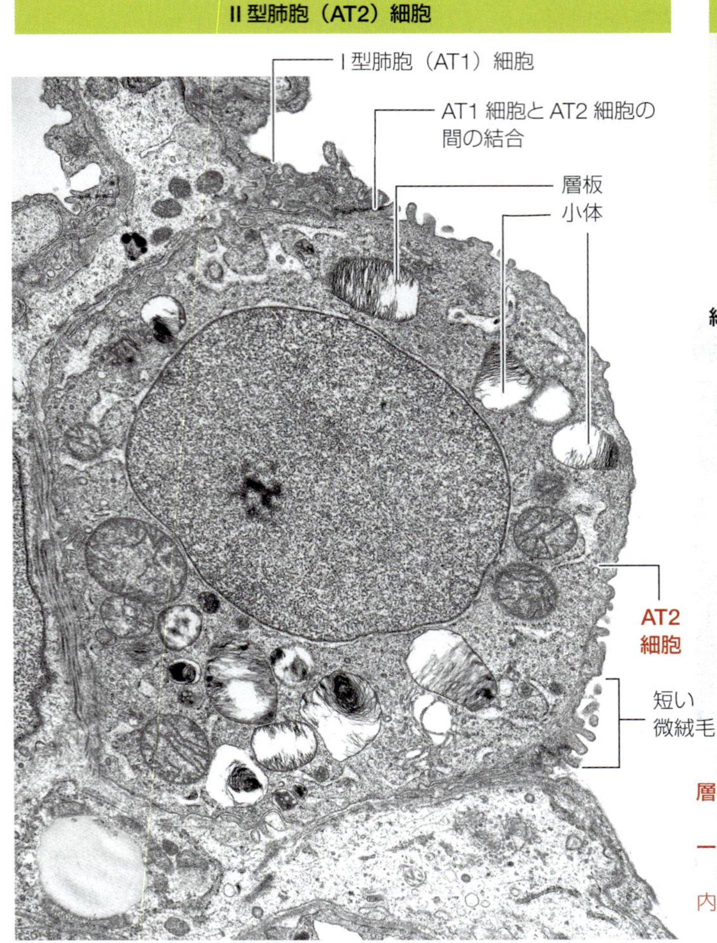

肺胞サーファクタントの成分

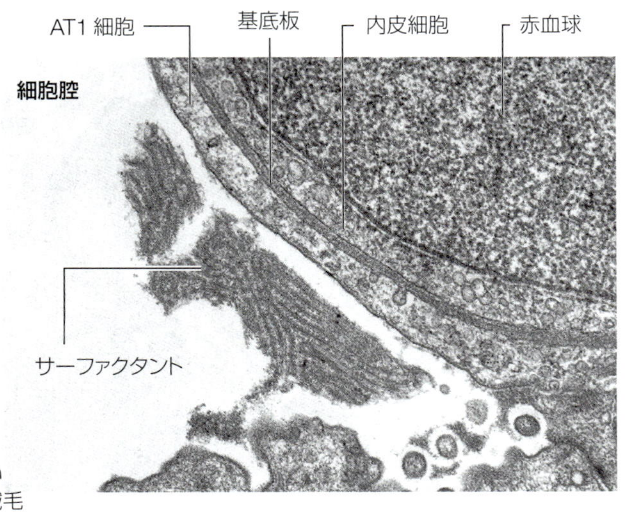

肺胞サーファクタントは，AT2 細胞で生成され，放出されるまで**層板小体**に貯蔵される．**クラブ細胞もサーファクタントを産生する**．

サーファクタントの主成分は，(1)**リン脂質（DPPC）**，(2)**コレステロール**，および(3)**サーファクタントタンパク質（SP）**の 3 つである．

SP-A と SP-B は DPPC と層板小体内で結合している．肺胞腔内で，SP-B と SP-C はサーファクタント被膜の安定化に関与する．

張力を低下させ，呼息終期に肺胞が虚脱しがちになるのを防ぐ．前述のように，クラブ細胞は終末細気管支にあり，同様に肺サーファクタントを分泌する．

肺サーファクタントには次のものが含まれる：

1. **リン脂質**.
2. **コレステロール**.
3. **タンパク質**.

特異的な**サーファクタントタンパク質（SP）**は，**親水性の糖タンパク質（SP-A）**と**疎水性のタンパク質（SP-B と SP-C）**からなる．

層板小体の中で，SP-A と SP-B は**リン脂質のジパルミトイルホスファチジルコリン** dipalmitoylphosphatidylcholine（**DPPC**）を熟成したサーファクタント分子に変換する．

肺胞腔では，SP-B と SP-C がリン脂質層を**安定化**させ，リン脂質 DPPC・タンパク質複合体の界面活性作用を増強する．

肺胞マクロファージの貪食作用によって，サーファクタントの更新が促進される．また，マクロファージが吸入したアスベストを取り込むと**石綿肺** asbestosis（間質性肺線維症，図 13.17），すなわちコラーゲンや**石綿小体** asbestos body の沈着を引き起こしうる．

気管支肺疾患

以上，気管支肺系の組織学についてよく学んできた．次は，疾患時に気道の正常な構造と機能がどのように破壊されるかを探る．以下に，急性および慢性の気管支肺疾患の概要を説明する．

取り上げる疾患と論点：

1. **気管支喘息** asthma：粘液の過分泌と気管支収縮が免疫系とどのようにかかわっているかを重視する．
2. **慢性気管支炎** chronic bronchitis と**肺気腫** emphysema：慢性閉塞性肺疾患の 2 つの例を取り上げ，肺小葉と肺細葉の概念を重視する．
3. **急性呼吸窮迫症候群** acute respiratory distress syndrome（ARDS）：肺胞の空気と血液のバリアが破壊されると，どのように深刻な臨床状態になるかを重視する．

気管支喘息（基本事項 13.A）

気管支喘息は，**気管支収縮**，気道の可逆的な狭窄，**気道内の粘液の蓄積**を特徴とする慢性炎症性疾患である．

喘息は，反復する抗原曝露（**アレルギー性喘息** allergic asthma）

図 13.17 | サーファクタントのターンオーバー，石綿肺

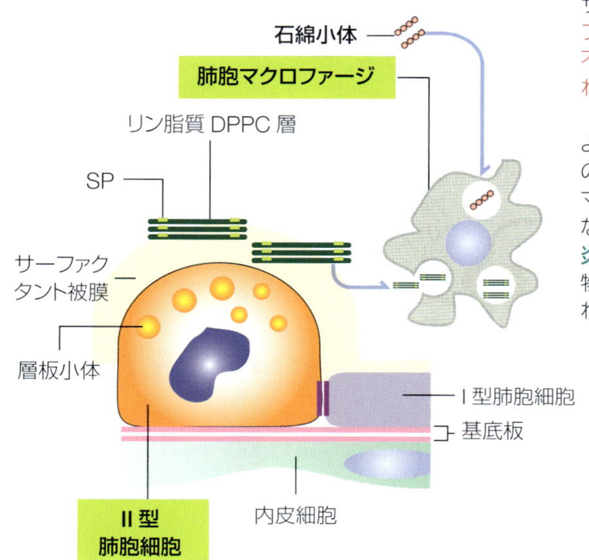

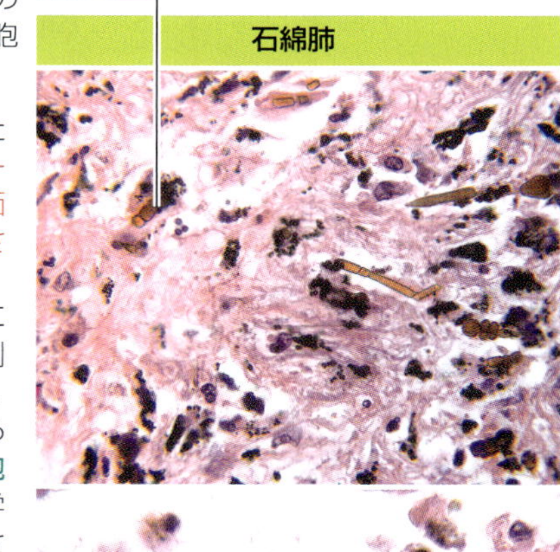

または気道機能の異常な自律神経制御（非アレルギー性喘息 non-allergic asthma）によって引き起こされる．**喘息**の典型的な**症状**は，喘鳴，咳，呼吸困難（息切れ）である．

喘息の病態は以下のようである：

1. $CD4^+$ ヘルパー T_H2 細胞や 2 型自然リンパ球（ILC2）が，抗原やアレルゲンによって活性化されると，樹状細胞によってリクルートされる．T_H2 細胞と ILC2 は，いくつかのサイトカインを分泌する．
2. 気管支の粘液腺や杯細胞の分泌亢進と気管支の収縮により，気道の内腔が粘液で閉塞すること．
3. 血管透過性の増加と浮腫を伴う気管支微小血管の血管拡張．

喘息の病態生理学的側面は，肥満細胞の活性化と好酸球の動員に起因している．肥満細胞の活性化と好酸球の増加は，T_H2 細胞や ILC2 細胞が産生するインターロイキン（IL）-4，IL-5，IL-9，IL-13 によって引き起こされる．

基本事項 13.A は，粘液産生のメカニズムと，抗原によって樹状細胞が最初に活性化された後のステップを統合的に示している．

慢性閉塞性肺疾患（図 13.18，13.19）

慢性閉塞性肺疾患 chronic obstructive pulmonary disease（COPD）の特徴は，進行性でしばしば不可逆性の気流の制限である．COPD には，慢性気管支炎と肺気腫がある．

慢性気管支炎は，喫煙，有毒ガスの吸入，高濃度の大気汚染物質への長期曝露に反応して発症する．慢性気管支炎の特徴は，漿液粘液腺の過形成と長期にわたる分泌過多で，気道閉塞と粘液栓を引き起こす．その結果，肺胞の換気量が減少し，低酸素血症 hypoxia（血液中の酸素濃度が低い状態）と高炭酸血症 hypercapnia（血液中の二酸化炭素濃度が高い状態）を引き起こす．

低酸素血症は二次性肺高血圧症を引き起こし，最終的には右心不全（肺性心）を引き起こす可能性がある．高炭酸血症になると，チアノーゼ cyanosis（ギリシャ語で *kyano*［= a dark blue substance，暗青色の物質］）が生じるが，顕著な呼吸困難（ギリシャ語 *dys*［= difficult，困難］，*pnoe*［= breathing，呼吸］）は生じない．チアノーゼとは，皮膚や粘膜が青みがかった色になることで，通常，血液中の酸素が減少することによって起こる．

COPD は狭い気道部（**細気管支**）と**肺実質**に起こる．ご存じのように，**弾性線維**は，細気管支と肺胞壁の重要な構成成分である．弾性の消失と弾性線維の分解は，慢性的な気流閉塞が特徴の**肺気腫**を引き起こす．その結果，隣の肺胞と合して，大きい**気腔** air space，すなわち**ブレブ** bleb をつくる（図 13.18）．

終末および呼吸細気管支も，弾性組織の減少によって影響を受ける．弾性線維が消失した結果，呼息の間，細い気道部が虚脱して，慢性的な気流閉塞と二次感染をもたらす．

肺気腫の型を理解するために，もう一度，肺小葉と肺細葉の概念を復習する．**肺小葉は，終末細気管支および第一次〜第三次呼吸細気管支を含んでいる**．各呼吸細気管支から，肺胞管と肺胞が生じ，肺細葉という構造をなしている．いわば肺胞の集団が**腺房**で，導管に相当する呼吸細気管支につながっているのである．肺小葉にはいくつかの呼吸細気管支があり，そのおのおのが細葉になるので，肺小葉はいくつかの肺細葉からなる．

では，2 種類の肺気腫について述べる．

1. 細葉中心型（小葉中心型）肺気腫 centriacinar（centrilobular）emphysema は，**呼吸細気管支**が侵されたときに生じる．より末梢の肺胞管と肺胞は無傷である．このように，この型で

基本事項 13.A | 喘息

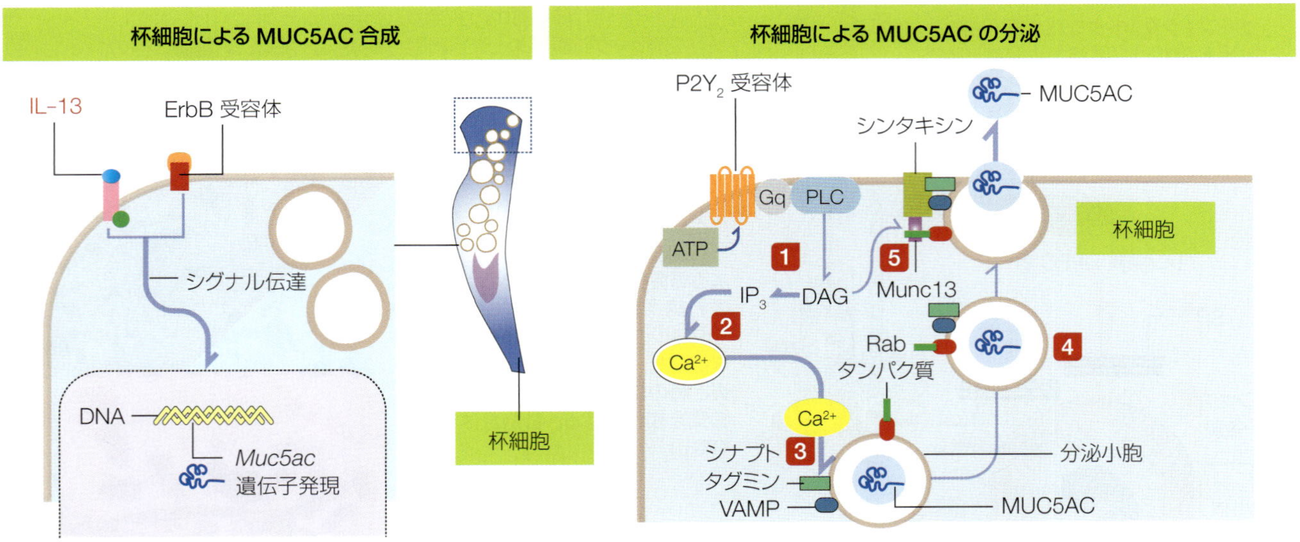

杯細胞による MUC5AC 合成

リガンドが結合すると，インターロイキン 13 と Erb 受容体のシグナルにより，*Muc5ac* 遺伝子の発現が増加する．MUC5AC は，呼吸上皮の杯細胞が産生する主要なムチンである．なお，喘息の際には，T_H2 細胞が産生する**インターロイキン 13** は，MUC5AC の合成を促進する．

杯細胞による MUC5AC の分泌

ムチン顆粒を含む小胞は，Rab タンパク質によって細胞膜に結合する．**ポリマー状の Muc5AC** の分泌は，ATP が頂部の膜の **$P2Y_2$** プリン体受容体に作用して分泌経路を開始することで始まる．

1 ATP が存在すると，$P2Y_2$ 受容体は **Gq** と結合してホスホリパーゼ C（**PLC**）を活性化し，ジアシルグリセロール（**DAG**）とイノシトール三リン酸（**IP_3**）を生成する．

2 IP_3 は，細胞質の貯蔵場所からの Ca^{2+}の放出を誘発する．**3** Ca^{2+}によって活性化された **シナプトタグミン**と小胞関連膜タンパク質（**VAMP**）が小胞を細胞膜に近づける．**4**

5 DAG が **Munc13** を活性化する．この活性化ステップにより，細胞膜に結合した **シンタキシン**が Rab を介したドッキングに備え，MUC5AC を含む小胞が細胞膜と融合してエキソサイトーシスする．

は肺気腫状および正常な気腔が同一小葉・細葉に混在する．

2. **汎細葉型（汎小葉型）肺気腫** panacinar (panlobular) emphysema では，ブレブが呼吸細気管支から肺胞管にまで観察される．この種の肺気腫は，血清タンパク質の **α_1-アンチトリプシン** *α_1-antitrypsin* **をコードする遺伝子の欠損症**の患者によくみられる．

α_1-アンチトリプシンタンパク質は，プロテアーゼ，特に炎症時に好中球から放出される**エラスターゼ**の主な阻害因子である（図 13.19）．喫煙などの刺激のもとで，肺胞壁や肺胞腔の**マクロファージ**は，プロテアーゼや化学誘因物質（主にロイコトリエン B_4）を出して**好中球**を集める．

化学誘引された好中球は肺胞腔や壁に現れ，**エラスターゼ**を分泌するが，正常では **α_1-アンチトリプシン**で中和される．常習的喫煙は α_1-アンチトリプシンの血清レベルを低下させ，エラスターゼによる肺胞壁内の弾性線維の破壊が止まらずに続く．この過程が喫煙者の 10～15% に生じ，肺気腫を招く．

肺気腫は喘息とは異なり，**不可逆的な病変**で気流が制限され，肺実質が**破壊される過程**である．

急性呼吸促迫症候群（図 13.20，13.21）

急性呼吸促迫症候群 acute respiratory distress syndrome（ARDS）に関連した面から考察していくと，肺胞の細胞構成の意義が明らかになる．

ARDS は，間質や肺胞腔内へ肺胞毛細血管から液の漏出を防ぐための正常なバリアが破綻することで発症する．

2 つの機序が肺胞バリアを変化させる：

1. 例えば左心不全や僧帽弁狭窄により**肺胞毛細血管内の静水圧が増大**し，それに伴い肺胞腔内の液とタンパク質も増加することによる．

このような浮腫を**心原性**または**静水圧性肺浮腫**という．

2. 静水圧は正常であるが，**肺胞毛細血管の内皮層または肺胞上皮層が損傷**した場合である．煙の吸入，水（溺水），（敗血症による）細菌性エンドトキシン，あるいは外傷によって，**透過性**の障害が起こる．

心臓に起因する要素は関与することもしないこともある．この機序で起こる浮腫は**非心原性**とよばれ，**心原性**の浮腫と共存することがある．

びまん性肺胞損傷は，**よくみられる病理学的な所見**で（図 13.20），心原性もしくは非心原性 ARDS においても認められる．

ARDS の**第 1 期**は，間質および肺胞の浮腫，好中球の浸潤，出血，フィブリンの沈着を特徴とする**急性の滲出期**である．AT1 細胞が死滅し断片となったものやフィブリンが肺胞腔に沈着すると，**硝子膜**を形成する．

未熟児の**新生児呼吸窮迫症候群**（RDS）は，タンパク質に富むフィブリンが肺胞腔内に滲出し，CO_2 を貯留させる硝子膜を形成することが特徴である（図 13.20）．新生児では，サーファクタントの欠乏により，呼吸を繰り返すたびに肺が虚脱する（**無気肺**）．

基本事項 13.A ｜ 喘息（続き）

粘液機能不全と病態：喘息

重症な喘息における気道粘液は，高い粘性をもち，排痰しにくく，粘液栓の形成をきたしやすい．粘液栓は，高濃度の **MUC5AC** と **MUC5B**，および血漿タンパク質を含み，好中球のエラスターゼによる MUC5AC と MUC5B のプロテアーゼ消化を阻んでいる．この気流閉塞状態は咳嗽と呼吸困難を引き起こし，気管支呼吸音と喘鳴を伴う．

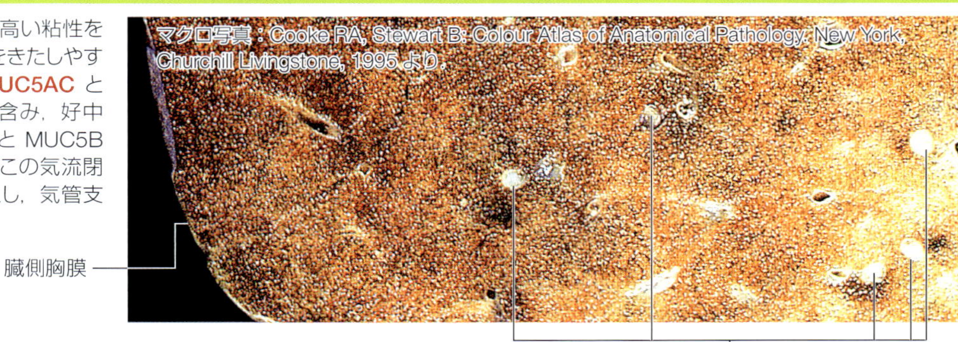

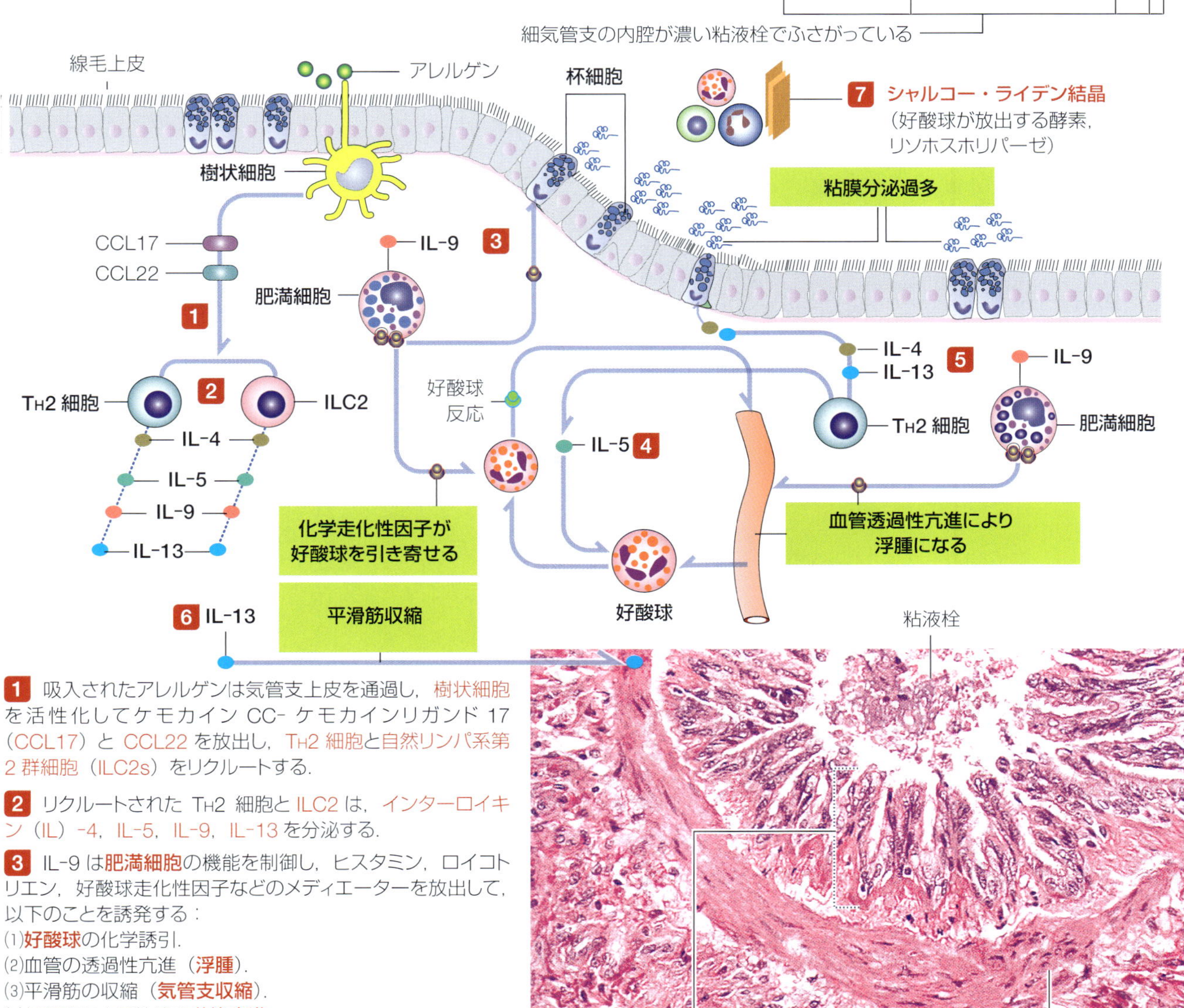

顕微鏡写真：Damjanov I, Linder J: Pathology. A Color Atlas. St.Louis, Mosby, 2000 より．

1 吸入されたアレルゲンは気管支上皮を通過し，樹状細胞を活性化してケモカイン CC- ケモカインリガンド 17（CCL17）と CCL22 を放出し，TH2 細胞と自然リンパ系第 2 群細胞（ILC2s）をリクルートする．

2 リクルートされた TH2 細胞と ILC2 は，インターロイキン（IL）-4，IL-5，IL-9，IL-13 を分泌する．

3 IL-9 は肥満細胞の機能を制御し，ヒスタミン，ロイコトリエン，好酸球走化性因子などのメディエーターを放出して，以下のことを誘発する：
(1)**好酸球**の化学誘引．
(2)血管の透過性亢進（**浮腫**）．
(3)平滑筋の収縮（**気管支収縮**）．
(4)杯細胞による粘液の**分泌亢進**．

4 IL-5 が**好酸球増多**を引き起こす．好酸球因子が浮腫を決定する．

5 IL-4 と IL-13 が**粘液分泌亢進**を引き起こす．

6 IL-13 が**気管支収縮**を引き起こす．

7 気管支内腔に炎症細胞や好酸球由来の**シャルコー・ライデン** Charcot-Leyden 結晶がみられる．

図 13.18 | 肺気腫

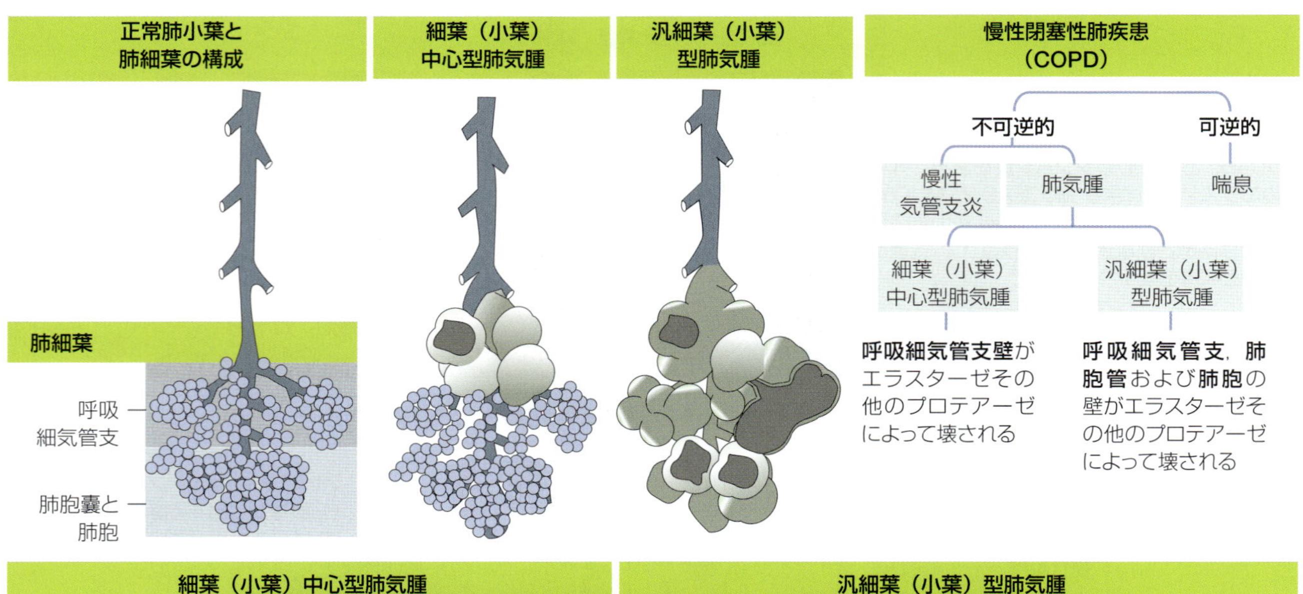

細葉（小葉）中心型肺気腫

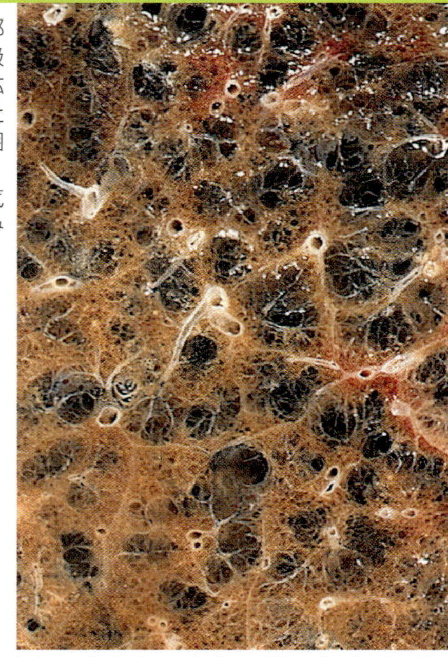

肺細葉の尖部の拡張した呼吸細気管支が，拡張した肺胞管と肺胞とに取り囲まれる．

この型の肺気腫は喫煙者にみられる．

汎細葉（小葉）型肺気腫

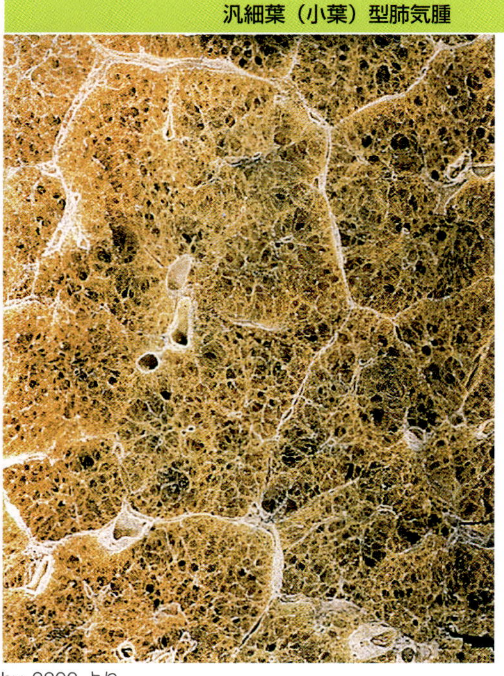

肺細葉全体に，大小の薄い壁の気腔がみられる．肺胞，肺胞管，および呼吸細気管支の境界は，弾性壁が壊され癒合して失われている．

この型の肺気腫は**α_1-アンチトリプシン** α_1-antitrypsin 欠損症の人によくある．

写真：Damjanov I, Linder J: Pathology: A Color Atlas. St. Louis, Mosby, 2000 より．

第 2 期は**増殖期**で，肺胞細胞が増殖・分化し，肺胞上皮層を修復して，多くの場合，ガス交換は正常に回復する．その他，間質に炎症細胞や線維芽細胞がみられるようになる．線維芽細胞は増殖し，基底板の間隙を通って肺胞腔に侵入する．硝子膜はマクロファージの貪食により除去されるか，線維芽細胞の侵入を受ける．

第 3 期は**慢性線維化**と血管閉塞を示す．ARDS は全身性の炎症反応の一部で，肺病変の転帰は全身状態の改善に依存している．予後はよく，正常な肺機能に戻る．

ARDS の診断は，臨床症状（**呼吸困難**，**チアノーゼ**，**呼吸促迫**）と X 線所見に基づく．治療としては，ARDS の原因に対する療法と，状態が改善するまでガス交換の補助を行う．

肺がん

肺腫瘍の多くは悪性である．肺に発生した**原発性腫瘍**と，他の腫瘍から転移した**続発性**または**転移性腫瘍**がある．

局所的な胸腔内の広がりは以下のとおりである：

1. **ホルネル症候群** Horner's syndrome に代表される**頸部交感神経幹**の侵襲で，通常は顔面の片側のみに影響を及ぼす．

   一般的な徴候や症状としては，**ミオシス** miosis（持続的な縮瞳），**アニソコリア** anisocoria（両眼の瞳孔の大きさの違い），薄暗い場所での患側瞳孔の縮小または散大遅延，眼瞼下垂（上まぶたの垂れ下がり）などが挙げられる．

2. 反回神経および腕神経叢への浸潤．

肺腫瘍の骨，中枢神経系，肝臓への**血行性**転移は最も一般的な所見である．

原発性肺がんは，細胞の種類に基づいて，大きく2つのグループに分類される：

1. 小細胞肺がん（SCLC，燕麦細胞がんともよばれる）．頻度は低い（全肺がんの約15%）が，SCLCは悪性度が高く，非常に急速に広がる．実際，診断が下された時点で転移がみつかる．
2. 最も頻度の高い腫瘍である非小細胞肺がん non–small cell lung cancer（NSCLC）（全肺がんの約85%）．

NSCLC群には，2つの主要なサブタイプの腫瘍が含まれている：

1. 扁平上皮がん：呼吸上皮の扁平上皮化生により発生する腫瘍．
2. 腺がん：気管支上皮および気管支・肺胞上皮から発生する腫瘍（気管支肺胞がん）．腺がんは，喫煙経験のない女性に最も多くみられる肺がんである．

肺がんサンプルの分子スクリーニングは，肺がんのタイプやサブタイプの決定，予後の推定，治療効果の予測などに広く用いられている（Box 13.E および第10章参照）．

例えば，NSCLCの約5%に認められる**未分化リンパ腫キナーゼ**（*ALK*）遺伝子の転座や，NSCLCの10〜15%に認められる**上皮成長因子受容体**（EGFR）のキナーゼドメインの変異は，肺腺がんによくみられる．

チロシンキナーゼ阻害剤は，EGFRの細胞内チロシンキナーゼドメインを標的とするものであるが，従来の化学療法と比較し，進行期NSCLCの治療に有効性を示している．

Box 13.E ｜ 肺がん免疫療法

- 免疫療法は，腫瘍細胞がT細胞の不活性化を引き起こすのを防ぐ特異的なモノクローナル抗体を用いてT細胞の集団を再活性化することで，さまざまな病期のNSCLCの治療に成功している．
- がん免疫療法は，腫瘍細胞がT細胞からのシグナルを不活性化することで破壊を回避する能力に基づいている．T細胞を不活性化する標的は，T細胞が細胞表面に発現するCD8⁺細胞傷害性Tリンパ球抗原4（CTLA-4）とプログラム細胞死1（PD-1）である．腫瘍細胞は，T細胞表面のPD-1に結合する細胞死リガンド-1（PD-L1）を産生する．CTLA-4，PD-1，PD-L1は，特異的なモノクローナル抗体が標的とする免疫チェックポイントである．
- 腫瘍細胞はPD-L1を利用してT細胞を不活性化し，T細胞の破壊目標を阻止する．PD-1と相互作用する抗体（ニボルマブ）は，PD-L1の結合をブロックすることで，T細胞の再活性化を可能にし，腫瘍細胞を破壊することができる．
- 第10章で学んだように，T細胞は樹状細胞によっても再活性化される．T細胞と樹状細胞の相互作用は，T細胞に存在するCTLA-4と，樹状細胞に存在する細胞表面タンパク質B7によって媒介される．CTLA-4とB7の相互作用は，B7がT細胞表面のCD28と相互作用するのを妨げ，その相互作用がT細胞の活性化につながり，腫瘍細胞の破壊における重要なイベントとなる．
- CTLA-4を阻害する抗体（イピリムマブ）は，腫瘍細胞を破壊するためのT細胞の再活性化を可能にする．T細胞の再活性化は，ニボルマブとイピリムマブに反応して，末梢血中の絶対的なリンパ球数が上昇することで判断される．

胸膜（図13.22）

胸膜 pleuraは次の2層からなる：

1. **臓側胸膜**（**肺胸膜**）visceral layer.
2. **壁側胸膜** parietal layer.

臓側胸膜は肺に密着している．**中皮** mesotheliumとよばれる**単層扁平上皮**に覆われる．中皮は**頂部に微絨毛**を有する細胞からなり，基底膜の下に**弾性線維**に富む結合組織がある（図13.22）．

この結合組織は，肺の葉間および小葉間結合組織と連続している．壁側胸膜も中皮に覆われている．

臓側胸膜は，胸腔内に空気が漏れないように肺表面を封じている．**壁側胸膜**は，より厚く，胸腔の内面を覆う．

ごくわずかの液体が薄膜となって臓側胸膜と壁側胸膜の間に介在し，互いに滑りをよくしている．

臓側胸膜への血管は，肺および気管支動静脈に由来する（図13.22）．壁側胸膜は体循環血管系から血流を受けている．

壁側胸膜には横隔神経と肋間神経の枝がみられる．臓側胸膜は気管支に分布する迷走神経と交感神経の枝を受ける．

胸膜の疾患（図13.23）

正常では，臓側胸膜は呼吸時に壁側胸膜の表面を滑らかに滑っている．しかし**炎症が起こる**と，特有の摩擦音を聴取することがある．

液が胸膜腔に貯留すると（水胸 hydrothorax），肺は次第に虚脱し，縦隔は反対側に偏位する．

穿孔性外傷，肺の破裂，あるいは治療目的の空気注入（肺結核の治療で肺の安静化目的で行われる）など，胸膜腔に空気が入ると（気胸 pneumothorax），やはり肺は虚脱する．

肺の虚脱は，弾性線維の縮む特性，すなわち引き伸ばされた弾性線維の弾力（応力）によって起こる．正常では，臓側と壁側の胸膜は密着して胸膜腔内が陰圧であるから，弾性線維は引き伸ばされたままで，肺は虚脱しない．

胸膜の急性および慢性炎症は，肺の細菌性またはウイルス性の炎症性疾患に続発する．線維性の滲出液が中皮層を覆っており，反応性の過形成を示すことがある．

中皮腫 mesotheliomaは胸膜，腹膜，心膜の中皮細胞に発生する腫瘍である．線維状のケイ酸塩鉱物であるアスベストへの長期間（15〜40年）の曝露歴に関連する．

胸膜中皮腫は，胸腔内（心膜または横隔膜）に広がり，脳をはじめとしてあらゆる臓器に転移する可能性がある．症状としては，胸水，胸痛，呼吸困難がある．胸部の臓器画像診断で胸膜の肥厚（**アスベスト斑**）および腫瘍細胞を含む液体を検出することができる．一般的には，胸膜の新生物のうち最も高い頻度のものは，乳腺や肺からの転移性腫瘍であり，胸水が貯留し，細胞診でがん細胞が検出される．

図 13.19 | 肺気腫の病因

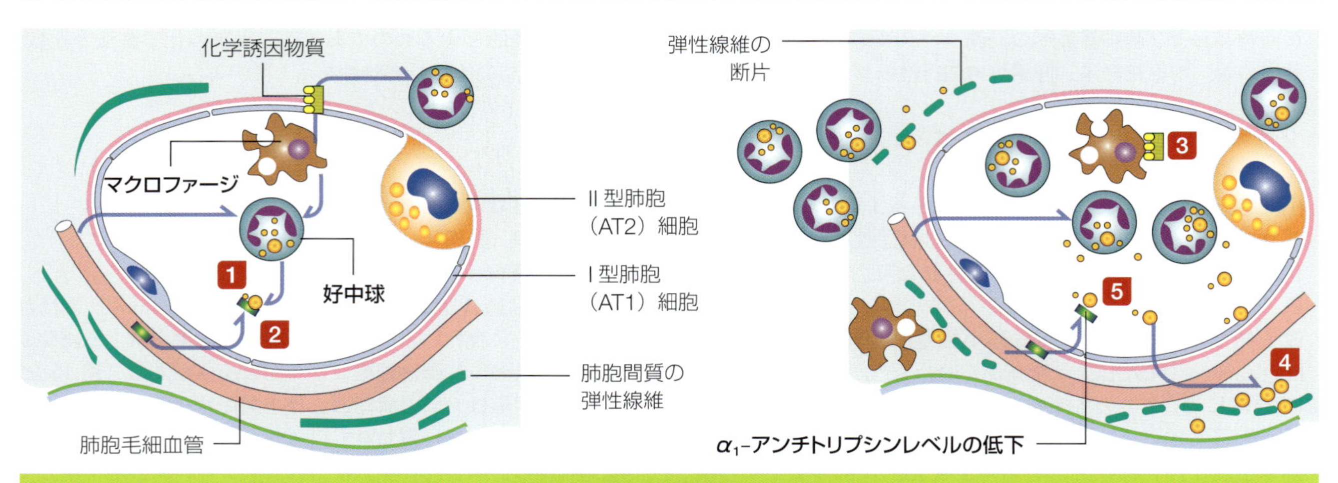

肺気腫の病因

刺激（例：喫煙）がマクロファージを増加させ，好中球に対する**化学誘因物質**を出す．好中球が肺胞腔内や間質に集まってくる．

1 好中球が肺胞腔内に**エラスターゼ**を放出する．

2 血清**α_1-アンチトリプシン**がエラスターゼを中和し，その肺胞壁破壊を防止する．

3 持続性の刺激が，肺胞腔内や間質に好中球とマクロファージを増加させ続ける．

4 好中球は，肺胞腔内，そして肺胞間質内にもエラスターゼを放出する．

5 **α_1-アンチトリプシンの血清レベルが低下**し，エラスターゼは弾性線維を破壊し始め，肺気腫を生じさせる．**損傷した弾性線維は伸ばされても元に戻らない**．

図 13.20 | 急性呼吸促迫症候群（ARDS）と肺浮腫

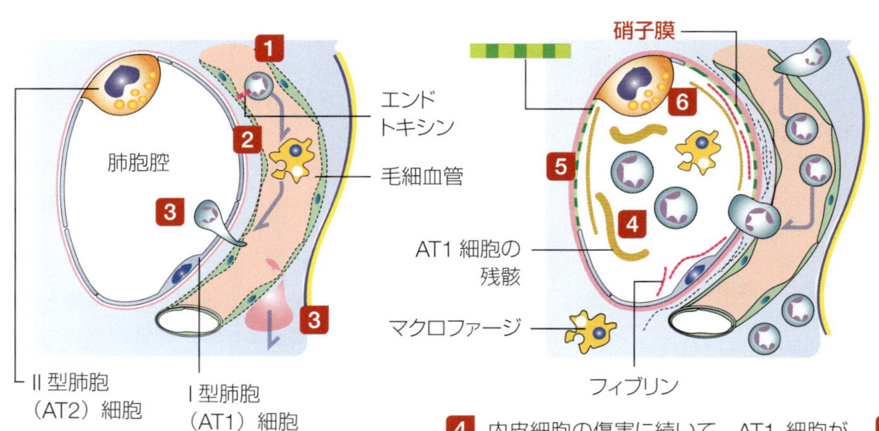

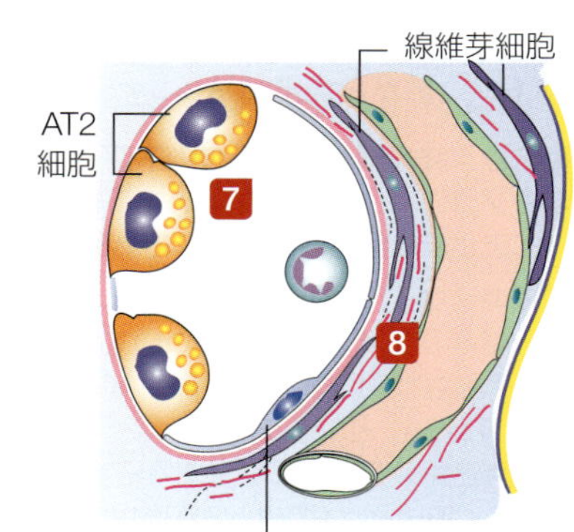

1 エンドトキシンは，内皮細胞への好中球の付着を引き起こす炎症誘発性物質の放出を誘導する．

2 好中球はプロテアーゼを放出し，エンドトキシンとともに内皮を傷害する．マクロファージは炎症性サイトカインによって活性化され，内皮細胞を損傷する．

3 肺胞毛細血管関門が透過しやすくなり，細胞や液が間質と肺胞腔に入る．

4 内皮細胞の傷害に続いて，AT1 細胞が死に，関門の肺胞側が無防備になる．好中球とマクロファージは肺胞腔内と間質にみられる．

5 フィブリンと細胞の破片が肺胞腔内に蓄積し，**硝子膜**を形成する．

6 フィブリンは，AT2 細胞によるサーファクタントの合成を阻害する．

7 修復過程により，正常機能を回復するか，進行性の線維化を引き起こす．AT2 細胞は増殖してサーファクタントの産生を再開し，AT1 細胞へ分化する．

8 最初の傷害が激しい場合，間質の線維芽細胞が増殖し，進行性の肺胞内線維化が進んで，ガス交換は重大な影響を受ける．

心原性肺浮腫

肺微小血管における血漿タンパク質に対する透過性亢進の結果，浮腫や肺胞内出血，フィブリン沈着が起こる．肺胞内面を覆うエオジン好性の沈着物である**硝子膜**が発達してくる．硝子膜の遺残が肺胞中隔に残ることがある．

左心室の機能不全は，この種の肺浮腫の主な原因である．肺毛細血管は拡張し，静水圧の上昇が間質ならびに肺胞の浮腫を招く．

図 13.21 | 新生児呼吸窮迫症候群

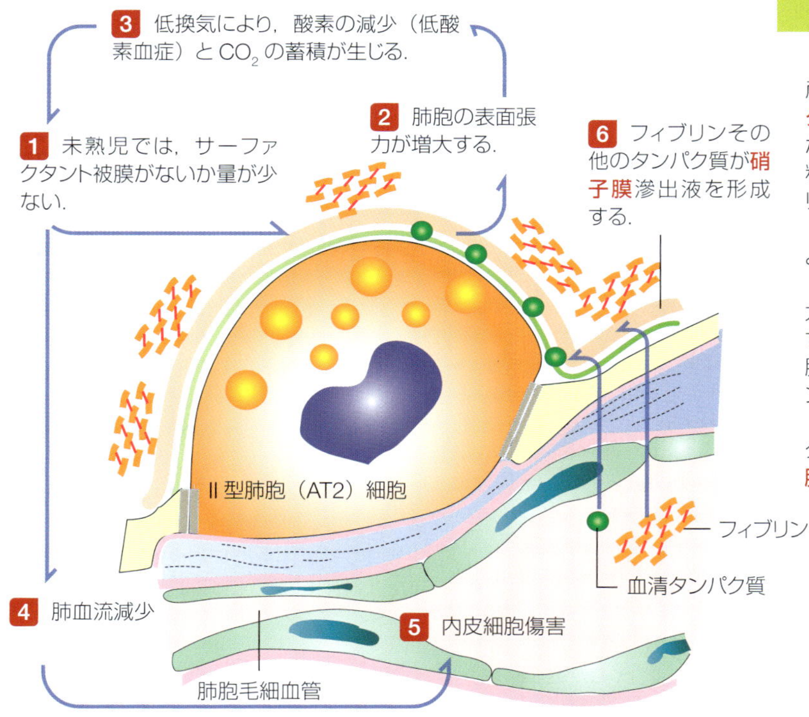

サーファクタント欠乏症

サーファクタントは，妊娠 35 週以降，AT2 細胞で産生される．**副腎皮質ステロイドは胎児のサーファクタント生成を誘導する．高レベルのインスリン**（母体が糖尿病）**は，副腎皮質ステロイドの効果に拮抗する**．糖尿病の妊婦から産まれる児は，**硝子膜症**を発症するリスクが高い．

サーファクタントは肺胞内の表面張力を減少させ，より少ない力で肺胞が開くようにする．

サーファクタントはまた，肺胞の大きさに伴う表面張力を調節することによって，肺胞を開いた状態に維持する．新生児では，**サーファクタントの欠乏**が肺の虚脱（**無気肺**）を引き起こし，O_2 の欠如はサーファクタント生成を阻害する．

未熟児の**呼吸窮迫症候群**（**RDS**）は，肺胞腔へのタンパク質とフィブリンに富む滲出液が特徴的で，**硝子膜**を形成して CO_2 の蓄積を招く．

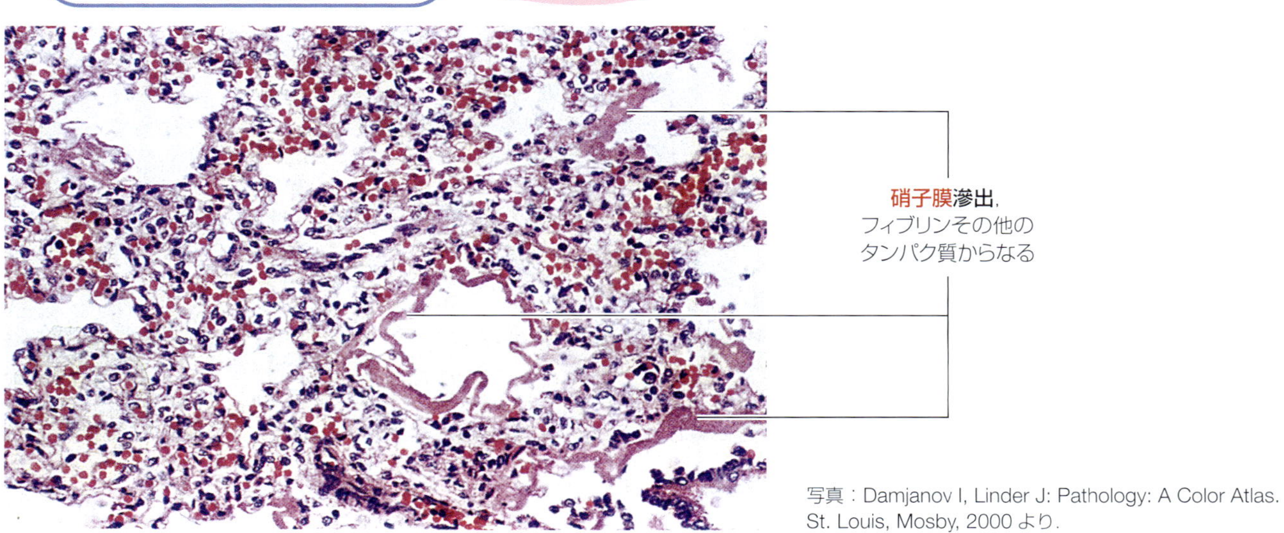

写真：Damjanov I, Linder J: Pathology: A Color Atlas. St. Louis, Mosby, 2000 より．

図 13.22 | 肺小葉の血管系とリンパ管系

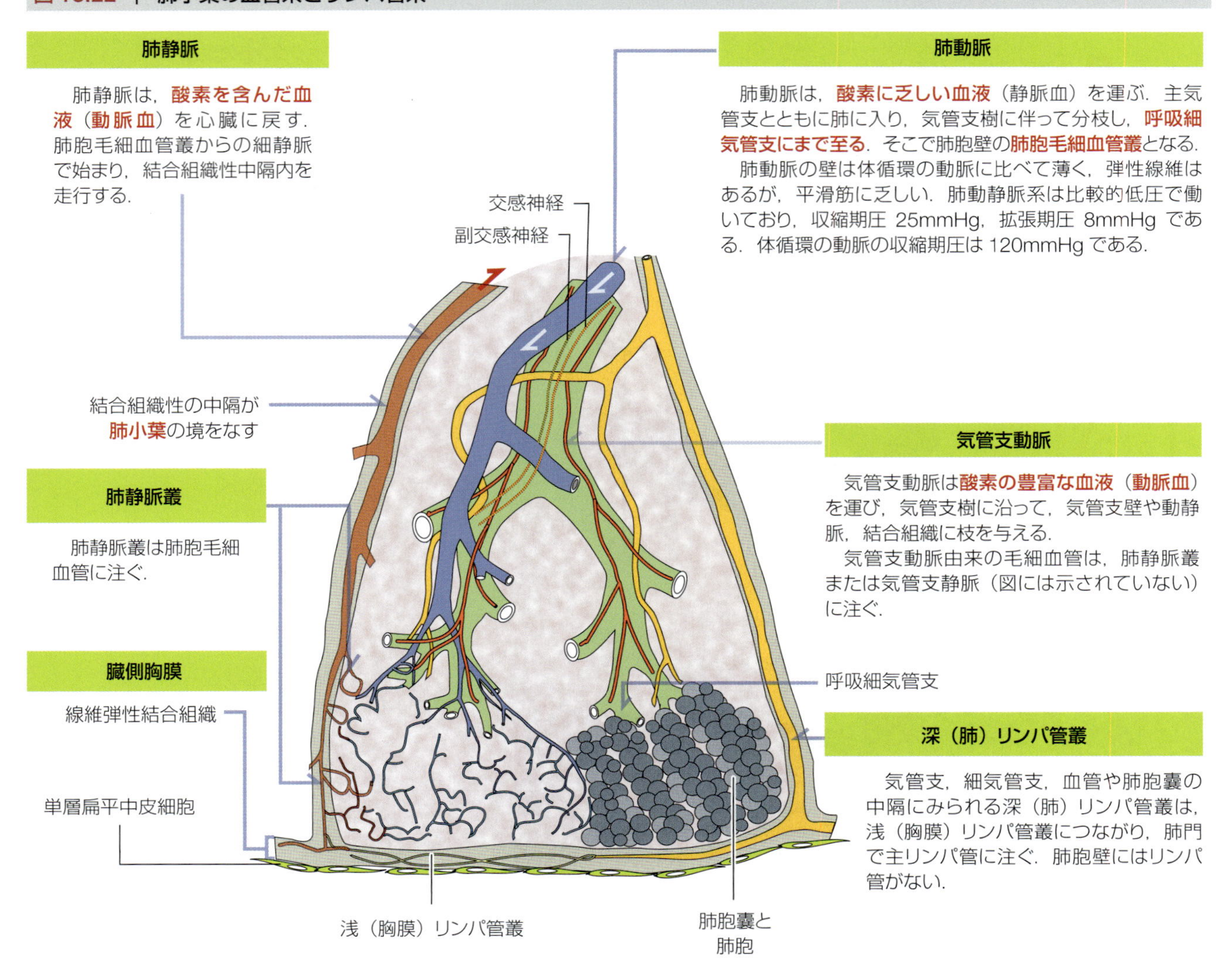

胸膜の疾患

- **胸膜（炎）性胸痛**：胸膜表面の炎症に起因する胸痛．痛みは壁側胸膜に起こり，肋間神経で伝わる．
- **胸水**：胸膜腔内への液の異常貯留．多量の胸水は気腔と肺循環を圧迫して，肺機能を制限する．
- **水胸**：水分の貯留は，うっ血性心不全の初期徴候の可能性がある．また，肝硬変，悪性疾患，肺塞栓においてもみられる．
- **血胸**：胸郭の外傷（肋骨骨折，刺傷）などによって起こる胸膜腔内への直接的な出血．
- **乳糜胸**：乳糜は脂肪を豊富に含んだ液体で，腸乳糜腔から胸腔内の胸管を通って静脈に運ばれる．乳糜胸はその貯留．原因としては縦隔腫瘍による胸管の閉塞や通過障害が最も多い．
- **気胸**：胸膜腔に空気が入った状態．気管気管支破裂後の壁側または臓側胸膜の穿孔，肺病巣の破壊過程（例：AIDS）などが原因となる．

臓側胸膜

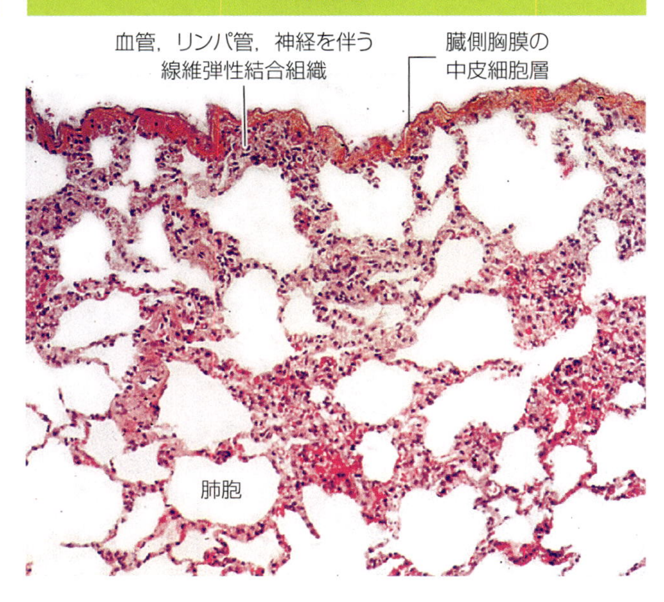

図 13.23 | 胸膜炎と中皮腫

胸膜炎

胸膜の炎症である**胸膜炎**は，多くの場合，肺の炎症性疾患に続発する．**反応性中皮過形成**の鑑別診断には，**悪性中皮腫**が含まれる．過形成中皮層の線状配列は，中皮表面を反映し，悪性中皮腫の浸潤性のものとは異なる．

図は，臓側胸膜の反応性中皮過形成層を覆う線維素性滲出液を示している．中皮下層には，胸膜の慢性炎症プロセスの指標となる強い血管新生と線維化がみられる．

中皮腫

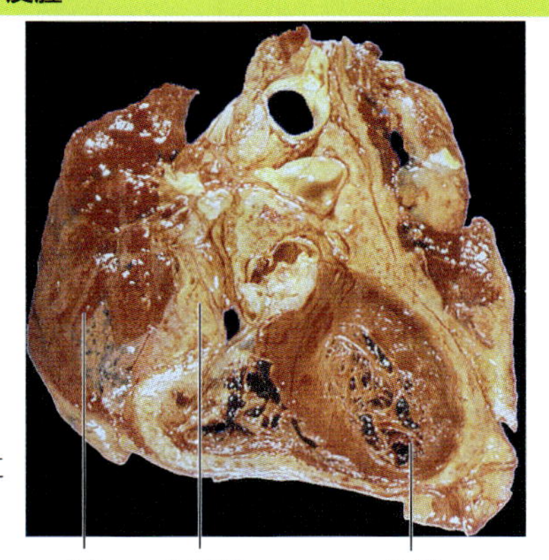

胸膜中皮腫（黄色腫瘤）は心膜に浸潤し，心臓を取り囲んでいる．

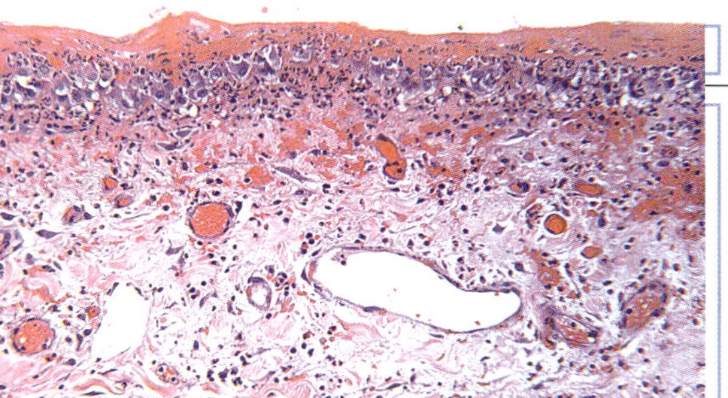

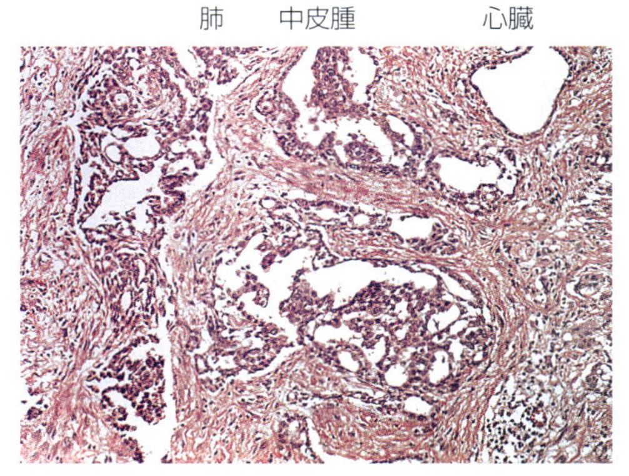

中皮腫：腺乳頭状亜型

マクロ写真と顕微鏡写真：Damjanov I, Linder J: Pathology. A Color Atlas. St. Louis, Mosby, 2000 より．

呼吸器系 | 概念図・基本的概念

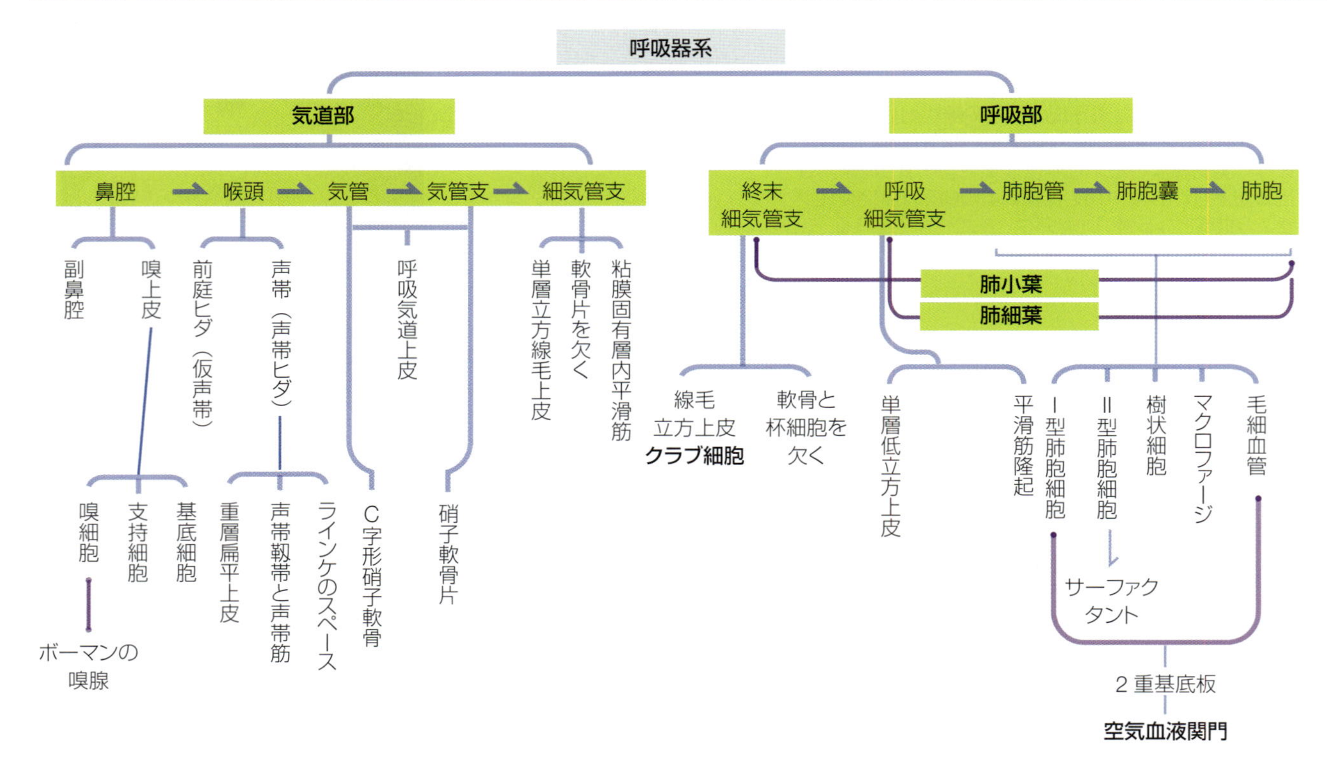

- 呼吸器系を構成する３部：
  (1)気道部.
  (2)血液と空気の間のガス交換のための呼吸部.
  (3)胸郭の吸息・呼息運動で制御される換気機構.

- 気道部を構成するもの：
  (1)鼻腔，副鼻腔.
  (2)咽頭鼻部.
  (3)咽頭口部.
  (4)喉頭.
  (5)気管.
  (6)気管支.
  (7)細気管支.

  呼吸部に含まれるもの：
  (1)呼吸細気管支.
  (2)肺胞管，肺胞嚢および肺胞.

  換気機構に関与するもの：
  (1)胸郭.
  (2)肋間筋.
  (3)横隔膜.
  (4)肺の弾性組織.

- 鼻腔と副鼻腔の機能は，空気の加温と加湿，および吸気中の塵埃の除去である.

  鼻腔の呼吸部粘膜は，杯細胞を伴う偽重層（多列）線毛上皮で覆われ，その下を結合組織と漿粘液腺，豊富な表在性静脈叢（海綿［勃起］組織ともいう）からなる粘膜固有層が支える.

  入ってきた空気は静脈叢の血液によって加温され，漿粘液腺や杯細胞の分泌物によって加湿される．上・中・下鼻甲介は，気流を乱して空気の加温と加湿を促す.

  副鼻腔（上顎洞，前頭洞，篩骨洞，蝶形骨洞）は空気の入った腔所で，薄い偽重層（多列）円柱線毛上皮が内面を覆い，杯細胞や固有層の腺に乏しい.

- 咽頭鼻部（鼻咽頭）の内面は，鼻腔と同様に偽重層（多列）円柱上皮に覆われ，咽頭口部では非角化重層扁平上皮に変わる.

  鼻咽頭上皮下にある粘膜関連リンパ組織をはじめとする免疫系は，ワルダイエルの輪を形成している．防御咽頭輪は，２つの口蓋扁桃，咽頭扁桃，舌扁桃，粘膜関連リンパ組織（MALT）などからなる．咽頭扁桃は，鼻咽頭の後上部に位置し，炎症により肥大した場合はアデノイドとよばれる.

- 嗅覚域は，鼻腔の天井に存在する．嗅上皮に隣接した嗅覚域の粘膜は，杯細胞を伴う偽重層円柱線毛上皮で構成されている.

  嗅上皮を構成する３種類の細胞：
  (1)嗅細胞（双極性ニューロン）.
  (2)基底細胞（嗅細胞に分化する幹細胞）.
  (3)支持細胞.

  上皮下には粘膜固有層があり，表在性静脈叢，ボーマン腺，および神経束（嗅神経糸とよばれる）が含まれている.

  嗅細胞の頂上領域（樹状突起）は，不動性線毛（嗅小毛）の生えた樹状突起球を特徴とする.

  嗅小毛には，吸入したニオイ粒子を運ぶニオイ結合タンパク質（ボーマンの嗅腺が産生）に結合する嗅覚受容体が含まれている.

  嗅小毛・樹状突起領域の反対側では，嗅細胞はグリア細胞の鞘に包まれた無髄神経線維の小束を形成する.

  軸索は篩骨篩板を貫いて嗅球のニューロンとシナプス結合する．嗅細胞の軸索は，１つまたは複数の糸球体に集まり，主に僧帽細胞の樹状突起と連絡する．

僧帽細胞からの軸索は，嗅覚皮質への嗅覚情報を運ぶ嗅索をつくる．

ニオイ物質・ニオイ結合タンパク質複合体は，線毛樹状突起の受容体に付着する．嗅覚受容体への結合により受容体に共役するGタンパク質が活性化し，Gタンパク質はアデニル酸シクラーゼを活性化することで，ATPからcAMPをつくる．リガンド依存Na^+チャネルはcAMPによって開かれ，細胞内へのNa^+の拡散を促進する．Na^+は形質膜を横切って流入し，嗅神経を介して脳に伝わる活動電位を発生させる．

嗅細胞の寿命は約1〜2ヵ月であり，未分化の基底細胞によって生涯入れ替わりが起こる．嗅上皮にみられる三叉神経の感覚終末は，アンモニアなどの刺激物によって引き起こされる有害な感覚に反応する．

嗅覚障害は，病気や外傷による嗅覚の喪失をいう．

- 喉頭を構成するもの：
  (1)軟骨（喉頭蓋，甲状軟骨，輪状軟骨，披裂軟骨）．
  (2)内喉頭筋（発声に関与する外転筋，内転筋，緊張筋）．
  (3)外喉頭筋（嚥下に関与）．

  非角化重層扁平上皮が，喉頭蓋舌面，前庭ヒダ（仮声帯）および声帯ヒダ（声帯）を覆っている．他の部分は，杯細胞と粘膜固有層の漿粘液腺を伴う偽重層（多列）線毛上皮で覆われている．

  声帯の粘膜固有層がもつ臨床的意義のある特性：
  (1)（重層扁平上皮下の）浅層は，細胞外マトリックスとごくわずかの弾性線維と線維芽細胞からなっている．この層はラインケのスペースとよばれ，液が貯留することがある（ラインケの浮腫）．
  (2)その下層は弾性線維とコラーゲン線維を含み，声帯靭帯に対応する．
  (3)粘膜固有層の奥には声帯筋（甲状披裂筋）がある．

  声帯の粘膜固有層に漿粘液性腺はない．

- 気管は，杯細胞を伴う偽重層（多列）円柱線毛上皮で覆われている．基底細胞とクルチツキー細胞（神経内分泌細胞で主気管支に多い）は基底板上にあるが，内腔面まで伸びていない．粘膜固有層には弾性線維が含まれている．漿粘液腺が粘膜下組織にみられる．

  杯細胞，粘膜下腺の漿液性細胞，および終末細気管支のクラブ細胞は，MUC5ACとMUC5Bを分泌する．両者はムチンとよばれる吸湿性と潤滑性のある糖タンパク質で，粘液中でポリマーを形成する．

  粘液を構成する層：
  (1)線毛円柱細胞の頂上領域と接する線毛周囲層．
  (2)線毛周囲層の上の粘液ゲル層．

  粘液はムチンに加えて，抗菌物質，免疫調節タンパク質，および保護分子を含む．

  C字形硝子軟骨は，連なって気管の骨格を形成する．気管筋（平滑筋）は，C字形硝子軟骨の自由端を接続する．

  気管支カルチノイド腫瘍はクルチツキー細胞から発生する．この小細胞は，ペプチドホルモン（セロトニン，ソマトスタチン，カルシトニン，抗利尿ホルモンADH，副腎皮質刺激ホルモンACTHなど）を分泌する．気管支カルチノイド腫瘍（小細胞肺がんを含む）は局所的に浸潤し，所属リンパ節に転移しうる．

- 嚢胞性線維症では，呼吸器と消化器の腺が異常に濃い粘液を産生するようになる．

  嚢胞性線維症膜コンダクタンス制御因子（CFTR）の遺伝性変異により，Cl^-輸送不全とNa^+吸収増加をきたす．絡み合うMUC5ACおよびMUC5Bポリマーと水分の少ない粘液からなる濃い粘液栓に伴って細菌感染症が起こる．咳嗽，膿性分泌物，および呼吸困難が典型的な症状である．

- 気管支が肺内気管支に分枝していくにつれて，気管C字形軟骨リングは細かくなって軟骨片（内腔の周囲に分布）となる．平滑筋束は粘膜と軟骨片の間に転位する．

  集合リンパ組織（気管支付属リンパ組織，BALTと総称される）が肺内気管支の壁にみられる．

  さらに分枝して終末細気管支となり，そのおのおのの支配域が肺小葉である．

  終末細気管支の枝は呼吸細気管支で，その支配域は肺細葉となる．基本的に，肺小葉はいくつかの肺細葉からなっている．

  終末細気管支と呼吸細気管支の壁の特徴は，らせん状の平滑筋線維と縦走する弾性線維である．

  肺動脈の枝は酸素に乏しい血液（静脈血）を運び，気管支樹に沿って走る．気管支動脈の枝は気管支樹の壁に栄養を与える．肺静脈が酸素を含んだ血液（動脈血）を運び，結合組織性の中隔を通ることを思い出すこと．

- 終末細気管支は，軟骨と粘膜下腺を欠いて，偽重層円柱線毛上皮の丈が低くなり，線毛細胞のほとんどない低円柱〜立方上皮となる．サーファクタントタンパク質とムチンを産生するクラブ細胞（旧クララ細胞）は，終末細気管支で優位を示す．終末細気管支は，肺小葉の開始部位であることを忘れないこと．

  クラブ細胞が産生するもの：
  (1)サーファクタントタンパク質SP-AとSP-D．
  (2)MUC5ACとMUC5Bのモノマー，気道粘液中にポリマーとして存在するムチン．
  (3)抗炎症性のクラブ細胞分泌タンパク質（CCSP）は，気道上皮の慢性的な傷害や感染に対する保護に関与している．

  閉塞性細気管支炎（OB）または狭窄性細気管支炎は，進行性の気流障害を特徴とする．OBは，クラブ細胞の機能不全に起因し，細気管支周囲の著しい炎症と閉塞性の線維化を示し，終末細気管支を狭小化させる．

- 呼吸細気管支の壁は，肺胞が嚢状に飛び出し，不連続である．終末細気管支の壁には肺胞がないことに注意せよ．平滑筋線維の束が内腔に突出し，立方〜単層扁平上皮が覆う．弾性線維は，細気管支と肺胞壁の重要な構成要素である．

- 呼吸細気管支は，気道部と呼吸部の間をつなぐ接続部である．ここは呼吸部の始まりとみなされる．また，呼吸細気管支は肺細葉（肺胞樹）の始まりであることを忘れないこと．それぞれの呼吸細気管支から，肺胞管，肺胞嚢，そして肺胞が生じる．

- 肺胞上皮は，毛細血管（肺動脈の終末枝）の表面を覆う部分と，肺胞壁を覆う部分の2種類の細胞から構成される．
  (1)I型肺胞（AT1）細胞は肺胞上皮細胞集団の約40%で，肺胞表面の90%を占める．
  (2)II型肺胞（AT2）細胞は細胞数の約60%であるが，肺胞の表面の10%を占めるにすぎず，隣り合う肺胞中隔によりつくられる角によく位置している．AT2細胞はサーファクタントを産生する．

  肺サーファクタントが含むもの：
  (1)コレステロール（50%）．
  (2)リン脂質（40%）．
  (3)SP（サーファクタント・タンパク質）（SP-A，SP-B，SP-C）（10%）．

  クラブ細胞もまた，サーファクタントを生成する．サーファクタントは表面張力を抑え，肺胞を拡張した状態に維持する．

  他に肺胞を構成するもの：
  (1)内皮細胞（肺胞毛細血管の内面を覆う）．
  (2)マクロファージ（肺胞貪食細胞または塵埃細胞）．
  (3)肺胞樹状細胞．
  (4)肺胞間中隔にある線維芽細胞（弾性線維の産生）．
  (5)肥満細胞．

- 空気血液関門を構成するもの：

(1) I 型肺胞細胞の薄い細胞質伸展部.
(2) I 型肺胞細胞と隣接する肺胞毛細血管内皮細胞がつくる 2 重の基底膜.
(3)内皮細胞の細胞質伸展部.
(4)赤血球の細胞膜.

赤血球の形状が両凹面になっていることが，肺胞毛細血管で急速に O_2-CO_2 交換を行うために役立っていることを覚えておくこと．また，サーファクタントが肺胞の虚脱を防止することにより，効果的なガス交換に間接的に寄与していることにも注目．

- 気管支肺疾患は，気道の急性および慢性疾患の病因を伴って組織学的に関連している．慢性閉塞性肺疾患（COPD）には，喘息と肺気腫が含まれる．

- 喘息は次のような特徴をもつ慢性炎症状態である：
  (1)気管支内腔を取り囲む平滑筋束の可逆的な気管支収縮.
  (2)アレルゲンや自律神経要因によって引き起こされる，杯細胞や気管支粘液腺による粘液の分泌過多.

次のことに注意せよ：喘息発作の初期段階は，抗原またはアレルゲンが樹状細胞に結合することである．この最初のステップは，T_H2 細胞と 2 型自然リンパ球（ILC2）のリクルートにつながる．

T_H2 細胞と ILC2 は，樹状細胞が産生するケモカインによって活性化され，インターロイキン（IL）-4，IL-5，IL-9，IL-13 を分泌する．

IL-4 と IL-13 は，機能亢進した杯細胞による MUC5AC の産生を刺激する．IL-5 は好酸球増多を引き起こす．IL-9 は肥満細胞の活性化を引き起こす．IL-13 は気管支の収縮を引き起こす．

杯細胞や気管支粘液腺による粘液の過剰分泌により，気管支の内腔が閉塞する．気管支収縮により，気管支腔が狭くなる．

この 2 つの条件が揃うことで，喘鳴，咳，呼吸困難といった喘息の典型的な症状が引き起こされる．副腎皮質ステロイドは，喘息に関与するサイトカインやケモカインの多くが発現するのを抑制する効果がある．

サイトカインやその受容体をモノクローナル抗体で遮断することは，重症喘息の治療法として注目されている．

- 肺気腫は，肺胞壁の弾性組織が進行性かつ不可逆的に破壊され，終末細気管支から末梢の気腔が永久的に拡大することで引き起こされる．

肺胞内腔の好中球が放出するエラスターゼが肺胞間中隔の弾性組織を壊すことがある．血清 α_1- アンチトリプシンはエラスターゼを中和する．持続的な刺激は，エラスターゼの産生源である肺胞内腔の好中球の数を増やす．

α_1- アンチトリプシンの血清レベルが減少すると，エラスターゼが弾性線維の破壊を開始する．損傷した弾性線維は伸展されると元に戻らなくなり，結果として，隣接する肺胞が合して大きい気腔，すなわちブレブを生じ，肺気腫の構造的な特徴をつくっていく．弾性組織が失われると，終末および呼吸細気管支の壁にも影響が出る．

- 急性呼吸促迫症候群（ARDS）は，肺胞毛細血管静水圧の上昇（心原性）あるいは細菌性エンドトキシンや外傷（非心原性）により引き起こされる肺胞上皮の損傷の結果として生じる．これらのメカニズムは肺胞腔内液とタンパク質の貯留増加につながる（肺水腫）．

- 未熟児の呼吸窮迫症候群（RDS）はサーファクタント欠乏によって引き起こされ，肺胞壁の虚脱をもたらす．フィブリンに富む滲出液が生じ，肺胞表面は硝子膜に覆われ，RDS は複雑化する．副腎皮質ステロイドは胎児の界面活性剤の合成を誘導する．糖尿病の母親における高レベルのインスリンは，副腎皮質ステロイドの作用と拮抗する．

- 肺がん．肺腫瘍の多くは悪性である．肺に発生した原発性腫瘍と，他の腫瘍から転移した続発性または転移性腫瘍がある．

細胞の種類によって，原発性肺がんは，大きく 2 つのグループに分類される：
  (1)小細胞肺がん（SCLC，燕麦細胞がんともよばれる）は悪性度が高く，非常に急速に広がる．全肺がんの約 15%が SCLC である．
  (2)非小細胞肺がん（NSCLC）は最も頻度の高い腫瘍である（全肺がんの約 85%）．
  NSCLC 群に含まれるのは：
  ①扁平上皮がん，呼吸上皮の扁平上皮化生により発生する腫瘍．
  ②腺がん，気管支上皮および気管支・肺胞上皮から発生する腫瘍（気管支肺胞がん）．

肺がんサンプルの分子スクリーニングは，肺がんのタイプやサブタイプの決定に広く用いられている．例えば，未分化リンパ腫キナーゼ（*ALK*）遺伝子の再配列は NSCLC の約 5%に認められ，上皮成長因子受容体（EGFR）のキナーゼドメインの変異は NSCLC の 10～15%に認められて，肺腺がんによくみられる．

- 肺がん免疫療法は，さまざまな病期の NSCLC の治療に用いられている．第 10 章で述べたように，がん免疫療法は，腫瘍細胞が T 細胞を不活性化することで破壊を回避する能力に依存している．T 細胞の不活性化とは，腫瘍細胞が特定のリガンドを用いて，T 細胞や樹状細胞が発現する細胞表面タンパク質であるプログラム細胞死 1（PD-1）や細胞傷害性 T リンパ球抗原 4（CTLA-4）を阻害することである．PD-1 と CTLA-4 は，T 細胞が活性を維持し，腫瘍細胞の退行を狙い続けるために必要なものである．

PD-1 や CTLA-4 と相互作用するモノクローナル抗体は，腫瘍細胞のリガンドの結合を阻止する．その結果，T 細胞は樹状細胞との相互作用によって数と機能の活性化を追求することができる．

抗 PD-1 抗体ペムブロリズマブは，PDL-1 を発現している腫瘍細胞の割合が高い場合，転移性 NSCLC の治療に使用できる．これらの患者は，化学療法よりも免疫療法によく反応する．

- 胸膜を構成する 2 つの層：
  (1)臓側胸膜（肺に密着し，単層扁平上皮［中皮］に覆われる）．
  (2)壁側胸膜も中皮に覆われるが，脂肪が豊富な結合組織に支持されている．

呼吸時には，臓側胸膜は壁側胸膜に対して滑る．

- 胸膜の疾患：
  (1)胸水を引き起こす炎症過程（胸膜腔内に液体が異常に蓄積）．
  (2)液体の蓄積（水胸）．
  (3)血液の貯留（血胸）．
  (4)腸管の乳頭から胸管を通って胸部の全身静脈に運ばれる脂質を多く含む液体である乳糜の貯留（乳糜胸）．
  (5)空気の蓄積（気胸）．

- 中皮腫は，長期間のアスベスト曝露に伴う胸膜の局所的またはびまん性悪性腫瘍である．症状として，胸水，胸痛，呼吸困難がある．中皮腫は腹膜や心膜にも生じることがある．

14 泌尿器系

キーワード 腎葉，腎小葉，尿細管，ネフロン，糸球体，糸球体疾患，レニン－アンギオテンシン系，利尿剤

泌尿器系にはいくつかの重要な機能がある：

1. 血液中の窒素などの老廃物を濾過・排泄により除去する．
2. これも濾過と分泌によるが，体液と電解質の濃度バランスを保つ．
3. 小さな分子（アミノ酸，グルコース，ペプチド），イオン（Na^+，Cl^-，Ca^{2+}，PO_4^{3-}），水を再吸収し再利用して，血液の恒常性を維持する．
4. 肝臓でつくられる血漿タンパク質のアンギオテンシノーゲンを活性型のアンギオテンシンⅡに変換するレニンという酵素を産生して血圧を調整する．
5. 骨髄で赤血球の産生を促すエリスロポエチンを産生する．
6. カルシウム代謝の制御に関与するビタミンD由来の1,25-ジヒドロキシコレカルシフェロールを活性化する．

本章では，構造と機能を統合し，関連する腎の生理学的および病理学的状態について述べる．

腎臓（図 14.1）

泌尿器系は，1対の**腎臓** kidney と**尿管** ureter，および1つの**膀胱** urinary bladder と**尿道** uretahr からなる．腎臓には，**皮質** cortex（**皮質外帯** outer cortex と**皮質髄傍帯** juxtamedullary cortex に分けられる），および**髄質** medulla（**髄質外層** outer medulla と**髄質内層** inner medulla に分けられる）がある．

髄質は，円錐形の塊の**腎錐体** renal medullary pyramid をなし，その底面（錐体底）は皮髄境界部にあたる．腎錐体とそれに伴う皮質領域は，ともに**腎葉** renal lobe を構成する．腎葉の底面（＝腎臓の外表面）は，**腎被膜** renal capsule に覆われる．各腎葉の側面は（ベルタンの）**腎柱** renal column で，**造後腎芽体** metanephric blastema の中の初期腎葉が癒合した痕跡である．各腎葉の頂部は錐状の**腎乳頭** papilla となり，その表面は**篩状野** area cribrosa（開孔領域，乳頭管の開口部）となる．腎乳頭は**小腎杯** minor calyx に囲まれる．小腎杯は，乳頭の篩状野から尿のしずくを受ける．小腎杯が集まって**大腎杯** major calyx をなし，さらに集合して**腎盤（腎盂）** pelvis となる．

腎臓の血管系（図 14.1，14.2）

腎臓の主な機能は，下行大動脈から分枝した腎動脈からの**血液を濾過**することである．

腎臓は，心拍出量の約20％を受けて，毎分約1.25Lの血液を濾過している．すなわち，全身の血液が5分間で腎臓を一巡する計算になる．

心臓からの血液の90％が腎皮質に，10％が髄質にいく．毎分約125mLの濾液ができるが，このうち124mLは再吸収される．

24時間で約180Lもの限外濾液がつくられ，**尿細管系** uriniferous tubules を通過していく．このうち178.5Lは尿細管細胞によって再吸収され，**尿** urine として排泄されるのはわずか1.5Lである．

腎臓の血管系に焦点をあてて，考察してみよう．

動脈血は，**腎動脈** renal artery から送られる．腎動脈はいくつかの**葉間動脈** interlobar artery に分かれて，腎錐体の側面に沿って腎柱を通り，髄質を通り抜ける．

皮髄境界部で，葉間動脈は数本の枝を直角に出す．これは，走行の向きを縦から水平に変えて皮髄境界部に沿って走る**弓状動脈** arcuate artery となる．

腎臓の動脈構築パターンは終動脈で，葉間動脈の間に吻合はない．このことは，腎の病理学において動脈閉塞から起こる**巣状壊死** focal necrosis を理解するうえで重要である．例えば，腎動脈内のアテローム硬化斑や大動脈のアテローム斑の塞栓によって，**腎梗塞** renal infarct が起こる．

弓状動脈から垂直方向の枝，**小葉間動脈** interlobular artery が出て皮質を貫く．小葉間動脈は皮質の外帯に向かって上行しつつ数本の枝を出し，これらは**糸球体輸入細動脈** afferent glomerular arteriole となる．

次いで，糸球体輸入細動脈は，二重構造の**ボーマン嚢** capsule of Bowman に包まれる**糸球体毛細血管網** glomerular capillary network を形成し，**糸球体輸出細動脈** efferent glomerular arteriole に続く．このような毛細血管網が（細動脈と細静脈の間ではなく）2本の細動脈の間にある特別な配置を，**糸球体** glomerulus または**動脈性門脈系** arterial portal system という（図 14.2）．第12章において述べたように，糸球体動脈性門脈系は，構造的にも機能的にも肝臓の静脈性門脈系とは異なっている．

糸球体とボーマン嚢の両者が**腎小体** renal corpuscle（**マルピギー小体** malpighian corpuscle）を構成している．輸入細動脈の平滑筋壁には**糸球体傍細胞** juxtaglomerular cell という上皮様細胞があり，レニンを含む分泌顆粒をもっている．輸出細動脈の壁にも少数の糸球体傍細胞がみられることがある．

直血管（図 14.1）

輸出細動脈は，腎小体が皮質外帯にあるか皮質髄傍帯にあるかにより，2つの異なる毛細血管網をつくる：

1. **尿細管周囲毛細血管網** peritubular capillary network は，皮質外帯にある腎小体からの輸出細動脈に由来する．
   尿細管周囲毛細血管網は，有窓型内皮細胞をもち，**小葉間静脈** interlobular vein へ注いで，**弓状静脈** arcuate vein に集まる．弓状静脈は**葉間静脈** interlobar vein に注ぎ，そして**腎静脈** renal vein に至る．
2. **直血管** vasa recta は，皮髄境界部の近くで輸出細動脈が多数の枝に分かれて形成される．直血管の下行部（**動脈性毛細血管で連続型内皮細胞をもつ**）は，**髄質**の中へ入って尿細管髄質部と平行に走り，ヘアピン状にUターンして，上行する静脈性毛細血管（有窓型内皮細胞をもつ）となり，皮髄境界部まで戻る．

図 14.1 | 腎臓の血管構築

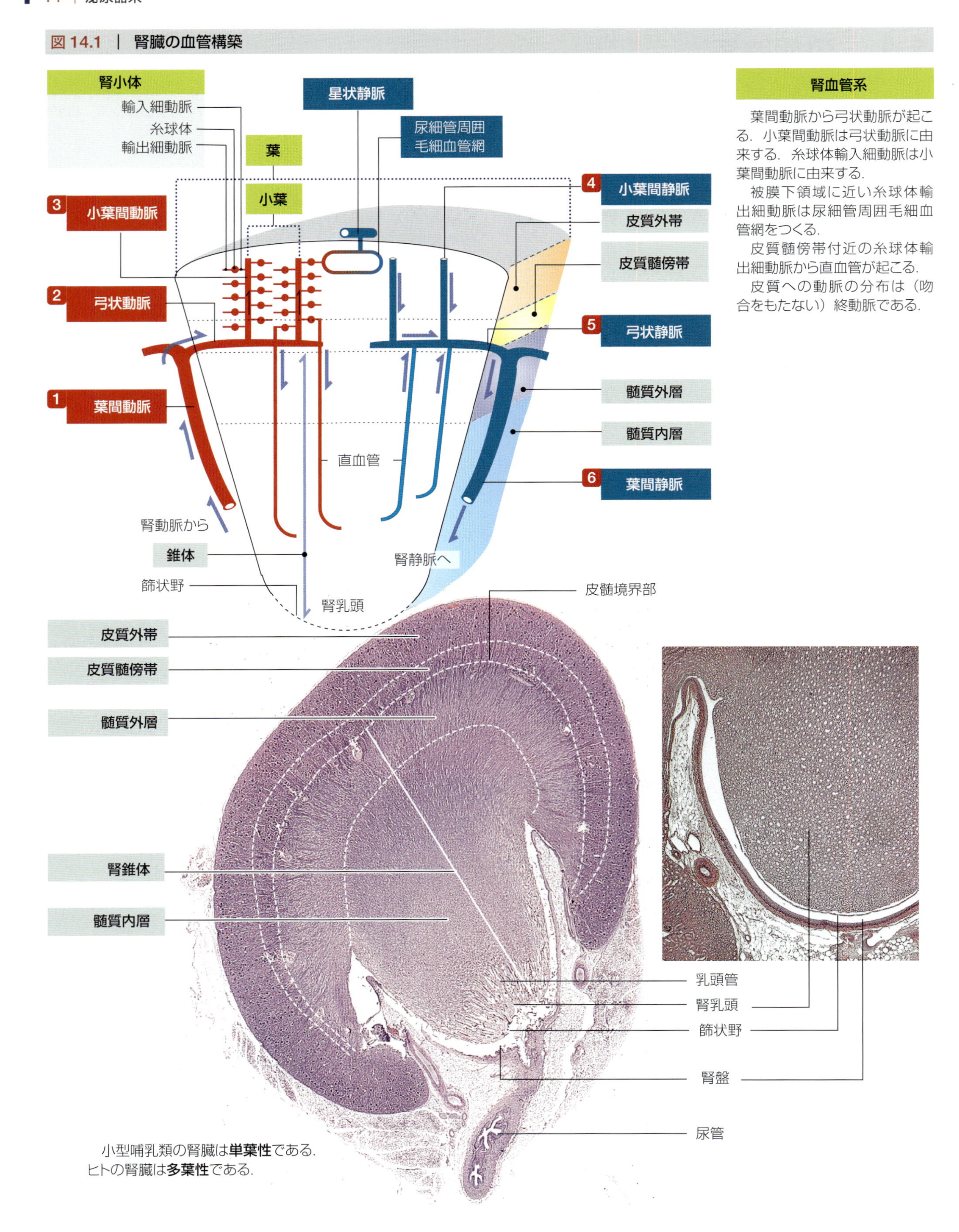

腎血管系

葉間動脈から弓状動脈が起こる．小葉間動脈は弓状動脈に由来する．糸球体輸入細動脈は小葉間動脈に由来する．

被膜下領域に近い糸球体輸出細動脈は尿細管周囲毛細血管網をつくる．

皮質髄傍帯付近の糸球体輸出細動脈から直血管が起こる．

皮質への動脈の分布は（吻合をもたない）終動脈である．

小型哺乳類の腎臓は**単葉性**である．ヒトの腎臓は**多葉性**である．

図 14.2 | 動脈性門脈と静脈性門脈

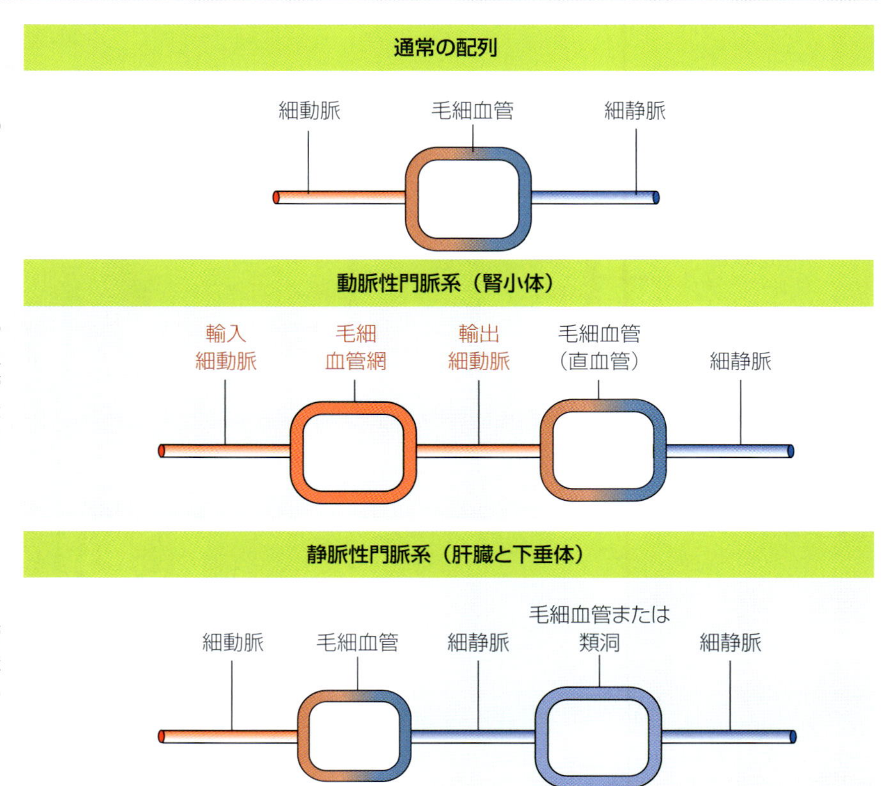

一般に，毛細血管網は細動脈と細静脈の間にある．

腎臓では，細動脈が 2 つの毛細血管網の間に挟まっている．輸入細動脈は，毛細血管の塊，**糸球体**になる．これらの毛細血管は集まって輸出細動脈となり，さらにこれはネフロンを取り巻く毛細血管網（尿細管周囲毛細血管網や直血管）となる．

肝臓や**下垂体**では，静脈が太い毛細血管すなわち洞様毛細血管網となったのち静脈に注ぐ．この分布様式を**静脈性門脈系**という．

髄質を養う血管は，主に糸球体輸出細動脈に由来する点に注意しておこう．下行直血管束は，**ヘンレのループの下行脚**，**上行脚**および**集合管**に沿って，髄質のさまざまな深さまで達する．上行直血管の側枝が**小葉間静脈**や**弓状静脈**に連絡する．直血管と近傍の尿細管と集合管の互いに密接な位置関係をよく覚えておこう．これは，後述する対向流交換系と尿の濃縮機構の構造的な基礎である．

腎錐体，腎葉，腎小葉（図 14.1，14.3）

腎錐体は髄質にあって，その側面を葉間動脈が境界し（図 14.1），皮髄境界部が底部に，腎乳頭が錐体の頂部となる．

腎葉は皮質と髄質が一体となった構造である．腎錐体とそれを覆う腎皮質領域からなる．

腎小葉は皮質の構造で，2 通りの異なる定義がある（図 14.3）：

1. 腎小葉は，**隣り合う 2 本の上行小葉間動脈に挟まれた部分**である．各小葉間動脈が，輸入細動脈，毛細血管網および輸出細動脈からなる糸球体へと次々と枝を与える．
2. 腎小葉は，1 本の**（ベリニの）集合管** collecting duct（of Bellini）とそれに注ぐ周囲のネフロンからなる．ネフロンの直部は単一の集合管とともに**（Ferrein の）髄放線** medullary ray（of Ferrein）とよばれ，**小葉の中心軸となる**（図 14.3）．

皮質は多くの小葉からなり，各小葉に 1 つの髄放線がある．

尿細管系（図 14.4，14.5）

尿細管系 uriniferous tubules は，疎性結合組織，血管，リンパ管，神経からなる間質で囲まれ，1 つの腎臓に約 130 万本ある．

各尿細管系は，発生の由来を異にする 2 つの組織からなる（図 14.4）：

1. **ネフロン** nephron.
2. **集合管** collecting duct／tubule.

ネフロンは，2 つの構成要素からなる：

1. **腎小体** renal corpuscle（径 300 μm）.
2. **長い尿細管** renal tubule（長さ 5～7 mm）

尿細管は次の 3 部からなる：

1. **近位曲尿細管** proximal convoluted tubule.
2. **ヘンレのループ** loop of Henle.
3. **遠位曲尿細管** distal convoluted tubule（最終的に集合管に注ぐ）.

集合管は，存在部位により 3 つに区分される：

1. **皮質集合管** cortical collecting tubule：髄放線の中心として皮質にある．
2. **髄質外層集合管** outer medullary collecting tubule：髄質外層にある．
3. **髄質内層集合管** inner medullary collecting tubule，髄質内層にある．

腎小体の位置によって，ネフロンは**皮質ネフロン** cortical nephron（短ネフロン）と**髄傍ネフロン** juxtamedullary nephron

図 14.3 | 髄放線

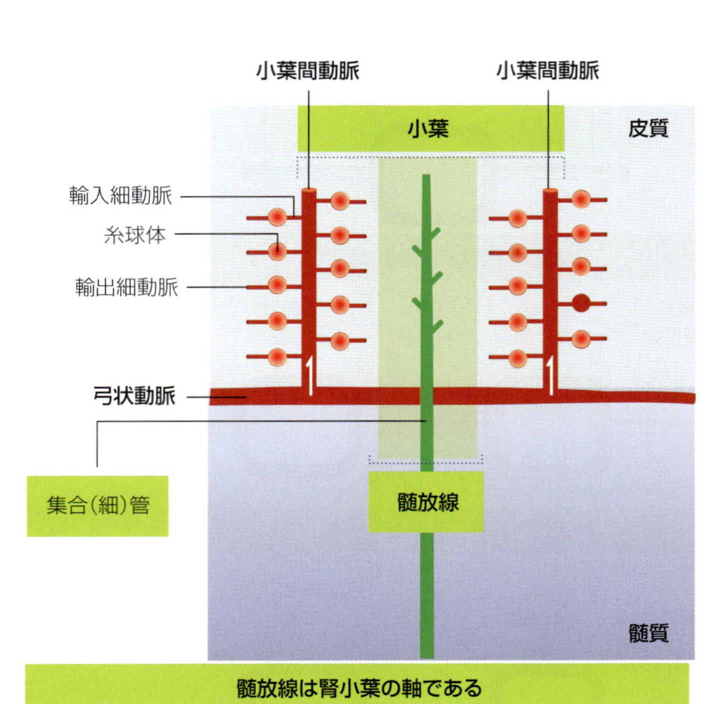

皮質ネフロンの下行脚と上行脚，および集合（細）管は，腎小葉の中程に密集している．このまっすぐな管の集まりが皮質内で**髄放線**を形成している．

髄放線は皮質の構造である小葉の軸をなしている．同じ小葉のネフロンが集合管に注ぐ．

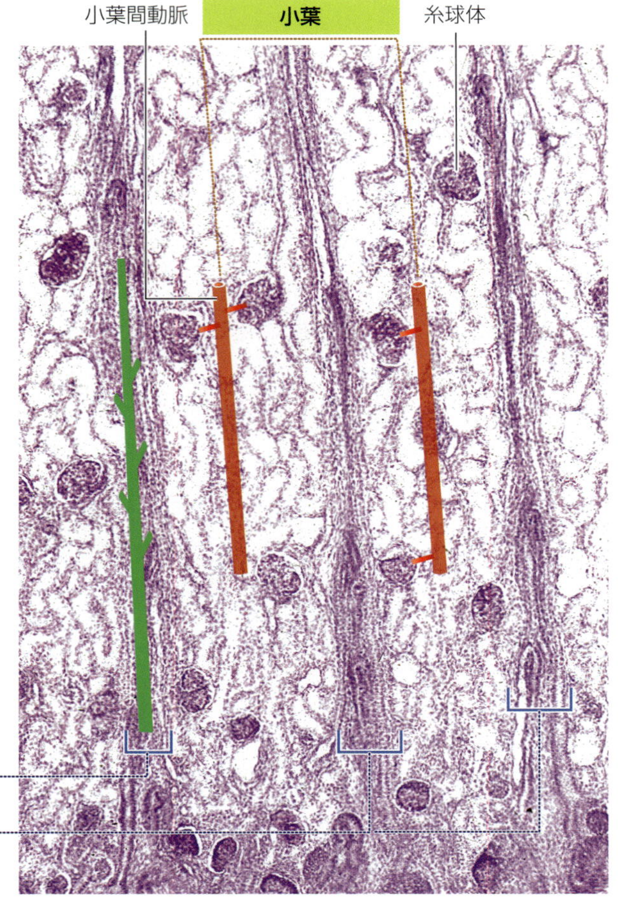

（長ネフロン）に区分される．

皮質ネフロンの尿細管のヘンレのループは**短く**，ちょうど髄質外層に達する程度である．髄傍ネフロンの尿細管は，**長い**ヘンレのループをもち，髄質内層にまで達する（図 14.5）．

腎小体（図 14.6，14.7）

腎小体 renal corpuscle（**マルピギー小体** malpighian corpuscle）（図 14.6）は，毛細血管叢の**糸球体** glomerulus とそれを包む**ボーマン嚢** capsule of Bowman（**糸球体包** glomerular capsule）とからなる．

ボーマン嚢は次の 2 層構造からなる：

1. 糸球体毛細血管に密着する**臓側板（内壁）** visceral layer.
2. 結合組織性間質の側の**壁側板（外壁）** parietal layer.

内壁は**足細胞** podocyte とよばれる上皮細胞に覆われ，これを基底板が支持している．外壁は，**単層扁平上皮**からなり，これは近位曲尿細管の**単層立方上皮**に連なる（図 14.6）．

ボーマン嚢の外壁と内壁の間には，**尿腔** urinary space（**ボーマン腔** Bowman's space，**包内腔** capsular space）があり，**血漿限外濾液**（糸球体濾液，原尿）を含む．

ボーマン腔が近位曲尿細管に接続するところを**尿細管極** urinary pole といい，ここから血漿限外濾液が近位曲尿細管に入る．反対極は糸球体の輸出・輸入細動脈が出入りするところで，**血管極** vascular pole とよばれる．

糸球体は 3 種の細胞から構成される（図 14.7）：

1. **足細胞**，ボーマン嚢の臓側板である．
2. 有窓型**内皮細胞**，**糸球体毛細血管を裏打ちする**．
3. **メサンギウム細胞** mesangial cell，**メサンギウムマトリックス（基質）** mesangial matrix に埋まっている．**メサンギウム** mesangium はメサンギウム細胞－メサンギウムマトリックス複合体をいう．

糸球体濾過関門（図 14.6，14.8）

足細胞は間葉系由来の有糸分裂後の細胞である．足細胞は極性をもつ細胞で，核を含む細胞体は糸球体のボーマン腔に膨らんでいる．細胞体から出る長い一次突起は分岐し，**二次足突起**または足突起とよばれる多数の終足を生じさせる．足突起は，内皮細胞とメサンギウムマトリックスの接続部を除いて，糸球体毛細血管の表面を取り囲み，付着している（図 14.6）．

足細胞と有窓型内皮細胞は，それぞれ基底板を形成し，これらが一体となって**糸球体濾過関門**の構成要素である**糸球体基底膜** glomerular basement membrane（GBM）を構成している．GBM の主な構成要素は，Ⅳ型コラーゲン，ラミニン，フィブロネクチン，ヘパラン硫酸含有プロテオグリカンである．

足突起 pedicel は，同じ足細胞からのものと隣の足細胞からの

図 14.4 | 尿細管系

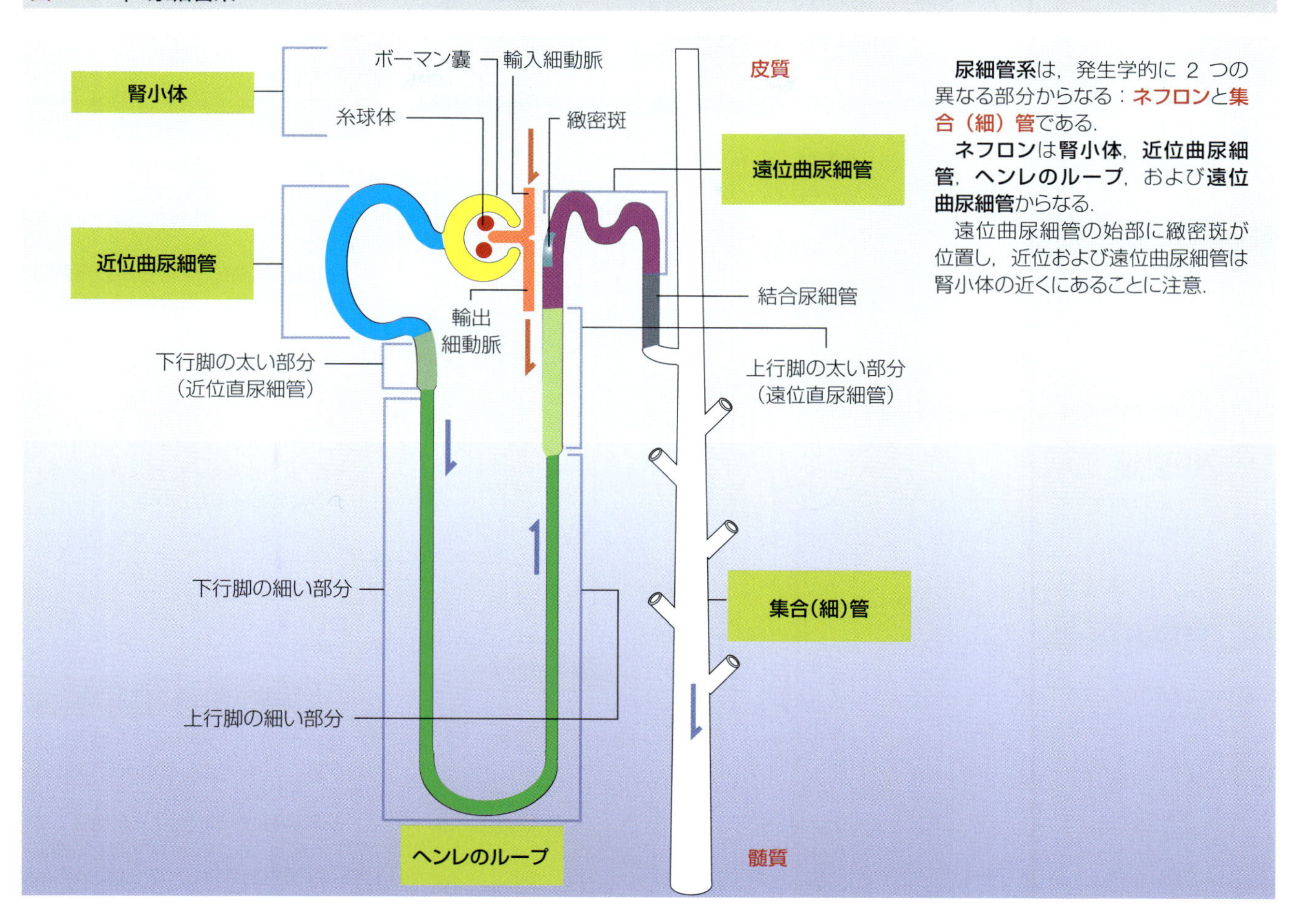

尿細管系は，発生学的に 2 つの異なる部分からなる：**ネフロン**と**集合（細）管**である．

ネフロンは**腎小体**，**近位曲尿細管**，**ヘンレのループ**，および**遠位曲尿細管**からなる．

遠位曲尿細管の始部に緻密斑が位置し，近位および遠位曲尿細管は腎小体の近くにあることに注意．

ものとが交互にかみ合って GBM を覆っている．

足突起は，**濾過スリット** filtration slits という細い隙間で互いに離れている．濾過スリットは，膜状の物質による**濾過スリット膜** filtration slit diaphragm で架橋されている（図 14.8）．スリット膜は，タンパク質の透過漏出に対する主なサイズバリアとなっている．

足突起は，ジストログリカンと$\alpha_3\beta_1$ **インテグリン**によって基底膜に接着している．足細胞が損傷を受けると，GBM から足突起が剝離し，**足突起消失** foot process effacement として知られる．

足細胞の濾過スリット膜は，ネフリン分子同士が同種結合し，ネフリン関連膜貫通タンパク質 Neph1 および Neph2 と相互作用して構成されている（図 14.8 では図示していない）．**ネフリン**はアクチンフィラメントの束（足突起のコアを形成）に繫留されており，**ポドシン**および CD2 関連タンパク質（CD2AP）というタンパク質と相互作用する．

ネフリン 2 量体は，内皮の窓孔を通って GBM に到達した分子の通過を遅らせる構造をなしている．ネフリン遺伝子の突然変異による足細胞のスリット膜の欠如または機能不全は，**先天性ネフローゼ症候群**の原因となる（図 14.8）．

糸球体濾過関門の構成要素に加えて，血漿限外濾液中の分子の通過を制御する他の因子は，**分子の大きさ**と**電荷**である．3.5 nm 以下で 0～正に帯電した分子は，透過しやすい．アルブミン（3.6 nm で負に帯電）は，通過しにくい．

GBM の病理（図 14.8：基本事項 14.A）

糸球体毛細血管の**有窓型内皮細胞**は，GBM とそれに接着する足細胞の足突起に覆われている（図 14.8）．

足細胞は，**糸球体内皮成長因子** glomerular endothelial growth factor を産生し，内皮を発達させ，窓孔を維持する．

内皮は水，尿素，グルコースおよび小さなタンパク質を通す．内皮細胞の表面は，陰性に荷電したポリアニオン性プロテオグリカンで被覆され，大きな陰イオン性タンパク質の通過を阻止する．

GBM には，主なタンパク質として **IV 型コラーゲン**，**フィブロネクチン**，**ラミニン**，**ヘパラン硫酸**が存在する．GBM の IV 型コラーゲンは，α3，α4，α5 の 3 本の α 鎖で構成され，三重らせんを形成している．

他のほとんどの基底板は，α1 と α2 鎖，α5 と α6 鎖を含んでいる．ラミニン 11 も含んだ，正しい組成の柔軟な非線維性ネットワークは，完全な GBM とその透過機能の維持にとって重要である．

IV 型コラーゲンは，3 つの腎疾患の病因に直接関与している：

図 14.5 | 皮質（短）ネフロンと髄傍（長）ネフロン

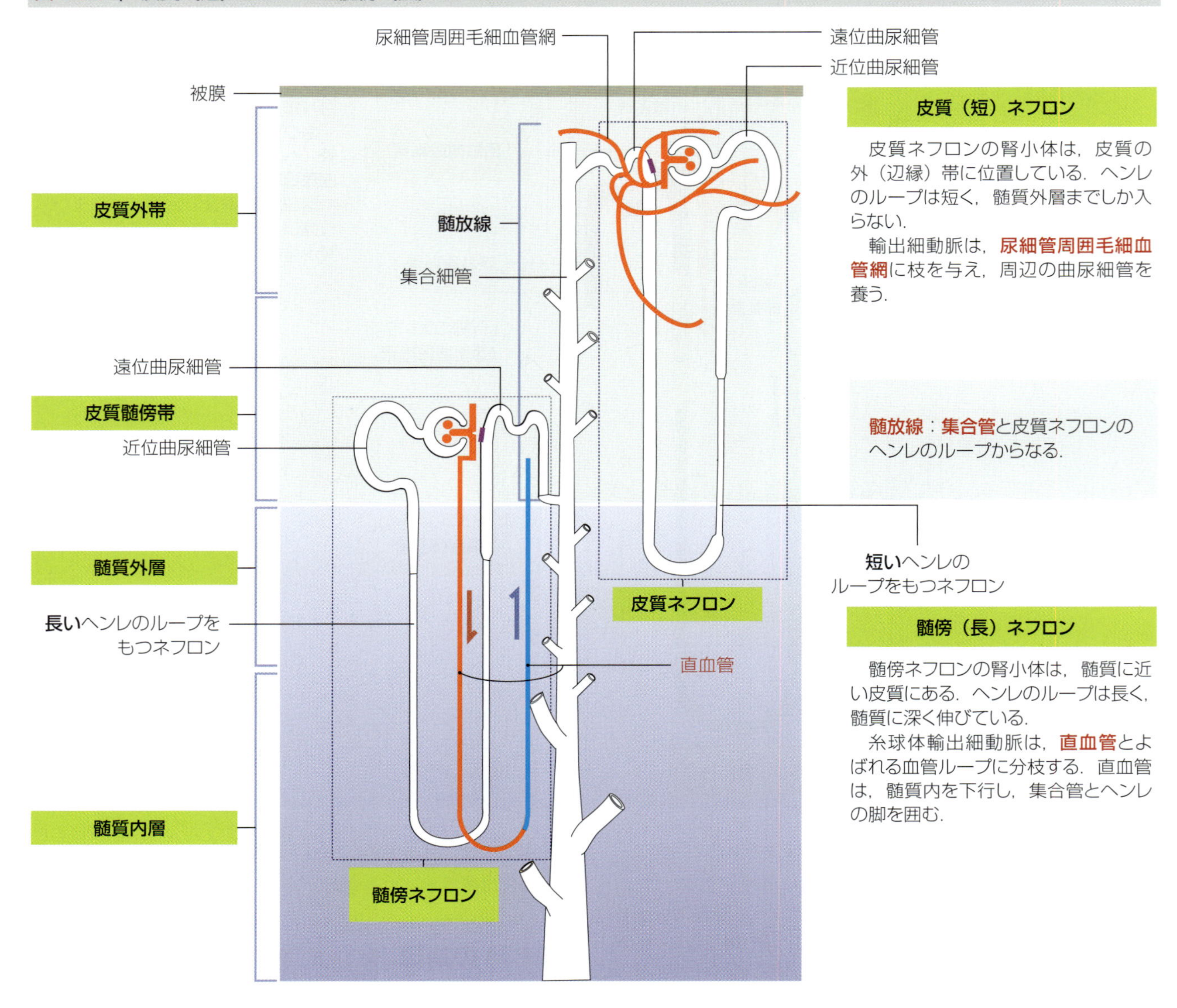

1. **グッドパスチャー症候群** Goodpasture syndrome：抗 α3 鎖自己抗体が腎糸球体と肺胞基底板に結合することにより進行性の糸球体腎炎と肺出血をきたす自己免疫疾患.
2. **アルポート症候群** Alport syndrome：進行性遺伝性の腎症で，GBM の不規則な菲薄化・肥厚化・断裂が特徴である．アルポート症候群は **X 連鎖顕性**遺伝*を示し，**男性**に多く，α5 鎖の遺伝子に変異がある.

   アルポート症候群の患者は，聴力障害（蝸牛血管条の機能障害）と眼球症状（水晶体包の欠損）を合併することが多く，血尿と進行性の糸球体腎炎をきたして腎不全（**末期腎不全** end stage renal disease［ESRD］）に至る.

   異常な糸球体濾過膜は赤血球やタンパク質を通してしまう.
3. **良性家族性血尿症** benign family hematuria：顕性遺伝**で，α3 鎖または α4 鎖遺伝子に変異によるが，ESRD のような腎不全には至らない.

Box 14.A | 急性腎障害

- 急性腎障害とは，血清クレアチニン濃度が急激に上昇し，尿量が減少することをいう．原因としては，糸球体腎炎，腎血管障害，前腎性高窒素血症（血液中の窒素老廃物が異常に多い状態），急性尿細管壊死，急性間質性腎炎などが挙げられる.
- 近位尿細管の上皮は刷子縁を失い，尿細管間結合組織には炎症細胞（リンパ球やマクロファージ）が浸潤している．活性化した線維芽細胞がコラーゲンを産生し，間質の線維化を引き起こす．尿細管間質の損傷と内皮の損傷は，腎臓の細胞機能に影響し，心血管疾患の発症リスクを高める.
- 急性腎障害を起こすと，その原因にかかわらず，その後に慢性腎臓病に進行する可能性があり，ESRD のリスクや心血管疾患の合併症による死亡率が高くなる.

図 14.6 | 腎小体

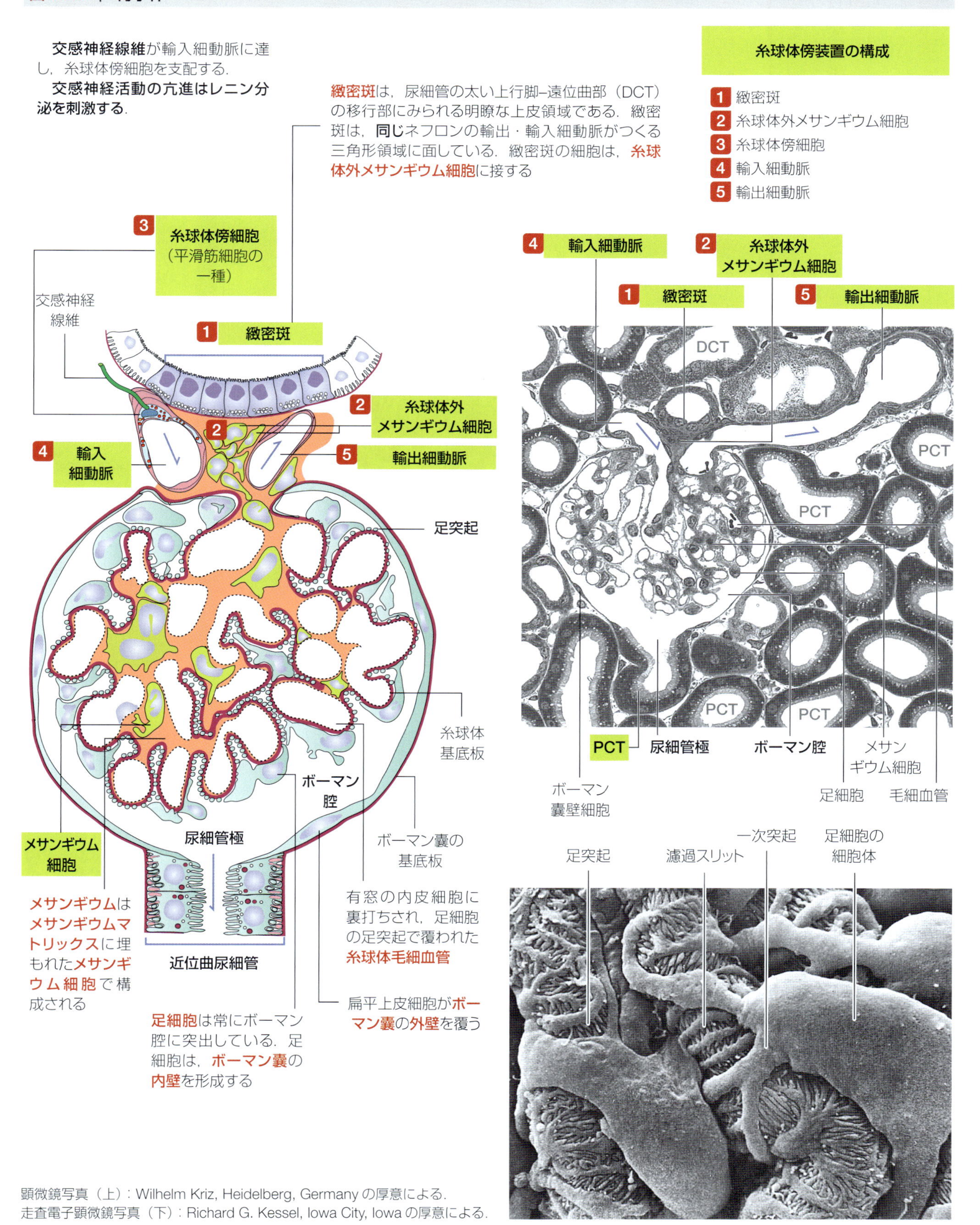

顕微鏡写真（上）：Wilhelm Kriz, Heidelberg, Germany の厚意による．
走査電子顕微鏡写真（下）：Richard G. Kessel, Iowa City, Iowa の厚意による．

図 14.7 | 腎小体の構成（光学顕微鏡と電子顕微鏡による観察）

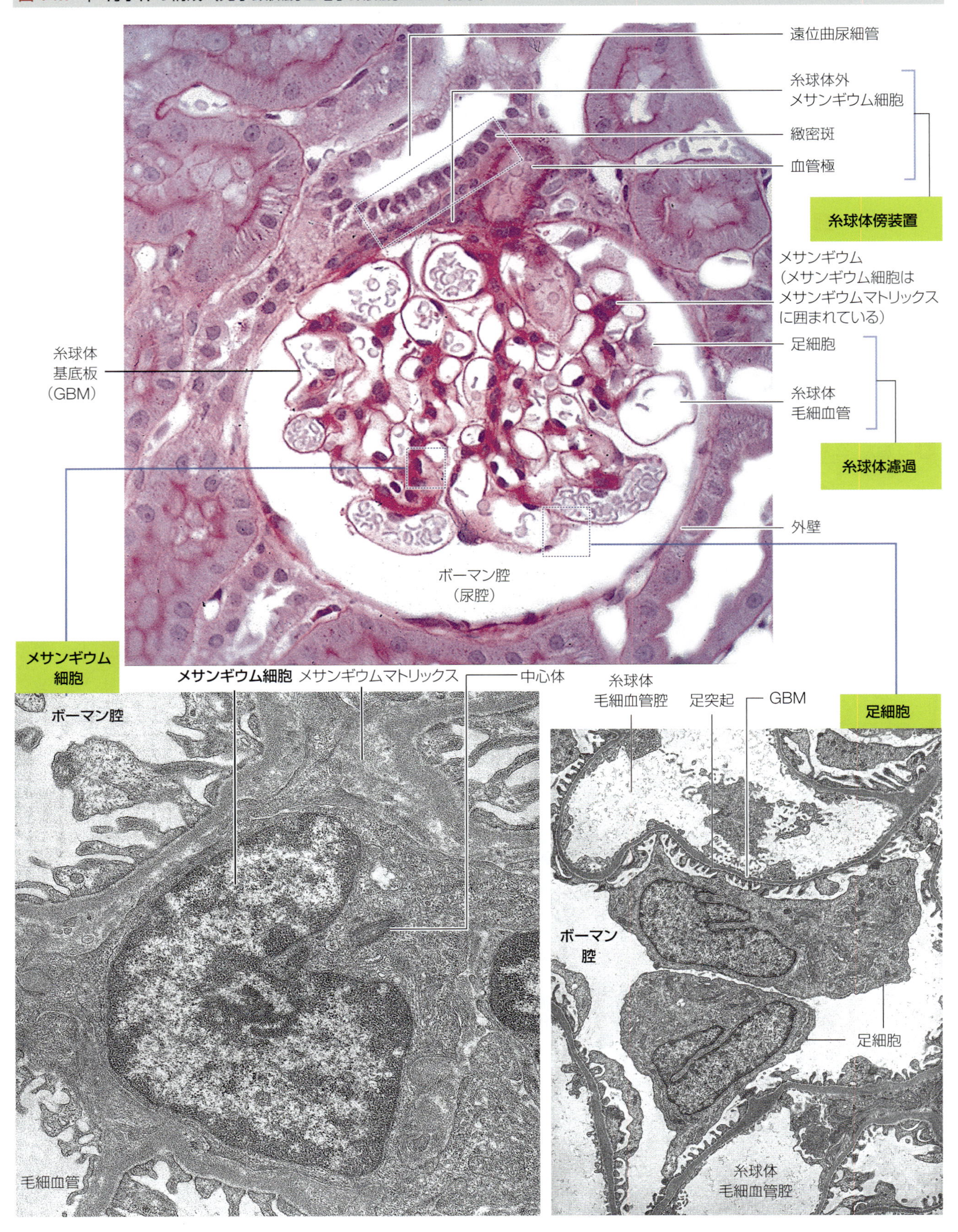

図 14.8 | 糸球体濾過関門

足細胞

足細胞は，ボーマン嚢の臓側板にある上皮細胞である．一次および二次の足突起をもち，二重の糸球体基底板（**糸球体基底膜：GBM**）に包まれた有窓型糸球体毛細血管を取り囲んでいる．GBM は足細胞と毛細血管内皮細胞によってつくられる．隣り合う二次足突起はかみ合い，濾過スリット膜によって安定化され，GBM の付着部では，複雑な細胞接着–細胞骨格複合体が形成されている．この巨大な分子集合体は，足細胞を柔軟にし，GBM を完全なものにする．足突起-GBM 部位に欠陥があると，**ネフローゼ症候群**につながる重度のタンパク質漏出が生じうる．

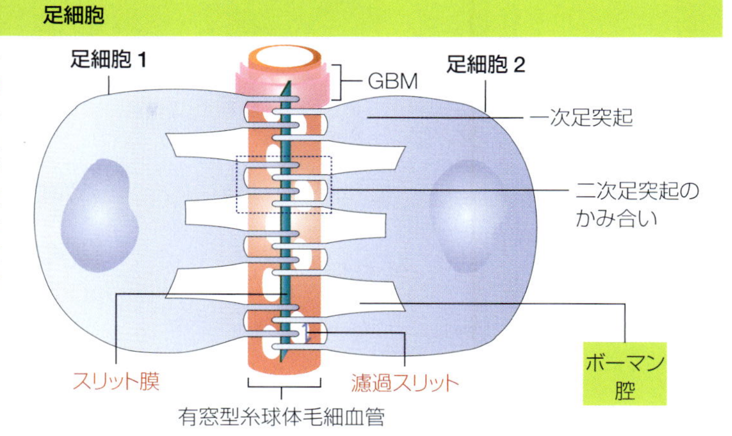

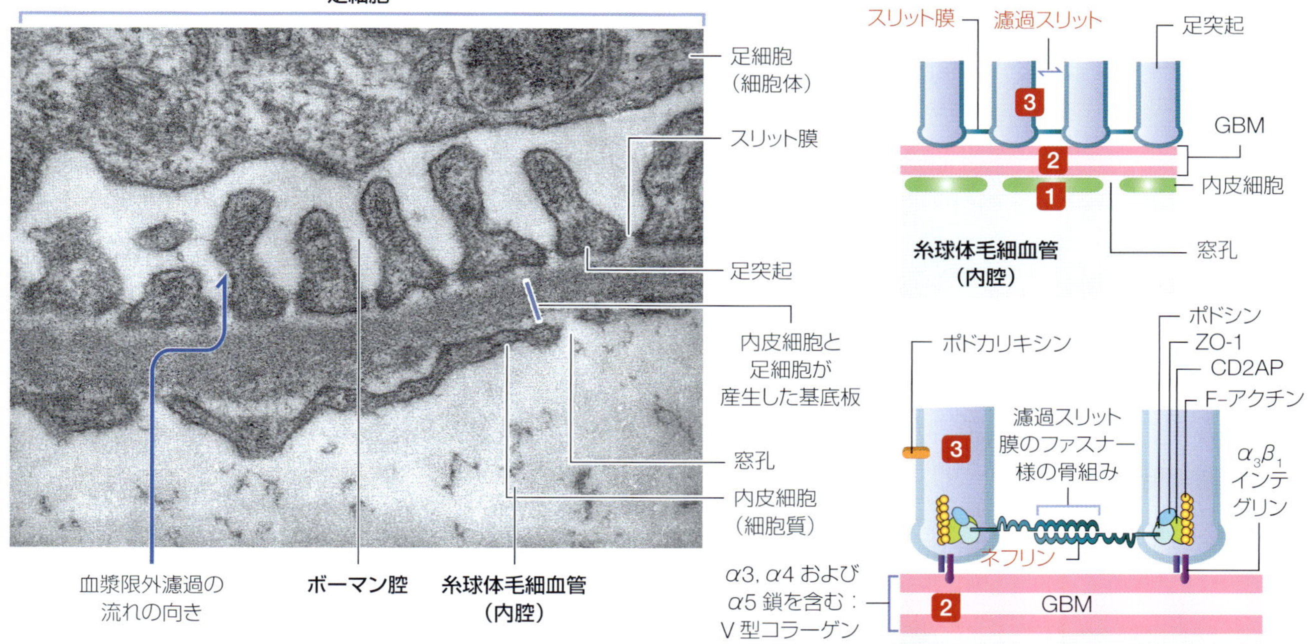

濾過関門の構成

1 糸球体毛細血管の**内皮**には窓があって（**有窓型**），水，ナトリウム，尿素，グルコースおよび小さなタンパク質を通す．内皮細胞は，**陰性に荷電した糖タンパク質**（ヘパラン硫酸に富む）に被覆され，大きな陰イオン性タンパク質の濾過を遅延させる．

2 **GBM** は，Ⅳ型コラーゲンやラミニンβ_2，フィブロネクチン，ヘパラン硫酸グリコサミノグリカンに富むプロテオグリカンからなり，ここでも陰イオン性タンパク質の濾過を遅くさせる．ラミニンβ_2（*LAMB2*）をコードする遺伝子の変異は，眼球や神経系の障害を伴う先天性ネフローゼ症候群である**ピアソン症候群**を引き起こす．Ⅳ型コラーゲン遺伝子の変異は，タンパク尿や**末期腎不全**（**ESRD**）になる遺伝性 GBM 異常の一群である**アルポート症候群**を引き起こす．

3 **足突起**は GBM を覆う足細胞のかみ合わさった細胞突起で，陰性荷電糖タンパク質（**ポドカリキシン**）に被覆される．隣り合う足突起との間を**濾過スリット**という．**スリット膜**が隣り合う足突起を架橋する．足突起は$\alpha_3\beta_1$インテグリンによって基底板に固定されている．

スリット膜を構成する**ネフリン**は，免疫グロブリンスーパーファミリーの細胞接着分子で，足突起のアクチンフィラメントにタンパク質の**CD2AP**，**ZO-1** および**ポドシン**を介して繋留される．

ネフリンをコードする遺伝子の変異は，高度のタンパク尿（尿中にアルブミンが漏れる）と浮腫を特徴とする**先天性ネフローゼ症候群**を引き起こす．

図 14.9 | 糸球体傍装置

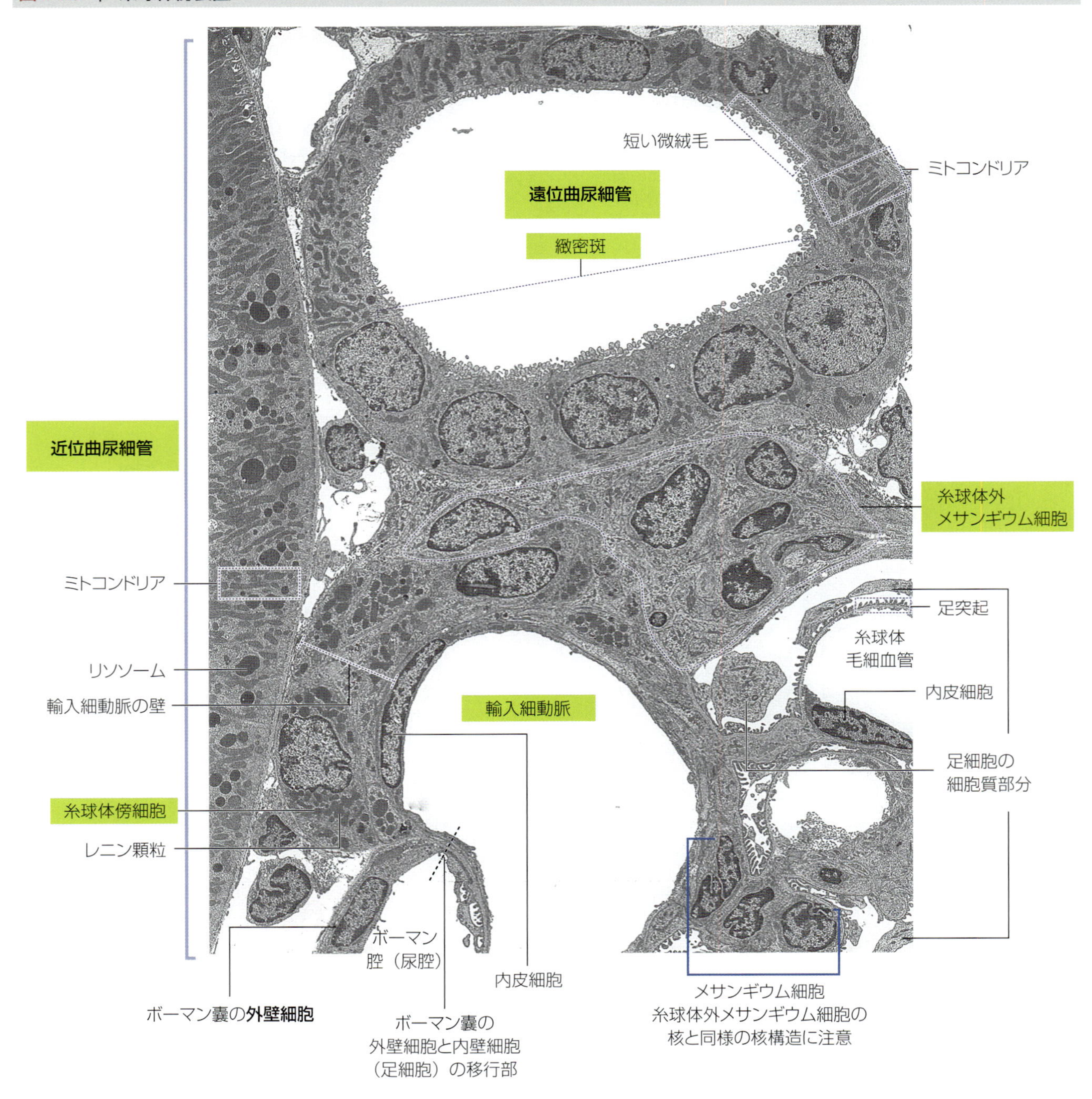

顕微鏡写真：Wilhelm Kriz, Heidelberg, Germany の厚意による．

［訳注：GBM の IV 型コラーゲンは，α3（IV）／α4（IV）／α5（IV）の α 鎖組成をもつ．＊：原文では X 連鎖潜性遺伝とあるが，X 染色体にある α5 鎖遺伝子に変異があると男性では重症になりやすく，女性でヘテロ接合体の場合は症状が軽いが，両者ともアルポート症候群と診断される．＊＊：良性家族性血尿症は，2 番染色体にある α3 鎖または α4 鎖遺伝子の変異がヘテロ接合性の場合に起こる．変異がホモ接合性の場合は，常染色体潜性アルポート症候群をきたす］

メサンギウム（図 14.6，14.7，14.9，14.10）

メサンギウム（血管間膜） mesangium（ギリシャ語 *mesos*［= middle，中間］，*angeion*［= blood vessel，血管］）は，糸球体毛細血管の間に挟まれた**糸球体内**の構造である．

次の 2 つの構成要素からなる：

1. **メサンギウム細胞** mesangial cell.
2. **メサンギウムマトリックス** mesangial matrix.

さらに，メサンギウム細胞は，糸球体の外にも，緻密斑と輸

図 14.10 | メサンギウムの機能と構造

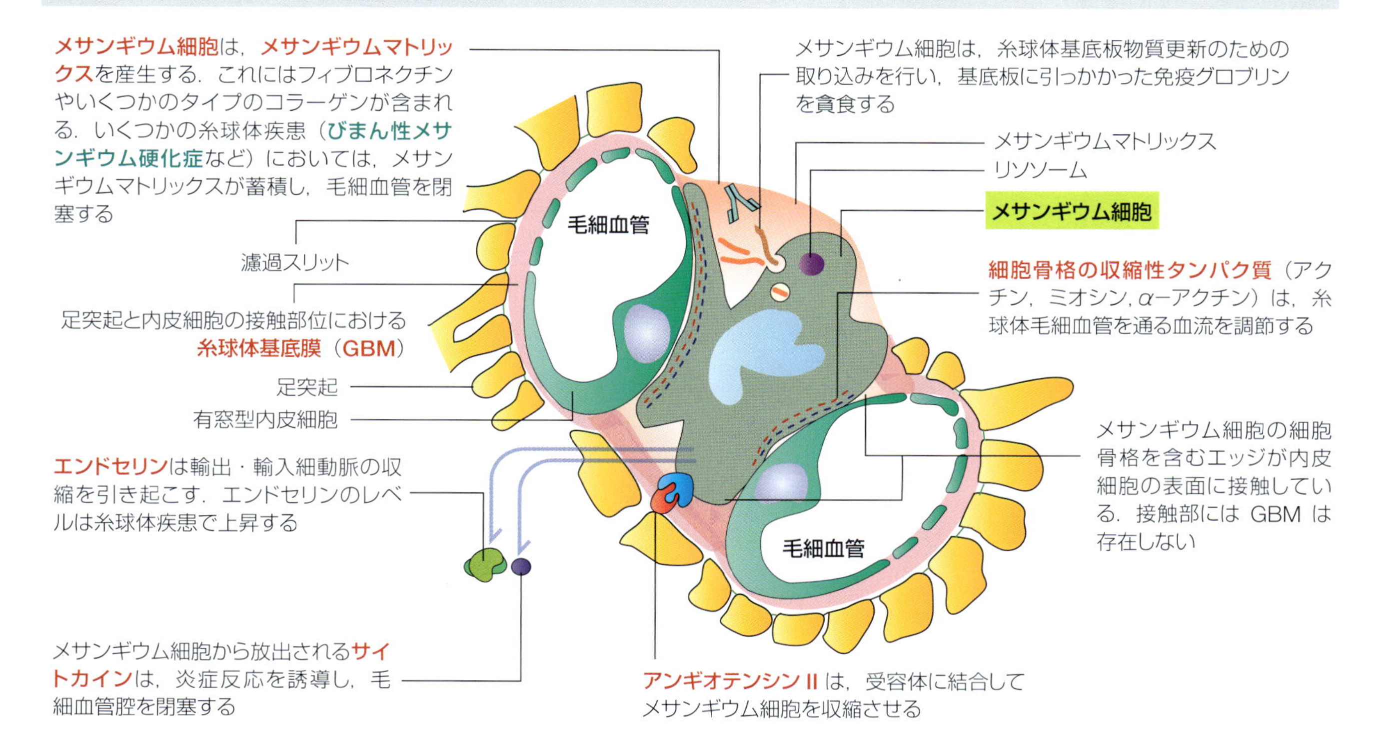

出・輸入細動脈に囲まれたスペースに集まっている（**糸球体外メサンギウム細胞**，図 14.6，14.7，14.9）．

糸球体内メサンギウム細胞と糸球体外メサンギウム細胞は続いている．

メサンギウム細胞は，平滑筋とマクロファージの特徴を備えた特別な**周皮細胞** pericyte である．

メサンギウム細胞は，**収縮性・貪食性細胞**で，そして増殖能をもつ．メサンギウム細胞は，フィブロネクチンと**数種類のコラーゲン**（IV 型，V 型，VI 型）を含むメサンギウムマトリックスを合成する．メサンギウム細胞は**生物学的活性物質**（プロスタグランジンとエンドセリン）を分泌する．

エンドセリンは輸出・輸入細動脈の収縮を引き起こす．

メサンギウム細胞は，次のように間接的に糸球体濾過過程に関与する：

1. **糸球体毛細血管を機械的に支持する．**
2. 貪食作用により，**GBM 物質の更新を制御する．**
3. 収縮作用によって**血流を調節する．**
4. **プロスタグランジンとエンドセリンを分泌する．**
5. **アンギオテンシン II に反応する．**

メサンギウム細胞－マトリックス複合体は内皮細胞と直接接触している．GBM はメサンギウムの部位には存在しないことに注意(図 14.10)．その代わりに，細胞骨格収縮タンパク質を含むメサンギウム細胞の細胞質辺縁部が内皮細胞表面に密着している．

免疫グロブリンと補体分子は濾過膜を通り抜けられず，メサンギウムマトリックスに留まる．免疫グロブリン複合体がマトリックス内に集積すると，メサンギウム細胞のサイトカイン分泌が誘発され，免疫反応が起こって最終的に糸球体毛細血管の閉塞に至る．

足細胞の損傷（図 14.8，14.11；基本事項 14.A）

糸球体疾患は，**先天性**，**遺伝性**，**後天性**の足細胞の損傷によって引き起こされる．後天性糸球体疾患には，免疫性および非免疫性のものがある．

先天性ネフローゼ症候群は，先天性の足細胞損傷の一因である（図 14.8）．遺伝性の足細胞損傷の原因としては，足細胞に特異的なタンパク質（ポドシンやインテグリンサブユニット β_1 など）を発現する遺伝子の変異がある．最も特徴的なのは，GBM に接触している相互にかみ合った足突起が消失することであり，これは**足突起消失** foot process effacement として知られている（図 14.11）．

足細胞の損傷によって引き起こされる糸球体疾患の多くは後天性である．糸球体への傷害は免疫機構で始まる．**糸球体の構成要素**（足細胞，メサンギウム細胞，GBM）**に対する抗体**や全身性自己免疫疾患の**循環血液中の抗原・抗体複合体**は，**膜性増殖性糸球体腎炎** membranoproliferative glomerulonephritis（図 14.11）や**膜性糸球体腎炎** membranous glomerulonephritis，**IgA 腎症** immunoglobulin A nephropathy（**バージャー病**）を引き起こす．

抗原・抗体複合体は，免疫学的に糸球体の要素を標的にするのではなく，糸球体濾過関門の濾過機構のため，糸球体に引っかかる．悪化させる因子は，捕捉された抗原・抗体複合体が補体タンパク質の結合部位となり，それが糸球体の損傷を増悪することである（第 10 章「補体系」の項参照）．

上述のように，自己抗体は，糸球体濾過関門の構成要素であるIV 型コラーゲンの特定の鎖を標的とすることができる．さらに，メサンギウムマトリックスに補体タンパク質が沈着すると，**顆粒状パターン**が生じる（図 14.11）．

図 14.11 | 足細胞の損傷とメサンギウム細胞の病理

1 **抗糸球体基底膜（抗 GBM）抗体**は，IV 型コラーゲンのα鎖を標的にする．抗 GBM 免疫グロブリンは GBM の全長にわたって結合し，**免疫蛍光法で線状パターンを示す**．抗 GBM 抗体が大量に沈着すると腎炎を引き起こし，重度の糸球体障害を特徴とし，次第に腎不全へと進行する

足突起

糸球体基底膜（GBM）

濾過スリット

2 抗原・抗体複合体はメサンギウムに捕捉される．抗体（免疫グロブリン）は補体分子と相互反応し，メサンギウム細胞が傷害される（**メサンギウム融解** mesangiolysis）

メサンギウム細胞

毛細血管

3 循環する抗原・抗体複合体（例：**全身性エリテマトーデス**）は，内皮と GBM の間（**内皮下沈着**），およびメサンギウム（**顆粒状沈着**）に沈着する．この段階で患者は軽度の血尿とタンパク尿を示す

4 足細胞に対する抗体は，足突起の剥離を引き起こす．濾過スリットのタンパク質である**ネフリン**をコードする遺伝子の変異による**先天性ネフローゼ症候群**では足突起の剥離がみられる．

$\alpha_3\beta_1$ インテグリン欠損マウスでは足突起が形成されず，足細胞は扁平で GBM から解離している

毛細血管

剥離し消滅する**足突起**

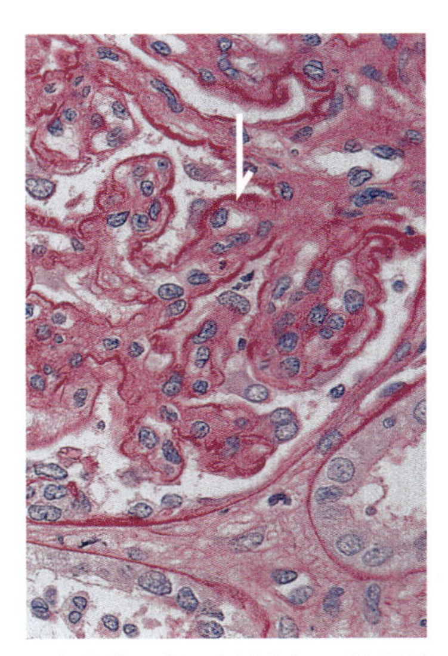

免疫グロブリンと補体タンパク質がメサンギウムマトリックスに沈着して起こる**膜性増殖性糸球体腎炎**．肥厚した GBM（矢印）に注意．

免疫蛍光法でみると，メサンギウムマトリックスに沈着した補体タンパク質が**顆粒状パターン**（矢印）を示す．

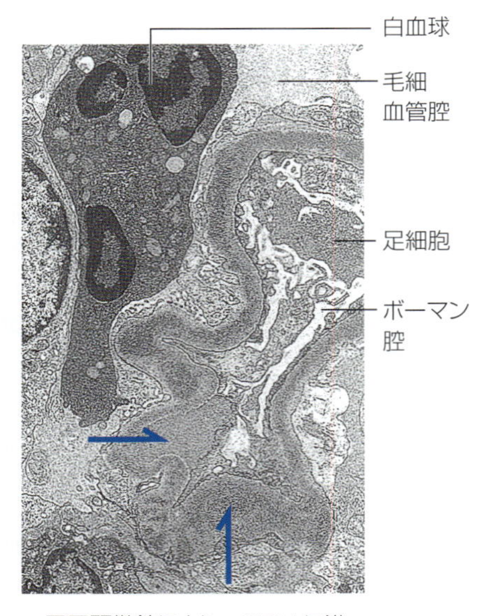

電子顕微鏡により，GBM に沿ってタンパク質の著明な沈着（矢印）が示されている．

写真：Damjanov I, Linder J: Pathology: A Color Atlas, St. Louis, Mosby, 2000 より．

全身性エリテマトーデスや，細菌（連鎖球菌）およびウイルス（B 型肝炎ウイルス）感染症では，抗原・抗体複合体が循環血中に生じ，糸球体濾過関門に捕捉される．

免疫複合体の沈着は，糸球体毛細血管の内皮細胞と基底板の間（**内皮下沈着** subendothelial deposit，図 14.11），メサンギウム内，および頻度は低いが基底板と足細胞足突起との間の場合がある．

細菌感染後に生じた免疫複合体は，糸球体細胞（内皮細胞とメサンギウム細胞）の増殖を引き起こしたり，好中球や単球を引き寄せたりすることがある．この状態は**急性増殖性糸球体腎炎**

基本事項 14.A ｜ 腎糸球体の病理：糸球体腎炎

急性増殖性びまん性糸球体腎炎

（細菌，ウイルス，原虫感染の結果）**GBM** に免疫複合体（抗原–抗体複合体）が沈着し，**内皮とメサンギウム細胞の増殖**を引き起こす．補体タンパク質があると，好中球が毛細血管内に集まってきて閉塞する．

腎炎症候群は，血尿，乏尿，高血圧および浮腫が特徴となって診断される．小児に多い．

腎炎症候群は**可逆的である**．免疫複合体の GBM からの除去，内皮細胞の脱落，増殖性メサンギウム細胞の数の正常復帰がみられ，腎機能は回復する．

急速進行性（半月体形成性）糸球体腎炎

ボーマン嚢の上皮細胞の増殖とマクロファージの浸潤により，ほとんどの糸球体に半月様の塊の形成がみられる．半月体は大きくなり，糸球体を圧迫してそれに置き換わり，機能を止める．この状態が急速に進行し，腎不全に至る．

フィブリンその他の血清タンパク質の集積，そして糸球体毛細血管の壊死が増殖過程を刺激する．

急速進行性糸球体腎炎は免疫が介する過程であり，**グッドパスチャー症候群**（GBM の IV 型コラーゲンの 7S ドメインに結合する抗体が原因），**全身性エリテマトーデス**，あるいは原因不明（**特発性**）など，多くの状況で起こりうる．

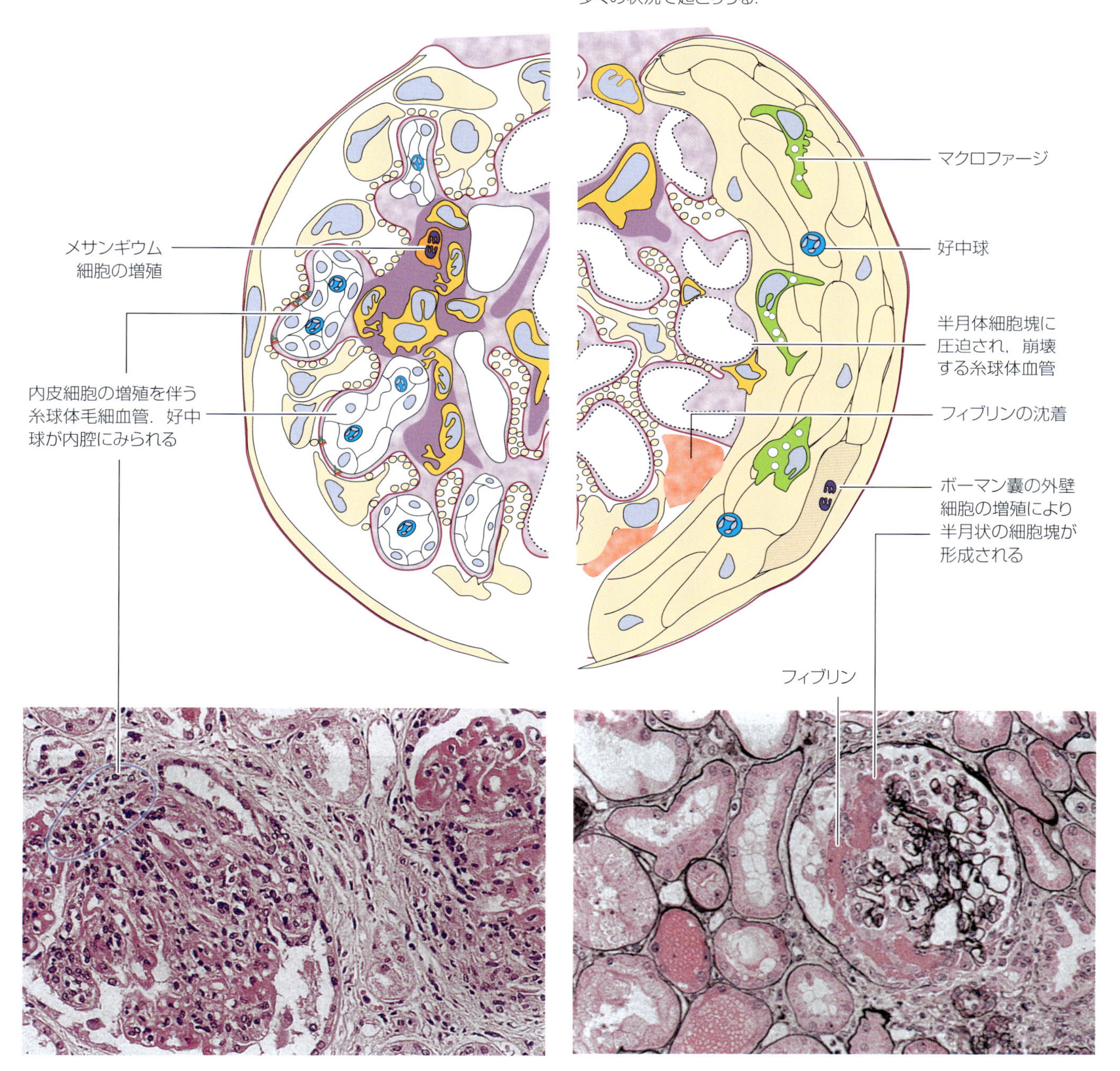

写真：Damjanov I, Linder J: Pathology: A Color Atlas, St. Louis, Mosby, 2000 より．

acute proliferative glomerulonephritisとして知られ，小児では，一般的に治療によって回復する．急性増殖性糸球体腎炎は，成人ではより重篤で，**急速進行性（半月体形成性）糸球体腎炎** rapidly progressive（crescentic）glomerulonephritisに進行することがある（図14.12）．

半月体形成性糸球体腎炎の典型像は，糸球体細胞の残骸とフィブリンの存在であり，これが激しい糸球体損傷を引き起こす．ボーマン嚢の外壁細胞の増殖とボーマン腔への好中球とリンパ球の浸潤がみられる．細胞性半月体とフィブリンの沈着はともに糸球体毛細血管を押しつぶす．

糸球体傍装置（図14.6，14.7，14.9）

糸球体傍装置 juxtaglomerular apparatusは明確な内分泌器であり，次のものからなる：

1. **緻密斑** macula densa．遠位曲尿細管の始部の一定部位（図14.6，14.7，14.9）．
2. **糸球体外メサンギウム細胞** extraglomerular mesangial cell．緻密斑，糸球体輸入細動脈・輸出細動脈に囲まれた空間（図14.9）．
3. **レニン産生細胞** renin-producing cell（**糸球体傍細胞** juxtaglomerular cell）．輸入細動脈に存在するが（図14.7，14.9），輸出細動脈にも少数みられる．

緻密斑は，NaCl濃度の変化を感じて，糸球体傍細胞によるレニン分泌に影響を与える．濾液中のNaCl濃度が低下するとレニンが分泌される．糸球体外メサンギウム細胞（**細網状細胞** lacis cellともいう）は，それら同士さらに糸球体傍細胞と間隙（ギャップ）結で連結している．

糸球体傍装置は，**腎血流**と**糸球体濾過**の自動制御をする**尿細管糸球体フィードバック機構** tubuloglomerular feedback mechanismの構成要素の1つである．

もう1つの要素として，糸球体傍細胞を支配する（アドレナリン作動性）**交感神経線維**がある．

アドレナリン作動性神経線維から分泌される**ノルアドレナリン**と**ドーパミン**は，レニン分泌を促進する．ノルアドレナリンは，輸入細動脈のα_1アドレナリン受容体に結合し，血管収縮を起こす．副交感神経の支配はない．

レニン－アンギオテンシン制御機構について論じる際に，尿細管－糸球体フィードバック機構に戻る．

近位曲尿細管（図14.12）

立方上皮細胞 cuboidal epithelial cellは，頂部（頂上領域）の**閉鎖結合**で結合し，**近位曲尿細管** proximal convoluted tubule（PCT）の内面を覆い，再吸収に適した構造的特徴を備えている．次のような特徴がみられる（図14.12）：

1. **微絨毛**からなるよく発達した**刷子縁** brush borderをもった頂部．
2. 著しく細胞膜のヒダが**陥入**する基底外側領域（基底線条）．
3. 細胞膜ヒダの間にある長いミトコンドリアが**アデノシン三リン酸**（ATP）を供給して，Na^+，K^+-**ATPase活性化ポンプ**を介するイオンの能動輸送が行われる．
4. 頂部の**細管小胞**と**リソソーム**は，エンドサイトーシスと小タンパク質をアミノ酸に分解する機構を提供している．**グルコース**とNa^+の細胞膜通過には**共輸送タンパク質**が介在する．

糸球体ボーマン腔の血漿限外濾過液は，**能動的・受動的**なメカニズムで近位曲尿細管に沿って輸送され，濾過された水，グルコース，Na^+，Cl^-，K^+などの溶質の約70%が再吸収される．水を再吸収する原動力は，**ナトリウム・グルコース共輸送体-2** sodium-glucose co-transporter-2（**SGLT-2**）によるナトリウムとグルコースの再吸収によって生じる電気化学的な勾配である．

近位曲尿細管は水の透過性が高いので，水は浸透圧により閉鎖結合を越えて細胞側面間隙に通過してくる（**傍細胞路** paracellular pathway）．細胞間領域の静水圧が増加して，液と溶質が毛細血管内に移動する．

近位曲尿細管の上皮細胞は，活性型ビタミンDの**カルシトリオール**の産生に関与している．ビタミンDの代謝およびカルシウム吸収の詳細については，第19章で述べる．**線維芽細胞成長因子23**は，近位曲尿細管におけるリン酸塩の再吸収を阻害する（Box14.B）．

ファンコニー症候群 Fanconi's syndromeは腎臓の遺伝性（原発性）または後天性（二次性）疾患で，近位曲尿細管におけるアミノ酸とグルコースの再吸収障害がみられる．

その結果，これらの物質が尿中に排泄される．原因は，ミトコンドリアのATPレベルの低下や，Na^+，K^+-ATPaseポンプの異常による細胞のエネルギー代謝の欠陥である．尿中にアミノ酸が異常に多く含まれる**アミノ酸尿** aminoaciduriaは，ファンコニー症候群の顕著な特徴である．

ヘンレのループ（図14.13，14.14）

ヘンレのループは**下行脚** descending limbと**上行脚** ascending limbからなる．各脚には，**太い部分** thick segmentと**細い部分** thin segmentがある（図14.13）．

太い下行部（近位直尿細管）は近位曲尿細管の続きである．太い上行部（遠位直尿細管）は遠位曲尿細管に続く．

皮質ネフロンと髄傍ネフロンでは，細い部分の長さに差がある．PCTと同様に，**細い下行部にはアクアポリン1チャネルが存在し，水の透過性が高い**．**細い上行部は水を通さないが，塩分を再吸収する**．塩分は髄質の間質に移動し，水は髄質外層と皮質髄傍帯に運ばれ，そこで全身の血液循環に戻る．

ヘンレのループは，濾過された水分の15%とNaCl，K^+，Ca^{2+}，HCO_3^-の25%を再吸収する．近位曲尿細管と同様に，上行脚の**Na^+，K^+-ATPaseポンプ**が塩類の再吸収に重要である．**フロセミド**（ラシックス）などの**利尿薬**によりこのポンプが阻害されると，NaCl再吸収は抑制され，髄質の間質液の浸透圧が低下してNaClと水の両方の尿中排泄量が増加する．

脚の太い部分は，尿細管曲部の上皮から移行しながら丈の低い立方上皮に覆われる．

この部分の上皮細胞は，尿中に存在する最も豊富なタンパク質である**タム・ホースフォール尿糖タンパク質** Tamm-Horsfall urinary glycoprotein（別名：**ウロモジュリン** uromodulin）を合成する．ウロモジュリンは，細菌が凝集するよう誘導することで，細菌が上皮細胞の表面と相互作用するのを防ぎ，尿中に排出されやすくする．細い部分は単層扁平上皮で覆われている（図14.13，14.14）．

図 14.12 | 近位曲尿細管（PCT）

近位曲尿細管（PCT）

PCT は，濾過された水の約 70%と溶質の大部分を再吸収する．再吸収されたグルコースと NaCl によって形成される浸透圧勾配は，閉鎖結合と PCT 上皮細胞を介した水の再吸収の原動力となる．**アクアポリン-1**（AQP1）は，PCT を覆う上皮細胞の細胞膜の頂上領域と基底側部領域に存在するチャネルタンパク質で，AQP1 は，ヘンレのループの細い下行脚にも存在し，水分輸送に関与している．

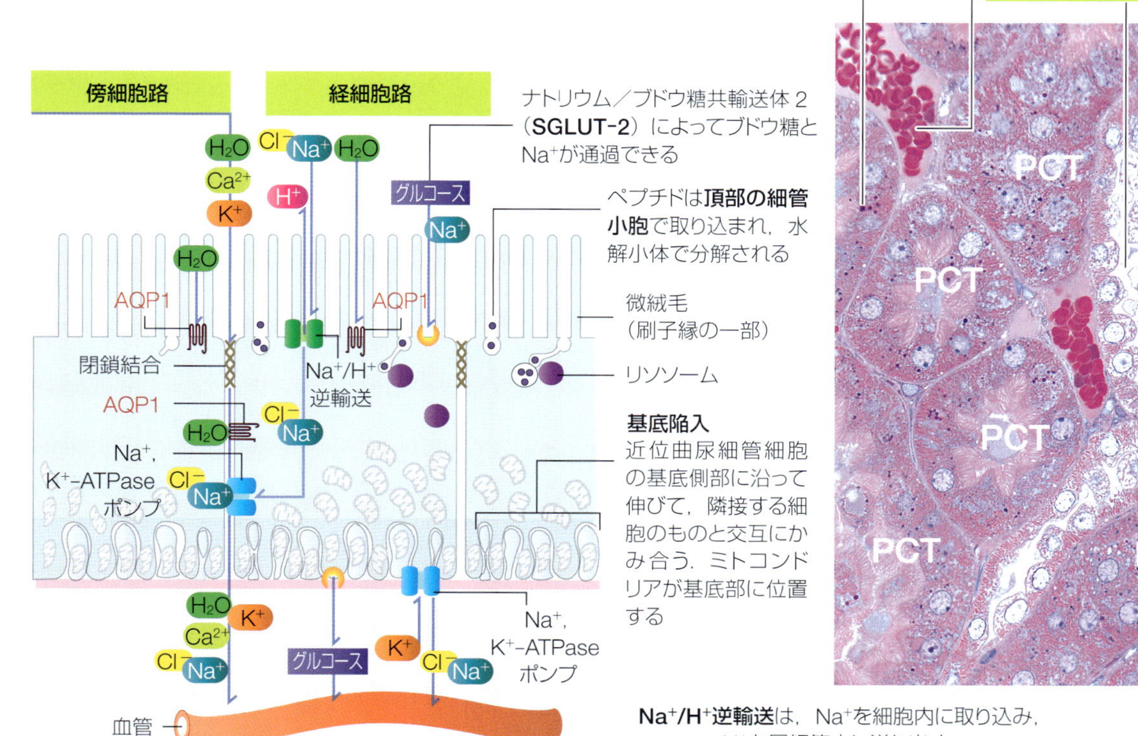

Na^+/H^+逆輸送は，Na^+を細胞内に取り込み，H^+を尿細管内に送り出す．

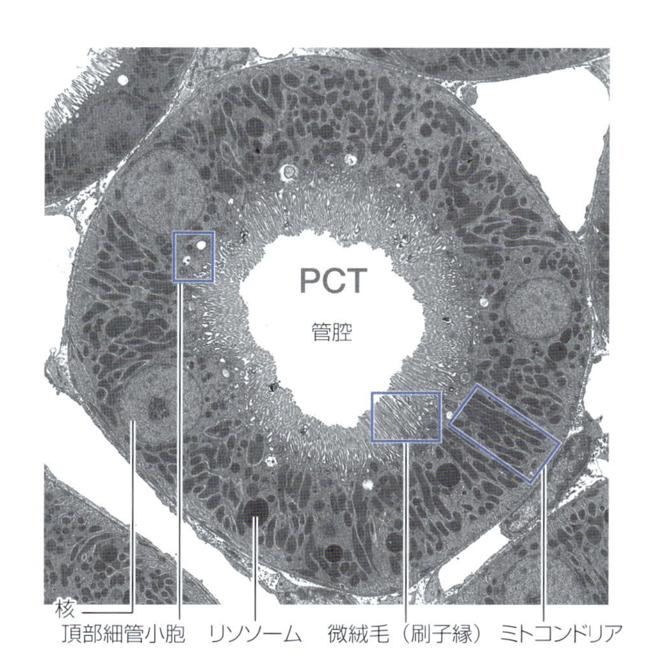

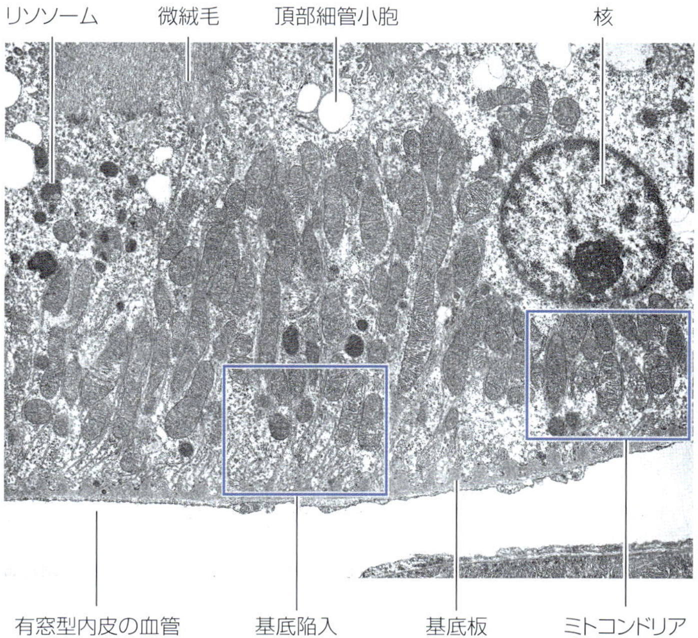

顕微鏡写真：Wilhelm Kriz, Heidelberg, Germany の厚意による．

遠位曲尿細管（図 14.7，14.9，14.15）

遠位曲尿細管 distal convoluted tubule（DCT）の立方上皮細胞は次のような特徴を示す（図 14.9，14.15）：

1. **立方細胞**は，近位曲尿細管に比べて丈が**短く**，**明瞭な刷子縁を欠く**．
2. 近位曲尿細管のように，基底外側領域の細胞膜はヒダ状の陥入を示し，その中にミトコンドリアがある．
3. **緻密斑** macula densa では，細胞は**逆の極性**を示す．頂部に核が位置し，ゴルジ装置を含む基底領域は糸球体傍細胞や糸球体外メサンギウム細胞に面している（図 14.7）．緻密斑は太い上行部と遠位曲尿細管の移行部に位置し，尿細管液中の Na^+ 濃度の変化を感じる．

遠位曲尿細管と**集合管**は，濾過された NaCl の 7% を再吸収する．遠位曲尿細管の遠位部と集合管は，**抗利尿ホルモン** antidiuretic hormone（ADH，**バソプレシン** vasopressin）の存在下で，水を透過する．

NaCl は，頂上領域を横切って細胞に入り，**Na^+，K^+-ATPase ポンプ**によって細胞を出る（図 14.15）．頂上領域の輸送機序を抑える**サイアザイド系利尿薬**によって，NaCl の再吸収は減少する（後述）．

ヘンレのループの上行脚で始まる尿細管液の能動的希釈は遠位曲尿細管まで続く．ヘンレのループの上行脚は水と溶質が分かれる主要な部位であるため，希薄および濃縮尿の排泄にはヘンレのループの正常機能が必要である．

集合管（図 14.13，14.14，14.16）

遠位曲尿細管は結合尿細管 connecting tubule を介して**集合管** collecting tubule／duct に連結する．結合尿細管と集合管は次の 2 種の細胞からなる立方上皮に覆われる（図 14.16）：

1. **主細胞** principal cell.
2. **介在細胞** intercalated cell.

主細胞は，頂上部に**一次線毛**をもち，中等度のヒダ状陥入と，ミトコンドリアを伴う基底外側領域をもっている．これらは Na^+，K^+-ATPase ポンプに依存した方法により，Na^+ と水を再吸収し K^+ を分泌する．ADH の存在下では，水は内腔から**アクアポリン -2** aquaporin-2 を通って入ってくる．

介在細胞は，頂部に微絨毛があり，多数のミトコンドリアをもち，H^+ または HCO_3^- を分泌する．介在細胞は，酸塩基平衡の重要な調節因子で，水を通さないと考えられている．

主細胞の一次線毛は，液体の流れと成分の**メカノセンサー**である．線毛の細胞膜には，膜タンパク質の**ポリシスチン -1** polycystin-1 と**ポリシスチン -2** polycystin-2 がある．ポリシスチン -1 は，細胞 - 細胞および細胞 - 細胞外マトリックスの接着タンパク質とみなされている．**ポリシスチン -2** は Ca^{2+} 透過性チャネルとして働く．

ポリシスチン -1 の遺伝子 *PKD1* またはポリシスチン -2 の遺伝子 *PKD2* のどちらかに突然変異があると，**常染色体顕性多発性嚢胞腎** autosomal dominant polycystic kidney disease（ADPKD）になる．*PKD1* または *PKD2* の発現が完全に欠失すると，拡張した集合管由来の多数の腎嚢胞が生じる．ADPKD の患者は 30 歳

Box 14.B | 線維芽細胞成長因子（FGF）23，腎臓とリン酸代謝

- ヒトの FGF ファミリーは，22 のメンバーから構成され，胚発生，器官形成，代謝などの役割を担っている．その 1 つである FGF23 は，骨細胞由来のタンパク質であり，腎臓を標的としてリン酸排泄を増加させることにより，血清リン酸値を低下させる．また，FGF23 は，1,25- ヒドロキシコレカルシフェロールを活性型に変換する酵素である腎 1-α- 水酸化酵素を阻害することにより，活性型ビタミン D の循環レベルを低下させる．**副甲状腺**では，FGF23 が副甲状腺ホルモンの分泌を抑制する．その結果，FGF23 によって引き起こされるリン酸塩尿は，PTH と活性型ビタミン D の循環レベルの低下によってもたらされる．
- FGF23 は 32kDa（kd）の糖タンパク質で，チロシンキナーゼである FGF 受容体（FGFR）に結合し，コアセプターである klotho と相互作用する．klotho（130kd）は，もともと老化防止タンパク質として同定された．klotho を欠損したマウスは，早老に関連した表現型の特徴を示す．
- FGF23 が結合すると，FGFR は klotho の存在下で 2 量体を形成し，特定のチロシン残基で相互に自己リン酸化し，細胞質アダプターであるホスホリパーゼ C-γ（PLC-γ）と FGF 受容体基質 2α（FRS2α）によって下流のシグナル伝達が開始される．第 3 章で述べたように，PLC-γ はジアシルグリセロールとイノシトール 1,4,5- 三リン酸（IP3）の生成を触媒し，細胞質のカルシウムレベルを上昇させる．

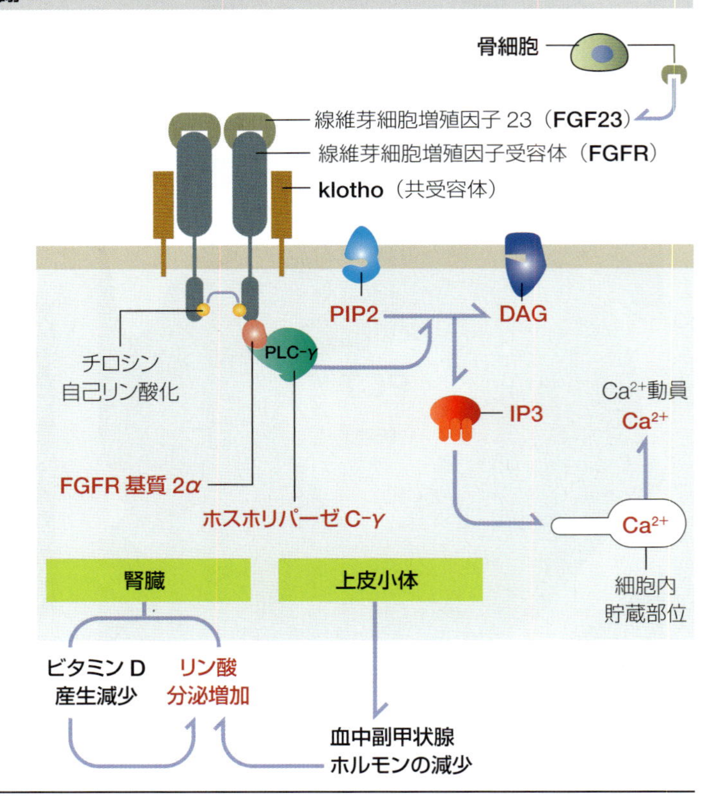

図 14.13 | 腎臓髄質

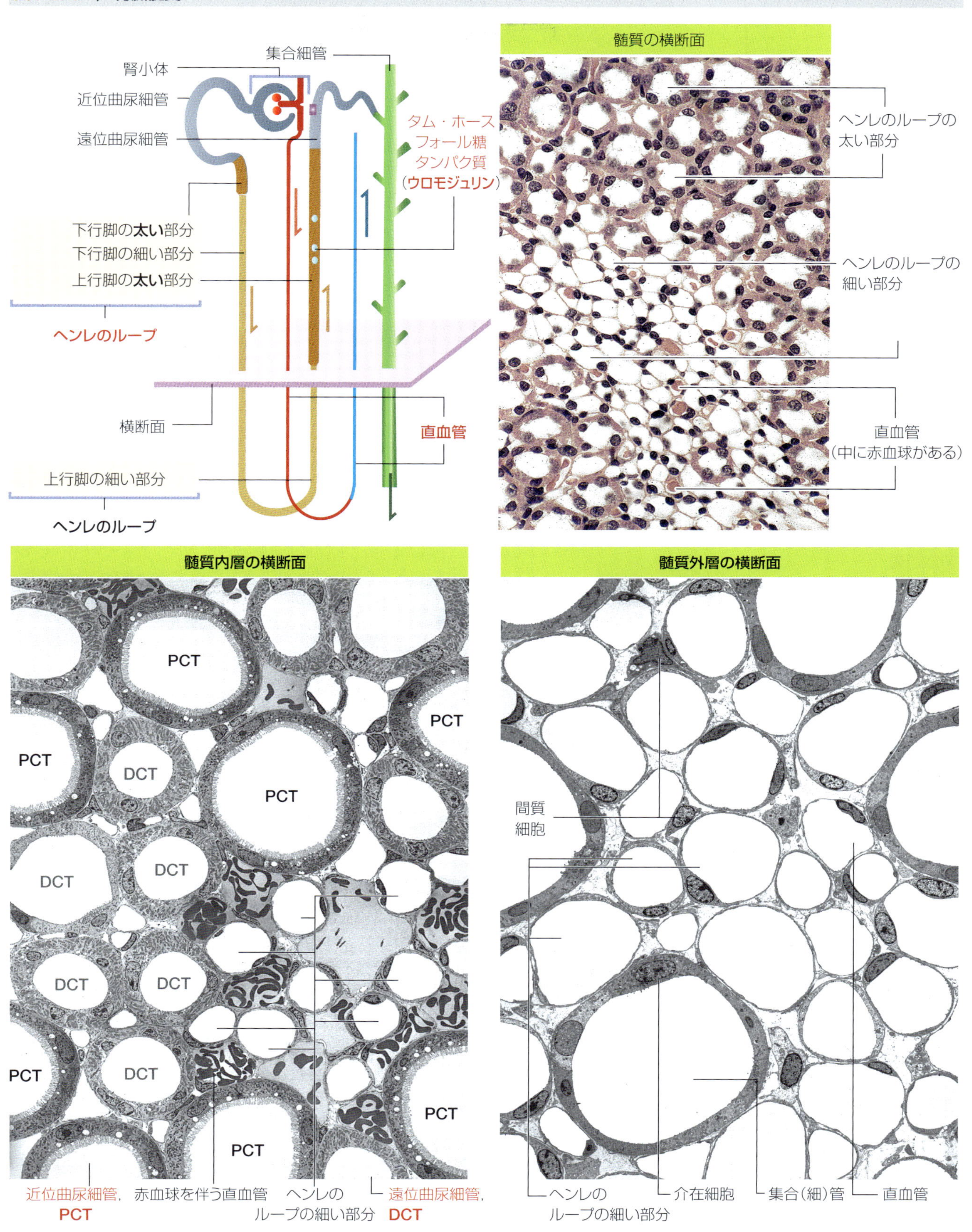

電子顕微鏡写真：Wilhelm Kriz, Heidelberg, Germany の厚意による．

図 14.14 | 腎臓の髄質

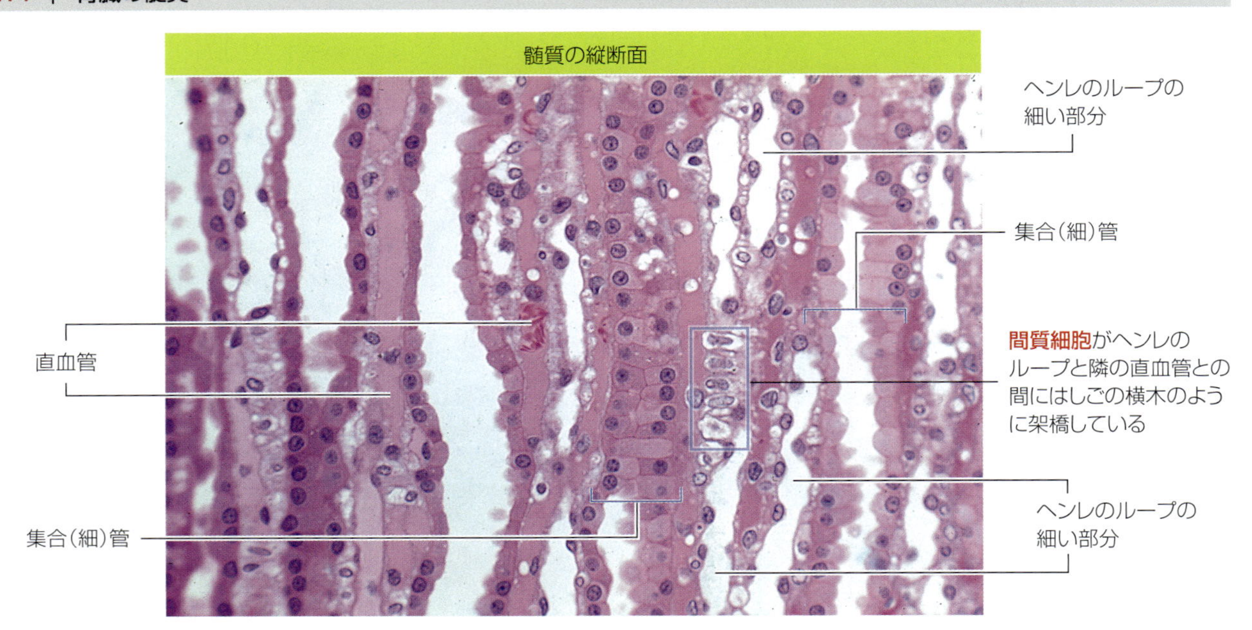

代以降でみられる高血圧と進行性腎不全が特徴的である．腎透析と腎移植によって患者の寿命を延ばすことができる．

腎臓の間質

図 14.14 で示したように，ヘンレのループから隣の直血管にかけてはしご段のように縦に連なる**常駐性線維芽細胞** resident fibroblast が存在する．免疫系の遊走細胞の**樹状細胞**も腎臓の間質にみられる．

間質の細胞には 2 つの集団がある：

1. **腎皮質線維芽細胞**.
2. **腎髄質線維芽細胞**.

皮質線維芽細胞は皮質髄傍帯に多く，**エリスロポエチン**を産生する．合成エリスロポエチンは，慢性腎不全やがんの化学療法に伴う貧血の治療に使われている．エリスロポエチンが赤血球の産生を刺激する機序については，第 6 章において述べている．

髄質線維芽細胞は，髄質内層にあり，はしご状に配列して，細胞質には脂質が含まれている．グリコサミノグリカンや血管作動性のプロスタグランジン E2 を産生し，腎乳頭の血流を調節していると考えられる．

クラス II 主要組織適合性抗原を発現する活性化された樹状細胞と炎症細胞（マクロファージとリンパ球）は，腎毒性のある薬物（重金属やペニシリン過敏症）や全身性エリテマトーデスなどの免疫機構によって引き起こされる**間質性腎炎** interstitial nephritis（**尿細管間質性疾患**）に関与する．

尿の排泄路（尿路）（図 14.17）

乳頭管 papillary duct の開口部（乳頭孔）から放出された尿は，**腎杯** calix，**腎盤（腎盂）** pelvis を経て**尿管** ureter を通り，**膀胱** urinary bladder に入る．

蠕動波が腎杯から広がり尿管を伝わって，尿を膀胱へ送る．

尿管と膀胱（図 14.17）の壁にはヒダ（**襞** fold）またはシワ（**皺** ruga）がある．膀胱が尿で満たされると，ヒダが平坦になり，膀胱内圧の上昇を最小限に抑えて膀胱容積が増大する．

腎杯，腎盤，尿管および膀胱の内面は，拡張や収縮に応じて移行する偽重層上皮の一種である**尿路上皮** urothelium（**移行上皮** transitional epithelium）で覆われている．尿路上皮は基底細胞，中間細胞，ドーム状の表層細胞から構成されており，これらの細胞はすべて基底膜に接している．この上皮とその直下の線維弾性体である固有層は，**らせん方向と縦方向の混在する平滑筋線維層**に囲まれている．

膀胱では，不規則に配列した平滑筋細胞の混合束が，合胞体的な**排尿筋** detrusor muscle をなしている．膀胱の頸部では，3 層（内縦，中輪，外縦）の筋線維束が機能的な内括約筋を形成している．

排尿 micturition は膀胱を空にする過程で，排尿反射，自動脊髄反射，および副交感神経による排尿筋の収縮刺激が関与する．

腎石症 nephrolithiasis は腎臓に結石をもつ状態で，カルシウム塩，尿酸，酢酸アンモニウム・マグネシウムなどからなり，尿が濃縮されたときに結晶化して生じる．

尿管内に結石が詰まると，平滑筋が収縮して脇腹に激痛が起こる．

男性の尿道 male urethra は 20 cm の長さがあり，3 つの部分からなる．膀胱から出ると，前立腺を貫く**尿道前立腺部** prostatic urethra（**移行上皮** transitional epithelium をもつ），短い**尿道隔膜部** membranous urethra に続き，**尿道陰茎部（尿道海綿体部）** penile（spongy）urethra になって陰茎の海綿体に包まれる（図 21.12 参照）．隔膜部と海綿体部の両者では，偽重層または重層円柱上皮が内面を覆う．

女性の尿道 female urethra は 4 cm の長さで，縦走する微小ヒダのある粘膜は偽重層円柱上皮から重層扁平上皮に覆われ，外尿道口付近では低角化重層扁平上皮に覆われる．粘膜固有層には弾性線維と静脈叢がある．壁には**外横紋筋層** external striated

図 14.15 | 遠位曲尿細管（DCT）

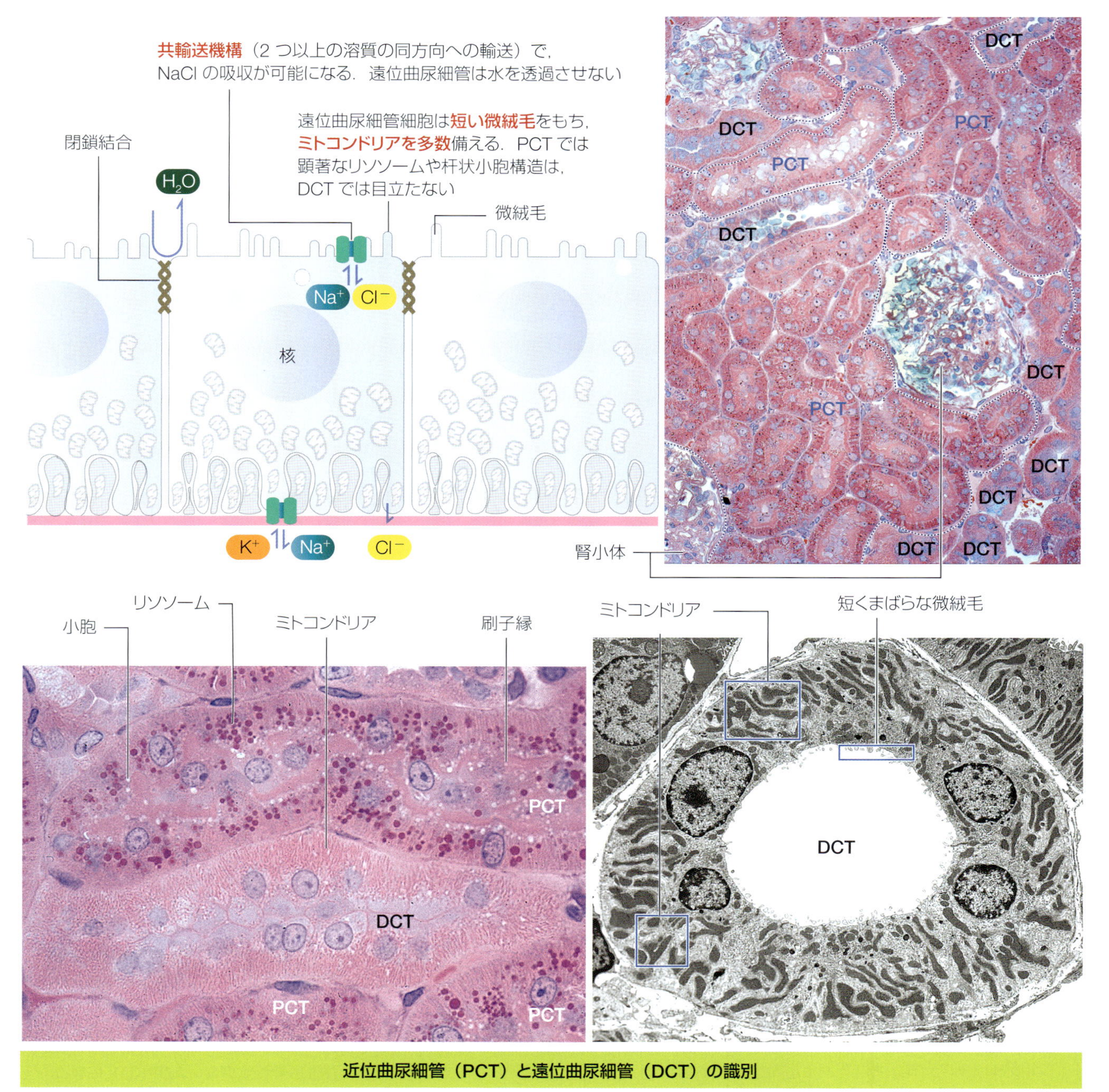

近位曲尿細管（PCT）と遠位曲尿細管（DCT）の識別

PCT と DCT を同定識別するための指標として，次のものがある：
1. 両者とも，腎小体の近傍にある．
2. PCT は多くの**リソソーム**（両方の光学顕微鏡写真で濃く染まっている）を含む．
3. PCT の**頂上領域**には，著明な**刷子縁**（**微絨毛**）と**小胞**がある．一方，DCT の頂上領域には微絨毛や小胞が少ない．
4. PCT と DCT の上皮細胞には，多数**ミトコンドリア**がある（基底線条）．

電子顕微鏡写真：Wilhelm Kriz, Heidelberg, Germany の厚意による．

muscle layer と**内平滑筋層** inner smooth muscle layer（内括約筋に続く）がある．男性と女性の尿道の構造の詳細については，第 21 章および第 22 章にそれぞれ記述されている．

水と NaCl 吸収の制御

いくつかのホルモンや因子が水や NaCl の吸収を調節する（Box 14.C に**浸透圧調節**に関する用語をまとめてある）：

1. **アンギオテンシン II** angiotensin II は，近位曲尿細管での

図 14.16 | 集合（細）管

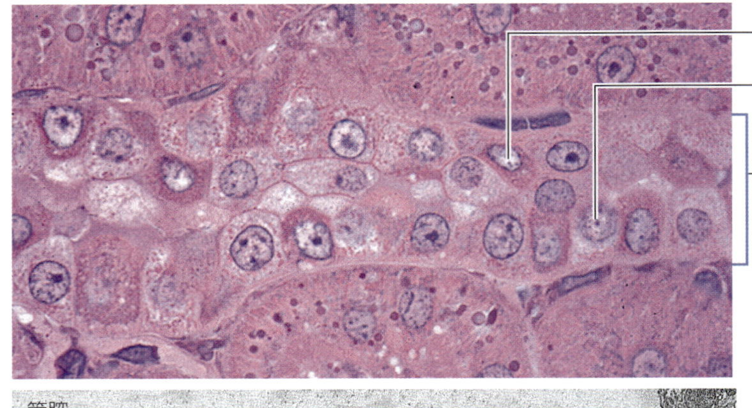

管腔
ミトコンドリアは基底部細胞質にあり，あまり多くない
ミトコンドリアは細胞質全体に豊富
主細胞
介在細胞

主細胞による水の吸収

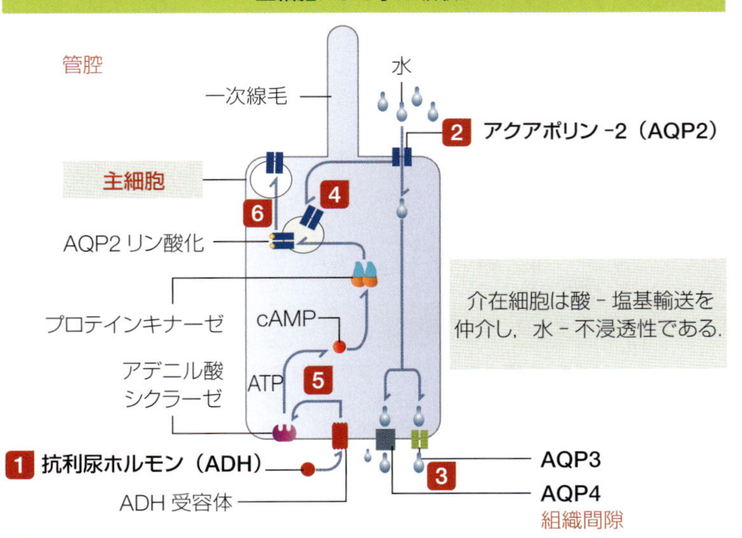

1 **ADH** がその受容体に結合すると，水は **AQP2** を介して内腔から主細胞に入り（**2**），AQP3 と AQP4 を介して組織間隙に出る（**3**）．AQP2 は細胞内移行によって阻害される（**4**）．

ADH による AQP2 の制御は cAMP 依存性のメカニズムで行われ（**5**），内部移行した AQP2 がリン酸化されると活性化され，内腔側の細胞膜に再配置される（**6**）．

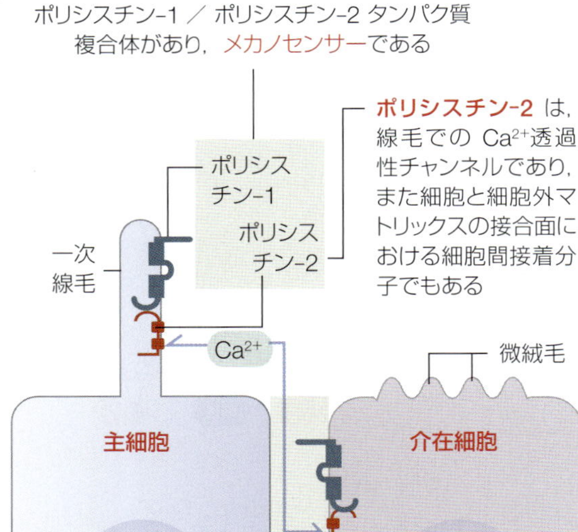

常染色体顕性多発性嚢胞腎

ポリシスチン-1 とポリシスチン-2 タンパク質は，主に集合管上皮の主細胞の線毛に発現し，*PKD1* と *PKD2* の 2 つの遺伝子にそれぞれコードされている．そのいずれかが変異すると**常染色体顕性多発嚢胞腎症**（**ADPKD**）になる．

ポリシスチン-1 は，タンパク質や糖質，脂質と相互作用する膜受容体である．**ポリシスチン-2** は Ca^{2+}透過チャネルである．

ADPKD 症例の 85 ～ 90% は *PKD1* 遺伝子の変異によるもので，10% が *PKD2* 遺伝子の変異による．

PKD1 または *PKD2* 遺伝子発現が完全に失われると，両側腎臓の著しい嚢胞性拡大がみられる．嚢胞は，集合管の拡張に由来し，元のネフロンに連絡したままである．ネフロンの部分も嚢胞性拡張を示す．

臨床的には高血圧と腎不全が現れる．

図 14.17 | 膀胱と尿管

膀胱

膀胱の**粘膜**にはヒダがあり，尿路上皮に覆われる．線維弾性結合組織がヒダの中に伸びて入る．

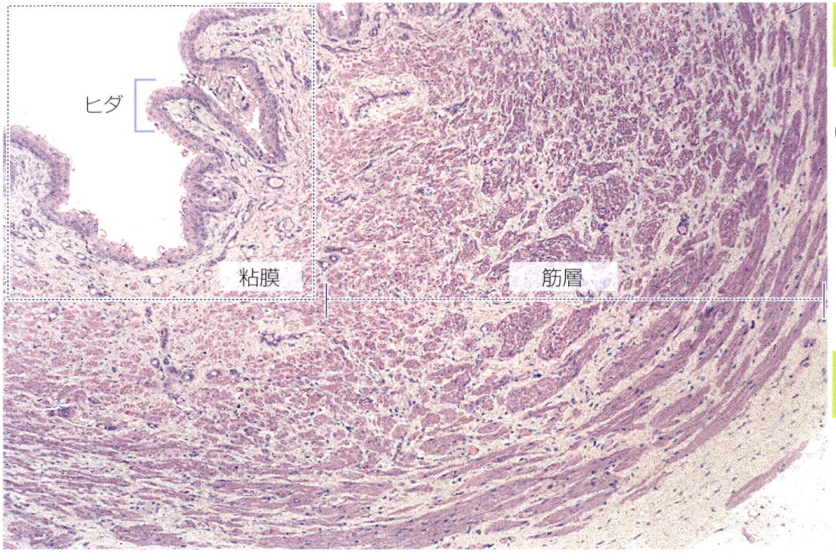

筋層は多数の平滑筋細胞束からなり，不規則ながら外層と内層が縦走し，中層が輪走するような走行を示す．

空の状態の膀胱の尿路上皮

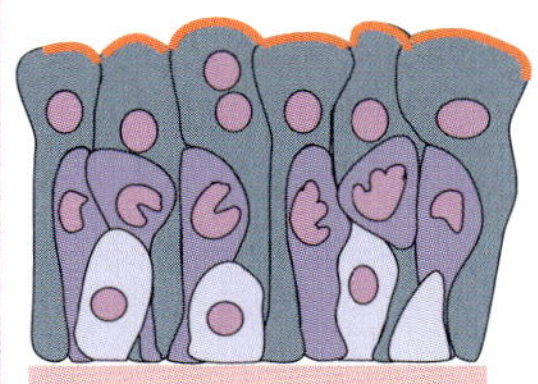

尿の溜まった膀胱の尿路上皮

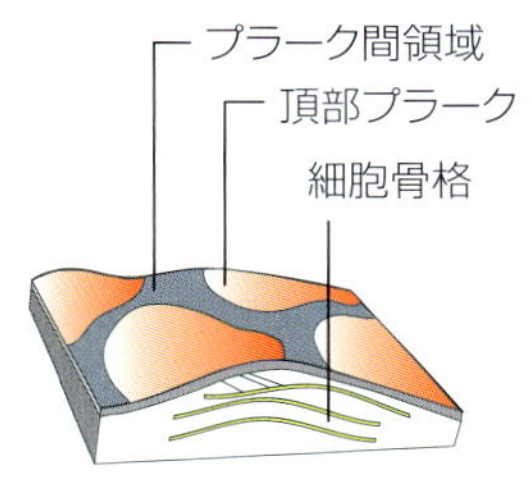

プラークは，**ウロプラキン**という六角形の膜内タンパク質が凝集して形成され，その細胞質側には細胞骨格タンパク質が固定されている．

プラーク

尿路上皮

膀胱内に尿があるときとないときに応じて伸縮できることで，尿路上皮は移行上皮としての性質を示す．

頂部のプラークは厚い領域をつくり，表面積の大きな変化にも対応できる．

線維弾性結合組織

外膜

筋層

尿路上皮

管腔

尿管

尿管の粘膜は尿路上皮に覆われる．粘膜の外を線維弾性固有層が，さらに 2～3 層のらせん状平滑筋からなる筋層が取り巻く．最外周には疎性結合組織と脂肪組織を含んだ外膜がある．

膀胱の尿路上皮は，ウロプラキン被膜，トル様受容体，抗菌ペプチド（**AMP**）のカテリシジン，β-ディフェンシンなどによって保護されている．

基底膜下の常駐見張り細胞（resident sentinel cell：肥満細胞，Ly6C⁻マクロファージ，ナチュラルキラー細胞）は，サイトカインを分泌して，血流から免疫細胞（好中球や Ly6C⁺マクロファージなど）をよび込むことができる．

内腔では，尿路病原性大腸菌（UPEC）-ウロモジュリン複合体がトル様受容体に結合し，防御反応を引き起こす．

細菌は，肛門部に由来し，会陰部を介して尿路に達する．

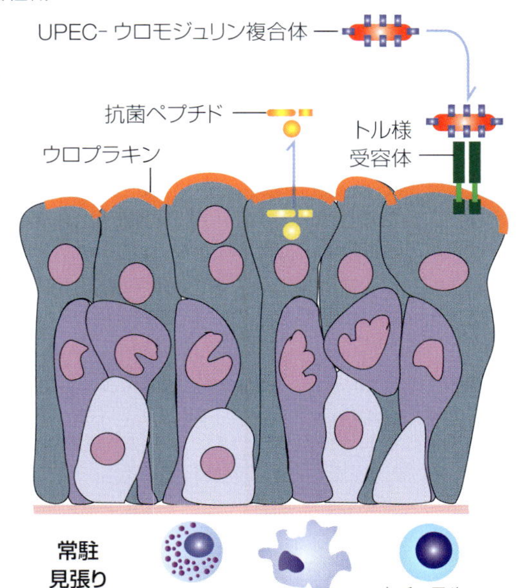

NaCl と水の再吸収を刺激する．細胞外液量の減少は，レニン - アンギオテンシン - アルドステロン系を活性化し，血漿アンギオテンシン II が増加する．

2. **アルドステロン** aldosterone は副腎皮質の球状帯細胞で産生され，ヘンレのループ上行脚，遠位曲尿細管および集合管での NaCl の再吸収を刺激する．アンギオテンシン II と K^+ の血漿濃度の上昇はアルドステロンの分泌を促す．
3. **心房性ナトリウム利尿ペプチド** atrial natriuretic peptide は，心房筋細胞から分泌される 28 アミノ酸のペプチドで（図 12.3 参照），NaCl と水の尿中排泄を増加させ，NaCl の再吸収を抑制するという 2 つの主な機能をもつ．

   心房 - 腎反射は，左心房の拡張を感知してナトリウムと水の排泄を促進し，レニンとアルドステロンの分泌を低下させる．
4. **抗利尿ホルモン** antidiuretic hormone（ADH）すなわち**バソプレシン** vasopressin は，水分バランス調節に最も重要なホルモンである．ADH は小さなペプチド（9 アミノ酸長）で，**視床下部**の**視索上核**と**室傍核**の神経内分泌細胞によって合成される．

   細胞外液量が減少すると（血液量減少），ADH が集合管の水透過性を高め，水の再吸収を増加させる．ADH がないと，集合管は水を透過させない．ADH は NaCl の尿中排泄にほとんど影響しない．

尿崩症 diabetes insipidus は，ADH の分泌低下に伴う疾患（**中枢性尿崩症**）または循環している ADH に対する腎臓の反応不全（**腎性尿崩症**）である．ADH がない場合，**高浸透圧**を是正するための水分の再吸収が行われず，**高ナトリウム血症** hypernatoremia（血漿中のナトリウム濃度が高い）や，**多尿** polyuria（尿の量が多く，頻回になる），**多飲** polydipsia（口渇と多量の飲水）がみられる．

糖尿病 diabetes mellitus では，血漿中のグルコース濃度が異常に高くなっている．グルコースは近位曲尿細管での再吸収能を超え，尿細管内グルコース濃度が上昇する．浸透圧効果が働いて，ADH 存在下でも尿細管内グルコースが水の再吸収を妨げる．

糖尿病の患者では，**糖尿** glucosuria（尿中にグルコースがある状態）による**浸透圧利尿**のために，多尿と多飲がみられる．尿崩症の患者には糖尿はみられない．

Box 14.C | 浸透圧制御

- **モル浸透圧濃度** osmolality は，体液中の溶質の濃度である．モル浸透圧濃度の変化は，水の増減または**浸透圧モル** osmoles（例：グルコース，尿素，塩分）の増減に依存する．血漿の重量モル浸透圧濃度は，過剰な水の排泄，喪失した水の回復，体内の溶質濃度の正常化によって正常に維持される．
- **容量モル濃度** molarity と**質量モル濃度** molality は，溶液中の溶質濃度をいう．容量モル濃度の単位は mol 溶質／L 溶液である．質量モル濃度の単位は mol 溶質／kg 溶媒である．**重量モル浸透圧濃度** osmolality と**容積モル浸透圧濃度** osmolarity は溶液中の複合物（例：NaCl）のモル数ではなく，溶液中の溶質粒子（例：Na^+ と Cl^- は別々に）のモル数を表す．
- **浸透** osmosis は，低濃度の溶液から高濃度の溶液の方へ水（溶媒）が膜を通って受動的に拡散していくことである．膜の両側で溶質の量が等しくなると**浸透平衡** osmotic equilibrium に達して，水の流入が止まる．浸透は，異なる分子の種類に関係なく粒子の数に依存している（例：Na^+ と Cl^- [訳注：正確には，濃度差をなくそうと流入する水の圧と流入した結果生じる静水圧とが等しくなると，浸透平衡に達する]）．
- **浸透圧** osmotic pressure は，浸透平衡状態に至るまでにどれだけの水が流入したかを示している．膜の両側の区画のモル浸透圧濃度は，仕切った区画の浸透圧を決定する．
- **細胞膜のポンプとチャネル**は，水と同じく溶質が膜を挟んで両側に均等には分布しないようにしている．もし溶質が均等に分布している場合，浸透を起こすような濃度勾配は存在しない．
- **有効浸透圧モル** effective osmoles．尿素のような溶質は浸透圧を生じないので，有効浸透圧モルとはいえない．Na^+，K^+，Cl^- などは有効浸透圧モルである．ポンプやチャネルは，細胞外の Na^+ と細胞内の K^+ を有効浸透圧モルとして維持している．
- **アクアポリン** aquaporin．アクアポリンとよばれる細胞膜水チャネルが細胞の水に対する透過性を促進している．組織が異なるとアクアポリンの量も変わるが，多かれ少なかれ，細胞は他の物質より水に対する透過性が高い．抗利尿ホルモンは集合管にアクアポリンの配置を決定することで，水の透過性を高めている（図 14.16）．

レニン - アンギオテンシン系（RAS）（基本事項 14.B）

RAS は，**尿細管糸球体フィードバック機構** tubuloglomerular feedback mechanism の重要な一部で，血流量が減少した際，体循環動脈圧の維持に不可欠である．血流量の減少は，糸球体濾過率と NaCl 濾過量の低下を招く．

NaCl 濾過量の低下は緻密斑で感知され，それが RAS を発動して，レニン分泌と血管収縮作用物質のアンギオテンシン II 産生を引き起こす．

尿細管糸球体フィードバック機構は次のような構成である：

1. **糸球体コンポーネント**：**糸球体傍細胞**は輸入細動脈の筋細胞壁に多くみられるが，輸出細動脈にも少数みられる．糸球体傍細胞はレニンを合成，貯蔵，放出する．交感神経線維の亢進は**レニン**の分泌増加を引き起こす．
2. **尿細管コンポーネント**：**緻密斑**は，ヘンレのループの太い上行脚内からの尿中 NaCl 含量を感知してレニン分泌を仲介する．緻密斑への NaCl 到達量が減少すると，レニン分泌が増強される．逆に NaCl が増えると，レニン分泌は減弱する．

RAS は，次のような構成である：

1. **アンギオテンシノーゲン**（AGT）：肝臓でつくられる循環血漿タンパク質．
2. **レニン**：**糸球体傍細胞**が産生するタンパク質分解酵素．レニンは**アンギオテンシノーゲン**を**アンギオテンシン I**（ANG I，生理的機能不明のデカペプチド）に変換する．
3. **アンギオテンシン変換酵素**（ACE）：肺の**内皮細胞**に由来し，**アンギオテンシン I** をオクタペプチドの**アンギオテンシン II**（ANG II）に変換する．

ANG II にはいくつかの重要な機能がある：

1. 副腎皮質によるアルドステロン分泌を刺激する．
2. 血管収縮作用により血圧を上昇させる．ANG II は，**ANG II 受容体タイプ 1**（AT1R）に結合する．ANG II 受容体拮抗薬（ARB）は，血圧上昇を抑制するために臨床で広く使用され

基本事項 14.B | レニン - アンギオテンシン系（RAS）*

レニン - アンギオテンシン系 RAS

尿細管糸球体フィードバック機構を刺激するもの：
1. 細胞外液量の減少（血液量減少）.
2. 腎臓の血圧低下（低血圧）.
3. 緻密斑での Na^+ 濃度の低下.

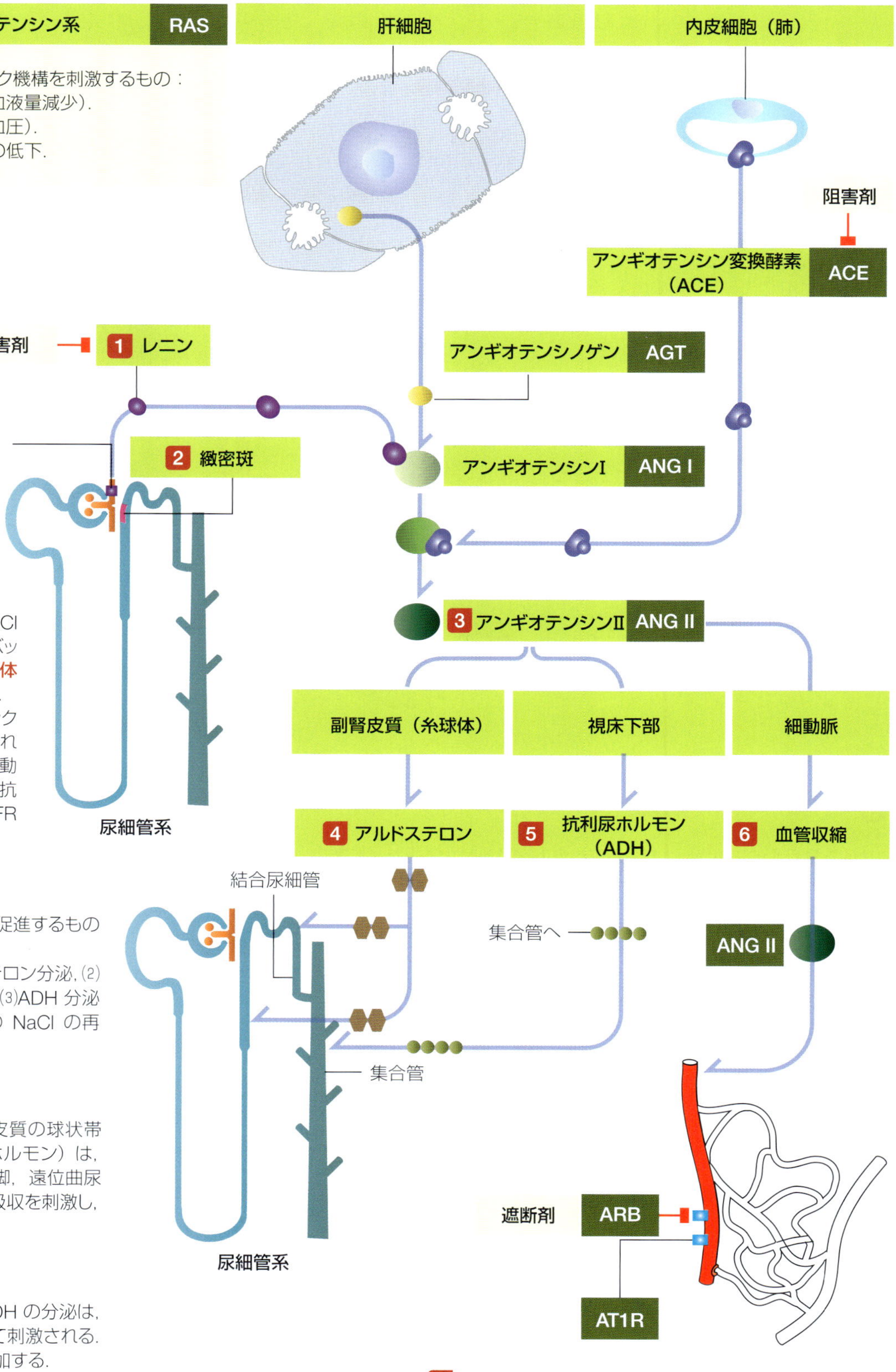

肝細胞

内皮細胞（肺）

阻害剤

アンギオテンシン変換酵素（ACE） ACE

阻害剤 1 レニン

アンギオテンシノゲン AGT

2 緻密斑

アンギオテンシンI ANG I

3 アンギオテンシンII ANG II

副腎皮質（糸球体）

視床下部

細動脈

4 アルドステロン

5 抗利尿ホルモン（ADH）

6 血管収縮

尿細管系

結合尿細管

集合管へ

ANG II

集合管

遮断剤 ARB

AT1R

尿細管系

1 輸入細動脈の糸球体傍細胞．輸入細動脈は圧受容体のようにふるまう．血圧が低下した場合，レニンの分泌は刺激される．

2 緻密斑に到達する NaCl 量が尿細管糸球体フィードバック機構の過程によって**糸球体濾過率**（**GFR**）を調節する．
　尿細管糸球体フィードバック機構は，（緻密斑で感知される）NaCl 濃度の変化に連動して輸出・輸入細動脈の抵抗性を制御し，腎血流量と GFR の自動的制御を行っている．

3 **アンギオテンシン II** が促進するものは以下である：
(1)副腎皮質によるアルドステロン分泌，(2)細動脈収縮による血圧上昇，(3)ADH 分泌と口渇，(4)近位曲尿細管での NaCl の再吸収．

4 **アルドステロン**（副腎皮質の球状帯から分泌されるステロイドホルモン）は，ヘンレのループの太い上行脚，遠位曲尿細管および集合管による再吸収を刺激し，NaCl の排泄を減少させる．

5 神経性下垂体による ADH の分泌は，アンギオテンシン II によって刺激される．集合管での水の再吸収が増加する．

6 細動脈の収縮は血圧を上昇させる．ANG II は，ANG II 受容体 1 型（**AT1R**）を介して作用を発揮する．臨床では ANG II 受容体拮抗薬（**ARB**）が使用されている．

図 14.18 | 対向流増幅機序と交換機構

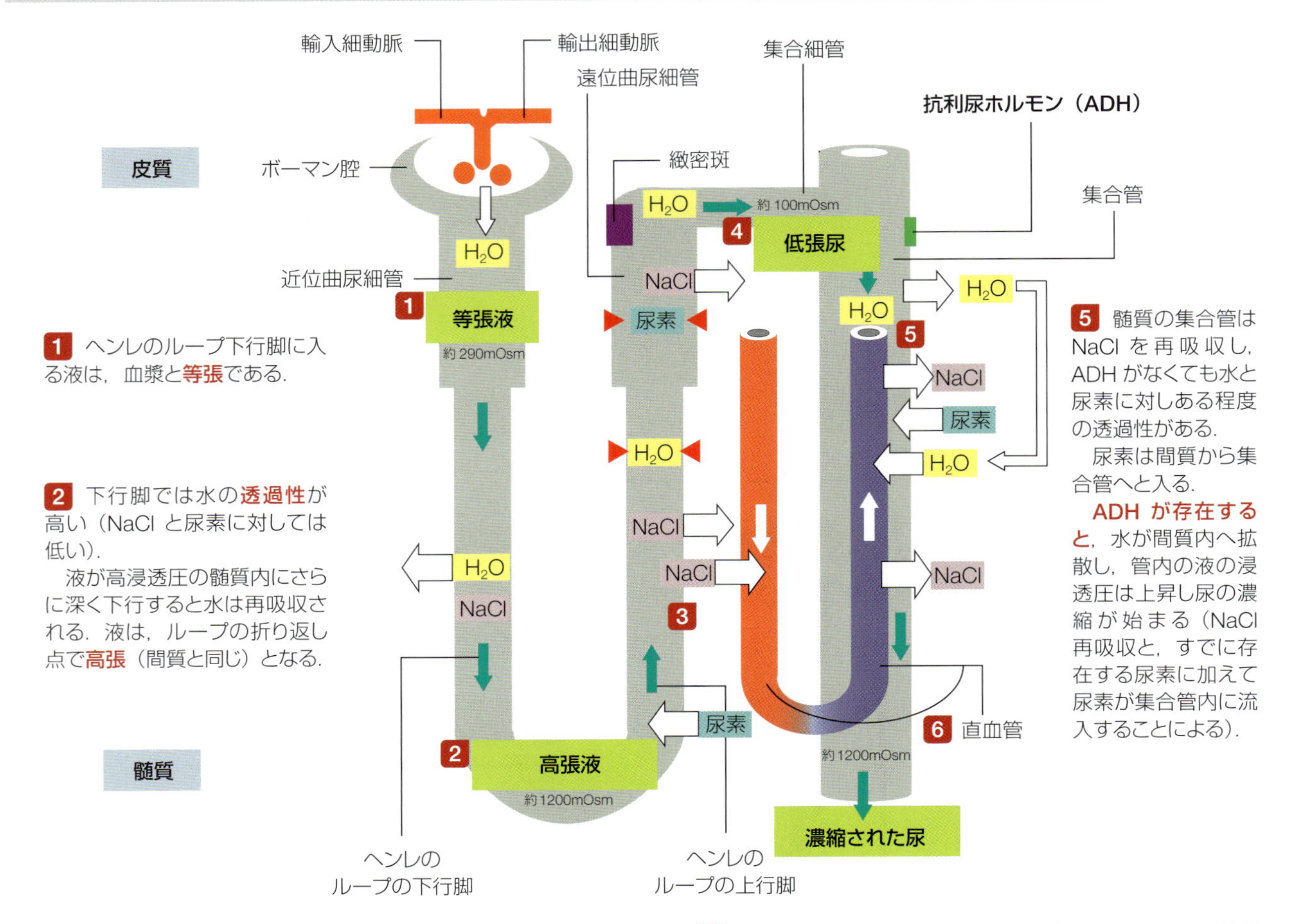

3 上行脚は水に対して**非透過性**で，NaCl と尿素に対して透過性がある．

NaCl は受動的に再吸収され（管腔内の NaCl 濃度は間質 NaCl 濃度より高い），尿素は細管内液へ拡散する（管腔内の尿素濃度は間質よりも低い）．

管内の液は希釈され，尿は徐々に血漿に比較して**低張**になる．

間質液の NaCl と尿素（およびその他の溶質）が再吸収の原動力となることに注目してほしい．

尿素は肝臓でタンパク質の代謝産物としてつくられ，糸球体濾過によってネフロン内に入る．

4 遠位曲尿細管と集合管の一部は，（**アルドステロン**の影響の下に）NaCl を再吸収するが，尿素を透過させない．

ADH が欠乏すると，集合管は水に対する透過性を失い（NaCl は水を伴わないで再吸収される），浸透圧は低下する．集合管に入る液は**血漿に比較して低張**である．

6 **直血管**は，ネフロンの部分から間質に持続的に付加される過剰の水と溶質を血流依存性に取り去る．

ている．

3. ネフロンの近位曲尿細管（PCT）と集合管による NaCl 再吸収を増強させる．
4. ADH 放出を刺激する．

アルドステロンは，まず**集合管の主細胞**，次にヘンレのループの太い上行脚に働き，頂部細胞膜からの NaCl の流入を増加させる．

他のステロイドホルモンと同様に，アルドステロンも細胞内に入って細胞質の受容体に結合する．アルドステロン・受容体複合体は，核に移動して，NaCl の再吸収に必要とされる遺伝子発現活性を高める．

活性化された RAS は，心血管疾患や腎疾患の主要な危険因子である．**RAS 阻害剤**（**レニン阻害剤**，**ACE 阻害剤**，**ARB**）は，臨床で広く使用されている．また，RAS は代謝性疾患にも深くかかわっている．RAS 阻害剤は 2 型糖尿病の高リスク集団においてその発症を予防することが示されている．

対向流増幅機序と交換機構（図 14.18）

腎臓は，水分バランスを調節し，体外に水を放出する主な場所である．水は，皮膚からの蒸散や，消化管（便中の水分や下痢）からも失われる．

腎臓による水の排泄は，Na^+，Cl^-，K^+，H^+ や尿素など他の物質とは独立して行われる．腎臓は，**濃厚な**（高張）尿，**希薄な**（低張）尿，どちらも排泄する．

ADH は，他の溶質の排泄を変化させずに尿の量と浸透圧を調節する．ADH の第 1 の作用は，集合管での水透過性を高めるこ

図 14.19 | 利尿薬の作用機序

利尿薬は，特異的な膜輸送タンパク質に作用することで，尿の排出を増量（**利尿**）させる薬物である．利尿薬によくある効果は，Na^+の排泄の増加（**ナトリウム利尿**）に至るネフロンによるNa^+再吸収の抑制である．

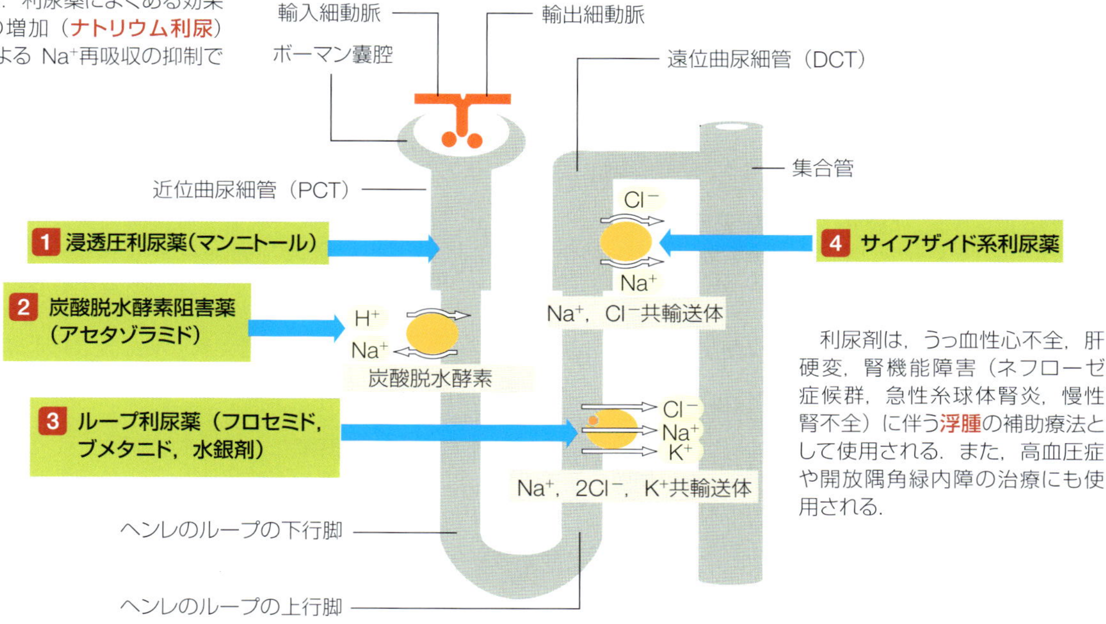

利尿剤は，うっ血性心不全，肝硬変，腎機能障害（ネフローゼ症候群，急性糸球体腎炎，慢性腎不全）に伴う**浮腫**の補助療法として使用される．また，高血圧症や開放隅角緑内障の治療にも使用される．

1 浸透圧利尿薬（マンニトール）

浸透圧利尿は，**PCT とヘンレのループの細い下行脚**の上皮細胞を通る水の輸送に影響する．浸透圧利尿薬は糸球体濾過によってネフロンに入り，浸透圧勾配を生む．

浸透圧利尿薬は特異的な膜輸送タンパク質を阻害しない．異常に高濃度の尿素とグルコースがあると（糖尿病や腎疾患），これらは浸透圧利尿薬のようにふるまう．

2 炭酸脱水酵素阻害薬（アセタゾラミド）

炭酸脱水酵素阻害薬は，主に PCT に存在する同酵素に作用してNa^+の再吸収を減少させる．PCT 細胞の頂部細胞膜のNa^+，H^+交互輸送体は，Na^+移送をH^+に依存している．

H^+は管内液に分泌され，そこで濾過されてきたHCO_3^-に結合し，H_2CO_3 を形成する．PCT の頂部細胞膜にある炭酸脱水酵素により，H_2CO_3 は CO_2 と H_2O に分解され，CO_2 と H_2O の再吸収が促進される．分泌されるH^+の量はNa^+に依存するので，炭酸脱水酵素を阻害すると，Na^+，H_2O と HCO_3^-再吸収が減少し，ナトリウム利尿がもたらされる．

3 ループ利尿薬（フロセミド，ブメタニド，水銀剤）

ループ利尿薬は，**ヘンレのループの太い上行脚**でのNa^+再吸収を抑制するもので**最も強力**である．この作用は上皮細胞の頂部細胞膜にあるNa^+，$2Cl^-$，K^+共輸送体をブロックすることによる．

ループ利尿薬はまた，対向流増幅機構（尿を希釈したり濃縮したりできる）の過程を乱す．

4 サイアザイド系利尿薬（クロロサイアザイド）

サイアザイド系利尿薬は，**DCT の始部**におけるNa^+再吸収を阻害する．これは，上皮細胞の頂部細胞膜にあるNa^+，Cl^-共輸送体をブロックすることによる．ネフロンのこの部分は水を透過せず，尿が希釈される領域であるから，サイアザイドは NaCl 再吸収を抑制することによって，尿を希釈する能力を減少させる．

とである．付加的な作用として，集合管髄質部での尿素に対する透過性を増加させる．

図 14.18 に尿の生成と排泄の要点を概説する：

1. 近位曲尿細管からヘンレのループに入る液は，血漿と**等張**である．
2. **ヘンレのループの下行脚は水の透過性が高く，NaCl に対しては低い．**液が**高張性**の間質に下っていくと，水と NaCl が平衡を保ち，管の液は高張になっていく．
3. 液が**ループの折り返し**点に達すると，その成分は**高張**である．
4. **ヘンレのループの上行脚**は**水を透過しない．**腔内の NaCl 濃度は間質より高く，再吸収され，直血管の下行（動脈）部に入る．したがって，この部分を通った液は，**低張性**である．ネフロンのこの部分を希釈領域ともいう．
5. 遠位曲尿細管と集合管皮質部は，NaCl を再吸収する．ADH **欠乏時**は水の透過性が低い．ADH **存在下**で，水は集合管から間質へ拡散して，直血管の上行（静脈）部に入る．尿濃縮の過程が始まる．

6. 集合管**髄質部**は，尿素を再吸収する．少量の水分が吸収され，尿は濃縮される．

ヘンレのループの重要な機能は，腎皮質（約 290 mOsm/kg）から髄質の先端（約 1200 mOsm/kg）まで上昇する間質の浸透圧勾配を生成して維持することである．

ヘンレのループが高張な髄質の浸透圧勾配をつくり出すしくみは，**対向流増幅** countercurrent multiplication として知られている．

このことは次のことに基づく：

1. ヘンレのループの並行する 2 本の脚において**液の流れが反対方向**であること（**対向流** countercurrent flow）．
2. 下降脚と上行脚におけるナトリウムと水の**透過性の違い**．
3. 上行脚の太い部分での**ナトリウムの活発な再吸収**．

次のことに注意すること：

1. 下行脚の液は**髄質内へ**，上行脚では**髄質から外へ**向かって流れる．
2. ヘンレのループの下行脚と上行脚は対向流となって，両脚間の浸透圧勾配を増幅する．
3. ヘンレのループの**上行脚**での NaCl 再吸収が**間質の浸透圧を高くする**．
   このことは，血漿よりも高浸透圧の尿が尿細管系から排泄されるのに重要なステップである．
4. 髄質内へ深く進むほど，NaCl の濃度は高くなる．NaCl 濃度が最高になるのは腎乳頭のところである．この**髄質濃度勾配**は，対向流増幅機序で再吸収された NaCl が蓄積した結果である．
5. **直血管**は栄養と酸素を尿細管系に運ぶ．また，対向流増幅過程で連続的に加えられる過剰の水と溶質を運び出す．直血管の血流増加は髄質濃度勾配を減らす．

利尿薬の作用機序（図 14.19）

利尿薬の主な作用は，ネフロンでの Na^+ 再吸収を抑制して，Na^+ 排泄を増加させることである．この機序により，Na^+ の排泄は，尿中に排泄される水分を取り込んでいる．

利尿薬の効果は**細胞外液**（**ECF**）量と**有効循環液量**（**ECV**）に依存している．ECV が減少した場合，**糸球体濾過率**（**GFR**）は減少し，濾過される Na^+ 量も減少して，近位曲尿細管での Na^+ の再吸収が増加する．

これらのことを念頭におくと，遠位曲尿細管に働く利尿薬の作用は，ECV 減少時にはより低い濃度の Na^+ に妥協せざるを得ない．

図 14.19 に，浸透圧利尿薬，炭酸脱水酵素阻害薬，ループ利尿薬，サイアザイド系利尿薬の作用機序をまとめる．

次のことに注意すること：

浸透圧利尿薬は，近位曲尿細管とヘンレのループ下行脚での水と溶質の再吸収を抑制する．

炭酸脱水酵素阻害薬は，近位曲尿細管での Na^+，HCO_3^-，水の再吸収を抑制する．

ループ利尿薬は，ヘンレのループの太い上行脚での NaCl 再吸収を抑制する．ループ利尿薬によって Na^+ 濾過量の約 25% が排泄される．

サイアザイド系利尿薬は，遠位曲尿細管での NaCl の再吸収を抑制する．

泌尿器系 | 概念図・基本的概念

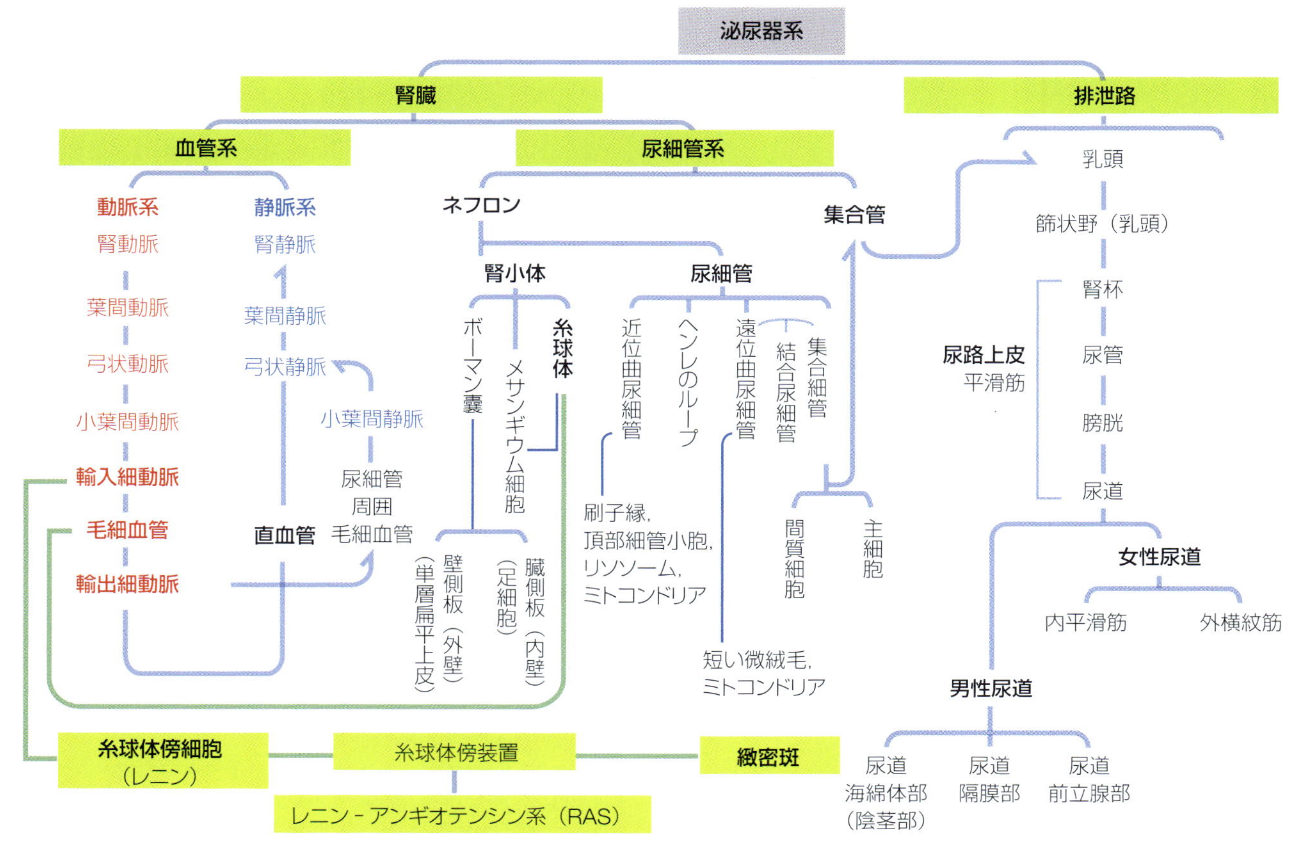

- 泌尿器系の機能：
  (1)**血液の濾過と老廃代謝産物の排泄**（タンパク質から尿素，核酸から尿酸，筋肉からクレアチニン，ヘモグロビン代謝産物のウロビリンは尿の色になる）．
  (2)**リン酸，水と電解質のバランスの調節．FGF23（線維芽細胞成長因子23）**は，骨細胞由来のタンパク質であり，腎臓を標的としてリン酸の排泄を増加させることにより，血清リン酸値を低下させる．FGF23は，カルシウム調節因子である副甲状腺ホルモン（PTH）の分泌を抑制する．
  (3)**動脈血圧を調節**．血液量を維持し，アンギオテンシン-アルドステロン経路の初発因子であるレニンを産生することによる．
  (4)**赤血球産生の制御**．腎間質細胞が産生するエリスロポエチンによる．慢性腎疾患では，エリスロポエチンの低下によって貧血をきたす．
  (5)**活性型ビタミンDの産生**．FGF23は，25-ヒドロキシビタミンDを活性型に変換する酵素である腎1-α-水酸化酵素を阻害することにより，循環血中活性型ビタミンDのレベルを低下させる．その結果，FGF23によるリン酸尿は，PTHと活性型ビタミンDの循環血中レベルの低下が原因である．

- 腎臓は，皮質と髄質からなる．
  皮質は皮質外帯と皮質髄傍帯に分けられる．
  髄質は髄質外層と髄質内層に分けられる．

- **腎血管系の構成は，腎臓の構造と機能を理解するためのカギとなる．**
  腎動脈は，腎臓に入ると分岐して葉間動脈となって腎錐体の側面に沿って腎柱を走る．皮髄境界部では，葉間動脈は走行を垂直方向から水平方向に転じ，弓状動脈となる．弓状動脈の垂直枝が腎皮質に入り，小葉間動脈となる．腎葉と腎小葉の境界を定義してみよう．
  腎葉は皮質と髄質が結合した三角形をしている．内層と外層からなる髄質領域が腎錐体を形成し，それを対応する皮質が覆っている．
  三角形の底面は腎被膜に覆われ，頂点は腎乳頭，側面はベルタンの腎柱で葉間動脈が通る．小腎杯は，多数の乳頭管の開口部である篩状野を有する乳頭から滴る尿を集める．
  腎小葉は，皮質の構造である．隣り合う小葉間動脈の間の皮質部であると定義される．小葉の軸は，対応する小葉内のネフロンから尿を集める1本の（ベリニの）集合管からなる（Ferreinの）髄放線である．おわかりのように，腎小葉は腎葉の構成要素である．

- 引き続き，腎血管系について説明する．皮質に入って垂直に走行する小葉間動脈は，輸入細動脈を分枝する．それぞれの輸入細動脈は，糸球体毛細血管網をつくり，細静脈ではなく，輸出細動脈に続く．この細動脈→毛細血管→細動脈の配列は，糸球体または動脈性門脈系とよばれる．
  最後に重要ポイントを1つ．糸球体輸出細動脈は，2つの異なる血管網を形成する：
  (1)尿細管周囲毛細血管網．皮質ネフロンの輸出細動脈に由来する．
  (2)直血管．髄傍ネフロンの輸出細動脈由来である．
  直血管は，下行する細動脈性毛細血管と上行する毛細血管性静脈からなり，それぞれヘンレのループの下行脚と上行脚に沿って走る．この並行する血管-尿細管の配列は，尿産生にかかわる対向流増幅・交換機序を理解するうえで必須である．

- 尿細管系は，発生学的由来の異なる2つの構成要素からなる：
  (1)ネフロン．

(2)集合管.
ネフロンは2つの要素からなる：
①腎小体.
②尿細管.

- 腎小体（マルピギー小体）は，ボーマン嚢とそれに包まれた糸球体毛細血管からなる.
ボーマン嚢は2層からなる：
(1)壁側板（外壁）：基底膜に支持された単層扁平上皮.
(2)臓側板（内壁）：糸球体毛細血管の壁に密着する．内壁は，足細胞という上皮細胞からなる.
ボーマン嚢の外壁と内壁の間の空隙が，尿腔すなわちボーマン腔（包内腔）である.
尿腔は，PCTの内腔に連続して，尿細管の初期区分となる．尿細管極は，尿腔とPCTの接続部位である.
尿細管極では，ボーマン嚢外壁の単層扁平上皮が，頂上領域に微絨毛（刷子縁）をもった単層立方上皮に移行する．これがPCTの上皮である.
糸球体は，3つの構成要素からなる：
(1)糸球体毛細血管：有窓性内皮細胞をもつ.
(2)メサンギウム（血管間膜）：メサンギウムマトリックスを産生するメサンギウム細胞からなる.
(3)足細胞：この細胞の細胞質性一次突起から多数の細い終足が生じ，二次足突起または足突起とよばれる．足突起は，糸球体毛細血管の周りを包んでいる.
腎小体と糸球体は同義語ではないことに注意．腎小体はボーマン嚢と糸球体を合わせたものである．糸球体はボーマン嚢を含まない.
メサンギウム細胞は糸球体毛細血管の間の細胞外基質の中に埋まっている．メサンギウム細胞の集団が糸球体の外にもみられる（糸球体外メサンギウム細胞）.
メサンギウム細胞は，収縮能と貪食能をもった周皮細胞のようである.
メサンギウム細胞は，糸球体毛細血管の機械的な支持，糸球体基底板のターンオーバー，および血管作動性物質の分泌により，糸球体濾過に間接的に関与している.

- 糸球体濾過関門の構造の理解は，タンパク尿症候群の臨床像を把握するうえで必須である.
濾過関門は以下の3層からなる：
(1)糸球体毛細血管の有窓性内皮細胞.
(2)二重の糸球体基底板：内皮細胞と足細胞によってつくられる．糸球体基底膜（GBM）として知られる.
(3)足細胞の足突起：それらがかみ合ってできるすき間に濾過スリット膜がある.

- 足細胞の濾過スリット膜は糸球体濾過に関与している．その構成タンパク質に欠損があると，遺伝性タンパク尿症候群が引き起こされる.
濾過スリット膜のタンパク質構成体は足突起内の細胞内F-アクチンにリンクし，二重の糸球体基底板に足細胞がつなぎ留められている.
タンパク質のネフリンのC末端細胞内領域は，ポドシン，ZO-1およびCD2APタンパク質によりF-アクチンに付着している．ネフリンのN末端細胞外領域は，隣の足突起から伸びてきた別のネフリン分子と同種結合して，スリット膜の骨組みを形成している.
ネフリン遺伝子が突然変異すると先天性ネフローゼ症候群をきたす．患児には，重症なタンパク尿と浮腫がみられる.
先天性，遺伝性，後天性に足細胞の損傷が起こると，糸球体疾患の原因となる．後天性糸球体疾患には，免疫性のものと非免疫性のものがある.
先天性ネフローゼ症候群は，足細胞損傷の遺伝的原因の一例である.
遺伝性の足細胞障害の原因としては，ポドサイト特異的なタンパク質（ポドシンやインテグリンサブユニットβ_1など）を発現する遺伝子の突然変異が挙げられる．最も特徴的なのは，GBMに接触して相互にかみ合っている足突起が消失する足突起消失である.
足突起の損傷によって引き起こされる糸球体疾患の多くは，免疫機構（糸球体成分に対する抗体の沈着など）によって開始される後天性のものである．例えば，膜増殖性糸球体腎炎やIgA腎症（バージャー病）などがある.

- GBMに含まれるIV型コラーゲンは，3つの腎疾患の病因に直接かかわる分子である：
(1)グッドパスチャー症候群：糸球体と肺胞の基底板に対する自己抗体によって進行性の糸球体腎炎と肺出血を伴う自己免疫疾患である.
(2)アルポート症候群：X連鎖顕性遺伝の腎症で，男性で重症な，血尿，進行性糸球体腎炎，難聴，眼症状をきたす疾患で，$\alpha 5$鎖遺伝子の変異が関与する.
アルポート症候群には，難聴，眼症状，血尿，進行性糸球体腎炎を伴い，腎不全（末期腎不全：ESRD）をきたす.
(3)良性家族性血尿：顕性遺伝性で$\alpha 4$鎖遺伝子の変異によるもので，ESRDのような腎不全には至らない（前述訳注参照）.

- 糸球体腎炎は，腎小体の炎症過程である．血液中の抗原・抗体複合体が糸球体濾過関門に捕捉され，糸球体に傷害を及ぼす.
抗原・抗体複合体は，自己免疫疾患（全身性エリテマトーデス）や細菌およびウイルス感染症（連鎖球菌，B型肝炎ウイルス）によって生じる.
小児の急性増殖性糸球体腎炎は可逆的である．好中球の存在下で内皮細胞とメサンギウム細胞が増殖することによるものである.
急速進行性（半月体形成性）糸球体腎炎では，ボーマン嚢の壁側細胞の増殖と糸球体内にマクロファージの浸潤がみられ，半月体が形成される．この型の糸球体腎炎はグッドパスチャー症候群でみられる.

- 糸球体傍装置は次のものからなる：
(1)緻密斑：遠位曲尿細管の初部にあるNa^+センサーである.
(2)糸球体外メサンギウム細胞：腎小体の血管極にあり緻密斑を支持する.
(3)レニン産生糸球体傍細胞：輸入細動脈の壁にある特殊平滑筋細胞である.
糸球体傍装置は尿細管糸球体フィードバック機構の要素の1つで，腎血流量と糸球体濾過の自己調節に関与する.

- 尿細管は以下のものからなる：
(1)近位曲尿細管（PCT）.
(2)ヘンレのループ.
(3)遠位曲尿細管（DCT），これは集合管に注ぐ.
集合管は，皮質（皮質集合管），髄質外層（髄質外層集合管），髄質内層（髄質内層集合管）にみられる.
腎小体がどこに局在するかにより，ネフロンは，皮質ネフロン（短いヘンレのループを伴う）か，髄傍ネフロン（長いヘンレのループを伴う）に分けられる.

- 近位曲尿細管（PCT）は尿腔（ボーマン腔）の続きで，ネフロンの主な再吸収コンポーネントである.
近位曲尿細管の内面は単層立方上皮で覆われ，その頂上領域によく発達した微絨毛（刷子縁）があり，エンドサイトーシスとペプチドをアミノ酸に分解する細管小胞とリソソームを伴う.
基底外側領域には細胞膜のヒダの陥入がみられ，その中に多数のミトコンドリアがあり，Na^+，K^+活性化ATPaseポンプによる能動的イオン輸送のためにATPを供給している.
水は，浸透圧により閉鎖結合を越えて細胞側面間隙に通過してくる（傍細胞路）．経細胞路は，NaCl，ペプチドおよびグルコースなどの溶質の再吸収に関与する．ナトリウム・グルコース共輸送体-2（SGLT-2）によってNa^+とグルコースの同時通過が可能となる.

ファンコニー症候群は腎臓の遺伝性（原発性）または後天性（二次性）疾患で，アミノ酸とグルコースの再吸収障害がみられ，尿中に出る．原因は，Na^+，K^+-ATPase ポンプの障害により ATP 量が減少し，細胞エネルギー代謝に欠陥を生じるためである．

- ヘンレのループは下行脚と上行脚からなる．各脚には，太い部分（単層立方上皮をもつ）と細い部分（単層扁平上皮をもつ）がある．

  太い下行部は近位曲尿細管の続きである．太い上行部は遠位曲尿細管に続く．

  U 字形の細い部分は，髄質深くの髄傍ネフロンにおけるループのほとんどを形成する．皮質ネフロンのヘンレのループは髄質外層までに留まることを思い出そう．

- 遠位曲尿細管（DCT）は単層立方上皮をもち，近位曲尿細管（PCT）の上皮に比べると頂上領域の刷子縁の発育が悪い．

  細管小胞とリソソームは，あまり目立たない．基底外側領域には陥入があって，そこにミトコンドリアが豊富にある．

  ヘンレのループの上行脚の太い部分と遠位曲尿細管の移行部に細胞集団は緻密斑といい，特徴的な構造を示す．緻密斑は糸球体外メサンギウム細胞に面し，糸球体傍装置の一部をなしている．組織学的な鑑別同定のためには，PCT と DCT ともに腎小体の付近にあるということを覚えておくことが重要である．まず腎小体をみつけたなら，次に付近に PCT または DCT に相当する尿細管断面を同定せよ．

- 集合管は皮質髄放線に存在する．次のことを覚えておくこと：髄放線は腎小葉の軸であること，そして腎小葉は弓状動脈の枝の小葉間動脈を側面の境界とする皮質の構造であること．

  皮質髄放線は，他のものと合流し腎乳頭内では太い乳頭管となる．乳頭管は，孔の開いた篩状野をもって乳頭の表面に開く．

  集合管の上皮は単層立方上皮である．上皮細胞の輪郭は非常に明瞭である．

  上皮は，2 種の細胞からなる：

  (1)主細胞，頂上領域に不動一次線毛を有する明調な細胞である．
  (2)介在細胞，頂上領域に微絨毛と多数のミトコンドリアを有する暗調な細胞である．

  主細胞は，アクアポリン -2 の制御因子である抗利尿ホルモン（ADH）すなわちバソプレシンに反応する．主細胞頂部の不動一次線毛は，管腔内の液成分からの信号を受けるメカノセンサーである．

  線毛が液の流れで機械的な刺激により曲がると，細胞内に貯蔵された Ca^{2+}の放出が起こる．

  線毛の細胞膜はポリシスチン -1／ポリシスチン -2 タンパク質複合体を含んでいる．ポリシスチン -2 は Ca^{2+}透過チャネルとして働く．

  常染色体顕性多発性囊胞腎（ADPKD）は，ポリシスチン -1 をコードする *PKD1*，またはポリシスチン -2 をコードする *PKD2* のどちらかの遺伝子に突然変異が生じた結果起こる．*PKD1* もしくは *PKD2* 遺伝子の完全欠失により，両側腎の著明な囊胞性拡張が生じる．ADPKD の患者には高血圧とそれに続く進行性腎不全がみられる．腎透析と腎移植の治療適応となる．

- 腎間質細胞は，主に線維芽細胞と樹状細胞で，腎皮質と髄質にみられる．間質細胞に 2 群がある：

  (1)腎皮質線維芽細胞．
  (2)腎髄質線維芽細胞．

  皮質線維芽細胞は皮質髄傍帯に多く，エリスロポエチンを産生する．

  合成エリスロポエチンは，慢性腎不全やがんの化学療法に伴う貧血の治療に使われている．

  髄質線維芽細胞は，はしご状に配列して，細胞質には脂質が含まれている．グリコサミノグリカンや血管作動性のプロスタグランジン E2 を産生し，腎乳頭の血流を調節している．

  クラス II 主要組織適合性抗原を発現する活性化された樹状細胞と炎症細胞（マクロファージとリンパ球）は，腎毒性のある薬物（重金属やペニシリン過敏症）や全身性エリテマトーデスなどの免疫機構によって引き起こされる間質性腎炎（尿細管間質性疾患）に関与する．

- 尿路は以下のものからなる：

  (1)腎杯と腎盤（腎盂）．
  (2)尿管．
  (3)膀胱．内面は移行上皮（尿路上皮）によって覆われ，粘膜固有層がそれを支持している．らせん状および縦走する平滑筋層が粘膜を取り巻いている．

  膀胱の尿膜は，ウロプラキンの被膜，トル様受容体，カテリシジンや β ディフェンシンなどの抗菌ペプチド（AMP）によって保護されている．

  感染症が発生すると，粘膜固有層の常駐見張り細胞（肥満細胞，$Ly6C^-$ マクロファージ，ナチュラルキラー細胞）がサイトカインを分泌し，血流から免疫細胞（好中球や $Ly6C^+$ マクロファージなど）をよび寄せる．

  内腔では，尿路上皮のトル様受容体が，尿路病原性大腸菌（UPEC）- ウロモジュリン複合体を捕捉し，防御反応を引き起こす．細菌は肛門部に由来し，会陰部を介して尿路に達する．

  (4)男性の尿道は，前立腺部（移行上皮），隔膜部，および陰茎部（海綿体部）（偽重層～重層円柱上皮）の 3 部からなる．尿道陰茎部は海綿体に囲まれている．

  女性の尿道は，円柱偽重層上皮から重層扁平上皮に連続して覆われ，そして低角化重層扁平上皮に覆われる．女性尿道の壁は外横紋筋層に囲まれた内平滑筋層からなる．

- レニン - アンギオテンシン系（RAS）は，循環血液量や血圧の低下をきたした場合に，体循環血圧を維持するために不可欠である．

  この系は，糸球体傍装置で始まる尿細管糸球体フィードバック機構によって開始される．

  (1)尿細管コンポーネントは Na^+ 感受性緻密斑である．
  (2)糸球体コンポーネントはレニン産生糸球体傍細胞からなる．

  尿細管糸球体フィードバック機構の当面の目標は輸出細動脈と輸入細動脈の抵抗性を調節することにより糸球体濾過率を調節することである．

  すでに述べた糸球体動脈性門脈の配列と糸球体傍細胞がレニンを放出してアンギオテンシン II の産生をきたすことを覚えておくこと．

  アンギオテンシン II の産生までの主要なステップとその作用は以下である：

  (1)レニンはアンギオテンシノーゲン（AGT，肝細胞でつくられる）をアンギオテンシン I（ANG I）に変換する．
  (2)アンギオテンシン変換酵素（ACE，肺と腎臓の内皮細胞でつくられる）がアンギオテンシン I をアンギオテンシン II（ANG II）に変換する．
  (3) ANGII にはいくつかの重要な機能がある．

  ①副腎皮質（球状帯）からのアルドステロンの分泌を促進する．
  ②血管収縮を引き起こし，その結果，血圧を上昇させる．ANG II は，ANG II 受容体タイプ 1（AT1R）に結合する．ANG II 受容体拮抗薬（ARB）は，血圧の上昇を調整するために臨床で広く使用されている．
  ③ネフロンの PCT による NaCl の再吸収を促進する．
  ④ ADH の分泌を促す．

  制御されていない RAS は，心血管疾患や腎疾患の主要な危険因子である．RAS の阻害剤（レニン阻害剤，ACE 阻害剤，ARB）は臨床で広く使用されている．

  ⑤ヘンレのループは，浸透圧勾配をつくって水を集合管から周囲の間質へと移動させる．

- ヘンレのループの対向流増幅系が腎髄質の高い溶質濃度を維持する．

  対向流増幅系は次のように成り立っている：

  (1)ヘンレのループの細い下行脚は，水には透過性をもつが，塩分に対しては透過性が低い.

(2)細い上行脚は，塩分には透過性をもつが，水にはもたない.

(3)上行脚の太い部分は，塩分を能動輸送で再吸収するが，水は通さない.

すなわち，対向流増幅系は，ヘンレのループが下行するにつれて髄質間質における塩濃度が上昇する結果生じる.

ADH が集合管での水透過性を増加させると，水は塩濃度の高い髄質間質へ浸透圧勾配にしたがって流れ込む．水と塩分は，血漿浸透圧を減少させるために，塩分濃度の濃い間質から血流へと戻る道筋が必要である.

- 尿細管周囲の直血管とヘンレの U 字形ループの並行配列は，対向流交換系による塩分と水の吸収に関与する.

(1)直血管の動脈性下行部は塩分を吸収する.

(2)直血管の静脈性上行部は水を再吸収する.

こうして直血管依存性対向流交換系のおかげで，ヘンレのループ依存性対向流増幅系は，漫然と水と塩分とを蓄積するということを回避できる.

- 利尿薬は特定の膜輸送タンパク質に作用して，尿の排出量を増加させる（利尿）．ネフロンにおける Na^+ 再吸収の抑制は，Na^+（ナトリウム利尿）と水分の排出の増加をもたらす.

利尿剤にはさまざまな種類がある：

(1)浸透圧利尿薬は，PCT とヘンレのループの細い下行脚における水と溶質の再吸収を阻害する.

(2)炭酸脱水酵素阻害剤は，PCT における Na^+，HCO_3^-，水の再吸収を阻害する.

(3)ループ利尿薬は，ヘンレのループの太い上行脚での NaCl の再吸収を阻害する．ループ利尿薬の作用により，濾過された Na^+ の約 25% が排泄される.

(4)サイアザイド系利尿薬は，DCT における NaCl の再吸収を阻害する.

利尿剤は，うっ血性心不全，肝硬変，腎機能障害（ネフローゼ症候群，急性糸球体腎炎，慢性腎不全）に伴う浮腫の補助療法として使用される．また，高血圧症や開放隅角緑内障の治療にも使用される.

15 上部消化管

キーワード　口腔，舌，味蕾，食道，胃，胃腺，胃食道逆流疾患，ヘリコバクター・ピロリ感染症

嚥下 swallowing，**消化** digestion，**吸収** absorption が消化管（7〜10 m の中空の筋性の管）を通して起こる．消化の過程は，食物を**小腸** small intestine で吸収されやすい可溶性の状態に変えることである．不溶性の残渣などの排泄は**大腸** large intestine の機能である．

組織学的に，消化管は大きく 4 つの層に分けられる．(1)管腔を取り囲んでいる内層の**粘膜層** mucosal layer，(2)**粘膜下層** submucosal layer，(3)**外筋層** muscularis externa layer，(4)**漿膜** serosal layer と**外膜** adventitial layer である．内層の粘膜層は，**消化管** digestive tube の部位により異なる．粘膜層は 3 つの要素，すなわち(1)**上皮層** epithelial layer，(2)結合組織の**粘膜固有層** lamina propria，および(3)平滑筋でできた**粘膜筋板** muscularis mucosae からなる．

本章は**口腔** oral cavity，**食道** esophagus および**胃** stomach の作用機構に特に重点を置いて組織学的な特徴に焦点を当てる．

口（口腔）

口腔 oral cavity は消化管の入口である．食物の経口摂取と部分的な消化と食塊を滑らかにすることが，口とそれに付属する**唾液腺** salivary gland の主な機能である．唾液腺に関しては，第 17 章で述べる．

口すなわち口腔は，**口唇** lip，**頬** cheek，**歯** teeth，**歯肉** gum (gingiva)，**舌** tongue，**口蓋垂** uvula，および**口蓋** palate からなる．口腔のさまざまな部位が構造的な違いのある 3 つのタイプの**粘膜** mucosa で覆われている：

1. **被覆粘膜** lining mucosa（口唇，頬，舌腹，**軟口蓋** soft palate，口腔底，および歯槽粘膜）．
2. **咀嚼粘膜** masticatory mucosa（歯肉および**硬口蓋** hard palate）．
3. **特殊粘膜** specialized mucosa（舌背）．

口腔粘膜には 3 つの移行部がある：

1. **粘膜皮膚移行部** mucocutaneous junction（口唇の皮膚と粘膜の間）．
2. **歯肉粘膜** gingiva mucosa と**歯槽粘膜** alveolar mucosa の間の**粘膜歯肉移行部** mucogingival junction．この**粘膜歯肉溝** mucogingival groove とよばれる結合部で上皮と**粘膜固有層** lamina propria が変わる．歯肉粘膜は骨膜に繋留されたコラーゲン線維で支持された**角化重層扁平上皮** keratinized stratified squamous epithelium で覆われている．歯槽粘膜は弾性線維を含んだ疎な粘膜固有層によって支持された非角化上皮からなる．
3. **歯牙歯肉移行部** dentogingival junction（歯肉粘膜と**歯**の**エナメル質** enamel の間）．これは歯周病を防ぐ密封部位である．

歯を除いて，口は重層扁平上皮で覆われ，疎性結合組織，血管，神経からなる粘膜下層がある．粘膜下層は一定の領域（頬，口唇，硬口蓋の一部）にのみ存在する．口腔の上皮にはリンパ組織の塊がある．これは病原体に対する最初のバリアである．

歯肉，硬口蓋の一部，口腔粘膜といった領域は下にある骨の骨膜に固く付着している．この配列は**粘膜骨膜** mucoperiosteum とよばれる．口腔粘膜には粘膜筋板はない．

口唇（図 15.1）

口唇 lip は 3 つの領域からなる：

1. **皮膚領域** cutaneous region.
2. **赤唇領域** red（vermilion）region.
3. **口腔粘膜領域** oral mucosa region.

皮膚領域は丈の高い真皮乳頭（**毛包** hair follicle と**皮脂腺** sebaceous gland や**汗腺** sweat gland をもつ**角化重層扁平上皮**）をもつ薄い皮膚で覆われている．赤唇領域は血管を含んだ結合組織で支えられた重層扁平上皮で覆われており，そのためこの領域は赤色を呈する．

唾液腺は，赤唇領域の粘膜にはない．この領域は寒い気候では乾燥し，ひび割れる．明瞭な赤唇線が赤唇領域から皮膚領域を分けている．

口腔粘膜領域は頬，歯肉の粘膜と続いており，**小唾液腺**を含んでいる．

口唇と頬の内面を覆っている重層扁平上皮は，非角化性で，密な粘膜固有層（被覆粘膜）と粘膜下層に支えられ，下層にある骨格筋に結合組織線維で密につながっている．

歯肉，硬口蓋および軟口蓋

咀嚼粘膜は硬口蓋と歯肉を覆い，食物を咀嚼する際に傷つく．**歯肉** gum（gingiva）は，自由縁以外では口唇の赤唇領域と似ており，上皮がかなり角化している．歯肉の粘膜固有層は，上顎骨と下顎骨の歯槽突起の骨膜と歯根膜に強く結合している．歯肉には，粘膜下層や腺がない．

硬口蓋 hard palate は，歯肉の自由縁の上皮と同様に角化重層扁平上皮によって覆われている．粘膜下層は，正中線領域では存在するが，歯肉に接する領域ではみられない．粘膜下層のコラーゲン線維は，硬口蓋の粘膜と骨膜をつないで，粘膜がずり応力と圧迫に抵抗できるようにしている．脂肪と腺組織が粘膜のクッションとなって，硬口蓋の神経と血管を保護する．

軟口蓋 soft palate と**口蓋垂** uvula は非角化重層扁平上皮で覆われており，それが咽頭口部に達すると，上気道を覆う多列線毛円柱上皮に移行する．粘膜下層は，疎であるが多量の粘液腺と漿液腺を含んでいる．骨格筋線維が，軟口蓋と口蓋垂でみられる．

舌（図 15.2）

舌 tongue の前方 2／3 は縦，横，斜めの 3 方向に走行する**骨格筋** skeletal muscle でできた筋肉塊からなる．後方 1／3 には，リンパ組織の集合である**舌扁桃** lingual tonsil がみられる．

図 15.1 | 口唇

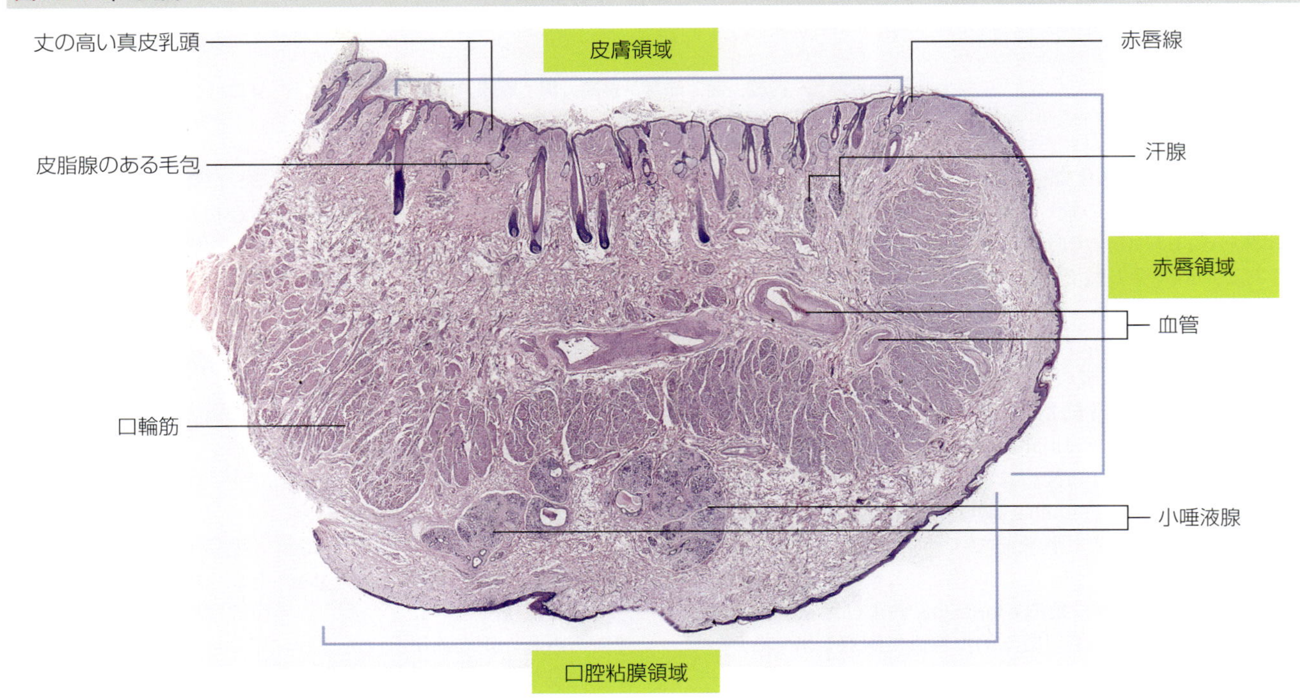

舌背は，中心に舌筋があり，その周りを粘膜固有層が取り囲み，**非角化重層扁平上皮** non-keratinized stratified squamous epithelium からなる特別な粘膜が覆っている．

漿液腺 serous gland および**粘液腺** mucous gland が粘膜固有層と筋層を横断して存在する．これらの腺の導管は，舌扁桃の**陰窩** crypt と**有郭乳頭** circumvallate papilla の溝に開口している．

舌背には，**舌乳頭** lingual papilla（図 15.2）とよばれる多数の粘膜突起がみられる．おのおのの舌乳頭は，非常に血管の多い結合組織の芯と，それを覆う重層扁平上皮からなっている．

舌乳頭は形によって 4 つに分類される：

1. 最も多い**糸状乳頭** filiform papilla（細い円錐形）．
2. **茸状乳頭** fungiform papilla（キノコ形）．
3. **有郭乳頭** circumvallate papilla（城壁のような形）．
4. **葉状乳頭** foliate papilla（シダの葉形）．葉状乳頭はヒトでは痕跡的であるが，ウサギとサルでは発達している．

味蕾 taste bud **は糸状乳頭を除くすべての舌乳頭にみられる．**

味蕾は舌，口蓋および喉頭蓋の重層扁平上皮の中に埋められた樽の形をした構造である．おのおのの味蕾は，型と位置によって，50～150 の味蕾の底から味孔に伸びた細長い**味受容体細胞** taste receptor cell とよばれる化学感覚細胞からなる．味受容体細胞の基底部は，顔面神経，舌咽神経，および迷走神経の感覚神経核のニューロンに由来する神経終末と接触している．

味受容体細胞は 10～14 日の寿命である．**甘味** sweet，**酸味** sour，**苦味** bitter，および**塩味** salty の 4 つが古典的味覚である．第 5 の味は**うま味** umami（グルタミン酸ナトリウムで増強される味）である．

有郭乳頭は舌の後部，分界溝の前に配列している．有郭乳頭の周りは，ぐるりと溝で取り囲まれている．

漿液腺である**エブネル腺** Ebner's gland は，有郭乳頭と密接している．この腺は結合組織内にあり，その下の筋層に接している．エブネル腺の導管は，円周状の溝の底部に開口している．

有郭乳頭の側壁と溝の外壁には味蕾がある．

味受容体細胞の型と機能（図 15.3）

味蕾は 3 種類の細胞からなる：

1. **1 型味受容体細胞** type I taste receptor cell は味蕾の総細胞の 50％を占める．この型の細胞はグリア様支持機能をもっている．
2. **2 型味受容体細胞** type II taste receptor cell（味蕾細胞のおよそ 1／3）は糖，アミノ酸，および／あるいは苦味に対する化学感覚受容体をもっている．これらは 1 型 G タンパク質共役型受容体（T1R）あるいは T2R を発現している．T1R1，T1R2，および T1R3 サブタイプ受容体は味蕾細胞に共発現している．

   2 型細胞はシナプス小胞をもたず，アデノシン三リン酸（ATP），セロトニン，および GABA（γ-アミノ酪酸）に対する受容体を介して 3 型細胞に伝える．
3. **3 型味受容体細胞** type III taste receptor cell は，多くない細胞型で，G タンパク質共役型受容体を発現していないが，T1R／T2R 非依存性のメカニズムによって酸味を感知できる．3 型細胞はシナプス小胞を含んだシナプス領域をもっている．

特定の味覚は，特異的な味受容体細胞によって生じる．顔面神経は 5 つの味覚を伝え，舌咽神経は甘味と苦味を伝える．

甘味が味蕾の味孔から入ると，味受容体細胞の頂部の微絨毛にある T1R と作用する．味受容体はヘテロ 2 量体（T1R2 + T1R3）またはホモ 2 量体（T1R3 + T1R3）を形成することができる．

T1R は G タンパク質 α，β および γ サブユニット複合体（**ガス**

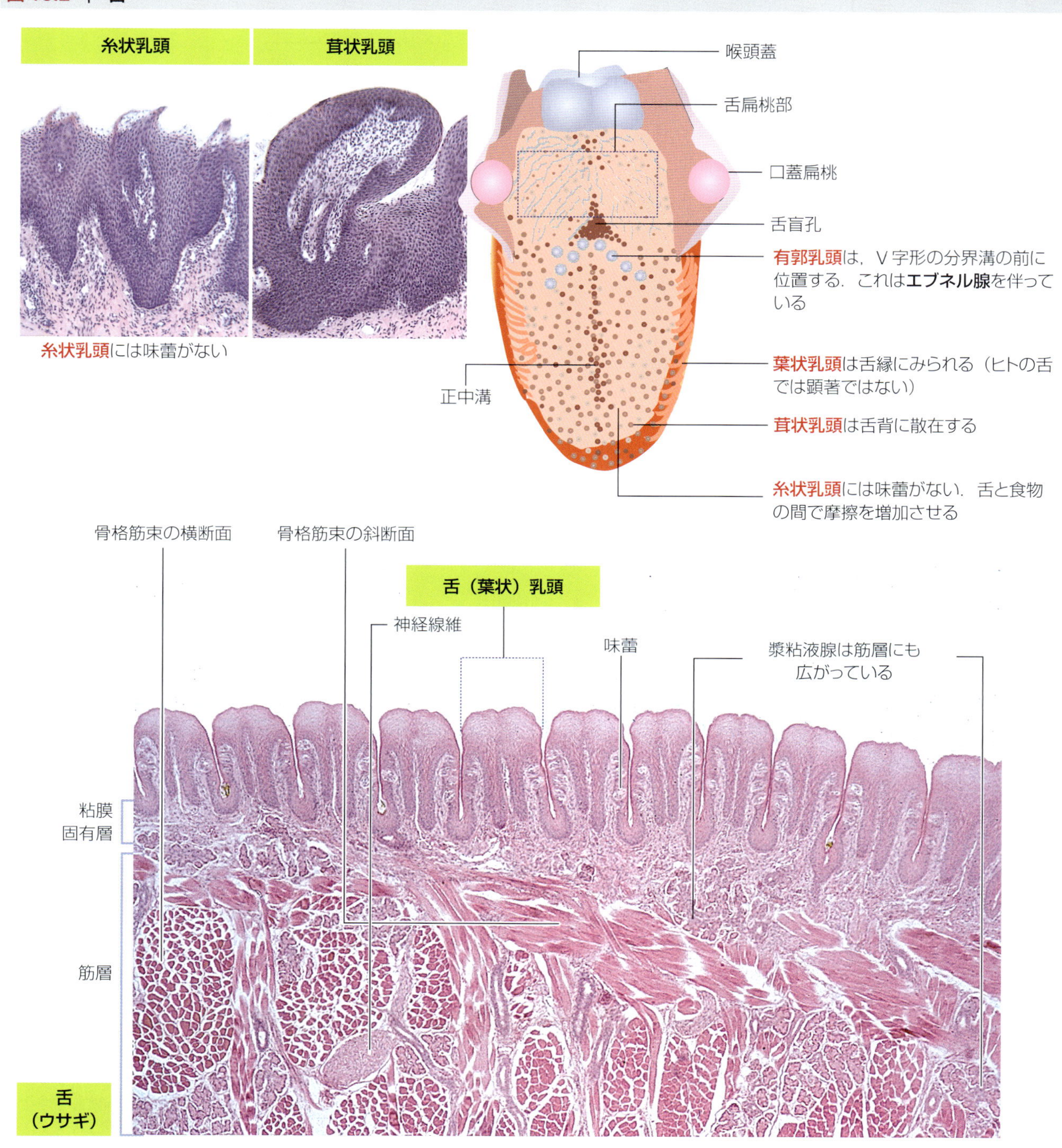

トデューシン gustducin）と結合する．G タンパク質複合体の α サブユニットがホスホリパーゼ C（PLC）に結合すると，第 2 のメッセンジャーであるイノシトール三リン酸（IP3）と味受容体細胞のイオンチャネルを活性化するジアシルグリセロール（DAG）の産生が始まる．

味受容体細胞内に Na^+ が流入すると脱分極が起こる．細胞内 Ca^{2+} が細胞内の貯蔵部位から放出されて増加すると，味覚求心性神経終末とのシナプスにおいて ATP と神経伝達物質が細胞外に放出される．

要するに，味受容体細胞はガストデューシン依存性 Ca^{2+} と Na^+ シグナリング，および ATP と神経伝達物質の放出によって甘味，苦味，あるいはうま味の味物質を検出できる．

Na^+ の塩味は Na^+ が膜のイオンチャネルを通って直接流入して細胞膜を脱分極することによって検出される．

基本的な味物質のうちの 1 つだけに応答する味受容体細胞と，複数の味物質に応答するものがある．

図 15.3 | 味蕾

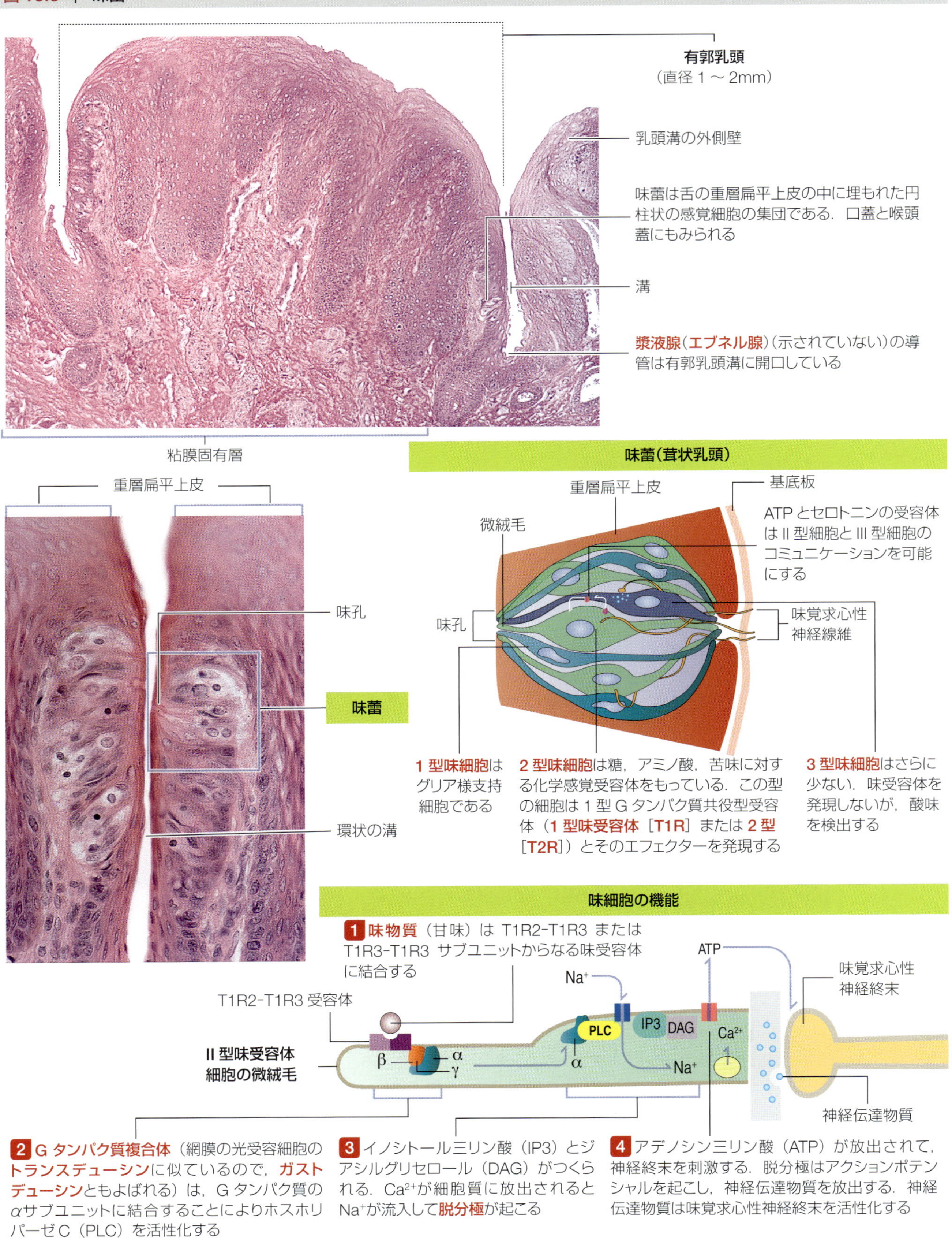

有郭乳頭
（直径 1 ～ 2mm）
乳頭溝の外側壁
味蕾は舌の重層扁平上皮の中に埋もれた円柱状の感覚細胞の集団である．口蓋と喉頭蓋にもみられる
溝
漿液腺（エブネル腺）（示されていない）の導管は有郭乳頭溝に開口している
粘膜固有層
重層扁平上皮
味孔
味蕾
環状の溝
味蕾（茸状乳頭）
重層扁平上皮
基底板
微絨毛
ATP とセロトニンの受容体は II 型細胞と III 型細胞のコミュニケーションを可能にする
味孔
味覚求心性神経線維
1 型味細胞はグリア様支持細胞である
2 型味細胞は糖，アミノ酸，苦味に対する化学感覚受容体をもっている．この型の細胞は 1 型 G タンパク質共役型受容体（1 型味受容体［T1R］または 2 型［T2R］）とそのエフェクターを発現する
3 型味細胞はさらに少ない．味受容体を発現しないが，酸味を検出する
味細胞の機能
1 味物質（甘味）は T1R2-T1R3 または T1R3-T1R3 サブユニットからなる味受容体に結合する
T1R2-T1R3 受容体
II 型味受容体細胞の微絨毛
β
α
γ
α
PLC
IP3
DAG
Na⁺
Na⁺
Ca²⁺
ATP
味覚求心性神経終末
神経伝達物質
2 G タンパク質複合体（網膜の光受容細胞のトランスデューシンに似ているので，ガストデューシンともよばれる）は，G タンパク質の αサブユニットに結合することによりホスホリパーゼ C（PLC）を活性化する
3 イノシトール三リン酸（IP3）とジアシルグリセロール（DAG）がつくられる．Ca²⁺が細胞質に放出されると Na⁺が流入して脱分極が起こる
4 アデノシン三リン酸（ATP）が放出されて，神経終末を刺激する．脱分極はアクションポテンシャルを起こし，神経伝達物質を放出する．神経伝達物質は味覚求心性神経終末を活性化する

図 15.4 | 歯の構造

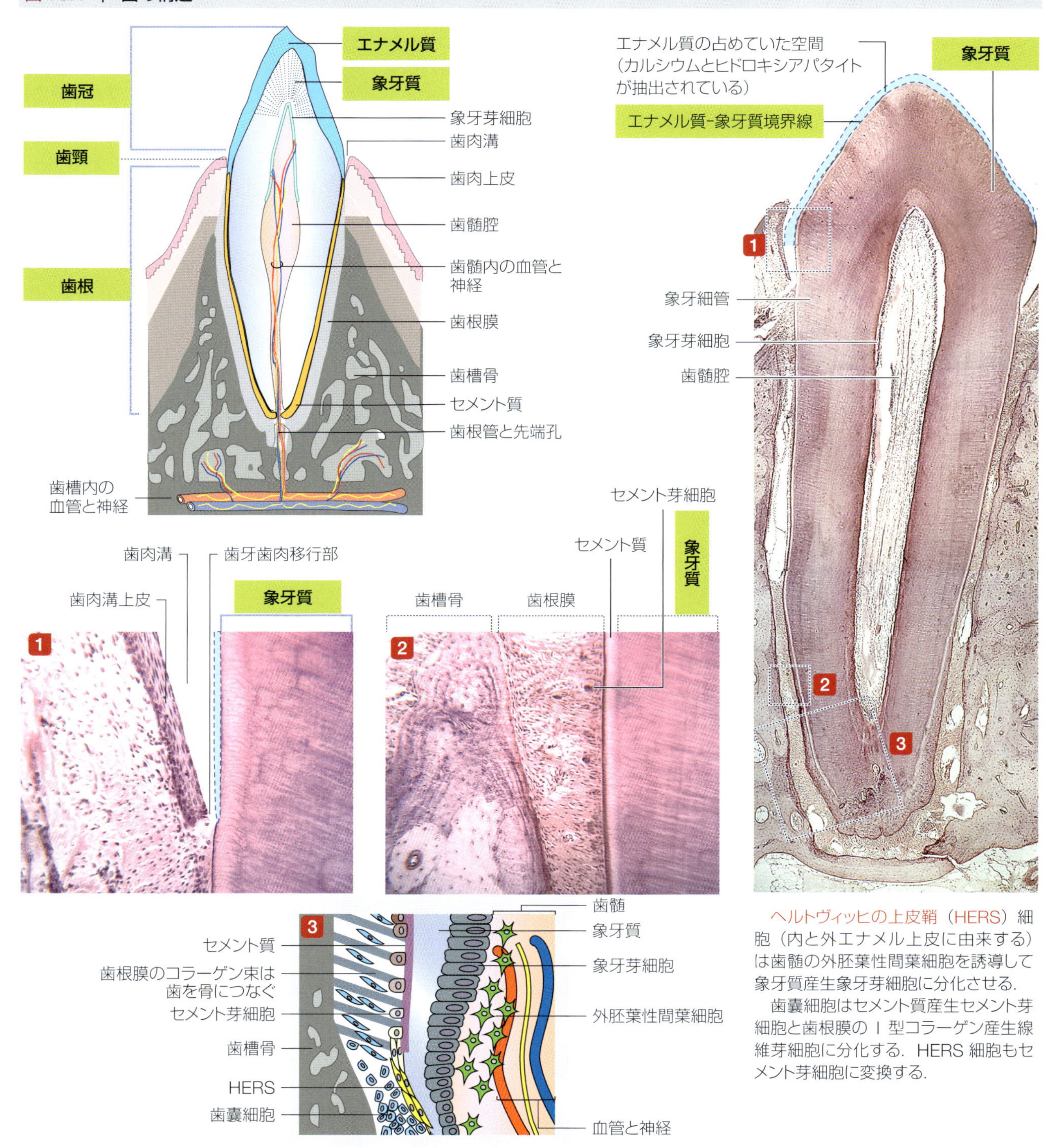

ヘルトヴィッヒの上皮鞘（HERS）細胞（内と外エナメル上皮に由来する）は歯髄の外胚葉性間葉細胞を誘導して象牙質産生象牙芽細胞に分化させる．
歯嚢細胞はセメント質産生セメント芽細胞と歯根膜のⅠ型コラーゲン産生線維芽細胞に分化する．HERS 細胞もセメント芽細胞に変換する．

歯（図 15.4）

成人では，32 本の**永久歯** permanent tooth が生えている．16 本の上歯は上顎骨の**歯槽突起** alveolar process に埋め込まれている．16 本の下歯は，下顎骨の歯槽突起に埋め込まれている．

永久歯列に先だって，20 本の**乳歯** deciduous tooth がみられる．乳歯は 6ヵ月ごろに出現し，6～8 歳ごろまでに生えそろう．また，乳歯は 10～12 歳の間に 32 本の永久歯に生え替わる．この生え替わりは 18 歳ごろに終わる．

特徴的な形態と機能によって歯はいくつかの種類に分類できる．**門（切）歯** incisor はかみ切ることを，**犬歯** canine は穴をあけ保持することを，そして**臼歯** molar はかみ砕くことを専門としている．

おのおのの歯は，**歯冠** crown と 1 つないし複数の**歯根** root からなる（図 15.4）．歯冠は，高度に石灰化された**エナメル質** enamel と**象牙質** dentin で覆われている．歯根の外面は，**セメント質** cementum とよばれる別の石灰化組織で覆われる．

象牙質は歯の体部を形成し，中央の腔所は**歯髄**（dental）pulp といい，軟組織で満たされている．

歯髄腔は，歯根管を通って先端孔で骨性の歯槽突起に開いている．血管，神経，リンパ管が，先端孔を通って歯髄腔に出入りしている．有髄神経線維は，血管に沿って走行している．

歯の発生（図 15.5）

外胚葉，頭部の神経堤および間葉組織が，歯の発生に関与している（図 15.4）．**エナメル芽細胞** ameloblast は外胚葉に由来する．**象牙芽細胞** odontoblast は頭部の神経堤に由来する．**セメント細胞** cementocyte は間葉組織に由来する．

歯の形態形成の間，分泌された信号分子である**アクチビンβA** activin βA，**線維芽細胞成長因子** fibroblast growth factor（FGF），**骨形成タンパク質** bone morphogenetic protein（BMP）が歯上皮と間葉組織の相互作用を調節する．

歯の発生に関連した段階的記載を図 15.5 に示す．続いて起こる段階には以下のことが含まれる：

1. **蕾状期** bud stage，神経皮膚細胞が上にある外胚葉性**プラコード細胞** placode cell を増殖させ上皮性歯芽を形成する．
2. **帽状初期** early cap stage，上皮性歯芽の細胞が増殖し，下にある中胚葉に嵌入して初期の帽子を形成する．
3. **帽状終期** late cap stage，帽子状の構造を形成している歯芽の成長端における細胞で特徴づけられる．上皮性歯芽は**内** inner と**外** outer **歯上皮** dental epithelium で覆われるようになる．将来の**永久歯** permanent tooth 芽は発生中の帽子を上にある外胚葉性上皮と結合させる歯堤から発生する．重要な出来事は，**エナメル結節** enamel knot の出現である．これは歯の発生が始まったことを示す．
4. **鐘状期** bell stage には，原始歯乳頭の最外層の細胞はエナメル結節の近くで，象牙質を産生する**象牙芽細胞**に分化する．単層のエナメル質を分泌する**エナメル芽細胞**がエナメル結節の内歯上皮部位の中に発生する．

   エナメル質はエナメル芽細胞によってつくられ，**下方に移動**し，象牙質は**外方に移動**する．象牙芽細胞はミネラル化していない**象牙前質** predentin をつくる．これは後に石灰化して**象牙質**になる．原始歯乳頭は**歯髄**（dental）pulp になる．
5. **歯の萌出** tooth eruption で歯の発生が完成する．重要なことは，萌出した歯のエナメル芽細胞が消え，エナメル質はもはや置き換わらないことである．

歯髄

歯髄（dental）pulp は線維芽細胞と間葉様の細胞外要素によって囲まれた血管，神経，リンパ管からなる．

血管（小動脈）は分枝して毛細血管網になる．この毛細血管網は，神経とともに，歯髄の（ヴェイル，Weil）無細胞帯において象牙芽細胞基底領域の下に神経血管束を形成する．

歯髄の炎症は腫れと痛みを生じる．歯髄腔には腫れのためのスペースがないので，圧迫されて血液供給が抑制され，急速に歯髄の細胞を死滅させる．

歯髄結石 pulp stone は歯髄腔の開口部近くまたは歯根管内の歯髄にみられる 1 つまたは多数の石灰化した沈着物である．歯髄結石は歯髄内の細胞数を減らし，歯内の治療の際歯根管の拡大を妨げる．

歯根膜（図 15.4）

歯根膜 periodontium は歯を囲んで支持する．以下の要素からなる：

1. **セメント質** cementum.
2. **歯根膜** periodontal ligament.
3. **歯槽骨** bone of the alveolus／socket.
4. **歯肉溝上皮** sulcus epithelium，歯肉の歯に面した部分．

セメント質は血管のない石灰化した組織で歯根の外表面を覆っている．骨のように，セメント質は石灰化し，骨細胞様の**セメント細胞**を閉じ込めたコラーゲン線維からなる．

歯は 3 つのミネラル化した要素，**エナメル質** enamel，**象牙質** dentin，および**セメント質**からなることに注意．

セメント質はセメント・エナメル結合部でエナメル質と接し，歯頸部で歯冠が歯根から分かれる．

セメント質の最外層は石灰化しておらず，歯根膜と接しているセメント芽細胞によってつくられる．歯根膜は歯槽骨のソケット内に歯を固定させるコラーゲンと線維芽細胞が豊富で，血管のある提靱帯である（図 15.4）．歯根膜線維は強いので，歯に可動性を与えると同時に歯を骨に強力に付着させる．いずれも歯科矯正治療に有用である．

象牙芽細胞（図 15.6）

象牙芽細胞 odontoblast は，内エナメル上皮の支配下で歯乳頭の間葉系細胞から分化する．歯乳頭は歯髄になる．

1 層の象牙芽細胞が成人の歯の歯髄の辺縁に存在する．象牙芽細胞は活発な分泌細胞で，I 型コラーゲンと非コラーゲン物質，象牙質の有機成分を合成，分泌する．

象牙芽細胞は，歯髄腔内で，象牙質の内側にみられる円柱状の上皮様細胞である（図 15.6）．

細胞体の頂部（頂上領域）は，**象牙前質** predentin，すなわち象牙質様物質からなる非鉱化層の中に埋め込まれている．細胞体の頂部から伸び出した細胞突起は，隣接する**象牙芽細胞**同士が接着複合体で結合している真上の領域から**象牙細管** dentinal tubule に取り囲まれるようになる．

分泌顆粒とともに，よく発達した粗面小胞体とゴルジ装置を象牙芽細胞体の頂部でみることができる．

分泌顆粒は**プロコラーゲン** procollagen を含んでいる．プロコラーゲンが象牙芽細胞から放出されると，酵素で処理されて**トロポコラーゲン** tropocollagen になり，それは **I 型コラーゲン細線維** type I collagen fibril になる．

象牙前質とは，象牙芽細胞の細胞体と突起に隣接した象牙質の層である．象牙前質は鉱化しておらず，主にコラーゲン細線維からなる．このコラーゲン細線維は象牙質部でヒドロキシアパタイト結晶によって覆われる（鉱化する）．石灰化前線の境界により**象牙前質**は**象牙質**から区別されることになる．

図 15.5 ｜ 歯の発生

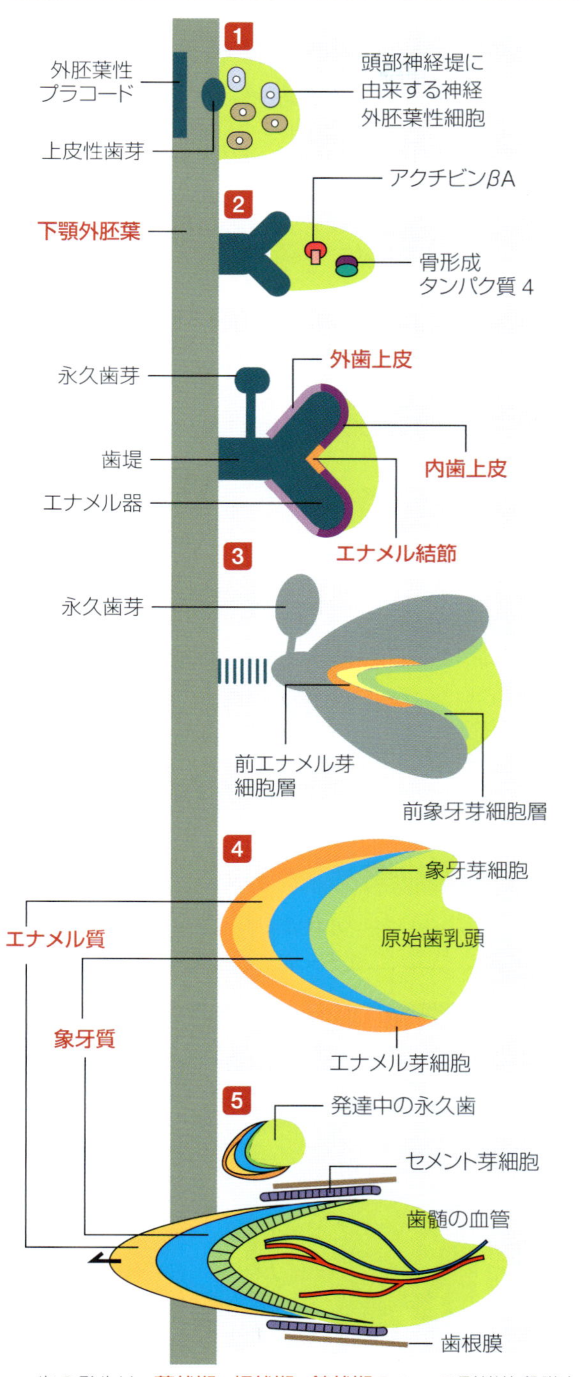

1 蕾状期

神経外胚葉性細胞は，表面の外胚葉性プラコード細胞を増殖させ，上皮性歯芽の形成を誘導する．20 個の歯芽があり，それぞれが 1 つの乳歯になる．

2 帽状初期

上皮性歯芽の細胞は増殖して，下の中胚葉に陥入して初期の帽子を形成する．

間葉で産生されたアクチビンβA と骨形成タンパク質 4 は初期キャップ（帽状歯堤）の形成を誘発する．

3 帽状終期

歯堤は，下方へ成長する細胞を外胚葉性上皮につないでいる．

歯芽の成長端の細胞は，帽子状の構造を形成する．上皮性歯芽は**内および外歯上皮**によって覆われる．

永久歯芽は歯堤から発達するが，休止状態である．**エナメル結節**は歯発生の前兆である．

線維芽細胞成長因子 4（FGF-4）と骨形成タンパク質（BMP）2 と 4 と 7 が上皮性歯芽によって産生され，歯の形成を調節している．

4 鐘状期

エナメル結節の部位で，原始歯乳頭の最外層の細胞は象牙質を産生する**象牙芽細胞**に分化する．エナメル質を分泌する 1 層の**エナメル芽細胞**はエナメル結節の内歯上皮の中に発生する．

エナメル芽細胞が産生する**エナメル質**が下方に移動するに従い，象牙質は外方へ移動する．

象牙芽細胞は，鉱化していない**象牙前質**を産生する．これは後に石灰化して象牙質になる．原始歯乳頭は**歯髄**になる．

5 歯の萌出

歯嚢は，

1. **セメント芽細胞**（セメント質の層を分泌する）
2. 歯と歯槽骨をつなぎとめる**歯根膜**を形成する細胞

になる．

歯の発生は，**蕾状期**，**帽状期**，**鐘状期**の 3 つの形態的段階を経る．原基は**エナメル器**とよばれる．

歯発生の最初の徴候は胎生 11 日にみられる．**外胚葉性プラコード**（第 1 鰓弓の口腔上皮の局所的な肥厚）が開始部位である．神経堤と間葉細胞は**外胚葉性間葉**を形成しており，歯形成能をもっている．

口腔上皮に最初に発現される遺伝子は**転写因子 Lhx-6** と **Lhx-7**（Lim-ホメオボックス領域遺伝子）である．外胚葉性間葉における数種の遺伝子の発現が歯発生の開始部位を示す．

外胚葉の異形成は外胚葉性プラコードの発生に影響を及ぼし，多歯欠損（**乏歯症**）と小さな形態異常の歯を生じさせる．

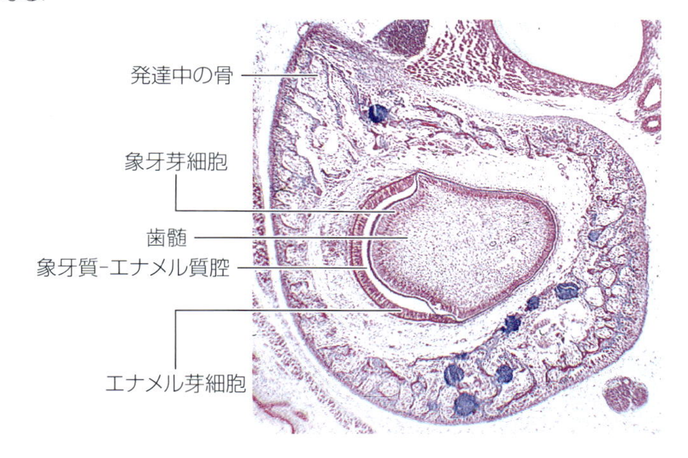

図 15.6 | 象牙芽細胞とエナメル芽細胞

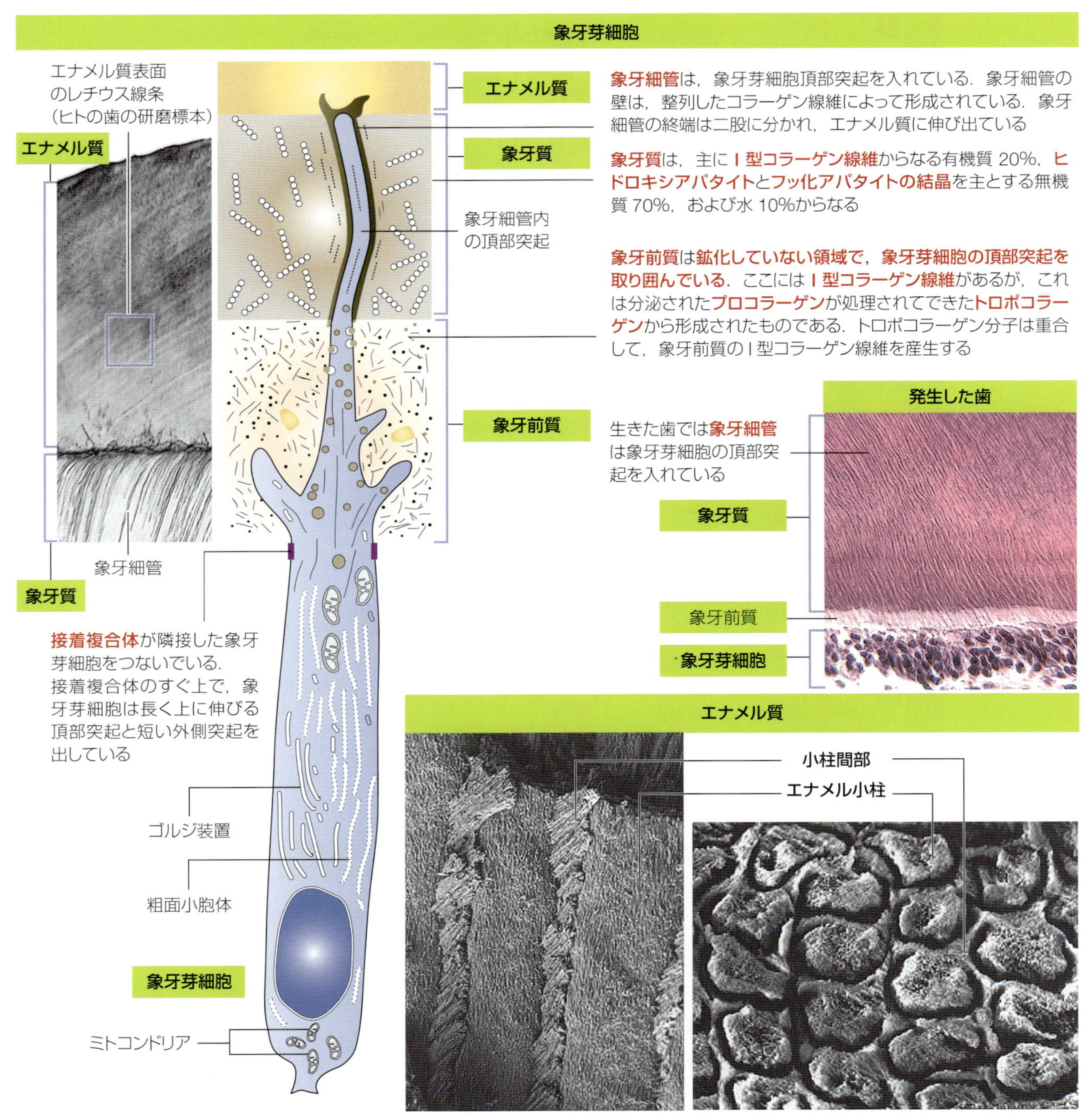

走査電子顕微鏡写真：Nanci A: Oral Histology, 7th edition, St. Louis, Mosby, 2008 より．

象牙質 dentin は，Ⅰ型コラーゲン線維を主とする有機質 20%，ヒドロキシアパタイトとフッ化アパタイトを主とする無機質 70%，および水 10% からなる．

歯髄象牙質異形成 coronal dentin dysplasia（2 型象牙質異形成）は，象牙質の異常な発生，きわめて短い歯根（無根歯），および歯髄腔の閉鎖を特徴とするまれな遺伝性常染色体異常である．

エナメル芽細胞（図 15.6）

エナメル芽細胞 ameloblast は**エナメル質** enamel を産生する細胞で，**歯** tooth の発生段階にのみ現れる．歯が萌出するとエナメル芽細胞は存在しない．

エナメル芽細胞は極性をもつ円柱状の細胞であり，ミトコンドリアと核が細胞底部にみられる（図 15.6）．核上部には，多数の槽をもった粗面小胞体とゴルジ装置がみられる．

図 15.6 | 象牙芽細胞とエナメル芽細胞（続き）

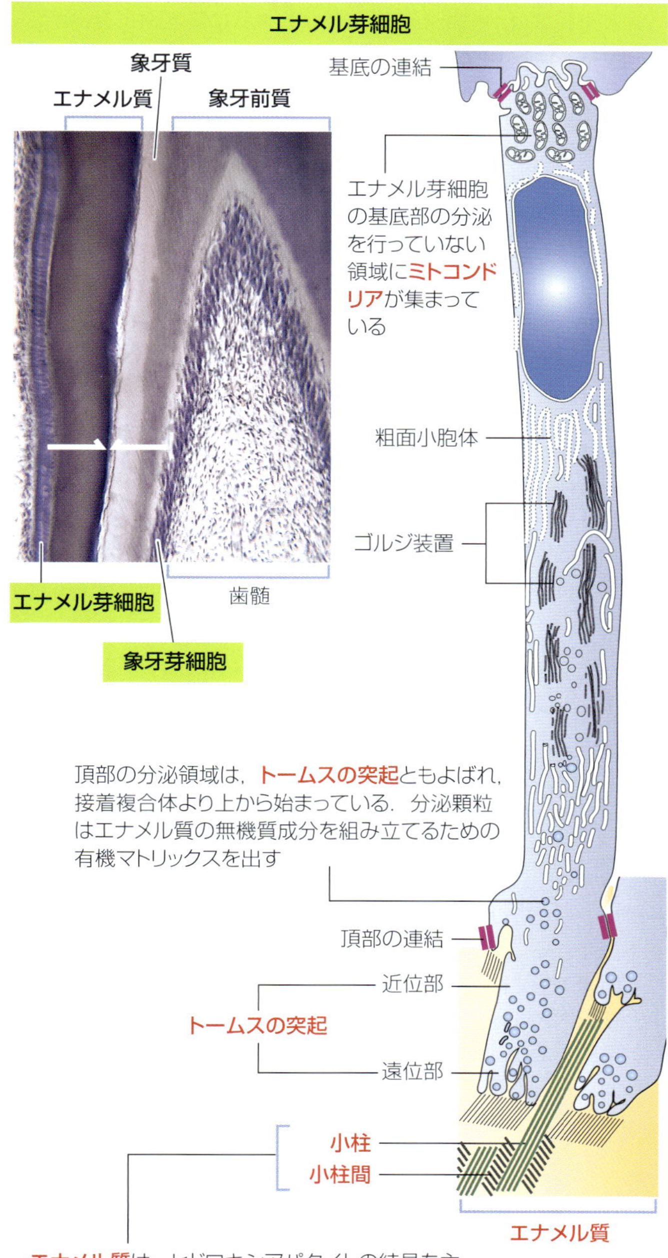

隣接する**エナメル芽細胞**同士を結合している細胞頂部領域の接着複合体よりも上に，頂部領域が幅広い細胞突起，**トームスの突起** Tomes' process を，石灰化されたエナメルマトリックスの近くに伸ばしている．

トームスの突起はエナメル芽細胞の分泌期に完全に発達する．糖タンパク質を含んだ分泌顆粒を豊富に有している．糖タンパク質は炭酸化したアパタイト結晶の核形成，エナメル質の成長と構成を調節する．

電子顕微鏡で観察すると，エナメル質基質の基本的な構成単位は，波状の薄い**エナメル小柱** enamel rod からなり，これは**柱間部** interrod region で途切れている．柱間部の構造は**エナメル小柱**に似ているが，結晶が異なる方向に配列している．おのおののエナメル小柱は有機マトリックスの薄い層で覆われ，これは**エナメル柱鞘** rod sheath とよばれる．

エナメル質は人体中で最も硬い物質である．エナメル質の約 95% はヒドロキシアパタイトの結晶（炭酸ヒドロキシアパタイト）からなり，残りの 5% 未満はタンパク質と水である．

ミネラルを多く含んでいるのでエナメル質は非常に硬い．そのためにエナメル質は咀嚼の際の力に耐えることができる．下の層の象牙質はもっと弾力性がありエナメル質の構造を傷つけないようにする．

新たに分泌されたエナメル質は，タンパク質を高濃度（約 30%）に含んでいるが，エナメル質が鉱化する間に 1% に減少する．

発生中のエナメル質（エナメル質形成）の細胞外基質は 2 種類のタンパク質，すなわち**アメロゲニン** amelogenin（90%）と**非アメロゲニン** non-amelogenin（10%）を含んでいる．後者には**エナメリン** enamelin と**アメロブラスチン** ameloblastin が含まれる．

アメロゲニン（25 kDa［kd］）は，発生途上のエナメル質に独特の主要な構成成分であり，エナメル質の鉱化を調節する．

エナメリンとアメロブラスチンは少ない構成要素である．エナメリン（186 kd）内のタンパク質分解性分画（32 kd）が強い親和性でエナメル質結晶に吸着する．アメロブラスチン（70 kd）はカルシウム－結合タンパク質をもっている．

齲歯は，象牙質の支持層が破壊され，エナメル質のヒドロキシアパタイトが溶解するときに起きる．

エナメル質形成不全 amelogenesis imperfecta は X 染色体に関連した遺伝性疾患であり，歯のエナメル質の形成に必要なアメロゲニンの合成に悪影響を及ぼす．傷害されたエナメル質は，通常の厚さ，硬さ，色にならない．常染色体顕性エナメル質形成不全はエナメリン遺伝子の突然変異で起こる．

口腔粘膜の非腫瘍性および腫瘍性病変

口腔粘膜の**非腫瘍性病変** non-neoplastic lesion には以下のものが含まれる：

1. **反応性線維上皮過形成** reactive fibroepithelial hyperplasia．外傷または入れ歯による歯肉と口蓋の刺激による．
2. **単純ヘルペス感染症** Herpes simplex viral infection は歯肉と口蓋の潰瘍を引き起こすことがある．ヒトパピローマウイルス感染症では口腔粘膜の疣贅（いぼ）性乳頭状病変がみられる．
3. **毛状（乳頭状）白板症** Hairy（papillary）leukoplakia は HIV 陽性患者や**エプスタイン・バー**Epstein-Barr 日和見感染症のように免疫能が抑制された人の舌縁に起こる．**コイロサイトーシス** koilocytosis（核周囲明庭）は**重層扁平上皮**の有棘層の細胞に起こり，核内のウイルス封入が特徴である．

口腔粘膜の**腫瘍病変** neoplastic lesion には以下のものが含まれる：

1. **扁平上皮がん** squamous cell carcinoma は成人にみられる主

要な口腔悪性状態で，主として舌縁と口腔底に起こる．扁平上皮がんは一般的に異形成，上皮内がんあるいは**増殖性疣贅性白斑症** proliferative verrucous leukoplakia（剝がれ落ちない白斑あるいはプラーク）から始まる．

2. **口腔メラノーマ** oral melanoma は一般的に口蓋と歯肉に起こり，上皮内あるいは不規則な境界と潰瘍を伴う多様な浸潤病変となりうる．ほとんどのメラノーマは進行したステージでみつかる．
3. **非ホジキンリンパ腫** non-Hodgkin's lymphoma は HIV 感染患者の粘膜関連リンパ組織（**ワルダイエル輪** Waldeyer's ring）にみられる．しばしば**エプスタイン・バーウイルス** Epstein-Barr virus が病変部に検出される．
4. **カポジ肉腫** Kaposi's sarcoma は皮膚病変と関連して，斑状あるいは結節状病変の形で口蓋と歯肉にみられる．病変は血管内皮細胞の増殖からなる．血管腔は CD34 を発現し，中等度に核異型性を示す細長い細胞で裏打ちされている．HIV 感染症と臨床的な相関がある．
5. **神経腫瘍** neural tumor には，シュワン細胞を含む被膜で覆われた腫瘍である**神経鞘腫** schwannoma，シュワン細胞で構成されるが被膜で囲まれていない単発性あるいは多発性の**神経線維腫** neurofibroma，および通常**舌**にみられる**外傷性神経腫** traumatic neuroma がある．

消化管の一般構造

これから，**消化管** digestive tube をそれぞれの部位に分けてみていくが，消化管の部位による違いと部分がおのおの独立して機能しているのではないという概念を理解するために，最初に消化管の一般的な構造について知ることが重要である．

消化管に共通な組織学的構造について述べるが，口腔を除いて，消化管は組織学的に共通の構造をもっていることに注意すべきである．

にもかかわらず，この構成は，特定の機能を反映して明確な特徴と重要な構造上の違いを有している．

口腔よりも後では，消化管は，大きく 4 つに分けられる．食道，胃，小腸および大腸である．これらの臓器はそれぞれ以下の同心円状の 4 つの層からなっている（図 15.7）．

1. 内腔に面する**粘膜** mucosa.
2. **粘膜下層** submucosa.
3. **筋層** muscularis.
4. **外膜** adventitia あるいは**漿膜** serosa.

粘膜は 3 つの要素をもつ：

1. **被覆上皮** lining epithelium.
2. 血管に富む疎性結合組織からなる下層の**粘膜固有層** lamina propria.
3. 平滑筋の薄い層である**粘膜筋板** muscularis mucosae.

リンパ小節と散在する免疫担当細胞（リンパ球，形質細胞，マクロファージ）が，粘膜固有層に存在する．小腸と大腸の粘膜固有層は，免疫応答に関連する部位である．

上皮が陥入すると**腺** gland が形成される．腺は**粘膜固有層**まで陥入していれば**粘膜腺** mucosal gland，**粘膜下層**までであれば**粘膜下腺** submucosal gland となる．

さらに，**導管** duct が肝臓と膵臓からの分泌物を**消化管** digestive tube（十二指腸）の壁を貫いて腸管腔に分泌する．

胃と小腸では，粘膜と粘膜下層はヒダ状に管腔面に突出する．それぞれ，**皺襞** ruga とか**ヒダ** plica とよばれる．

また，粘膜は単独で指状に**絨毛** villus として管腔面に突出する．**粘膜腺は消化管の分泌能を増加させ，絨毛は吸収能を高める**．

食道と十二指腸では，腺が粘膜下層に存在する．

わかり始めたと思うが，**粘膜**は消化管の部位によってかなり違う．

粘膜下層は密で不規則な結合組織からなり，粘膜や筋層に向かって分岐する太い血管，リンパ管，神経を含んでいる．

筋層は 2 層の平滑筋からなる．内層は，管腔を取り囲む方向に配列している（輪筋層）．外層は，消化管の長軸に沿って配置されている（縦筋層）．

輪筋層の収縮は，管腔を狭くする．縦筋層の収縮は，消化管の長さを短くする．食道上部と肛門括約筋には骨格筋線維が存在する．

消化管の**外膜** adventitia は疎性結合組織からなる．**消化管**が腸間膜または腹膜のヒダによってつり下げられている場合は，外膜は**中皮** mesothelium（**単層扁平上皮** simple squamous epithelium）によって覆われて，**漿膜**を形成している．**食道** esophagus は例外で，縦隔の脂肪組織で囲まれている．

胃の微小血管（図 15.8）

胃の微小血管 microvasculature of the stomach は胃の**消化性潰瘍** peptic ulcer disease（PUD）と**ストレス潰瘍** stress ulcer にとって重要なので，胃の微小循環を解析することにより議論を続ける（Box 15.A）．

血管とリンパ管と神経は，腸間膜や周囲の支持組織を通り，消化管壁に到達する．胃の壁に入った後に，動脈は 3 つの動脈網を形成する：

1. **漿膜下叢** subserosal plexus.
2. **筋層内叢** intramuscular plexus.
3. **粘膜下叢** submucosal plexus.

動脈叢からの枝には，筋層と粘膜下層を消化管の長軸方向に走行するものと，粘膜と筋層内に垂直に伸びるものがある．

Box 15.A | 消化性潰瘍疾患（PUD）

- 胃の微小循環は胃粘膜を健全に保護するうえで重要な役割を演じている．粘液と重炭酸イオンの分泌も含め，この機構が破綻すると塩酸とペプシンの破壊作用とピロリ菌感染を許し，消化性潰瘍疾患（PUD）になる．
- PUD の特徴は，胃，十二指腸，あるいは両者の粘膜表面一部または全部がなくなることである．プロトンポンプ阻害剤による胃内 pH のコントロールが治療の基本である．
- 胃粘膜に豊富な血液が供給されていることは**ストレス潰瘍**に伴う出血を理解するうえでかなり重要である．ストレス潰瘍は，胃表層粘膜のびらんである．このびらんは激しい外傷あるいは重篤な疾患の後，および非ステロイド抗炎症薬，コルチコステロイドを長期間使用した後に起こる．多くの場合，ストレス潰瘍は激しい出血と限局した痛みが生じたときにのみみつかる．

図 15.7 | 消化管の一般構造

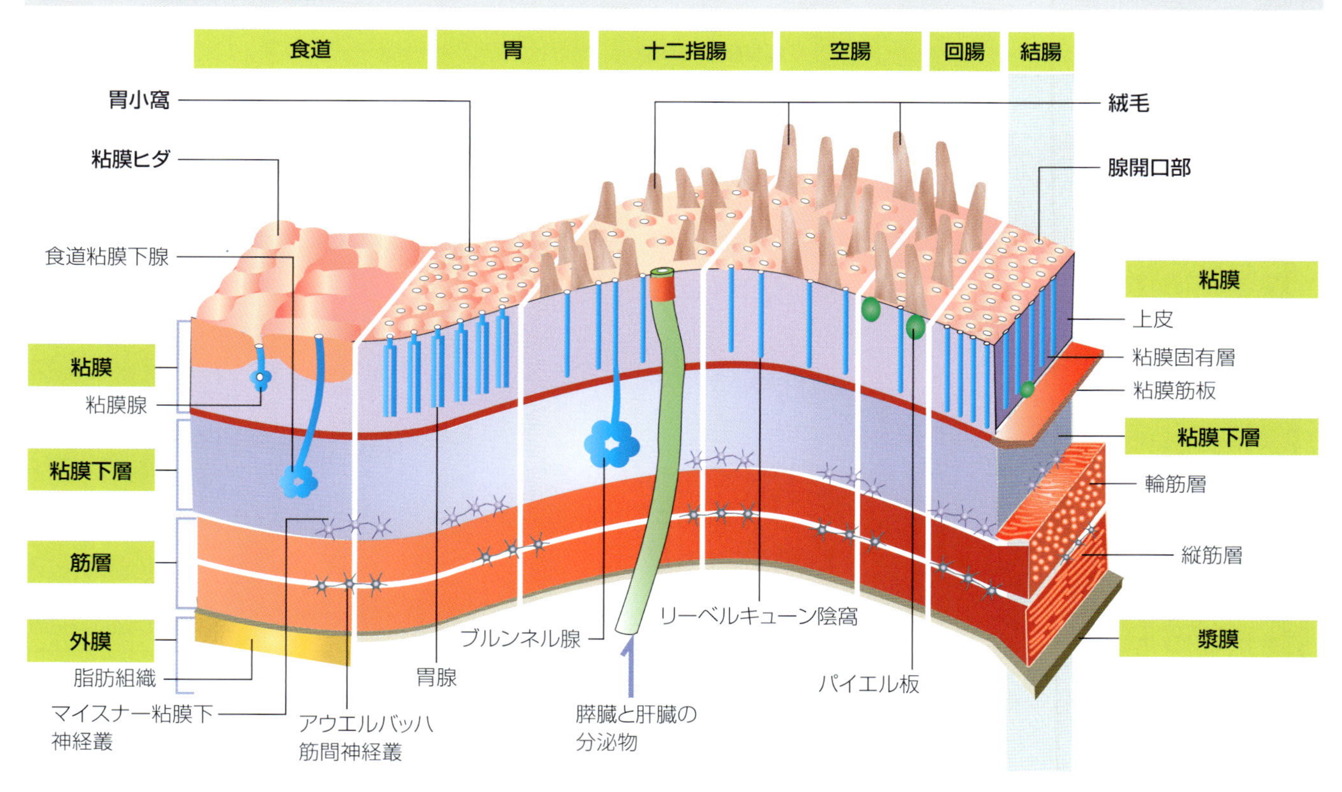

図 15.8 | 胃の微小循環

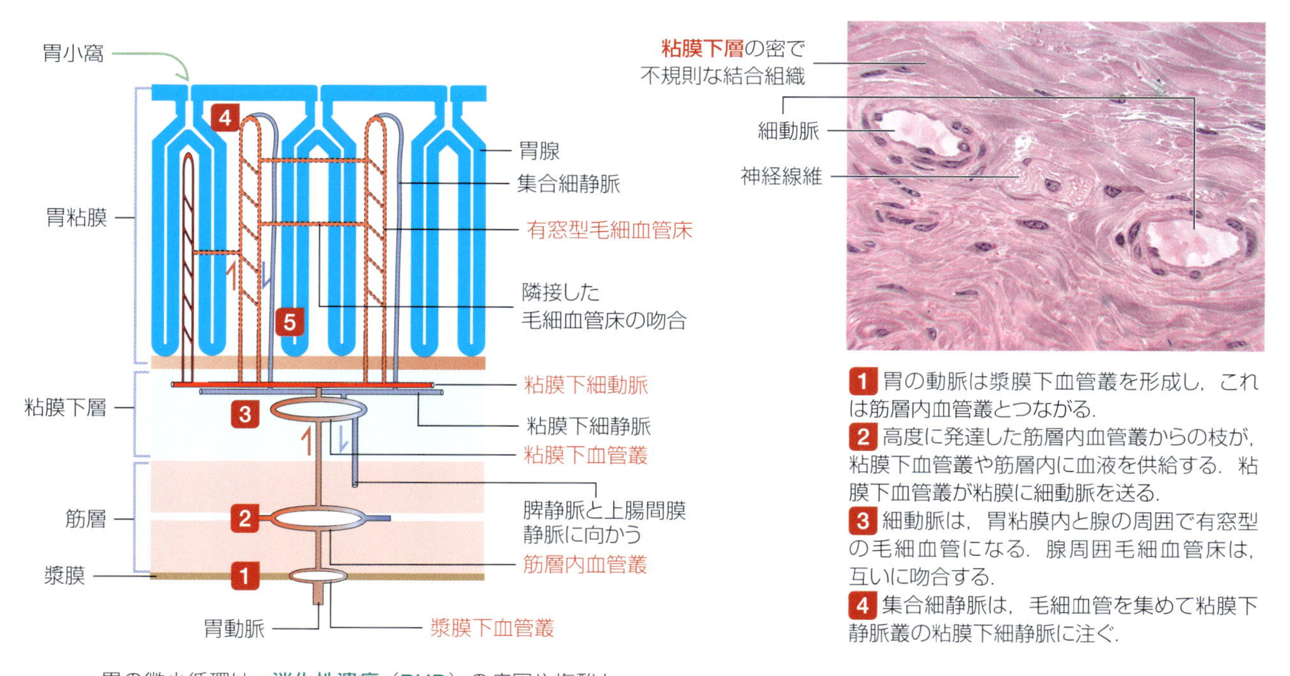

胃の微小循環は，消化性潰瘍（PUD）の病因や塩酸とペプシンの侵襲からの胃粘膜保護に関連する．

1 胃の動脈は漿膜下血管叢を形成し，これは筋層内血管叢とつながる．

2 高度に発達した筋層内血管叢からの枝が，粘膜下血管叢や筋層内に血液を供給する．粘膜下血管叢が粘膜に細動脈を送る．

3 細動脈は，胃粘膜内と腺の周囲で有窓型の毛細血管になる．腺周囲毛細血管床は，互いに吻合する．

4 集合細静脈は，毛細血管を集めて粘膜下静脈叢の粘膜下細静脈に注ぐ．

図 15.9 | 腸神経系

腸神経系（ENS）

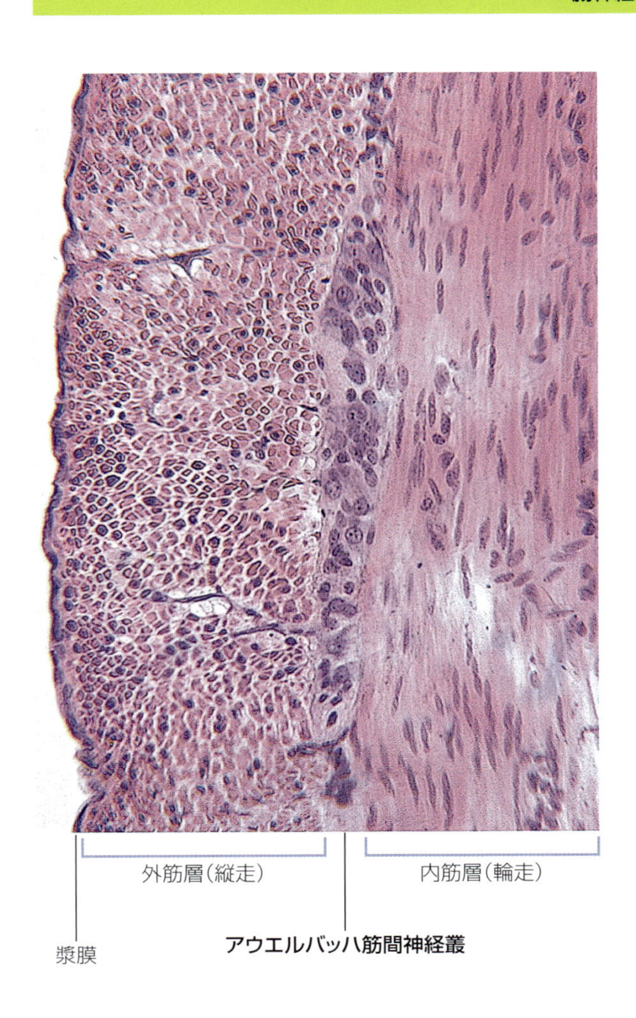

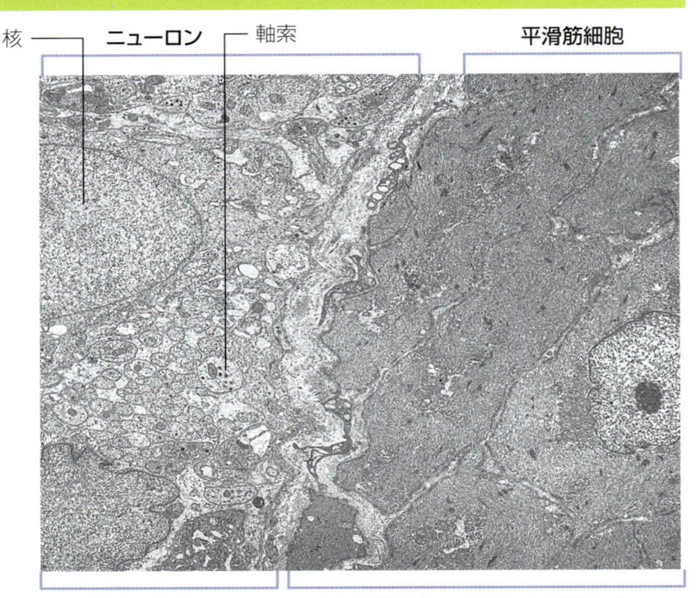

内筋層（輪走）．隣接する平滑筋細胞は電気的に連結しているので，刺激されると同期して収縮する

腸神経系は消化管内で互いに連結している 2 つの神経叢，すなわち，**アウエルバッハ筋間神経叢**（輪筋層と縦筋層の間に存在する）と**マイスナー粘膜下神経叢**（内筋層に近い粘膜下層の中にあり，分泌腺に神経を分布する）からなる．

2 つの神経叢は軸索によって連結され，介在ニューロンによって連絡した感覚神経と，運動神経からなる．これらは中枢神経系から独立して働くが，迷走神経と骨盤神経内の副交感神経節前線維，および脊髄と椎前神経節の交感神経節後線維によって調節されている（上述の腸神経系-交感神経-副交感神経-内臓の関係を参照）．

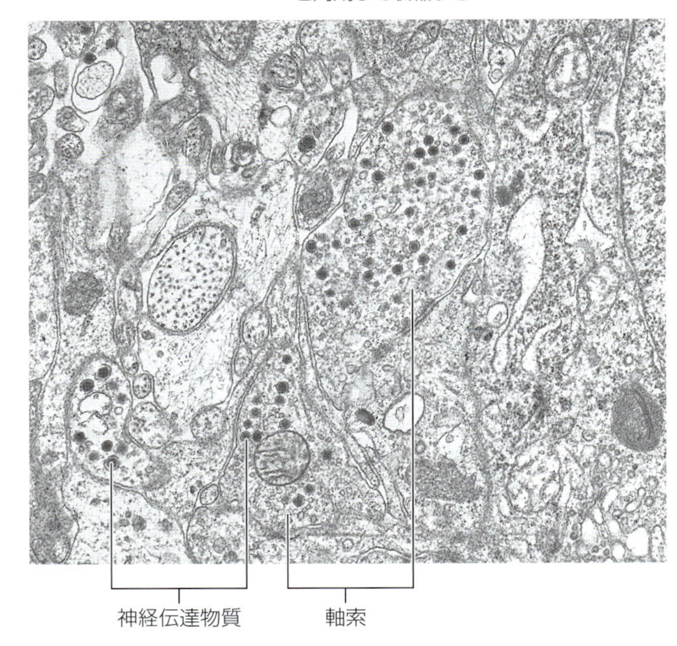

腸の神経でみられる化学的神経伝達物質には，**アセチルコリン**（興奮性），2 つの主な抑制性神経伝達物質である**一酸化窒素**（NO）と**血管作動性腸ペプチド**（VIP），および**タキキニン**（サブスタンス P など）がある．**セロトニン**と**ソマトスタチン**は介在ニューロンにみられる．

粘膜では，粘膜下動脈叢に由来する**細動脈** arteriole が**胃腺** gastric gland の周りに**有窓型毛細血管** fenestrated capillary の網を形成し，おのおのが横方向で吻合している．

毛細血管が有窓型であるために，重炭酸塩が容易に運ばれて，これにより表層の上皮細胞を塩酸の傷害から保護することができる．

粘膜から集合細静脈が下降し粘膜下層で静脈となり，消化管から離れて腸間膜に入り，脾静脈と上腸間膜静脈へ流入する．

腸間膜静脈は門脈へ流入して，肝臓に到達する．

腸神経系（ENS）（図 15.9）

消化管は**自律神経系** autonomic nervous system（ANS）によって支配されている.

自律神経系は，**外部からの要素**（副交感および交感神経支配）と，**腸神経系** enteric nervous system（ENS）とよばれる**固有の要素**からなる．**交感神経線維** sympathetic nerve fiber は胸髄と腰髄から起こる．**副交感神経線維** parasympathetic nerve fiber は，延髄の迷走神経背側運動核に由来する．**内臓知覚線維** visceral sensory fiber は，脊髄の後根神経節から起こる.

ENS は大きく，複雑で，中枢神経系とは独立して胃腸の機能をコントロールするように特徴的につくられている.

ENS は互いに連結している2つの異なる神経回路からなる．これらの神経回路は，介在ニューロンで連結された知覚神経と運動神経からなる（図 15.9）.

1. **粘膜下層に存在するマイスナー粘膜下神経叢** submucosal plexus of Meissner.
2. **内輪筋層と外縦筋層間に存在しているアウエルバッハ筋間神経叢** myenteric plexus of Auerbach.

これらの神経叢のニューロンと介在ニューロンの軸索は，分岐して外部からの交感神経性と副交感神経性の自律神経系と連結したネットワークを形成している.

アウエルバッハとマイスナー神経叢は，**副交感神経系の節前線維の軸索** preganglionic axon と，**交感神経系の節後線維の軸索** postganglionic axon を受けている．腸神経系は**消化管** digestive tube が局所刺激と自律神経系の外来性神経からの刺激の両方に応答できる.

統合された外来性神経と固有の腸神経叢の神経網は，以下の機能を調節する.

1. **筋層の蠕動運動** peristaltic contraction **と粘膜筋板** muscularis mucosae **の運動**.
2. **粘膜腺** mucosal gland **と粘膜下腺** submucosal gland **の分泌能**.

筋層の**副交感神経節前線維（コリン作動性終末）**の刺激は筋層の**運動性を高める**とともに腺の分泌を増加させる．平滑筋に分布する**交感神経節後線維（アドレナリン作動性終末）**の刺激は平滑筋の**運動性を抑える**.

食道（図 15.10）

食道 esophagus は筋性管状器官で，咽頭と胃をつなぐ．食道は胸郭を通り，横隔膜を貫通して胃に入る.

発生途上で横隔膜の**食道裂孔** esophageal hiatus が完全に塞がらないと，胃の一部が胸郭に入り込む**裂孔ヘルニア** hiatal hernia を生じる．**滑脱裂孔ヘルニア** sliding hiatal hernia では，胃が横隔膜の裂孔を通って，正常では下部食道で占められている部位に突出する.

筋層の収縮によって，食物は約2秒で食道内を通過する．この速度で送られた場合，胸郭内の圧力と容積の変化が最小となる．このために呼吸と心肺の血液循環が妨げられることはない.

食道の**粘膜**は，多くの結合組織乳頭をもつ粘膜固有層を**重層扁平上皮** stratified squamous epithelium が覆ってできている（図 15.10）．**粘膜筋板** muscularis mucosae は食道上部には存在しないが，胃に近づくとみられる．拡張していない食道の粘膜と粘膜下層は**縦走ヒダ** longitudinal fold を形成し，これが管腔に不規則な輪郭をつくっている.

食塊が食道の下方に移動するにつれて，縦走ヒダは一時的に消え，それから粘膜下層の弾性線維の反動によって回復する.

粘膜下層 submucosa は，コラーゲン線維と弾性線維の線維網と多くの細い血管からなる．食道の下端で，**粘膜下静脈叢** submucosal venous plexus は体静脈系と門脈系に流入している.

慢性肝疾患によって門脈圧が亢進すると，粘膜下静脈洞が拡張し，**食道静脈瘤** esophageal varix が形成される.

静脈瘤の破裂または静脈瘤の上にある粘膜の潰瘍は**食道**と**胃** stomach 内に出血を生じ，しばしば嘔吐（**吐血** hematemesis）を起こす.

粘膜腺 mucosal gland と**粘膜下腺** submucosal gland が**食道**にみられる．これらの腺の機能は，絶えず粘液を分泌して粘液の薄い層をつくることにより，粘膜上皮の表面を滑らかにすることである.

粘膜の管状腺 mucosal tubular gland は粘膜固有層にあり，胃の**噴門腺**に似ていて，**食道**の**噴門腺** cardiac esophageal gland とよばれる.

粘膜下の管状房状腺 submucosal tubuloacinar gland は**粘膜筋板**直下の粘膜下層でみられ，単一の管がつながる小さな小葉として組織されている.

腺房は，2種類の分泌細胞，すなわち**粘液細胞** mucous cell と**漿液細胞** serous cell からなり，後者の分泌顆粒には**リゾチーム** lysozyme が含まれる.

内輪筋層と外縦筋層の構成は食道の**部位によって異なる**.

食道の上部1／3 では，両方の層とも**横紋筋** striated muscle からなる.

食道の中間1／3 では，**平滑筋線維が横紋筋の深部にみられる**ようになる．食道の**下部1／3** では，両方の筋層が**平滑筋線維** smooth muscle cell になる.

食道は2つの括約筋をもつ：

1. 解剖学的に明らかな**上部食道括約筋** upper esophageal sphincter（UES），すなわち**輪状咽頭筋** cricopharyngeal muscle.
2. 機能的に定義される**下部食道括約筋** lower esophageal sphincter（LES），すなわち**胃食道括約筋** gastroesophageal sphincter.

UES は嚥下の開始に関与する．LES は食道への胃内容の逆流を防ぐ（Box 15.B）.

Box 15.B ｜ 胃食道逆流疾患（GERD）

- 食道重層扁平上皮は上皮移行帯の下端で胃と同じような抵抗力のない円柱上皮に置き換えられる．この過程は**バレット食道** Barett's esophagus，または**上皮化生** epithelial metaplasia として知られ，食道潰瘍，狭窄，腺がんになることがある．**胃食道逆流疾患**（GERD）は慢性炎症あるいは潰瘍および**嚥下困難**を引き起こす.
- 胃と下部食道の胸腔内の部分における GERD と消化性潰瘍は嚥下困難を招き咽に塊を感じる．この状態は家族で治療している患者に共通してみられ，特に若年および中年女性を侵す.

図 15.10 | 食道

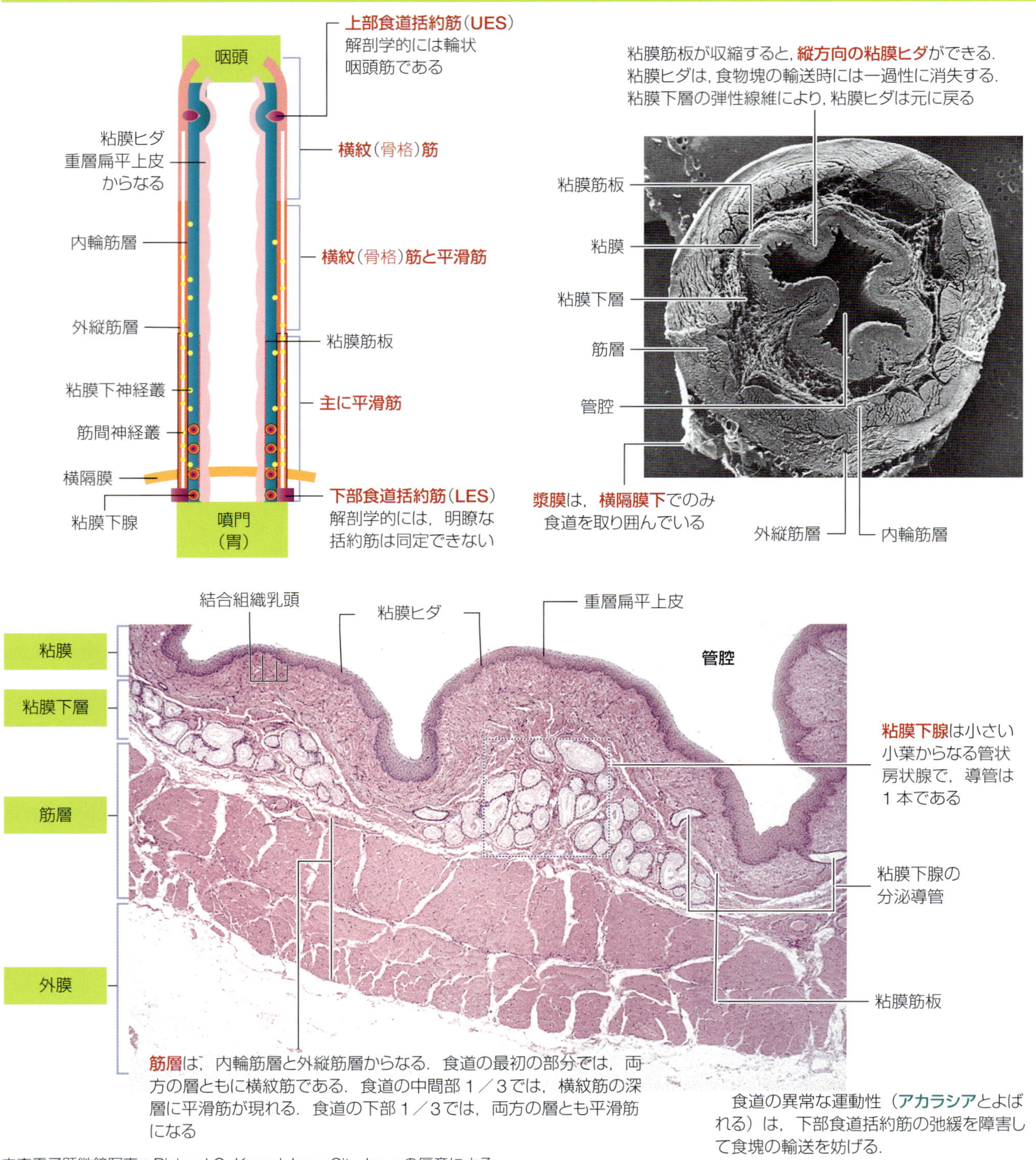

走査電子顕微鏡写真：Richard G. Kessel, Iowa City, Iowa の厚意による．

嚥下 swallowing に関する運動は頸部と胸部の交感神経幹からの神経によって調整されている．この神経は粘膜下層と内外の筋層間に神経叢を形成している．

胃（図 15.11）

胃 stomach は，食道と十二指腸の間にある．食道の上皮は**食道胃移行部** gastroesophageal junction で重層扁平上皮から単層円

図 15.11 | 胃

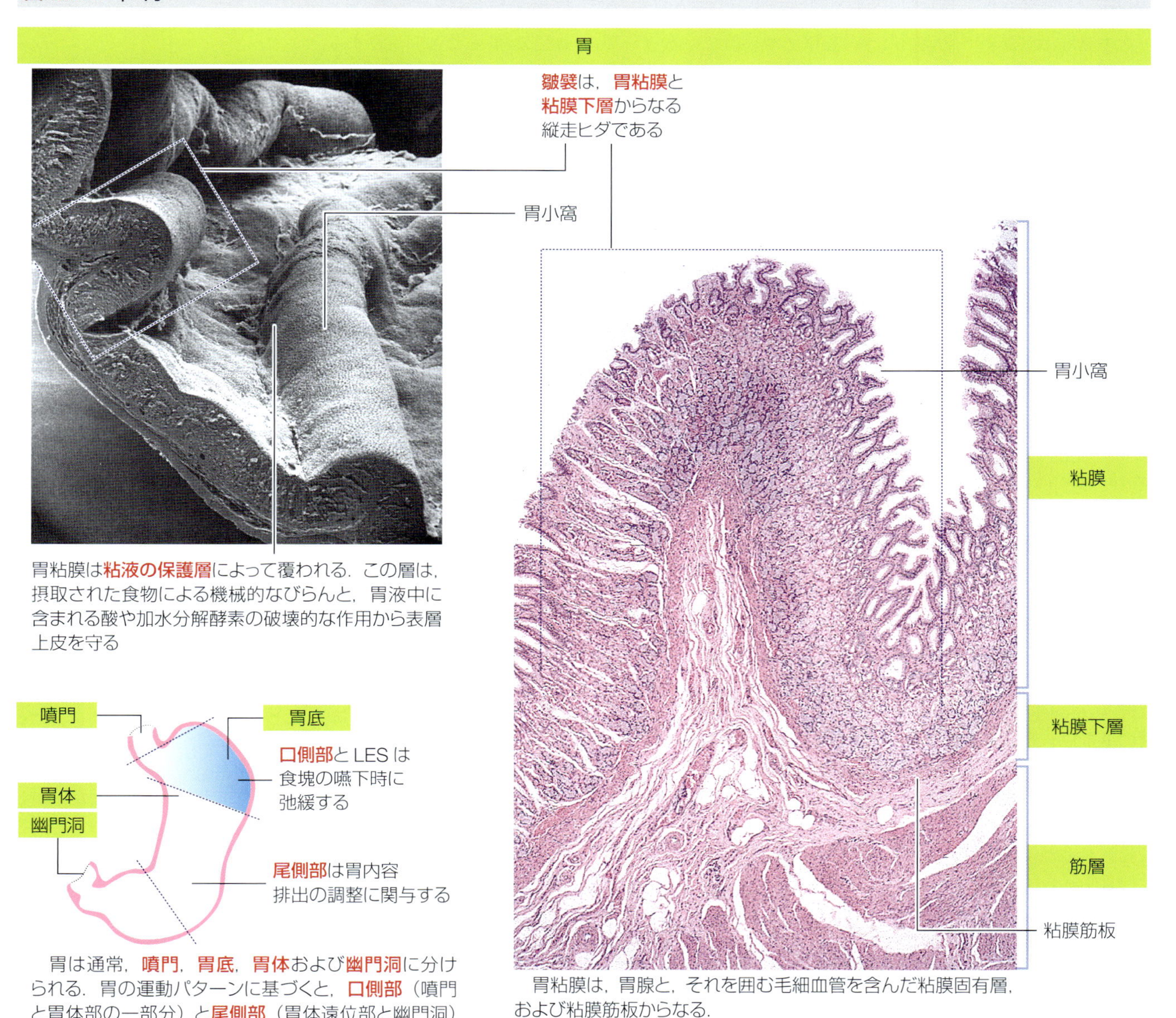

胃は通常，噴門，胃底，胃体および幽門洞に分けられる．胃の運動パターンに基づくと，口側部（噴門と胃体部の一部分）と尾側部（胃体遠位部と幽門洞）に分けられる．

胃粘膜は，胃腺と，それを囲む毛細血管を含んだ粘膜固有層，および粘膜筋板からなる．

走査電子顕微鏡写真：Richard G. Kessel, Iowa City, Iowa の厚意による．

柱上皮に変わる．

食道の粘膜筋板は，胃のものと連続している．しかし粘膜下層には明瞭な境界線がなく，胃の噴門腺は重層扁平上皮の下部に広がり，食道噴門腺に接していることもある．

胃には 4 つの解剖学的な領域が認められる（図 15.11）：

1. **噴門** cardia，食道開口部を囲む 2～3㎝幅の領域．
2. **胃底** fundus，**食道** esophagus 開口部の左に突出している．
3. **胃体** body，広い中央部．
4. **幽門洞** pyloric antrum（ギリシャ語 *pyloros* ［= gatekeeper，門番］），胃十二指腸開口部で終わる．

胃壁の構造：

1. 粘膜は，**噴門腺** cardiac gland，**胃腺** gastric gland，**幽門腺** pyloric gland を容れる．
2. 粘膜下層は粘膜筋板によって粘膜から分けられる．
3. 平滑筋の筋層．
4. 漿膜．

空の胃には**胃小窩** gastric pit／foveola で覆われた胃粘膜ヒダがみられる（図 15.11）．**粘膜** mucosa は噴門腺，胃腺，幽門線を囲む**粘膜固有層** lamina propria とよばれる疎性結合組織を容れている．

噴門腺は管状で，**コイル状の先端**と**胃小窩に続く開口部**をもっている．噴門腺は粘液分泌上皮でつくられている．**表層粘液細胞**で形成される**胃粘膜バリア** gastric mucosal barrier が粘膜表面を保護している．表層粘液細胞は PAS 染色陽性顆粒を含んでおり，頂上領域の閉鎖結合で互いに連結している．

胃底腺 fundic gland **と胃体腺** body gland（**胃腺**とよばれる）は

複雑な構成と機能的な特徴を有している．以下に詳しく述べる．

幽門腺は，噴門腺および胃腺と以下のように異なる：

1. 胃小窩はより深く，粘膜の深さの途中まで延びている．
2. 幽門腺はより広い腔をもち，高度に分枝している．幽門腺の主要な上皮細胞は，胃腺の頸部粘液細胞に似た粘液分泌細胞である．この細胞は粘液と細菌融解酵素である**リゾチーム** lysozyme を含む顆粒を分泌する．

消化管内分泌細胞である**ガストリン分泌G細胞** gastrin-secreting G cell は特に，幽門洞領域に多い．粘膜固有層にはリンパ小節がある．

粘膜固有層は細網線維とコラーゲン線維を含むが，弾性線維は少ない．粘膜固有層の細胞には線維芽細胞，リンパ球，肥満細胞，好酸球，およびいくらかの形質細胞がある．粘膜筋板は粘膜に平滑筋の薄い束を突出させて**胃腺**からの分泌物の放出を促す．

粘膜下層 submucosa は，コラーゲン線維と弾性線維が豊富にある密で不規則な結合組織からなる．

すでにみたように，胃の粘膜と粘膜下層の**微小血管** microvasculature は，多数の小動脈，静脈叢，およびリンパ管で構成されている．**マイスナー粘膜下神経叢** submucosal plexus of Meissner も存在する．

胃の**筋層** muscularis（あるいは**外筋層** muscularis externa）は輪状，斜走，縦走の3層の平滑筋からなるが，明確には区別できない．遠位幽門洞で，輪状筋が肥厚して輪状の**幽門括約筋** pyloric sphincter を形成する．

筋層の収縮は筋層の間にある自律神経叢（**アウエルバッハ筋間神経叢** myenteric plexus of Auerbach）の支配下にある．

胃の機能は，嚥下された半固体の食物を均質にして，化学的に処理することである．胃の筋壁の収縮と胃粘膜の胃腺から分泌される酸と酵素がこの機能にかかわる．食物が高粘度の流動体に変わると，徐々に十二指腸に送り込まれる．

可動性に基づくと，胃は2つの主要な領域に分けられる：

1. **口側** orad（ラテン語［*os* = mouth，口，*ad* = to，〜へ，*orad* = toward the mouth，口に向かって］）**部**は胃底と胃体の一部からなる．
2. **尾側** caudad（ラテン語［*cauda* = tail，尾，*ad* = to，〜へ，*caudad* = toward the tail，尾に向かって］）**部**は胃体の遠位部と幽門洞からなる．

嚥下の際，胃の口側部と下部食道括約筋は弛緩して摂取した食物を容れる．筋層の緊張が，内腔の容積を増加させることなく胃の容量を調整する．

胃の尾側部分が収縮すると胃内容を混和し胃十二指腸移行部の方に送る．大抵の固形物は，幽門が閉鎖するために胃体部に押し戻される（**後方突進** retropulsion）．液体の内容物はもっと速く胃から出る．

後方突進により，固形の粒子が機械的に混合，分離される．胃液が十二指腸に移る際には，胃の口側から尾側に向けての蠕動波が幽門括約筋の弛緩と協調して胃内容を押し出すことになる．

漿膜 serosa は疎性結合組織と漿膜下血管叢からなる．

胃噴門部（図 15.12）

噴門腺は**管状** tubular で，その**終末部はらせん状**であり，導管は伸びて**胃小窩に開口**する．噴門腺は食道に似た特徴を有する粘液分泌上皮からなる．

食道の重層扁平胃上皮から胃噴門部の単層粘液分泌上皮への移行部があることに注意する．

この急な移行は**上皮移行帯** epithelial transformation zone とよばれる．

胃底と胃体（図 15.13，15.14）

胃底 fundus から**胃体** body region of stomach にかけて存在する**胃腺** gastric gland は，胃液の主な産生部位である．約1,500万の胃腺が，350万の胃小窩に開いている．およそ2〜7本の胃腺が1つの胃小窩に開口している．

胃腺は，3つの部位からなる：

1. **胃小窩** pit／foveola は**表層粘液細胞**に覆われる．
2. **頸部** neck は**頸部粘液細胞**，有糸分裂を活発に行っている幹細胞，および**壁細胞**を含む．
3. **体部** body は胃腺のほとんどを占める．胃腺に沿って並んでいる細胞は上部と下部では細胞の種類が異なる．

胃腺には，5つの主要な細胞型がある（図 15.13，15.14）：

1. **粘液細胞** mucous cell は**表層粘液細胞**と**頸部粘液細胞**を含む．
2. **主細胞** chief cell（**消化細胞** peptic cell ともいう）．
3. **壁細胞** parietal cell（**酸分泌細胞** oxyntic cell ともいう）．
4. **幹細胞** stem cell.
5. **胃腸内分泌細胞** gastroenteroendocrine cell（クロム酸塩に親和性を示すためのクロム親和性細胞とよばれる）がある．後述．

胃腺主部の上部は，多量の壁細胞を含む．主細胞と胃腸内分泌細胞は主に下部にみられる．

胃底から胃体の胃粘膜には，2種類の粘液産生細胞がある：

1. 胃小窩を覆う**表層粘液細胞** surface mucous cell.
2. **胃腺** gastric gland が胃小窩に開く部分にみられる**頸部粘液細胞** mucous neck cell.

両方の細胞とも，**ムチン** mucin（高分子量の糖タンパク質）を産生する．粘液層は水95%とムチン5%を含んだ不溶性のゲルからなり，胃粘膜の表面に付着して，厚さ100 μmの粘膜バリアを形成している．この粘液層は，重炭酸イオンを取り込んで表層粘液細胞の細胞頂部周囲の微小環境を中和し，アルカリ性（約pH 7.0）にしている．

Na^+，K^+，Cl^-は粘膜バリアの成分である．慢性嘔吐患者（Box15.C）や胃液の持続吸引を受けている患者には，低カリウム性代謝性アシドーシスを予防するために，NaCl，グルコース，K^+の静脈内補充が必要となる．

主細胞と壁細胞（図 15.15）

主細胞 chief cell（図 15.15）は，胃腺の下1／3に多い．**主細胞は噴門腺** cardia gland **には存在せず，幽門洞** pyloric antrum **ではほとんどみられない．**

主細胞は，膵外分泌部の酵素原（チモーゲン）細胞と構造上の類似性をもつ．細胞質の基底部には，大型の粗面小胞体がみられる．ペプシノゲンを含有する分泌顆粒（**チモーゲン顆粒** zymogen granule）は，細胞頂部（頂上領域）で観察される（図 15.15）．

ペプシノゲン pepsinogen（チモーゲン顆粒に貯蔵されている

図 15.12 ｜ 胃の噴門腺

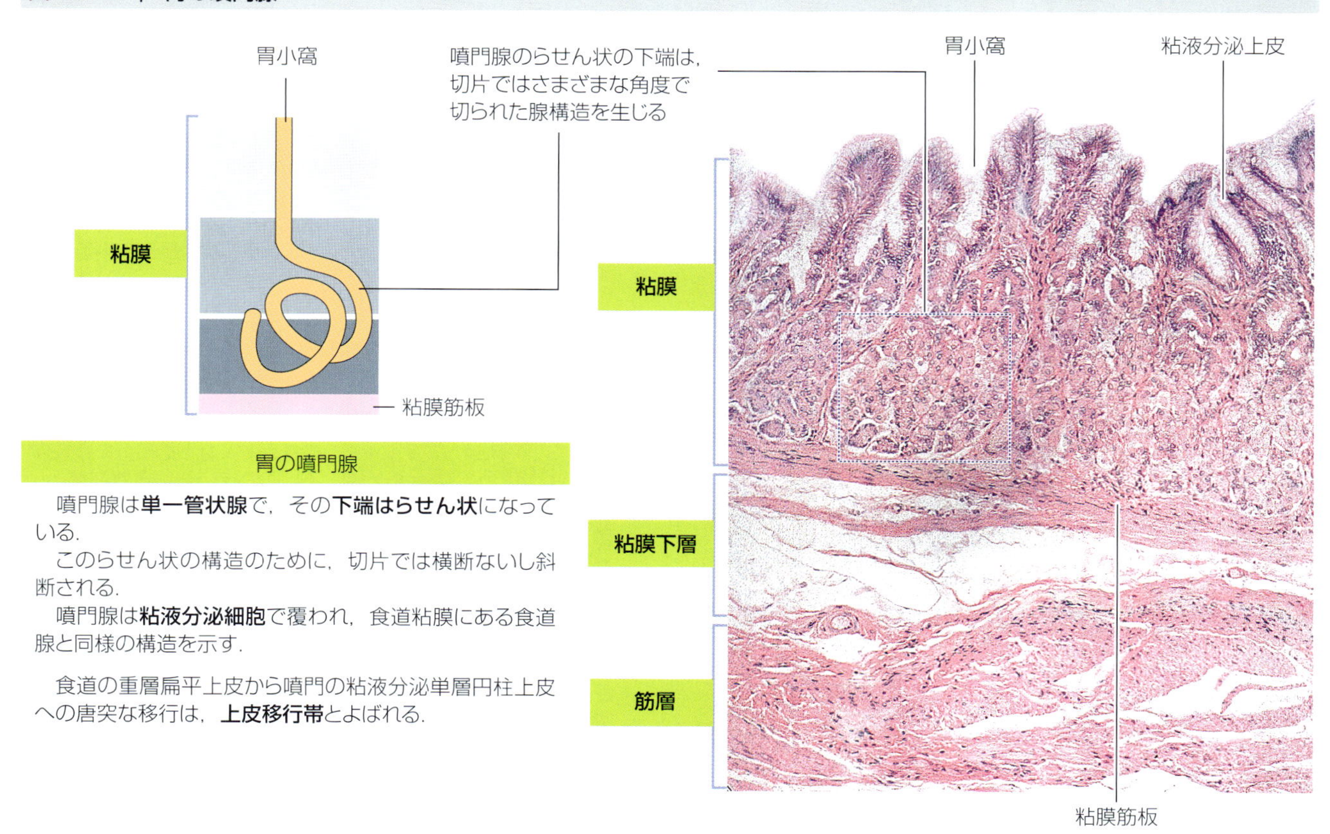

胃の噴門腺

噴門腺は**単一管状腺**で，その**下端はらせん状**になっている．

このらせん状の構造のために，切片では横断ないし斜断される．

噴門腺は**粘液分泌細胞**で覆われ，食道粘膜にある食道腺と同様の構造を示す．

食道の重層扁平上皮から噴門の粘液分泌単層円柱上皮への唐突な移行は，**上皮移行帯**とよばれる．

酵素前駆体）は腺管腔に放出されて，胃の酸性環境で**ペプシン** pepsin（大部分のタンパク質を消化できるプロテアーゼ）に変わる．食事摂取（特に空腹時の）によって刺激され，ペプシノゲンの放出が急激に起こる．

壁細胞 parietal cell は胃腺の頸部と上部に多く，接着複合体によって主細胞と連結している．

壁細胞は**塩酸** hydrochloric acid と**内因子** intrinsic factor すなわちビタミン B_{12} に結合する糖タンパク質を産生する（Box 15.D）．

壁細胞は，次の 3 つの特徴をもつ：

1. **多量のミトコンドリア** mitochondria をもっている．これは細胞容積の約 40% を占め，細胞内細管に H^+ を送り込むために必要なアデノシン三リン酸（ATP）を供給する．
2. **分泌細管** secretory canaliculus あるいは**細胞内細管** intracellular canaliculus は細胞頂部表面が陥入することによって形成され，胃腺の管腔面と連続しており，その表面は多数の微絨毛によって覆われている．
3. 壁細胞の活動静止期には，H^+，K^+-ATPase の豊富な**管状小胞系** tubulovesicular system が，分泌細管に沿って分布している．

刺激を受けると，管状小胞系が分泌細管の膜と融合し，多数の微絨毛を細管腔に突出させる．

膜が癒合すると H^+，K^+-ATPase の量が増加し，分泌細管が拡張する．H^+，K^+-ATPase は微絨毛の細胞膜のタンパク質の約 80% を占める（図 15.15）．

Box 15.C ｜ メネトリエ病

- メネトリエ病 Ménétrier's disease は腫瘍細胞増殖因子 −α（TGF−α）により誘導された胃粘膜の表層粘液細胞の過形成と関連している．
- この疾患の臨床症状は，嘔気，嘔吐，心窩部痛，胃腸出血，下痢，および低アルブミン血漿などである．
- メネトリエ病の診断は内視鏡検査（大きな胃粘膜ヒダの存在）と生検による粘膜ヒダの胃小窩の過形成，腺の萎縮，および壁細胞数の減少で確定される．治療は嘔気と胃痛を和らげる薬と，TGF−α受容体シグナルをブロックするモノクロナール抗体セツキシマブの投与である．

Box 15.D ｜ 自己免疫性胃炎

- 自己免疫性胃炎 autoimmune gastritis は H^+，K^+-ATPase，壁細胞抗原および内因子に対する自己抗体によって引き起こされる．壁細胞の破壊は胃液の塩酸を減少させ（無酸症 achlorhydria），内因子を合成できなくする．
- ビタミン B_{12} は，胃の中で輸送結合タンパク質の内因子に結合する．小腸において，ビタミン B_{12}- 内因子複合体は回腸の腸細胞表面にある内因子受容体に結合し，門脈循環によって肝臓に運ばれる．
- ビタミン B_{12} 欠乏 vitamin B_{12} deficiency は骨髄における赤血球の形成を阻害し，悪性貧血とよばれる状態になる．**悪性貧血** pernicious anemia は巨赤血球（巨赤芽球性貧血 megaloblastic anemia）と末梢血における過分葉の大きな好中球が特徴である（第 6 章参照）．

図 15.13 | 胃底－胃体腺（胃腺）

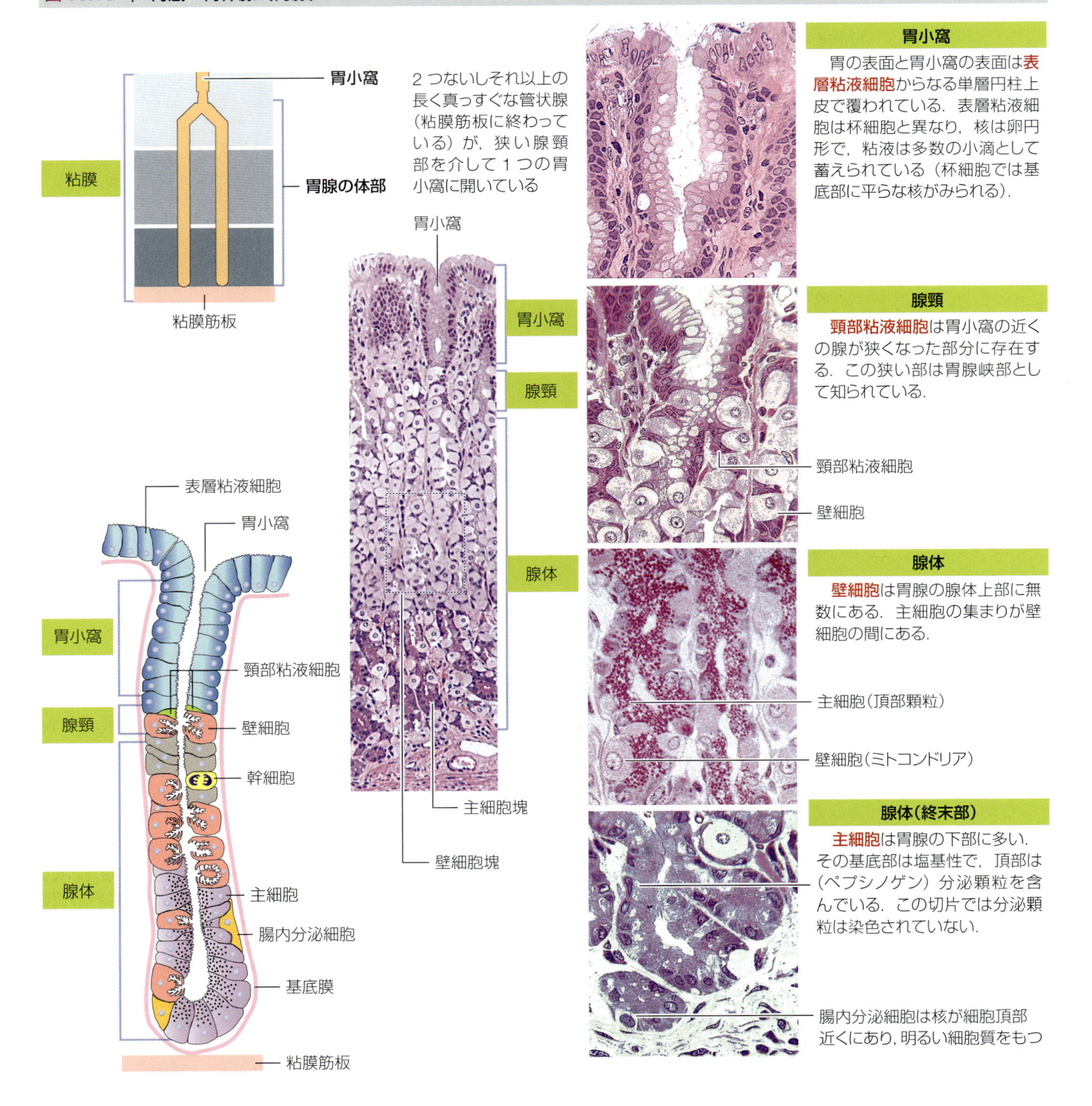

塩酸の分泌（図 15.16）

壁細胞は塩酸を多く含む酸分泌（pH 0.9～2.0）を行っているが，この H^+ の濃度は血液より 100 万倍高い．壁細胞による H^+ と Cl^- の放出は，管状小胞系と分泌細管の膜融合により起こる（図 15.16）．

副交感神経（迷走神経）の伝達物質である**アセチルコリン** acetylcholine（**ムスカリン [M₃] 受容体** muscarinic［M_3］receptor に結合している）と幽門洞の腸内分泌細胞で産生されるペプチドの**ガストリン** gastrin は，壁細胞を刺激して HCl を分泌させる．

アセチルコリンはまた，ガストリン分泌を促す．**ヒスタミン** histamine は，**ヒスタミン H_2 受容体** histamine H_2 receptor と結合して，壁細胞に対するアセチルコリンとガストリンの効果を増強する．ヒスタミンは胃腺を取り巻く粘膜固有層内の**腸クロム親和性細胞様** enterochromaffin-like（ECL）細胞によって生産される．**シメチジン** cimetidine は H_2 受容体拮抗薬で，ヒスタミンに

図 15.14 ｜ 胃底－胃体腺（胃腺）

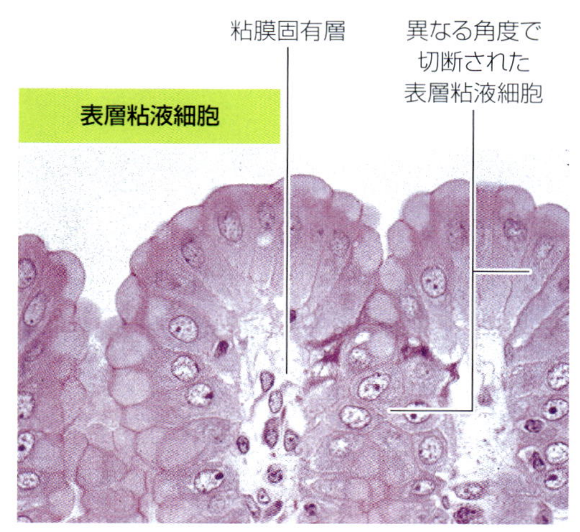

表層粘液細胞は，**細胞頂部の顆粒**に糖タンパク質（ムチン）を含む．ムチンは水と結合して胃の粘膜表面に**保護ゲル**を形成する．これに加えて，多数の**ミトコンドリア**が，**炭酸脱水酵素**とともに，重炭酸イオンを産生して**保護ゲル**の pH を上げることに貢献している．

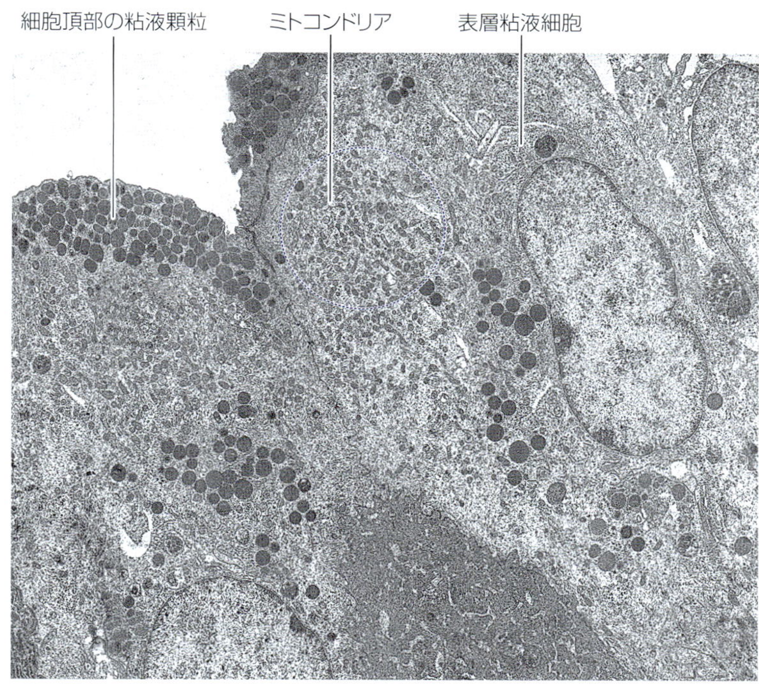

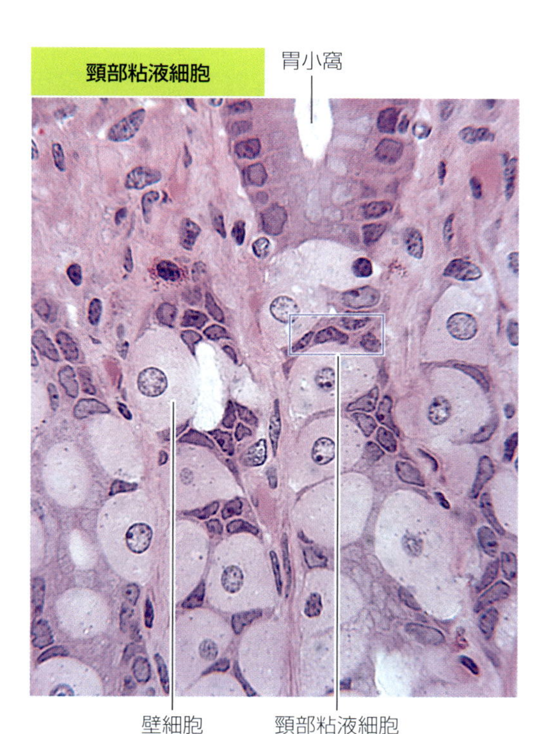

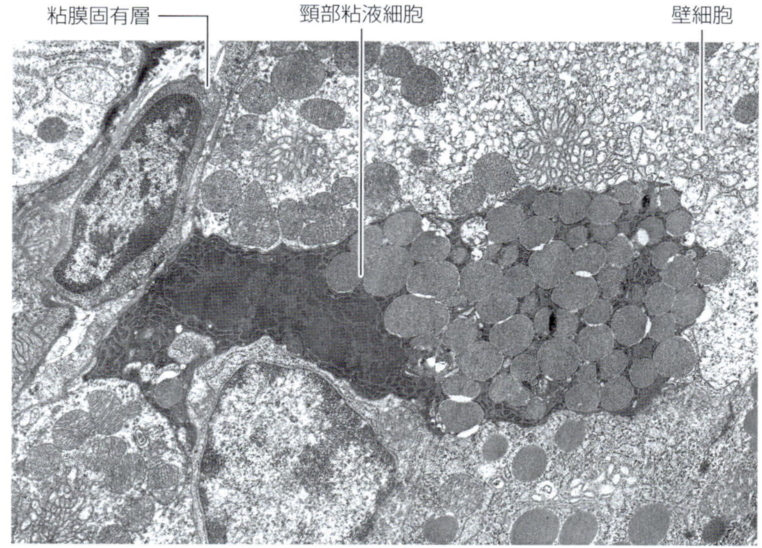

迷走神経刺激やアセチルコリンによって，頸部粘液細胞から可溶性粘液の分泌が増加する．

表層粘液細胞によって産生されるムチンと同様に，この可溶性粘液は胃の糜粥と混ざって腺や粘膜表面を滑らかにする．

よる酸分泌を抑制する．

H^+, K^+-ATPase は H^+ と K^+ の交換を促進する．Cl^- と Na^+（NaCl の解離によって産生される）は，分泌細管の管腔に能動的に輸送され，HCl を生産する．いったん H^+ が使われると，K^+ と Na^+ は別々のポンプで細胞へ再度取り込まれ再利用される．

オメプラゾール omeprazole は H^+, K^+-ATPase に親和性をもち，これに結合することで酸分泌を抑制し，消化性潰瘍の治療に有用な薬である．

水は，細管内にイオンが分泌されるために生じる浸透圧によって細胞内に入り，H^+ と水酸基イオン（HO^-）に解離する．二酸化炭素は，血液から細胞に入るか，または細胞の代謝によってでき，炭酸脱水酵素によって HO^- と結合して炭酸を形成する．炭酸は重炭酸イオン（HCO_3^-）と H^+ に解離する．HCO_3^- は拡散によって細胞から血液中に放出され，消化時に血漿中の pH が上昇する原因とされている．

図 15.15 | 主細胞と壁細胞（胃腺）

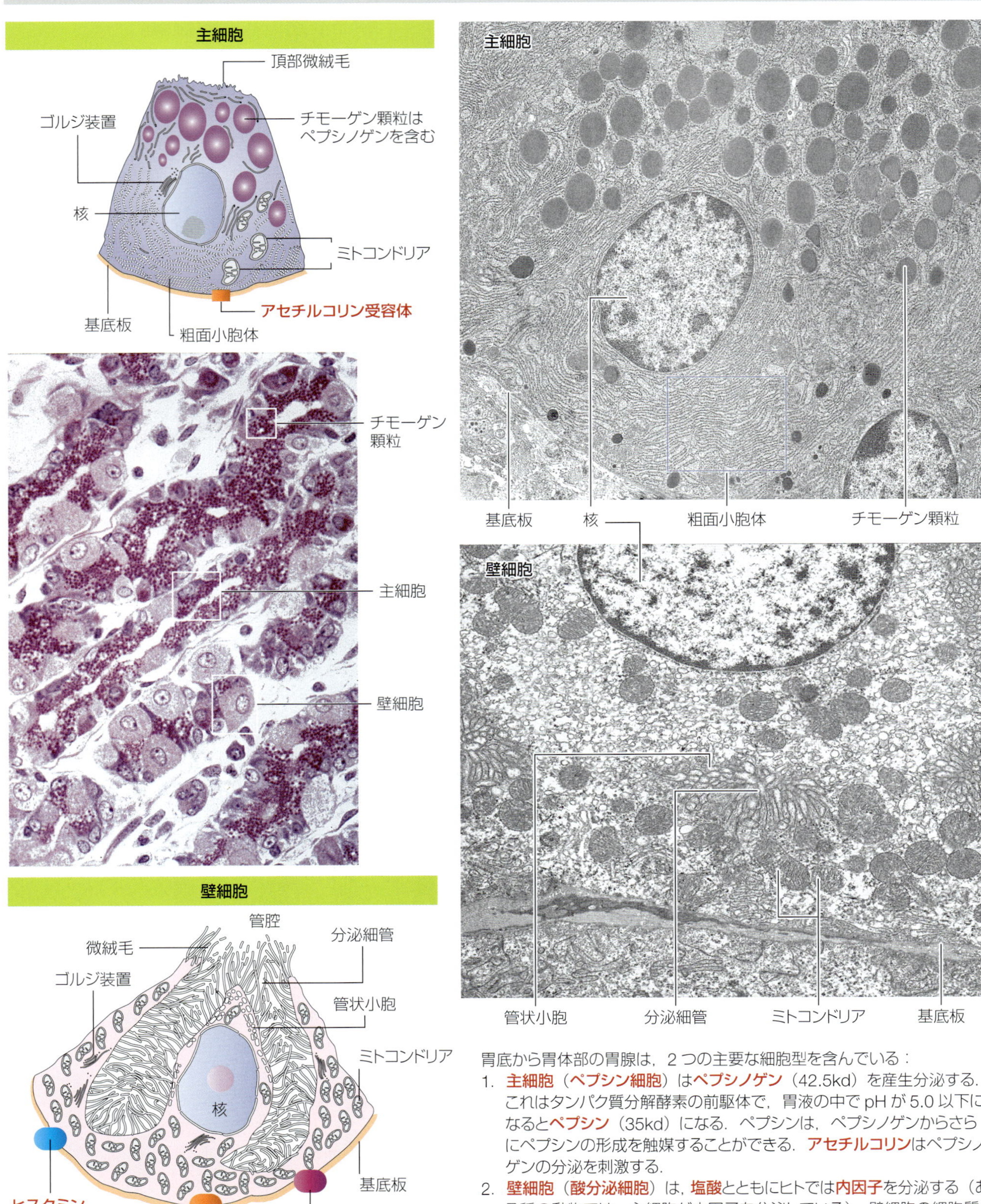

胃底から胃体部の胃腺は，2 つの主要な細胞型を含んでいる：

1. **主細胞**（**ペプシン細胞**）は**ペプシノゲン**（42.5kd）を産生分泌する．これはタンパク質分解酵素の前駆体で，胃液の中で pH が 5.0 以下になると**ペプシン**（35kd）になる．ペプシンは，ペプシノゲンからさらにペプシンの形成を触媒することができる．**アセチルコリン**はペプシノゲンの分泌を刺激する．
2. **壁細胞**（**酸分泌細胞**）は，**塩酸**とともにヒトでは**内因子**を分泌する（ある種の動物では，主細胞が内因子を分泌している）．壁細胞の細胞質には，多数の**管状小胞**と胃腺の管腔につながっている**分泌細管**がある．

刺激により，管状小胞は分泌細管の細胞膜と融合する．**炭酸脱水酵素**と**H^+, K^+-ATPase** は，分泌細管の管腔面に突き出た微絨毛に局在している．

ヘリコバクター・ピロリ感染
（図 15.17；基本事項 15.A）

胃液は，2 種類の別々の分泌の組み合わせである：

1. 胃腺の表層粘液細胞と頸部粘液細胞によって産生されるアルカリ性のゲル状保護分泌物（図 15.17）．
2. 塩酸とペプシン，すなわち壁細胞と主細胞由来の 2 つの潜在的には攻撃的な分泌物．

保護分泌物は構造の一部で，常に存在する．攻撃的な分泌物の塩酸とペプシンは，食物摂取後に分泌量が基礎分泌量よりも増加するため，付随的である．表層粘液細胞と頸部粘液細胞によってつくられた粘稠で高度にグリコシル化された胃粘液層が胃の上皮細胞表面を中性に保つ．

加えて，ミトコンドリアの多い表層粘液細胞は，HCO_3^-を産生し，表面の粘液性ゲル内に拡散させている．慢性的な嘔吐に際しての保護粘膜バリアと胃液中に存在する Na^+，K^+，Cl^-の臨床的重要性を思い出してほしい（「胃底と胃体」の項参照）．

壁細胞によって産生される HCO_3^-は，粘膜固有層の有窓型毛細血管に入る．HCO_3^-の一部は，表面粘液層内に拡散し，胃内腔の塩酸によって生じた低い pH を表層粘液細胞（図 15.17）の近くで中和している．

しかし，胃，特に幽門洞の上皮を覆っている粘液層は，鞭毛をもつ細菌**ヘリコバクター・ピロリ** *Helicobacter pylori* が，厳しい環境にもかかわらず生育することができる部位である．ピロリ菌は胃の内腔で生存し，増殖を繰り返す（基本事項 15.A）．これが存在することが胃の**酸性消化性潰瘍** acid peptic ulcer と**胃腺がん** adenocarcinoma of the stomach に関与している．

ピロリ菌の病原性は以下の 3 相からなる：

1. **活動相** active phase では，運動能力のある細菌が**ウレアーゼ** urease を使ってアンモニアを産生し，胃内 pH を上げる．
2. **静止相** stationary phase は，細菌が幽門部の表層粘液細胞表面のフコース含有受容体に付着する．ピロリ菌が接着すると，**細胞毒性プロテアーゼ** cytotoxic protease が産生され，細菌が**表層粘液細胞** surface mucous cell から栄養を補給できるようになり，さらに白血球の遊走を引き起こす．アンモニア産生と細胞毒性プロテアーゼは，**幽門** pylorus 粘膜の**消化性潰瘍** peptic ulcer の進展と相関する．
3. 最後の**コロニー形成相** colonization phase では，ピロリ菌が表層粘液細胞のフコース含有受容体から離れ，粘液層内で増殖し，シアル酸を含む糖タンパク質に接着した状態に留まる．

胃粘液を分泌している細胞のターンオーバーが速いにもかかわらず，ピロリ菌はウレアーゼを産生し，高い運動能をもっているため，死んだ上皮細胞とともに排除されることなく胃内腔に残ることができる．

20 歳では人口の約 20% がピロリ菌に感染している．60 歳ではその感染率は約 60% にまで増加する．

たいていの感染者が，臨床症候を示さない．強く，突然の，**持続性胃痛** persistent stomach pain（食事と制酸剤で和らぐ），**吐血** hematemesis（血液の嘔吐），あるいは**下血** melena（タール様の黒い便）は患者の臨床症状である．酸性消化性疾患や慢性胃炎が感染によるという証拠が増えたので，ピロリ菌の感染がみられ

図 15.16 ｜ 壁細胞による塩酸分泌

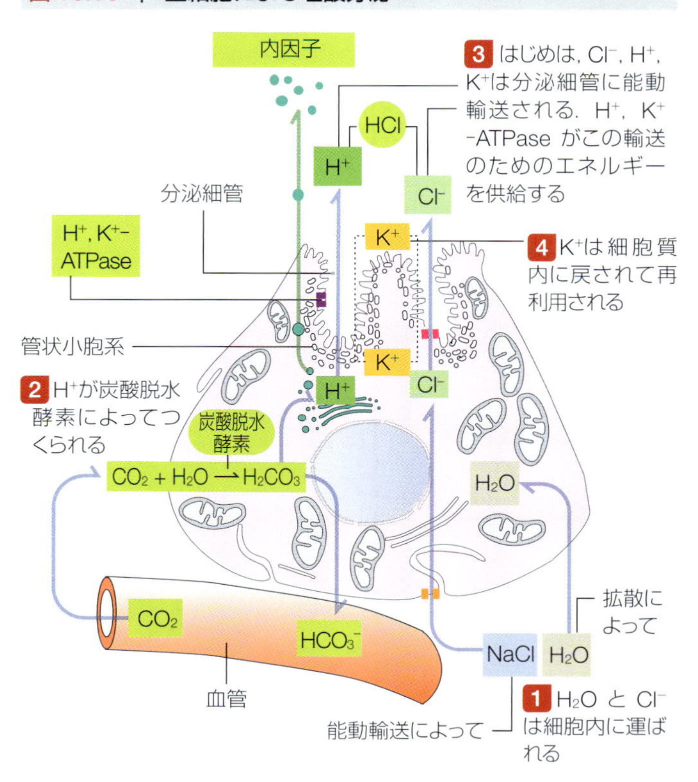

図 15.17 ｜ 保護胃粘液層

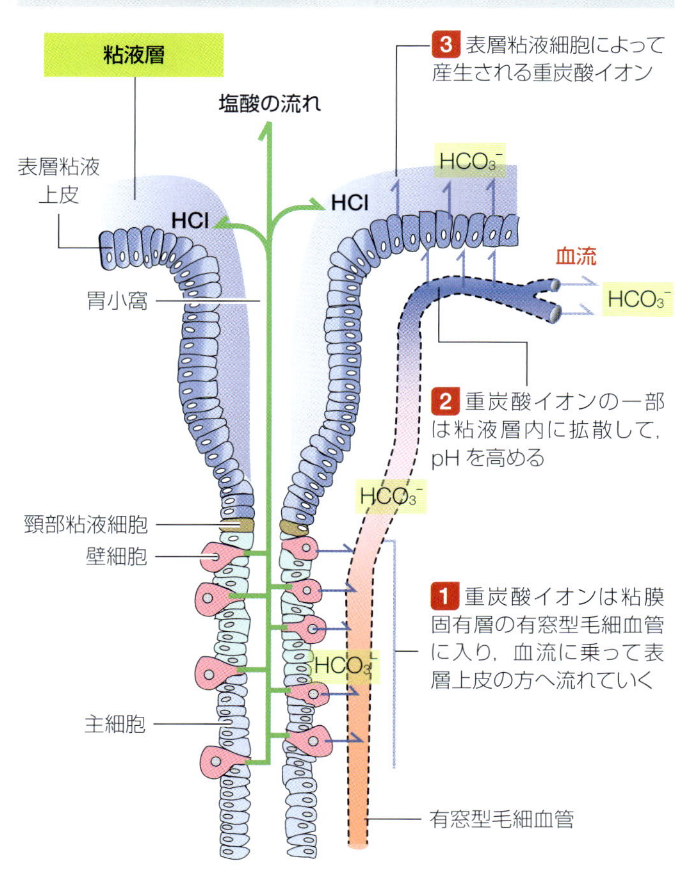

基本事項 15.A | ヘリコバクター・ピロリ，胃の慢性炎症と潰瘍

ヘリコバクター・ピロリの感染サイクル

1 ピロリ菌によって産生されるアンモニアは胃液の酸性度を低下させ，細菌の生存を可能にする．

NH_3

アドヘシン

粘液層

フコース含有受容体

2

細胞毒性プロテアーゼの放出

表層粘液上皮

白血球

3

血管

5 出血

4 IL-8

粘液層内のシアル酸を含有するタンパク質

粘膜固有層

4 化学的に遊走してきた白血球はインターロイキン-8（IL-8）を放出し，ピロリ菌が放出した細胞毒性プロテアーゼによって傷害された上皮細胞を破壊する

5 表面の上皮細胞がピロリ菌によって破壊されると，粘膜固有層局所に炎症が起こり，胃粘膜の出血性潰瘍が生じる

1 活動相

活動相では，幽門洞のピロリ菌 *H.pylori* は短期間，非常に高い運動能をもつ．約 6 本の鞭毛が運動能を与える．この間に，ピロリ菌は酵素の**ウレアーゼ**によって**アンモニア**（NH_3）を産生し，酸性度を低下させる．

2 静止相

ピロリ菌は粘液層に入って，**フコース含有受容体に結合能をもつ**接着分子，付着因子**アドヘシン**を産生して，粘液上皮細胞頂部表面のフコース結合部位に付着する．細胞に付着したピロリ菌は上皮細胞から栄養分を得ることが可能になり，やがて上皮細胞は死ぬ．

3 集落（コロニー）形成相

栄養を十分に吸収したピロリ菌は表層粘液細胞の頂部表面から離れ，粘液層内で増殖し，**シアル酸含有粘液タンパク質**に付着する．細菌は再び活動相に入り（運動能とアンモニアを産生する），その生活史を繰り返す．

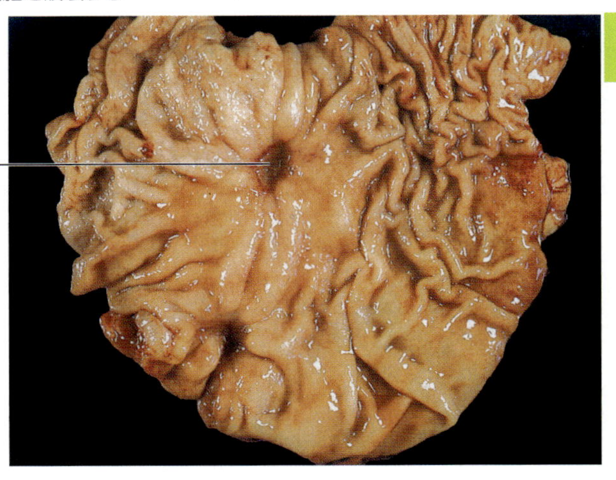

胃の慢性消化性潰瘍．吐血を引き起こした潰瘍底の出血血管のために胃部分切除が行われた

胃粘膜上皮細胞の再生

幹細胞は胃腺の頸部に存在する有糸分裂を行う細胞で，胃粘膜を絶えず再生させる源である．幹細胞に由来する娘細胞が，上方へ移動すると表層粘液細胞になり，下方へ移動すると壁細胞，主細胞，腸内分泌細胞に分化する．

表層粘液細胞の寿命は 3 日，壁細胞や主細胞の寿命は 190 日以上である．

写真：Cooke RA, Stewart B: Anatomical Pathology. 2nd edition, Edinburgh, Churchill Livingstone, 1995 より．

図 15.18 | G 細胞（幽門洞）

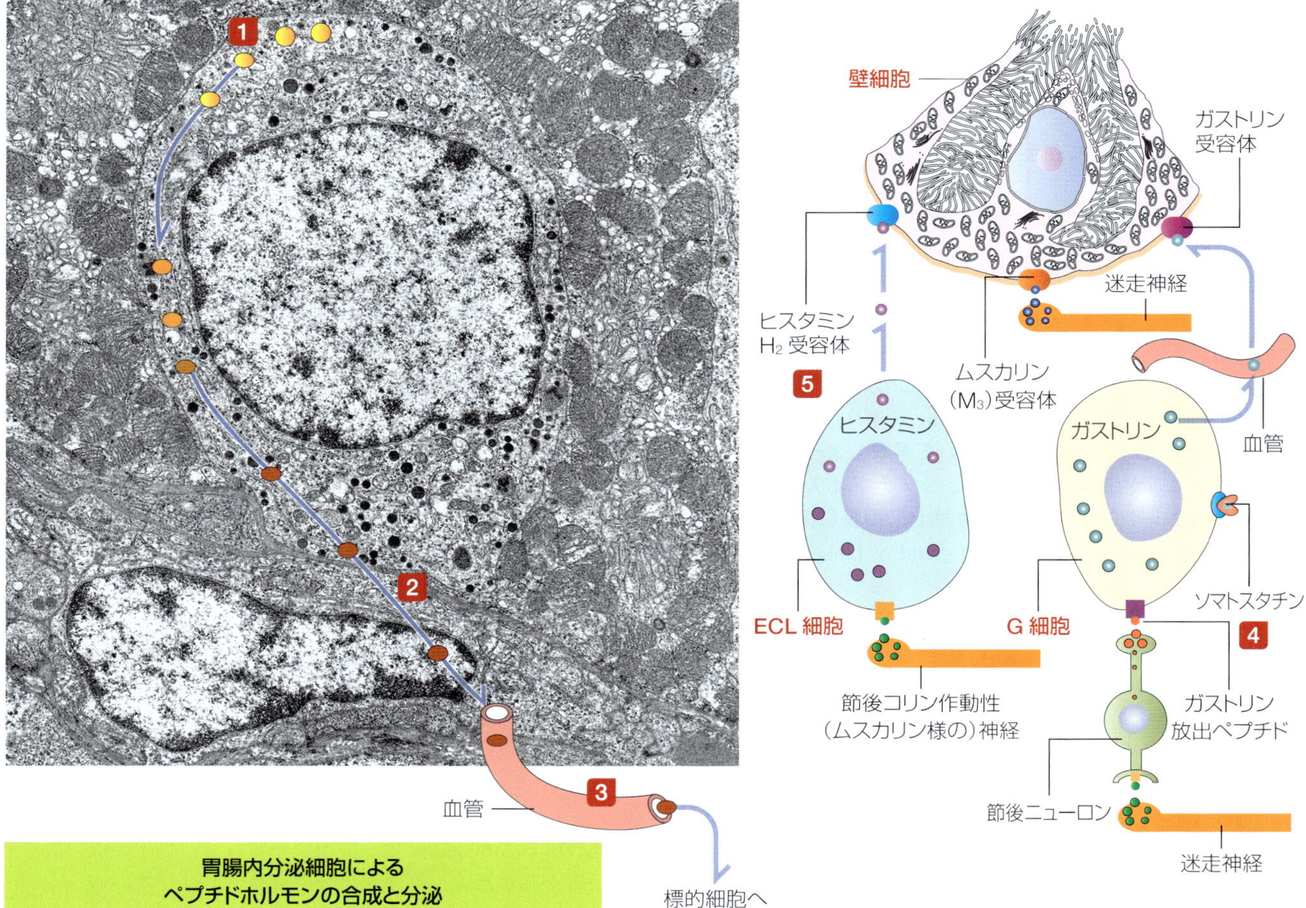

胃腸内分泌細胞による
ペプチドホルモンの合成と分泌

1 脂溶性アミノ酸は，胃腸内分泌細胞に入り，脱炭酸されてアミンになる．アミンは標的細胞の機能を刺激，または抑制するポリペプチドホルモンの一部分になる．

2 胃腸内分泌細胞から分泌されたポリペプチドホルモンは周囲の粘膜固有層に入り，そこから毛細血管に到達する．

3 血液で運ばれたペプチドは標的細胞に結合し，その細胞の機能を刺激または抑制する．

4 迷走神経が幽門洞を刺激すると，シナプス後ニューロンから**ガストリン放出ペプチド**が放出される．このペプチドは幽門洞に存在する G 細胞を直接刺激して，ガストリンの分泌を促す．近傍の **D 細胞**（図示していない）から放出されるソマトスタチンは，ガストリン分泌を抑制する．

5 **ヒスタミン**は，節後線維から出されるアセチルコリンに反応して，粘膜固有層内の**腸クロム親和性細胞様細胞**（ECL 細胞）から分泌される．ヒスタミンは壁細胞の **H_2 受容体**に結合する．ヒスタミンは，壁細胞の塩酸の分泌に対するアセチルコリンとガストリンの効果を**増強**する．

るすべての潰瘍患者に抗生物質療法を実施するようになった．

ピロリ菌に対する抗体を検出する血液検査と尿素呼気試験が有効な診断方法である．治療は通常，抗生物質，H^+, K^+-ATPase 抑制薬，および胃保護剤の組み合わせからなる．

さらに最近では，病原菌の接着とフコース含有受容体が薬理作用の標的として注目されている．目標は，抗生物質の使用によって常在性細菌叢を壊すことなく，病原菌の接着を防ぐことにある．

胃腸内分泌細胞（図 15.18）

胃腸内分泌細胞が上皮と腸神経系および免疫系とともに健康および病的状態における胃腸管の生理を調節している．

ペプチドホルモン peptide hormone は，**胃腸内分泌細胞** gastroenteroendocrine cell と，神経によって産生される**神経内分泌伝達物質** neuroendocrine mediator に由来する．ペプチドホルモンは，**胃** stomach から結腸までの粘膜に散在する胃腸内分泌細胞によって合成される．胃腸内分泌細胞の数は非常に多く，胃腸領域に存在する内分泌細胞の数を合計すると身体で**最大の内分泌器官**と考えられるほどである．

胃腸内分泌細胞は **APUD 系**の仲間である．これらは**アミンの前駆体** amine precursor を**取り込み**（uptake），**アミノ酸を脱炭酸** decarboxylation する特質をもつので APUD 系とよばれる．

すべての細胞がアミンの前駆体を貯蔵しているわけではないので，APUD という呼称は **DNES**（**びまん性神経内分泌系** diffuse neuroendocrine system）に取って代わられている．

神経内分泌伝達物質は神経終末から放出される．**アセチルコリン** acetylcholine はコリン作動性神経の節後神経終末で放出される．**ガストリン放出ペプチド** gastrin-releasing peptide は，迷走神経の刺激によって活性化されたシナプス後ニューロンから放出される．

胃腸内分泌細胞によって生産されるペプチドホルモンは，以下の一般的機能をもつ：

1. 水，電解質代謝，および酵素分泌の調整．
2. 胃腸の運動性と粘膜の発達の調整．
3. 他のペプチドホルモンの放出を刺激．

6つの主要な胃腸ペプチドホルモン，すなわち**セクレチン** secretin，**ガストリン** gastrin，**コレシストキニン** cholecystokinin（**CCK**），**グルコース依存性インスリン分泌刺激ペプチド** glucose-dependent insulinotropic peptide（**GIP**），**モチリン** motilin，および**グレリン** ghrelin について考察しよう．

セクレチンは，最初に発見されたペプチドホルモンである（1902年）．セクレチンは胃の内容物が十二指腸に入ると，**十二指腸のリーベルキューン腺** doudenal gland of Lieberkühn の細胞から放出される．

セクレチンは**膵臓と十二指腸**（**ブルンネル腺** Brunner's gland）の**重炭酸塩と液体の分泌を刺激して胃酸分泌** gastric acid secretion **を調節**（制酸効果）し，十二指腸内容物の pH を制御する．

セクレチンはコレシストキニンとともに，膵臓の外分泌腺の増殖を刺激する．加えて，**セクレチン**（とアセチルコリン）**は主細胞を刺激してペプシノゲン** pepsinogen **の分泌を促し，ガストリン分泌を抑制**して胃における HCl の分泌を減少させる．

ガストリンは幽門洞にみられる **G 細胞** G cell によって分泌される．ガストリンには，**小型ガストリン** little gastrin すなわち G_{17}（17個のアミノ酸を含む），**巨大ガストリン** big gastrin すなわち G_{34}（34個のアミノ酸を含む），および**超小型ガストリン** minigastrin すなわち G_{14}（14個のアミノ酸を含む）の3型がある．G 細胞は主に G_{17} を産生する．

ヒトの十二指腸粘膜には，主に G_{34} を産生する G 細胞がある．神経内分泌伝達物質である**ガストリン放出ペプチド** gastrin-releasing peptide が，ガストリンの分泌を調節する．G 細胞のそばの **D 細胞** D cell によって産生される**ソマトスタチン** somatostatin は，ガストリンの放出を抑制する．

ガストリンの主な機能は，壁細胞 parietal cell **を刺激して塩酸を産生させること**である．**胃の低 pH はさらなるガストリンの分泌を阻害する**．ガストリンは，またコレシストキニンを活性化して，胆嚢収縮を引き起こす．ガストリンは小腸と大腸，および胃底部の**粘膜に栄養効果**をもたらす（Box 15.E）．

ガストリンは，胃の腸クロム親和性細胞様細胞（**ECL 細胞**）の増殖を刺激する．ガストリンの連続的な過分泌は，ECL 細胞の過形成を起こす．ECL 細胞は，ヒスチジンを脱炭酸してヒスタミンを産生する．**ヒスタミン** histamine は壁細胞の**ヒスタミン H_2 受容体** histamine H_2 receptor **に結合することにより，HCl 分泌に対するガストリンとアセチルコリンの効果を増強させる**．**ヒスタミン H_2 受容体遮断薬** histamine H_2 receptor–blocking drug（例えば，シメチジン［タガメット］とラニチジン［ザンタック］）は，効果的な**胃酸分泌抑制薬** inhibitor of acid secretion である．

CCK は，十二指腸で産生される．CCK はタンパク質と脂肪の豊富な糜粥が十二指腸に入ると，**胆嚢の収縮** gallbladder contraction と**オッディ括約筋の弛緩** relaxation of the sphincter of Oddi を引き起こす．

グルコース依存性インスリン分泌刺激ペプチド（**GIP**）は十二指腸で産生される．以前は**胃抑制性ペプチド** gastric-inhibitory peptide とよばれていた．GIP は，小腸がグルコースを感知するとインスリン分泌を促進する．

モチリンは，空腹時に上部小腸から周期的（90分ごと）に分泌され，胃腸の運動性を促進する．**神経性調節機構** neural control mechanism によって，モチリンの分泌は調節されている．

グレリンは胃（胃底）で産生される．グレリンは**腺性下垂体の成長ホルモン分泌細胞** growth hormone-secreting cells of the adenohypophysis にある受容体に結合して，成長ホルモンの分泌を刺激する．

グレリンの血漿レベルは絶食時に増加し，視床下部の摂食中枢に作用して空腹感を引き起こす．

グレリンの血漿レベルは**プラダー・ウィリー症候群** Prader-Willi syndrome（異常な遺伝子転写によって引き起こされる．第20章「エピジェネティックス」の項参照）の患者で高い．幼児における激しい筋緊張の低下と摂食困難，引き続く肥満，制御できない食欲，性腺機能不全，および不妊がプラダー・ウィリー症候群の特徴である．

胃の幽門部（図 15.19）

幽門腺 pyloric gland は，噴門腺や胃腺とは以下の点で異なる：

1. 胃小窩が深く，粘膜の半分の高さまで伸びている．
2. 幽門腺は，より大きい内腔をもち，分岐も多い．

幽門腺の主要な上皮細胞型は胃腺の頸部粘液細胞に似た粘液分泌細胞である．

ほとんどの細胞は大きくて淡い色の分泌粘液と細菌溶解性酵素である**リゾチーム** lysozyme を含む分泌顆粒をもっている．たまに壁細胞を幽門腺でみることがある．

Box 15.E | ゾリンガー・エリソン症候群

- ガストリン分泌腫瘍（ガストリノーマ gastrinoma またはゾリンガー・エリソン症候群 Zollinger-Ellison syndrome）の患者は壁細胞の過形成，胃底部の粘膜肥厚および食事と無関係な酸の高分泌を示す．ガストリンの分泌は胃液の低 pH フィードバック機構によって制御されない．
- ガストリノーマは膵臓と十二指腸のまれな腫瘍で，ガストリンを異所性に過剰に分泌し，その結果，壁細胞から HCl が過剰に分泌して重篤な消化性潰瘍疾患になる．ガストリノーマは女性よりも男性に多く，発症年齢は一般に 40 歳と 55 歳の間である．
- ガストリノーマの合併症は，劇症胃潰瘍，下痢（過剰なガストリンが小腸における水とナトリウムの吸収を阻害することによる），脂肪便（低 pH のために十二指腸において膵臓リパーゼが不活化するため）および低カリウム血症である．

図 15.19 | 胃の幽門領域

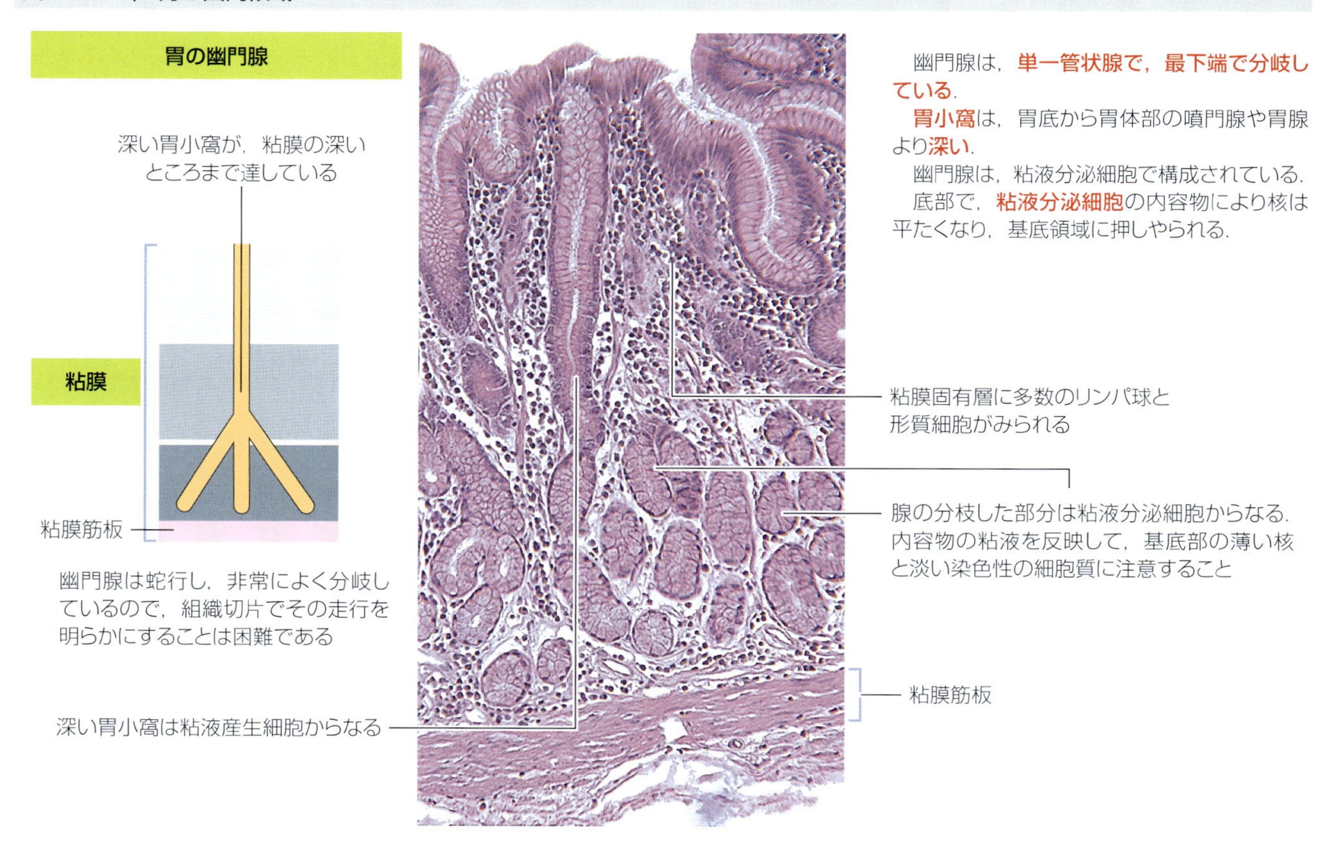

腸内分泌細胞，特に**ガストリン分泌 G 細胞** gastrin-secreting G cell が幽門洞に多い．リンパ小節あるいは分散するリンパ球と形質細胞が粘膜固有層でみられる．

胃の噴門孔とは対照的に，幽門は顕著な輪状筋が**括約筋**を形成している．この括約筋は胃の酸とペプシン含有物を膵分泌物と胆汁を含んだアルカリ性十二指腸環境から引き離す．

上部消化管 | 概念図・基本的概念

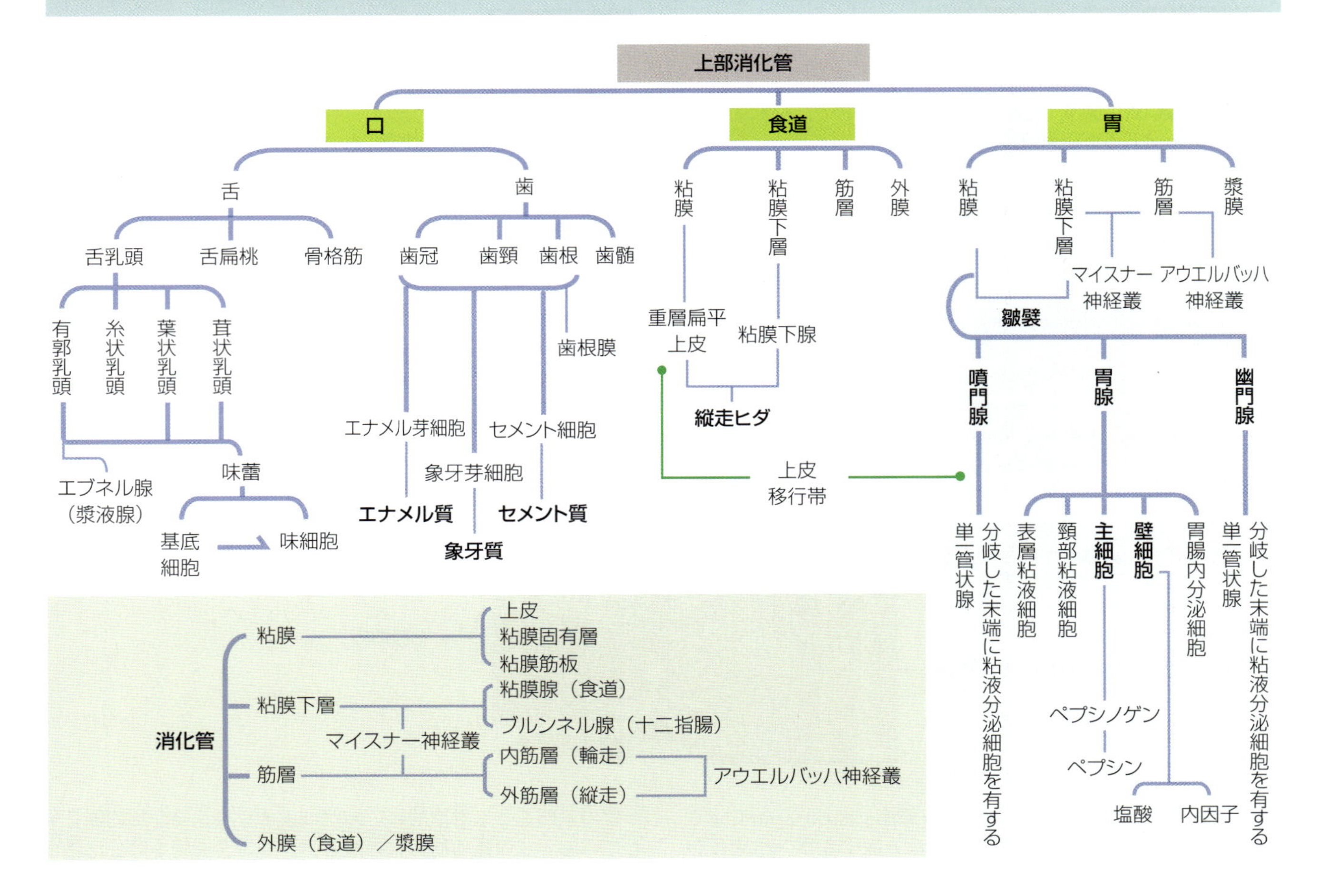

• **口あるいは口腔**．口は消化管の入口である．その機能は食物あるいは食塊を取り込み，部分的に消化し，滑らかにすることである．

口には口唇，頬，歯，歯肉，舌，口蓋垂および硬口蓋と軟口蓋が含まれる．

口腔は構造の違う 3 種類の粘膜で覆われている：

(1)**被覆粘膜**（口唇，頬，舌腹，軟口蓋，口腔底，歯槽）．
(2)**咀嚼粘膜**（歯肉，硬口蓋）．
(3)**特殊粘膜**（舌背）．

口腔粘膜には 3 つの移行部がある：

(1)**粘膜皮膚移行部**（口唇の皮膚と粘膜の間）．
(2)**粘膜歯肉移行部**（歯肉粘膜と歯槽粘膜の間）．
(3)**歯牙歯肉移行部**（歯肉粘膜と歯のエナメル質の間）歯周病を防ぐ密封部位．

口唇は 3 つの領域からなる：

(1)**皮膚領域**（薄い皮膚，毛包と皮脂腺と汗腺のある角化重層扁平上皮）．
(2)**赤唇領域**（高度に血管の発達した結合組織と骨格筋で支持された重層扁平上皮で覆われる）．唾液腺は赤唇領域の粘膜には存在しない．
(3)**口腔粘膜領域**は頬と歯肉の粘膜に連続している．

歯肉の上皮は赤唇領域に似ている．粘膜固有層は上顎骨と下顎骨の歯槽突起の骨膜に結合している．粘膜下層あるいは腺はみられない．

硬口蓋は角化重層扁平上皮で覆われている．粘膜下のコラーゲン線維が粘膜を硬口蓋の骨膜に結合している．

軟口蓋と**口蓋垂**は，咽頭口部に広がる非角化重層扁平上皮で覆われている．

• **舌**：舌背は，骨格筋の芯に伴う粘膜固有層で支持された非角化重層扁平上皮で覆われている．後ろ 1/3 にはリンパ組織の塊の舌扁桃がある．

舌背には**舌乳頭**がある．

舌乳頭には 4 つの型がある：

(1)**糸状乳頭**は最も多く，味蕾をもたない唯一の型の乳頭．
(2)**茸状乳頭**．
(3)**有郭乳頭**（味蕾とエブナー腺という漿液腺を伴う）．
(4)**葉状乳頭**（ヒトでは発達が悪い）．

漿液腺と**粘液腺**が粘膜固有層と筋に広がっている．それらの導管はそれぞれ舌扁桃の陰窩と有郭乳頭に開口する．

味蕾は**Ⅰ型，Ⅱ型，Ⅲ型味受容体細胞**からなる．

味物質（甘味，酸味，苦味，塩味，うま味）は味孔から入って**味受容体細胞**の頂部の微絨毛にある味受容体（Ⅰ型受容体，T1R と略す）と結合する．

T1R は G タンパク質 α，β，γ サブユニット複合体（ガストデューシンとよばれる）に結合する．G タンパク質複合体の α サブユニットがホスホリパーゼ C（PLC）に結合すると，セカンドメッセンジャー（イノシトール三リン酸 [IP3] とジアシルグリセロール [DAG]）の産生が起こり，これらが味受容体細胞のイオンチャネルを活性化する．

味受容体細胞内に Na^+ が流入すると脱分極が起こる．細胞内貯蔵部位から Ca^{2+} が放出されて細胞内 Ca^{2+} が増加すると細胞外腔にアデノシン三リン酸（ATP）が放出され，味覚求心性神経終末とのシナプスに神経伝達物質が放出される．

• **歯**：歯は，歯冠，歯頸，および単一あるいは複数の歯根からなる．

エナメル質と**象牙質**は歯冠の一部である．歯根の外表面はセメント質で覆われている．セメント質は歯根膜に伴って歯槽骨に硬く付着している．中心の部屋，歯髄は先端に穴が開いており，そこを通って血管，神経，リンパ管が歯髄腔に出入りする．

- **歯の発生**：外胚葉（**エナメル芽細胞**），頭側の神経堤（**象牙芽細胞**）および間葉（**セメント細胞**）が歯の発生に貢献する．
  歯の発生段階：
  (1)**蕾状期**：外胚葉性上皮細胞が増殖して上皮性歯芽を形成する．
  (2)**帽状初期**：上皮性歯芽の細胞が増殖し，下にある中胚葉に嵌入して初期の帽子を形成する．
  (3)**帽状終期**：歯芽の成長端における細胞が帽子状構造をつくる．上皮性歯芽は内と外歯上皮で覆われる．永久歯芽は歯提から発生するが，休眠状態である．**エナメル結節**が歯の発生を知らせる．
  (4)**鐘状期**：エナメル結節の近くで歯乳頭の最外層の細胞は，象牙質を産生する象牙芽細胞に分化する．エナメル質を分泌する単層のエナメル芽細胞がエナメル結節の内歯上皮部位の中に発生する．
  (5)**歯の萌出**：歯嚢が一層のセメント質層を分泌するセメント芽細胞と歯を歯槽に固定する歯根膜を形成する細胞になる．

- **象牙芽細胞**は歯髄の辺縁にある．象牙芽細胞は**象牙前質**（象牙芽細胞の頂部突起の周囲を囲む非鉱化物質）および**象牙質**（20％はⅠ型コラーゲンを主とした有機物質，70％は無機質，10％は水）を産生する．鉱化した象牙質（ヒドロキシアパタイトとフッ化アパタイトの結晶）が象牙芽細胞の頂部の突起を容れる**象牙細管**を形成する．
  エナメル芽細胞は発生中の歯のみに存在し，象牙質に面し，エナメル質を分泌する．エナメル芽細胞の頂部，**トームスの突起**は体内で最も硬いエナメル質（95％はヒドロキシアパタイトの結晶で，鉱化の過程でタンパク質が減少する）に囲まれるようになる．
  エナメル質は柱間部で隔てられた**エナメル小柱**からなる．発生中のエナメル質（エナメル質形成）の細胞外基質は2つのクラスのタンパク質，すなわちアメロゲニン（90％）とエナメリンとアメロブラスチンを含む非アメロゲニン（10％）を含有している．
  エナメル質形成不全はX染色体に関連した遺伝性疾患であり，歯のエナメル質の形成に必要なアメロゲニンの合成に悪影響を及ぼす．傷害されたエナメル質は，通常の厚さ，硬さ，色にならない．常染色体顕性エナメル質形成不全はエナメリン遺伝子の突然変異で起こる．

- **口腔粘膜の非腫瘍性および腫瘍性疾患**には以下のものが含まれる：
  (1)**反応性線維上皮過形成**は，外傷または入れ歯による歯肉と口蓋の刺激によって生じる．
  (2)**単純ヘルペスウイルス感染症**は，歯肉と口蓋の潰瘍を引き起こすことがある．ヒトパピローマウイルス感染症では口腔粘膜の疣贅（いぼ）性乳頭状病変がみられる．
  (3)**毛状（乳頭状）白板症**はHIV陽性患者や**エプスタイン・バー**日和見感染症のように免疫能が抑制された人の舌縁に起こる．
  (4)**扁平上皮がん**は成人にみられる主要な口腔悪性状態で，主として舌縁と口腔底に起こる．
  (5)**口腔メラノーマ**は一般的に口蓋と歯肉に起こり，上皮内病変，あるいは不規則な境界と潰瘍を伴う多数の浸潤性病変となりうる．
  (6)**非ホジキンリンパ腫**はHIV感染患者の粘膜関連リンパ組織（**ワルダイエル輪**）にみられる．
  (7)**カポジ肉腫**は皮膚病変と関連して，斑状あるいは結節状病変の形で口蓋と歯肉にみられる．病変は血管内皮細胞の増殖からなる．
  (8)**神経腫瘍**は，**神経鞘腫**を含む．神経鞘腫は，シュワン細胞を含む被膜で覆われた腫瘍である．

- **消化管**（食道，胃，小腸，大腸）の一般構造
  消化管は4つの同心円的層からなる：
  (1)**粘膜**（上皮，粘膜固有層，粘膜筋板）．
  (2)**粘膜下層**．
  (3)**筋層**（内輪層，外縦層）．
  (4)**外膜**，あるいは漿膜．

  以下の違いを覚えておくこと：
  (1)食道粘膜には**ヒダ**がある．
  (2)胃の粘膜には**胃小窩**に開く胃腺がある．
  (3)小腸（十二指腸，空腸，回腸）の粘膜には部位に特異的な形と長さの突起（絨毛）と陰窩またはリーベルキューン腺とよばれる嵌入がみられる．
  (4)大腸の粘膜には管状腺が**開口**している．

- **消化管**は自律神経系の一部である**腸神経系**（**ENS**）によって支配される．これは外部からの要素（副交感神経および交感神経）と内部の要素（**マイスナー粘膜下神経叢**と**アウエルバッハ筋間神経叢**）からなる．
  運動性のパターンに基づくと，胃は**口側部**（胃底と胃体の一部からなり，嚥下の際に弛緩する）と**尾側部**（胃体の遠位部と幽門洞からなり，胃内容の排出を制御する）に分けることができる．

- **食道**：食道は重層扁平上皮からなる粘膜で覆われた筋性の管である．
  粘膜と粘膜下層は縦走ヒダを形成している．粘膜腺と粘膜下腺は食道上皮の表面を潤滑にする．筋層は部位によって異なる．上部は骨格筋からなり，中部は骨格筋と平滑筋からなり，下部は平滑筋のみからなる．筋層の収縮により食物は約2秒で食道を通過する．
  解剖学的な**上部食道括約筋**（**UES**），すなわち輪状咽頭筋は嚥下の開始に関与し，機能的な**下部食道括約筋**（**LES**）は胃液が食道へ逆流するのを防ぐ．
  食道胃移行部において，食道上皮は重層扁平上皮から単層円柱上皮に変わる．
  胃食道逆流疾患（GERD）．胃液の逆流は炎症性反応（**逆流性食道炎**）あるいは潰瘍および**嚥下困難**を起こすことがある．しつこい逆流の繰り返しによって，食道胃移行部の食道重層扁平上皮が抵抗力の弱い円柱上皮に変わる．
  裂孔ヘルニアは発生の過程で横隔膜が閉鎖しないために起こり，胃の一部を胸郭に移動させる．胃の一部が横隔膜の裂孔に滑り込むと**滑脱型裂孔ヘルニア**が引き起こされる．

- **胃**：胃の機能は，嚥下した半固形の食物を均質化し化学的に分解することである．
  胃は以下のように分けられる：
  (1)**噴門**．
  (2)**胃底**．
  (3)**胃体**．
  (4)**幽門洞**．
  噴門腺は末端がコイル状の管状腺である．胃底と胃体における胃腺は単一管状腺である．幽門洞の腺は深い胃小窩をもつ単一管状腺である．
  胃の特徴的な構造は以下の通りである：
  (1)胃粘膜と粘膜下層による**皺襞**．
  (2)**胃粘膜層**．

- **胃腺**（胃底と胃体にある）は胃小窩，頸，体をもつ．
  胃腺（胃底－胃体）にみられる細胞型は以下の通りである：
  (1)**表層粘液細胞**は胃小窩にみられる．表層粘液細胞は頂部に糖タンパク質（ムチン）を含む分泌顆粒をもっている．ムチンは胃の粘膜表面で水と混じると**保護ゲル**を形成する．
  ミトコンドリアが豊富にある．炭酸脱水酵素とともに，表層粘液細胞は重炭酸イオンを産生して保護ゲルのpHを高める．
  メネトリエ病は，腫瘍細胞増殖因子－α（TGF-α）が誘導した胃粘膜の

表層粘液細胞の過形成と関連している．メネトリエ病の診断は内視鏡検査（大きな胃粘膜ヒダの存在）と生検による粘膜ヒダの胃小窩の過形成，腺の萎縮，および壁細胞数の減少で確定される．

(2)胃小窩と腺体の接合部の**頸部粘液細胞**はムチンを分泌する．ムチンは胃粘膜の保護膜の一部になる．

(3)**主細胞**はタンパク質分解酵素**ペプシン**の前駆体**ペプシノゲン**を分泌する．胃液の中で，pH が 5.0 より低くなるとペプシンがつくられる．

(4)**壁細胞**は腺体の上部にみられ，次の物を産生する．

- **アセチルコリン**（**ムスカリン** M_3 **受容体**に結合），**ガストリン**，および**ヒスタミン**（**ヒスタミン** H_2 **受容体**に結合）による刺激で HCl を分泌する．
- **内因子**

壁細胞の細胞質には多数の**ミトコンドリア**，**管状小胞**および胃腺の腔に続く**分泌細管**がある．

刺激されると管状小胞は分泌細管の細胞膜と融合する．**炭酸脱水酵素**と H^+，K^+-ATPase は，分泌細管に突出している微絨毛の中に局在している．

H^+，K^+-ATPase と内因子に対する自己抗体は**自己免疫性胃炎**を引き起こす．壁細胞が破壊されると，胃液中の塩酸の減少（**無酸症**）と内因子（回腸の腸細胞による**ビタミン** B_{12} の輸送と取り込みに必要）の減少が起こる．

ビタミン B_{12} **欠乏**は，赤血球産生の減少と大球性赤血球の血液循環への放出（**巨赤芽球性貧血**）を特徴とする**悪性貧血**を引き起こす．

さらに 2 つの細胞型，幹細胞（すべての腺細胞の前駆細胞）と**胃腸内分泌細胞**（腸クロム親和性細胞，EC 細胞，下記参照）がある．

- **ヘリコバクター・ピロリ感染**は保護胃粘液層を不完全なものにし，ペプシン，塩酸およびピロリ菌由来の細胞毒性プロテアーゼが無防備の胃粘膜を攻撃するようになる．

ピロリ菌感染のステージ：

(1)**活動相**．ピロリ菌は高度に運動能力があり，およそ 6 本の鞭毛で進む．ピロリ菌は**ウレアーゼ**を使ってアンモニアを産生し，酸性度を下げる．

(2)**静止相**．ピロリ菌が粘液層に入り，幽門部のフコース結合部位をもった表層粘液細胞の頂部表面に付着する．ピロリ菌は，細胞に接着すると，上皮細胞から栄養を得ることができ，上皮は壊死する．

(3)**コロニー形成相**．栄養を十分摂ったピロリ菌粘液分泌表層細胞から離れ，粘液層中で増殖し，シアル酸を含む糖タンパク質に接着する．細菌は再び活動相（運動性と NH_3 産生）に入り，ライフサイクルを再開する．

ピロリ菌感染の結果，**胃炎**と**消化性潰瘍**が起こる．**吐血**（血液の嘔吐）あるいは**下血**（タール様の黒い便）が出血性胃潰瘍患者にみられる典型的な症状である．

- **胃腸内分泌細胞**は胃から結腸までの粘膜にあり，**ペプチドホルモン**を合成する．ペプチドホルモンは消化器系と随伴する腺のいくつかの機能を制御する．

もともと，**胃腸内分泌細胞**（**腸クロム親和性細胞**とよばれる）はアミン前駆体を取り込み，アミノ酸を脱炭酸する特性のために APUD の仲間と考えられていた．

すべての細胞がアミン前駆体を蓄積するわけではないので，APUD はびまん性神経内分泌系（DNES）に置き換えられた．

セクレチンは，胃内容物が十二指腸に入ると十二指腸のリーベルキューン腺の細胞によって産生される．セクレチンは膵臓とブルンネル腺による重炭酸の産生を刺激し，十二指腸に入ってくる胃酸分泌を緩衝することによって十二指腸の pH を調節する．

ガストリンは壁細胞による塩酸の産生を刺激する．ガストリンは幽門腺にある G 細胞によって産生され，その放出は神経内分泌メディエーターのガストリン放出ペプチドによって制御される．ソマトスタチンは（G 細胞に隣接する）D 細胞によって産生され，ガストリンの放出を抑制する．胃液の pH が下がるとさらにガストリン分泌が抑制される．

ガストリンの過剰な産生は**ゾリンガー・エリソン症候群**（壁細胞過形成）の特徴である．

幽門洞や膵臓のガストリン産生腫瘍，**ガストリノーマ**は壁細胞の過形成を引き起こし，その結果 HCl を産生し，多発性の胃十二指腸潰瘍を生じる．胃液の pH が低下しても，ガストリノーマからガストリン分泌は抑制されない．

コレシストキニンは胆嚢の収縮とオッディ括約筋の弛緩を刺激する．

グルコース依存性インスリン分泌刺激ペプチド（**GIP**）は十二指腸で産生され，小腸がグルコースを感知するとインスリン分泌を促進する（**インスリン分泌性効果**）．

モチリンは周期的に空腹時に上部小腸から放出され，胃腸の運動を刺激する．

グレリンは胃（胃底）で産生され，成長ホルモンの分泌を刺激する．グレリンの血漿レベルは空腹時に高まり，視床下部の摂食中枢に働いて空腹を引き起こす．グレリンの血漿レベルは**プラダー・ウィリー症候群**の患者で高い．幼児における激しい筋緊張の低下と摂食困難，その後の肥満，および制御できない食欲がプラダー・ウィリー症候群の特徴である．

幽門腺は噴門腺および胃腺と次の点で異なる：

(1)胃小窩は深く，粘膜の深さの半ばまで延びている．

(2)幽門腺はより大きな腔をもち，高度に分枝している．

幽門腺の主要な上皮細胞は粘液分泌細胞で，胃腺の頸部粘液細胞に似ている．

ほとんどの細胞は大きく，淡い分泌粘液と細菌溶解酵素のリゾチームを容れた分泌顆粒をもっている．

腸内分泌細胞，特にガストリン分泌 G 細胞が幽門洞領域に多い．

16 下部消化管

キーワード　小腸，絨毛とリーベルキューン陰窩，パイエル板，腸抗菌タンパク質，大腸，ヒルシュスプルング病，結腸直腸がん

小腸 small intestine の主な機能は，(1)**胃** stomach で始まった消化過程を**十二指腸** duodenum でも続けること，(2)**小腸粘膜** intestinal mucosa と**膵臓** pancreas で産生された酵素と肝臓で産生された乳化作用のある胆汁によって，**タンパク質** protein，**炭水化物** carbohydrate，および**脂肪** lipid 分の摂り込みを可能にし，消化された食物を吸収する．細菌は，**微生物叢** microbiota の構成要素であるが，もっぱら腸管に住み，**腸関連リンパ組織** gut-associated lymphoid tissue（GALT）と正常な機能的関係を維持して病原体の攻撃を防いでいる．本章は小腸と**大腸** large intestine の主要な部分の組織学的特徴と上皮細胞の自己再生の特徴，腸粘膜の防御機構のさまざまなメカニズムの詳細，免疫防御の破綻の病理的臨床的結果，**結腸直腸腫瘍形成** colorectal tumorigenesis の分子的側面について記載する．

小腸（図 16.1〜16.3）

小腸 small intestine は 4〜7m の長さがあり，連続した 3 部に分けられる：

1. **十二指腸** duodenum.
2. **空腸** jejunum.
3. **回腸** ileum.

十二指腸は，長さ約 25cm で，主に後腹膜にあり，膵頭部を取り囲んでいる．十二指腸の末端は空腸につながる．空腸は腸間膜 mesentery で支えられ，可動性がある．回腸は，空腸の続きの部分である．

小腸の壁は 4 層からなる（図 16.1〜16.3）：

1. **粘膜** mucosa.
2. **粘膜下層** submucosa.
3. **筋層** muscularis.
4. **漿膜** serosa あるいは**腹膜** peritoneum.

小腸の 3 部分の粘膜と粘膜下層に組織学的相違がみられる．対照的に，外筋層 muscularis externa と漿膜層は似たようなものである．

腹膜（図 16.3）

腹膜は中皮細胞で覆われた結合組織（弾性線維，血管，リンパ管，神経を含む）からなる漿膜である．**壁側腹膜** parietal peritoneum は腹壁を覆い，**臓側腹膜** visceral peritoneum は腹部内臓を包む．

腸間膜は腹膜で覆われた疎性結合組織層である．第 4 章で腸間膜の組織学について述べている．

腸間膜は腹部内臓を後腹壁から吊るし，血管，リンパ管，神経の通り道となる．血管は漿膜下叢の構成要素である（図 16.3）．

消化過程で，小腸から起こるリンパ管は吸収した脂肪エマルジョンすなわち**乳糜** chyle を豊富に含んだ液体を運ぶ．多数のリンパ節と脂肪組織が腸間膜にみられる．

腸間膜は（内臓を腹壁に固定する）短いものや，内臓の移動を可能にする長いものがある．第 15 章で示したように，食道には漿膜がない．十二指腸，上行および下行結腸は，周囲の腹壁の間質と連続した**外膜** adventitia すなわち疎性結合組織によって腹壁に付着している．

網 omenta（単数形は omentum）と**内臓靱帯** visceral ligament は腸間膜に似た構造をしている．**大網** greater omentum はかなりの脂肪組織を含んでいる．

腸管壁（図 16.2〜16.4）

腸管壁は，小腸の吸収機能を反映する粘膜の総表面の増加を示している．

4 重のヒダによって吸収粘膜表面が増やされている（図 16.2）：

1. **輪状ヒダ** plica circularis（**ケルクリングヒダ** valve of Kerckring）.
2. **腸絨毛** intestinal villi（単数形は villus）.
3. **腸腺** intestinal gland.
4. 腸管細胞の被覆上皮（**腸細胞** enterocyte）の頂部表面にある**微絨毛** microvilli.

輪状ヒダは腸管腔を囲む**粘膜** mucosa と**粘膜下層** submucosa の永続的なヒダである．

ヒダは胃の幽門出口から約 5cm 遠位のところから現れ，十二指腸が空腸に移行する領域で明瞭になり，回腸になると次第に小さくなり，回腸中間部で消失する．

腸絨毛は，小腸の全表面を覆う粘膜の指状の**突起** evagination である．絨毛の長さは，腸管壁の拡張と絨毛の芯にある平滑筋線維の収縮に依存する．

図 16.1 | 小腸

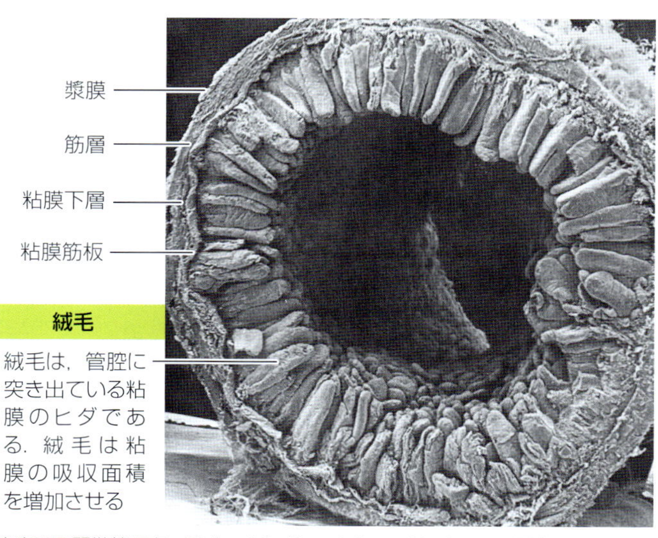

走査電子顕微鏡写真：Richard G. Kessel, Iowa City, Iowa の厚意による．

図 16.2 | 輪状ヒダ，絨毛，リーベルキューン陰窩，および微絨毛

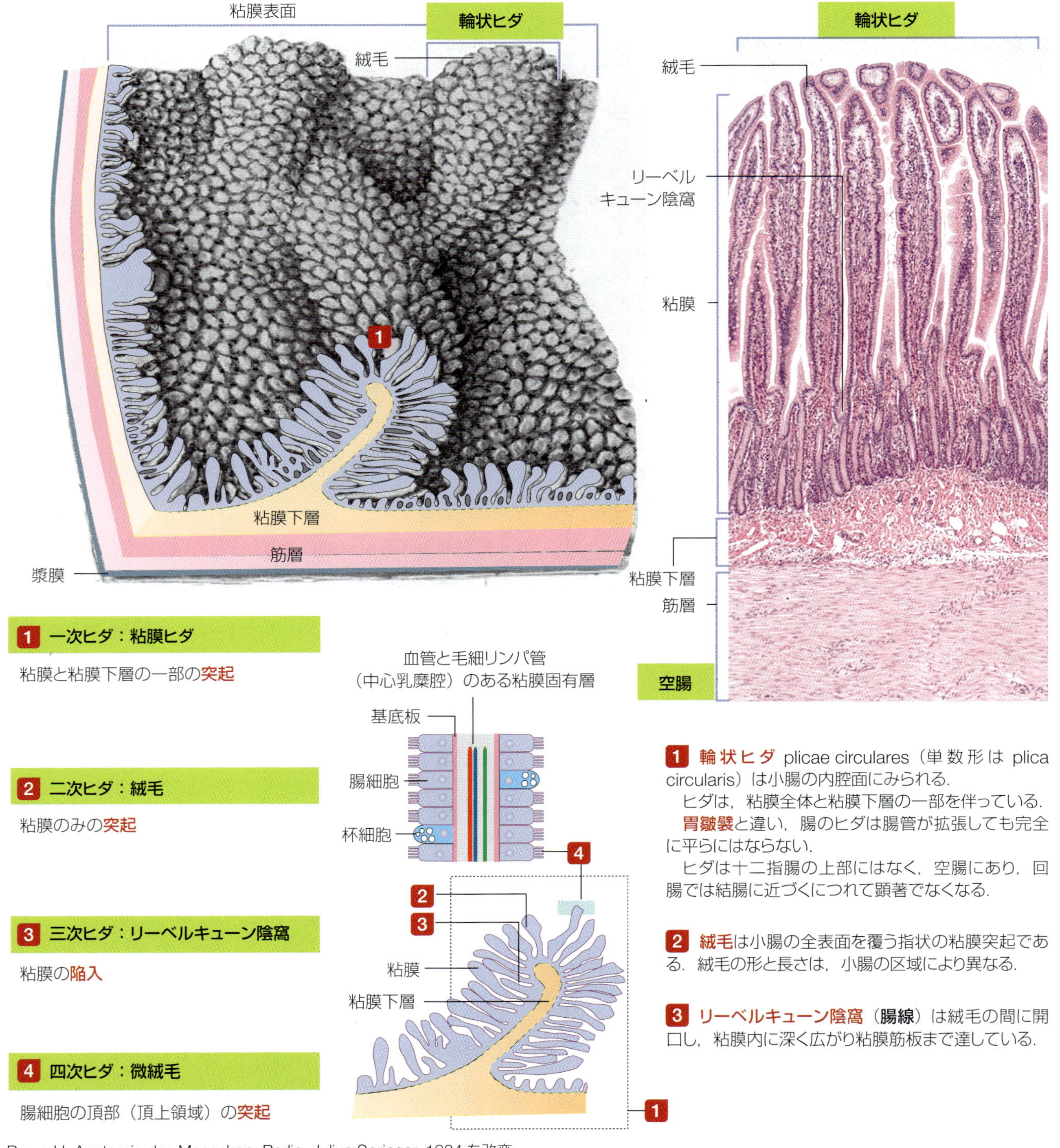

1 輪状ヒダ plicae circulares（単数形は plica circularis）は小腸の内腔面にみられる．

ヒダは，粘膜全体と粘膜下層の一部を伴っている．

胃皺襞と違い，腸のヒダは腸管が拡張しても完全に平らにはならない．

ヒダは十二指腸の上部にはなく，空腸にあり，回腸では結腸に近づくにつれて顕著でなくなる．

2 絨毛は小腸の全表面を覆う指状の粘膜突起である．絨毛の形と長さは，小腸の区域により異なる．

3 リーベルキューン陰窩（**腸線**）は絨毛の間に開口し，粘膜内に深く広がり粘膜筋板まで達している．

Braus H: Anatomie des Menschen. Berlin. Julius Springer, 1924 を改変．

リーベルキューン陰窩 crypt of Lieberkühn（または**腸腺** intestinal gland）は**単一管状腺** simple tubular gland で，小腸の表面積を増やしている．約 6 個の**陥入した** invaginating 陰窩が粘膜深くに伸びて，粘膜筋板で終わり，1 つの腸絨毛を取り巻いている．

粘膜筋板 muscularis mucosae は粘膜と粘膜下層との境界にある（図 16.3）．

筋層 muscularis は，内輪平滑筋層と外縦平滑筋層からなる．筋層は内容物を運ぶために小腸に**分節** segmentation をつくり，**蠕動運動** peristaltic movement を起こす（図 16.4）．

図 16.3 | **小腸に分布する血管，リンパ管，神経**

1 絨毛の微小循環系は 2 つの細動脈系からなる．第 1 の系は，絨毛先端まで血液を送る（**絨毛毛細血管叢**）．第 2 の系は，**陰窩周囲の毛細血管叢**を形成する．両方の血管叢は，**粘膜下細静脈**に流入する．

2 1 本の盲端の中心毛細**リンパ管**（**中心乳糜腔**）が絨毛の芯（粘膜固有層）に存在する．中心乳糜腔はリンパ管の起始で，粘膜筋板のすぐ上でリンパ管叢を形成している．その枝は粘膜下層のリンパ小節を取り囲んでいる．リンパ小節の輸出リンパ管は中心乳糜腔と吻合して，血管とともに消化管から離れる．

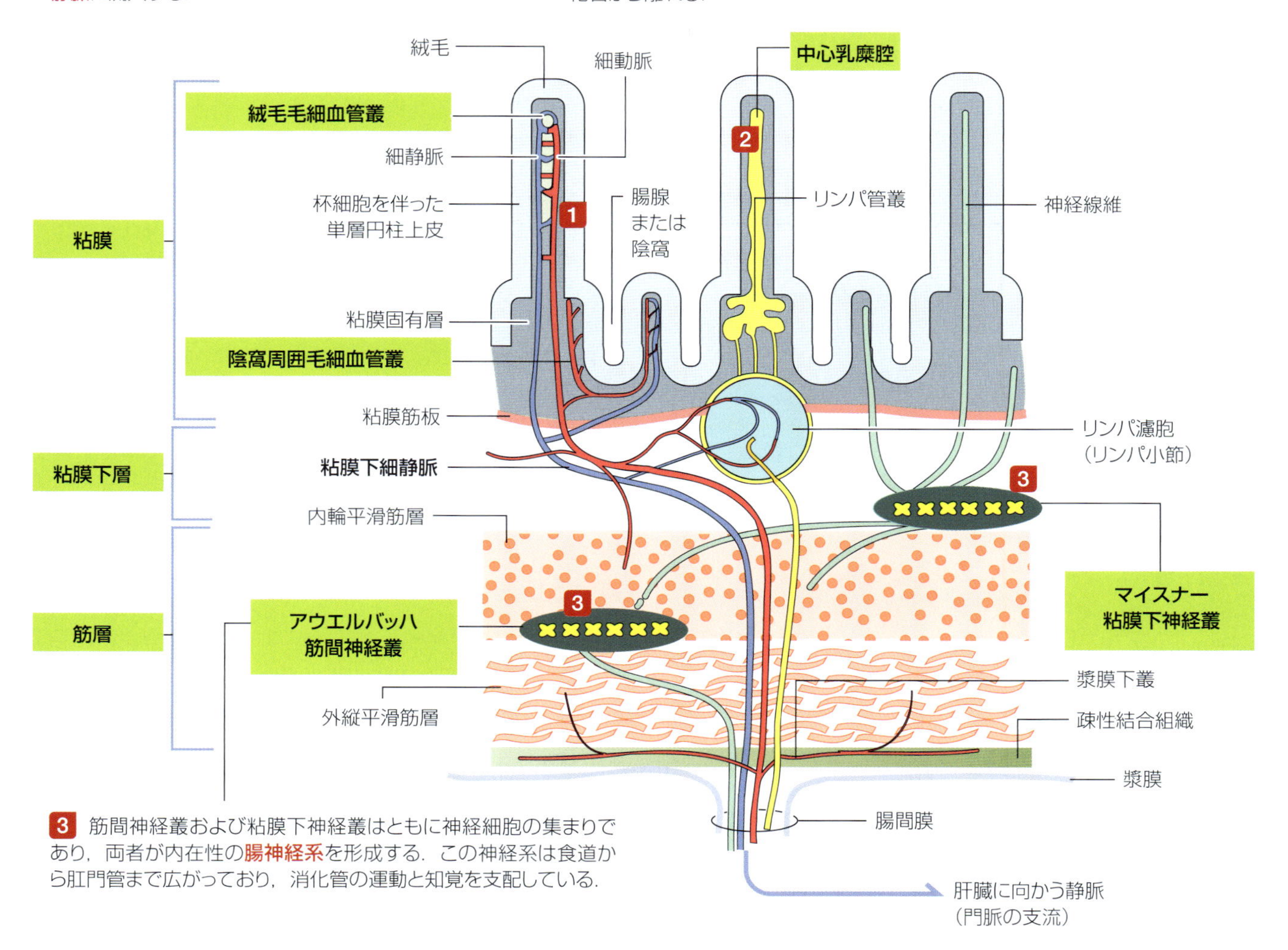

3 筋間神経叢および粘膜下神経叢はともに神経細胞の集まりであり，両者が内在性の**腸神経系**を形成する．この神経系は食道から肛門管まで広がっており，消化管の運動と知覚を支配している．

疎性結合組織の薄い層が**臓側腹膜** visceral peritoneum で覆われている．臓側腹膜は，単層扁平上皮，すなわち**中皮** mesothelium により覆われた漿膜層である．**壁側腹膜** parietal peritoneum は腹壁の内表面を覆っている．

小腸の微小循環（図 16.3）

胃の微小循環（図 15.8 と比較）とは異なり，小腸では**粘膜下層が血流やリンパ流の主な分布領域**になっている（図 16.3）．

粘膜下血管叢の分枝が毛細血管となって，筋層と腸粘膜を養う．**粘膜下血管叢** submucosal plexus に由来する細動脈が，小腸の粘膜に入って，次の 2 つの毛細血管叢を形成している：

1. **絨毛毛細血管叢** villus capillary plexus は，リーベルキューン陰窩の上部と腸絨毛に広がる．
2. **陰窩周囲毛細血管叢** pericryptal capillary plexus はリーベルキューン陰窩の下半部に広がる．

1 本の盲端で終わる**中心毛細リンパ管** central lymphatic capillary は**中心乳糜腔** lacteal ともよばれ，絨毛の芯の部分すなわち粘膜固有層に存在する．

中心乳糜腔はリンパ管の起始で，粘膜筋板のすぐ上で**リンパ管叢** lymphatic plexus を形成し，その枝が粘膜・粘膜下層にみられるリンパ小節を取り囲んでいる．リンパ小節の輸出リンパ管は中心乳糜腔とつながって，血管とともに腸間膜内を通って，消化管から離れる．

小腸の神経支配と運動性（図 16.4）

小腸の**運動** motility は自律神経系によって制御されている．小腸の内在性の自律神経系は，**マイスナー粘膜下神経叢** plexus of Meissner と**アウエルバッハ筋間神経叢** myenteric plexus of Auerbach で，胃のもの（図 15.7，15.8）と同じである．

神経叢のニューロンは小腸の**粘膜と筋壁から内在性入力**を受け

取り，**中枢神経系からは副交感神経（迷走神経）と交感神経幹から外来性入力**を受けている．

筋層の収縮は調和して働いて，2つの目的を達成する（図16.4）：

1. **腸管の分節内で腸内容物を混ぜて，流動性をもたせる**．これは，筋収縮運動が同調していないときで，腸管は一時的に分節的になるときに達成される．この過程は**分節化** segmentation として知られている．
2. 近位部 orad（ラテン語 *os* [= mouth，口]，*ad* [= to，～に]：orad [= toward the mouth，口に向かっての意]）の収縮と遠位部 aborad（ラテン語 *ab* [= from，～から離れて]，orad [toward the mouth，口に向かって]：aborad [= away from the mouth，口から離れての意]）の弛緩が同調されると，**腸内容物が押し進められる**．

収縮・弛緩の同調が連続的に起こるとき，腸内容物は**肛門側に** aborad direction 進められる．この過程を**蠕動** peristalsis（ギリシャ語 *peri* [= around，あちこちに]，*stalsis* [= constriction，収縮]）とよんでいる．

十二指腸，空腸，回腸の組織学的相違（図16.5）

小腸の3つの主要な解剖学的部分，すなわち十二指腸，空腸，回腸は，**光学顕微鏡下でわかる明らかな特徴**をもっている．

十二指腸 duodenum は，胃の幽門部と空腸との移行部の間の領域に広がり，以下の特徴をもつ：

1. **粘膜下層** submucosa に**ブルンネル腺** Brunner's gland をもっている．ブルンネル腺は**管状房状粘液腺** tubuloacinar mucous gland で，**アルカリ性の分泌液**（pH8.8～9.3）を産生し，胃から入ってきた酸性の**糜粥** chyme を中和する．
2. **絨毛** villi **は，幅広くて短い**（葉のような形）．
3. 十二指腸は，漿膜で不完全に覆われ，広範囲にわたり（漿膜というよりも）外膜によって囲まれている．
4. 十二指腸は総胆管により運ばれてきた胆汁と，膵管により運ばれてきた膵外分泌液（膵液）を集める．この2本の管が集合した管の終末膨大部に，**オッディ括約筋** sphincter of Oddi が存在する．
5. リーベルキューン陰窩の基底部に**パネート細胞** Paneth cell がみられる．

空腸 jejunum は以下の特徴をもつ：

1. 空腸は長い指状の絨毛をもち，その**芯部分には，よく発達した中心乳糜腔** lacteal がある．
2. 空腸は，**粘膜下層にブルンネル腺をもっていない**．
3. **パイエル板** Peyer's patch が粘膜固有層に存在することもあるが，空腸ではそう多くない．パイエル板は回腸で特徴的である．
4. **パネート細胞**がリーベルキューン陰窩の底部にみられる．

回腸 ileum は診断上顕著な特徴をもっている．**パイエル板**という**リンパ濾胞** lymphoid follicle（**リンパ小節** lymphoid nodule ともいう）が粘膜と粘膜下層の一部にみられることである．さらに，ブルンネル腺のないこと，および空腸と比べると短い指のような絨毛が回腸の目印になる．**パネート細胞**がリーベルキューン陰窩底にみられる．

絨毛とリーベルキューン陰窩（図16.6）

腸粘膜はリーベルキューン陰窩によって囲まれた絨毛を含めて**単層円柱上皮** simple columnar epithelium で覆われ，そこには6つの主要な細胞型がみられる：

1. **吸収上皮細胞** absorptive cell または**腸細胞** enterocyte.
2. **杯細胞** goblet cell.
3. **腸内分泌細胞** enteroendocrine cell.
4. **パネート細胞** Paneth cell.
5. **タフト細胞** tuft cell.
6. **腸幹細胞** intestinal stem cell（ISC）.

腸内分泌細胞，パネート細胞，腸幹細胞はリーベルキューン陰窩にみられる．小腸の防御機構のところでパネート細胞について述べる．

腸細胞（吸収上皮細胞）（図16.7）

吸収上皮細胞 absorptive intestinal cell（**腸細胞** enterocyte）は，頂部領域によく発達した**刷子縁** brush border（**線条縁** striated border）をもつ．これは**終末扇** terminal web とよばれる層に終わり，この中には縦走する細胞骨格フィラメントが入っている．

おのおのの吸収上皮細胞の刷子縁は約3000の密に配列した**微絨毛** microvilli からなり，管腔表面積を30倍に増加させている．

微絨毛の長さは0.5～1.0 μm である．微絨毛の芯には，**フィンブリン** fimbrin と**ビリン** villin によって架橋された20～40の平行して走る**アクチンフィラメント** actin filament の束が含まれる．

アクチン束の芯は，**フォルミン** formin，**ミオシンⅠ** myosin Ⅰ およびカルシウム結合タンパク質の**カルモデュリン** calmodulin によって細胞膜につなぎ留められている．おのおののアクチン束は

図16.4 | 腸の運動性：筋収縮パターン

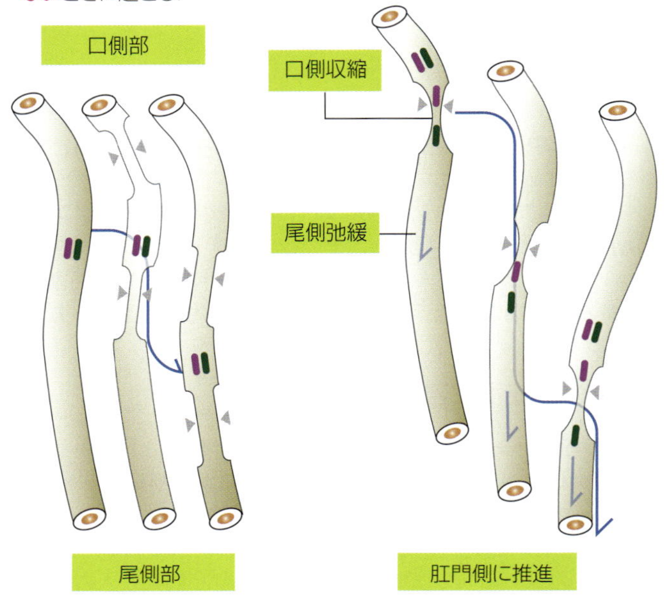

図 16.5 | 十二指腸，空腸，回腸の組織学的相違

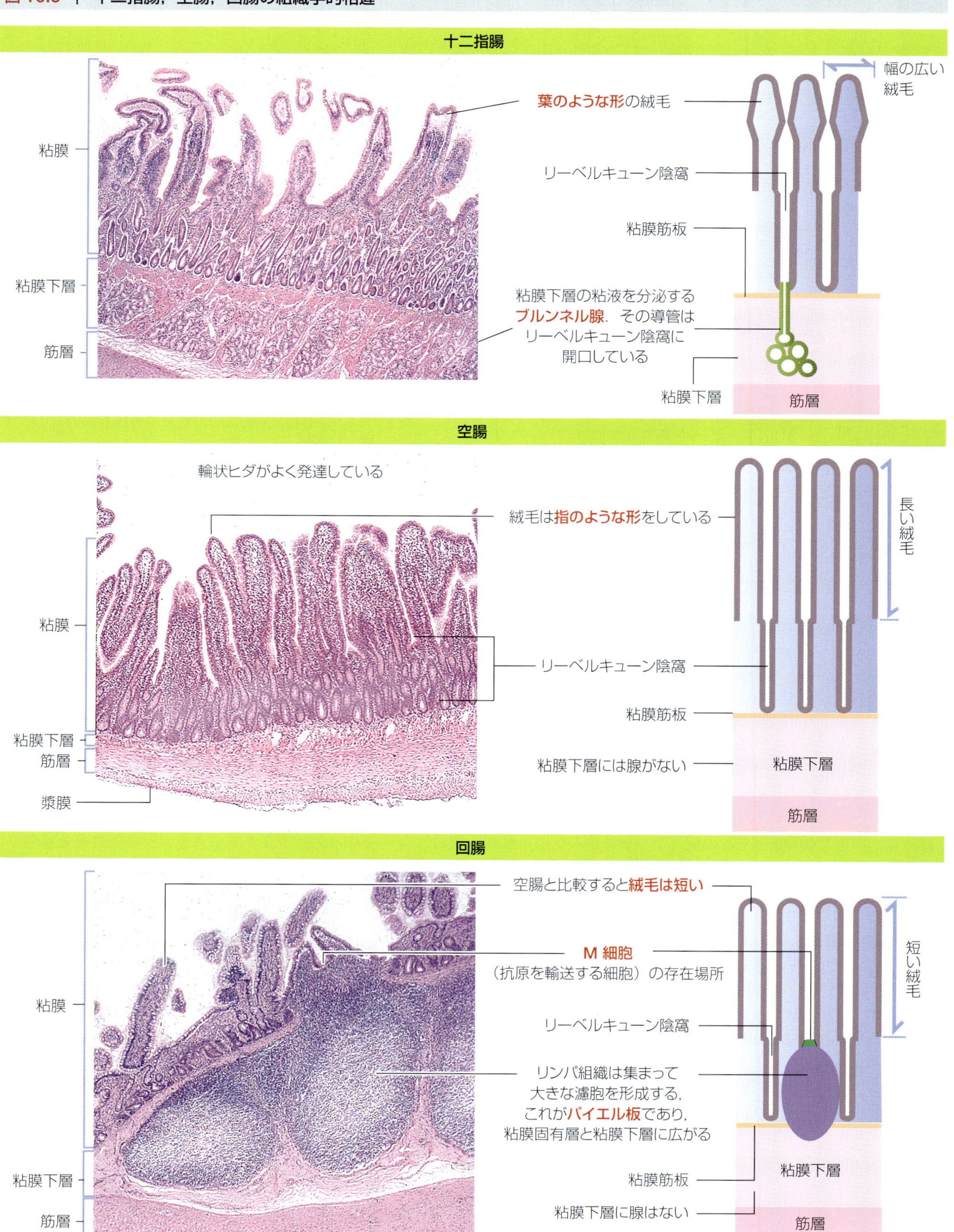

図 16.6 | 絨毛とリーベルキューン陰窩の上皮細胞

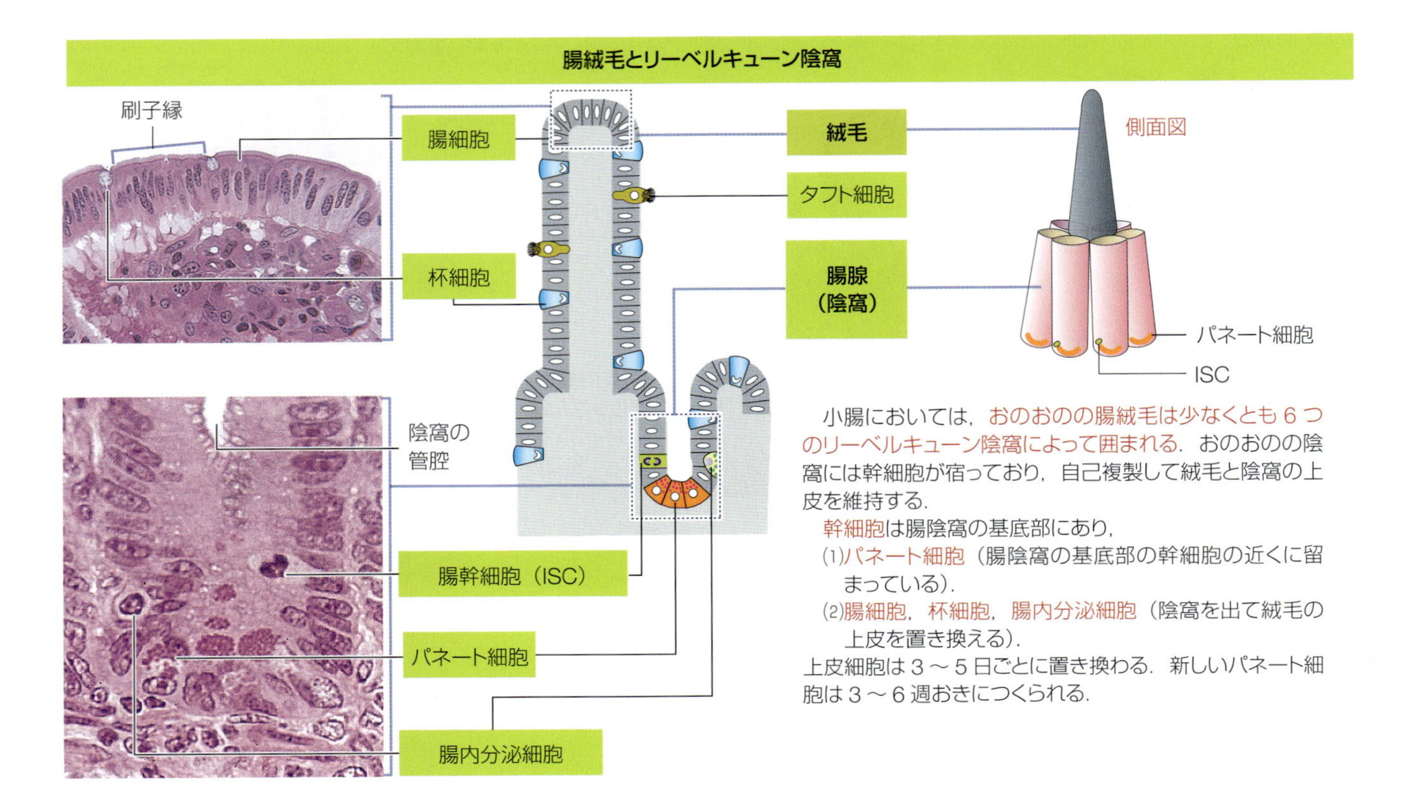

細胞頂部に**細根** rootlet として突き出ている．その細根は隣接した細根と**スペクトリン** spectrin **の腸管アイソフォーム**によって架橋される．

細根の終端部分は，**サイトケラチン含有中間径フィラメント** cytokeratin-containing intermediate filament に付着する．**スペクトリン** spectrin とサイトケラチンは，**終末扇**の一部を形成する．

終末扇は，微絨毛を直立した位置に保ち，微絨毛の形を維持し，アクチン細根を固定する．

表面被覆 surface coat すなわち**グリコカリックス** glycocalyx は，細胞膜に不可欠な要素としての糖タンパク質からなり，おのおのの微絨毛を覆う．

ペプチドと糖の輸送（図 16.8）

微絨毛は**刷子縁**を形成しており，**ラクターゼ** lactase，**マルターゼ** maltase，**スクラーゼ** sucrase などの膜内酵素を含んでいる．

したがって，刷子縁はただ単に腸細胞の吸収面積を増加させるだけでなく，炭水化物やタンパク質を最終的に消化し吸収する酵素を含む場でもある．

胃ペプシンの作用で始められたオリゴペプチドの最終的な分解は，膵トリプシン，キモトリプシン，エラスターゼおよびカルボキシペプチダーゼ A と B によってなされる．

微絨毛に局在する**エンテロキナーゼ** enterokinase と**アミノペプチダーゼ** aminopeptidase は，オリゴペプチドをジペプチド，トリペプチドおよびアミノ酸に分解して，Na^+ とともに**共輸送体チャネル** symporter channel を通って腸細胞に入る．

細胞質ペプチダーゼ cytoplasmic peptidase はジペプチドとトリペプチドをアミノ酸にまで分解する．アミノ酸は，拡散ないし担体によって，細胞の基底外側面の細胞膜から血液中に輸送される．

糖の吸収に関しては，オリゴ糖が炭水化物を単糖に変え，単糖が**担体タンパク質** carrier protein によって腸細胞に運ばれる．

グルコースとガラクトースは**ナトリウム・グルコース／ガラクトース共輸送体 1** sodium glucose／galactose co-trsnsporter-1（**SGLT-1**）の助けによって頂部の膜を通る．Na^+-K^+ATPase が SGLT-1 を働かせる．フルクトース（スクロースを分解してできる）は，**受動的拡散**によって腸細胞に出入りする．

ラクターゼ lactase **の遺伝的欠損**は乳糖が豊富なミルクの吸収を妨げ，下痢を起こす（**乳糖不耐症** lactose intolerance）．乳糖は腸内細菌によって乳酸，メタン，および水素ガスに変換され，腸管腔に水を引き出すことによる浸透圧性下痢を引き起こす．**乳糖 - 水素呼気試験** lactose-H_2 breath test がラクターゼ欠損の人で陽性になる．水素は血液循環に入り，肺によって吐き出される．

要するに，炭水化物は単糖でのみ吸収される．グルコースとガラクトースの吸収は 2 段階で行われる．SGLT-1 の関与によって腸細胞の頂部の膜を通り越し，続いて基底外側の膜を促進拡散によって運び出される．

脂質とコレステロールの輸送（図 16.9，16.10）

脂質の吸収 absorption of lipid は，食事による脂質を**脂肪酸** fatty acid と**モノグリセリド**に分解して，腸細胞の微絨毛と頂部の細胞膜に拡散する．**脂肪吸収の詳細**は図 16.9 に描いてある．

図 16.7 | 絨毛の上皮細胞：杯細胞と腸細胞

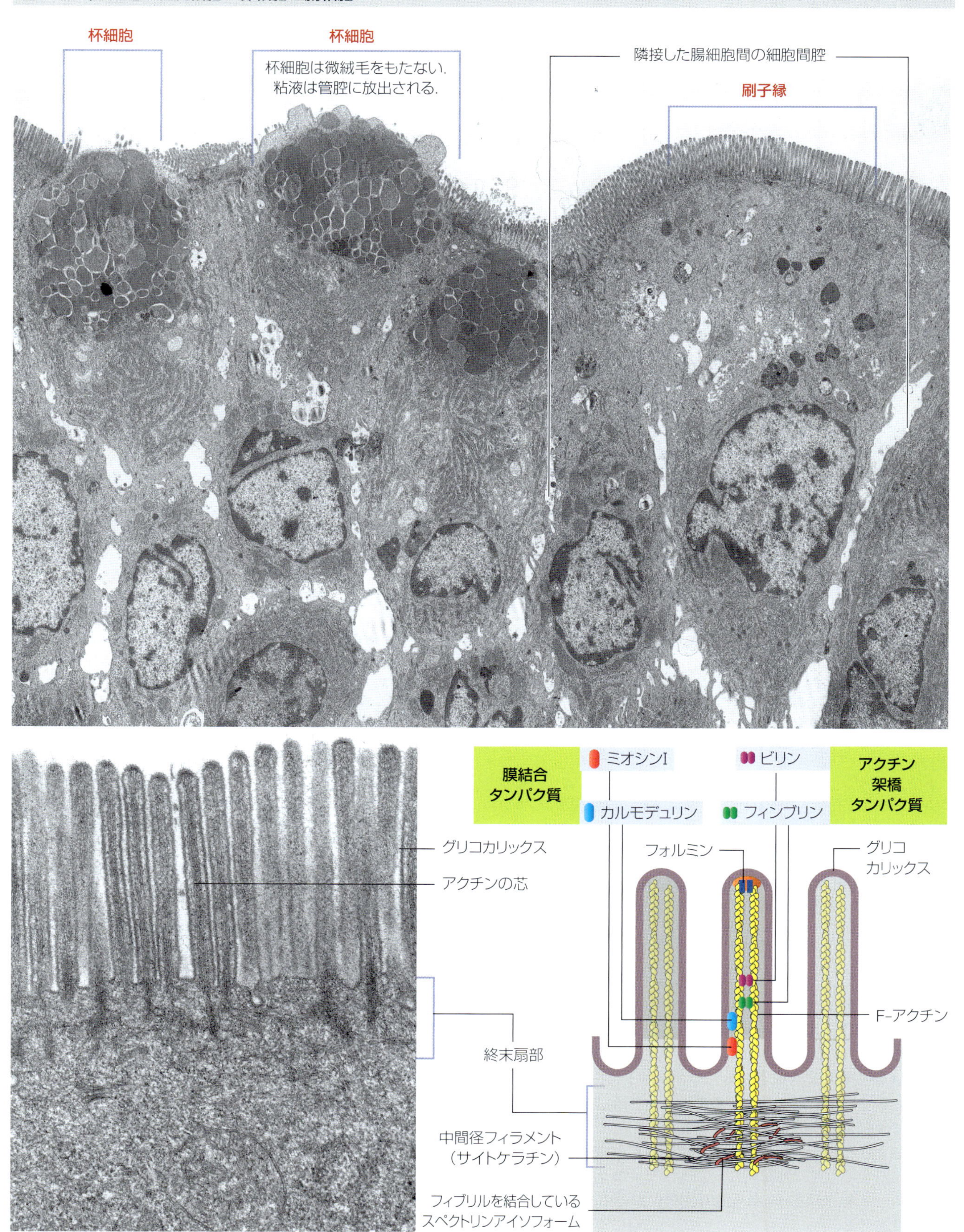

図 16.8 | 腸細胞におけるタンパク質と炭水化物の輸送

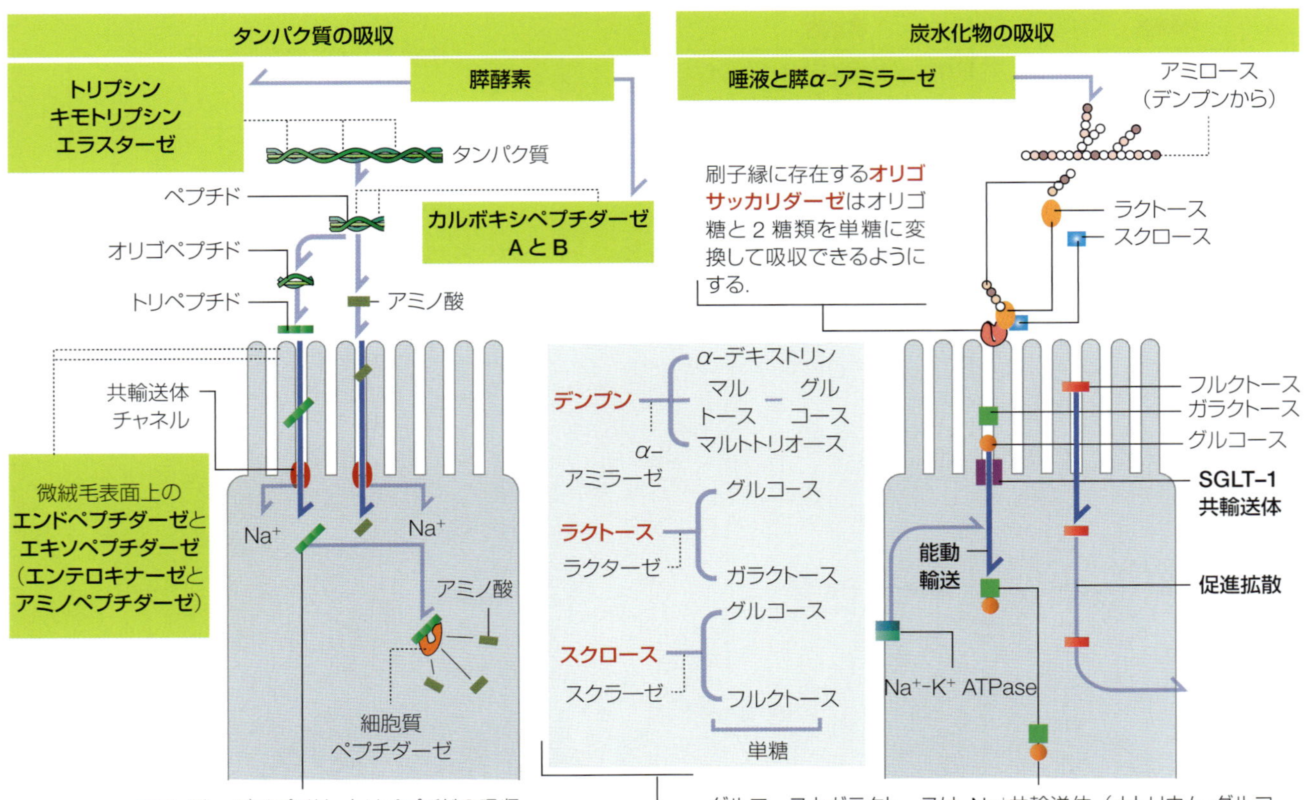

アミノ酸，ジペプチド，トリペプチドの吸収は Na^+とともに**共輸送体チャネル**を通して起こる．この輸送は**能動的**である．

グルコースとガラクトースは Na^+共輸送体（ナトリウム-グルコース／ガラクトース共輸送体 1［SGLT-1］）を使って腸細胞に入る．共輸送体は（Na^+-K^+ATPase で駆動されて）**能動的**になる．フルクトースは**促進拡散**によって腸細胞に出入りする．

タンパク質の消化は，**胃**においてペプシンの存在下で開始される．主細胞から分泌される前駆体のペプシノゲンがペプシンになる．ペプシン活性は，十二指腸のアルカリ環境で終わる．**膵臓プロテアーゼ**（**エンドペプチダーゼ**と**エキソペプチダーゼ**）は，タンパク質分解を続ける．

トリプシノゲンは**微絨毛**の上にある**エンテロキナーゼ**によって**トリプシン**に活性化される．活性のあるトリプシンは，大部分のトリプシノゲンを次々に活性化する．

キモトリプシノゲンはキモトリプシンに，**プロエラスターゼ**はエラスターゼにそれぞれ活性化される．**カルボキシペプチダーゼ A** および **B** は，プロカルボキシペプチダーゼ A および B 前駆体に由来する．

トリプシンは，膵臓の酵素の前駆体の活性化，不活化に重要な役割を演じている．サイトゾルにあるトリペプチドは細胞質内のペプチダーゼによってアミノ酸に分解される．

デンプン，**スクロース**，**ラクトース**，**マルトース**は，主な食事性炭水化物である．**デンプン**は，アミロース（グルコース重合体）とアミロペクチン（植物デンプン）からなる．**スクロース**はグルコース―フルクトースの 2 糖類である．**ラクトース**はガラクトース―グルコースの 2 糖類である．**マルトース**はグルコース 2 量体である．唾液**α-アミラーゼ**によって，口腔内でデンプンの消化が始まる．膵α-アミラーゼは，小腸でのデンプンの消化を完了させる．他の主な食事性糖類は，微絨毛の細胞膜に存在する**オリゴサッカリダーゼ**（スクラーゼ，ラクターゼ，イソマルターゼ）によって加水分解される．

セルラーゼが存在しないので，**セルロースはヒトの小腸で消化されない**．それゆえ，セルロースは消化されない食物線維である．

ここで腸細胞がどのようにコレステロールを扱うかを詳細に述べる．**コレステロール** cholesterol は細胞膜の必須の構成要素である．体のコレステロールは，食事とメバロン酸経路によってアセチル CoA から新たに合成される 2 つのルートに由来する．

食事によるコレステロールは，まず腸から肝臓に運ばれ，それから体中に分配される．新たに合成されたコレステロールは非小胞体輸送によって滑面小胞体を去る．すなわち小胞体－ゴルジ装置経路を迂回して急速に細胞膜に向かう．ミトコンドリアによるコレステロール輸送は第 19 章「副腎皮質におけるステロイド生成」の項で述べる．

腸細胞と肝細胞はコレステロールをトリグリセリドとともに**リポタンパク質** lipoprotein（カイロミクロン）に詰め込む．**カイロミクロン** chylomicron はトリグリセリド（85％），リン脂質（9％），コレステロール（4％）およびタンパク質（2％，アポリポタンパク質 APOB48 を含む）からなる．

コレステロールは肝臓からコレステロールまたは胆汁酸として胆汁に分泌され，小腸に入る．コレステロールと胆汁酸塩は再吸収されて腸肝循環によって肝臓に戻るか便に排泄される．

腸細胞における**コレステロール輸送** cholesterol trafficking のステップは図 16.10 に図示してある．食事による脂質の吸収にお

図 16.9 ｜ 腸細胞における脂質の輸送

1 腸管管腔における乳状の脂肪滴は，**胆汁酸塩**の存在下で**膵リパーゼ**によって脂肪酸とモノグリセリドにまで分解される．脂質分解産物は胆汁酸塩と結合して，**ミセル**（直径 2 nm）の形状になる．絨毛の動きが脂肪吸収過程で重要な役割を担っている．絨毛の動きは，マイスナー粘膜下神経叢によって引き起こされる収縮により起こる．

2 脂肪酸とモノグリセリドは拡散によって微絨毛内や腸細胞頂部の細胞質に入り，そこで**脂肪酸結合タンパク質**（**FABP**）に結合し，エステル化されてトリグリセリドになり，**滑面小胞体**に取り込まれる．

トリグリセリドの再合成のために必要な酵素（**アシル-CoA 合成酵素**と**アシルトランスフェラーゼ**）は，滑面小胞体の膜に存在する．

3 再合成されたトリグリセリドは**ゴルジ装置**に運ばれて**カイロミクロン**（**アポタンパク質・脂質複合体**）になる．

4 ゴルジ装置で，カイロミクロンは小胞に入れられ，その小胞は腸細胞の基底外側領域の細胞膜と融合できる．

5 カイロミクロンは，細胞間腔に放出され，絨毛の粘膜固有層に存在するリンパ管の**中心乳糜腔**に入る．

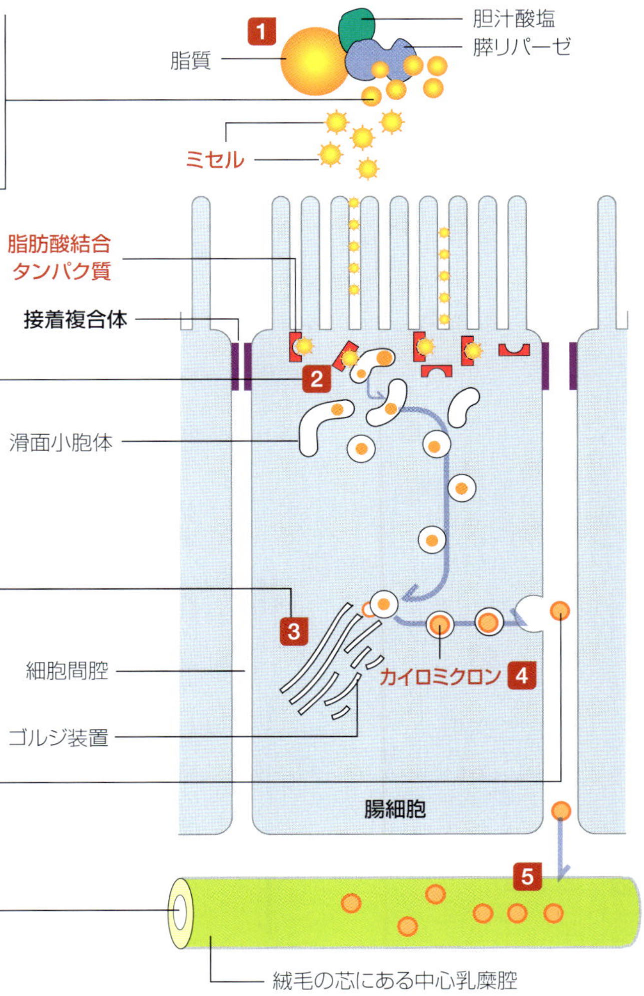

胆汁酸塩
膵リパーゼ
脂質
ミセル
脂肪酸結合タンパク質
接着複合体
滑面小胞体
細胞間腔
カイロミクロン
ゴルジ装置
腸細胞
絨毛の芯にある中心乳糜腔

けると同様に，腸の内腔において胆汁酸塩によってミセル micell にして可溶化し，腸細胞の拡散バリアを通りやすくする．

図 16.10 において，腸細胞の頂部領域で ABCG5／ABCG8（ATP 結合カセット ABC）ヘテロ 2 量体トランスポーターが吸収したコレステロールを腸管腔に**送り返す**ことに注意すること．これはコレステロールの体からの排除を促進するステップである．*ABCG5* または *ABCG8* 遺伝子の変異は**シトステロール血症** sitosterolemia を引き起こす．これは常染色体潜性遺伝で，コレステロールと植物ステロールが循環系に蓄積し，早発性の心血管疾患になる．

反対に，NPC1L1（ニーマン・ピック C1 様 1 タンパク質）は，同様に頂部領域に存在するが，ACAT2（アシル CoA コレステロール アシルトランスフェラーゼ アイソフォーム 2）によってエステル化されたコレステロールの取り込みを可能にする．

エステル化したコレステロールは，APOB48 アポタンパク質，トリグリセリド，および MTP（ミクロゾームトリグリセリドタンパク質）の存在下で，滑面小胞体内に集合して**カイロミクロン粒子** chylomicron particle の一部になる．MTP はコレステロールエステルを滑面小胞体の膜から発生期の APOB48 アポリポタンパク質に移動させる．

新たに集合した**カイロミクロンは COPII 被覆小胞** COPII-coated vesicle となって滑面小胞体を去る．小胞はゴルジ装置を通って腸細胞の基底外側領域に放出され腸絨毛の粘膜固有層にある毛細リンパ管に達する．

コレステロール輸送経路を知っていると，アテローム硬化性心血管疾患患者におけるコレステロール制御を理解しやすくなる．例えば，ACAT2 の薬理学的ターゲティングによりコレステロールのエステル化を減少させることができる．実際，リンパ管系に入るコレステロールの 70～80% はエステル化されている．

杯細胞（図 16.11）

杯細胞 goblet cell は，腸上皮の腸細胞の間に散在する円柱状の粘液分泌細胞である．

杯細胞は，2 つの細胞質領域をもっている：

1. 杯（さかずき）状の**頂部領域** apical domain には多量の粘液顆粒が含まれ，これが腸上皮の表面に放出される．
2. 基底膜に付着した狭い**基底領域** basal domain．基底領域は

図 16.10 | 腸細胞におけるコレステロールの輸送

2 **NPC1L1**（ニーマン・ピック C1 様 1 タンパク質）はコレステロールの取り込みを促進する．NPC1L1 阻害剤はコレステロールの取り込みを防ぐ．

1 コレステロールは胆汁酸塩によってミセル状に可溶化される．

3 **ABCG5／ABCG8** ヘテロ 2 量体トランスポーターはコレステロールを腸管腔へ運んで体から廃棄することに関与する．

4 吸収コレステロールは，**ACAT2**（アシル CoA コレステロール アシルトランスフェラーゼ アイソフォーム 2）によってエステル化され，滑面小胞体に移動する．

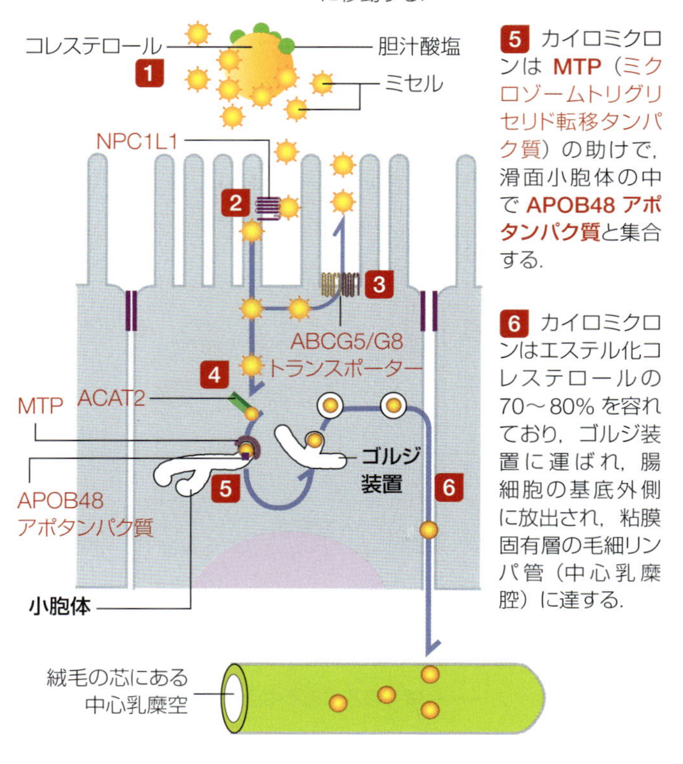

核，粗面小胞体およびゴルジ装置を容れ，粘液を輸送する．

ゴルジ装置 Golgi apparatus は基底部に位置する核の上部にあり，粘液にオリゴ糖基を付加する．

杯細胞の分泌物は**糖タンパク質** glycoprotein（80% の炭水化物と 20% のタンパク質）であり，**開口分泌** exocytosis によって放出される．

上皮の表面には**粘液水和物によってゲル保護膜** protective gel coat **が形成**され，**デフェンシン** defensin やカテリシジンを含む特異的な抗菌タンパク質 antimicrobial protein を濃縮することにより**上皮を機械的擦過や細菌の侵入から保護**している．

腸内分泌細胞（図 16.11）

胃腸管は，消化機能に加えて，身体で最大のびまん性内分泌腺でもある．

胃（第 15 章参照）と同様に，腸内分泌細胞はペプチドホルモンを分泌して，消化器系のいくつかの機能を調節している．

ガストリン gastrin，**セクレチン** secretin，および**コレシストキニン** cholecystokinin を分泌する細胞の分布と機能は**図 16.11** にまとめた．

タフト細胞（図 16.6）

タフト細胞 tuft cell は，腸上皮細胞に占める割合は小さく（約 0.4％），微絨毛の房を腸管腔に伸ばしたフラスコ形である．

小胞の集団が微絨毛の房の基部にみられる．

タフト細胞はダブルコルチン様キナーゼ 1（*Dclk1*）遺伝子を発現しているが，数が増え，杯細胞群を増やすように刺激し，まだ同定されていない腸上皮細胞による**インターロイキン 25** interleukin-25 の産生を刺激することによって，寄生虫感染に対する初期の反応を起こす．

感染後 7 日経つと，タフト細胞によって開始された駆虫性の免疫反応の結果，寄生虫が排除される．

腸幹細胞（ISC）（図 16.6）

腸幹細胞 intestinal stem cell は陰窩の基底部，パネート細胞の傍の**幹細胞ニッチ** stem cell niche にいる．

ISC はタンパク質マーカー **Lgr5**（**ロイシンリッチリピートをもつ G タンパク質共役型受容体 5** leucine-rich repeat-containing G protein coupled receptor 5）によって同定される．ISC は腸上皮を覆っている分泌杯細胞，パネート細胞，M 細胞，腸内分泌細胞，タフト細胞，および吸収腸細胞の**前駆細胞** precursor cell になる．

ISC は**テロサイト** telocyte とよばれる樹状様細胞の近くの陰窩の幹細胞ニッチに留まっている限り，長期にわたり自己複製することができる．テロサイトは陰窩の傍の粘膜固有層内にある．これは **Wnt タンパク質** Wnt protein（ISC の中心的な傍分泌制御因子）を分泌する．

小腸の保護

胃腸管の広い内腔面は，ヒトでは約 200 m^2 あり，**微生物叢** microbiota とよばれる常在微生物，および侵害性のある微生物や食物の抗原に侵されやすい．

微生物叢は腸管腔と腸の粘膜表面に住む細菌，古細菌，カビ，寄生虫，ウイルスを含む．ヘリコバクター・ピロリ感染時に粘液保護膜が胃表面の保護に果たす役割についてはすでに第 15 章で述べた．

小腸と大腸では，**杯細胞** goblet cell がムチン糖タンパク質を分泌して細菌が腸細胞に直接接するのを制限する粘稠なゲル様の被覆をつくる．

この被覆の構成要素の 1 つである**ムチン糖タンパク質 2** mucin glycoprotein 2（MIC2）が欠けると特発性腸炎が起きる．

腸管では数種類の保護機構が働いて病原体の組織侵入を抑制し，腸組織を傷害する有害な過剰反応を回避する．

防御機構には以下のものが含まれる：

1. **腸閉鎖結合バリア** intestinal tight junction barrier は腸細胞の頂部を結合する**閉鎖結合**によって形成される．病原体に対するバリアは下の**粘膜固有層** lamina propria に住む免疫細胞によって監視される．
2. **パイエル板** Peyer's patches とその **M 細胞** M cell は小腸の**免疫センサー**と考えられている．
3. **多量体免疫グロブリン A** polymeric immunoglobulin A（**IgA**）は粘膜固有層にいる**形質細胞** plasma cell の分泌物である．

図 16.11 | ガストリン，セクレチン，コレシストキニンの消化における役割

ガストリン細胞（幽門洞）

1 壁細胞からの**塩酸**分泌を刺激する．

2 ガストリンも**胃の運動**と**粘膜細胞の成長**を刺激する．

3 ランゲルハンス島の B 細胞からの**インスリン**分泌を高める．

セクレチン細胞（十二指腸）

4 膵管による**重炭酸塩**分泌を刺激する．

5 ランゲルハンス島の B 細胞からの**インスリン**分泌を高める．

コレシストキニン細胞（十二指腸）

6 胆嚢からの**胆汁放出**と**膵酵素**の分泌を刺激する．

7 **幽門括約筋**に作用し，胃の内容物を送り出すのを遅らせる．

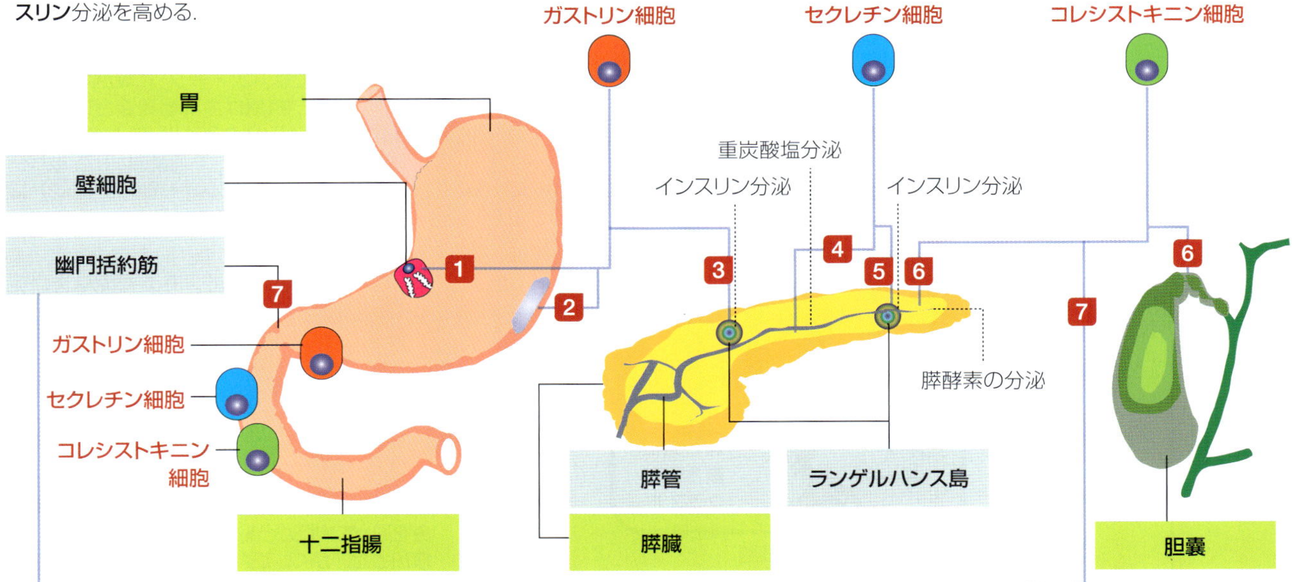

IgA 分子は**トランスサイトーシス（経細胞輸送）** transcytosis というメカニズムで腸管腔に到達する．

4. **パネート細胞** Paneth cell の抗菌タンパク質の静菌的分泌物は小腸に常在する微生物叢を制御する．

さらに胃液の酸度と腸蠕動の防御的役割を覚えておこう．**胃液** gastric juice の酸度は摂取した微生物を不活化し，推進力のある腸運動（**蠕動** peristalsis）は細菌のコロニー化を防ぐ．

腸閉鎖結合バリア（図 16.12）

腸の閉鎖結合は隣接する腸細胞を連結し，特異的なトランスポーターの存在しない条件下では，ほとんどの親水性のある溶質を透過させないバリアとして働く．

閉鎖結合は腸内容物と粘膜固有層で起こる粘膜免疫機能とを分離する．形質細胞，リンパ球，好酸球，肥満細胞およびマクロファージが腸粘膜固有層に存在する．

クローディン claudin と**オクルディン** occludin は閉鎖結合の 2 つの膜貫通タンパク質で，溶質の細胞貫通経路の透過性を制御する．閉鎖結合の完全な状態を傷害する 2 つの炎症促進性サイトカイン，すなわち**腫瘍壊死因子リガンド** tumor necrosis factor ligand と**インターフェロン-γ** interferon-γ の存在下では，漏れやすい閉鎖結合を通る食事性タンパク質とバクテリアのリポポリサッカライドの流入が増加する．

炎症性腸疾患 inflammatory bowel disease と**腸虚血** intestinal ischemia も含めて，腸上皮機能障害に伴う多くの疾患が腫瘍壊死因子リガンドのレベルの上昇と関連している．

閉鎖結合バリアに小さな欠損があると，細菌産物あるいは食事性の抗原が上皮を通過して粘膜固有層へ侵入しうる．抗原は樹状細胞表面上の**トル様受容体** Toll-like receptor（TLR）に結合する．第 10 章で TLR について述べる．

樹状細胞は領域の腸間膜リンパ節に遊走し，抗原は主要組織適合遺伝子複合体によってナイーブ T 細胞に提示され，**1 型ヘルパー細胞**（T_H1）と **2 型ヘルパー細胞**（T_H2）への分化が決定され，粘膜固有層に移動する．

T_H1 細胞は炎症促進性サイトカインの腫瘍壊死因子リガンドとインターフェロン-γ を産生する．T_H2 細胞は**インターロイキン-10** interleukin-10 を分泌することによって T_H1 細胞の炎症促進性を下方に制御する．粘膜免疫細胞の活性化反応がチェックされることなく進行すると，閉鎖結合バリアを通って炎症促進性サイトカインの漏洩がさらに増加し続け，慢性炎症性腸疾患の状態になる．

パイエル板（図 16.13，16.14）

パイエル板は**腸関連リンパ組織** gut-associated lymphoid tissue（GALT）の主要な構成要素で，**回腸**の粘膜や粘膜下層にみられる特殊化したリンパ濾胞である（Box 16.A）．

GALT は抗原を取り込み，抗原提示細胞に曝露する．それゆえ，炎症と免疫寛容に関連した重要な機能を果たす．

微生物叢が GALT の正常な発生と成熟に関与している．胎児では微生物叢の存在しない条件下でリンパ組織誘導細胞がパイエル

図 16.12 | 腸の閉鎖結合バリア

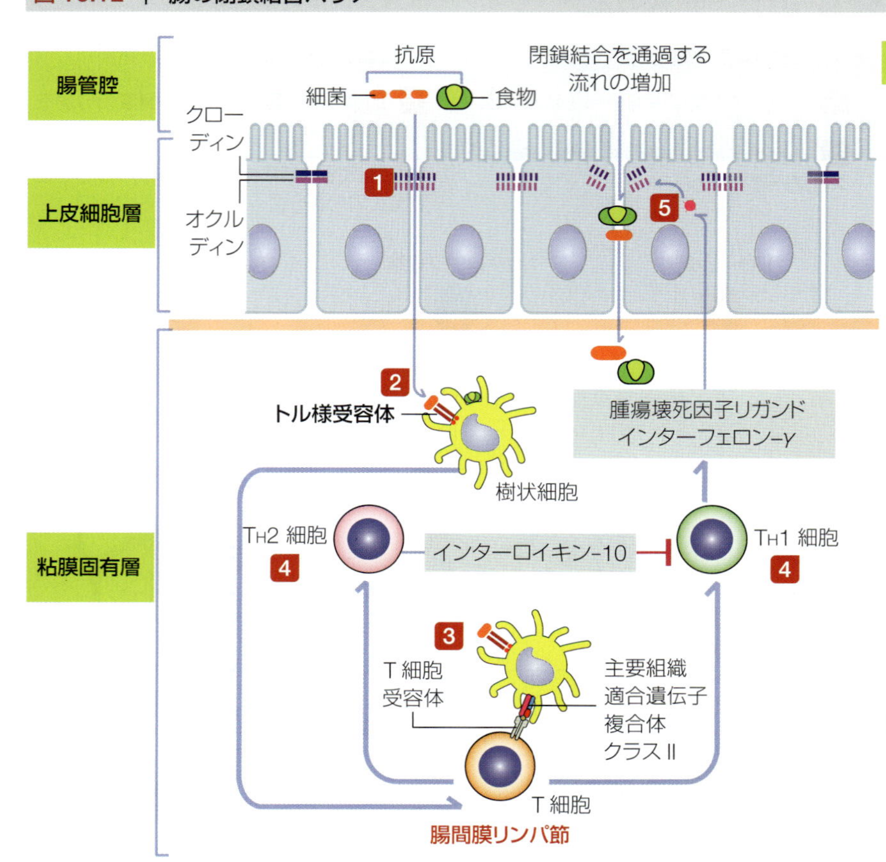

腸閉鎖結合バリア

1 腸の閉鎖結合バリアに欠陥があると，抗原が無制限に粘膜固有層に入る．

2 粘膜固有層では，樹状細胞が**トル様受容体**によって抗原を取り込み，領域の腸間膜リンパ節に遊走する．

3 リンパ節では，ナイーブ T 細胞が樹状細胞に作用する．抗原は主要組織適合遺伝子複合体クラス II（MHC クラス II）によって T 細胞の受容体に提示される．T 細胞は T ヘルパー細胞 1（**TH1**）と T ヘルパー細胞 2（**TH2**）に分化し，粘膜固有層に移動する．

4 粘膜固有層において，TH1 細胞は炎症促進性サイトカインの**腫瘍壊死因子リガンド**と**インターフェロン-γ**を発現する．調節性 TH2 細胞はインターロイキン-10 を発現して TH1 細胞からの炎症促進性サイトカインの放出を阻止する．

5 調節されていない炎症促進性サイトカインは腸細胞にシグナルを送り，漏れやすい閉鎖結合を通って内腔から粘膜固有層へ抗原の通過を増加させ，かくして炎症反応を増強する．この機構は小腸の炎症性疾患を起こすことがある．

板の発生を刺激する．

パイエル板を構成する細胞は管腔の抗原と細菌を取り込み抗原提示細胞に運び，免疫寛容あるいは病原体に対する炎症反応を起こす．

パイエル板は**小腸の免疫センサー** immune sensor と考えられている．大腸においては**孤立リンパ濾胞** isolated lymphoid follicle（**ILF**）がパイエル板に相当する．ILF は活性化するためにトル様受容体（TLR）と**ヌクレオチド結合オリゴマー化領域 2** nucleotide-binding oligomerization domain 2（**NOD2**）を必要とする．TLR は**細胞外**センサーで，NOD は**細胞質**センサーである．NOD2 についてはパネート細胞の静菌作用に関する議論で触れる．

パイエル板は 3 つの主要な要素からなる：

1. **濾胞関連上皮** follicle-associated epithelium（**FAE**）．**M 細胞**と**腸細胞**からなる．
2. **リンパ濾胞** lymphoid follicle．胚中心と上皮下ドーム領域からなる．
3. **濾胞間域** interfollicular area．血管とパイエル板を腸間膜リンパ節へつなぐ輸出リンパ管を伴う．

高内皮細静脈 high endothelial venule がリンパ濾胞に存在する．この静脈はリンパ球を濾胞に入れることができる．活性化されたリンパ球はリンパ管によってパイエル板を去る．

Box 16.A | パイエル板の発生

- 造血細胞が小腸内に集合して，パイエル板の原基を形成する．造血細胞のサブセットが**受容体型チロシンキナーゼ** receptor tyrosine kinase（**RET**）を発現する．これは腸神経系（マイスナー粘膜下神経叢とアウエルバッハ筋間神経叢）の発生にも必須である．
- がん原遺伝子 *Ret* は神経堤および神経外胚葉由来の組織と腫瘍に発現する RET をコードしている．
- RET リガンドアルテミン（ARTN）は，グリア細胞系由来神経栄養因子（GDNF）ファミリーリガンドで，腸の神経とリンパ系の発生を制御する．しかし，Ret 突然変異マウスにおいてパイエル板が発生しないことは腸神経系の発生とは**無関係**である．
- 本章で後に議論するように，Ret／リガンドシグナル経路の欠陥は遠位結腸の神経節細胞欠損症（ヒルシュスプルング病）の原因である．この経路はまた，腸造血性パイエル板系の形成に重要である．

濾胞関連上皮（FAE）（図 16.14）

FAE の主要な構成要素は **M 細胞**と**樹状細胞** dendritic cell である：

1. **M 細胞**は腸細胞の特殊化した抗原を取り込む細胞層を形成し，刷子縁は短い**微小ヒダ** microfold に置き換わっている（それゆえ M 細胞と名づけられた）．M 細胞は，局所の B 細胞上にある膜結合リンフォトキシン（LT $\alpha 1\beta 2$）によって刺激されて腸細胞から分化する．

M 細胞は**上皮内ポケット** intraepithelial pocket を形成し，

図 16.13 | パイエル板：腸関連リンパ組織（GALT）の構成要素

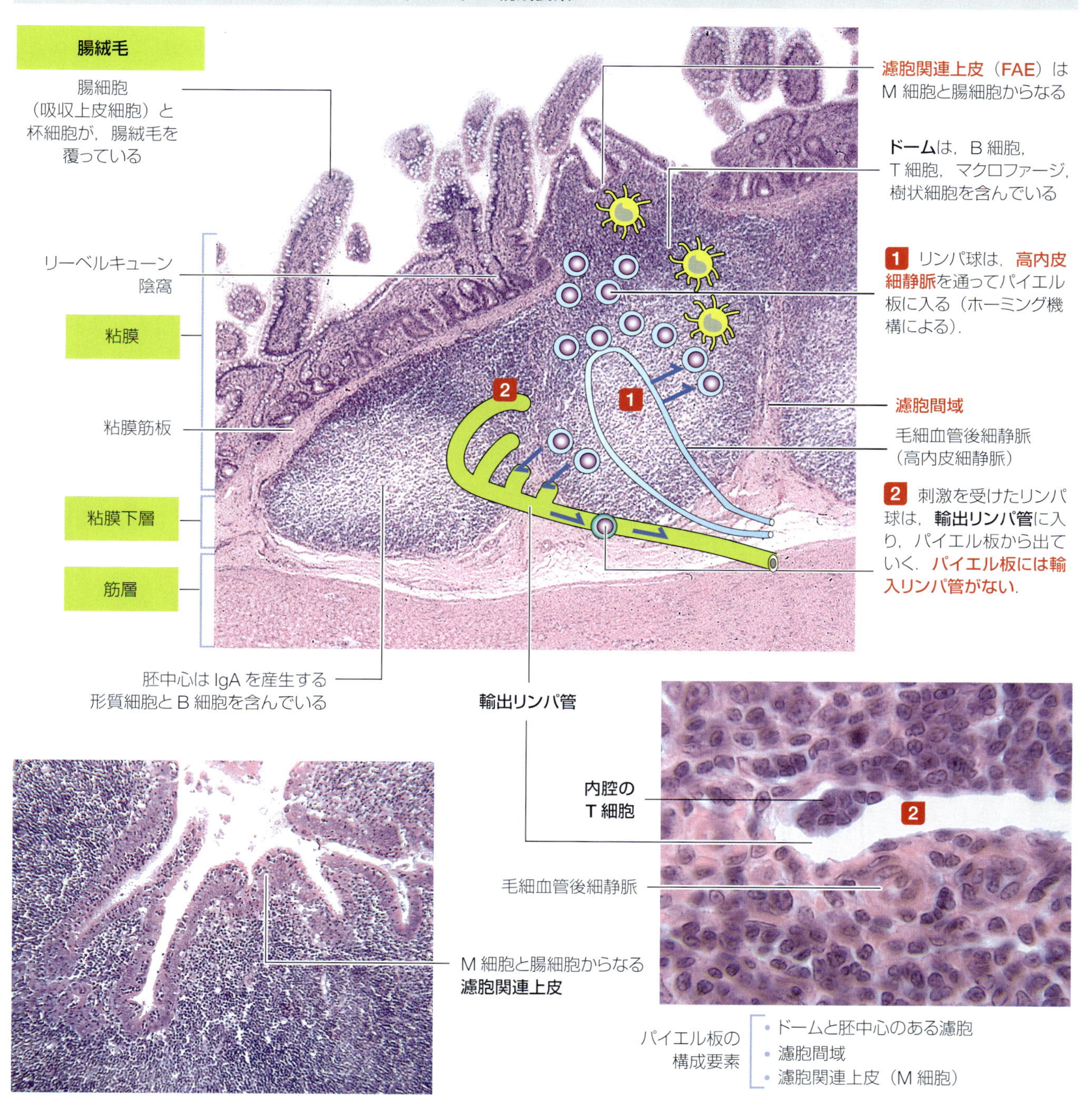

そこに上皮内 B 細胞の亜集団が住んで **IgA 受容体** IgA receptor を発現し，IgA 結合細菌を補足し貪食する．

抗原は M 細胞によって運ばれ，上皮内ポケットにいる免疫能のある B 細胞に提示される．

M 細胞の数は腸管腔に病原性細菌（例えばネズミチフス菌）が存在すると急速に増加する．サルモネラに遭遇すると，M 細胞の微小ヒダが大きな波状に変化し，30〜60 分の内に M 細胞が壊死し，M 細胞は枯渇する．**ポリオウイルス** poliovirus（ポリオの病原体）はパイエル板を使って複製する．

2. **樹状細胞** dendritic cell．腸細胞を結合している閉鎖結合の間に細胞突起を伸ばしている．

リンパ濾胞 lymphoid follicle は**胚中心** germinal center をもつ．そこは IgA- 陽性 B 細胞，CD4^{+}T 細胞，抗原提示細胞および濾胞樹状細胞を容れている．パイエル板には若干の形質細胞がある．**上皮下ドーム** subepithelial dome には B 細胞，T 細胞，マクロファージおよび樹状細胞がいる．

腸管腔に存在する抗原は，腸細胞で発現した**トル様受容体**（TLR）を活性化する．TLR と抗原の相互作用が **B 細胞活性化因子** B cell-activating factor（BAF）の産生を刺激し，これらのサイトカインが粘膜固有層とパイエル板にいる形質細胞

図 16.14 | パイエル板：腸管の細胞による免疫監視

腸細胞

抗原が腸細胞表面の**トル様受容体**（**TLR**）に結合し，**B 細胞活性化因子**（**BAF**）が産生されて形質細胞の IgA 分泌が促進される．

M 細胞

M 細胞は IgA 受容体と細胞表面の糖タンパク質を発現している．これは **IgA の結合した微生物叢**の捕捉と取り込みに関与する．

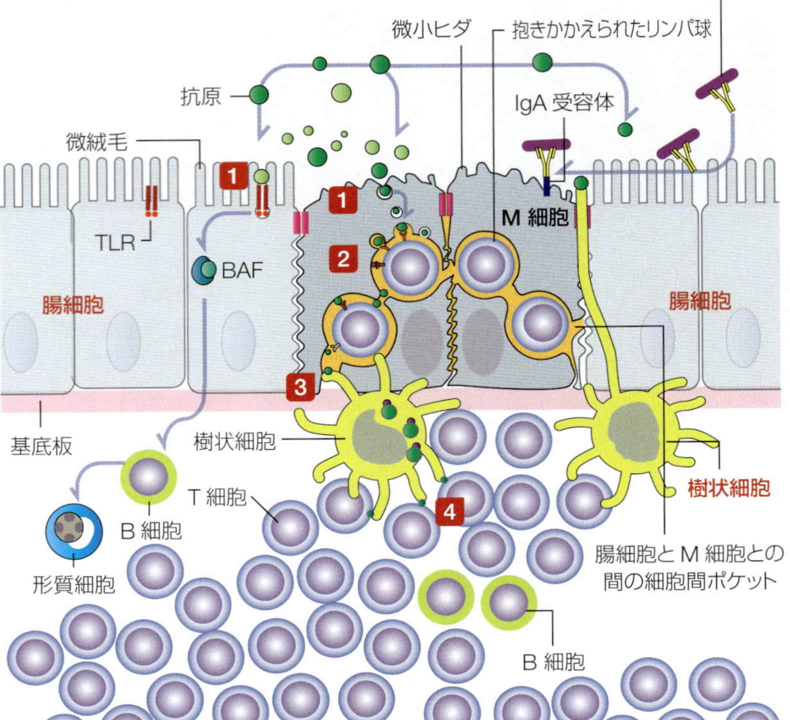

濾胞関連上皮

M 細胞の層は複数の有核細胞の観を呈している．これはおそらく，M 細胞と腸細胞との間のポケットの中の B 細胞に相当すると思われる．M 細胞は抗原に結合親和性をもつ表層免疫グロブリン（Ig）受容体をもっている．

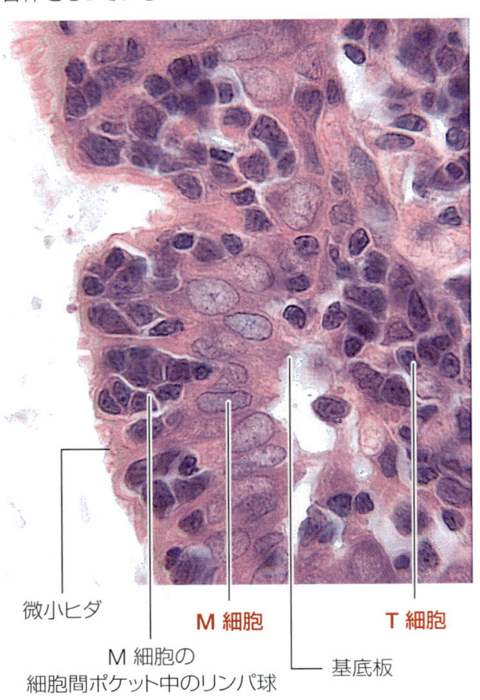

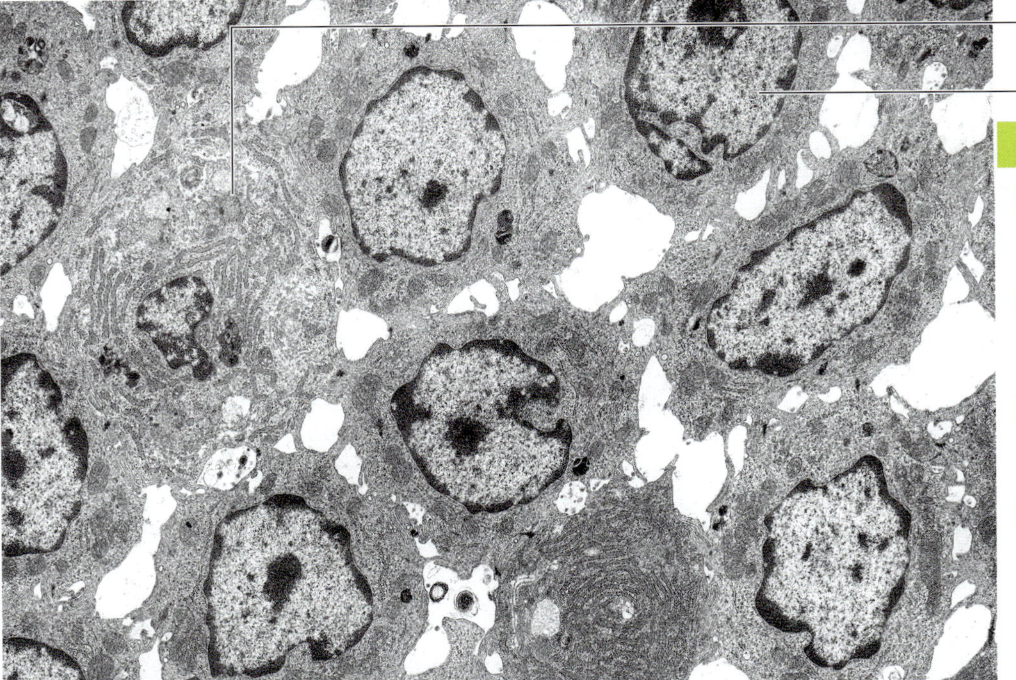

M 細胞

1 **M 細胞**と**樹状細胞**は，腸管から抗原を抽出して取り込む．

2 抗原は M 細胞内のポケットにあるリンパ球に提示される．

3 リンパ球表面上の Ig 受容体に結合した抗原は樹状細胞に移される．

4 樹状細胞は適応免疫応答を活性化させる T 細胞と相互に作用する．樹状細胞は腸間膜の領域リンパ節に遊走し，そこでも免疫応答を開始する．

図 16.15 | 多量体 IgA：腸管の免疫監視

1 腸細胞上の**トル様受容体**（**TLR**）は微生物叢で活性化される．腸細胞は **B 細胞活性化因子**（**BAF**）と**増殖誘導リガンド**（**APRIL**）を分泌する．**2** 粘膜固有層において，BAF と APRIL は B 細胞を誘導して IgA 産生形質細胞にする．**3** 樹状細胞も胸腺間質性**リンパ球新生因子**（**TSLP**）によって刺激されると BAF と APRIL を分泌できる．TSLP は微生物叢抗原で活性化された腸細胞によって産生される．

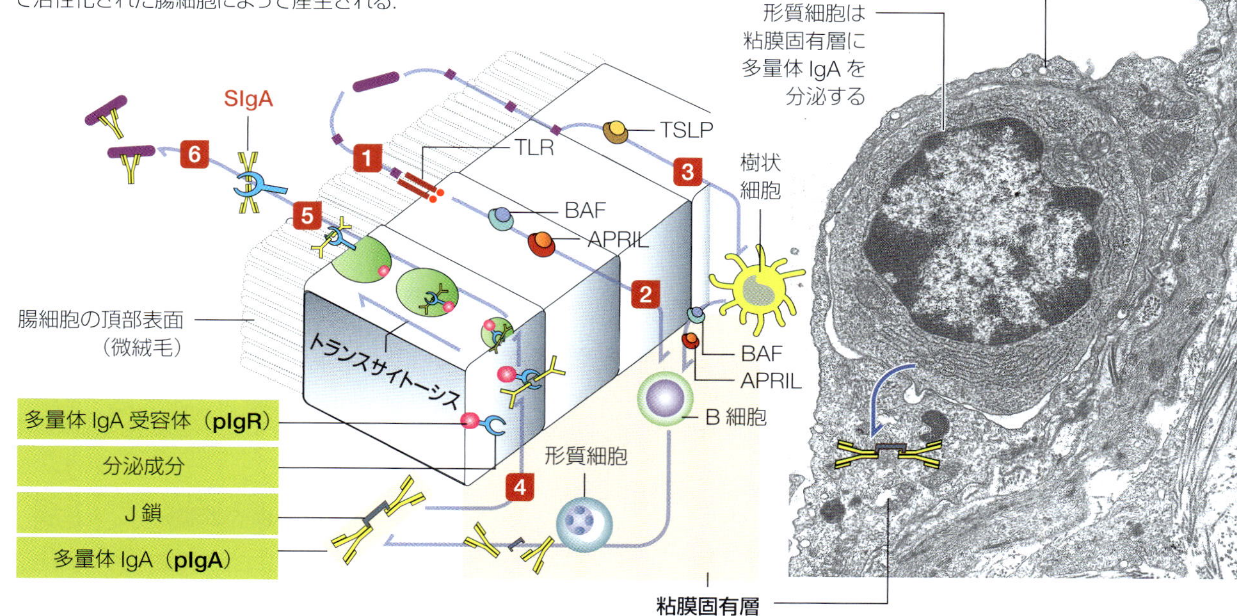

4 **pIgA**（J 鎖でつながった IgA2 量体）は腸細胞の基底表面上の **pIgR** に結合する．pIgR は分泌物の一部である．

5 pIgR–pIgA–分泌タンパク質複合体は**トランスサイトーシス**によって腸細胞の頂部領域に運ばれる．

6 pIgR–pIgA–分泌タンパク質複合体は頂部の細胞表面に露出される．内腔において，分泌成分は膜貫通係留から離れる．IgA 分泌成分複合体 **SIgA** は腸管腔に放出される．IgA は細菌に結合して，M 細胞に提示される（図 16.14）．

による免疫グロブリン（Ig）A の産生を活性化する．

腸管内の抗原は B 細胞表面の免疫グロブリン受容体に結合し，上皮下のドーム部で**抗原提示細胞** antigen-presenting cell に情報が渡される．抗原は**濾胞樹状細胞** follicular dendritic cell と CD4^{+}T 細胞に提示され，免疫応答が始まる．

要するに，パイエル板の細胞要素は管腔の抗原と微生物を運ぶことができ，それらに反応して免疫寛容あるいは全身の免疫防御応答を誘導する．パイエル板の機能欠損の例は**クローン病** Crohn's disease である．これは炎症性腸疾患で慢性また反復性の症状が特徴である．

多量体 IgA（図 16.15）

形質細胞は，**多量体 IgA** polymeric IgA を腸管の管腔，気道上皮，乳汁分泌時の乳腺と唾液腺に分泌する．大部分の形質細胞は，**リンパ球**，**好酸球** eosinophil，**肥満細胞** mast cell，および**マクロファージ** macrophage とともに，腸絨毛の**粘膜固有層** lamina propria に存在する．

形質細胞によって分泌された多量体 IgA 分子は，以下のステップからなる**トランスサイトーシス** transcytosis によって，粘膜固有層から腸管の管腔内まで輸送される．

1. **多量体 IgA** は，**J 鎖** J chain とよばれるペプチドで結合された 2 量体として分泌される．
2. 多量体 IgA は腸細胞の基底面にある**多量体免疫グロブリン受容体** polymeric immunoglobulin receptor（**pIgR**）とよばれる特異的な受容体に結合する．pIgR には**分泌成分**が付属している．
3. **多量体 IgA・pIgR・分泌成分複合体** IgA–pIgR–secretory component complex **は腸上皮細胞に取り込まれ，細胞内を横切り，細胞の頂部表面に輸送される**．
4. 頂部表面で複合体は酵素によって開裂され，多量体 IgA・分泌成分複合体が**分泌 IgA** secreted IgA（**SIgA**）として腸管腔に放出される．分泌成分は 2 量体 IgA がタンパク分解されることを防ぐ．
5. IgA は細菌と可溶性の抗原に付着し，腸細胞に対する直接の障害と粘膜固有層への侵入を防ぐ．

どのようにして形質細胞は多量体 IgA の産生を誘導するか？

腸細胞上の TLR が微生物叢で活性化されると，**B 細胞活性化因子** B cell-activating factor（**BAF**）と**増殖誘導リガンド** A proliferation-inducing ligand（**APRIL**）を分泌する．

粘膜固有層において BAF および APRIL は B 細胞が IgA 産生形質細胞へ分化するのを誘導する．

さらに，微生物叢は**胸腺間質性リンパ球新生因子** thymic

図 16.16 | パネート細胞：適応抗微生物免疫

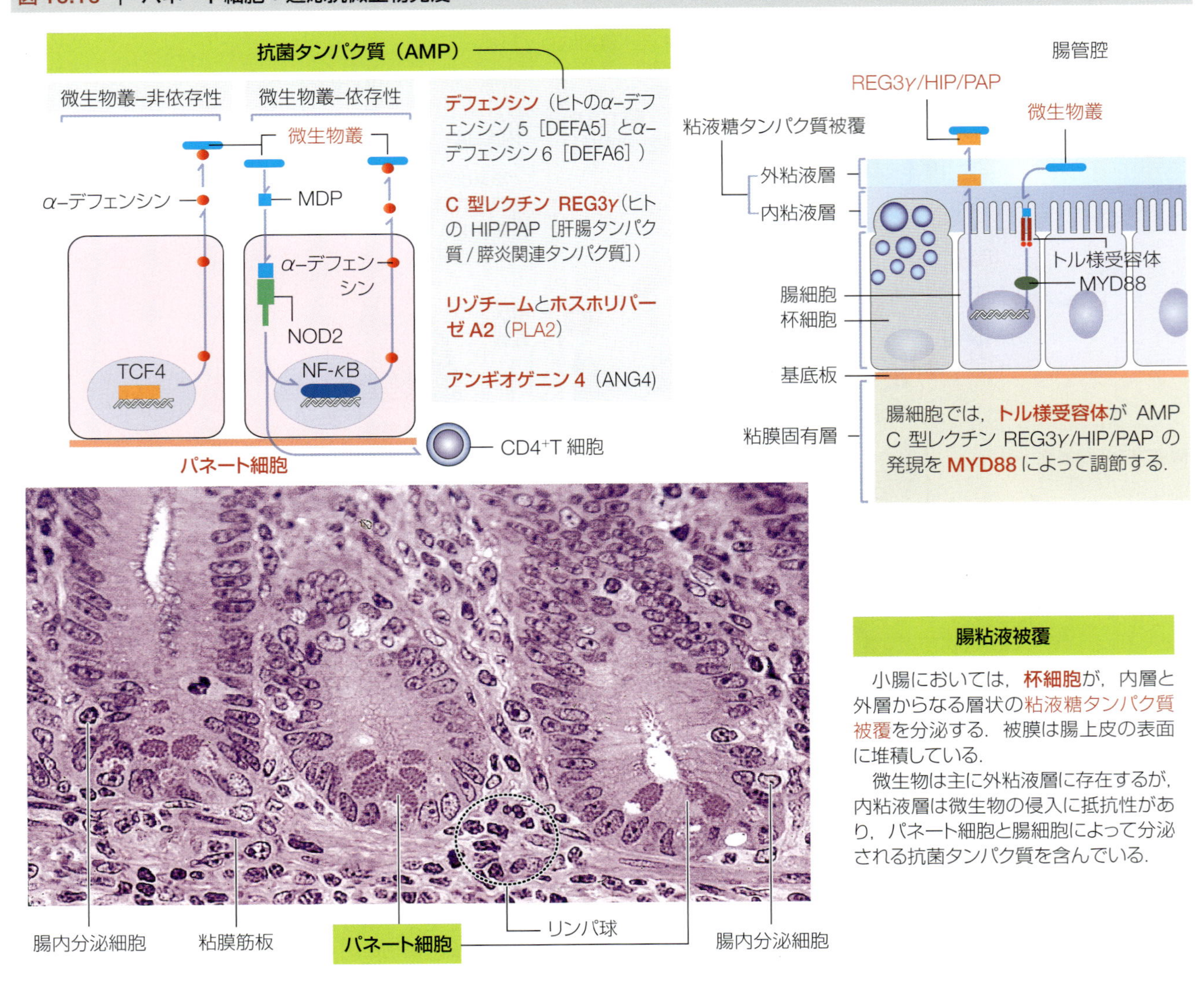

stromal lymphopoietin（TSLP）によって腸細胞に指示して粘膜固有層の**樹状細胞** dendritic cell を BAF と APRIL の分泌にかかわらせ，B 細胞の形質細胞への分化を誘導する．

最後のワンポイント：IgA は**細菌の遺伝子発現**に影響を与えることによって腸微生物叢 intestinal microbiota の組成と働きを調節している．このメカニズムによって，IgA が宿主と微生物叢の間の先天的な関係を保っている．

パイエル板について述べたように，M 細胞は IgA 受容体を発現しているので，IgA 結合細菌を取り込むことができる．気づいていると思うが，管腔内の SIgA は細菌を不動性にするのみならず，取り込んで廃棄するために M 細胞に向かわせる．

パネート細胞（図 16.16，16.17）

パネート細胞はリーベルキューン陰窩底（ISC の近く，図 16.16，16.17；Box16.B）にあり，腸細胞の急速な回転率と対照的に，およそ 3〜6 週間の寿命である．

絨毛先端の腸細胞は過酷な腸内腔環境に晒されており高率の細胞死を補うために 3〜5 日ごとに再生していることを覚えておくこと．

ピラミッド形のパネート細胞は粗面小胞体を含む基底領域をもっている．頂部には多様な配列の**抗菌タンパク質** antimicrobial protein（AMP）である多数のタンパク質顆粒がみられる．これは微生物叢の多様性と差し迫る脅威を示している．腸細胞も AMP を産生する．

腸抗菌タンパク質（AMP）（図 16.16）

ほとんどの**腸抗菌タンパク質** intestinal antimicrobial protein（AMP）は細菌壁を酵素的に分解するか細菌の内膜を破壊することにより直接不活化または殺す．AMP の 1 つのグループは細菌から鉄のような必須重金属を奪う．

パネート細胞と腸細胞によってつくられた AMP は**杯細胞** goblet cell **でつくられた腸粘液被覆** intestinal mucus blanket の中に留められる．それゆえ，粘液層は 2 つのメカニズムで腸粘膜を保護する：

1. 内腔の細菌が上皮に直接達することを制限するバリアをつく

図 16.17 ｜ リューベルキューン陰窩における腸幹細胞ニッチ

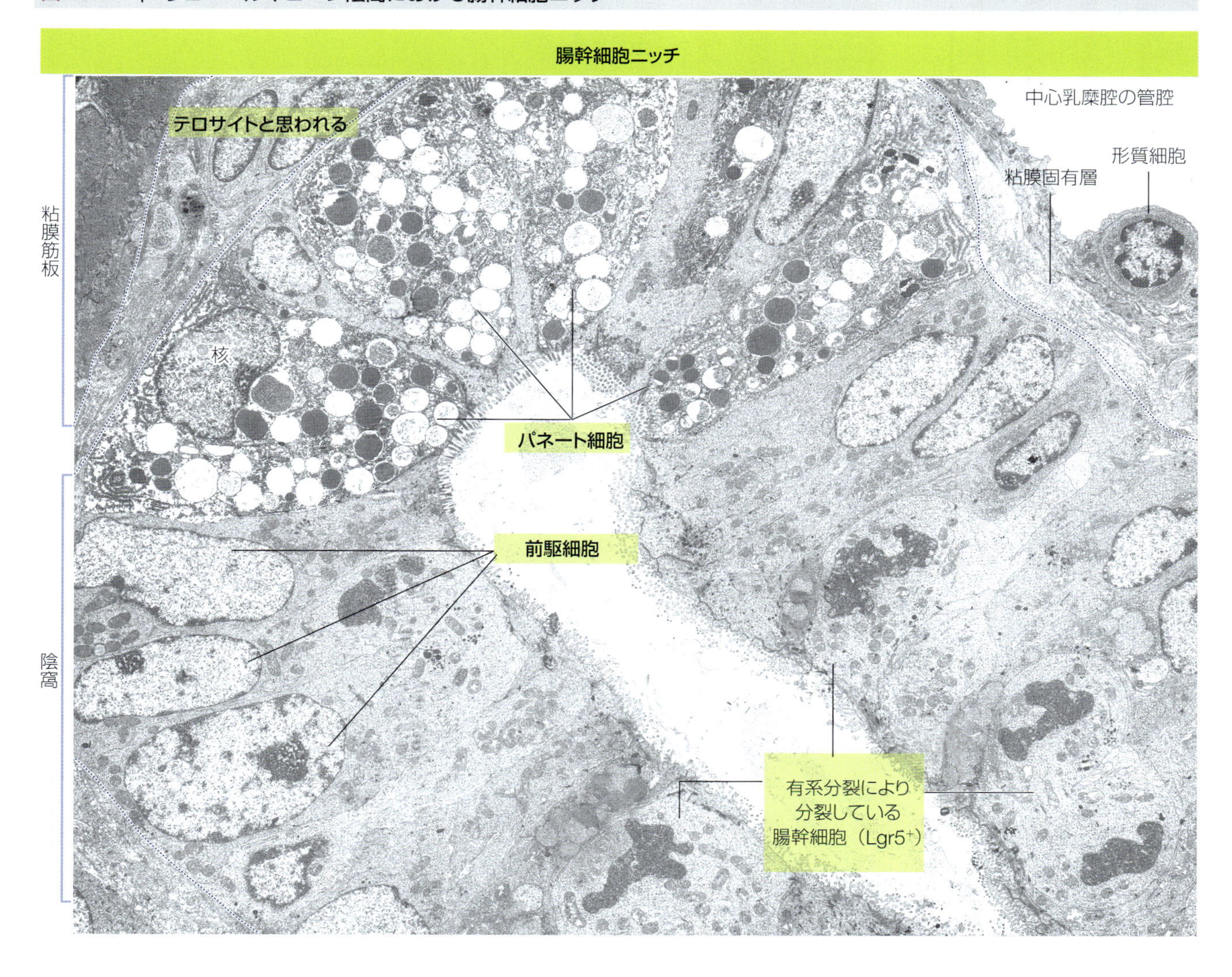

ることによる保護.

2. AMP を腸細胞表面近くで濃縮することによって腸細胞表面を保護．AMP は腸内容物には事実上存在しない.

パネート細胞は数種の AMP をつくる：

1. **デフェンシン**（ヒトでは α－デフェンシン 5［DEFA5］と α－デフェンシン 6［DEFA6］).
2. C 型レクチン，再生中の膵島由来タンパク質 3γ（**REG3γ**）を含む．これは肝腸タンパク質／膵関連タンパク質（**HIP／PAP**）としても知られる.
3. **リゾチーム** lysozyme と**ホスホリパーゼ A2** phospholipase A2（PLA2).
4. **アンギオゲニン 4** angiogenin 4（ANG4).

α－デフェンシン（2～3kd）はグラム陽性とグラム陰性細菌，カビ，ウイルス，および原虫を標的としてデフェンシン孔を形成することにより膜を破壊する．孔は病原体を腫脹させ，膜を破ることにより，中に水を入らせる．デフェンシンはまた CD4⁺T 細胞，CD8⁺T 細胞，単球およびマクロファージに対して走化性があり，炎症反応を調節する．デフェンシンは感染部位への樹状細胞の補充を増強し，デフェンシン・抗原複合体を形成することによって抗原の取り込みを促進する.

すべての C 型レクチンと同様，**REG3γ／HIP／PAP**（15kd）の炭水化物認識領域がグラム陽性細菌の細胞壁にあるペプチドグリカンのグリカン鎖に結合し，壁を破壊する．ペプチドグリカンは細菌には存在するがヒトの細胞にはない．セレクチン（Ca^{2+} 依存細胞接着分子群の一種）が炭水化物認識領域をもった C 型レクチンファミリーに属することは，すでに学んだ.

リゾチームは細胞壁のペプチドグリカンを完全な状態に保つグリコシド結合を解離するタンパク溶解酵素である．**PLA2** は細菌の膜のリン脂質を加水分解して細菌を殺す.

パネート細胞は **ANG4**，細菌の特性をもった RNase を分泌する.

AMP の発現と機能は微生物叢の存否によって大きく制御されることを強調することが重要である.

微生物の存在下，次のことがある：

1. 腸細胞の **TLR** が TLR- シグナルアダプター－骨髄分化一次反応タンパク質 88 myeloid-differentiation primary response

図 16.18 | クローン病

クローン病

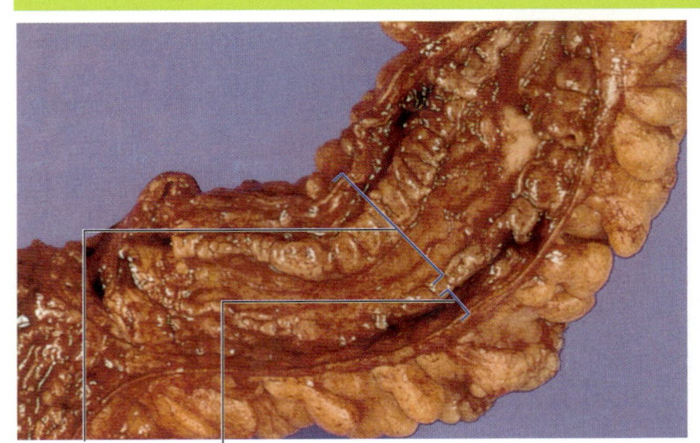

NOD2（ヌクレオチド結合オリゴマー化領域含有タンパク質 2）に欠陥のある患者は，パネート細胞と重篤な腸炎症によるα-デフェンシンの発現が低い．低α-デフェンシンタンパク質は微生物の上皮細胞表面への結合を増加させ，慢性炎症性腸疾患の 1 つであるクローン病を引き起こすことがある．

1 リーベルキューン陰窩が炎症細胞によって侵襲される．この過程により，腸腺の閉塞と萎縮が起こる．

2 慢性肉芽腫は筋層を侵襲して破壊し，結合組織に置き換える．

写真：Damjanov I, Linder J: Pathology. St Louis, Mosby, 2000 より．

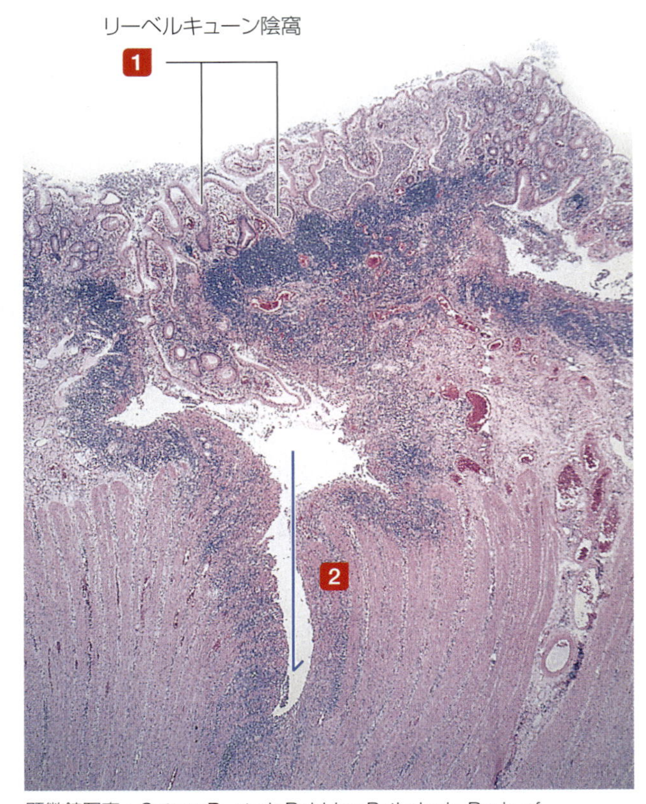

顕微鏡写真：Cotran R, et al: Robbins Pathologic Basis of Disease, 6th ed. Philadelphia, WB Saunders, 1999 より．

protein 88（MYD88）によって REG3γ／HIP／PAP の発現を調節する．

2. 細胞質 NOD2（パネート細胞によって発現される）は，取り込まれたペプチドグリカンペプチド部分（ムラミール・ジペプチド，MDP）に結合し，転写因子 NF-κB を活性化するとα-デフェンシンの発現を調節する（図 16.16）．

NOD2 は，MDP に会うと微生物叢に対する免疫寛容に貢献する戦略的な位置にある．NOD2 はまた $CD4^{+}$T 細胞で開始される免疫応答の発生を制限する．しかし，α-デフェンシンは微生物叢とは独立して転写因子 TCF4 の活性化によって発現しうる．

デフェンシンは常に産生されるか，微生物叢の産物あるいは炎症促進性サイトカイン（例えば，TNF リガンド）に反応して産生される．

腸閉鎖結合バリアについての議論で述べたように，TNF リガンドは多様な感染源と組織障害に反応して産生される炎症促進性サイトカインである．

要するに，腸細胞とパネート細胞は多様なグループの AMP を産生する．その AMP が炎症性腸疾患に貢献する病原性微生物を直接殺すか増殖を阻止する．

炎症性腸疾患（図 16.18）

炎症性腸疾患には，潰瘍性大腸炎 ulcerative colitis とクローン病がある．両者とも，臨床的に下痢，痛み，および周期的再発が特徴である．

潰瘍性大腸炎は大腸の粘膜を侵す．クローン病は，腸管のどの部分でも起こる．

クローン病は，回腸の終末部における慢性の炎症過程であるが，時に大腸でも観察される．炎症細胞（好中球，リンパ球，マクロファージ）は，腸粘膜に傷害を起こすサイトカインを産生する．

腸粘膜の最初の変化は，**リーベルキューン陰窩に好中球** neutrophil **が浸潤**することである．

この過程の結果，陰窩膿瘍 crypt abscess と粘膜の進行性の萎縮 atrophy と粘膜の潰瘍 ulceration が起こり，腸腺が破壊される．

慢性的な炎症は，粘膜下層や筋層にまで達する．多量のリンパ球集積は，細胞集塊，すなわち**肉芽** granuloma を形成する．これがクローン病の典型的特徴である．

クローン病の主な合併症は，**線維症** fibrosis **による腸閉塞** occlusion of the intestinal lumen，小腸 small intestine の他の部分における**瘻孔** fistula **の形成**，および**腸管穿孔** intestinal perforation である．クローン病で侵された領域は腸管の正常部分から分けられている．

クローン病の病因は不明である．この疾患が NOD2 の関与する微生物と腸上皮の相互作用の調節不全に由来することを示す証拠が増えている．

腸疾患のある患者では上皮細胞表面に付着している微生物が増加しており，これは微生物と上皮の直接の接触を制限するメカニズムの破綻を示唆している．

常在細菌（微生物叢）と異常なシグナル交換によって決定される腸粘膜の反応性免疫応答が病因の 1 つである．

遺伝的に影響されやすいヒトでは，粘膜免疫機構が正常で健康なヒトに存在する微生物叢を病原性とみなして，免疫応答を引き起こすと，炎症性腸疾患が起こる．

腸粘膜内でヘルパーT 細胞によって産生されるサイトカインが炎症性腸疾患の特徴である炎症促進性反応を引き起こす．クローン病では，**1 型ヘルパー細胞** type 1 helper cell（**TH1 細胞**）が TNF リガンドとインターフェロン -γ を産生する．TNF リガンドは炎症促進性サイトカインなので，このサイトカインに対する抗体がクローン病患者に炎症促進性を弱めるために投与される．

吸収不良症候群

吸収不良症候群 malabsorption syndrome では，小腸の粘膜における脂質，タンパク質，炭水化物，塩類，および水の吸収不足が特徴である．吸収不良症候群は以下の原因で起こる：

1. 膵臓疾患（膵炎や嚢胞性線維症）による**脂質やタンパク質の消化不良**，あるいは**胆汁分泌の不良**（肝疾患または十二指腸への胆汁流路の閉塞）**による脂質の可溶化欠如**．
2. **刷子縁** brush border **における酵素異常がある場合**，ジサッカリダーゼは炭水化物を加水分解できず（**乳糖不耐症** lactose intolerance），ペプチダーゼはタンパク質を加水分解できない．
3. **腸細胞による経上皮輸送** transepithelial transport **に欠陥**がある場合．

吸収不良症候群は，多くの器官系を侵す．ビタミン B_{12}，鉄および他の補助因子が吸収されないとき，**貧血** anemia が起こる．タンパク質，カルシウムおよびビタミン D が吸収されないと，筋骨格系の障害がみられる．吸収不良症候群の典型的な症状は**下痢** diarrhea である．

大腸（図 16.19，16.20）

大腸 large intestine は数個の連続した部分からなる：

1. **盲腸** cecum，そこから**虫垂** appendix が起こる．
2. **上行結腸** ascending colon，**横行結腸** transverse colon，および**下行結腸** descending colon．
3. **S 状結腸** sigmoid colon．
4. **直腸** rectum．
5. **肛門** anus．

輪状ヒダ plica circularis **と腸絨毛** intestinal villi **は回盲弁以降ではみられない**．その代わり，結腸の粘膜には，まっすぐな**管状腺** tubular gland（**リーベルキューン陰窩** crypts of Lieberkühn）の開口部が多数ある．

小腸におけると同様，大腸の組織層は**粘膜**（上皮，粘膜固有層，粘膜筋板），**粘膜下層**，**筋層**および**漿膜**である．

粘膜を覆う単層円柱上皮は自己複製している腸幹細胞に由来する．**管状腺の軸に沿った Wnt タンパク質濃度勾配**に駆動されて，腸幹細胞は管状腺のすべての細胞型になる（Box16.B）．

Box 16.B | Lgr5⁺ 腸幹細胞は粘膜固有層の FoxL1⁺ テロサイトによって制御される

- 第 3 章で議論したように，幹細胞ニッチは，幹細胞が複製と機能細胞へ分化するための分子シグナルと物理的サポートを提供する局所環境である．腸幹細胞（ISC）は，ホメオスタシス過程と傷害後に腸上皮を絶えず補充するが，リーベルキューン陰窩の底部に閉じ込められた幹細胞ニッチの中にいる．
- ISC は leucine-rich repeat-containing G-protein coupled receptor 5（Lgr5）を発現しているが，腸管腔近くにある**杯細胞**，**M 細胞**，**タフト細胞**，および**吸収腸細胞**ばかりでなく，陰窩底の近くにみられる**パネート細胞**と**腸内分泌細胞**に分化する**前駆細胞**を複製し産生する．Wnt シグナルが ISC 増殖の主たるドライバーである．
- 粘膜固有層にある間葉由来の樹状細胞のサブセット，テロサイト telocyte はリーベルキューン陰窩と並んでいる．
- テロサイトは，winged-helix **転写因子** forkhead box L1（Fox L1）の発現によって同定されるが，ISC ニッチを制御する Wnt シグナル源である．テロサイト由来 Wnt タンパク質とおそらく他のシグナル分子をブロックすると ISC の増殖が止まり，結果として腸上皮細胞が再生しなくなる．
- 傍分泌テロサイト -ISC ループがクローン病といった状態の腸上皮を再生する代替治療法として登場しつつある．

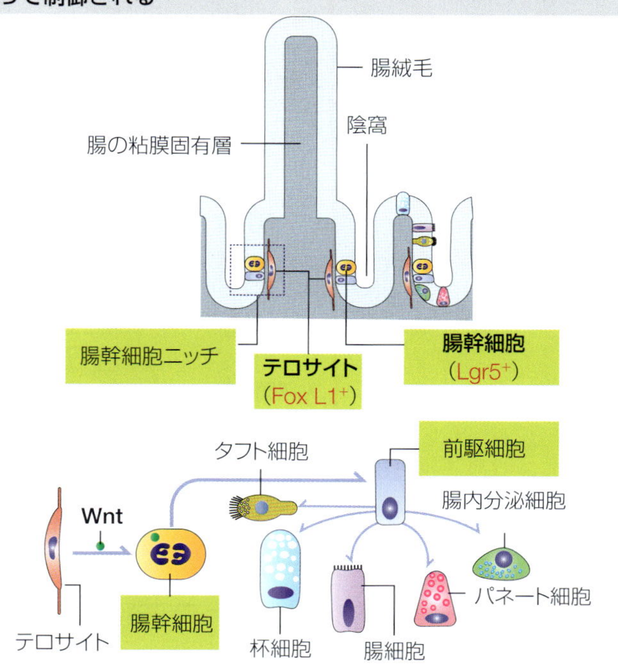

図 16.19 | 大腸

大腸

大腸の層は小腸のものと同じく，粘膜，粘膜下層，筋層および漿膜からなる．**粘膜の主な機能**は，水，ナトリウム，ビタミン，ミネラルの吸収である．ナトリウムの輸送は能動的（エネルギー依存的）であり，この浸透圧勾配を利用し，水が輸送される．その結果，結腸に入ってきた液状の糜粥は濃縮され，半固体の便になる．カリウムと重炭酸塩が，結腸腔に分泌される．

結腸の吸収能力は，鎮静薬，麻酔薬，ステロイドなどの多くの物質の取り込みを可能にしている．経口投薬が行えない場合（例えば嘔吐），この特性は治療上かなり重要である．

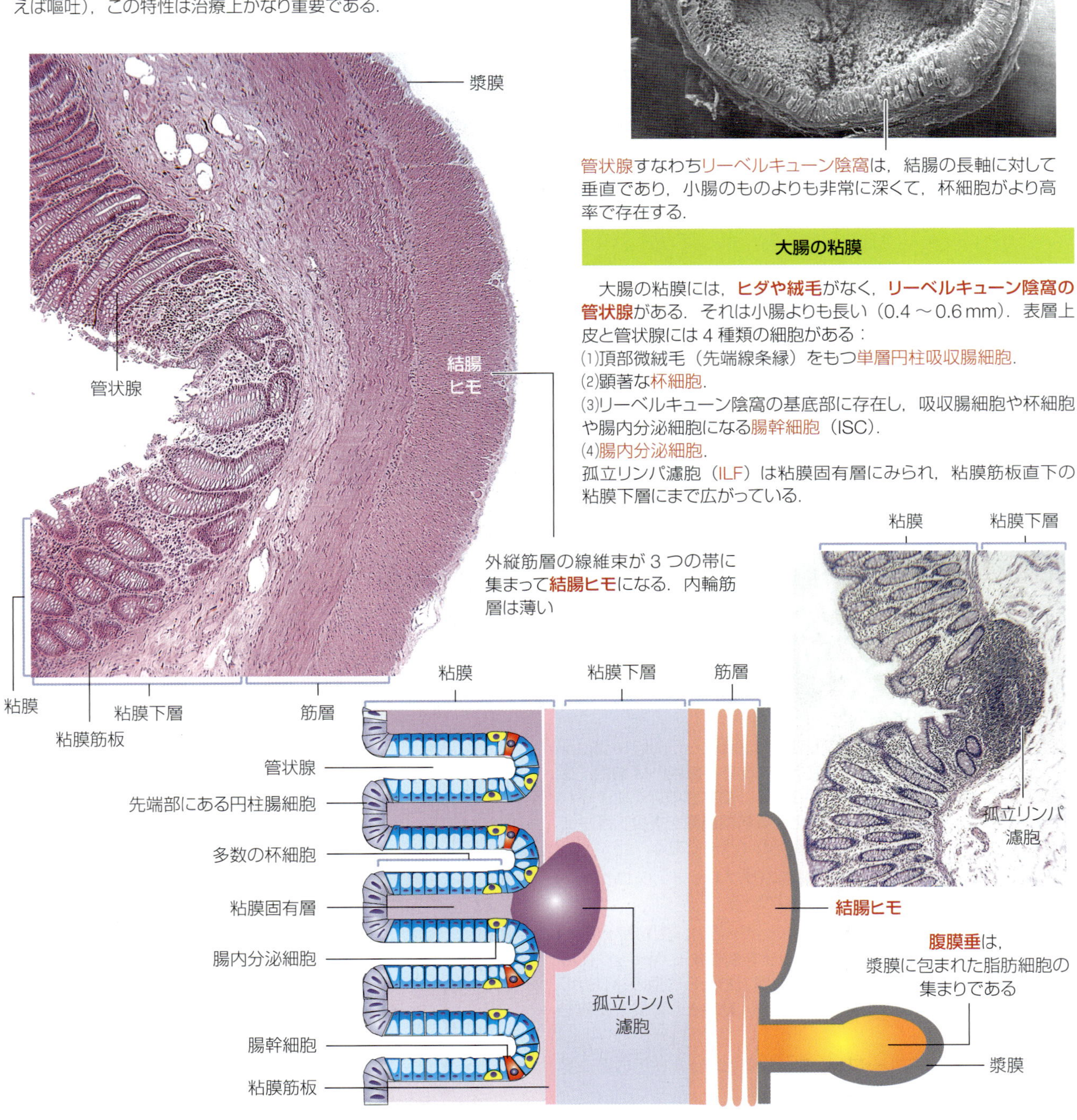

管状腺すなわちリーベルキューン陰窩は，結腸の長軸に対して垂直であり，小腸のものよりも非常に深くて，杯細胞がより高率で存在する．

大腸の粘膜

大腸の粘膜には，**ヒダや絨毛**がなく，**リーベルキューン陰窩の管状腺**がある．それは小腸よりも長い（0.4 ～ 0.6 mm）．表層上皮と管状腺には 4 種類の細胞がある：

(1)頂部微絨毛（先端線条縁）をもつ単層円柱吸収腸細胞．
(2)顕著な杯細胞．
(3)リーベルキューン陰窩の基底部に存在し，吸収腸細胞や杯細胞や腸内分泌細胞になる腸幹細胞（ISC）．
(4)腸内分泌細胞．

孤立リンパ濾胞（ILF）は粘膜固有層にみられ，粘膜筋板直下の粘膜下層にまで広がっている．

走査電子顕微鏡写真：Richard G. Kessel, Iowa City, Iowa. の厚意による．

図 16.20 | 大腸の腺の細胞型

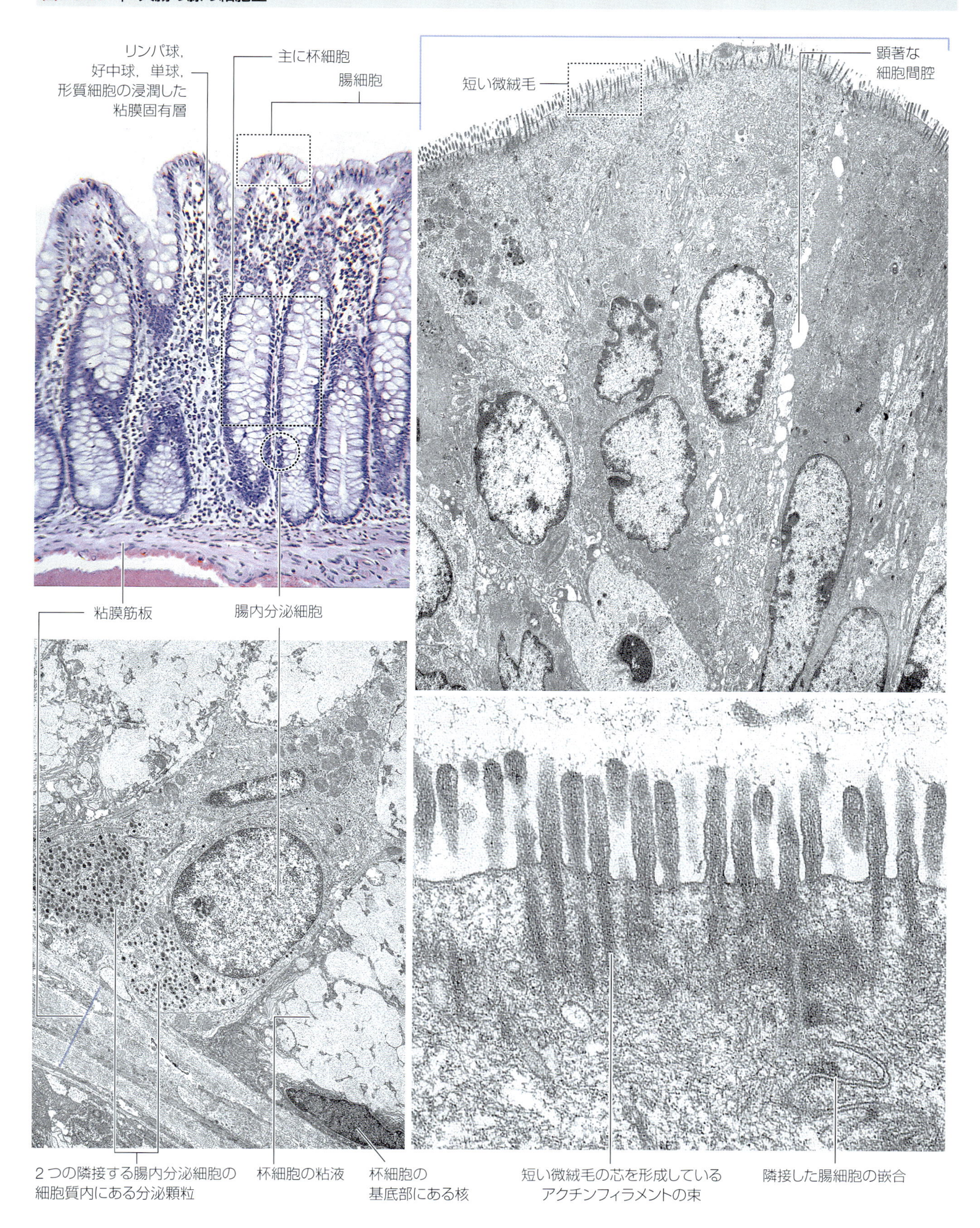

図 16.21 | 虫垂

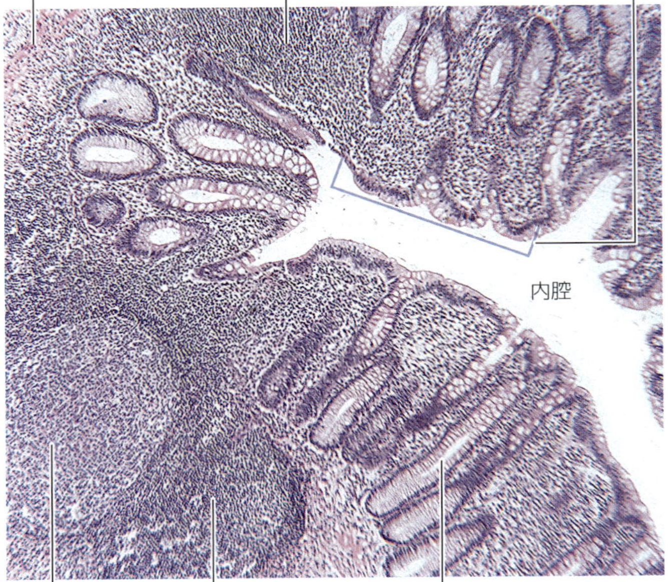

粘膜筋板

リンパ球は粘膜固有層に浸潤する

管腔に突出した粘膜ヒダ．絨毛は存在しない

内腔

リンパ濾胞は，粘膜と粘膜下層で観察される．このリンパ濾胞は口蓋扁桃の陰窩を囲んでいるリンパ濾胞に似ている．明らかな違いは，扁桃では数多くの杯細胞に覆われた管状腺がみられず，口腔の重層扁平上皮に覆われていることである

管状腺には，多くの杯細胞がみられる

なぜこれが重要か？

従来の腺腫－がんの連鎖は，一般的に**腺腫性大腸ポリポーシス** adenomatous polyposis coli（APC）あるいは**β-カテニン** β-catenin 突然変異によって上皮内で Wnt シグナルが活性化されて開始される（この後の「結腸直腸腫瘍形成」の項参照）．

管状腺の細胞型は以下の通りである：

1. 頂部に短い微絨毛をもつ**吸収腸細胞** absorptive enterocyte と**杯細胞** goblet cell.

腸細胞は**イオンと水の運搬**に関与している．結腸の全部分で Na^+ と Cl^- を吸収しているが，これは細胞膜チャネルで行われ，鉱質コルチコイドによって調節されている．アルドステロンは，Na^+ チャネルの数を増加させて，Na^+ の吸収を増加させる．吸収腸細胞に入った Na^+ は，Na^+ ポンプによって外に出される．**杯細胞**は，粘液を分泌して粘膜表面を滑らかにし，保護バリアとして機能する．

2. **腸内分泌細胞**は**細胞質顆粒** cytoplasmic granule の中に分泌産物を蓄積し，機械的，化学的あるいは神経刺激によって基底外側細胞膜から開口放出される．
3. **幹細胞** stem cell は**幹細胞ニッチ** stem cell niche とよばれる陰窩底にある．幹細胞の子孫の細胞が，はじめ増殖細胞としてニッチを出て，次第に分化して細胞分裂後の特定の細胞（腸細胞と杯細胞）になる．

分化した腸細胞と杯細胞は 5 日以内に腔に剝がれ落ちることが重要である．この速い細胞回転の結果として，管状腺の底部にある幹細胞の子孫は結腸直腸がんのもとになる細胞と考えられている．

最後のワンポイント．パネート細胞は盲腸に存在することもあるが，大腸の他の部分には存在しない．

管状腺は**粘膜固有層** lamina propria で囲まれている．粘膜の中の**孤立リンパ濾胞** isolated lymphoid follicle（**ILF**）は粘膜下層に入り込んでいる．**粘膜筋板** muscularis mucosae は存在する．パイエル板と違い，ILF は M 細胞とは関係していない．

筋層は特別な特徴をもっている．外縦筋層の線維束が集まって**結腸ヒモ** taeniae coli を形成している．

結腸ヒモは 3 本の長軸方向に向いたそれぞれ 1 cm幅のリボン様の帯からなる．結腸ヒモと輪状筋の収縮が結腸に**結腸膨起** haustra とよばれる嚢状構造を形成する．漿膜には**腹膜垂** appendices epiploicae（単数形は appendix epiploica）とよばれる脂肪組織を容れた袋が散在している．腹膜垂と結腸膨起は結腸の特徴である．

虫垂（図 16.21）

虫垂 appendix は盲腸の憩室で，大腸と同様の層構造をもっている．

虫垂の特徴は**リンパ組織** lymphoid tissue であり，多数のリンパ濾胞と粘膜固有層に浸潤した**リンパ球** lymphocyte が特徴である．リンパ濾胞は粘膜と粘膜下層に広がり，粘膜筋板を分断している．

粘膜下層は脂肪細胞と密で不規則な結合組織をもっている．内輪筋層は漿膜で囲まれた外縦筋層と対照的によく発達している．

直腸（図 16.22）

直腸 rectum は腸管の終末部であり，S 状結腸の続きである．直腸は 2 つの部位からなる：

1. **上部直腸**，すなわち**固有直腸** rectum proper.
2. **下部直腸**，すなわち**肛門管** anal canal.

直腸では，粘膜は厚く，静脈が発達しており，リーベルキューン陰窩が小腸に比べて長く（0.7 mm），その表面はほとんど杯細胞によって覆われている．肛門管の高さで陰窩は次第になくなり，漿膜は外膜に変わる．

肛門管の粘膜の特徴は，8〜10 本の縦に伸びた**肛門柱** anal column である．肛門柱の基部は**櫛状線** pectinate line である．肛門柱の基部は，粘膜横ヒダに対応する**弁** valve でつながっている．**肛門洞** anal sinus あるいは陰窩とよばれる小さいポケットが肛門弁の後にある．**肛門粘液腺** anal mucous gland が，おのおのの肛門洞に開口している．

肛門弁と肛門洞は，肛門からの便の漏れを防いでいる．肛門管が便で膨張したとき，肛門柱，肛門洞および肛門弁が平らになり，粘液が肛門洞から放出され便の排泄を滑らかにする．

櫛状線を越えると直腸粘膜の単層円柱上皮は，**重層扁平上皮** stratified squamous epithelium に変わる．この**上皮移行帯** epithelial transformation zone は病理学では臨床上重要である．

結腸直腸腺（腺様）がん colorectal adenocarcinoma は移行帯よりも上部に発生し，**類表皮**（表皮様）**がん腫** epidermoid carcinoma は移行帯よりも下（肛門管 anal canal）に発生する．

肛門 anus の高さで，**平滑筋の内輪層は厚くなって内肛門括約**

図 16.22 | 直腸，肛門管，および肛門

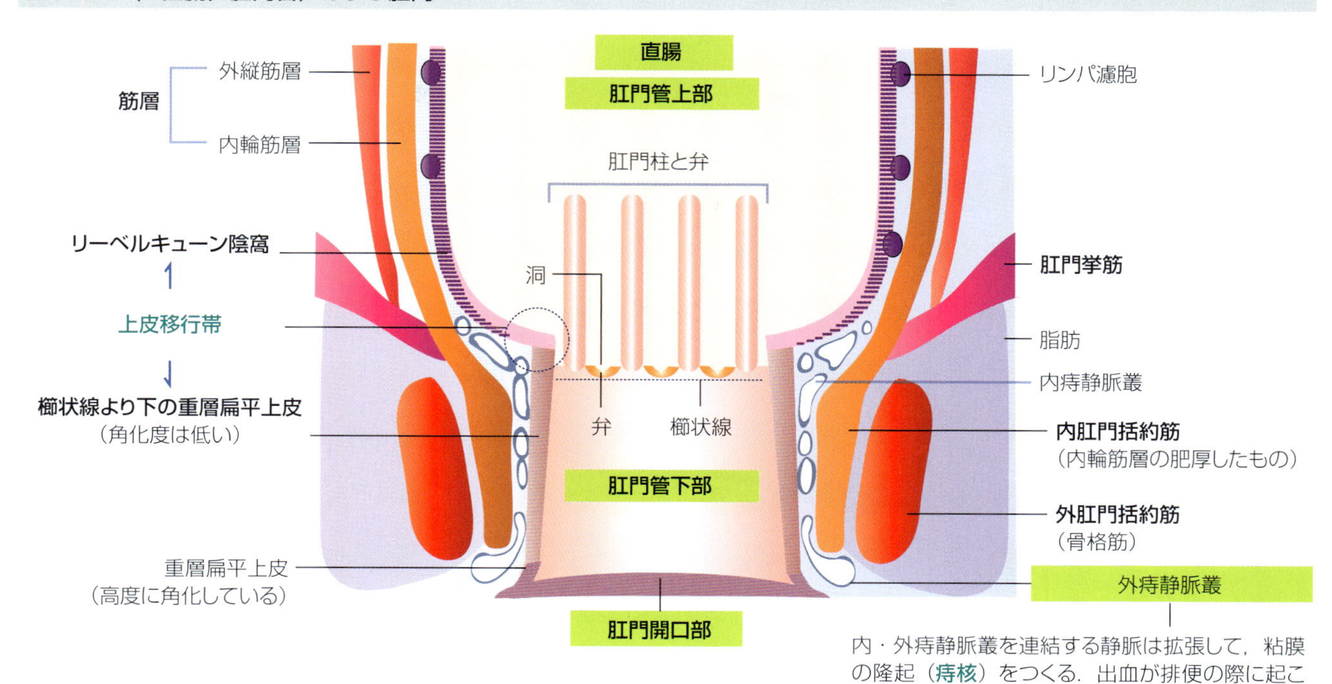

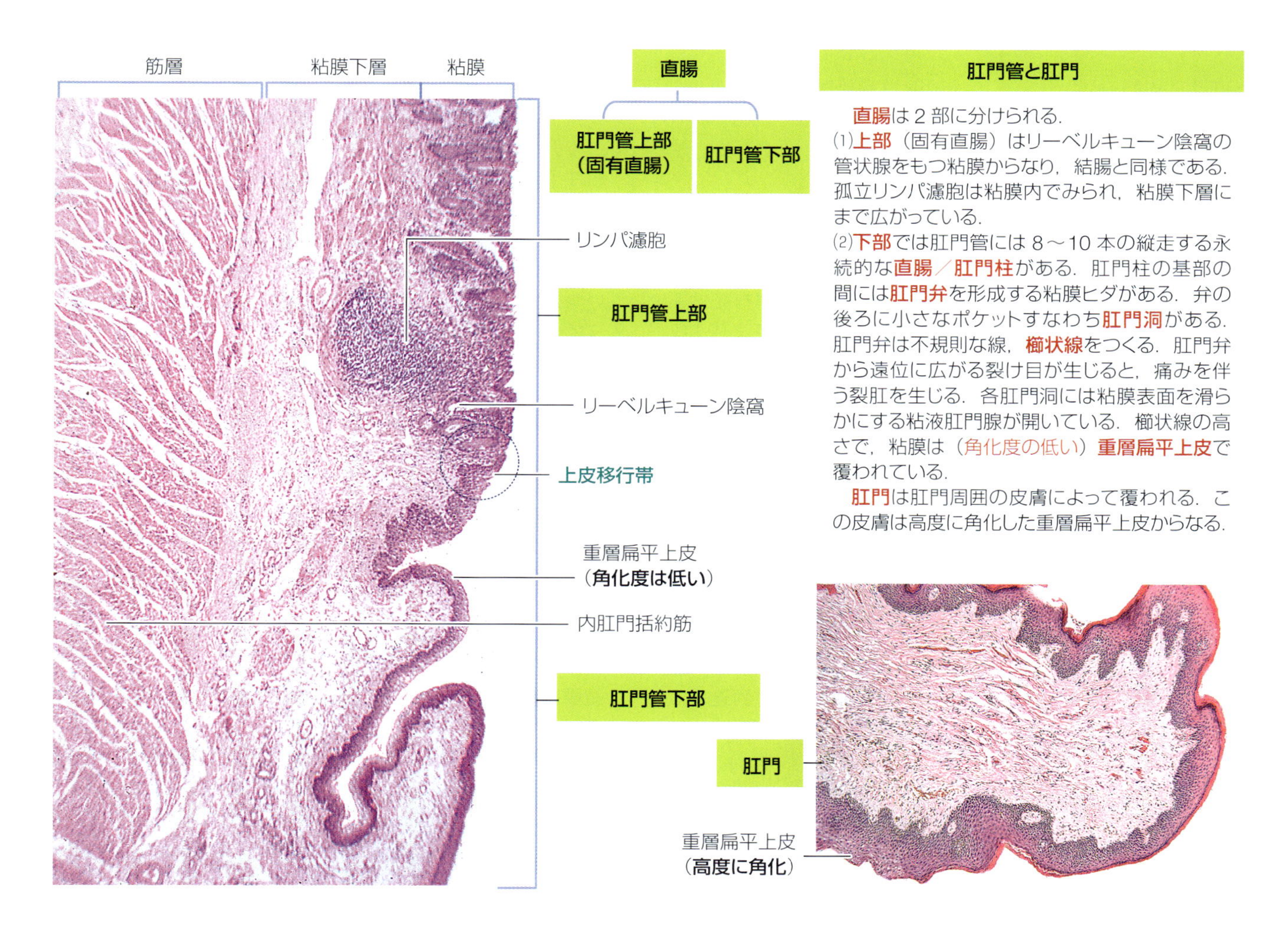

肛門管と肛門

直腸は 2 部に分けられる．

(1)**上部**（固有直腸）はリーベルキューン陰窩の管状腺をもつ粘膜からなり，結腸と同様である．孤立リンパ濾胞は粘膜内でみられ，粘膜下層にまで広がっている．

(2)**下部**では肛門管には 8～10 本の縦走する永続的な**直腸／肛門柱**がある．肛門柱の基部の間には**肛門弁**を形成する粘膜ヒダがある．弁の後ろに小さなポケットすなわち**肛門洞**がある．肛門弁は不規則な線，**櫛状線**をつくる．肛門弁から遠位に広がる裂け目が生じると，痛みを伴う裂肛を生じる．各肛門洞には粘膜表面を滑らかにする粘液肛門腺が開いている．櫛状線の高さで，粘膜は（角化度の低い）**重層扁平上皮**で覆われている．

肛門は肛門周囲の皮膚によって覆われる．この皮膚は高度に角化した重層扁平上皮からなる．

図 16.23 | ヒルシュスプルング病（先天性巨大結腸）

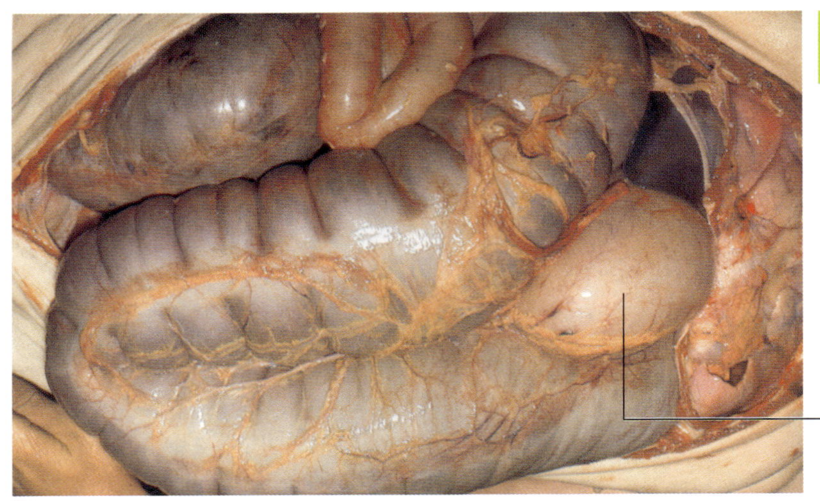

写真：Cooke RA, Stewart B: Anatomical Pathology. 2nd edition, Edinburgh, Churchill Livingstone, 1995 より．

神経堤細胞の遊走と発達の欠如：ヒルシュスプルング病

ヒルシュスプルング病（先天性巨大結腸）は，神経堤細胞が遊走して腸神経系のニューロンに分化するのを妨げる ***RET***（**受容体チロシンキナーゼ**）遺伝子の突然変異によって起こる．

神経堤細胞前駆細胞の遊走，増殖，分化および生存における欠陥のために，神経節細胞欠損症が生じる．

筋 internal anal sphincter **を形成**する．

縦走平滑筋層は，括約筋の上に伸び出して結合組織に付着する．この帯状の構造の下方では，粘膜は**重層扁平上皮** stratified squamous epithelium からなり，**粘膜下層** submucosa にわずかな皮脂腺と汗腺（腋窩汗腺と同様の**肛門周囲腺** circumanal gland）を伴う．

外肛門括約筋 external anal sphincter は**骨格筋** skeletal muscle によって形成されており，同じく括約筋の機能をもつ肛門挙筋の内部に位置する．

ヒルシュスプルング病（先天性巨大結腸）（図 16.23）

第 8 章で，神経管が形成される間に，神経堤細胞が神経外胚葉上皮から決まった経路を経て組織に移動し，それがさまざまな細胞型に分化することを述べた．神経堤細胞の 1 つの目的地が消化管であり，そこで**腸神経系** enteric nervous system（ENS）となる．腸神経系が消化管の正常運動を部分的に制御，同調させ，腸内容の消化と運搬を促進する．

他の消化管と同様に，大腸は外からの副交感神経系と交感神経系と大腸内の受容体からの信号を受ける腸神経系によって支配される．

小腸から大腸への腸内容物の運搬は間欠的で，括約筋メカニズムによって回盲移行部で調節される．括約筋が弛緩するとき，回腸が収縮し，腸内容物を大腸に押し出す．

口側から肛門側方向への**分節的収縮** segmental contraction は，腸内容物を短距離輸送する．下行結腸から S 状結腸に到達すると，腸内容物は液状から半固体状に変わる．直腸は，通常空っぽである．

内肛門括約筋の収縮は，肛門管を閉じる．排便は，直腸の拡張によって刺激される**直腸括約筋反射** rectosphincteric reflex の一部として括約筋が弛緩するときに起こる．

結腸 colon を通過するのが遅れると，頑固な**便秘** constipation になる．異常な便秘は，**ヒルシュスプルング病** Hirschsprung's disease（**先天性巨大結腸** congenital megacolon）でみられる．これは，**遠位結腸の腸神経系が欠損**しているために起こる．

この状態は**神経節細胞欠損症** aganglionosis とよばれ，**神経堤からの神経細胞の遊走が止まる**．すなわちマイスナーとアウエルバッハ神経叢の壁内神経節細胞に分化する前駆細胞が適切な位置に移動しないことが原因とされる．神経節細胞欠損症は受容体チロシンキナーゼをコードする ***RET* 遺伝子** *RET* gene の変異によって引き起こされる．

RET シグナルは以下のことに必要である：

1. パイエル板の形成（Box16.A）．
2. 神経堤細胞の大腸遠位部への遊走．
   神経堤細胞の腸神経系のニューロンへの分化．

いつまでも収縮したままの神経節のない部分には，腸内容物は入ってこない．口側部腸管の筋緊張の増加は腸管の拡張を引き起こし，巨大結腸または巨大直腸をつくり出す．

この状態は生後間もなく，乳児の腹部が膨張し，胎便がほとんど排泄されないことから明瞭になる．

診断は，直腸の粘膜と粘膜下層の生検で，太く不規則な神経束，免疫組織化学による豊富なアセチルコリンエステラーゼの検出，および神経節細胞の欠損によって確定する．

侵されている結腸部分を外科的に切除することが治療の選択となるが，術後も腸の機能障害が継続することがある．

結腸直腸腫瘍形成（基本事項 16.A）

結腸直腸腫瘍は，**ポリープ** polyp，すなわち腸管の内腔に突出する腫瘍性の塊から生じる．ある種のポリープは非腫瘍性で 60 歳以上のヒトで比較的よくみられる．**家族性腺腫性ポリポーシス** familial adenomatous polyposis（FAP）や**ポイツ・ジェガース症候群** Peutz-Jeghers syndrome のような**家族性ポリポーシス症候群** familial polyposis syndrome では，ポリープが多数（100 個以上）みられる．

FAPは常染色体顕性の突然変異によって起こり，特に**APC（腺腫性大腸ポリポーシス）遺伝子** *APC*（adenomatous polyposis coli）geneにおける突然変異により起こる．FAP患者では10代に結腸colonに多数のポリープができ，年とともに数が増え，後にがんになる．

*APC*遺伝子の突然変異は結腸腫瘍colon tumorの85％で検出される．これは**網膜芽細胞腫**retinoblastoma（*Rb*）遺伝子と同様，親から子に受け継がれる遺伝子が，がんの散発性発生に重要であることを示している．

*APC*遺伝子は，**β-カテニン**に結合親和性をもつ**APCタンパク質**APC proteinをコードしている．β-カテニンはE-カドヘリン（第1章参照）と結合したカテニン複合体および転写共役因子に関連する分子である．

*APC*遺伝子の突然変異は**デスモイド腫瘍**desmoid tumor（結合組織の良性腫瘍）のヒトにもみられる．*APC*遺伝子の突然変異はまた**ターコット症候群**Turcot's syndrome（脳腫瘍の髄芽腫を伴う結腸直腸がんを特徴とする）にもみられる．*APC*遺伝子は5番染色体長腕（q）に存在する．

β-カテニンがカテニン複合体の一部ではない場合：

1. 遊離細胞質β-カテニンは**グリコーゲン合成酵素キナーゼ3β** glycogen synthase kinase 3β（GSK3β）（タンパク質のAPC，アキシン，およびカゼインキナーゼ1α，CKIαと共集合）によってリン酸化され，プロテアゾーム分解に向けられる．

リン酸化されたβ-カテニンは，**ユビキチン・リガーゼ複合体**ubiquitin ligase complexによって認識される．この複合体はリン酸化されたβ-カテニンにポリユビキチン鎖の付着を促進する．

β-カテニンの結合したポリユビキチンは**26Sプロテアソーム**26S proteasomeによって速やかに分解される．

2. あるいは，遊離細胞質β-カテニンは核に入って，転写因子**TCF（T細胞因子T cell factor）**と**LEF（リンパ系エンハンサー因子**lymphoid enhancer factor）と相互作用して標的遺伝子の転写を刺激する．

*APC*遺伝子の突然変異が生じると，β-カテニンと相互作用できない機能しないタンパク質を切り捨てることになり，必要のない場合，その廃棄を始める．本質的に，*APC*遺伝子は腫瘍抑制遺伝子として振る舞う．

*APC*遺伝子は，また，**Wnt経路**（発生初期と胚形成期に発現される信号系）の主要な調節因子である（第3章参照）．

Wntタンパク質はGSK3βを不活化し，β-カテニンのリン酸化を防ぎ，26Sプロテアソームによるβ-カテニンの破壊を抑制することができる．その結果，過剰のβ-カテニンが細胞核に移動して遺伝子の転写に影響を与える．

防御的なβ-カテニン経路は**小眼球症関連転写因子**microphthalmia-associated transcription factor（**MITF**）を過剰発現させることがある．第11章において「メラノーマ細胞の生存と増殖におけるMITFの重要性」を議論した．

遺伝性非ポリポーシス性大腸がんhereditary non-polyposis colorectal cancer（HNPCC，**リンチ症候群**Lynch syndrome（Box16.C）は結腸直腸がんの遺伝型の1つであり，DNAミスマッチ修復（*MMR*）遺伝子（DNAの欠陥を修復する遺伝子）の突然変異によって引き起こされる．

DNAミスマッチ修復が不完全だとミクロサテライト不安定性を伴う腫瘍を生じる．この欠陥の特徴はコード領域における広範な挿入と欠失がフレームシフト突然変異を起こすことである．

腫瘍におけるDNA修復欠陥の証拠がある場合，大腸内視鏡または外科手術により取り除いた結腸腫瘍組織を用いて，**ミクロサテライト不安定性**microsatellite instability（**MIS**）テストによる*MMR*遺伝子（*MLH1*，*MSH2*，*MSH6*，*PMS2*，*EpCAM*遺伝子を含む）の突然変異の解析が行われる．

これらの突然変異をもっている個体総てにがん性腫瘍が発生するわけではない．DNA修復欠陥は体細胞が突然変異する頻度を増加させ，悪性に転換する．

HNPCCは**DNA修復タンパク質**repair protein**における突然変異**によって引き起こされるがん症候群の例である．HNPCC症候群患者には，家族性ポリポーシス症候群に典型的にみられるような非常に多数の結腸ポリープはみられないが，遺伝子保因者には少数のポリープがしばしば出現する．

Box 16.C ｜ リンチ症候群

- 結腸直腸がんは，**リンチ症候群**の患者では散発性結腸直腸がんの患者（69歳）におけるよりも若い年齢（45～60歳）で起こる．
- リンチ症候群の変異型には**ミューア・トーレ症候群**Muir-Torre syndrome（脂腺腫瘍と皮膚の**ケラトアカントーマ**keratoacanthomaが特徴）と**ターコット症候群**Turcot's syndrome（膠芽腫を含む）がある．
- 診断の確定には*MMR*遺伝子における生殖細胞変異あるいは上皮細胞接着分子（EpCAM）の検出が必要である．
- リンチ症候群は右側結腸に優位に生じるがんが特徴である．腫瘍は低分化で，ネオアンチゲンに反応するリンパ球が浸潤している．ネオアンチゲンはDNAミスマッチ修復（*MMR*）遺伝子の超突然変異（DNAの欠陥を十分に修復できない）によってつくられる．
- ネオアンチゲン（腫瘍に特異的）は腫瘍細胞表面の主要組織適合遺伝子複合体クラスI分子上に現れ，腫瘍浸潤T細胞で現される免疫応答を引き起こす．腫瘍細胞はまた**プログラム細胞死リガンド1（PDL1）**の発現を上方制御して，CD8^{+}T細胞上に発現する**プログラム細胞死1（PD1）受容体**を無効にして免疫監視を逃れる（免疫チェックポイントのブロック，がん免疫療法の基礎について第10章参照）．
- 免疫チェックポイント阻害剤（PD1とPDL1に対する抗体）は転移性結腸直腸がんに罹ったリンチ症候群患者に効果的な反応を起こすことができる．

基本事項 16.A | APC（腺腫性大腸ポリポーシス）と大腸がん

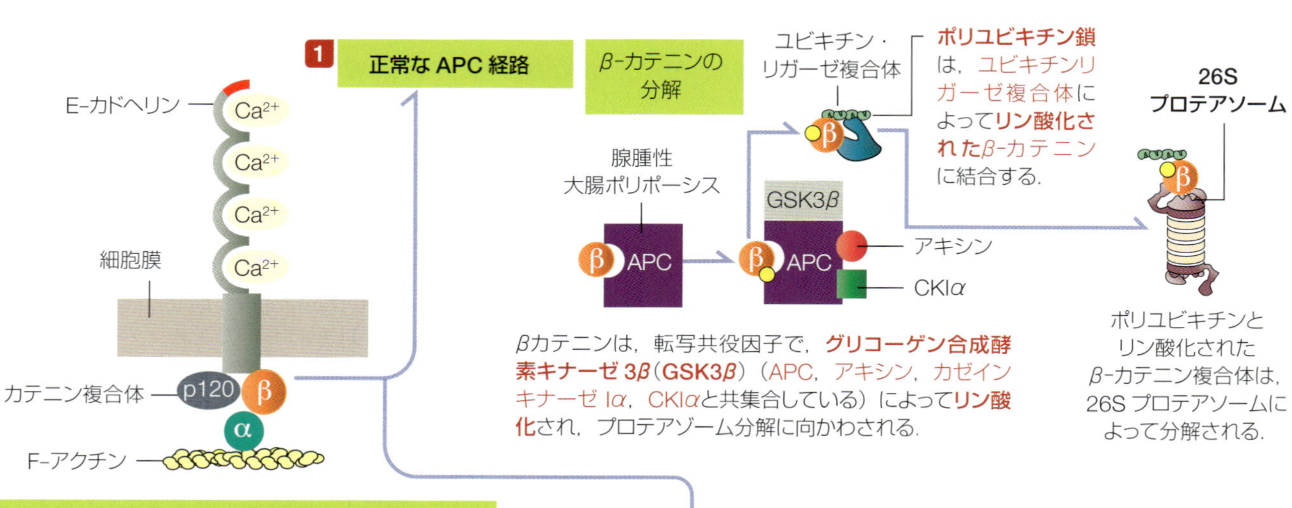

カドヘリン，β-カテニン，および腫瘍化

カドヘリンは細胞-細胞接触を確立する膜貫通型タンパク質で，F-アクチンと結合し，細胞の情報伝達に関与する（第 1 章参照）．カドヘリンの細胞内領域はβ-カテニンを含む大きなタンパク質複合体と結合している．

いくつかのシグナル経路では細胞に付着した複合体のβ-カテニンが分解され，核における転写が制御される．GSK3βは APC 結合β-カテニンをリン酸化し，26S プロテアゾームによって破壊する．

APC またはβ-カテニン遺伝子の不活化突然変異は，β-カテニンの分解に影響を及ぼす．その結果，過剰のβ-カテニンが TCF と LEF に結合し，腫瘍化を引き起こすタンパク質の発現を誘導する．

不完全な APC

β-カテニンは不完全な APC には結合しない（β-カテニンが不完全な場合も APC に結合しない）．

β-カテニンは分解されない

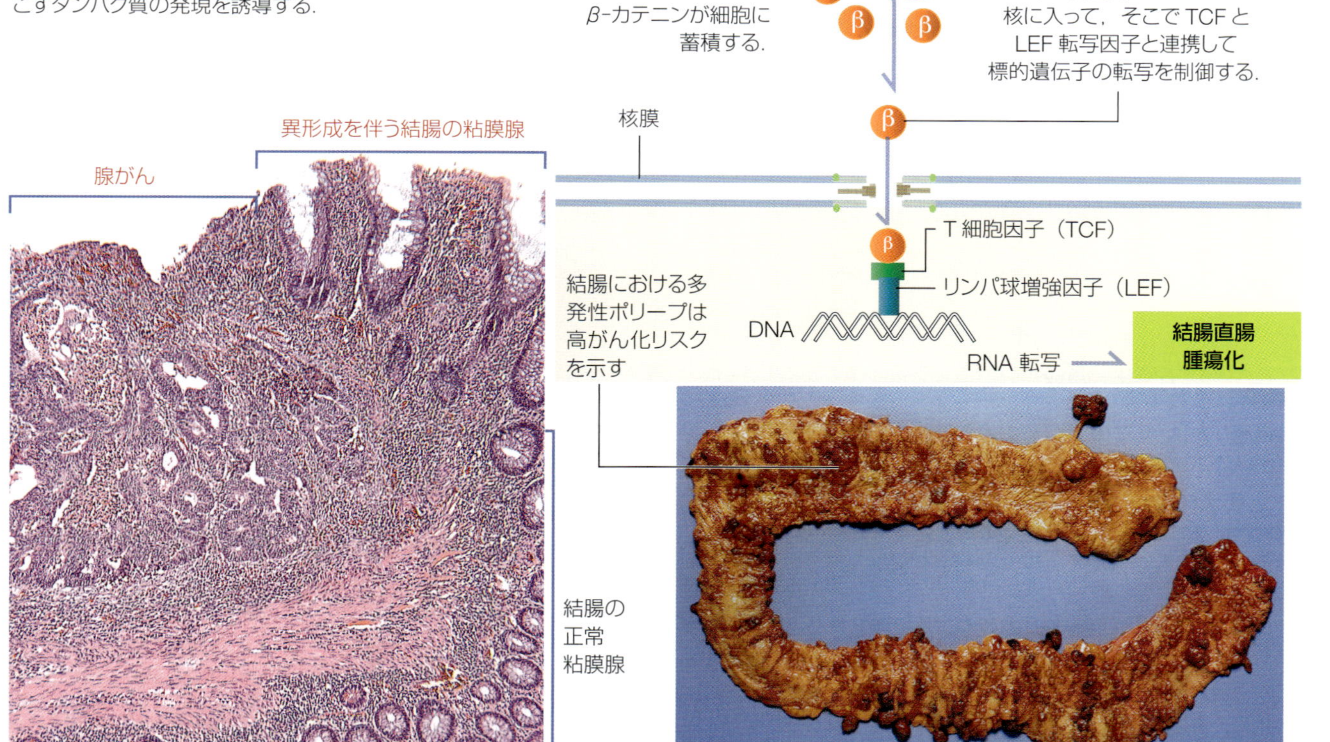

写真：Cooke RA, Stewart B: Anatomical Pathology. 2nd edition, Edinburgh, Churchill Livingstone, 1995 より．

下部消化管 | 概念図・基本的概念

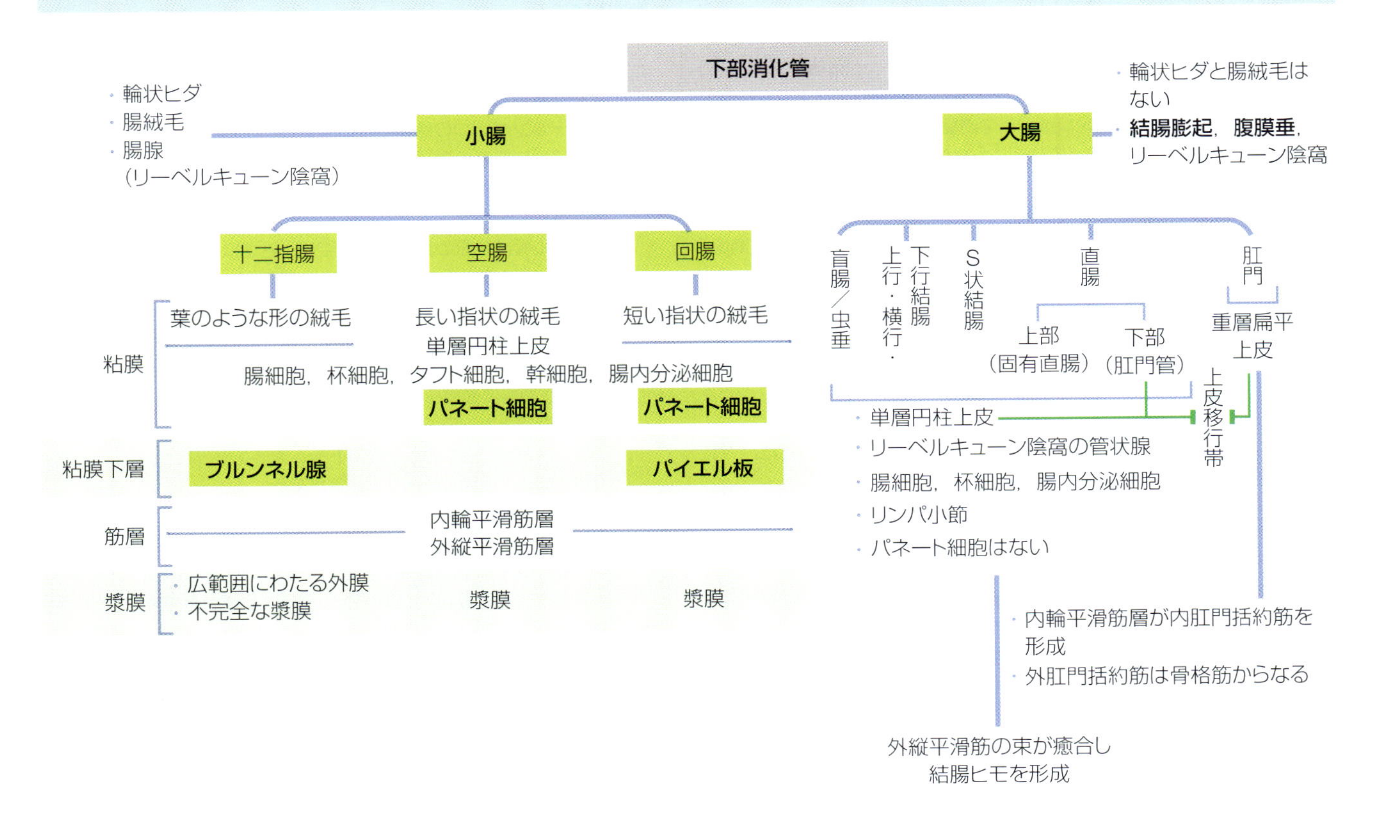

- **小腸**．小腸の主要な機能は，胃で開始された消化過程を十二指腸において継続し，酵素で分解して消化された食物を吸収することである．

  腸管壁は吸収機能を遂行し，腸内容物を次の区域に押し出すように構成されている．

  吸収腸表面を増加させるために４段階のヒダがある．

  (1)**輪状ヒダ**，粘膜と粘膜下層の一部の永続的な突起．

  (2)腸絨毛，粘膜のみの指状の突起，小腸に典型的な構造．

  (3)**リーベルキューン陰窩**，隣接する腸絨毛の間におよそ６個ある粘膜の嵌入，粘膜筋板まで伸びている．

  (4)**微絨毛**，腸細胞，すなわち小腸の吸収細胞の頂部の分化したもの．

  粘膜筋板は，粘膜の一構成要素である．絨毛上皮，腸腺，および粘膜固有層の結合組織とともに，粘膜筋板は粘膜と粘膜下層の境界である．

  筋層は内輪平滑筋と外縦平滑筋からなる．腸内容物を混和し，近位（口側）から遠位（肛門側）に向かって蠕動運動を起こす．

  筋層に続く疎性結合組織は腹膜で覆われている．

- **腹膜**は中皮細胞で覆われた結合組織（弾性線維，血管，リンパ管，神経を含む）からなる漿膜である．

  壁側腹膜は腹壁を覆い，腹部内臓を臓側腹膜として覆う．

  腸間膜は腹膜で覆われた疎性結合組織の層である．

  腸間膜は腹部内臓を後腹壁から吊るし，これらの器官への血管，リンパ管，神経の通路になる．血管は漿膜下叢の構成要素である．消化の過程で，小腸壁から起こるリンパ管は脂肪エマルジョンすなわち乳糜に富む液体を運ぶ．

  食道には漿膜がない．十二指腸と上行結腸および下行結腸は外膜すなわち壁の間質を取り巻く疎性結合組織によって腹膜腔に付着している．

  網と内臓の靭帯は腸間膜に似た構造をしている．大網はかなりの脂肪組織を含んでいる．

- **腸壁**には血管，リンパ管，神経が豊富に分布している．神経は，自律神経の構成要素である**マイスナー粘膜下神経叢**と**アウエルバッハ筋間神経叢**に由来する．

  中心リンパ管（中心乳糜腔）が腸絨毛の粘膜固有層にある．絨毛毛細血管網が腸絨毛を養う．陰窩周囲毛細血管網はリーベルキューン陰窩を養う．

- 小腸の連続する３つの主要な領域を次に挙げる：

  (1)**十二指腸**

  (2)**空腸**

  (3)**回腸**

  以下に重要な点を挙げる．

  - **十二指腸**は粘膜下層にブルンネル腺をもち，絨毛は幅が広く，短い（葉状）．
  - **空腸**は長い絨毛（指状）をもち，おのおのの絨毛は顕著な中心乳糜腔をもつ．ブルンネル腺は粘膜下層に存在しない．
  - **回腸**は短い指状の絨毛をもつ．回腸に関連した特徴は**パイエル板**である．
  - **パネート細胞**は空腸および回腸のリーベルキューン陰窩の底部にみられる．
  - **腸絨毛**と**リーベルキューン陰窩**は**単層円柱上皮**で覆われている．腸上皮の細胞要素は以下の通りである：

    ①**吸収腸細胞**．頂部に微絨毛，刷子縁をもつ円柱細胞．微絨毛は**グリコカリックス**でコートされている．グリコカリックスは消化過程すなわちタンパク質，炭水化物および脂質の吸収に関与する酵素である糖タンパク質からなる．

    ②**杯細胞**．粘液を分泌する細胞で，上皮を機械的擦過と細菌の侵入から防ぐゲル状被覆を形成する．

    ③**パネート細胞**（下にレビュー）．

    ④**腸内分泌細胞**．ガストリン，セクレチン，コレシストキニンを分泌す

る．胃腸内分泌細胞の分布と機能は第 15 章の基本的概念の項にまとめてある．

⑤**タフト細胞**．腸の寄生虫感染に応じて数が増える．

⑥**腸幹細胞**（ISC）は陰窩の底部のニッチ，パネート細胞の近くにいる．

ISC はタンパク質マーカーLgr5（leucine-rich repeat-containing G protein coupled receptor 5）によって同定される．ISC は杯細胞，パネート細胞，M 細胞，腸内分泌細胞および吸収腸細胞の**前駆細胞**になる．ISC は陰窩の底部にある幹細胞ニッチに留まって長期にわたり自己複製する細胞である．

- **Wnt シグナル**が ISC を増殖させる主要なドライバーである．間葉由来の樹状細胞のサブセット，**テロサイト**はリーベルキューン陰窩と並んで粘膜固有層にある．

テロサイトは winged-helix 転写因子 forkhead box L1（FoxL1）で同定される．テロサイトは Wnt シグナルのもとで，ISC ニッチを制御する．テロサイト由来 Wnt タンパク質と，多分他のシグナル分子もブロックすると，ISC 増殖が止まり，その結果腸上皮細胞のリニューアルが止まる．

- 腸細胞はタンパク質，炭水化物，脂肪，コレステロール，カルシウム，および他の物質の吸収に関与する．

タンパク質と炭水化物の吸収：膵タンパク溶解酵素がタンパク質をペプチドとアミノ酸に分解する．吸収されると，ペプチドは細胞質ペプチダーゼによってアミノ酸に分解される．

唾液と膵アミラーゼおよび腸絨毛の細胞膜に存在する酵素（オリゴサッカリダーゼ）が糖を単糖（ガラクトースとグルコース）に変換する．

単糖は Na^+，K^+-ATPase によって駆動される Na^+ 依存性キャリア系，ナトリウム・グルコース／ガラクトース共輸送体 1（SGLT-1）によって腸細胞内に輸送される．

脂肪の吸収．脂質は腸管腔で胆汁酸塩と膵リパーゼによって乳化されてミセル（脂肪酸とモノグリセリド）を形成する．ミセルは腸細胞の細胞質内に拡散し，脂肪酸－結合タンパク質に結合し，滑面小胞体の中でエステル化されてトリグリセリドになる．トリグリセリドはゴルジ装置に運ばれてカイロミクロン（アポタンパク質・脂質複合体）に変換される．カイロミクロンは腸細胞間に放出され，そこから中心乳糜腔に入る．

コレステロールの吸収．食事性脂肪の吸収と同様に，コレステロールは腸管腔で胆汁酸によってミセルに可溶化されて腸細胞の拡散バリアの通過を促進する．

2 つのコレステロール経路，取り込みと排出経路が重要である．

(1) NPC1L1（ニーマン・ピック C1 様 1）タンパク質は頂部領域にもあり，コレステロールの**取り込み**を促進する．コレステロールは ACAT2（アシル CoA コレステロール アシルトランスフェラーゼ アイソフォーム 2）によってエステル化される．エステル化したコレステロールは滑面小胞体に集まってカイロミクロン粒子の一部になる．

(2) ABCG5／ABCG8（ATP 結合カセット，ABC）ヘテロ 2 量体トランスポーターは腸細胞の頂部領域にあり，吸収したコレステロールを腸管腔に**運び出す**．この過程は体からのコレステロール排除を促進する．*ABCG5* あるいは *ABCG8* 遺伝子の突然変異は**シトステロール血症**を引き起こす．これは常染色体潜性遺伝で，循環系にコレステロールが蓄積し，早発性心血管疾患になる．

吸収不良症候群は膵疾患（膵炎あるいは囊胞性線維症）による脂肪とタンパク質の異常消化，あるいは不完全な胆汁の分泌（肝臓疾患あるいは十二指腸への胆汁流路の閉塞）により脂肪が可溶化しないために引き起こされる．刷子縁の酵素異常はタンパク質の吸収，および炭水化物の吸収を妨げる（乳糖不耐症）．経腸細胞輸送機構の異常が吸収不良症候群を起こすことがある．

内因子・ビタミン B_{12} 複合体，鉄，その他の補因子が吸収されないときに，**貧血**が起こる．タンパク質，カルシウム，ビタミン D が吸収されないときには**筋骨格系の機能的変化**が生じる．

- 小腸は**微生物叢**によって保護されている．腸微生物叢とは何か？ それは，腸管腔と腸粘膜表面に住む細菌，古細菌，ウイルス，カビおよび寄生虫の集まりである．

腸上皮は宿主と微生物叢の間に防御バリアを形成している．防御柵の構成要素は以下の通りである：

(1) **腸閉鎖結合バリア**，隣接する腸細胞を結合させる．クローディンとオクルディンが 2 つの閉鎖結合の膜貫通タンパク質である．これらが溶質の経細胞経路の透過性を調節する．閉鎖結合バリアに欠陥が生じると細菌の産生物や食事性の抗原が上皮を通って粘膜固有層に入るようになる．

(2) **パイエル板**は抗原の細胞による監視と処理に関与する．パイエル板は腔内の抗原と微生物を運び，免疫寛容あるいは全身の免疫防御反応を誘導することによってそれらに応答することができる．

パイエル板の機能の欠陥の例は**クローン病**である．この病気は慢性あるいは再発性炎症を特徴とする炎症性腸疾患である．パイエル板は 3 つの主要な要素からなる：

①**濾胞関連上皮**（FAE），M 細胞と腸細胞からなる．

②**リンパ濾胞**，胚中心と上皮下ドーム領域がみられる．

③**濾胞間域**，血管と輸出リンパ管がある．

FAE の主要な構成要素は **M 細胞**と**樹状細胞**である．

M 細胞は特殊な腸細胞で，刷子縁が短い微小ヒダに置き換わっており（それゆえ M 細胞と名づけられた）抗原を取り込む．M 細胞は上皮内ポケットを形成している．ポケットに上皮内 B 細胞が住み，IgA 受容体を発現している．それゆえ，M 細胞は IgA 結合細菌を補足し貪食することができる．

樹状細胞は腸細胞を結合している閉鎖結合の間に細胞質突起を伸ばして抗原を監視する．

(3) **多量体 IgA** は腸絨毛の粘膜固有層内の形質細胞によってつくられ，抗原を中和する．多量体 IgA はトランスサイトーシスとよばれるメカニズムで腸細胞を横切って腸管腔に運ばれる．

①多量体 IgA は特異的な受容体に結合する．この受容体は**多量体免疫グロブリン受容体**（pIgR）とよばれ，腸細胞の基底表面にある．

② pIgR は付属の分泌成分をもっている．多量体 IgA・pIgR 分泌成分複合体はトランスサイトーシスによって腸細胞に取り込まれ，頂部表面へ向かって輸送される．

③頂部表面において複合体は酵素によって分解され多量体 IgA・分泌成分複合体は分泌 IgA として腸管腔に放出される．

④IgA は細菌と可溶性の抗原に付着して，腸細胞の直接的な傷害と粘膜固有層への侵入を防ぐ．

腸細胞上の**トル様受容体**（TLR）が微生物叢によって活性化されたとき，形質細胞は多量体 IgA を産生するように誘導される．

⑤腸細胞は B 細胞活性化因子（BAF）と増殖誘導リガンド（APRIL）を分泌する．

⑥粘膜固有層において，BAF と APRIL は B 細胞の IgA 産生形質細胞への分化を誘導する．

⑦さらに，微生物叢は胸腺間質性リンパ球新生因子（TSLP）によって腸細胞に命じて粘膜固有層の樹状細胞に BAF と APRIL の分泌をさせ，B 細胞の形質細胞への分化を誘導する．

(4) **抗菌タンパク質**（AMP）は**パネート細胞**と腸細胞の産生物であるが，微生物病原体を杯細胞でつくられた腸粘膜被覆の中に封じ込んで不活性化する．

それゆえ，粘液層は腸粘膜を 2 つのメカニズムで保護する．

①バリアをつくることによる．バリアは管腔内の細菌が上皮に直接接近することを制限する．

②腸細胞表面近くにある抗菌タンパク質（AMP）を濃縮することによる．抗菌タンパク質（AMP）は管腔内容物から事実上なくなる．

ほとんどの抗菌タンパク質（AMP）は細菌壁を酵素的に分解すること，あるいは細菌の内膜を破壊させることにより細菌を不活化または直接殺す．

パネート細胞はいくつかの抗菌タンパク質を産生する：

(1)デフェンシン（ヒトではα-デフェンシン5［DEFA5］とα-デフェンシン6［DEFA6］）．
(2)C型レクチン，再生膵島由来タンパク質3γ（REG3γ）を含む．肝腸タンパク質／膵炎関連タンパク質（HIP／PAP）としても知られている．
(3)リゾチームとホスホリパーゼA2（PLA2）．
(4)アンギオゲニン4（ANG4）．

AMPの発現と働きは微生物叢の存否によって高度に調節されている．微生物の存在下は次のとおりである：

①腸細胞上のTLRはREG3γ／HIP／PAPの発現をTLRシグナル適合骨髄分化一次反応タンパク質88（MYD88）によって制御する．
②細胞質NOD2（ヌクレオチド結合オリゴマー化領域2）はパネート細胞によって発現され，取り込まれたペプチドグリカンペプチド部分（ムラミールジペプチド，MDP）に結合するとα-デフェンシンの発現を調節し，NF-κB転写因子を活性化する．
③NOD2はまたCD4⁺T細胞開始免疫応答の発生を制限することができ，微生物叢に対する免疫原性寛容に貢献する．

(5)タフト細胞，ダブルコルチン様キナーゼ1（DCLK1）によって同定されるが，小腸上皮細胞の小部分を占め，微生物叢を感知して腸の寄生虫に対する免疫応答を起こす．

• 防御機構の欠陥によって潰瘍性大腸炎（大腸）やクローン病（回腸末端が侵されるが，大腸にもみられる）を含む炎症性腸疾患が起こる．

• 大腸は以下の構成である．

(1)盲腸と付属する虫垂．
(2)上行，横行，および下行結腸．
(3)S状結腸．
(4)直腸．
(5)肛門．

輪状ヒダと腸絨毛は回盲弁を越えるとみられない．

大腸の組織層は粘膜（被覆上皮，粘膜固有層，粘膜筋板を含む），粘膜下層，筋層および漿膜である．

大腸の粘膜は，腸細胞と豊富な杯細胞によって形成された単層円柱上皮によって覆われている．

腸細胞は頂部に短い微絨毛をもつ．大腸の腸細胞の主な働きはイオンと水の輸送である．杯細胞の分泌産物は粘膜表面を滑らかにする．

管状腺すなわちリーベルキューン陰窩のその他の細胞要素は腸内分泌細胞と腸幹細胞（ISC）である．パネート細胞はみられない（盲腸には存在することもある）．

ISCは管状腺の底部にある幹細胞ニッチに局在していることを覚えてくこと．増殖している幹細胞はニッチを出て，有糸分裂後の腸細胞，杯細胞および腸内分泌細胞に分化する．

ISC群の働きは腸管状腺の垂直軸に沿ったWntタンパク質勾配によって支配される．腺腫－がんの連鎖は一般に上皮におけるWntシグナルの活性化によって開始されることを覚えておくこと．

大腸の3つの特徴的な構造は：

(1)外層の平滑筋層が索状になった結腸ヒモである．
(2)結腸膨起，すなわち結腸ヒモと内輪平滑筋層の収縮によって形成された周期的な嚢状構造．
(3)腹膜垂，すなわち漿膜（腹膜）で覆われた脂肪組織の塊．

• 虫垂は盲腸の憩室である．顕著なリンパ濾胞（小節）が粘膜と粘膜下層にある．M細胞は存在しない．

直腸はS状結腸に続く大腸の終末部で，2つの部分からなる：

(1)上部すなわち固有直腸．
(2)下部すなわち肛門管，肛門管は直腸肛門移行部から肛門までである．

直腸の粘膜は長いリーベルキューン陰窩をもつ．腺は肛門管のレベルでなくなる．

肛門管には肛門柱がみられる．肛門柱の基部は弁でつながり，粘膜の横ヒダに一致している．弁の後ろに肛門洞あるいは陰窩とよばれる小さなポケットがある．弁の後ろの粘液腺の陰窩は潤滑にする粘液を分泌する．肛門弁に始まり遠位に広がるような裂傷は，疼痛を伴う裂肛を生じさせる．

肛門柱の底は櫛状線を形成する．櫛状線を越えると直腸粘膜の単層円柱上皮は重層扁平上皮に変わり（上皮移行帯），内輪平滑筋層は肥厚して内肛門括約筋になる．

この部を越えると肛門粘膜は角化した重層扁平上皮に覆われ，粘膜下層は脂腺と汗腺（肛門周囲腺）を含む．骨格筋で形成された外肛門括約筋が存在する．

• ヒルシュスプルング病（先天性巨大結腸）は，腸神経系のニューロンに分化する神経堤細胞の遊走と分化の欠陥によって引き起こされる．

この状態は，神経節細胞欠損症とよばれるが，チロシンキナーゼ受容体をコードしている*RET*遺伝子の突然変異によって起こされる．RETシグナルは，神経堤細胞が大腸遠位部に遊走し，腸神経系のマイスナー神経叢とアウエルバッハ神経叢の壁内神経節に分化するために必要である．遠位結腸に腸神経系が存在しないと，結腸への移送が遅れ，重篤な便秘になる．

診断は，直腸の粘膜と粘膜下層の生検により，肥厚した不規則な神経束が豊富なアセチルコリンエステラーゼ（免疫組織化学で検出される）をもち，神経節細胞が欠如することを示すことによって確定する．

侵された結腸の外科的切除が治療の選択肢であるが，腸の機能不全は術後まで続くこともある．

• 結腸直腸腫瘍はポリープから発生する．ポリープには非腫瘍性のものがあり，60歳以上に比較的よくみられる．

家族性ポリポーシス症候群，例えば家族性腺腫性ポリポーシス（FAP）とポイツ・ジェガース症候群においては，多数（100あるいはそれ以上）のポリープが存在する．

FAPは常染色体顕性突然変異，特に*APC*遺伝子の突然変異によって決定される．FAP患者では10歳代で結腸に多数のポリープを発生し，年とともに数が増え，後にがんになる．

*APC*遺伝子はβ-カテニンに親和性のあるAPCタンパク質をコードする．β-カテニンはE-カドヘリンに結合したカテニン複合体に関連した分子で転写共役因子でもある．β-カテニンがカテニン複合体の一部でないときは：

(1)遊離細胞質β-カテニンはグリコーゲン合成酵素キナーゼ3β（GSK3β）（タンパク質のAPC，アキシン，カゼインキナーゼIα，CKIαと共集合している）によってリン酸化され，プロテアゾーム分解に向かわされる．
(2)あるいは，遊離細胞質β-カテニンは核に入り，転写因子TCF（T細胞因子）およびLEF（リンパ系エンハンサー因子）と相互作用して標的遺伝子の転写を刺激する．
(3)*APC*遺伝子の突然変異は分断された機能しないタンパク質を生じ，β-カテニンと作用することができず，必要なくなったときに処分することができない．
(4)過剰のβ-カテニンが細胞核に移動すると遺伝子の転写を傷害し，腫瘍形成の引き金を引く．

• 遺伝性非ポリポーシス大腸がん（HNPCC，リンチ症候群）は遺伝性の結腸直腸がんで，DNAの欠陥の修復にかかわるDNAミスマッチ修復（*MMR*）遺伝子の突然変異によって引き起こされる．腫瘍におけるDNA修復欠陥の証拠がある場合，結腸腫瘍組織を用いて，ミクロサテライト不安定性テスト（MIS）による*MMR*遺伝子（*MLH1*，*MSH2*，*MSH6*，*PMS2*，*ePCAM*遺伝子を含む）の突然変異の解析が行われる．

17　消化腺

キーワード　唾液腺，膵外分泌部，膵臓腫瘍，肝臓，肝小葉，類洞周囲細胞，慢性肝炎と肝硬変，胆嚢

消化腺 digestive gland は分泌物によって潤滑性，粘膜保護，消化作用および吸収機能を助ける．

3つの主要な消化腺は以下のとおりである：

1. **大唾液腺** major salivary gland（耳下腺，顎下腺，舌下腺）は独立した導管で口腔に開く．
2. **膵外分泌部** exocrine pancreas はアルカリ性の水と酵素を十二指腸に分泌する．
3. **肝臓** liver は外分泌腺でもあり内分泌腺でもあり，多量の血液循環に曝されている．**十二指腸** duodenum に胆汁を分泌する．

本章は唾液腺，膵外分泌部，および肝臓の構造と機能を記載する．耳下腺，膵臓および肝臓の分子的側面については，頻度の高い医学的，病理学的状態における特異的な構造と細胞型の役割を強調して示す．

唾液腺の構造（図 17.1，17.2）

唾液腺 salivary gland の一般的な構造と機能，特に分枝した導管を復習することから始める（Box 17.A）．複合腺あるいは分枝腺の一般構造については最初に第2章で検討している．

唾液腺は結合組織**被膜** capsule で包まれている．仕切りすなわち**中隔** septum が被膜から腺内に広がって大きく**葉** lobe に分かれる．**葉間中隔** interlobar septum は**小葉間中隔** interlobular septum として分かれ，葉をいくつかの**小葉** lobule に分ける．葉間中隔から小葉間中隔になると結合組織の量は減少する．各小葉内では結合組織は大きく減少する．

中隔は導管の主要な枝が腺内部から伸び出し，血管と神経が腺内部に到達するための適切な通路となる．

唾液腺の基本的組織学的特徴は**分泌単位** secretory unit の**腺房**

図 17.1 | 複合腺の構成要素

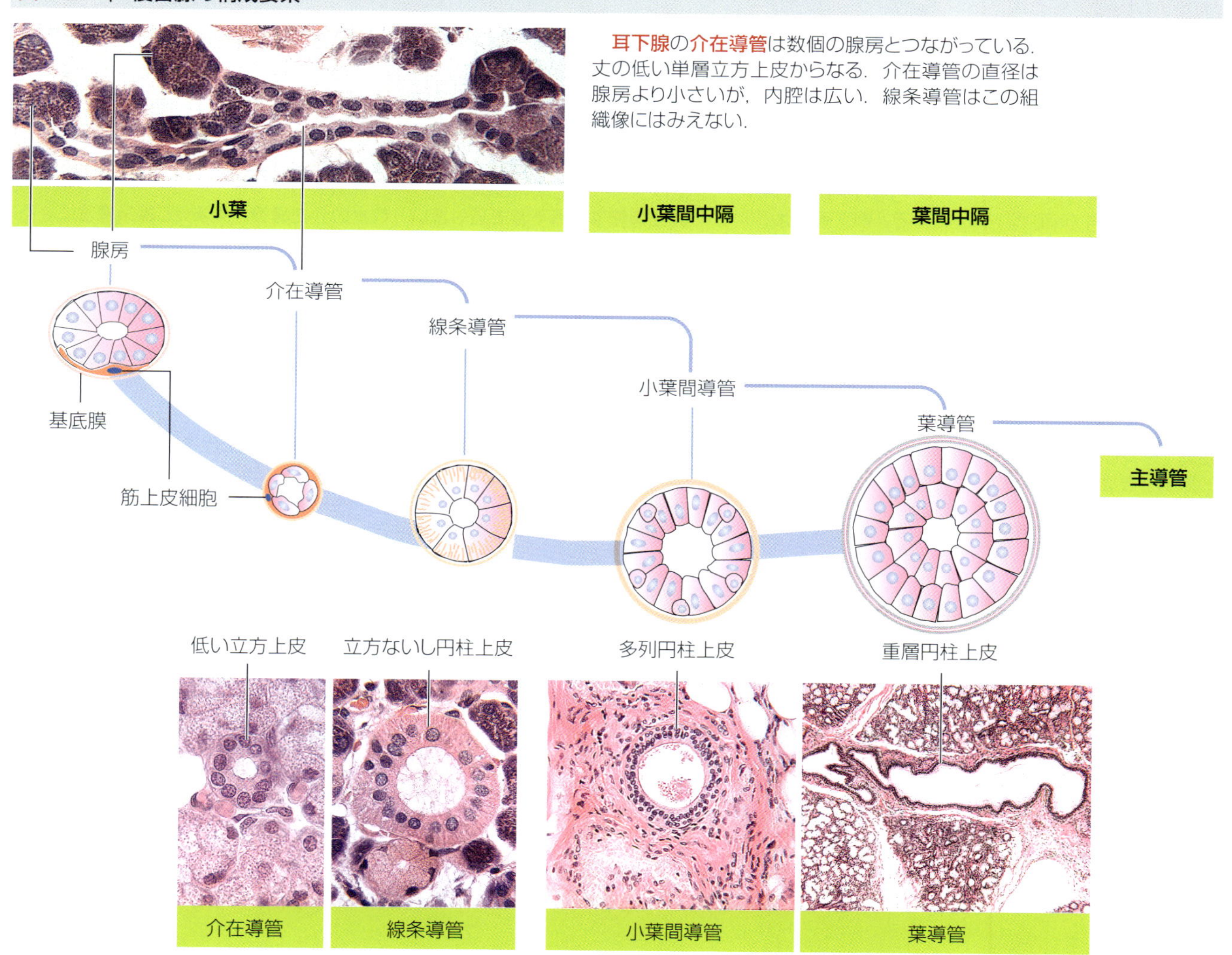

図 17.2 | 唾液腺と膵臓の構造

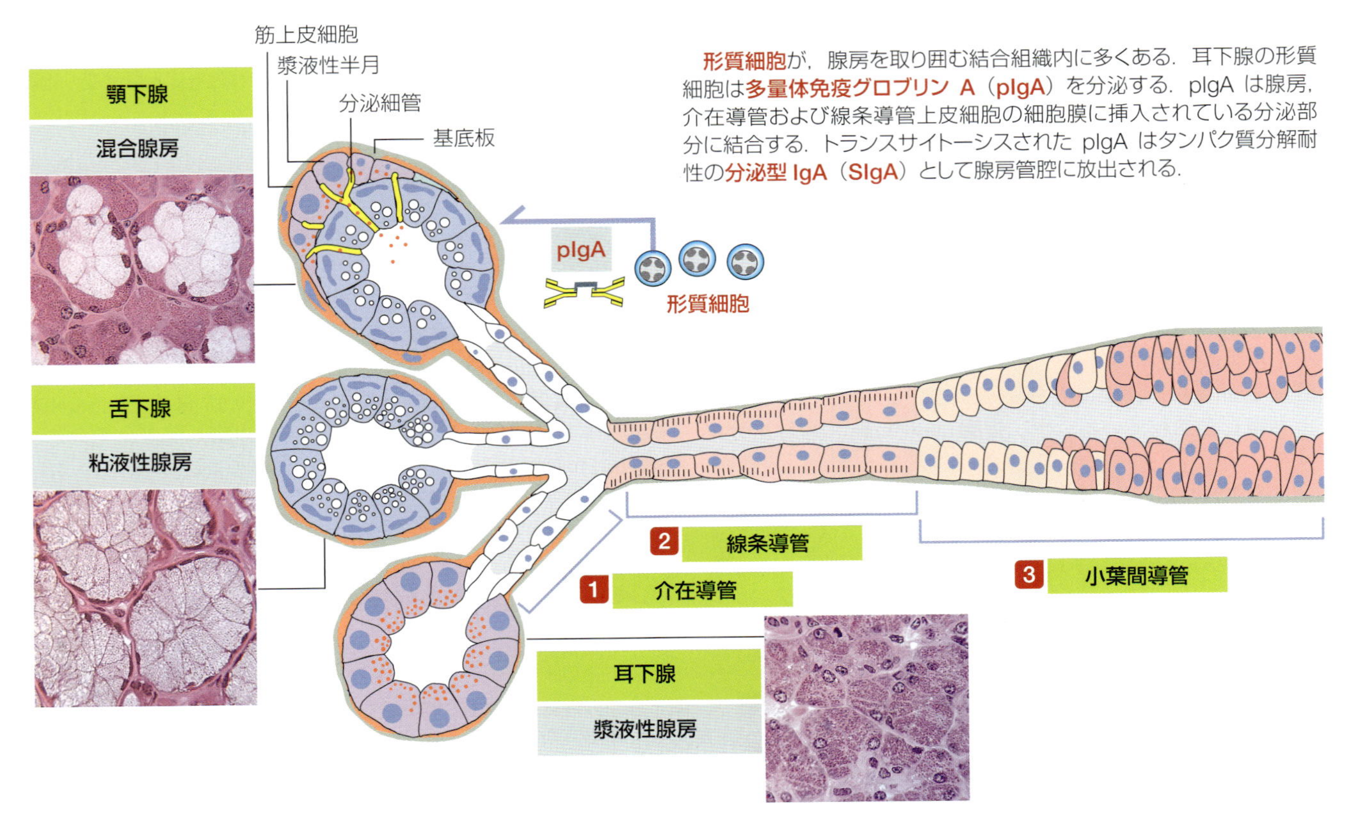

唾液腺の腺房は，**漿液性細胞**と**粘液性細胞**を含んでいる．**耳下腺**は漿液性腺房のみからなり，**顎下腺**と**舌下腺**は両方の細胞型を含んでいる．顎下腺では漿液性細胞が多く，舌下腺では粘液性細胞が多い．

漿液性細胞と粘液性細胞は，同じ腺房に共存することがある．漿液性細胞は腺房の底部に位置し，三日月形の構造（**漿液性半月**とよばれる）を形成し，腺房が介在導管に開口するところにある粘液性細胞を抱き込む形をとっている．

混合腺房では，腺房管腔が漿液性細胞間に深く突出して，漿液性分泌物を輸送するための**細胞間分泌細管**を形成している．

腺房外表面は，収縮性のある**筋上皮細胞**によって籠状に取り囲まれている．筋上皮細胞と腺房は，共通の基底板によって囲まれる．

1 腺房からの分泌物は丈の低い単層立方上皮からなる介在導管に入る．筋上皮細胞は腺房と介在導管にある．

介在導管は，耳下腺で最も長い．数本の介在導管が集まって**線条導管**になる．介在導管と線条導管は小葉内にある．

2 次の区域は**線条導管**である．基底線条をもった立方形〜円柱状の細胞からなる．基底線条は，基底部の細胞膜が深く陥入して，その中に垂直に配列する**ミトコンドリア**で形成されている．**この上皮で，水とイオンの輸送が行われている**．線条導管は，顎下腺と耳下腺でよく発達している．

3 線条導管に続くのは**小葉間導管**で，はじめは円柱上皮で覆われているが，多列円柱上皮で覆われるようになる．**小葉間導管**は**小葉間中隔**内にある．

数本の小葉間導管が**葉間中隔**内のより太い**葉導管**に注ぐ．中隔には結合組織，血管，神経がみられる．

膵腺房

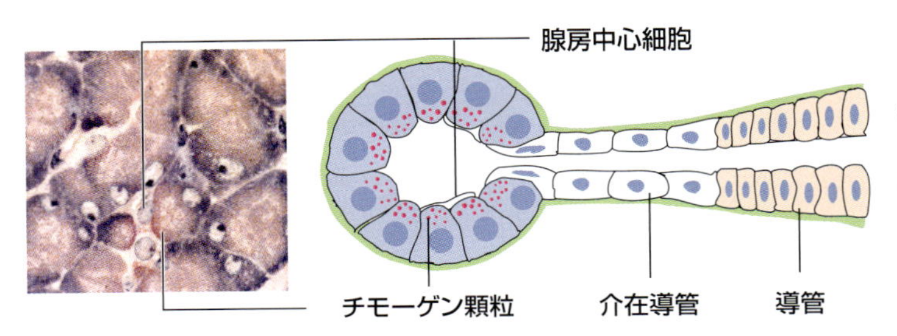

膵外分泌部には漿液性腺房のみが存在する．

膵腺房の特徴は，扁平ないし立方上皮の**腺房中心細胞**の存在である．扁平な腺房中心細胞は腺房管腔の一方の側に挿入されている．腺房中心細胞と線条導管細胞は HCO_3^-，Na^+，水を分泌する．漿液性腺房の遊離頂部領域は腺房中心細胞層の間隙にチモーゲン顆粒を分泌する．

線条導管と筋上皮細胞は，膵外分泌部には存在しない．

図 17.3 ｜ 唾液腺の機能

1 **腺房細胞**は能動的に Na^+と Cl^-を腺房管腔に汲み出す．また周囲の毛細血管から水を自由に取り込む．その結果，等張性の一次唾液が生成される．**粘液性細胞**はムチンを放出する．**漿液性細胞**はいくつかのタンパク質を分泌している．その中には，プロリンの豊富なタンパク質（線条導管で酵素のカリクレインによって修飾される），酵素（アミラーゼ，ペルオキシダーゼ，リゾチーム），ラクトフェリン，シスタチン（システインの豊富なタンパク質），ヒスタチン（ヒスチジンの豊富なタンパク質）が含まれる．

2 **線条導管**で，Na^+と Cl^-は再吸収され，唾液は低張液になる．**カリクレイン**は，線条導管の上皮細胞から分泌されるセリンプロテアーゼであり，唾液中に存在するプロリンの豊富なタンパク質やシスタチンを修飾する．さらに，**形質細胞は多量体 IgA（pIgA）**を分泌し，トランスサイトーシスによって腺房と線条導管の管腔に到達する．最終的な唾液は，抗菌活性と消化機能（アミラーゼ）をもつタンパク質複合体を含んでいる．**重炭酸塩**は唾液の一次性緩衝剤であり，**線条導管**で産生される．

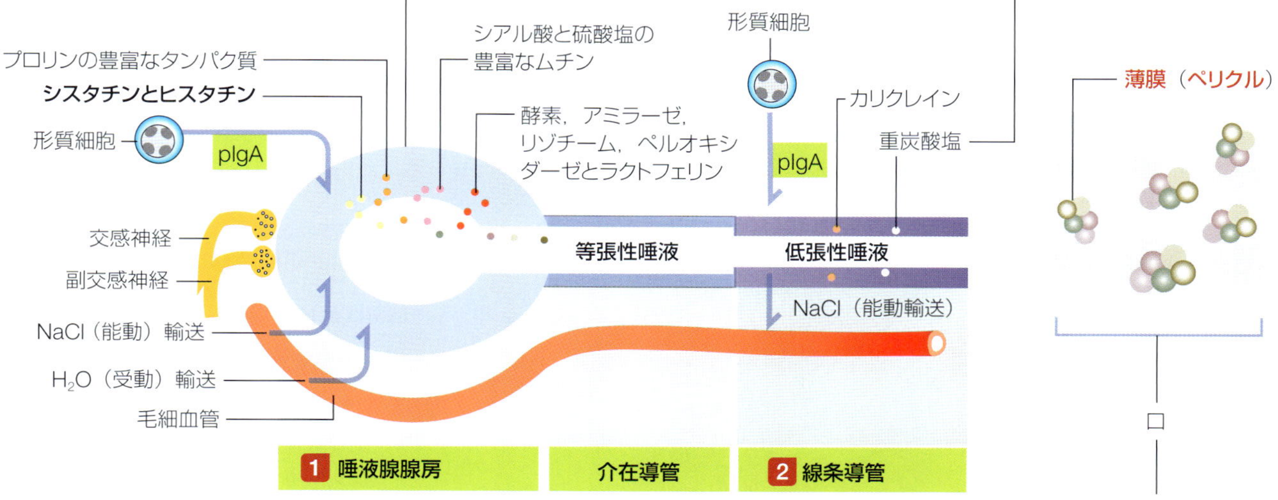

口の中で，唾液中のタンパク質は**薄膜（ペリクル）**とよばれるフィルム状の構造を形成し，歯の表面を保護する．薄膜は，酸に対する防壁になり，水分を保持し，口腔内で細菌や酵母の粘着や活性を調節する．ヒスタチンは，カンジダ・アルビカンス *Candida albicans* の生長を抑止する．**唾液腺の機能障害により**，齲歯，酵母菌感染，口腔粘膜の炎症を生じる．

Box 17.A ｜ 膵外分泌部の分類

- **導管の構造**によって，腺は**単一腺**（不分枝導管）と**分枝腺**あるいは**複合腺**（分枝導管）に分類できる．
- **分泌単位の構造**によって，腺は**管状腺**または**胞状腺**（房状腺）に分けられる．
- **分泌産物**を考慮して，水分の豊富な液体を分泌する場合は**漿液腺**と，分泌物が粘稠で糖タンパク質を豊富に含む場合は**粘液腺**に分ける．
- **分泌機構**を考慮して，腺は産物が開口分泌で放出される場合**メロクリン** merocrine という（例えば膵臓）．**全分泌（ホロクリン）腺** holocrine gland（例えば皮膚の皮脂腺）においては，細胞全体が分泌産物である．**離出分泌（アポクリン）腺** apocrine gland（例えば乳腺）においては，産物が分泌細胞の頂部細胞質の一部とともに放出される．

acinus と**導管** excretory duct である．小葉内の導管から始める（図 17.1）．

1. **介在導管** intercalated duct は**丈の低い扁平上皮ないし立方上皮** low squamous-to-cuboidal epithelium からなり，最も細い導管で，腺房を線条導管につなぐ（図 17.2）．直径は腺房よりも小さい．介在導管は耳下腺において最も長い．
2. **線条導管** striated duct は**立方ないし円柱上皮細胞** cuboidal-to-columnar epithelial cells からなり，多数の**ミトコンドリア** mitochondria を入れた**基底陥入** basal infolding をもつ．顎下腺でよく発達している．介在導管と線条導管は舌下腺で中等度に発達している．
3. 多数の線条導管が小葉を離れて小葉間導管につながる．**小葉間導管** interlobular duct ははじめ**立方ないし円柱上皮**で覆われ，**多列円柱上皮** pseudostratified columnar epithelium になる．小葉間導管は**小葉間中隔**の中を通る．
4. 数本の小葉間導管が集合して**葉間中隔**内の**葉導管** lobar duct になる．葉導管は**重層円柱上皮** stratified columnar epithelium で覆われる．この型の上皮で覆われる数少ない部位の 1 つである．
5. 数本の葉導管は（**重層扁平上皮** stratified squamous epithelium からなる）**主導管** main duct に加わる．主導管は開口部近くの腺全体から口腔内に排出させる．

耳下腺 parotid gland，**顎下腺** submandibular（submaxillary）gland，**舌下腺** sublingual gland は**分枝管状胞状腺** branched tubuloalveolar gland に分類される．

唾液（図 17.3）

唾液 saliva は 1 日 0.5L に及ぶが，タンパク質，糖タンパク質（粘液），イオン，水および分泌成分（SIgA）に付着した多量体免疫グロブリン A（pIgA）を含んでいる．

顎下腺は唾液の約 70％を産生する．耳下腺は約 25％で，アミラーゼの豊富な唾液を分泌する．唾液の産生は自律神経系で支配される．副交感神経の刺激により，水分の多い唾液が分泌される．交感神経の刺激ではタンパク質の豊富な唾液が分泌される．

図 17.4 | 大唾液腺の組織学

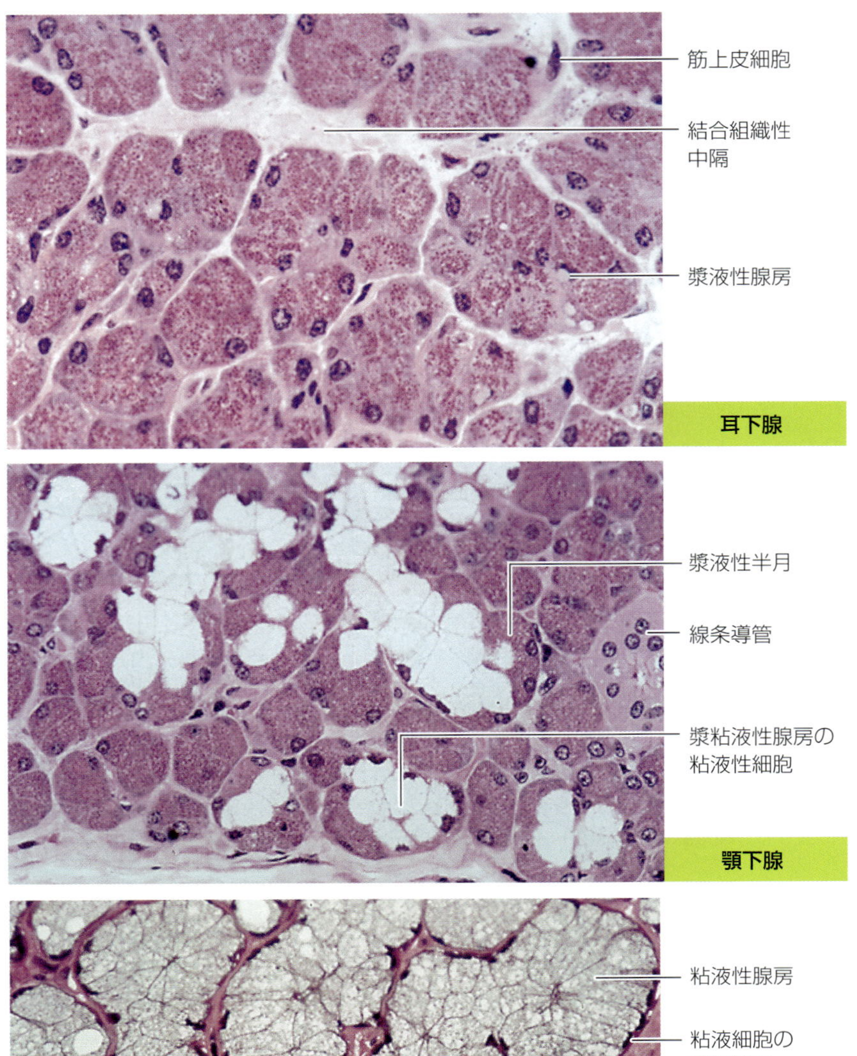

耳下腺はもっぱら漿液性細胞のみからなる腺房により形成され，基底側に核を，頂部に分泌顆粒を有している．顆粒はタンパク質が多く，**プロリンの豊富なタンパク質**，**酵素**（アミラーゼ，ペルオキシダーゼ，リゾチーム），抗菌活性のあるタンパク質（**シスタチン**と**ヒスタチン**）を含んでいる．この切片ではみることができないが，**耳下腺は最も長い介在導管をもっている**．

結合組織と血管（ここでみられない）は，漿液性腺房を取り囲んでいる．

筋上皮細胞は，おのおのの腺房の辺縁に認められる．

顎下腺は漿液性と粘液性の混合性管状房状腺である．**漿粘液性と漿液性の腺房が混在していることは容易に見出せる**．**純粋な粘液性腺房は顎下腺ではまれである**．線条導管は基底陥入とその領域にミトコンドリアを含み，介在導管（ここではみられない）とともに小葉内で観察することができる．粘液性細胞は豊富なシアル酸と硫酸塩を含んだ高度にグリコシル化されたムチンを分泌し，これが**ペリクル**とよばれる薄い保護膜を形成して硬組織表面を滑らかにする．

この膜は口腔表面に細菌が付着することを防ぎ，唾液中の他のタンパク質と複合体を形成する．

舌下腺は混合性の漿粘液性管状房状腺であるが，粘液性細胞が主である．漿粘液性腺房はわずかしかみることができない．**介在導管や線条導管は，舌下腺ではあまり発達していない**．粘液性細胞は，腸上皮の杯細胞に似ている．核は基底細胞膜に対して扁平になっている．粘液性細胞の頂部領域はムチンに満ちた分泌顆粒によって占められ，ほとんど染色されない．細胞境界は明瞭である．粘液性細胞は高度にグリコシル化されたムチンを分泌し，保護ペリクル膜の形成に関与する．

漿液性腺房細胞

ゴルジ装置
分泌顆粒
粗面小胞体

粘液性腺房細胞

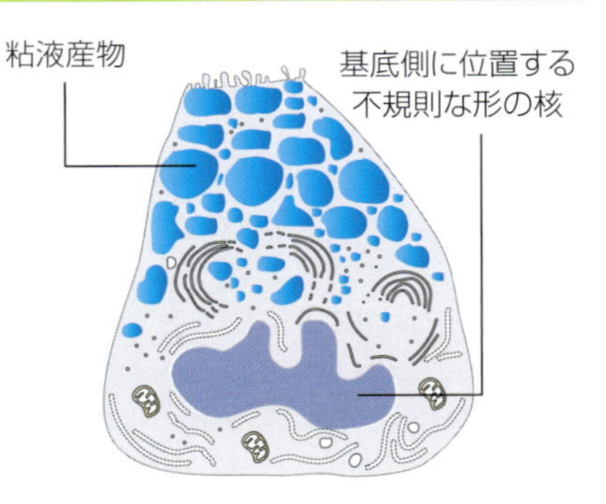

線条導管の細胞

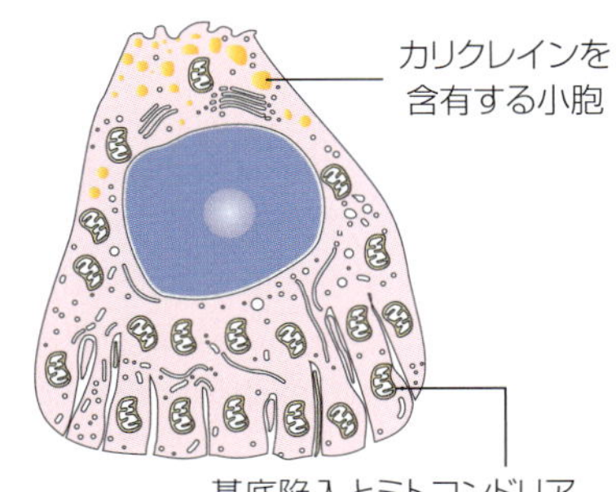

図 17.5 | 混合腺房とその線条導管の構造

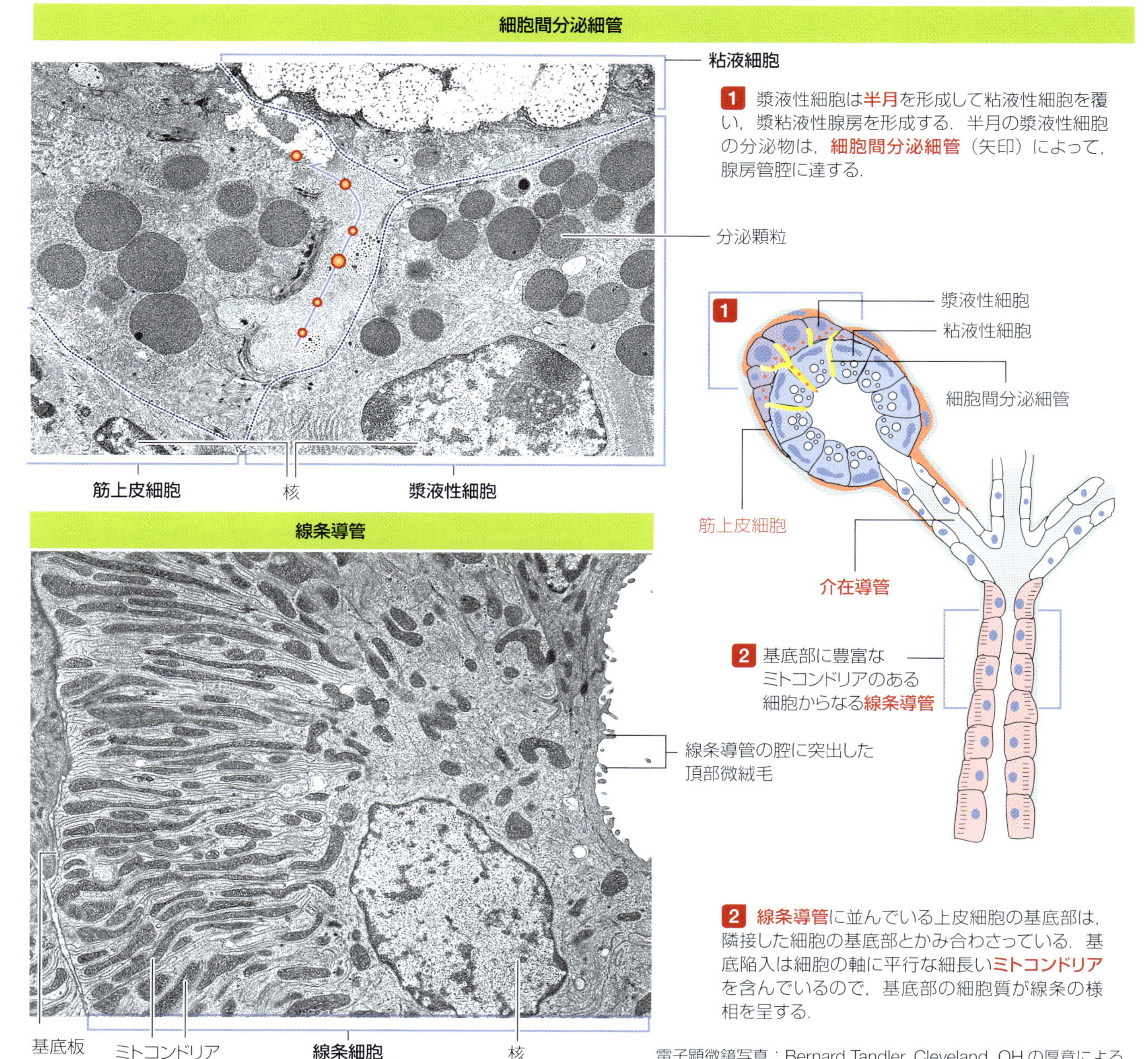

電子顕微鏡写真：Bernard Tandler, Cleveland, OH の厚意による．

唾液の粘液と水は，話すとき，飲み込むとき，味蕾が働くために食物を溶解するとき，舌，頬，口唇の粘膜を**潤滑にし**，食物を湿らせて嚥下を容易にする．

唾液の**保護作用**は以下の３つの要素の抗菌作用による：

1. **リゾチーム** lysozyme は細菌の壁を攻撃する．
2. **ラクトフェリン** lactoferrin は細菌の成長に必要なイオンをキレート化する．
3. **SIgA** は細菌とウイルスを殺す．

唾液の**消化機能**は以下による．

1. **アミラーゼ** amylase（プチアリン）は口腔における炭水化物（デンプン）の消化を開始する．
2. **舌リパーゼ** lingual lipase は，食事による脂肪の加水分解に関与する．

耳下腺（図 17.4，17.5）

耳下腺は最も大きい唾液腺である．**分枝管状胞状腺** branched tubuloalveolar gland で，**中隔** septum をもった結合組織被膜で囲まれている．被膜は間質の構成要素で，腺の支持組織である．**間質** stroma にはしばしば脂肪組織がみられる．

中隔は腺を葉と小葉に分ける．中隔はまた血管，リンパ管，神経が**腺房** acinus へ達する通路になる．腺房は**実質** parenchyma の主要な要素で，腺の機能的な構成要素である．

腺房は細網結合組織，豊富な毛細血管網，形質細胞，およびリンパ球で囲まれている．腺房は主に**漿液分泌細胞** serous

図 17.6 | 膵外分泌部

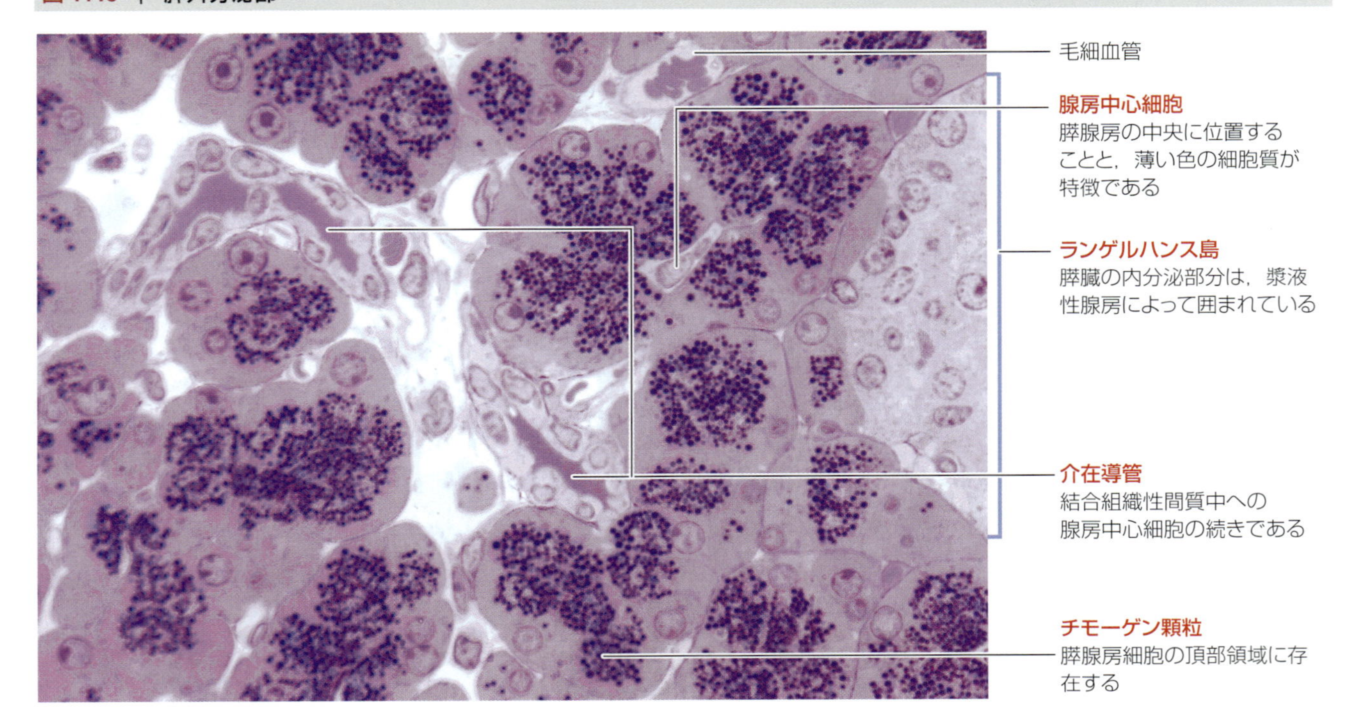

secretory cell からなり，**漿液性腺房** serous acinus に分類される．

おのおのの漿液性腺房は基底部に核のあるピラミッド系の細胞からなる．すべてのタンパク質産生細胞同様に，顕著な粗面小胞体が細胞の基底部を占めている．分泌顆粒は頂部にみられる．

腺房の腔は分泌物を集め，**長い介在導管** intercalated duct **によって，より数の少ない線条導管** striated duct に運ばれる（図 17.5）．

漿液性腺房の分泌物は線条導管の分泌物によって修飾されて，小葉間導管と葉導管を経て，主導管（**ステンセン管** Stensen's duct）によって口腔に運ばれる．病的状態については Box 17.B 参照．

Box 17.B | 耳下腺．流行性耳下腺炎，狂犬病，自己免疫，腫瘍

- 耳下腺は，唾液を産生する役割に加えて，唾液に含まれた狂犬病ウイルスと流行性耳下腺炎（ムンプス）ウイルス感染の第１の標的である．流行性耳下腺炎ウイルスは耳下腺の一時的な腫脹を起こし，免疫を与える．流行性耳下腺炎の２つの合併症は，ウイルス性精巣炎 viral orchitis と髄膜炎 meningitis である．流行性耳下腺炎ウイルスによって引き起こされた両側性精巣炎の結果不妊症になることがある．
- シェーグレン症候群 Sjögren syndrome は主に女性を侵す全身性自己免疫疾患である．２つの型の症候群が特徴的である．⑴原発性シェーグレン症候群．耳下腺による唾液と涙液の産生と分泌の著しい低下か停止が特徴である．⑵二次性シェーグレン症候群．自己免疫性結合組織疾患（リウマチ性関節炎，全身性紅斑性狼瘡，あるいは強皮症）に関連したドライマウスとドライアイが特徴である．
- 耳下腺は，成長の遅い良性唾液腺混合腫瘍 benign salivary gland mixed tumor（多形性腺腫）の最もしばしば起こる部位である．これは導管上皮と間葉様筋上皮細胞を伴うミクソコンドロイドゾーンからなる．外科的切除は耳下腺内を走る顔面神経を守る必要のため複雑である．混合腫瘍の摘出は多巣性の再発を高率に招く．
- ワルチン腫瘍（リンパ性乳頭性嚢状腺腫）．この腫瘍は２番目によく耳下腺に起こる耳下腺腫瘍であり，喫煙者に高リスクの発生率で起こる．腫瘍の基質はリンパ組織を中心に周りを扁平，粘液，皮脂性上皮細胞で囲まれた乳頭様配列からなる．この腫瘍は耳下腺内または耳下腺周囲のリンパ節から発生する．

顎下腺（図 17.4）

顎下腺は分枝管状胞状腺で，結合組織性の被膜で包まれている．被膜から伸びた中隔によって，腺の実質は葉や小葉に分けられる．顎下腺には漿液性細胞と粘液性細胞の両方が存在するが，**漿液性細胞** serous cell **のほうが主要な構成要素**である．粘液性細胞を含む腺房は，**漿液性半月** serous demilune によって覆われている．

耳下腺のものに比べると介在導管は短く，線条導管は長い．脂肪細胞は，顎下腺ではあまりみられない．顎下腺の主導管（**ワルトン管** Wharton's duct）は，舌小帯近くに開口する．

舌下腺（図 17.4）

耳下腺や顎下腺が密な結合組織被膜に包まれているのに対し，舌下腺には明確な被膜がない．しかしながら，結合組織性中隔が腺実質を小葉に分けている．

舌下腺は**分枝管状胞状腺** branched tubuloalveolar gland で，**漿液性細胞** serous cell **と粘液性細胞** mucous cell **の両方がある**．大部分の分泌単位に粘液性細胞が含まれている．**介在導管と線条導管は発達が悪い**．通常各葉は舌の下に開口する独自の導管をもつ．

膵外分泌部（図 17.6～17.8）

膵臓には**内分泌腺** endocrine gland と**外分泌腺** exocrine gland が

図 17.7 | 膵腺房

膵腺房細胞

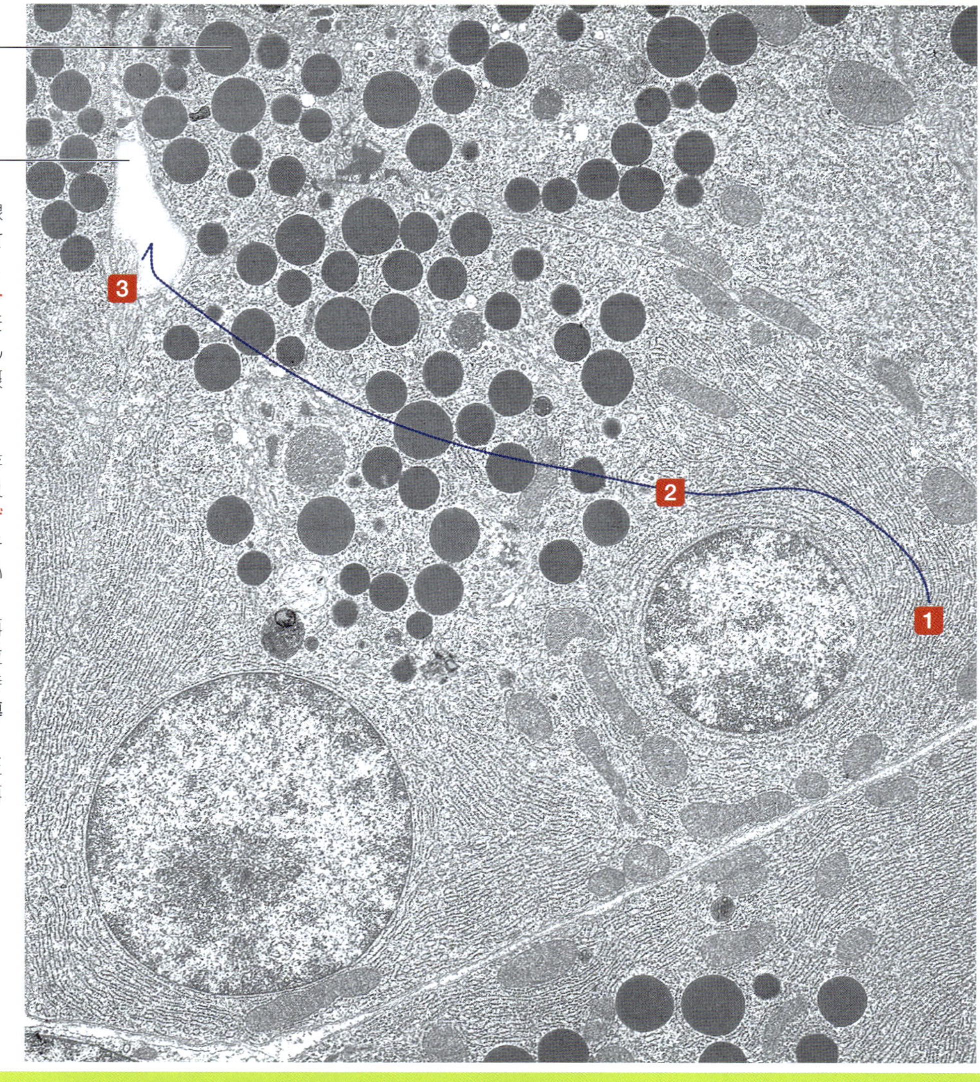

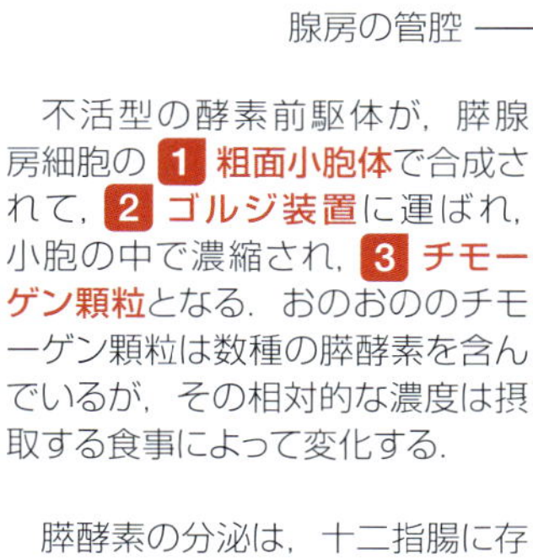

不活型の酵素前駆体が，膵腺房細胞の **1 粗面小胞体**で合成されて，**2 ゴルジ装置**に運ばれ，小胞の中で濃縮され，**3 チモーゲン顆粒**となる．おのおののチモーゲン顆粒は数種の膵酵素を含んでいるが，その相対的な濃度は摂取する食事によって変化する．

膵酵素の分泌は，十二指腸に存在する腸内分泌細胞から放出されるペプチドや膵内分泌部（**ランゲルハンス島**）で合成されるペプチドホルモンによって調節されている．

腺房細胞は急性膵炎の後，再生できる．腺房細胞の死は脱顆粒と導管様細胞への転換によって特徴付けられる．この過程は**腺房導管化生**（**ADM**）として知られる．

炎症が治まると，腺房細胞は正常な構造と機能の腺房タイプに再生し再分化する．

腺房血管系および膵島腺房血管系による二重の血液供給

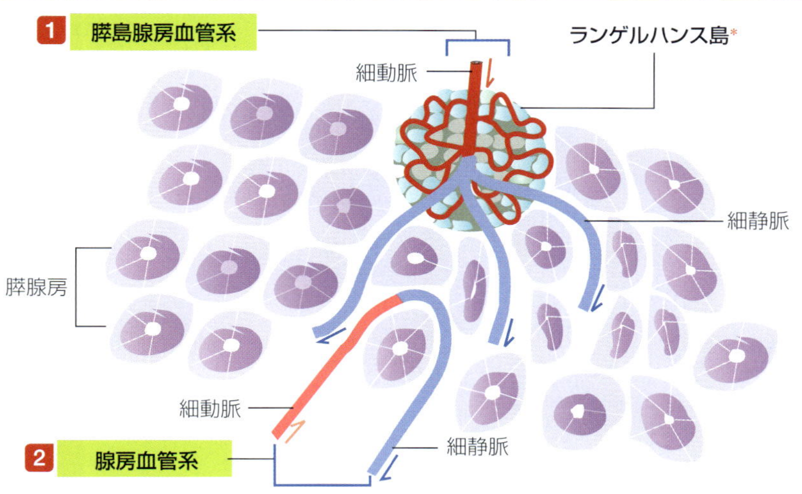

1 各ランゲルハンス島は輸入細動脈から血液を受け，有窓型内皮細胞でできた毛細血管網を形成している．

ランゲルハンス島から離れる細静脈は，ランゲルハンス島に隣接する膵腺房に血液を供給する．この血管系により，ランゲルハンス島で産生されたホルモンは膵外分泌部に対し局所作用を発揮できる．この血管系は**膵島腺房門脈系**とよばれる．

2 別に独立した動脈系，すなわち**腺房血管系**が，膵腺房に血液を供給する．

*訳注：この図ではランゲルハンス島に入る細動脈が直に細静脈につながっているが，実際は細動脈はランゲルハンス島の毛細血管網になり，毛細血管網から輸出血管（細静脈）が起こる．

図 17.8 | 膵腺房

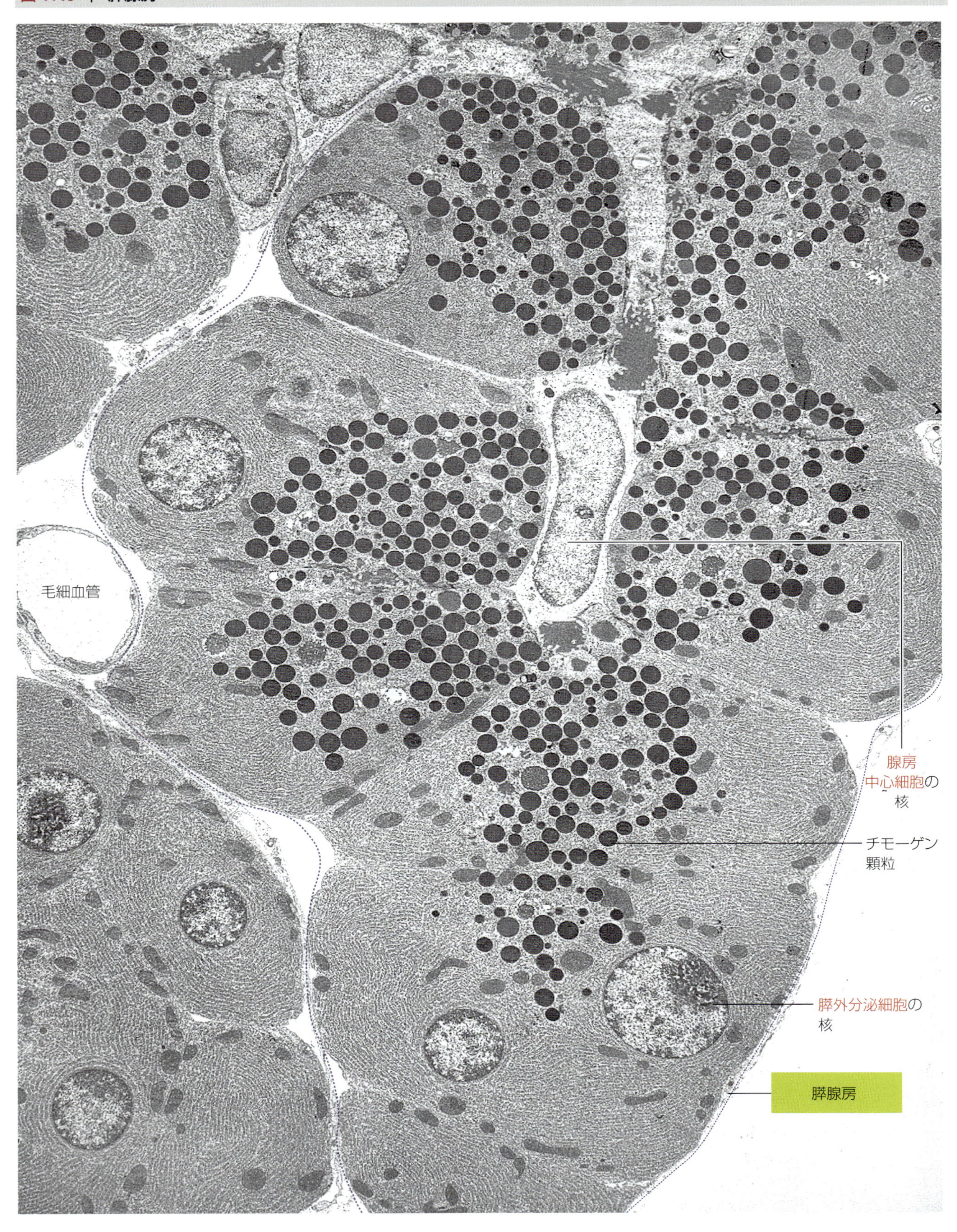

混合している．内分泌部は**ランゲルハンス島** islet of Langerhans であり，膵臓全体積の約 2% を占める．

膵内分泌部 endocrine pancreas の主な機能は，血流に分泌されるホルモンによる**グルコース代謝の調整**である（第 19 章「ランゲルハンス島」の項参照）．

膵外分泌部 exocrine pancreas は**分枝管状房状腺** branched tubuloacinar gland であり，以下の 4 つの解剖学的部位に分けられる：

1. **膵頭部** head は十二指腸の第 2 部と第 3 部の凹面に位置する．
2. **膵頸部** neck は門脈 portal vein に接する．
3. **膵体部** body は大動脈の前方に位置する．
4. **膵尾部** tail は脾門部近くで終わる．

膵臓は上腹部の後腹壁近くにあるので，重症外傷から保護されている．

血液は，腹腔動脈，上腸間膜動脈，および脾動脈から供給されている．静脈は，門脈系（脾静脈を含む）に注ぐ．遠心性神経支配は，迷走神経と内臓神経による．

膵臓は唾液腺に構造が類似している：

1. 結合組織で囲まれるが，固有の被膜はない．
2. 小葉は血管，リンパ管，神経，導管を通す結合組織中隔で分けられている．

膵外分泌部の機能的組織学的単位は**腺房** acinus である（図 17.6～17.8）．腺房腔は分泌・導管系の始まりで，**膵臓特有の腺房中心細胞** centroacinar cell を含む．腺房中心細胞は介在導管の**低立方上皮** low cuboidal epithelium に続く．腺房中心細胞と**介在導管**の上皮は HCO_3^-，Na^+，水を分泌する．HCO_3^- の分泌は囊胞性線維症膜貫通コンダクタンス制御因子（CFTR）（Cl^- も提供する）によって維持される．

介在導管は小葉内導管に集まる．小葉内導管は小葉間導管に集まり，主膵管に注ぐ．**主膵管** main pancreatic duct（**ヴィルスング管** Wirsung's duct）は，まっすぐに尾部から体部を通って走行し，膵臓各部の支流から分泌物を集める．主膵管は膵頭部に達すると下方に曲がり，**総胆管** common bile duct と合流した後に，**ファーター膨大部** ampulla of Vater で十二指腸腔に直接流入する．膵管と胆管の共通管が十二指腸の壁を横断する部位には，輪状の平滑筋からなる**オッディ括約筋** sphincter of Oddi がある．

膵外分泌部には線条導管も筋上皮細胞 myoepithelial cell **もない**．介在導管は**小葉間導管**に集合する．小葉間導管は若干の杯細胞とまれに腸内分泌細胞を含む**円柱上皮** columnar epithelium からなる．

膵臓腫瘍

膵管と胆管の解剖学的な関係は**膵頭部領域** pancreas head region の膵臓腫瘍において臨床的に重要である．なぜなら胆管が圧迫されると**閉塞性黄疸** obstructive jaundice をきたすからである．

膵管腺がん pancreatic ductal adenocarcinoma（**PDAC**）は最もよくある膵臓原発悪性腫瘍である．PDAC は膵頭部に起こる．腫瘍塊は遠位の総胆管と膵管を閉塞し，拡張させる．

たいていの PDAC は *K-ras* 遺伝子に発がん性の突然変異を宿しており，この遺伝子は薬物の標的にできない．

より攻撃的な PDAC 扁平亜型は X 染色体上の ***KDM6A*** 遺伝子の突然変異をもっている．男性では，*KDM6A* 遺伝子突然変異は Y 染色体上の関連する遺伝子 *UTY* の突然変異も併せもっている．両方の突然変異が PDAC 扁平亜型と関連している．

KDM6A はヒストン脱メチル化酵素である．これは PDAC に強く発現する遺伝子制御 DNA 配列を修飾する．本質的に，KDM6A は腫瘍抑制効果を発揮するので，PDAC 扁平亜型に対する有望な治療戦略となる可能性がある．

膵臓が太い血管に接していること，腹腔内リンパ節への流れが広範囲でびまん性であること，およびがん細胞がしばしば門脈を経由して肝臓に転移することが，膵臓がんの外科的切除を効果のないものにする要因である．

膵囊胞性腫瘍 cystic tumors of the pancreas は新生物ではない．この範疇には**漿液性囊胞腺腫** serous cystoadenoma（透明な液体を入れた囊胞をもつ）と**粘液性囊胞腺腫** mucinous cystoadenoma（粘液で満たされた囊胞をもつ）が含まれる．粘液性囊胞腺腫は治療しないと浸潤性腫瘍（**粘液性囊胞腺がん**）に進行する．

まれに膵臓の**内分泌腫瘍** endocrine tumor がみられる．これは孤立した膵臓の塊あるいは**多発性内分泌腫瘍 1 型症候群** multiple endocrine neoplasia syndrome, type 1（**MEN1**）の一部として検出される．

MEN1 は常染色体顕性遺伝性内分泌がん症候群で上皮小体，胃腸内分泌細胞，腺性下垂体の腫瘍を特徴とする．この腫瘍型は *K-ras* 遺伝子の活性化や *p53* 遺伝子不活性化を示さない．

膵内分泌腫瘍 endocrine tumor of the pancreas はよく分化したもの（内分泌機能をもつ構造的証拠を伴う）もあれば，中等度に分化したものもある．**ガストリノーマ**，**インスリノーマ**および**グルカゴノーマ**は細胞質に分泌顆粒のみられる内分泌腫瘍の例である．これらの腫瘍は（症候と関連した）**症候性機能腫瘍** syndromic functioning tumor の範疇に属する．例えば，ガストリノーマは**ゾリンジャー・エリソン症候群** Zollinger-Ellison syndrome を生じさせる．第 15 章で述べたが，この症候群は胃において壁細胞による塩酸の産生が持続的に刺激されて引き起こされる多発性消化性潰瘍によって特徴づけられる．

膵腺房の機能（図 17.7，17.9）

膵腺房 pancreatic acinus は，おのおのが細胞頂部の接着複合体で結合した錐体状の細胞からなる．接着複合体は導管に分泌された物質の細胞間隙への逆流を防ぐ．

膵腺房細胞の基底部は，基底板に覆われ，核とよく発達した粗面小胞体を含んでいる．細胞頂部領域には，多数の酵素原顆粒（**チモーゲン顆粒** zymogen granule）と**ゴルジ装置** Golgi apparatus がみられる（図 17.7）．

チモーゲン顆粒に含まれる約 20 の膵酵素の濃度は，食事の摂取によって変化する．例えば，**タンパク質の多い食事**をとると，**プロテアーゼ** protease の合成が増加する．**炭水化物の豊富な食事**では，プロテアーゼの合成が減少し，**アミラーゼ** amylase が選択的に合成される．アミラーゼ遺伝子の発現はインスリンによって調節される．これは**膵島腺房門脈系** insuloacinar portal system の重要性を強調する事例の 1 つである．

図 17.9 | 膵外分泌部の機能

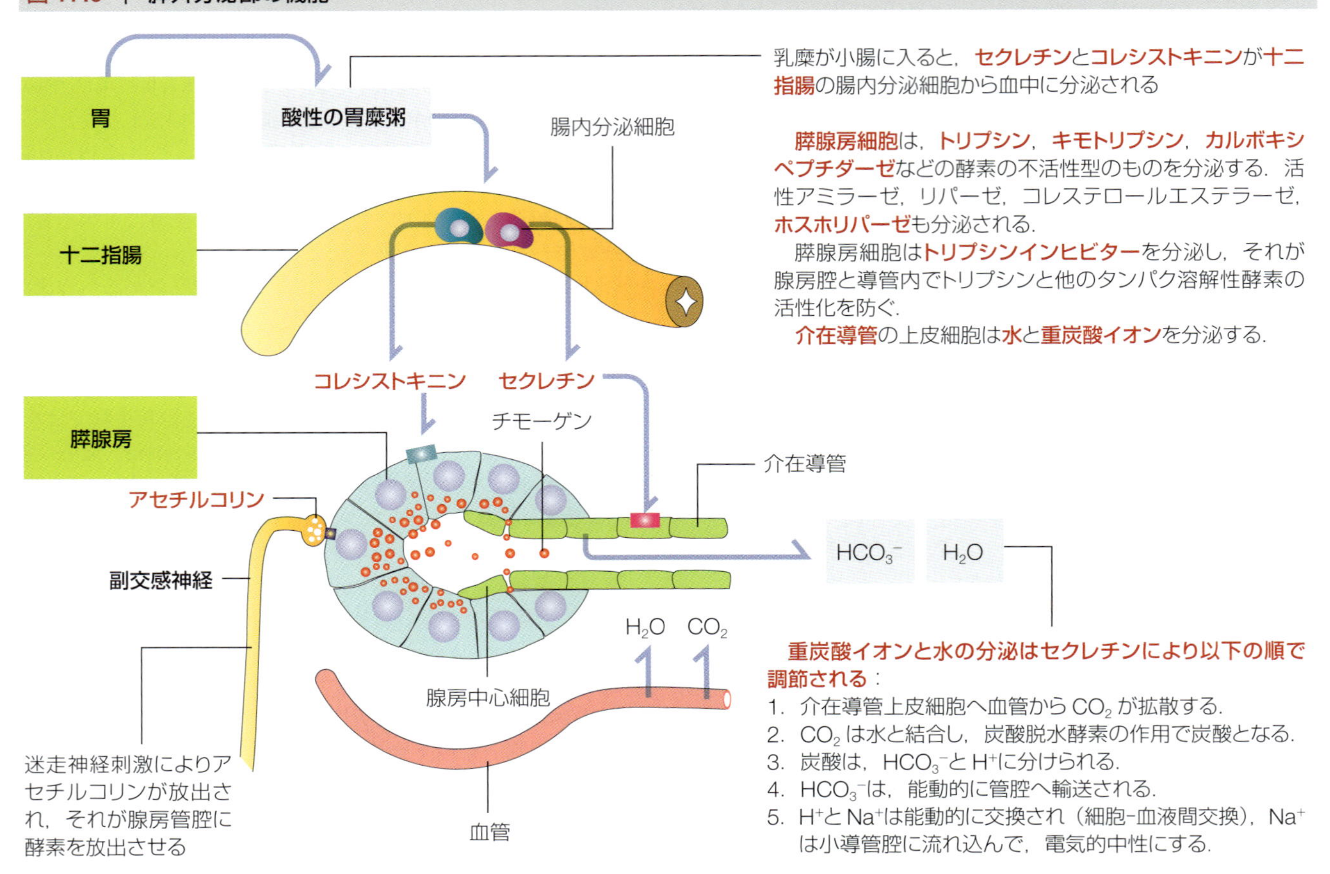

コリン作動性薬の投薬あるいは胃腸ホルモンの**コレシストキニン** cholecystokinin と**セクレチン** secretin は，膵液の分泌を増大させる（約 1.5〜3.0 L／日）（図 17.9）.

ペプチドホルモンの**コレシストキニン**は十二指腸粘膜の**腸内分泌細胞** enteroendocrine cell で産生されて**腺房細胞** acinar cell の特異的受容体に結合し，**チモーゲン顆粒の放出を刺激**する．

セクレチンは，酸性の糜粥が十二指腸に入ると放出される．セクレチンは十二指腸で産生されて，**腺房中心細胞** centroacinar cell と**介在導管細胞** intercalated ductal cell の表面の受容体に結合し，**Na^+-HCO_3^-共輸送体**によって**水**と**重炭酸イオン**（HCO_3^-）と Na^+ の**膵管内への放出を引き起こす**．

HCO_3^- と十二指腸の粘膜下層に存在するブルンネル腺のアルカリ性分泌液は，十二指腸の管腔で酸性の胃糜粥を中和して，膵消化酵素を活性化する．

膵炎と嚢胞性線維症

チモーゲン顆粒は，十二指腸の環境で活性化される**不活型の酵素前駆体** inactive proenzyme を含んでいる．膵酵素の時期尚早な活性化，特に**トリプシノゲン** trypsinogen の**トリプシン** trypsin への変換が早期に起こったり，**トリプシン阻害因子** trypsin inhibitor（トリプシンの活性部位に硬く結合する）が作用しなかったりしたときに，これらの酵素が間質に放出されて膵腺房の自己融解が起こる．

この状態は**急性膵炎** acute pancreatitis として知られ，通常は外傷，過度の食事摂取やアルコールの飲み過ぎあるいは胆道疾患によって生じる．

急性膵炎の臨床像は激しい腹痛，嘔気，嘔吐である．血清アミラーゼ値とリパーゼ値の急速な上昇（24〜72 時間以内）が，診断上の典型的な特徴である．膵炎の原因が取り除かれると膵外分泌部の構造と機能は正常化する．しかし，急性膵炎は**膿瘍形成** abscess formation や**嚢胞** cyst を合併することがある．

慢性膵炎 chronic pancreatitis は膵臓の線維化と膵臓の部分的または全体の破壊を特徴とする．**アルコール（中毒）症** alcoholism が慢性膵炎の主たる原因で，膵内分泌と外分泌機能が永久に失われる．

嚢胞性線維症 cystic fibrosis は，常染色体潜性遺伝で呼吸器系（第 13 章参照），腸管系，生殖器系の粘液分泌組織，皮膚の汗腺（第 11 章参照），および小児と若年成人における**膵外分泌部** exocrine pancreas の働きを障害する疾患である．

濃い粘着性のある粘液が気道，膵管，胆管，および腸管の通過障害を起こし，引き続き細菌感染も生じて，組織の機能が障害される．障害された赤ん坊の中には**胎便性イレウス** meconium ileus，すなわち生直後に腸閉塞を起こす者がいる．

患者の多く（85％）が**慢性膵炎**になる．この慢性膵炎の特徴は，腺房の消失と膵導管が拡張して過剰に形成された線維で囲まれた嚢胞にある（それゆえ，**膵嚢胞性線維症** cystic fibrosis of the pancreas とよばれる）．

図 17.10 | 臨床疾患における肝臓への流入と流出（血管と導管）

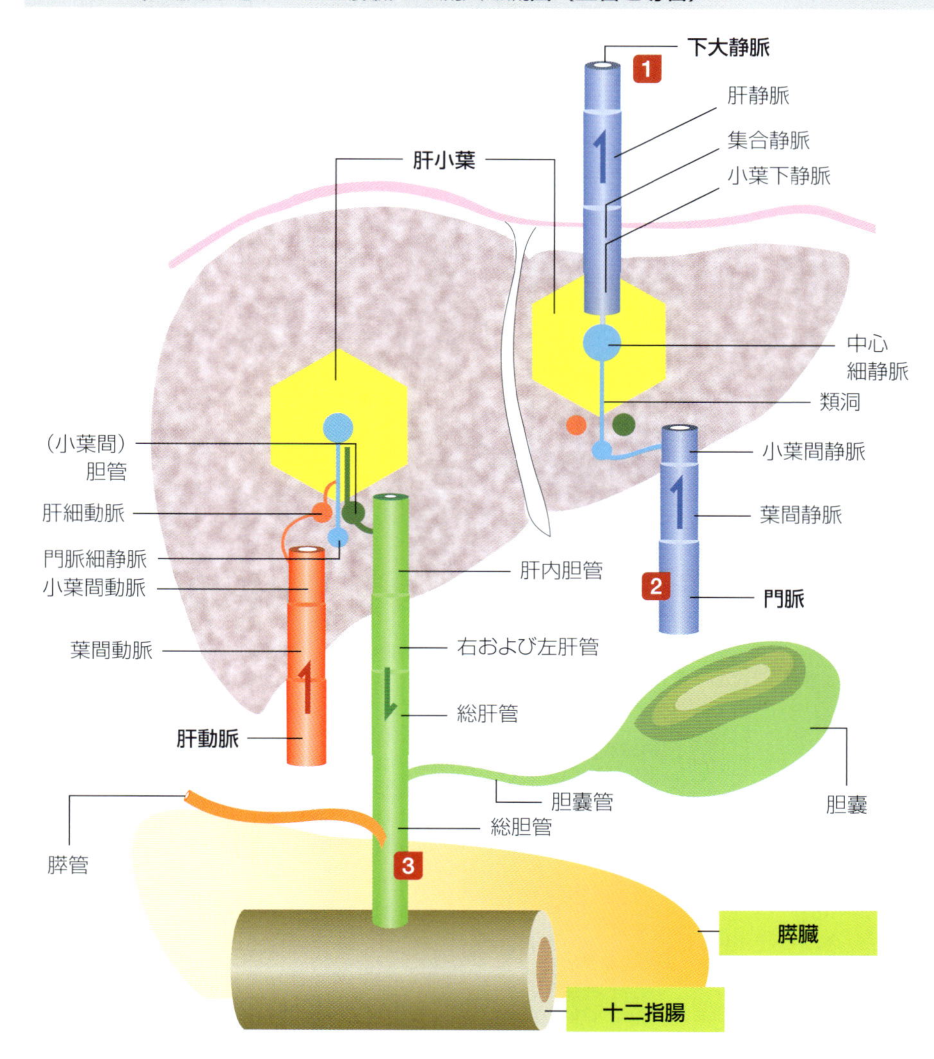

1 うっ血性心不全

下大静脈と肝静脈には弁がない.

中心静脈圧の増加（うっ血性心不全など）は，血液うっ血のために肝臓を肥大させる.

2 門脈圧亢進症

肝硬変では，肝細胞が血漿タンパク質，特にアルブミンを産生できなくなるとともに，肝内血流が閉塞して**門脈圧亢進症** portal hypertension をきたす.

門脈圧亢進症では門脈とその肝内の枝の静水圧が増加するために，体液が腹膜腔に溜まる（**腹水**）．体液の損失は，血漿アルブミンの減少のために血漿膠質浸透圧が低下することによってさらに悪化する.

肝硬変は，慢性肝炎またはアルコール性肝疾患の後で生じることがある.

3 膵臓がん

膵頭部がん（膵臓腫瘍の 60%）は膨大部を圧迫し，胆汁の排泄を妨げる.

膵外分泌腺の分泌が不十分だと，脂肪とタンパク質の吸収不良を生じ，多量の脂肪性便（**脂肪便** steatorrhea）をもたらす.

上皮を経由する Cl^- の運搬が欠如すると，Na^+ と水の分泌が不完全になる.

塩素イオンチャネルタンパク質 CFTR の遺伝性の欠損は嚢胞性線維症の原因である.

この疾患は汗の中に NaCl 濃度の増加を示すことによって発見される．嚢胞性線維症の子どもは，おびただしい発汗の後に**塩味**を感じる.

肝臓（図 17.10）

肝臓 liver は人体の最も大きな腺で，4 つのはっきりとは分けられない**葉** lobe からなる．肝臓はコラーゲン線維と弾性線維を多く含んだ**被膜** capsule（**グリソン被膜** capsule of Glisson）によって取り囲まれ，腹膜に覆われる.

血液は 2 つの血管系から肝臓に供給される：

1. **門脈** portal vein は，消化管，脾臓，および膵臓からの血液（肝臓へ流入する血液量の 75〜80%）を運ぶ.
2. **肝動脈** hepatic artery（腹腔動脈の枝）は 20〜25% の動脈血を肝臓に供給し，**葉間動脈** interlobar artery と**小葉間動脈** interlobular artery を経て，**門脈域** portal space に達する.

門脈の枝と肝動脈の枝からの血液は，**肝小葉** liver lobule の**類洞** sinusoid（洞様毛細血管）で混合される．後述する.

類洞の血液は，肝小葉の**中心静脈** central vein **または中心細静脈** central venule に集められる.

中心静脈は集合して**小葉下静脈** sublobular vein となり，血液は**集合静脈** collecting vein，**肝静脈** hepatic vein を通って**下大静脈** inferior vena cava に入る.

左右の**肝管** hepatic duct は，肝臓から離れて合流し，**総肝管** common hepatic duct になる．総肝管は**胆嚢** gallbladder につながる細い**胆嚢管** cystic duct を出した後，すぐに**総胆管** common bile duct に変わる.

肝小葉の構成（図 17.11，17.12）

肝臓の構造上・機能上の単位は，**肝小葉** hepatic lobule であ

図 17.11 | 門脈域と胆管

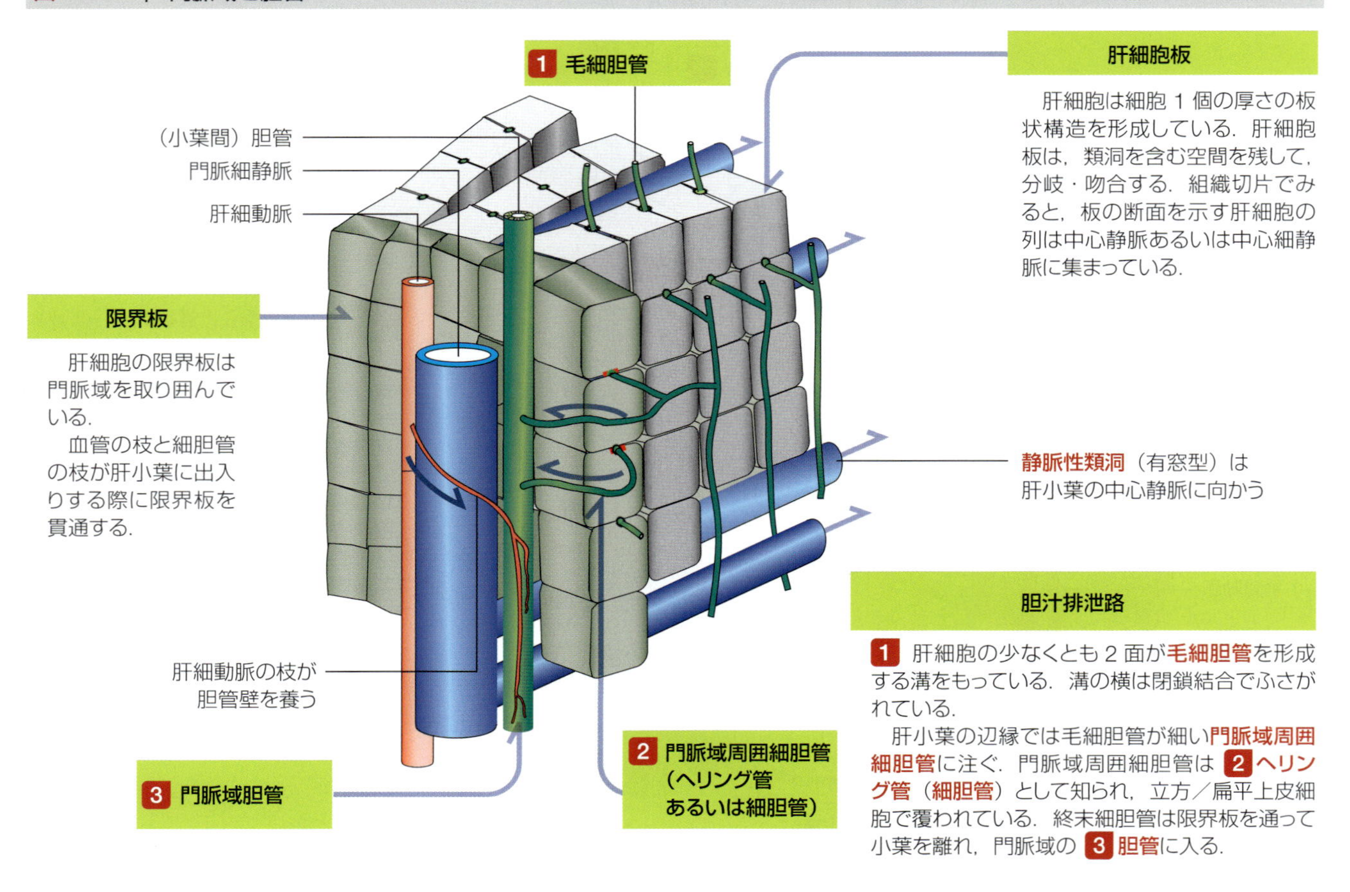

る．肝小葉は，吻合する**肝細胞板** hepatic plate と，それに仕切られた**類洞腔** sinusoidal space からなる（図 17.11）．

肝小葉の中心にある**中心細静脈** central venule（または中心静脈）は，門脈と肝動脈の枝から供給された混合血液を運ぶ類洞の血液を集める．

肝動脈と門脈の枝は胆管とともに，六角形の形をした肝小葉によって囲まれた門脈域の中に**古典的門脈三つ組** classic portal triad を形成している（図 17.12）．

肝細胞で産生された胆汁は狭い細胞間隙すなわち隣接した肝細胞の間にある**毛細胆管** bile canaliculus に分泌される．**胆汁** bile **は，血液と反対方向に流れる**．胆汁は**毛細胆管**から**門脈域周囲細胆管** periportal bile ductule（**細胆管** cholangiole または**ヘリング管** canal of Hering ともいう）に流入し，それから肝小葉の辺縁部の**肝細胞板**を通って門脈域の**胆管**（あるいは細胆管）に入る．細胆管は，**肝内胆管** intrahepatic bile duct に合流する．

肝小葉の概念（図 17.12）

肝小葉の構造には 3 つの考え方がある．

1. **古典的な肝小葉の概念**．構造上の指標に基づく．
2. **門脈小葉** portal lobule **の概念**．同じ胆管へ隣接した肝小葉から胆汁が導出される経路に基礎をおく．
3. **肝腺房** liver acinus **の概念**．隣接した小葉の静脈性類洞に沿った酸素の分布勾配に基づく．

古典的な肝小葉は習慣的に多面体構造として記述され，通常は中心静脈に類洞が収束する六角形として描かれている．**門脈三つ組** portal triad の構成要素は門脈と肝動脈の枝と胆管からなり，通常は六角形の角にある．

この幾何学的な構造は，ヒトでは小葉周辺部の結合組織があまり多くないので明瞭でない．しかし，門脈三つ組を認識することで，ヒトの肝小葉の境界を決定できる．

門脈小葉では，門脈三つ組が中心軸であり，周囲の肝実質から胆汁が流入することになる．

機能を考慮することにより古典的な見方を修正し，**肝腺房**の概念が病態生理学の基盤を獲得した．

肝腺房では，**境界は肝動脈の終末枝によって決定される**．静脈性類洞内の動脈血の流れは酸素と栄養分の濃度勾配をつくり，**I 帯**，**II 帯**，**III 帯**の帯状領域に分類される．

I 帯は，酸素と栄養分が最も豊かな領域である．III 帯は，中心静脈に近く，酸素が少ない．II 帯は，酸素と栄養分の濃度が中間である．

肝臓の病的変化は通常，古典的な肝小葉と関連づけて記載されるが，肝腺房の概念によると肝臓の再生パターンや肝臓の代謝能，さらに肝硬変の発生を理解できる．

肝細胞（図 17.11，17.13～17.17）

肝細胞 hepatocyte は，肝小葉の機能的な**外分泌細胞** exocrine

図 17.12 | 肝小葉の分類

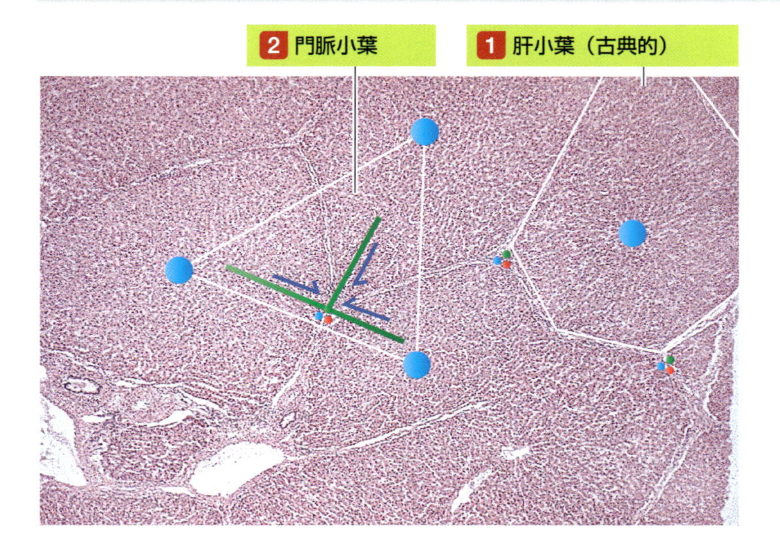

門脈三つ組

門脈の枝　胆管　肝動脈の枝

1 肝小葉（古典的）

古典的な六角形の肝小葉は，中心静脈と小葉の角に位置する門脈三つ組からなる．

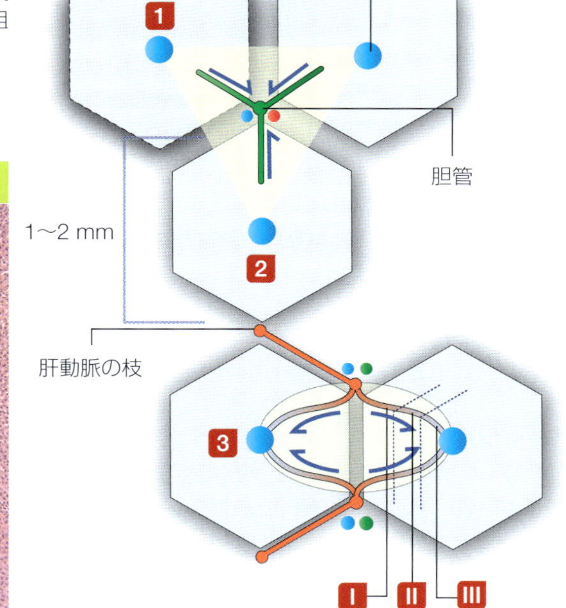

2 門脈小葉

門脈小葉は，ある 1 つの小葉間胆管に流れ込む毛細胆管が分布する小葉の部分をまとめたものである．

門脈小葉の境界は，3 つの古典的な小葉の中心静脈である．門脈小葉の中心はすべての毛細胆管からの胆汁を集める（小葉間）胆管である．

3 肝腺房

III

II

I

肝腺房の 3 つの帯状領域は肝動脈の枝から反対の中心静脈までの血液を受ける肝組織によって定義される．**動脈性の血液の流れの方向によって，門脈三つ組近くの門脈域周囲（I 帯）から排泄域（III 帯）に至る代謝勾配が決まる．**

I I 帯（門脈域周囲）では，肝細胞は活発にグリコーゲンと血漿タンパク質を合成する．類洞の血中の酸素濃度は高い．

II II 帯は，中間部である．

III III 帯（中心静脈の排泄路）は，酸素濃度が最も低い領域である．Ⅲ帯は解毒作用を行っている．肝細胞は低酸素による傷害を受けやすい．

cell であり，**内分泌細胞** endocrine cell でもある．肝細胞は，吻合した**細胞 1 個の厚さの板状構造**を形成して，類洞腔を仕切っている（図 17.13）．

肝類洞腔と肝細胞板の間が類洞周囲腔すなわち**ディッセ腔** space of Disse である．

門脈三つ組は結合組織の中にあり，肝細胞でできた**限界板** limiting plate によって肝小葉と区切られている（図 17.11）．門脈と肝動脈からの血液は，類洞に注がれ，中心静脈に集められる．

胆汁は肝細胞から門脈域の胆管に向かって流れる．リンパはディッセ腔から門脈域のリンパ管に向かって流れる（図 17.13）．

肝細胞には 2 つの細胞領域がある：

1. **基底外側領域** basolateral domain（図 17.14〜17.17）
2. **頂部領域** apical domain（図 17.17）

隣接する肝細胞の外側面の**間隙（ギャップ）結合** gap junction

図 17.13 | 肝小葉の構造

肝小葉

1 類洞周囲腔である**ディッセ腔**は，肝細胞の基底外側領域と肝類洞内の血液循環とを分けている．

ディッセ腔にはⅠ，Ⅲ，Ⅳ型のコラーゲン線維が含まれる．タンパク質の吸収と分泌が，狭いディッセ腔で起こる（0.2～0.5 μm 幅）．

2 **モール腔**は肝小葉の周辺部にみられる腔所で，ディッセ腔と連続している．モール腔から，**限界板**を通り抜けてリンパ管に流入している．

リンパ管は，門脈域では血管と細胆管を取り囲んでいる．

3 **ヘリング管**は，肝細胞表面にある毛細胆管溝の網目の終末点である．

ヘリング管は，肝小葉の辺縁（門脈域周囲）にあり，単層の扁平ないし立方上皮からなる．限界板を貫いた後に門脈域で細胆管と連結する．

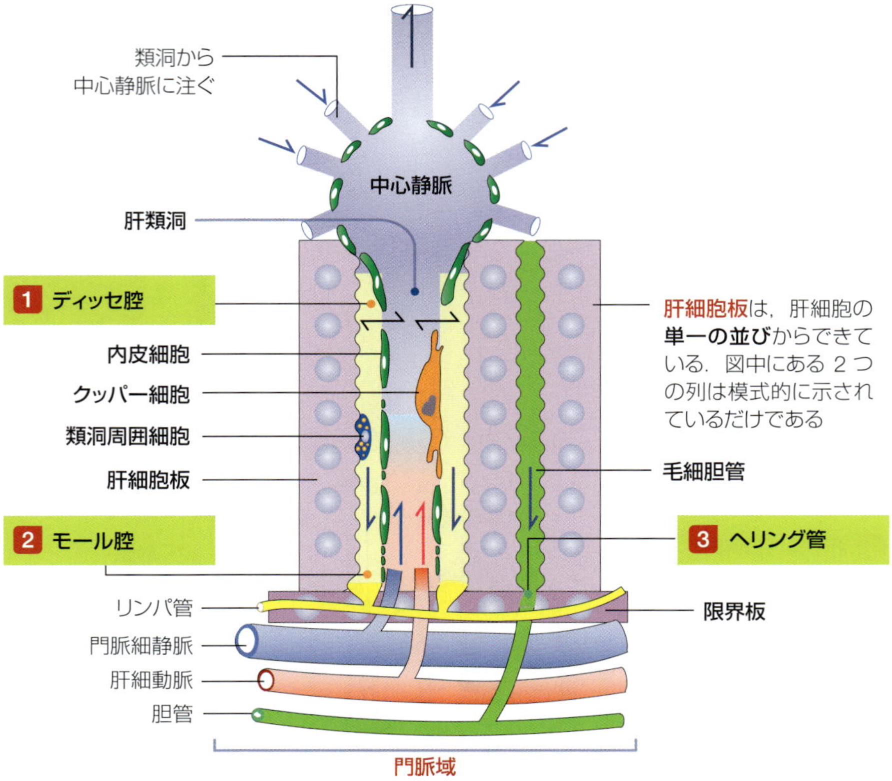

類洞から中心静脈に注ぐ

中心静脈

肝類洞

1 ディッセ腔

内皮細胞

クッパー細胞

類洞周囲細胞

肝細胞板

2 モール腔

リンパ管

門脈細静脈

肝細動脈

胆管

門脈域

肝細胞板は，肝細胞の**単一の並び**からできている．図中にある 2 つの列は模式的に示されているだけである

毛細胆管

3 ヘリング管

限界板

門脈域の結合組織は，**肝動脈**（細動脈），**門脈**（細静脈）および**胆管**（細胆管）の枝からなる**門脈三つ組**を支持している．加えて，リンパ管と神経線維が門脈域に存在する．

血液と，胆汁およびリンパは逆方向に流れることに注意

は細胞間を機能的に結合する．

基底外側領域は多数の**微絨毛** microvilli をもち，**ディッセ腔に向いている**．ディッセ腔への過剰な分泌液は肝小葉の周辺にある**モール腔** space of Mall に集められて，リンパ管に入る．

基底外側領域は，**血液由来物質の吸収**や，**血漿タンパク質** plasma protein（**アルブミン** albumin，**フィブリノゲン** fibrinogen，**プロトロンビン** prothrombin，**凝固因子Ⅴ，Ⅶ，Ⅸ** coagulation factor Ⅴ，Ⅶ，Ⅸ）**の分泌**に関与する．肝細胞が血液凝固に必要な血漿タンパク質を合成することに注意してほしい（第 6 章参照）．血液凝固障害は，肝疾患に伴う．

肝細胞の**頂部領域**は，**毛細胆管** bile canaliculus の縁となる微絨毛の生えた塹壕のようなくぼみで，両側が**閉鎖帯** occluding junction で閉鎖されて，肝細胞の外分泌物である**胆汁** bile の漏出が防がれている．

肝細胞は血漿タンパク質の合成に関与する**粗面小胞体** rough endoplasmic reticulum（RER）とグリコーゲンと脂質の合成および解毒作用に関連する高度に発達した**滑面小胞体** smooth endoplasmic reticulum（SER）をもっている．

滑面小胞体の膜についている**酵素** enzyme には下記の機能がみられる：

1. コレステロールと胆汁酸塩の合成．
2. ビリルビン，ステロイド，および薬のグルクロニド抱合．
3. グリコーゲンをグルコースに分解．
4. 遊離脂肪酸をエステル化してトリグリセリドにする．
5. 甲状腺ホルモンのトリヨードサイロニン（T_3）とサイロキシン（T_4）からヨウ素を除去．
6. **フェノバルビタール** phenobarbital のような**脂溶性薬物の解毒** detoxification of lipid-soluble drug．この過程で，滑面小胞体は顕著に発達する．

ゴルジ装置は，分泌タンパク質への糖鎖付加とリソソーム酵素のソーティング（選別）に関与する．

リソソーム lysosome は老化血漿糖タンパク質を分解する．この血漿糖タンパク質は，シアル酸除去後の末端ガラクトースに結合親和性のある肝レクチン膜受容体，すなわち**アシアロ糖タンパク質受容体** asialoglycoprotein receptor によって基底外側領域に取り込まれる．

肝細胞のリソソームは，鉄をフェリチンの分解産物である**可溶性フェリチン** soluble ferritin と**不溶性ヘモジデリン** insoluble hemosiderin として貯蔵する（Box17.C）．

図 17.14 | 肝細胞の小胞体

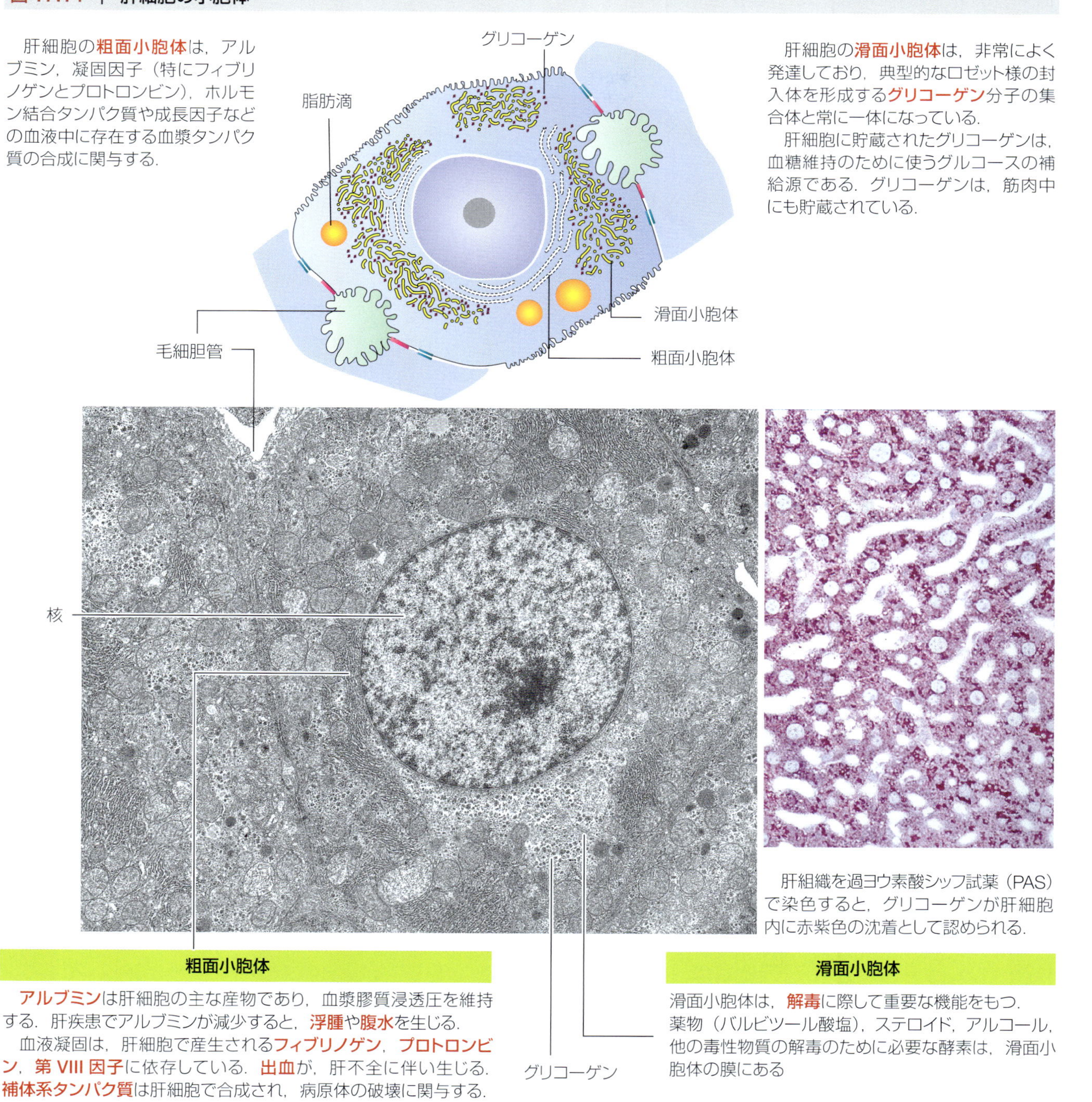

ペルオキシソーム（図 17.15）

ペルオキシソーム peroxisome は，**膜で囲まれた細胞内小器官**で，脂肪酸をβ酸化し，**過酸化水素** hydrogen peroxide の産生と分解のための**オキシダーゼ** oxidase と**カタラーゼ** catalase を高濃度に含有する．

過酸化水素は毒性をもった代謝産物なので，酵素の**カタラーゼ**がこの産物を**酸素**と**水**に分解する．この異化作用は，**肝細胞**

Box 17.C | 肝鉄過剰症

- 重篤な肝疾患が鉄や銅の過剰な蓄積によって生じる．**遺伝性ヘモクロマトーシス**は，肝細胞内のリソソームにおける鉄の吸収と集積の増加を特徴とする疾患の一例である．肝硬変と肝がんはヘモクロマトーシスの合併症である．鉄過剰症については第 6 章で詳述した．
- **ウィルソン病**（肝レンズ核変性症）は銅代謝の遺伝性障害で，肝臓と脳のリソソームに銅が過度に沈着し，慢性肝炎と肝硬変を生じる．

図 17.15 | 肝細胞の頂部領域と基底外側領域

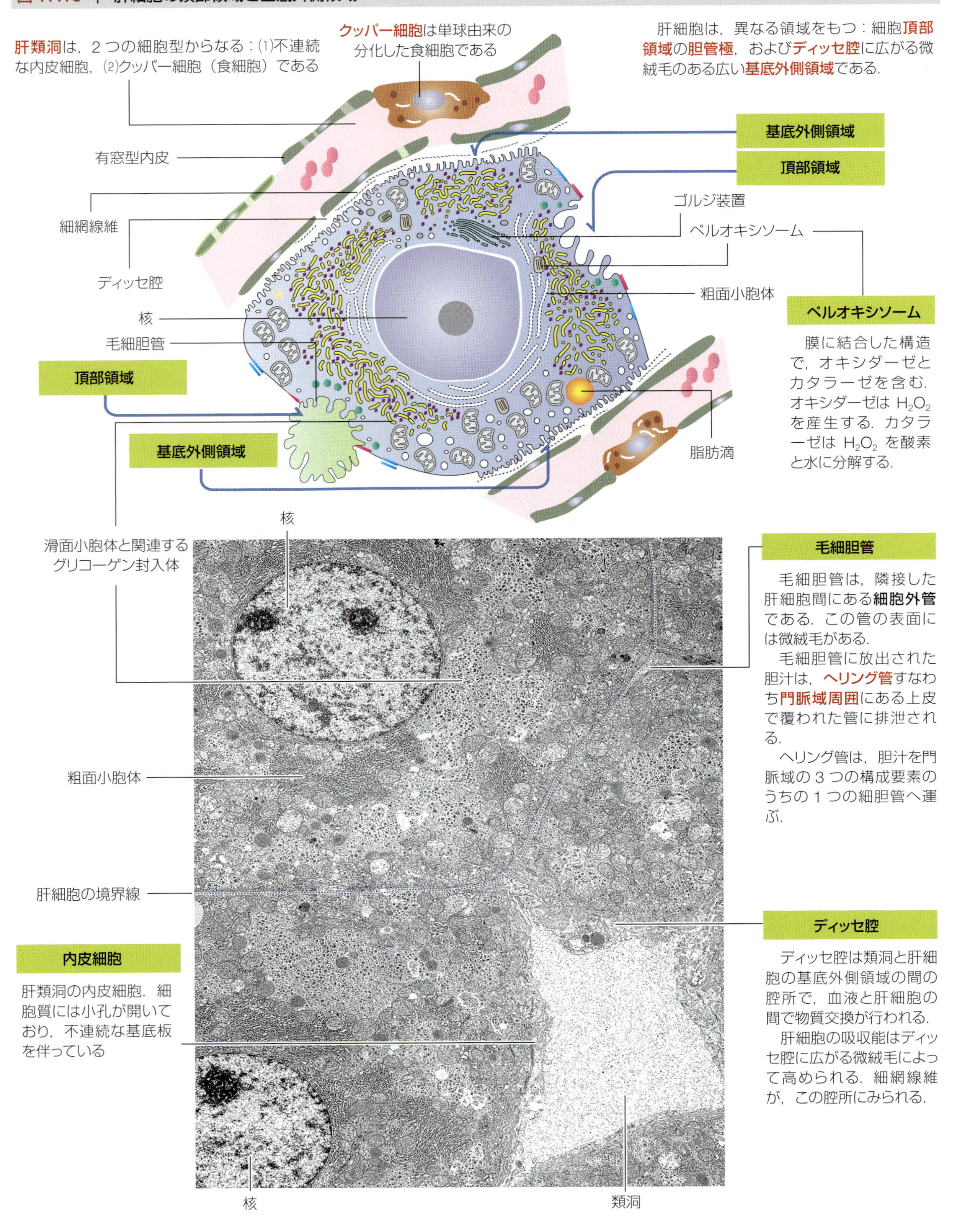

図 17.16 | 肝類洞と毛細胆管

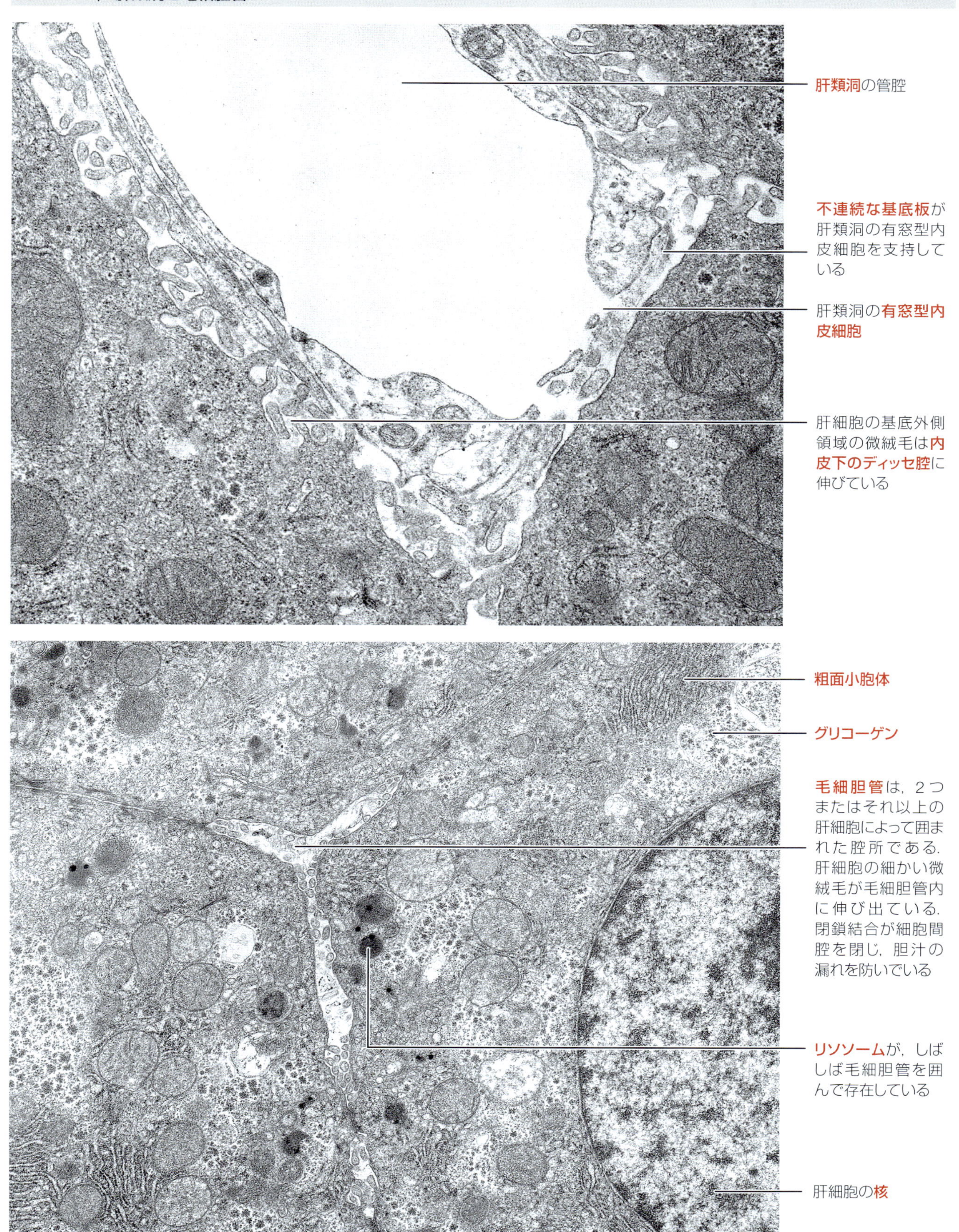

図 17.17 | 毛細胆管と肝細胞の極性

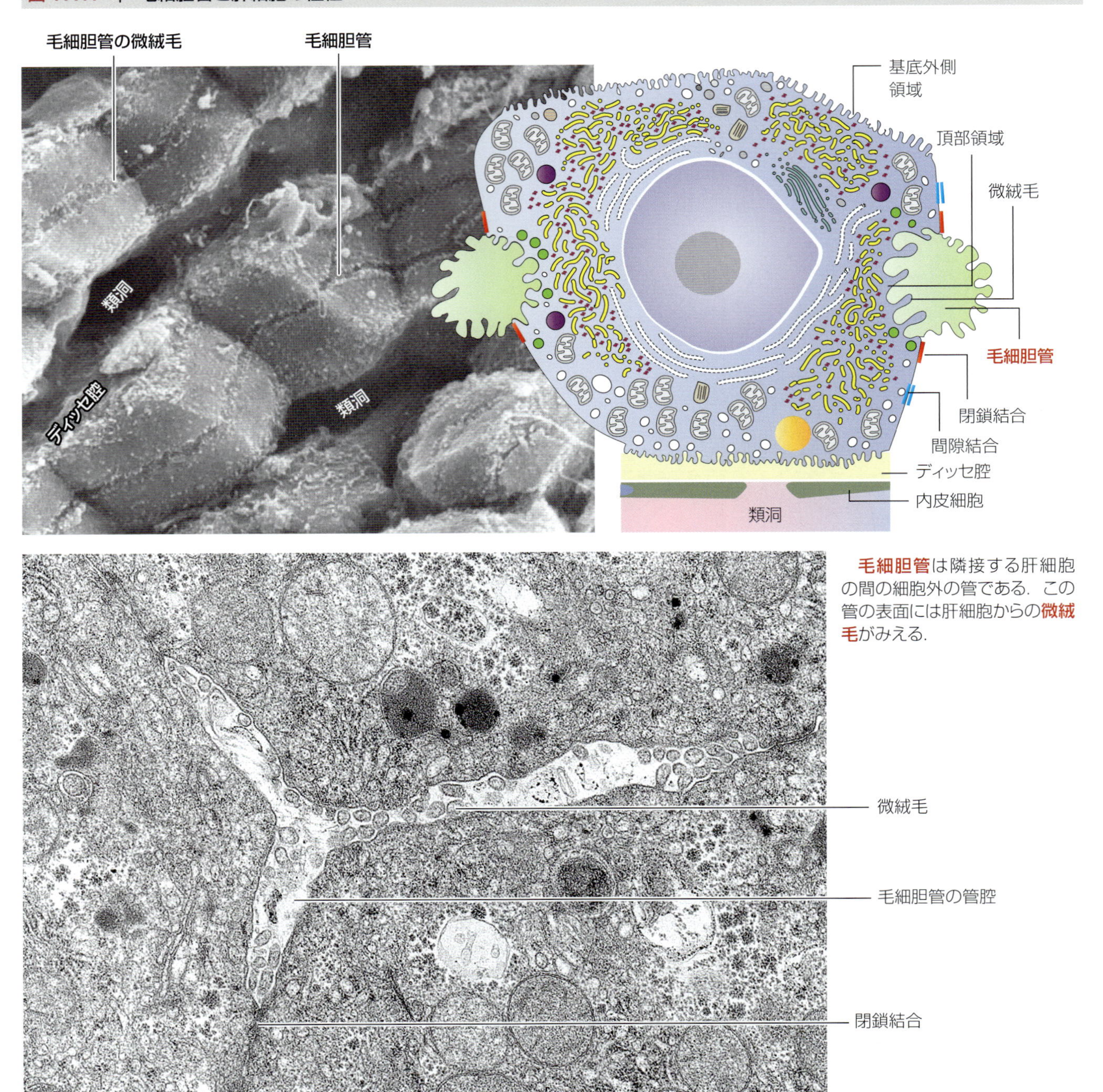

毛細胆管は隣接する肝細胞の間の細胞外の管である．この管の表面には肝細胞からの**微絨毛**がみえる．

走査電子顕微鏡写真：Richard G. Kessel, iowa City, Iowa の厚意による．

hepatocyte と腎臓の細胞で起こる．

ペルオキシソームは，小胞体から発芽したか，あるいは既存のペルオキシソームから分裂した既存の**前ペルオキシソーム** preperoxisome **に由来する**．その後，この細胞小器官はサイトゾルからペルオキシソーム輸送配列によってペルオキシソームのマトリックスタンパク質を取り込む．ペルオキシソームは，ペルオキシソーム生合成に関与するタンパク質，**ペルオキシン** peroxin を含有している．ペルオキシンのあるものは不完全で，ゼルウェーガー症候群 Zellweger syndrome を含むペルオキシソーム生合成障害と関係している．

ペルオキシソームの生合成と遺伝性疾患における役割は第2章に概説してある．

類洞周囲細胞（図 17.13，17.18）

類洞周囲細胞 perisinusoidal cell（**伊東細胞**，**肝星細胞** hepatic stellate cell ともいう）は肝類洞の傍のディッセ腔にみられる．

図 17.18 | 類洞周囲細胞と慢性肝疾患

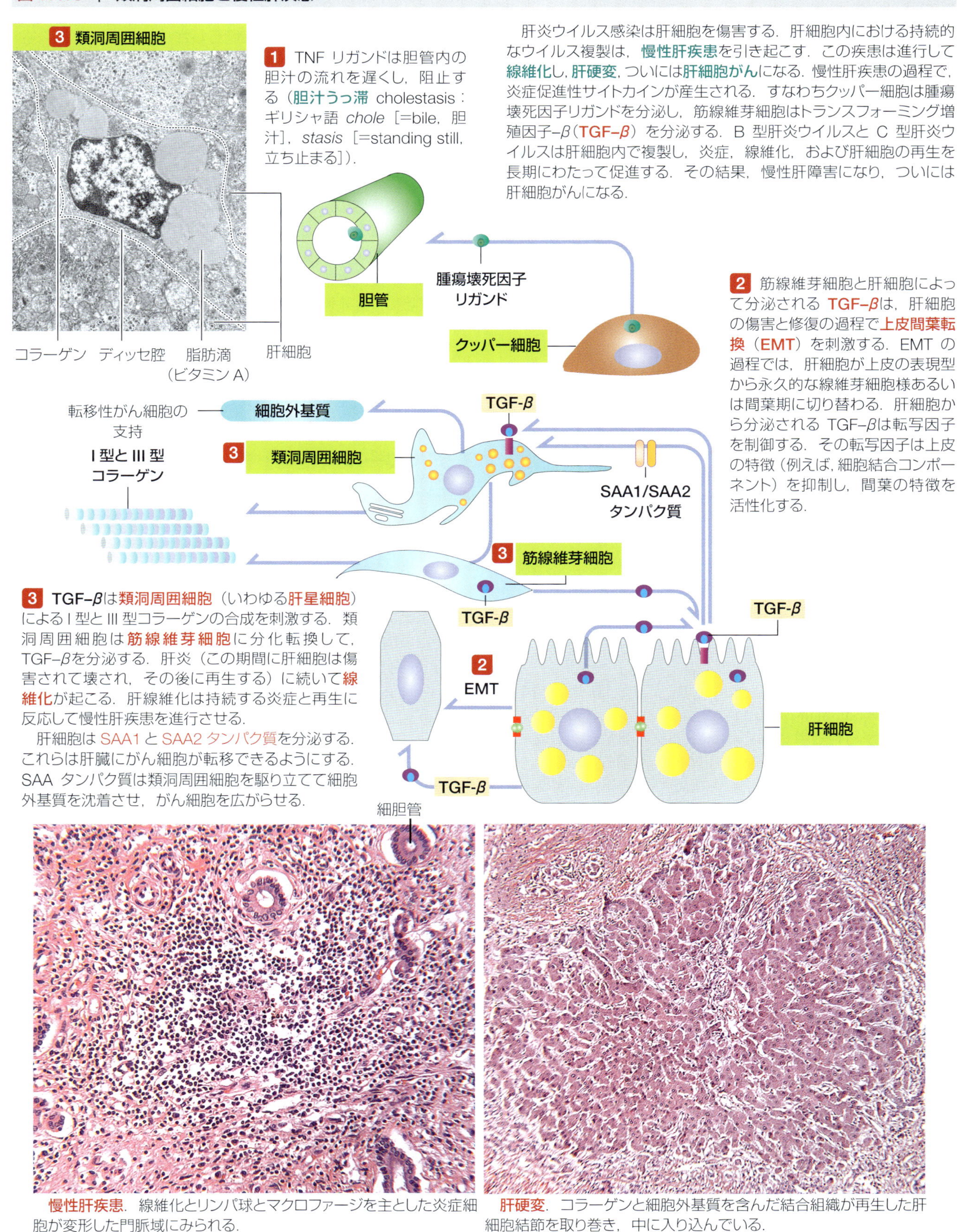

慢性肝疾患．線維化とリンパ球とマクロファージを主とした炎症細胞が変形した門脈域にみられる．

肝硬変．コラーゲンと細胞外基質を含んだ結合組織が再生した肝細胞結節を取り巻き，中に入り込んでいる．

これらの細胞は間葉由来で，脂肪を容れ，以下のことに関与する：

1. レチノイドの貯蔵と放出．
2. 細胞外基質の生成と回転．
3. 類洞における血流の調節．

類洞周囲細胞は静止状態すなわち増殖しない状態で留まっているが，クッパー細胞と肝細胞によって活性化されると増殖する．活性化は**部分肝切除** partial hepatectomy（Box 17.D）の後，限局性肝病変および線維化を導くさまざまな条件下に起きる．

類洞周囲細胞と慢性肝疾患（図 17.18）

病的状態で，類洞周囲細胞は**筋線維芽細胞** myofibroblast になり，慢性肝疾患の際にⅠ型とⅢ型コラーゲンと細胞外基質タンパク質を産生することによって線維化を起こす．線維化は再生を妨げる．

一度活性化されると，筋線維芽細胞は**トランスフォーミング増殖因子 -β** transforming growth factor-β（**TGF-β**）を分泌してオートクリン機構によって自身の活性を刺激し，肝細胞の 2 型**上皮 - 間葉転換** epithelial-mesenchymal transition（**EMT**）**を促進**させる．**EMT は上皮細胞の特徴を線維芽細胞様あるいは間葉系の表現型に切り替えるスイッチをもっている**．これは E- カドヘリン遺伝子の発現を抑制して細胞同士の接着を崩し，正常な肝細胞では活性でない Wnt シグナル経路その他を活性化する．

第 3 章において EMT の 3 型を指摘した．

1. 1 型 EMT は胎生期に起きる．
2. 2 型 EMT は組織傷害と炎症の修復のときに起きる．肝線維化は 2 型 EMT の例である．線維芽細胞と間葉系細胞が急性および慢性肝炎の修復に必要である．
3. 3 型 EMT はがんとがん転移で起こる．**肝炎 Bx 抗原** hepatitis Bx antigen，すなわち B 型肝炎ウイルスの制御タンパク質が**がん幹細胞** cancer stem cell を肝細胞がん形成に向けて刺激するとき，肝硬変が肝細胞がんへ進行する．

Box 17.D | 肝臓の再生

- 肝臓はウイルス感染や毒物による**急性**壊死の後，優れた再生能力を示す．しかし，**慢性**の傷害では線維化が起こる．
- 広範な肝切除（約 70%）の後，ヒトの肝細胞は静止状態を出て，細胞周期シークエンスを開始し，6〜8 週の内に元の肝臓の質量に再生する．
- 再生過程の**初期相**には**類洞周囲細胞**，**マクロファージ**，肝類洞の**内皮細胞** endothelial cell が関与する．内皮細胞は**血管内皮細胞成長因子受容体 2** vascular endothelial growth factor receptor 2（**VEGFR2**）を合成する．これは肝細胞増殖を刺激するために**肝細胞成長因子** hepatocyte growth factor（**HGF**）を産生する分子プログラムの最初の段階である．
- **長期にわたる肝障害**（慢性ウイルス性肝炎やアルコール過剰摂取）では，**類洞周囲細胞が筋線維芽細胞に変化**し，細胞外基質を沈着させることにより**線維化**を起こす．線維化は肝細胞と胆管上皮の再生能力を乱して，肝臓の再生ができないようにする．血管の構造は異常になり，コラーゲン線維が肝細胞を囲み肝硬変が起こる．

がん幹細胞は**ステムネス関連遺伝子** stemness-associated gene，例えば *Nanog*，*Oct4*，*Myc*，*Sox2*，*Klf4*（クルッペル様因子 4）を発現する．**ステムネス（幹細胞らしさ）** stemness とは，通常の非幹細胞にはみられない異なる幹細胞の特徴的な遺伝子発現パターンである．

コラーゲンと細胞外基質成分の沈着が増加すると，肝臓の進行性線維化が起こる．これは**肝硬変** cirrhosis の典型的な特徴である．

ディッセ腔内にコラーゲン線維と細胞外基質の沈着が増加すると**類洞内皮細胞の窓とギャップがなくなる**．線維化過程が進行すると，筋線維芽細胞は類洞の腔を収縮させ，血管抵抗を増大させる．**肝類洞中の門脈血の流れに対する抵抗が増大すると肝硬変における門脈圧亢進症** portal hypertension **になる**．

要するに，肝細胞は傷害に反応して再生する能力をもち，マクロファージはメタロプロテアーゼを分泌する．これは瘢痕組織を壊し肝細胞の増殖を強める．しかしながら，肝臓の細胞外基質は上皮再生反応を調節している．慢性肝障害においては，進行性の線維化が肝の再生を阻害する．

アルコール（中毒）症と脂肪肝（アルコール性脂肪性肝炎）（図 17.19）

エタノールは，胃で吸収された後，大部分が肝臓に運ばれ，肝細胞によって**アセトアルデヒド** acetaldehyde と**酢酸** acetate に代謝される．エタノールは，主に**アルコール脱水素酵素** alcohol dehydrogenase（**ADH**）すなわち NADH（ニコチンアミドアデニンジヌクレオチドの還元型）依存酵素によって酸化される．この機構は **ADH 経路** ADH pathway として知られている．さらに，滑面小胞体における**ミクロソーム・エタノール酸化系** microsomal ethanol-oxidizing system（**MEOS**）は付加的な代謝経路である．

長期にわたるエタノール摂取は，**脂肪肝** fatty liver（飲酒をやめれば可逆的に正常化する），**脂肪性肝炎** steatohepatitis（炎症を伴う脂肪肝），**肝硬変** cirrhosis（コラーゲン線維増殖または線維化）と**肝細胞がん** hepatocellular carcinoma（肝細胞の悪性化）を引き起こす．

腫瘍壊死因子リガンド tumor necrosis factor ligand（**TNFL**）の産生は，肝障害初期の出来事の 1 つである．TNFL は，他のサイトカイン産生の引き金となる．TNFL は**炎症促進性サイトカイン** proinflammatory cytokine と考えられ，炎症細胞を引き寄せる．この炎症細胞は肝細胞を傷害し，さらに治癒反応として**伊東の類洞周囲細胞** perisinusoidal cells of Ito によるⅠ型コラーゲン線維の産生（**線維形成** fibrogenesis として知られている過程）を促進する．

肝細胞の損傷はプログラムされた細胞死，すなわちアポトーシスを起こす．これはカスパーゼの活性化による（第 3 章参照）．TNFL は関節における種々の炎症性過程（第 5 章参照）や炎症細胞の血管外遊出（第 10 章参照）に関与する．

エタノール，**ウイルス**または**毒素**によって，**クッパー細胞** Kupffer cell は TNFL とともに**トランスフォーミング成長因子 -β** transforming growth factor-β（**TGF-β**）と**インターロイキン -6** interleukin-6 を合成するように誘導される．

図 17.19 | 肝細胞におけるエタノール代謝

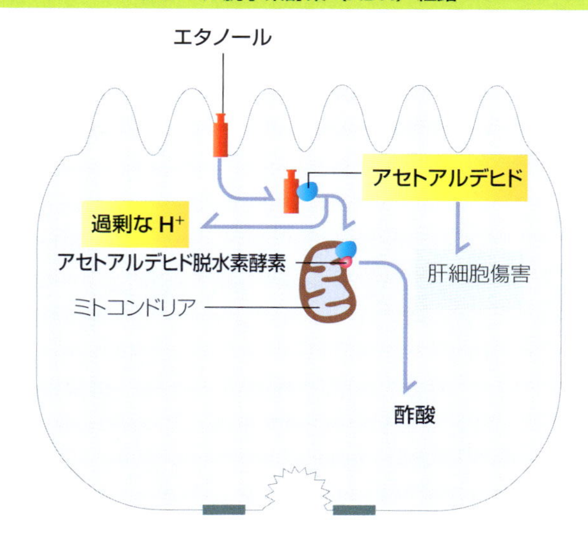

ADH が主な経路である．アルコールは酸化されて細胞質内でアセトアルデヒドに変わり，アセトアルデヒドはミトコンドリアで酢酸に変換される．

過剰な H^+とアセトアルデヒドは，ミトコンドリアを傷害し，微小管を分断し，タンパク質を変性させ，それが自己免疫応答を誘発して，肝細胞を傷害する．

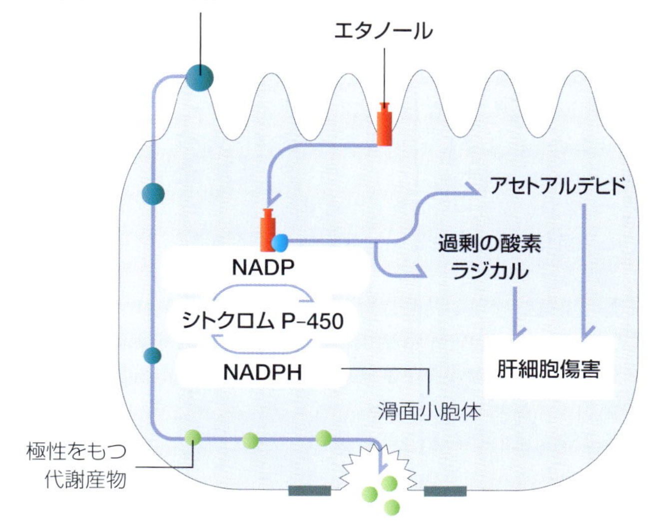

MEOS 経路は，アルコールの慢性摂取のときに重要である．アセトアルデヒドと過剰な H^+を産生する ADH 経路と異なり，MEOS 経路はアセトアルデヒドと過剰な酸素ラジカルを産生する．

活性酸素は，脂質を過酸化して細胞膜を損傷することにより，肝細胞を傷害する．加えて，MEOS 経路の上方制御は，さまざまな薬物，毒素，ビタミン A，D，潜在的発がん物質の酸化のためにシトクロム P-450 を必要とする肝細胞の解毒活性に影響する．これらの産物が蓄積すると，しばしば有毒となる．

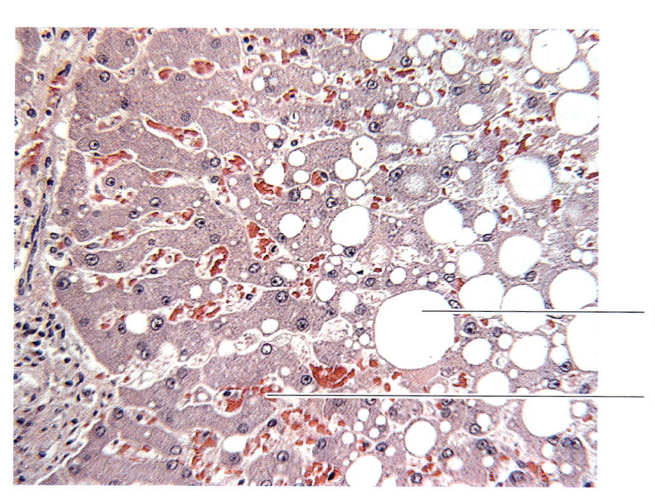

TGF-β は類洞周囲細胞が I 型と III 型コラーゲン線維を産生するように刺激し，その細胞数を増加させる．TNFL は胆管に作用し，胆汁の流れを妨害する（**胆汁うっ滞** cholestasis）．

慢性肝炎と肝硬変（図 17.18）

肝炎は主にウイルスによって起こる炎症状態であるが，細菌（腸あるいは血液由来）あるいは寄生虫（アメーバ症と住血吸虫症）によっても起こる．

ウイルス性肝炎 viral hepatitis は**肝臓指向性のウイルス** hepatotropic virus，特に最もよくある **A 型肝炎ウイルス** hepatitis virus A（HAV），**B 型肝炎ウイルス** hepatitis virus B（HBV），**C 型肝炎ウイルス** hepatitis virus C（HCV）によって引き起こされる．ウイルス型はそれぞれ異なったグループに属する．

HAV は**急性肝炎** acute hepatitis を引き起こすが，慢性化することはまれである．HAV 感染は汚染した食物や水の摂取によって広がる．

HBV 感染は性的接触と薬物依存者間の注射針共有により血液や血清が移ることによって起こる．感染者の約 10％が**慢性肝炎** chronic hepatitis になる．

HCV による症例の 90％は輸血によって引き起こされ，感染者の 50〜70％は慢性肝炎になる．HCV 感染の治療は**直接作用性抗ウイルス薬** direct-acting antiviral agent を組み合わせた経口投与である．

他の型のウイルス性肝炎にはD型，E型，G型ウイルスが含まれる．1つの型のウイルスによる免疫は他の型のウイルスによる感染を防げない．

慢性型のウイルス性肝炎患者は，6ヵ月以上も続くと，血液や体液で感染させることがあり，感染は時が経つと肝硬変に進行する，あるいは肝細胞性がん（肝がん）になる．

急性肝炎の典型的な症状は，食欲不振，嘔気，嘔吐および黄疸である．

生化学的異常には以下が含まれる：

1. 血清**肝アミノトランスフェラーゼ** liver aminotransferase（**アスパラギン酸アミノトランスフェラーゼ** aspartate aminotransferase［AST］と**アラニンアミノトランスフェラーゼ** alanine aminotransferase［ALT］）の上昇．これは傷害された肝細胞から酵素が血液中に漏れるためである．
2. **ウイルス抗体** viral antibody．感染後数週間以内に血液中に検出される．

急性肝炎の組織病理学的特徴は肝細胞障害（壊死）とアポトーシスおよび肝細胞内に胆汁が蓄積することである．好中球，リンパ球，マクロファージを含む炎症細胞が中心静脈周囲（肝腺房のIII帯）の類洞と門脈域にみられる．

慢性肝炎は線維化の存在と肝細胞壊死，炎症性のリンパ球活性によって決められる．

限界板（肝腺房のI帯）の崩壊，門脈域への線維化の進展，肝細胞の結節状再生，および細胆管の増殖が肝硬変の進展の指標である．

ビリルビン代謝（基本事項 17.A）

ビリルビンはヘム異化の最終産物で，85％は主として脾臓でマクロファージによって破壊された老化赤血球に由来する．

ビリルビンは血流に入るとアルブミンと結合し肝臓に運ばれる．**アルブミンに結合したビリルビンと異なり，遊離ビリルビン** free bilirubin **は脳に有害**である．

胎児赤芽球症 erythroblastosis fetalis に関する議論を思い出してほしい（第6章参照）．新生児で抗体により誘発される溶血性疾患は，母体と胎児間の血液型不適合に起因している．溶血により**遊離ビリルビン**量が増加して**高ビリルビン血症** hyperbilirubinemia を起こし，その結果，中枢神経系に非可逆的な損傷（**核黄疸** kernicterus）を生じる．

アルブミン結合ビリルビンが肝類洞に達すると，**アルブミン・ビリルビン複合体** albumin-bilirubin complex が解離して，ビリルビンが細胞膜受容体に結合し，肝細胞の細胞膜を横断して細胞内に入る．

肝細胞の中で，ビリルビンは**リガンジン** ligandin（血中にビリルビンが戻るのを防ぐタンパク質）に結合する．**ビリルビン・リガンジン複合体** bilirubin-ligandin complex は滑面小胞体に運ばれ，そこでビリルビンは**ウリジン二リン酸塩（UDP）- グルクロニルトランスフェラーゼ系** uridine diphosphate（UDP）-glucuronyl transferase system によって，**グルクロン酸に抱合**される．

この反応は**水溶性ビリルビン・ジグルクロニド** water-soluble bilirubin diglucuronide をつくり出す．これはサイトゾルから毛細胆管に拡散して胆汁に分泌される．

小腸の近位部では，胆汁内の抱合ビリルビンはそのままであるが，小腸の遠位部や結腸に達すると**腸内細菌叢によって遊離ビリルビンが産生される**．

非抱合ビリルビンは次に**ウロビリノゲン**に還元される．大部分のウロビリノゲンは大便とともに排出される．少量のウロビリノゲンは**腸肝（胆汁）循環** enterohepatic bile circulation とよばれる過程によって肝臓に戻る．他のわずかな部分は尿中に排出される．

胆嚢（図 17.20）

胆嚢の主な機能は，**胆汁の貯蔵，濃縮，放出**である．薄い胆汁が総肝管から胆嚢管を通り，胆嚢に運ばれてくる．濃縮後，胆汁は総胆管に放出される．

胆嚢の壁は，**粘膜** mucosa，**筋層** muscularis，**外膜** adventitia からなる．肝臓に直接接しない胆嚢の部分は，腹膜に覆われる．

粘膜は**単層円柱上皮** simple columnar epithelium に覆われた多数の**ヒダ** fold からなり，**血管リンパ管叢** vascular lymphatic plexus を含む粘膜固有層がその下にある．

粘膜は，時が経つと**ロキタンスキー・アショフ洞** Rokitansky-Aschoff sinus として知られている深い裂溝をつくる．**胆嚢頸部** neck region では，粘膜固有層に**管状房状腺** tubuloacinar gland がみられる．**粘膜筋板や粘膜下層は胆嚢に存在しない**．**筋層**には，コラーゲン線維と弾性線維を伴う平滑筋束が存在している．

高ビリルビン血症（基本事項 17.A）

ビリルビン形成の1つないしそれ以上の代謝段階が破綻すると，いくつかの疾患が起こる．これらの疾患の特徴は，**高ビリルビン血症**，すなわち血液中のビリルビン濃度の上昇（0.1 mg/mL 以上）である．

ジルベール症候群 Gilbert's syndrome は最もよくみられる生まれつきの代謝異常で，中等度の高ビリルビン血症をきたす．何ら重篤な健康障害を伴わない非抱合ビリルビン値の上昇が血流中にみられる．原因はビリルビンを抱合する酵素**グルクロニルトランスフェラーゼ** glucuronyl transferase の活性低下である．

UDP- グルクロニルトランスフェラーゼ系の遺伝性欠損は**クリグラー・ナジャー病** Crigler-Najjar disease として知られており，肝細胞内でビリルビンが抱合されない．その結果，胆汁内に抱合ビリルビン・ジグルクロニドが存在しない．この疾患に罹患した乳児は，**ビリルビン脳症** bilirubin encephalopathy になる．

ドュービン・ジョンソン症候群 Dubin-Johnson syndrome は，家族性疾患で**毛細胆管内に抱合ビリルビンが輸送されない**ことに起因する．抱合ビリルビンの輸送に加えて，これらの患者には有機陰イオンの輸送と排泄の全般的障害が認められる．

胆汁分泌機構（図 17.21）

胆汁 bile は肝細胞によって産生される有機物と無機物の複合混合物で，毛細胆管，すなわち隣接する肝細胞間の細胞外の管によって運ばれる．毛細胆管は，肝細胞の**頂部領域** apical domain に限られることを再度強調しよう．肝細胞の**基底外側領域** basolateral domain は，類洞腔に面している．隣接した肝細胞間

基本事項 17.A ｜ ビリルビン代謝

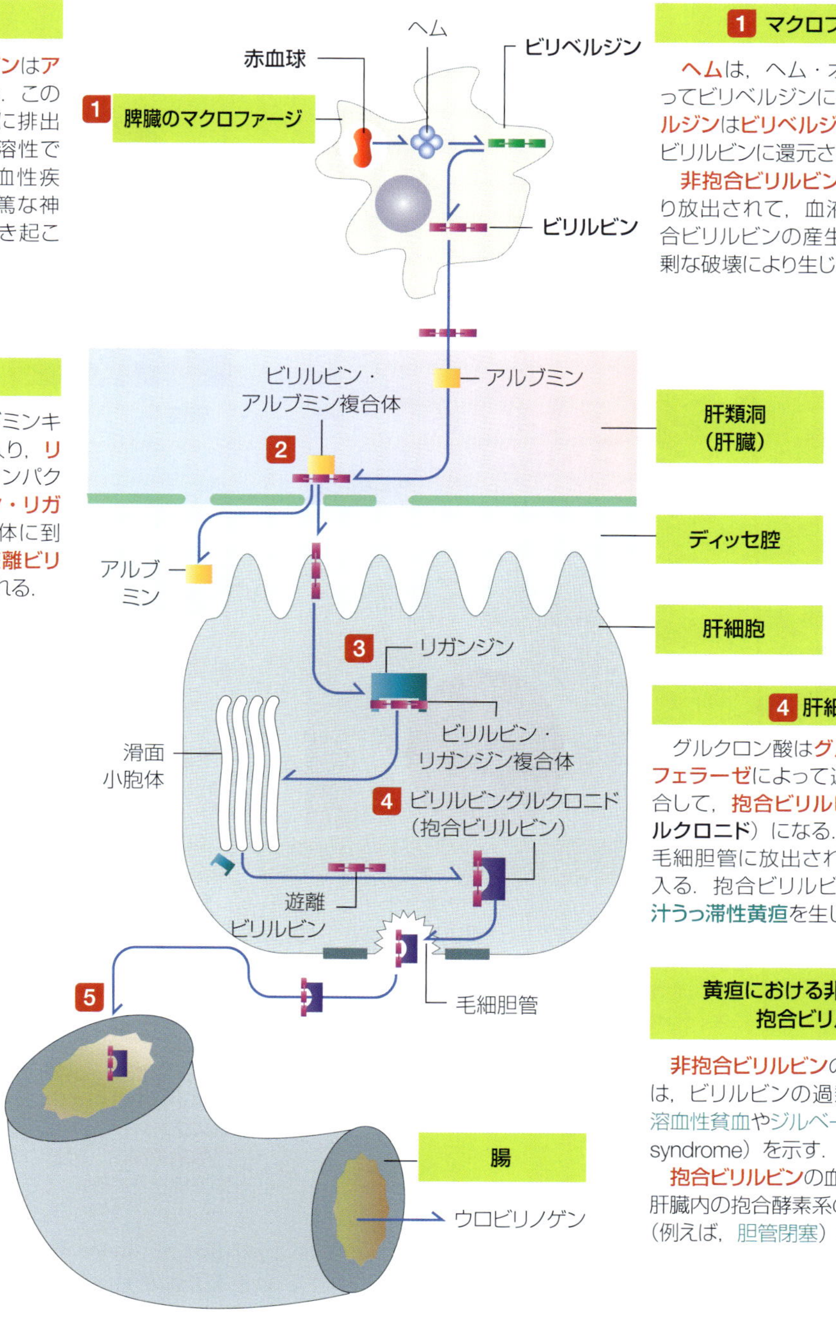

1 マクロファージ（脾臓）

ヘムは，ヘム・オキシゲナーゼによってビリベルジンに変換される．ビリベルジンはビリベルジン還元酵素によってビリルビンに還元される．

非抱合ビリルビンはマクロファージより放出されて，血液循環に入る．非抱合ビリルビンの産生過剰は赤血球の過剰な破壊により生じ，**黄疸**を起こす．

2 血液

血液中において，ビリルビンはアルブミンと複合体を形成する．この**複合体**は，大きすぎて尿中に排出されない．この複合体は水溶性であり，脳に入って新生児溶血性疾患（**胎児赤芽球症**）では重篤な神経学的障害（**核黄疸**）を引き起こすことがある．

3 肝細胞

脂溶性ビリルビンはアルブミンキャリアから離れて肝細胞に入り，リガンジン（細胞内キャリアタンパク質）と結合する．ビリルビン・リガンジン複合体は，滑面小胞体に到達し，酵素の働きによって遊離ビリルビンがサイトゾルに放出される．

4 肝細胞

グルクロン酸はグルクロニルトランスフェラーゼによって遊離ビリルビンに結合して，抱合ビリルビン（**ビリルビングルクロニド**）になる．抱合ビリルビンは毛細胆管に放出され，肝臓外胆管系に入る．抱合ビリルビンの排出障害は**胆汁うっ滞性黄疸**を生じる．

5 腸

腸において，グルクロニドは解離し，ビリルビンは細菌によってウロビリノゲンに変換され，尿中に排泄される（ウロビリンとして）．また大便とともに排泄される．ウロビリノゲンの約 20% は，回腸と結腸において再吸収され，肝臓に戻る．

黄疸における非抱合および抱合ビリルビン

非抱合ビリルビンの血漿レベルの増加は，ビリルビンの過剰な産生（例えば，溶血性貧血やジルベール症候群 Gilbert's syndrome）を示す．

抱合ビリルビンの血漿レベルの増加は，肝臓内の抱合酵素系の範囲を超えた障害（例えば，胆管閉塞）を示す．

赤血球
ヘム
ビリベルジン
1 脾臓のマクロファージ
ビリルビン
ビリルビン・アルブミン複合体
アルブミン
2
肝類洞（肝臓）
ディッセ腔
アルブミン
肝細胞
3 リガンジン
ビリルビン・リガンジン複合体
滑面小胞体
4 ビリルビングルクロニド（抱合ビリルビン）
遊離ビリルビン
毛細胆管
5
腸
ウロビリノゲン

の**閉鎖結合** tight junction は，毛細胆管の壁を密閉している．

胆汁の主要な有機物は，抱合胆汁酸（胆汁酸塩とよばれる），グリシン，およびコレステロール由来の胆汁酸のタウリン *N*- アシルアミド化誘導体である．

胆汁は，5 つの主な機能をもつ：

1. **コレステロール** cholesterol，**リン脂質** phospholipid，**胆汁酸塩** bile salt，**抱合ビリルビン** conjugated bilirubin，および**電解質** electrolyte の排出．
2. **腸管内における脂肪吸収**に関与する（第 16 章参照）．
3. 腸肝循環によって多量体 IgA を腸粘膜へ輸送する．
4. 肝細胞において処理された薬物の代謝産物と重金属の排出．
5. 抱合胆汁酸は小腸内の細菌の成長を阻止する．

肝細胞から毛細胆管内への胆汁と他の有機物質の輸送は，アデノシン三リン酸（ATP）依存性過程である．

4 つの ATP 依存性トランスポーターが毛細胆管の細胞膜に存在し，胆汁の輸送機構に関与する．

1. **多剤耐性 1 トランスポーター** multidrug resistance 1 transporter（MDR1）は細胞膜を横切ってコレステロールを

図 17.20 | 胆嚢

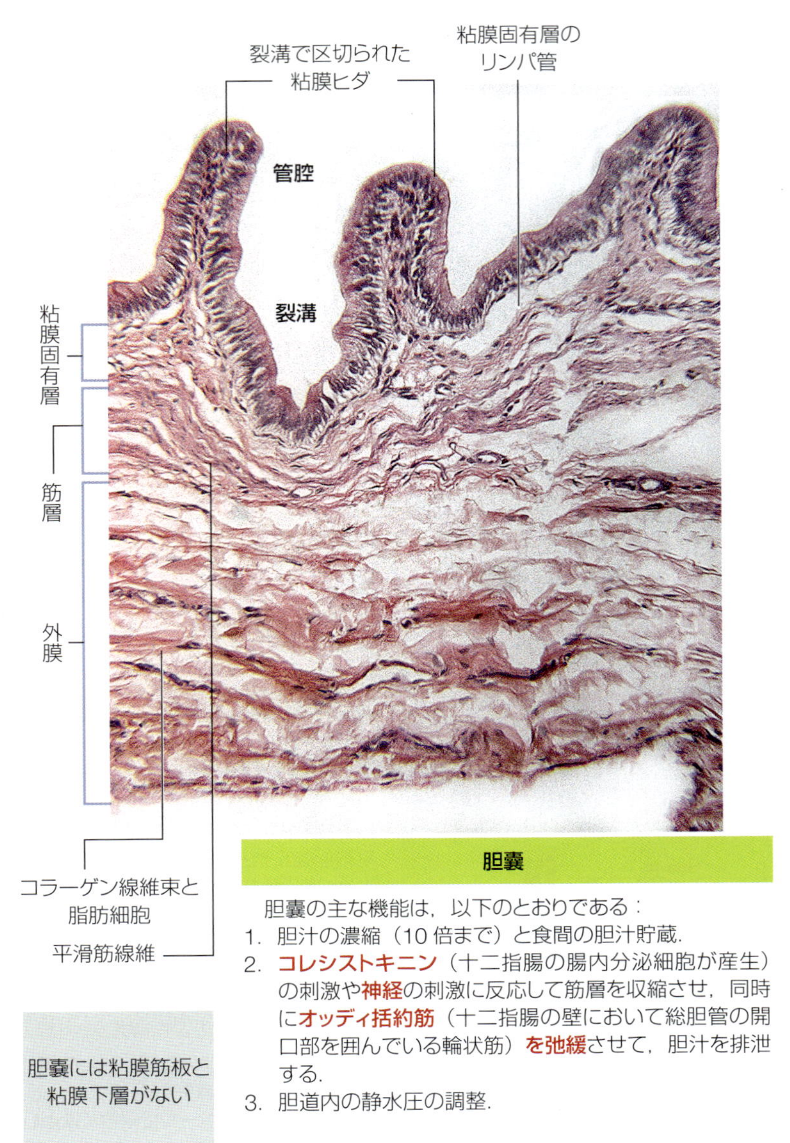

胆嚢には粘膜筋板と粘膜下層がない

胆嚢

胆嚢の主な機能は，以下のとおりである：

1. 胆汁の濃縮（10 倍まで）と食間の胆汁貯蔵．
2. **コレシストキニン**（十二指腸の腸内分泌細胞が産生）の刺激や**神経**の刺激に反応して筋層を収縮させ，同時に**オッディ括約筋**（十二指腸の壁において総胆管の開口部を囲んでいる輪状筋）**を弛緩**させて，胆汁を排泄する．
3. 胆道内の静水圧の調整．

胆汁うっ滞

胆汁うっ滞は，肝細胞での胆汁の産生や排泄の障害（**肝内性胆汁うっ滞**），あるいは構造的（**膵臓**または**胆管の腫瘍**：胆管がん），あるいは機械的（胆石による**胆石症**）な胆汁排泄の障害（**肝外性胆汁うっ滞**）として定義される．

臨床的には，胆汁うっ滞は以下の事項で検出される：(1)血中の**ビリルビン**と胆汁酸の証明による．これらの物質は正常では胆汁内に分泌される．(2)血清中の**アルカリホスファターゼ**（毛細胆管の細胞膜にある酵素）の高値．(3)**放射線診断**（胆石の多くは X 線不透過性で，単純撮影で検出される）．

輸送する．

2. **多剤耐性2トランスポーター** multidrug resistance 2 transporter（MDR2）はリン脂質を輸送する．
3. **多選択性有機アニオントランスポーター** multispecific organ anionic transporter（MOAT）はビリルビングルクロニドやグルタチオン抱合体を排泄する．
4. **胆汁酸トランスポーター** bile acid transporter（BAT）は胆汁酸塩を輸送する．

これらの ATP トランスポーターは，**ABC トランスポーター** ABC transporter ファミリーに属する．この ABC トランスポーターファミリーは，高度に保存された ATP- 結合領域，すなわち ATP 結合カセットを特徴としている．最初の ABC トランスポーターは *mdr* 遺伝子の産物として発見された．*mdr* 遺伝子（**多剤耐性** multiple drug resistance を意味する）は，がん細胞で高度に発現し，コードされた MDR トランスポーターは薬物を細胞外に汲み出す作用をもつので，がん細胞は化学療法剤によるがん治療に抵抗性を示す．

胆汁酸の分泌によって，毛細胆管に水の流入が起こるのに必要な浸透圧勾配がつくられる．加えて，**イオン交換体** ion exchanger は，HCO_3^- と Cl^- の排泄を可能にする．

最後に，毛細胆管と胆管の細胞膜にある加水分解酵素（**外酵素** ectoenzyme）はヌクレオシドとアミノ酸分解産物（導管上皮細胞によって再吸収される）を産生する．

MDR2 の遺伝的欠損は，局所の肝細胞壊死や細胆管の増殖，門脈域での炎症反応を引き起こす．非常に低濃度のリン脂質が，MDR2 突然変異型の胆汁に検出される．

図 17.21 | 毛細胆管への胆汁輸送

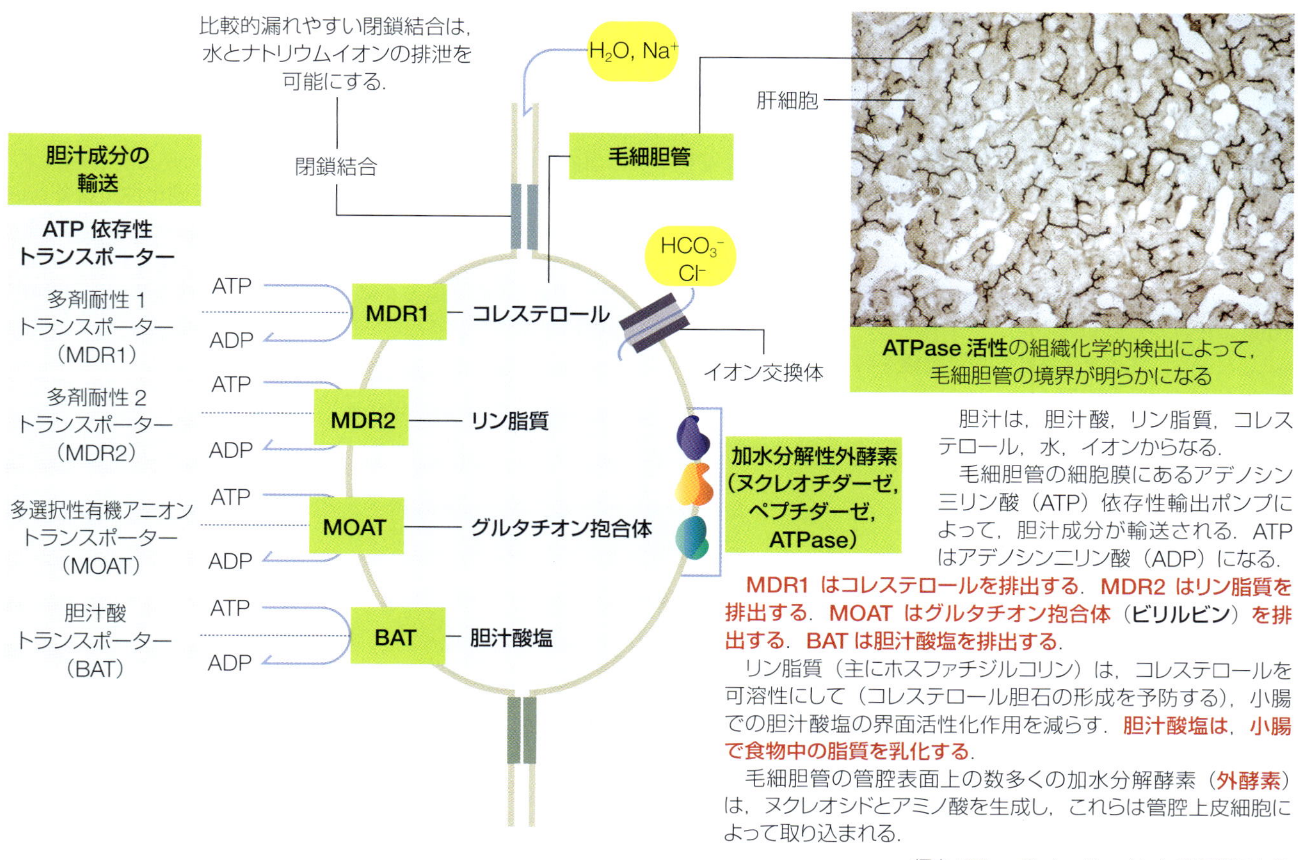

胆汁は，胆汁酸，リン脂質，コレステロール，水，イオンからなる．

毛細胆管の細胞膜にあるアデノシン三リン酸（ATP）依存性輸出ポンプによって，胆汁成分が輸送される．ATP はアデノシン二リン酸（ADP）になる．

MDR1 はコレステロールを排出する．MDR2 はリン脂質を排出する．MOAT はグルタチオン抱合体（ビリルビン）を排出する．BAT は胆汁酸塩を排出する．

リン脂質（主にホスファチジルコリン）は，コレステロールを可溶性にして（コレステロール胆石の形成を予防する），小腸での胆汁酸塩の界面活性化作用を減らす．胆汁酸塩は，小腸で食物中の脂質を乳化する．

毛細胆管の管腔表面上の数多くの加水分解酵素（外酵素）は，ヌクレオシドとアミノ酸を生成し，これらは管腔上皮細胞によって取り込まれる．

標本：Tibor Barka, New York の厚意による．

胆汁の組成（基本事項 17.A）

ヒトの肝臓は，1 日に約 600 mL の胆汁を産生する．胆汁は，**胆汁酸** bile acid（主成分），**リン脂質** phospholipid（主にレシチン），**コレステロール** choresterol，**胆汁色素** bile pigment（**ビリルビン**）などの**有機成分**と，**無機成分**（主に Na^+ と Cl^-）で構成されている．

胆汁酸（コール酸，ケノデオキシコール酸，デオキシコール酸，リトコール酸）は，肝細胞で合成される．コール酸とケノデオキシコール酸はコレステロールの前駆物質として合成されるので，**一次胆汁酸** primary bile acid とよばれる．デオキシコール酸とリトコール酸は，腸管内で一次胆汁酸に腸内細菌が作用することによって産生されるので，**二次胆汁酸** secondary bile acid とよばれる．

胆汁酸合成経路は，身体からコレステロールを排泄する主な機構である．タウリンまたはグリシンに共役される胆汁酸分子の集合によって，**ミセル** micell が形成される．コレステロールはミセルの内側に位置する．胆汁色素はミセルの成分ではない．

肝臓から分泌された胆汁は胆嚢に貯蔵されて，食事中，脂肪の分解と吸収を促進するために十二指腸に出される（第 16 章参照）．

約 90% の一次と二次の胆汁酸は，腸細胞によって腸管腔から吸収され，門脈を通って肝臓に戻る．この経路は**腸肝循環** enterohepatic circulation として知られている．

腸細胞による胆汁酸の吸収は，頂部の細胞膜に存在する Na^+ 依存性トランスポータータンパク質によって調節され，Na^+ 非依存性陰イオン交換輸送体によって基底外側部の細胞膜を通して分泌される．

ビリルビンは腸では吸収されない．ビリルビンは小腸遠位部と結腸で細菌によって還元されて，**ウロビリノゲン** urobilinogen になる．

ウロビリノゲンは部分的に大便に混ざって排泄されるが，一部分は門脈を介して肝臓に戻る．さらに一部分は**ウロビリン** urobilin（ウロビリノゲンの酸化された形）として尿中に排泄される．

胆汁酸は，毛細胆管に水と電解質を動かす浸透圧勾配を確立する．胆管を構成する上皮細胞から HCO_3^- が分泌されて胆汁に加えられると，Na^+，Cl^-，水が吸収されるので，胆汁はアルカリ性になる．**セクレチン** secretin は，胆汁への HCO_3^- の能動輸送を増加させる．

胆汁の十二指腸への流れは以下のことに依存する：

1. 活発に胆汁を分泌している肝細胞によって生じる分泌圧力．
2. 胆管と**オッディ括約筋** sphincter of Oddi による流動抵抗．

オッディ括約筋は，総胆管が十二指腸に入るところにみられる輪状の筋性肥厚である．絶食の間，オッディ括約筋は閉じられ，胆汁は胆嚢に入る．

胆嚢は，胆汁を5～20倍に濃縮することにより，胆嚢の限られた貯蔵能（20～50 mL）を補い，肝臓による胆汁産生を持続させる．

食物を消化している間の胆汁分泌は，腸管内の脂質に反応して**コレシストキニン** cholecystokinin による胆嚢の筋層の収縮によって始まる．これは，総胆管，オッディ括約筋および十二指腸の筋作用により促進される．

コレシストキニンはオッディ括約筋が弛緩するように働きかけ，胆汁が十二指腸に入るのを可能にする．**コレシストキニンの相反効果**に注目してほしい．コレシストキニンは，胆嚢の**筋収縮**を起こしながら，**オッディ括約筋**の**筋弛緩**を起こす．

胆汁分泌に影響する条件

胆汁分泌には，肝細胞，胆管，胆嚢，および腸が関与するので，この経路のいずれの部位における問題も，病的な状態につながりうる．例えば，ウイルス感染（**ウイルス性肝炎** viral hepatitis）や毒素による肝細胞の破壊は，胆汁産生の低下とともに血液中のビリルビンの増加（**黄疸** jaundice）を引き起こす．

胆石 gallstone や**胆道疾患**（例えば**原発性硬化性胆管炎** primary sclerosing cholangitis）または**腫瘍** tumor（例えば**胆管がん** cholangiocarcinoma）による胆汁経路の閉塞は，胆汁の流れを妨げ，肝臓への胆汁逆流を起こして，ついには体循環に胆汁が入ることになる．

消化腺 | 概念図・基本的概念

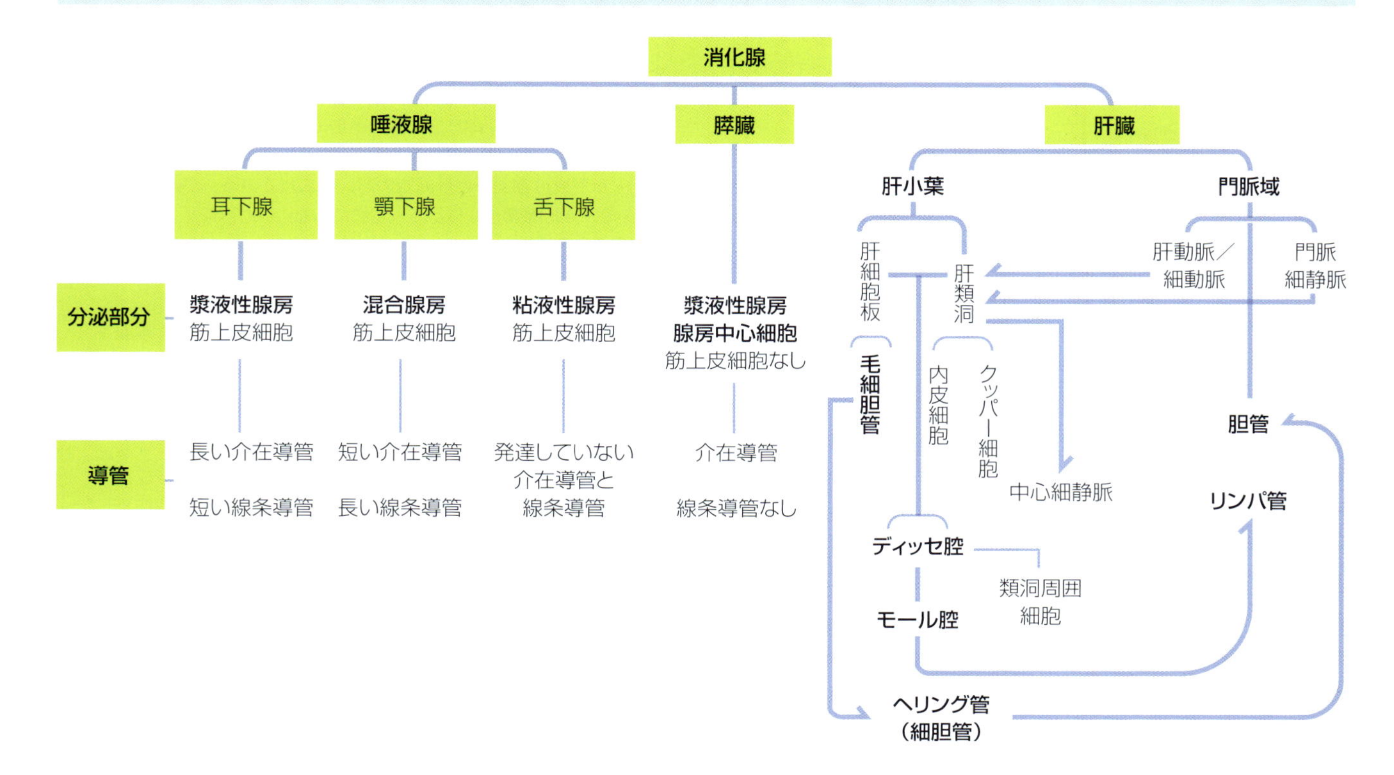

- 3つの主要な消化腺：
  (1)耳下腺，顎下腺，舌下腺からなる唾液腺．
  (2)膵外分泌部．
  (3)肝臓．

- 唾液腺は分岐した導管と分泌部の腺房からなり，腺房は粘液性，漿液性，および漿粘液性物質を産生する．唾液腺は分枝（複合）管状胞状腺に分類される．

  各腺房は以下の順に排泄される：
  (1)介在導管．単層の丈の低い扁平～立方上皮からなる．介在導管は腺房を線条導管につなげる．
  (2)線条導管．基底部に豊富なミトコンドリアを含む単層立方～円柱上皮からなる．線条導管は顎下腺でよく発達している．

  介在導管と線条導管は小葉内にみられる．事実，これらは小葉内導管の範疇に属す．

  線条導管は小葉間導管に合流する．小葉間導管は，小葉間で結合組織の小葉間中隔中にみられる．小葉間導管は，多列円柱上皮で覆われる．

  小葉間導管は集合して葉間中隔にある葉導管につながる．これは重層円柱上皮で覆われる．

  葉導管は主導管に加わる．主導管は，口腔への開口部付近では重層扁平上皮で覆われる．

  結合組織中隔が分岐した導管系を支持している．血管，リンパ管，および神経は導管に沿った中隔中にみられる．

  唾液腺の主要な産物は唾液である．唾液はタンパク質，糖タンパク質，イオン，水，および免疫グロブリンAを含む．顎下腺が唾液の70％を産生し，耳下腺は唾液の25％を産生する．唾液中のタンパク質はペリクルという保護膜を歯に形成する．

  唾液の主要産物は以下の3つである：
  (1)リゾチーム．細菌の細胞膜を破壊する．
  (2)ラクトフェリン．細菌の成長に必要な鉄をキレート化する．
  (3) SIgA．細菌とウイルスを殺す．

  唾液の消化機能は以下による：
  (1)アミラーゼ（プチアリン）．口腔内で炭水化物（デンプン）の消化を始める．
  (2)舌リパーゼ．食物中の脂質の加水分解を行う．

  耳下腺は筋上皮細胞で囲まれた漿液性腺房からなる．耳下腺は最も長い介在導管をもっている．

  顎下腺は漿粘液性腺房と漿液性腺房の両方をもち，筋上皮細胞で囲まれている．漿液性細胞は漿液－粘液性腺房の粘液性細胞を覆う半月を形成する．漿液性細胞の分泌は細胞間分泌細管に沿って腺房腔に運ばれる．

  舌下腺は主に粘液性腺房からなり，漿粘液性腺房がわずかにみられる．筋上皮細胞は存在する．介在導管と線条導管はほとんど発達していない．

- 耳下腺の最もよくある2つの良性腫瘍は以下のとおりである：
  (1)発育の遅い唾液腺混合腫瘍（多形腺腫）．この腫瘍は導管上皮細胞および間葉様筋上皮細胞をもつミクソコンドロイドゾーンからなる．外科的切除は耳下腺の中を走る顔面神経を保護する必要があるので複雑である．混合腫瘍は摘出しても高率で多巣性再発を起こす．
  (2)ワルチン腫瘍（リンパ性乳頭性嚢状腺腫）．この腫瘍は耳下腺に発生し，喫煙者に高リスク発生率で起こる．腫瘍の基質はリンパ組織を中心に周りを扁平，粘液，皮脂性上皮細胞で囲まれた乳頭様配列からなる．ワルチン腫瘍は耳下腺内または耳下腺周囲のリンパ節から発生する．

- 膵外分泌部．膵臓は分枝管状房状腺の外分泌部と内分泌腺（ランゲルハンス島）からなる．膵臓は結合組織で包まれているが，固有の被膜をもっていない．小葉は結合組織性隔壁によって隔てられている．

  膵腺房は漿液性分泌細胞と膵臓に特徴的な腺房中心細胞をもつ．介在導管は，低い立方上皮からなり，腺房から出る．

線条導管も筋上皮細胞も膵外分泌部にはない.

介在導管は集合して，単層円柱上皮で覆われた小葉間導管になる.

セクレチンとコレシストキニンが膵腺房と介在導管の働きを制御する.コレシストキニンとアセチルコリンは膵腺房細胞によって産生される不活性のトリプシン，キモトリプシン，およびカルボキシペプチダーゼの放出を引き起こす.リパーゼ，アミラーゼ，コレステロールエステラーゼおよびホスホリパーゼも分泌される.セクレチンは，腺房中心細胞と介在導管の上皮細胞による水，ナトリウム，および重炭酸イオンの分泌を刺激する.

- 急性膵炎は膵酵素，特にトリプシンの早すぎる活性化による膵組織の自己融解の結果である.

この状態は通常，外傷，過食あるいはアルコールの過剰摂取あるいは胆道疾患に続いて起こる.急性膵炎の臨床症状は激しい腹痛，嘔気，嘔吐である.

血清アミラーゼとリパーゼの（24〜72 時間以内の）急速な上昇が典型的な診断上の特徴である.急性膵炎は膿瘍形成や嚢胞のような合併症を起こすことがある.

慢性膵炎は線維化と膵組織の部分または全部の破壊を特徴とする.アルコール（中毒）症が慢性膵炎の主たる原因であり，膵内分泌と外分泌の機能が永久に失われる.

嚢胞性線維症は呼吸器系，消化器系，生殖器系，および外皮系の粘液分泌を障害する遺伝性疾患である.嚢胞性線維症における慢性膵炎は腺房の消失，膵導管の拡張，広範な線維化（結合組織の増加）を特徴としている.すでに知っているように，嚢胞性線維症膜コンダクタンス制御因子（CFTR）タンパク質の遺伝的欠陥が塩素イオンの輸送を障害する.粘液は濃くなり，細菌感染しやすくなる.

- 膵臓腫瘍.膵管－胆管の解剖学的関係は膵頭部がんにおいて臨床的に重要である.なぜなら，胆管が圧迫されて閉塞性黄疸が起こるからである.

膵管腺がん（PDAC）が最もよくある膵臓原発性悪性腫瘍である.腫瘍塊は遠位総胆管と膵管を閉塞し拡張させる.導管上皮の過形成と上皮内がんは浸潤性膵管腺がんの前駆性変化である.

ほとんどの PDAC 腫瘍は *K-ras* 遺伝子に突然変異を宿している.この突然変異は薬剤の標的になりえない.より攻撃的な PDAC 扁平亜型は X 染色体上にみられる *KDM6A* 遺伝子の突然変異を伴う.男性では，*KDM6A* 遺伝子突然変異は Y 染色体上の関連する遺伝子 *UTY* の突然変異を共存する.両方の突然変異が PDAC 扁平亜型と関連している.

膵臓が太い血管に接していること，腹腔内リンパ節への流れが広範囲でびまん性であること，およびがん細胞がしばしば門脈を経由して肝臓に転移することが，膵臓がんの外科的切除を効果のないものにする要因である.

- 膵嚢胞性腫瘍.この範疇には漿液性嚢胞腺腫（透明な液体を入れた嚢胞をもつ）と粘液性嚢胞腺腫（粘液で満たされた嚢胞をもつ）が含まれる.粘液性嚢胞腺腫は治療しないと浸潤性腫瘍（粘液性嚢胞腺がん）に進行する.

ガストリノーマ，インスリノーマおよびグルカゴノーマは細胞質に分泌顆粒のみられる内分泌腫瘍の例である.これらの腫瘍は（症候と関連した）症候性機能腫瘍の範疇に属する.例えば，すでに述べたが，ガストリノーマはゾリンジャー・エリソン症候群を生じる.これは，胃において壁細胞による塩酸の産生がガストリンによって持続的に刺激されるために引き起こされる多発性消化性潰瘍を特徴とする.

- 肝臓.肝臓はコラーゲン線維と弾性線維を含む（グリソンの）被膜によって囲まれた境界不明瞭な葉からなる.

血液は 2 つの血管で供給される：

(1)門脈は消化管，脾臓，および膵臓から脱酸素化された血液を供給する.肝臓に入る血液の 75〜80％を占める.

(2)肝動脈は酸素化された血液を供給し，肝臓に入る血液の 20〜25％を占める.

門脈と肝動脈からの血液は肝小葉の類洞で混ざる.類洞の血液は中心細静脈（中心静脈）に集まり，順次，小葉下静脈，集合静脈，肝静脈によって下大静脈へ流入する.

胆汁は肝臓の外分泌物で，肝内胆管によって集められ，左右の肝管によって排出される.胆汁は胆嚢に貯蔵され，総胆管によって十二指腸の下行（第 2）部に排泄される.

肝小葉は肝臓の構造的・機能的単位である.肝小葉は内皮細胞とクッパー細胞によって裏打ちされた類洞腔を囲む吻合した肝細胞板からなる.

ディッセ腔は類洞腔と肝細胞の間に挟まれている.伊東の類洞周囲細胞（ビタミン A 貯蔵部位）はディッセ腔にある.中心細静脈（中心静脈）が類洞の血液を集める.

門脈と肝動脈の枝は，胆管とともに，肝小葉を取り巻く結合組織の中にみられる門脈三つ組を形成する.

肝細胞の限界板は肝細胞実質と結合組織間質の間の境界である.

胆汁は肝細胞で産生され，血流とは逆の方向に流れる.胆汁は毛細胆管によってヘリング管（すなわち細胆管）に運ばれ，それから門脈三つ組中の胆管に運ばれる.

- 肝小葉は以下のように概念化できる：

(1)古典的肝小葉（上述）.

(2)門脈小葉.胆汁排泄路に基づく.門脈三つ組が門脈小葉の中心に位置する.

(3)肝腺房.類洞腔に沿った脱酸素化－酸素化血液の帯状の勾配分布に基づく.

- 肝細胞は肝臓の機能的な内分泌かつ外分泌細胞である.肝細胞は豊富な微絨毛をディッセ腔に伸ばした基底外側面をもっている.ディッセ腔内の過剰の液体は，肝細胞に吸収されるのではなく，限界板のそばのモール腔を通ってリンパ管に排泄される.

基底外側領域は血液で運ばれる物質（例えばビリルビン，ペプチドとステロイドホルモン，ビタミン B_{12}，および解毒されるべき物質）の吸収，および血漿タンパク質（例えばアルブミン，フィブリノゲン，プロトロンビン，凝固因子，および補体タンパク質）の分泌に貢献する.頂部領域は毛細胆管，すなわち微絨毛で覆われ，閉鎖結合で閉じられた塹壕のような陥凹のふちどりをしている.

肝細胞はグリコーゲン封入体を伴う滑面小胞体（SER）を含んでいる.SER は以下の働きをする：

(1)コレステロールと胆汁酸塩の合成.

(2)ビリルビン，ステロイドおよび薬物のグルクロニド抱合.

(3)グリコーゲンのグルコースへの分解.

(4)脂溶性の薬物（例えばフェノバルビタール）の解毒.

粗面小胞体（RER）とゴルジ装置は上述の分泌タンパク質の合成とグリコシル化（糖鎖付加）に関与する.ペルオキシソームが肝細胞に顕著である.

- 鉄や銅の過剰な蓄積によって重篤な肝疾患が生じる.

遺伝性ヘモクロマトーシスは，肝細胞内のリソソームにおける鉄の吸収と集積の増加を特徴とする疾患の一例である.肝硬変と肝細胞がんがヘモクロマトーシスの合併症である.

ウィルソン病（肝レンズ核変性症）は銅代謝の遺伝性障害で，肝臓と脳のリソソームに銅が過度に沈着し，慢性肝炎と肝硬変を生じる.

- アルコール（中毒）症と脂肪肝.肝細胞はエタノールの代謝に関与する.エタノール摂取が長期にわたると，脂肪肝になる.脂肪肝は，アルコール摂取をやめると正常化する可逆的過程である.アルコール摂取を続けると，肝細胞障害は肝硬変（コラーゲン線維の増殖による肝臓の線維化）と肝細胞がん（肝細胞の悪性化）になる.

エタノールは，アルコール脱水素酵素（ADH）経路とミクロソーム・エタノール酸化経路（MEOS）で代謝される.

ADH 経路において，エタノールは細胞質内で酸化されてアセトアルデヒドになり，アセトアルデヒドはミトコンドリア内で酢酸に変換される．過剰なアセトアルデヒドと H^+ は肝細胞障害を起こすことがある．

MEOS 経路において，滑面小胞体中で代謝されたエタノールはアセトアルデヒドと（H^+ の代わりに）過剰の活性酸素を産生する．両者とも肝細胞障害を起こす．

- （伊東の）類洞周囲細胞は肝類洞周囲のディッセ腔にみられる．

この細胞は以下の働きをする：

(1)レチノイドの貯蔵と放出．

(2)細胞外基質の産生と回転．

(3)類洞内の血流の調節．類洞周囲細胞は休止した非増殖状態に留まっているが，クッパー細胞と肝細胞によって刺激されると増殖する．活性化は肝部分切除後，限局性肝病変，および線維化を起こすさまざまな条件下で生じる．

- 病理学的状態，例えば慢性肝疾患や肝硬変においては，類洞周囲細胞は筋線維芽細胞に変化し，慢性肝疾患では I 型と III 型コラーゲンおよび細胞外基質タンパク質を産生することにより線維化を進める．

活性化されると，筋線維芽細胞はトランスフォーミング成長因子 - β（TGF- β）を分泌し，オートクリンによって自身の活性と，肝細胞の 2 型上皮 - 間葉転換（EMT）を促進する．

EMT の最重要点を復習しよう：

(1) 1 型 EMT は胎生期に起こる．

(2) 2 型 EMT は組織傷害と炎症の修復過程で起こる．肝臓の線維化は 2 型 EMT の例である．急性および慢性肝炎の修復には線維芽細胞と間葉細胞が必要である．

(3) 3 型 EMT はがんと転移に起こる．Bx 型肝炎（HBx）抗原（B 型肝炎ウイルスの制御タンパク質）が，がん幹細胞を肝細胞がんになるように刺激するときに，肝硬変は肝細胞がんへ進行する．

- 慢性肝炎と肝硬変．肝炎は主にウイルスによって起こる炎症状態であるが，細菌（腸あるいは血液由来）あるいは寄生虫（アメーバ症と住血吸虫症）によっても起こる．

ウイルス性肝炎は肝臓指向性のウイルス，特に最もよくある A 型（HAV），B 型（HBV），C 型肝炎ウイルス（HCV）によって引き起こされる．

(1) HAV は急性肝炎を引き起こすが，慢性化することはまれである．HAV 感染は汚染された食物や水の摂取によって広がる．

(2) HBV 感染は性的接触と薬物依存者間での注射針共有による血液あるいは血清が移ることによって起こる．感染者の約 10％が慢性肝炎になる．

(3) HCV による症例の 90％は輸血によって引き起こされ，感染者の 50 ～70％は慢性肝炎になる．HCV 感染の治療は直接作用性抗ウイルス薬を組み合わせた経口投与である．

他の型のウイルス性肝炎には D 型，E 型，G 型ウイルスが含まれる．1 つの型のウイルスによる免疫は他の型のウイルスによる感染を防げない．

急性肝炎の典型的な症状は，食欲不振，嘔気，嘔吐および黄疸である．

- 急性肝炎の生化学的異常には以下が含まれる：

(1)血清肝アミノトランスフェラーゼ（アスパラギン酸アミノトランスフェラーゼ AST とアラニンアミノトランスフェラーゼ ALT）の上昇．傷害された肝細胞から酵素が血液中に漏れるため．

(2)ウイルス抗体．感染後数週間以内に血液中に検出される．

急性肝炎の組織病理学的特徴は肝細胞障害（壊死）とアポトーシスおよび肝細胞内に胆汁が蓄積することである．好中球，リンパ球，マクロファージを含む炎症細胞が中心静脈の回り（肝腺房の III 帯）の類洞と門脈域にみられる．

慢性肝炎は線維化の存在と肝細胞壊死，炎症性のリンパ球活性によって決められる．限界板（肝腺房の I 帯）の崩壊，線維化の門脈域への進展，肝細胞の結節状再生，および細胆管の増殖が肝硬変の進展の指標である．

- ビリルビン代謝．ビリルビンはヘム異化の最終産物である：

(1)ビリルビンの 85％は脾臓でマクロファージによって破壊された老化赤血球に由来する．

(2)マクロファージはヘムをビリベルジンに変え，非抱合ビリルビンに変換して血液循環に放出する．

(3)血液循環中で，ビリルビンはアルブミンと複合体を形成する．

(4)ビリルビン - アルブミン複合体が肝類洞に達すると，アルブミンが離れ，ビリルビンは肝細胞内に取り込まれる．

(5)ビリルビンは肝細胞のサイトゾル内でリガンジンに結合し，滑面小胞体（SER）に運ばれ，SER はグルクロン酸と抱合される遊離ビリルビンを放出する．

(6)ビリルビングルクロニド（抱合ビリルビン）は毛細胆管に放出され，腸に運ばれる．グルクロニドは小腸内でビリルビンから分離され，ビリルビンは腸内細菌によってウロビリノゲンに変換されて，排泄される．ウロビリンは尿で排泄される．

- 胆嚢は，胆汁の貯蔵，濃縮，放出の場である．胆嚢の壁は，ヒダと深い溝のある粘膜からなる．粘膜は単層円柱上皮に覆われている．粘膜筋板と粘膜下層はない．筋層（平滑筋）と外膜はみられる．リンパ管は胆嚢の粘膜固有層に豊富にある．血管は外膜で顕著である．

- 胆汁は肝細胞によって産生される有機物と無機物の混合物である．胆汁はコレステロール，リン脂質，胆汁酸塩，抱合ビリルビン，電解質の排泄に関与する．

腸管腔における脂肪の吸収は胆汁酸塩の脂肪を乳化する機能に依存している．胆汁は IgA を腸粘膜に運び（腸管循環），小腸における細菌の増殖を阻止する．

胆汁の毛細胆管への分泌はアデノシン三リン酸（ATP）を介する過程で多剤耐性 1 と 2 トランスポーター（MDR1 と MDR2），多選択性有機アニオントランスポーター（MOAT）および胆汁酸トランスポーター（BAT）が関与する．

高ビリルビン血症，すなわち血液中を循環しているビリルビン濃度の上昇は，ビリルビンが肝細胞内で抱合できない（クリグラー・ナジャー病）ときに起こる．この疾患に罹患した乳児はビリルビン脳症を起こす．

抱合ビリルビンを毛細胆管へ輸送できないことがドゥービン・ジョンソン症候群の原因である．ジルベール症候群はよくある生まれつきの代謝異常で，何ら重篤な症状を示さない中等度の高ビリルビン血症を起こす．

18 神経内分泌系

キーワード 視床下部，視床下部下垂体門脈循環系，成長ホルモン，プロラクチン，甲状腺刺激ホルモン，性腺刺激ホルモン，副腎皮質刺激ホルモン，プロオピオメラノコルチン，神経性下垂体，神経下垂体性（中枢性）尿崩症

神経内分泌系は，さまざまな生理学的過程の調節を目的とする神経系と内分泌系の機能を結びつけている．この神経内分泌系の鍵となる構成要素は視床下部で，この部位ではニューロンが神経分泌細胞として働いて，神経ペプチドを血管内に放出し隣接する下垂体に届けている．このメカニズムにより，視床下部のニューロンは標的となる臓器や組織にさまざまな情報を提供でき，さらにはフィードバックループを介して標的器官からの情報を受け取ることができる．加えて，視床下部は，心血管系の反応，グルコースやカルシウムの代謝などを含む副交感神経系と交感神経系の活動を制御している（訳注：ただし実際には，グルコースやカルシウムの代謝は，ほぼ純粋に内分泌系のみで制御されている）．本章では，脳下垂体と松果体の構造と機能を取り上げる．この2つの器官は脳に付随する内分泌腺であるが，その分泌物は周期的，律動的，あるいは脈動的に，血液脳関門の外に放出される．

下垂体（図 18.1）

下垂体 hypophysis（ギリシャ語 *hypo*［= under，下］*physis*［= growth，成長］）は，発生学的に異なる次の2つの組織から構成される：

1. 腺上皮からなる**腺性下垂体** adenohypophysis.
2. 神経組織の一部である**神経性下垂体** neurohypophysis.

腺性下垂体はさらに，次の3つの部分に区分される：

1. この腺の主部である**前葉** pars distalis（anterior lobe）.
2. 神経性要素である漏斗突起あるいは漏斗茎を部分的あるいは完全に襟のように取り囲む**隆起部** pars tuberalis，この漏斗部と漏斗が合わさって下垂体柄を形成する．
3. 成体では痕跡状の**中間葉** pars intermedia（intermediate lobe）．この薄い楔状の部分である中間葉によって，腺性下垂体の主部である前葉は神経性下垂体から隔てられている．

神経性下垂体は，次の2つの部分に区分される：

1. 神経性下垂体の主要部分である**後葉** pars nervosa（あるいは**神経葉** neural lobe）.
2. **漏斗** infundibulum．漏斗はさらに，**漏斗突起** infundibular process と**正中隆起** median eminence という2つの部分に分けられる．このうち，**漏斗突起**は腺性下垂体の隆起部ととも

図 18.1 | 下垂体の局所解剖

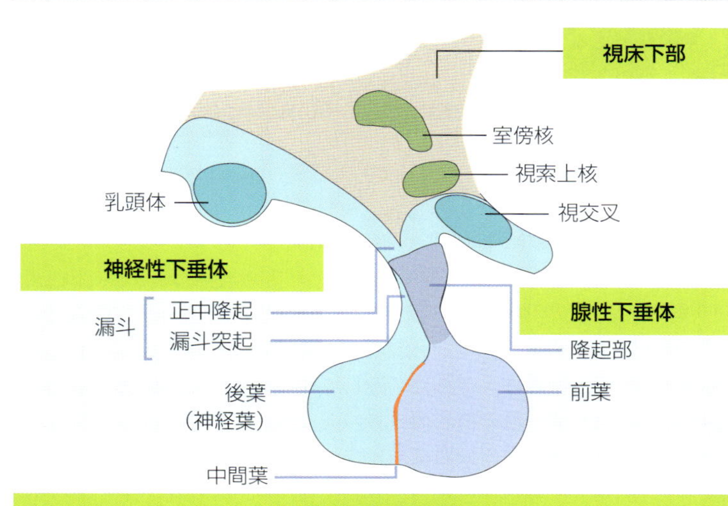

視床下部は第3脳室によって左右の対称な2つの部分に区分される．その前方の限界は視交叉まで，後方は乳頭体まで，外側は視索まで，背外側は視床までである．

中間葉はラトケ嚢の遺残物で，コロイドを蓄えた小型の濾胞と散在する上皮細胞からなる．

腺性下垂体は，(1)主たる部分である腺上皮性の前葉，(2)神経性の漏斗を襟のように取り囲む非分泌性の隆起部，(3)後葉（神経葉）を覆う薄い楔状の中間葉という3つの部分からなる．

一方，神経性下垂体は，後葉および漏斗という2つの部分からなる．漏斗はさらに，視床下部の続きである正中隆起とその下方にさらに突出した漏斗突起という2つの部分に分けられる．

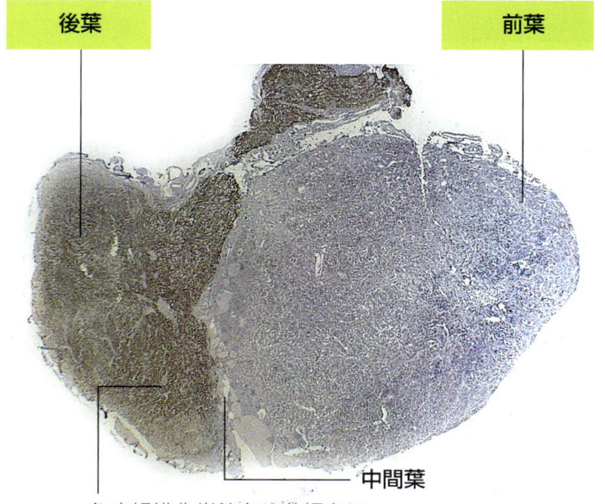

免疫組織化学染色像の写真：Martín-Lacave I, García-Caballero T: Atlas of Immunohistochemistry. Madrid, Spain. Ed. Díaz de Santos, 2012 から引用.

図 18.2 | 下垂体の発生

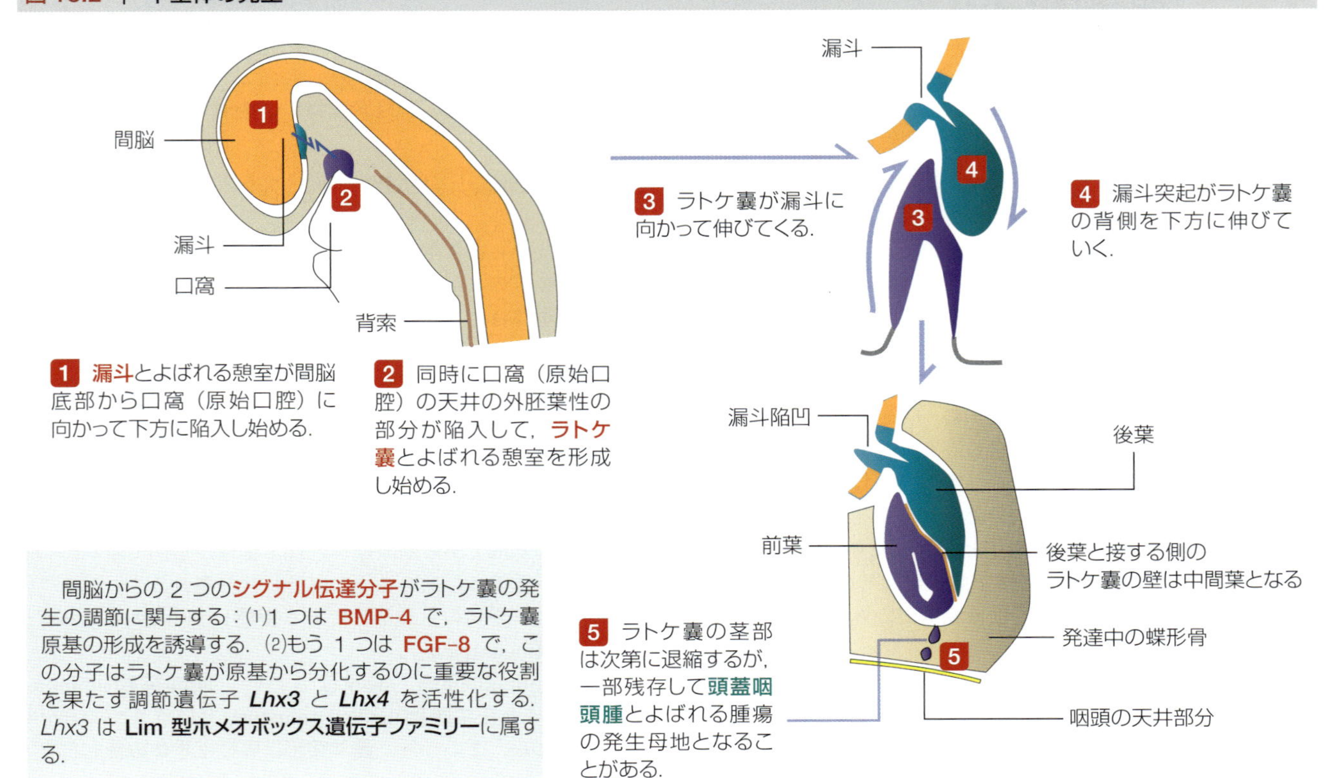

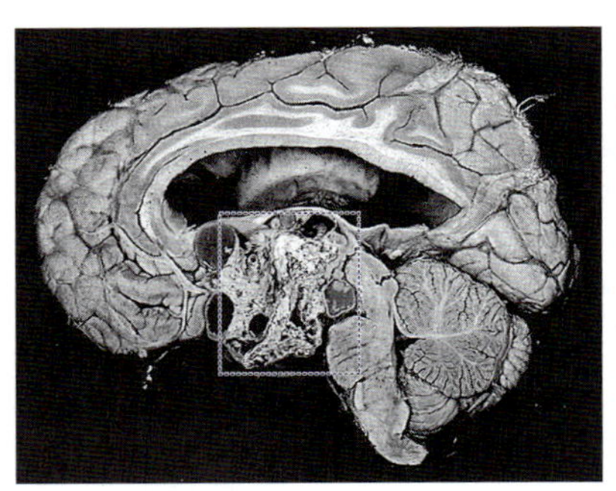

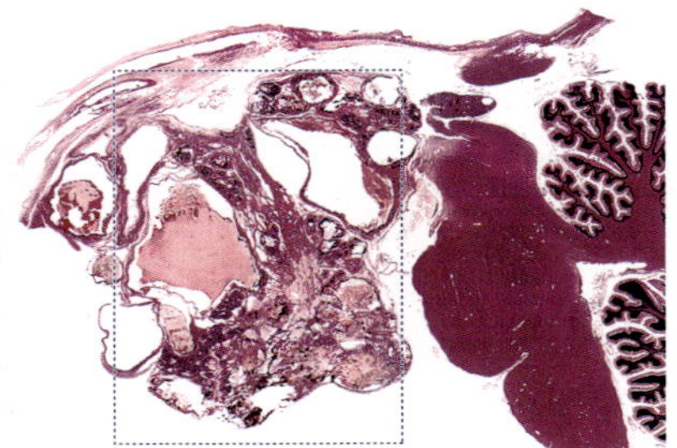

扁平上皮で内張りされた嚢胞と壊死組織からなる
11 歳男児のエナメル上皮腫型頭蓋咽頭腫

頭蓋咽頭腫は，ラトケ嚢茎部の遺残物に由来する上皮性の腫瘍である．この腫瘍の細胞は歯原性の腫瘍と組織学的な類似性が認められる．
頭蓋咽頭腫には，小児で一般的なエナメル上皮腫型と成人で多い乳頭状型の 2 つのタイプがある．

写真：Burger PC, Scheithauer BW, Vogel FS: Surgical Pathology of the Nervous System and its Coverings, 4th ed. Philadelphia, Churchill Livingstone, 2002 から引用.

に下垂体柄を形成している連結部で，**正中隆起**は視床下部が漏斗状に突出した部分である．

下垂体の発生学上の由来（図 18.2）

腺性下垂体と神経性下垂体は発生学的に異なる部分に由来する．腺性下垂体は，**ラトケ嚢** pouch of Rathke とよばれる外胚葉の陥入部に由来する．このラトケ嚢は，将来，口腔壁の天井部となる外胚葉領域が，発達しつつある神経性下垂体原基に向かって突出し形成される．

ラトケ嚢の発生に伴って，ラトケ嚢にぴったり対向するように**間脳の床の部分が漏斗状に下方に突出**し，神経性下垂体が形成される．口腔とラトケ嚢を連結していた部分は発生が進むと消失するが，視床下部と神経性下垂体をつなぐ部分は下垂体漏斗あるいは下垂体柄の中軸部分として成体でも残されている．

ラトケ嚢は，さらに発達して 3 つの異なる領域になる：

1. ラトケ嚢の前表面は腺の塊である前葉の主部になる．
2. ラトケ嚢の後面は漏斗突起に侵入する（訳注：正確には，ラトケ嚢の後面は後葉と漏斗突起を取り囲み下垂体中間葉を構成する）．
3. ラトケ嚢上部に伸びた部分は漏斗の基部を取り囲み隆起部になる．

視床下部－下垂体門脈系（図 18.3）

視床下部と下垂体は，血管で結ばれた**視床下部－下垂体系** hypothalamohypophyseal system という統合された神経内分泌ネットワークを形成している．その主な機能は，視床下部と下垂体の間での迅速なコミュニケーションに必要なホルモン交換で，このホルモン交換は，視床下部－下垂体系の**毛細血管が有窓型で**

図 18.3 | 下垂体への血液供給路

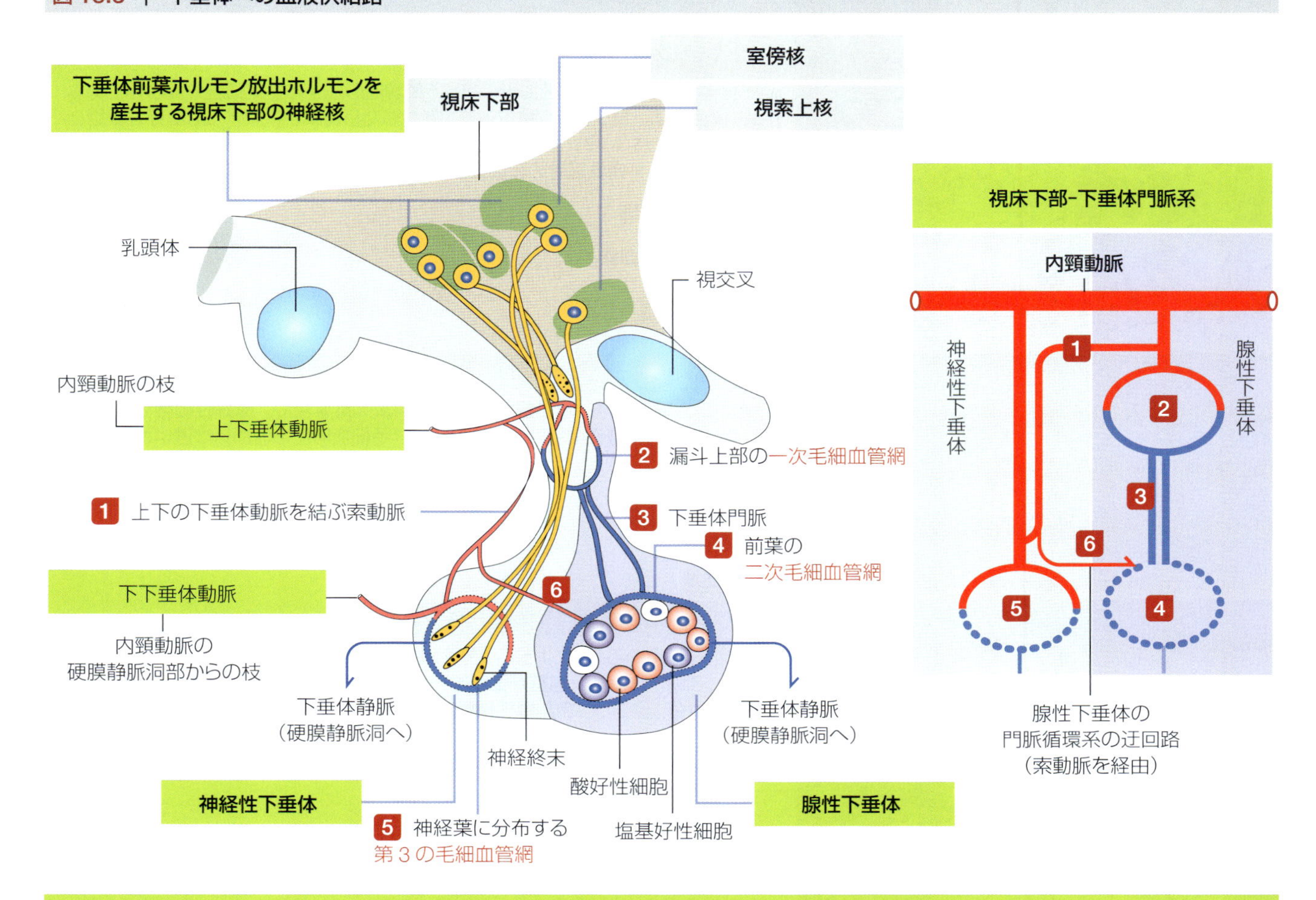

下垂体への血液供給路

上下垂体動脈は正中隆起から漏斗基部にかけての領域で**一次毛細血管網**を形成する．一次毛細血管網には，**視床下部に起始核をもつ一群の神経分泌細胞**の神経終末から，下垂体前葉ホルモン放出ホルモンあるいは抑制ホルモンが分泌される．

この一次毛細血管網を経た血流は再び合流して**下垂体門脈**に集められる．

この後，下垂体門脈は下垂体前葉で再び分岐して**二次毛細血管網**を形成する．

この毛細血管の近傍には塩基好性細胞や酸好性細胞などが局在し，視床下部から下垂体門脈を経由して到達した放出ホルモンや抑制ホルモンがこれらの細胞に直接作用して，下垂体前葉の内分泌機能の調節が行われる．

このような一次毛細血管網と二次毛細血管網とを結ぶ血管系は**視床下部–下垂体門脈系**とよばれる．

一方，**下下垂体動脈**は神経性下垂体で第 3 の毛細血管網を形成し，この領域を栄養するとともに，視索上核や室傍核の神経分泌細胞で産生され下垂体後葉で放出されるバソプレシンとオキシトシンを受けとめている．

また上下垂体動脈と下下垂体動脈は，**索動脈**という動脈によって連絡していて，下垂体前葉への門脈循環系を迂回する血液の経路となっている（ 6 参照）．

あることによって促進される．

この視床下部－下垂体系は次の２つの要素からなる：

1. 視床下部と腺性下垂体をつなぐ**視床下部－腺性下垂体系** hypothalamic adenohypophyseal system.
2. 視床下部と下垂体後葉を結ぶ**視床下部－神経性下垂体系** hypothalamic neurohypophyseal system.

視床下部は，間脳の床に相当し，第３脳室の壁の一部を構成している．この視床下部には，少なくとも 12 個の**神経核** nuclei とよばれる神経細胞集団が存在し，そのうちのいくつかはホルモンを分泌する．

視床下部の神経分泌細胞は，**下垂体前葉ホルモン放出・抑制ホルモン**または**因子**と総称される神経ペプチドを介して下垂体前葉に**分泌促進あるいは抑制の作用**を及ぼしたり，神経伝達物質に対して**非常に素早く応答**（1 秒の何分の 1 で）したり，**軸索**を神経性下垂体に送ったりしている．これに対して，腺性下垂体の上皮細胞から分泌されるホルモンは作用時間が長く（数分から数時間），その効果は 1 日または 1ヵ月にもわたって持続することもある．

内頸動脈の分枝である 1 対の**上下垂体動脈** superior hypophyseal arteries が正中隆起と下垂体漏斗上部に入り込み，**一次洞様毛細血管網** first sinusoidal capillary plexus（primary capillary plexus）を形成する．この毛細血管網へ，視床下部に**起**

図 18.4 | 下垂体前葉の塩基好性細胞，酸好性細胞，色素嫌性細胞の同定

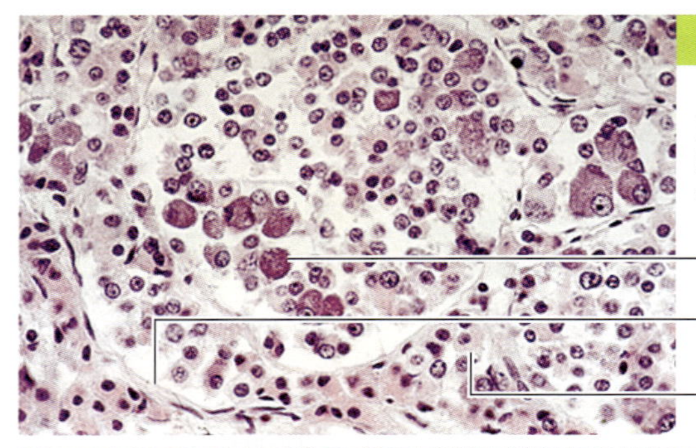

ヘマトキシリン・エオジン染色（HE 染色）

下垂体前葉は有窓型毛細血管に接して集塊を形成する上皮細胞の集合体であり，H&E 染色では，糖タンパク質ホルモンを含むため**青紫色**に染まる**塩基好性細胞**と，糖鎖修飾を受けないタンパク質ホルモンを含み**淡紅色**に染まる**酸好性細胞**が区別できる．なお，色素嫌性細胞の細胞質は非常に薄いピンク色に染まる．

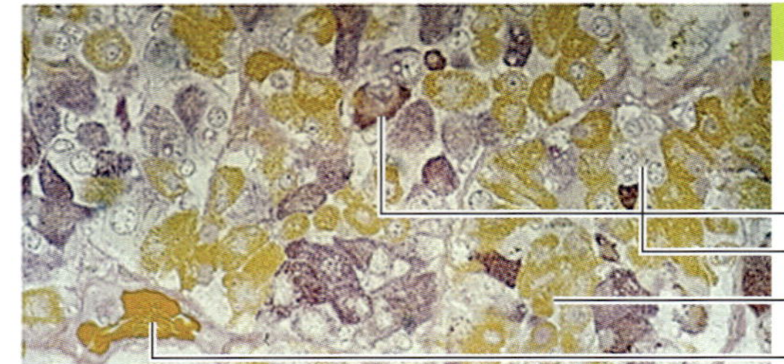

トリクロム染色（アニリン青，オレンジ G，アゾカルミンによる三重染色）

トリクロム染色では，**塩基好性細胞**の細胞質は**青紫色**に，**酸好性細胞**は**オレンジ色**に染まる．**色素嫌性細胞**は**明るい青色**に，毛細血管腔の赤血球は**濃いオレンジ色**に染まる．

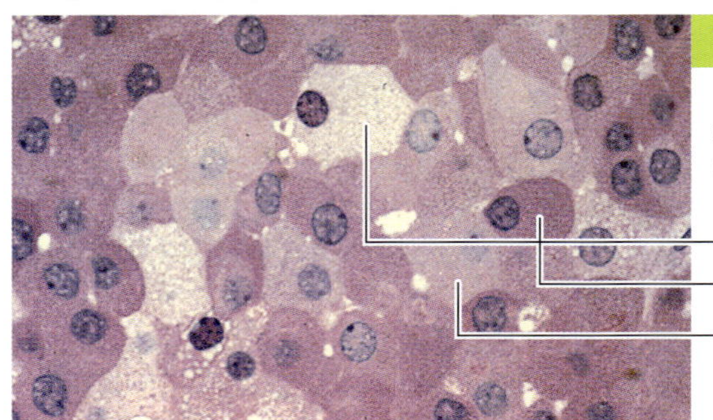

プラスチック樹脂包埋標本を塩基性フクシンとヘマトキシリンで染色

この方法を用いることによって，下垂体前葉の上皮細胞が多角形であることがよくわかる．この方法では，**塩基好性細胞**の細胞質は**暗いピンク色**に，**酸好性細胞**は**明るいピンク色**に染まり，**色素嫌性細胞**は**染色されない**．

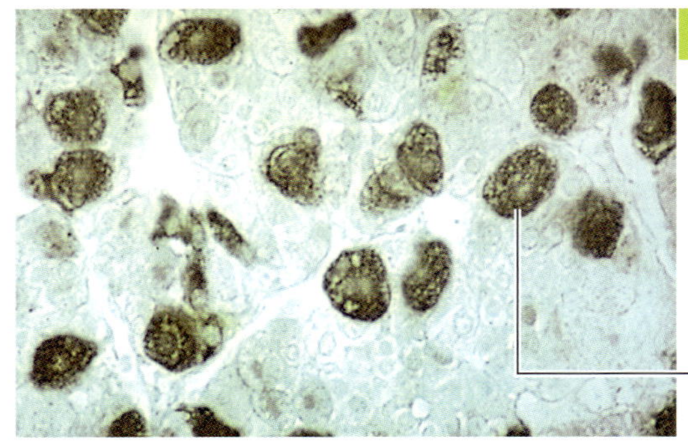

免疫組織化学（ペルオキシダーゼの反応により発色）

卵胞刺激ホルモン FSH のβサブユニットに対する抗体を用いて，この視野の下垂体前葉における性腺刺激ホルモン産生細胞を同定した．

下垂体前葉ホルモンに対する特異的な抗体を用いることによって，(1)下垂体前葉のすべてのホルモン産生細胞を正確に同定することができ，さらに，(2)ホルモン産生性の腺腫の存在を明らかにしたり，(3)下垂体ホルモンの分泌を制御する負および正のフィードバックシステムを解明することが可能になる．

始核 hypothalamic hypophysiotropic nuclei をもつ一群の神経分泌細胞から下垂体前葉ホルモンの放出ホルモンあるいは抑制ホルモンが放出される．

この一次毛細血管網を経た血流は再び合流して，数条の**下垂体門脈** portal vein を形成しながら，下垂体漏斗および隆起部を下行する．下垂体主部では，この門脈から**二次毛細血管網** secondary capillary plexus が形成され，下垂体前葉の内分泌細胞を栄養し，また同時に，これらの細胞から分泌されるホルモンを受けとめる役割を果たす．

ここで，ホルモン交換を迅速に行うために，下垂体では動脈枝に相当する血管の大部分は門脈として下垂体を貫通し，前葉で毛細血管に分かれることに注意せよ．下垂体前葉（の主部）は，**体循環の動脈からは直接血液の供給を受けていない．**

この視床下部－下垂体門脈系は，以下の 3 つのことを可能にしている：

1. 一次毛細血管網から下垂体前葉にあるホルモン産生細胞への視床下部由来の放出あるいは抑制ホルモンの輸送．
2. 二次毛細血管網に放出された下垂体前葉ホルモンの体循環への輸送．
3. この**門脈系**で結ばれた視床下部と下垂体前葉の機能的な連携．

さらに，下下垂体動脈に由来する**3 番目の毛細血管網**が神経

図 18.5 | 下垂体前葉における毛細血管と内分泌細胞の関係性（左図）と内分泌細胞の微細構造（右図）

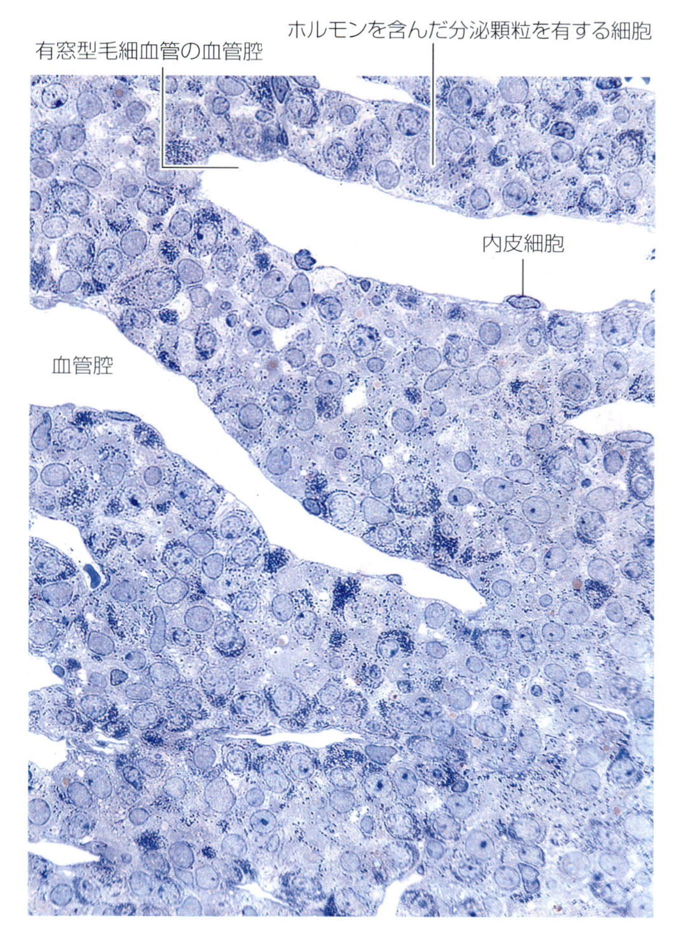

光学顕微鏡像（プラスチック樹脂包埋標本）
下垂体前葉の細胞は有窓型毛細血管に囲まれており，この中にホルモンを分泌する．放出されたホルモンはさらに血流に乗って標的細胞まで運ばれて，その機能を制御する．

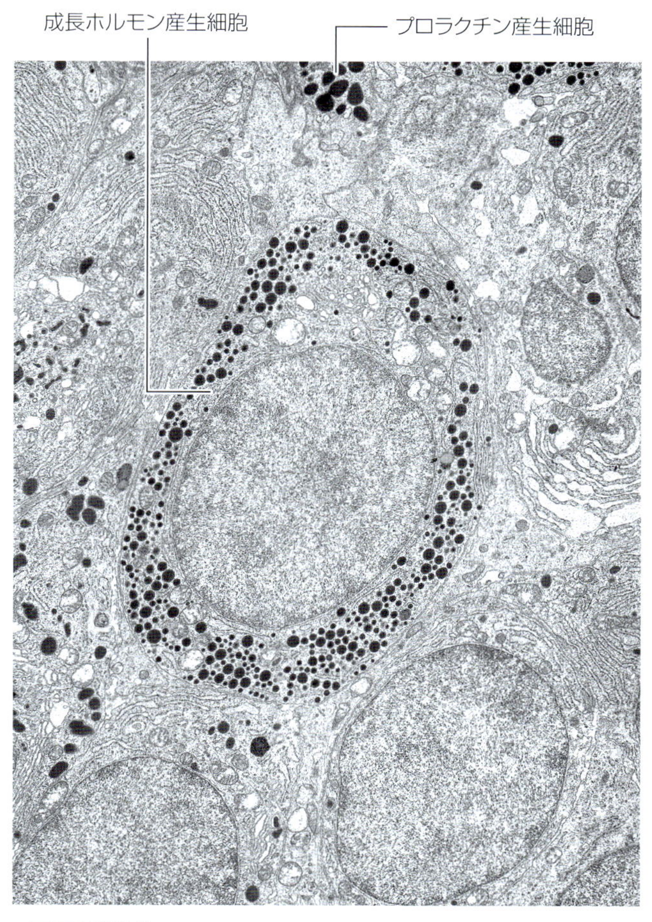

電子顕微鏡像
腺性下垂体の内分泌細胞の細胞質に認められるさまざまなホルモンを蓄えた分泌顆粒の大きさ，分布，中身，そしてその生合成や分泌の状態を検討するのに，電子顕微鏡は非常に強力な手段である．

性下垂体を栄養する．この毛細血管網には，視床下部に起始核をもつ神経分泌細胞からのホルモン（バソプレシン［抗利尿ホルモンともよばれる］とオキシトシン）が放出される．これらのホルモンは，視床下部から神経性下垂体までの間は軸索輸送によって運ばれる．

下垂体前葉（主部）の組織学（図 18.4，18.5）

下垂体前葉は次の 3 つの構成要素からなる：
1. 索状の**上皮細胞**.
2. この上皮細胞を支えるごく少量の**結合組織**.
3. 上述の二次毛細血管網を構成する**有窓型毛細血管**（**類洞**）.

下垂体前葉には血液脳関門は存在しない．
上皮細胞は，視床下部からの血液を運んでくる有窓型毛細血管を取り囲むように，索状に配列している．これらの上皮細胞から分泌されたホルモンは，毛細血管網の中に拡散し，下垂体静脈を経て硬膜静脈洞の中に運び出されていく．
腺性下垂体では，以下の 3 種類の内分泌細胞が区別できる：
1. 酸性色素に好染する**酸好性細胞** acidophil は，下垂体の辺縁に多く分布する．
2. 塩基性色素に好染し PAS（periodic acid-Schiff）反応陽性の**塩基好性細胞** basophil は，下垂体の中央部に多く分布する．
3. いずれの色素にも染まりにくい**色素嫌性細胞** chromophobe がある．

酸好性細胞は，**成長ホルモン** growth hormone と**プロラクチン** prolactin という，2 つの主要な**ペプチドホルモン**を分泌する．
一方，塩基好性細胞は，**卵胞刺激ホルモン** follicle-stimulating hormone（FSH），**黄体形成ホルモン** luteinizing hormone（LH），甲状腺刺激ホルモン thyroid-stimulating hormone（TSH），**副腎皮質刺激ホルモン** adrenocorticotropic hormone（ACTH，または**コルチコトロピン** corticotropin）という糖タンパク質ホルモンを分泌する．色素嫌性細胞には，蓄積していたホルモンを放出してしまい典型的な酸好性細胞や塩基好性細胞のような染色性を失った細胞が含まれる．
このような下垂体前葉の内分泌細胞をさらに正確に同定するためには，各ホルモンに対する特異抗体を利用する**免疫組織化学法** immunohistochemistry が用いられる．

図 18.6 | 成長ホルモン

成長ホルモンは，肝細胞における**インスリン様成長因子 1**（IGF-1，またはソマトメジン C）の産生を刺激することによって成長を促進する．
成長ホルモン放出ホルモン（GHRH）は，酸好性細胞からの成長ホルモンの分泌を促進する．
一方，**ソマトスタチン**や**血中グルコース濃度の上昇**は，成長ホルモンの分泌を抑制する．
IGF-1 は**骨端軟骨板**での軟骨細胞の肥大を促進することによって長管骨を成長させる．

成長ホルモンが過剰になると**小児では巨人症**に，**成人では末端肥大症**になる．このような過剰症の多くは下垂体前葉の**腺腫**からの成長ホルモンの過剰な分泌が原因で起こる．
アリル炭化水素相互作用タンパク質（**AIP**）をコードする遺伝子の変異は成長ホルモン産生腺腫発症の素因となる．

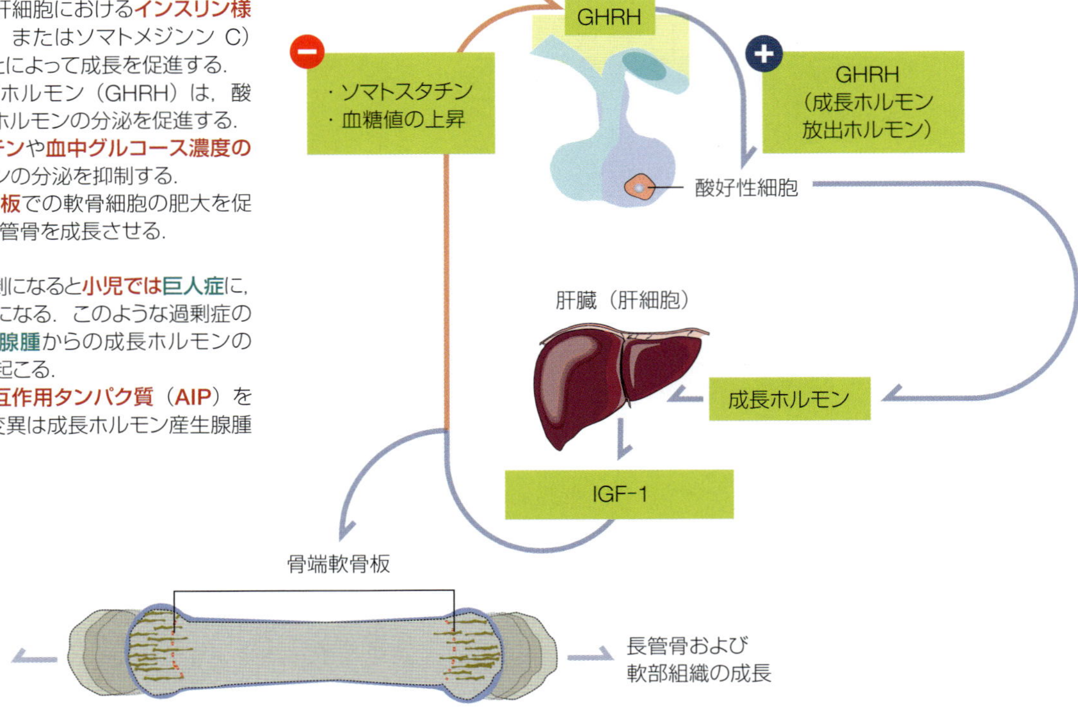

酸好性細胞から分泌されるホルモン：成長ホルモンとプロラクチン

酸好性細胞のうち，**成長ホルモン**（または**ソマトトロピン** somatotrophin ともよばれる）を分泌する**成長ホルモン分泌細胞** somatotroph は，下垂体前葉の内分泌細胞の大部分を占める（40～50％）．一方，**プロラクチン分泌細胞** lactotroph は下垂体前葉の内分泌細胞の 15～20％ を占める．

成長ホルモン（GH）（図 18.6）

成長ホルモン growth hormone は 191 個のアミノ酸残基からなるペプチド（22 kDa［kd］）で次のような特徴を有している：

1. 成長ホルモンは構造上，プロラクチンや**ヒト胎盤性ラクトゲン** human placental lactogen（hPL）と相同性があり，これら 3 種類のホルモンは活性のうえでも一部，共通性がある．
2. 24 時間周期の睡眠覚醒リズムの間，**パルス**状の分泌パターンで体循環中に放出され，その**分泌のピークは就眠直後の 2 時間に現れる**．
3. その名前にもかかわらず，成長ホルモンは直接的に成長を促進するわけではない．成長ホルモンは，肝細胞における**インスリン様成長因子 1** insulin-like growth factor-1（IGF-1 または**ソマトメジン C** somatomedin C）の産生を刺激することによって作用を発揮する．IGF-1 受容体は，インスリン受容体と同様に，細胞質側にチロシンキナーゼドメインを有する膜貫通型の糖タンパク質ダイマー（2 量体）である．
4. 成長ホルモンの放出は，2 つの神経ペプチドによって制御されている．

成長ホルモンの分泌は，44 個のアミノ酸残基からなる**成長ホルモン放出ホルモン** growth hormone-releasing hormone（GHRH）によって**促進**される．一方，14 個のアミノ酸残基からなる**ソマトスタチン** somatostatin の作用や**血中グルコース濃度の上昇**によって，成長ホルモンの分泌は**抑制**される．この GHRH とソマトスタチンは，どちらも視床下部で産生・分泌されるが，ソマトスタチンは膵ランゲルハンス島でも産生されている．

IGF-1（7.5 kd）は骨や軟部組織の総体的な成長を促進する．小児では，IGF-1 は骨端軟骨板での長管骨の成長を促す．臨床医は成長ホルモンの分泌状態の指標として血中 IGF-1 濃度を測定している．また，生理的な状態では，**血中 IGF-1 濃度が低下すると成長ホルモンの分泌が刺激される**．

IGF が作用を及ぼす標的細胞はまた，**IGF 結合タンパク質**や**プロテアーゼ**を分泌する．プロテアーゼは，有効な IGF 結合タンパク質を分解して減らすことによって，IGF の体内での輸送や作用の程度を制御している．

巨人症（小児）と末端肥大症（成人）

腺腫 adenoma とよばれる良性腫瘍によって成長ホルモンの**過剰分泌**が起こる．

このような成長ホルモン分泌性の腺腫が小児期や思春期に生じると，骨端軟骨がまだ IGF-1 に応答可能な時期であるため，**巨人症** gigantism（ギリシャ語 *gigas*［= giant，非常に背が高い］）という病態を呈する．一方，成人において成長ホルモンの過剰分泌が起こると，すでに骨端での骨の成長が終了した状態であるため，**末端肥大症** acromegaly（ギリシャ語 *akron*［= end or

図 18.7 | プロラクチン

プロラクチンは分娩後の乳汁分泌を促進する．酸好性細胞からのプロラクチン分泌は，促進性の機構ではなく，むしろ抑制性の機構で調節を受けている．
ドーパミンは代表的なプロラクチン分泌抑制因子である．
一方，授乳時の乳頭の吸入刺激はプロラクチンの分泌を促進する．

下垂体前葉のプロラクチン産生腫瘍が原因で高プロラクチン血症になると，（妊娠・分娩とは無関係に起こる）乳汁分泌症を呈する．
また，高プロラクチン血症は，可逆的ではあるが，男性でも女性でも不妊症の原因となる．

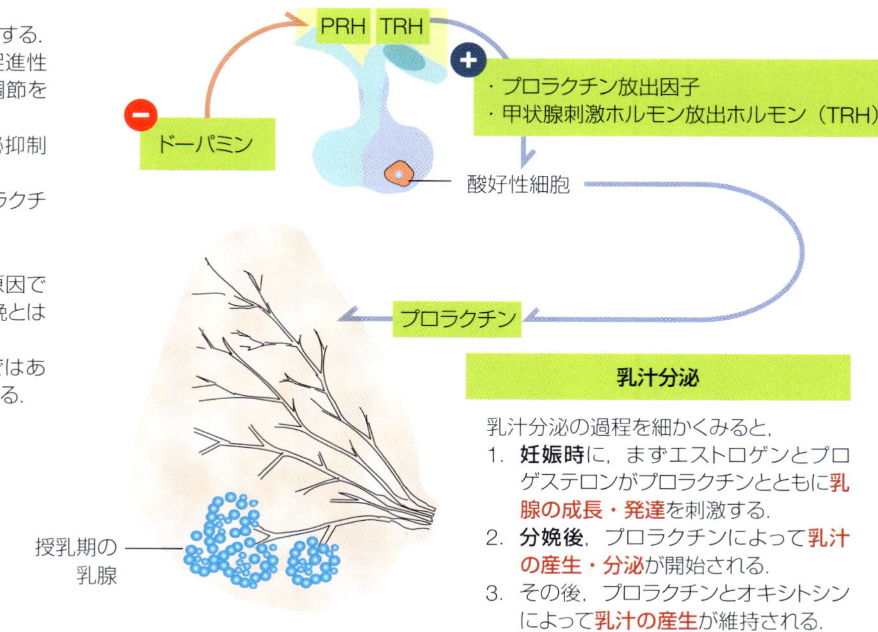

乳汁分泌

乳汁分泌の過程を細かくみると，
1. **妊娠時**に，まずエストロゲンとプロゲステロンがプロラクチンとともに乳腺の成長・発達を刺激する．
2. **分娩後**，プロラクチンによって乳汁の産生・分泌が開始される．
3. その後，プロラクチンとオキシトシンによって乳汁の産生が維持される．

extremity，端]，*megas* [＝large，大きい]）という病態を呈する．末端肥大症では，手足，顎，軟部組織が肥大する．長管骨の長さ方向の増大は認められないが，軟骨（鼻や耳）や膜状骨（下顎や頭蓋）の成長は進行するため，末端肥大症に特有のアンバランスな顔貌・体型となる．

腺腫からの成長ホルモンの分泌は，健常人のようなパルス状の分泌パターンを呈さない．巨人症とは反対に，小児期に成長ホルモンの**分泌が低下**すると，小人症 dwarfism とよばれる低身長を呈する病態となる．

プロラクチン（図 18.7）

プロラクチン prolactin は 199 個のアミノ酸残基からなる 1 本鎖のタンパク質（22 kd）で，上述した成長ホルモンやヒト胎盤性ラクトゲンと相同性があり，活性のうえでも一部，共通性がある．

プロラクチンの主要な作用は，出産後の**乳汁分泌**の開始・維持に関するものである（図 18.7）．乳汁分泌は，次の 3 つの段階からなる：

1. **乳腺の発育** mammogenesis，プロラクチンやヒト胎盤性ラクトゲンと協同的に作用して，まずエストロゲンとプロゲステロンが，乳腺の成長・発達を刺激する．
2. **乳汁の産生** lactogenesis，プロラクチンが，エストロゲンとプロゲステロンの作用で発達した乳腺に働きかけることによって，乳汁の産生・分泌が開始される．妊娠中はエストロゲンとプロゲステロンが高値であるため，乳汁の分泌は抑制されているが，出産とともにこれらのステロイドホルモンの血中レベルは急速に低下する．エストラジオールやプロラクチン阻害薬は，臨床的に乳汁分泌を止めるために用いられる．
3. **乳汁産生の維持** galactopoiesis，乳汁の産生はプロラクチンとオキシトシンの作用を受けて維持される．

プロラクチン，ヒト胎盤性ラクトゲン，ステロイドホルモンの乳腺に対する作用に関しては，第 23 章で改めて述べる．

分泌促進性の上位ホルモンによって制御されることの多い下垂体前葉の他のホルモンとは異なり，**プロラクチン分泌は主に抑制性の調節を受けている．**

そのようなプロラクチン抑制因子の代表的なものは**ドーパミン** dopamine で，プロラクチンはドーパミンの分泌を刺激することによって，プロラクチン自身が過剰に分泌されないよう負のフィードバックをかけている．

一方，プロラクチンの分泌は**プロラクチン放出ホルモン** prolactin-releasing hormone（PRH）や**甲状腺刺激ホルモン放出ホルモン** thyrotropin-releasing hormone（TRH）によって**促進**される．

プロラクチンは乳頭の吸入刺激に反応して，下垂体前葉の**酸好性細胞**からパルス状の分泌パターンで放出される．この**間欠的なプロラクチンの一過性放出により，乳腺における乳汁の産生は促進される．**

高プロラクチン血症

プロラクチノーマとよばれるプロラクチン分泌腫瘍は，プロラクチンを過剰に産生する．血中のプロラクチンが過剰になる（高プロラクチン血症）と，視床下部－下垂体－性腺系の機能状態が変化し，ゴナドトロピン欠乏症（性腺機能低下症）になる．このことによって起こる主な影響は，女性ではエストロゲン，男性ではテストステロンのレベルが低下することである．この状態になると骨密度が低下し，骨粗鬆症のリスクが高まる．

女性でプロラクチンが過剰に分泌されると，排卵障害や過少月

図 18.8 | 性腺刺激ホルモン：FSH と LH

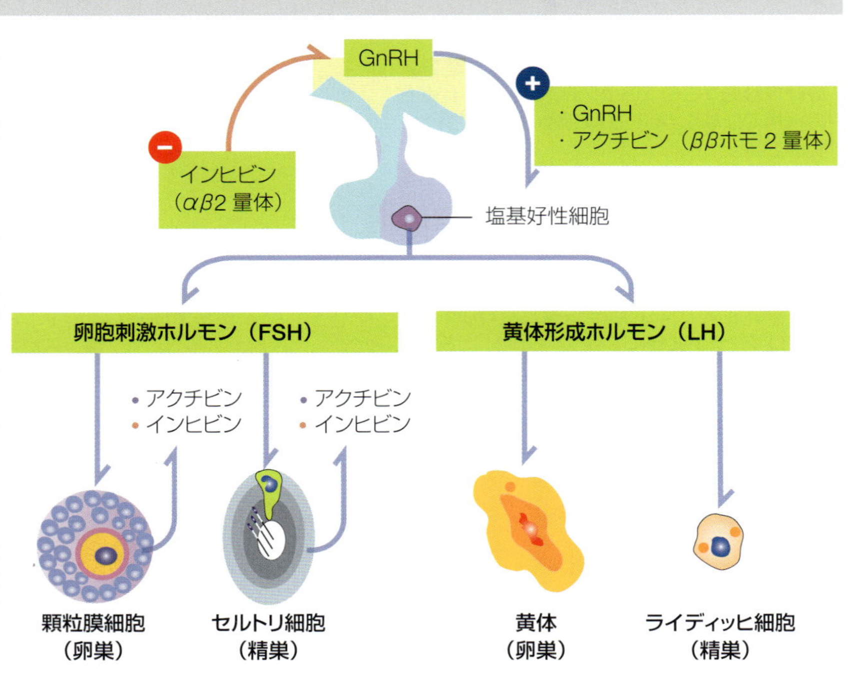

視床下部の視索前野の神経細胞は GnRH（性腺刺激ホルモン放出ホルモン）を分泌する．GnRH は 60〜90 分程度の間隔で間欠的に放出され，下垂体前葉の塩基好性細胞からの性腺刺激ホルモンの脈動的分泌を促進する．

女性では，FSH は卵胞の**顆粒膜細胞**を刺激し，その増殖や**エストラジオール**，**インヒビン**，**アクチビン**の分泌を促進する．一方，LH は**黄体**からのプロゲステロンの分泌を促進する．

男性では，FSH は精細管上皮の**セルトリ細胞**に作用し，**インヒビン**，**アクチビン**，**アンドロゲン結合タンパク質**の産生を促進する．一方，LH は**ライディッヒ細胞**による**テストステロン**の産生を促進する．

FSH と LH の分泌が欠損すると，男性でも女性でも**不妊症**となる．

カルマン症候群は，**思春期の遅発**または**欠如**と**嗅覚脱失**（嗅覚障害）を特徴とする疾患である．この症候群は，臨床的には，**低ゴナドトロピン性性腺機能低下症**とよばれている．この疾患は，遺伝子突然変異によって，GnRH 分泌ニューロンの視床下部視索前野への移動および嗅神経のニューロンの嗅球への移動が妨げられることで起こる．

経（月経周期の乱れ）・**無月経**（および不正子宮出血）が起こり**不妊症**につながる．

また，男性でも，生殖能の低下や性欲の減退が起こる．このようにプロラクチン過剰分泌が原因で起こる不妊症は男女両方に認められるが，一般に可逆性である．出産とは無関係の**乳汁分泌症** galactorrhea は，高プロラクチン血症で一般的に認められる症候であり，男性でも起こりうる．

塩基好性細胞から分泌されるホルモン：性腺刺激ホルモン，甲状腺刺激ホルモン（TSH），副腎皮質刺激ホルモン（ACTH）

性腺刺激ホルモン（**卵胞刺激ホルモン** follicle-stimulating hormone［FSH］と**黄体形成ホルモン** luteinizing hormone［LH］）と**甲状腺刺激ホルモン** thyroid-stimulating hormone（TSH）は次のような共通の性質を有している：

1. これらのホルモンは糖タンパク質である（これらを蓄積している塩基好性細胞が PAS 反応陽性を呈することからわかる）．
2. これらのホルモンは**2つのペプチド鎖**からなる．このうち，α 鎖はこれら3種類の糖タンパク質ホルモン（FSH，LH，TSH）に共通であるが，β 鎖はそれぞれのホルモンに固有である．したがって，それぞれの**ホルモンの特異的な作用は，β 鎖によって決定づけられている**．

一方，ACTH は前駆体タンパク質である**プロオピオメラノコルチン** pro-opiomelanocortin（**POMC**）から生成する．FSH，LH，ACTH は，**脈動的に分泌される**．

性腺刺激ホルモン：卵胞刺激ホルモン（FSH）と黄体形成ホルモン（LH）（図 18.8）

性腺刺激ホルモン分泌細胞 gonadotroph は，**FSH と LH の両方を分泌**する．この細胞は下垂体前葉の細胞のおよそ 10% を占める．

性腺刺激ホルモンの分泌は，視床下部の**視索前野** preoptic area で産生されるアミノ酸残基 10 個からなるペプチド，**性腺刺激ホルモン放出ホルモン** gonadotropin-releasing hormone（**GnRH**，**黄体形成ホルモン放出ホルモン** luteinizing hormone-releasing hormone［**LHRH**］ともよばれる）によって促進される．GnRH はパルス状の分泌パターンをとって 60〜90 分の間隔で下垂体門脈循環へ放出される．この際に，**1種類の塩基好性細胞が，2つの性腺刺激ホルモン（FSH と LH）を両方とも，パルス状のパターンで合成・分泌**している．

FSH は，女性では**卵胞形成** folliculogenesis という過程で卵胞の発育を促進する．男性では，精巣の**セルトリ細胞** Sertoli cell に作用し，**アンドロゲン** androgen から**エストロゲン** estrogen への芳香族化やテストステロンとの結合能を有する**アンドロゲン結合タンパク質** androgen-binding protein の産生を促進する．

これに対して，**LH** は，女性では卵胞や黄体における**ステロイド合成** steroidogenesis を促進する．男性では，LH は精巣の**ライディッヒ細胞** Leydig cell に働き，**テストステロン**の産生速度を調節している．男性における FSH と LH の作用に関しては，第 20 章で詳述する．

FSH と GnRH の分泌は(1)**インヒビン** inhibin と(2)**エストラジオール** estradiol によって**抑制**される：

インヒビンは，α 鎖と β 鎖からなる**ヘテロ2量体**を形成しており，FSH の標的細胞であるセルトリ細胞（精巣）や卵胞の顆粒

図 18.9 | 甲状腺刺激ホルモン（TSH）

甲状腺刺激ホルモン放出ホルモン（TRH）は，アミノ酸3個からなるペプチドで，塩基好性細胞における**甲状腺刺激ホルモン**（TSH）の合成と分泌を促進する．

TSH は糖タンパク質であり，甲状腺濾胞上皮細胞の細胞膜上の受容体に結合する．この受容体と結合したホルモンは，cAMP の産生を上昇させることによって，甲状腺ホルモン（トリヨードサイロニン T_3 とサイロキシン T_4）の産生を促進する．

末梢組織では，T_4 はある程度，T_3 に転換される．T_3 は T_4 よりも活性が高く，TSH の合成と放出に関して，負のフィードバックをかける働き（抑制作用）もある．

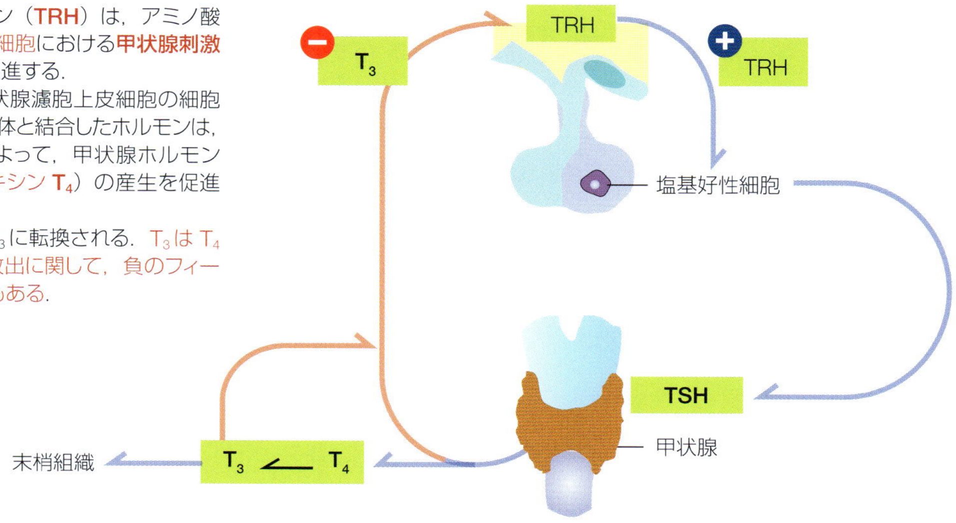

膜細胞，および GnRH の標的細胞である下垂体前葉から分泌される．

一方，FSH の分泌は，男性でも女性でも，セルトリ細胞（精巣）や卵胞の顆粒膜細胞から分泌される**アクチビン** activin というタンパク質によって**促進**される．アクチビンは，2つの β 鎖から構成されるホモ2量体であるが，インヒビン（$\alpha\beta$）やアクチビン（$\beta\beta$）の2量体形成がどのようなしくみによって制御されているのかという点に関しては，ほとんど解明されていない．

Kallmann（カルマン）症候群 Kallmann's syndrome は，**性的成熟期の遅発または欠如**と**嗅覚脱失**（嗅覚障害）を特徴とする疾患である．この症候群は，GnRH 分泌ニューロンの視床下部視索前野への移動と生存，および嗅神経のニューロンの嗅球への移動に関与する遺伝子の変異が原因で起こる．

この GnRH 分泌ニューロンの障害は，思春期における男女の性成熟を調節する2つの性腺刺激ホルモン FSH と LH の産生に影響を及ぼし，臨床的には，**低ゴナドトロピン性性腺機能低下症** hypogonadotropic hypogonadism（HH）とよばれている．

精子形成，ライディッヒ細胞の機能，卵胞形成，そして黄体形成における FSH と LH の作用に関しては第 20 章，および第 22 章で詳述する．また，カルマン症候群の分子生物学的側面については，第 22 章でさらに議論する．

不妊症

拒食症が原因で GnRH の分泌障害が起こると，性腺刺激ホルモンの分泌は低下しうる．また性腺刺激ホルモン分泌細胞を破壊するような下垂体腫瘍が存在しても，FSH と LH の分泌は低下する．

不妊症や生殖機能の障害は，男性にも女性にも起こりうる．GnRH の分泌が十分でないと，女性では月経の異常が，男性では精巣の縮小や造精能力の障害が生じる（**低ゴナドトロピン性性腺機能低下症**）．

一方，去勢（女性では**卵巣摘出術** oophorectomy，男性では**精巣摘出術** orchidectomy）されると，**性腺からのステロイドによる負のフィードバック効果が失われるため，FSH と LH の合成は著明に増加する**．この機能亢進状態にある性腺刺激ホルモン分泌細胞は大型化・空胞化し，**去勢細胞** castration cell とよばれる像を呈するようになる．

甲状腺刺激ホルモン（TSH）（図 18.9）

甲状腺刺激ホルモン分泌細胞は下垂体前葉の細胞のおよそ 5％を占める．

TSH は**甲状腺の機能と成長**を調節するホルモンで，その甲状腺の細胞に対する作用機構に関しては第 19 章の「甲状腺」の項で解説する．

甲状腺刺激ホルモン放出ホルモン thyrotropin-releasing hormone（TRH）は視床下部で産生されるアミノ酸3個からなるペプチドで，下垂体前葉の**塩基好性細胞**における TSH の合成と分泌を**促進**する．TRH はまた，プロラクチンの放出も促進する．一方，血中の**トリヨードサイロニン**（T_3）と**サイロキシン**（T_4）の濃度が高くなると，TSH の分泌は**抑制**される．

甲状腺機能低下症

TSH の分泌が欠損すると（まれな症例ではあるが下垂体の先天的な低形成で観察される），**甲状腺機能低下症** hypothyroidism が生じ，細胞の代謝，体温，基礎代謝率，そして精神活動・意欲の低下が著明となる．甲状腺機能低下症はまた，自己免疫疾患である**橋本病**でも認められる．同様に，甲状腺機能低下症は甲状腺疾患やヨードの摂取不足でも起こりうる．**甲状腺機能亢進症** hyperthyroidism に関しては，19 章の「甲状腺」の項で**グレーブス病** Graves' disease について言及する際に解説する．

副腎皮質刺激ホルモン（ACTH）（図 18.10，18.11）

副腎皮質刺激ホルモン adrenocorticotropic hormone（ACTH

図 18.10 | 副腎皮質刺激ホルモン（ACTH）

副腎皮質刺激ホルモン（ACTH）は，主として副腎皮質の 2 つの層（**束状帯と網状帯**）の機能を調節している．一方，球状帯は**アンギオテンシン II** によって制御されており，このアンギオテンシン II は，肝臓で生合成されるアンギオテンシノゲンがレニン（腎臓の傍糸球体細胞から分泌される）およびアンギオテンシン変換酵素（主として肺に局在する）という 2 つのプロテアーゼによってプロセッシングされて生成する．

ACTH は**コルチゾール**（糖質コルチコイド）およびアンドロゲンの生合成を促進する．コルチゾールや他のステロイドは肝臓で代謝される．

血漿コルチゾールレベルの低下，ストレス，バソプレシン（抗利尿ホルモン，ADH）は，副腎皮質刺激ホルモン放出ホルモン（CRH）の分泌促進を介して，下垂体の塩基好性細胞からの ACTH 分泌を促進する．**コルチゾールはこのような調節系で中心的な役割を担っている**．

ACTH は皮膚の色素沈着を促進する．**アジソン病**や**クッシング病**でみられるような皮膚の色素沈着は，メラニン細胞刺激ホルモン（MSH）の作用によるものではない（MSH は通常ヒトの血清中にはほとんど存在しない）．

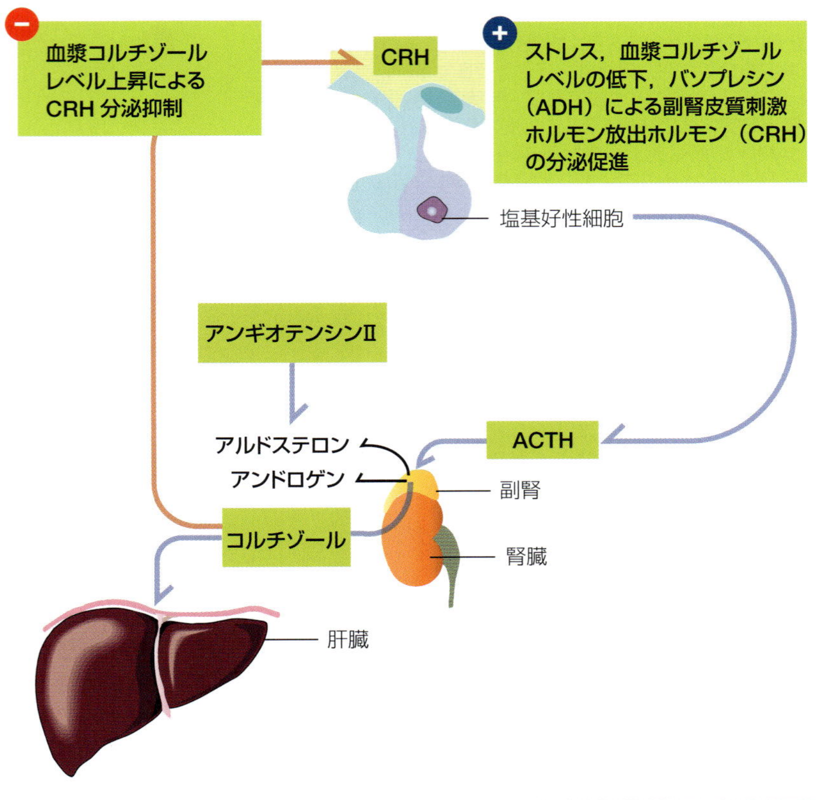

あるいは**コルチコトロピン**）は 39 個のアミノ酸残基からなる**単鎖**のペプチド（4.5 kd）で，血中での寿命は 7〜12 分と短い．

このホルモンの最も根本的な作用は**副腎皮質**の束状帯と網状帯における**細胞増殖**と**ステロイド合成の促進**である（図 18.10）．一方，副腎皮質の球状帯はアンギオテンシン II の制御下にあり，第 19 章の「副腎」の項で解説する．

副腎皮質における ACTH の作用はサイクリック AMP（cAMP）を介して発揮される．ACTH は副腎に対する作用の他，皮膚の色素沈着や脂質分解も促進する．

ACTH は，下垂体前葉で，31 kd の**プロオピオメラノコルチン** pro-opiomelanocortin（**POMC**）という糖鎖が付加された大きな前駆体タンパク質から，プロテアーゼによる切断を受けて生成する．この POMC からは，次のようなペプチド断片が生成される（図 18.11）：

1. 機能が明らかにされていない**アミノ末端側のペプチド**，**ACTH**，そして**β-リポトロピン** β-lipotrophic hormone（β-LPH）．POMC に由来するこれら 3 種類のペプチドは，いずれも下垂体前葉で分泌される．
2. **β-LPH** はさらに切断されて，**γ-LPH** と**β-エンドルフィン** β-endorphin が生成し体循環に放出される．β-LPH と γ-LPH には**脂質分解作用**があるが，ヒト個体において脂肪が動員される際にこれらのペプチドが果たす正確な役割については解明されていない．
3. γ-LPH は，**β-メラニン細胞刺激ホルモン** β-melanocyte-stimulating hormone（β-MSH）のアミノ酸配列を含むが，ヒトではこの断片ペプチドは分泌されない．また，β-エンドルフィンは**メチオニンエンケファリン**（met-enk）の配列を含むが，下垂体で β-エンドルフィンが切断されて met-enk が生成するという証拠はない．
4. ACTH が切断されると，**α-メラニン細胞刺激ホルモン** α-melanocyte-stimulating hormone（α-MSH）と**コルチコトロピン様中葉ペプチド** corticotropin-like intermediate lobe peptide（CLIP）が生成する．

この α-MSH と CLIP の生成は下垂体中間葉がよく発達した動物種で認められ，これらのホルモンはメラニン顆粒を含む細胞に作用してメラニン顆粒の分散を誘起し，多くの魚類，両生類，爬虫類の皮膚色を暗く変化させる．

また，ACTH の分泌は，以下のように制御されている：

1. 視床下部から放出される**副腎皮質刺激ホルモン放出ホルモン** corticotropin-releasing hormone（CRH）による分泌促進（図 18.11）．CRH は**抗利尿ホルモン** antidiuretic hormone（ADH，「神経性下垂体」の項参照）とともに室傍核に局在している．

   この抗利尿ホルモンとアンギオテンシン II は，ともに CRH の ACTH 分泌促進作用を強める働きを有する．
2. 血中**コルチゾール** cortisol 濃度の上昇による ACTH 分泌の**抑制**．これには，視床下部からの CRH 分泌の抑制を介した間接的な機序と，下垂体の塩基好性の**副腎皮質刺激ホルモン分泌細胞**を直接的に抑制する機序の両方が関与している．

ACTH は概日リズムに従って分泌される（朝に分泌ピークを有し，その後緩やかに分泌量が低下する）．

図 18.11 | プロオピオメラノコルチン（POMC）のプロセッシング

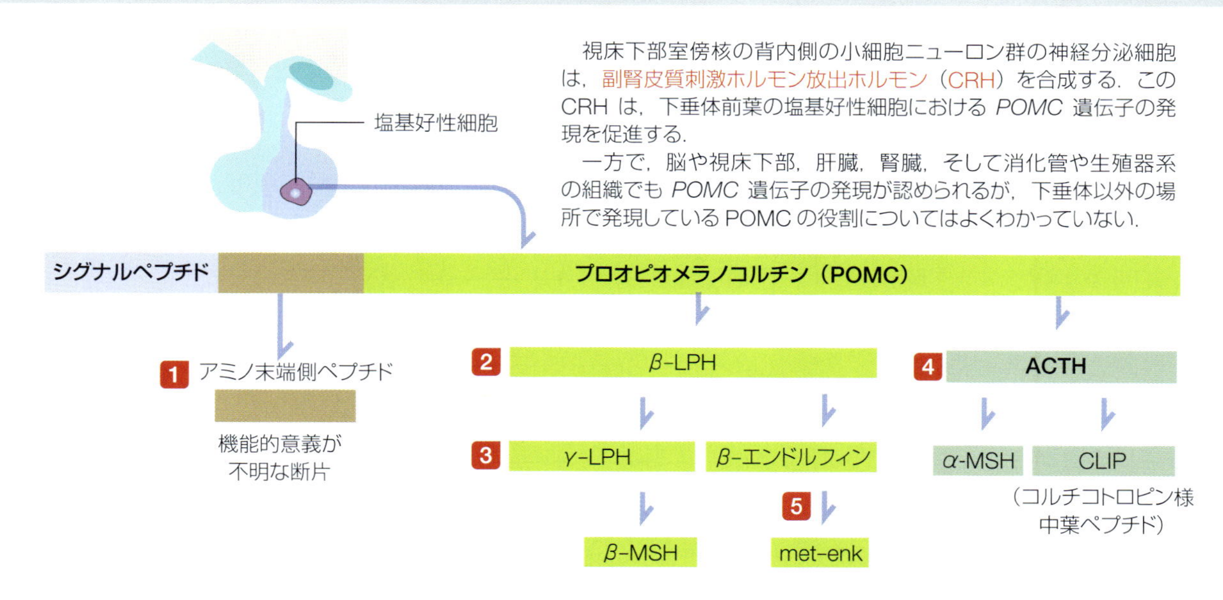

1 アミノ末端側のペプチド，副腎皮質刺激ホルモン（ACTH），β-LPH は，いずれも腺性下垂体で生成される．

2 β-LPH から生成するペプチド断片（γ-LPH とβ-エンドルフィン）は体循環に放出され，おそらくヒトにおいても何らかの機能を果たしていると推測されている．β-LPH とγ-LPH には脂質分解作用があるが，ヒト個体における脂肪動員時の役割に関しては解明されていない．

3 γ-LPH はβ-メラニン細胞刺激ホルモンβ-MSH のアミノ酸配列を含み，β-エンドルフィンはメチオニン―エンケファリン（met-enk）の配列を含む．

4 下垂体中間葉がよく発達した動物種では，ACTH が切断されてα-メラニン細胞刺激ホルモンα-MSH と CLIP が生成する．α-MSH とβ-MSH は，魚類や両生類，爬虫類においてはメラニン顆粒を含む細胞に作用してメラニン顆粒の分散を誘起し，その皮膚色を暗く変化させる．ヒトでは，胎児期を除いて下垂体中間葉の発達は悪く，ACTH のα-MSH と CLIP への切断は起こらない．

5 また，下垂体でβ-エンドルフィンが切断されて met-enk が生成するという証拠はなく，β-MSH がヒトで分泌されるということもない．

クッシング病

ACTH を分泌する下垂体**腺腫**によって**クッシング病** Cushing's disease が発症する．この疾患では，副腎の束状帯（第 19 章「副腎」の項参照）で過剰のコルチゾール産生が起こり，肥満，骨粗鬆症，筋萎縮などの症状が現れる．反対に ACTH の分泌が**低下**すると，コルチゾールの分泌低下が起こり低血糖となる．

また，ACTH が分泌されなくなると，副腎由来のアンドロゲン分泌も減少するため，女性では陰毛・腋毛が消失する．しかし，男性では精巣からのアンドロゲンの分泌で副腎性アンドロゲンの低下が補償されるため，このような症状は認められない．

神経性下垂体

神経性下垂体の組織学（図 18.12〜18.14）

神経性下垂体は，神経内分泌機能を果たすために不可欠な次の 3 つの部分を基盤としていることを覚えておくこと．

1. **視床下部の視床上核** supraoptic nucleus（**SON**）と**室傍核** paraventricular nucleus（**PVN**）の神経分泌ニューロン．
2. SON と PVN の神経細胞から出た無髄神経線維の束である視床上核 - 下垂体路と室傍核 - 下垂体路．
3. 発生期の前脳に由来し，主として神経組織でできている下垂体後葉．

また組織学の観点からは，上に挙げた 3 つの部分の機能が最適に果たされるために，以下の構成要素が寄与している（図 18.12，18.13）：

1. **SON と PVN の大細胞性ニューロン** magnicellular neurons（ラテン語 *magnus*［= large，大きい］）**に由来する無髄神経線維の軸索．さらに，PVN には，正中隆起や前脳，脳幹，脊髄に投射する小細胞性ニューロン** parvocellular neurons（ラテン語 *parvus*［= small，小さい］）**も含まれている．**

この無髄の軸索でみられる大きな特徴は，**ヘリング小体**とよばれる断続的にふくらんだ部分の存在と，毛細血管に隣接した神経終末部である．ヘリング小体と神経終末には，SON と PVN の神経分泌細胞によって産生された**ホルモンとニューロフィジンの複合体**が含まれている．

アルギニンバソプレシン arginine vasopressin（**VP，抗利尿ホルモン［ADH］**ともよばれる）と**オキシトシン**は，これらの神経細胞で合成される 2 つのペプチドホルモンである．

VP／ADH とオキシトシンをコードする遺伝子は，20 番染色体短腕 p13 上で 12 kb の長さの DNA を挟んで向かい合って並んでいる．

それでは，ニューロフィジンは何に由来するのだろうか？

VP／ADH とオキシトシンをコードする各遺伝子は，3 つのエクソンからなる．この 3 つのエクソンは，モジュラー

図 18.12 | 神経性下垂体

抗利尿ホルモン（あるいは**アルギニンバソプレシン**ともよばれる）と**オキシトシン**は，**視索上核**および**室傍核**の神経細胞で生合成されるホルモンである．

これらはその担体タンパク質である**ニューロフィジン**とともに**視床下部–下垂体路**を形成する神経軸索内を輸送され，下垂体後葉に局在する軸索終末で放出される．放出されたホルモンは下下垂体動脈に由来する**有窓型毛細血管網**に入る．

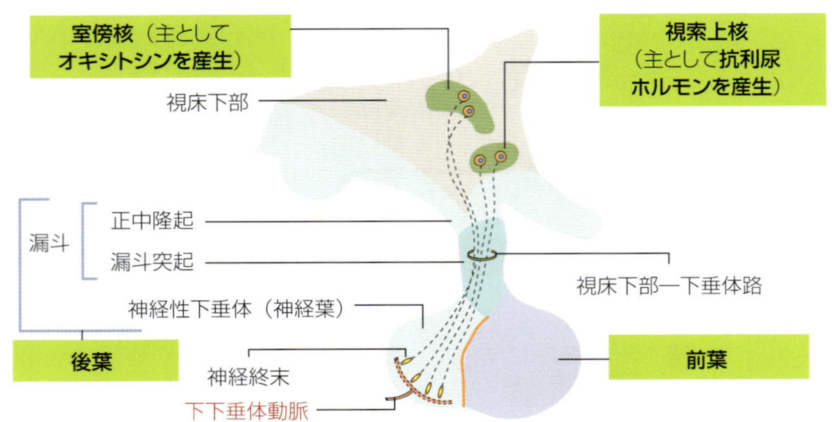

神経性下垂体は，**後葉細胞**（一種の神経膠細胞）の細胞突起が室傍核や視索上核に由来する**無髄神経線維**を取り囲むように支持して形成されている．組織内には多数の毛細血管が認められる．

抗利尿ホルモンとオキシトシンを含む分泌顆粒は一時的に軸索の膨大部に貯留するため，**ヘリング小体**という構造として観察される（ここに示した顕微鏡像には認められない）．

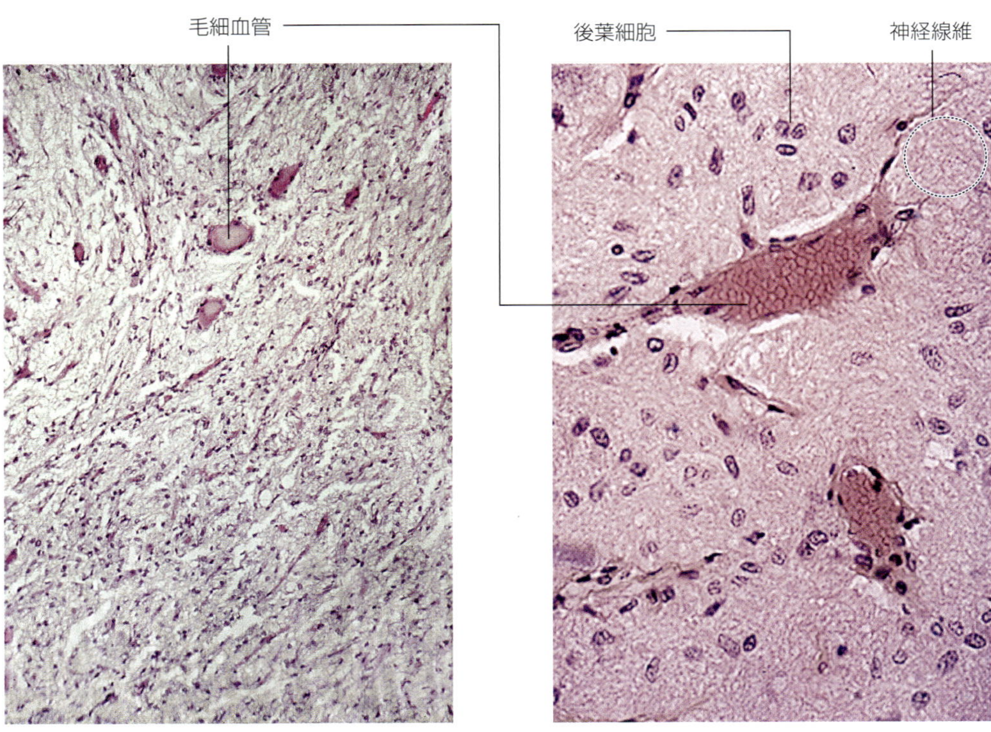

構造をとる大きな前駆体タンパク質をコードしており，各エクソンは，(1)アミノ末端シグナルペプチド，(2)ペプチドホルモン（VP／ADH またはオキシトシン）と各ホルモンに対応する**ニューロフィジン**とよばれる前駆体中央部に位置するタンパク質（オキシトシンに対応するものは NPI，VP／ADH に対応するものは NPII），および(3)カルボキシル末端ペプチドである**コペプチン**をコードしている（図 18.13）．

大細胞性ニューロンの細胞体で小胞に詰められた大きな前駆体タンパク質は，この小胞が軸索に沿って輸送される間に，成熟型の VP／ADH やオキシトシンにプロセシングされる．大きな前駆体タンパク質は，**エンドペプチダーゼ**によって切断され，成熟型のホルモンと対応する**ニューロフィジン**からなる複合体になる．ニューロフィジンは，軸索輸送中にホルモンの担体として機能する以外には，明らかな生理作用は認められない．

図に示したように，成熟した VP／ADH-NPII またはオキシトシン-NPI は，事実上一体となったホルモン－ニューロフィジン複合体である．

2. **後葉細胞** pituicyte は星状膠細胞のように無髄の軸索を支持する細胞で，星状膠細胞に似て中間径フィラメントタンパク質の一種である**グリア線維酸性タンパク質** glial fibrillary acidic protein（GFAP）を豊富に含み，細胞質には少量の**脂肪滴**も認められる．

後葉細胞の細胞突起は，次のようになる：

(1)後葉細胞は，SON や PVN に由来する神経分泌細胞の無髄の軸索を取り囲む．

(2)後葉細胞は神経終末と有窓型毛細血管周囲の基底板との間に突起を伸展する．

(3)神経終末に蓄えられた分泌顆粒が開口放出される際には引っ込んで，その結果，分泌顆粒の内容物は血中に放出さ

図 18.13 | 神経分泌細胞の構造と機能

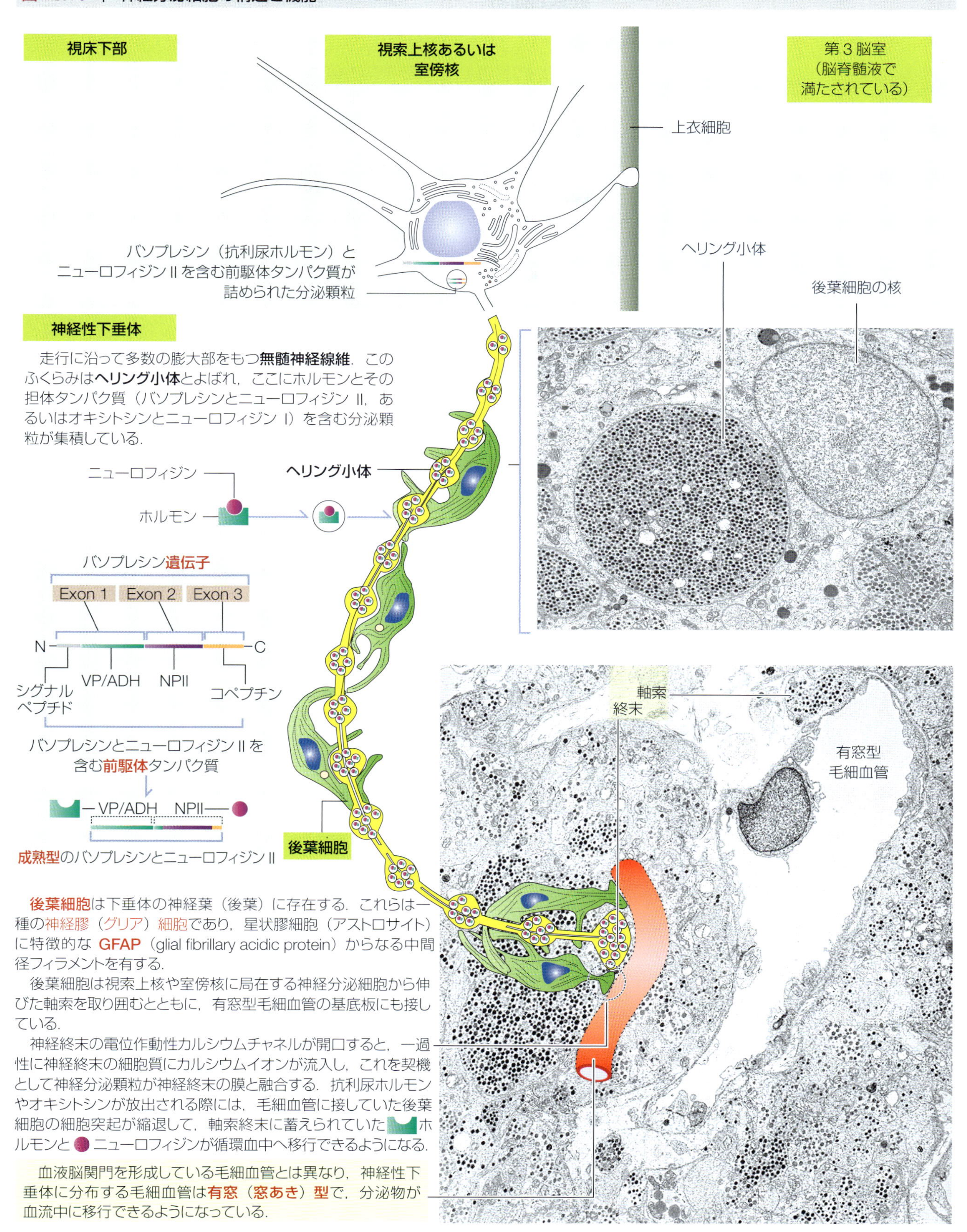

図 18.14 | 有窓型毛細血管周囲の神経終末と後葉細胞

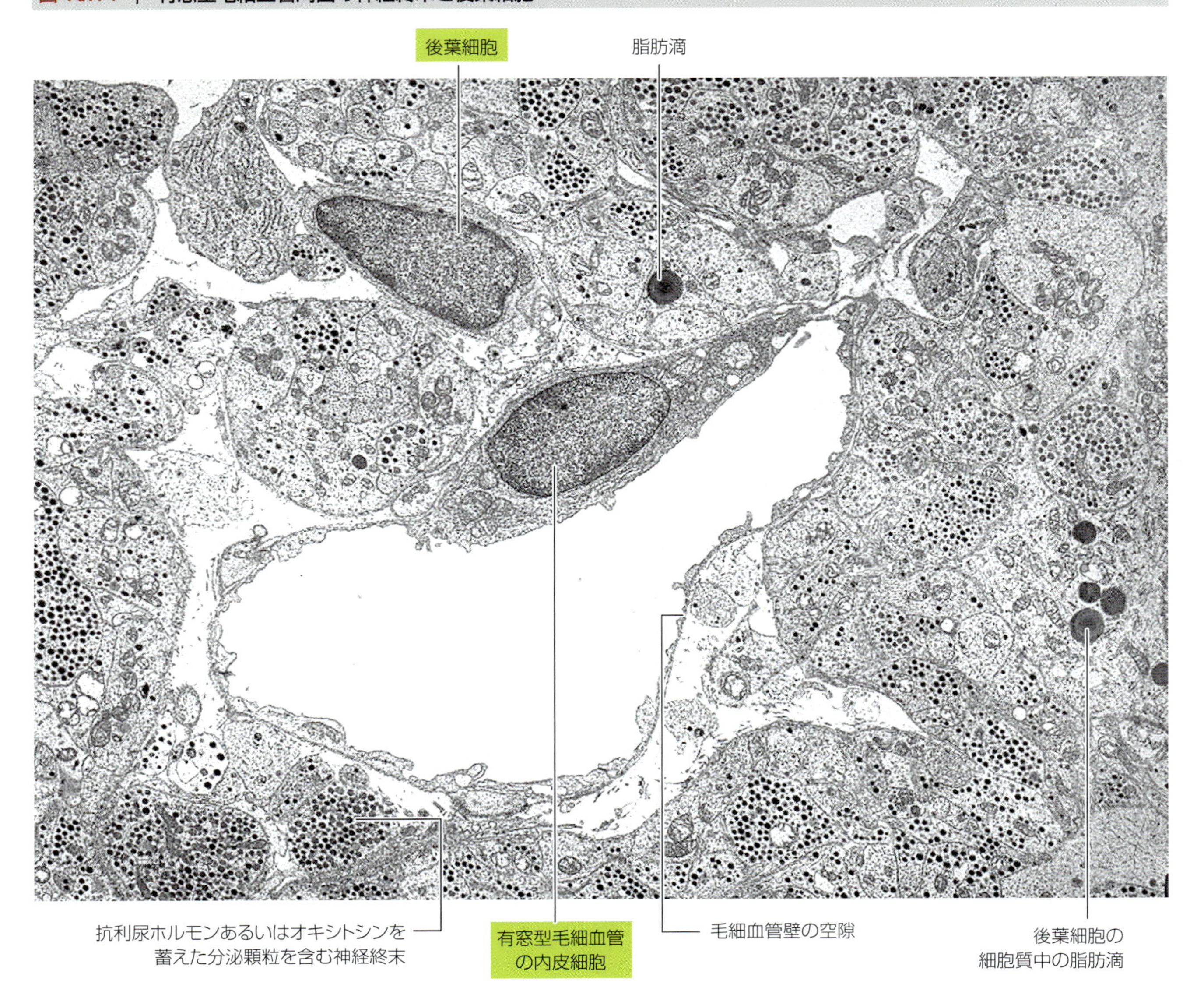

れやすくなる（図 18.14）.

この神経終末の電位依存性 Ca^{2+} チャネルが開くと，分泌顆粒の内容物は放出される.

一過性の Ca^{2+} 流入の後，分泌顆粒は神経終末の膜と融合し，ホルモン - ニューロフィジン複合体が放出される.

ホルモンの担体であるニューロフィジンは，他の機能は果たさない．放出されたホルモンは，担体タンパク質とは結合せず血中を循環し，その半減期は 5 分である.

3. **有窓性毛細血管**は下下垂体動脈の枝から起こる．本章ですでに述べたように，神経性下垂体は，この下下垂体動脈と上下垂体動脈の枝の索動脈から動脈血の供給を受けている．なお，上下の下垂体動脈はどちらも内頸動脈から分枝したものである.

VP／ADH とオキシトシンの機能（図 18.15）

第 14 章では，VP／ADH は腎における水の排泄を調節する主要な内分泌因子であることを学んだ．VP／ADH は，電解質バランス，血漿量，血漿浸透圧を維持するための生理的反応を促進する．VP／ADH の主な生理作用は，ネフロンの遠位部における水の再吸収の調節であり，この機能によって，腎臓は尿を濃縮したり希釈したりできる．覚えていると思うが，VP／ADH は，集合管を内張りする**主細胞** principal cell（図 14.16 参照）において，水チャネルタンパク質である特定の**アクアポリン**（**AQP**）の発現を促進する．腎臓の AQP は非常に重要な役割を担っているので，13 種類の AQP のうち 7 種類（AQP1～4，AQP6～8，AQP11）が発現している.

循環血の浸透圧が上昇したり，循環血液量が低下したりすると，VP／ADH の放出が促進される．一方，体内に水分が貯留した場合には血漿浸透圧が低下するため，視床下部の浸透圧受容体が反応して VP／ADH の分泌が抑制される.

VP／ADH はまた，**多量に放出された場合には，血管収縮作用を示す**．このような作用のため，ADH はバソプレシンともよば

図 18.15 ｜ バソプレシン（抗利尿ホルモン）とオキシトシン

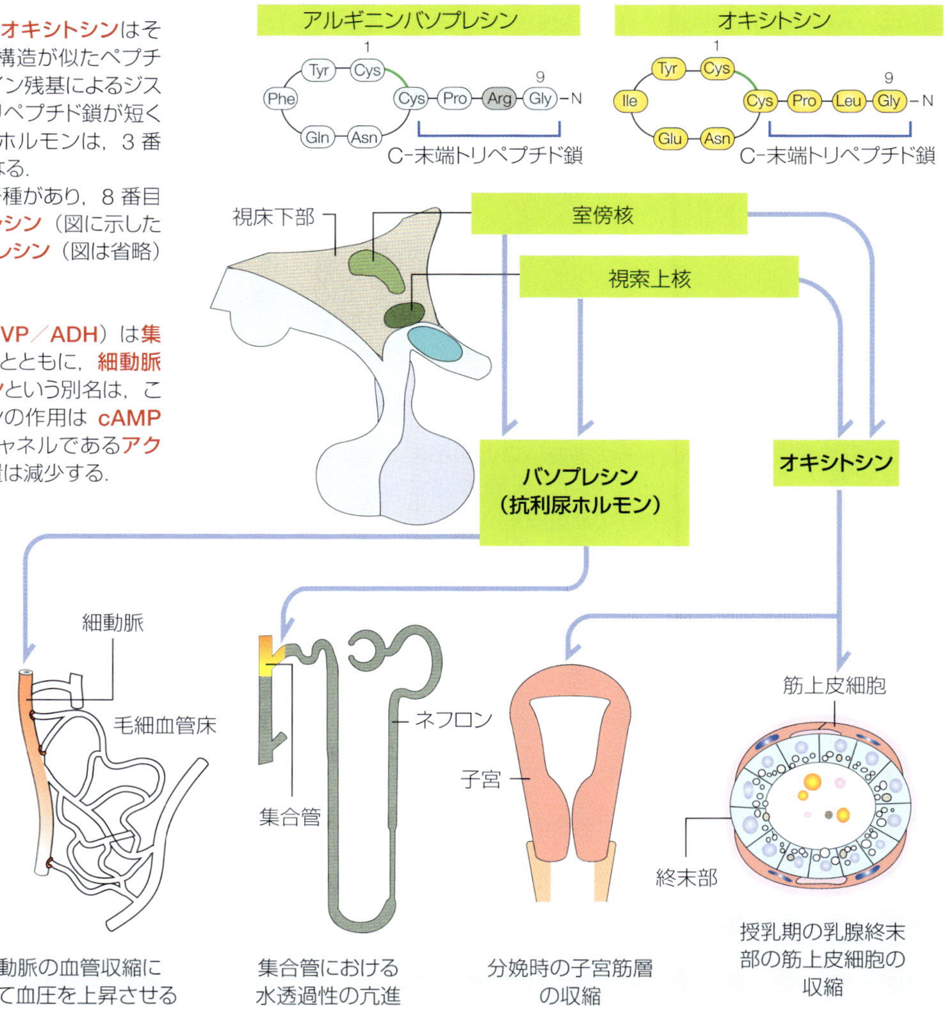

アルギニンバソプレシン（**VP**）と**オキシトシン**はそれぞれ 9 個のアミノ酸からなる分子構造が似たペプチドで，ペプチド鎖内の 2 つのシステイン残基によるジスルフィド結合で環状化し，C-末端トリペプチド鎖が短く突出している．この 2 つのペプチドホルモンは，3 番目と 8 番目のアミノ酸残基だけが異なる．

バソプレシンにはさらに 2 つの分子種があり，8 番目のアミノ酸残基が**アルギニンバソプレシン**（図に示したもの）ではアルギニン，**リジンバソプレシン**（図は省略）ではリジンとなっている．

バソプレシン／抗利尿ホルモン（**VP／ADH**）は**集合管における水透過性**を亢進させるとともに，**細動脈の血管収縮**を誘起する（**バソプレシン**という別名は，この作用に由来する）．抗利尿ホルモンの作用は **cAMP** を介し，水の透過性を促進する膜チャネルである**アクアポリン**を刺激する．この結果，尿量は減少する．

オキシトシンは**子宮収縮**と**射乳**に関与する．

エストロゲンは子宮筋層のオキシトシンに対する感受性を高め，逆にプロゲステロンはオキシトシンに対する反応を抑制する．

授乳期には，吸乳刺激を契機として起こる神経-内分泌性の反射によってオキシトシンの分泌が亢進する．吸乳刺激は乳頭や乳輪の感覚受容器から感覚神経線維を介して視床下部のオキシトシン産生ニューロンに伝えられる．刺激が伝わると，室傍核に局在するこれらのニューロンで活動電位が発生し，この活動電位が軸索を伝わって下垂体後葉に到達し，血中へのオキシトシンの放出が起こる．

アルギニンバソプレシン
1
Tyr Cys Phe Cys Pro Arg Gly Gln Asn 9 -N
C-末端トリペプチド鎖

オキシトシン
1
Tyr Cys Ile Cys Pro Leu Gly Glu Asn 9 -N
C-末端トリペプチド鎖

視床下部
室傍核
視索上核
バソプレシン（抗利尿ホルモン）
オキシトシン
細動脈
毛細血管床
ネフロン
集合管
子宮
筋上皮細胞
終末部

細動脈の血管収縮によって血圧を上昇させる

集合管における水透過性の亢進

分娩時の子宮筋層の収縮

授乳期の乳腺終末部の筋上皮細胞の収縮

れる．

一方，オキシトシンは生殖機能に関係している．第 23 章で述べるように，オキシトシンは授乳，分娩，生殖行動の制御に関与する．授乳の際の乳腺の乳頭の吸引によって求心性／感覚性の迷走神経が刺激されると，視床下部の SON と PVN の大細胞性ニューロンを刺激する反射が誘発され，パルス状にオキシトシンが放出される．

オキシトシンは，授乳期に乳腺の腺房や射乳管を囲む**筋上皮細胞** myoepithelial cell の収縮を起こすことによって**乳汁の射出**を促進する．

オキシトシンはまた，プロスタグランジンの助けを借りて，分娩時（陣痛の発来と進行）に子宮平滑筋の反応性を高める．

視床下部には，SON と PVN に加えて，下垂体前葉ホルモンの放出ホルモンや抑制ホルモンの産生ニューロンが**局在する神経核** hypothalamic hypophysiotropic nuclei もある．これらのニューロンの神経終末は正中隆起の有窓性一次毛細血管網に投射し，下垂体門脈系にホルモンを放出する（本章冒頭の「視床下部－下垂体門脈系」の項を参照）．

SON と PVN の神経分泌細胞は，**血液脳関門で保護されている**中枢神経組織内に局在しているが，これらの細胞で合成され神経終末まで輸送されたホルモンは，**血液脳関門の外側**の空間である有窓型毛細血管に向けて放出される．

視床下部性（中枢性）尿崩症

視床下部性の尿崩症 hypothalamic diabetes insipidus（**HDI**，**神経原性尿崩症** neurogenic diabetes insipidus ともよばれる）は ADH の分泌が減少あるいは欠損した場合に起こる病態で，80％以上の大細胞性ニューロンの破壊あるいは機能喪失が生じると発症する．視床下部性尿崩症の患者では，高浸透圧ストレスが進行しても，血中 VP／ADH 濃度は検出感度以下の低値を示す．

臨床的には**多尿** polyuria が典型的な症状として現れ，その尿量は 24 時間で 20 L にも及ぶ．大部分の患者は**多飲症**（過度に渇きを覚え過剰に飲水する病態）により体内の水収支を維持する．

このような視床下部性尿崩症は，頭部外傷や浸潤性の腫瘍が視床下部－神経性下垂体系を破壊した場合，自己免疫によりバソプレシン分泌神経細胞が破壊された場合などで起こる．

これに対して，**腎性尿崩症** nephrogenic diabetes insipidus（NDI）は，ある種の慢性腎疾患で VP／ADH に対する**応答性が失われた場合**や先天性のバソプレシン受容体欠損症（X 連鎖性潜性遺伝で起こる家族性腎性尿崩症など）が原因で起こる．また，リチウム中毒で二次性に起こる腎性尿崩症では集合管の管腔側細胞膜でのアクアポリン 2（AQP2）の発現低下が特徴的であり，リチウム中毒から脱してもその影響が不可逆的に残ることがある．

松果体

松果体 pineal gland（あるいは epiphysis）は神経分泌性の機能をもつ細胞によって形成される内分泌器官である．松果体は第 3 脳室後方の脳の正中部に位置し，松果体柄によって脳とつながっている．

松果体と脳の間には直接的な神経の連絡はほとんどない．松果体に投射する神経線維のほとんどは，**上頸神経節** superior cervical ganglia に由来する**交感神経の節後線維**である．

上頸神経節への節前線維は脊髄の側角に由来する．松果体の機能は，主として**交感神経**によって調節されている．

まとめると，哺乳類の松果体は，網膜から送られてくる光の情報を処理して**神経内分泌調節に変換する役割**を果たしている．

松果体の発生（図 18.16）

松果体はまず，第 3 脳室の正中部で間脳後部の天井部分が嚢状に突出することによって形成される．

引き続いて，この内部に脳軟膜に由来する結合組織が侵入し多数の中隔で仕切られた空間が形成され，この空間を**索状**あるいは**塊状**に集合した**松果体細胞** pinealocyte と**神経膠（グリア）細胞様の間質細胞** glial-like interstitial cell が埋め，松果体の実質が形成される．松果体に分布する血管や神経は，この脳軟膜に由来する結合組織とともに松果体内部に侵入する．

松果体の組織学（図 18.16，18.17）

松果体は，魚類や両生類では，神経感覚性の**光受容器官**である．一方，爬虫類と鳥類では，松果体の光受容機能は退化的になり，かわって分泌機能が優位になった．そして，哺乳類では，松果体はある種の神経伝達物質を分泌する機能を果たしている．

松果体は非常に血管に富む組織で，次の 2 種類の細胞から構成される：

1. **松果体細胞** pinealocyte.
2. **間質細胞** glial-like interstitial cell.

松果体細胞は基底板の上に索状あるいは塊状に配列する分泌細胞で，その周囲には結合組織，有窓型毛細血管，神経線維が存在する．

松果体細胞には軸索はないが，先端がふくらんだ 2 本以上の細胞突起をもつ．そのうち 1 つは毛細血管の近傍に達する．細胞質は**ミトコンドリアが豊富**で，**不規則に分布する多数のシナプスリボン** synaptic ribbon も観察される．ちなみに，**孤立性のリボンシナプス**は，第 9 章で示された**網膜**（図 9.18 参照）や**内耳**（図 9.28 参照）の感覚細胞の**シナプス終末**で観察される．

松果体細胞や松果体細胞由来の腫瘍細胞は，神経分泌細胞の細胞膜マーカー糖タンパクの 1 つである**シナプトフィジン**に対する抗体で免疫染色すると陽性に染まり識別できる．

間質細胞は松果体細胞の間に観察される．神経膠細胞様の間質細胞は，**グリア細胞線維性酸性タンパク質（GFAP）**が細胞質に発現していることで識別でき，この間質細胞と結合組織は，機能を営んでいる松果体細胞に支持基盤を提供している．

松果体に投射する主要な神経線維は，上頸神経節に由来する交感神経である．

松果体の神経性入力は**ノルアドレナリン**で，出力は**メラトニン**である．松果体のノルアドレナリンには概日リズム性の変化が認められ，夜間に最も高値を示す．

この松果体細胞の機能調節は **β- アドレナリン受容体**を介して行われており，β- アドレナリン拮抗薬によって松果体細胞の代謝活性は抑制される．

松果体組織の重要な特徴の 1 つとして，**脳砂** corpora arenacea（brain sand）とよばれる，はっきりとした**石灰化領域**の存在がある．

松果体細胞は，ヒドロキシアパタイト結晶や炭酸アパタイト結晶が沈着しやすい細胞外マトリックスを分泌する．この基質への石灰化は小児期早期に始まって，加齢とともに増加し，10 歳代になると X 線検査でみつかるようになる．

この石灰化は松果体の機能には特に影響を及ぼさないが，**放射線診断上，石灰化した松果体は脳の正中部の位置を知るための重要な指標として利用されている**．

松果体細胞はメラトニンを分泌する（図 18.18）

松果体から分泌される主要な生理活性物質は**メラトニン**である．メラトニンの合成と放出は，暗環境下で刺激され，光によって抑制される．メラトニンの分泌は夜の長さに関係しており，ほとんどの動物種で，夜が長くなるほどメラトニン分泌の持続時間も長くなる．

日中は，網膜の視細胞が過分極し，交感神経節後線維からのノルアドレナリンの放出が抑制される．その結果，網膜－視床下部系の神経は休息状態になり，メラトニンはほとんど分泌されない．

一方，夜が来て暗環境になると，視細胞からの刺激を受けた交感神経節後線維由来のノルアドレナリンの放出により松果体の α1 受容体と β1 受容体が刺激されて，メラトニン合成活性が高まる．

メラトニンは，主に肝臓で水酸化により 6- ヒドロキシメラトニンに迅速に代謝され，硫酸基やグルクロン酸が付加された後，尿中に排泄される．

メラトニン分泌に対して光には次の 2 つの効果がある：

1. 昼夜の光の周期がメラトニン分泌のリズムを変える．
2. 十分な強度と持続時間をもつ光の短いパルス刺激は，メラトニン産生を急速に抑制することができる．

メラトニンは**トリプトファン**から合成されると直ちに分泌される．メラトニン合成のほとんどは暗期に起こる．神経伝達物質である**セロトニン**はメラトニンの前駆体である（図 18.18）．セロトニンはアセチル化され，その後メチル化されてメラトニンが生成する．このとき，**セロトニン *N*- アセチルトランスフェラーゼ**がメラトニン合成の律速酵素となっていて，実際，光への曝露や

図 18.16 | 松果体の発生

1 発生 10 週目に間脳が背側に嚢状に突出することによって松果体の発生が始まる．

2 袋状に突出した部分の壁が厚くなり，その基部を除いて内腔が埋まり充実性となる．この基部の部分は**松果体陥凹**として成体でも残存し，第 3 脳室と連絡している．

3 松果体は，**松果体細胞**と**グリア細胞様の間質細胞**という 2 種類の細胞（どちらも脳の原基である神経上皮に由来）を含む緻密な組織となる．さらに，脳軟膜に由来する結合組織が発生過程の松果体内部に侵入し，多数の**結合組織性中隔**を形成する．

1
憩室
間脳
漏斗（神経性下垂体が発生する部位）

2
松果体陥凹

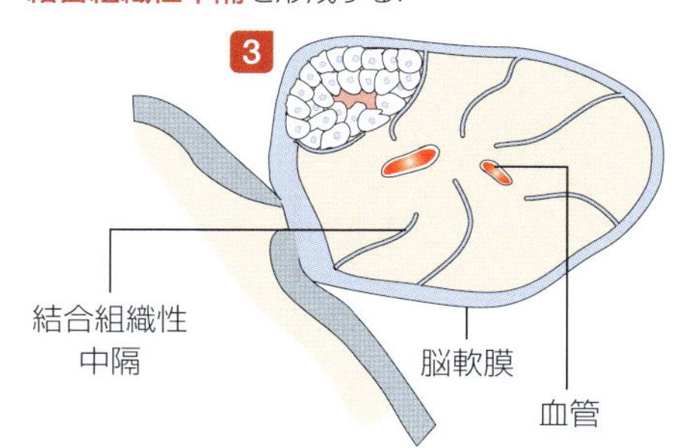

脳砂
血管

松果体

松果体（名前の由来はその形が松かさに似ているため）は，**メラトニンを分泌する松果体細胞**と**グリア細胞様の間質細胞**から構成され，間質細胞の細胞突起に囲まれて松果体細胞が索状に配列している．松果体細胞からは毛細血管を取り囲むように細胞突起が突出している．

松果体組織で最も特徴的なのは，**脳砂**とよばれるカルシウム塩の集積した構造物が細胞間に認められることである．

松果体に投射する神経線維のほとんどは，**上頸神経節**に由来する**交感神経の節後線維**である．

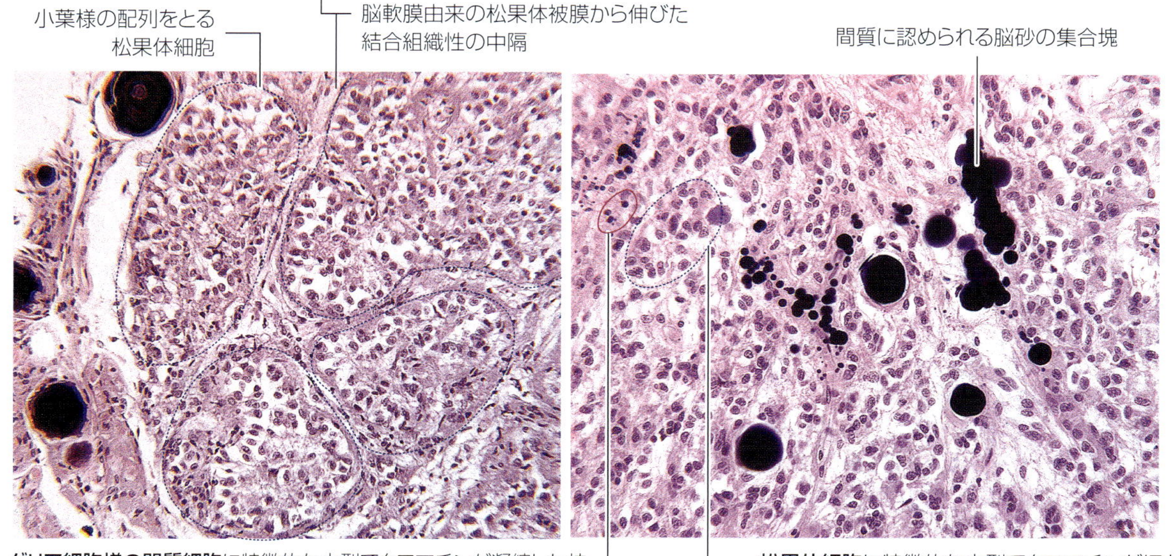

図 18.17 | 松果体細胞の構造

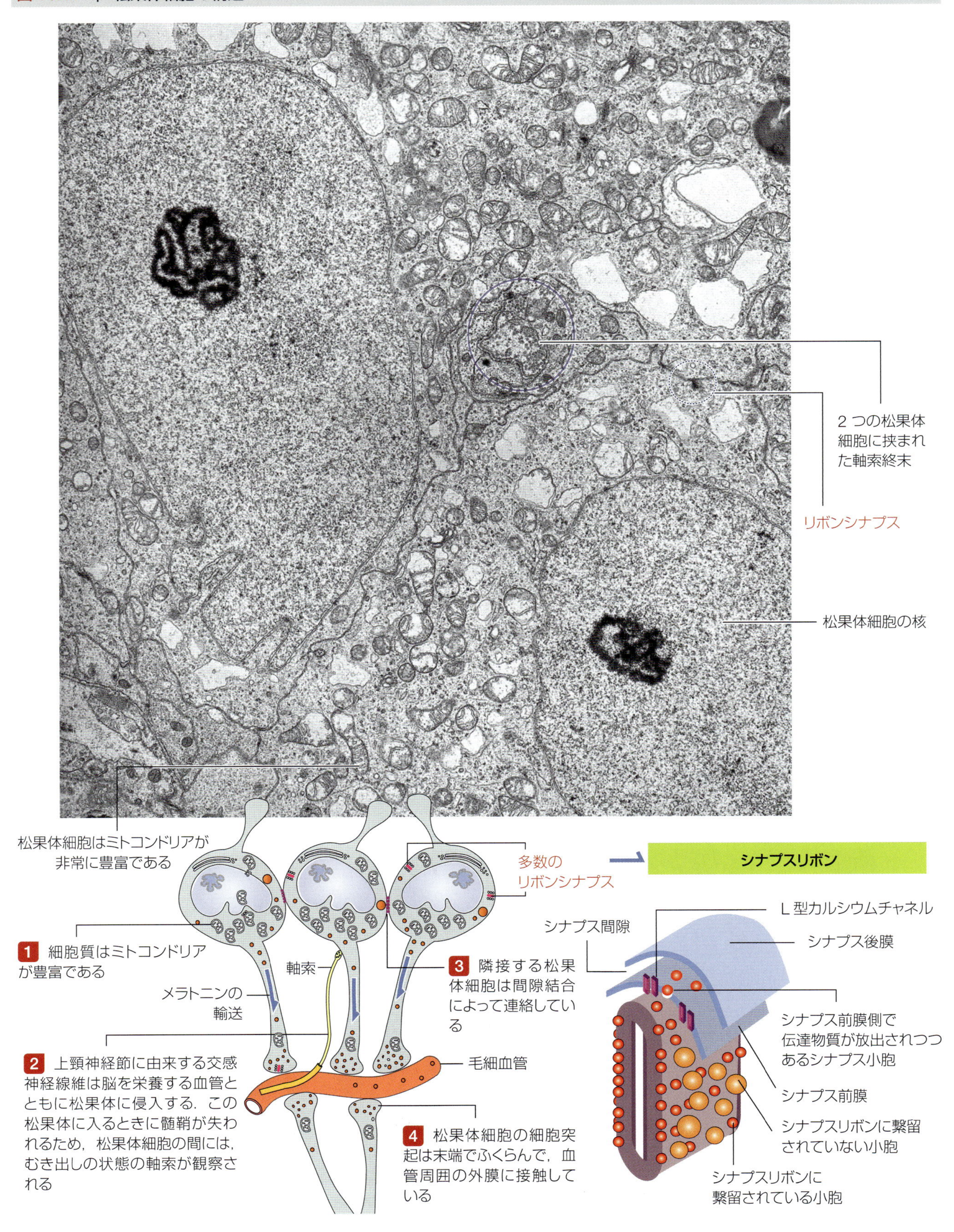

図 18.18 | メラトニンの合成と放出

1 内在性感光性網膜神経節細胞に伝えられた光刺激は**網膜視床下部路**を経由して**視交叉上核**に伝えられる．視交叉上核の概日リズム維持機構は，ニューロンと星状膠細胞の間の転写-翻訳負のフィードバックループ（TTNL）の影響を受ける．

2 **視床下部脊髄路**を経由して，視床下部からの情報が**胸髄の中間外側核の神経細胞**に伝えられる．

3 脊髄からの情報は交感神経節前線維を経由して，**上頸神経節**の神経細胞に伝えられる．

4 血管とともに松果体に侵入する**交感神経節後線維**を経由して，上頸神経節からの情報が松果体に伝えられる．

5 このような光刺激の伝達をもとにして，**光刺激が失われるとメラトニン合成が促進**され，反対に光刺激があると急速にメラトニン合成が抑制される．

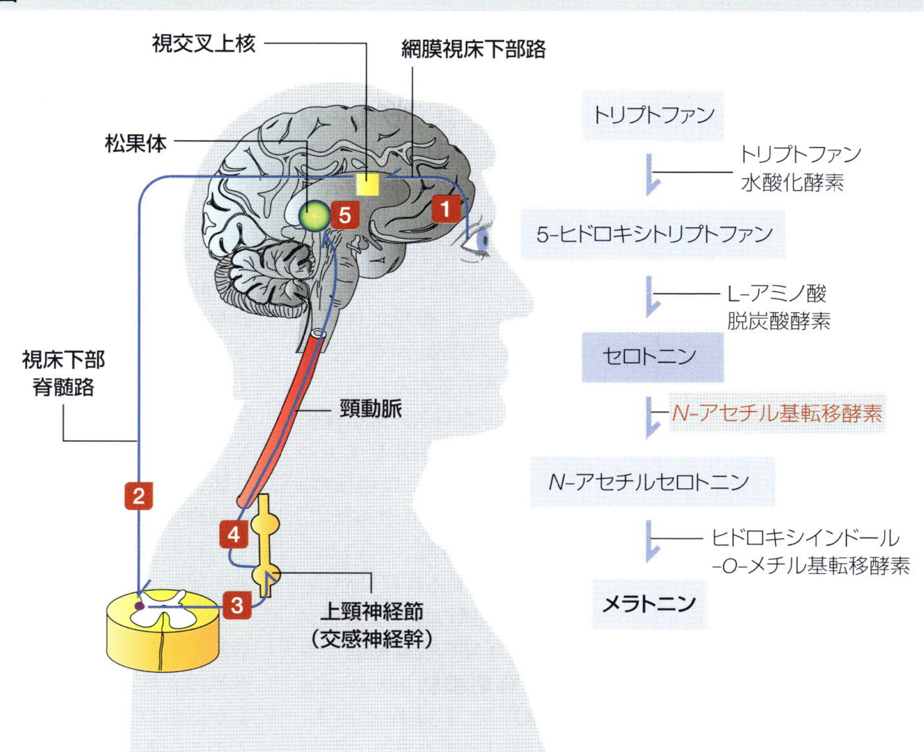

メラトニンは光刺激が失われると分泌され，反対に光刺激を受けると放出されなくなる．
メラトニンは視床下部と下垂体前葉の両方に作用し，性腺刺激ホルモンと成長ホルモンの分泌を抑制する．
典型的な松果体腫瘍の患者では，**思春期早発症**がみられることがある．

β-アドレナリン阻害剤の投与は*N*-アセチルトランスフェラーゼの急速な減少を引き起こすため，結果としてメラトニン合成が低下する．

松果体のメラトニン含有量は，完全な暗闇となる夜の間に最も多くなる．

メラトニンは受動的な拡散によって体循環系へ放出され，以下の2つの作用を誘起する：

1. **視床下部と下垂体に作用し，多くの動物種で性腺刺激ホルモンと成長ホルモンの分泌を抑制**する．
2. **睡眠**を誘起する．メラトニンは光周期の情報を統合し，概日リズムを調節する．まだ証明されていない仮説ではあるが，メラトニンは明かりが消されたときに眠くなるのにも関与しているらしい．

細胞表面の**Mel1A**と**Mel1B**という2つのGタンパク質共役型メラトニン受容体は，それぞれさまざまな組織で異なる発現をしており，メラトニンのさまざまな生物学的効果を司っている．

光は概日リズムの調節因子である（図 18.18）

メラトニン分泌の概日リズムは内因性のものであり，その制御シグナルは視交叉上核から発信される．

24時間周期の生物学的な**体内時計** circadian clock（ラテン語 *circa*［= about，約］，*dies*［= day，日］）は睡眠や警告のパターンを制御し，明暗の周期や睡眠覚醒の周期と結びついている．

ここで，哺乳類の松果体が**網膜**からの情報をもとに神経と内分泌をつなぐ一種の変換器の役割を果たしていることに注意してほしい．

網膜は，次の2つの役割を果たしている：

1. 第9章で触れたように，光のエネルギーを電気信号に変換することで，**画像形成のための光の検出**を行う．
2. また一方で，光と睡眠に対する概日性の体内時計の調整に必要な，**画像形成とは無関係** non-image-forming（**NIF**）**の視覚機能**を果たす．このNIF視覚機能には，網膜神経節細胞（視神経細胞）の一部が関与している．

哺乳類では，光刺激は**網膜視床下部路**（図 18.18）を経由して，中枢性の体内時計（ペースメーカーあるいは標準時計）として機能する視床下部の**視交叉上核** suprachiasmatic nucleus（**SCN**）に伝えられる．これが，多数の神経細胞を介するメラトニン合成・分泌調節の最初の段階である．

SCNは視交叉に隣接し，**内在性のペースメーカーとして概日リズムを制御する**20,000個あまりの神経細胞のネットワークを含んでいる．SCNのリズムは，主に網膜と網膜視床下部路を介してSCNへ投射する神経回路で形成される明暗サイクルによって24時間周期に同期される．

概日性の体内時計の計時機構では，SCNの神経細胞は，隣接する星状膠細胞により補助されている．実際，星状膠細胞の律動的な活動が，行動リズムの制御につながる機能的な概日性の体内時計を生み出している．

それでは，SCN の内部でこの概日性の体内時計はどのように動作しているのだろうか？

神経細胞の**転写-翻訳間の負のフィードバックループ** transcription-translation negative feedback loop（**TTNL**）は，転写因子 CLOCK と BMAL1 からなり，リプレッサー遺伝子（*Period* 遺伝子である *Per1*，*Per2*，*Per3* および *Cryptochrome* 遺伝子である *Cry1*，*Cry2*）の発現を調節している．*Per* 遺伝子と *Cry* 遺伝子は SCN 内で毎日，周期性に発現している．SCN ニューロンのサブセットにおける *Bmal1* 遺伝子が欠損すると，周期が長期化し概日リズムが不安定になる．言い換えれば，TTNL が障害されると，おおもとのタイムキーパーの機能がかき乱される．

このように神経回路の周期性が乱れた状態になると，**星状膠細胞**からの律動的な**グルタミン酸**の放出により，時計機能を失った SCN ニューロン内で概日性のリズムが復元される．この現象は，SCN 内の星状膠細胞がもつ機能的で内因性の概日時計があれば，周期性の行動を生み出すのには十分であることを示唆している．

Mel1A および Mel1B メラトニン受容体を発現する神経細胞は，**概日性のリズムをもつ一種の発振器**であり，網膜の特殊な**メラノプシン産生神経節細胞**と連絡している．この **NIF 視覚機能**をもつ網膜の細胞は，**内在性感光性網膜神経節細胞** intrinsically photosensitive retinal ganglion cell（**ipRGC**）とよばれている．ipRGC は**輝度検出器**として機能し，概日性のリズムをもつ発振器をリセットする役目を果たしている．

SCN から身体内の残りの概日性のペースメーカーに信号を送る際には，**TGF-α** transforming growth factor-α と**プロキネチシン 2** prokineticin 2 というタンパク質が関与することを示唆する知見がある．

視交叉上核が傷害された個体に新たに他の個体から SCN を移植すると，受け手ではなく提供者側の概日性リズムが出現する．

このことは，ipRGC と SCN が，概日ペースメーカーとしての機能に加えて，脳のいくつかの領域に投射して，睡眠の誘導にかかわるリズムをつくったり気分に影響を与えたりしていることを示唆している．

うつ病患者は，抑うつ症状が再発する数週間前に睡眠の異常を訴えることがある．

季節性情動障害 seasonal affective disorder（**SAD**）は，冬の間に日の長さが短くなることに関連したうつ病の一種である．SAD は双極性障害の患者で観察され，躁状態と抑うつ状態の間で気分が大きく切り替わるのが特徴である．

また，時差のある地域を越えて旅行する多くの人々が経験する疲労感，不眠，方向感覚の喪失などの症状を伴う**時差ぼけ** jet lag は，一時的に概日性のリズムが障害されて起こり，明暗と睡-覚醒のサイクルがずれたり乖離したりする．

概日リズムと現地時間との間で一時的に整合性が欠如して起こる体内時計の不調をリセットするためには，適切なタイミングで光に当たることやメラトニンの投与が必要である．これらの事実は，概日リズムの同期がメンタルヘルスの問題に重大な影響を及ぼすことを示している．

松果体腫瘍

松果体の腫瘍は**松果体腫** pinealomas とよばれ，周囲の脳組織に対する圧迫症状や浸潤を引き起こしたり，腫瘍の原発部位から離れたところに播種したりする．松果体腫の最も一般的な症状としては，**水頭症** hydrocephalus が原因で二次的に起こる頭痛，嘔吐，傾眠などの症状だが，さらには視覚障害，中枢性尿崩症，生殖機能異常などを伴うこともある．

松果体の病変の約 10% は本質的に良性のもので，**松果体嚢胞** pineal cyst などが含まれる．また，10% の腫瘍は比較的良性で，**低悪性度の神経膠腫**などである．松果体の腫瘍の残りの 80% は，さまざまな由来の高度に悪性な病変である．このようなものとしては，**胚細胞腫瘍**（**松果体胚芽腫**），**胎児性がん**，**奇形腫**，**悪性松果体芽腫**（松果体の実質細胞に由来），および**神経膠腫**（支持細胞である神経膠細胞由来）が含まれる．

胚細胞腫瘍は，卵黄嚢内胚葉から胚の生殖隆起に遊走する始原生殖細胞（PGC）に由来する．PGC が異所性に遊走した場合，本来の役割を果たせず胚細胞腫瘍に発展する可能性がある（第 21 章参照）．

核磁気共鳴画像法（MRI）では，腫瘍とその周囲の解剖学的な詳細情報（嚢胞性かどうか，石灰化の有無，側脳室や鞍上部への進展の有無）が得られる．胚細胞腫瘍は放射線療法によく反応するが，他のタイプの腫瘍の場合，手術による切除がまず選択されることが多い．

腫瘍の進展程度および性状は，脳脊髄液の細胞診（悪性細胞の有無を明らかにする），**α-フェトプロテイン**（AFP）（胚細胞腫瘍のマーカー）の測定，**ヒト絨毛性ゴナドトロピン**（**hCG**）（胚細胞腫瘍のマーカー．下記参照）の測定によって評価できる．さらに腫瘍の局所的な進展範囲を決定するためには，眼科検査と MRI 検査が必要である．

小児で松果体に腫瘍が生じると，しばしば性成熟の異常が起こり，松果体腫瘍の男性患者の約 10% に**思春期早発症** precocious puberty あるいは**性成熟開始の遅れ**が認められる．思春期早発症は男児では 9～10 歳以前にアンドロゲンの分泌および精子発生が始まることで，女児では 8 歳以前にエストロゲンの分泌および周期性の卵胞発育が始まることで明らかとなる．**男児の思春期早発症は，松果体の胚細胞腫瘍や奇形腫が原因で起こる hCG の産生によるものである**．精巣のライディッヒ細胞によるテストステロンの大量産生は，**hCG** の異所性産生によって生じた黄体形成ホルモンレベルの上昇に起因する．

松果体腫はまた，**パリノー症候群** Parinaud's syndrome とよばれる眼球運動障害を引き起こす．パリノー症候群では，上方注視麻痺（両眼とも完全に上向きに[あるいは下向きにも]動かない），ほとんどランダムな動きを伴わない一方向への視線の固定，対光反射消失，輻輳麻痺（近距離の物体に焦点を合わせようとしても視線を収束させることができない），**よろめき歩行** wide-based gait（歩幅の増大）などの症状を特徴とする．さらに神経眼科学的な症状として，**両側眼瞼後退**（Collier's sign）が加わることもある．また臨床的には，脳卒中，出血，外傷，水頭症，多発性硬化症などもパリノー症候群の原因となることがある．

神経内分泌系 | 概念図・基本的概念

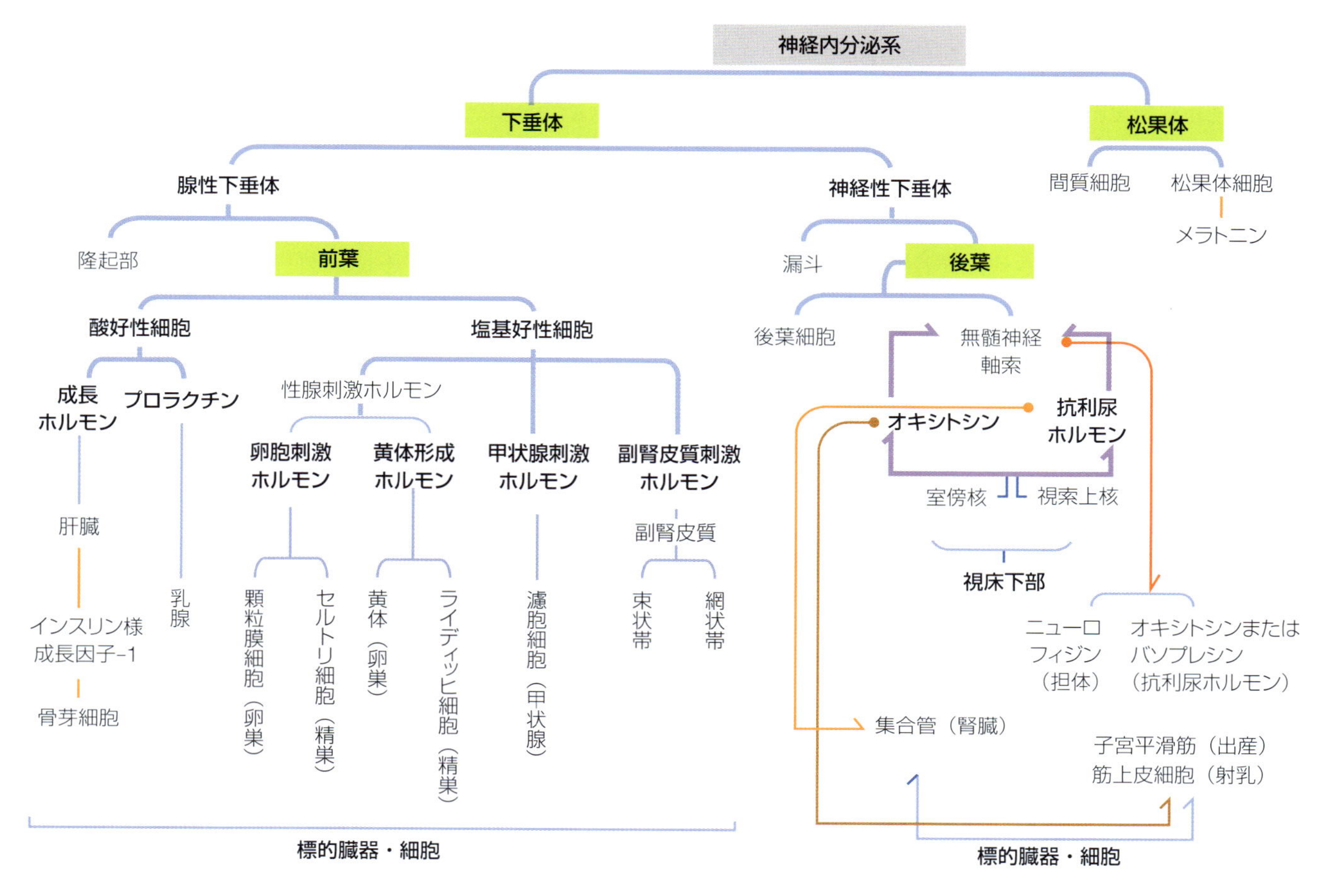

- **神経内分泌系の全体構成**

視床下部と下垂体は**下垂体系**として知られる１つの統合されたシステムを形成しており，次の２つの要素から構成される：

(1)**視床下部 - 腺性下垂体系**（視床下部と腺性下垂体との下垂体門脈循環系による機能的連携）．

(2)**視床下部 - 神経性下垂体系**（視床下部と神経性下垂体（下垂体後葉）との神経線維連絡による結合）．

- **神経内分泌系の機能的側面**．**視床下部**には**神経核とよばれる神経細胞集団**が存在する．このような**神経細胞**の中には，下垂体の２つの構成要素，すなわち腺性下垂体と神経性下垂体に対して，**促進性**あるいは**抑制性の作用をもつ**ものがある（訳注：厳密には，下垂体後葉は視床下部に局在するニューロンの神経終末そのものの集合体であり，「促進性あるいは抑制性の作用をもつ」わけではない）．このような作用は，放出刺激あるいは放出抑制ホルモン（因子）により発揮される．

この情報伝達物質は，視床下部 - 下垂体門脈循環系を介して輸送される．**視床下部 - 下垂体門脈系**は，次の３つの要素から構成されている：

(1)視床下部の下部に位置する**一次毛細血管網**．

(2)下垂体前葉に分布する**二次毛細血管網**とこの毛細血管網と一次毛細血管網とを結ぶ下垂体**門脈**．

(3)神経性下垂体に血液を供給する**第３の毛細血管網**．

一次毛細血管網は上下垂体動脈からの血流を受けているのに対して，神経性下垂体に分布する第３の毛細血管網は下下垂体動脈からの血流を受けている．この２本の動脈は索動脈によって結ばれているが，下垂体前葉を灌流する二次毛細血管網と神経性下垂体に分布する第３の毛細血管網の間には交通はない．一方で，下垂体静脈は二次毛細血管網と第３の毛細血管網の両方からの血流を受け，硬膜静脈洞へと導出している．

- **下垂体**は発生学的に異なる以下の２つの部分から構成される：

(1)口腔壁の天井部となる外胚葉領域が上方に陥入して形成される**ラトケ嚢**に由来する**腺性下垂体**．

(2)間脳の床の部分が漏斗状に下方に突出し形成される**神経性下垂体**．

腺性下垂体はさらに以下の３つの部分からなる：

①この腺の主部である**前葉**．

②神経性要素である下垂体漏斗を襟のように取り囲む**隆起部**．

③成体では痕跡状の**中間葉**．

一方，**神経性下垂体**は，以下の２つの部分に分けられる：

①**後葉**．

②**正中隆起**．

腺性下垂体は以下の３つの構成要素を含む：

(1)**索状の上皮細胞**．

(2)この上皮細胞を支える**結合組織**．

(3)二次毛細血管網を構成する**有窓型毛細血管（類洞）**．

下垂体前葉では，以下の３種類の内分泌細胞が区別できる：

(1)酸性色素に好染する**酸好性細胞**．

(2)塩基性色素に好染する**塩基好性細胞**．

(3)いずれの色素にも染まりにくい**色素嫌性細胞**．

酸好性細胞は，成長ホルモンとプロラクチンというペプチドホルモンを分泌する．また塩基好性細胞は，糖タンパク質ホルモン（性腺刺激ホルモン

FSHとLH，甲状腺刺激ホルモンTSH，そして副腎皮質刺激ホルモンACTH）を分泌する．色素嫌性細胞は，細胞内に蓄積していたホルモンが枯渇して染色性を失ってしまった細胞である．

- **成長ホルモン**（ソマトトロピンともよばれる）．成長ホルモンはパルス状の分泌パターンで体循環中に放出され，その分泌のピークは就眠直後の2時間の間にみられる．成長ホルモンは，肝細胞におけるインスリン様成長因子-1（IGF-1）の産生を刺激することによって作用を発揮する．

 成長ホルモンの分泌は，視床下部で産生・分泌される成長ホルモン放出ホルモン（GHRH）によって促進されるとともに，血中IGF-1濃度の低下によっても促進される．一方，視床下部や膵ランゲルハンス島で産生されるソマトスタチンの作用や血中グルコース濃度の上昇，および血中IGF-1濃度の上昇によって，成長ホルモンの分泌は抑制される．

 小児期や思春期でみられる**巨人症**は，成長ホルモンの過剰分泌（多くの場合，下垂体の腺腫とよばれる**良性腫瘍**による）が原因で起こる．一方，成人において成長ホルモンの過剰分泌が起こると，**末端肥大症**（手足，顎，軟部組織の肥大）を呈する．

- **プロラクチン**の主な作用は，出産後の乳汁分泌の開始と促進，および維持である．この乳腺の発達・成熟は以下の3つの過程を含む：

 (1)**乳腺の成長・発達**．
 (2)**乳汁の産生・分泌の開始**．
 (3)**乳汁の産生の維持**．

 プロラクチンには，LH受容体の発現を増加させることにより，男性の精巣のライディッヒ細胞でLH調節下で起こるステロイド生合成を促進するという作用もある．プロラクチンの脈動性の分泌は，促進性ではなく抑制性の調節を主に受けており，そのような抑制因子の代表的なものは**ドーパミン**である．

 一方，視床下部に由来するプロラクチン放出ホルモンや甲状腺刺激ホルモン放出ホルモンは，プロラクチン分泌を促進する．

 下垂体の良性腫瘍からのプロラクチン過剰分泌は，男女両方で性腺刺激ホルモンの分泌不全を引き起こす．プロラクチン過剰症は，女性では不妊症，無排卵症，および**過小月経**・**無月経**（月経異常）と関係する．また男性でも，生殖能の低下や性欲の減退が起こる．出産とは無関係の乳汁分泌症は高プロラクチン血症で一般的に認められる症候であり，男女両方で起こりうる．

- **性腺刺激ホルモン**：**卵胞刺激ホルモン**（**FSH**）と**黄体形成ホルモン**（**LH**）．性腺刺激ホルモンの分泌は，性腺刺激ホルモン放出ホルモン（GnRH：黄体形成ホルモン放出ホルモン［LHRH］ともよばれる）によって促進される．GnRHはパルス状の分泌パターンで60～90分の間隔をおいて分泌される．FSHとLHはともに，同一の塩基好性細胞から分泌される．

 FSHは，**女性**では卵胞形成（卵胞の発育）を促進する．

 男性では，**FSH**は精巣のセルトリ細胞に作用し，テストステロンからエストロゲンへの転換（芳香族化）やアンドロゲン結合タンパク質（ABP）の産生を促進する．

 一方，**LH**は，**女性**では卵胞や黄体におけるステロイド合成を促進する．**男性**では，**LH**は精巣の**ライディッヒ細胞**におけるテストステロンの産生を調節している．

 FSHとGnRHの分泌は標的細胞（卵胞上皮細胞やセルトリ細胞）で産生される**インヒビン**（$\alpha\beta$ヘテロ2量体）と**エストラジオール**によって抑制される．また，FSHの分泌は**アクチビン**（$\beta\beta$ホモ2量体）によって促進される．

 神経性無食欲症や下垂体腫瘍を原因として，あるいは**低ゴナドトロピン性性腺機能低下症**（**HH**）として知られる状態では，GnRHの分泌低下が起こり，FSHとLHの分泌が損なわれる．一方，去勢（女性では卵巣摘除，男性では精巣摘除）されるとFSHとLHの合成は著明に増加し，性腺刺激ホルモン分泌細胞は大型化・空胞化して，去勢細胞とよばれる像を呈するようになる．

 カルマン症候群は，性的成熟期の遅発または欠如と**嗅覚脱失**（嗅覚障害）からなる疾患である．この症候群は，GnRH分泌ニューロンの視床下部視索前野への移動，および嗅神経のニューロンの嗅球への移動に関与する遺伝子の変異が原因で起こる．

- **甲状腺刺激ホルモン**（**TSH**あるいはサイロトロピン）は甲状腺の機能を調節する．甲状腺刺激ホルモン放出ホルモン（TRH）は，TSH（とプロラクチン）の分泌を促進する．甲状腺ホルモンである**トリヨードサイロニン**（T_3）と**サイロキシン**（T_4）は，TSHの分泌を抑制する．

 細胞の代謝や体温の低下などを主徴とする**甲状腺機能低下症**は，TSH分泌の欠損や自己免疫疾患である**橋本病**が原因で起こる．一方，**甲状腺機能亢進症**は，一般的に，甲状腺濾胞上皮細胞で発現しているTSH受容体に対する自己抗体によって引き起こされる（グレーブス病）．

- **副腎皮質刺激ホルモン**（**ACTH**あるいはコルチコトロピン）は，副腎皮質の束状帯と網状帯における細胞増殖とステロイド合成を促進する．

 ACTHは，大きな前駆体タンパク質である**プロオピオメラノコルチン**（**POMC**）が下垂体前葉でプロテアーゼによって切断されて生成する．

 室傍核の神経分泌性の神経細胞（抗利尿ホルモン［ADH］を産生するものもある）に由来する副腎皮質刺激ホルモン放出ホルモン（CRH）は，ACTHの分泌を促進する．このCRHのACTH分泌促進作用は，ADHとアンギオテンシンIIによって増強される．血中コルチゾール濃度が高くなると，CRHとACTHの分泌は妨げられる．

 ACTH産生性の下垂体腺腫によって起こる**クッシング病**では，副腎皮質束状帯における過剰のコルチゾール産生が起こり，肥満，骨粗鬆症，筋萎縮といった症状が現れる．

- **神経性下垂体**．組織学的には，神経性下垂体は次の3種類の構成要素からなる：

 (1)**後葉細胞**：後葉細胞は中間径フィラメントタンパク質の一種であるグリア線維酸性タンパク質（GFAP）を豊富に含む星状膠細胞（アストロサイト）様の細胞で，神経軸索の支持・保護を行っている．
 (2)**無髄神経軸索**：視床下部の視索上核および室傍核の神経分泌細胞を起始とする無髄神経軸索は，視床下部-下垂体路を形成している．
 (3)**有窓型毛細血管**．

 軸索の途中には，とびとびに，**ヘリング小体**とよばれる神経分泌顆粒を含むふくらみが観察される．

 各分泌顆粒には，担体タンパク質である**ニューロフィジン**と，関連するホルモンである**アルギニンバソプレシン**（**VP**，**抗利尿ホルモン**［**ADH**］ともよばれる）あるいは**オキシトシン**が含まれる．VP／ADHとオキシトシンは，視床下部の視床上核（SON）と室傍核（PVN）の大細胞性ニューロンによって生合成される．

 VP／ADHやオキシトシンの遺伝子は，それぞれ3つのエクソンからなり，ペプチドホルモンであるVP／ADHまたはオキシトシンと各ホルモンに対応する**ニューロフィジン**（VP／ADHに対応するものはNPII，オキシトシンに対応するものはNPI）を含む大きな前駆体タンパク質をコードしている．

 VP／ADH-NPIIまたはオキシトシン-NPI複合体は，無髄神経軸索上の**ヘリング小体**とよばれるふくらんだ部分と**神経終末**に蓄積されている．分泌顆粒の内容物は神経終末から有窓型毛細血管に放出される．

 VP／ADHの主な生理作用は，ネフロンの遠位部における水の再吸収の調節であり，この機能によって，腎臓は尿を濃縮したり希釈したりできる．VP／ADHはまた，多量に放出された場合には，血管収縮作用を示す．このような作用のため，ADHはバソプレシンともよばれる．

 オキシトシンは，出産時に子宮平滑筋の収縮を促進したり，授乳期に乳腺の腺房を囲む筋上皮細胞の収縮を起こして射乳を促進する．

- 視床下部性の尿崩症（HDI）は，ADH の分泌が減少した場合（重度の頭部外傷，視床下部 - 神経性下垂体系を破壊するような浸潤性の腫瘍，自己免疫により ADH 分泌神経細胞が破壊された場合など）に起こり，多尿が一般的な臨床症状である．

  これに対して，腎性の尿崩症は，ある種の慢性腎疾患で ADH に対する応答性が失われた場合に起こる．

- 松果体．松果体は神経分泌性の細胞によって形成される内分泌器官であり，脳との間には直接的な神経の連絡はほとんどない．

  松果体は，上頸神経節（SCG）に由来する交感神経の節後線維を受けており，その節前線維は脊髄の側角に由来する．

  松果体は，第 3 脳室の正中部で間脳後部の天井部分が囊状に突出した部分から発生する．この器官には，索状あるいは塊状に並んだ松果体細胞と，支持細胞である神経膠（グリア）細胞様の間質細胞が含まれる．

  松果体細胞は先端がふくらんだ細胞突起をもち，その先端は毛細血管の近傍まで伸びている．松果体細胞にはミトコンドリアが豊富で，特徴的な多数のリボンシナプスも観察される．

  ここで同様のリボンシナプスが網膜の視細胞（光受容細胞）や内耳の有毛細胞でも観察されることを思い出してほしい．また，脳砂とよばれる石灰化した沈着物が存在することも，松果体の重要な特徴である．

- 松果体の機能的側面．松果体は，網膜からの情報を集約して神経と内分泌をつなぐ一種の変換器とみなすことができる．

  日中は，網膜の視細胞が過分極し，交感神経節後線維からのノルアドレナリンの放出が抑制される．その結果，網膜 - 視床下部 - 松果体系は休息状態になり，メラトニンはほとんど分泌されない．

  一方，夜が来て暗環境になると，視細胞からの刺激を受けた交感神経節後線維由来のノルエピネフリンの放出により松果体の $\alpha 1$ 受容体と $\beta 1$ 受容体が刺激されて，メラトニン合成活性が高まる．

  松果体の神経性入力はノルアドレナリンで，出力はメラトニンである．松果体細胞の機能調節は β- アドレナリン受容体を介して行われており，β- アドレナリン拮抗薬によって松果体細胞の代謝活性は抑制される．

  メラトニンはトリプトファンから合成されると直ちに血中に分泌される．神経伝達物質であるセロトニンはメラトニンの前駆体である．セロトニンはアセチル化され，その後メチル化されてメラトニンが生成する．

  セロトニン N- アセチルトランスフェラーゼがメラトニン合成の律速酵素となっていて，実際，光への曝露や β- アドレナリン阻害剤の投与は N- アセチルトランスフェラーゼの急速な減少を引き起こすため，結果としてメラトニン合成が低下する．

  網膜視床下部路は，網膜（特に輝度検出器であるメラノプシン産生神経節細胞）からの光刺激を概日性の体内時計とされる視床下部の視交叉上核（SCN）に伝える．Mel1A および Mel1B メラトニン受容体を発現する SCN の神経細胞は，概日性のリズムをもつ一種の発振器であり，網膜の特殊なメラノプシン産生神経節細胞と連絡している．このシグナル伝達には次の過程が関与している：

  (1) SCN からの情報は，視床下部脊髄路を経由して，胸髄の中間外側核の神経細胞に伝えられる．
  (2) 脊髄からの情報は，交感神経節前線維を経由して，上頸神経節に伝えられる．
  (3) 上頸神経節からの情報は，血管とともに松果体に侵入する交感神経節後線維を経由して，松果体に伝えられる．すでに述べたように，松果体の神経性入力はノルアドレナリンで，出力はメラトニンである．

  ここで，網膜の視細胞が松果体細胞への神経性入力の出発点であることを思い出してほしい．

  網膜には，次の 2 つの役割がある：

  (1) 第 9 章で触れたように，光を検出し，さらにその光のエネルギーを電気信号に変換することで画像を形成する．
  (2) また，画像形成とは無関係の（NIF）視覚機能もあり，これは光と睡眠を関係づける概日性の体内時計の調整に必要である．この NIF 視覚機能には，上述したように，メラノプシン産生性の網膜神経節細胞の一部が関与している．この NIF 視覚機能をもつ細胞は，内在性感光性網膜神経節細胞（ipRGC）とよばれている．ipRGC は輝度検出器として機能し，概日性のリズムをもつ発振器をリセットする役目を果たしている．

- 松果体の機能と関連して，次の 2 つの臨床的病態が重要である：

  (1) 季節性情動障害（SAD）は，冬の間に日の長さが短くなることに関連したうつ病の一種である．

  SAD は双極性障害（躁状態と抑うつ状態の間で気分が大きく切り替わるのが特徴）の患者で観察される．

  このことは，ipRGC と SCN が，概日性のペースメーカーとしての機能に加えて，脳のいくつかの領域に投射して，睡眠の誘導にかかわるリズムをつくったり気分に影響を与えたりしていることを示唆している．

  (2) 多くの旅行者が経験する睡眠障害の症状（疲労感，不眠，身体能力の低下，方向感覚の喪失など）を伴う時差ぼけは，一過性に概日リズムと現地時間との間の整合性がとれなくなることで起こる．この時差ぼけの解消には，適切なタイミングで光に当たることやメラトニンの服用が有効である．

- 松果体腫は松果体の腫瘍である．松果体の腫瘍性病変の約 10% は本質的に良性のもので，松果体囊胞などが含まれる．また，10% の腫瘍は比較的良性で，低悪性度の神経膠腫などである．

  松果体の腫瘍の残りの 80% は，高度に悪性な病変である．このようなものとしては，胚細胞腫瘍（松果体胚芽腫），胎児性がん，悪性松果体芽腫が含まれる．

  松果体の胚細胞腫瘍は，思春期早発症と関連する．思春期早発症は，男児では 9〜10 歳以前にアンドロゲンの分泌および精子発生が始まることで，女児では 8 歳以前にエストロゲンの分泌および周期性の卵胞発育が始まることで明らかとなる．男児の思春期早発症は，松果体の胚細胞腫瘍や奇形腫が原因で起こる異所性の hCG 産生によるものである．

  精巣のライディッヒ細胞におけるテストステロンの大量産生は，β-hCG の異所性産生によって生じた黄体形成ホルモンレベルの上昇に起因する．

  松果体腫はまた，パリノー症候群とよばれる眼球運動障害を引き起こす．パリノー症候群では，上方注視麻痺（両眼とも完全に上向きに［あるいは下向きにも］動かない），ほとんどランダムな動きを伴わない一方向への視線の固定，対光反射消失，輻輳麻痺（近距離の物体に焦点を合わせようとしても視線を収束させることができない），よろめき歩行（歩幅の増大）などの症状を特徴とする．さらに神経眼科学的な症状として，両側眼瞼後退（Collier's sign）が加わることもある．

19 内分泌系

キーワード 甲状腺，甲状腺機能亢進症，カルシウム調節，C 細胞（傍濾胞細胞），ビタミン D（カルシトリオール），副腎，副腎性器症候群，膵内分泌部，糖尿病

内分泌系は，血中にペプチドホルモンやステロイドホルモンを産生・分泌する細胞や腺の集団で，生体の多くの機能を調節している．甲状腺や副腎など，いくつかの内分泌腺は，視床下部－下垂体系によって制御されている．一方，上皮小体（副甲状腺）など，血中カルシウム濃度の変動に応答するものもある．また，膵臓ランゲルハンス島の主な機能は，血中の糖の濃度によって制御される．さらに，生体のいくつかの組織に散在性に分布している内分泌細胞は，視床下部－下垂体系に依存せずに，機能的にも病理学的にも重要な役割を果たしている．このような細胞の 1 つは，甲状腺に住みついている C 細胞であり，その分泌産物であるカルシトニンは，上皮小体とバランスをとりながら，カルシウム調節機能を担っている．副甲状腺ホルモンの標的細胞は骨芽細胞であり，一方，C 細胞から分泌されるカルシトニンは破骨細胞を標的としている．本章では，甲状腺，副腎，上皮小体，C 細胞，ランゲルハンス島の構造と機能について網羅し，さらに臨床で遭遇する病理学的な状態に関しても考察を加える．

甲状腺

甲状腺の発生過程

甲状腺 thyroid gland（ギリシャ語 *thyreos*［= shield，盾］，*eidos*［= form，形］）は舌基部正中の**内胚葉** endodermal が下方に突出していくことにより発生する．発生過程にある甲状腺とその発生の出発点であった舌基部の**盲孔** foramen cecum とは，**甲状舌管** thyroglossal duct によって一過性に結ばれている．

ただし，この管は最終的には完全に消失するので，甲状腺は導管をもたない腺として発達する．この甲状舌管が完全に消失しないで遺残した場合には，頸の前面にしこりのような**嚢胞** cyst を形成することがある．この甲状腺嚢胞が大きくなる場合には，呼吸や嚥下の際の支障の緩和や成人になってからの感染症や悪性腫瘍化を予防する目的で，小児期に外科的に切除する必要があるかもしれない．

母体の甲状腺ホルモンは，妊娠の最初の期間には，胎盤を介して胎児に移行する．胎生期の第 12～20 週にかけては，胎児の大脳皮質で高レベルの甲状腺ホルモンが認められる．

続いて胎生期の 22 週ぐらいになると，胎児の甲状腺も**甲状腺刺激ホルモン** thyroid-stimulating hormone（TSH）に応答するようになり，周産期の脳の発達を可能にするために**内因性の甲状腺ホルモン**を産生するようになる．

先天的に甲状腺が欠損した場合には，新生児期に不可逆的な神経学的障害が生じる（クレチン症 cretinism）．成人では，甲状腺機能障害は神経学的および行動上の障害と関係する．

甲状腺の組織構築（図 19.1，19.2）

甲状腺は狭い帯状の**峡部** isthmus で結ばれた 2 つの葉からなる．

甲状腺の左右の葉は喉頭の下部で気管の外側部に位置しているため，喉頭は甲状腺の位置を把握するうえで便利な目印となっている．ここで，**反回喉頭神経**が甲状腺と近接していることを覚えておこう．この解剖学的位置関係は甲状腺摘出術が必要な場合に重要である．

甲状腺は結合組織性被膜で取り囲まれており，甲状腺の裏面に，上下 2 組の対になった**上皮小体**（あるいは**副甲状腺** parathyroid gland）が存在する．

甲状腺の各葉は多数の**濾胞** follicle からなる．この**濾胞**（あるいは小葉）は甲状腺の構築および機能のうえでの単位である．

甲状腺濾胞は，単層立方上皮である**濾胞上皮** follicular epithelium が，**サイログロブリン** thyroglobulin に富む**コロイド** colloid に満ちた濾胞腔を取り囲んでできている（図 19.1，図 19.2）．コロイドに含まれるサイログロブリンはヨウ素が結合した糖タンパク質で，PAS 染色で陽性を呈する．

甲状腺の濾胞間にはまた，**傍濾胞細胞** parafollicular cell（あるいは **C 細胞** C cell）とよばれる内分泌細胞が散在する（甲状腺の細胞の 10% 程度）．C 細胞は**神経堤**に由来し，ホルモンである**カルシトニン** calcitonin を蓄えた小型の分泌顆粒を細胞質に含んでいる（C 細胞という名は calcitonin の頭文字に由来する）．

例えば**ヨード摂取不足**などで**甲状腺の活動が低下する**と，コロイドが蓄積して濾胞は大きくなる．この状態では，甲状腺で**トリヨードサイロニン** triiodothyronine（T_3）や**サイロキシン** thyroxine（T_4）が産生されなくなり視床下部・下垂体に対する負のフィードバックが働かなくなるため，下垂体前葉における TSH の生合成・分泌は増加する．TSH はさらに甲状腺の濾胞細胞の増殖や血管の増生を引き起こすため，その結果として甲状腺は腫大する．

逆に，甲状腺の**活動が活発になる**と濾胞上皮細胞の丈は高くなり，コロイド腔側に多数の偽足や微絨毛といった突起が形成され，細胞質には**コロイドを蓄えた小胞** colloid droplet が観察されるようになる（図 19.2）．

甲状腺の濾胞上皮は基底板と細網線維によって囲まれている．この濾胞と濾胞の間の結合組織には，血管運動性の交感神経線維や有窓（窓あき）型毛細血管を含む血管がネットワークを形成しているのが観察される．

甲状腺の機能（図 19.3）

細胞内にしかホルモンを蓄積することのできない他の内分泌組織とは異なり，甲状腺ホルモンの産生能力は，コロイドとして濾胞腔に蓄えられた甲状腺ホルモンの前駆体，サイログロブリンの量に左右される．

甲状腺濾胞上皮は，血中からヨウ素イオンを取り込んで濃縮し，ホルモンであるサイロキシンやトリヨードサイロニンを合成することができるという際だった特色を有している．

図 19.1 | 甲状腺の組織構築

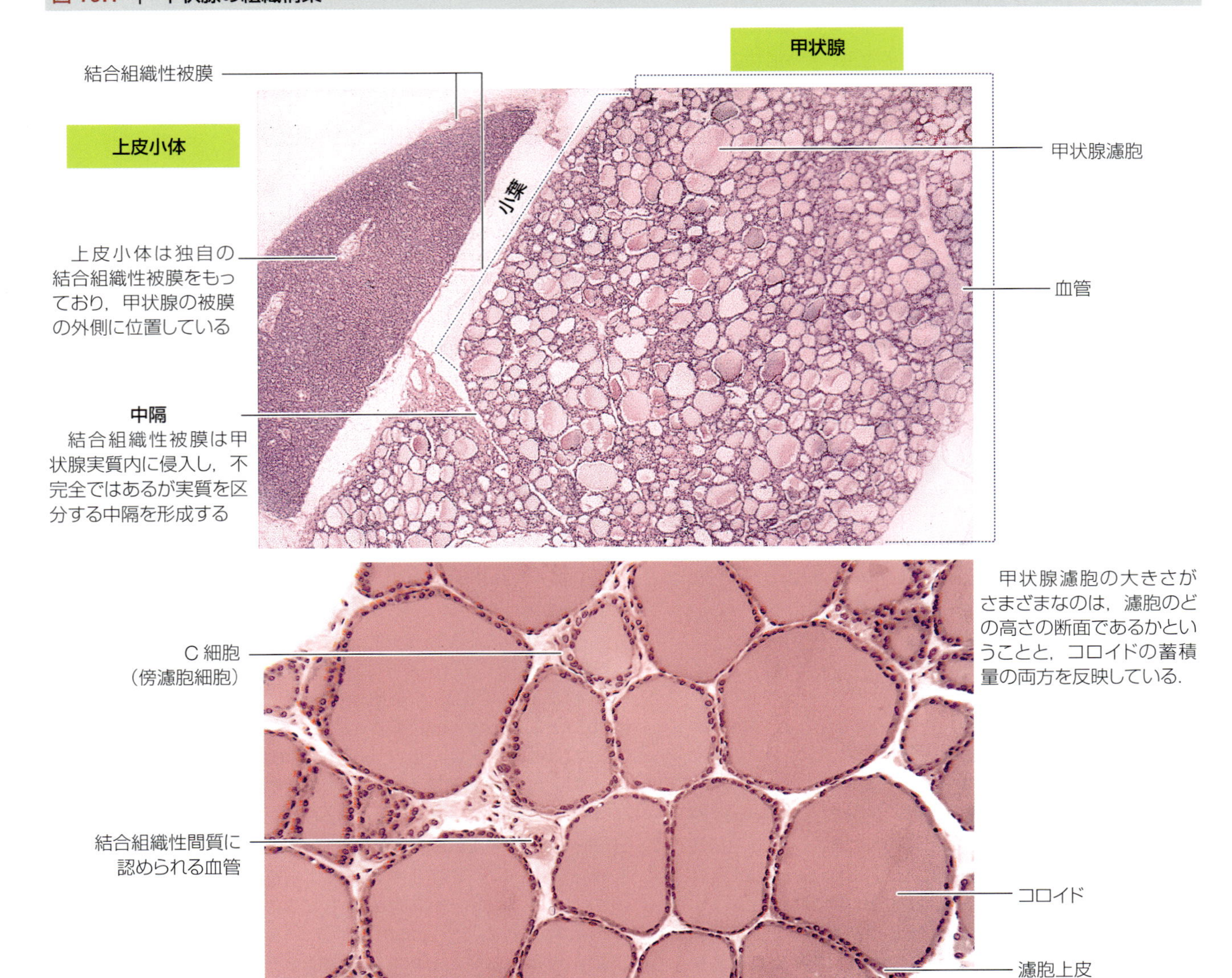

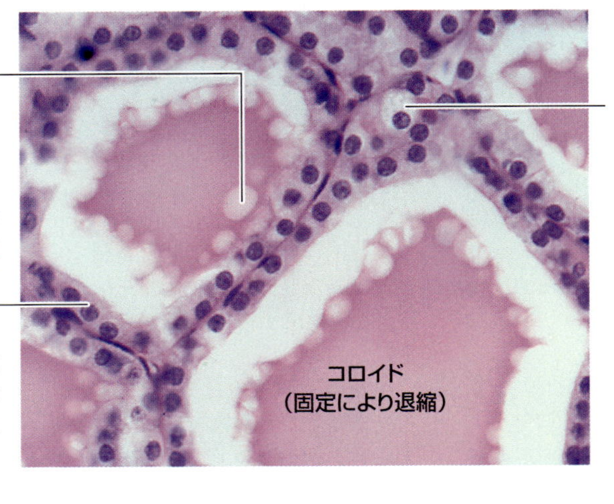

図 19.2 ｜ 甲状腺濾胞細胞の微細構造

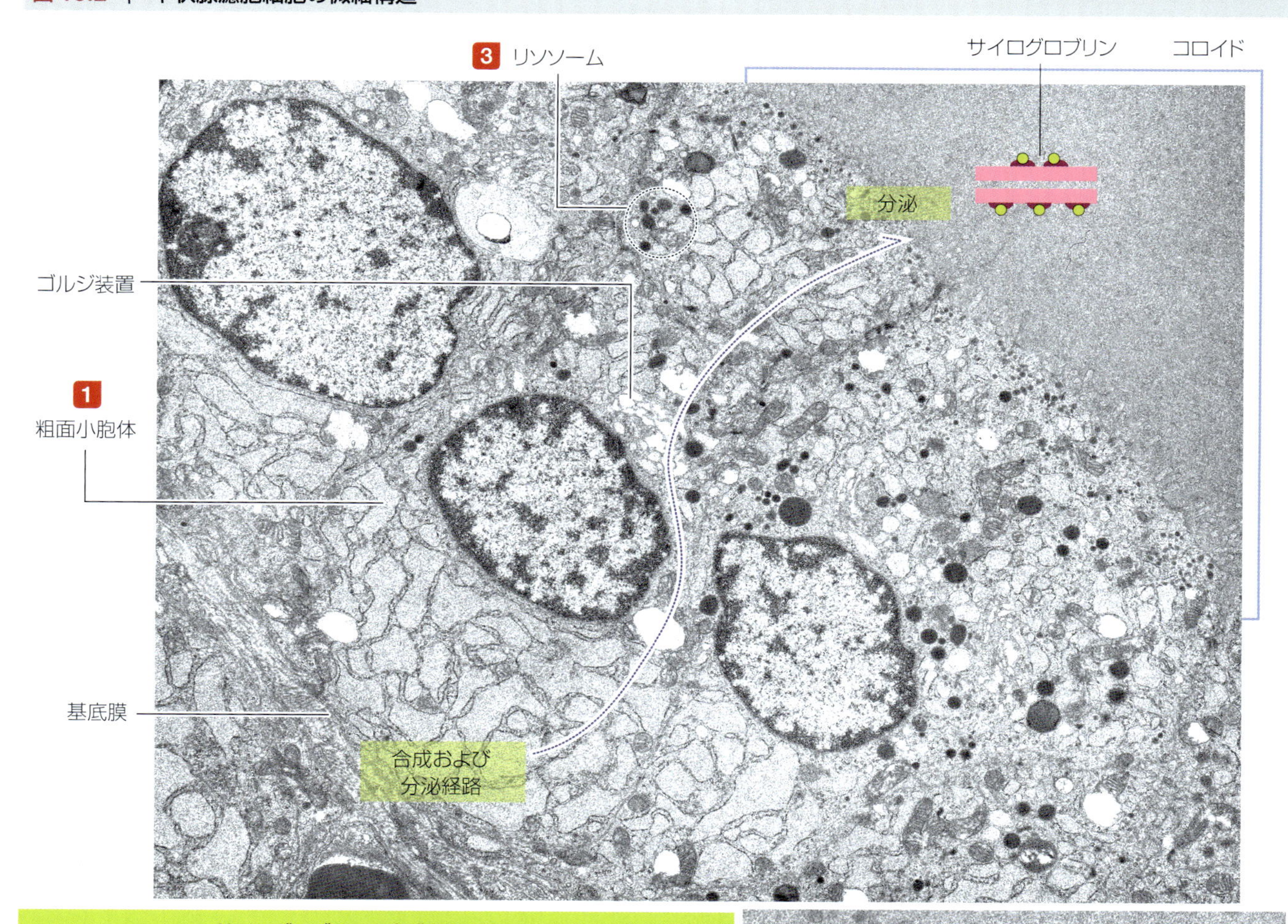

サイログロブリンの合成と取り込み

1 甲状腺ホルモン（トリヨードサイロニン T_3 とサイロキシン T_4）の前駆体であるサイログロブリンの生合成は，粗面小胞体で行われる．粗面小胞体の内腔は，新たに生合成されたサイログロブリンの蓄積によって拡張しており，その間の細胞質の部分の方がむしろ狭くみえる．サイログロブリン分子はゴルジ装置で糖鎖の付加を受ける．

2 光学顕微鏡では，サイログロブリン合成の程度を濾胞上皮細胞の細胞質内に観察される明調な小胞性の空隙の量から推測できる．

3 濾胞上皮細胞のコロイド腔側には多数の**リソソーム**が認められ，このリソソームはホルモン前駆体であるサイログロブリンから甲状腺ホルモンを切り出す過程に関与している．

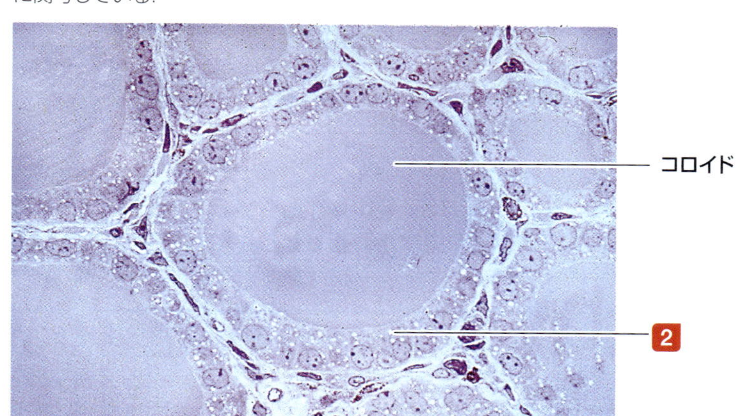

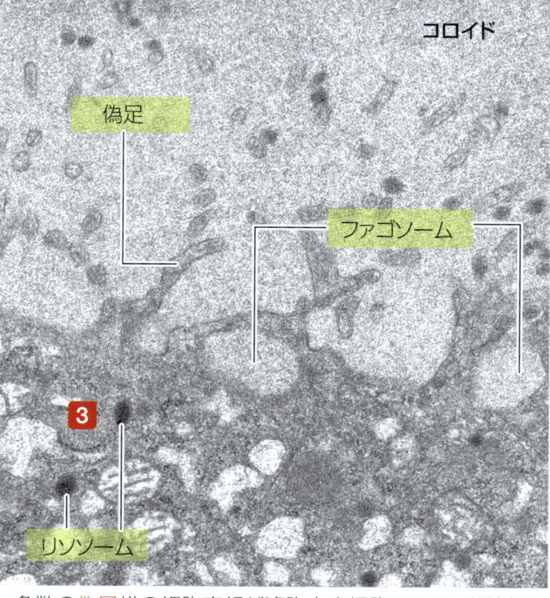

多数の偽足様の細胞突起が濾胞上皮細胞のコロイド腔側に突出し，コロイド（サイログロブリン）の一部を囲んで細胞内に取り込み，ファゴソームが形成される．リソソームはこのファゴソームと融合し，サイログロブリンのタンパク質分解を開始する．この過程と並行して，ファゴソームは濾胞上皮細胞の基底部の方に移動する．

甲状腺ホルモンの合成と分泌は，(1)**外分泌相** exocrine phase と (2)**内分泌相** endocrine phase の2つの段階からなる（図 19.3）．

このどちらの段階も TSH によって制御されており，TSH の作用は第3章で述べたように，受容体への結合とそれに引き続いて起こる cAMP の産生という過程による．

このうち，図 19.3 に示す**外分泌相**は，次の3つの過程からなる：

1. 血中からの**無機ヨウ素イオン**の取り込み．この過程は，TSH により刺激される．
2. **サイログロブリン**の生合成．
3. **甲状腺ペルオキシダーゼ** thyroid peroxidase によるサイログロブリンのチロシン残基への**ヨウ素**の付加（ヨード化）．

ヨウ素の取り込みには，濾胞上皮細胞の基底側の細胞膜に局在する **Na^+／ヨウ素イオン共輸送体** Na^+／I-symporter が必要であり，この共輸送体と共役する Na^+，K^+-ATPase を含めたヨウ素の能動輸送系はヨウ素イオン摂取機構（**ヨウ素イオンポンプ** iodide trap）とよばれている．その濃度勾配や電気化学的ポテンシャルには逆らうことになるが，取り込まれたヨウ素イオンはすばやく濾胞上皮細胞内で拡散し，最終的にはコロイドに到達する．**過塩素酸イオン** perchlorate（ClO_4^-）のような陰イオンはこの **Na^+／ヨウ素イオン共輸送体を競合的に阻害する**ので，臨床的に，甲状腺濾胞上皮細胞におけるヨウ素の取り込みを止めたいときに用いられる．

粗面小胞体とゴルジ装置は，**サイログロブリン**の生合成と糖鎖付加に関係するオルガネラ（細胞内小器官）である．サイログロブリンは2つの同一のサブユニットからなる 660 kDa（kd）の糖タンパク質で，ゴルジ装置の出口で分泌小胞に詰められた後，コロイド腔内に開口放出される．サイログロブリンはヨウ素付加を受けうるチロシン残基を約 140 個含んでいる．

サイログロブリンにヨウ素を付加する**甲状腺ペルオキシダーゼ**はヘムを含む糖タンパク質で，サイログロブリンが詰められた分泌小胞の膜に結合している．

サイログロブリンが開口放出されると，甲状腺ペルオキシダーゼは甲状腺濾胞上皮細胞のコロイド腔側表面に露出する．

この甲状腺ペルオキシダーゼは，サイログロブリンが開口放出されるときに活性化される．活性化された甲状腺ペルオキシダーゼは，**コロイドの中でヨウ素イオンを酸化してヨウ素に**し，さらにこのヨウ素をサイログロブリンのチロシン残基に結合させる．

甲状腺ペルオキシダーゼの活性およびサイログロブリンのヨード化の過程は，プロピルチオウラシル propylthiouracil（PTU），メチルメルカプトイミダゾール methyl mercaptoimidazole（MMI）といった薬剤で阻害される．これらの抗甲状腺薬は基本的に機能亢進状態の甲状腺で甲状腺ホルモンの合成を阻害する．

一方，甲状腺ホルモン産生過程の**内分泌相**は，TSH 刺激を受けた濾胞上皮細胞がヨード化されたサイログロブリンを**エンドサイトーシス** endocytosis で取り込むことから始まる（図 19.3）．すなわち：

1. **コロイドの小滴** colloid droplet がコロイド腔側の細胞突起（**偽足** pseudopod）によって囲まれた後，細胞内へと取り込まれ，コロイド含有小胞となる．
2. 細胞質のコロイド小胞は細胞骨格に導かれてリソソームのほうへ輸送され，リソソームと融合する．
3. **リソソームに含まれるプロテアーゼがヨード化されたサイログロブリンを分解**し，その結果，ホルモンである T_3（**トリヨードサイロニン** triiodothyronine：活性型のホルモン）や T_4（**サイロキシン** thyroxine），およびその他の中間生成物が生成する．この過程で生成した甲状腺ホルモン以外の代謝産物（ヨード化されたチロシンや他のアミノ酸，糖など）は細胞内で再利用される．
4. 甲状腺ホルモンは，濾胞上皮の基底板側を通って細胞外に放出され，有窓型毛細血管内で，血漿中の**キャリア（担体）タンパク質** carrier protein と出合い結合する．

T_3 は血中半減期が短く（18 時間），**ホルモンとしての活性も高いが，量的には T_4 よりも少ない**．一方，T_4 は血中半減期が長く（5〜7 日），分泌された甲状腺ホルモン全体の約 90％ を占めている．

組織特異的な脱ヨード酵素（**デヨージナーゼ** deiodinase，甲状腺ホルモン転換酵素）は，循環中の T_4 を T_3 に変換し，その局所濃度を増加させる．デヨージナーゼは3種類ある：

1. **脱ヨード酵素1（Dio 1）**は主に肝臓に存在する．
2. **脱ヨード酵素2（Dio 2）**は**星状膠細胞** astrocyte と視床下部にあるグリア細胞由来の**伸長上衣細胞** tanycyte でのみ発現している．
3. **脱ヨード酵素（Dio 3）**は，神経細胞で選択的に発現する．デヨージナーゼ3はまた，近位のベンゼン環からの脱ヨード反応によって T_4 と T_3 をそれぞれ rT_3 と T_2 に不活性化することができる．この不活性化は，甲状腺ホルモンの局所濃度を低下させ，過剰な濃度の甲状腺ホルモンによる影響からニューロンを保護する役割を果たしている．

中枢神経系では，甲状腺ホルモンは，脈絡叢細胞のトランスポーターを利用したり，脳の毛細血管を完全には被覆できない星状膠細胞の終足のすき間を通って，血液脳関門を越える．

甲状腺ホルモンである T_3（および T_3 よりは作用が弱いが T_4 も）が，まず作用する部位は**細胞核**である．甲状腺ホルモン受容体は**甲状腺ホルモン応答配列** thyroid hormone-responsive element（**TRE**）とよばれる DNA の特定の場所に結合しており，T_3 はこの受容体に結合して特異的に遺伝子の転写を誘導あるいは抑制する．

例えば，心臓の心筋細胞では，甲状腺ホルモンは β-アドレナリン受容体，カルシウムポンプ Ca^{2+}-ATPase の遺伝子とともに，**ホスホランバン** phospholamban（図 19.4）をコードする遺伝子の発現も制御している．

甲状腺機能亢進症（グレーブス病）と甲状腺機能低下症（図 19.4）

グレーブス病 Graves' disease は，**女性で好発する一種の自己免疫疾患であり，TSH 受容体と結合してアゴニストとしての作用を発揮する自己抗体が原因で起こる**（図 19.4）．自己抗体が TSH 受容体に結合すると，制御が効かない形で甲状腺ホルモンの産生が促進される．

中毒性甲状腺腫や多結節性甲状腺腫（Box 19.4A）もまた，制御が効かない甲状腺ホルモン産生の原因となるが，これらの病態は TSH 受容体を恒常的に活性化するような ***TSH* 受容体遺伝子**

図 19.3 | 甲状腺ホルモン（T_3，T_4）の合成と分泌

サイログロブリンの合成と取り込み

4 **甲状腺ペルオキシダーゼはコロイド腔側の細胞膜**で活性化され，コロイド腔内で**ヨウ素イオン**を**ヨウ素**に転換し，さらにこのヨウ素原子が 2 つ，サイログロブリンの各チロシン残基に結合する．このヨード化の過程は甲状腺濾胞のコロイド腔内で起こる．

このヨード化されたサイログロブリンがプロテアーゼによって切断された後，1 つだけヨウ素化されたチロシン残基と 2 つヨウ素が付加されたチロシン残基が 2 つ縮合するとトリヨードサイロニン（T_3）に，2 つヨウ素が付加されたチロシン残基が 2 つ縮合するとサイロキシン（T_4）を生成する．1 分子のヨード化サイログロブリンからは，4 分子の T_3 と T_4 を生成する．**PTU** **プロピルチオウラシル**と **MMI** **メチルメルカプトイミダゾール**は，甲状腺ペルオキシダーゼによるサイログロブリンのチロシン残基のヨード化を阻害する．

5 ヨード化されたサイログロブリンを含むコロイドの小滴が，濾胞上皮細胞のコロイド腔側の細胞突起（偽足）によって囲まれた後，細胞内へと取り込まれる．

このコロイド小胞は，細胞骨格性の成分によって導かれて**リソソーム**と融合する．リソソーム酵素によってサイログロブリンが加水分解を受けると，T_3 や T_4 を生成する．**PTU** **プロピルチオウラシル**は，末梢組織（肝臓）における T_4 から T_3 への転換を阻害しうる．

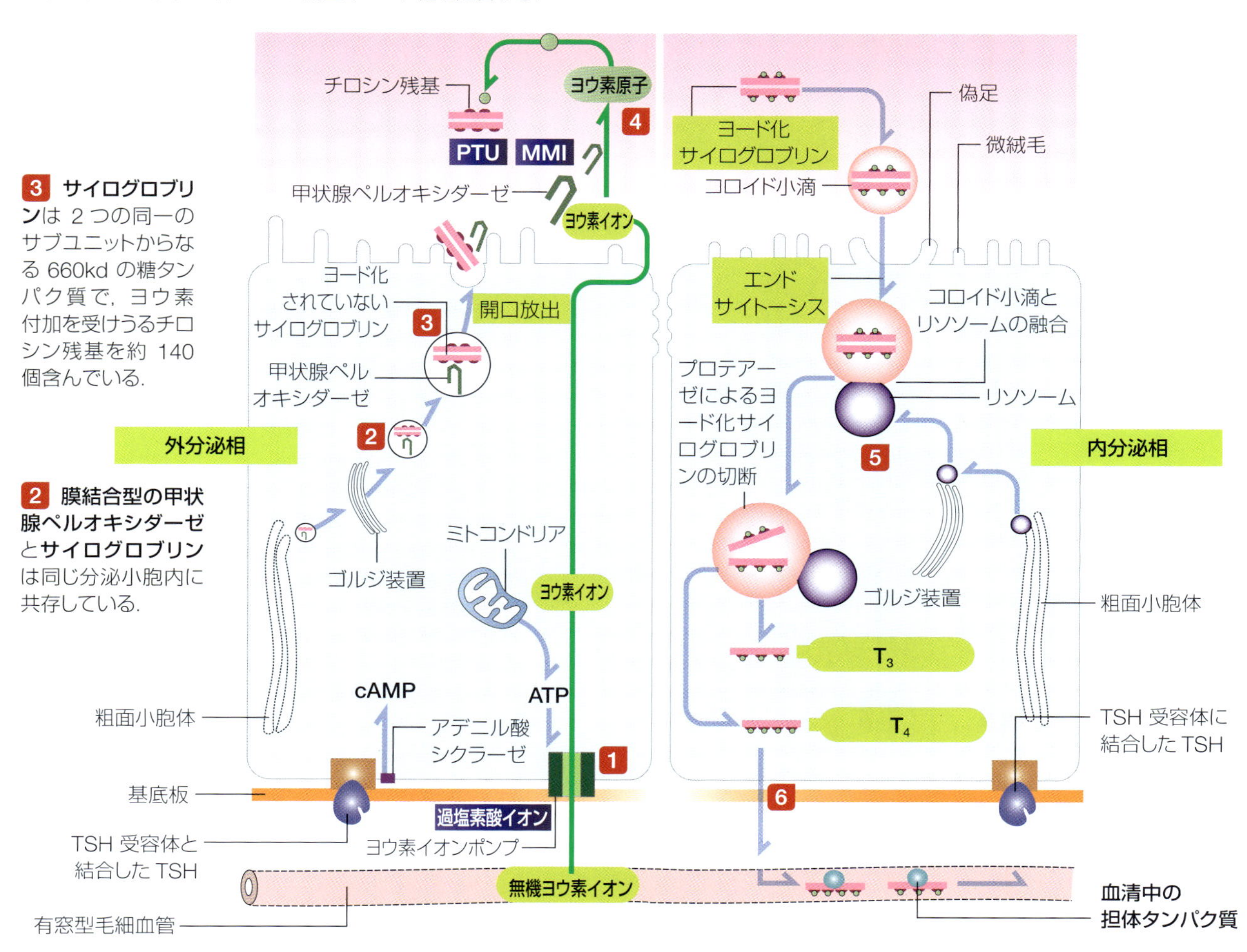

3 **サイログロブリン**は 2 つの同一のサブユニットからなる 660kd の糖タンパク質で，ヨウ素付加を受けうるチロシン残基を約 140 個含んでいる．

2 **膜結合型の甲状腺ペルオキシダーゼ**と**サイログロブリン**は同じ分泌小胞内に共存している．

1 **ヨウ素イオンポンプ**（Na^+／ヨウ素イオン共輸送体）が無機ヨウ素イオンを濾胞上皮細胞内に輸送し，その結果，細胞内の無機ヨウ素イオン濃度は血中と比較して 20 ～ 100 倍の濃度まで濃縮される．この輸送には Na^+，K^+-ATPase が共役し，濃度勾配に逆らう輸送には ATP の加水分解で生じるエネルギーが利用される．

この甲状腺の濾胞上皮細胞の活性は，**放射性ヨード摂取率**（**RAIU**）を測ることで評価できる．また，甲状腺機能亢進症に対しては，大量の放射性ヨウ素を甲状腺に取り込ませることで甲状腺摘除と同等の放射線治療効果を得ることができる．さらに，ヨウ素イオンポンプは競合的に働く陰イオンである **過塩素酸イオン** **過塩素酸イオン**（$ClO4^-$）によっても抑制される．

6 **T_3** や **T_4** は，甲状腺濾胞上皮の基底板側を通って**有窓型毛細血管内**に放出され，**血清中の担体タンパク質**と結合する．末梢組織で組織特異的に発現する**脱ヨウ素酵素**（**デヨージナーゼ**）は，循環中の T_4 を T_3 に変換し，その局所濃度を増加させる．

T_3 は T_4 よりも血中半減期が短い（T_3：18 時間，T_4：5 ～ 7 日）が，ホルモンとしての活性は T_4 よりも 2 ～ 10 倍高い．甲状腺ホルモンの作用は主に，*THRA*（α受容体）と *THRB*（β受容体）の 2 つの遺伝子にコードされている**甲状腺ホルモン受容体**を介して発揮される．

図 19.4 | グレーブス病

グレーブス病の病因

甲状腺ホルモンの過剰産生は自己免疫性の機序（甲状腺刺激ホルモン受容体に対して産生された自己抗体）による甲状腺刺激ホルモン受容体の活性化が原因で起こる.

甲状腺実質で炎症性の細胞がサイトカイン（インターロイキン-1，腫瘍壊死因子 TNF-α，インターフェロンγなど）を産生すると，これらがさらに甲状腺の細胞にサイトカインを産生させ，甲状腺での自己免疫性の過程を増強する．症例によっては，抗甲状腺薬はこうしたサイトカインの産生を抑制し（免疫抑制効果），患者の状態を改善させることもある.

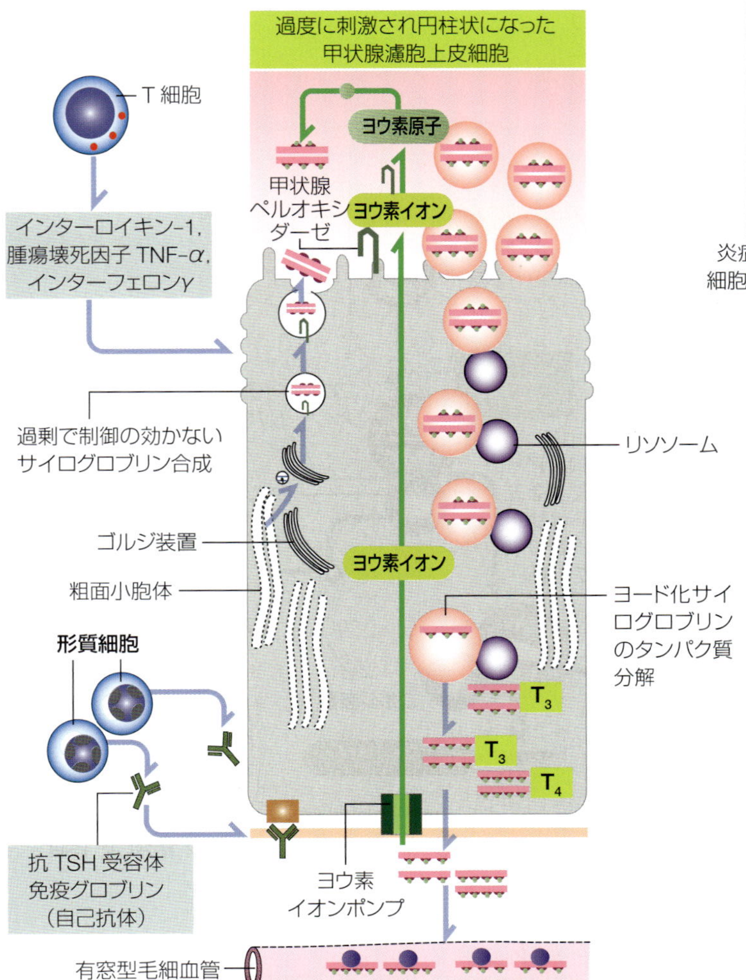

グレーブス病でみられる眼球突出

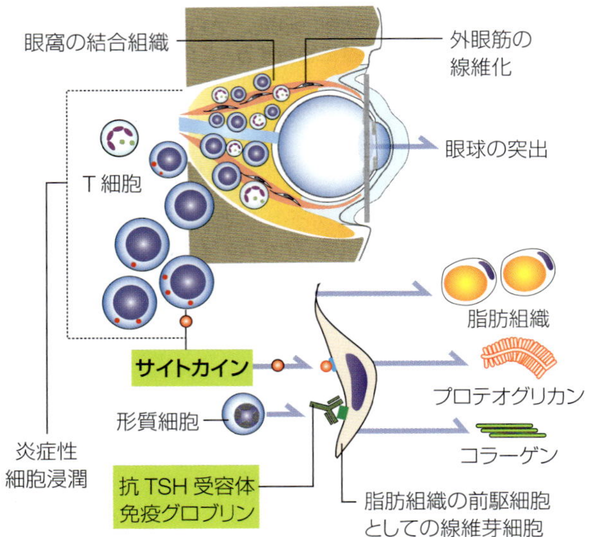

グレーブス病で起こる**眼球突出**は，外眼筋の炎症と眼窩内の脂肪および結合組織の増加によって特徴づけられる．血中を流れる抗 TSH 受容体抗体は，眼球後部組織の線維芽細胞で発現している TSH 受容体に結合する.

グレーブス病の 2 つの特徴は**眼球突出**と**心機能症状**（動悸と頻脈）である.

眼球突出は，外眼筋や眼窩の組織における T 細胞，大食細胞，好中球などの細胞浸潤が原因で起こる.

サイトカイン（T 細胞で産生される）や TSH 受容体に対する自己抗体（眼外の形質細胞で産生される）は眼窩の線維芽細胞の機能を刺激し，コラーゲンとプロテオグリカンの産生を促進する．さらにこの自己抗体は，線維芽細胞から脂肪細胞への分化も誘導する．このような脂肪の過剰産生やプロテオグリカンの膨潤性により眼球が眼窩から押し出され，眼球突出が起こる.

グレーブス病における心筋の収縮性

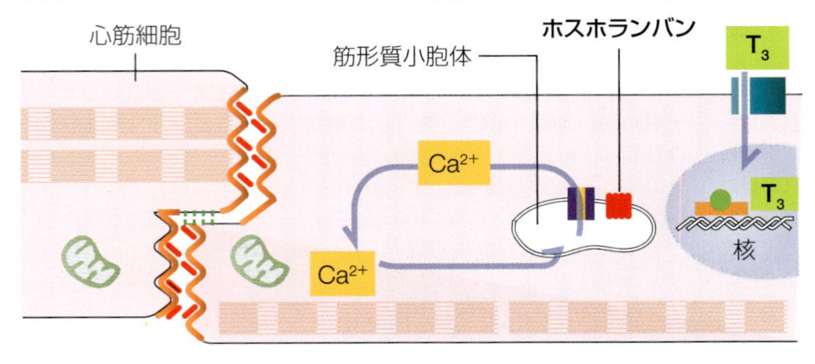

トリヨードサイロニン（T_3）は，心筋細胞の核に移行しその核内受容体と複合体を形成して，標的遺伝子上流の甲状腺ホルモン応答配列（TRE）に結合する.

T_3 は，筋形質小胞体への Ca^{2+}の放出と取り込みにかかわる分子**ホスホランバン**を刺激する．このステップは収縮期の筋収縮と拡張期の筋弛緩に決定的な役割を果たす．このホスホランバンの活性はリン酸化により制御されている．甲状腺機能亢進症の患者における拡張期の機能亢進は，心筋細胞の収縮性が甲状腺ホルモンにより変化するうえでホスホランバンが果たしている役割に関係している.

の突然変異によって引き起こされる．

グレーブス病患者のおよそ30%は自然寛解するが，中毒性甲状腺腫と多結節性甲状腺腫は自然寛解しない．また，非中毒性の甲状腺腫では，甲状腺ホルモンの産生亢進は起こらない．

グレーブス病では，甲状腺濾胞上皮細胞は増殖し細胞の丈も高くなり，制御の効かない形で大量の甲状腺ホルモンが循環血中に放出されるようになる．血清中のT_4，T_3は高値を示す一方で，TSHレベルは抑制され低値を示す．

グレーブス病の典型的な臨床症状としては，**甲状腺腫大** goiter，**眼球突出** exophthalmos，**頻脈** tachycardia，**暖かい皮膚** warm skin，**手指の細かい振戦** fine finger tremorなどが認められる．

なお，中毒性甲状腺腫と多結節性甲状腺腫では，眼球突出は認められない．

機能面では，**甲状腺ホルモンが過剰になると，基礎代謝が上がり，心拍数が上がり，酸素や栄養素の消費量が増える**．**代謝が高い状態**は食欲を増進させ，酸素消費量が多いことで起こる**体熱の産生量増加**は，患者を暑がらせる．また，頻脈は，甲状腺ホルモンの心臓への作用の結果起こる病態の1つである．

この**心拍数の増加**は，甲状腺ホルモンによって刺激された洞房結節の心筋細胞で**β_1アドレナリン受容体** β_1 adrenergic receptorの機能が亢進した結果，起こる．また，**心筋収縮および心拍出量の増加**は，心室筋でβ_1アドレナリン受容体の機能亢進が起こった結果，引き起こされる．心筋細胞の筋小胞体内腔へのCa^{2+}の能動輸送は，**ホスホランバン**という分子によって制御されており，このホスホランバンの活性は甲状腺ホルモンによって制御されている．

要約すると，グレーブス病患者は，古典的な**甲状腺中毒**の症候を示す．甲状腺中毒症とは，体内で甲状腺ホルモンが過剰に作用する結果起こる病態である．

それでは，グレーブス病の患者に対する治療は，どのようになされるのだろうか？

グレーブス病の治療の目標は，甲状腺ホルモンの合成や作用を低下させることで，その影響を正常化させることである．具体的には，

1. 甲状腺ホルモンの合成は，薬剤で阻害することができる（図19.4）．
2. 液体またはカプセル状の^{131}I標識ヨウ化ナトリウム（$Na^{131}I$）を単回投与することで，放射性ヨウ素を経口投与できる．この放射性核種から放出されるベータ線は組織を壊死させ，その結果，6〜18週間にわたって状腺濾胞上皮細胞の機能低下または不活性化がもたらされ，甲状腺機能が正常化する（**euthyroidism**：血清中の甲状腺ホルモンレベルが正常であること）．
3. 頻脈を管理するためには，β_1アドレナリン受容体を阻害するβ受容体遮断薬の**プロプラノロール** propranololが使用できる．この治療はまた，高アドレナリン状態によって引き起こされる心拍出量や動脈血圧の増加，熱産生の上昇も相殺することができる．

なお，中毒性甲状腺腫や中毒性多結節性甲状腺腫の患者には外科的治療が必要となる．

一方，**甲状腺機能低下症** hypothyroidismは，**成人では**一般に甲状腺自体の疾患で起こり，**基礎代謝率の低下**，**低体温** hypothermia，**寒冷曝露に対する抵抗性の減弱**（**寒冷不耐症** cold intolerance）などの症状を呈する．発汗量は低下し皮膚の毛細血管も収縮するため，皮膚は乾燥し冷たい．また，患者は，暖かい部屋にいても寒く感じる傾向がある．

成人における甲状腺機能低下症の典型例では，皮膚真皮層や筋肉へのプロテオグリカンの集積と水分の貯留が起きるため，浮腫がありながら皮膚は乾燥して荒れた感じ（いわゆる**粘液水腫** myxedemaとよばれる状態）となるのが特徴的である．また，心拍出量は低下し，脈拍も遅くなる．しかし，成長・発達上の障害がなければ，これらの症状は甲状腺の機能を正常化すれば可逆的に改善される．

一方，すでに触れたように発生・発達期に甲状腺ホルモンを最も必要とするのは**中枢神経系**で，胎生期から新生児期にかけて甲状腺ホルモンが欠乏すると，**発達障害**，**聾** deafness，**運動失調** ataxiaを主症状とする**クレチン症** cretinismとなる．このような病態は，生後すぐに治療しないと非可逆的となり回復しない．

また，**橋本病** Hashimoto's thyroiditis（**慢性リンパ球性甲状腺炎** chronic lymphocytic thyroiditis，あるいは**自己免疫性甲状腺炎** autoimmune thyroiditisともよばれる．Box 19.A）も**甲状腺機能低下症状**を呈し，**甲状腺実質へのリンパ球浸潤**が認められる．橋本病は，**甲状腺ペルオキシダーゼ**や**サイログロブリン**に対する自己抗体によって起こる．このような自己抗体によって進行性に甲状腺濾胞が破壊され，甲状腺機能が低下する．橋本病では，血中T_4濃度は正常値より低く，TSHレベルは反対に正常値より高い．また，甲状腺は腫大する（**甲状腺腫** goiter）．治療には，合成T_4製剤（レボチロキシンナトリウム）が用いられる．他の甲状腺の炎症性疾患としては，**亜急性甲状腺炎**（**ド・ケルバン甲状腺炎** de Quervain's thyroiditis）や**リーデル甲状腺炎** Riedel's thyroiditis（線

Box 19.A | 甲状腺の病理の整理

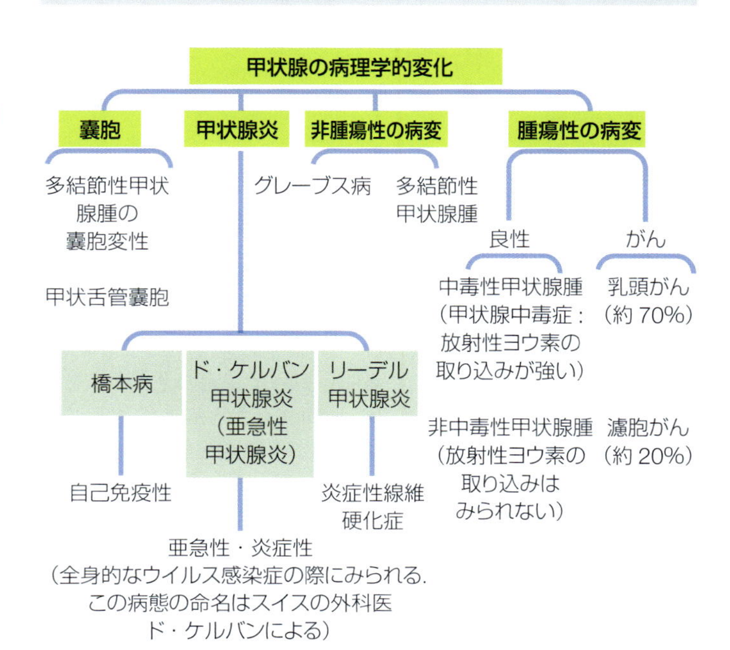

維化が著明な慢性甲状腺炎の一型）などがある．

最後に，甲状腺の悪性腫瘍で最も頻度が高いのは**乳頭がん** papillary carcinoma である．このがんは局所的には浸潤性で頸部のリンパ節に広がる．これに対して，甲状腺がんで次に頻度の高い**濾胞がん** follicular carcinoma（Box 19.A）は，成長は遅いがよく血行性に骨などに転移する．

カルシウム調節

Ca^{2+} は細胞内にも細胞外にも存在し，骨格の主な構成成分であると同時に，筋収縮，血液凝固，神経での活動電位の伝達，その他のさまざまな酵素活性の発揮にも必要である．さらに Ca^{2+} は，細胞内シグナル伝達においてもシグナル伝達分子として重要な働きをしている（例えば，カルシウム結合能をもつ**カルモデュリン** calmodulin を介しての作用など）．

Ca^{2+} の恒常性維持には，以下の 3 種のホルモンが関与している：

1. 上皮小体から分泌される**副甲状腺ホルモン** parathyroid hormone（**PTH**）．副甲状腺ホルモンは**骨**と**腎臓**に作用し，**血清中の Ca^{2+} 濃度を上昇**させる．
2. **カルシトニン** calcitonin．カルシトニンは甲状腺に住みついた傍濾胞細胞（C 細胞）から分泌され，**血中 Ca^{2+} 濃度を低下**させる．
3. **ビタミン D** vitamin D（**カルシトリオール** calcitriol あるいは 1,25-dihydroxycholecalciferol）．ビタミン D は，**腸管吸収上皮細胞** enterocyte における Ca^{2+} 結合タンパク質**カルビンディン** calbindin の合成を刺激することにより，小腸での Ca^{2+} の吸収を増大させる．

このカルシトニンとビタミン D によるカルシウム調節については，本章で後ほど考察する．

生体における細胞外 Ca^{2+} 濃度を常に監視するうえで鍵となっているのは，副甲状腺の主細胞で細胞外に向いて発現している **Ca^{2+} 感知受容体**（**CaSR**）である．

上皮小体（副甲状腺）

上皮小体の発生

左右計 4 個の**上皮小体** parathyroid gland は，第 3 および第 4 咽頭嚢に由来する．第 3 咽頭嚢は下上皮小体と胸腺に，第 4 咽頭嚢は上上皮小体と**鰓後体** ultimobranchial body に分化する．

上皮小体は甲状腺の後外側で，甲状腺被膜と甲状腺周囲の頸部の結合組織との間に位置する．脂肪組織を含み黄色味を帯びた上皮小体は，周囲の脂肪組織に紛れてみつかりにくいこともある．甲状腺の手術（甲状腺摘除）の際に，誤って正常の上皮小体を一緒に摘出してしまうと，**テタニー** tetany を引き起こすことがある．テタニーの特徴は胸郭や喉頭の筋の**硬直性攣縮** spasm で，窒息して死に至ることもある．

上皮小体の組織学的構築（図 19.5）

有窓型の洞様毛細血管によって血流が供給される上皮小体の実質は，以下の 2 種類の細胞集団から構成されている：

1. 大部分を占める**主細胞** chief（principal）cell．
2. **酸好性細胞** oxyphil（acidophilic）cell．

これらの細胞は，索状に配列あるいは濾胞状に並んで集塊を形成している．

主細胞は，副甲状腺ホルモン（PTH）を含む分泌顆粒やグリコーゲンを有する．PTH は 84 アミノ酸残基のペプチドホルモンで，115 個のアミノ酸残基からなる大きな**前駆体タンパク質** preproparathyroid hormone（**preproPTH**）に由来する．

この大きな前駆体タンパク質からシグナルペプチドが外されて 90 アミノ酸残基からなる**前駆体タンパク質** proparathyroid hormone（**proPTH**）が生成され，さらにゴルジ装置でプロテアーゼによってプロセッシングされて成熟した **PTH** が生成する．

PTH は**分泌顆粒** secretory granule に蓄積される．マグネシウムは PTH の分泌に必須である．血中に放出された PTH の半減期はおよそ 5 分で，通常，血清 Ca^{2+} 濃度は平均 9.5 mg/dL に維持されている．

一方，**酸好性細胞**は細胞質にミトコンドリアを多数含むため，ピンク色に染まる．この細胞は，一過性に何らかの状態にある主細胞かもしれないと推測されている．

Ca^{2+} 感知受容体を介したシグナル伝達（図 19.5）

Ca^{2+} 感知受容体（**CaSR**）は 2 量体を形成して，主細胞の細胞膜に発現している．血清中の Ca^{2+} 濃度が**上昇**する（**高カルシウム血症** hypercalcemia）と，CaSR に Ca^{2+} が結合し，GTP 結合タンパク質 Gq／11 依存性のホスホリパーゼ C（PLC）の活性化，細胞膜上の PIP_2（phosphatidylinositol 4,5-bisphosphate）からのジアシルグリセロール（DAG）とイノシトール三リン酸（IP_3）の生成など，一連の細胞内シグナル伝達を誘起する（第 3 章参照）．

細胞内の IP_3 の上昇によって小胞体に蓄積されていた Ca^{2+} が細胞質に放出され，分泌顆粒に含まれている PTH が細胞外に放出されるのを抑制する（図 19.5）．この一連の過程により，血清カルシウム濃度は低下する．

一方，血清カルシウム濃度が低下する（**低カルシウム血症** hypocalcemia）と CaSR からのシグナル伝達が活性化されず，PTH の**分泌が刺激**され，その結果，血清 Ca^{2+} 濃度は上昇する．

ここで，CaSR は PTH 分泌を逆向きに調節していることに注意してほしい．すなわち，血清 Ca^{2+} の上昇は CaSR を介して起こる PTH 放出を抑制し，一方で，血清 Ca^{2+} の低下はこの抑制を解除して PTH 分泌を促進する．

この CaSR を介した PTH 分泌により，以下の作用が発揮される．骨と腎臓においては，**PTH の 1 型受容体**（**PTH1R**）が活性化されて，(1)破骨細胞による骨吸収の増加，(2)ヘンレのループの太い上行脚における Ca^{2+} の再吸収の促進，(3)近位尿細管におけるリン酸塩の排泄，および(4)近位尿細管によるカルシトリオール（活性型ビタミン D）の合成が起こる．この PTH の作用を受けて生成したカルシトリオールは，腸管における Ca^{2+} 吸収を促進する（後述する「ビタミン D」の項を参照）．

副甲状腺ホルモンの機能

PTH は血中の Ca^{2+} とリン酸イオン（PO_4^{3-}）のバランスを調節するホルモンで，主に以下の 2 つの場所で作用する：

1. **骨組織**では，PTH は**破骨細胞による骨の無機成分の吸収**お

図 19.5 | 上皮小体の構造と機能

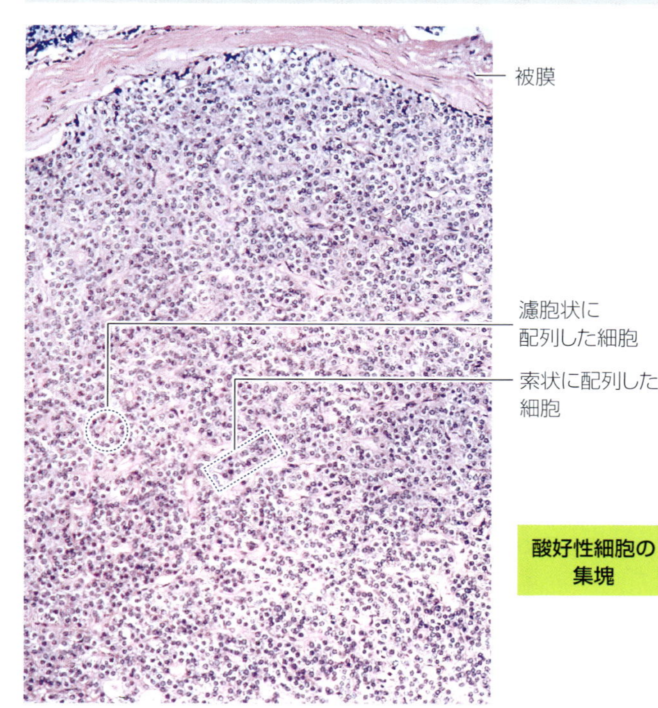

上皮小体は次の 2 種類の細胞から構成される. (1)副甲状腺ホルモン（PTH）を分泌する**主細胞**，および(2)ミトコンドリアに富み，おそらく主細胞へ移行する過程にある**酸好性細胞**. これらの細胞が，**索状**，ときには**濾胞状**に配列しているのが観察される.

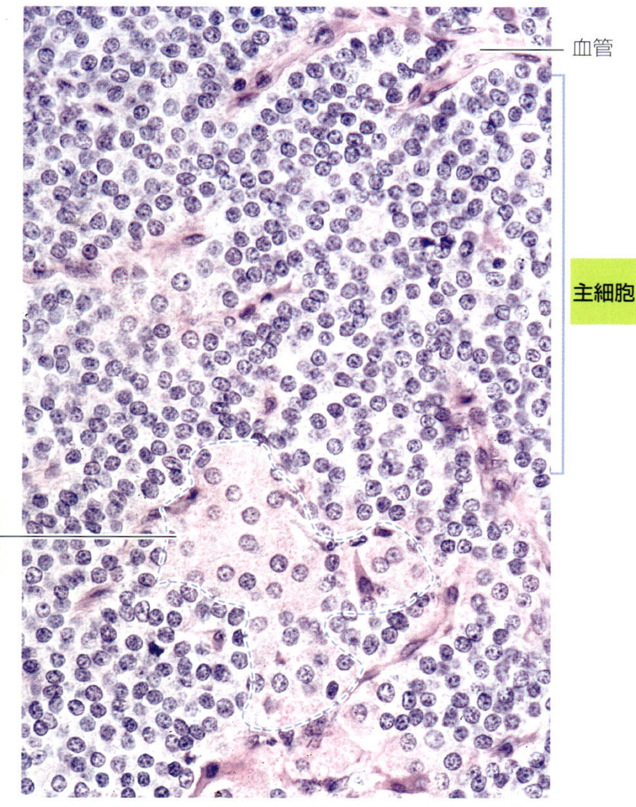

酸好性細胞は思春期以降に出現し，年齢とともに増加する. 細胞質には**ミトコンドリア**が豊富で，このため H&E 染色ではエオジンによく染まる. 粗面小胞体とゴルジ装置の発達は顕著ではない. 酸好性細胞は，PTH を分泌しない.

主細胞

Ca^{2+}レベルの低下に伴う PTH の放出
Gq/11 タンパク質
Ca^{2+}
Ca^{2+}感知受容体（2 量体）
グリコーゲン

CaSR
Ca^{2+}感知受容体へのCa^{2+}の結合によって PLC 経路が活性化される
Gq/11 タンパク質
Ca^{2+}
PIP2
PLC
Ca^{2+}
DAG
IP_3
小胞体

酸好性細胞

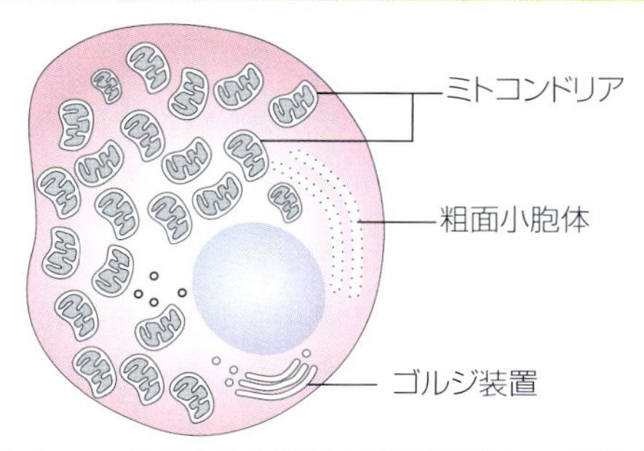

Ca^{2+}感知受容体（CaSR）は，上皮小体の主細胞の細胞膜で **Gq ／ 11 タンパク質**と共役する 7 回膜貫通型タンパク質の 2 量体である. CaSR に Ca^{2+}が結合すると Gq ／ 11 依存的にホスホリパーゼ C（PLC）が活性化され，細胞膜に結合しているホスファチジルイノシトール 4,5–ビスホスフェート（PIP_2）からジアシルグリセロール（DAG）とイノシトール 1,4,5–三リン酸（IP_3）を生成する. この細胞内の IP_3 の上昇によって，小胞体に蓄積されていた Ca^{2+}の細胞質への放出が促進される. これらの一連のシグナル伝達過程により，PTH 分泌は**低下**する.

逆に細胞外 Ca^{2+}レベルの**低下**は CaSR を**不活性化**し，**PTH の放出につながる**. PTH は骨組織からの Ca^{2+}の吸収および腎臓における Ca^{2+}の再吸収を促進するとともに，腎臓の 1α-水酸化酵素の発現を高めカルシトリオールの産生を亢進させる. この PTH の作用を受けて生成したカルシトリオールは，腸管における Ca^{2+}吸収を促進する. CaSR 遺伝子の機能欠失型突然変異と機能獲得型突然変異はそれぞれ，**1 型家族性低カルシウム尿性高カルシウム血症（FHH1）**と常染色体顕性 1 型低カルシウム血症（ADH1）を引き起こす.

よび血中への Ca^{2+} の放出を促進する．

2. **腎尿細管**では，PTH は**1α-水酸化酵素**を活性化することで，**活性型ビタミンD（カルシトリオール）の産生**を促進する．生成した活性型ビタミンDは，**腸管における Ca^{2+} 吸収を促進**する．すなわち，PTH は腎臓における活性型ビタミンD産生に関与する酵素の合成を誘導することで，**間接的に** Ca^{2+} レベルを調節している．

血清 Ca^{2+} 濃度が低下すると，Ca^{2+} レベルの恒常性を維持するために，PTH はまず**骨芽細胞** osteoblast に働きかけ，破骨細胞の生成を促す．すでに述べたように，PTH は骨芽細胞の細胞表面にある PTH1R と結合し，破骨細胞の分化と機能発現に必要なタンパク質の合成を制御する（第4章「破骨細胞の生成」の項を参照）．

3. **授乳期**には，乳腺はカルシウムの動員を促す器官として働く．乳腺は PTH 関連ペプチド（PTHrP）を分泌し，骨から血中に Ca^{2+} を動員する．

また，骨細胞由来のタンパク質である**線維芽細胞増殖因子23** fibroblast growth factor 23（**FGF23**）が，腎臓を標的としてリン酸塩の排泄を促進することで，血清リン酸濃度を低下させることも覚えておく必要がある．さらに，FGF23 は腎臓の1α-水酸化酵素を阻害することで，循環血中のカルシトリオール濃度を低下させる（Box 14.B 参照）．ここで，腎臓と副甲状腺が Ca^{2+} と PO_4^{3-} の恒常性維持において重要な役割を果たしているという点は，見逃してはならない．

上皮小体の機能異常

副甲状腺機能亢進症 hyperparathyroidism は機能性の良性腫瘍（**腺腫** adenoma）によって起こる．副甲状腺ホルモン分泌が異常に増加すると，以下の症状が出現する：

1. **高カルシウム血症** hypercalcemia と**高リン酸尿症** phosphaturia（尿中への PO_4^{3-} の排泄増加）．
2. **高カルシウム尿症** hypercalciuria（尿中への Ca^{2+} の排泄増加）が起こり，その結果として**腎盂結石**が生じる．このような結石が尿管に下降すると，平滑筋の痙性の収縮が起こり激しい痛みが生じる．また，**血尿** hematuria や**腎盂腎炎** pyelonephritis などの尿路感染症を引き起こすこともある．
3. **骨組織からの無機質の喪失の結果**としての**高カルシウム血症**．骨吸収が極度に進むと，**嚢腫** cyst 様の吸収窩が出現することもある．

また，**甲状腺手術の際に誤って上皮小体を摘出したり血流の遮断などで不可逆的に損傷した場合**には，**副甲状腺機能低下症状** hypoparathyroidism が出現する．このような甲状腺機能低下症が起こるかどうかは，外科医の経験，そして甲状腺の原疾患によって決まる甲状腺切除の程度に依存する．

この場合，上皮小体を摘出して24〜48時間以内に低カルシウム血症が起こり，神経の被刺激性が亢進して，ピンや針で皮膚を刺激したときの**感覚異常** paresthesia，こむら返り，筋の攣縮，痙攣などの症状が認められる．

また**喉頭**や**気管支の攣縮発作**，**テタニー**や**てんかん発作**などの症状が起こることもあり，このような重篤症状が現れたときには，安全な血中 Ca^{2+} 濃度に達するように，カルシウムの静脈注射やその後の持続的な点滴処置が必要になる．

血中 Ca^{2+} 濃度の急速な低下による**神経筋症状**は，次のような臨床的な症候の有無で調べることができる：

1. **クボステック徴候**（Chvostek's sign）は，顔面神経を軽く叩いた際に顔の筋肉の痙攣が起こる現象である．
2. **トルーソー徴候**（Trousseau's sign）は，血圧計をつけて上腕（や下腿）を圧迫した際に手首（足首）の筋肉が痙攣して特徴的な肢位をとる現象である．

これらの異常は，ビタミンD，カルシウムとマグネシウムの栄養補助剤，あるいは合成 PTH1-34（2回／日）の投与で改善する．

CaSR や Gq／11 の遺伝子変異

CaSR を不活性化するような遺伝子変異は，**1型家族性低カルシウム尿性高カルシウム血症** familial hypocalciuric hypercalcemia type 1（**FHH1**）や**新生児重症副甲状腺機能亢進症** neonatal severe hyperparathyroidism（**NSHPT**）を引き起こす．

CaSR の機能欠失型遺伝子変異のヘテロ接合体の個体は，1つだけ *CaSR* 遺伝子の欠損コピーをもち，FHH1 を発症する．CaSR は2量体を形成するため，正常なほうの遺伝子から生成する CaSR 分子が変異の起こった CaSR 分子の機能を代償することができる．

しかし，CaSR の機能欠失型遺伝子変異を2つもつ新生児（ホモ接合体）は，重度の高カルシウム血症，骨からの無機質の喪失，多発性骨折を伴う NSHPT を発症する．NSHPT では，生命の危険があるので，出生後すぐに副甲状腺摘出術を行う必要がある．

一方，CaSR 遺伝子に機能獲得型（活性型）の変異が生じると，上皮小体が血清 Ca^{2+} 濃度が高くないときでも高いとみなしてしまい起こる**常染色体顕性1型低カルシウム血症** autosomal dominant hypocalcemia type 1（**ADH1**）という病態に陥る．

この病態では，Ca^{2+} と PTH の血清濃度が低下する．CaSR はまた，この受容体に対する自己抗体によって起こる自己免疫反応の標的となることもあり，CaSR が活性化される場合もあれば，不活性化されて FHH1 と同様の症状を呈することもある．また，下流の Gq／11 タンパク質をコードする遺伝子の機能欠失型突然変異は，2型家族性低カルシウム尿性高カルシウム血症（FHH2）をもたらす．対照的に，Gq／11 をコードする遺伝子の機能獲得型突然変異は，常染色体顕性2型低カルシウム血症（ADH2）を引き起こす．

カルシウム受容体作動薬 calcimimetic synthetic drug は，CaSR と結合して PTH の病的な分泌亢進を弱める作用をもつ．一方，**カルシウム受容体阻害薬** calcilytics は，骨粗鬆症の治療に有効な手段となるかもしれない．

C細胞（甲状腺傍濾胞細胞）（図19.6）

C細胞は**神経堤**に由来し甲状腺濾胞と密接な関係をもつ．C細胞は，甲状腺組織重量の約0.1%を占め，濾胞の基底部あるいは濾胞間に局在するが，コロイドとは直接接触していない．

C細胞は，第11染色体短腕上に位置する遺伝子にコードされている**カルシトニン** calcitonin を産生する．カルシトニンは32個のアミノ酸からなるペプチドで，136アミノ酸残基からなる前駆体から生成する．カルシトニンは分泌顆粒に蓄えられている．

図 19.6 ｜ カルシトニンの生合成と作用機序

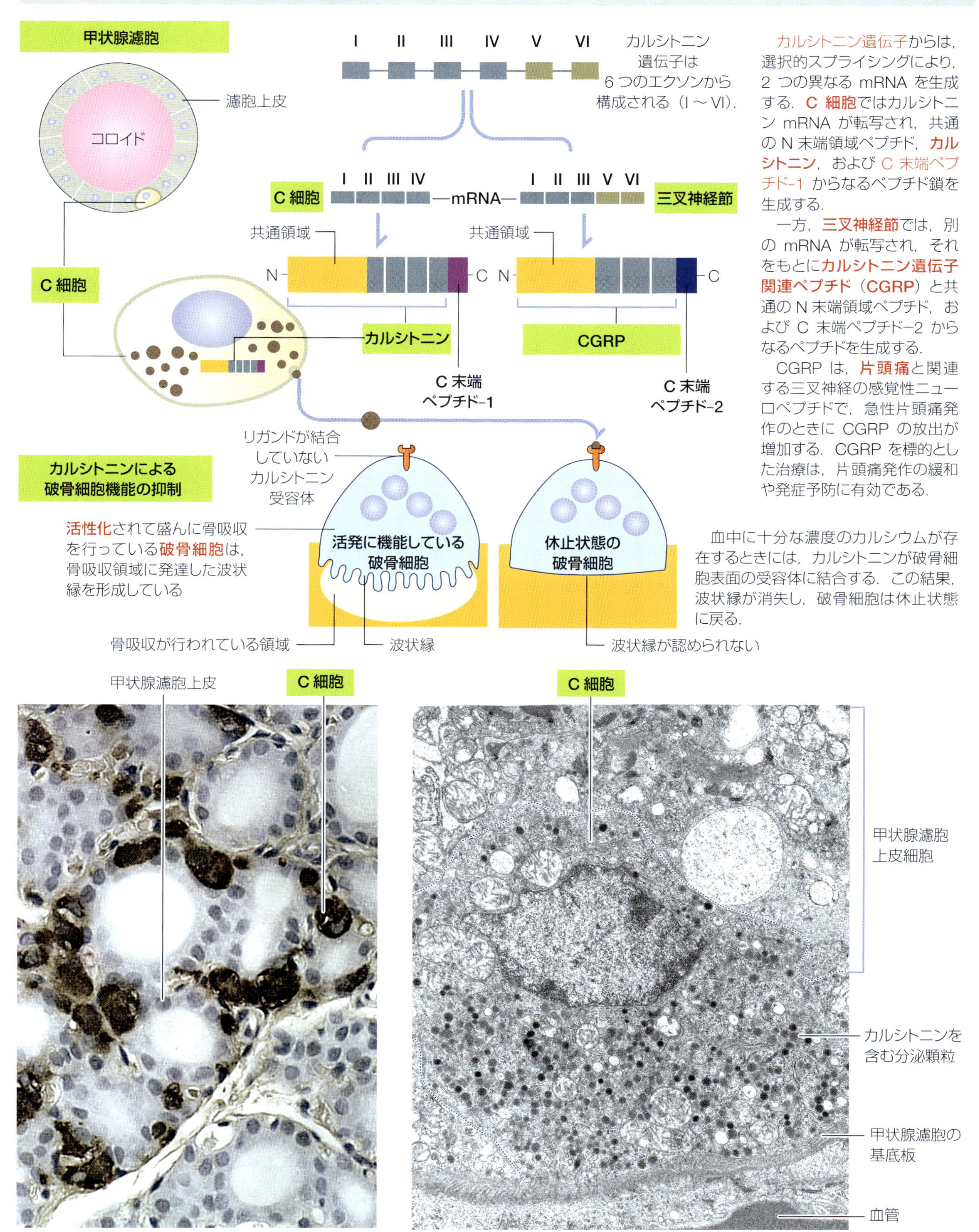

免疫組織化学染色の図版：Martín-Lacave I, García-Caballero T: Atlas of Immunohistochemistry. Madrid, Spain:Ed. Díaz de Santos, 2012 から引用.

カルシトニンの主な機能は**PTHの作用を打ち消すこと**である．**カルシトニンは破骨細胞でcAMPの上昇をきっかけにして起こる骨吸収を抑え，骨からのカルシウムの流失を防ぐ**．カルシトニンの分泌は，血中カルシウム濃度が**上昇**する（高カルシウム血症）と促進される．

カルシトニン遺伝子は視床下部や三叉神経核といった他の組織でも発現しているが，これらの部位では**カルシトニン遺伝子関連ペプチド** calcitonin gene-related peptide（**CGRP**）という37個のアミノ酸からなる別のペプチドを生成する．**片頭痛**発作のときには，三叉神経核からのCGRPの放出が増加する．

ビタミンD（カルシトリオール）（図19.7）

紫外線に曝露されると，**皮膚**で7-デヒドロコレステロールが**コレカルシフェロール**へと変換されて，ビタミンDの合成が始まる．

生成したコレカルシフェロールは血流に乗って**肝臓**に輸送され，ここで水酸基が側鎖に付加されて**25-ヒドロキシコレカルシフェロール**に変換される．

さらに腎臓の**ネフロン**では，以下の2つの反応が起こりうる：

1. **血中カルシウム濃度とリン酸濃度が低くなる**と，PTHがミトコンドリアの**1α-水酸化酵素** 1α-hydroxylaseの活性を上昇させ，24,25-ヒドロキシコレカルシフェロールに新たな水酸基が付加されて活性型ビタミンDである**1,25-ヒドロキシコレカルシフェロール（カルシトリオール）**が生成する（Box 19.B）．
2. 一方，**血中Ca^{2+}濃度が高い場合**には，**24-水酸化酵素**の活性が上昇し，25-ヒドロキシコレカルシフェロールは，生物学的な活性が低い24,25-ヒドロキシコレカルシフェロールに変換される．

活性型のカルシトリオールと不活性型の24,25-ヒドロキシコレカルシフェロールは，ともに**ビタミンD結合タンパク質** vitamine D-binding proteinに結合した状態で血中を循環する．

ビタミンDの主な機能は小腸粘膜におけるCa^{2+}の再吸収を促進することである．

小腸では，Ca^{2+}は以下の2つの様式で吸収される．

1. 十二指腸では，**細胞内経路** transcellular absorptionで能動的に吸収される．すなわち，Ca^{2+}はまず**電位非感受性のチャネル** voltage-insensitive channelを経由して腺腔側から腸管吸収上皮細胞内に取り込まれ，細胞内では担体タンパク質である**カルビンジン** calbindin**の助けを借りて**対側まで輸送され，最後はATPase依存性の機構により基底側で細胞外へ放出される．
2. 一方，空腸と回腸では，Ca^{2+}は細胞間の空間を，閉鎖結合を越えて血中まで**傍細胞路** paracellular absorptionで**受動的に吸収**される．吸収量全体の約10%と少量ではあるが，大腸でも能動的と受動的の両方の機構でCa^{2+}は吸収される．ビタミンDは，他のすべてのステロイドと同様に腸管吸収上皮細胞の**核**に輸送され，カルシウム結合タンパク質であるカルビンジンの合成を誘導する．

Box 19.B | くる病と骨軟化症

- ビタミンDの欠乏によって，小児では**くる病** ricketsが，成人では**骨軟化症** osteomalaciaとよばれる病態が生じる．どちらの病態も，骨基質である類骨組織へのカルシウム沈着が不十分なため起こる．
- **くる病**では骨の改築過程（リモデリング）が障害され，骨端部がふくれ（典型的な症候としては，肋軟骨の接合部でみられる**バラ冠** rachitic rosary），長管骨は石灰化不足のため弯曲する（内反膝や外反膝など）．
- 一方，成人でみられる**骨軟化症**では，骨の痛みや部分的な骨折，筋力低下が典型的な症状である．
- このような病態は，慢性腎不全や先天的な1α-水酸化酵素欠損が原因で起こることもある．

副腎

副腎の発生

副腎 adrenal（suprarenal）glandsは，次の異なる2つの胚組織から発生する：

1. **神経堤** neural crestの**外胚葉** ectoderm.
2. **中胚葉** mesoderm.

胎生6～7週には，

1. 体腔の上皮に由来する細胞が両側の性腺原基と背側腸間膜の間に集積して，**胎児性副腎皮質** fetal adrenal cortexを形成する．この時期に，**SF1**（steroidogenic factor-1）と**DAX1**（dosage-sensitive sex reversal, adrenal hypoplasia critical region, on the X chromosome, gene 1）という2つの転写因子が機能すれば，**副腎低形成**は生じない．
2. 髄質は，隣接する交感神経節から胎児性副腎皮質の内側領域に侵入する神経堤由来の細胞からできる．このクロム親和性細胞の小さな集団がクロモグラニンAとチロシン水酸化酵素を合成する．
3. さらに，中胚葉由来の細胞が胎児性副腎皮質を取り囲んで，**成体で最終的に副腎皮質となる組織層**を形成する．
4. この発生過程にある副腎組織を取り囲む間葉細胞は線維芽細胞に分化して，腎と副腎の被膜を形成する．このとき，下行大動脈の枝から副腎を栄養する豊富な血管系が発達する．この副腎の血管系は副腎組織の成長・発達や産生されたホルモンの回収・輸送に必要である．

出生時には，副腎の相対的な大きさは成体と比較すると20倍ぐらい大きい．また，球状帯と束状帯はすでに形成されており，この2つの領域は，胎児の下垂体から分泌される副腎皮質刺激ホルモンACTHの影響を受けて，副腎皮質ステロイドや雌雄の性ステロイドホルモン前駆体を産生する．なお，網状帯はこの時点でははっきりしない．また，髄質では，それなりの量のアドレナリンが産生される．

生後3ヵ月までに，体腔中皮由来の胎児性副腎皮質は退縮し，生後1年以内に消失する．一方，球状帯と束状帯を構成している中胚葉由来の副腎皮質前駆組織は，最終的な皮質として残る．網状帯は生後3歳の終わりまでに発達する．

異所性の副腎皮質あるいは髄質組織が，腎臓の下方や大動脈周囲，骨盤内などの後腹膜腔に見出されることがある．このような異所性のクロム親和性細胞の塊は**パラガングリオン** paraganglion

図 19.7 | 生体におけるカルシウムの恒常性調節機構

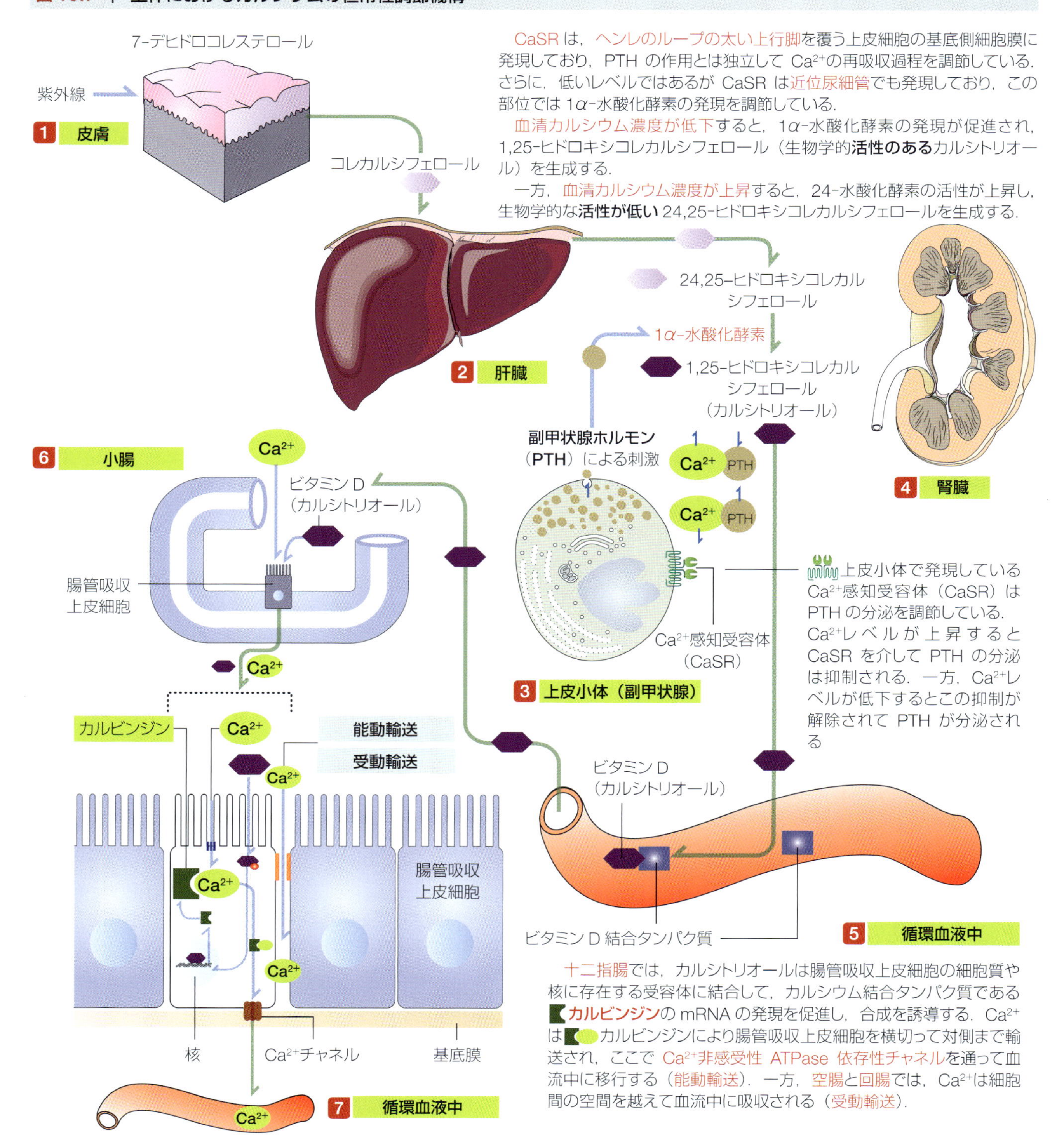

とよばれ，褐色細胞腫 pheochromocytoma などの腫瘍の発生母地となりうる．

胎児の副腎皮質の機能

妊娠初期には，胎児性副腎皮質で合成された大量の男性ホルモンであるデヒドロエピアンドロステロン dehydroepiandrosterone (DHEA) が，胎盤におけるエストロゲン合成のための材料となる．胎児性副腎皮質の発達や機能発現の主要な調節因子は ACTH である．胎児性副腎皮質は，妊娠早期にステロイドホルモン産生能を獲得する．糖質コルチコイドは，母体由来であるか，あるいは胎盤のプロゲステロンから胎児によって合成されたものであるかを問わず，胎生期 8ヵ月以降の II 型肺胞上皮細胞による肺サーファクタントの産生に必須である．

胎児の副腎皮質と胎盤の間の相互作用は，**胎児胎盤ユニット** fetoplacental unit として知られている（第23章参照）．胎児－胎盤ユニットの機能は，胎児の成熟と周産期の生存に不可欠である．

副腎皮質の組織学的構築（図 19.8，19.10）

副腎 adrenal gland（ラテン語 *ad*［= near，近く］，*ren*［= kidney，腎臓］）は各腎臓の上極に近接する臓器で，黄色味を帯びた外側の**皮質** cortex（腺の 80～90％を占める）と赤みを帯びた内側の**髄質** medulla（10～20％）からなる．

各副腎は腎周囲の脂肪組織に包まれ，腎筋膜とよばれる線維性被膜で囲まれている．副腎周囲には薄い結合組織性被膜が存在し，隣接する腎臓と隔てられている．この副腎の被膜には，3本の副腎動脈に由来する**動脈叢**が分布している．この副腎の血管系の機能的意義については後述する．

各副腎は**皮質**と**髄質**からなる．

副腎皮質は同心円状に，以下の3つの領域に区分される：

1. 膜直下で**最外層**の**球状帯** zona glomerulosa（図 19.8）．
2. **中間層**の**束状帯** zona fasciculata（図 19.8，19.9）．
3. **最内層**で**髄質に隣接する網状帯** zona reticularis（図 19.8，19.10）．

球状帯（図 19.8，19.11，19.12）

球状帯 zona glomerulosa（ラテン語 *glomus*［= ball，球］）は次のような特徴を有している：

1. 被膜直下に位置している．
2. 皮質全体の 10～15％を占める．
3. 細胞質に**中程度に脂肪滴を蓄えた**細胞が球状の配列をとり，集塊を形成している．
4. **17α-水酸化酵素（CYP17）**を欠くためにコルチゾールや性ステロイドホルモンを合成することができない（図 19.11）．

球状帯は，ACTH よりも，むしろ**アンギオテンシンⅡ** angiotensin II（**ANG II**）**に依存**した領域である．ANG II は，球状帯における細胞の増殖と鉱質コルチコイドである**アルドステロン**合成の両方を促進する（図 19.11，19.12）．

この ANG II は8個のアミノ酸からなるペプチドであり，**10個のアミノ酸**からなる**アンギオテンシンⅠ**が肺循環を経由する際に**アンギオテンシン変換酵素** angiotensin-converting enzyme（**ACE**）によって切断されて生成する．

アルドステロンは 20～30 分の血中半減期をもち，遠位曲尿細管と集合管に直接作用して Na^+ の再吸収とこれに付随した水の再吸収，および K^+ と H^+ の排出を促進する（第14章参照）．

アルドステロンは，標的細胞に作用する際に**細胞質内の受容体タンパク質**と結合し，特異的な遺伝子群の発現を促進する転写調節因子を活性化する．

アルドステロンに反応する細胞は糖質コルチコイドであるコルチゾールには応答しない．というのは，コルチゾールは肝細胞で **11β-水酸化ステロイド脱水素酵素** 11β-hydroxysteroid dehydrogenase によって**コルチゾン** cortisone に変換され，アルドステロン受容体への結合活性が失われるためである．

束状帯（図 19.8，19.9，19.11，19.12）

束状帯 zona fasciculata（ラテン語 *fascis*［= bundle，束］）は，皮質全体の 75％を占め，ステロイド産生細胞の特徴を備えた立方形の細胞が，皮質の**有窓型毛細血管**に沿って垂直方向に束状に配列している（図 19.8，19.9）．

束状帯の細胞の細胞質にはステロイド産生細胞に特有の3つの特徴が認められる：

1. ステロイドホルモンの前駆物質であるコレステロールを含む**脂肪滴**が豊富に存在する．この脂肪滴は組織標本作製時に溶出してしまい，また通常のヘマトキシリン・エオジン染色では染色されないため，束状帯の細胞は泡沫状に観察され，**海綿状細胞** spongiocyte とよばれることもある．
2. ステロイド合成酵素が局在する管状の**クリステ** crista **をもつミトコンドリア**に富む．
3. 同様にステロイドホルモンの合成に関与する酵素が局在する**滑面小胞体**もよく発達している．

束状帯の細胞は ACTH によって刺激される．この束状帯細胞は **17α-水酸化酵素（CYP17）**をもっており，糖質コルチコイド（主に**コルチゾール**）を産生する（図 19.11，19.12）．コルチゾールは細胞内に蓄積されることはないので，血中のホルモン濃度を高めるためには，ACTH によって刺激されて新しく合成される必要がある．コルチゾールは肝細胞でコルチゾンに変換される．コルチゾールは次のような2つの主要な作用を有する：

1. **代謝に関する作用**：コルチゾールはインスリンの作用と拮抗する．肝臓ではコルチゾールは糖新生を促進し，血糖値を上昇させる．ここで，このことを覚えておくと，糖尿病患者で血糖値が変動することを理解するのに役立つ．
2. **抗炎症作用**：コルチゾールは傷害された組織で起こる修復反応や細胞性免疫と液性免疫の両方の反応を抑制する．

網状帯（図 19.8，図 19.10～19.12）

網状帯 zona reticularis（ラテン語 *rete*［= net，網］）は，皮質全体の 5～10％を占め，有窓型毛細血管の間を短い細胞索が網工を形成して埋めている．

この網状帯の細胞は，**リソソーム**や大型の**リポフスチン顆粒**が豊富で**脂肪滴に乏しい**ため，酸好性に染まる（図 19.8，19.10）．

束状帯の細胞も ACTH に刺激されて性ステロイドホルモンを産生する．副腎で産生される主なアンドロゲンは，**デヒドロエピアンドロステロン**（DHEA）と**アンドロステンジオン**である（図 19.11，19.12）．

DHEA とアンドロステンジオン自体は弱いアンドロゲン活性しかもたないが，これらは末梢組織でテストステロンや，さらにはエストロゲンにまで変換される．ここで，女性ホルモンであるエストラジオールが男性ホルモンであるテストステロンから生成すること，そしてテストステロンは女性ホルモンであるプロゲステロンを前駆体としていることに留意せよ．

女性では，副腎はアンドロゲンの主要な供給源であり，このような副腎由来のアンドロゲンは思春期に陰毛や腋毛の成長を促進する．

図 19.8 | 副腎の組織構築

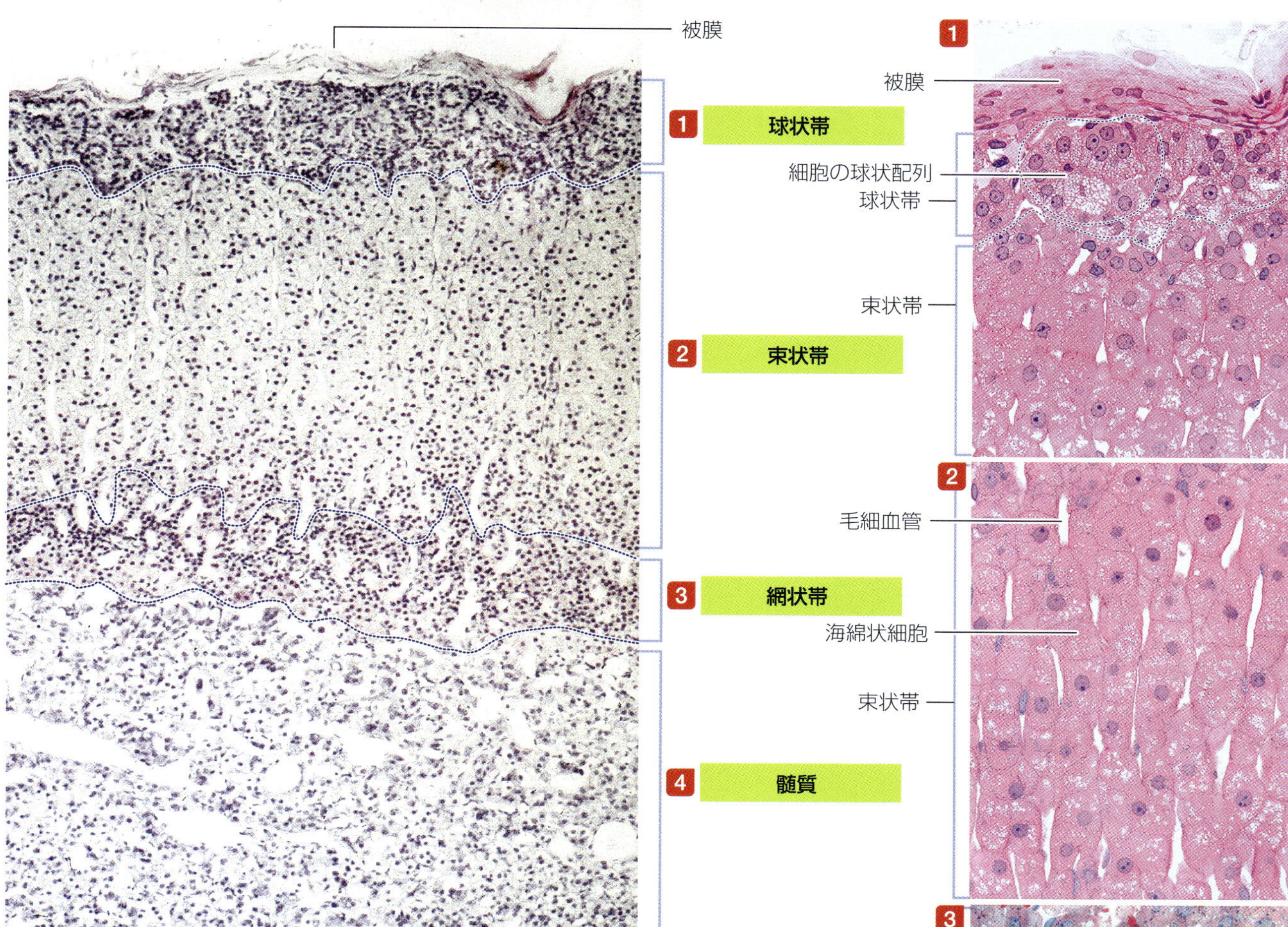

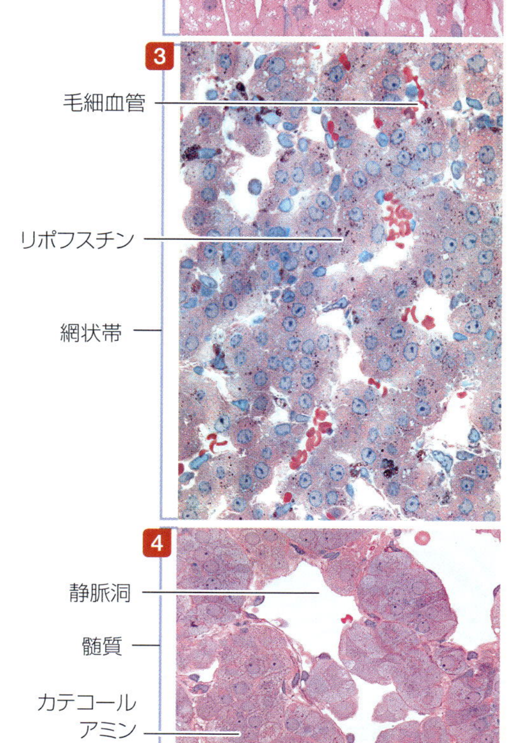

1 **球状帯**は被膜直下の狭い領域であり，その下方には束状帯が続いている．球状帯では，有窓型毛細血管に富む間質に囲まれて細胞が球状に配列しており，細胞は少量の脂肪滴とよく発達した滑面小胞体を有している．

球状帯の細胞は，**アンギオテンシン II**（**ANG II**）による制御を受けて，鉱質コルチコイド（**アルドステロン**）を産生・分泌する．

2 **束状帯**は，皮質で最も大きな部分を占め，多角形の細胞が，被膜と垂直方向に索状あるいは束状に配列している．束状帯の細胞にはコレステロールやその代謝産物を含む脂肪滴が豊富に存在するため，細胞質は泡沫状を呈する．また，隣接する内分泌細胞索の間を有窓型毛細血管が縦走している．

束状帯の細胞は，副腎皮質刺激ホルモン（ACTH）による制御を受けて，主として糖質コルチコイド（**コルチゾール**）を産生・分泌する．

3 **網状帯**は，束状帯よりは薄いが球状帯よりは厚い領域であり，有窓型毛細血管に囲まれて短い細胞索が網工を形成している．この網状帯の細胞は，明るく染まる束状帯と対照的に，褐色色素（**リポフスチン**）を含み，やや濃く染色される．

網状帯の細胞は，ACTH による制御を受けて，主として**性ステロイドホルモン**を産生・分泌する．

4 **副腎髄質**は**静脈洞**に囲まれた 2 種類の細胞種で構成される：

1. アドレナリン（エピネフリン）分泌細胞（80%）
2. ノルアドレナリン（ノルエピネフリン）分泌細胞（20%）

アドレナリンとノルアドレナリンはともに**カテコールアミン**であり，空気や酸化剤である重クロム酸カリウムと反応して褐色を呈する（**クロム親和性反応**）．

図 19.9 | 副腎皮質（束状帯）のステロイド産生細胞の微細構造

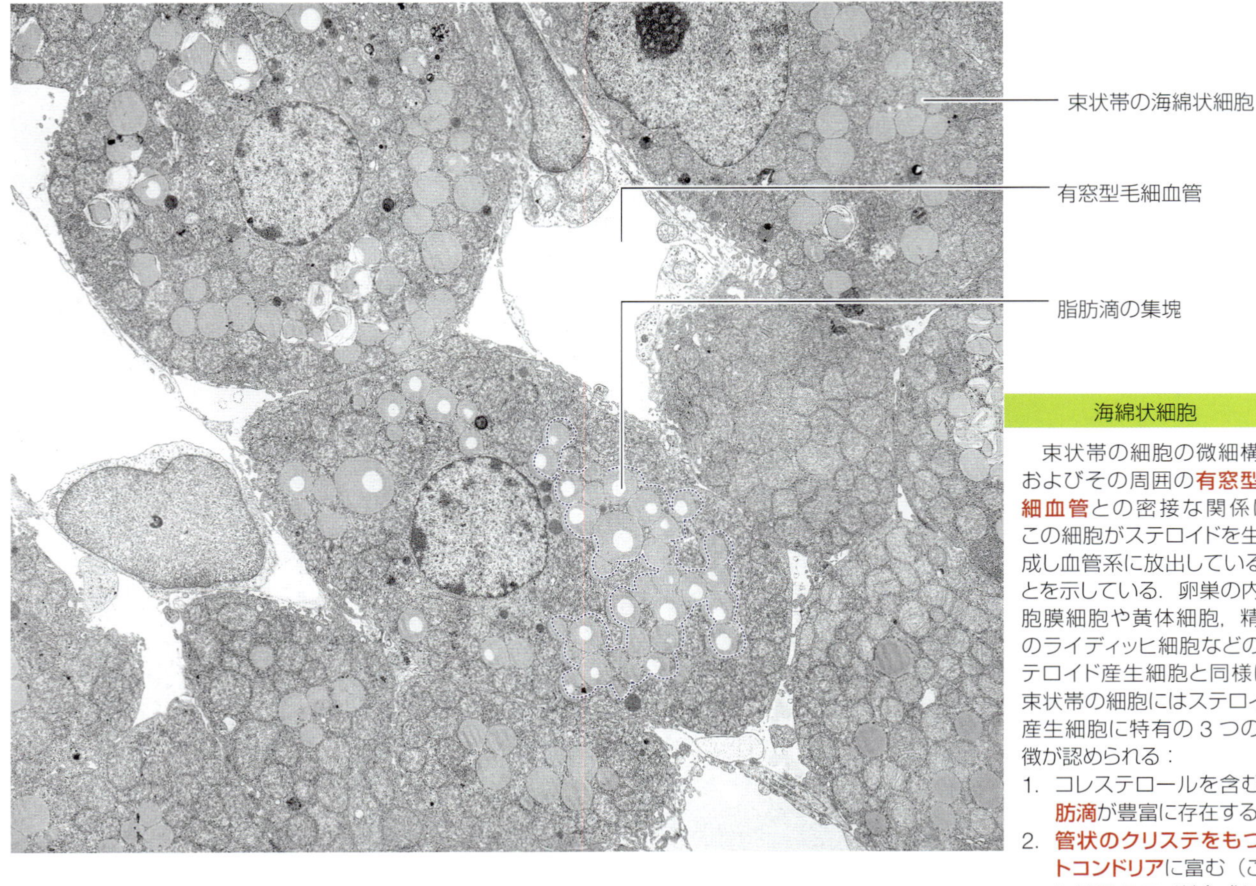

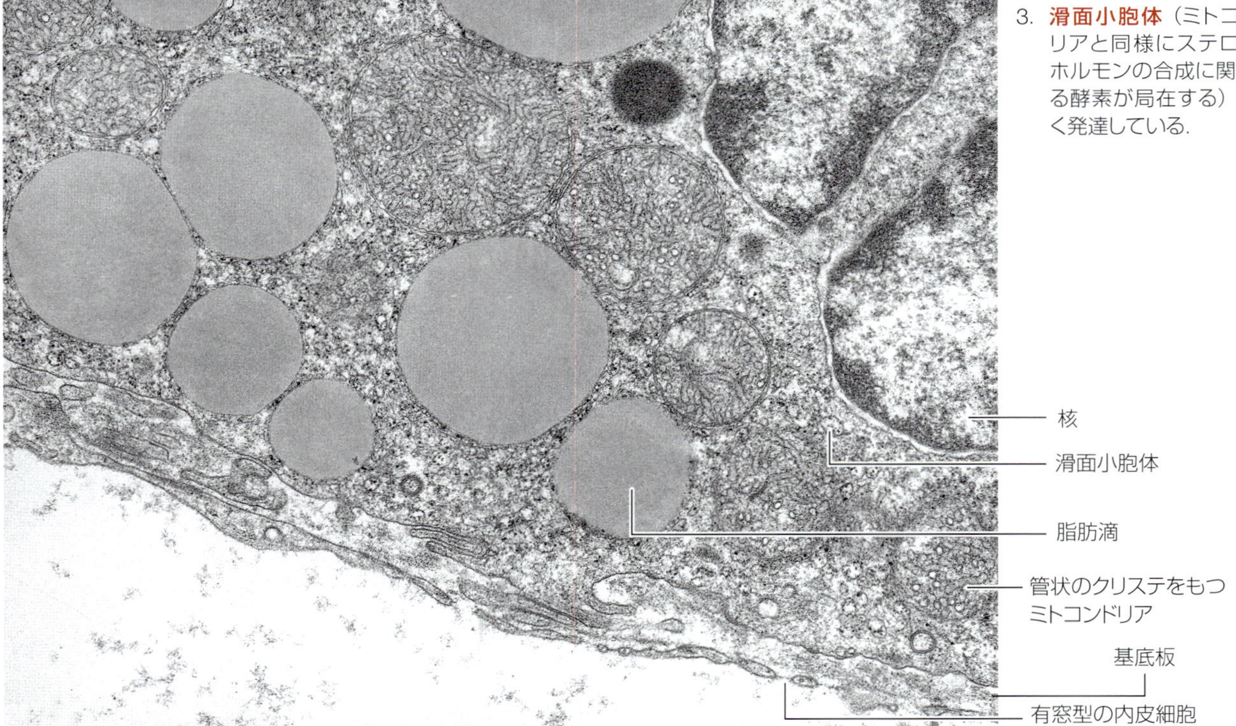

海綿状細胞

束状帯の細胞の微細構造およびその周囲の**有窓型毛細血管**との密接な関係は，この細胞がステロイドを生合成し血管系に放出していることを示している．卵巣の内卵胞膜細胞や黄体細胞，精巣のライディッヒ細胞などのステロイド産生細胞と同様に，束状帯の細胞にはステロイド産生細胞に特有の 3 つの特徴が認められる：

1. コレステロールを含む**脂肪滴**が豊富に存在する．
2. **管状のクリステをもつミトコンドリア**に富む（ここにはステロイド合成に関与する酵素が局在する）．
3. **滑面小胞体**（ミトコンドリアと同様にステロイドホルモンの合成に関与する酵素が局在する）もよく発達している．

図 19.10 | 副腎皮質（網状帯）のステロイド産生細胞の微細構造

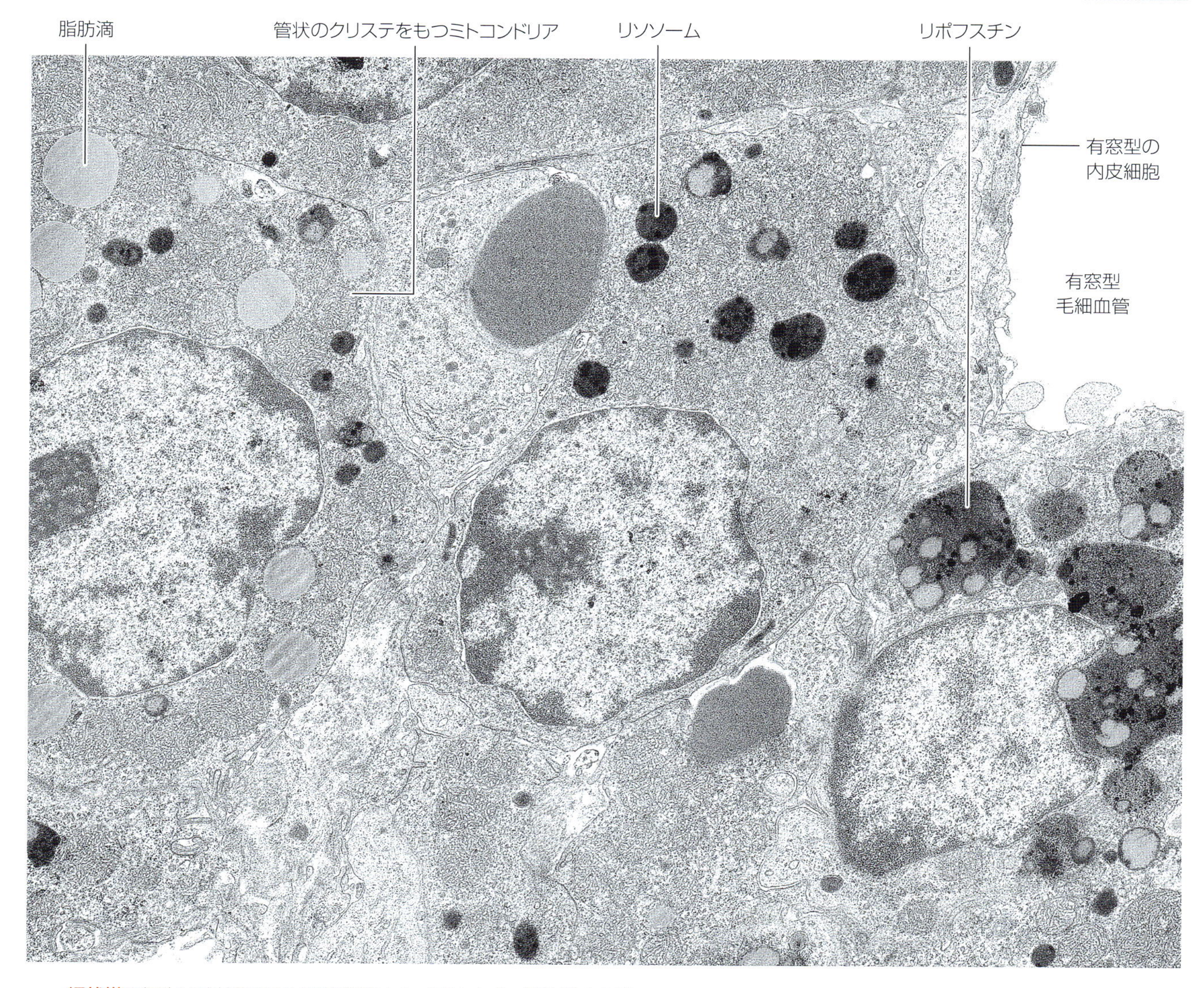

網状帯の細胞は球状帯や束状帯の細胞と比べて小さく，細胞質中の脂肪滴やミトコンドリアも少ない．ただし，それでもミトコンドリアにはステロイド産生細胞に特徴的な管状のクリステが認められる．

網状帯の細胞の特徴は，副腎皮質の他の部分とは異なり，**リソソーム**が豊富で**リポフスチン**の沈着が認められることである．リポフスチンは脂質の酸化代謝の結果生じた遺残物であり，副腎皮質内での分解過程を反映していると考えられている．

さらに留意しておかなければならない網状帯の他の特徴は以下のとおりである：

1. 網状帯の細胞は球状帯や束状帯で分泌された鉱質コルチコイドやコルチゾールなどのステロイドに富む血流を受ける．
2. 髄質に局在するカテコールアミン産生細胞に隣接している．
3. ACTH 刺激に応答して，**網状帯と束状帯ではアンドロゲン**（デヒドロエピアンドロステロン（DHEA）とアンドロステンジオン）**を産生する．網状帯の細胞はまた，硫酸 DHEA も合成する**．

副腎性器症候群

副腎皮質で産生される DHEA，アンドロステンジオン，硫酸 DHEA は，それ自体は弱いアンドロゲン活性しか示さないが，副腎以外の組織でより作用の強いアンドロゲンやエストロゲンに変換されうる．

このアンドロゲンが他のステロイドホルモンに転換されうるという性質は，**副腎性器症候群**などの病的な状態において臨床上重要な意味をもつ．

特に女性の副腎性器症候群の症例では，副腎におけるアンドロゲンの過剰産生が原因で**男性化**（陰毛や腋毛の異常な増生［**多毛症**］や陰核肥大）が起こる．

また，男性では副腎由来のアンドロゲンだけでは精巣のライディッヒ細胞でのアンドロゲン産生を代替することはできないが，女性では副腎由来のアンドロゲンが腋毛や陰毛の成長に重要な役割を果たしている．

図 19.11 | ステロイド合成経路

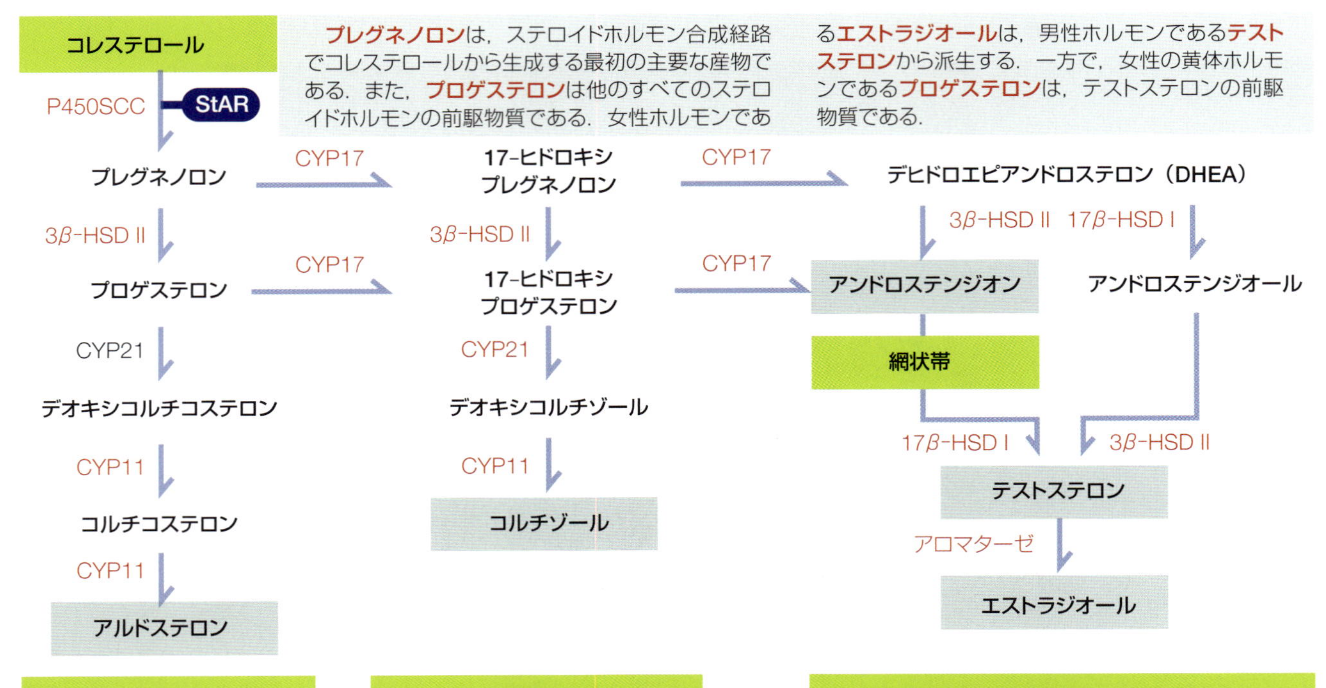

球状帯

球状帯は **17α-水酸化酵素（CYP17）**を欠くためコルチゾールや性ステロイドを産生することができない．

束状帯

束状帯と網状帯では，17α-水酸化酵素（CYP17）が発現しているので，糖質コルチコイド（コルチゾール）や性ステロイドを産生することができる．

性腺におけるステロイド合成

StAR：ステロイド産生急性調節タンパク質
CYP17：17α-水酸化酵素
3β-HSD II：3β-水酸化ステロイド脱水素酵素タイプ II
CYP21：21-水酸化酵素
17β-HSD I：17β-水酸化ステロイド脱水素酵素タイプ I

副腎皮質の分泌異常

球状帯：球状帯の腫瘍はアルドステロンを過剰分泌し，まれではあるが，**原発性アルドステロン症** primary aldosteronism あるいは**コン症候群** Conn syndrome とよばれる病態を引き起こす．しかし，高アルドステロン血症の原因としてより頻度の高いものは，レニン分泌の亢進によるものである（**二次性高アルドステロン血症**）．

束状帯：ACTH の分泌亢進が原因でアルドステロン，コルチゾール，副腎性アンドロゲンが過剰に産生されると，**クッシング病** Cushing's disease とよばれる病態を引き起こす．クッシング病は**下垂体前葉の ACTH 産生腫瘍**によって起こる．

副腎皮質にホルモン産生性の腫瘍が生じたときにも，アルドステロンや副腎性アンドロゲンとともにコルチゾールの過剰産生が起こる．

この場合にはクッシング病ではなく**クッシング症候群**とよばれる．クッシング症候群では，糖質コルチコイドの広範な作用の結果，さまざまな臨床症状が出現する．特に糖質の代謝に関しては，コルチゾールはインスリンと拮抗する作用を示す．

網状帯：性腺と比較すると，生理的な状態で網状帯から分泌される性ステロイドホルモンの量は重要ではない．しかし，男性化や女性化などの異常を引き起こすような副腎皮質腫瘍では，性ステロイドホルモンが過剰に産生されている．

新生児期に髄膜炎菌による敗血症に罹患し副腎が**急激に破壊**されると，**ウォーターハウス・フリードリクセン症候群** Waterhouse-Friderichsen syndrome（あるいは**出血性副腎炎** hemorrhagic adrenalitis）とよばれる，副腎皮質不全に陥ることがある．

また，自己免疫性の機序あるいは結核が原因となって副腎皮質が**慢性的に破壊**されると，古典的な**アジソン病** Addison's disease とよばれる病態になる．

アジソン病では，コルチゾールの欠損によって ACTH の分泌は亢進する．過剰に産生された ACTH は皮膚の色素沈着（特にシワやヒダになっている部分や歯肉に顕著）を招く．また鉱質コルチコイドの産生が失われて低血圧，循環性ショックが起こる．

さらにコルチゾールが欠損することでカテコールアミンに対する血管の収縮性が減弱するため，末梢血管抵抗が低下し低血圧を増悪させる．コルチゾールの欠損はまた，筋力低下や全身倦怠感を主訴とする**無力症** asthenia にもつながる．

副腎髄質（図 19.8，19.13）

副腎髄質は**クロム親和性細胞** chromaffin cell を含む．クロム親和性細胞という名は，**重クロム酸カリウム水溶液で処理すると茶褐色に着色する**ことからつけられた．この現象は，クロム塩によって**カテコールアミンが酸化**されて茶褐色の反応産物が生成するために起こる．

図 19.12 | 副腎皮質におけるステロイド生合成

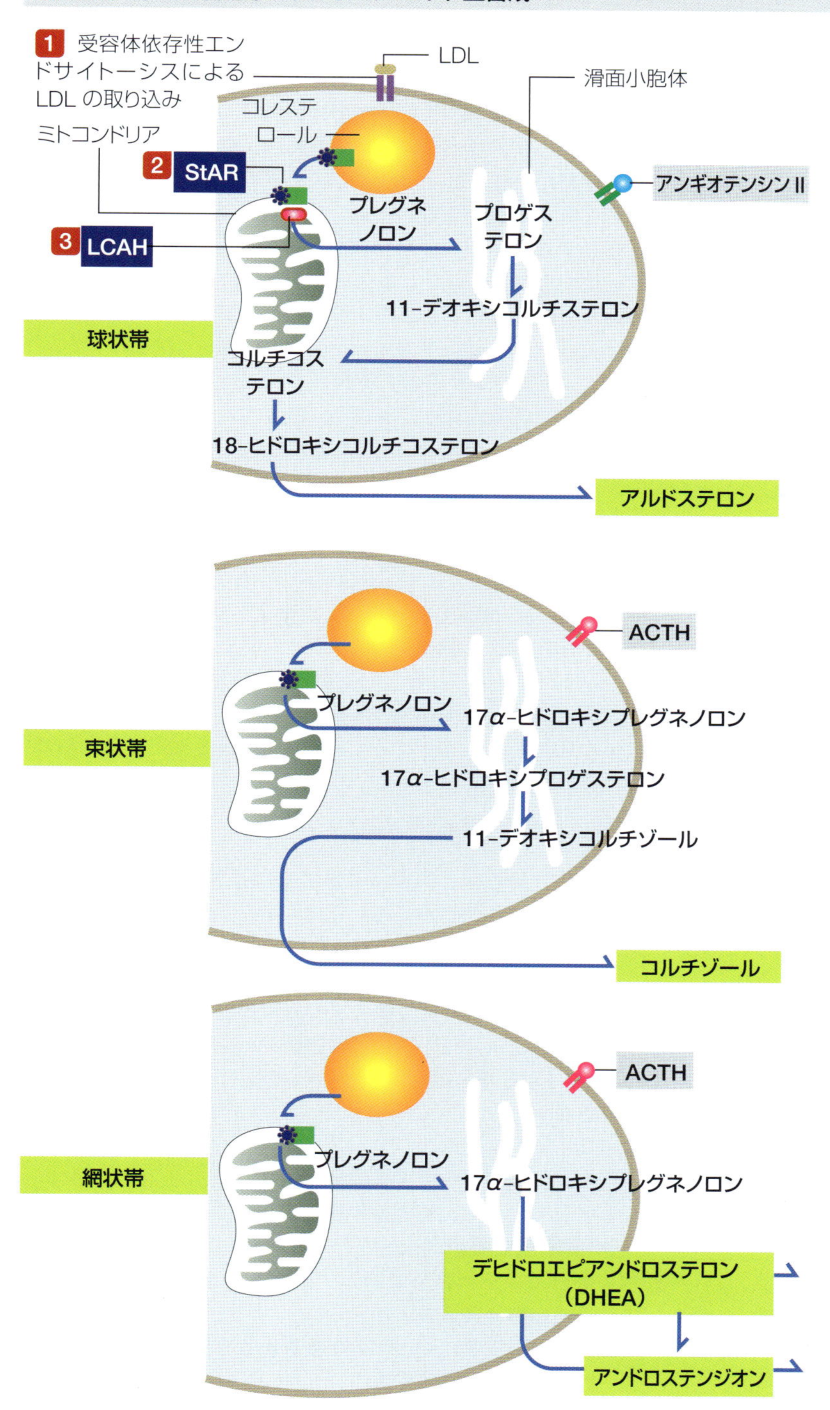

1 すべてのステロイドホルモンの原材料となる**コレステロール**の大部分は，血中の**低密度リポタンパク質**（**LDL**）に由来する．コレステロールはまずアシル CoA コレステロールアシルトランスフェラーゼ（ACAT）によりエステル化され，細胞質の脂肪滴に貯蔵される．

コレステロールは一連の水酸化反応によって修飾を受けステロイドホルモンに変換されるが，このような反応にかかわる酵素はミトコンドリアと滑面小胞体に局在する．これらの酵素の基質は一連のステロイド合成過程の間，ミトコンドリアと滑面小胞体の間を行き来する．

ステロイド産生急性調節（StAR）タンパク質

2 **ステロイド産生急性調節タンパク質**（**StAR**）はコレステロールの細胞内移行を助けるタンパク質であり，**コレステロールがミトコンドリア外膜を越え内膜**（ここにステロイド生合成過程の律速酵素であるシトクロム **P450scc** が局在）**へ移行する過程に関与**することでステロイド生合成を調節している．

3 副腎と性腺におけるステロイド合成が欠損した患者（**先天性リポイド副腎過形成** lipoid congenital adrenal hyperplasia（**LCAH**）では，StAR タンパク質あるいはシトクロム P450scc の遺伝子に突然変異が認められる．

先天性副腎皮質過形成（CAH）

先天性副腎皮質過形成（**CAH**）はコルチゾール生合成にかかわる酵素の欠損が原因で起こる．ただし，酵素の欠損があっても副腎皮質刺激ホルモン（**ACTH**）に対する応答性は保たれているため，コルチゾール欠損による ACTH の過剰分泌が原因で，副腎皮質の過形成が起こる（**Box 19.C**）．

CAH の患者の多く（90%）は，17α-ヒドロキシプロゲステロンをデオキシコルチコステロンに変換する 21-水酸化酵素（CYP21）の先天的欠損が原因で発症する．この代謝ができない場合，前駆物質である 17α-ヒドロキシプロゲステロンはアンドロジェンに変換される．また，アルドステロンが欠損し，低血圧や低ナトリウム血症を伴う低アルドステロン症となる．循環血中のアンドロゲンは高く，女児では男性化の症状がみられる．

クロム親和性細胞（図 19.8）は，神経突起を伸ばさず**特殊化した交感神経の節後ニューロン**で，**神経堤** neural crest に由来し，**有窓型毛細血管**の周囲を取り囲みながら上皮様の細胞索を形成している．さらに，少数ではあるが，**交感神経の神経節細胞**も髄質によく認められる（図 19.13）．

クロム親和性細胞の細胞質には膜で囲まれた有芯の**分泌顆粒** dense granule が存在し，この顆粒には**クロモグラニン** chromogranin とよばれる一種のマトリックスタンパク質とともに，**カテコールアミン**である**アドレナリン** adrenaline（**エピネフリン** epinephrine）か**ノルアドレナリン** noradrenaline（**ノルエピネフリン** norepinephrine）のどちらか一方が含まれる．また，この両者を含む分泌顆粒もある．ごく少量の**ドーパミン** dopamine も分泌されるが，副腎から分泌されるドーパミンの生理的な役割については解明されていない．副腎髄質のカテコールアミンは，交感神経節後線維の神経終末のようにシナプス間隙に放出されるのではなく，血中に分泌される．副腎髄質は，**アセチルコリン**

acetylcholine や **PACAP**（pituitary adenylate cyclase-activating polypeptide）を神経伝達物質として放出する**交感神経節前線維**（**内臓神経**）による支配を受けている．

副腎髄質には**2種類のクロム親和性細胞**が存在し，約**80%の細胞はアドレナリンを**，残りの**約20%の細胞はノルアドレナリン**を産生する．この2種類の細胞は，電子顕微鏡でその分泌顆粒の形態を観察することによって区別することができる．

1. ノルアドレナリンは**電子密度が高く芯が偏在する分泌顆粒に蓄積**されている．
2. これに対して，アドレナリン含有分泌顆粒は，より小型で**芯が中心に局在**する（図 19.13）．

ここで注意しておきたいのは，皮質の細胞との本質的な違いである．すなわち，**副腎皮質の細胞は，ステロイドホルモンを分泌顆粒に蓄積するようなことはしない．**

カテコールアミンは，**チロシン水酸化酵素** tyrosine hydroxylase の存在下で，**チロシン** tyrosine から **DOPA**（3,4-dihydroxyphenylalanine）を経て合成される．

DOPA は **DOPA 脱炭酸酵素** DOPA decarboxylase によって**ドーパミン**に変換される．生成したドーパミンは，すでに存在する分泌顆粒の中に輸送され，顆粒内部で**ドーパミンβ水酸化酵素**によって**ノルアドレナリン**に変換される．

分泌顆粒の膜には，カテコールアミンの生合成に必要な一連の酵素とその基質を顆粒内に輸送するための ATP 駆動性のポンプが存在する．

いったん合成されたノルアドレナリンは顆粒内から**細胞質へと移行**し，細胞質で**フェニルエタノールアミン *N*- メチル基転移酵素** phenylethanolamine *N*-methyl-transferase（**PNMT**）という酵素によってアドレナリンに変換される．PNMT の合成は，副腎皮質の毛細血管系によって皮質から髄質へと運ばれてくる**糖質コルチコイド** glucocorticoid によって促進される．このアドレナリンへの変換過程が完了すると，生成したアドレナリンは**再び膜で囲まれた分泌顆粒の内部へ輸送**されて蓄積される．

カテコールアミンは，**モノアミン酸化酵素** monoamine oxidase（**MAO**）と**カテコール *O*- メチル基転移酵素** catechol *O*-methyltransferase（**COMT**）の存在下で分解され，その結果，**バニリルマンデル酸** vanillylmandelic acid（**VMA**）と**メタネフリン** metanephrine が主要な代謝産物として生成し尿中に排泄される（Box 19.D）．尿中の VMA とメタネフリンの測定は，臨床的には，患者のカテコールアミン産生レベルを推定するために用いられる．

副腎への血液供給路（図 19.14）

他の内分泌器官と同様に副腎にも血管が豊富に分布しており，動脈血は次の3種類の経路から流入する：

1. **下横隔膜動脈**から分枝する**上副腎動脈** superior adrenal artery.
2. **腹大動脈**から直接分枝する**中副腎動脈** middle adrenal artery.
3. **腎動脈**から分枝する**下副腎動脈** inferior adrenal artery.

これら3系統の動脈は副腎の被膜に入り，**動脈叢** arterial plexus を形成する．この動脈叢から次の3系統の枝が出て副腎の実質に侵入する：

1. 副腎の**被膜**をそのまま栄養する枝．
2. 皮質でただちに**有窓型毛細血管** straight fenestrated capillary（**洞様毛細血管** sinusoid ともよばれる）となり**直線状**に球状帯および束状帯を走行し，網状帯で毛細血管網を形成した後，髄質に入る枝．
3. 被膜から皮質に侵入するが**枝を出さずに貫通して直接髄質だけを栄養**する**髄質動脈**．

このような血管の分布によって，

1. 髄質へは**2系統の血液供給路**が形成される．
2. ノルアドレナリンからアドレナリンへの変換酵素である PNMT の生合成に必要な**コルチゾールを髄質に輸送**する．
3. **新鮮な動脈血も髄質に直接供給**でき，ストレスに対して敏速に応答できる．

一方，**皮質には静脈もリンパ管も存在しない**．皮質を灌流した血液も髄質を灌流した血液とともに髄質にある**中心静脈** central vein を通って流出する．

Box 19.C | 先天性副腎皮質過形成

- **リポイド先天性副腎皮質過形成** lipoid congenital adrenal hyperplasia は家族性に起こる遺伝性疾患であり，その代表的なものは**ステロイド産生急性調節タンパク質（StAR）**あるいはシトクロム P450scc の遺伝子突然変異によって起こるもので，副腎と性腺におけるステロイド生合成が障害される．
- StAR タンパク質は，コレステロールがミトコンドリア外膜を越え内膜へと移行する過程に関与し，ステロイド生合成を調節している．また，シトクロム P450scc は，ミトコンドリア内膜に局在するステロイド生合成過程の律速酵素である．ステロイド合成が欠損すると下垂体からの ACTH 分泌が亢進するため，副腎皮質は過形成に至る．
- **副腎皮質の過形成**は **21- 水酸化酵素**の欠損症患者でも認められ，このような患者では，コルチゾールと鉱質コルチコイドの産生ができない．このため，塩類を体内に保持することができず，細胞外液量を維持できなくなるため，低血圧を呈する．
- 一方，**11β- 水酸化酵素**（CYP11）の欠損症では鉱質コルチコイド作用をもつデオキシコルチコステロン（DOC）が過剰に産生されるため，塩類と水分が体内に貯留し，高血圧を呈する．
- コルチゾールと鉱質コルチコイドの生合成における 21- 水酸化酵素（CYP21）と 11β- 水酸化酵素（CYP11）の役割については，図 19.11 を参照．

Box 19.D | 褐色細胞腫

- 副腎の褐色細胞腫（あるいは副腎髄質パラガングリオーマ）はまれな腫瘍でクロム親和性細胞から発生する．
- 褐色細胞腫は，持続的あるいは発作性の高血圧，頻脈，振戦をもたらす．褐色細胞腫は，肉眼的には出血性の塊にみえ，顕微鏡下では，洞様の毛細血管網に富む塊状あるいは索状に配列した細胞集団が観察される．褐色細胞腫のマーカー蛋白としては，クロモグラニンが有用である．
- 褐色細胞腫に他の内分泌由来の腫瘍を併発した場合には，**多発性内分泌腺腫症** multiple endocrine neoplasia（MEN）syndrome とよばれる症候群と診断される．尿中に多量の VMA が排泄されることが褐色細胞腫の診断上，重要な所見となる．

図 19.13 | 副腎髄質におけるカテコールアミンの生合成

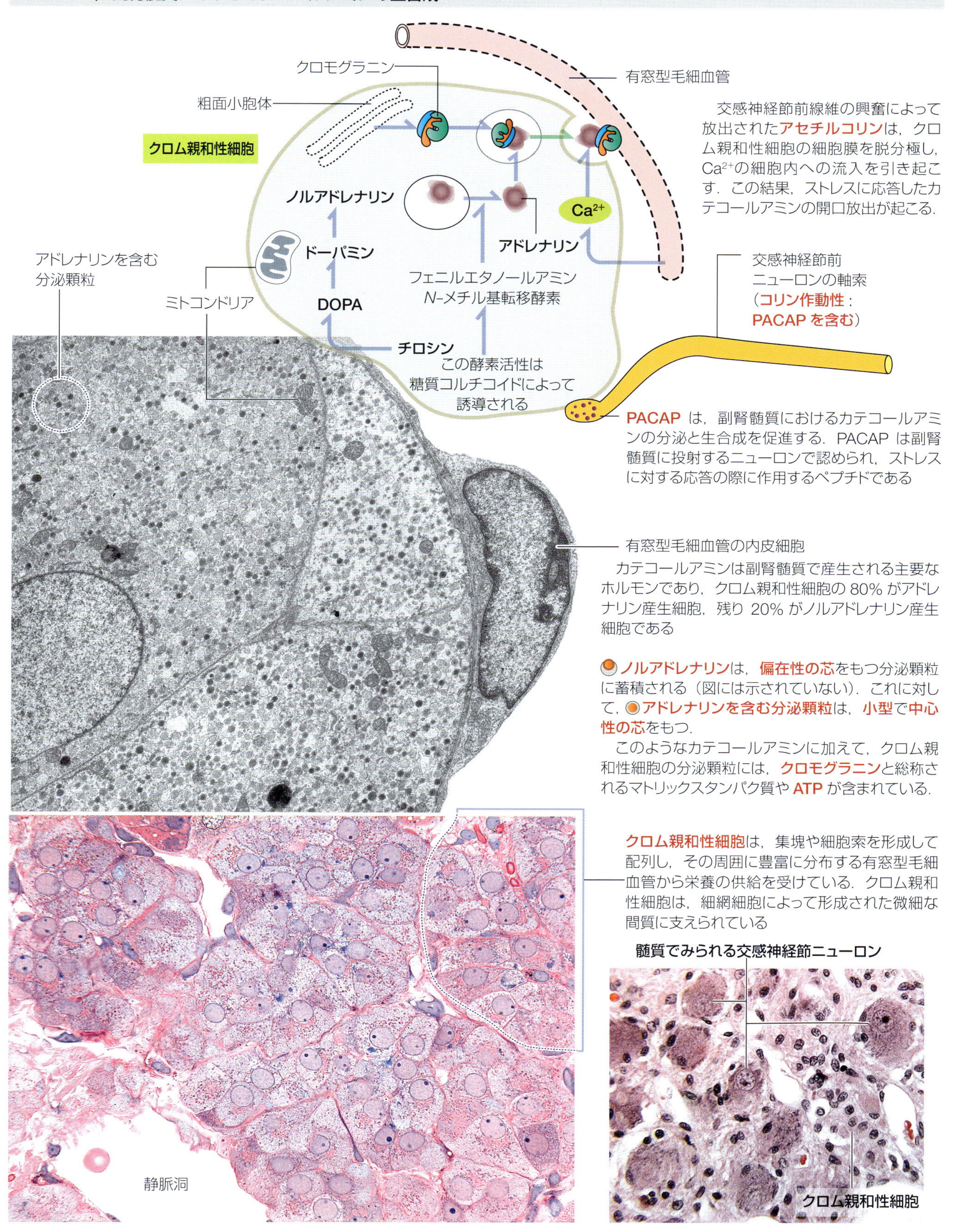

図 19.14 | 副腎への血流の供給路

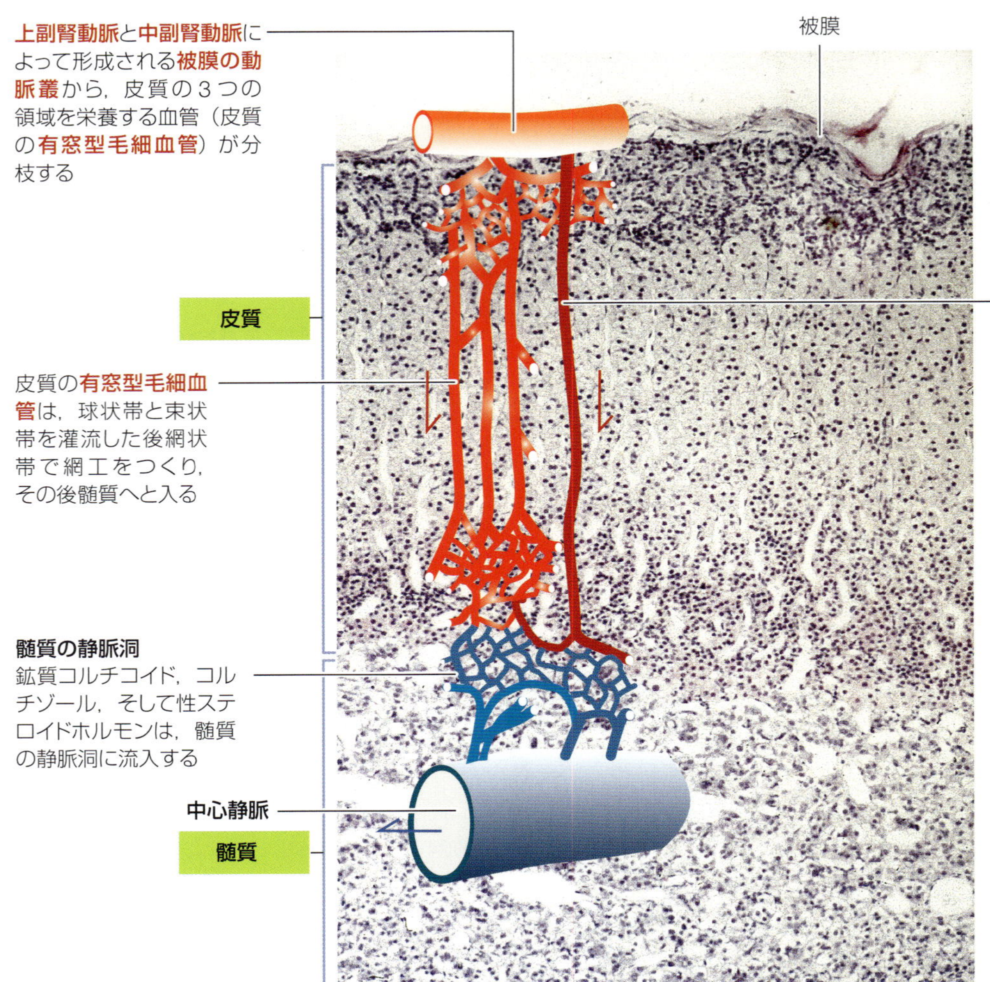

膵内分泌部（膵島）

膵臓の発生

発生４週までに，十二指腸の内腔を覆う内胚葉が２ヵ所で袋状に突出して，それぞれ独立した導管を有する腹側と背側の膵臓原基が発生する．腹側の膵臓原基は将来的には膵頭部となり，導管は総胆管に合流する．一方，背側の膵臓原基は膵頭部の一部，膵体部，膵尾部となる．発生 12 週までには膵腺房が導管から分化して膵外分泌部が発達するが，この時期に膵内分泌部も分化する．膵臓の内分泌細胞は，12～16 週までには，分化しつつある外分泌性の腺房の底部に観察されるようになる.

ランゲルハンス島（膵島）（図 19.15，19.16）

膵臓は次の２つの要素からなる：

1. **膵外分泌部** exocrine pancreas は種々の消化酵素の合成と分泌に関与する腺房で構成され，消化酵素は導管を経て十二指腸に放出される（第 17 章参照）.
2. **膵内分泌部** endocrine pancreas は膵臓全体の 2% 程度を占めており，膵組織内で散在性に**ランゲルハンス島** islets of Langerhans を形成している.

さらに，各ランゲルハンス島（膵島）は，２つの構成要素からなっている：

1. **膵島－房門脈系** insuloacinar portal system を形成する**血管成分**（図 19.15）．膵島の**輸入細動脈** afferent arteriole からは，有窓型内皮細胞で内貼りされた毛細血管網が形成され，膵島を灌流した後，小静脈となる．この小静脈は体循環系には戻らずに近傍の腺房を栄養する．この門脈系循環によって，膵島から分泌されたホルモンが膵外分泌部に局所的に作用するのを可能にしている.

ただし，このような血管系とは別に，膵外分泌部に直接血液を供給する小動脈も存在し，このような血管系は**腺房血管系** acinar vascular system とよばれている.

2. **索状に入り組んで配列**している**内分泌細胞**．A（α）細胞，B（β）細胞，D（δ）細胞，および PP（F）細胞があり，各内分泌細胞は，それぞれ固有の１種類のホルモンを分泌している（図 19.16）.

図 19.15 ｜ ランゲルハンス島（膵島）への血液の供給路

2 系統の血管系による血液の供給：腺房血管系および膵島–腺房血管系

各ランゲルハンス島には有窓型毛細血管網が形成されており，ここには輸入細動脈から動脈血が流入する．この血管系は**膵島–腺房門脈系**とよばれ，ランゲルハンス島の毛細血管を灌流した血液が流れ込む細静脈は，続いて周囲の外分泌部の腺房を灌流する．このような血管構築により，ランゲルハンス島で産生されたホルモンが周囲の膵外分泌部に局所的に作用することを可能にしている．

このような血管系とは別に，膵外分泌部に直接血液を供給する小動脈も存在し，このような血管系は**腺房血管系**とよばれている．

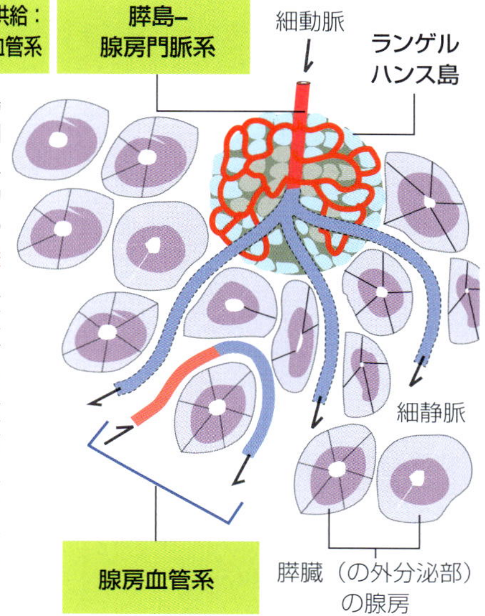

膵島の A（α）細胞は**グルカゴン** glucagon を，B（β）細胞は**インスリン** insulin を，D（δ）細胞は**ソマトスタチン** somatostatin（と**ガストリン** gastrin）を，そして PP（F）細胞は**膵ポリペプチド** pancreatic polypeptide を産生・分泌している．

これら膵島に局在するさまざまな内分泌細胞の同定は，以下の方法や目安で可能である：

1. 各ホルモンに対する特異抗体を用いた**免疫組織化学**.
2. 分泌顆粒の大きさや微細構造の違いに着目した**電子顕微鏡観察**.
3. 膵島における細胞分布．一般に，B 細胞は**膵島の中心部に**（core distribution），他の細胞は**その周囲に**（mantle distribution）局在する．

膵島の細胞によって産生されるペプチドホルモン（図 19.17）

A 細胞からは**29 個**のアミノ酸残基からなる**グルカゴン**（3.5 kd）が分泌される．グルカゴンはまず大きな前駆体タンパク質である**プレプログルカゴン** preproglucagon として合成される．このタンパク質の遺伝子は第 2 染色体に局在する．

血中のグルカゴンの 30～40% は膵臓に，残りは消化管に由来する（消化管のグルカゴン類縁ペプチドは**エンテログルカゴン** enteroglucagon とよばれる）．これら膵および消化管由来の血中グルカゴンは，まず肝臓に運ばれ，ここで体循環系に到達する前にその約 80% は分解されてしまう．

グルカゴンは分泌顆粒に蓄えられており，血漿中の**グルコース濃度が低下**すると開口放出によって分泌される．放出されたグルカゴンは肝細胞における**グリコーゲンの分解** glycogenolysis を促進することによって血糖値を上昇させる．このグルカゴンの作用はインスリンの作用と拮抗する．

B 細胞は**インスリン**を分泌する．インスリンは，2 つのサブユニットからなる 6 kd のポリペプチド（図 19.17）で，第 11 染色体の短腕に局在する遺伝子にコードされる大きな 1 本鎖の**プレプロインスリン** preproinsulin に由来する．この大きな前駆体から，A 鎖，B 鎖，およびこの 2 つの部分を結ぶ **C ペプチド**からなる**プロインスリン** proinsulin が生成する．

血中のグルコース濃度が上昇すると，分泌顆粒内に蓄えられていたインスリンと C ペプチドはともに放出される．特異的なプロテアーゼにより，このプロインスリンから C ペプチドが切り離されて，A 鎖と B 鎖がプロインスリンから分離する．

一方，**D 細胞**は**ソマトスタチン**（と**ガストリン**，第 15 章の消化管内分泌細胞の記述を参照）を産生している．

ソマトスタチンは 14 個のアミノ酸残基からなり，視床下部でも同一のペプチドが産生されている．ソマトスタチンは，傍分泌（**パラクリン** paracrine）の様式で分泌され，局所的に作用し，**インスリンとグルカゴンの分泌を抑制**する．

ソマトスタチンはまた，胃底腺の壁細胞における塩酸分泌，消化管内分泌細胞からのガストリンの放出，膵臓における重炭酸イオンや消化酵素の分泌，そして胆嚢の収縮などを**抑制**する．

膵ポリペプチド pancreatic polypeptide は 36 個のアミノ酸残基からなるペプチドで，**ソマトスタチンの分泌を抑制**する．膵ポリペプチドはまた，膵臓の消化酵素の分泌を抑制したり，胆嚢の収縮を抑えることによって胆汁の放出を抑制したりする．

インスリンの細胞内への流入とその後の運命（図 19.18）

肝臓は，脂肪細胞や筋線維などインスリン応答性をもつ他の細胞よりも高濃度のインスリンに触れることができる．肝細胞では次の 2 つの生理的な過程が起こる：

1. **肝に対するインスリンの作用**は，**糖新生** gluconeogenesis と**グリコーゲン分解** glycogenolysis **の抑制**である．これらの作用によって，食物から吸収したグルコースの一部が肝細胞に貯蔵され，食事の間や代謝上必要なときに放出できることが保証される．
2. 血流内からの**インスリンの除去**．門脈経由でまず肝臓に到達したインスリンの約 50% は，この初回の肝臓通過中に分解され除去される．肝臓の類洞を通過するインスリンは，CEACAM1（carcinoma embryonic antigen-related cell adhesion molecule 1）と複合体を形成したインスリン受容体に補足され，細胞内に取り込まれる．この細胞内に取り込まれる前に，すでにインスリンには**インスリン分解酵素** insulin-degrading enzyme（IDE）が結合し，分解が始まっている．細胞内に取り込まれた後，肝細胞のエンドソームに存在する IDE がさらにインスリンの分解を進め，この分解過程はリソソームで完了する．

エンドソーム内で，部分的に分解されたインスリンは受容体から遊離する．インスリンが外れたインスリン受容体は，再び細胞膜に戻る．このとき，分解を免れたインスリン（約 25%）も，再び循環血中に戻ることができる．

続いて，体循環中のインスリンが肝動脈を通って類洞に戻ると，肝細胞での分解のため，2 回目のインスリン除去過程が起こ

図 19.16 | ランゲルハンス島（膵島）

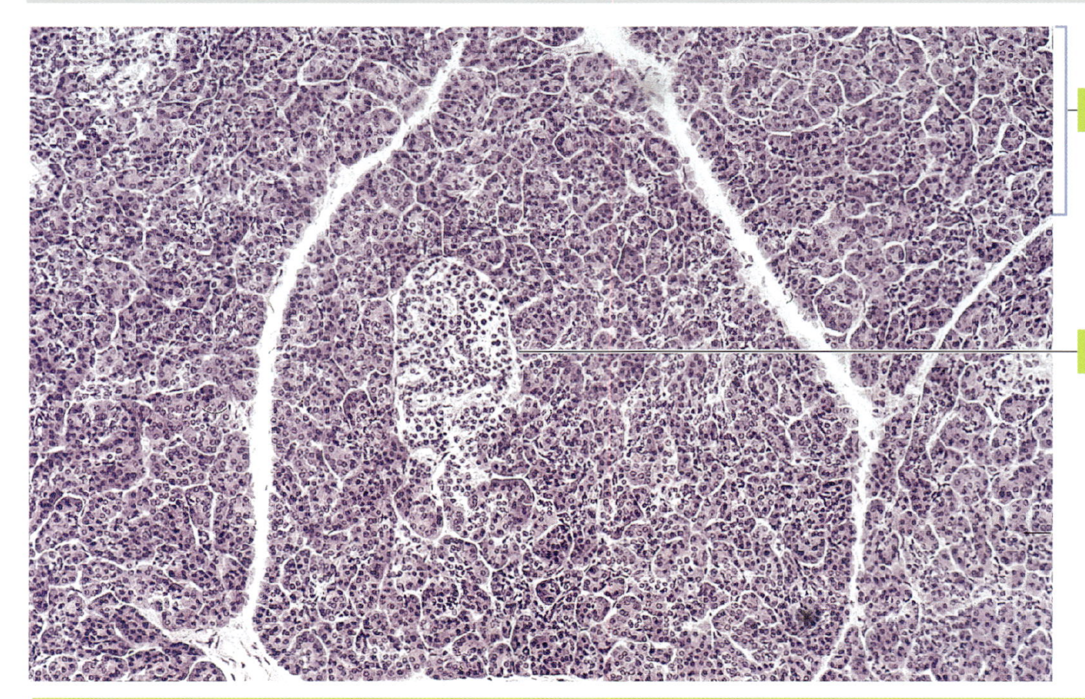

膵外分泌部

管腔側にチモゲン顆粒を有するタンパク質分泌性の腺房細胞から構成される.

ランゲルハンス島

各ランゲルハンス島は有窓型毛細血管網に囲まれ，細網線維で補強された 2,000 ～ 3,000 個の細胞からなる．このようなランゲルハンス島が，膵全体で約 100 万個散在している.

ランゲルハンス島

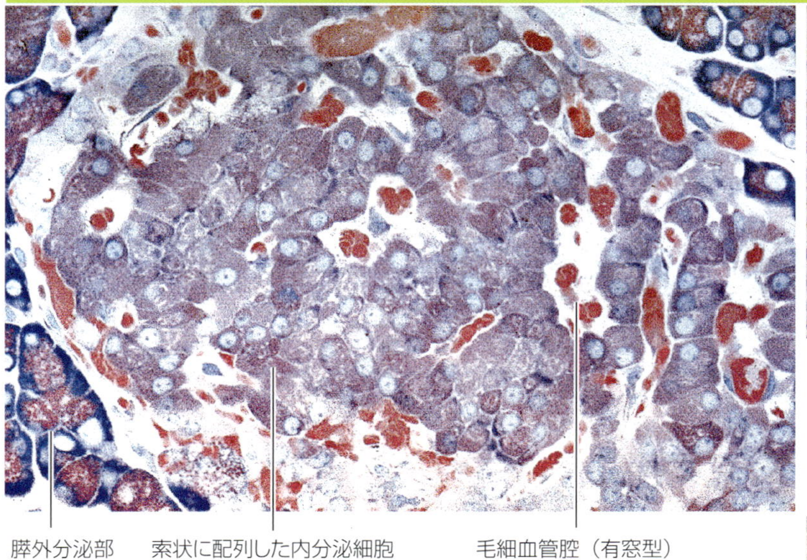

膵外分泌部　索状に配列した内分泌細胞　毛細血管腔（有窓型）

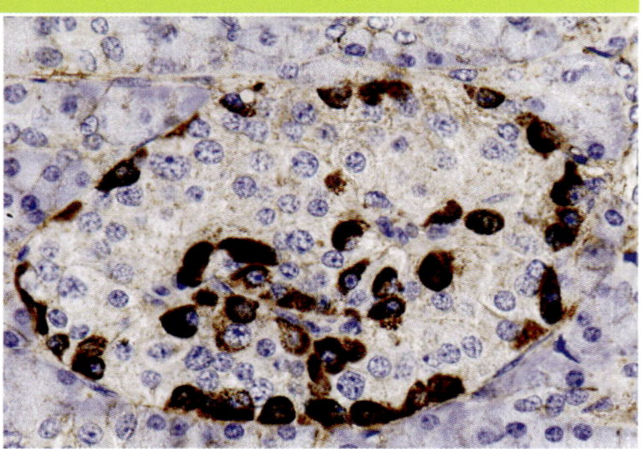

A 細胞は膵島の周辺部に局在し，**グルカゴン**を分泌する.

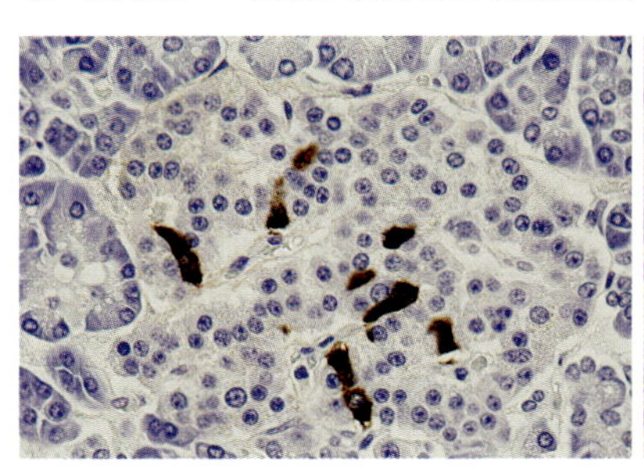

D 細胞は**ソマトスタチン**を分泌する.

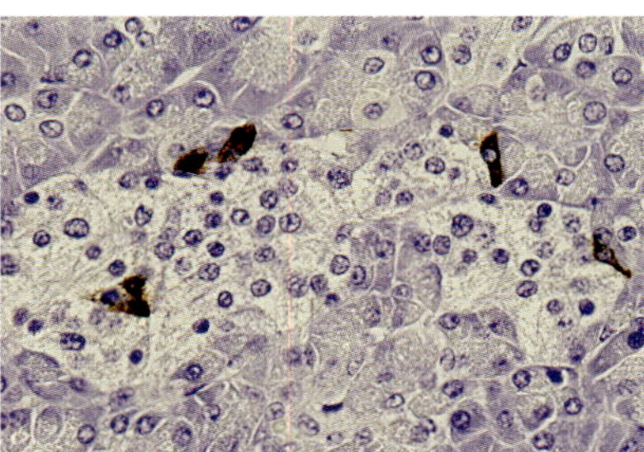

PP 細胞（**F 細胞**）は**膵ポリペプチド**を分泌する.

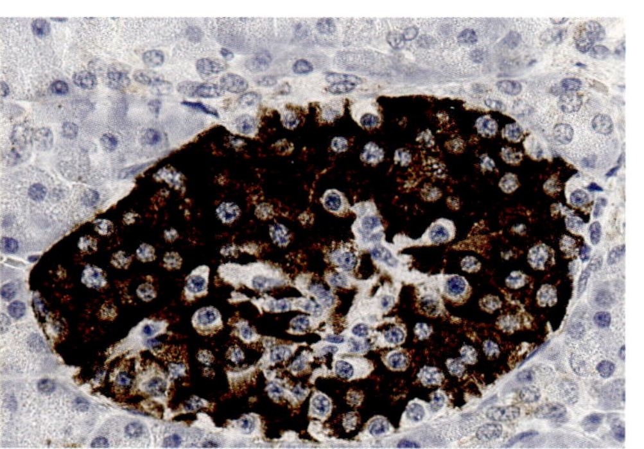

B 細胞は膵島で最も多い細胞種で中心部に局在し，**インスリン**を分泌する.

免疫組織化学染色写真：Martín-Lacave I, García-Caballero T: Atlas of Immunohistochemistry. Madrid, Spain: Ed. Díaz de Santos, 2012 から引用.

図 19.17 | ランゲルハンス島の B 細胞の微細構造およびインスリンの生合成と分泌

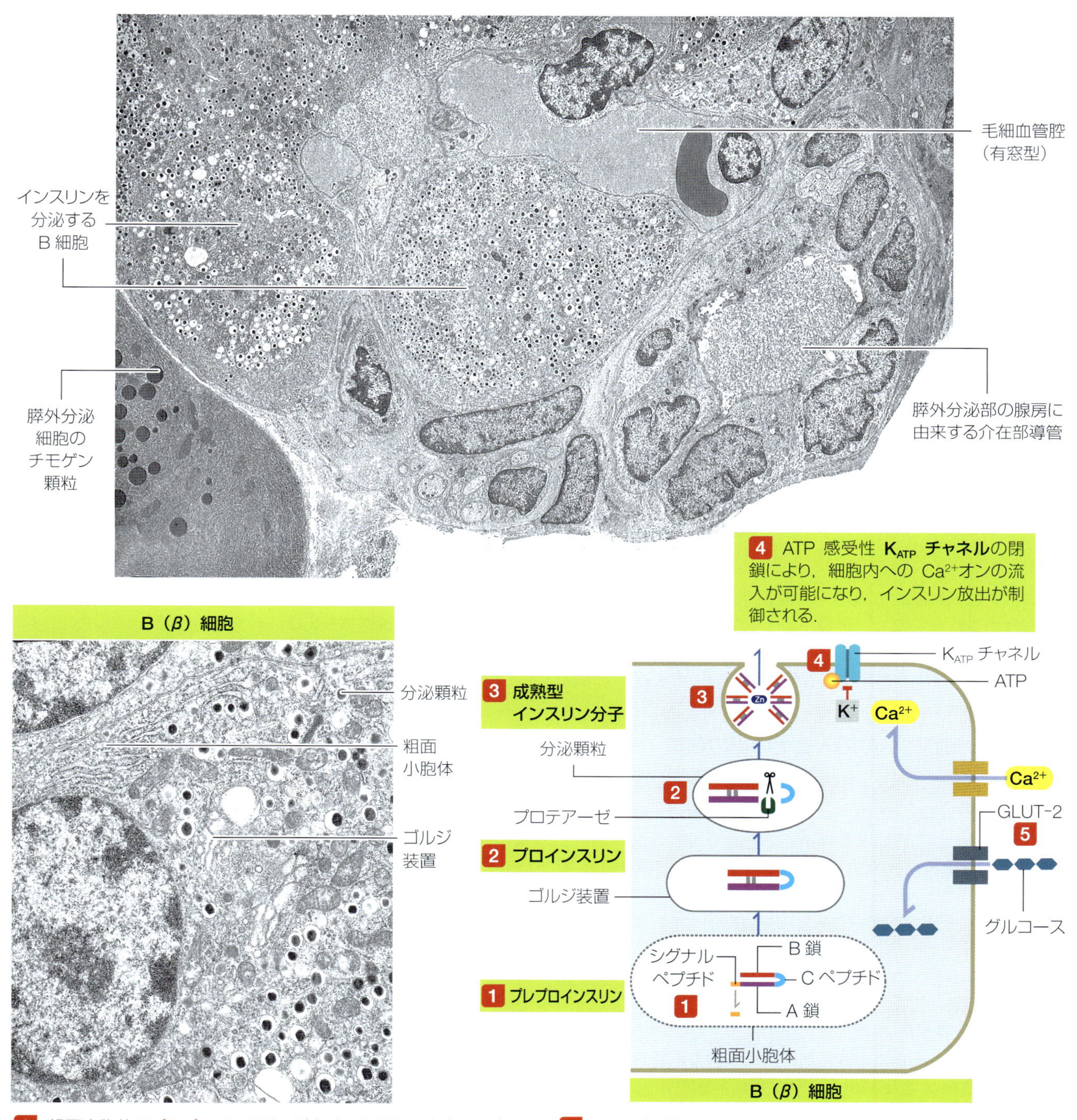

1 粗面小胞体で**プレプロインスリン**が合成されると，すぐにシグナル配列が除去されプロインスリンを生成する.

2 **プロインスリン**は続いてゴルジ装置に輸送される．プロインスリンは，**A 鎖と B 鎖**が **C ペプチド**でつながれた構造で，さらに A 鎖と B 鎖の間にはジスルフィド結合も形成される．**プロインスリン**は，特異性のある**プロテアーゼ**とともに分泌顆粒に詰め込まれ，顆粒内でこの酵素が C ペプチドを切り離し，A 鎖と B 鎖はジスルフィド結合のみでつながれるようになる.

3 **成熟型インスリン分子**は **8 量体**となって，**亜鉛の存在下**で高密度の結晶様構造となる.

4 **ATP 感受性 K^+チャネル**（K_{ATP}）が閉じると細胞質中に K^+イオンが蓄積するため膜の脱分極が起こり，細胞内へ Ca^{2+}イオンが流入する．この Ca^{2+}イオンの流入は分泌顆粒の開口放出を誘起し，血流中にインスリンが放出される.

5 グルコースが**インスリン非依存型のグルコース輸送体 GLUT-2** により B 細胞の中に流入すると，すぐにインスリンの放出が起こる.

これは，グルコースの代謝により産生された ATP が ATP 感受性 K^+チャネルを閉じさせ，その結果，細胞質中に K^+イオンが蓄積するために起こる.

図 19.18 | 肝細胞によるインスリンの取り込みと処理

肝細胞におけるインスリンクリアランス過程

1 肝細胞は，**インスリンクリアランス**とよばれる過程によって循環血中のインスリン量を調節している．
肝臓の類洞に到達したインスリンは，**インスリン分解酵素（IDE）**と結合することで，その分解過程が始まる．

2 インスリンと IDE の複合体は，肝細胞で発現している**インスリン受容体（IR）**と結合する．
インスリン受容体はさらに，肝細胞内への取り込みを促進する **CEACAM1** 分子と複合体を形成する．

3 肝細胞におけるインスリンの主な作用は，**糖新生**と**グリコーゲン分解**の抑制である．

4 細胞内に取り込まれた後，さらに肝細胞のエンドソームに存在する IDE が，部分的に分解されたインスリンを CEACAM1 とインスリン受容体の複合体から解離させる．解離したインスリンはさらにリソソームで分解される．

5 インスリンが外れたインスリン受容体は，再び肝細胞の細胞膜上に戻る．

6 分解を免れたインスリンは**肝静脈**経由で肝臓から出て体循環系に戻り，動脈を経て標的器官である骨格筋や脂肪組織などの組織に到達する．
一方，**肝動脈**から肝臓に戻ったインスリンは，2 回目のクリアランス過程によりさらに分解される．

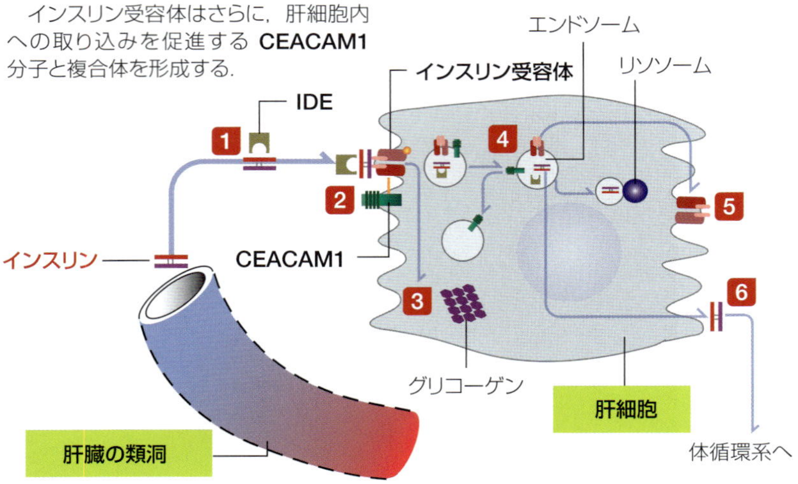

エンドソーム
インスリン受容体
リソソーム
IDE
インスリン
CEACAM1
グリコーゲン
肝細胞
肝臓の類洞
体循環系へ

る．

インスリンは，膵臓の B 細胞から放出されて 30 分後には，循環血中で検出されなくなる．循環中のインスリンの半減期は約 6 分である．インスリンは，初回および 2 回目の肝臓通過時に除去されるのに加えて，体循環中に腎臓のネフロンの尿細管でも取り込まれ分解される．

グルコースの細胞内への流入とその後の運命（図 19.19）

末梢組織に対するインスリンの主な作用は，ブドウ糖代謝の調節で，筋肉や脂肪組織などのエネルギー需要を満たすために，グルコースや中性脂肪を貯蔵するのがその目的である．

グルコースが細胞内へ流入するために，次の 2 つのメカニズムがある．

1. **グルコーストランスポーター2（GLUT-2）**による**インスリン非依存性**の取り込み．
2. **グルコーストランスポーター4（GLUT-4）**による**インスリン依存性**の取り込み．

グルコースの細胞内への流入は，GLUT-2 または GLUT-4 を介して細胞膜を越える輸送により行われ，その結果，肝細胞および骨格細胞や心筋細胞ではグリコーゲン生成，脂肪細胞ではグルコースからトリグリセリドへの変換が起こる．

膵島 B 細胞の量や機能の低下，および／またはインスリン抵抗性の増加のため，肝細胞，骨格筋，脂肪細胞がグルコースを取り込めない場合には，循環血中のグルコースの量は過剰になる．

それでは，インスリンに依存したグルコースの取り込みは，どのように行われるのだろうか？

インスリンの作用は，まずインスリン受容体の α サブユニットにインスリンが結合することにより始まる．

インスリン受容体は，α と β の 2 つのサブユニットからなり，**β サブユニット**の細胞内ドメインがもつ**チロシンキナーゼ活性**がこの受容体自身をリン酸化し，さらにさまざまな応答を細胞内で引き起こす．これらの応答の 1 つとして，ゴルジ装置から細胞膜へ**グルコース輸送体（GLUT-4）**を移行させることで，グルコースの取り込みを促進する．（訳注：ゴルジ装置から小胞輸送される GLUT-4 は，GLUT-4 陽性小胞として細胞質の核周囲に局在し，インスリン刺激が入ると細胞膜に移行し，グルコースの取り込みに働く）

GLUT-4 の細胞膜への移行は，インスリンが受容体に結合して数分以内に起こる．実際には，インスリンが細胞内に取り込まれなくても GLUT-4 の移行は起こる．GLUT-4 は，第 2 章に記載されている SNARE 複合体によって細胞膜とただちに融合できる小胞膜上に局在している．

糖尿病（図 19.20，19.21）

健常人で血中グルコース濃度が上昇すると，すぐにインスリンが分泌され，1 時間以内に血糖値は正常値に戻る．ところが糖尿病患者では，高血糖状態 hyperglycemia が長時間持続する．

糖化ヘモグロビン検査は，ヘモグロビン A1c（HbA1c）検査ともよばれ，6～12 週間の平均的な血糖値を反映した値が得られる．

血糖値が高くなると，糖がヘモグロビンと結合して糖化（糖で被覆）する．健常者の HbA1c 検査値の範囲は 4.0～5.6% である．糖尿病患者では，HbA1c 値は 6.5% 未満に維持されるべきである．

高血糖は次のような原因で起こる：

1. 自己免疫性の機序が原因で膵島 B 細胞が障害された結果起こるインスリンの欠乏．このような病態は，1 型糖尿病 type 1 diabetes mellitus（T1DM）とよばれる（図 19.20；Box19.E）．

図 19.19 ｜ 脂肪細胞によるグルコースの取り込みと処理

脂肪細胞におけるインスリンの作用機序

1 インスリンはインスリン受容体のαサブユニットに結合し，近接するβサブユニット（チロシンキナーゼ活性を有する）の自己リン酸化（**Tyr-P**）を促進する．

2 活性化されたインスリン受容体は，DNA 合成，タンパク質合成およびインスリン依存性**グルコース輸送体**（**GLUT-4**）の小胞膜から細胞膜上への移行を促進する．

3 この GLUT-4 の細胞膜上への移行が起こると，細胞のグルコースの取り込みが促進される．

4「糖尿病患者ではインスリンが欠乏するために標的細胞における**グルコースの利用**が低下する」という現象は，このような機構から説明できる．

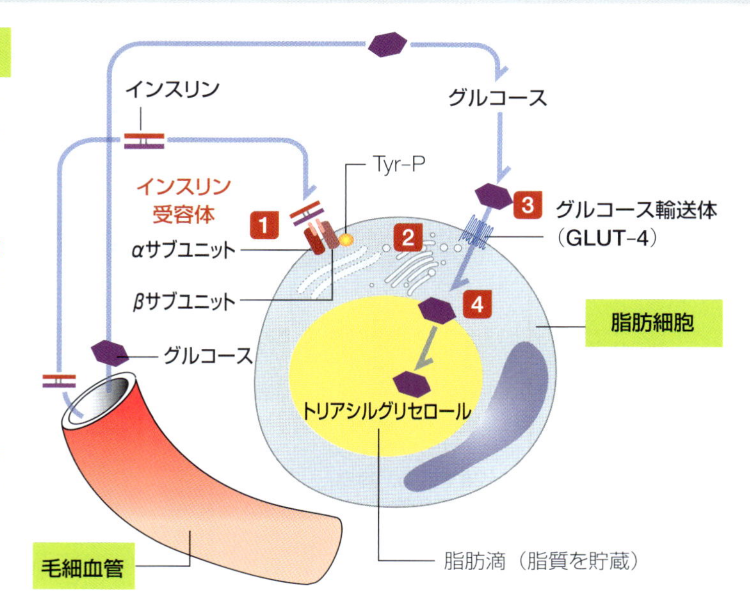

マウスでは，インスリンのペプチド断片が血流に入ることで細胞の損傷が始まる．インスリンペプチド断片は，リソソームで分解された古いインスリン貯蔵顆粒に由来する．この分解産物のインスリン断片は，グルコースが GLUT-4 を介して膵島 B 細胞に流入し分泌刺激が加わったときに，インスリンとともに放出される．

このインスリンペプチド断片は，リンパ節で抗原提示細胞上の主要組織適合性複合体（MHC）クラス II 分子のうちの I-Ag7 に結合する．

すると，胸腺で成熟する際に排除されたはずの自己抗原反応性の $CD4^+$T 細胞が，T 細胞受容体を介して MHC クラス II I-Ag7 に結合したインスリンペプチド断片を認識してしまう．この $CD4^+$T 細胞が $CD8^+$T 細胞を活性化し，$CD8^+$T 細胞が膵島 B 細胞を標的として破壊してしまうと，T1DM が発症する．

1 型糖尿病では，発症初期にリンパ球浸潤を伴う膵島炎がみられることが特徴である．このタイプの糖尿病は 90% の症例が 25 歳以下の年齢で発症するため**若年性糖尿病**とよばれることもあるが，実際にはどの年齢でも発症しうる．

2. 血糖値に応じた適切な**インスリン分泌の障害**，および**末梢の標的組織におけるインスリン感受性の低下**．このような病態は **2 型糖尿病** type 2 diabetes mellitus（**T2DM**）とよばれる（図 19.20）．
3. **肥満の形での過剰な脂質の蓄積**と関連する**インスリン抵抗性**．

   炭水化物の摂取後，グルコースは，骨格筋と肝細胞ではグリコーゲンとして，脂肪細胞ではトリグリセリドとして，蓄積される．これらの器官でインスリン応答性が欠損すると，空腹時高血糖をもたらす．

このような標的細胞におけるインスリンの応答性の低下は，次に挙げる原因で起こる．

1. 標的細胞における有効なインスリン受容体の数の減少．
2. 受容体以降の情報伝達過程（例えばグルコースの取り込みを促進する GLUT-4 の細胞膜上への移行過程）の障害．このタイプの障害を原因とする糖尿病は最も頻度が高く（80%），主として成人で発症する（訳注：このタイプの障害により引き起こされる糖尿病では，細胞膜に輸送される GLUT-4 のタンパク質量はインスリン抵抗性と逆相関することが知られている）．

Box 19.E ｜ Nrf2-Keap1 経路と糖尿病

- 膵島 B 細胞は，自己免疫性機序によって破壊される以外にも，酸化ストレスを介したミトコンドリアの傷害が主な原因となって死に至ることがある．Nrf2-Keap1 経路は，解毒・抗酸化遺伝子の発現制御によって酸化ストレスを打ち消している．
- 転写因子 Nrf2（NF-E2 p45 関連因子 2）とその主要なリプレッサーである Keap1（Kelch-like ECH-associated protein1：E3 リガーゼのアダプター分子）は，酸化還元と代謝の恒常性を維持している．ストレスのない条件下では，E3 ユビキチンリガーゼのアダプター分子である Keap1 は Nrf2 を標的とし，プロテアソームによる分解を誘導する．Nrf2 の半減期は約 15〜40 分と非常に短い．
- 一方，酸化還元ストレスを受けると，Nrf2 は Keap1 から解離して細胞核に移動し，抗酸化剤応答配列 antioxidant response element（ARE）を含む遺伝子の発現を誘導する．ARE を含む遺伝子は，抗酸化タンパク質や解毒タンパク質など細胞を保護するタンパク質の発現を担っている．Nrf2 は，抗酸化反応を担う 4 つの遺伝子（グルコース 6- リン酸デヒドロゲナーゼ，6- ホスホグルコン酸デヒドロゲナーゼ，リンゴ酸酵素 1，イソクエン酸デヒドロゲナーゼ）の発現を制御している．これら 4 つの酵素は，抗酸化反応を誘発する補因子である NADPH の産生に関与している．
- 高血糖に反応して膵島 B 細胞がインスリンを合成すると，その結果生じる活性酸素（ROS）が細胞傷害を引き起こす可能性があり，これが 2 型糖尿病の発症につながる．Nrf2 を活性化することで，病的な活性酸素レベルや 2 型糖尿病の発症リスクの増大から膵島 B 細胞を守ることができる．

図 19.20 | 糖尿病の病型

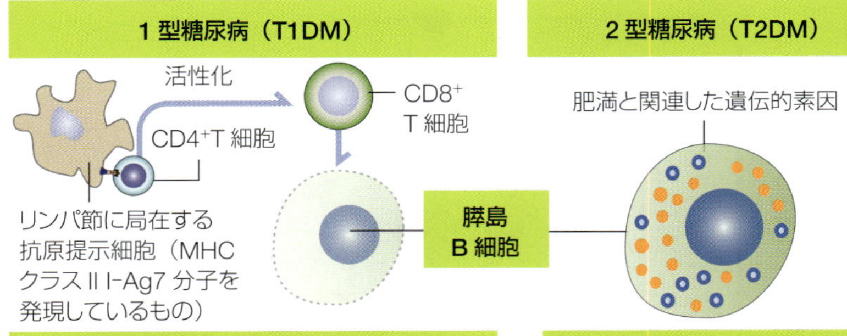

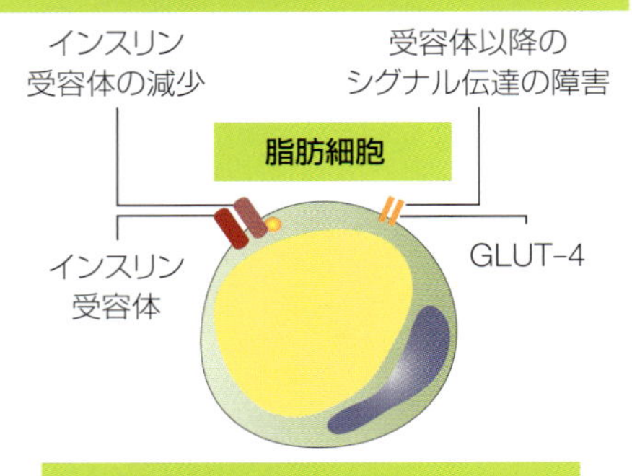

自己免疫性の機序による
膵島 B 細胞の破壊

1 型糖尿病の患者は，膵島でのインスリン産生が失われているため，生命維持のためにインスリン注射による補充療法が必須である．膵島の B 細胞は，活性化された **CD8⁺T 細胞**により産生されるサイトカインの作用により傷害される．

リンパ節（マウスの場合）では，血流中に放出されたインスリンの断片ペプチドが，**抗原提示細胞**表面で発現している主要組織適合性複合体（MHC）クラス II 分子のうちの I-Ag7 と結合し，この I-Ag7 と結合したインスリン断片ペプチドは CD4⁺T 細胞に認識される．通常は，自己抗原を認識する胸腺細胞は，胸腺内で成熟する過程で排除されるが，この CD4⁺T 細胞が CD8⁺T 細胞を活性化すると，膵島の B 細胞の破壊につながる．

血糖値に呼応できない
インスリン分泌不全

2 型糖尿病の患者は，インスリン分泌および作用に欠陥があり，次の 2 つの症状が現れる．
(1)標的細胞へのグルコースの取り込み障害や肝臓における制御の効かない糖の産生が原因で起こる**高血糖**．
(2)脂肪酸，トリグリセリド，リポタンパク質などの代謝の恒常性が変化することで起こる**脂質異常症**．

循環血中のグルコースや脂質レベルの上昇はさらにインスリンの分泌や作用に影響を及ぼす．

インスリン抵抗性のメカニズム

多くの先進国では，肥満の増加と呼応して 2 型糖尿病の有病率も上昇している．

2 型糖尿病におけるインスリン抵抗性は肝臓における糖の産生を増加させるとともに，筋肉や脂肪組織における糖の取り込みを低下させる．

脂肪細胞で過剰の脂肪を蓄積する能力は，肥満や高脂肪食の摂取で飽和する．その場合，余った脂肪は骨格筋や心臓，肝臓などに再分布することになり，このことがインスリン抵抗性の一因となる．

耐糖能低下を伴う妊娠合併症である**妊娠糖尿病**は，罹患した女性やその児での T2DM 発症につながる危険因子の 1 つである．子宮内高血糖症は，胎児に大きなリスクをもたらす．

これら 1 型および 2 型糖尿病の症候や経過は多くの点で似ている．特に，**過食** polyphagia（食欲が増加する），**多尿** polyuria（頻尿となり尿量も増加する），および**口渇・多飲** polydipsia（**口渇感と多飲** psychogenic polydipsia）は，糖尿病の 3 主徴である．

糖尿病の合併症（図 19.21）は，伝統的に以下のように分類されている：

1. **大血管合併症** macrovascular complication（心筋梗塞を含む心血管疾患）．
2. **細小血管合併症** microvascular complication：細い血管の障害によって，**腎臓**（**糸球体硬化症**，**動脈硬化症**，**腎盂腎炎**），網膜（**網膜症**，**白内障**，**緑内障**），神経系（**脳梗塞**，**脳出血**）に影響が及ぶ病態．慢性糖尿病の晩期合併症として，動脈硬化が原因で起こる血管閉塞による**壊疽**がある．

図 19.21 | 1 型および 2 型糖尿病の臨床像

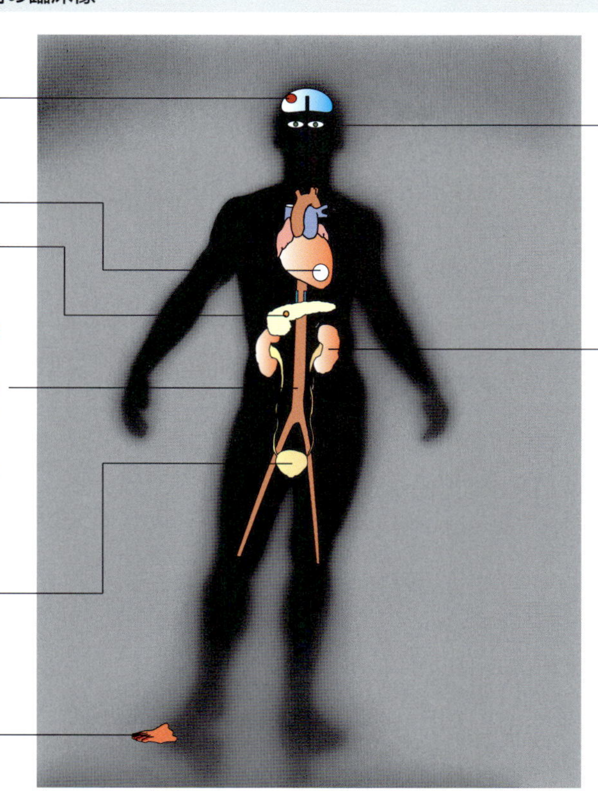

内分泌系 | 概念図・基本的概念

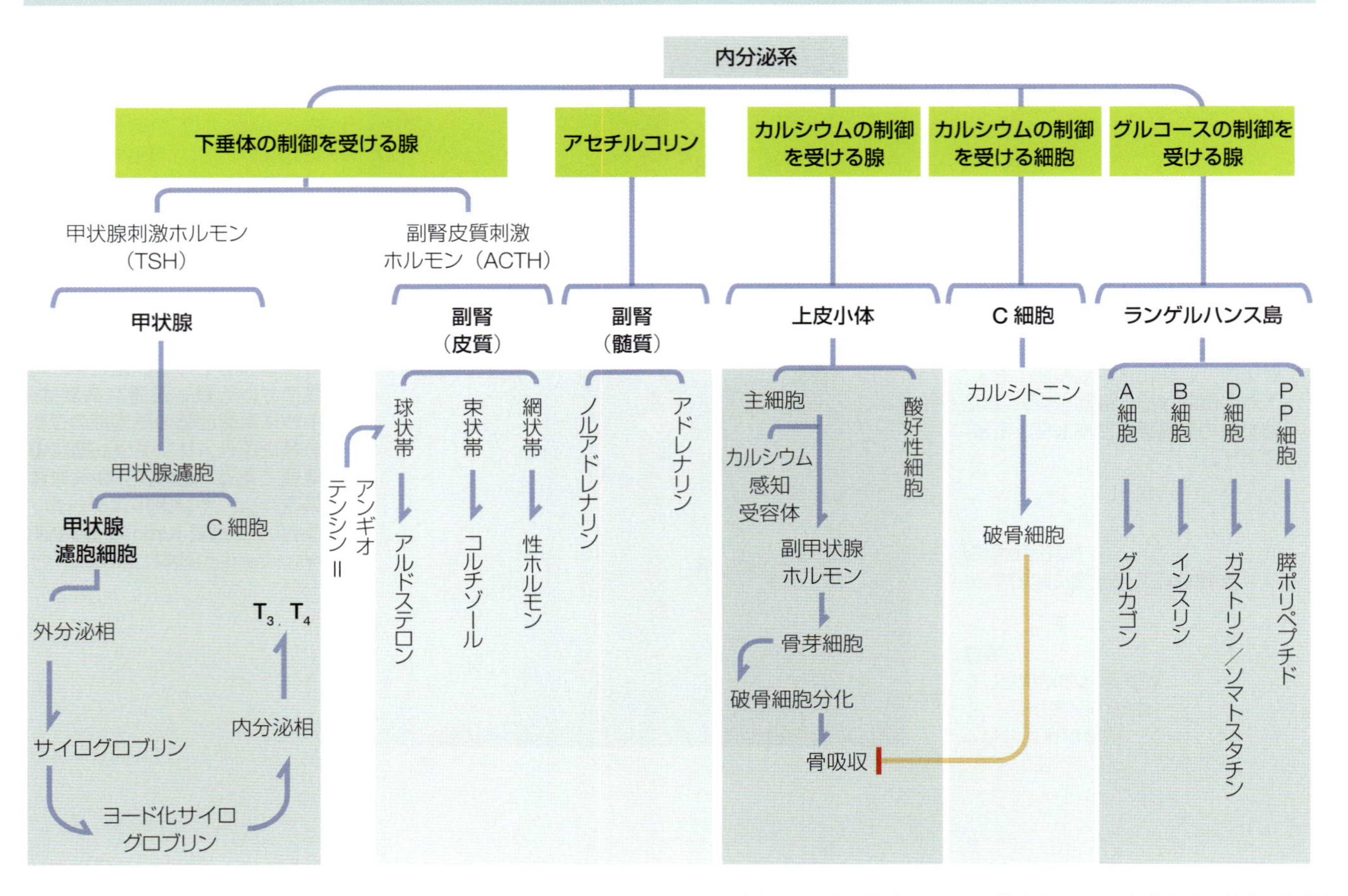

• **甲状腺**．甲状腺は，甲状舌管によってつながった状態で舌基部の内胚葉が下方に突出し発生する．甲状腺には，神経堤に由来する C 細胞も認められる．

甲状腺は単層立方上皮で被覆された濾胞からなり，この濾胞上皮細胞の丈は機能状態により変化する．濾胞内腔には，甲状腺ホルモンである**トリヨードサイロニン**（T_3）および**サイロキシン**（T_4）の前駆物質であるサイログロブリンに富むコロイドが満ちている．甲状腺ホルモンの主要な機能は，身体の基礎代謝の調節である．

甲状腺ホルモンの合成と分泌は，(1)**外分泌相**と(2)**内分泌相**の 2 つの段階からなる．

このどちらの段階も同じ甲状腺濾胞上皮細胞内で行われ，下垂体前葉の塩基好性細胞で産生される **TSH** によって制御されている．

甲状腺ホルモン産生過程の**外分泌相**は，サイログロブリンの生合成とコロイド腔への分泌，および ATP 依存性のヨウ素輸送体による血中からの無機ヨウ素イオンの取り込みからなる．また，**甲状腺ペルオキシダーゼ**という酵素はサイログロブリンが含まれる分泌小胞の膜上に局在し，無機ヨウ素イオンをヨウ素に変換してサイログロブリンのチロシン残基に付加し，**ヨード化サイログロブリン**を生成している．

一方，甲状腺ホルモン産生過程の**内分泌相**は，ヨード化されたサイログロブリンの再吸収とプロセッシングの過程である．ヨード化サイログロブリンを含むコロイド小滴は，細胞突起である偽足によって囲まれ細胞内へと取り込まれて，コロイド含有小胞となる．このコロイド含有小胞にリソソームが融合してヨード化サイログロブリンがプロセッシングされ，T_3 と T_4 が生成する．生成した T_3 と T_4 は，濾胞上皮の基底側を越えて血流中に到達する．これらの甲状腺ホルモンは，血中では血清中の担体タンパク質と結合した状態で輸送される．甲状腺ホルモンは標的細胞で核内に移行し，甲状腺ホルモン受容体と複合体を形成して，甲状腺ホルモン応答配列（TRE）とよばれる DNA の特定の場所に結合することで，特異的に遺伝子の発現を誘導する．

• **グレーブス病**は一種の自己免疫疾患であり，甲状腺の機能亢進（**甲状腺機能亢進症**）をもたらす．この疾患では，TSH 受容体に対する自己抗体が制御の効かない甲状腺刺激作用を発揮し，**甲状腺腫大**，**眼球突出**，**頻脈**などの症状が患者で認められる．

また，**橋本病**も自己免疫疾患であるが，甲状腺機能は低下する（**甲状腺機能低下症**）．この疾患は，甲状腺ペルオキシダーゼやサイログロブリンに対する自己抗体が原因で起こる．

他の甲状腺の炎症性疾患としては，全身性のウイルス感染に伴って起こる亜急性甲状腺炎（**ド・ケルバン甲状腺炎**）や炎症性の線維化が著名な**リーデル甲状腺炎**などがある．

甲状腺の悪性腫瘍で最も頻度が高いのは乳頭がんである．このがんは局所的には浸潤性で頸部のリンパ節に広がる．これに対して，甲状腺がんで 2 番目に頻度の高い濾胞がんは，成長は遅いがよく血行性に骨などに転移する．

• **Ca^{2+} 調節**．血中の Ca^{2+} レベルの維持には(1)**副甲状腺ホルモン**，(2)**カルシトニン**，および(3)**ビタミン D** が関与している．

上皮小体（**副甲状腺**）．第 3 および第 4 咽頭嚢に由来する計 4 個の上皮小体は，索状あるいは塊状に並んだ次の 2 種類の細胞からできている：

(1)**主細胞**は副甲状腺ホルモンを産生する．

(2)酸好性細胞はおそらく主細胞に移行する過程にある細胞ではないかと考えられている．

- Ca^{2+}は，骨基質への無機質の沈着，神経系や神経－筋肉系の機能発現，血液凝固などの生体機能で必要である．

循環血中のCa^{2+}濃度は，上皮小体の主細胞の細胞膜に発現しているCa^{2+}感知受容体（CaSR）により厳密に制御されている．

CaSRは細胞外Ca^{2+}レベルを感知し，PTHの分泌を調節する．CaSRはGq/11のようなGタンパク質を介して，下流のシグナル伝達を活性化する．その結果，ホスホリパーゼC（PLC）が活性化され，ホスファチジルイノシトール4,5-ビスホスフェート（PIP_2）からジアシルグリセロール（DAG）とイノシトール1,4,5-三リン酸（IP_3）が生成する．IP_3は，細胞内貯蔵部位である小胞体から細胞質へCa^{2+}を移行させ，PTHの放出を抑制する．

ここで，細胞外Ca^{2+}の上昇によりCaSRを介したPTH放出が抑制される一方で，細胞外Ca^{2+}が低下するとこの抑制が解除されて，PTHの放出が促進されることを覚えておいてほしい．

腎臓と小腸では，毛細血管のある細胞外空間と外部環境の間でCa^{2+}の折り返し輸送が行われている．尿細管の細胞はCa^{2+}の再吸収とビタミンD（カルシトリオール）産生・活性化を促進する．PTHとカルシトリオールは，上皮小体と標的臓器（骨，腎臓，腸など）との間の相互作用を媒介する．

骨は主要なCa^{2+}の貯蔵部位であり，破骨細胞の働きによって生体におけるCa^{2+}の恒常性維持に寄与している．副甲状腺ホルモンは骨芽細胞に作用して，破骨細胞の増殖・分化を刺激するタンパク質の発現を誘導する．骨芽細胞で産生され破骨細胞生成を促進するタンパク質としては，マクロファージ・コロニー刺激因子（M-CSF），NF-κB活性化受容体リガンド（RANKL），およびオステオプロテジェリンがある．

授乳期には，乳腺はPTH関連ペプチド（PTHrP）を分泌し，骨から血中にCa^{2+}を動員する．

- 副甲状腺機能亢進症は上皮小体の腺腫（良性腫瘍）によって起こる．PTHが過剰に分泌されると，高カルシウム血症，高リン酸尿症，高カルシウム尿症が起こり，その結果として腎盂結石が生じたり，骨組織から無機質が失われて骨囊腫が出現したりすることがある．

CaSR遺伝子の機能欠失型突然変異は，1型家族性低カルシウム尿性高カルシウム血症（FHH1）や新生児重症副甲状腺機能亢進症（NSHPT）のような高カルシウム血症を伴う疾患をもたらす．

また，CaSRの下流のGq／11タンパク質遺伝子の機能欠失型突然変異は，2型家族性低カルシウム尿性高カルシウム血症（FHH2）をもたらす．対照的に，CaSRとGq／11をコードする遺伝子の機能獲得型突然変異は，それぞれ常染色体顕性1型（ADH1）および2型（ADH2）低カルシウム血症を引き起こす．

C細胞は濾胞を裏打ちするように，あるいは濾胞間に，局在し，カルシトニンを産生する．カルシトニンは副甲状腺ホルモンの作用を打ち消すように働く．

ビタミンD．コレカルシフェロールは，皮膚で7-デヒドロコレステロールからつくられる．生成したコレカルシフェロールは，活性をもつまでに2つの水酸基付加反応を経なければならず，その最初の反応（24,25-ヒドロキシコレカルシフェロールへの変換）は肝臓で，そして2番目の反応は腎臓で行われる．

血中Ca^{2+}濃度が低い場合には，1α-水酸化酵素が24,25-ヒドロキシコレカルシフェローを活性型ビタミンDである1,25-ヒドロキシコレカルシフェロール（カルシトリオール）に変換する反応が促進される．カルシトリオールの主な機能は小腸粘膜におけるカルシウム吸収を促進することである．

カルシトリオールはビタミンD結合タンパク質に結合した状態で血中を輸送され，小腸に到達する．十二指腸では，カルシトリオールは吸収上皮細胞に取り込まれ，カルシウム結合タンパク質であるカルビンジンの生合成を誘導する．

カルシウムは，十二指腸では細胞内経路で能動的に吸収される．この能動輸送では，カルビンジン（細胞内の輸送）およびカルシウム-ATPaseにより制御される電位非依存性のチャネル（細胞から血中への搬出）が必要である．一方，空腸と回腸では，カルシウムは傍細胞路で受動的に吸収される．

ビタミンDの欠乏によって，小児ではくる病が，成人では骨軟化症とよばれる病態が生じる．

- 副腎．副腎は，以下の2つの異なる胎児性組織から発生する：

(1)神経堤の外胚葉．

(2)中胚葉．

体腔の上皮に由来する細胞が両側の性腺原基と背側腸間膜の間に集積して，胎児性副腎皮質を形成する．

髄質は，隣接する交感神経節から胎児性副腎皮質の内側領域に侵入する神経堤由来の細胞からできる．

さらに，中胚葉由来の細胞層が胎児性副腎皮質を取り囲んで，成体の副腎皮質の前駆組織を形成する．

この発生過程にある副腎組織を取り囲む間葉細胞は線維芽細胞に分化して，腎と副腎の被膜を形成する．

出生時には，副腎の相対的なサイズは成体と比較して20倍ぐらい大きく，球状帯と束状帯はすでに形成されているが，網状帯はこの時点では認められない．

生後3ヵ月までに，体腔中皮由来の胎児性副腎皮質は退縮し，生後1年以内に消失する．一方，球状帯と束状帯を構成している中胚葉由来の副腎皮質前駆組織は，最終的な皮質として残る．網状帯は生後3歳の終わりまでに発達する．

妊娠初期に胎児性副腎皮質は重要な役割を果たしており，胎盤におけるエストロゲン合成の前駆物質であるデヒドロエピアンドロステロン（DHEA）を合成している．3β-水酸化ステロイド脱水素酵素活性がないと，プロゲステロン，糖質コルチコイド，アンドロステンジオンの合成は起こらない．

このような胎児性副腎皮質と胎盤の間の相互作用は，胎児－胎盤ユニットとして知られている．

糖質コルチコイドは，母体由来であるか，あるいは胎盤のプロゲステロンから胎児によって合成されたものであるかを問わず，胎生期8ヵ月以降のII型肺胞上皮細胞による肺サーファクタントの産生に必須である．

副腎皮質は同心円状に，以下の3つの領域に区分される．

(1)最外層で皮膜直下に位置する球状帯．球状帯では鉱質コルチコイドのアルドステロンが産生される．

(2)中間層の束状帯．束状帯では糖質コルチコイド（主にコルチゾール）が産生される．

(3)最内層の網状帯．網状帯ではアンドロゲンであるデヒドロエピアンドロステロン（DHEA）とアンドロステンジオンが産生される．

球状帯の機能はアンギオテンシンII（ANG II）によって，束状帯と網状帯の機能は副腎皮質刺激ホルモン（ACTH）によって，制御されている．

ステロイド産生細胞の構造上の重要な特徴は，脂肪滴（コレステロールを含む），管状のクリステをもつミトコンドリア（ステロイド合成酵素が局在する），そして滑面小胞体（同様にステロイドホルモンの合成に関与する膜結合型酵素が局在する）が細胞内に豊富に存在することである．

- 先天性副腎皮質過形成は，コルチゾール産生にかかわる酵素遺伝子の欠損により起こる．負のフィードバック調節が効かなくなり過剰に分泌されるACTHに応答して，副腎皮質は肥大する（副腎皮質過形成）．

先天性リポイド副腎過形成は，コレステロールをミトコンドリア外膜を越えて内膜へと輸送するステロイド産生急性調節タンパク質（StAR）遺伝子の突然変異が原因で起こる．この疾患では，副腎と性腺におけるステロイド生合成が障害される．

原発性アルドステロン症あるいはコン症候群とよばれる病態は，副腎皮質球状帯に生じた腺腫がアルドステロンを過剰に産生して起こる．

また，クッシング病は下垂体前葉のACTH産生腫瘍によって起こり，副腎皮質ステロイドの産生が増加する．一方，クッシング症候群とよばれる疾患は副腎皮質にホルモン産生性の腫瘍が生じたときに起こり，アルドステロン，糖質コルチコイド，および副腎性アンドロゲンの過剰産生が起こる．

ウォーターハウス・フリードリクセン症候群は，新生児期に髄膜炎菌による敗血症に罹患し，副腎が急激に破壊された病態である．

アジソン病は，自己免疫性の機序あるいは結核が原因で副腎皮質が慢性的に破壊される病態である．

- 副腎髄質は，カテコールアミンを産生する交感神経節後ニューロンが特殊化した以下の2種類のクロム親和性細胞から構成されている．
  (1)アドレナリン産生細胞（髄質の80％を占める）．
  (2)ノルアドレナリン産生細胞（髄質の20％を占める）．

  このうち，ノルアドレナリンは電子密度の高い偏在性の芯を有する分泌顆粒に局在する．一方，顆粒に局在する．

  カテコールアミンは以下の過程を経て生合成される：
  (1)まずチロシンがDOPAに変換される．
  (2)続いて，DOPAがドーパミンに変換される．生成したドーパミンは，ノルアドレナリンに変換されて偏在性の芯をもつ分泌顆粒の中に蓄積される．
  (3)ノルアドレナリンは顆粒内から再び細胞質へと移行し，フェニルエタノールアミン *N*-メチル基転移酵素（PNMT）によってアドレナリンに変換される．
  (4) PNMTの合成は，副腎皮質束状帯から髄質へ到達した糖質コルチコイドによって促進される．
  (5)アドレナリンは再び分泌顆粒の内部へと輸送され，クロモグラニンというタンパク質と複合体を形成し蓄積される．蓄積されたアドレナリンは，カルシウムの存在下でアセチルコリンを放出する交感神経の節前線維に刺激されると，有窓型毛細血管に分泌される．

  副腎髄質の細胞とは異なり，副腎皮質の細胞はステロイドホルモンを分泌顆粒に蓄積しない．バニリルマンデル酸（VMA）とメタネフリンはカテコールアミンの主要な代謝産物であり，臨床的には，患者のカテコールアミン産生レベルを判定するために用いられる．

  副腎の褐色細胞腫（あるいは副腎髄質パラガングリオーマ）はまれな腫瘍でクロム親和性細胞から発生する．褐色細胞腫は，持続的あるいは発作性の高血圧，頻脈，振戦をもたらす．褐色細胞腫は，肉眼的には出血性の塊にみえ，顕微鏡下では，洞様の毛細血管網に富む塊状あるいは索状に配列した細胞集団が観察される．褐色細胞腫のマーカータンパク質としては，クロモグラニンが有用である．

- 副腎髄質には，2系統の血管系で血液が供給されている：
  (1)被膜の動脈叢から皮質の3つの機能帯に血液を供給する系統．この有窓型毛細血管（洞様毛細血管とよばれる）は球状帯および束状帯を順次灌流し，網状帯で毛細血管網を形成した後，髄質に入る．

  ここまでの間にアルドステロン，コルチゾール，性ステロイドなどを集めてきた血流は，髄質を灌流した後，髄質の中心静脈を経て導出される．
  (2)髄質動脈（下副腎動脈に由来する）は被膜から皮質に侵入後，皮質では枝を出さずに貫通して髄質のみ栄養する．

  副腎皮質には静脈もリンパ管も存在しない．

- 膵内分泌部．膵臓は次の2つの要素からなる：
  (1)膵外分泌部．膵外分泌部は，十二指腸に輸送・放出される消化酵素の産生に関与する腺房で構成されている．
  (2)膵内分泌部あるいはランゲルハンス島（膵島）．

  さらにランゲルハンス島（膵島）は，次の2つの構成要素からなる：
  (1)それぞれ1種類のペプチドホルモンを分泌する4種類の内分泌細胞，A（α）細胞，B（β）細胞，D（δ）細胞，PP（F）細胞．
  (2)膵島－腺房門脈系とよばれる血管系．この血管系により，膵島から分泌されたホルモンが局所的に膵外分泌部に作用することができる．

  ランゲルハンス島のA細胞はグルカゴン（血糖値を上昇させる作用を有する）を分泌している．

  B細胞はインスリン（肝細胞，骨格筋や心筋などで細胞内へのグルコースの取り込みを促進）を分泌している．

  D細胞はソマトスタチン（インスリンやグルカゴンの分泌を抑制したり，胃底腺の壁細胞における塩酸分泌を抑制したりする）を分泌している（訳注：なお，ヒトや齧歯類の胎生期には，ガストリン産生能のある膵島内分泌前駆細胞が存在するという報告もある）．

  PP（F）細胞は膵ポリペプチド（ソマトスタチンの分泌や膵臓の消化酵素の分泌を抑制）を分泌している．

- 糖尿病は，臨床的に過食，多尿，口渇・多飲を特徴とする病態である．

  糖化ヘモグロビン検査は，ヘモグロビンA1c（HbA1c）検査ともよばれ，6〜12週間の平均的な血糖値を反映した値が得られる．血糖値が高くなると，糖がヘモグロビンと結合して糖化（糖で被覆）する．

  健常者のHbA1c検査値の範囲は4〜5.6％である．糖尿病患者では，HbA1c値は6.5％未満に維持されるべきである．

  若年性糖尿病としても知られている1型糖尿病（T1DM）は，膵島B細胞が傷害されるような自己免疫性の機序，ウイルス感染，化学的な毒物が原因で起こる．このタイプの糖尿病では，インスリンの欠乏が起こる．

  一方，2型糖尿病（T2DM）は遺伝的素因を背景にして起こる．この病態では，血糖値と比較して不十分なインスリン量しか分泌されない．さらに，末梢の標的組織ではインスリン感受性が低下している（インスリン抵抗性）．

  糖尿病の合併症は，伝統的に以下のように分類されている：
  (1)大血管合併症（心筋梗塞を含む心血管疾患）．
  (2)細小血管合併症：細い血管の障害によって，腎臓（糸球体硬化症，動脈硬化症，腎盂腎炎），網膜（網膜症，白内障，緑内障），神経系（脳梗塞，脳出血）に影響が及ぶ病態．

  慢性糖尿病の晩期合併症として，動脈硬化が原因で起こる血管閉塞による壊疽がある．

20 精子形成（精子発生）

キーワード 精巣，精上皮，精細胞子孫，セルトリ細胞，アンドロゲンと精子形成（精子発生），減数分裂，精子完成，精子，男性不妊，ライディッヒ細胞，精子形成周期，エピジェネティクスリプログラミング

男性生殖器系は，(1)半数体（一倍体）の男性配偶子（**精子** spermatozoon［複数形 spermatozoa］あるいは sperm）の継続的産生，栄養と一時的貯蔵，(2)男性ホルモン（**アンドロゲン** androgen）の合成と分泌に関与する．

男性生殖器の構成は，(1)精子を産生し**アンドロゲン**を合成・分泌する**精巣** testis，(2)精子を外界に運ぶための排出路となる**精巣上体** epididymis，**精管** vas deferens，**射精管** ejaculatory duct および**尿道** urethra の一部，(3)精液の大部分を構成し射精精子に栄養を与える分泌物を産生する付属腺，すなわち**精嚢** seminal vesicles，**前立腺** prostate gland および**尿道球腺** bulbourethral gland（**カウパー腺** gland of Cowper），(4)勃起組織で構成される交接器官の**陰茎** penis である．精巣，精巣上体，精管の起始部は，**陰嚢** scrotal sac 内に位置する．**陰嚢**は中皮で囲まれる腔，すなわち**鞘膜腔** space of tunica vaginalis を取り囲む皮膚の袋である．本章では，精子の発生の組織的・分子的・機能的な面，男性不妊にかかわる病態，ゲノムインプリンティング（刷り込み），そして精巣腫瘍に焦点をあてる．

精巣（図 20.1，20.2）

精巣は体腔外の陰嚢内に位置する1対の器官である．体腔外にあることにより，体温より2～3℃低く維持される．34～35℃の温度は正常な**精子形成** spermatogenesis に必須である．

成熟精巣の後面は精巣上体に接している．両側の精巣と精巣上体は，**精索** spermatic cord によって陰嚢内に吊り下げられている．**精索**は**精管** vas deferens，**精巣動静脈** spermatic artery and the venous，**リンパ管叢** lymphatic plexus を含む．

各精巣は**白膜** tunica albuginea で囲まれる．白膜は厚くなり，**精巣網** rete testis を含む**精巣縦隔** mediastinum を形成する（図 20.1）．縦隔から伸びる線維性中隔は精巣内に入り込み，精巣を250～300の**小葉** lobule に分ける．各小葉は1～4個の**精細管** seminiferous tubule を含む．

各精細管は，直径約150 μm，長さ約80 cmであり，精巣網に開口する2つの末端はU字形である．**精巣網**は，**精上皮** seminiferous epithelium の産物（精巣精子，分泌タンパク質，液体，イオン）を集める．

精細管（図 20.2）は，下に示すような**2つの異なる細胞集団**を

図 20.1 ｜ 精巣，精巣上体および精管

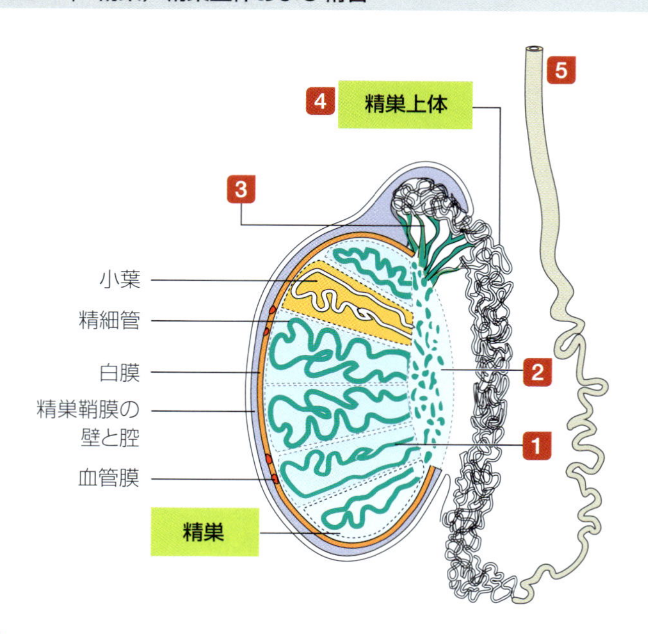

1 直精細管．精細管を精巣網につなぐ．

2 精巣網．精巣縦隔の結合組織にある網目状の腔．

3 精巣輸出管．精巣網から約12～20本のらせん状に迂曲した精巣輸出管が起こる．

4 精巣上体．精巣輸出管が合流して1本の緻密なコイル状の精巣上体管になる．管腔の精子の有無でコイル状の管の直径が変化することに注意．

5 精管．精巣上体管から続く筋性の管．平滑筋壁の蠕動収縮血管膜によって精子が精管の中を移動する．

図 20.2 | 精細管と精細管間腔の構築

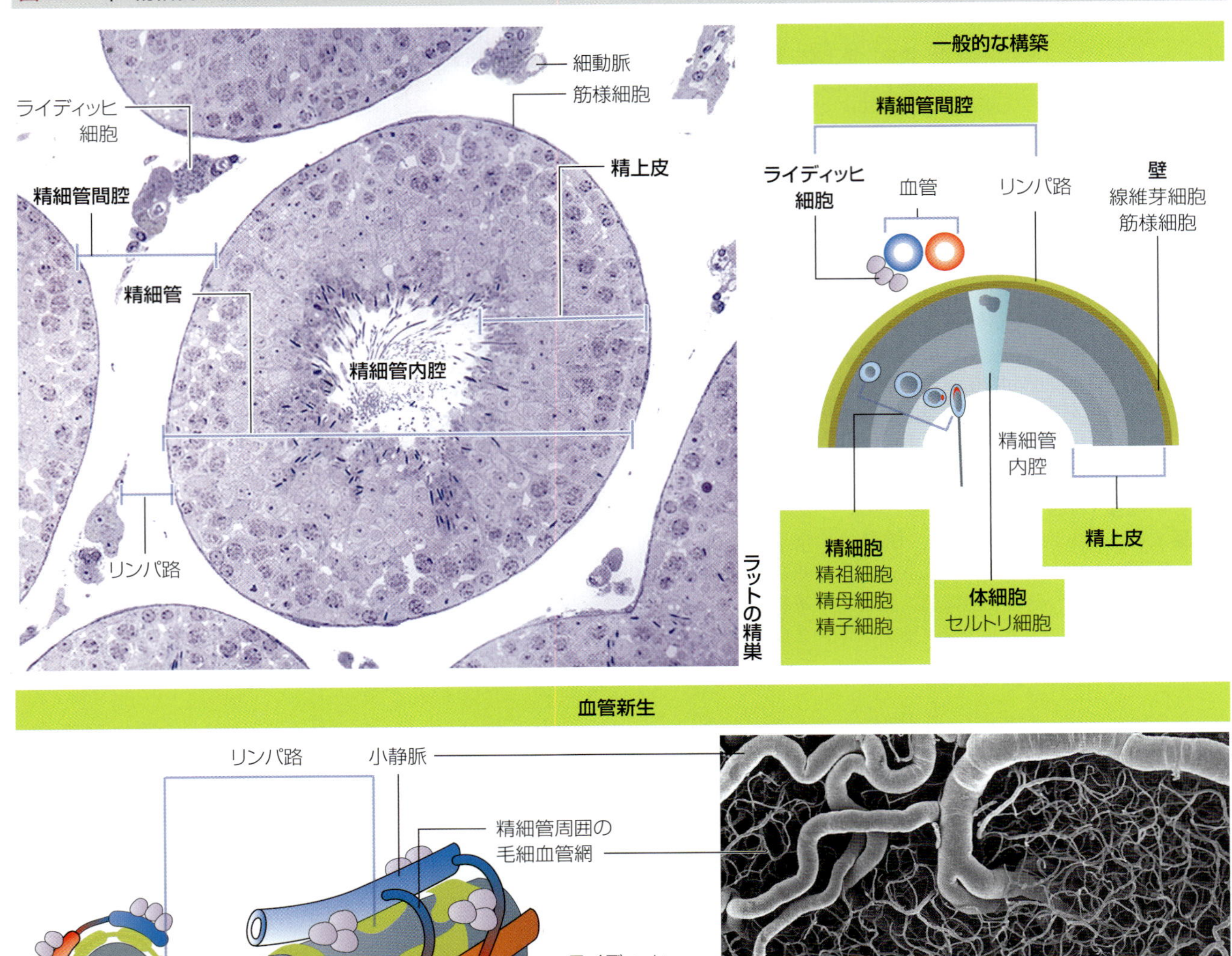

ヒト精巣血管の走査型電子顕微鏡写真（樹脂注入法）：Toshio Nagano and Fumie Suzuki, Chiba, Japan の厚意による.

含む特殊化した精上皮が並ぶ中心腔からなる：

1. **体細胞性セルトリ細胞** somatic Sertoli cell.
2. **精細胞** spermatogenic cell（精祖細胞，精母細胞，精子細胞）.

精上皮は，**基底膜**と**コラーゲン線維**で形成される壁，**線維芽細胞**，**収縮性筋様細胞** contractile myoid cell で囲まれる．筋様細胞は**リズミカルな収縮活動**を行い，**動かない精子** non-motile sperm を精巣網へと押し出す．精子は精巣上体管通過中に，前進運動能を獲得する．

精細管の間の腔は，多数の血管（小動脈，毛細血管，小静脈）とアンドロゲン産生細胞である**ライディッヒ細胞** Leydig cell の集団で占められる．リンパ路は，ライディッヒ細胞に近接しながら，各精細管の周囲を取り巻く（図 20.2）.

精上皮（図 20.3〜20.5）

精上皮は，身体の他の重層上皮ではみられない，かなり珍しい特徴をもつ重層上皮に分類される．

この重層上皮内で，体細胞性の円柱状セルトリ細胞は，有糸分

図 20.3 | 精巣の組織学

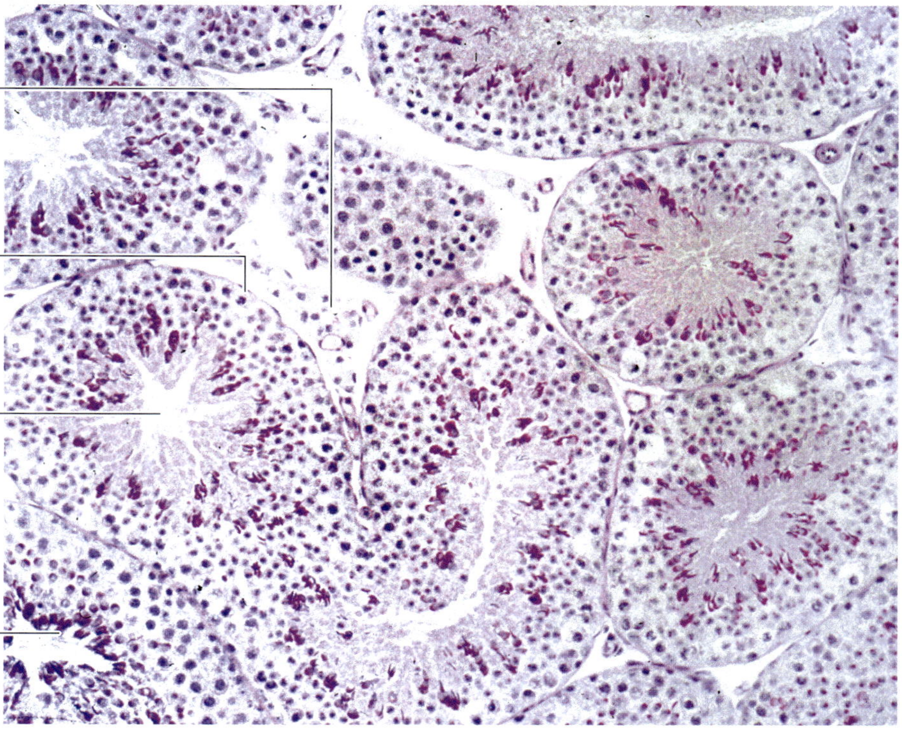

ライディッヒ細胞は集団となって精細管間腔に存在し，血管とリンパ管に密接する．ライディッヒ細胞の主要産物は**テストステロン**である

精細管壁は，基底板によって精上皮から隔てられている**精細管周囲の筋様細胞**からなる

精細管内腔には分化中の精子細胞の尾の自由末端がみえる．腔内にはセルトリ細胞に由来する液体と分泌タンパク質もある

PAS 染色により，精細管内腔に面する精子細胞内で発達中の先体内糖タンパク質が染色されている

精上皮の細胞構成は分化中の精細胞から起こる子孫細胞の同調性やオーバーラップを反映して変化するが，セルトリ細胞は精上皮に常に存在する．

セルトリ細胞：
1. 精祖細胞，一次および二次精母細胞，精子細胞と密接に関係し，それを維持する．
2. 成人の精巣では有糸分裂後の休止状態にあり，分裂しない．

裂を行う精祖細胞，減数分裂を行う精母細胞，**精子完成** spermiogenesis とよばれる分化中の半数体精子細胞集団と相互作用を行う．

いくつかの精細管の断面像を図 20.3 で説明する．各小葉内で精細管が不規則に配置して幾何学的に異なった輪郭をしていることに注意すること．

さらに詳細な精上皮像を図 20.4 で示す．核の位置と構造的な違いが認められる：

1. **精祖細胞** spermatogonia と**セルトリ細胞**の核は，精細管壁に密接に関連している．
2. 精祖細胞集団の上にあるのは**一次精母細胞** primary spermatocyte である．その核は，他の細胞より大きく，クロマチン塊は減数分裂中の染色体の特徴を示している．
3. 腔の近くに，丸く明るい核をもつ**初期精子細胞** early spermatid と円筒状で凝集した核をもつ**後期精子細胞** late spermatid がある．

電子顕微鏡写真（図 20.5）は，基底板と精細管壁の線維成分，2 つのセルトリ細胞，精祖細胞そして一次精母細胞の核の特徴を示す．どのようにして，セルトリ細胞の細胞質突起が精細胞間に広がっているか注意すること．

次のステップでは，各精細胞子孫がなぜ，精上皮の特殊な空間を占有しているか，理解する．

基底区画と傍腔区画（図 20.2，20.4〜20.6）

セルトリ細胞は，基底板から精細管腔にまで広がる円柱細胞である（図 20.2，20.5）．セルトリ細胞は，精細管の間腔と精細管腔の間を橋渡しする**架橋細胞** bridge cell として，また精細胞の生存を支援する**ナース細胞** nurse cell として働く．

セルトリ細胞の頂上と外側の細胞膜は，不規則な輪郭をしている．セルトリ細胞は**ニッチ** niche（生存に至適な微小環境）と**陰窩** crypt を提供して，発生中の精細胞を宿す（図 20.6）．

基底外側部では，セルトリ細胞は隣接するセルトリ細胞と**閉鎖結合** tight junction をつくる．ほとんどの上皮は頂上部で閉鎖結合をもっている．したがって，基底外側部にできるセルトリ細胞の閉鎖結合は例外的である．

もし，通常の上皮における分子や液の流れである**頂上から基底** apical-to-basal への運搬方向を考えるならば，精細管腔内での運搬方向は逆であり**基底から頂上** basal-to-apical への運搬方向である．実際，液や栄養素の源は精細管腔内にはなく，精細管間腔にある．

基底外側のセルトリ細胞－セルトリ細胞間の閉鎖結合は，精上皮を次の区画に分ける：

1. **基底区画** basal compartment.
2. **傍腔区画** adluminal compartment（図 20.4）.

精祖細胞集団は，基底区画内の**ニッチ**に住みつく．この位置関係により，セルトリ細胞は精細管間腔にある血管に由来する栄養素やシグナル伝達分子に十分にアクセスできる．

セルトリ細胞－セルトリ細胞間の閉鎖結合は，いわゆる**血液精巣関門** blood-testis barrier の構成成分である．このバリアは，傍腔区画内で発生中の精母細胞や精子細胞を，自己免疫や遺伝毒性反応から守る．

精細胞子孫（基本事項 20.A）

体細胞性のセルトリ細胞は，精上皮内に**常在する**細胞集団である．精細胞子孫（精祖細胞，精母細胞，精子細胞）は**すぐに去っていく**．

基本事項 20.A は，哺乳類の精細胞子孫の連鎖を示す：

1. 思春期では，胎児精巣の**始原（原始）生殖細胞** primordial germ cell（PGC）に由来する**精細胞幹細胞（精原細胞幹細胞）** spermatogonial stem cell（**SSC**）は，有糸分裂により 2 個の娘細胞をつくる．**1 個の娘細胞は精細胞連鎖を開始する．他の 1 個は自己複製能をもつ SSC になり，すぐに別の精細胞連鎖を開始することができる．**

   すでに第 3 章で，幹細胞が自己複製して最終的な分化経路に入る 1 つの細胞ともう 1 つの幹細胞を生じることができることをみてきた．同じ法則が SSC にもあてはまる．
2. 細胞分裂後，細胞質分裂が不完全であるため，**すべての精細胞は細胞間橋でつながったままである．**
3. 精祖細胞，精母細胞，精子細胞は，増殖と分化の連続をタイムリーに終える．**各精細胞のコホート（同時に発生した集団）は，同調して増殖し分化する．**
4. 思春期以後は，SSC が周期的に精細胞の子孫を発生するようになり，精子は継続して産生されるようになる．

   どのようにして，精細胞の子孫が精細管の区画に沿って，上層に重なりながら，**細胞連合** cell association とよばれる精細胞の集団の異なる組み合わせをつくっていくのかを後述する．

ここまで，哺乳動物精巣の組織化の基本的な面と精細胞子孫の一般的な面を学んだので，次のステップでは，セルトリ細胞に関連する精上皮内にある異なる精細胞タイプの特徴を学ぶ．

セルトリ細胞（図 20.6）

思春期 puberty までは，セルトリ細胞が精上皮の主要な細胞タイプである．思春期以後，セルトリ細胞は精細管に配列する細胞のうちの約 10% である．**思春期以後**，セルトリ細胞は分裂能力がない．成人精巣では，セルトリ細胞の分裂は観察されない．老年男性では，精細胞数が次第に減少し，セルトリ細胞は再び精上皮の主要な構成成分になる．

精祖細胞子孫のメンバーは細胞間橋でつながれており，有糸分裂による増幅サイクルを完了して，基底区画から傍腔区画に移動し，一次精母細胞として減数分裂を開始する．

セルトリ細胞間の閉鎖結合は，細胞間橋でつながれた細胞が大量に移動できるように，開いたり閉じたりする．

セルトリ細胞の細胞骨格（微小管，アクチン微細フィラメント，中間径フィラメントビメンチン）は，分化中の精細胞が精細管周辺からより管腔近くに移動するように助ける．

どのようにしてセルトリ細胞を組織学切片で同定できるか？

同定するための最も役に立つパラメーターは，**セルトリ細胞の核**である．セルトリ細胞の細胞質は曲がりくねっており，光学顕微鏡では解析できない．セルトリ細胞の**核**は細胞の基底部にあり，基底板近くに局在する．その核は**彎入**し，**ヘテロクロマチン塊**のある**大きな核小体**がある（図 20.6）．

その細胞質は，滑面と粗面小胞体，ミトコンドリア，ライソゾーム，脂肪滴，大きなゴルジ体，豊富な細胞骨格を含む．

セルトリ細胞の**機能**は，

1. 発生中の精細胞を支持し，守り，栄養を与える．
2. **精子完成**の最後に精子細胞から捨てられる**残余小体（残渣小体）**とよばれる余剰の細胞質を**貪食**によって放出する．
3. **精子放出** spermiation とよばれる過程，アクチンが仲介する収縮によって成熟精子細胞を精細管腔内に放出する現象を助ける．
4. タンパク質，乳酸，イオンを豊富に含む液体を精細管腔内に分泌する．

セルトリ細胞は**卵胞刺激ホルモン（FSH）**刺激に反応し，**アンドロゲン受容体** androgen receptor を発現する．セルトリ細胞を経由して作用するアンドロゲンは，未解明のメカニズムによって，精子形成を刺激する（Box 20.A）．FSH は**アンドロゲン結合タンパク質** androgen-binding protein（**ABP**）の合成と分泌を制御する．

ABP はアンドロゲンである**テストステロン** testosterone と**ジヒドロテストステロン** dihydrotestosterone に高い結合親和性をもつ分泌タンパク質である．アンドロゲン -ABP 複合体は，機能は現在のところまだわかっていないが，精巣上体近位部に輸送さ

Box 20.A | アンドロゲンと精子形成

- テストステロンは，黄体形成ホルモン（LH）刺激に反応するライディッヒ細胞によって精巣内で産生され，辺縁にある血管とリンパ腔に放出され，精上皮内に放散する．精巣内のテストステロンレベルは，血清中よりも 15〜125 倍高い．わずか 1／3 のテストステロンが，セルトリ細胞が産生するアンドロゲン結合タンパク質（ABP）に結合する．
- テストステロンの効果は，セルトリ細胞の細胞質と核に局在するアンドロゲン受容体（AR）によって仲介される．AR は，収縮性のある精細管辺縁の筋様細胞や血管平滑筋にもある．機能のない AR は，精細胞にもみつかっている．
- ヒトでは，セルトリ細胞の AR は，5ヵ月齢でみつかっており，セルトリ細胞内の AR 遺伝子発現は周期的である．
- テストステロンは次のことに必要である：⑴血液精巣関門の維持，⑵減数分裂の進行と完了，⑶精子細胞とセルトリ細胞の接着，⑷成熟した精子細胞の放出（精子放出 spermination）．テストステロンによって制御されるいくつかの出来事の分子レベルや細胞レベルの詳細はまだ明らかになっていない．

基本事項 20.A ｜ 精細胞の子孫

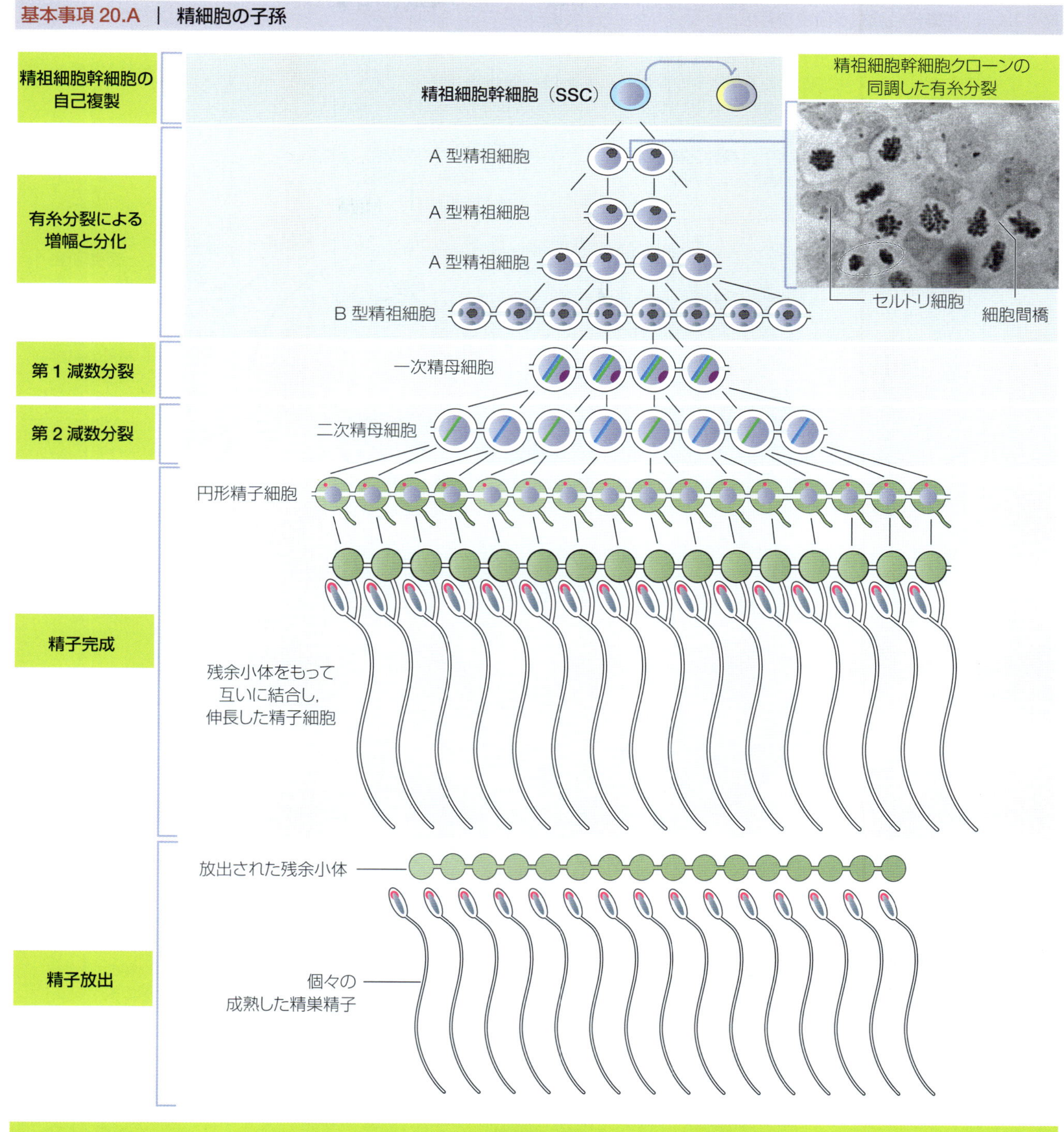

精細胞の連鎖

精子形成（精子発生）は思春期に始まり，**始原生殖細胞**（**PGC**）**に由来する精祖細胞幹細胞**（**精原細胞幹細胞**［**SSC**］）は有糸分裂を行って 2 個の娘細胞を産生する．1 個の娘細胞は SSC として留まり，もう 1 個の娘細胞は有糸分裂を行って増殖し，分化を続けて形の異なる A 型精祖細胞と B 型精祖細胞になる．

B 型精祖細胞は細胞周期の S 期（DNA 合成）を完了して G_2 期に進む．B 型精祖細胞は有糸分裂を行わずに傍腔区画に移動して，第 1 減数分裂を開始する．

精子形成の特徴は**不完全な細胞質分裂**である．精細胞は**細胞間橋**を通じて互いにつながっており，この状態は精子形成終了時まで続く．

精子形成のもう 1 つの典型的な特徴は，**細胞周期の同調性**である（8 個の中期と 1 個の後期［卵形］過程にある精祖細胞クローンのイメージを提示する挿入図を参照）．すべての精祖細胞と精母細胞はほとんど同調して分化の連鎖を開始し，進行し完了する．

このつながった状態は，成熟した精子細胞が**精子放出**過程として精子完成の最後に離れるときに終了する．**残余小体**は，細胞間橋でつながったまま精子細胞から離れ，セルトリ細胞によって貪食される．成熟した精子細胞は，個々ばらばらになって精巣網に運ばれる．

図 20.4 | 精巣内の細胞と血管の分布

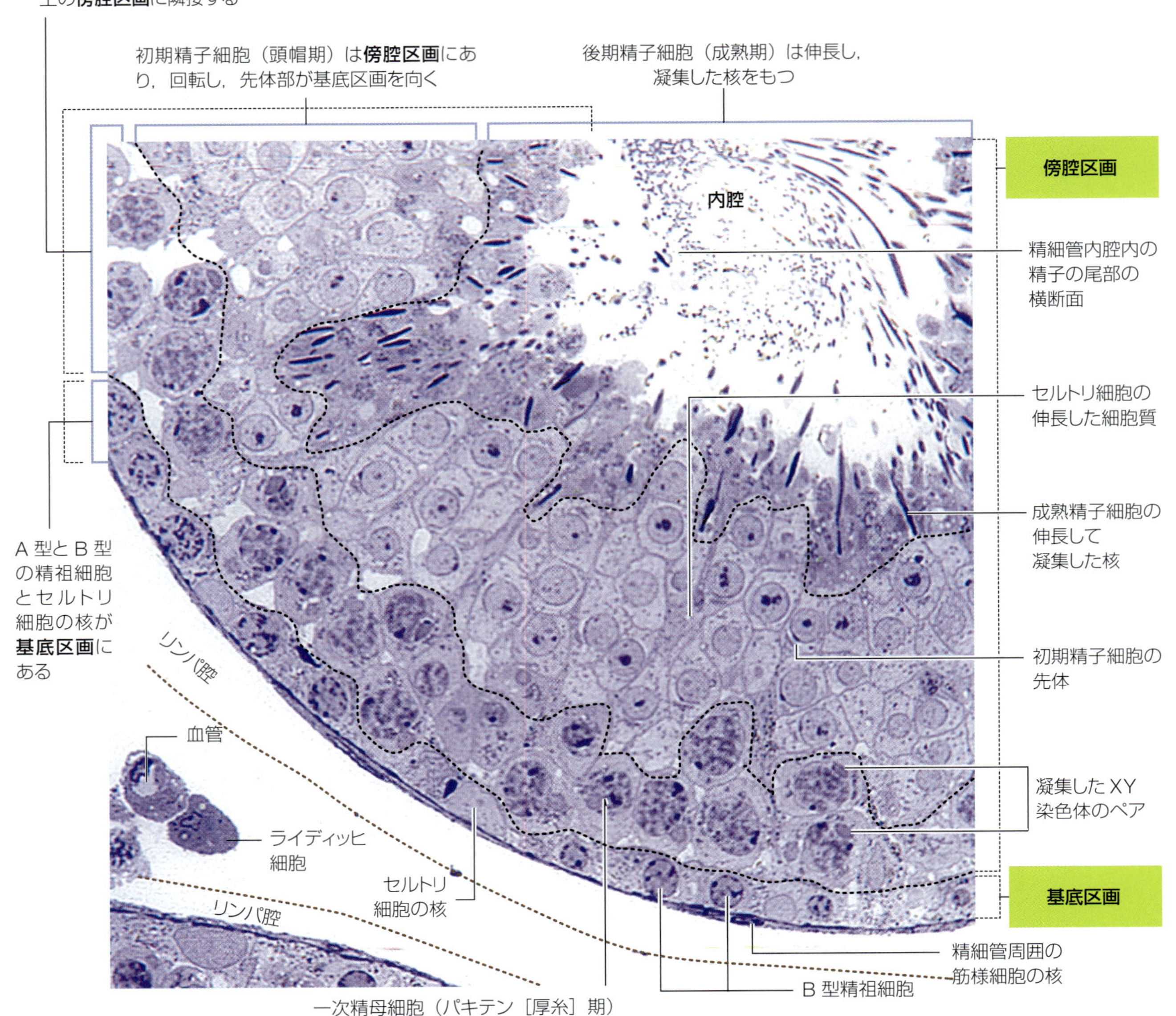

れる．

このことについては，本章と第 21 章で再度触れる．

ABP とアンドロゲン受容体はともにアンドロゲンに結合親和性をもつが，それらは異なるタンパク質であることに注意してほしい．ABP は**分泌タンパク質**であるのに対して，アンドロゲン受容体は細胞質タンパク質であり，DNA 結合能をもつ核タンパク質である．

セルトリ細胞は**インヒビン** inhibin や**アクチビン** activin のサブユニット（α と β サブユニット）を分泌して，FSH 分泌を制御する：

1. インヒビン（$\alpha\beta$ **ヘテロ 2 量体**）は，視床下部と下垂体前葉からの性腺刺激ホルモン（ゴナドトロピン）放出ホルモンと FSH の放出に対して，**負のフィードバック** negative feedback 作用を示す．
2. **アクチビン**（$\alpha\alpha$ あるいは $\beta\beta$ **ホモ 2 量体**）は，FSH の放出に対して，**正のフィードバック** positive feedback 作用を示す（第 18 章参照）．

セルトリ細胞は精祖細胞の分化に必要な制御性タンパク質も分泌する（後で考察する）．

セルトリ細胞単独症候群 sertoli cell-only syndrome（SCOS）は，臨床的には**精細胞無形成** germinal aplasia（精細管内に精細胞が存在しない）状態のことである．精細管には，セルトリ細胞だけが並ぶ．SCOS は先天性因子（Y 染色体異常を含む）や後天性因子で決まる（Box 20.B）．

図 20.5 | 精上皮の細胞分布（ヒト）

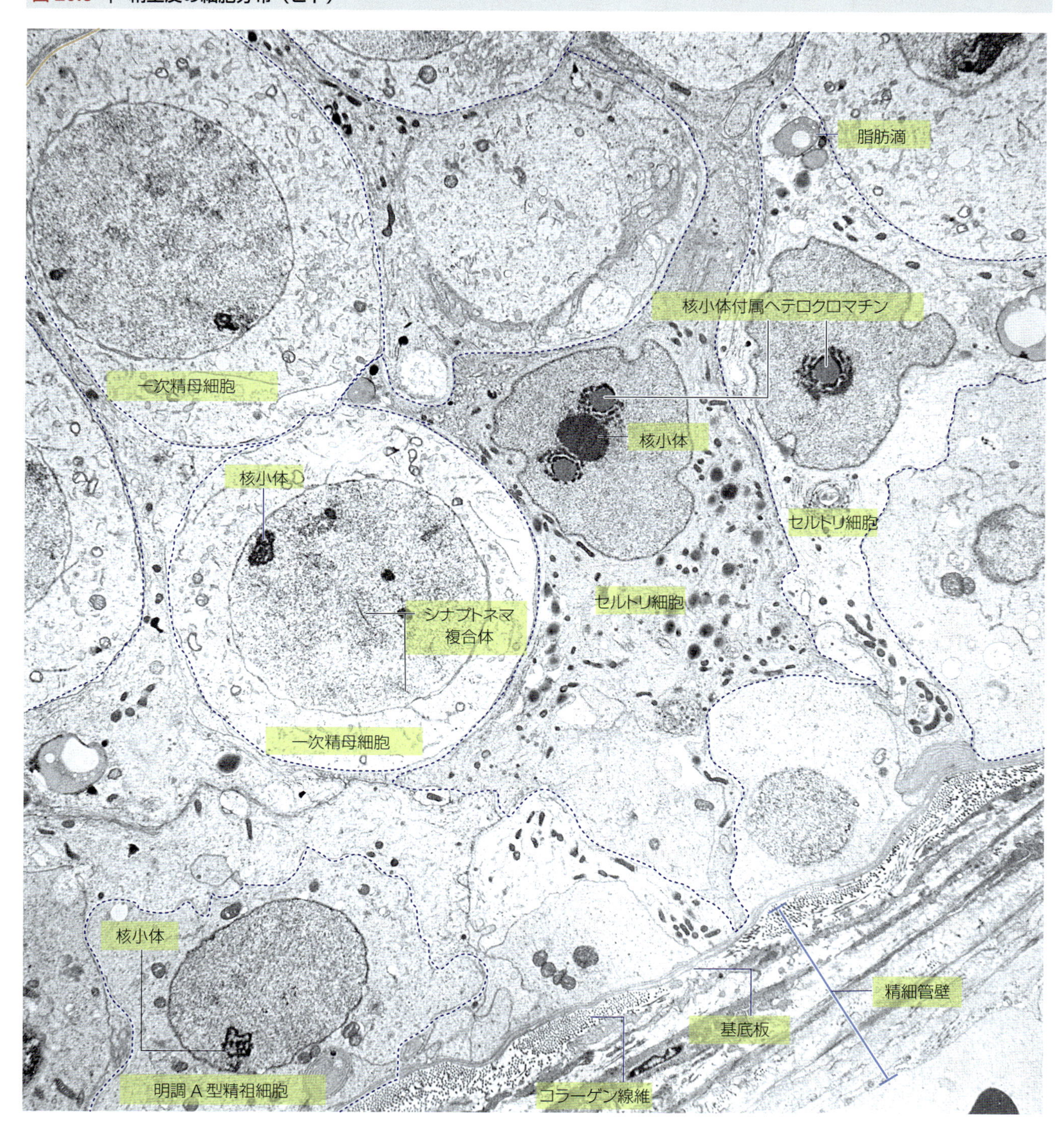

セルトリ細胞は，橋のように基底板から精上皮の腔まで広がる．細胞質突起が隣接する精細胞を抱え込む．**不規則な形の核**は明瞭な核小体をもち，ヘテロクロマチン塊と関係する．ヒト精巣では，セルトリ細胞の核は基底板から離れているが，細胞質は基底板に接している．**脂質小滴**と中間径フィラメントタンパク質ビメンチン（示していない）は細胞質に存在する．

精祖細胞は基底板に接する．ヒトでは，A 型精祖細胞は核のみえ方に基づいて 2 つのサブタイプがある：(1)**明調精祖細胞**（A 明調）と(2)**暗調精祖細胞**（A 暗調，示していない）．

精母細胞はセルトリ細胞間閉鎖結合でつくられる血液精巣関門の上に局在する．ほとんどの精母細胞は**一次精母細胞**である．それらは 3 つの特殊な様相（減数分裂前期のステージに基づいて）でわかる：(1)XY 染色体ペアに対応する凝集したクロマチン塊（図 20.4），(2)いくつかの二価染色体に由来する核塊，(3)相同染色体をつなぐシナプトネマ構造の断面．

精細管壁は厚い．壁は 3〜5 層の筋様細胞，線維芽細胞，隣接する膠原線維と弾性線維で構成される．

図 20.6 | 精上皮の区画

セルトリ細胞は精細管壁から内腔まで達し，すべての増殖中および分化中の精細胞と細胞間接触をもつ.

隣接するセルトリ細胞間の**基底部閉鎖結合**は**血液精巣関門**を構成する．このバリアは，抗体や毒物を含むタンパク質が発生中の精細胞に届かないように守る．反対方向に，このバリアは発生中の精細胞にある特殊なタンパク質が血液循環中に漏れ出さないように，また免疫反応を起こさないように守る.

閉鎖結合は精上皮を閉鎖結合の下にある**基底区画**と上にある**傍腔区画**に分ける．精祖細胞は基底区画に位置し，精母細胞と精子細胞は傍腔区画を占める．セルトリ細胞の細胞質は基底区画内に**ニッチ**を形成し，精祖細胞を取り囲み，傍腔区画では精母細胞と初期精子細胞を取り囲む．精細管腔の近くでは，**陰窩**を形成し，そこに後期精子細胞が入り込む.

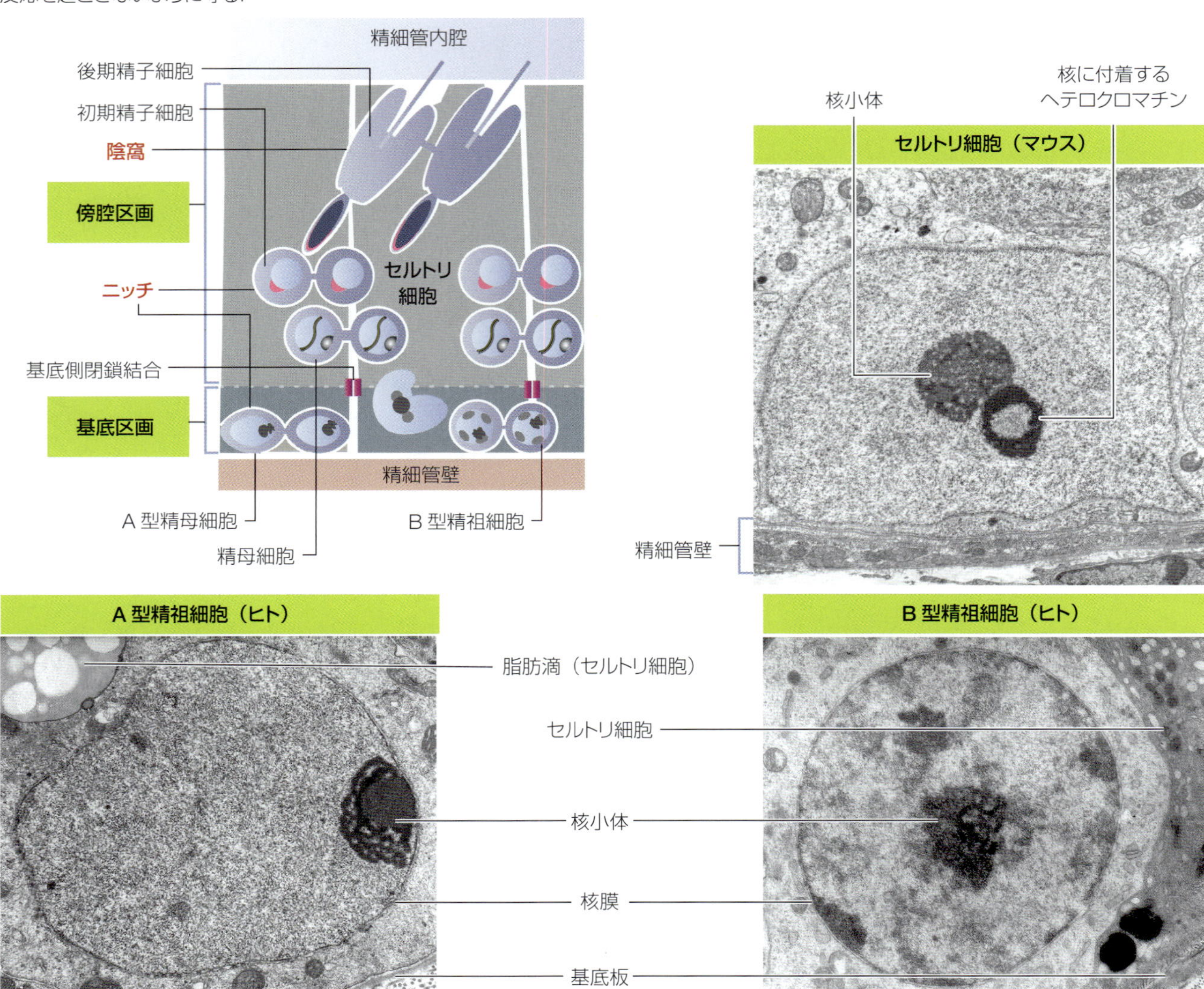

精祖細胞（図 20.4，20.6）

精祖細胞は2倍体の精細胞であり，セルトリ細胞がつくる基底区画内で**基底板に直接接触**して**ニッチ**というユニークな環境内に存在する．精祖細胞はセルトリ細胞間の閉鎖結合の下方にあるため，血液精巣関門の外側に位置する.

主に2つの形態的に異なるタイプの精祖細胞が観察される：

1. **A 型精祖細胞** type A spermatogonia は，卵円形のユークロマチンに富む核をもち，核小体が核膜に付着している（図 20.6）．ヒト精巣では，A 型精祖細胞のサブクラス（**A 暗調型精祖細胞**とよばれる暗い核をもつタイプと **A 明調型精祖細胞**とよばれる明るい核をもつタイプ）が観察される.
2. **B 型精祖細胞** type B spermatogonia は，丸い核をもち，ヘテロクロマチン塊が核膜に付着し，核小体は中心にある（図 20.4）.

精祖細胞機能の制御（図 20.7）

卵胞刺激ホルモン（FSH）で刺激されると，セルトリ細胞は**グリア細胞株由来神経栄養因子**（**GDNF**）を分泌して，SSC の再生と分化を刺激する．GDNF は GDNF ファミリー受容体 α1（GFRα1）に結合する.

SSC の再生と精祖細胞の分化は，バランスが取れている．こ

図 20.7 ｜ 精祖細胞機能の制御

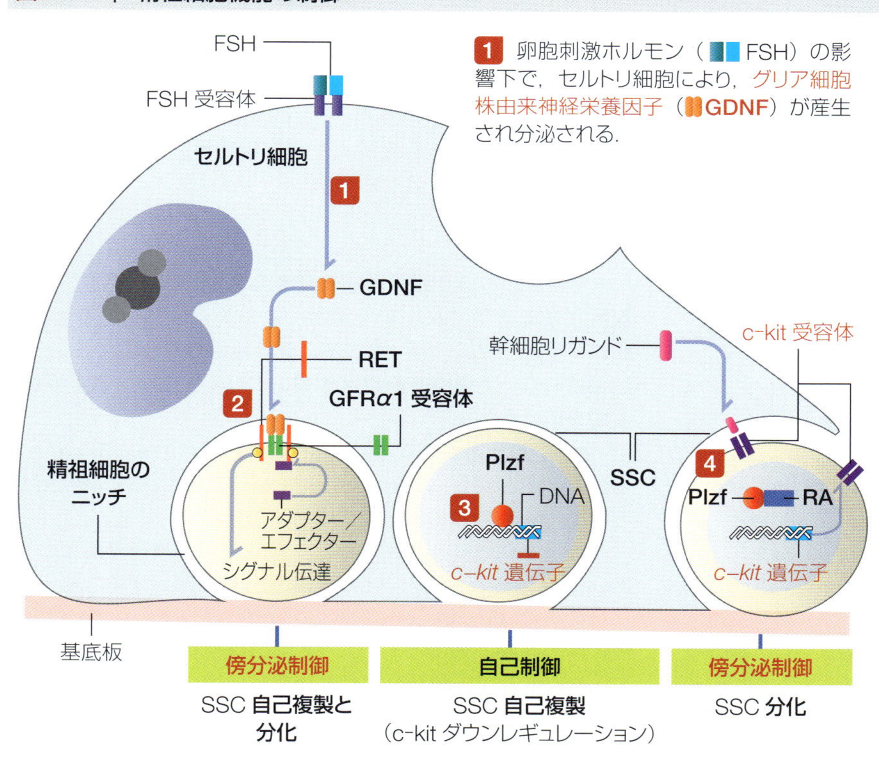

1 卵胞刺激ホルモン（FSH）の影響下で，セルトリ細胞により，グリア細胞株由来神経栄養因子（**GDNF**）が産生され分泌される．

2 セルトリ細胞由来の GDNF は精祖細胞幹細胞（SSC）上の GFRα1 受容体に結合し，二元複合体を形成し隣接するチロシンキナーゼ受容体，**RET** に結合する．GDNF 結合は RET 細胞間ドメインのチロシンリン酸化を起こし，アダプター／エフェクタータンパク質が結合できるようにする．セルトリ細胞で開始されるこの**傍分泌**（**パラクリン**）**制御現象**は下流のカスケードを引き起こし，続いて SSC の**自己複製**と**分化**が起こる．

3 対照的に，**自己制御**現象が SSC で起こる．それは転写因子 **Plzf**（前骨髄球性白血病ジンクフィンガー）によって仲介され，SSC のプールを安定的に維持する．Plzf は ***c-kit*** チロシンキナーゼ受容体遺伝子を抑制して SSC の分化を阻害する．

4 **レチノイン酸**（RA）は転写因子 Plzf をダウンレギュレートして c-kit 受容体遺伝子が発現できるようにする．それから，セルトリ細胞由来の幹細胞リガンドが c-kit 受容体に結合して SSC 分化を引き起こす．

のバランスの維持が，産生される SSC 数（入力）と放出される精子数（出力）の入出力平衡を決める．

転写制御因子である**前骨髄球性白血病ジンク（亜鉛）フィンガー** promyelocytic leukemia zinc finger（**Plzf**）は，***c-kit*** **チロシンキナーゼ受容体遺伝子**発現を妨害して，SSC の再生を阻止する．

SSC が自己複製を開始する準備ができると，**レチノイン酸**が転写制御因子 Plzf をダウンレギュレートして，c-kit チロシンキナーゼ受容体の発現を**解除**して，**幹細胞リガンド**に結合できるようになる．このリガンドはセルトリ細胞の細胞膜に結合する．

SSC の制御メカニズムは，2 つある：

1. 1 つは **GDNF-GFRα1-RET 複合体**と **c-kit 受容体 - 幹細胞リガンド複合体**が作用する**傍分泌（パラクリン）制御メカニズム**である．このメカニズムにより，セルトリ細胞は SSC の自己複製と分化を制御する．
2. もう 1 つは，*c-kit* 遺伝子の発現を調整する**レチノイン酸 -Plzf 相互作用による自己制御メカニズム**である．このメカニズムは，SSC が自己複製するかどうかを決める．

SSC は男性の妊孕性に重要である．SSC は比較的休止状態にあるため，放射線やがん化学療法に抵抗性がある．有糸分裂中の精祖細胞，減数分裂中の精母細胞そして発生中の精子細胞は放射

Box 20.B ｜ セルトリ細胞単独症候群（SCOS）

- **セルトリ細胞単独症候群（SCOS）**は，**生殖細胞形成不全**あるいは**デル・カスティージョ症候群** Del Castillo syndrome としても知られている．SCOS はセルトリ細胞のみが存在することが特徴である．精細胞は存在しない．ライディッヒ細胞の細胞質内にはラインケの結晶がある．
- SCOS は，永久的で不可逆的な**無精子症** azoospermia（精子が産生されない）に関連する．診断は精巣生検に基づく．
- SCOS は，先天性あるいは後天性である．**先天性因子**は，胎児発生中における始原生殖細胞（PGC）の生殖堤への移動障害，停留精巣，Y 染色体異常（**無精子症因子** azoospermia factor［AZF］をコードする Y 染色体の Yq11 領域内の微小欠失）そして性腺刺激ホルモン（卵胞形成刺激ホルモンと黄体形成ホルモン）欠乏である．精細胞の欠損を起こす**後天性因子**は，放射線療法，化学療法，重篤な外傷である．

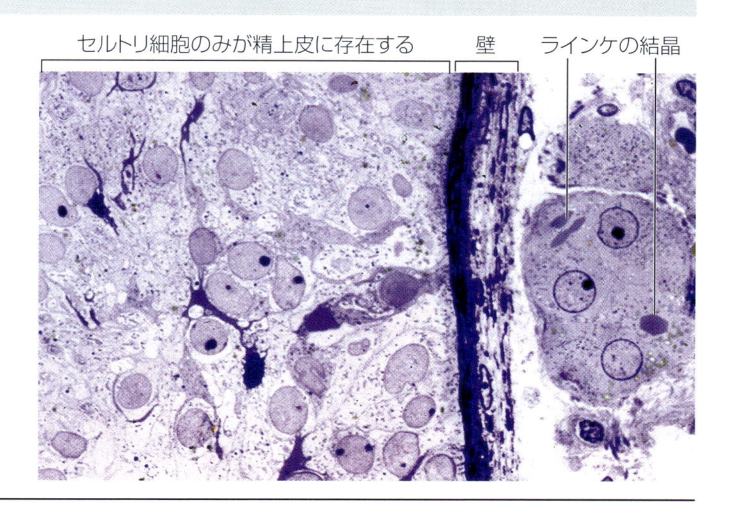

図 20.8 | 男性と女性の減数分裂

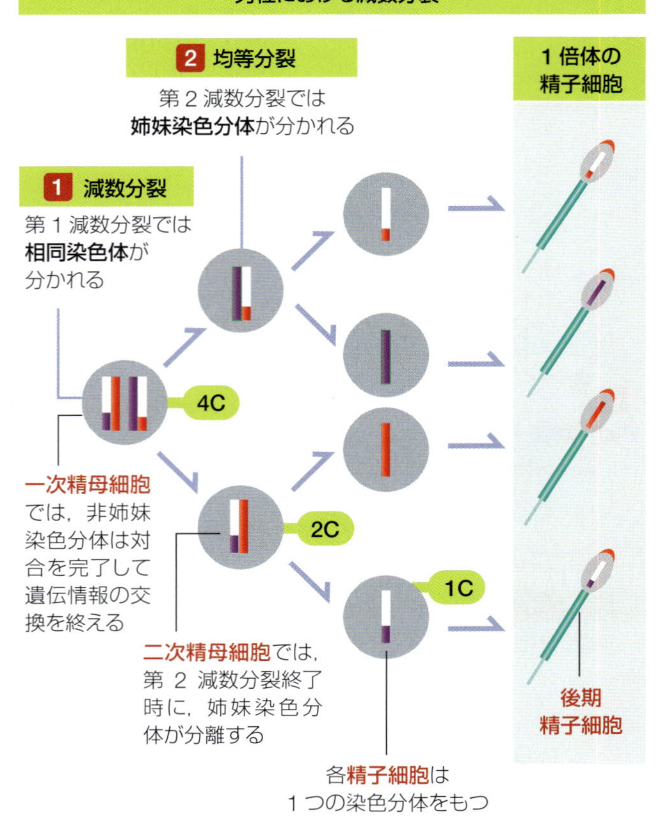

線やがん化学療法の影響を受けやすい．放射線治療や抗がん化学療法が終了した後，SSC は一連の精細胞発生を再開できる．有糸分裂終了後のセルトリ細胞はこれらの治療に対して抵抗性が高い．

ヒトでは，精祖細胞は分化しないと腫瘍性転化を起こして，上皮内がんになり，さらに成人では，**精巣性胚細胞がん** testicular germ cell caricinome になる．

精母細胞（図 20.8）

B 型精祖細胞は，**細胞周期の最後の S 期（DNA 合成）と G_2 期を完了するとすぐに**，第 1 減数分裂前期に入る．これは，精細胞の一生の中で，主要な DNA 合成の最終ラウンドである．一次精母細胞は，**1 細胞あたり 2 倍量の DNA** をもって第 1 減数分裂前期を開始する．

一次生殖細胞になる精粗細胞 B は，4C の DNA 量を有しているが，この 1C は 1 細胞あたり約 1.5 pg に相当する．そのおのおのの染色体は **2 つのまったく同じ染色分体**からなる．

どのようにして，精母細胞は，減数分裂の最後で最初の 4C の DNA 量と各染色体あたり 2 個の染色分体を減らすのだろうか？

精母細胞は，セルトリ細胞間の閉鎖結合のすぐ上方にある精上皮の**傍腔区画**に入るとすぐに，**2 回の連続する減数分裂**を開始する．したがって，減数分裂は血液精巣関門の**内側**で起こる．

一次精母細胞は**第 1 減数分裂** first meiotic division（あるいは**還元分裂** reductional division）を行い，2 個の**二次精母細胞**を産生する（図 20.8）．ほんの少量の DNA 合成が，遺伝子乗り換えの際に起こる破損を修理するために起こる．

二次精母細胞は，急速に第 2 減数分裂（あるいは**均等分裂**

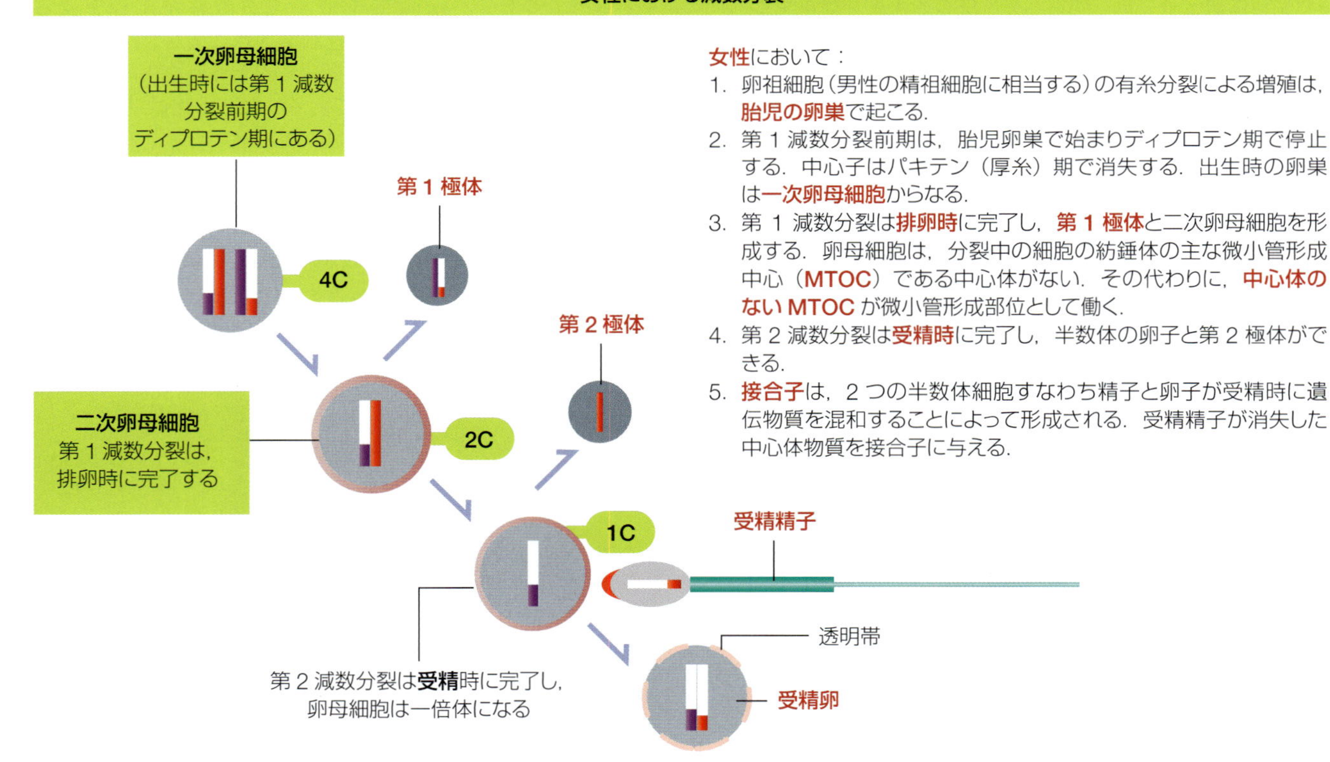

女性において：

1. 卵祖細胞（男性の精祖細胞に相当する）の有糸分裂による増殖は，**胎児の卵巣**で起こる．
2. 第 1 減数分裂前期は，胎児卵巣で始まりディプロテン期で停止する．中心子はパキテン（厚糸）期で消失する．出生時の卵巣は**一次卵母細胞**からなる．
3. 第 1 減数分裂は**排卵時**に完了し，**第 1 極体**と二次卵母細胞を形成する．卵母細胞は，分裂中の細胞の紡錘体の主な微小管形成中心（**MTOC**）である中心体がない．その代わりに，**中心体のない MTOC** が微小管形成部位として働く．
4. 第 2 減数分裂は**受精時**に完了し，半数体の卵子と第 2 極体ができる．
5. **接合子**は，2 つの半数体細胞すなわち精子と卵子が受精時に遺伝物質を混和することによって形成される．受精精子が消失した中心体物質を接合子に与える．

equational division）を行う．各二次精母細胞は，2 個の精子細胞をつくり，これは細胞分裂することなく精子に分化する．

第 1 減数分裂終了までに，一次精母細胞のおおもとの 4C 量の DNA は，二次精母細胞では 2C 量に減少し，各染色体は 2 個の染色分体からなる．

第 2 減数分裂終了までに，その 2C 量は 1C 量に減少する．2 個の染色分体は分離して染色体になる．結果的にできた精子細胞は，染色体 1 セットをもつ半数体（一倍体）細胞である．ここで，精子細胞は精子になるための**精子完成**とよばれる複雑な分化過程を開始する．

第 1 減数分裂は長い過程（日単位）を要し，第 2 減数分裂は非常に短い時間（分単位）で終わるため，一次精母細胞は精上皮内で最も数が多く，観察されやすい細胞である．

ここで図 20.8 に注目して，男性と女性の配偶子の減数分裂過程のハイライトを復習してみよう．

注意点は，女性では（4C の DNA 量をもつ）**一次精母細胞**は排卵のときに第 1 減数分裂を完了して，1 個の**二次精母細胞** secondary spermatocytes（2C の DNA 量をもつ）と**第 1 極体**（**細胞**）を産生することである．

受精が起こると，二次精母細胞は第 2 減数分裂を完了して，半数状態（1C の DNA 量）になり，**第 2 極体**ができる．

理解しておくべきことは，女性の減数分裂は胎児発生中の卵巣内で開始することである（第 23 章参照）．これに対して，男性の減数分裂は思春期に開始する．

減数分裂（基本事項 20.B～D）

減数分裂の注目点は，染色体のイベントと性決定に適切な状態を構築することである．

下記は減数分裂の主な目的である：

1. 相同染色体はペアを形成し，**乗り換え**（**交叉**［**交差**］）あるいは**組み換え**として知られる方法によって，（遺伝子の）一部を交換する．遺伝子の組み換えは，種が遺伝的多様性を維持するために必須である．
2. 減数分裂の最終産物はわずか 1 セットの染色体をもった 4 個の半数体精子である．受精の際，半数体（一倍体）の卵子と精子の染色体が結合すると，その胚は正常な 2 倍数を再び獲得する．
3. 男性は 1 個の X と 1 個の Y 染色体をもっている．減数分裂の最後に，半分の精子細胞は 1 個の X 染色体を獲得し，他の半分の精子細胞は 1 個の Y 染色体を獲得する．Y 染色体は（**Y 染色体上の性決定領域** sex-determining region of the Y chromosome のための）***SRY*** とよばれる遺伝子を運ぶ．

胎児の発生過程において，転写因子をコードする *SRY* 遺伝子は，胎児の生殖腺組織が精巣になるように決定する（第 21 章参照）．Y 染色体がないと，胎児は女性として成長する．

女性は 2 つの X 染色体をもつ．減数分裂が完了すると，すべての卵子は 1 個あるいは 2 個目の X 染色体をもつ．

第 1 減数分裂は**長い前期**が特徴であり，約 10 日間続く．この前期で一連の協調したイベントが起こる結果，相同染色体の**ペア形成** pairing と**シナプシス**（**対合**）synapsis（ギリシャ語 *syn*［= together，一緒に］，*hap to*［= to connect，結合する］）が起こり，**二価染色体** bivalent chromosome ができる．それぞれの二価染色体は，4 個の染色分体すなわち二価構造の各メンバーである 2 個の**姉妹染色分体** sister chromatid からなる．二価染色体あたりの染色分体で数えると，**4 分染色体** tetrad（ギリシャ語 *tetras*［= the number four，第 4 の番号］）である．遺伝子の組み換えは，各二価染色体の姉妹ではない染色分体に間で起こる．X と Y 染色体の乗り換えは，正常ではそのペアの端の部分で起こる．*SRY* 遺伝子はペア形成しない反対側の端にある（基本事項 20.B）．

第 1 減数分裂後期の期間中，**各姉妹染色分体で構成される相同染色体** homolgous centrosome が分離する時点で，染色体数は半分だけ**減少**する．第 1 減数分裂は，**減数的な還元分裂**である．

第 2 減数分裂は，有糸分裂と同様のメカニズムにしたがって，**姉妹染色分体が分離する**．第 2 減数分裂は**均等分裂**である．

規則どおりに行われる細胞分裂は，サイクリン依存性キナーゼ—サイクリン複合体がかかわっており，第 1・第 2 減数分裂の期間内において遺伝物質の正確な分割のために必要である．

ここで，長く続く第 1 減数分裂前期の詳細を調べてみよう．

第 1 減数分裂の**前期**は次の各期に分けられる（基本事項 20.B，20.C）：

1. **レプトテン**（**細糸**）**期** leptotene：クロマチンが凝集して，みることができる糸のような染色体を形成する．核膜は無傷のまま保たれる．
2. **ザイゴテン**（**合糸**）**期** zygotene：染色体が整列して，相同染色体のペアをつくる（二価染色体あるいは 4 染色体）．相同染色体のペアが起こると，シナプシス（対合）が開始する．シナプトネマ構造（シナプトネーム複合体，対合複合体）が会合し始める（基本事項 20.D）．
3. **パキテン**（**厚糸**）**期** pachytene：染色体ペアとシナプシスが完了すると，対合した相同染色体の非姉妹染色分体が一部あるいは一区画を交換する（**乗り換え**）．

   遺伝子の組み換えは，DNA の**二重鎖切断**（**DSB**）で開始する．これは規則どおりの染色体部位で起こる．いずれかの染色体で起こる乗り換えは，等間隔に 300 nm～30 μm 離れる．この規則的間隔の分布は，**乗り換え干渉** crossover interference として知られており，二重鎖 DNA を壊して再結合する酵素**トポイソメラーゼ II**（**TopoII**）topoisomerase II の触媒活性による．乗り換え干渉は，2 つの乗り換えが近すぎて起きないようになっていることを意味する．

   キアズマ（**乗り換え部**）chiasma（ギリシャ語 *chiasma*［= two crossing lines，2 つの交叉する線を意味する：複数は *chiasmata*］）は，乗り換えが起こった場所で形成される．遺伝子の組み換えであるため，できたそれぞれの二価染色体は両親の染色体とは異なっているが，遺伝物質の量は同じである．
4. **ディプロン**（**双糸**）**期** diplotene：シナプトネマ構造は分解し始め，ペア染色体は**分離**し始める．
5. **ディアキネーシス**（**分離**）**期** diakinesis：染色体が短くなるにつれて，染色体凝集が進行する．相同染色体はさらに離れるが，複数の**キアズマ**でまだつながっている．複数のキアズマは**末端化** terminalization とよばれる過程によって，染色体末端に向かって移動する．減数分裂の紡錘体が形成され始める．核膜は断裂する．微小管は動原体部位で染色体に接着する．

基本事項 20.B | 第 1 減数分裂：前期（細糸期から厚糸期）

A レプトテン（細糸）期

それぞれの相同染色体は 2 つの**姉妹**染色分体からなる．染色体は核膜の内葉に付着する．

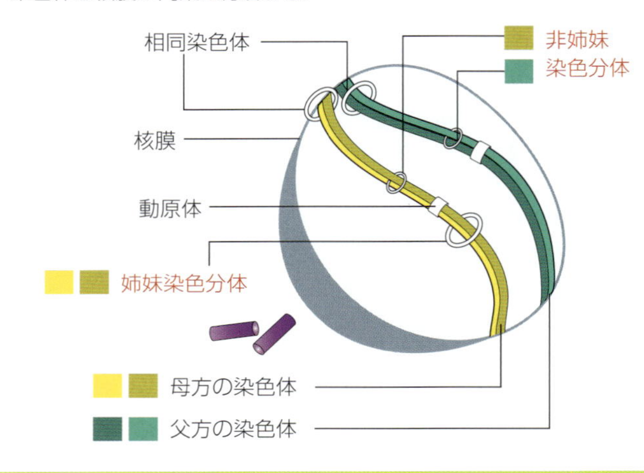

B ザイゴテン（合糸）期

相同染色体のペアリングとシナプシス（対合）が開始する．シナプトネマ構造が相同染色体間に無作為の部位で形成されていく．

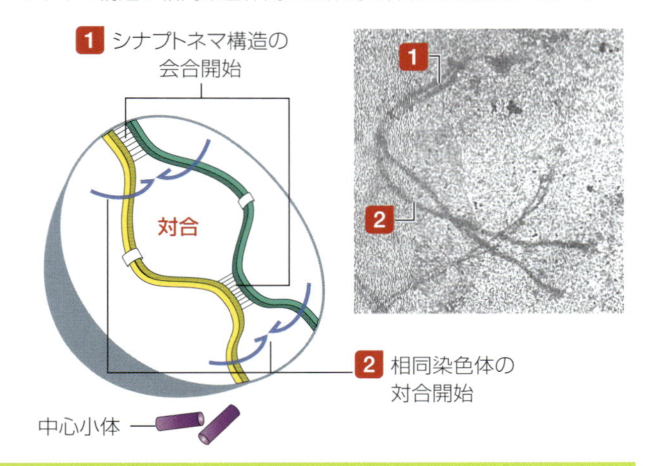

C パキテン（厚糸）期

ペアリングとシナプシスは，それぞれの相同染色体（常染色体と性染色体）がシナプトネマ構造によって完全につながると，完了する．**コヒーシン**は姉妹染色体の結合を安定化する．父方と母方 DNA の相同な部位は互いに正しく整合し，非姉妹染色分体間の**乗り換え**（交叉）が始まる．

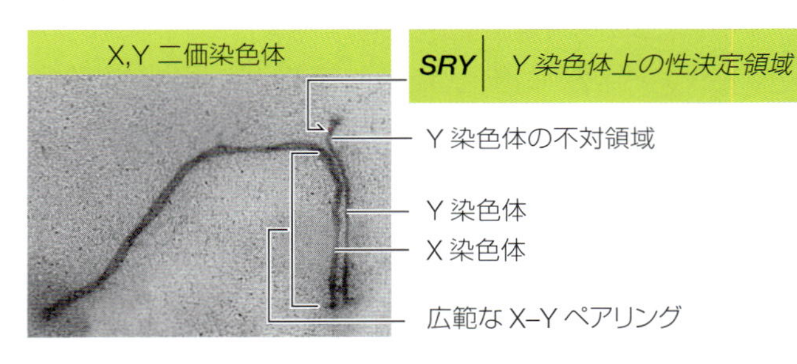

二価常染色体

動原体

シナプトネマ構造

非姉妹
染色分体間の
遺伝子の交叉

核膜

コヒーシンは
娘染色体を保持する

組み換え結節

シナプトネマ複合体

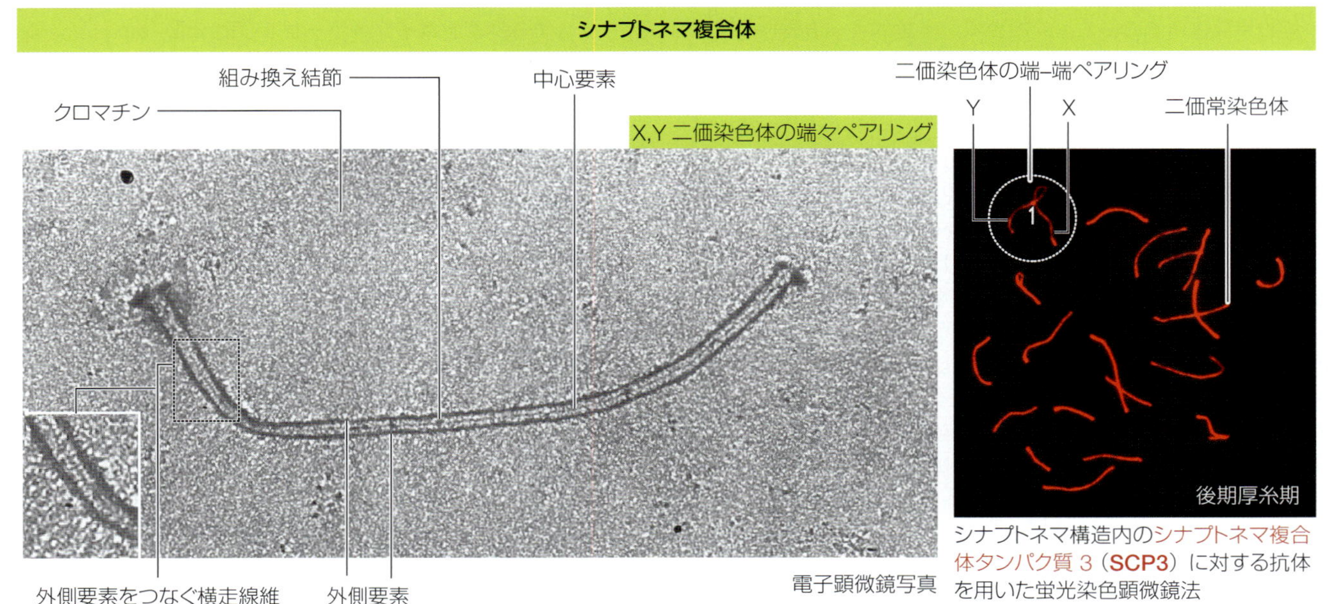

電子顕微鏡写真

シナプトネマ構造内のシナプトネマ複合体タンパク質 3（**SCP3**）に対する抗体を用いた蛍光染色顕微鏡法

基本事項 20.C ｜ 第 1 減数分裂：前期（双糸期から分離期）

D ディプロテン（双糸）期

乗り換えが終了すると相同染色体の分離が起こる．染色体は 1 つないし 2 つ以上の**キアズマ**（**乗り換え部**）あるいは交叉点によってつながれている．キアズマ末端化が起こる．X–Y 染色体ペアは完全に分離される．中心子は減数分裂紡錘体の準備のために複製される．

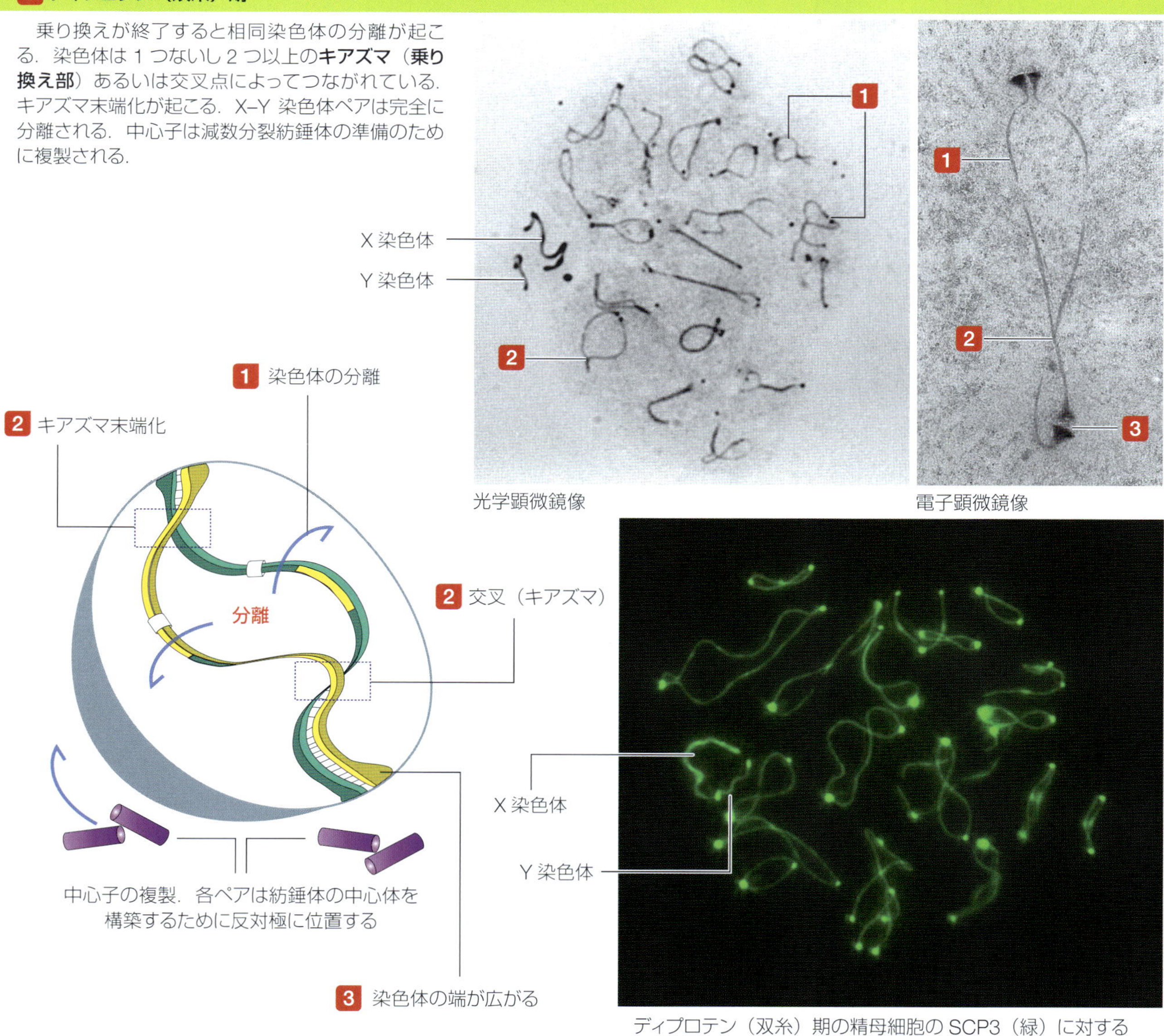

光学顕微鏡像

電子顕微鏡像

ディプロテン（双糸）期の精母細胞の SCP3（緑）に対する抗体を用いた蛍光顕微鏡観察法

E ディアキネーシス（分離）期

染色体は壊れつつある核膜から離れ，短縮し，厚くなる．シナプトネマ構造が崩壊するが，短い部分が**キアズマ**部に残る．核膜は分解し始める．微小管紡錘体が発生し始める．

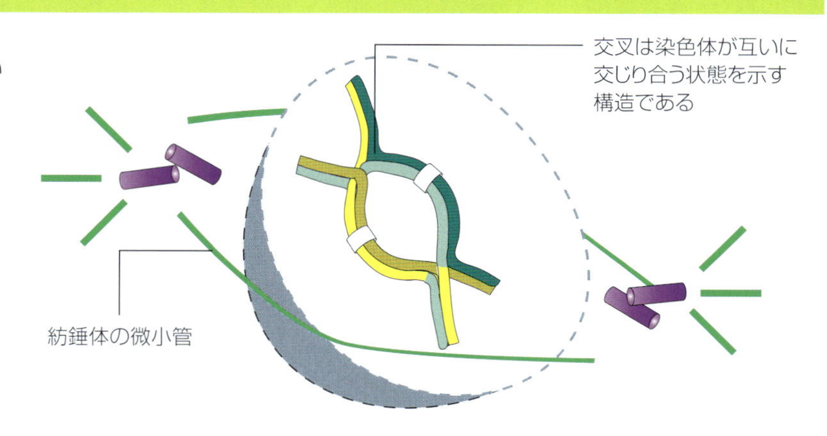

基本事項 20.D | シナプトネマ構造の分子構造

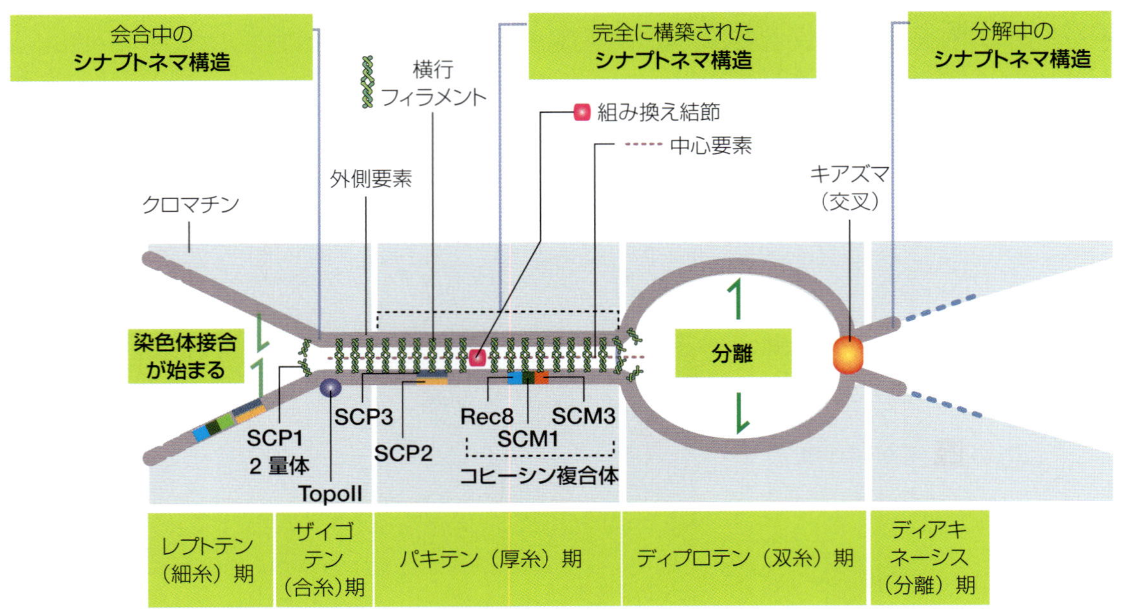

シナプトネマ構造の機能は，その縦配列とペアリングを安定化することによって**シナプシス**を促進することである．

姉妹染色分体は**コヒーシンタンパク質複合体**による密着したまま維持される．対合した相同染色体間の分離距離は100nmである．

シナプトネマ構造は**2つの外側要素**（染色体クロマチンループに密着している）と**中心要素**で構成される．**外側要素**は，**コヒーシンタンパク質複合体**（Rec8，SCM1，SCM3タンパク質），およびSCP2とSCP3（**SCP**はシナプトネマ構造タンパク質を意味する）で形成される．

外側要素は横断線維**SCP1 2量体**によって架橋され，その端末の顆粒状領域は**中心要素**を形成するためにシナプトネマ構造の中央で重なる．

組み換え結節はパキテン（厚糸）期にシナプトネマ構造に沿って存在する．それらは，遺伝的組み換えの場所（**相互交換**とよばれる）が非姉妹染色分体間で起こることを示している．

シナプトネマ構造タンパク質1，2，3（**SCP1**，**SCP2**，**SCP3**）．
リコンビナント8（**Rec8**）タンパク質．
染色体のシナプトネマ構造タンパク質1と3（**SCP1**と**SCP3**）．
トポイソメラーゼII（**TopoII**）が乗り換え干渉を仲介する．
コヒーシンタンパク質複合体
SCP1 2量体

長く続く第1減数分裂前期Iの後で，中期I，後期I，終期Iが完了すると，**それぞれ2個の染色分体で構成される相同染色体**は，娘細胞すなわち**二次精母細胞**に分離する．

短い**第2減数分裂** second meiotic division（前期II，中期II，後期II，終期II）の期間中に，**それぞれの染色体の姉妹染色分体は自由になり**，**半数体精子細胞** haploid spermatids に配分される．第2減数分裂の前には，S期がないことを思い出してほしい．DNAはすでに，第1減数分裂が開始する前に複製されている（図20.8）．

第1と第2減数分裂中にエラーが起こると，発生異常や不妊症を起こす．遺伝子異常の基本概念をしっかりと理解するために，第1章「概念図・基本的概念」を復習することを勧める．

精子細胞（図20.6，20.9～20.11：基本事項20.E）

半数体精子細胞は，精細管内腔の近くにある**傍腔区画**内に存在する（図20.6）．精子細胞は，形態的に主に2つのタイプがある：

1. **円形**あるいは**初期精子細胞**は，セルトリ細胞の細胞質の**ニッチ**内に住みつく．
2. **伸長した**あるいは**後期精子細胞**は，セルトリ細胞質頂上の細胞質が深く嵌入した**陰窩**内に住みつく．

精子細胞は，**精子完成**と定義される高度な分化過程を通過する（図20.9）．精子完成は，**精子完成は精子形成の最終段階である**．

成熟した精子細胞は，**精子放出** spermiation とよばれる過程により，精細管腔内に放出される．精子放出は，セルトリ細胞頂上の突出部位に形成されるF-アクチンを含むリング（たが）が，成熟精子細胞の頭部を抱え込みながら収縮することによって放出される．

精子細胞は，高度に分極した細胞である．その極性は**核**と関連し，先体 acrosome と頭尾結合装置 head-tail coupling apparatus（HTCA）が反対位置をとるようになることによって決まる．

精子完成（精子形成）の主な特徴は，次の4つである（図20.9，20.10）：

1. **先体** acrosome の発生．
2. **マンシェット** manchette の発生．
3. **尾部**（**鞭毛**）の発生．

図 20.9 | 精子完成の連続するステップの概観

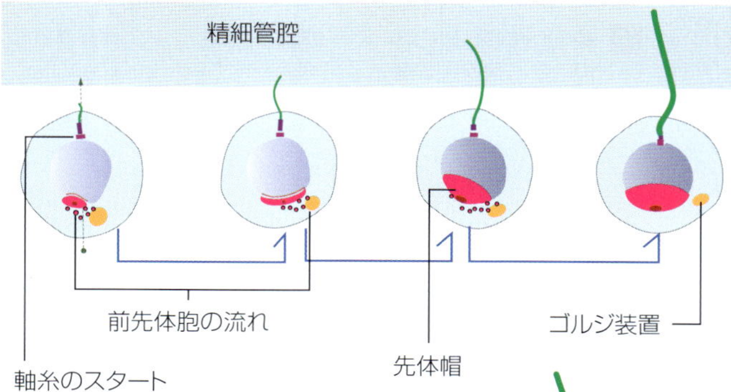

A ゴルジ期

円形半数体精子細胞は第 2 減数分裂の結果であり，約 20 日で起こる精子完成とよばれる過程で成熟精子細胞に変化する．

4 つの連続する段階で精子完成の構造的な面を定義しやすい：ゴルジ期，頭帽期，先体期，成熟期．

ゴルジ期で，ゴルジ装置に由来する前先体胞は，円形精子細胞核の一極でアクロプラクソームに接着して先体胞を形成する．

中心小体ペアが核の反対極に固定する．それから，核が回転し，中心小体ペア（頭尾結合装置 HTCA の発祥構造）が精子鞭毛の精細管腔内への伸長を開始する．円形精子細胞はセルトリ細胞の**ニッチ** niche に留まり，精子細胞子孫メンバーは互いに**細胞間橋**（示していない）でつながれていることを思い出そう．

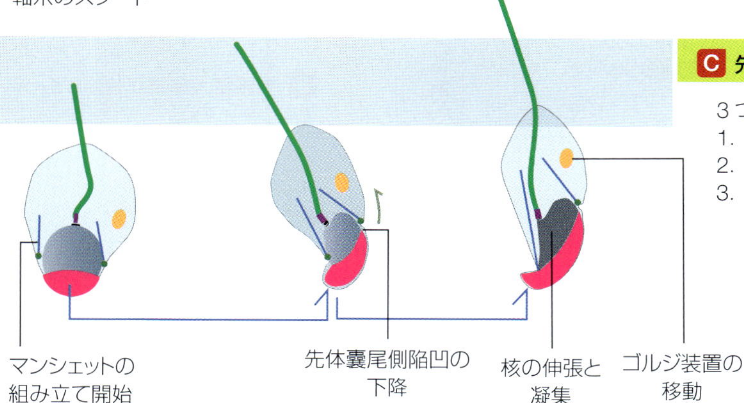

B 頭帽期

頭帽期では，前先体胞は継続して先体胞を大きくし続けて（これが嚢になる）核帽を形成する．将来の尾部の軸糸が長さを増す．

先体の発生が完了に近づくと，ゴルジ装置が精子の反対極に向かって離れる．

C 先体期

3 つの現象が**先体期**を決める：
1. ゴルジ装置が先体から離れていく．
2. 一時的な**マンシェット**の発生．
3. アクロプラクソームに接着する先体嚢の尾側への下行に伴う，凝集する精子細胞核の伸長開始．

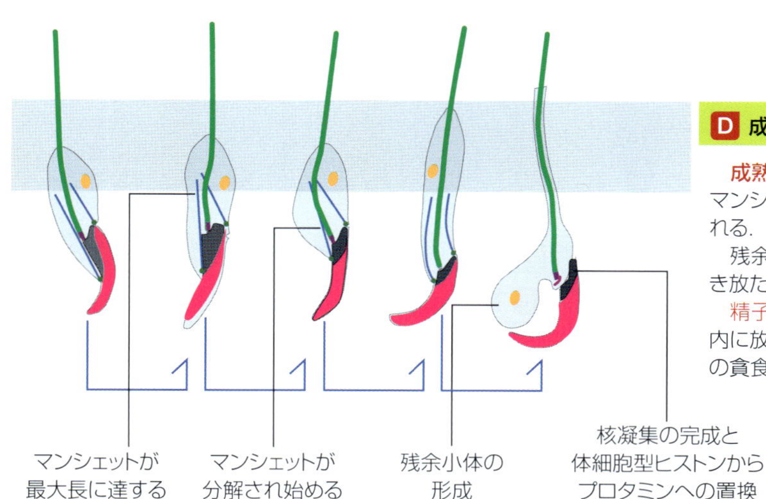

D 成熟期

成熟期では，精子完成が終わる．核の凝集と伸長が完了に達し，マンシェットが分解し，ほとんどの細胞質は**残余小体**として放出される．

残余小体の分離により，精子細胞は間細胞質の細胞接着から解き放たれる．

精子放出は，成熟精子細胞がセルトリ細胞の**陰窩**から離れて腔内に放たれることであり，セルトリ細胞による捨てられた残余小体の貪食と関係する．

図 20.10 | 精子完成

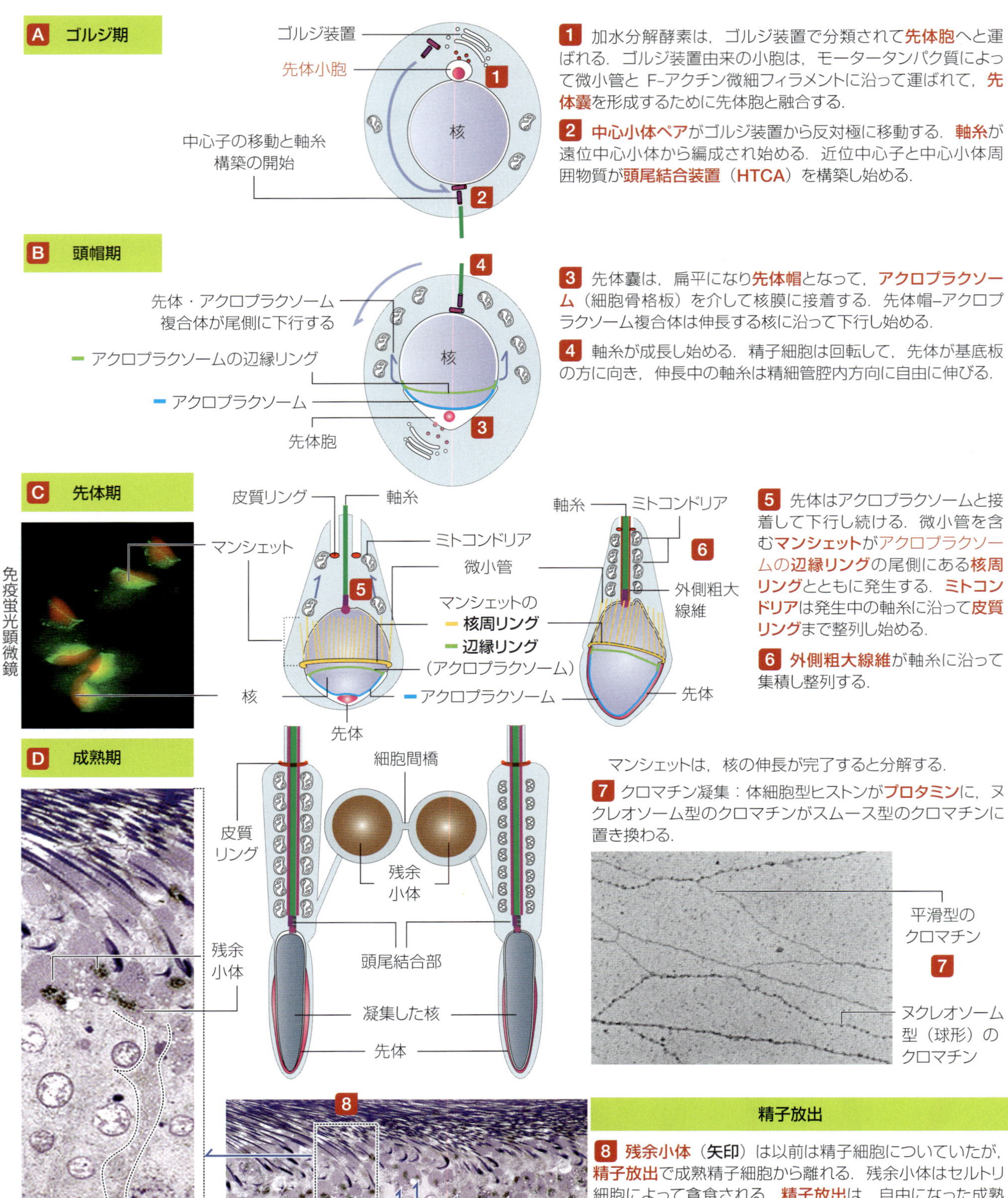

A ゴルジ期
ゴルジ装置
先体小胞
核
中心子の移動と軸糸構築の開始
1 加水分解酵素は，ゴルジ装置で分類されて先体胞へと運ばれる．ゴルジ装置由来の小胞は，モータータンパク質によって微小管と F-アクチン微細フィラメントに沿って運ばれて，先体嚢を形成するために先体胞と融合する．
2 中心小体ペアがゴルジ装置から反対極に移動する．軸糸が遠位中心小体から編成され始める．近位中心子と中心小体周囲物質が頭尾結合装置（HTCA）を構築し始める．
B 頭帽期
先体・アクロプラクソーム複合体が尾側に下行する
アクロプラクソームの辺縁リング
アクロプラクソーム
先体胞
核
3 先体嚢は，扁平になり先体帽となって，アクロプラクソーム（細胞骨格板）を介して核膜に接着する．先体帽–アクロプラクソーム複合体は伸長する核に沿って下行し始める．
4 軸糸が成長し始める．精子細胞は回転して，先体が基底板の方に向き，伸長中の軸糸は精細管腔内方向に自由に伸びる．
C 先体期
免疫蛍光顕微鏡
マンシェット
皮質リング
軸糸
ミトコンドリア
微小管
マンシェットの
核周リング
辺縁リング
（アクロプラクソーム）
アクロプラクソーム
核
先体
ミトコンドリア
外側粗大線維
5 先体はアクロプラクソームと接着して下行し続ける．微小管を含むマンシェットがアクロプラクソームの辺縁リングの尾側にある核周リングとともに発生する．ミトコンドリアは発生中の軸糸に沿って皮質リングまで整列し始める．
6 外側粗大線維が軸糸に沿って集積し整列する．
D 成熟期
皮質リング
細胞間橋
残余小体
頭尾結合部
凝集した核
先体
セルトリ細胞
マンシェットは，核の伸長が完了すると分解する．
7 クロマチン凝集：体細胞型ヒストンがプロタミンに，ヌクレオソーム型のクロマチンがスムース型のクロマチンに置き換わる．
平滑型のクロマチン
ヌクレオソーム型（球形）のクロマチン
8
精子放出
8 残余小体（矢印）は以前は精子細胞についていたが，精子放出で成熟精子細胞から離れる．残余小体はセルトリ細胞によって貪食される．精子放出は，自由になった成熟精子細胞がセルトリ細胞の細胞質の頂上にある陰窩から精細管腔内に離れることである．この分離はセルトリ細胞の細胞骨格依存性収縮メカニズムによって引き起こされる．

図 20.11 | 精子完成

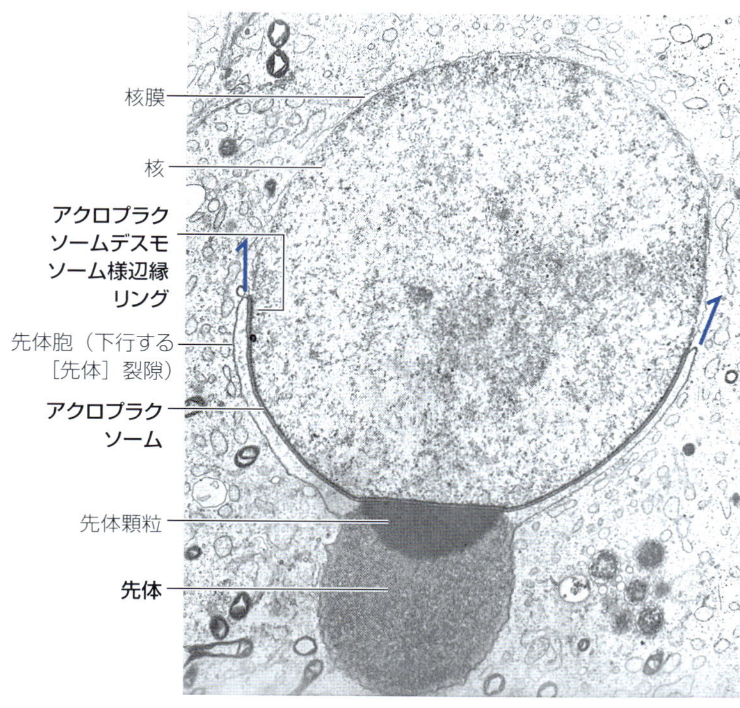

ヒト精巣（頭帽期から先体期へ）
矢印は先体の下降する陥凹（先体胞）を示し，アクロプラクソームのデスモソーム様辺縁リングに付着する

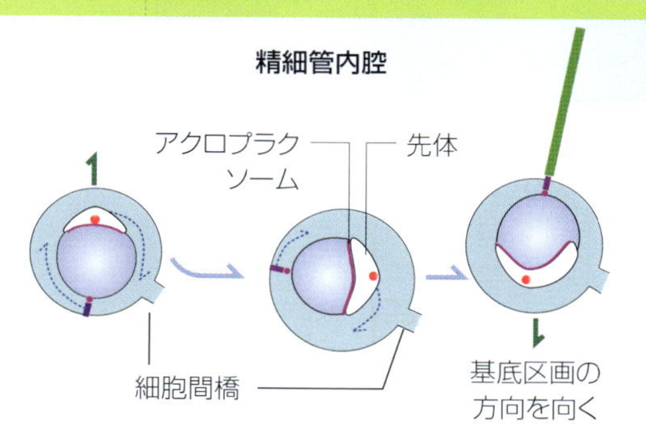

精子完成の頭帽期の期間中，先体・核・尾複合体が回転する．回転が終了すると，先体は基底区画方向に向き，伸長中の尾は精細管腔内に自由に伸びる．

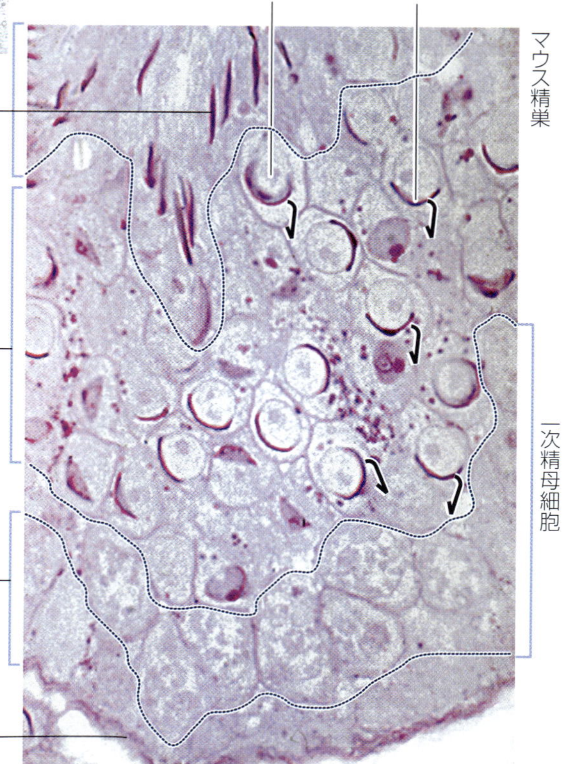

成熟精子細胞は伸長し凝縮した核をもつ．核はそれぞれ伸長した PAS 陽性の先体をもつ（そのすべては下方を向く）

頭帽期の期間中，**初期精子細胞**は円形～伸長中の核をもち，**PAS 陽性の帽子状の先体**を伴っている．管壁の方向を向いている先体（矢印）に注意せよ．その他は回転中である．本章の後で考察するように，先体の形は精上皮内の明瞭な精細胞の**細胞連合**を決めるためのランドマークになる

精祖細胞とセルトリ細胞の核領域は，精細管壁沿い（セルトリ細胞間の閉鎖結合の下の基底区画内）に位置する

4. 精子細胞**核**の**形つくり**と**凝集**.

これら4つのイベントそれぞれは，雄の生殖能や男性不妊 male infertility の原因の理解につながる．

1. **先体の発生**．先体は，**先体反応** acrosome reaction とよばれるメカニズムによって，受精のときに放出される**加水分解酵素** hydrolytic enzyme を含む（第 23 章で詳細に考察する）.

先体の発生は，連続する 4 段階で構成される（図 20.9, 20.10）：

(1)**ゴルジ期** Golgi phase.
(2)**頭帽期** cap phase.
(3)**先体期** acrosomal phase.
(4)**成熟期** maturation phase.

ゴルジ期では（図 20.9A），**ヒアルロニダーゼ** hyaluronidase を含む前先体胞 proacrosome vesicle，**プロアクロシン**

proacrosin，その他の加水分解酵素がゴルジ装置から**アクロプラクソーム** acroplaxosome に運ばれる（Box 20.C；基本事項 20.E）．小胞は，微小管とアクチン線維に沿って，モータータンパク質（それぞれ，キネシンとミオシン Va）を使って運ばれる．

頭帽期では（図 20.9B），ゴルジ由来の前先体胞は融合し続けて，次第に増大する**先体嚢** acrosome sac になる．先体嚢は，精子細胞核の伸長と同時に，尾部方向に下降し始める．さらに，精子細胞は精細管壁側に向かって回転する（図 20.11）．この回転によって，尾部は成長するための障害がなくなり，精細管腔内に伸びることができるようになる．

先体期と**成熟期**では（図 20.9C，D），先体-アクロプラクソーム複合体の形が，伸長しつつある精子細胞の頭部の直径にちょうど合うようになる．

2. **マンシェットの発生**．先体が発生し始めるとすぐに，重要な微小管を含んだマンシェットが一時的に，先体-アクロプラクソーム複合体の尾側部位に発生する（図 20.9C；基本事項 20.E）．

   マンシェットは，アクロプラクソームの辺縁リングのすぐ下に組み立てられた**核周リング** perinuclear ring で構成される．微小管は核周リングに入り込む．

3. **尾部** tail（**鞭毛** flagellum）**の発生**．中心小体のペアは，ゴルジ装置から精子細胞核の反対極に移動し，将来の精子尾部を発生し始める（図 20.10B，C，D）．精子鞭毛の**軸糸** axoneme は，**遠位中心子** distal centriole から発生する．**近位中心子** proximtal centriole **と中心小体周囲物質** pericentriolar matrix は，頭部と尾部をつなぐ装置 HTCA を形成する．

   HTCA は，精子運動中に鞭毛の強い波のような動きでできる機械的ストレスに耐えることができる．男性不妊の 1 つの原因である精子頭部分離 sperm decapitation は，HTCA 位置が定位置にない場合や頭部への付着ができない場合に起こる．

4. **核凝集** nuclear condensation．核凝集は，体細胞型ヒストンが**アルギニンとリジンが豊富なプロタミン** protamin に置換されるときに起こる（図 20.10）．

   体細胞型ヒストンからプロタミンへのシフトが起こった後，ヌクレオソームは消失し，クロマチン（染色質）が隣り合わせに並ぶようになる．このような変化により精子細胞ゲノムが不活化される．

   精子細胞核が完全に凝集すると，成熟期以後の精子細胞では，意味のある RNA 転写がなくなる．

Box 20.C | アクロプラクソーム

- アクロプラクソーム acroplaxome（ギリシャ語 *akro* ［= topmost，最頂上］，*platys* ［= flat，平坦］，*soma* ［= body，体］）は，精子細胞の核膜に繋留されたアクチンサイトケラチンを含むプレートである．

  精子完成期特有の LINC（核骨格と細胞骨格のためのリンカー）タンパク質複合体が，アクロプラクソーム-先体複合体を核膜につなぎ留める．
- 前先体胞 proacrosome vesicle はゴルジ装置に由来し，アクロプラクソームにつながり，繋留され，融合して最初に先体胞 acrosome vesicle を形成し，次に先体嚢 acrosome sac を形成する．
- 先体が帽子形状になると，その下向きの突起部はアクロプラクソームのデスモソーム様の辺縁リングで核膜に固く接着される．
- 2 つの前先体胞融合タンパク質をコードする遺伝子，Hrb と GOPC（ゴルジ関連 PDZ とコイルドコイルモチーフを含むタンパク質）の変異は，先体発生を破壊する．先体が欠損すると，球形頭部（球［円］形頭部精子症）になり，男性不妊 male infertility になる．

精子細胞から受精精子への形態変化

（図 20.10；基本事項 20.E）

精子頭部が伸長した形態であることは，受精に必須である．精子頭部形態の異常は男性不妊の原因である．

どのようにして精子頭部を形づくるか？

並列するアクロプラクソームとマンシェットリングが，精子細胞の**尾側部分**を取り巻き，その直径が核の伸長に伴って減少する．精子細胞の**頂側部分**は伸長する精子細胞核を含み，隣接するセルトリ細胞の複数の **F- アクチンリング** F-actin hoop で取り囲まれる．機械的観点からみると，セルトリ細胞の複数の F- アクチンリングによる外的なつかむ力がアクロプラクソームとマンシェットリングの直径の減少と相まって，精子細胞頭部が次第に伸長するように助ける（図 20.10；基本事項 20.E）．

モータータンパク質は，微小管とマンシェットの F- アクチンに関連する．**マンシェット内輸送** intramanchette transport（IMT）のメカニズムにより，成長する HTCA と鞭毛構成成分の組み立てに必要な成分が運ばれる（Box 20.D）．IMT は，線毛形成や鞭毛形成で使われるメカニズム，**鞭毛内輸送** intraflagellar transport（IFT）と構造上や機能上の類似性がある（第 1 章参照）．

精子細胞の核の伸長と凝集や鞭毛の発生が完成に近づくと，マンシェットは分解する．

Box 20.D | マンシェット内輸送（IMT）

- マンシェットは，精子細胞の核が伸長し凝集する間に核周部を占める一時的な微小管構造である．微小管はマンシェットの主要な構成成分である．微小管は（アセチル化のような）翻訳後修飾を伴うチュブリン 2 量体の重合によって形成される．線維状アクチン（F-actin）は微小管に沿って整列し，規模は少し小さい．
- 核細胞質間輸送 nuclear-cytoplasmic transport（例えば，Ran GTPase［第 1 章，26S プロテアソームと微小管や F-アクチンをベースとする分子モーター］）にかかわる構造がマンシェット内にある．
- 頭尾結合装置（HTCA）の構築を標的にする分子と HTCA 由来の発生中の鞭毛は，モータータンパク質ダイニンと関連するエフェクタータンパク質（例えば，dynactin と Hook1）によって，マンシェットの微小管に沿って動員される．マンシェット内輸送（IMT）は，精子完成中の荷の配達に必須であると思われる．
- マンシェット内輸送（IMT）は鞭毛内輸送（IFT）経路と組織的かつ機能的な類似点があり，精子完成中に連続する．
- Tg737 変異マウス Tg737 mutant mouse は，IFT マシナリーの構成成分である IFT88 を発現する遺伝子を欠損する．IFT88 は正常マウスのマンシェット内にある．Tg737 変異マウスにおける IFT88 の欠損は異常な気管支線毛形成を起こし，精子鞭毛の発生が未熟になる．

基本事項 20.E | マンシェットとアクロプラクソーム

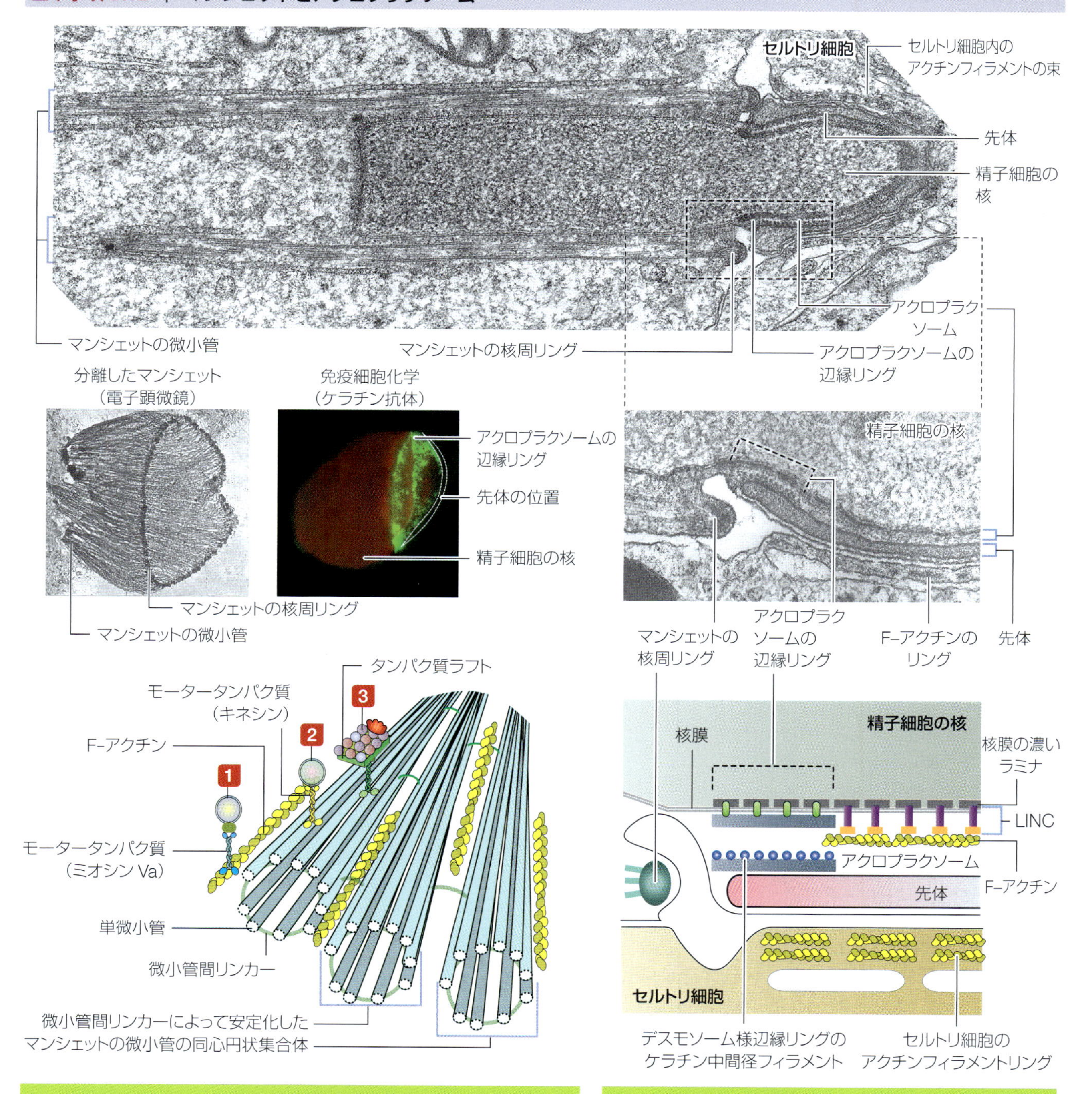

マンシェット内輸送

マンシェット内輸送は，モータータンパク質（ミオシン Va，細胞質ダイニンとキネシン）で仲介されるカーゴ（小胞やタンパク質ラフト）が（マンシェット内にある）F–アクチンフィラメント 1 と微小管 2 に沿って移動するという方法で構成される．分子モーターは，タンパク質ラフト 3 に結合したタンパク質を微小管に沿って輸送する．

第 1 章で，微小管が小胞カーゴおよび非小胞カーゴの細胞内輸送に関与することを述べた．その例として，**軸糸輸送**（**線毛輸送**と**鞭毛内輸送**，**IFT**），**軸索輸送**，そして**マンシェット内輸送**（**IMT**）がある．IFT は最初に，2 本鞭毛をもつ緑色藻類クラミドモナスで記述された．**IMT と IFT に欠陥があると，異常な尾部が形成される**．

アクロプラクソーム

アクロプラクソームは，中間径フィラメントケラチンをもつデスモソーム様**辺縁リング**を伴った F–アクチン含有の細胞骨格板である．この辺縁リングは，下降する先体の突起部を精子細胞の核膜にしっかり留める．

先体の発生中，ゴルジ由来の前先体胞がアクロプラクソームに輸送され，そこで留められて融合し，先体を形成する．**LINK** 複合体（核骨格と細胞質骨格のリンカーのための）は精子細胞の厚い核膜ラミナをアクロプラクソームにつなぎ留める．

セルトリ細胞の **F–アクチンリング**は，伸長中の精子細胞頭部の先体–アクロプラクソーム部を包囲する．

精子形成の完了（図 20.10）

最終の精子細胞成熟の期間に次の事象がみられる：

1. **ミトコンドリア** mitochondria は，外側粗大線維で囲まれて伸長する軸糸の近位部への配置が完了する（図 20.10C）.
2. **核**は，完全に伸長し，クロマチンが梱包される.
3. **マンシェット**は，尾側に移動し，分解する.
4. **残余小体** residual body は，成熟精子細胞から，ゴルジ装置や余剰の細胞質を捨てる．捨てられた残余小体は精子放出のときに，セルトリ細胞によって貪食される.

精子放出 spermiation は，1 個の成熟精子細胞の精細管腔内への放出を意味する（図 20.10D）．細胞間橋は精子細胞子孫のメンバーをつなぎつつ，**残余小体**の一部となる．結果として，結合されていた成熟精子細胞は，それぞれから離れて独立する.

成熟精子細胞は，精細管腔内に放出された時点では，事実上，動けない精子である．成熟精子細胞は精巣上体管に向かって押し出され，**成熟**し，受精能につながる**前進運動能を獲得**する.

精子の構造（図 20.12）

成熟精子は，次の 2 部分で構成される：**頭部** head と**尾部** tail（訳注：**鞭毛** flagellum）．**HTCA** は，頭部と尾部をつなぐ．細胞膜は精子の頭部と尾部を取り囲む.

頭部は扁平化し凝集して伸長した**核**を容れ，核の一部は**先体**によって帽子のようにフタをされている.

先体は，核の前半分を覆う．先体は通常，リソソームに含まれる**加水分解酵素**（プロテアーゼ，酸性ホスファターゼ，ヒアルロニダーゼ，ニューラミニダーゼ，その他）を含む.

アクロプラクソームは先体を核膜にしっかりつなぎ留める.

尾部は 3 区域から構成される（図 20.12）：

1. **中間部（中片部）** middle piece.
2. **主部** principal piece.
3. **終末部** endpiece.

HTCA は頭部を鞭毛につなぎ，**1 対の中心子と関連タンパク質**で構成される．**遠位中心子**から**軸糸**が発生する一方，近位中心子から派生したものは HTCA を核膜につなぎ留めるようにも働く.

尾部の**中間部**を構成するものは，

A. らせん状に配列する**ミトコンドリア鞘** mitochondrialk sheath.

B. **軸糸** axoneme.

C. **9 個の縦柱**は，**外側粗大線維** outer dense fiber とよばれ，軸糸を取り囲みながら HTCA から主部に向かって伸びる.

中間部の最下端はミトコンドリア鞘らせんの終了と**セプチン 4** septin4 を含む**皮質リング** annulus（訳注：ヤンセン輪）の存在が特徴である.

セプチン 4 は微細フィラメント，微小管，中間径フィラメントとは異なる細胞骨格タンパク質セプチンファミリーのメンバーである．セプチンは GTPase であり，細胞表面近くにできるコルセットのような構造である．セプチン 4 変異マウス雄は，精子が不動になるために不妊である（**無力精子症** asthenospermia, Box 20.E）．セプチン 4 を欠損する不妊精子はヤンセン輪の位置で皮質のリングが欠損するため，精子尾部の成長に必要であるキネシン仲介輸送タンパク質の鞭毛内輸送が皮質リングで行き詰まる.

主部 principal piece は皮質リングから終末部に広がり，鞭毛で最も長い部分である．主部は **7 個の外側粗大線維**で取り囲まれる中心部にある軸糸（中間部にみられる 9 個ではなく）と**線維鞘** fibrous sheath で構成される．外側粗大線維は線毛にはない.

線維鞘は，等距離にある**縦柱**から突き出る**同心円状の肋骨**で形成される．外側粗大線維と線維鞘は微小管の滑走や精子の**前進運動**中の鞭毛屈曲のための強固な足場となる（訳注：**線維鞘**は解糖系酵素を含み，解糖系エネルギー代謝にかかわる）.

終末部 end piece は尾部の中で非常に短い部分であり，外側粗大線維と線維鞘が近位部で終わるために，軸糸のみが存在する.

Box 20.E | 精液分析

- 顕微鏡による**精液**サンプルのスクリーニングでは，精子の 3 つの特徴，**濃度** concentration，**形態** morphology，**運動性** motility を検査する.

  正常精子濃度は，2000×10^6～4000×10^6 精子 /mL 精液である．正常精子は，均一な卵円形の頭部が長くまっすぐな尾部と結合する．異常精子は，非定型の頭部（丸い頭部，尖った頭部，大きな頭部あるいは 2 個の頭部），短いあるいは欠損した尾部をもっている．形態は体外受精（IVF）治療において，重要な予測因子である.
- 頻繁に起こる男性不妊の原因は，低精子濃度（精液中精子濃度 1500×10^6/mL 以下）．この症状は**乏精子症** oligospermia（oligozoospermia）とよばれる．**精液量**の減少（2.0～1.5 mL 以下）は**精液減少症** hypospermia（hypozoospermia）とよばれる．精液量は 2.0～6.5 mL が正常である.
- 低運動性は**精子無力症** asthenospermia（あるいは asthenozoospermia）（ギリシャ語 *astheneia* ［= weekness，弱い］）とよばれる.
- 低精子濃度と貧弱な運動性はしばしば同時に存在する．この症状は，**乏無力精子症** oligoasthenospermia（oligoasthenozoospermia）とよばれる.
- 精液中に異常形態精子が存在する場合は，**奇形精子症** teratospermia（teratozoospermia）（ギリシャ語 *teras* ［= monster，怪物］）とよばれる.
- 精液中に精子が存在しない場合は，**無精子症** aspermia（azoospermia）とよばれる.
- 精液中に死んだ精子がいる場合は，**死滅精子症** necrospermia（necrozoospermia）とよばれる.
- 2010 年版世界保健機関 World Health Organization（WHO）基準によると，精子運動性は下記である：

  グレード a：直線上に早くまっすぐ進む精子.

  グレード b：ゆっくりでまっすぐ進まない（曲線あるいはゆがんだ線を進む）精子.

  グレード c：前進できない精子．精子は鞭毛を動かせるが前進できない.

  グレード d：精子が動かない．グレード c あるいは d に分類される精子は貧弱であり，男性不妊に関係する.

図 20.12 | 精子構造

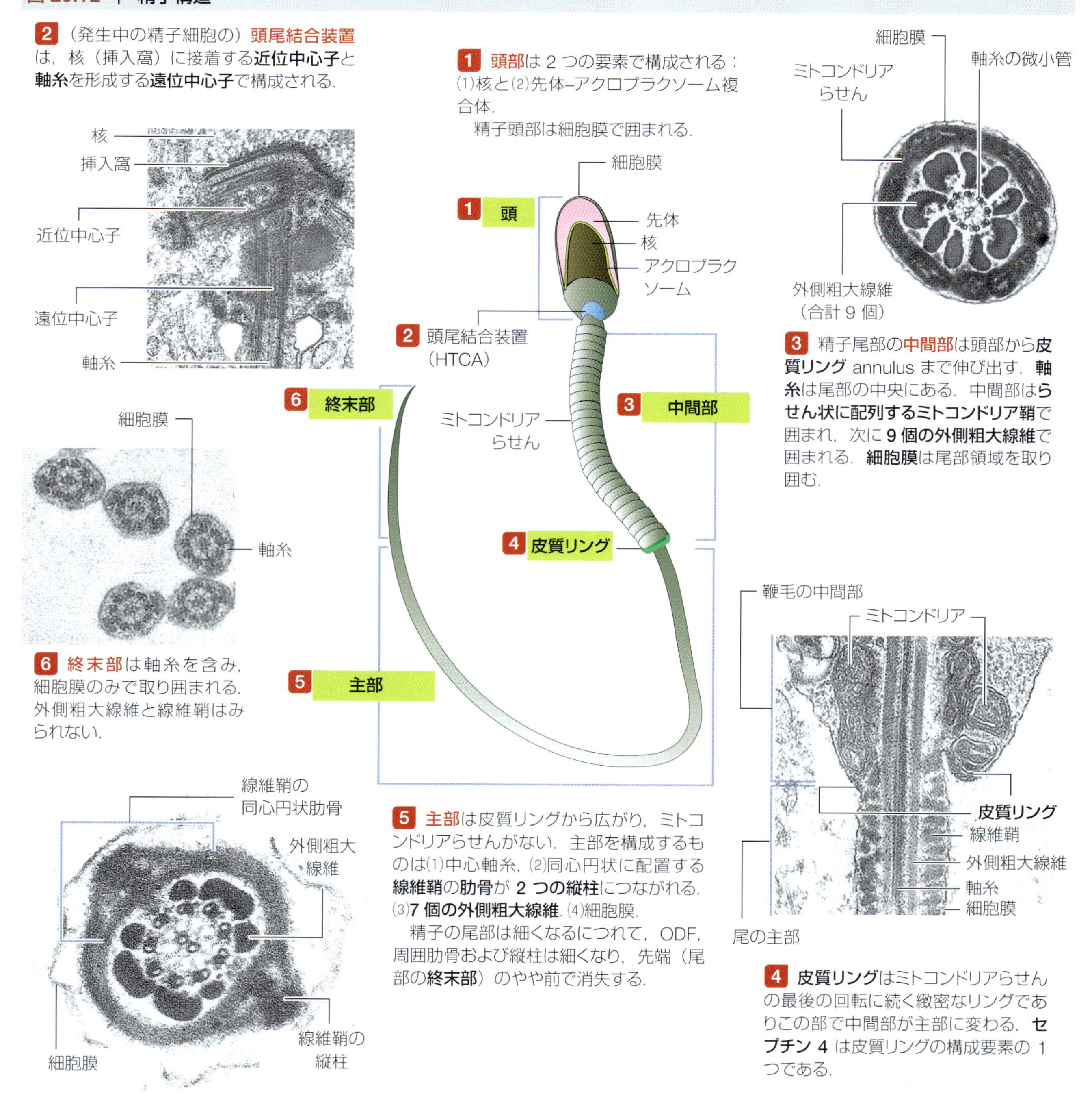

男性不妊に影響する状態

温度

35℃という温度は，精子形成に重要である．この温度は，陰嚢の中で精巣動脈を取り囲み熱放散のために**対向流熱交換器** countercurrent heat exchanger として機能する**蔓状静脈叢** pampiniform plexus によって得られる．

温度が35℃より低くなると，精索内の**挙睾筋** cremaster muscle と陰嚢内の**肉様膜筋** dartos muscle が収縮し精巣を身体の近くに接近させて，温度を上げる．

停留精巣（潜伏精巣）

停留精巣 cryptorchidism（あるいは**潜伏精巣** undescended teste）では，片側あるいは両側の発生中の精巣が陰嚢内に届かず，腹腔あるいは鼠径管内に留まる．

このような状況では，通常体温（37～38℃）は精子形成を抑制する．この状況が両側に起こったまま修正されないと不妊が起こる．

胎児と新生児の精巣下降は，精巣産生の性ホルモンである**インスリン様因子 3** insulin-like 3（**INSL3**）と**アンドロゲン**によって制御される．これらのホルモンは，精巣・精巣上体複合体と将来の陰嚢を結ぶ靱帯である**精巣導帯** gubernaculum の発生を調節する．

精巣導帯は，陰部大腿神経で支配される横紋筋で取り囲まれる間葉系細胞の芯で構成される．INSL3 は，精巣導帯の骨格筋内でリラキシン／インスリン様ペプチドファミリー受容体 2（RXFP2）に結合する．INSL3 は神経筋下流経路を作動させて，精巣下降の完了に必要な筋由来の神経栄養タンパク質を産生すると考えられている．

停留精巣が治療されないと，精巣腫瘍 testicular tumor の発生率が高くなる．停留精巣は自覚症状がなく，出生後や思春期前の陰嚢の身体検査によって発見される．ホルモン治療（絨毛性性腺刺激ホルモン投与）によって，精巣下降が誘発される可能性がある．ホルモン治療で治らない場合は，次のステップでは**外科手術**を行い，精巣を陰嚢壁につなぎ留める（精巣固定術 orchidopexy）．

鼠径ヘルニア，嚢胞，水腫

精巣が陰嚢に下降するということをすでに発生学で学んでいるが，下記のことは覚えているだろうか：

1. **精巣導帯**は精巣上体複合体から起こり，将来の陰嚢になる生殖隆起内に入る靱帯である．
2. 腹膜の外反である**鞘状突起** vaginal process は，鼠径管を通過する精巣下降の滑りを助ける．

7～12 週の間に，上記のメカニズムによって，精巣導帯は短縮し精巣，精管，血管を，陰嚢に向かって引っ張る．

生後 1 年以内に，**鞘状突起**の上半部は閉じて，その後に**腹膜鞘状突起靱帯** peritoneal-vaginal ligament を残す．下半部は壁側と臓側の腹膜を含む**精巣鞘膜** tunica vaginalis になる．**鞘状突起**が広いままであったり閉鎖しない場合には，先天性鼠径ヘルニア congenital inguinal hernia が起こる．

もし，閉鎖しなかった精巣の上方の空間が狭いと，小腸ループではなく液が蓄積し，**精索嚢胞** cyst of the spermatic cord をつくることがある．もし，液が腹膜と鞘状突起の臓側腹膜との間に蓄積されると，精巣水腫 testicular hydrocele になる．

がん化学療法

抗がん剤治療を受ける若い男性患者では，精祖細胞の有糸分裂や精母細胞の減数分裂が影響を受けるために，一時的に精細胞が消失する可能性がある．しかし，抗がん剤化学療法が中止されると，活動停止中の DNA 合成や細胞分裂に関与していない細胞である**精祖細胞幹細胞** spermatogonia stem cell が，精上皮を再生する．

後で，精子形成の時期とダイナミクス，つまり臨床医が抗がん剤療法の終了時に精子形成の回復時期を見極めるための考え方について考察する．

ウイルス性精巣炎

流行性耳下腺炎 mumps は，全身性のウイルス感染症であり，思春期後の男性では 20～30％の頻度で片側あるいは両側の**急性精巣炎** acute orchitis（急激な浮腫と精細管間腔へのリンパ球の浸潤）を引き起こす．一般的に，流行性耳下腺炎に起因する精巣炎では，精細胞の機能に変化は起こらないとされる．**コクサッキーB ウイルス** Coxsackie B virus はウイルス性精巣炎のもう 1 つの病原体である．

精索捻転症

精索がねじれると，動脈からの精巣への血液の流入と精巣からの静脈血の排出が遮断される．この状態は，一般的には青春期頃までに片方に起こり，その原因は物理的外傷や精巣鞘膜内における精巣の異常な動きである．すぐに治療しなければ（起こってから 6 時間以内），精巣全体の出血性梗塞や壊死が起こる．

精索静脈瘤

この病態は，血液の長い貯留で起こる精索内静脈の異常な拡張（蔓状静脈叢の静脈瘤）が原因である．精索静脈瘤では精子産生量が減少する（乏精子症 oligospermia）．精索内の静脈は精索動脈と共同して対向流交換機構を形成し，精巣の温度を 35℃に維持するために重要な働きをしていることを思い出してほしい．

ライディッヒ細胞（間細胞）（図 20.13）

ライディッヒ細胞は精細管間腔内にあり，血管やリンパ路あるいはリンパ洞の近くに集簇して存在する．

ほとんどのステロイド産生細胞と同様に，ライディッヒ細胞には**脂肪滴** lipid droplets，**特徴的な管状のクリステ（櫛）をもつミトコンドリア** mitochondria with characteristic tubular cristae，非常に発達した**滑面小胞体** smooth endoplasmic reticulum がある．

ヒト精巣では，ライディッヒ細胞の細胞質は幾何学的配列を示すタンパク質封入体である**ラインケの結晶** crystals of Reinke を含む．それは加齢とともにより明瞭になる．

思春期以後，cAMP で仲介される機構による**黄体形成ホルモン**（**LH**）の刺激を受けて，ライディッヒ細胞は**テストステロン** testosterone を産生する．テストステロンは **5α-還元酵素** 5α-reductase によって**ジヒドロテストステロン** dihydrotestosterone に変換される．血清中の約 95％のテストステロン（**性ホルモン結合グロブリン** sex hormone-binding globulin［**SHBG**］と他のタンパク質に結合している）が，ライディッヒ細胞（図 20.13）によって合成される．残りのテストステロンは副腎皮質（訳注：**網状帯** zona reticularis）で産生される．

テストステロンはまた多くの組織，特に脂肪組織内で芳香化されてエストロゲンになる．アンドロゲン結合タンパク質（ABP）は，卵胞刺激ホルモン（FSH）刺激を受けてセルトリ細胞で産生され，発生中の精細胞の近くでテストステロン濃度を高く維持する．

ステロイド産生急性調節タンパク質（StAR）（図 20.13）

胎児性ライディッヒ細胞 fetal Leydig cell は，妊娠 8～18 週の間，ステロイド産生能が活発である．妊娠 18 週までに，ライディッヒ細胞数は増え，精巣内で最も多い細胞となる．この時期の胎児性ライディッヒ細胞によって産生されるアンドロゲンは，男性生殖路の発生にとってきわめて重要である（第 21 章参照）．

図 20.13 | ライディッヒ細胞（間細胞）

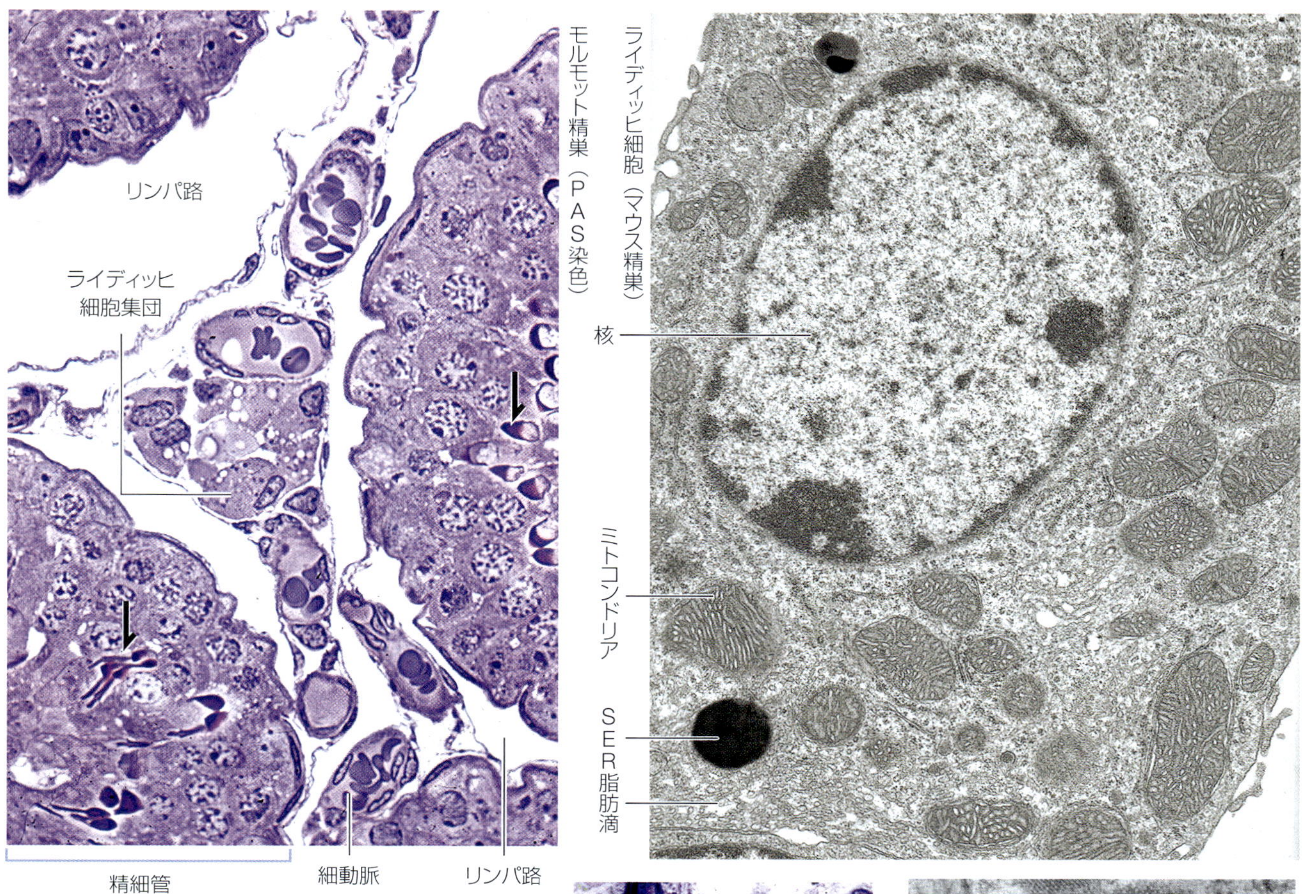

ライディッヒ細胞

ライディッヒ細胞の集団は精細管間腔において，精細管を取り巻く血管やリンパ路に接してみられる．

すべてのステロイド産生細胞のように，ライディッヒ細胞はエステル化された豊富な脂肪滴，滑面小胞体（SER，ステロイド産生にかかわる酵素を伴う），管状クリステをもつミトコンドリア（StAR によって運ばれるコレステロールを処理する）をもっている．ラインケの結晶はヒトのライディッヒ細胞の細胞質もあるタンパク質の封入体である．

隣接する精細管内にある異なるタイプの精子細胞（矢印）に注意せよ．それらは核と傍にある PAS 陽性の先体の形状が異なる．これは 2 つの異なる**細胞連合**の例である．

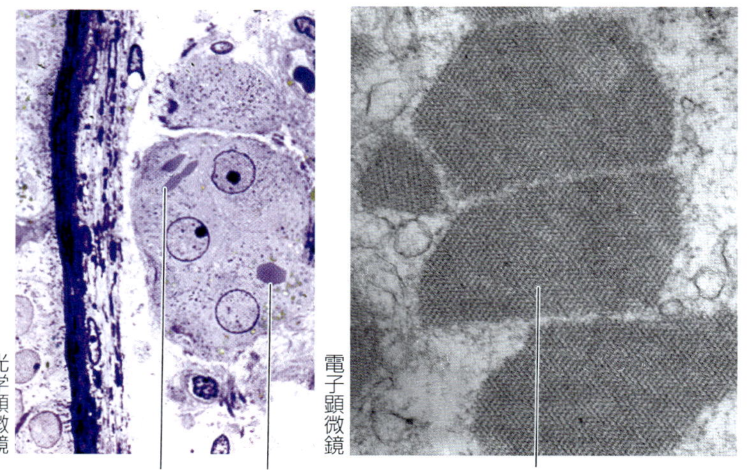

新生児では，精巣ステロイド産生が生後 2〜3ヵ月目に高レベルに達し，その後減少する．LH レベルが上昇してアンドロゲン合成を活性化する思春期までは，アンドロゲンのレベルは低いままである．

LH とプロラクチンは，ライディッヒ細胞の機能を制御する．プロラクチンは LH 受容体の遺伝子発現を制御する．LH はテストステロン産生に関係する．

高プロラクチン血症 hyperprolactinemia は，性腺刺激ホルモンの分泌と精巣活動を下げることによって男性生殖機能を抑制する．過剰なプロラクチンは，ライディッヒ細胞のアンドロゲン産生や精子形成を減少させて，勃起障害や不妊症を起こす．

テストステロン合成中，血漿**コレステロール** cholesterol はライディッヒ細胞に入り，**アセチル CoA** acetyl coenzyme A (acetyl CoA) によってエステル化され，細胞質に脂肪滴として貯蔵される．**脂肪酸** fatty acid は滑面小胞体内でコレステロールに変化する（第 19 章の詳細な考察参照）．

図 20.13 | ライディッヒ細胞（間細胞）（続き）

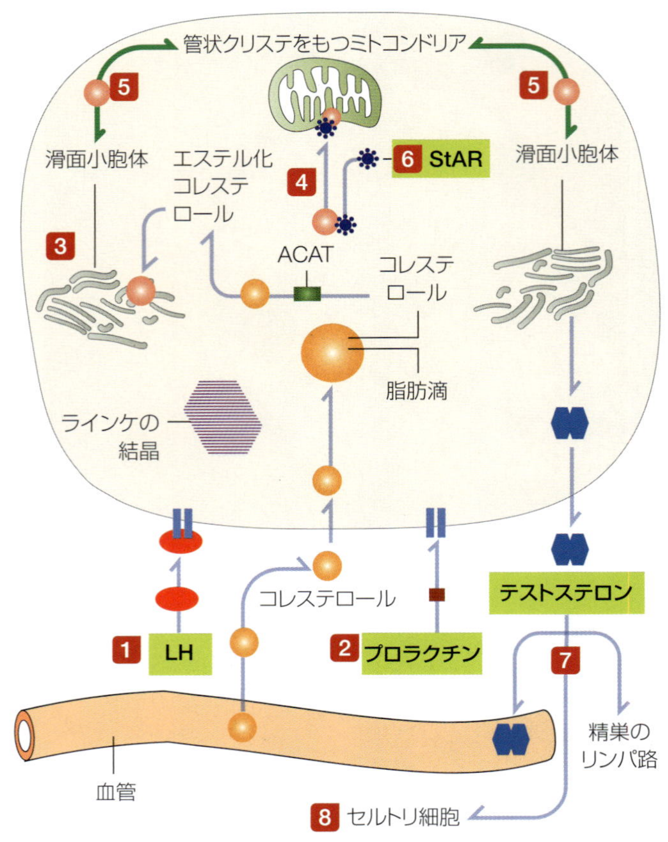

ライディッヒ細胞の機能は 2 つの腺性下垂体ホルモン，**黄体形成ホルモン**（**LH**）と**プロラクチン**によって制御される．1 LH は**テストステロン**産生を刺激する．2 プロラクチンは LH 受容体の発現を引き起こす．

すべてのステロイド産生細胞のように，ライディッヒ細胞は脂肪滴（コレステロール），管状クリステをもつミトコンドリア，よく発達した滑面小胞体（SER）を含む．コレステロールはアシルコエンザイム A によってエステル化される：コレステロールアシルトランスフェラーゼ（ACAT）は 3 SER と 4 ミトコンドリアに運ばれ，そこで一連の酵素によって修飾される．その基質はステロイド合成中，5 SER からミトコンドリアから SER へと往復される．ステロイド合成連鎖の最後で，テストステロンが放たれる．

6 **StAR**（ステロイド産生急性調節タンパク質）は，**コレステロールをミトコンドリア外膜を横切ってミトコンドリア内膜へと運んで**ステロイド合成を制御する．シトクロム P450SCC は，ステロイド合成の律速酵素であり，ミトコンドリア内膜にある．

7 **テストステロン**は血液循環や精巣リンパ路に出て行く．テストステロンは 8 セルトリ細胞内のアンドロゲン受容体に結合して精子形成，男性の性欲，男性付属生殖腺（前立腺と精嚢）の機能を維持する．

コレステロールは，**ステロイド産生急性調節タンパク質** steroidogenic acute regulatory（**StAR**）（ポリリボソームのサイトゾルで合成される）によって脂肪滴からミトコンドリアへと輸送され，プログネノロンが産生される．

StAR をコードする遺伝子の変異は，副腎と性腺ステロイドの合成欠損が原因で起こる**リポイド（類脂質）先天性副腎肥大症** lipoid congenital adrenal hyperplasia に罹患するヒトでみつかる．

滑面小胞体の酵素はプログネノロンをプロゲステロンへ，さらにテストステロンへと変換する．ライディッヒ細胞はその他に活性の弱い 2 つのアンドロゲン，**デヒドロエピアンドロステロン** dehydroepiandrosterone（DHEA）と**アンドロステンジオン** androstenedione を産生する．

精子形成の体内制御（図 20.14）

精子形成のホルモン制御の主な現象を図 20.14 にまとめる．

腺性下垂体由来の FSH と LH に反応して精巣で産生されるアンドロゲンが，精子発生のドライバーであることを復習することから始めよう（Box 20.F）．精子形成とステロイド産生が精巣の異なる場所，それぞれ精上皮と精細管腔（そこにライディッヒ細胞が存在する）が共存する．

以下に重要な点をまとめる：

1. 精子形成のホルモン制御の指令は，視床下部の**性腺刺激ホルモン放出ホルモン**（GnRH）から来る．セルトリ細胞はインヒビンとアクチビンを介して FSH 指令効果を調節する．インヒビンは，GnRH と FSH の下垂体放出に対して**負のフィードバック**を行う．アクチビンは逆の作用をする．
2. セルトリ細胞のダイナミックな構造的可塑性は，精子形成を助ける：
   (1) セルトリ細胞は，精祖細胞が精上皮の基底区画から傍腔区画へ移動することを助ける．
   (2) セルトリ細胞は，精細胞子孫の発生を維持するために陰窩とニッチを提供する．
   (3) セルトリ細胞は，食細胞能により，アポトーシスに陥った精細胞の除去と精細胞放出の際に起こる残余小体の除去を行う．**Fas リガンド** Fas ligand は，精母細胞と精子細胞に発現して，減数分裂中や減数分裂後の子孫細胞の運命を障害する可能性のある欠陥細胞を廃棄するために必要なアポトーシス関連装置を活性化する（第 3 章参照）．
   (4) 閉鎖結合（タイト結合）は，隣接するセルトリ細胞をつなぎ，精上皮に区画をつくり，いわゆる“血液精巣関門”をつくる．この防御は，精母細胞や精子細胞を有害となる免疫反応から守る．精細胞の自己抗原に対する寛容性は，精巣の免疫特権を支持する．

Box 20.F | 男性生殖器系におけるテストステロンの作用

男性胎児において

- テストステロンは精巣の発生中にセルトリ細胞の分化と成熟を制御する．
- テストステロンは男性の内生殖器と外生殖器の発生と成長を刺激する．

成人男性において

- セルトリ細胞は FSH とアンドロゲンの両方の受容体を発現する唯一の精巣細胞である．精祖細胞はアンドロゲン受容体がないので，精祖細胞子孫の制御はテストステロンと FSH によって間接的に仲介され，セルトリ細胞シグナル伝達経路の制御は相乗的に作用する．
- アンドロゲンは精嚢と前立腺の分泌機能を維持し，陰毛の発育と（皮膚の）脂腺の分泌を刺激する．

図 20.14 | 精巣機能のホルモン調節

精子形成のホルモン調節

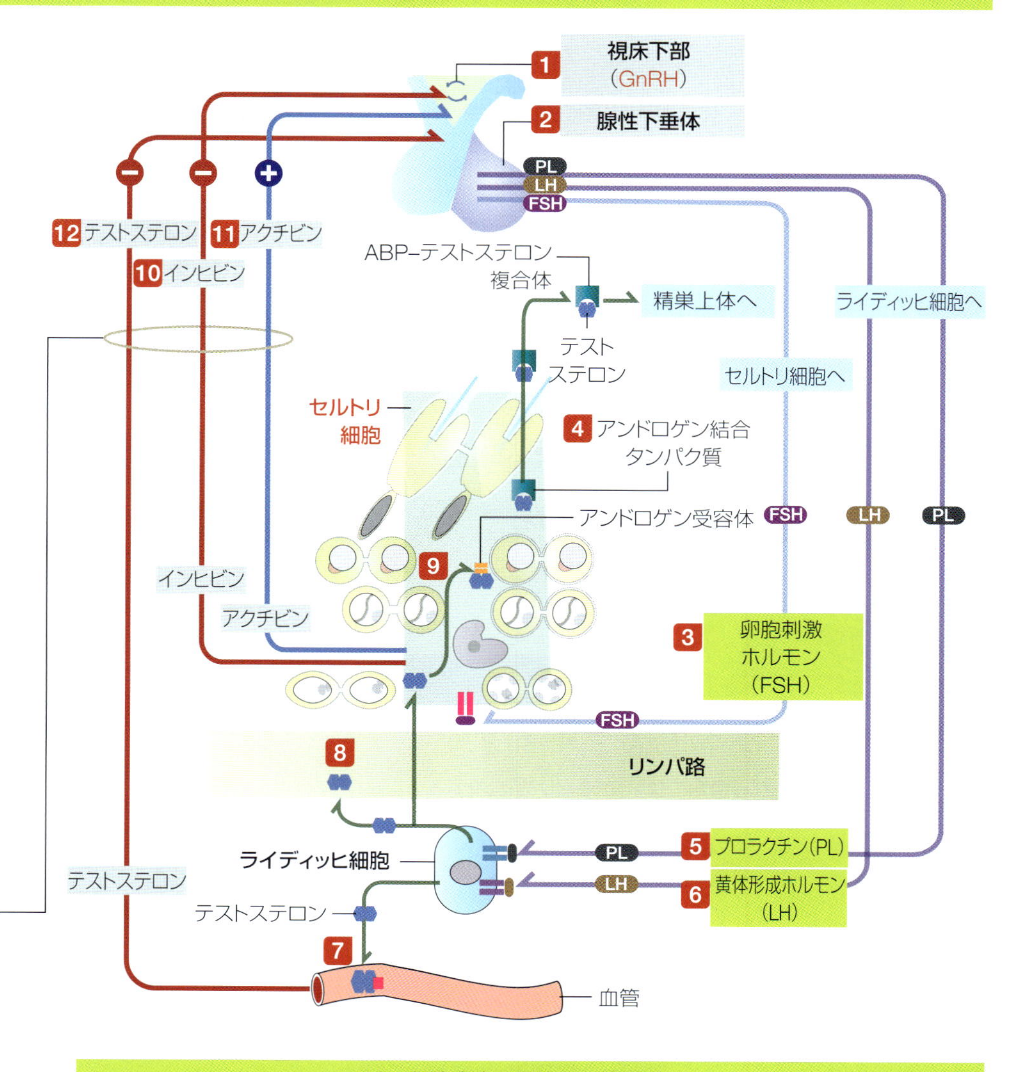

1 視床下部の**性腺刺激ホルモン放出ホルモン**（GnRH）は腺性下垂体にある好塩基性細胞からの FSH と LH の分泌を刺激する．

2 プロラクチンは好酸性細胞から分泌される．

3 FSH はセルトリ細胞内の受容体に結合して **4** アンドロゲン結合タンパク質（ABP）の合成と分泌を刺激する．テストステロンに結合した後，ABP–テストステロン複合体は**精巣上体**に運搬される．

5 プロラクチン（PL）は，ライディッヒ細胞を刺激して LH 受容体を発現する．**6** LH はその受容体に結合してテストステロン産生を引き起こす．

テストステロンは 3 つの分泌経路に入る：**7** 精細管を取り囲む血液循環と **8** リンパ路，そして **9** セルトリ細胞，そこで**アンドロゲン受容体**と **ABP** に結合する．

精子形成を制御する 3 つのフィードバックがある：(1) FSH 刺激の後で，セルトリ細胞は **10** **インヒビン**を産生して FSH 分泌をダウンレギュレートする．FSH レベルが下がると，セルトリ細胞は **11** **アクチビン**を分泌して FSH 分泌をアップレギュレートする．(2) **12** **テストステロン**レベルが高いと，LH 分泌が減少する．

テストステロンレベルが減少すると，LH が放出される．視床下部の GnRH は FSH–インヒビン–アクチビンフィードバックループと LH–テストステロンフィードバックループを調整する．

セルトリ細胞産生の調節タンパク質

インヒビンはαサブユニットと 2 つのβサブユニット（βA あるいはβB）のうちの 1 つをもつ 2 量体である．**アクチビン**はαサブユニットを欠き，2 つのβサブユニットからなるホモ 2 量体（βAβA あるいはβBβB）あるいはヘテロ 2 量体（βAβB）である．

インヒビンとアクチビンは，卵巣，精巣，下垂体，およびおそらく他の組織でも合成される．

インヒビンとアクチビンは，トランスフォーミング成長因子βと抗ミュラー管ホルモン（AMH）を含むポリペプチドファミリーのメンバーである．

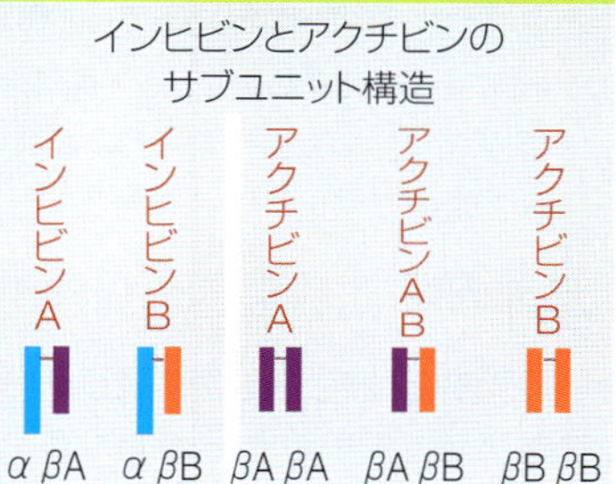

(5)セルトリ細胞は，局所と遠隔にある標的に作用するタンパク質を産生し分泌する．FSH で刺激されると，セルトリ細胞は GDNF（グリア細胞株由来神経栄養因子）を分泌し，精祖細胞の複製と分化を刺激する（図 20.7）．このメカニズムにより，セルトリ細胞は，産生される精祖細胞数（入力）と放出される精子数（出力）の入出力の平衡を維持する．

(6)セルトリ細胞は FSH で刺激されると，ABP を産生して分泌する．ABP は，アンドロゲン（テストステロンとジヒドロテストステロン）に結合する．**ABP-アンドロゲン複合体** ABP-androgen complex は，発生する精細胞の近くでアンドロゲンを高値に維持する．さらに，ABP-アンドロゲ

図 20.15 | 精子形成周期：周期と波

精細管

ステージ I

周期

ステージ I

ステージ III
ステージ II
ステージ I
周期 2
ステージ VI
ステージ V
ステージ IV
ステージ III
ステージ II
ステージ I
周期 1

時間

精子形成の周期

精細管のある区画において，同じステージあるいは細胞連合の再出現にかかる**時間**.

精細管のある場所に置かれた**タイムラプスカメラ**を用いて，1 周期の細胞連合の進行をモニターできると，想像してみること.

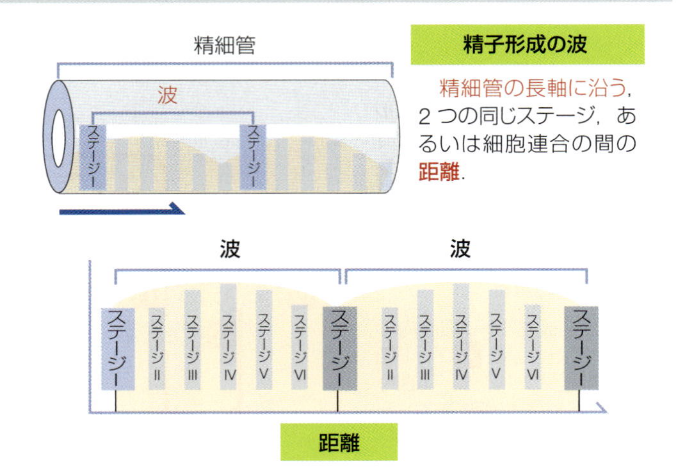

精子形成の波

精細管の長軸に沿う，2 つの同じステージ，あるいは細胞連合の間の**距離**.

図 20.16 | 精細管内における細胞連合の異なる配列

げっ歯類におけるステージの線状配列

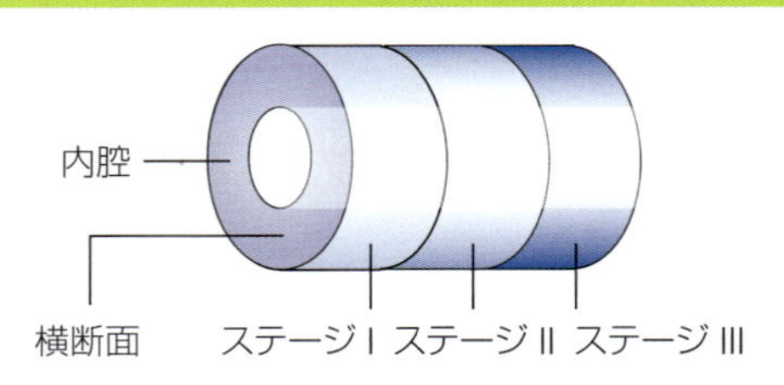

げっ歯類では，ステージあるいは細胞連合は連続する**一列**の配列である．そのため，精細管の横断には**単一の細胞連合**が出現する．

ヒトにおけるステージのらせん状配列

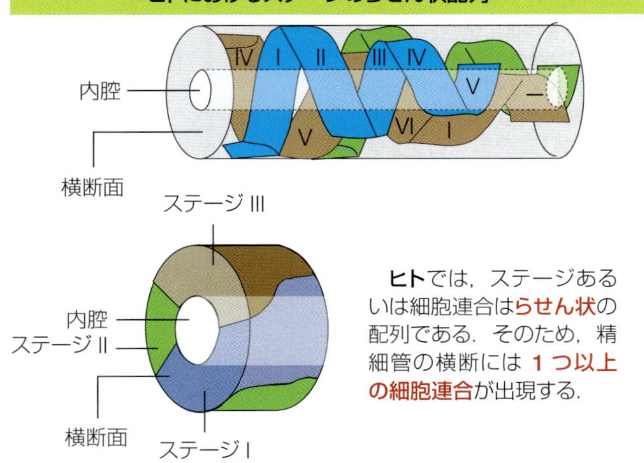

ヒトでは，ステージあるいは細胞連合は**らせん状**の配列である．そのため，精細管の横断には **1 つ以上の細胞連合**が出現する．

ン複合体は，精細管腔に放出されて精巣上体に移動し，そこで高値を維持し，精子の成熟に寄与する．

(7)最後に，**胎児性セルトリ細胞**は，**抗ミュラー管ホルモン** anti-Müllerian hormone（AMH）を合成して分泌する．第 22 章で述べるが，AMH は発生中の男性のミュラー管の退縮を誘導する．

精子形成周期（図 20.15～20.17）

光学顕微鏡下で精上皮数を観察すると，精細胞が不定の組み合わせで成り立っていることがわかる．精細胞は，乱雑に配列しているのではなく，うまく境界された**細胞連合**とよばれる組み合わせに配列されている（図 20.15，20.16）．

例えば，精上皮のある一部をみると，分化中の精子細胞は精祖細胞や精母細胞とともにあり，それぞれの発生段階に対応している（図 20.4，20.13）．

細胞連合はローマ数字で示され，特色があり，かつ互いに精上皮の長軸に沿って連続する．この連続性は規則的に繰り返す．言い換えれば，**細胞連合の 1 サイクル**が終了すると新しいサイクルがスタートする．実際のところ，1 サイクルは細胞連合の繰り返しからなり，ステージ I，II，III などと表し，"I" が再び出現するまで表記する．それから，新しいサイクルが始まる．

どのようにして，このような精細胞の組み合わせが起こるのか？ 図 20.17 にある，1 サイクルが 6 細胞連合からなる**仮説例**を考察しよう．

多数の精祖細胞幹細胞（精原細胞幹細胞）（SSC）のそれぞれが，精細管に沿って規則的間隔で新しい精細胞子孫を発生するため，その子孫たちが**上に重なる**ことに注意しよう．

また，**新しい精細胞の子孫がその前後の時期の精細胞子孫たちと共存することに注意しよう**．したがって，細胞連合は，精細管のある場所で重なる精細胞子孫たちの細胞メンバーの組み合わせを示している．

ここで，**精子形成の周期**と**精子形成の波**とは何かについて考察する必要がある．

精子形成の周期は，精細管のある部分において，同じステージあるいは細胞連合が再び起こる間の時間と定義される（図 20.15 左）．パラメーターは**時間**である．

図 20.17 | 細胞連合と精子形成の周期

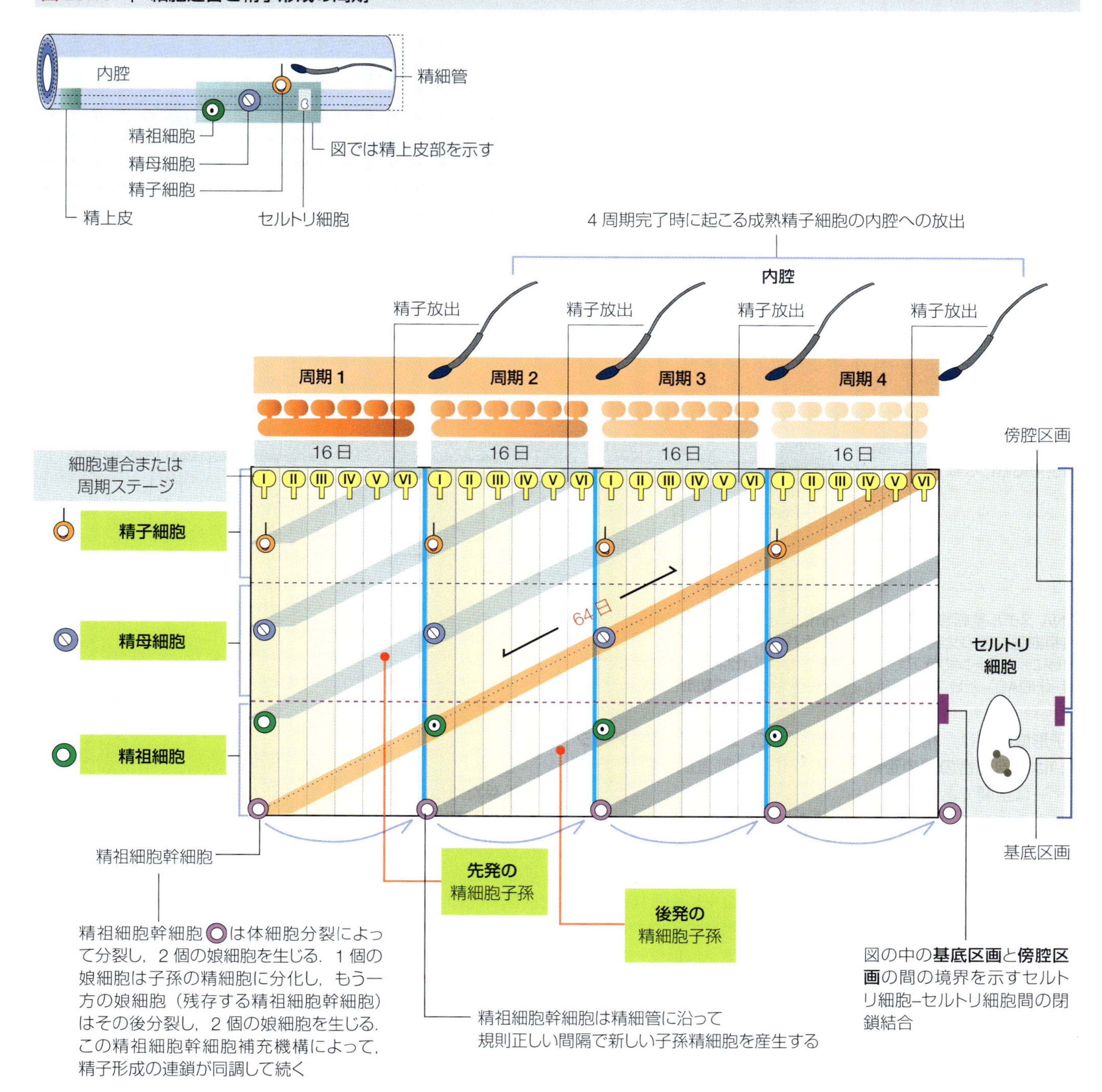

細胞連合は周期のステージである．精子放出にはいくつかの周期完了が必要である．

それぞれの精細胞子孫の発生（精祖細胞幹細胞 **SSC** から始まり，成熟精子細胞の放出で終わる）は，その前後の子孫細胞と同調しているため，精細管内には一連の異なる細胞連合が観察される．

一連の連続的な細胞連合が 1 周期を構成する．精細胞子孫完成に必要な周期数は種依存性である．

この**仮説例**の略図では：

1. **周期 1** は **I ～ VI** とラベルした連続する細胞連合からなる．各細胞連合はその周期のステージであることを覚えてほしい．
2. それから，**周期 2** が**ステージ I** が再出現したときに始まり，連続するステージが続く．
3. **周期 3** と**周期 4** は**周期 1** と**周期 2** の**繰り返し**である．この例では，最初の SSC に由来する成熟精子細胞が精細管腔に放出されるまでに，合計 **4 周期**を完了しなければならない．各精子放出現象は細胞子孫の完成を意味する（バーで示す）ことを注意せよ．

ヒトでは，各周期は 16 日間続く．そして，1 つの SSC に始まる子孫は，成熟精子細胞の放出（精子放出）までに 4 周期（すなわち 64 日）を経過しなければならない．

図 20.18 | 精子形成中のエピジェネティクスリプログラミング

哺乳類における配偶子発生（精子形成と卵子形成）は，遺伝的およびエピジェネティクスのメカニズムの下にある．エピジェネティクスは，2 つの主要なメカニズムによる特殊な遺伝子発現のリプログラミングで構成される．すなわち **DNA メチル化**と**ヒストン修飾**（アセチル化，リン酸化，メチル化，ユビキチン化）．

主要な目的は，刷り込み，かつ／または獲得されたエピジェネティク（後成的）な変更を排除してリセットするために，メチル化パターンを消去してリプログラムすることである．

対立遺伝子の DNA メチル化とヒストン修飾が破綻すると，（筋緊張低下，呼吸障害，肥満，低身長と軽度の知的障害を特徴とする）**プラダー・ウィリー症候群**や（重度の知的障害，過多笑，会話能力の欠如と多動を特徴とする）**アンジェルマン症候群**を含む異常な発達障害を生じる．両症候群は，いくつかの父親由来の対立遺伝子のメチル化が欠如することによって起こる．

胎児の精巣

始原生殖細胞（PGC）
両親の刷り込みは（マウスでは）胎生 11.5 ～ 12.5 日までに DNA の脱メチル化によって消去される．それから，いくつかの *germline reprogramming responsive*（*GRR*）遺伝子が発現されると，PGC は原生殖細胞になる．

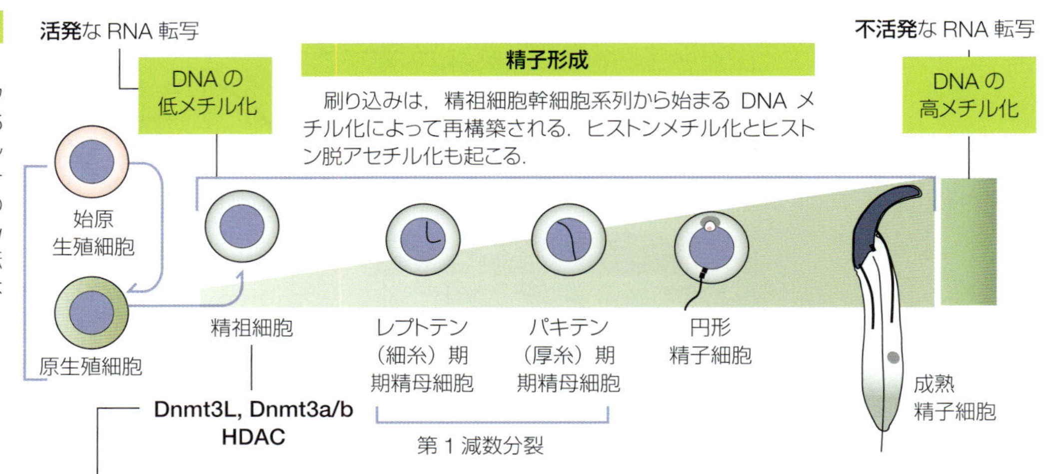

DNA メチル基転移酵素である Dnmt3a と Dnmt3b は，Dnmt3L とともに精祖細胞以後の父親 DNA のメチル化パターンをつくる．
さらに，ヒストンの低アセチル化-脱アセチル化は，ヒストン脱アセチル化酵素（HDAC）とヒストンメチル基転移酵素によって制御される

精子形成の波は，**精細管の長軸に沿って，2 つの同じステージあるいは細胞連合の間の距離**と定義される（図 20.15 右）．パラメーターは**空間**である．

どのようにして，精子形成の周期を決めるか？

実験的には，トリチウムチミジンを実験動物の精巣内に注射することによって決定できる．精子形成の周期は，オートラジオグラフィによって，放射性物質で標識された発生中にある精細胞が規則的な間隔においてどの程度進行するかを決定するためにモニターする．有糸分裂中の精祖細胞の子孫たちは，放射性物質で標識された DNA を第 1 と第 2 減数分裂を通して精子形成に運び込むだろう．

どのようにして，精子形成の波を決めるか？

精細管を分離して，その長軸に沿って連続する光学顕微鏡切片を準備し，光学顕微鏡でどのような細胞連合が存在しているかを決める．

数 mm あるいは数 cm の距離にある多数の連続切片を検査して，**精細管長軸に沿った連続する細胞連合**（**あるいは周期のステージ**）を決める．**同じ 2 つのステージが離れた距離が精子形成の波**と定義される．1 つの精細管は多数の完全な波を示すことがある．

精子形成の周期を構成する**ステージ数**と精細胞子孫が完成するために必要な**周期数**は，動物種によって異なる．細胞連合あるいは周期内ステージの数は，どんな動物種でも一定である（ラットでは 14 ステージ，**ヒトでは 6 ステージ**，サルでは 12 ステージ）．

しかし，ヒト精巣では煩雑な状況がある．ヒト精巣では，精細胞子孫たちはげっ歯類でみられるような線状配列ではなく，**らせん状の配列**である（図 20.16）．結果的に，精細管の横断切片はげっ歯類精巣でみられる 1 つだけの細胞連合ではなく，3～4 つの細胞連合を示すだろう．

図 20.17 に示す仮説例では，4 周期のそれぞれは 6 つの連続するステージで構成され，それが繰り返し何度も出現する．

見過ごすことができない最後の 1 点は下記である．

もし，1 つの精細胞子孫たちに注目するならば，スタートした SSC がその精細胞子孫を完成させて成熟した精子細胞を管腔内に放出するまでに 4 周期かかることに気づく．

ヒトでは，**1 周期間は 16 日である**．1 個の精細胞子孫の発生が完了するには **4 周期**（64 日）が必要である．

エピジェネティクスリプログラミング
（図 20.10，20.18～20.20）

以前に，体細胞型ヒストンは精子細胞核から除去され，アルギニンとリジンの豊富なプロタミンに置き換わることを示した（図 20.10）．

このヒストン－プロタミンシフトの結果として：

1. RNA 転写の不活化（**遺伝子発現抑制** gene silencing とよばれる）．

図 20.19 | **受精後のエピジェネティクスリプログラミング**

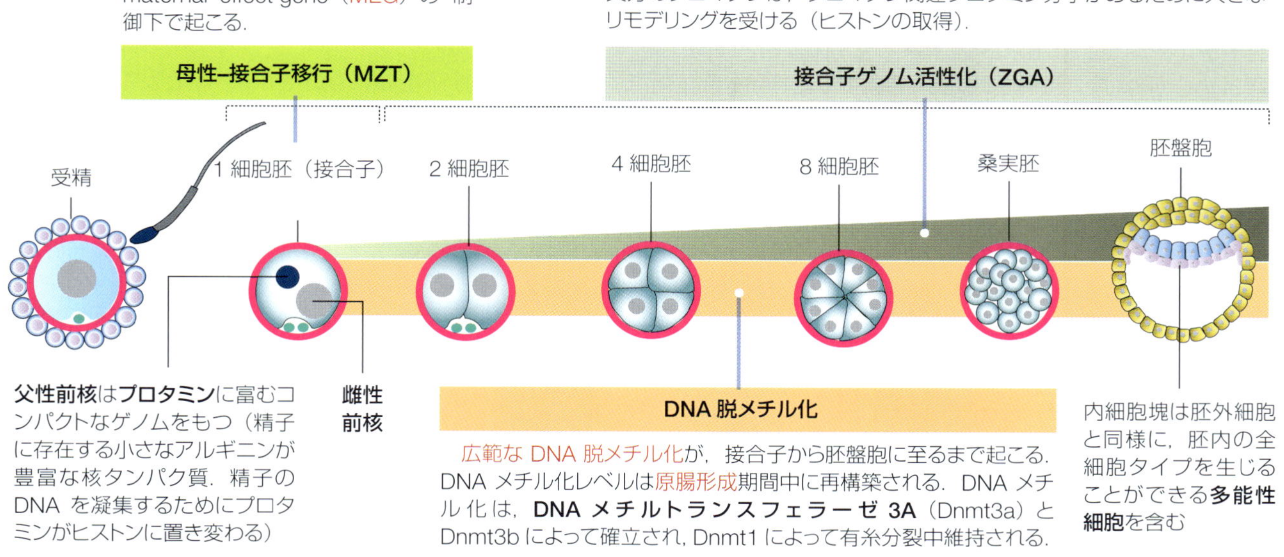

図 20.20 | **DNA メチル化とヒストン脱アセチル化**

1 転写が盛んなクロマチンは，遺伝子のプロモーター領域に結合した転写因子と RNA ポリメラーゼからなる．ヌクレオソーム中心部のヒストンはアセチル化される．

2 DNA メチル基転移酵素が DNA の CpG アイランドをメチル化すると，遺伝子のサイレンシング（静止）が始まる．ヒストン脱アセチル化酵素を含むメチル化 DNA 結合タンパク質（MBD）は，メチル化した CpG アイランドに動員される．ヒストン脱アセチル化酵素はヒストンの中心部に移動して，ヒストンからアセチル基を除去する．

3 ヒストンが脱アセチル化されると，ヒストンメチル基転移酵素によってメチル基がヒストンに付加され，ヘテロクロマチンタンパク質 1（HP1）がヒストンメチル化部位に動員される．その結果，クロマチンは凝集し，転写が止まる．

Dnmt3b 遺伝子の変異は，**ICF**（免疫不全，セントロメアの不安定性，顔面奇形症候群）とよばれるまれな疾患にかかる患者にみられる．

MBD タンパク質の一種をコードする ***MeCP2*** 遺伝子が変異すると，若い女児に**レット症候群**（知的障害）が起こる．

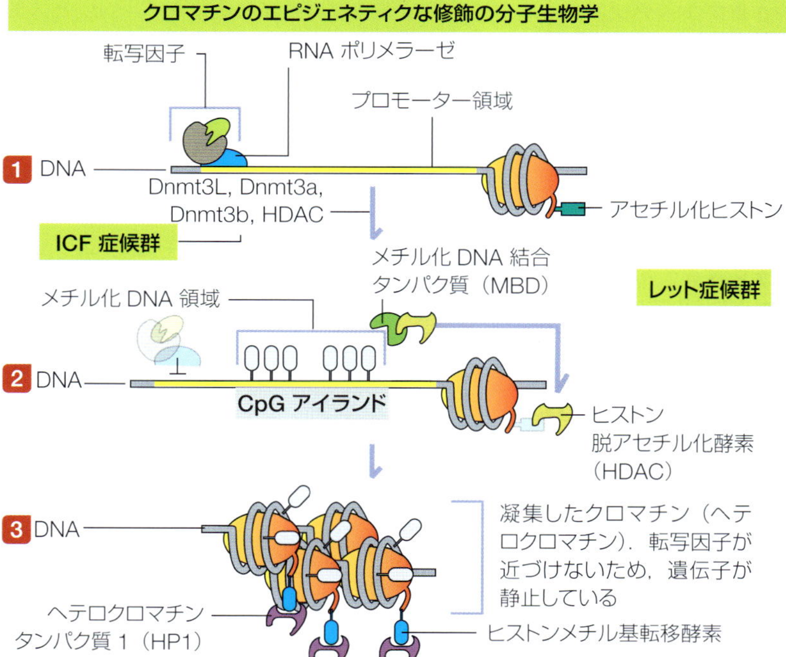

2. 後期精子細胞において，クロマチン構造がヌクレオソーム型から平滑な型に変化する（図 20.10）．この構造変化により，クロマチンは凝集し，DNA が分解されないように保護する．

DNA とヒストンの変化により，DNA 配列を変更することなく，遺伝子活動が変更される．このような変化は，**エピジェネティク** epigenetic（**後成的**）（**通常遺伝学に対して**）とよばれる．

エピジェネティクス的な変化は，DNA 配列を変えることなく，遺伝子発現に影響する．DNA メチル化は，メチルグループを DNA に付加することにより，RNA 転写を不活化する一連のイベントを開始する．考慮すべき大事な概念は下記のとおりである：

1. **配偶子形成**（精子形成と卵子形成）期間において，**ゲノム刷り込みは差次的に消去されて，エピジェネティクスリプログ**

ラミングが配偶子から胚子に伝えられる．

成熟精子のDNAは，卵子形成中にみられる穏やかなメチル化パターンに比べて，より高度にメチル化される（図20.18）．

2. **受精** fertilization 直後，精子DNAの脱メチル化が起こり，ヒト胚子ではほとんどのゲノムDNAから大量のDNAメチル化がなくなる（図20.19）．
3. **着床** implantation 後，胚細胞が細胞と組織の分化特徴を示し始めると，DNAメチル化は急激に増加する．

要約すると，配偶子形成中のリプログラミングは，インプリント（刷り込み）のリセットあるいは獲得されたエピジェネティクス的変化を除去するために必要である．

エピジェネティクスリモデリングは，受精後すぐに起こり，**全能性** totipotency は接合子で回復する．全能性は1個の細胞が分裂して胚由来あるいは胚外由来のどのようなタイプにも分化する能力であり，広範囲にわたるDNA脱メチル化，クロマチンリモデリングそしてかなりの転写能力と相関する（図20.19）．

どのような潜在的分子メカニズムによって，始原生殖細胞が配偶子形成を導く**原生殖細胞** gonocyte になるのだろうか？

刷り込み消去の次に，複雑なリプログラミング過程により，いくつかの *germline reprogramming responsive*（*GRR*）遺伝子が協調したアップレギュレーションや始原生殖細胞（PGC）のDNAメチル化の除去が行われる．

生殖腺 *GRR* 遺伝子のリプログラミングにより，配偶子形成に向かう重要なステップである，始原生殖細胞が原生殖細胞になる．実際，*GRR* 遺伝子活性化のすぐ後に，女性の原生殖細胞が減数分裂前期を開始し，卵子形成に向かうようになる．

遺伝子刷り込み，クロマチン構造そしてDNAメチル化の間には，密接な関係がある．配偶子形成期間中，**アリル**（**対立遺伝子** alleles ギリシャ語 *allos*［= another，もう1つの］）の差次的発現が，父方と母方の配偶子において抑制される．

以前の考察を通して理解しているように，遺伝子は，それぞれの親から継承された1コピーあるいは対立遺伝子がペアになる．精子形成と卵子形成の期間中，1コピーの刷り込みされた遺伝子が，選択的に無力化される．刷り込み異常は，二者択一の父方あるいは母方のコピー（対立遺伝子）が破壊されたときにみられる．

父方刷り込み異常には，次のようなことが含まれる（図20.18）：

1. プラダー・ウィリー症候群 Prader-Willi syndrome．
2. アンジェルマン症候群 Angelman's syndrome．

プラダー・ウィリー症候群は，筋緊張低下，呼吸困難，肥満，低身長，そして軽度の精神障害が特徴である．

この症候群は，父親の対立遺伝子の欠失あるいは母親のコピーが2つ残存することによって起こる．

アンジェルマン症候群は，重度の精神障害，過度の不適切な笑い，会話能力の欠如，そして多動を含む．

プラダー・ウィリー症候群と対照的に，母親の対立遺伝子が欠失するか，父親のコピーが2つ残存する．（それぞれの親から1つずつ受け継いだ）2つの対立遺伝子が利用されるが，症状が出た個人では，その2つの対立遺伝子の遺伝子刷り込みを制御するDNA領域に変異が起こっている．

この背景をもとに，これからエピジェネティクスリプログラミングの**分子的な点**を述べる（図20.20）．

エピジェネティクスは，次のような基本的な前提がある：

1. **遺伝子発現パターンの違いは，継承されるDNA配列の変化によって決定されない．**
2. **DNAメチル化は，2塩基配列シトシン‐グアニンCpGのシトシン塩基に起こる．CpGのpは，DNAリン酸骨格を意味する．**

Cは相補的DNA鎖においてGとペアになるため，CpGの2塩基のアイランドは両方のDNA鎖で並び，同じ部位でメチル化される．このことは，メチル化パターンは，細胞が分裂するときに娘細胞に受け渡され，そのエピジェネティクな同一性が維持されることを意味する．多数のCpGアイランドは転写開始部位や活動的な遺伝子のプロモーター内に存在する．

3. **ヒストン修飾** histone modification は，特に**ヒストン脱アセチル化** histone deacetylation で起こる．

活動的転写中の遺伝子クロマチン（ユークロマチン）はヒストンをアセチル化し，CpGアイランドはメチル化されていない．このようにクロマチンが“オープンな状態”に組織化されていることにより，転写因子やRNAポリメラーゼは遺伝子を転写できるようにする．クロマチンが凝集すると（ヘテロクロマチン），転写は不活化する．

このことを達成するために，2つのことが起こる：

1. DNAメチル基転移酵素が，CpGアイランドをメチル化する．
2. ヒストン脱アセチル化酵素が，ヌクレオソームヒストンのN末端尾からアセチル化グループを除去する．

メチル化は，メチル基転移酵素によってメチルグループを生体分子に付加することで構成される．**DNAメチル基転移酵素** DNA methyltransferases（Dnmt1，Dnmt3a，そしてDnmt3b，Dnmt3Lの参加もある）は，メチル化グループをCpGの2塩基に付加する．**ヒストンメチル基転移酵素** histone methyltransferase は，ヒストンが**ヒストン脱アセチル化酵素** histone deacetylase によって脱アセチル化された後に，メチル化グループをヒストンに付加する．

ヒストン脱アセチル酵素は，アセチル化グループがヒストンから除去される時期をどのようにして知るのであろうか？

メチル化されたDNA結合タンパク質 Methylated DNA-binding protein（**MBD**）と**ヒストン脱アセチル化酵素** histone deacetylase（アセチル化グループを除去する酵素）は，メチル化されたときにCpGアイランドに連れていかれる．ヒストン脱アセチル化は，ヒストンメチル化に必須であり，ヒストン3（H3）を標的にする**ヒストンメチル基転移酵素** histone methyl-transferase を含む．H3のメチル化は，結果的に**ヘテロクロマチンタンパク質1** heterochromatin protein-1（HP1）産生につながる．クロマチンが凝集し，転写が不活化する（閉鎖クロマチン）．

DNAとヒストンのメチル化の臨床的意義は，ヒストン脱アセチル化と連動して，異常に沈黙している腫瘍抑制遺伝子を治療的に再活性化することである．

DNAメチル化インヒビターとヒストン脱アセチル化インヒビターは，がん治療において将来有望な治療薬である．

図 20.21 | 精巣腫瘍

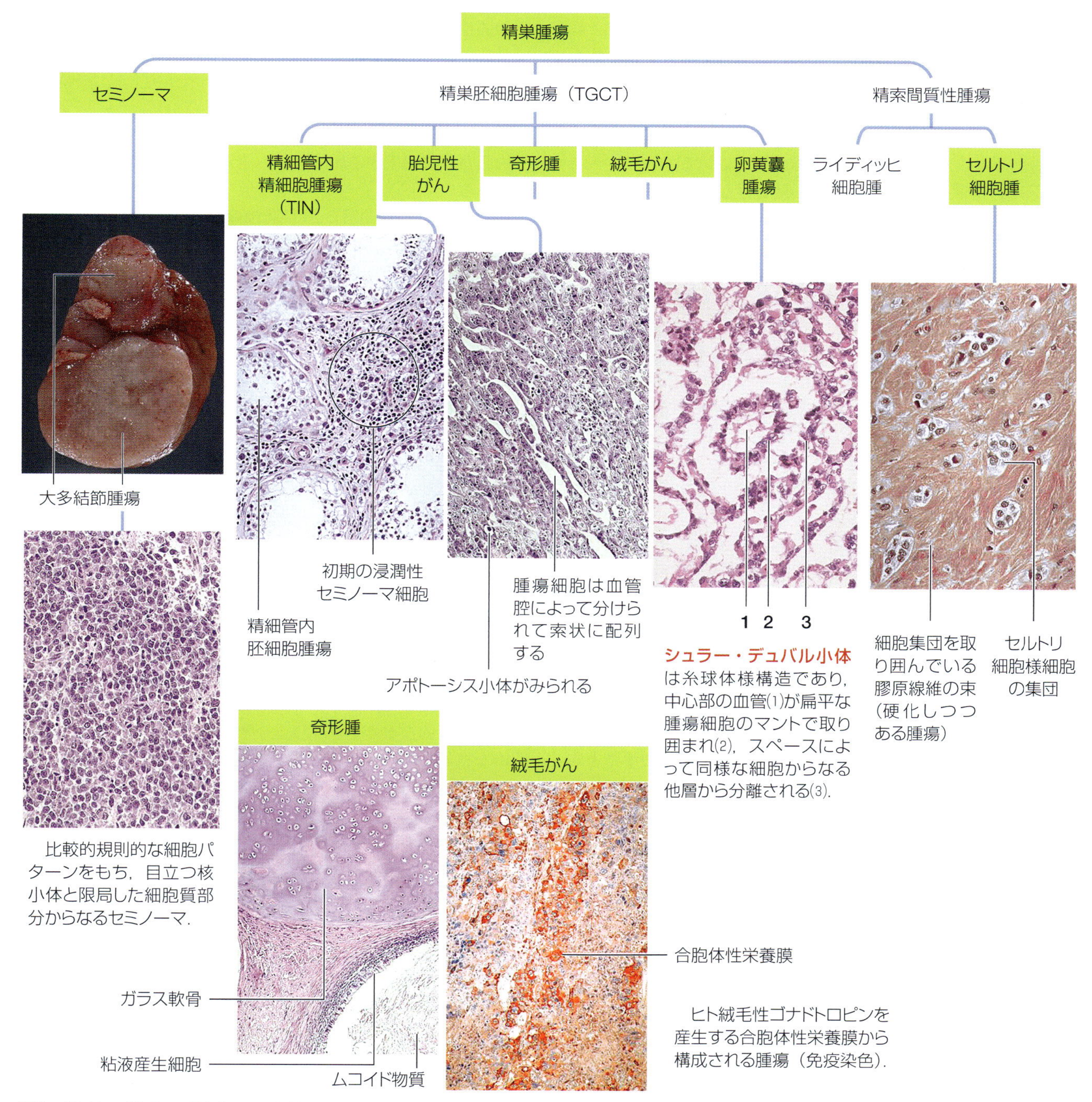

画像：Weidner N, Cote RJ, Suster S, Weiss LM: Modern Surgical Pathology, St. Louis, Saunders, 2003 より.

精巣腫瘍（図 20.21）

精巣腫瘍は，すべての悪性腫瘍の中で最も治療可能なものの 1 つであり，30～40 歳の男性にみられる．これらの患者の管理は，特に性欲と妊孕性において，きわめて重要である．

2 つの重要なリスク因子は，停留精巣（潜伏睾丸）と性腺形成不全症 gonadal dysgenesis（例えば，クラインフェルター症候群あるいは精巣性女性化症候群［アンドロゲン不応症]）．X 染色体数が多いことは精巣胚細胞腫瘍の一般的な特徴である．

精巣腫瘍は，3 つの主要なグループに分類される：

1. セミノーマ（精上皮腫）seminomas.
2. 精巣胚細胞腫瘍（TGCT）.
3. 精索間質性腫瘍.

血清中腫瘍マーカーは，α-フェトプロテイン（AFP），ヒト絨毛性ゴナドトロピン（β-hCG）β サブユニットそして乳酸脱水素酵素 1 である．

セミノーマは若い患者で起こり，最も一般的にみられる精巣腫瘍である．境界は明瞭であり，小葉のある黄色い腫瘍塊を形成し，精巣に限局する．結合組織細胞で囲まれた結節で構成される．セミノーマの腫瘍細胞は大きく，大きな核と明瞭な核小体をもつ．合胞体性栄養膜が精巣性セミノーマの中に存在することがある．β-hCG の血清中レベルは，適度に上昇する．精母細胞性セミノーマはセミノーマの一変異である．老齢の患者にみられ，組織学的には減数分裂中の細胞（精母細胞）に似る．

TGCT は，**精巣上皮内腫瘍（TIN）**，**胎児性がん**，**奇形腫**，**絨毛がん**，**卵黄嚢腫瘍**を含む．

TIN（**精細管内胚細胞腫瘍**ともよばれる）は，浸潤性 TGCT の初期段階である．TGCT は，平均 7 歳以後の TIN の 70％で発生する．セミノーマ細胞に似た悪性細胞が，精細管内に限局する．腫瘍細胞は，膜結合性**胎盤アルカリホスファターゼ** placental-like alkaline phosphatase（**PLAP**）と **c-kit 受容体** c-kit receptor に陽性である．c-kit 受容体は PGC や分化中の精祖細胞で発現する．

TGCT は，上述したように，全種類の X 染色体増加と関係がある．実際，長腕（Xq27）にある TGCT1 遺伝子は，おそらく 2 本の X 染色体に連結する発がん遺伝子（セリン／スレオニンキナーゼをコードする ARAF1 と転写因子 ELK1）の増加発現によって仲介される両側性 TGCT の発症リスクがある．

男性不妊は，すべての若い男性で，鑑別診断中に考慮すべき臨床的知見である TIN と関係がある．高位精巣摘出術は，一般的に，鼠径部切開で行われる．精巣機能温存手術は，さらに子どもを欲する患者にとっては，TIN のサイズが減少したときに精巣摘出手術に代わる方法である．

少数の患者では，胚細胞腫瘍は，TIN に加えて**性腺外局在** extragonadal localization（後腹膜内や縦隔）の場合もある．

生殖腺形成期間中に生殖堤に到着しないでアポトーシスによって破壊されなかった始原生殖細胞は，胚細胞腫瘍を起こすことがあることを理解しておくこと．

AFP あるいは β-hCG の上昇は，一般的にはバイオプシー（生検）で確認される性腺外胚細胞腫瘍と関係する．

胎児性がん embryonal carcinoma は，索状に配列した上皮細胞で構成される．がん細胞は，不規則な概観と明瞭な核小体をもった大きな核を示す．腫瘍細胞は，PLAP とサイトケラチンに陽性である．

奇形腫 teratoma は，胎児性の 3 層すべて（外胚葉，中胚葉そして内胚葉）に由来する組織の組み合わせで起こる良性の胚細胞腫瘍である．

奇形腫は，思春期前と思春期後の患者にみられる．この腫瘍は，（粘液様物質と軟骨結節を含む）嚢胞，硬組織（未分化型），悪性転換奇形腫からなる．

絨毛がん choriocarcinoma は，10 歳代の少年にみられる栄養膜細胞を伴った悪性腫瘍である．胚細胞腫瘍とは対照的に，精巣内に細胞塊がみられる前に，転移を起こす．血清中の β-hCG レベルは優位に上昇し，女性化乳房は頻繁に起こる．

卵黄嚢腫瘍 yolk sac tumor は，子どもや若い患者で最も多い精巣腫瘍である．この腫瘍は，**シュラー・デュバル小体** Schiller-Duval body として知られる糸球体様構造を呈する扁平な腫瘍細胞で囲まれた血管で構成される．

精索間質性腫瘍 sex cord cell tumor は，**ライディッヒ細胞腫** Leydig cell tumor と**セルトリ細胞腫** Sertoli cell tumor を含む．**ライディッヒ細胞腫**は，最も頻発する精索間質性腫瘍であり，どの年齢でもみられる．腫瘍細胞は，空胞化した細胞質を示し，大量の脂肪滴やまれにラインケの結晶（すでにみてきたように，ヒトのライディッヒ細胞の典型的特徴）がある．腫瘍細胞は，インヒビン染色は陽性である．**セルトリ細胞腫**は，一般的には良性で小さい．腫瘍細胞は，ビメンチンとサイトケラチンに対して陽性である．典型的なセミノーマは，小葉組織やセルトリ細胞のような明瞭な核と目立つ核小体をもつ細胞があるために，セルトリ細胞腫に似ている．

精子形成 | 概念図・基本的概念

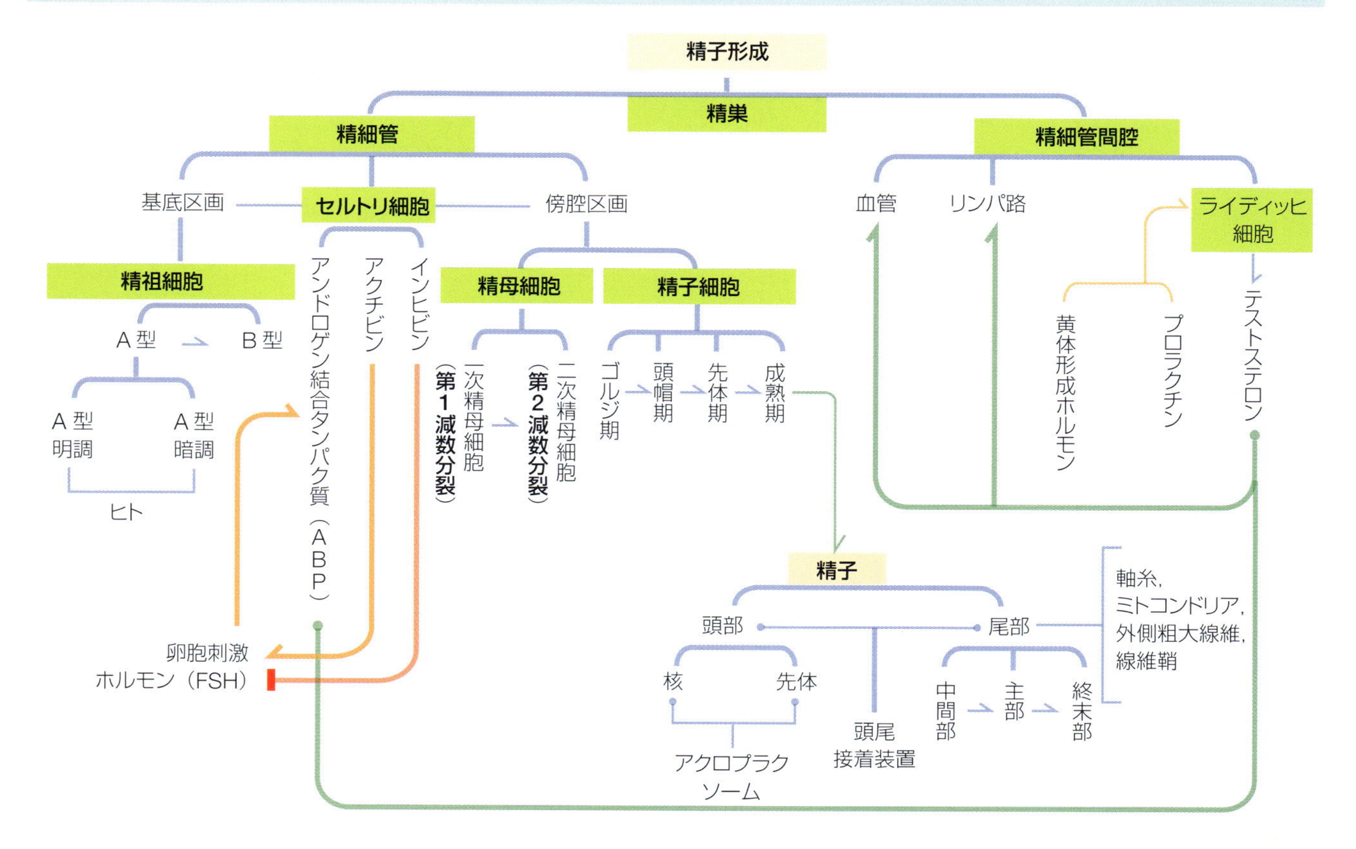

- 男性生殖器系は，次のもので構成される：
  (1)精巣，精子とアンドロゲンの産生場所．
  (2)精巣上体，精子成熟の場所．
  (3)導管系（精管，射精管，尿道）．
  (4)付属線（精嚢，前立腺，カウパーの尿道球腺）．
  (5)陰茎，交接器官．

- 精巣は陰嚢内にある．各精巣は，精巣網のある縦隔に集中する白膜（密性結合組織）で囲まれる．白膜下の血管網は，血管膜とよばれる．縦隔に由来する中隔すなわち仕切壁は精巣を250〜300個の小葉に分ける．各小葉は1〜4個の精細管を含む．

- 精細管は，次のもので構成される：
  (1)精細管壁．
  (2)精上皮．
  精細管壁は，膠原線維を産生する線維芽細胞と収縮性の筋様細胞で構成される．基底膜は基底板と網状板でできており，精細管壁と精上皮を分離する．
  精細管の2つの末端は，精上皮で産生される精巣精子，分泌タンパク質や液体を集める水路網である精巣網に開口する．
  精細管の間腔は，精細管間腔とよばれる．その腔は，血管，リンパ路，アンドロゲン産生ライディッヒ細胞の集団が存在する．

- 精上皮は，次のもので構成される：
  (1)体細胞性セルトリ細胞．
  (2)精細胞．
  精細胞の重層した配列（精祖細胞，一次と二次精母細胞，精子細胞）は他の重層上皮ではみられないため，構造的かつ機能的特徴をもった重層性上皮に分類される．例えば，有糸分裂後に永続する体細胞性セルトリ細胞の集団は，一時的に有糸分裂中の精祖細胞，減数分裂中の精母細胞そして分化中の半数体精子細胞と相互作用する．上皮で変わらずに存続するメンバーであるセルトリ細胞は，すべての一時的に存在するメンバーである精細胞と物理的かつ機能的な相互作用を維持する．

- 哺乳動物の精細胞連鎖は，思春期に始原生殖細胞（PGC）に由来する精祖細胞幹細胞（精原細胞幹細胞［SSC］）から始まる．PGCは発生中に生殖堤に住みつく．
  SSCは，有糸分裂によって2個の娘細胞を産生する．1個の娘細胞は精子形成周期を開始する．他の1個の娘細胞はリザーブSSCであり，そのまま自己複製能を維持し，別の精細胞子孫形成を開始する．
  リザーブSSCは，放射線治療やがん化学療法に耐性がある．このことは，これらのどちらか一方あるいは両方の治療を受ける若い患者の妊孕性を考慮する際に，重要である．
  記憶しておくべき2つの重要な特徴がある：
  (1)すべての精細胞は細胞分裂後も細胞間橋によってつながったままである．
  (2)精細胞集団は，同調して増殖し分化する．

- セルトリ細胞は，出生後の精巣で最も多くみられる有糸分裂を行う細胞である．思春期以降，セルトリ細胞はさらに分裂できない．
  セルトリ細胞は，精細管壁から内腔まで伸びる円柱状細胞である．それらは基底部に位置する閉鎖結合によって互いにつながる．閉鎖結合は，血液精巣関門の基盤であり，精上皮を（精祖細胞が存在する）基底区画と（精母細胞と精子細胞が局在する）傍腔区域に分ける．

セルトリ細胞の核は通常，精細管壁の近くにみられる．ヒトのセルトリ細胞核は，精細管壁から離れて存在する傾向がある．その核は，ユークロマチンと2つのヘテロクロマチン塊が両側にある大きな核小体をもち，輪郭が不規則である．

思春期以降，セルトリ細胞の機能は，卵胞刺激ホルモン（FSH）で制御される．セルトリ細胞は，インヒビンとアクチビンを分泌する．αβヘテロ2量体のインヒビンは，FSHの放出メカニズムにおいて，負のフィードバックを行う．ααまたはββホモ2量体のアクチビンは，FSHの放出メカニズムにおいて，正のフィードバックを行う．FSHはセルトリ細胞の分泌タンパク質であるアンドロゲン結合タンパク質（ABP）の産生を刺激する．

胎児の精巣では，セルトリ細胞は，ミュラー管の発生を妨げる糖タンパク質であるミュラー管抑制ホルモン（AMH）を分泌する．セルトリ細胞は貪食性細胞である．精子放出時にセルトリ細胞の陰窩から放出されるときに成熟した精巣精子が残す残余小体を除去する．

- **精祖細胞**は2倍体の細胞である．精祖細胞は祖先SSCに由来し，数回の有糸分裂を行い，細胞間橋で結合されている．精祖細胞は精細管壁と直接接触する．

  主な2つのタイプがある：
  (1) **A型精祖細胞**は，ユークロマチンがある卵形の核と偏った核小体をもつ．**ヒト精巣**では，A型精祖細胞は核の特徴によって，さらに2つに分類できる：**明調A型**精祖細胞と**暗調A型**精祖細胞．
  (2) **B型精祖細胞**は，核膜の近くにあるクロマチン塊と中央に1つある核小体をもつ．

- **精母細胞**は精上皮の傍腔区画に位置する．2つのタイプがみられる：
  (1) **一次精母細胞**は，DNA量を2倍に増やした後に（有糸分裂ではなく）減数分裂を行うB型精祖細胞に由来する．一次精母細胞は，**第1減数分裂**を行う．
  (2) **二次精母細胞**は，一次精母細胞の第1減数分裂後の細胞である．二次精母細胞は，**第2減数分裂**を完了する．

  減数分裂は，次の主な目的をもつ：
  (1) ペアになった相同染色体の非姉妹染色分体間の遺伝子情報の交換（**相互交換**とよばれる）．相同染色体はペアになり，**乗り換え**，あるいは**組み換え**として知られている過程によって，部分的に交換する．遺伝子組み換えは，種の遺伝的多様性の基本である．
  (2) **第2減数分裂**の終了ときに半数状態になる．減数分裂の最終産物は，4個の半数体精子細胞であり，それぞれの精子細胞は1セットの染色体をもっている．半数体の卵と精子が，受精で結合するときに，その胚が正常な2倍数を再び獲得する．
  (3) 雄は1つのXと1つのY染色体をもっている．減数分裂終了までに，半数の精子細胞がX染色体を獲得し，半数の精子細胞はY染色体を獲得する．Y染色体は，*SRY*（Y染色体性決定領域遺伝子）とよばれる遺伝子を運搬する．胎児期に，転写因子をコードするSRY遺伝子は，胎児性の生殖腺組織が精巣になるように決める．

- いくつかの目的的な出来事は，卵子形成や精子形成を比較する際に，理解しておくべきである：

  胎児卵巣では，男性の精祖細胞に相当する**卵祖細胞**は，多数回の有糸分裂を行い，**一次卵母細胞**として**第1減数分裂**に入り，思春期を過ぎるまで，第1減数分裂前期の最終段階より先に進まない．出生時の卵巣内には，卵祖細胞ではなく一次卵母細胞が存在する．

  一次卵母細胞の**第1減数分裂**の完了は，排卵時に起こり，その結果**二次卵母細胞**と**第1極体**とよばれる痕跡的な細胞ができる．もし，二次卵母細胞が受精すれば，**第2減数分裂**が完了し**第2極体**が産生される．この目的は，雄の半数体の前核が卵に進入する際に，二次卵母細胞の前核を半数体状態にしておくことである．

- **減数分裂**は2つのステップからなる：
  (1) **第1減数分裂は，数が減る分裂である**．各相同染色体は，2つの姉妹染色分体間からなる．ペアになって接合した相同染色体は**二価**とよばれる．ペアの各染色体が2つの染色分体をもっていることを考えると，その二価は**四分染色体**とよばれる．
  (2) **第2減数分裂は，均等な分裂である**．第1減数分裂は長期にわたる出来事である（日単位）．長い前期がある．第2減数分裂は，より短い（分単位）．第2減数分裂の前にはDNA合成は起こらない．

  第2減数分裂前期は，明瞭な各期からなる：
  (1) **レプトテン期**（細糸期）では，各染色体が細い糸のようにみえるようになる．それは2つの姉妹染色分体からなる．
  (2) **ザイゴテン期**（合糸期）では，相同染色体（常染色体と性染色体）が並んでペアをつくり始めて接合し，ジッパーのような構造の**シナプトネマ構造**によって安定化し，組み立てが始まる．
  (3) **パキテン期**（厚糸期）は，第1減数分裂前期で最も長く，シナプトネマ構造が十分に組み立てられる．ペアになった染色体の**非姉妹染色分体**の間で**乗り換え**が起こる．非姉妹染色分体間の遺伝子交換のポイントは**交叉**とよばれる．
  (4) **ディプロテン期**（双糸期）では，シナプトネマ構造が**分散**する過程（ジッパーが解かれる）であり，ペア染色体の分離が起こる．
  (5) **ディアキネーシス期**（分離期）では，相同な染色体が短くなり，凝集し続けてさらに分離する．その相同染色体は，**キアズマ**で結合したままである．交叉が，**末端化**とよばれる過程によって，染色体の端に向かって動く．

  シナプトネマ構造はタンパク質を含むリボン様構造である．2つの外側要素と1つの中心要素からなる．各外側要素は各二価染色体の軸染色体コアの残余物である．シナプトネマ構造はコヒーシン複合体とSCP3およびSCP2タンパク質（SCPはシナプトネマ構造タンパク質を意味する）を含む．

- **精子細胞**．形態的に2つの主なタイプの精子細胞がある：
  (1) **円形**あるいは**初期精子細胞**．
  (2) **伸長した**あるいは**後期精子細胞**．

  精子細胞は二次精母細胞に由来する**半数体細胞**である．精子形成の最終段階である**精子完成**とよばれる過程にある．

  精子完成は4段階で構成される：
  (1) **ゴルジ期**：ゴルジ由来の**前先体胞**は，モータータンパク質（キネシンとミオシンVa）によって，微小管とF-アクチンに沿って，アクロプラクソームに運ばれ，結合し，そこにつながれ，融合して**先体胞**を形成する．ゴルジに関連する**中心体**（中心子のペア）が，反対側の核極に移動して精子細胞の尾部を発生する．
  (2) **頭帽期**．ゴルジ由来の前先体胞は次第に融合して，先体胞から先体嚢に変わる．その**先体嚢**は，伸長した精子細胞の核に対して帽子を形成し，アクロプラクソームに固定されて，核の尾側へ下降し始める．

     アクロプラクソームの核周リングは，下降する先体嚢陥凹部を精子細胞核膜に固定するデスモソーム様構造をもつ．マンシェットは，アクロプラクソームの核周リングのすぐ下でマンシェット微小管の挿入部である**辺縁リング**を組み立てながら発生する．
  (3) **先体期**．体細胞型のヌクレオソーム含有クロマチンが平滑なクロマチン線維に変化することに伴って，精子細胞核の凝集と伸長が起こる．体細胞型ヒストンがプロタミンに変わり，次第にRNAが転写されなくなる．
  (4) **成熟期**．ミトコンドリアが移動して，発生中の精子細胞の尾部の近位部を取り囲むようになると，マンシェットが解離する．

  これらの段階は，先体と精子細胞核の形態形成を示す．しかし，精子完成中には，遺伝子発現において重要な変化がある．遺伝子発現が欠損すると，異常精子が発生し，男性不妊症につながる**奇形精子症**状態に陥る．

  精子形成中，精子細胞は重要な形態的かつ生化学的な変化を行い，受精の準備をする．次のことを強調する：

(1)先体は，外先体膜と内先体膜からなる袋であり，受精過程の先体反応の際に放出される加水分解酵素を含む．

内先体膜は，アクロプラクソームとよばれる下方にある細胞骨格性の板に付着する．アクロプラクソームは，F- アクチンとケラチン 5 からなり，精子細胞核の核膜に繋留される．

(2)マンシェットは，一過性に形成される微小管からなる構造であり，先体 - アクロプラクソーム複合体の尾側に位置する．マンシェットは次の現象に参加する：

①核原形質の運搬．これは核凝集中に起こる体細胞型ヒストン - プロタミン置換中の重要な出来事である．

②マンシェット内カーゴの運搬．これは頭尾結合装置と将来の精子鞭毛の発生に必要である．

③先体 - アクロプラクソーム複合体とともに，マンシェットは，精子細胞頭部の形つくりの役割をもつ．先体 - アクロプラクソーム複合体の構造と機能が欠損すると，球形（円形）頭部精子症になり，卵子と受精できなくなる．頭部と尾部が接着する部位から，頭部が異常に分離する頭部分離症は，男性不妊症の前段階である．

精子細胞は，特殊な部位にあるミトコンドリア，外側粗大線維鞘そして線維鞘で囲まれ，軸糸を含む構造である尾部を発生する．精子尾部が正しい構造と機能をもつことによって，受精が行われる．

- 精子．動かない成熟した精子が，精細管の内腔に放出され，精巣網に運ばれる．その輸送は，精細管の内腔に沿って流れる液体と精細管周囲壁にある筋様細胞の収縮運動に依存する．

精子は頭部と尾部からなり，これらの部位は中心体由来の頭尾結合装置（HTCA）によって頸部で互いにつながる．上述したように，頭部は先体と凝集した核をもつ．細胞骨格性の板であるアクロプラクソームは，先体と核膜をつなぐ．

尾部は 3 部位で構成される：

(1)中間（片）部は，HTCA から皮質リングまで伸びる．中間部には，中心から辺縁部にかけて，軸糸，9 個の同心円状に配列する外側粗大線維そしてらせん状に配列するミトコンドリアが含まれる．ミトコンドリアは，鞭毛のむち打ち運動中の軸糸微小管がスライドするためのエネルギー源となるアデノシン三リン酸（ATP）を供給する．皮質リングはセプチン 4 を含み，中間部と主部の境界をつくるリング状の部位である．

(2)主部は，皮質リングから終末部まで広がる．主部は，軸糸，7 個の同心円状に配列する外側粗大線維，線維鞘で構成される．線維鞘は，一対の同心性の周囲肋骨で連結された 2 つの縦柱（外側粗大線維と置き換わったもの）である．

(3)終末部は，軸糸の末端部にある短い部位である．ここは細胞膜で囲まれた軸糸を含む．外側粗大線維と線維鞘はない．

- 男性の妊孕性に影響する状態：

35℃の温度は精子形成に必須である．この温度は，陰嚢内で蔓状静脈叢と精巣動脈が対向流熱交換することによって達成できる．

精索静脈瘤（蔓状静脈叢の静脈の拡張）では，熱交換が妨げられるため，精子の産生能が低下することがある．

精索絞扼は，精索のねじれによって，精巣動脈供給と静脈排出ができなくなる．この病態は，一般的には，外傷あるいは精巣鞘膜内で異常に精巣が動くことによって引き起こされる．

精巣潜伏（あるいは停留精巣）は，片側または両側の精巣が陰嚢内に到達できない病態である．胎児と新生児の精巣下降は，精巣で産生されるホルモンであるインスリン様因子 3（INSL3）とアンドロゲンによって制御される．これら 2 つのホルモンは，精巣 - 精巣上体複合体をつないでいる靱帯である精巣導帯の成長を調節する．INSL3 は，精巣導帯の骨格筋内のリラキシン／インスリン様ペプチドファミリー受容体 2（RXFP2）に結合する．*INSL3* 遺伝子に変異があると，両側性の停留精巣が起こる．

ウイルス性精巣炎．流行性耳下腺炎は，全身性のウイルス感染症であり，20～30％の頻度で片側あるいは両側に起こる急性精巣炎である．思春期後の男性において，突然の浮腫と精細管間腔へのリンパ球の浸潤が特徴である．コクサッキーB ウイルスはウイルス性精巣炎のもう 1 つの病原体である．

- ライディッヒ細胞．ライディッヒ細胞は精細管間腔内の血管やリンパ腔の近くに集まってみえる．ライディッヒ細胞は，黄体形成ホルモン（LH）とプロラクチンの刺激を受けてテストステロンを産生する．すべてのステロイド産生細胞（例えば，副腎皮質や卵巣の黄体の細胞）でみられるように，コレステロールがアシルコエンザイム A：コレステロールアシルトランスフェラーゼ（ACAT）によってエステル化され細胞質の脂肪滴に貯蔵される．コレステロールはステロイド産生急性調節タンパク質によってミトコンドリアに輸送され，プレグレノロンがつくられる．プレグレノロンは，粗面小胞体の酵素によってプロゲステロンからテストステロンに変換される．

- 精子形成の生体調節．FSH と LH は，下垂体切除（下垂体を外科的に取り去る術）の後で精子形成が崩壊することで示されるように，精子形成のホルモンレギュレーターである．セルトリ細胞の活動は FSH に依存する．ライディッヒ細胞によるテストステロンの産生は，LH の制御下にある．

もし，セルトリ細胞が FSH からの刺激効果が十分であると判断したら，そのメッセージはインヒビン分泌と通して GnRH と関係する．もし FSH が必要であれば，そのメッセンジャーは，アクチビンである．テストステロンは，GnRH が LH 放出を制御するためにライディッヒ細胞からの受け取るフィードバックシグナルである．図 20.14 で精子形成のホルモン制御のいろいろな面を統合して概観する．

精子形成の維持と進行は，セルトリ細胞の機能を含む他の因子にも依存する．最も関連する機能に焦点をあててみる：

(1)セルトリ細胞は，相互に連結された精祖細胞子孫のメンバーがセルトリ細胞間の閉鎖結合を通って精上皮の基底区画から傍腔区画まで移動することを助ける．

(2)セルトリ細胞の貪食能により，アポトーシスに陥った精細胞と精子放出の際に残る残余小体が除去される．

(3)Fas リガンドは，精母細胞と精子細胞に発現し，欠陥のある精細胞子孫のメンバーを廃棄するために，アポトーシス関連装置を活性化する．

(4)精上皮の区画化により，いわゆる血液精巣関門ができて，精母細胞と精子細胞を有害な免疫応答から保護する．

(5)セルトリ細胞は，GDNF（グリア細胞株由来神経栄養因子）を分泌する．GDNF は，精祖細胞の再生と分化を刺激する．このメカニズムにより，新しい精祖細胞の子孫がスタートするタイミングまでに，セルトリ細胞が安定して精子を放出できるようになる．

(6)セルトリ細胞は，アンドロゲン結合タンパク質（ABP）を合成して分泌する．ABP- アンドロゲン複合体は，成長中の精細胞の近くのアンドロゲンを高いレベルに維持する（局所作用）．この複合体は，精子成熟を助けながら，精巣上体のアンドロゲン濃度を上げる（遠隔作用）．

(7)胎児性セルトリ細胞は，胚性のミュラー管が卵管，子宮や頸管にならないように，抗ミュラー管ホルモン（AMH）を合成して分泌する．

- 精子形成の成長過程．以下の概念は概観するために必要である：

(1)思春期に，SSC 精祖細胞幹細胞（精原細胞幹細胞）は有糸分裂によって娘細胞を産生する．1 個の娘細胞は精細胞の子孫の系列を開始し，もう 1 つの娘細胞は予備の SSC になる．

(2)初期および後期子孫細胞は，精上皮内に共存する．精細管の切片は，SSC から始まる 2 種類またはそれ以上の子孫細胞の共存を示す．

(3)精子形成は，精祖細胞，精母細胞および精子細胞の集団がそれぞれ細胞間橋によって結合されていることにより同期して進行する．精細胞子孫が同期し，上に重なる結果，細胞連合とよばれる細胞の組み合わせのシリーズが精細管の横断切片にみられる．

(4)**精子形成の周期**と**精子形成の波**の違いを区別できることを確認してみよう．

精子形成の周期は，精細管の区画内で，同じステージ，あるいは細胞連合が再出現するために必要な**時間**として定義される．

精子形成の波は，**精細管の長さに沿う**2つの同一ステージ，あるいは細胞連合の**距離**（**空間**）として定義される．

(5)ヒト精巣内の精子形成の波のみえ方は，げっ歯類内でみえるにように特徴的なものではない．ヒト精巣内における精細胞子孫の進行は，げっ歯類のように**直線的**ではなく，**らせん状**である．

- **エピジェネティクス**はDNA配列の遺伝的変化で決定されない遺伝子発現パターンの違いの研究である．エピジェネティクスの基本は，主に活発に転写している遺伝子にみられるシトシン－リン酸グアニン（CpG）アイランドのメチル化である．

精子形成と**卵子形成**の間に，ゲノム刷り込みが消去されて，胚のエピジェネティクスリプログラミングが起こる．

リプログラミングは，父と母の配偶子内の多数の対立遺伝子の異なる表現で構成される．親由来の刷り込みの欠陥は，**プラダー・ウィリー症候群**と**アンジェルマン症候群**を起こす．

インプリント遺伝子の一方のコピーは，配偶子形成中に発現を抑制される．成熟精子のDNAは，卵子形成中に起こる穏やかなメチル化パターンに比較して，高度にメチル化されている．ヒトでは，**受精直後**の胚において，ほとんどのゲノムDNAからDNAメチル化が広範に消失することに伴って，重要な精子DNAの脱メチル化が起こる．

着床後，胚細胞が細胞と組織の分化の特徴を獲得するとすぐに，DNAメチル化が上昇する．胚盤胞の多能性内細胞塊は，着床前にエピジェネティクな記憶を消去する．エピジェネティクスリプログラミングは受精後すぐに起こり，全能性が接合子に戻る．全能性は，広範なDNAの脱メチル化，クロマチンのリモデリングそして重要な転写変化を含む．

精巣と卵巣の発生中，複雑なリプログラミング過程には，いくつかの**生殖細胞リプログラミング応答**（*GRR*）遺伝子の調整されたアップレギュレーションとPGCにおけるDNAメチル化の除去が含まれる．

*GRR*遺伝子のリプログラミングは，PGCが減数分裂と男性と女性の配偶子産生のために重要な段階である**原生殖細胞**になるように仕向ける．

DNAメチル基転移酵素が加わりDNAメチル化が起こると，転写因子とRNAポリメラーゼがメチル化によって“発現を抑制された遺伝子”を転写できなくなる．メチル化されたCpGアイランドは，メチル化DNA結合タンパク質を動員する．その1つが**ヒストン脱アセチル化酵素**である．

転写が起こるためには，ヒストンのN末端がアセチル化されなければならない．ヒストン脱アセチル化酵素によって，ヒストンメチル基転移酵素がヒストン3をメチル化し，ヘテロクロマチンプロテイン1を動員してクロマチンの凝集を引き起こす．このようにヘテロクロマチン（凝集したクロマチン）の転写が不活発になる．

- **精巣腫瘍**は，すべての悪性腫瘍の中で最も治療できる1つであり，30～40歳のヒトでみられる．2つの重要な危険因子は，**停留精巣**（潜伏精巣）と**性腺形成不全**（例えば，**クラインフェルター症候群**あるいは**アンドロゲン不応症候群**）である．X染色体数の増加は，精巣性胚細胞腫瘍の一般的な特徴である．

精巣腫瘍は，3つの主なグループに分類される：

(1)**セミノーマ**（精上皮腫）．
(2)**精巣胚細胞腫瘍**（**TGCT**）．
(3)**精索間質性腫瘍**．

血清中の腫瘍マーカーは，α-フェトプロテイン（AFP），ヒト絨毛性ゴナドトロピン（β-hCG）βサブユニットそして乳酸脱水素酵素1である．

セミノーマは若い患者で起こり，最も頻度の高い精巣腫瘍である．β-hCGの血清中レベルは，適度に上昇する．**精母細胞性セミノーマ**は，セミノーマの一変異である．老齢患者にみられる．

TGCTは，**精巣性上皮内腫瘍**（**TIN**），**胎児性がん**，**奇形腫**，**絨毛がん**，**卵黄嚢腫瘍**を含む．**TIN**（**精細管内精細胞腫瘍**ともよばれる）は，浸潤性TGCTの初期段階である．TGCTは，平均7歳以後，TIN症例の70%で発生する．腫瘍細胞は，膜結合性胎盤アルカリホスファターゼ（PLAP）と**c-kit受容体**で陽性に染色される．先に述べたように，c-kit受容体はPGCや分化中の精祖細胞で発現する．

男性不妊はTINと関連し，若い男性における鑑別診断過程で考慮すべき臨床所見である．高位精巣摘出術は，通常，鼠径切開を行う．もし，TINのサイズが減少すれば，子どもの父親になることを希望する患者においては，器官温存術は精巣摘除にとって代わる方法である．

TGCTは，あらゆる種類のX染色体増加と関連する．実際，長腕にある*TGCT1*遺伝子は，おそらく2つのX染色体関連がん遺伝子（ARAF1）の発現を増加させることによって，両側性TGCTの危険と関係するようである．ARAF1は，転写因子であるセリン／スレオニンキナーゼとELK1をコードする．

少数の患者では，胚細胞腫瘍は，TINに加えて（後腹膜や縦隔内）性腺外に局在することもある．PGCは，性腺形成過程で生殖堤に到達せずアポトーシスによって崩壊しない場合に，胚細胞腫瘍を起こすことがあることを理解しよう．

胎児性がんは，索状に配列した上皮細胞で構成される．がん細胞は，不規則な概観と明瞭な核小体をもった大きな核をもつ．**奇形腫**は，胎児性の3層（外胚葉，中胚葉そして内胚葉）由来組織の組み合わせで起こる良性の胚細胞腫瘍である．奇形腫は思春期前と思春期後の患者にみられる．

絨毛がんは，10歳代の少年にみられる栄養膜細胞を伴った悪性腫瘍である．胚細胞腫瘍とは対照的に，精巣内に細胞塊がみられる前に，転移を起こす．血清中のβ-hCGレベルは優位に上昇し，女性化乳房が起こりやすい．

卵黄嚢腫瘍は，子どもや若い患者で最も多い精巣腫瘍である．この腫瘍は，**シュラー・デュバル小体**として知られる，糸球体様構造を呈する扁平な腫瘍細胞で囲まれた血管で構成される．

精索間質性腫瘍は，**ライディッヒ細胞腫**と**セルトリ細胞腫**を含む．ライディッヒ細胞腫は，最も頻発する精索間質性腫瘍であり，どの年齢でもみられる．セルトリ細胞腫は，一般的には良性で小さい．腫瘍細胞は，ビメンチンとサイトケラチンに対して陽性である．

21 精子輸送と成熟

キーワード 精子成熟の経路，精巣上体管，精索，付属生殖腺，精嚢，前立腺，良性前立腺肥大，前立腺がんと腫瘍抑制遺伝子，男性と女性の尿道

精細管から放出された成熟精子細胞は，精子として最終的に受精するために必須である前進運動能を獲得するための成熟過程を精巣上体管内で完成する．精巣上体管からの分泌物はさらに，主に前立腺と精嚢からの産物と混ざり，男性配偶子の成熟と生存能力を助ける．本章は，生殖腺（性腺）と流出路（精巣輸出管）の主要な発生段階を概観することから始める．そうすることにより，受精が成立するために男女の配偶子がたどる経路の組織学，機能，臨床的意義の理解につながる．

生殖腺の発生（基本事項 21.A）

生殖腺形成の重要な点は，男性と女性の配偶子の前駆細胞が一次外胚葉から**胚外** extra-embryonic の卵黄嚢壁に移住する点である．

骨形成タンパク質は，胚外中胚葉と臓側内胚葉からのシグナルとともに多能性の**胚盤葉上層細胞** epiblast cell が**始原生殖細胞** primordial germinal cell（**PGC**）になるように定める．PGC は最初に原始線条に出現し，第 4 週胚では内胚葉に出現する．

胚盤葉上層細胞から PGC への誘導は，B lymphocyte-induced maturation protein 1（**BLIMP1**）で仲介される転写制御レベルで起こる．さらに，転写因子 OTX2 の発現を低下させることにより，効率的な PGC 分化が増加する．BLIMP1 は PGC 特異的遺伝子 ***Stella*** の発現を刺激する．*Stella* は体細胞特異的な遺伝子の転写を抑制することによって，移住中の PGC の多能性状態を維持する．OTX2 過剰発現や BLIMP1 が欠損すると，PGC は適切な分化や移住ができない．

胎生 4〜6 週の間に約 10〜100 個の PGC が，**アメーバ様運動**しながら卵黄嚢後部から胚の直腸管壁へと移動する．そこから，背側腸間膜を通って，左右両側の生殖堤へ移住する．PGC の移動開始は，**細胞表面タンパク質のインターフェロン誘導性膜貫通タンパク質 1** interferon-induced transmembrane protein 1（**IFITM1**）によって制御される．IFITM1 タンパク質が欠損すると，PGC は内胚葉へ移住できなくなる．*Stella* の発現は，PGC が生殖堤に移住する間は続く．

どのようにして PGC は生殖堤への道をみつけるのか？

PGC を生殖堤に導く化学誘因物質システムがある：

1. **間質由来因子 1** stromal-derived factor 1（**SDF1**）は生殖堤で周囲を取り囲む間葉内に発現する．
2. **ケモカイン** chemokine（**CXCR4**）は PGC で発現し，SDF1 の受容体となる．

SDF1 あるいは CXCR4 が欠損すると，ほとんどの PGC は生殖堤に到達できない．もし，SDF1 が異所性に発現すると，PGC はその異所に移住する．生殖堤に到達できない PGC はアポトーシスに陥る．Bax は Bcl2 タンパク質ファミリーであり，アポトーシスカスケードを開始する．しかし，アポトーシスに陥らず，後に**性腺外胚細胞腫瘍** extragonadal germ cell tumors を起こす PGC もある．

PGC は移住しながら有糸分裂して増殖する．PGC は胎性 6 週までに生殖堤に到達して増殖を続け，体細胞と作用しながら**未分化性腺** indifferent gonads を発生させる．

PGC の移住にはさらに少なくとも 3 つの因子が含まれる：

1. PGC の移住と増殖の速度は，**チロシンキナーゼ**である **c-kit 受容体** c-kit receptor とそのリガンドである**幹細胞因子** stem cell factor（あるいは **c-kit リガンド** c-kit ligand）の相互作用に依存する．c-kit 受容体は PGC により産生され，幹細胞因子は移動経路沿いに存在する体細胞で合成される．
   c-kit 受容体あるいは幹細胞因子が欠損すると，生殖腺への PGC 移住数が有意に減少するため，PGC が存在しない生殖腺ができる．造血とメラノサイトや肥満細胞の発生が c-kit 受容体とその幹細胞リガンドに依存することを確認すること．
2. PGC が発現する **E-カドヘリン**は，PGC が後腸に移動するために必要である．
3. PGC は **β1 インテグリン**を発現する．これは PGC が生殖堤に進入するために必要である．

約 2,500〜5,000 個の PGC が中胚葉内に留まり，中腎の細胞を誘導し，裏打ちする体腔上皮を増殖させて，1 対の**生殖堤**（**生殖腺堤**）gonadal ridge を形成する．腹腔上皮索は成長して生殖堤の中胚葉の中へ入り込み，未分化性腺の**外側の皮質**そして**内側の髄質**を形成する．

精巣の発生（図 21.1；基本事項 21.A）

胎生 7 週目までは，生殖腺は両性に共通な 1 つだけの型である．これは生殖腺発生の**未分化段階**である．

その後，**女性では皮質が卵巣に発生し，髄質は退化する．男性では皮質が退化し，髄質が精巣を形成する．**

各髄質の精巣への分化は，**Y 染色体性決定領域** Y sex-determining region of the Y chromosome（***SRY***）によってコードされる転写因子によって制御される．SRY は**精巣決定因子** testicular-determining factor としても知られる．

SRY は，もう 1 つの転写因子である **Sox9**（sex determining region Y-box 9 に対応する）の発現を上昇させる．この Sox9 の発現は線維芽細胞成長因子 9（FGF9）とともに，精細管の前駆体である精巣索の発生を刺激する．すでに第 4 章で学んだように，Sox9 は軟骨膜細胞を軟骨細胞に分化することによって，軟骨形成にかかわる．したがって，Sox9 は男性生殖器系と骨格系の発生の両方に重要である．

精巣発生の初期段階は Y 染色体によって制御されるセルトリ細胞集団の分化である．次に胎児性セルトリ細胞は，初めは**インスリン様成長因子 1** insulin-like growth factor-1（**IGF-1**）の影響下で増殖する間葉系由来のライディッヒ細胞の分化を調整するようになる．精細管周囲筋様細胞と血管の胎児性前駆細胞が精巣索

基本事項 21.A | 始原生殖細胞の卵黄嚢からの移動と生殖隆起での定住

始原生殖細胞の移住

1 胚盤葉上層細胞から始原生殖細胞（PGC）への変換．骨形成タンパク質（BMP）および胚外外胚葉と臓側内胚葉からのシグナルが，多能性の胚盤葉上層細胞がPGC になるように指示する．転写因子 OTX2 の発現低下により PGC の特異化がなされる．

2 PGC の特異化．**転写因子リプレッサー BLIMP1**（B lymphocyte–induced maturation protein 1）は，*Stella* 遺伝子の発現によって体細胞遺伝子を抑制できるようにする．

3 PGC の内胚葉への移住．PGC は，**細胞表面タンパク質 IFITM1**（interferon–induced transmembrane protein 1）によって内胚葉に移住できるように準備される．

4 PGC の後腸への移住．**SDF1**（間質細胞由来因子），ケモカイン **CXCR4** と小腸上皮細胞の一時的な細胞の変形がつくりだす誘因力によって，PGC の移住が促進される．SDF1 は生殖堤とその周囲の中胚葉に発現される．PGC は CXCR4 を発現する．

5 異所への PGC 移住．PGC の異所への移動は，SDF1 の異所での発現によって起こり，ヒトでは性腺外胚細胞腫瘍を起こす．

6 **PGC は生殖堤で移動を停止する．** 生殖堤に到達すると，PGC は原生殖細胞となり，体細胞と連携して生殖腺を形成する．

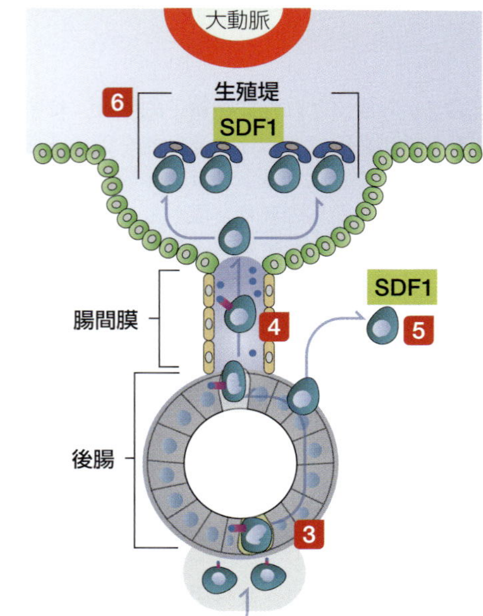

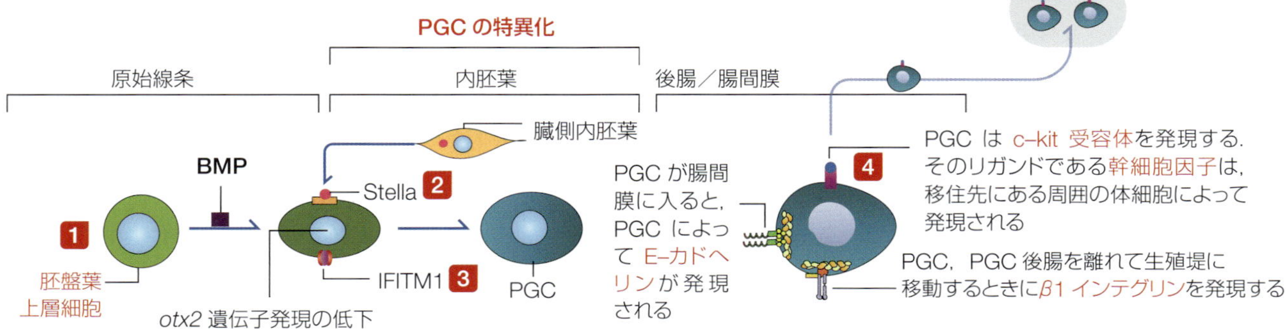

精巣索の構築

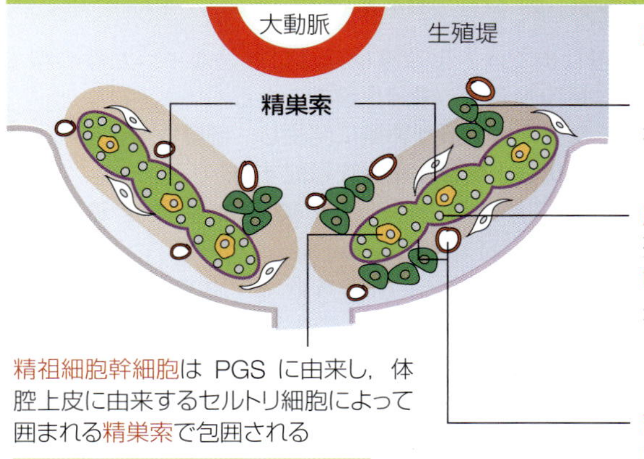

胎児性ライディッヒ細胞（中腎細胞に由来する）は，テストステロンを産生し，ウォルフ管の分化を促進する

胎児性セルトリ細胞（生殖堤由来）は抗ミュラー管ホルモン（AMH）を産生し，ミュラー管の退化を誘導する

精祖細胞幹細胞は PGS に由来し，体腔上皮に由来するセルトリ細胞によって囲まれる精巣索で包囲される

前精細管周囲筋様細胞と血管は中腎細胞から分化する

未分化生殖腺

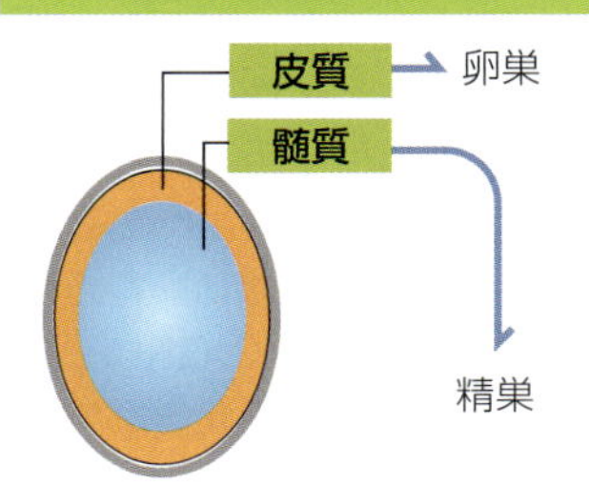

未分化生殖腺の髄質は，Y 染色体の性決定領域（*SRY*）遺伝子と *Sox9* 遺伝子によってコードされる核 HMG タンパク質と *Sox9* 遺伝子の制御を受けて精巣に分化する．

SRY 発現が欠損する場合や異常な場合は他の調節カスケード機構が作動して卵巣が発生して女性化する．

精巣索

精巣索中心部の精祖細胞幹細胞

細胞質内脂肪を伴うライディッヒ細胞

セルトリ細胞

有糸分裂中のセルトリ細胞

精細管周囲筋様細胞の前駆細胞

図 21.1 ｜ 男性生殖器の発生

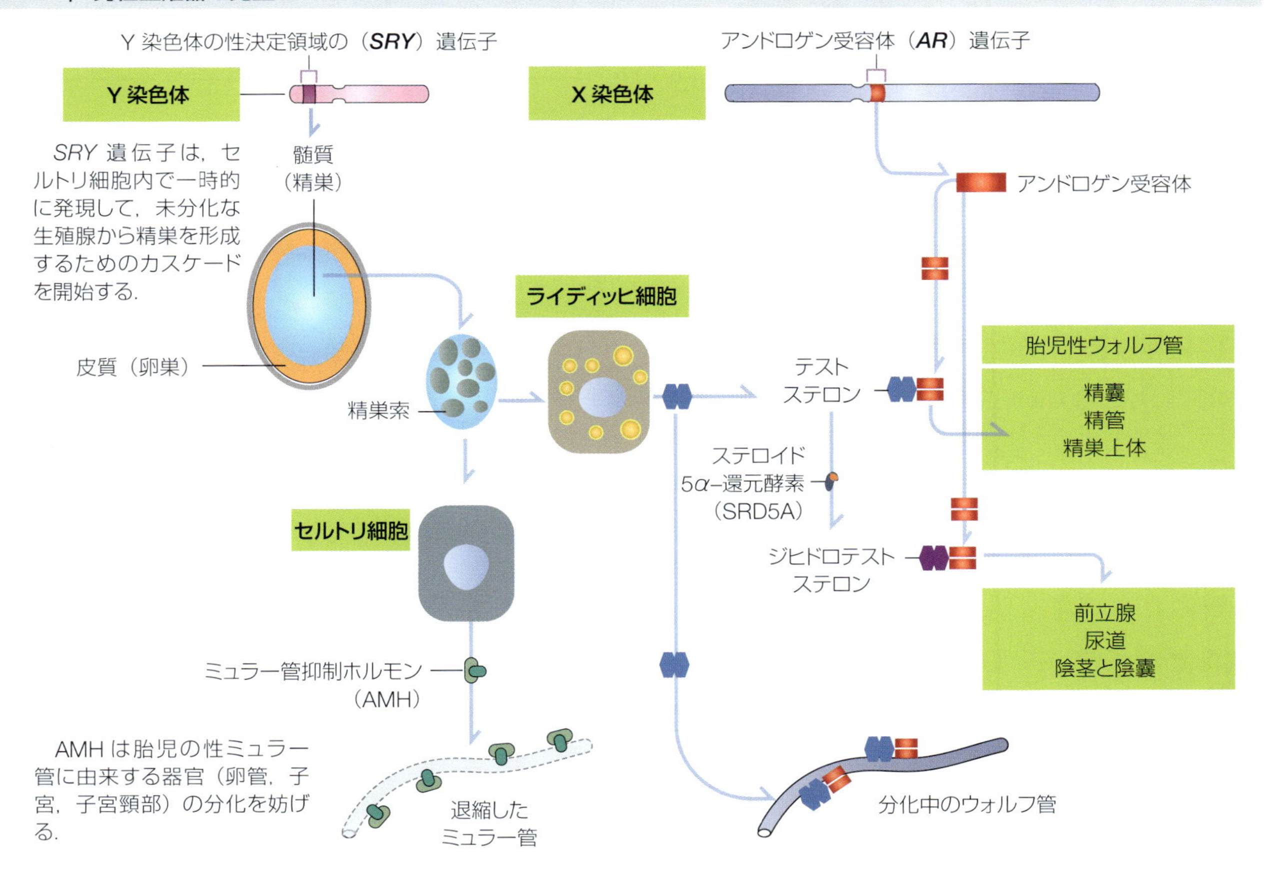

周囲に発生する.

胎児性の腺性下垂体由来の**黄体形成ホルモン** luteinizing hormone（LH）の刺激を受けて，胎児性ライディッヒ細胞がテストステロンを産生する．テストステロン合成は出生後に停止し，思春期で再開し，成人期を通して持続する.

PGC に由来する**精祖細胞幹細胞（精原細胞幹細胞）** spermatogonial stem cell（SSC）は有糸分裂を停止しているが，細胞分裂するセルトリ細胞で取り囲まれる精巣索の中心に局在する．思春期が近づくと，SSC は将来の精細管壁に接近して，精子形成のスタート時点となる有糸分裂の増殖周期を開始する.

Sox9 機能が消失すると，**XY 性腺形成異常症** XY gonadal dysgenesis になり，その患者では生殖腺構造が発達せず（線状性腺）男性化が消失する（ミュラー管由来の構造は存続する）．*Sox9* 遺伝子の変異は骨格異常を伴う**屈曲肢異形成症**を起こす.

内生殖器の発生（図 21.1）

胎児の精巣は，直精細管によって精巣網につながる精巣索から形成される．精巣索は体腔上皮に由来する**セルトリ細胞** Sertoli cell と SSC を含む．中腎中胚葉に由来する**ライディッヒ細胞** Leydig cell が各精巣索の間に存在する.

胎児性セルトリ細胞は，**抗ミュラー管ホルモン** anti-Müllerian hormone（AMH）を分泌し，**ミュラー管（中腎傍管** paramesonephric duct ともよばれる）の子宮腟原基への発生を抑制する．AMH がないと，ミュラー管は存続し，内生殖器は女性型になる.

妊娠 8 週まで，胎児性ライディッヒ細胞はテストステロンを産生する．その産生は**胎盤性ヒト絨毛性性腺刺激ホルモン** placental human chorionic gonadotropin（hCG）によって制御される．胎児の腺性下垂体は黄体形成ホルモン（LH）を分泌しない.

ウォルフ管（中腎管ともよばれる）の頭側端は，精巣上体，精管，射精管を形成する．精管のふくらみは精嚢を形成する.

前立腺と尿道は尿生殖洞から発生する．前立腺は 2 つの異なる起源をもつ．すなわち，腺上皮は尿道前立腺部の内胚葉が突出して形成されるのに対し，間質や平滑筋は周囲を取り巻く中胚葉

Box 21.A ｜ 内生殖器の発生

- セルトリ細胞由来の AMH が存在しないと，ミュラー管はファロピアン管（卵管），子宮，頸部，腟の上部 1／3 になる.
- ライディッヒ細胞由来のテストステロンが存在すると，ウォルフ管は精巣上体，精管，精嚢，射精管になる.
- ステロイド 5α‐還元酵素（SRD5A）が存在すると，テストステロンはジヒドロテストステロン（DHT）に変換される．DHT は生殖結節，生殖ヒダ，生殖隆起，尿生殖洞が陰茎，陰嚢そして前立腺になるように誘導する.
- DHT が存在しないと，生殖結節，生殖ヒダ，生殖隆起，尿生殖洞は，大陰唇，小陰唇，陰核，腟の下部 2／3 になる.

図 21.2 | 精細管から精細管直部を経て精巣網へ至る精子輸送

直精細管

円柱形のセルトリ細胞だけが存在することが，精上皮から直精細管への移行部の目印となる

精巣網へ

セルトリ細胞間の閉鎖結合の位置は，円柱形のセルトリ細胞では基底側に存在するのに対し，直精細管や精巣網にある立方形のセルトリ細胞では頂部側にある．立方形のセルトリ細胞の頂部には微絨毛があり，時に一次線毛もみられる

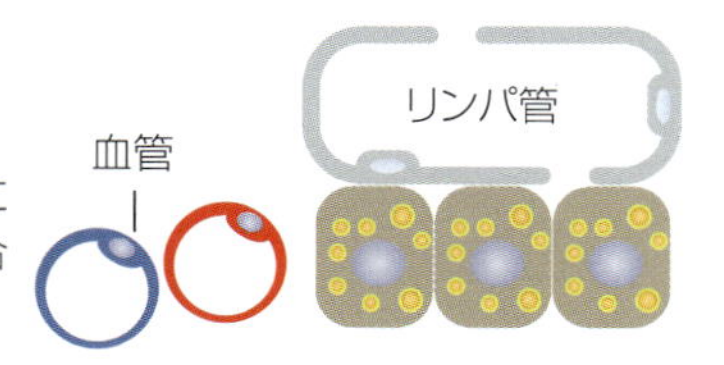

ライディッヒ細胞はリンパ管や血管に隣接して集簇し，その全体が疎性結合組織に支えられている．

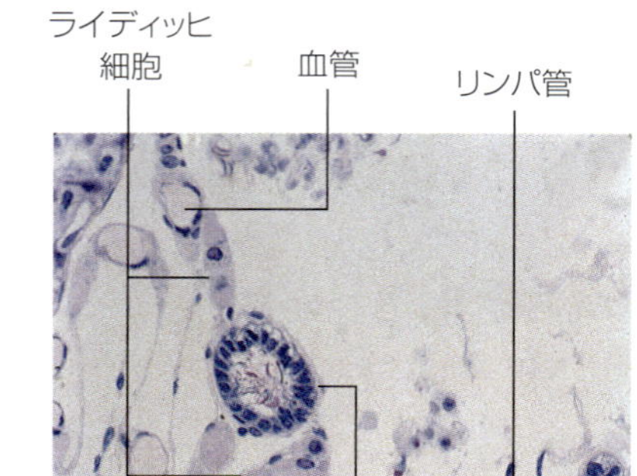

直精細管の横断面がみられる．その腔は精巣網に移動中の未熟な精子を含む．裏打ちする上皮は立方形であり，管周囲の平滑筋は精細管の精細管周囲筋様細胞層に続く．

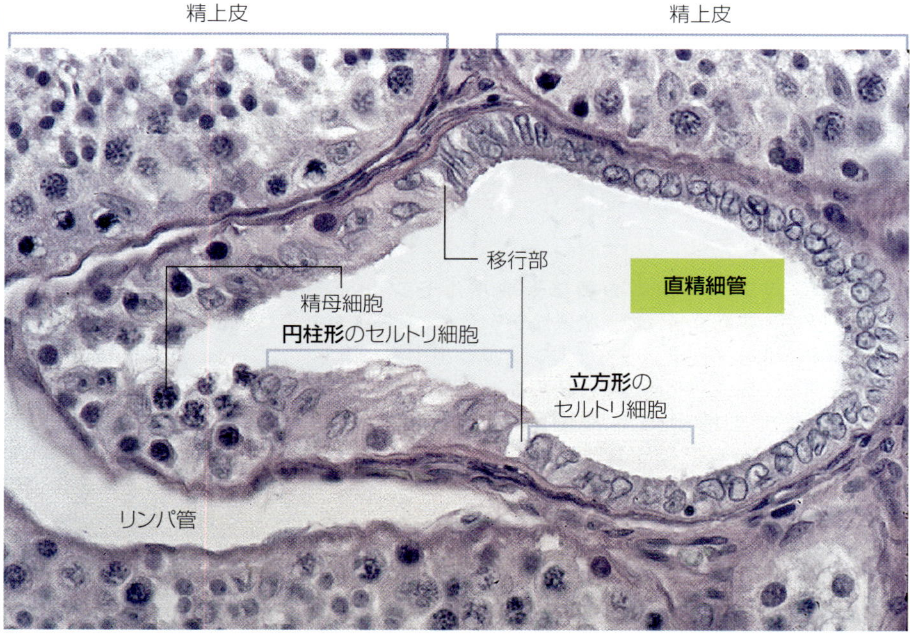

に由来する．

アンドロゲンがないと，ウォルフ管は退化し，前立腺が発生しない．**女性胎児**でアンドロゲンレベルが高いと，ミュラー管とウォルフ管の両方が存続する可能性がある（Box 21.A）．

精巣下降

精巣導帯 gubernaculum は，精巣下極に形成され，腹壁を斜めに横切り，精巣を将来の陰嚢になる生殖隆起に付着する．

妊娠 3〜7ヵ月の間に，精巣は鼠径管近くに留まる．妊娠 9ヵ月あるいは出生直後に，精巣は鼠径管を横断した後，陰嚢に到達する．精巣導帯が短縮し，鞘状突起が長くなり，各精巣が陰嚢内に引き込まれる．鞘状突起は，長くなると腹斜筋と腹横筋の筋線維を捕らえ，精巣挙筋を形成する．

補足詳細は，第 20 章参照．

アンドロゲン非感受性症候群（AIS）

アンドロゲン非感受性症候群 androgen insensitivity syndrome（AIS）あるいは**精巣性女性化** testicular feminization（Tfm）**症候群**は，**アンドロゲン受容体**の発現を制御している遺伝子の欠損によって起こる．この遺伝子は X 染色体上に位置する．

3 つの表現型が観察される：

図 21.3 | 精巣輸出管と精巣上体近位部における精子輸送と液体の再吸収

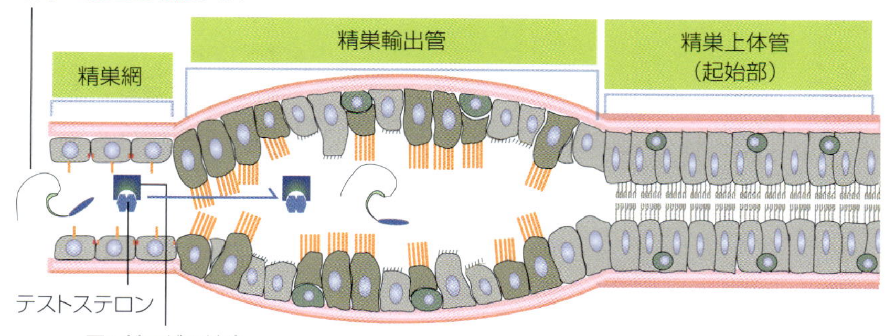

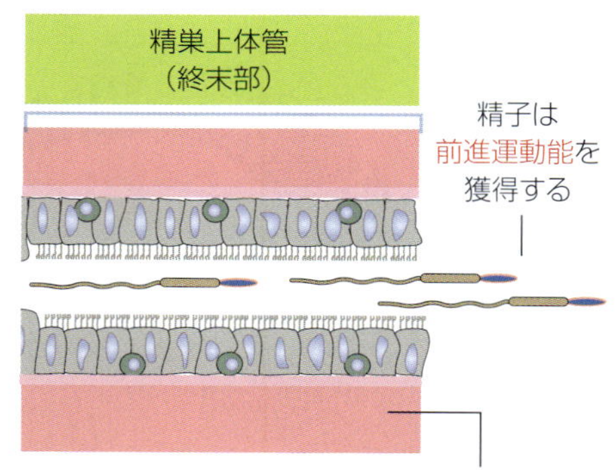

精巣網の上皮は単層立方上皮である．上皮細胞の頂上面には微絨毛と単一線毛がある．

数本の精巣輸出管は精巣網から出た後，1 本の非常に屈曲した精巣上体管に合流する．精巣輸出管上皮は特徴的な波状の輪郭を示す偽重層上皮である．精巣輸出管上皮は，(1)微絨毛をもつ主細胞，(2)線毛細胞，(3)基底細胞からなる．線毛は精巣上体に向かって波打ち，入ってくる精子の輸送を加速する．

精巣上体の偽重層（多列）円柱上皮は，(1)不動毛／不動微絨毛をもつ主細胞，(2)基底細胞の主要な 2 種類の細胞からなる．他には，頭頂細胞と明細胞がある（示していない）．

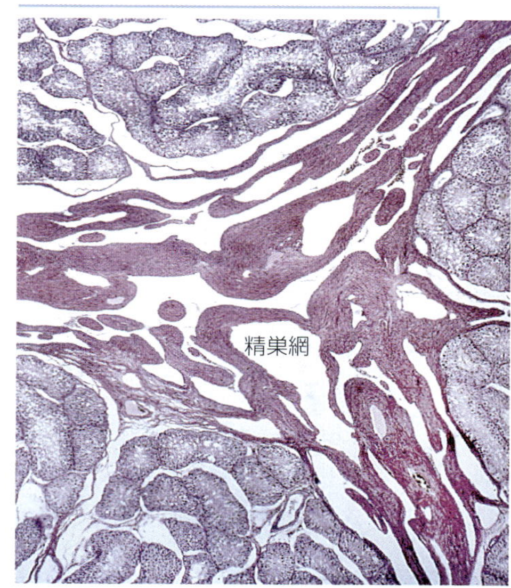

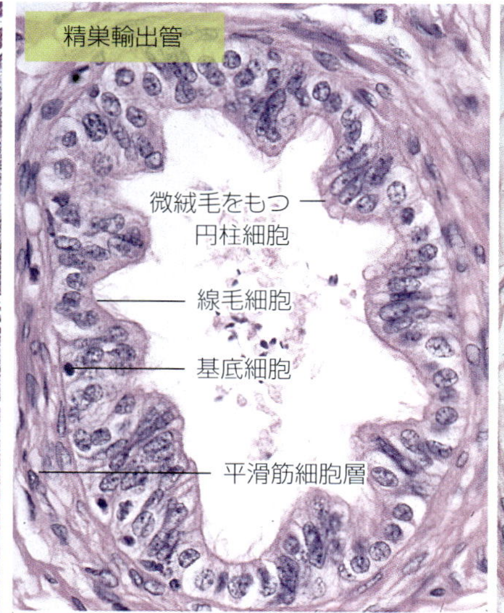

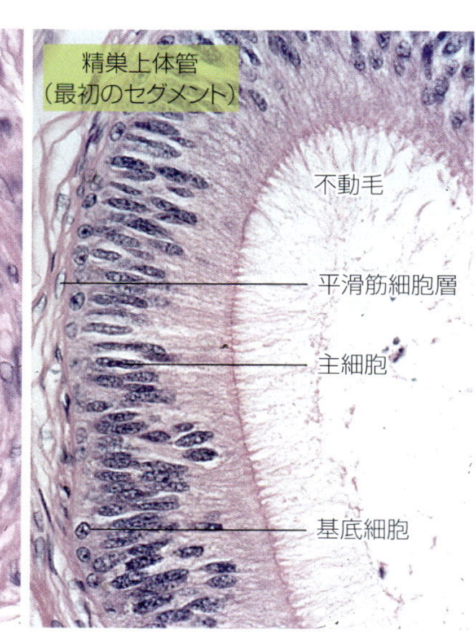

1. 完全型アンドロゲン非感受性症候群（CAIS）．女性外生殖器をもつ．
2. 不完全型アンドロゲン非感受性症候群（PAIS）．主に女性，主に男性，あるいは曖昧な外生殖器をもつ．
3. 軽度アンドロゲン非感受性症候群（MAIS）．男性外生殖器をもつ．精子形成かつ／または思春期の男性化が障害されることもある．

核型は 46,XY であるが，アンドロゲンが作用できないためウォルフ管は発達せず精巣が発生し，セルトリ細胞由来の AMH が作用するためミュラー管は退行する．

CAIS 患者では，機能的な**内生殖器** internal genitalia は存在しない．精巣は腹腔内に留まる（アンドロゲンが精巣下降を促進することを確認すること）．身体検査の際，精巣を伴った鼠径ヘルニアが検出される．停留精巣の症状のときのように，精巣腫瘍のリスクがあるため，思春期後（女性化が完成するまでに）精巣を除去することがある．

外生殖器 external genitalia は女性として発生するが，子宮は存在しない．完全型 AIS 患者は，陰唇，陰核，短い腟をもつ（これらの構造はミュラー管由来ではない）．恥毛や腋毛はない(性毛の発生はアンドロゲン依存性である)．不完全型 PAIS 患者は，男性と女性の身体的特徴をもつこともある（曖昧な外生殖器）．

思春期になると，アンドロゲンとエストラジオールの両方の産生が上昇する（後者はアンドロゲンのステロイド核周辺基が芳香化されてつくられる）．アンドロゲンは LH の分泌を抑制できないため（アンドロゲン受容体の欠損により，LH 分泌にフィードバックによる抑制がかからないため），血漿中のアンドロゲンレベルは高いまま保持される．

AIS は，骨盤内超音波検査，ホルモン測定，染色体解析で診断

図 21.4 | 精巣上体上皮の変化

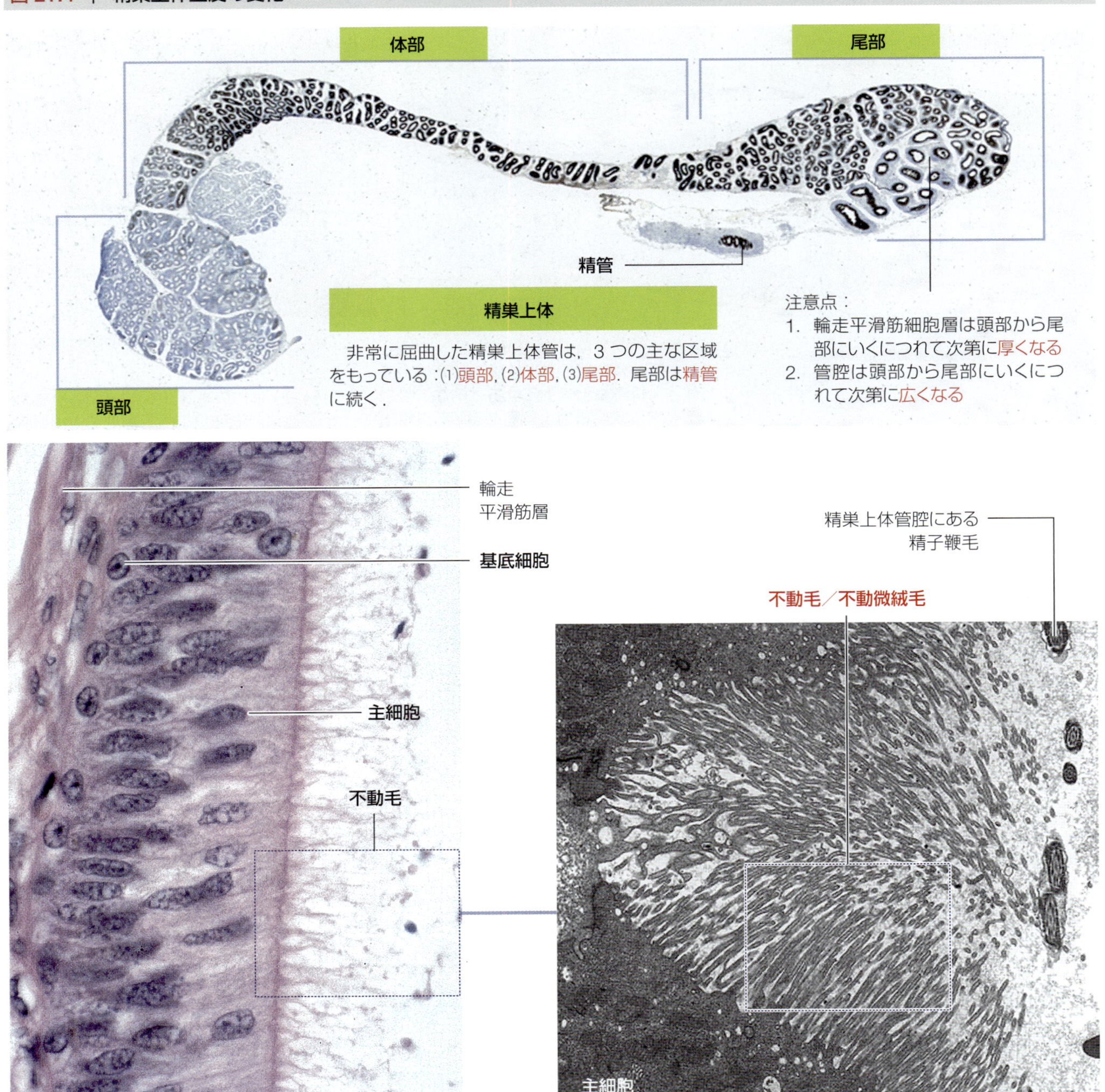

される．

ステロイド 5α-還元酵素 2 欠損症

ステロイド 5α-還元酵素（SRD5A）には 3 つのアイソエンザイムがある：SRD5A1，SRD5A2，SRD5A3．SRD5A 欠損患者では，SRD5A2 活性が欠損するため，テストステロンはさらに効力の高いアンドロゲンであるジヒドロテストステロン（DHT）への変換が減少する．

2 番染色体の短腕に局在する *SRD5A2* 遺伝子に変異のある患者は，遺伝的に男性である．その患者は（ウォルフ管からの内生殖器発生はアンドロゲン依存性であるため），正常な（男性型）内生殖器をもつが，外生殖器は（この発生が DHT 依存性であるため）男性化しない．この患者は，出生時にしばしば女児に見間違えられる．

外生殖器は女性であるが，腟は正常な腟の下 2／3 部分からだけからなり，盲端嚢腟である（Box 21.A）．SRD5A2 欠損患者では，セルトリ細胞由来の AMH が存在しミュラー管が退行するため，子宮と卵管がない．

SRD5A2 欠損患者は精子を産生するが，精嚢と前立腺が発生し

図 21.5 | 精巣上体上皮の構造

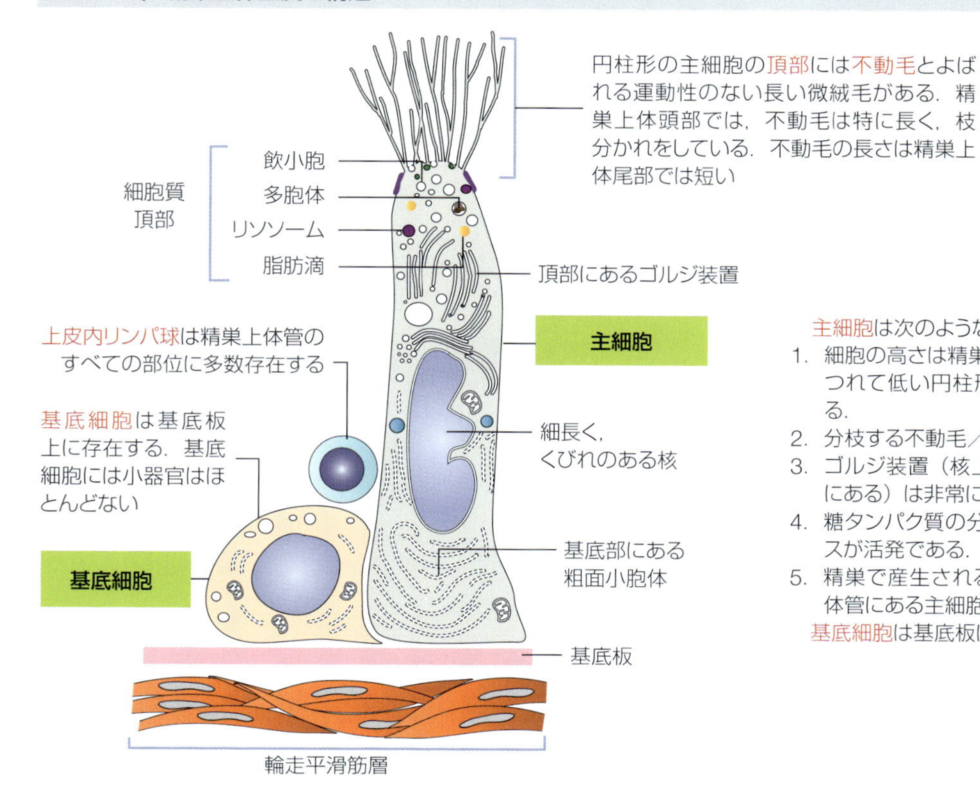

主細胞は次のような構造的特徴をもつ：
1. 細胞の高さは精巣上体頭部では高く，下流に向かうにつれて低い円柱形になり，尾部では低い立方形になる.
2. 分枝する不動毛／不動微絨毛が頂部から伸び出す.
3. ゴルジ装置（核上部にある）と粗面小胞体（基底部にある）は非常に明瞭である.
4. 糖タンパク質の分泌，飲作用などのエンドサイトーシスが活発である.
5. 精巣で産生される液体の約 90% が輸出管と精巣上体管にある主細胞で吸収される.

基底細胞は基底板に接して存在する.

ないため，妊孕性が障害される．さらに，SRD5A 欠損では停留精巣と精巣腫瘍が増える危険性がある.

先天性 SRD5A2 欠損症の発見により，本章の後半で考察するように，良性前立腺肥大症と前立腺がんの薬剤療法から，2つのアンドロゲンホルモン，テストステロンと DHT をよりよく理解できるようになった．*SRD5A2* 遺伝子の多様性（一塩基置換による）は，前立腺がん進行あるいは腫瘍の攻撃的形態の危険性と関連することがある.

精子成熟経路（図 21.2，21.3）

精子は直精細管を通って，これと結合する**精巣網** rete testis（**ネットワーク**）に輸送された後，成熟精子細胞（あるいは未熟な精子）は**精巣輸出管** efferent ductules に入る.

次に，精巣輸出管は精巣網と**精管** ductus or vas deferens へと伸びる1本の不規則に曲がりくねった**精巣上体管** epididymal duct の起始部を連結する.

精巣上体管と精管は中腎管（ウォルフ管）から発生することを思い出してほしい.

直精細管 straight tubules（ラテン語 *tubulus rectus*，複数 *tubuli recti*）は精巣の縦隔内に位置する．直精細管の上皮は構造的にはセルトリ細胞と類似した**単層立方上皮** simple cuboidal epithelium であるが，閉鎖結合が基底領域ではなく**頂上領域**に位置していることが異なる．精細胞は存在しない（図 21.2）.

精巣網 rete testis は，精巣縦隔内で不規則に吻合する通路で構成される．これらの通路は**単層立方上皮**によって覆われる．精巣網の壁は線維芽細胞や平滑筋細胞で形成され，その周囲をライディッヒ細胞の大きな集塊を伴ったリンパ管や血管が取り囲む.

約 12〜20 本の**精巣輸出管** efferent ductule（ラテン語 *ductuli efferens*）が精巣の白膜を貫通した後，精巣網と精巣上体をつなぐ（図 21.3）.

精巣輸出管は円柱上皮によって覆われている．それぞれの管に並んでいるものは：

1. **微絨毛／不動毛をもつ円柱細胞上皮** clumnar cell with microvilli／stereocilia．腔内の液体を再吸収する役割がある.
2. **線毛細胞** ciliated cell．**運動能のない精子**を精巣上体側へ運ぶ.
3. **基底細胞** basal cell．線毛細胞と無線毛細胞の前駆細胞.

偽重層上皮が特徴的な扇型の輪郭を持つことで，精巣輸出管と同定される.

平滑筋の薄い内輪走層が，上皮や基底板の下にある.

アンドロゲン結合タンパク質 androgen-binding protein はセルトリ細胞によって産生され，アンドロゲンに結合する．タンパク質-ステロイド複合体は精巣網と精巣上体管の最初の部分の内腔に存在する.

その結果，精巣網は動脈血よりも高い濃度のアンドロゲンを含んでいる．管腔内のアンドロゲンは，精巣上体頭部が正常な機能を発揮するために都合がよい.

精巣上体管（図 21.3，21.4，21.5）

精巣上体（ギリシャ語 *epi*［= following，続く］，*didymos*［= pair，ペア．複数形は epididymides］は非常に長く渦巻き状の細管（ヒト成人では長さ約 6m）であり，そこで精子が成熟する.

図 21.6 | 精索

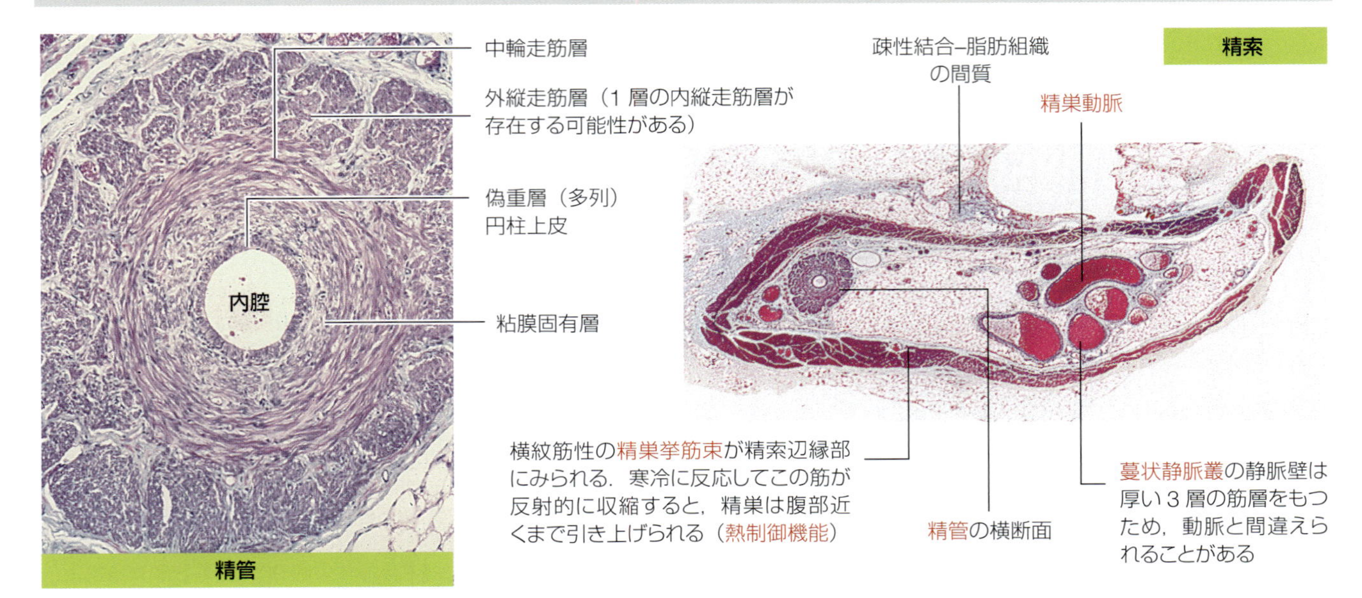

精子の成熟は，精子の**受精能** fertilizing ability に必須な**前進運動能** forward motility を獲得することである．成熟精子は射精前に精巣上体管末端部に貯蔵される．

精巣上体管は，古典的には次の 3 つの主要な部分に分けられる（図 21.4）：

1. **頭部** head あるいは caput.
2. **体部** body あるいは corpus.
3. **尾部** tail あるいは cauda.

上皮は長くて枝分かれのある**不動毛** stereocilia をもつ**偽重層（多列）円柱上皮** pseudostratified columnar epithelium である．この上皮は **2 種類の主な細胞タイプ**からなる：

1. 円柱状の**主細胞** principal cell は，管腔から基底板まで伸びる．主細胞の頂上領域には**分岐した不動毛／不動微絨毛**，よく発達したゴルジ装置，リソソーム，小胞がある（図 21.5）.
2. **基底細胞** basal cell は基底板に接する．基底細胞は主細胞の未分化な前駆細胞であると考えられている．

その他の細胞は，主に精巣上体頭部にあるミトコンドリアに富む**頭頂細胞** apical cell と，主に精巣上体尾部にある**明細胞** clear cell がある．**上皮内リンパ球** intraepithelial lymphocyte は精巣上体のどこにでも分布する．これらは精巣上体における免疫学的バリアを成す重要な構成物であると考えられる．

上皮の高さは精巣上体の部分によって異なる．**上皮の丈は頭部領域で高く尾部領域では低い**．これとは正反対に，精巣上体管の腔は頭部領域では狭く，尾部領域では広い．

領域差は，**平滑筋細胞層**の構造にもあり，精巣上体管内の精子を移動するためのリズミカルな蠕動運動に対応している（Box 21.B）.

精巣上体管の最初の部位は，輪状の平滑筋細胞層で取り囲まれる．終末部位（体部と尾部）は内層の輪状平滑筋細胞層の厚さが増し，外層の縦走平滑筋細胞層が発達する．

精管，精索，射精管（図 21.6，21.7）

精管 ductus or vas deferens は長さ 45 cm の筋性の管で，次のような特徴をもっている（図 21.6）：

1. 内腔面に配列する上皮は，精巣上体と同様に**不動毛／不動微絨毛をもつ偽重層（多列）円柱上皮**であり，弾性線維を含む結合組織固有層で支持されている．
2. 筋層は**中輪走筋層**で分離された**内縦走筋層**と**外縦走筋層**からなる．
3. 外層は疎性結合組織と脂肪細胞からなる．

精管の他に，**精索** spermatic cord は下記の構成成分を含む（図 21.6）：

1. **精巣挙筋** cremaster muscle.
2. **動脈**（精索動脈，精巣挙筋動脈，精管動脈）.
3. **蔓状静脈叢静脈** veins of pampiniform plexus.
4. **神経**（陰部大腿神経の生殖枝，精巣挙筋神経，精巣神経叢の交感神経枝）である．

これらの構造はすべて**疎性結合組織**に覆われている．

精管膨大部 ampulla は精管が拡張した部であり，前立腺に直接入り込む．精管膨大部の遠位端は精嚢の導管が合流して，**射精管** ejaculatory duct となる（図 21.7）．射精管は前立腺を貫通し，精丘で尿道前立腺部に開口する．

無精子症因子（AZF）

私たちはすでに，*SRY* 遺伝子が Y 染色体上にあり，性決定領域 Y とよばれる転写因子をコードし，Sox9 と一緒に精巣の発生を担っていることをみてきた．*SRY* 遺伝子に変異がある胎児では，Y 染色体をもっているにもかかわらず，女性として発達する．

Y 染色体はまた，精子形成の決定要因である**無精子症因子**

図 21.7 ｜ 射精管

精嚢の導管は前立腺被膜を貫通し，同側の精管と合流して射精管となる．

射精管は尿道前立腺部の後壁に開口する．射精管壁はヒダをもち，結合組織と平滑筋束に取り囲まれた単層円柱上皮に覆われている．

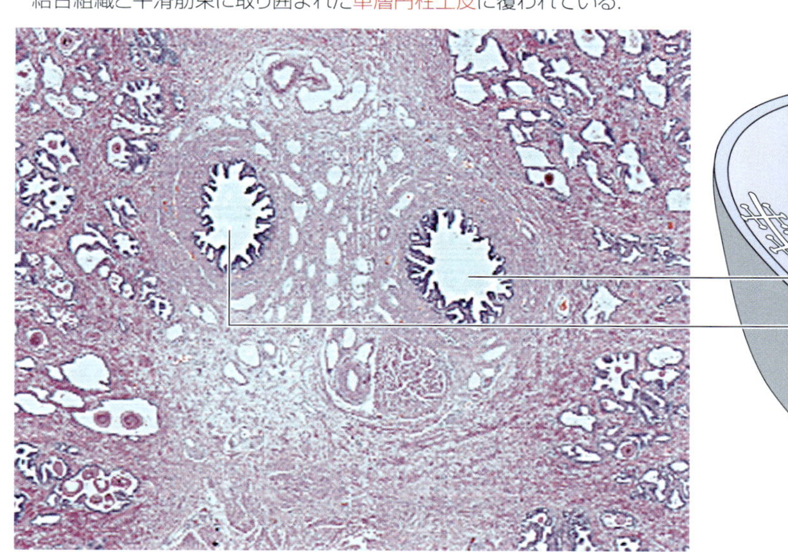

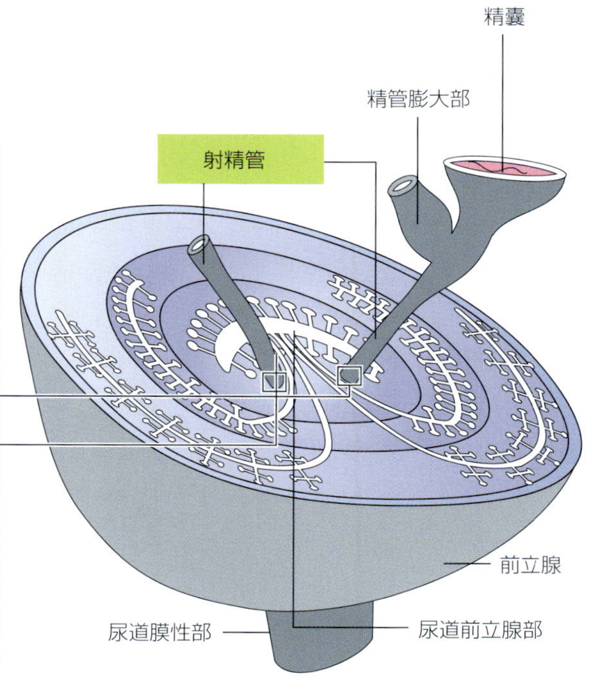

azoospermia factor（*AZF*）領域遺伝子をもっている．ヒトY染色体長腕に局在する*AZF*領域が欠損すると，男性不妊になる．

3つの*AZF*遺伝子領域がある：***AZFa***，***AZFb***，***AZFc***．各*AZF*領域は，精子形成を担当するいくつかの遺伝子を含む．

*AZFa*領域の欠損は非常にまれであるが，セルトリ細胞単独症候群 Sertoli cell-only syndrome の主な原因となる（SCOS，Box 20.B 参照）．

*AZFb*領域の欠損は減数分裂停止と関係する（精母細胞）．

*AZFc*領域の欠損は精子産生の減少（乏精子症）になり，子孫に伝わる．Y染色体不妊男性は小さい精巣をもち，身長が低い．

Y染色体不妊は**無精子症** azoospermia（精子がない）と**乏精子症** oligozoospermia（1,500万個以下/mL精液中）が特徴である．正常な精子数は2,000〜4,000万個/mL精液中である．

Y染色体*AZF*領域欠損に加えて，男性不妊には他の原因がある：

1. 射精管の閉塞．
2. 嚢胞性線維症膜コンダクタンス制御因子（CFTR）関連障害は，嚢胞性線維症，先天性両側精管欠損（ウォルフ管由来構

Box 21.B ｜ 精巣上体管

- 精巣上体には3つの主な機能がある：
  1. 蠕動運動による貯蔵場所である精巣上体尾部への精子輸送．精巣上体内精子成熟の時間は2〜12日である．
  2. 射精まで精子を貯蔵．
  3. 精子成熟．精巣上体頭部から回収された精子は受精できない．受精能は精巣上体の体部から尾部で獲得される．
- 精子成熟に含まれることは：
  1. 凝集したクロマチンの安定化．
  2. 細胞膜表面電荷の変化．
  3. 新しい表面タンパク質の獲得．
  4. 前進運動能の獲得．
- 精巣上体管の発生はウォルフ管に由来し，*Homeobox A10*（*Hoxa10*）遺伝子と*Hoxa11*遺伝子の正常な発現が必要である．**骨形成タンパク質** bone morphogenic protein（BMP）4，BMP7，BMP8をコードする遺伝子に変異があると，精巣上体管の特定部位の発生に異常が生じる．

Box 21.C ｜ クラインフェルター症候群

- クラインフェルター症候群は，男性または女性の減数分裂の期間中に起こる染色体不分離の結果として，過剰なX染色体（47,XXY）をもつ男性にみられる．

  この症候群のヒトは：
  1. 男性の表現型である（Y染色体の存在）．
  2. 小さな精巣と精細胞はほとんど存在しない．
  3. セルトリ細胞機能が異常（インヒビン産生障害）であるため，卵胞刺激ホルモン（FSH）レベルが高い．
  4. テストステロンレベルは低いが（性腺機能不全），エストラジオールレベルは高い．エストラジオール過剰により，女性化乳房（乳房肥大）を含む女性化の表現型を起こす．
- クラインフェルター症候群は，患者が不妊の相談をするまで診断されないこともある．染色体解析（核型分析），テストステロンとエストロゲンの測定，精子数測定により，その本質がわかる．
- クラインフェルター症候群は，精巣胚細胞腫瘍，乳がん，注意欠陥・多動性障害（ADHD）そして自己免疫疾患（例えば，全身性エリテマトーデス）のリスクが高くなる．

造の萎縮，繊維化，消失）を含む．罹患した男性は無精子症である．

3. 両側ウイルス性精巣炎（流行性耳下腺炎），精巣上体炎，尿道炎．
4. 化学療法あるいは放射線曝露．
5. **クラインフェルター症候群** Klinefelter's syndrome（XXY，Box 21.C）．
6. **セルトリ細胞単独症候群** Sertoli cell-only syndrome（SCOS）．

付属生殖腺

男性生殖路の**付属生殖腺** accessory genital gland は 2 つの**精嚢** seminal vesicle，**前立腺** prostate gland，2 つの**カウパーの尿道球腺** bulbourethral gland of Cowper，**リトレの尿道腺** urethral glands of Littré（後者は女性尿道にも存在する）で構成される．

精嚢と前立腺は精液の大部分を産生し（Box 21.D），その機能はアンドロゲン（テストステロンと DHT）で制御される．

精嚢（図 21.8）

精嚢は**アンドロゲン**に依存する生殖器官である．各精嚢は左右の精管膨大部壁が膨出した袋である．

精嚢は次の 3 つの構成要素からなる：

1. **外側の結合組織被膜**.
2. **中平滑筋層**（内輪走筋層と外縦走筋層）．
3. **内側のヒダの多い粘膜．単層立方から偽重層（多列）円柱上皮**がある（図 21.8）．

上皮細胞は**精嚢小胞分泌顆粒** seminal vesicle secretory（**SVS**）granules（凝固タンパク質）を含む小胞を伴った大きなゴルジ装置がある．精嚢は**フルクトース**（果糖）と**プロスタグランジン**に富むアルカリ性の粘稠な液を分泌する．精嚢分泌液はヒト精液の約 75％ を占める．

果糖は射精精子の主要なエネルギー源となる．精嚢は精子を貯蔵しない．精嚢は射精期間に収縮し，その分泌物は精液となる．

左右の精嚢の導管は，精管膨大部と合流した後で射精管となって前立腺を貫く（Box 21.D）．

前立腺（図 21.7〜21.10）

前立腺 prostate gland は最大の付属生殖腺であり，被膜に包まれている．前立腺は 30〜50 の分枝した**管状胞状腺**からなり，その内容物は長い導管を通って，**尿道前立腺部**に排出される．男性の尿道は 4 部で構成される（図 21.8）．

1. **尿道前前立腺部** pre-prostatic urethra は内尿道括約筋（平滑筋細胞）で取り囲まれる短い（1 cm）部分である．内尿道括約筋が短縮して，射精の期間，精液の膀胱への逆流を防ぐ．
2. **尿道前立腺部** prostatic urethra（図 21.9）は前立腺に埋まっている長さ 3〜4 cm の部分である．尿道前立腺部は，前立腺からの分泌物を運ぶ前立腺管と射精中に精液と精嚢分泌物を運ぶ射精管の末端部である（図 21.7）．
3. **尿道膜様部** membranous urethra は，深会陰隙を横切る部であり，外尿道括約筋の骨格筋で取り囲まれる部である．
4. **尿道陰茎部** penile urethra は，陰茎の勃起組織（尿道海綿体）によって取り囲まれる部である．

男性の尿道がこれらの部分で構成されていることは，排尿できない患者の尿を排出するための**尿道カテーテル術**を行う際に有用なことであるから，覚えてほしい．

前立腺は組織学的に臨床上重要な 3 部分（ゾーン）に配列されている（図 21.9）：

1. **尿道周囲粘膜腺**のある**中心部** central zone.
2. **尿道周囲粘膜下腺**のある**移行部** transition zone.
3. **分岐（複合）腺**からなる**辺縁部** peripheral zone．前立腺がんの約 70〜80％ が辺縁部に由来する．

前立腺上皮は**単層円柱**または**偽重層（多列）円柱上皮**からなる．

内腔は糖タンパク質に富む，時には**カルシウム沈着**の場となる**前立腺石** prostatic concretion（**アミロイド小体** corpora amylacea）を含む（図 21.10）．

上皮細胞は多数の粗面小胞体やゴルジ装置を含む．

前立腺は亜鉛に富むアルカリ性の分泌液を産生する．この液は酸性の腟内容物を中和し，精子に栄養を供給するとともに精子を運搬し，精液を液化する．

タンパク質産物は，**前立腺特異的酸性ホスファターゼ** prostate-specific acid phosphatase，**前立腺特異抗原** prostate-specific antigen（**PSA**，前立腺がんの初期診断に有効なマーカー），**アミラーゼ** amylase，**フィブリノリジン** fibrinolysin を含む．

Box 21.D | 精液

- 精漿すなわち精液は，精巣上体上皮と付属腺（主に前立腺と精嚢）からのアルカリ性分泌物の混合で構成される．新鮮な射精液は腟腔内で 1 分以内に凝集し，腟内の酸性内容物を中和する．前立腺分泌物の中にあるプロテアーゼ（フィブリノライシンとフィブリノゲン分解酵素）は，15〜20 分後に凝集した射精液を液状状態に変化する．
- 精漿タンパク質は精子細胞膜を覆い，果糖や精子の前進運動能の活性化を含む栄養素を与える．
- 精嚢は，精漿容量の約 75％分泌する．精漿容量の約 20〜25％は前立腺に由来する．

良性前立腺肥大症（図 21.9，21.11）

良性前立腺肥大症 benign prostatic hyperplasia（BPH）は加齢とともに起こる症状であり，非がん性の前立腺の肥大である．BPH は尿道前立腺部を通る尿の流れを制限する（図 21.9）．

高齢男性では，尿道周囲粘膜腺（中心部）と尿道周囲粘膜下腺（移行部）の前立腺と間質の細胞が，**結節性肥大** nodular hyperplasia を起こす．

尿道周囲結節性肥大は下記のことを起こす：

1. 結節成長によって尿道前立腺部の一部あるいは完全な圧迫による排尿困難と尿閉が起こる．
2. 膀胱内尿貯溜あるいは膀胱内尿の完全排出の不能．感染が起こると，膀胱の炎症（膀胱炎 cystitis）や尿路感染（腎盂腎炎 pyelonephritis）につながることもある．急性で持続的な尿貯留が起こると，緊急の導尿カテーテル法が必要となる．

BPH は，テストステロン代謝産物である**ジヒドロテストステロン** dihydrotestosterone（**DHT**）に起因する．DHT は前立腺内

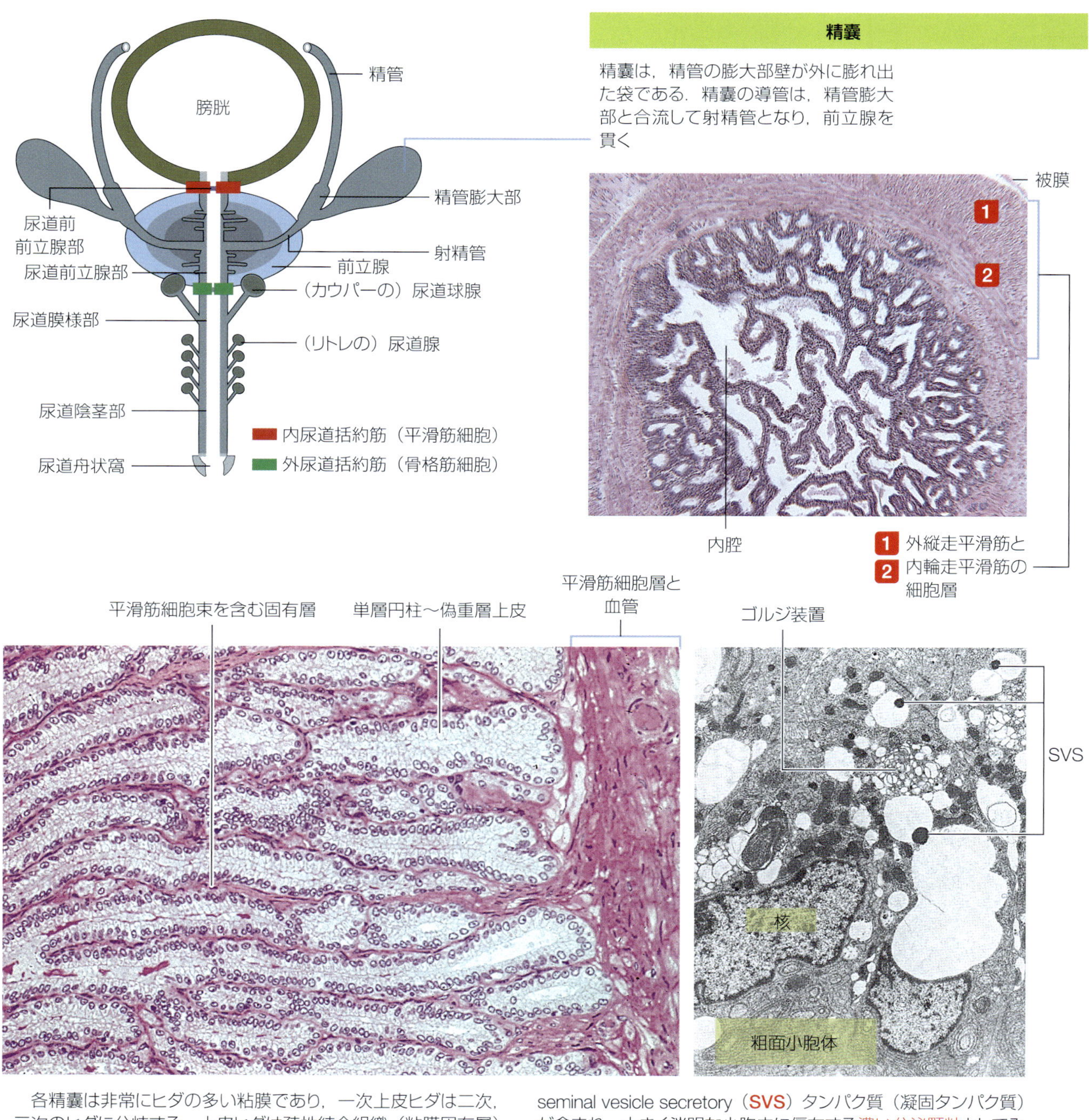

各精嚢は非常にヒダの多い粘膜であり,一次上皮ヒダは二次,三次のヒダに分岐する.上皮ヒダは疎性結合組織(粘膜固有層)で支持される.

高倍率でみると上皮は単層立方から偽重層であることがわかる.頂部の細胞質は空胞化している.そこには,**精嚢小胞分泌** seminal vesicle secretory(**SVS**)タンパク質(凝固タンパク質)が含まれ,大きく淡明な小胞内に偏在する濃い分泌顆粒としてみえる.精嚢は精液の約75%の量を分泌する.精子は精嚢には貯蔵されない.分泌物はまた果糖とプロスタグランジンを含む.

で,SRD5A2(ステロイド5-α還元酵素2型)の作用によって循環中のテストステロンから変換される.この酵素は主に主要なアンドロゲン変換部位である間質細胞に局在する.尿道周囲結節性肥大にDHTが関与していることは,前立腺のDHTレベルを減少するSRD5Aインヒビターである**フィナステリド** finasteride(プロペシア)を臨床的に投与して前立腺のサイズが減少しBPH症状が大きく軽減することで裏づけられる.

食品医薬品局(FDA)が承認しているSRD5Aインヒビターは2つある.**フィナステリド**は2型ステロイド5-α還元酵素(SRD5A2)アイソザイムを抑制し,血清中のジヒドロテストステロンレベルを70~90%減少する.一方,**デュタステリド** dutasteride(ザガーロ)はSRD5A1とSRD5A2アイソザイムを阻

図 21.9 | 前立腺

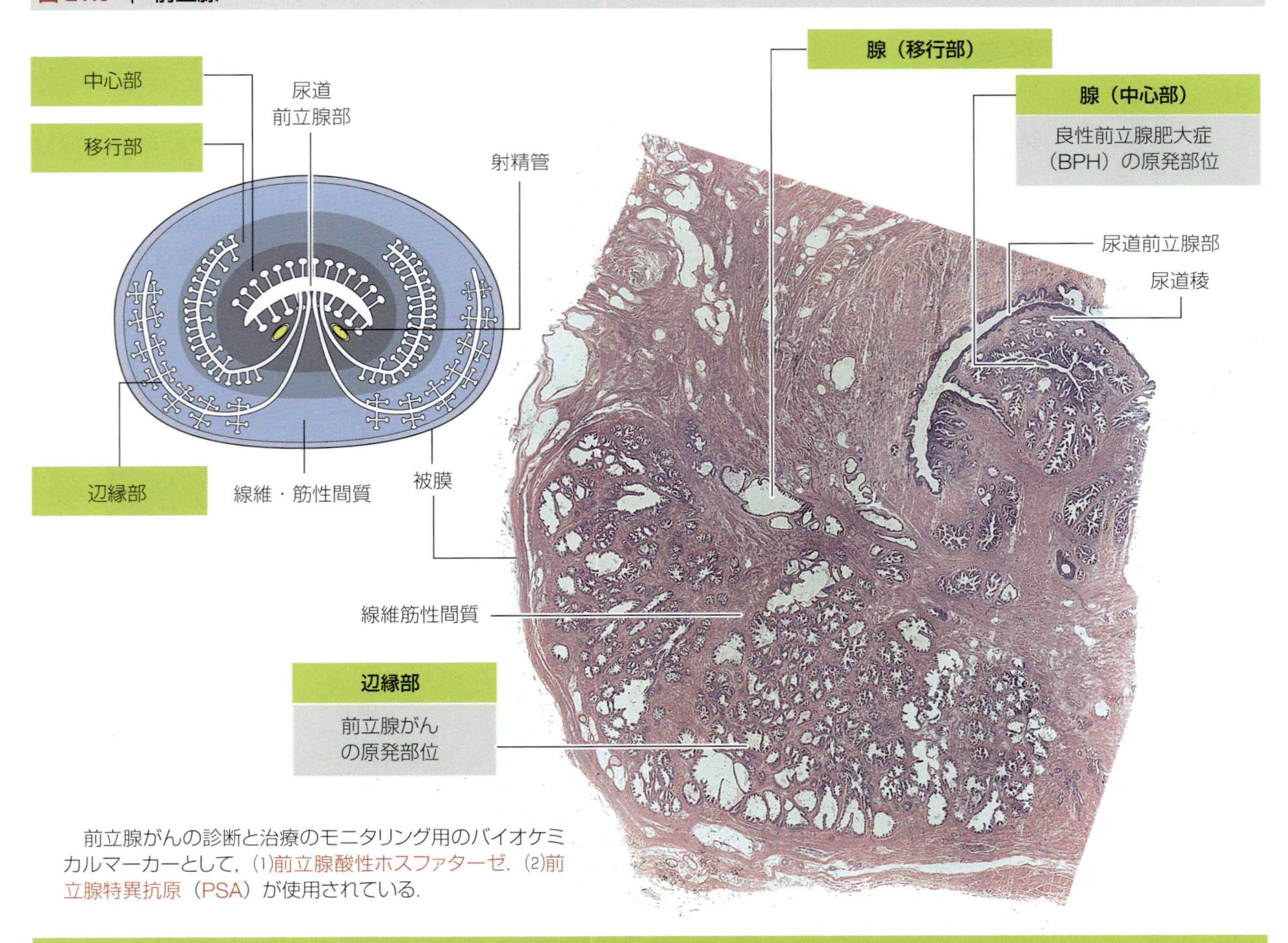

前立腺がんの診断と治療のモニタリング用のバイオケミカルマーカーとして，(1)前立腺酸性ホスファターゼ，(2)前立腺特異抗原（PSA）が使用されている．

良性前立腺肥大症（BPH）

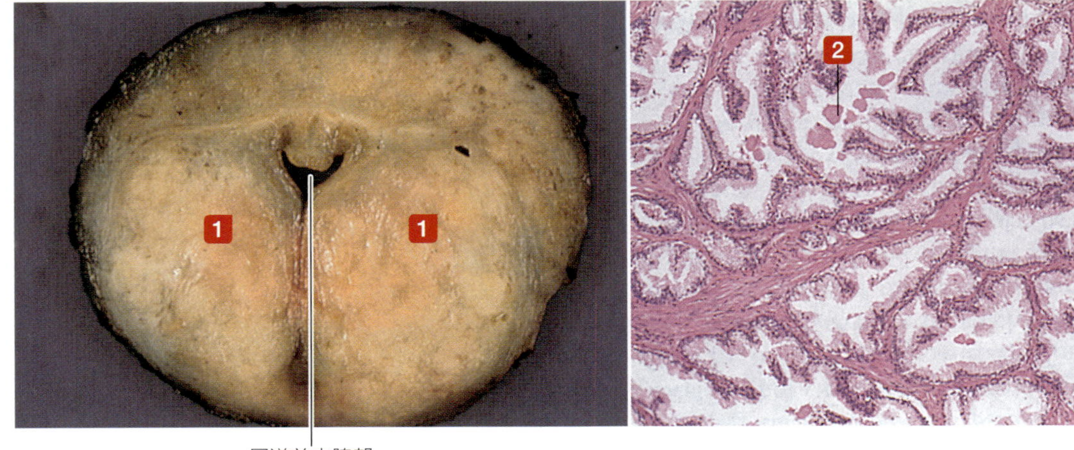

1 良性前立腺肥大症では，前立腺の尿道周囲部に結節が形成される．大きな結節は尿道前立腺部を圧迫し，排尿困難を起こす．

2 組織学的には前立腺は肥大し，腺上皮は屈曲する．

3 前立腺石（アミロイド小体）が腺腔にみえる．

ジヒドロテストステロン（DHT）は，5α-還元酵素の作用によりテストステロンから誘導され，間質細胞と上皮腺細胞の両方に作用して，前立腺結節の形成を誘発する．5α-還元酵素は間質細胞に存在するので，この細胞は BPH の生成に中心的役割を果たす．

左図：Damjanov I, Linder J: Pathology: A Color Atlas. St. Louis, Mosby, 2000.

図 21.10 | 前立腺

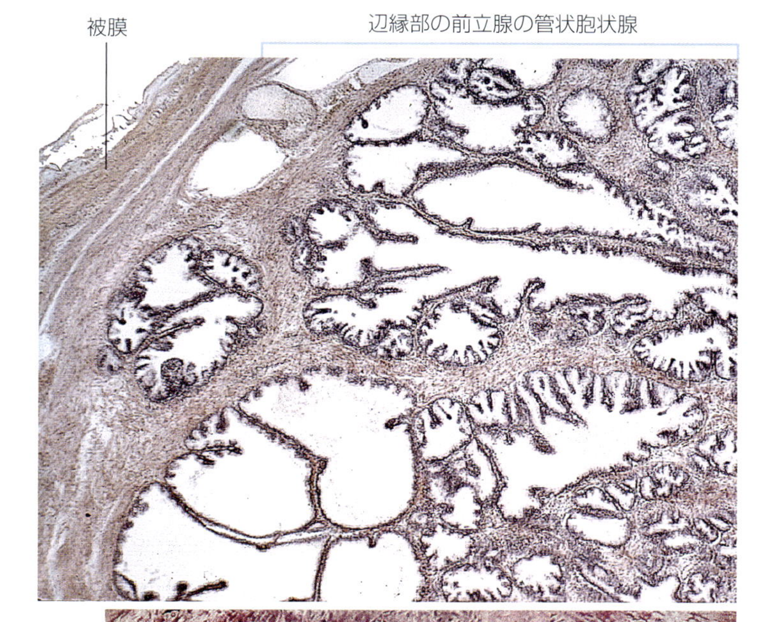

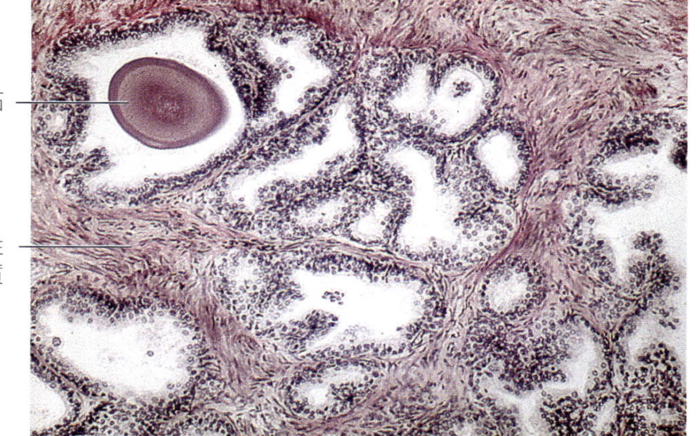

前立腺

前立腺は筋性および腺性の器官であり，(1)尿道周囲粘膜腺（中心部にある），(2)短い導管で尿道につながる尿道周囲粘膜下腺（移行部にある），(3)主前立腺（辺縁部にある）の 3 つのグループの腺からなる．約 30〜50 の管状胞状腺が，末端が尿道稜側面に終わる 15〜30 の長い導管を通って尿道前立腺部に直接開口する．

主前立腺の上皮は，単層円柱上皮または偽重層円柱上皮であり，固有層に支えられてヒダを形成する．内腔には，糖タンパク質や細胞小片に富む濃縮した構造物，すなわち前立腺石（アミロイド小体）がみられる場合もある．この小体は加齢によって石灰化する傾向がある．

前立腺の分泌物はフィブリノリジンを含み，精液を液化する働きがある．クエン酸，亜鉛，アミラーゼ，前立腺特異抗原，酸性ホスファターゼが精液中の前立腺分泌液に高濃度に存在する．

前立腺特異抗原スクリーニング

直腸指診（DRE）は前立腺がんの第 1 のスクリーニング検査であるが，この方法でみつけられる大多数のがんは進行がんである．前立腺特異抗原血液検査（PSA）が 1980 年後半に導入されると，DRE に比べて初期のステージのがんがみつけられる頻度が増えている．約 4ng/mL 以上の値が異常とみなされ，良性前立腺肥大症（BPH），前立腺炎あるいは膀胱炎（偽陽性）に関連する．正常な PSA 値だとしても前立腺がんを否定できない（偽陰性）．現在，患者は PSA スクリーニング結果が必ずしも前立腺がんの有無を示すものではないと告げられている．

害し，ジヒドロテストステロンレベルをゼロ近くまで下げる．

直腸指診 rectal examination（直腸経由で行う前立腺触診）により，非常に肥大した前立腺を触診できる．**経直腸超音波検査**や**前立腺特異抗原**（**PSA**）の血中レベルを確定することにより，前立腺がんを除外することができる．

アンドロゲン受容体（図 21.11）

ここで，前立腺間質細胞が前立腺上皮腺細胞と作用するメカニズムを詳細に考察する．

SRD5A2 酵素は，主に前立腺の**間質細胞** stromal cell に存在し，テストステロンを DHT（ジヒドロテストステロン）に変換する．本章の前半で考察したように，先天的に SRD5A2 欠損があると，痕跡前立腺になる．男性が去勢されると，前立腺は萎縮する．

テストステロンと DHT は**アンドロゲン受容体** androgen receptor（**AR**）に結合する．私たちは AIS（アンドロゲン非感受性症候群）から，アンドロゲン受容体（AR）が前立腺の発生に重要な役割をもっていることを学んだ．さらに，アンドロゲン活性は前立腺がんの種々のステージで重要な役割をもっている．

非活性状態のステージではテストステロンあるいは DHT がない場合，アンドロゲン受容体は細胞質で HSP90 を含む**熱ショックタンパク質** heat-shock protein（**HSP**）と複合体をつくる．

テストステロンは，**性ホルモン結合グロブリン** sex hormone-binding globulin（**SHBG**）に結合し，血流で前立腺に運搬される．テストステロンは前立腺間質細胞に入り，DHT に変換される．DHT は前立腺上皮細胞に入り，そこで不活性な AR が HSP に結合する．DHT が存在すると，その AR は HSP から外れて AR／AR 2 量体をつくり，DHT に結合する．その後，DHT-AR 2 量体複合体は核に移動する．

核内では，AR は転写因子としてみなされ，DNA と ETS（E26 に対する）を含む転写因子に結合し，オートクリンやパラクリンサバイバルや成長因子の発現を誘発して，前立腺の上皮細胞や間質細胞に作用する．

特筆すべき点は，DHT 結合は AR の 2 量体化や核への移行を

図 21.11 | アンドロゲン受容体（前立腺がんの主要な推進役）

1 前立腺の間質細胞にはステロイド 5α-還元酵素 2（SRD5A2）があるが，上皮細胞にはない．そのため，間質細胞は隣接する上皮細胞への主要なジヒドロテストステロン（DHT）の供給源である．DHT は前立腺上皮細胞にパラクリン（傍分泌）様式で作用する．前立腺上皮細胞は SRD5A3 をもち，テストステロンを DHT に変換できる（この図では示していない）．

前立腺上皮細胞のように，前立腺間質細胞もまた傍分泌と自己分泌で成長因子を産生できる（ここでは示していない）．

2 前立腺上皮細胞の不活型のアンドロゲン受容体（AR）は熱ショックタンパク質（主に HSP90）に結合する．DHT は AR に結合し，HSP から解離した後，DHT-AR に 2 量体化する．

3 その DHT-AR 2 量体の複合体は，前立腺上皮細胞の核に移動し，ETS 因子を含む他の転写因子と提携し，DNA のアンドロゲン応答エレメントに結合し，分裂促進因子の産生を引き起こして細胞のサバイバルと成長を刺激する．

SRD5A のインヒビターを用いた治療により，DHT 産生，分裂促進因子の合成が減り，結節性肥大のサイズや尿路閉塞が減少する．

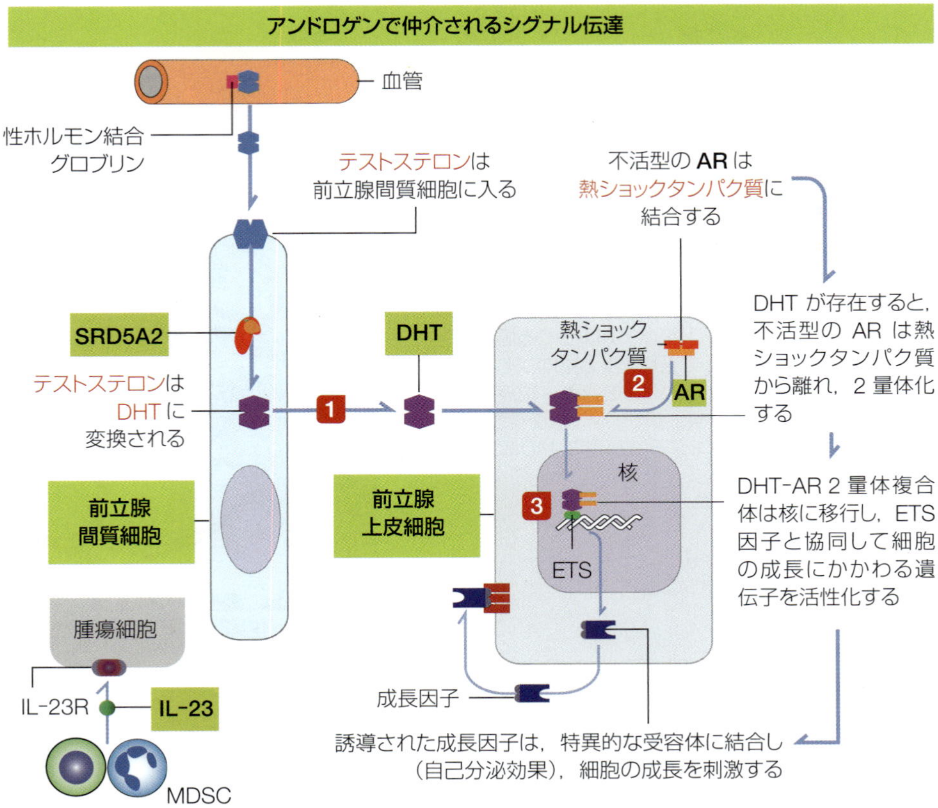

アンドロゲンで仲介されるシグナル伝達

血管
性ホルモン結合グロブリン
テストステロンは前立腺間質細胞に入る
不活型の AR は熱ショックタンパク質に結合する
SRD5A2
DHT
熱ショックタンパク質
AR
テストステロンは DHT に変換される
DHT が存在すると，不活型の AR は熱ショックタンパク質から離れ，2 量体化する
核
前立腺間質細胞
前立腺上皮細胞
ETS
DHT-AR 2 量体複合体は核に移行し，ETS 因子と協同して細胞の成長にかかわる遺伝子を活性化する
腫瘍細胞
IL-23R
IL-23
MDSC
成長因子
誘導された成長因子は，特異的な受容体に結合し（自己分泌効果），細胞の成長を刺激する

去勢抵抗性前立腺がん（CRPC）は，アンドロゲンレベルが低いにもかかわらず前立腺がん進行が起こる臨床症状と定義される．アンドロゲン抑制療法は，がん細胞が死ぬかあるいはアンドロゲン仲介のシグナル伝達がなくなることでがん細胞の進行が止まるために，前立腺がんを退行させる．CRPC の基礎をなすメカニズムの中に，AR の過剰発現や SRD5A 発現増加がある．CD11b，CD33，CD15 タンパク質を発現する好中球や単球を含む骨髄由来免疫抑制細胞（MDSC）集団HS，CRPC 患者の前立腺にみられる．MDSC 細胞はインターロイキン-23（IL-23）を分泌し，IL-23 が腫瘍細胞の IL-23 受容体（IL-23R）に結合した後，腫瘍細胞の経路を惹起し，**AR 発現**の上昇につながる．**AR 発現の上昇**により，アンドロゲン依存性遺伝子の発現経路を強化し，前立腺がん成長の活性化を起こす結果になる．IL-23 の薬理学的ブロックにより，実験的には CRPC を遅らせたり，退行させたりできる．

引き起こすことである．したがって，**主要な治療目的は，AR の 2 量体化と核移行および最終的に遺伝子転写をブロックするために，アンドロゲンと AR の結合を防ぐことであるが，このことは前立腺がん発生中の AR に依存する．**

従来から知られている AR の連続的な活性化に引き続いて，DHT の結合後にさらなる変化が前立腺がん進行中に起こる：

1. **AR の過剰発現**は細胞周期調節因子の活性を上昇し，アンドロゲン遮断療法（**去勢抵抗性前立腺がん** castration-resistant prostatic cancer：**CRPC** といわれる臨床症状）に抵抗性の細胞増殖を抑えることができる．

   骨髄由来免疫抑制細胞（MDSC）の集団は，好中球や単球を含み，CRPC 患者の前立腺にみられるようになる．

   MDSC 細胞はインターロイキン-23（IL-23）を分泌し，IL-23 は腫瘍細胞上の IL-23 受容体（IL-23R）に結合した後に腫瘍細胞内経路を刺激して，AR 発現の上昇につながる．AR 発現の上昇は，アンドロゲン依存性遺伝子発現経路を増強して，前立腺がんの成長を活性化する．
2. **AR スプライスバリアント**が発現すると，アンドロゲン結合区域が欠損するため，AR を DNA へ動員できない．このことはゲノムリプログラミングを誘発し，抑制因子の発現低下を起こしたり，ETS 転写因子を含む AR 共同調節因子の発現を最大限に発揮することにつながる．
3. **AR 活性を維持する変異**．これはアゴニスト（作用）反応に対するアンタゴニスト（反作用）薬剤反応の変換によって起こる．

前立腺がんと腫瘍抑制遺伝子

前立腺がん prostate cancer は尿道から最も遠位にある辺縁部の主前立腺に由来する．

尿症状は初期には出現せず，腫瘍の成長は前立腺の指診や**前立腺特異抗原**（**PSA**）の血清値上昇，あるいは椎骨への**転移**によって起こる腰痛によって発見されることが多い．必要であれば，経会陰的あるいは経直腸的**生検（バイオプシー）** biopsy によって臨床的に確定診断する．

コンピューター画像検査によって腫瘍が限局していることが確定される場合は，外科手術（恥骨後式すなわち会陰切開による根治的前立腺摘除術）や放射線治療（放射線体外照射療法または前立腺内への放射線密封小線源の挿入術）が適応となる．

2つの鍵となる腫瘍抑制遺伝子，*PTEN*（ホスファターゼおよびテンシンホモログ）と *PML*（前骨髄球性白血病タンパク質）は，ヒト前立腺がんに対して防御する．

PTEN 遺伝子の部分的欠損は限局性前立腺がんの 70％にある．*PTEN* 遺伝子の完全欠損は，細胞周期のホスファターゼ作用が欠落するため，転移性の**去勢抵抗性前立腺がん**（CRPC）につながる．

PTEN と *PML* の消失は，骨転移を伴う最も進行性の強いヒト前立腺がんにしばしばみられる．

PML 消失は，Ras-Raf-MEK-ERK マイトジェン活性化タンパク質キナーゼ（MAPK）シグナル伝達カスケードの活性化につながる．がん進行における MAPK シグナル伝達の重要性を理解するために，MAP キナーゼは成長因子と他のシグナル伝達分子によって活性化されるセリン・スレオニンキナーゼであることを覚えておく必要性がある（第3章参照）．

実際，マウスモデルを用いた最近の実験研究では，**ステロール調節要素結合タンパク質** sterol regulatory element-binding protein（**SREBP**）が，MAPK 活性化の鍵となる下流の高脂肪食エフェクターであり，転性前立腺がんを促進する．転移前の効果は，脂質生成ブロッカーである**ファトスタチン** fatostatin の投与で抑制される．

SREBP がヒト前立腺がんで MAPK 信号伝達カスケードを活性化するかどうか，そして AR 経路で効果があるかどうかはわかっていない．

男性と女性の尿道（図 21.8，21.12）

男性の**尿道** urethra は長さ 20 cm であり，すでに記述したように，4部分からなる：尿道前前立腺部，尿道前立腺部，尿道膜様部，尿道陰茎部あるいは尿道海綿体部．

尿道陰茎部は，（**カウパーの**）尿道球腺 bulbourethral gland（of Cowper）と（**リトレの**）尿道腺 urethral glands（of Littré）の導管を受ける．

尿道腺は，尿道上皮の表面を保護し潤滑にするグルコサミノグリカンを含有する分泌物を産生する．

尿道前立腺部の上皮は**移行上皮** transitional epithelium（**尿路上皮** urothelium）である．この上皮は，尿道膜様部と尿道陰茎部では偽重層から重層円柱上皮に変わる．

尿道膜性部の**筋層**は，平滑筋の括約筋（不随意）と横紋筋性の括約筋（随意）で構成される（図 21.8）．この筋層は尿と精液の通過を制御する．

女性の尿道は長さ 4 cm であり**移行上皮**であるが，尿道口の近くでは重層扁平の非角化性上皮に変わる．

粘膜は粘液腺を含む．平滑筋の内層は横紋筋輪走層で取り囲まれ，収縮すると尿道を閉鎖する．

陰茎（図 21.12，21.13）

陰茎は**勃起組織** erectile tissue である3本の円柱形の構造で構成される：左右1対の**陰茎海綿体** corpora cavernosa と尿道陰茎部が横断する腹側の**尿道海綿体** corpus spongiosum で構成される．これらの3本の柱は寄り集まって陰茎の軸を形成する．尿道海綿体の遠位端は**亀頭** glans penis である．

陰茎海綿体と尿道海綿体は，不規則で交通のある血管腔，すなわち動脈が供給し静脈が排出する類洞を含む（図 21.12）．勃起中，動脈血が類洞を満たし，類洞が拡張することにより血液を排出するための静脈路を圧迫する（図 21.13）．

2種類の化学物質が勃起を制御する：

1. **一酸化窒素** nitric oxide.
2. **ホスホジエステラーゼ** phosphodiesterase.

性的興奮は，脳皮質と視床下部から脊髄を降りて陰茎の自律神経に伝わり，陰部神経終末である**陰茎背神経**の枝で，**一酸化窒素**を産生する．

一酸化窒素分子は類洞の周囲を取り囲む**平滑筋**の**間隙（ギャップ）結**を通って急速に広がる．

平滑筋細胞内では，一酸化窒素分子が**グアニル酸シクラーゼ**を活性化して**グアノシン三リン酸**（**GTP**）から**サイクリックグアノシンーリン酸**（**cGMP**）を産生する．

cGMP は細胞内貯蔵所内で，**Ca^{2+} の隔離**を誘導して，類洞を取り巻く**平滑筋壁を弛緩**する．Ca^{2+} 濃度が減少する結果，平滑筋細胞が弛緩し，陰茎背動脈や海綿体動脈から動脈血が急速に類洞に入り込んで貯留する．血液で充満した類洞は陰茎から血液を排出する小静脈を圧迫して，陰茎が勃起する（Box 21.E）．

酵素である**ホスホジエステラーゼ**（PDE）は cGMP を分解し，勃起が終了する．もし，PDE 活性が阻害されて cGMP レベルが高いままであれば，陰茎が勃起し続ける．

尿道球腺

尿道球腺は管状胞状の分泌ユニットと重層円柱上皮をもつ主導管を含むいくつかの小葉で構成される．

Box 21.E ｜ 勃起不全

- 大脳皮質－視床下部－脊髄－自律神経の経路と血管疾患に影響を及ぼす因子は勃起不全を起こす．頭部や脊髄への外傷性障害，脳卒中，パーキンソン病および糖尿病や多発性硬化症のような全身疾患は，神経機能を低下し，勃起不全を起こす．さらに不安障害は勃起不全の主な原因になりうる．
- シルデナフィル（バイアグラ）は，もともとは心臓障害への治療としてテストされた．臨床試験中に，かなりの数の患者が薬を飲むと勃起することがわかった．この観察結果から，勃起不全治療薬としてのシルデナフィルの効能を評価するために独立した別の臨床試験が始まった．
- 陰茎では，シルデナフィルは平滑筋細胞にある特異的なホスホジエステラーゼを阻害する，このメカニズムは cGMP の分解を阻害する．高いレベルの cGMP は，Ca^{2+} の細胞内貯蔵場所への進入を誘導し，海綿体洞周辺の平滑筋細胞の弛緩を誘導する．シルデナフィルは顔面紅潮，胃腸障害，頭痛，青色視症のような濃度依存性の副作用を起こす可能性がある．

図 21.12 | 男性と女性の尿道

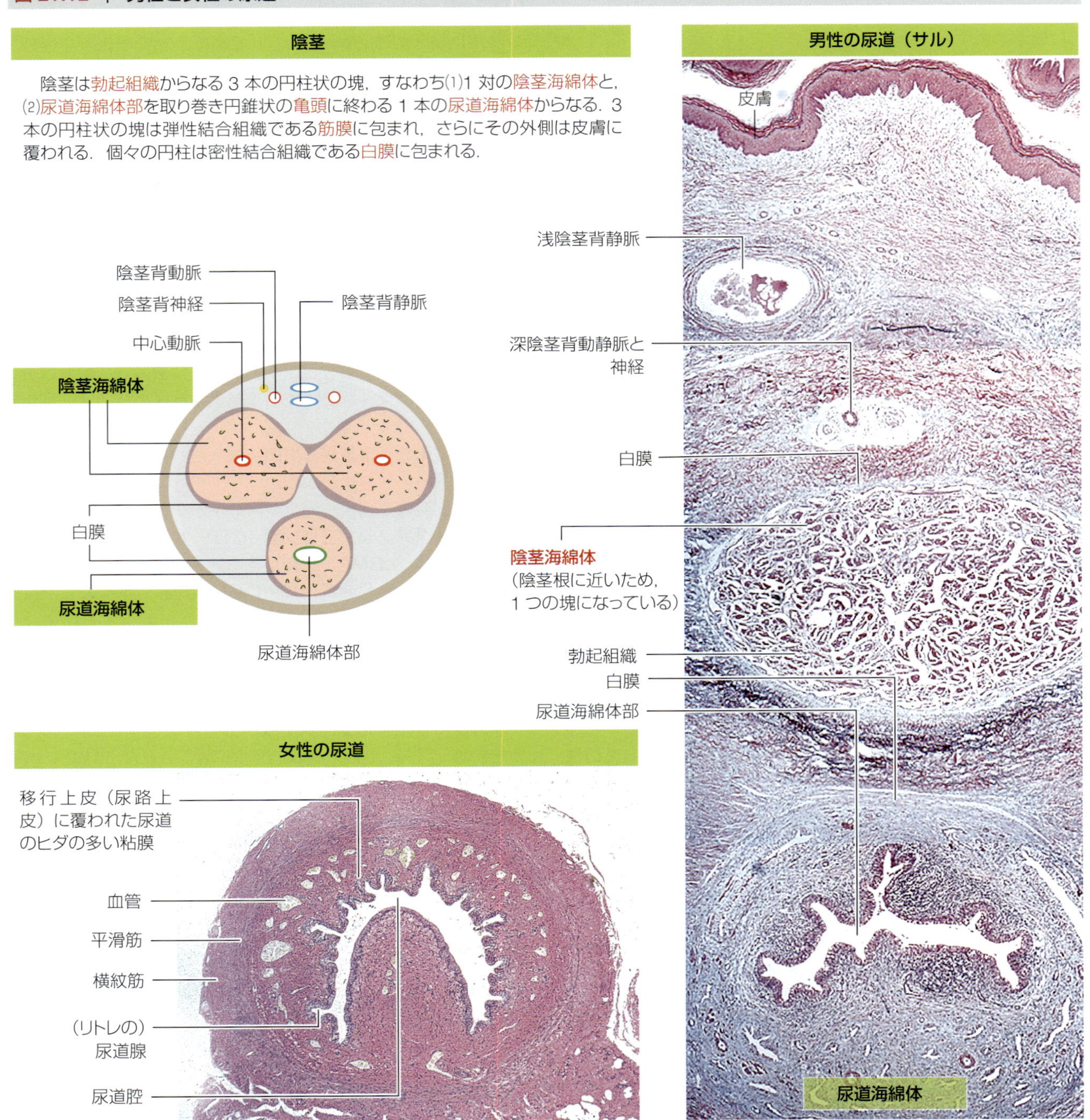

分泌単位の上皮は，円柱であり粘液産物を分泌する．分泌物は，豊富な**ガラクトース**と適量の**シアル酸**を含み，**尿道陰茎部**に排出される．この分泌物は**潤滑機能**をもち，尿道陰茎部を通る精液の排出を促進する．

図 21.13 | 陰茎勃起のメカニズム

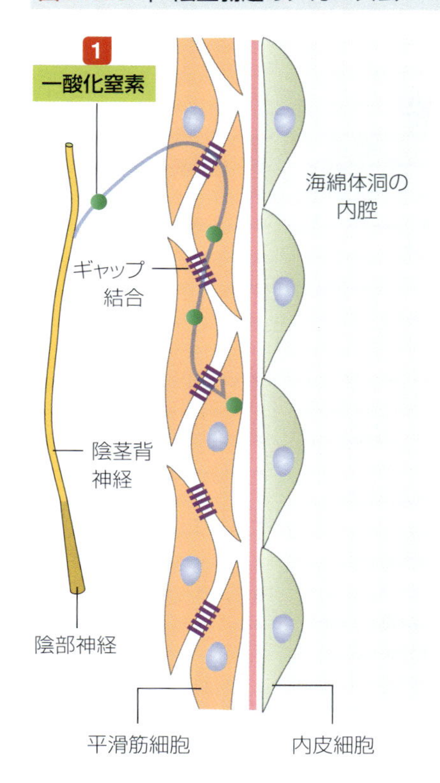

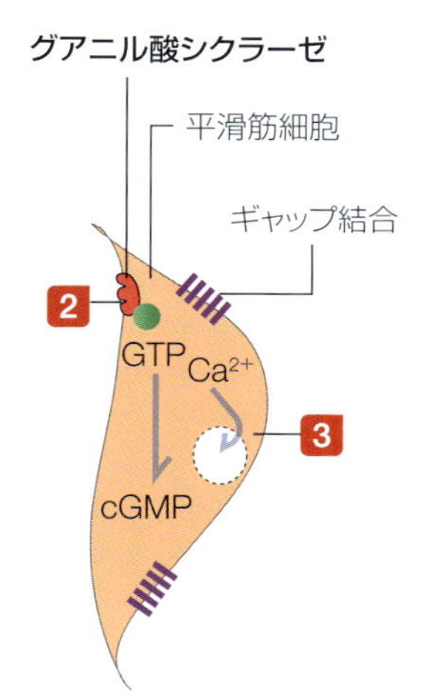

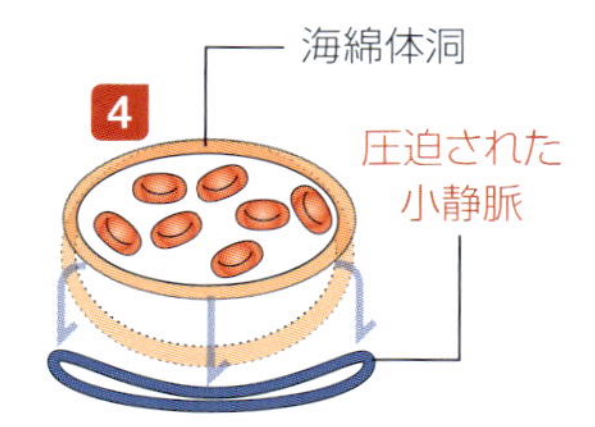

平滑筋の弛緩により海綿体洞の内腔に貯留した血液が，小静脈を圧迫して血液が海綿体洞から排出されるのを妨げる．

1 神経は一酸化窒素（NO）を産生し，NO は陰茎の勃起組織の海綿体洞の周りを取り囲む平滑筋細胞内に拡散する．NO 分子はその後，ギャップ結合を通して他の平滑筋細胞に運ばれる．

2 NO 分子はグアニル酸シクラーゼを活性化し，グアノシン三リン酸（GTP）をサイクリックグアノシン一リン酸（cGMP）に変換する．

3 cGMP が引き金となって細胞内に Ca^{2+} を貯蔵する（隔離）．Ca^{2+} 濃度が低くなると，ミオシンとアクチンが弛緩する．

4 弛緩した平滑筋は，陰茎から血液を排出するための小静脈を圧迫する．血液が海綿体洞内にたまり，陰茎が勃起する．ホスホジエステラーゼが cGMP を分解すると，勃起が終了する．

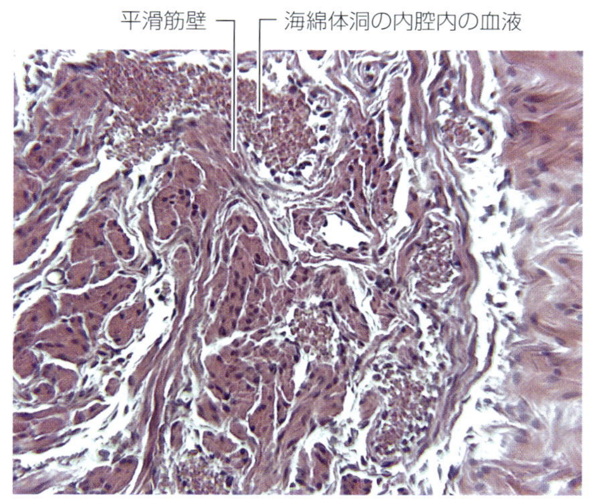

精子輸送と成熟 | 概念図・基本的概念

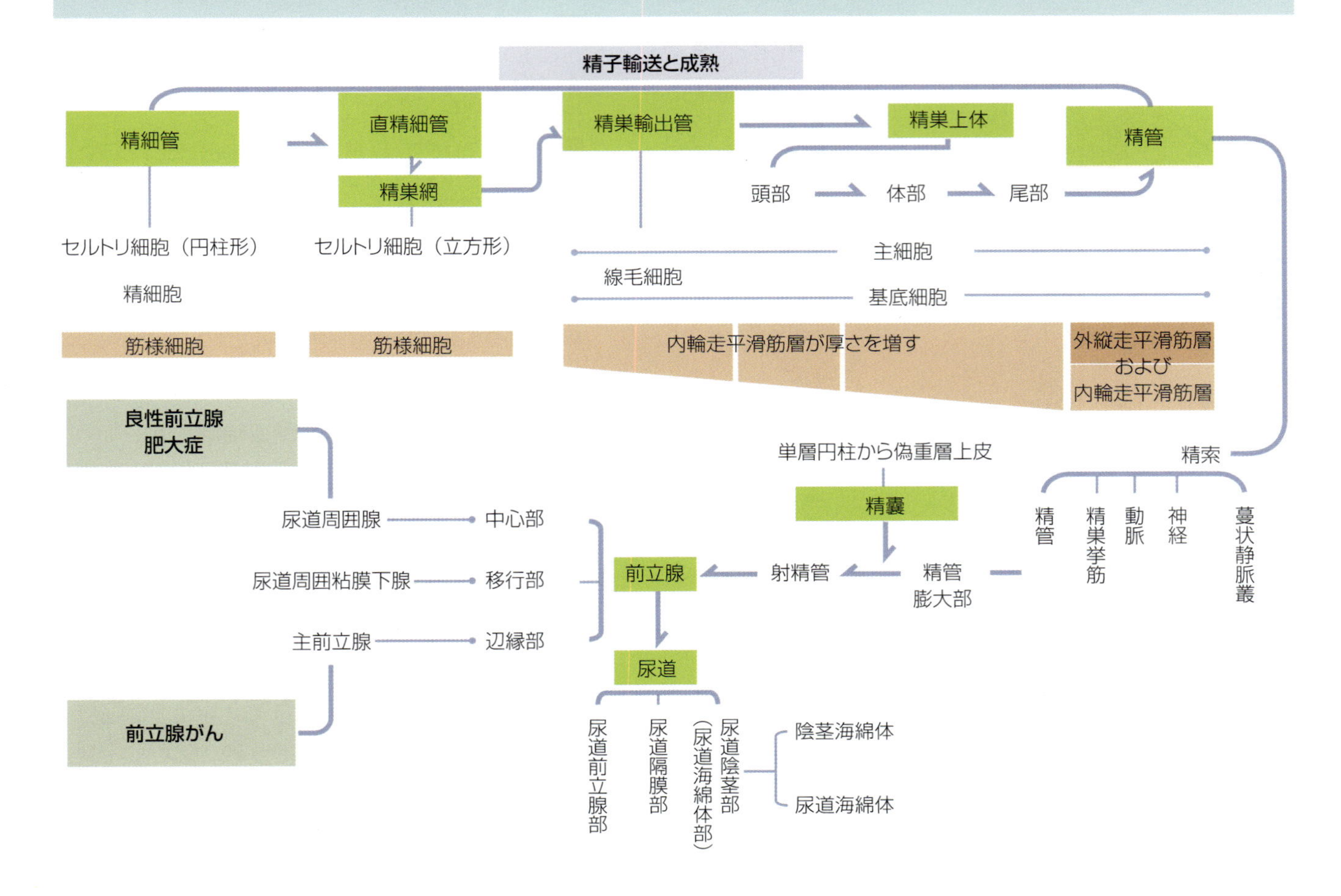

- 始原生殖細胞（PGC）は，胚外由来である．

男性と女性の配偶子の前駆体は一次外胚葉から卵黄嚢壁に移住して胚外となる．そして，第4週胚の卵黄嚢壁に最初に出現する．

骨形成タンパク質（胚外中胚葉と臓側内胚葉に由来する）と転写因子OTX2発現低下があると，多能性の胚盤葉上層細胞は特異的にPGCになる．

BLIMP1は，PGC特異的遺伝子*Stella*の発現を刺激する．Stellaタンパク質が体細胞特異的な遺伝子の転写を抑制する結果，PGCが発生する．

4〜6週の間に，PGCが卵黄嚢から後腸へ移動して生殖堤へ移住する．PGCの移住開始は，細胞表面タンパク質のインターフェロン誘導性膜貫通タンパク質1（IFITM1）によって制御される．

腸間膜を横切る後腸から生殖堤への移住は，次のもので誘導される：

(1)間質細胞由来因子1（SDF1）．これは生殖堤と周囲を取り巻く間葉で発現する．

(2)ケモカインCXCR4．これはPGCで発現する．

PGCの移住に参加する因子はさらに少なくとも3種類ある：

(1) PGCの移住と増殖の率は，チロシンキナーゼであるc-kit受容体とそれに対応する細胞膜リガンドである幹細胞因子（あるいはc-kitリガンド）の相互作用に依存する．

(2) E-カドヘリン．これはPGCで発現する．

(3) PGCは，生殖堤への進入に必要であるβ1インテグリンを発現する．

生殖堤に到着しないPGCはアポトーシスに陥る．アポトーシスを逃れたPGCは後で性腺外胚細胞腫瘍を起こす．

PGCは第6週までに生殖堤に到達し，体細胞と相互作用しながら増殖し続けて，未分化性腺を成長させる．

生殖堤では，XX染色体をもつPGCsは皮質を占め，XY染色体をもつPGCは生殖堤の中心部である髄質に局在する．

7週後では，未分化性腺は，後で卵巣に分化する皮質と精巣に分化する髄質をもつようになる．

精巣の分化は，（Y染色体の性決定領域のための）*SRY*遺伝子によってコードされる転写因子である精巣決定因子の支配を受ける．

胎児精巣の最初の構成要素は精巣索である．精巣索はセルトリ細胞とPGC由来のSSCを含む．ライディッヒ細胞は精巣索の間に存在する．

胎児性セルトリ細胞は抗ミュラー管ホルモン（AMH）を分泌し，ミュラー管（中腎傍管）のアポトーシスによる退化を導く．

ライディッヒ細胞は，ヒト絨毛性性腺刺激ホルモン（hCG）の刺激を受けて，テストステロンを分泌する．テストステロンは，酵素ステロイド5α-還元酵素2（SRD5A2）の作用により，ジヒドロテストステロン（DHT）になる．

テストステロンはウォルフ管（中腎管）を刺激して，精巣上体，精管，射精管を発生する．

DHTの刺激により，尿生殖洞から前立腺と尿道が発生する．テストステロンとDHTは，X染色体上の遺伝子でコードされるアンドロゲン受容体に結合する．

アンドロゲン非感受性症候群（AIS，精巣性女性化症候群ともよばれる）は，アンドロゲン受容体の発現が完全あるいは不完全に障害されるために起こる．ウォルフ管が発達せず，ミュラー管の退化がみられる．精巣は腹腔内に残り，外生殖器は女性型に発達する．アンドロゲンとエストロゲンの血中レベルは高い．

3 型の AIS 表現型がみられる：

(1)完全型アンドロゲン非感受性症候群は，女性の外生殖器を伴う．精巣は腹部に残存する．精巣がんのリスクがあるため，精巣は（女性化が完成するまでに）思春期後に除去されることがある．

(2)不完全型アンドロゲン非感受性症候群は，主に女性型あるいは男性型，あるいは曖昧な外生殖器をもつ．

(3)軽度アンドロゲン非感受性症候は，男性型の外生殖器をもつ．精子形成かつ／または思春期の男性化が障害される．

- ステロイド SRD5A2 欠乏では，テストステロンから DHT への変換が減少する．*SRD5A2* 遺伝子の変異をもつヒトは遺伝的には男性である．
  障害のあるヒトは，正常な内生殖器をもつが（ウォルフ管からの発生はアンドロゲン依存性），外生殖器は男性化しない（男性化への分化は DHT 依存性である）．

- クラインフェルター症候群（47,XXY）は，余剰の 1 個の X 染色体をもつ男性にみられる．そのヒトの表現形は男性であるが，精巣は萎縮している．その血中テストステロンレベルは低いがエストラジオールは高い．過剰のエストラジオールにより，女性化乳房が起こる．

- Y 染色体は精子形成を決定する *azoospermia factor*（*AZF*）領域遺伝子をもっている．ヒト Y 染色体の長腕に局在する *AZF* 領域が欠損すると，男性不妊になる．

- 精子成熟経路．精細管を離れた後，未熟な（動けない）精子は，次のような連続する経路を移動し続ける：

(1)直精細管：微絨毛と単一線毛のある単層立方上皮で構成される狭い管状構造．頂上部を占める閉鎖結合は，基底部に局在するセルトリ細胞間の閉鎖結合と対照的である．

(2)精巣網：単層立方上皮によって構成される吻合路網．その壁は筋様細胞と線維芽細胞で構成される．

(3)精巣輸出管：精巣網と精巣上体管の最初の部分をつなぐ．上皮は（不動毛ではなく）微絨毛のある主細胞と線毛細胞で構成され，動けない精子を精巣上体へ輸送することにかかわる．これらの 2 種類の細胞集団は，高さが異なり，そのため特徴的な扇形の概観を示す．

(4)精巣上体：典型的な 3 つの解剖学的領域をもつ，きわめて曲がりくねったらせん状の管（長さ約 6m）：

①頭部．

②体部．

③尾部．

上皮は，不動毛をもつ偽重層（多列）円柱上皮である．

壁は平滑筋細胞を含む．主な 2 種類上皮細胞のタイプは，頂上に不動毛のある円柱状主細胞と基底板に接する基底細胞である．上皮内リンパ球がしばしばみられる．主細胞の高さは尾部に向かうにつれて低くなる．その結果，管腔は次第に広くなる．筋性壁の厚さは尾部に向かうにつれて増す．

(5)精管：長さ 45cm の筋性の管である．精索内にみられる．精管の上皮は不動毛をもつ偽重層（多列）円柱上皮である．平滑筋層は，内外縦走筋層とその間にある中輪状筋層で構成される．

精索の追加要素は次のものである：

(1)精巣挙筋，動脈（精索動脈，精巣挙筋動脈，精管動脈）．

(2)蔓状静脈叢（精索動脈 - 蔓状静脈叢熱交換は正常な精子形成のために精巣温度を体温よりも 2～3℃低く保つために重要）．

(3)神経．

精管の終末は拡張して膨大部となり，精嚢の導管を受けて射精管を形成し，前立腺を貫通する．

- 付属生殖腺．男性生殖器系の付属生殖腺は，精嚢，前立腺，カウパーの尿道球腺である．
  精嚢は次の 3 構成要素をもっている：

(1)外側の結合組織被膜．

(2)中央の平滑筋層．

(3)内側のきわめてヒダの多い粘膜．粘膜固有層で支持される単層円柱から偽重層（多列）円柱上皮が並ぶ．

アンドロゲンの影響を受けて，精嚢上皮はヒトの射精液の 70～85％を占めるアルカリ性分泌液を産生する．この液は精嚢凝固タンパク質，フルクトース（果糖），プロスタグランジンを含む．

- 前立腺は分岐（複合）管状胞状腺である．3 部（領域）で構成される：

(1)中心部，尿道周囲粘膜腺がある．

(2)移行部，尿道周囲粘膜下腺がある．

(3)辺縁部，分岐管状胞状腺があり，主（前立）腺とよばれる．この部の腺上皮は単層あるいは偽重層円柱上皮である．その管腔は糖タンパク質に富むアミロイド小体（デンプン小体）を含む．

前立腺で産生されるアルカリ性の液体は，酸性ホスファターゼや前立腺特異抗原（PSA）を含む．PSA 値 4ng/mL 以上は異常と考えられ，良性前立腺肥大症，前立腺炎あるいは膀胱炎（偽陽性）と関連する．PSA 値が正常であっても前立腺がん（偽陰性）を除外できない．

尿道周囲粘膜腺と尿道周囲粘膜下腺およびそれらを取り巻く間質が複合した肥大は，良性前立腺肥大症（BPH）である．BPH は DHT で刺激された間質と腺上皮細胞の両方で産生された細胞分裂促進作用のある成長因子によって引き起こされる．テストステロンは主に前立腺間質細胞に存在する SRD5A2 酵素によって，DHT に変換される．

尿道周囲結節性肥大症で起こるのは：

(1)排尿困難と尿路閉塞であり，結節の成長により尿道前立腺部の部分圧迫あるいは完全圧迫によって起こる．

(2)膀胱内に尿が貯留する，あるいは膀胱を完全に空にすることができない．感染が起こると膀胱の炎症（膀胱炎）や尿路感染（腎盂腎炎）になる可能性がある．

SRD5A2 活性ブロック薬や抗アンドロゲン薬は，BPH の非外科的治療で使われる．

- 前立腺がんは，辺縁部前立腺の悪性転換の結果である．前立腺がんの患者では血中 PSA レベルが上昇する．
  アンドロゲンが前立腺内でどのように作用するか概観してみよう：

(1)テストステロンと DHT が，アンドロゲン受容体（AR）に結合する．

(2)不活性状態では，サイトゾル内の AR は，テストステロンあるいは DHT が存在しないとき，細胞質内で熱ショックタンパク質（HSP）と複合体をつくる．

(3)その複合体に，性ホルモン結合グロブリン（SHBG）に結合して血流で運ばれた DHT が結合すると，AR は HSP から離れて AR 2 量体をつくる．その AR 2 量体はアンドロゲンに結合し，DHT-AR 2 量体複合体が核に移動する．

(4)核内では，DHT-AR 2 量体複合体は DNA と転写因子に結合する．前立腺上皮細胞と前立腺間質細胞に対するオートクリンとパラクリン成長因子の発現が誘発される．

2 種類の鍵となる腫瘍抑制遺伝子，*PTEN*（ホスファターゼおよびテンシンホモログ）と *PML*（前骨髄性白血病タンパク質）は，ヒト前立腺がんを防御する．

PTEN の部分欠損は，局在性前立腺がんの 70％に観察される．*PTEN* の完全欠損は，細胞周期のホスファターゼ作用欠損のために，転移性の去勢抵抗性前立腺がん（CRPC）につながる．PTEN と PML の消失は，骨転移につながる最も悪性なタイプのヒト前立腺がんでしばしばみられる．

骨髄由来免疫抑制細胞（MDSC）の集団は，CRPC 患者の前立腺にみられる．MDSC 細胞は，インターロイキン -23（IL-23）を分泌し，それは腫瘍細胞上の IL-23 受容体（IL-23R）に結合した後，腫瘍細胞内のパスウェイを引き起こして AR 発現を上昇させる.

AR 発現の増加は，アンドロゲン依存性遺伝子発現経路を促進し，前立腺がんの成長を促進する結果になる．気づいているように，IL-23 あるいは IL-23R でブロックして治療すれば，CRPC のある患者の症状を改善することができる.

- 男女の尿道．男性の尿道は長さ 20 cm で次の 3 部分からなる：
  (1)尿道前立腺部．この腔は射精管から輸送された液体と前立腺からの産物を受ける.
  (2)尿道膜性部.
  (3)尿道陰茎部．これは尿道球腺からの潤滑液を受ける.

  尿道前立腺部の上皮は移行上皮（尿路上皮）であるが，上皮のタイプは部位によって変化する．平滑筋性の括約筋と横紋筋性の括約筋が尿道膜性部に存在する.

  女性の尿道は男性よりも短く（4 cm），移行上皮に覆われるが，上皮のタイプは部位によって変化する．粘膜には粘液腺が存在する．内平滑筋層と外横紋筋層がみられる.

- 尿道球腺は潤滑性粘液産物を尿道陰茎部に分泌する.

- 陰茎．陰茎は勃起組織である 3 本の円柱形構造物で構成される：1 対の陰茎海綿体と 1 本の尿道海綿体．3 本の柱は寄り集まって陰茎軸を形成する．尿道海綿体の遠端部は亀頭である．勃起組織には海綿体洞という血管腔があり，動脈血が流入し静脈に排出される.

  勃起中は動脈血が海綿体洞を満たし静脈を圧迫するため，血液の排出が妨げられる.

  一酸化窒素は陰茎背神経の枝で産生され，海綿体洞を取り巻く平滑筋細胞間の間隙結合を通って広がる．平滑筋細胞内では，一酸化窒素がグアニル酸シクラーゼを活性化してグアノシン三リン酸（GTP）からサイクリックグアノシン一リン酸（cGMP）を産生する．cGMP は平滑筋内貯蔵所内で Ca^{2+} を隔離することによって，平滑筋を弛緩させる．その結果，動脈血は拡張した洞に貯蔵される．ホスホジエステラーゼが cGMP を分解すると，勃起は終了する．勃起不全の場合，ホスホジエステラーゼの阻害剤であるシルデナフィルを用いると cGMP が急激に分解される過程を阻害する.

22 卵胞形成と月経周期

キーワード　卵巣，卵巣周期，多嚢胞性卵巣症候群，卵胞閉鎖，黄体，卵管，子宮と月経周期，脱落膜細胞，子宮頸部と膣，子宮頸がんとハイリスクのヒトパピローマウイルス感染症

月経周期は，女性の生殖状態を表す．月経周期は，思春期に初潮で始まり，約40年後の閉経で終わる．月経周期中には2つの共存する周期，すなわち，卵巣周期と子宮周期が存在する．卵巣周期では，いくつかの卵胞が，それぞれ1個の一次卵母細胞を取り囲み，卵管への排卵に備えてその発育過程（卵胞形成）を行う．同時に生じる子宮周期では，子宮内膜が，子宮の内腔面にあり，胚の着床に備える．排卵された卵が受精しないと，子宮内膜は脱落し，月経が起こり，新しい月経周期が開始する．本章では，特異的なホルモン障害や子宮頸部の病態を含めて，卵巣周期と子宮周期の構造的，機能的特徴に焦点を当てる．

女性生殖管の発達

生殖管は，ウォルフ管（男性生殖管の原基）とミュラー管（女性生殖管の原基）から発達する．女性生殖器系は，**卵巣** ovary，**管** duct（**卵管** oviduct，**子宮** uterus，**膣** vagina）および**外生殖器** external genitalia（**大陰唇** labia majora，**小陰唇** labia minora，**陰核** clitoris）からなる．

未分化段階 indifferent stage から十分に成熟した段階までの発達過程を知ることにより，臨床医学でみられる構造異常を理解するのに役立つ．卵巣，女性生殖管，外生殖器の発生について分子レベルで解明されたことを次節にまとめる．

卵巣の発生（基本事項 22.A）

未分化性腺から精巣あるいは卵巣への分化は，多様な遺伝子とホルモンが関与する複雑な発生過程である．

Wnt4 は，卵巣決定経路と性分化の主役である．Wnt4 は，**ウイングレス**（**Wnt**）ファミリータンパク質のメンバである（第3章参照）．

精巣決定因子 testis-determining factor（**TDF**）は，Y 染色体性決定領域遺伝子（*SRY*）にコードされ，性決定領域 Y ボックス 9 遺伝子（*SOX9*）と一緒に，未分化性腺が精巣へと発生することに関与する．SOX9 が骨格の発生に関与することをすでに学んでいる（第4章参照）．

第21章で説明したように，原始生殖腺の**皮質部**は卵巣を発生する．**未分化性腺** indifferent gonad の皮質領域は，**一次生殖索** primary sex cord を最初は含む（発生第5週）．

1週間後，一次生殖索の細胞は変性し，個々の**卵祖細胞** oogonia を取り囲む**二次生殖索** secondary sex cord により置き換わる．

卵祖細胞は，卵黄嚢由来の**原始生殖細胞** primordial germinal cell が遊走して有糸分裂をして生じる．原始生殖細胞は，2本の X 染色体をもつ．**ターナー症候群** Turner's syndrome の少女では，2番目の X 染色体の完全あるいは部分的な欠損（45,X）と，**バー小体** Barr body **の欠失**として思春期前や思春期に遺伝的欠損が認識される（Box 22.A）．

胎児の卵巣では，卵祖細胞は第1減数分裂前期に入り，**一次卵母細胞**になる．一次卵母細胞は，交叉（相同染色体の非姉妹染色分体間で遺伝情報の交換）が完了すると減数分裂を止める．**第1減数分裂の停止は思春期まで続き**，思春期になると1個かそれ以上の卵胞が卵胞形成を継続するために利用される．

女性生殖管の発生

発生段階では，**ミュラー管** Müllerian duct（中腎傍管）**の頭側端**は分かれたままで**卵管**を形成する．卵管は体腔（将来の腹腔）に開口する．**ミュラー管の尾側部**は融合して**子宮膣原基** uterovaginal primordium を形成し，ここが**子宮**と**膣上部**になる（Box 22.B）．**子宮広間膜** broad ligaments of the uterus は，2枚の腹膜ヒダに由

Box 22.A | ターナー症候群

- ターナー症候群の出生前診断は，超音波検査での胎児浮腫の所見と，母体血清のスクリーニングでヒト絨毛性ゴナドトロピン（hCG）とαフェトプロテインの異常所見に基づく．45,X の胎児は，自然流産を繰り返す．
- 身体所見には，先天性リンパ水腫，低身長，性腺発育障害がある．卵巣は，線条にみられる．むくんだ手足，項部皮膚のたるみが特徴的な臨床所見である．
- 性腺発育障害は，ターナー症候群の典型的な特徴である．卵巣不全は，ゴナドトロピンの血中レベルの上昇と関連してエストロゲン産生の低下か欠損によって特徴づけられ，結果的に二次性徴の確立が障害される．
- 患者は，思春期の開始と完全な成長のためにホルモン補充療法を必要とする．成長障害の証拠があれば，合成成長ホルモンの投与が推奨される．（エストロゲンとプロゲステロンの）ホルモン補充療法は，卵巣萎縮を代償する．

Box 22.B | ミュラー管の発達，卵胞形成における抗ミュラー管ホルモンの役割

- ミュラー管の発達不全は，ミュラー管無発生の 46,XX の女性患者（メイヤー・ロキタンスキー・キュスター・ハウザー症候群 Mayer-Rokitansky-Küster-Hauser syndrome）で起こる．ミュラー管無形成は，子宮，子宮頸部，膣上部の欠損で特徴づけられる．骨盤腎あるいは，より重度の片側の腎無形性を含む腎奇形が観察される．*Wnt4* 遺伝子の不活性化が，この疾患に関与している．Wnt4 は，ミュラー管上皮により分泌される．Wnt4 は，核受容体ステロイド因子1（SF1）と拮抗し，その結果，ステロイド合成酵素を抑制することにより，女性における性腺のアンドロゲンの合成を抑制する．
- 抗ミュラー管ホルモン（AMH）は，卵胞形成の早期に顆粒膜細胞により分泌される．AMH の産生は，卵胞形成の前胞状卵胞と胞状卵胞早期で最高値になる．血液中の AMH 値は，原始卵胞の卵巣予備能の有用なマーカーとみなされる．血液中の AMH 濃度は，年齢が増加すると減少し，原始卵胞の予備がなくなる閉経前の約5年間で検出できなくなる．

基本事項 22.A | 未分化性腺からの卵巣と精巣の発生

卵巣の発生：精巣決定因子（TDF）と AMH

20 週齢

発達中のミュラー管から卵管，子宮，膣上部が形成される

萎縮したウォルフ管

変性する卵巣網

一次生殖索の遺残

遊走してきた原始生殖細胞の有糸分裂で生じる**卵祖細胞**あるいは，卵祖細胞に由来する**一次卵母細胞**を取り囲む**二次生殖索**

二次生殖索に由来する扁平な卵胞細胞で取り囲まれた**一次卵母細胞**により形成された原始卵胞

精巣の発生：TDF と AMH の存在

20 週齢

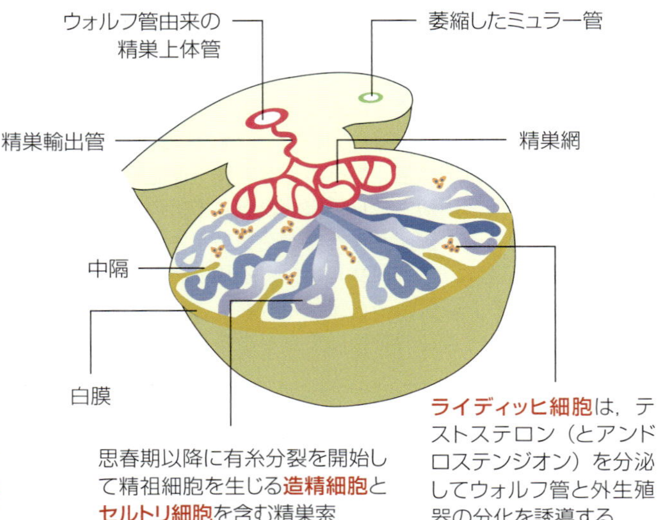

思春期以降に有糸分裂を開始して精祖細胞を生じる**造精細胞**と**セルトリ細胞**を含む精巣索

ライディッヒ細胞は，テストステロン（とアンドロステンジオン）を分泌してウォルフ管と外生殖器の分化を誘導する

ミュラー管の退縮（男性）

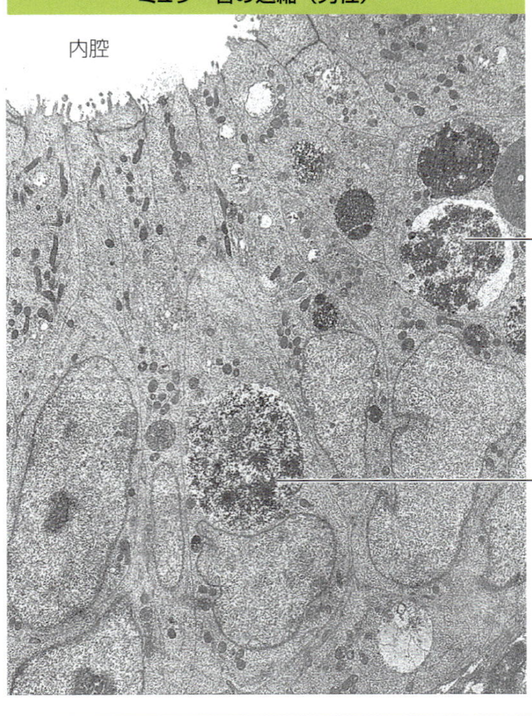

男性胎児のミュラー管（傍中腎管）を覆う細胞死（アポトーシス）に陥った細胞を隣接する上皮が取り込み分解過程にある像

発達するウォルフ管（男性）

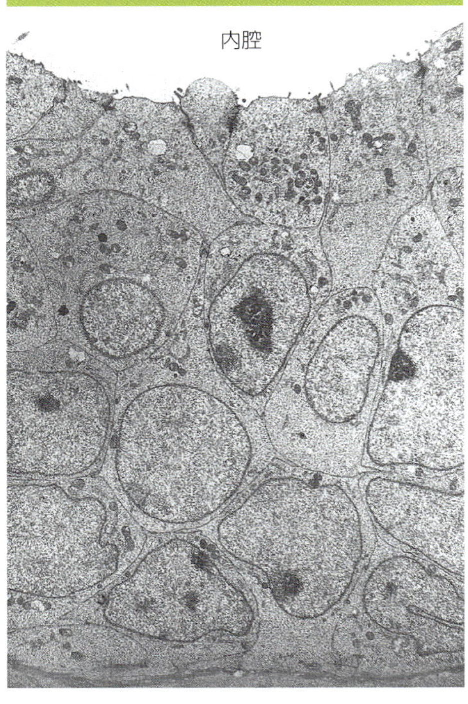

ミュラー管遺残症候群

女性では，ミュラー管（中腎傍管）は，卵管，子宮，膣上部に発達する．ウォルフ管（中腎管）は，アンドロゲンの欠損で変性する．

男性では，ミュラー管は，**抗ミュラー管ホルモン**（**AMH**），精巣のセルトリ細胞が産生する**トランスフォーミング増殖因子-βファミリーの分子**のために退縮する．ミュラー管の上皮に対する AMH の退縮作用は，間接的である．すなわち，その作用は，周囲の間質細胞に発現する AMH 受容体 2（AMHR2）に AMH が結合して仲介される．

ヒトの男性における**ミュラー管遺残症候群**（**PMDS**）は，**停留精巣**（下降しない精巣）あるいは，**鼠経ヘルニア**に伴う**異所性精巣**と関連する．

AMH と AMHR2 の遺伝子変異は，PMDS（男性外生殖器の他に卵管，子宮，子宮頸部がみられる）の患者にみられる．

来し，ミュラー管が融合すると互いに接近する．

原始排泄腔 primitive cloaca は，**尿直腸中隔** urorectal septum により2つの領域に分けられる：

1. **腹側の尿生殖洞.**
2. **背側の肛門直腸管.**

尿直腸中隔は，排泄腔膜（将来の会陰体の部位）と融合して，**背側の肛門膜**とより大きな**腹側の尿生殖膜**に分ける．発生第7週までに，これらの膜は破れる．

子宮腟原基と尿生殖洞が接着して，**腟板** vaginal plate が形成される．**腟板に穴が開き**，腟の中部と下部が形成される．

1. 腟板の細胞塊が，尿生殖洞から子宮腟原基へと伸びる．
2. 腟板の中央部の細胞が消失し，腟腔が形成される．
3. 腟板の辺縁部の細胞はそのまま残り，腟上皮を形成する．

尿生殖洞は，膀胱，尿道，大前庭腺と処女膜にもなる．

外生殖器の発生

発生第4週までに，**生殖結節** genital tubercle あるいは**生殖茎** phallus は，**排泄腔膜**の頭側端に発達する．その後，排泄腔膜の両側に**陰唇陰嚢隆起** labioscrotal swelling と**尿生殖ヒダ** urogenital fold が発達する．

生殖結節は，男女ともに肥大する．アンドロゲンがないと，外生殖器は女性化する．すなわち，**生殖茎**は**陰核**になる．**尿生殖ヒダ**は**小陰唇**を形成し，**陰唇陰嚢隆起**は**大陰唇**になる．

卵巣（図22.1）

卵巣は，**単層扁平から背の低い立方上皮**（**卵巣表層上皮**とよばれる，Box 22.C），下層の結合組織である**白膜**に覆われる．

明確な境界のない**皮質** cortex と**髄質** medulla は，組織切片により観察できる．幅の広い皮質は，結合組織と**一次卵母細胞** primary oocyte（第1減数分裂前期で停止）を取り囲む**原始卵胞** primordial follicle を含む．**髄質**は，結合組織，間質細胞，**卵巣門** hilum を通って卵巣に至る神経，リンパ管および血管からなる．

卵巣の機能は，次の4つである：

1. 女性配偶子の産生．
2. エストロゲンとプロゲステロンの分泌．
3. 生殖器官の出生後の発育調節．
4. 二次性徴の発現．

卵巣周期（図22.2，22.3）

卵巣周期は，次の3期からなる：

1. **卵胞期** follicular phase（**卵胞形成** folliculogenesis）．
2. **排卵期** ovulatory phase（**排卵** ovulation）．
3. **黄体期** luteal phase（**黄体形成** luteinization）．

卵胞期では，いくつかの原始卵胞が次の順番に発達する：

1. **一次（単層）卵胞** primary (unilayered) follicle.
2. **二次（多層）卵胞** secondary (multilayered) follicle.
3. **前胞状卵胞** pre-antral follicle.
4. **胞状卵胞** antral follicle.
5. **排卵前卵胞** pre-ovulatory follicle（**グラーフ卵胞** graafian follicle）.

卵胞の発育中に，次の構造の変化が起こる：

図22.1 | 卵巣

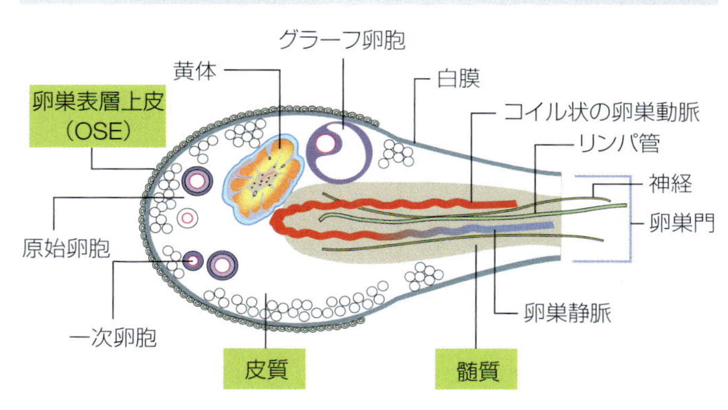

卵巣は，卵巣表層上皮（単層立方から扁平上皮）で覆われ，外側の皮質と中心の髄質からなる．髄質は，大きな血管（コイル状で蛇行する卵巣動脈と卵巣静脈）リンパ管，神経を支持する結合組織を含む．皮質には，原始卵胞の集団がみられる．白膜は，薄い結合組織層で，皮質の周辺部にみられる．

1. **原始卵胞**：それぞれの原始卵胞は，直径が約25 μmで，**抗ミュラー管ホルモン（AMH）を分泌する単層扁平上皮の顆粒膜細胞**により取り囲まれる（Box22.B）．いくつかの原始卵胞が，卵胞形成を開始するため，各周期に補充される．
2. **一次（単層）卵胞**：単層扁平な顆粒膜細胞が**単層立方な**顆粒膜細胞に変化すると，原始卵胞は，一次卵胞になる．基底板は顆粒膜細胞層と卵巣の間質の間にみられる．同時に，**透明帯**が形成され始め，顆粒膜細胞から一次卵母細胞を徐々に引き離す．
3. **二次（多層）卵胞**：顆粒膜細胞は増殖し，**重層立方上皮** stratified cuboidal epithelium になる．細胞の殻あるいは，**卵胞膜**（ギリシャ語 *theke*，[= box，箱]）は卵胞を取り囲む．卵胞膜は2つの異なる層に組織化され始める：
   (1)**内卵胞膜** theca interna は，基底板に接する血管が豊富な細胞層であり，卵胞の顆粒膜細胞を取り囲む．
   (2)**外卵胞膜** theca externa は，卵巣の間質と連続する線維性細胞層である．
4. **前胞状卵胞**：**コール・エクスナー体** Call-Exner body とよばれる小細胞間隙が，顆粒膜細胞間に形成される．これらの間隙は，**卵胞液** follicular fluid を含む．プロリンを豊富に含む卵胞液は，内卵胞膜の血管に由来し，浸透圧勾配により卵胞腔に至る（図22.2）．

Box 22.C | 卵巣表層上皮の Lgr5 陽性幹細胞

- 卵巣表層上皮（OSE）には，Lgr5（leucine-rich repeat-containing G-protein-coupled receptor 5）陽性の幹細胞があり，排卵後に卵巣表層細胞に生じる傷害を修復する．Lgr5は，第16章で論じたように，腸腺の陰窩を含めて多くの器官の幹細胞のマーカーである．
- 胎児の卵巣において，OSEは，出生後に発育する卵胞を構成する顆粒膜細胞と間質細胞の前駆細胞である．この機能は，成人のOSEと卵巣門と卵管采に維持される．
- OSE，卵巣門，卵管采のLgr5陽性細胞の観察により，卵巣全体に拡散して外部へ転移する漿液性卵巣がんの発生と関連する．

図 22.2 | 原始卵胞から前胞状卵胞

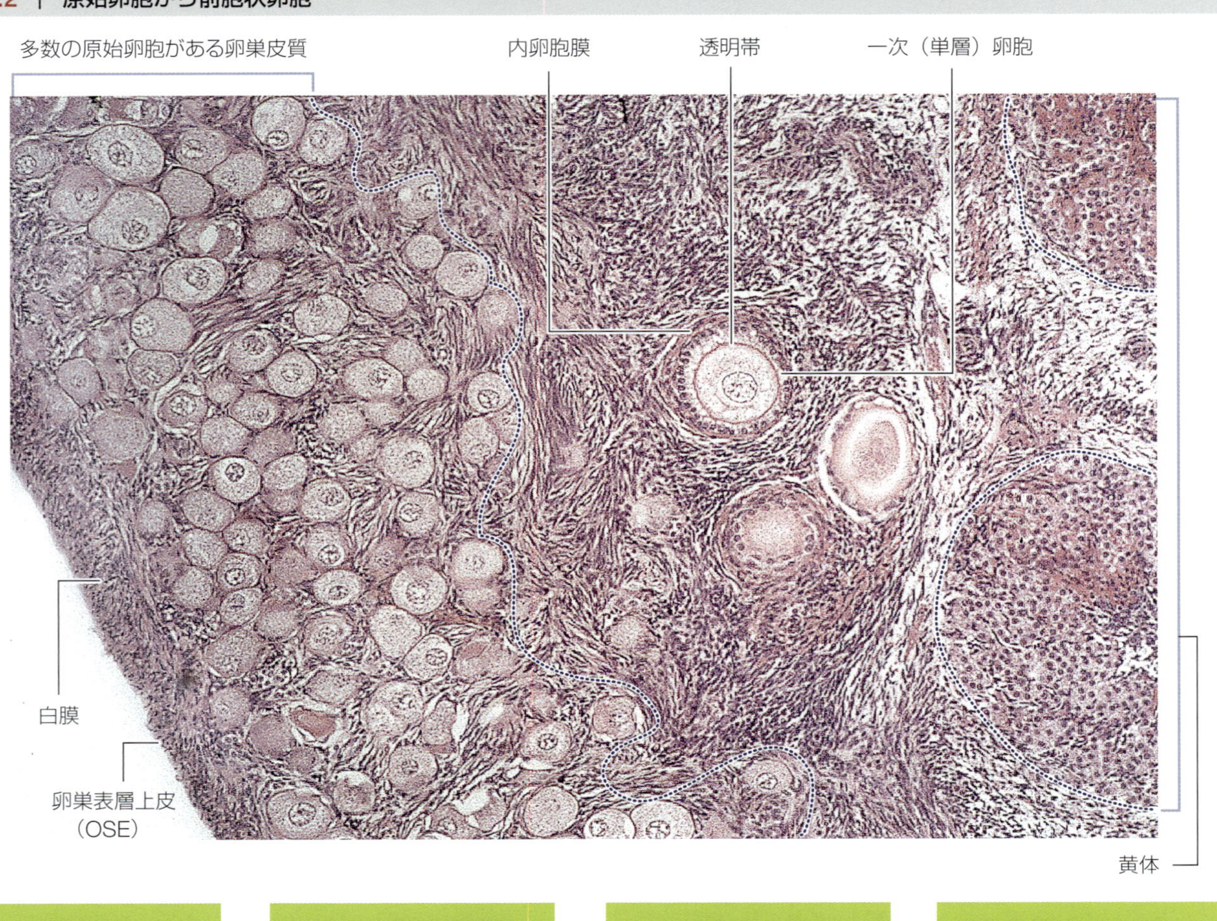

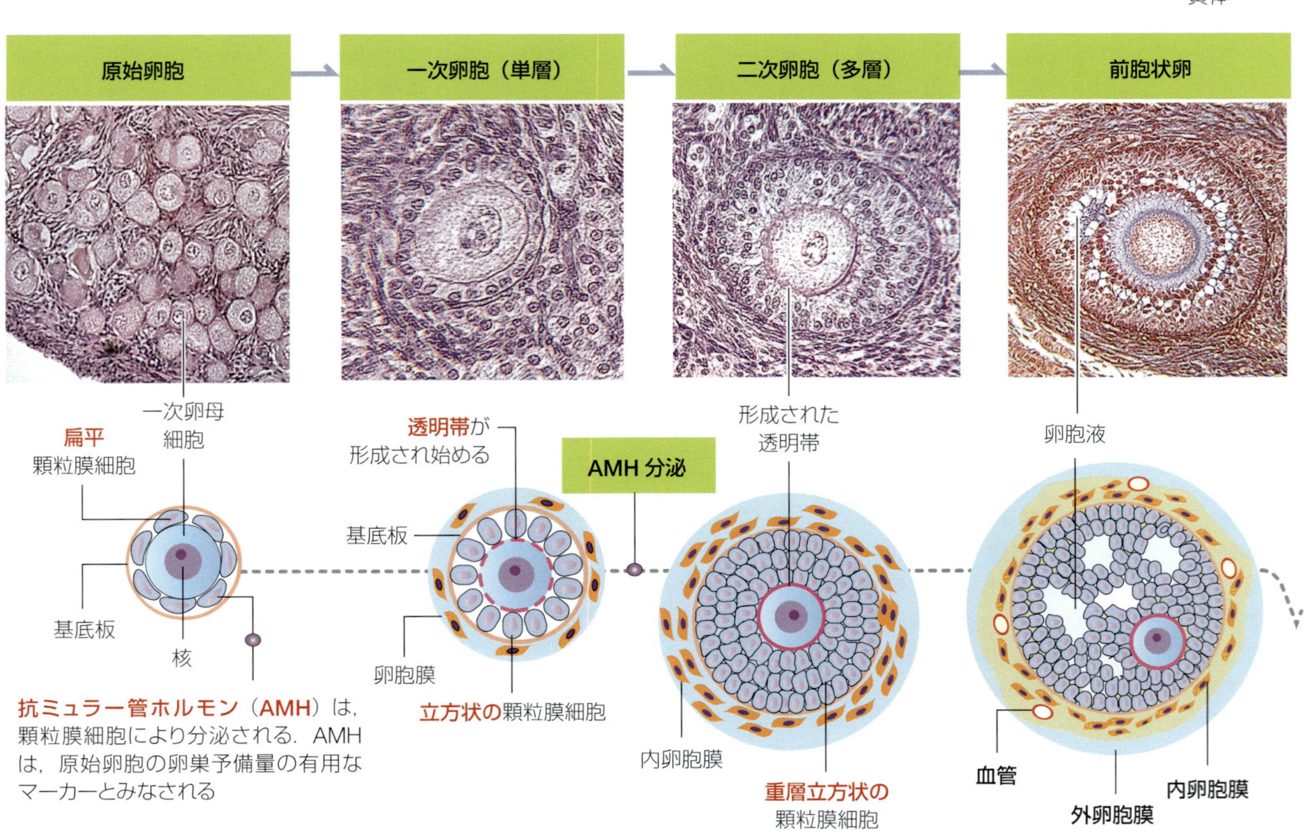

抗ミュラー管ホルモン（AMH）は，顆粒膜細胞により分泌される．AMH は，原始卵胞の卵巣予備量の有用なマーカーとみなされる

図 22.3 | 胞状卵胞から排卵

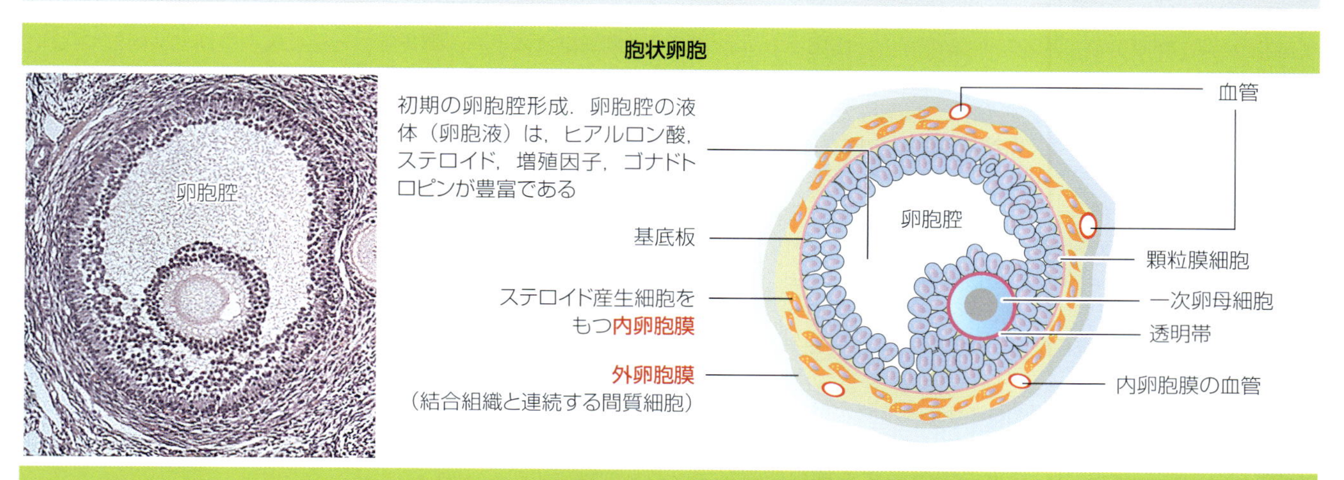

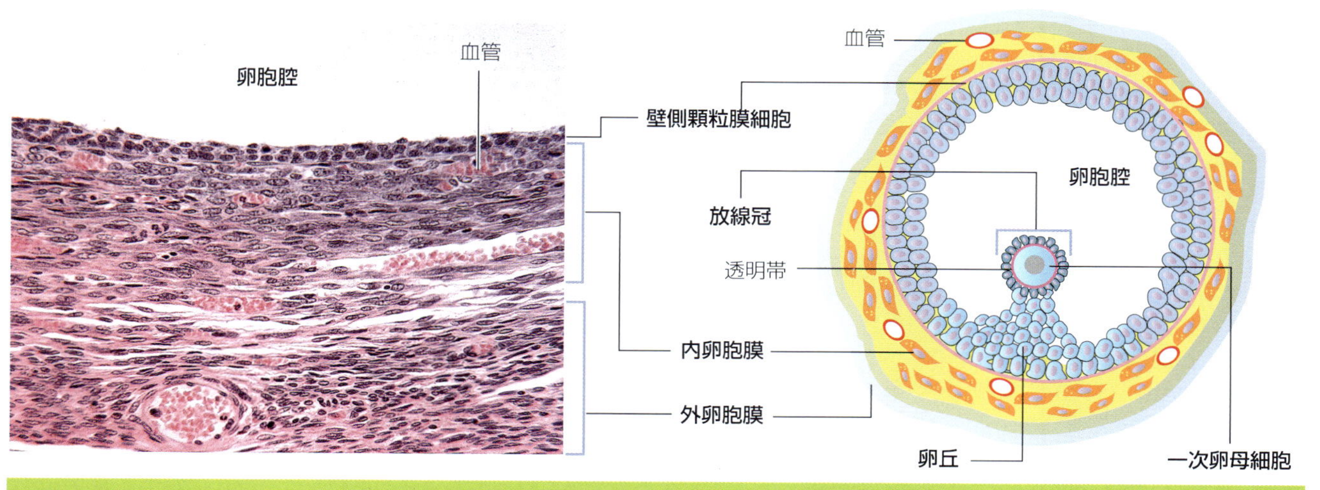

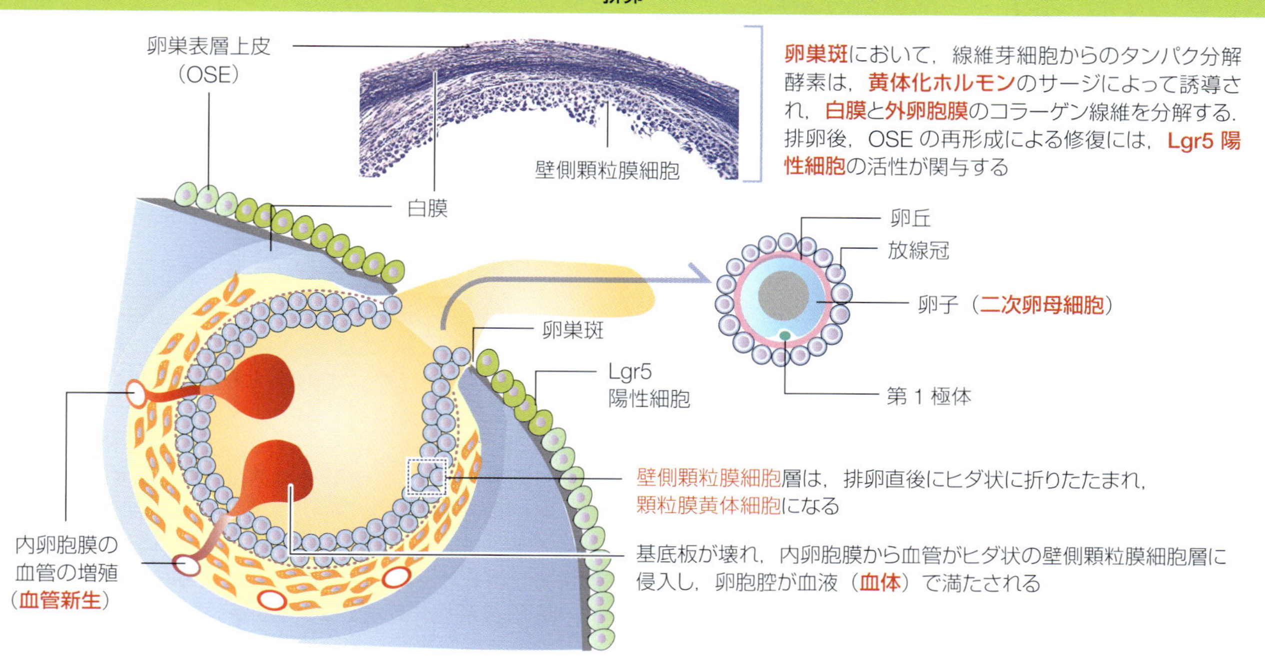

AMHは，卵胞形成の早期に顆粒膜細胞により分泌される．AMHは，前胞状卵胞期や胞状卵胞の早期に最も産生される．血中のAMH量は，卵巣の原始卵胞予備量の有用な臨床マーカーとみなされる．

胞状卵胞：コール・エクスナー体は，**卵胞腔**とよばれる1つの空間になる．この段階では，顆粒膜細胞は，FSHで刺激され，エストロゲンを活発に産生と分泌する（図22.3）．

排卵前卵胞（グラーフ卵胞）：卵胞腔は，最大に達する．卵胞液は，顆粒膜細胞を3つの領域に分ける．

1. **卵丘** cumulus oophorous は，一次卵母細胞と卵胞壁をつなぐ顆粒膜細胞集団である．卵丘は，一次卵母細胞が卵胞液中に遊離するのを防ぐ．卵丘は，一次卵母細胞に栄養を運ぶ経路にもなる．
2. **壁側顆粒膜細胞** mural granulosa cell は，卵胞壁の内腔面を覆う．
3. **放線冠** corona radiata は，透明帯を貫通する細胞突起により，透明帯と強固に結合する顆粒細胞層である．

排卵前卵胞あるいはグラーフ卵胞は，原始卵胞の直径25 μmと比べて，直径約20 mmにも達する．

外卵胞膜は，結合組織性の被膜を形成し，卵巣の間質と連続する．対照的に，内卵胞膜は，卵胞の基底板に接する血管が豊富な細胞層である．**内卵胞膜**は，ステロイド分泌細胞の特徴である細胞質に小さな脂肪滴をもつ細長い細胞からなる（図22.3）．

要約すると，卵胞形成は，第1減数分裂前期の終わりで停止した卵胞の中央に局在した一次卵母細胞の周囲で起こる．卵胞形成では，エストロゲンを産生する顆粒膜細胞の数が進行性に増加し，糖タンパク質を含む厚い透明帯層を形成し，ステロイドを産生する血管の豊富な内卵胞膜を形成する．

基底板は，卵胞膜細胞と顆粒膜細胞を分離する．透明帯は，一次卵母細胞と顆粒膜細胞を分離する．

卵胞腔が形成されると，顆粒膜細胞は2種類の細胞集団に分かれる：

1. 透明帯に包まれた一次卵母細胞を取り囲む顆粒膜細胞の集団．この顆粒膜細胞の集団は，卵管で排卵された卵をとらえられるヒアルロン酸が豊富な物質を分泌する．
2. 卵胞の外周を包む壁側顆粒膜細胞．壁在性の顆粒膜細胞は，内卵胞膜細胞に近接する．後で説明するが，この空間的な関係は，ステロイドホルモンの産生に大きな役割を果たす．

顆粒膜細胞と一次卵母細胞の相互作用
（基本事項22.B）

透明帯は，顆粒膜細胞の放線冠と一次卵母細胞を隔てる糖タンパク質の被膜である．透明帯は，3つの透明帯（ZP）糖タンパク質ZP-1，ZP-2，ZP-3からなる．

放線冠の顆粒膜細胞に由来する細い細胞突起は，透明帯を貫き，卵母細胞の細胞膜の微絨毛と接触する．この細胞間の伝達機構は，細胞周期の進行だけでなく一次卵母細胞の発育も調整する．

顆粒膜細胞と一次卵母細胞間には，**両方向性のシグナル伝達**が関与する（基本事項22.B）：

1. 顆粒膜細胞と卵母細胞の接着部にある**間隙（ギャップ）結合**と**接着結合**．
2. **トランスフォーミング増殖因子-β** transforming growth factor-β（TGF-β）ファミリーの特異的分子の細胞間移行．

間隙結合により，卵母細胞と顆粒膜細胞間で共同して代謝することが可能になり，発育する卵母細胞に栄養と基質の移行を仲介する．間隙結合は，顆粒膜細胞間にもみられる．

コネキシン37 connexin 37は，顆粒膜細胞と一次卵母細胞間の間隙結合に存在する．**コネキシン43** connexin 43は，顆粒膜細胞間の間隙結合にみられる．*Gja4*遺伝子がコードするコネキシン37が欠損すると，卵胞発育が停止し，一次卵母細胞の第一減数分裂の再開が阻害され，胎児発達に必須のエピジェネティックな変化が抑制される．コネキシン43が欠損すると，前胞状期の卵胞形成が障害される．

TGF-βファミリーの**卵母細胞由来**の2つの分子が，顆粒膜細胞に作用する：

1. **成長分化因子-9** growth and differentiation factor-9（GDF-9）．
2. **骨形成タンパク質-15** bone morphogenetic protein-15（BMP-15）．

GDF-9とBMP-15は，顆粒膜細胞のエネルギー代謝とコレステロール生成を調節するために協調して機能し，一次卵母細胞に必要な代謝を支持することにより女性の受精を促進する．GDF-9は，また，透明帯を貫通して卵母細胞に至る顆粒膜細胞の細胞突起の形成に必要である．

AMH，**インヒビン** inhibin および**アクチビン** activin は，**顆粒膜細胞に由来する** TGF-βスーパーファミリーの構成分子である．これらは，卵胞形成において，顆粒膜細胞の機能調節に関与する．

AMHは，原始卵胞が卵胞形成に利用される割合を制御する．AMHは，男性の胎児でセルトリ細胞，すなわち，顆粒膜細胞に相当する細胞により分泌され，ミュラー管の退縮を促進する．

FSHは，顆粒膜細胞の増殖と顆粒膜細胞によるエストロゲンの分泌を促進する．アクチビンは，FSHに対する顆粒膜細胞の反応性を促進する．インヒビンは，FSHの放出を下方制御し，黄体形成ホルモン（LH）により刺激されるライディッヒ細胞によるアンドロゲンの合成を促進する．以下で論じるように，アンドロゲンの前駆体が，顆粒膜細胞によるエストロゲン産生に必要である．

TGF-βスーパーファミリーの分子は，顆粒膜細胞と一次卵母細胞間の双方向のシグナル伝達に関与するだけでなく，FSHによる卵胞形成の調節にも関与する．

何が，卵胞形成中に一次卵母細胞が第1減数分裂を終了することを抑制するのか？

卵子成熟抑制因子（OMI）と幹細胞因子は，顆粒膜細胞由来のタンパク質で，一次卵母細胞を停止中の減数分裂前期に共同して留める．

OMIは，排卵時のFSHとLHの急激な上昇（サージ）の前に一次卵母細胞による**第1減数分裂の再開を抑制する**．幹細胞因子は，卵母細胞の**c-kit受容体**に結合し，卵母細胞の発育と生存を刺激する．覚えているように，c-kit受容体とそのリガンドは，肥満細胞の遊走（第4章参照）と原始生殖細胞の生殖隆起への遊走（第21章参照）に重要な役割を演じる．

どのように一次卵母細胞は排卵前に第1減数分裂を終えるの

顆粒膜細胞–一次卵母細胞の両方向性シグナル伝達

1 顆粒膜細胞–卵母細胞の間隙結合において**コネキシン 37**（*Gja4* 遺伝子によりコードされる）が欠損すると，一次卵母細胞の減数分裂の進行が失われる．

2 顆粒膜細胞由来の**幹細胞因子**（c-kit リガンド）は，卵母細胞表面の **c-kit 受容体**に結合する．

c-kit リガンドと GDF-9 を欠損すると，二次卵胞の形成前の卵胞発達が抑制される．

3 卵母細胞由来の**透明帯 3**（**ZP-3**）あるいは **ZP-2** を欠損したノックアウトマウスでは，前胞状卵胞と胞状卵胞の発達，卵丘の形成が失われ，排卵が起こらない．

4 卵母細胞由来の **GDF-9** と **BMP-15** は，顆粒膜細胞と協調して一次卵母細胞の代謝に必要なものを維持して，女性の妊孕性を最大にする．GDF-9 と FSH が欠損すると，透明帯を貫く顆粒膜細胞の突起が失われる．GDF-9 と BMP-15 は，トランスフォーミング増殖因子-βスーパーファミリーの分子である．

顆粒膜細胞間の間隙結合（コネキシン 43 を含む）
放線冠の顆粒膜細胞
F-アクチン
顆粒膜細胞－卵母細胞の間隙結合（コネキシン 37 を含む）
顆粒膜細胞–卵母細胞の接着結合
一次卵母細胞
幹細胞因子
c-kit 受容体
成長分化因子-9（GDF-9）
核
骨形成タンパク質-15（BMP-15）

一次卵母細胞の減数分裂前期の停止と進行

5 **OMI** は，小分子量（1～2 kDa）の顆粒膜細胞のタンパク質である．OMI は，間隙結合を通じて卵母細胞に到達する．OMI は，**一次卵母細胞の第一減数分裂前期の早期終了**を抑制する．

表層顆粒は，配偶子融合後にタンパク質を分解して ZP2 を切断するタンパク分解酵素である，**オバスタチン**を含んでいる

表層極性は，微絨毛を欠いた卵母細胞のキャップ状の表層領域である．この領域は，F-アクチンとミオシンⅡが豊富である

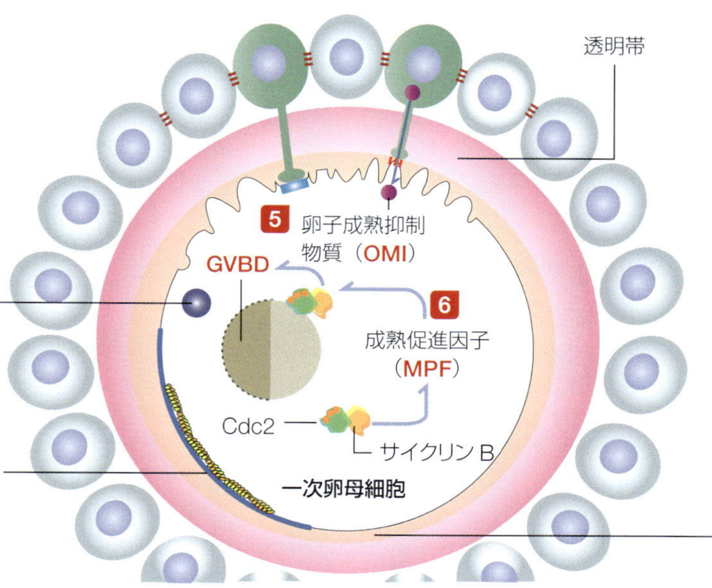

6 排卵直前に，卵母細胞は自己活性化して減数分裂前期を完了する．

サイクリン B-Cdc2 複合体が，成熟促進因子（**MPF**）である．MPF は，第一減数分裂中期の前に核膜の崩壊（**卵核膜崩壊：GVBD**）を誘導する．MPF は，二次卵母細胞の形成と**第 1 極体**の放出の引き金となり，第 1 極体は囲卵腔に留まる．

一次卵母細胞は，LH サージに反応して減数分裂の停止から再開して第 1 減数分裂を完了する．この過程は，**GVBD**，すなわち，第一減数分裂前期の完了と減数分裂の紡錘糸形成を引き起こす．結果的に，**第 1 極体**が形成され，**囲卵腔**に放出される．二次卵母細胞は，大半の細胞質を保持し，第 1 極体は，形成の数時間以内に変性する．

第 2 減数分裂は，中期に至り，**受精**により完了して，**第 2 極体**を放出する．その後，半数体の状態に達する．

だろうか？

排卵直前に，卵母細胞は，第1減数分裂前期の終了を自己活性化するため，**サイクリンB-Cdc2複合体**をつくり出す．この複合体は，**成熟促進因子** maturation-promoting factor（MPF）を構成する．MPFは，**卵核膜崩壊** germinal vesicle breakdown（GVBD）とよばれる事象である**卵母細胞の核膜の崩壊**を引き起こす．

MPFの作用は，**二次卵母細胞**の形成につながり，**排卵時に第1極体**を放出する．

多嚢胞性卵巣症候群 polycystic ovary syndrome（PCOS）は，パラクラインによる卵母細胞－顆粒膜細胞間のシグナル伝達機構の欠損により引き起こされる卵胞形成障害から生じる臨床病態である．

PCOSは，不整あるいは延長した月経周期，過発毛（多毛），ニキビ，肥満に関連する．アンドロゲンの血中レベルが上昇する．思春期の不整あるいは欠如する月経は，PCOSを疑えるかもしれない（Box 22.D）．

内卵胞膜細胞－顆粒膜細胞の相互作用（図22.4）

基底板は，顆粒膜細胞と内卵胞膜細胞を隔てる．しかし，内卵胞膜細胞に始まる重要な分子流は，顆粒膜細胞によるエストロゲンの産生を促す（図22.4）．

内卵胞膜細胞は，アンドロゲンの前駆体である**アンドロステンジオン**を分泌し，**基底板を越えて**エストロゲン産生のため**顆粒膜細胞に移行する**（Box 22.E）．その後，アンドロゲンは，アロマターゼにより**エストラジオール**に変換される．

顆粒膜細胞は，エストロゲンを直接産生するのに必要な酵素が欠損している．その結果，**顆粒膜細胞は内卵胞膜細胞の助けがないと卵胞形成中にステロイド前駆体を産生することができない．**

卵胞閉鎖あるいは変性（図22.5）

いくつかの一次卵胞が成熟過程を開始するが，一般的に1個の卵胞だけが成熟過程を完了し，残りの卵胞は，卵胞閉鎖とよばれる過程により変性する．卵胞閉鎖は，排卵できる卵胞の機能不全とみなされる．

アポトーシスが，卵胞閉鎖でみられる機序である．アポトーシスは，炎症反応の誘導を伴わない卵胞の退縮を引き起こす．

卵胞閉鎖は，また胎児や出生後の卵巣でみられる．卵胞は，発達のどの段階でも卵胞閉鎖になりうるが，卵胞閉鎖になる卵胞の割合は，卵胞の大きさとともに増加する（Box 22.F）．

閉鎖卵胞では，**ガラス様膜**とよばれる厚いヒダ状の基底膜様物質がみられる（図22.5）．ヒダ状の透明帯が，アポトーシスに陥って断片化した卵母細胞を包みこんでいるように通常みられる．

一般的に1個の卵胞だけが排卵するのに，なぜ多くの卵胞が卵胞形成をするのか？

卵胞閉鎖は，受精に適した質をもった卵母細胞を含んだ，生存能力のある卵胞だけが生殖期間を通じて利用できることを保証する．

さらに，多くの閉鎖卵胞が，ステロイドホルモン産生能を保持しており，それゆえ，子宮内膜が着床に備えるための卵巣の内分泌機能に寄与する．

臨床的観点から，卵胞閉鎖は，不妊症につながる2つの病態である閉経期様の**早発閉経** premature ovarian failure（POF）とPCOS（Box 22.D）と相関する．

排卵期（図22.3）

排卵時，成熟卵胞が卵巣表面から突出して，**卵巣斑** stigmaを形成する．

LHの急上昇（LHサージ）は，外卵胞膜と白膜内の**タンパク質分解活性**を刺激し，成熟した排卵直前のグラーフ卵胞の破裂を促進する．

放出された配偶子（卵子）は，近接した卵管に入り，第1減数分裂を完了して，半数体細胞になるためには第2減数分裂を終了する必要がまだある二次卵母細胞になる．

排卵の数時間前，**黄体化に備えて壁側顆粒膜細胞層**と**内卵胞膜**に変化が生じる．卵巣表層上皮のLgr5陽性細胞が，卵胞の破裂後の部位の傷害を修復する．

黄体期：黄体化と黄体退縮（図22.6～図22.9）

排卵後，残存した壁側顆粒膜細胞層が折りたたまれ，主要なホルモンを産生する腺である**黄体**の一部になる．

黄体化は以下のものを含む（図22.6）：

1. **卵胞の基底板の分解．**
2. 空になった卵胞腔の壁へ**血管の侵入．**
   血液がかつて卵胞腔だった空間に流入し，凝固して，一過性の**出血黄体** corpus hemorrhagicumを形成する．その後，フィブリン塊に，新生血管（**血管新生** angiogenesis），線維芽細胞とコラーゲン線維が侵入する．ここで留意すべきは，血管新生は正常な生理的な過程であり，子宮内膜において月経周期でも生じる．
3. **壁側顆粒膜細胞と内卵胞膜細胞の形態変化．**壁側顆粒膜細胞は，**顆粒膜黄体細胞** granulosa lutein cellに変化する．これらの細胞は，ステロイド産生細胞の典型的な特徴（脂肪滴，よく発達した滑面小胞体，管状クリステをもったミトコンドリア）を示す（図22.7）．

顆粒膜黄体細胞は，**FSHとLHの刺激に反応してプロゲステ**

Box 22.D | 多嚢胞性卵巣症候群

- 多嚢胞性卵巣症候群（PCOS）は，男性ホルモン過剰（多毛と，あるいは高アンドロゲン血症），卵巣機能不全（慢性無排卵，無月経，嚢胞性卵巣，不妊症）で定義される閉経前の女性において，よくみられる内分泌代謝疾患である．
- 実際に，多嚢胞性卵巣の状態は，異なる成熟期の卵胞と卵胞閉鎖の集簇によって生じる．
- PCOSの病因は，ほとんどわかっていない．過剰な男性ホルモン，インスリン抵抗性，無排卵に対する治療は，継続的な対症療法である．
- PCOSは，内臓脂肪，インスリン抵抗性，肥満と関連する．内臓脂肪は，卵巣あるいは副腎皮質由来の過剰な男性ホルモン，あるいはインスリン抵抗性と高インスリン血症（高血糖になる）によって引き起こされる．

図 22.4 | 内卵胞膜細胞－顆粒膜細胞の相互作用

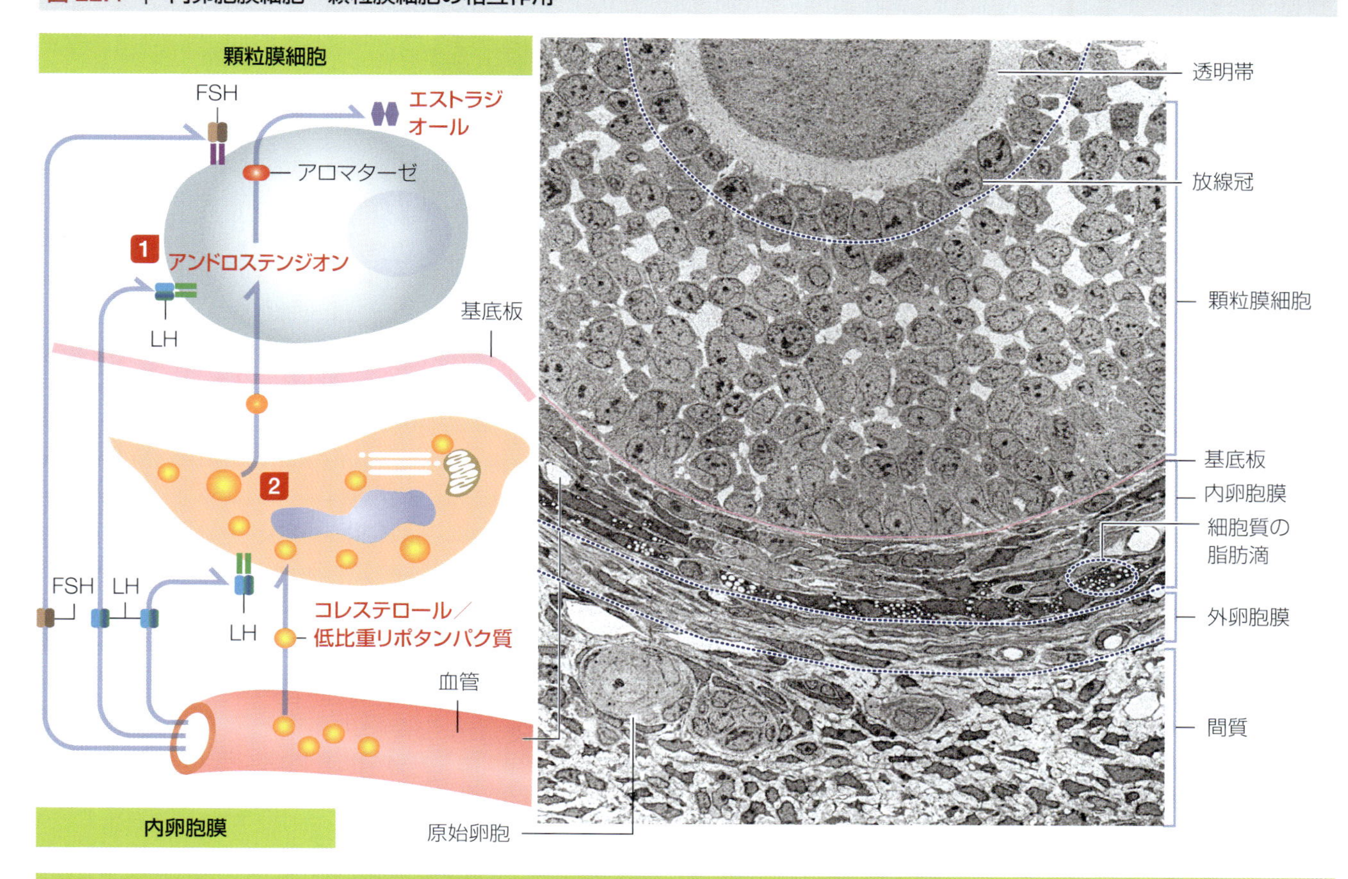

初期卵胞形成中の内卵胞膜細胞と顆粒膜細胞間の機能的相乗効果

1 一次と二次卵胞において，顆粒膜細胞は卵胞刺激ホルモン（FSH）受容体を有する．グラーフ卵胞では，黄体化ホルモン受容体が出現し，FSH 受容体と共存する．**LH 受容体の獲得が，排卵後に破裂した卵胞が黄体化するのに必須である**．

2 エストラジオールは，FSH による刺激下で顆粒膜細胞により産生される主要なステロイドホルモンである．しかし，**顆粒膜細胞は，**（アンドロゲンの芳香族化による）**エストラジオールを産生するために LH で調節された卵胞膜細胞によるアンドロステンジオンの供給に依存する**．顆粒膜細胞は，エストラジオールの前駆体を産生するために必要となる酵素を欠いている．

電子顕微鏡写真：Rhodin JAG: An Atlas of Histology. New York, Oxford University Press, 1975.

ロンとエストロゲンを産生する（図 22.8）．顆粒膜細胞の LH 受容体は，黄体化の過程で不可欠である．

内卵胞膜細胞は，**莢膜黄体細胞** theca lutein cell に変化し，**LH の刺激に反応してアンドロステンジオン**と**プロゲステロン**を産生する．

顆粒膜黄体細胞は，エストラジオールを完全に合成するのに必要なステロイド合成酵素をまだ欠損している（Box 22.E）．**けれども，プロゲステロンは合成できる．**

黄体は，肥大し続けるが，受精が起こらなければ，排卵後約 14 日目に退縮期に入る．受精が起こると，黄体は肥大し続け，着床した胚の**栄養膜**が産生する**ヒト絨毛性ゴナドトロピン** human chorionic gonadotropin（**hCG**）の刺激により**プロゲステロン**と**エストロゲン**を産生する．黄体における LH の効果は，胎盤由来の hCG に置き換わる．

黄体退縮とよばれる黄体の退縮により，**白体**が形成され（図 22.9），間質の結合組織により変性した黄体細胞塊が置き換わ

Box 22.E | 卵巣のホルモン

- **エストラジオール**（エストラジオール -17p）は，最も豊富で，最も効力のある卵巣のエストロゲンで，顆粒膜細胞と顆粒膜黄体細胞によって主に産生される．十分な量の**エストリオール** estriol は，効力の弱いエストロゲンであり，**妊娠**中に**肝臓**でエストロンから産生される．ほとんどの**エストロン** estrone は，最も効力の弱いエストロゲンであり，**閉経後の女性**で多く，エストラジオールあるいはアンドロステンジオンの変換により，**末梢組織**で形成される．
- **プロゲステロン**は，アンドロゲンとエストロゲンの前駆体であり，卵胞細胞や黄体細胞で合成される．
- 弱い**アンドロゲン**（**ジヒドロエピアンドロステロン**と**アンドロステンジオン**）は，**内卵胞膜細胞**により合成される．
- 他の卵巣ホルモンには，**インヒビン**，**アクチビン**，**リラキシン**がある．**リラキシン**は，卵巣や胎盤で産生され，**分娩を円滑に進めるために骨盤の靭帯の弛緩**を促進し，子宮頸部を軟化する．

図 22.5 | 卵胞閉鎖

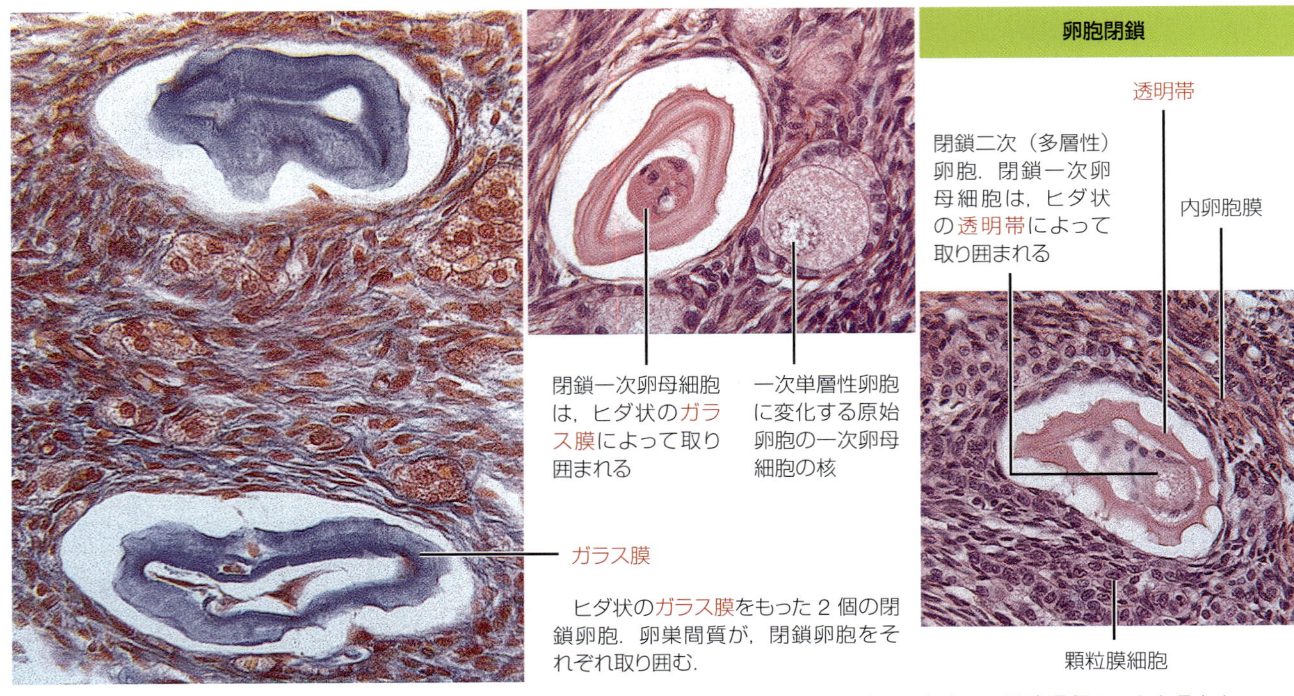

1 人の女性は，生殖年齢の間に約 400 個の卵母細胞を排卵する．性周期中，一群の卵胞が成熟過程を開始する．

しかし，1 個か 2 個の卵胞だけが卵胞形成を完了して，最終的に排卵する．残りの卵胞は，発達過程のいかなるときであっても**卵胞閉鎖**とよばれる変性過程を生じる．

る．卵巣に白体は残り，大きさは小さくなるが決して消失しない．

月経周期のホルモン調節（図 22.10）

月経周期のホルモン調節を概説する．

卵胞発育は，視床下部の**弓状核** arcuate nucleus の神経細胞により産生される **GnRH** に制御されて，腺性下垂体の 2 つのホルモンにより調節されている．

1. **FSH** は，エストロゲンの産生と同様に卵胞形成と排卵を刺激する．
2. **LH** は，黄体からのプロゲステロンの分泌を刺激する．

FSH と LH の効果は，cAMP 依存性に仲介される（第 3 章参照）．

Box 22.F | 卵胞閉鎖

- 卵胞の発達とエストロゲンの産生は，顆粒膜細胞による自己分泌と傍分泌により制御されると同様に，FSH と LH の分泌に重要なゴナドトロピン放出ホルモン（GnRH）により制御される．
- 約 700 万個の一次卵母細胞が，妊娠中期までの胎児の卵巣に存在している．卵母細胞は徐々に減少し，出産時には約 40 万個の卵母細胞が残る．思春期以降，400 個の卵胞だけが排卵をする．残った卵胞は変性し，閉鎖卵胞 atretic follicle とよばれる．
- 卵胞期は，6〜12 個の一次卵胞の発育で始まる．この発育は，FSH 依存性である．月経周期の 6 日目までに，1 個の卵胞だけが発育し，残りは卵胞閉鎖になる．

LH サージが，排卵の前に起こる．継続した LH の分泌により，排卵後に残った壁側顆粒膜細胞層と内卵胞膜膜細胞の**黄体化**が促進される．黄体が形成される．

プロゲステロンとエストロゲンの濃度がまだ高く，FSH と LH のレベルが減少すると，黄体は，機能的，構造的に崩壊（黄体退縮）する．卵胞で産生されるアクチンビンとインヒビンが，フィードバック機構により視床下部と下垂体のゴナドトロピン応答を調節することを覚えておく．

月経開始時に，エストロゲンとプロゲステロンのレベルは減少する．これらのホルモンは，排卵前期に徐々に増加する．LH が排卵前に最高に達する直前に，エストロゲンは最大レベルに達する．

FSH と LH の分泌のパターンと一致して，顆粒膜細胞による FSH 依存性に合成されたエストロゲンが，**子宮内膜腺の増殖**を刺激する．黄体による LH 依存性に合成されたプロゲステロンが，**子宮内膜腺の分泌活性を開始し持続する**．月経周期中の子宮内膜腺の変化についての詳細は，以下で議論する．

卵管（図 22.11）

卵管は，透明帯と放線冠に取り囲まれた排卵直後の卵母細胞を受け取る準備をする．卵管は，受精の場であり，**接合子** zygote（受精卵）の初期卵割の場である．卵管は，**解剖学的に 4 つの部位**からなる．

1. 近位の房状の**漏斗** infundibulum（卵管采）．
2. 長く薄い壁の**膨大部** ampulla.
3. 短く厚い壁の**峡部** isthmus.

図 22.6 | 黄体

黄体の形成（黄体形成）

排卵後，排卵前卵胞の卵胞膜（顆粒膜壁側層ともよばれる）は，ヒダ状になり，黄体の一部に変換される．黄体化ホルモン（LH）のサージは，黄体化と相関する．

黄体化は，次のものを含む：

1. 内腔，排卵までは卵胞腔で占められており，フィブリンで満たされ，その後，結合組織と基底膜を越える新たな血管に置き換わる．
2. 顆粒膜細胞は，肥大し，細胞質に脂肪滴が蓄積する．この細胞は，顆粒膜黄体細胞になる．
3. 顆粒膜細胞層のヒダのすき間に内卵胞膜細胞，血管，結合組織が侵入する．内卵胞膜細胞も肥大して，脂肪を蓄える．この細胞は，卵胞膜黄体細胞である．

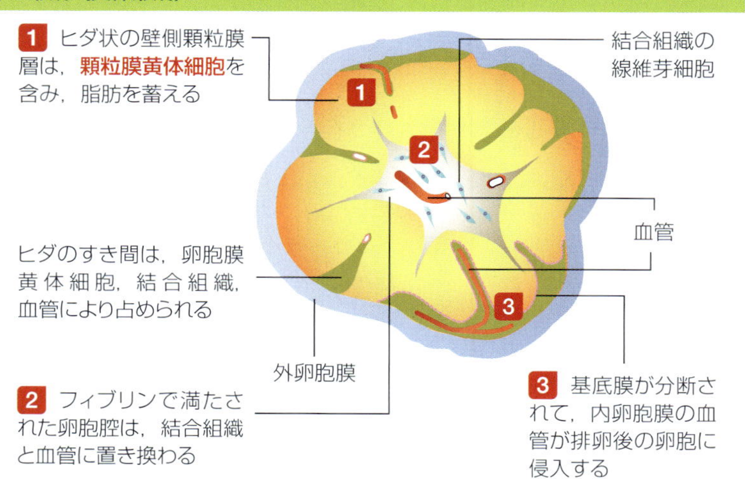

黄体の機能

黄体の機能は，2 種類のゴナドトロピン，FSH と LH により調節される．

卵胞刺激ホルモン（FSH）は，顆粒膜黄体細胞によるプロゲステロンとエストラジオールの産生を刺激する．

LH は，卵胞膜黄体細胞によるプロゲステロンとアンドロステンジオンの産生を刺激する．アンドロステンジオンは，エストラジオールへの芳香族化のために顆粒膜黄体細胞に移行する．

妊娠中に，プロラクチンと胎盤性ラクトゲンが，エストロゲン受容体の産生を促進することにより顆粒膜黄体細胞によるエストラジオール産生の効果を上方調節する．

エストラジオールは，顆粒膜黄体細胞を刺激して，血液からコレステロールを取り込み，その後，コレステロールは脂肪滴に蓄積されてプロゲステロン合成のためミトコンドリアに送られる．

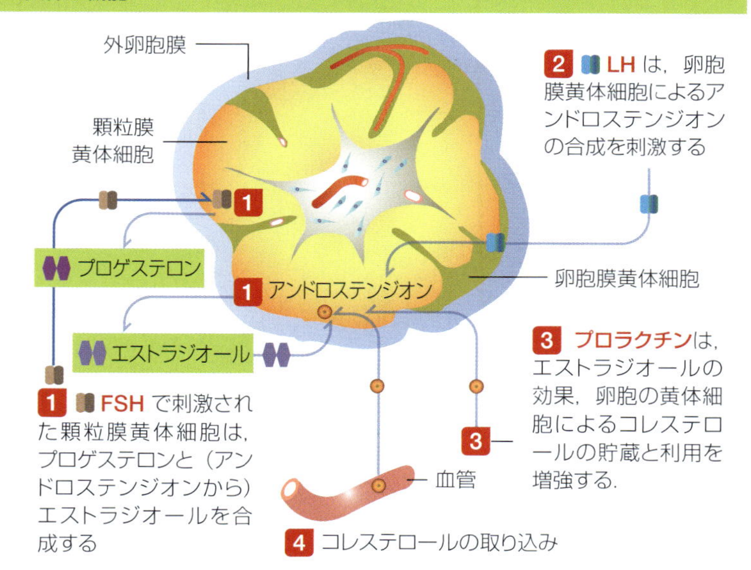

黄体の退縮（黄体退縮）

受精が起こらなければ，黄体は黄体退縮とよばれる変性過程を経る．

黄体退縮は，一連のプログラム細胞死（アポトーシス）を含む．黄体退縮は，子宮内膜のプロスタグランジン F2a により引き起こされる．次に挙げる現象が起こる：

1. 黄体内の血流の減少が，酸素の減少（低酸素状態）を引き起こす．
2. T 細胞が，黄体に至り，インターフェロン -γを産生し，次に血管内皮細胞に作用して，マクロファージの到達を可能にする．
3. マクロファージは，腫瘍壊死因子リガンドを産生し，アポトーシスカスケード反応が開始する．

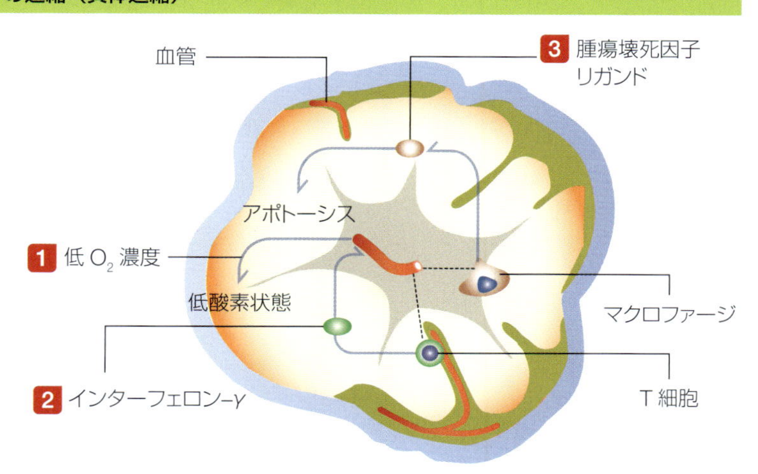

図 22.7 | **黄体細胞**

黄体細胞

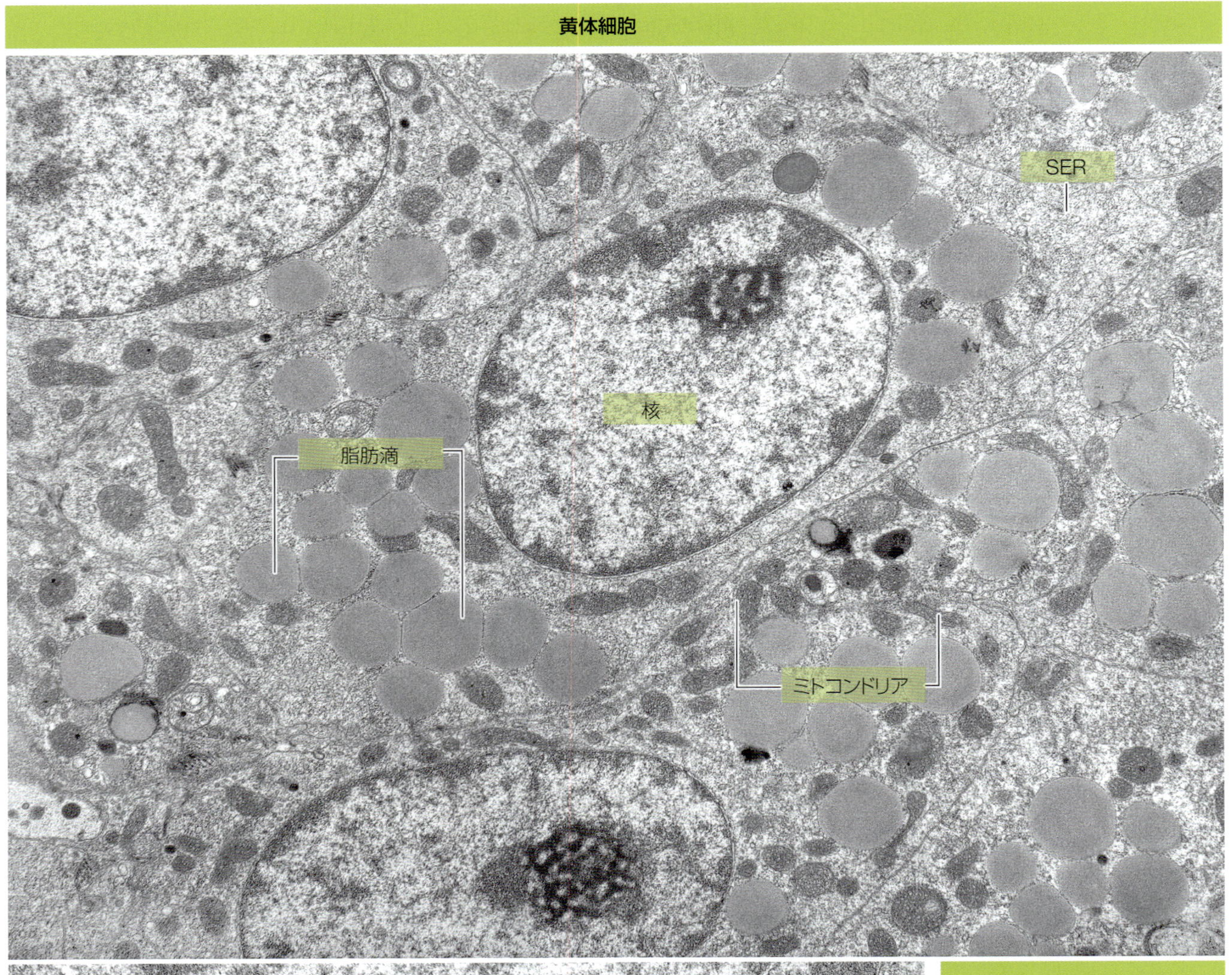

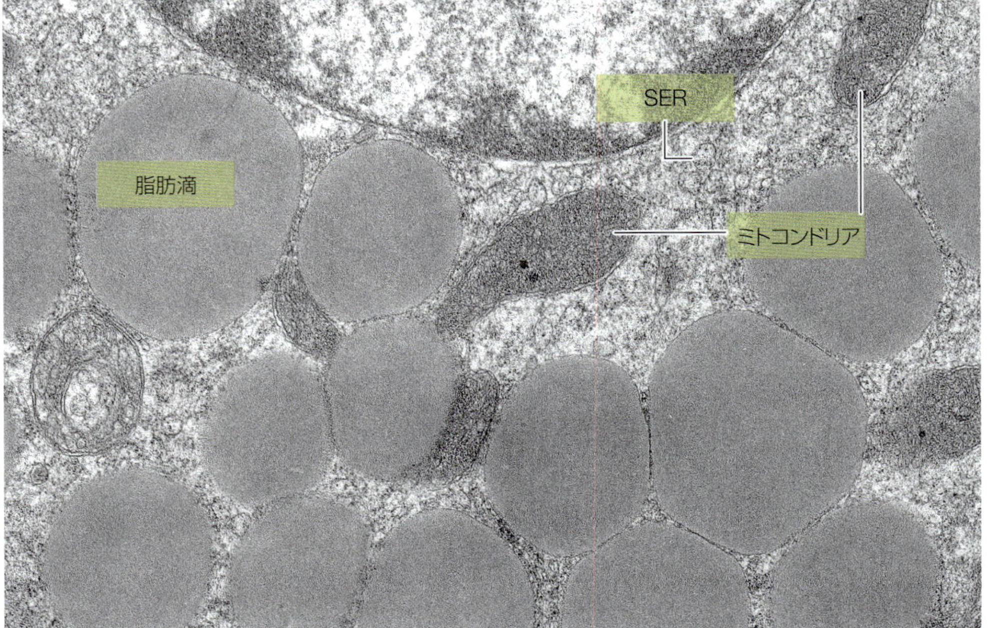

黄体

黄体のステロイド産生細胞は，副腎皮質ですでにみた 3 つの特有の特徴を示す．(1)**脂肪滴**，(2)**管状クリステのミトコンドリア**，(3)**豊富な滑面小胞体（SER）**．

ステロイド産生におけるこれら 3 つの要素の参加は，副腎皮質（第 19 章）とライディッヒ細胞（第 20 章）の考察で強調された．

ミトコンドリアの管状クリステは，黄体よりも副腎皮質のほうがより発達している．

図 22.8 | 顆粒膜黄体細胞－卵胞膜黄体細胞の協調

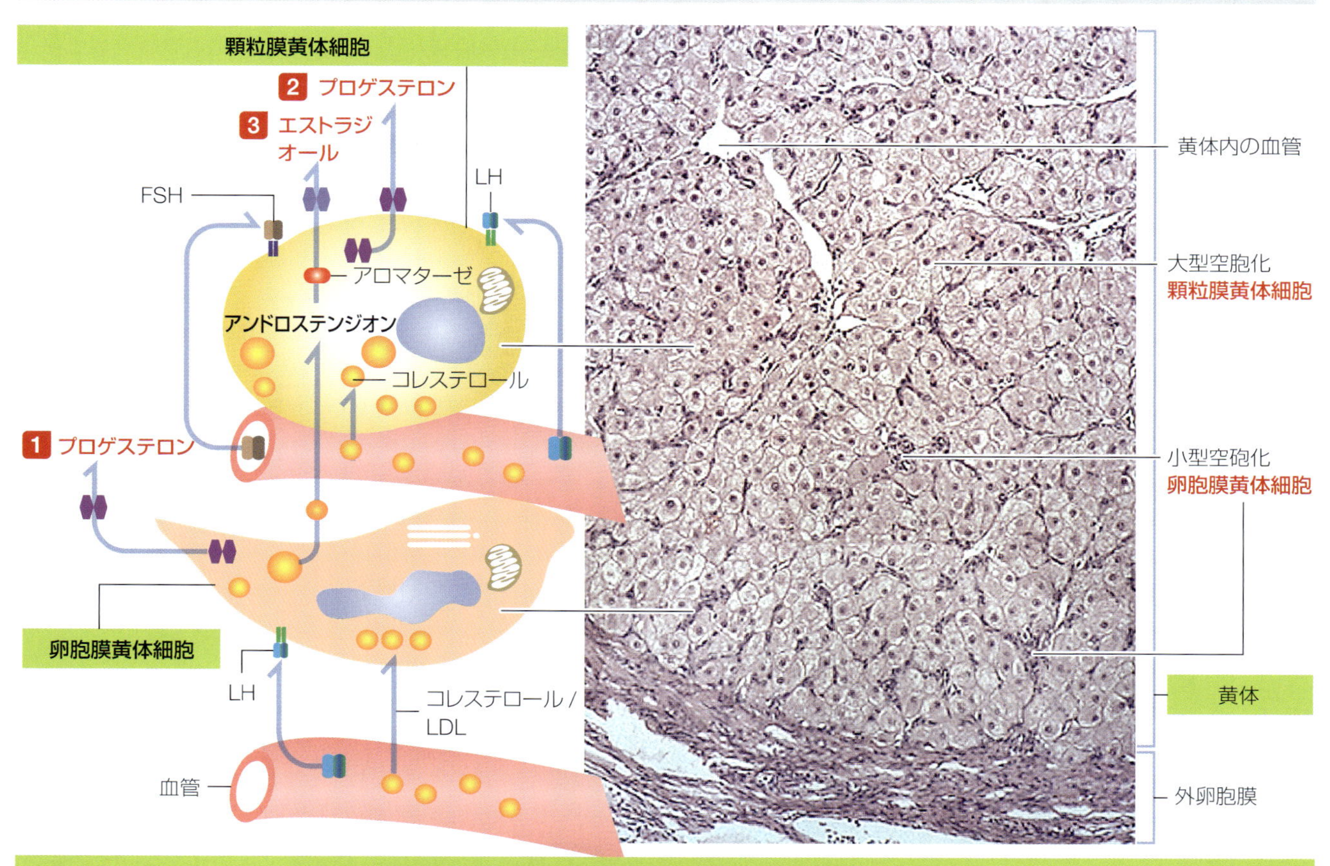

卵胞膜黄体細胞と顆粒膜黄体細胞間の機能的協調

1 卵胞膜黄体細胞は，黄体化ホルモン（LH）で刺激され，コレステロールあるいは低比重リポタンパク質（LDL），両方を血液から取り入れる．

コレステロールはステロイド産生に利用される．ステロイド産物，アンドロステンジオンが，顆粒膜黄体細胞に移行する．卵胞膜黄体細胞は，プロゲステロンを産生する．

2 顆粒膜黄体細胞は，卵胞刺激ホルモン（FSH）と LH の制御下にある．これらの細胞は，血液から取り入れたコレステロールを蓄え，プロゲステロン合成に利用できる．

3 さらに，顆粒膜黄体細胞は，エストラジオール産生のために，卵胞膜黄体細胞によって運ばれたアンドロステンジオンを利用できる．

図 22.9 | 白体

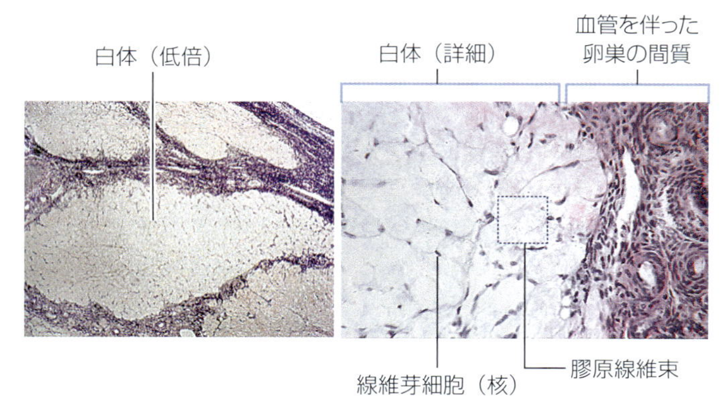

受精がなければ，黄体は退縮と退行（黄体退縮）を生じる．黄体退縮は，一連のプログラム細胞死（アポトーシス）を含む．黄体細胞は，マクロファージに貪食され，黄体は**白体**，線維芽細胞による産生された Ⅰ 型コラーゲンを含む白い線維組織の瘢痕になる．

Box 22.G | 脱落膜化

- 子宮内膜は，独特の組織である．子宮内膜は，月経中に調節された周期的な崩壊を生じる．子宮内膜は，炎症環境で速やかに修復して，月経周期の増殖期で再生する．さらに，胚の着床に備えて，子宮内膜は再構築され，免疫細胞が活性化する．
- 脱落膜化は，胚の存在にかかわらず，分泌期中期に始まる．受胎がなければ，脱落膜化の後で子宮内膜の脱落とその後の再生が生じる．
- 月経中の子宮内膜の脱落膜化と脱落の繰り返しは，ヒトや多くの他の霊長類，齧歯類の特徴である血液漿膜胎盤の要求のため，あらかじめ子宮に備わっている．血液漿膜胎盤は，絨毛膜絨毛が母体血と直接接触する胎盤である．
- 脱落膜化と月経の機能不全は，不妊症，子宮内膜症，月経不順，妊娠障害と関連する病態である．月経不順は，重度の異常出血を含む．妊娠障害は，**子癇前症** pre-eclampsia（高血圧，タンパク尿，子癇発作や昏睡に発達する可能性）のような初期の妊娠損失と胎盤の病理を含む．

図 22.10 | 卵巣周期

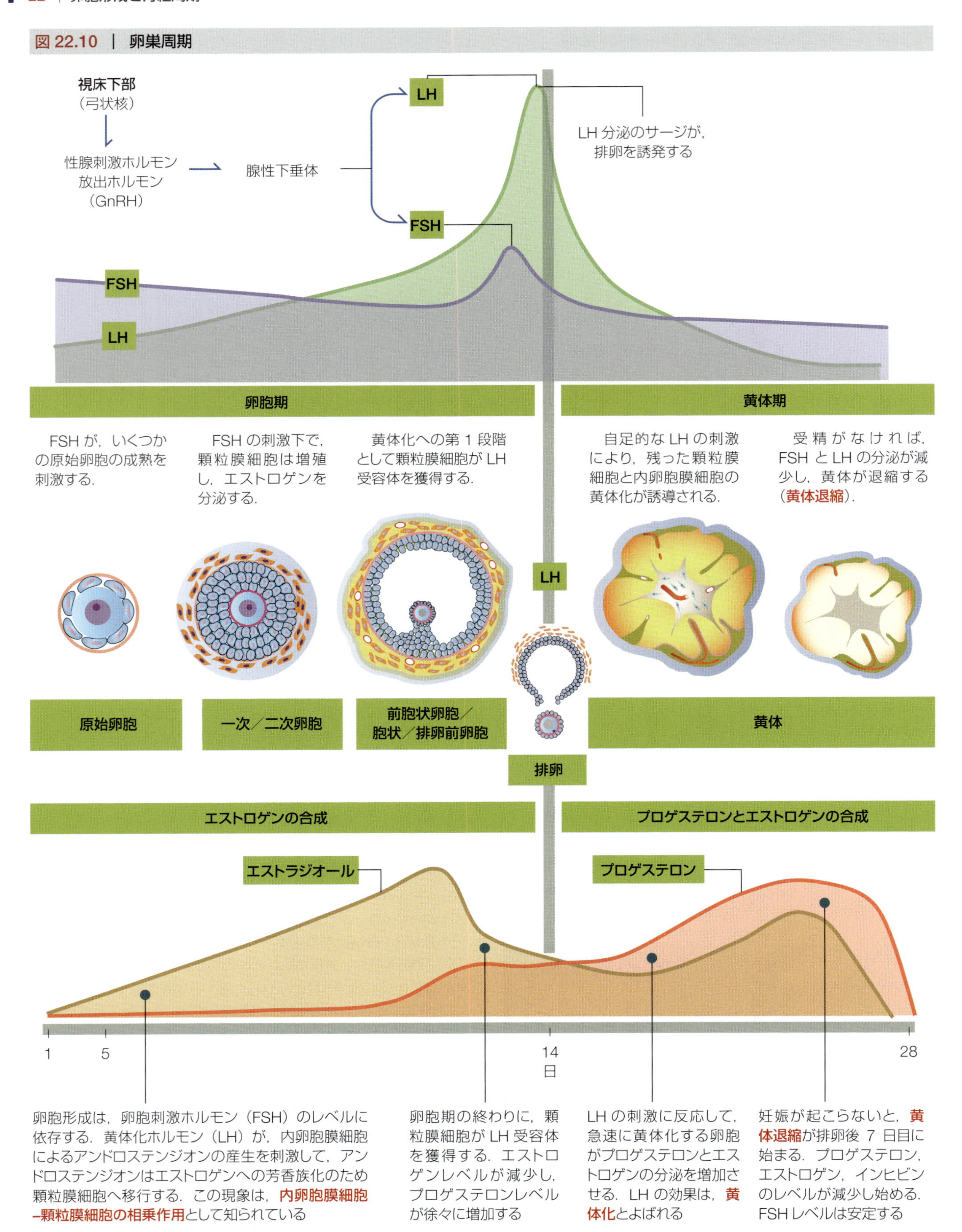
視床下部
(弓状核)
性腺刺激ホルモン
放出ホルモン
(GnRH)
腺性下垂体
LH
FSH
LH 分泌のサージが,
排卵を誘発する
FSH
LH
卵胞期
黄体期
FSH が, いくつかの原始卵胞の成熟を刺激する.
FSH の刺激下で, 顆粒膜細胞は増殖し, エストロゲンを分泌する.
黄体化への第 1 段階として顆粒膜細胞が LH 受容体を獲得する.
自足的な LH の刺激により, 残った顆粒膜細胞と内卵胞膜細胞の黄体化が誘導される.
受精がなければ, FSH と LH の分泌が減少し, 黄体が退縮する(黄体退縮).
LH
原始卵胞
一次/二次卵胞
前胞状卵胞/
胞状/排卵前卵胞
黄体
排卵
エストロゲンの合成
プロゲステロンとエストロゲンの合成
エストラジオール
プロゲステロン
1
5
14
日
28
卵胞形成は, 卵胞刺激ホルモン (FSH) のレベルに依存する. 黄体化ホルモン (LH) が, 内卵胞膜細胞によるアンドロステンジオンの産生を刺激して, アンドロステンジオンはエストロゲンへの芳香族化のため顆粒膜細胞へ移行する. この現象は, 内卵胞膜細胞-顆粒膜細胞の相乗作用として知られている
卵胞期の終わりに, 顆粒膜細胞が LH 受容体を獲得する. エストロゲンレベルが減少し, プロゲステロンレベルが徐々に増加する
LH の刺激に反応して, 急速に黄体化する卵胞がプロゲステロンとエストロゲンの分泌を増加させる. LH の効果は, 黄体化とよばれる
妊娠が起こらないと, 黄体退縮が排卵後 7 日目に始まる. プロゲステロン, エストロゲン, インヒビンのレベルが減少し始める. FSH レベルは安定する

図 22.11 | 卵管

3 **峡部**では，筋層が厚く，子宮へと律動的な収縮ができる．収縮は，精子の卵子への移動と受精卵の子宮への移動を助ける．

2 **膨大部**の内腔は，屈曲した溝を形成する粘膜ヒダで占められている．膨大部中の卵子の移動は時間がかかる．ここは，受精が起こる部位である．受精卵が，卵管の粘膜に着床することがある（**子宮外妊娠**）．妊娠の進行は，卵管の破裂により中断し，内出血を伴う．

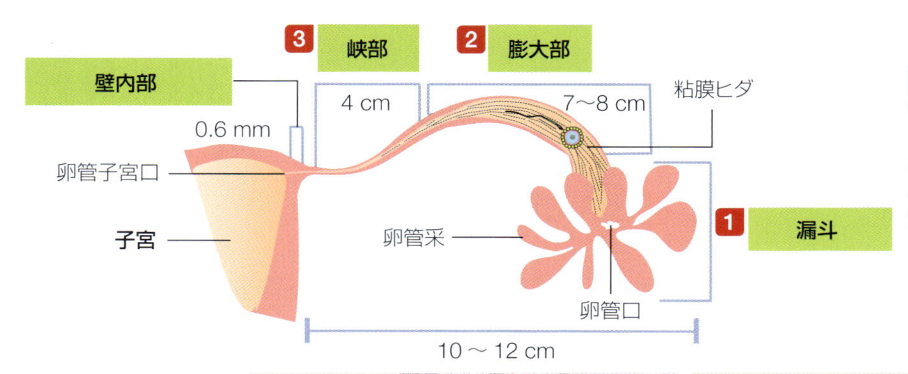

1 **卵管ヒダ**あるいは**卵管采**は，**漏斗**の指状の突起で，卵巣に向かって突出する．
排卵の直前で，卵管采は血液で腫脹し，肥大する．並んだ上皮は，線毛細胞を含み，腫脹した卵管采は，排卵された卵子が腹腔に落ちることを防ぐ．

膨大部の粘膜ヒダ

線毛細胞は，子宮へと波打つ線毛をもつ．線毛形成は，エストロゲンに依存する．線毛細胞は，排卵時に最も背が高くなり，プロゲステロンのレベルが上昇すると細胞の高さが低くなる

非線毛分泌細胞は，移動中の卵に栄養を供給する．非線毛細胞は，頂上部に微絨毛をもつ．微絨毛は，プロゲステロン期に短くなる

粘膜ヒダ

粘膜固有層（疎性結合組織）

線毛細胞

血管

非線毛分泌細胞

粘膜ヒダを覆う上皮

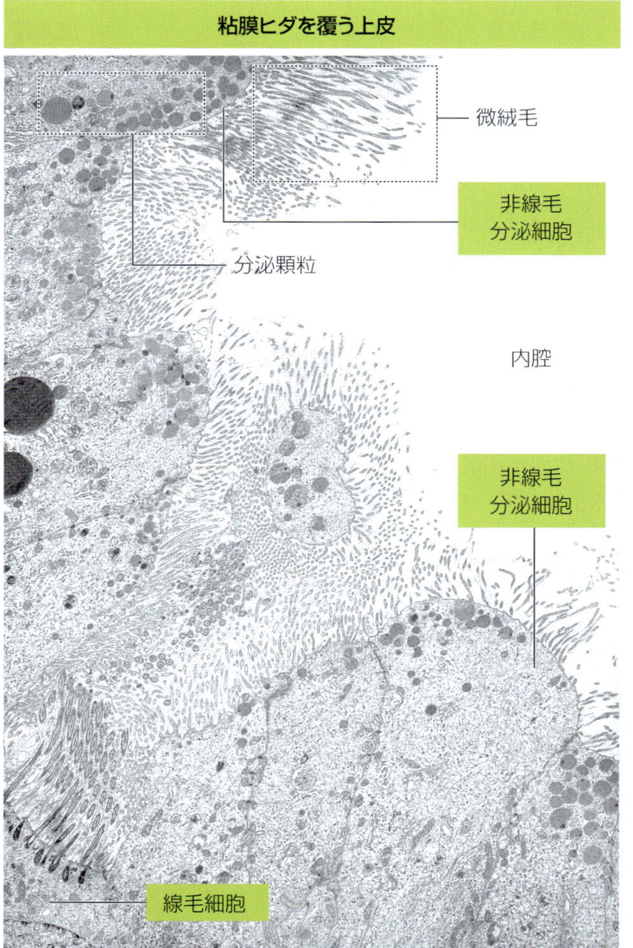

4. 子宮腔に開口する**壁内部** intramural portion（子宮間質部）.

漏斗は，**卵管采** fimbriae とよばれる無数の指状粘膜組織の突起からなる．膨大部と峡部は，卵管内腔に突出する**粘膜ヒダ**によって内面が覆われている．峡部は，膨大部よりも粘膜ヒダが少ない．

卵管壁は，次の 3 層からなる：

1. 疎性結合組織とわずかに散在する平滑筋からなる**粘膜固有層** lamina propria により支持された**粘膜**.
2. **平滑筋層** smooth muscle layer.
3. **漿膜** serosal layer.

粘膜は，**ホルモンの制御下**に 2 種類の細胞をもつ**単層円柱上皮** simple columnar epithelium からなる：

図 22.12 | 子宮内膜腺

機能層

子宮内膜の**機能層**は，(1)血液中のエストロゲンとプロゲステロンのレベルの変化，(2)子宮内膜のラセン動脈からの血液の供給により，最も影響を受ける．

この層は，月経後に部分的にあるいは全体的に失われる．

基底層

基底層は，血中のエストロゲンとプロゲステロンのレベルの変化に影響されない．

血液の供給は，ラセン動脈よりも基底層の直動脈から受ける．

子宮内膜の基底層は，月経後に失われない．機能層は，基底-機能層の境界から月経後に再生する．

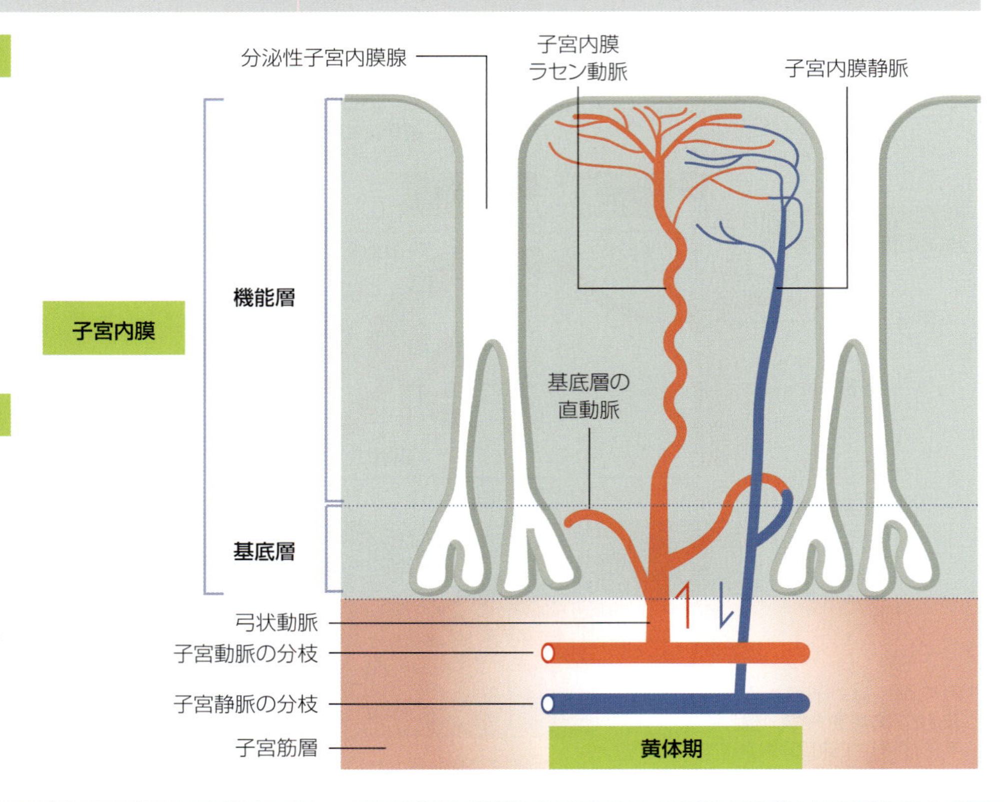

線毛細胞 ciliated cell は，卵胞形成とエストロゲン産生が進行中に大きくなり，線毛の形成（**線毛形成** ciliogenesis）を行う．エストロゲンは，線毛の波打ち運動の頻度を増加させる．黄体退縮中に，線毛細胞は，**脱線毛化** deciliation として知られる過程で，線毛を失う．

非線毛分泌細胞 non-ciliated secretory cell（**釘状細胞** peg cell とよばれる）は，エストロゲンにより分泌能も刺激される．ある種の動物の非線毛細胞は，頂上面に微絨毛をもつ．

内輪状-らせん状筋層と**外縦走筋層**からなる筋層の**蠕動収縮** peristaltic contraction と上皮細胞の線毛運動により，卵母細胞や受精卵／胚を子宮へと向かわせる．

卵管の表面は，腹膜の**中皮** mesothelium により覆われる．大きな血管が，漿膜下にみられる．

子宮（図 22.12～22.16）

子宮は，解剖学的に 2 つの部位からなる：

1. **子宮体部**.
2. **子宮頸部**.

子宮体壁は，次の 3 層からなる：

1. **子宮内膜**（図 22.12）.
2. **子宮筋層**.
3. **外膜**あるいは**漿膜**.

子宮体壁の主要な構成要素は，筋層であり，内面を粘膜，すなわち子宮内膜で覆われる．

子宮筋層は，3 層の境界が区別しにくい平滑筋層をもつ．中層は，輪状筋線維と豊富な血管をもつので厚く，**血管層** stratum vasculare とよばれる．外層と内層は，縦走と斜走の平滑筋線維からなる．

妊娠中，子宮筋層の平滑筋が肥大し（**肥大** hypertrophy），筋線維数が増加する（**過形成** hyperplasia）．**妊娠中の子宮筋層の収縮抑制**は，卵巣と胎盤で産生されるペプチドホルモンである**リラキシン** relaxin によって制御される．**分娩中の子宮筋層収縮**は，**オキシトシン**，神経下垂体から分泌されるペプチドホルモンの制御下にある．

子宮内膜 endometrium は，内腔面を覆う**単層円柱上皮** simple columnar epithelial lining からなり，**子宮内膜間質** endometrial stroma とよばれる特異的な**固有層**によって取り囲まれる単一管状分岐腺と関連している．

子宮内膜は，エストロゲンとプロゲステロンの制御下で，周期的に脱落し，修復し，再生し，胚着床に備えて再構築される．

子宮内膜の主要な機能は，胚着床と高度に浸潤する胎盤の発達に最適な場所を与えることである．

機能的に，子宮内膜は 2 つの層からなる（図 22.12）：

1. 表層の**機能層** functional layer，月経中に失われる．
2. **基底層** basal layer，月経後の新しい機能層の再生源として残る．

セグメント枝としているが，実際は直動脈とラセン動脈として知られる**弓状動脈** arcuate artery が子宮内膜を栄養する．弓状動脈は 2 つの領域からなる（図 22.12）：

1. **直動脈** straight artery は，子宮内膜の**基底層**を栄養する．
2. **ラセン動脈** coiled artery は，子宮内膜の**機能層**を栄養する．ラセン動脈は，子宮内膜が厚くなるにつれて，引き伸ばされる．

月経周期（図 22.13）は，主要な 2 期からなる．すなわち，**増**

図 22.13 | 子宮内膜周期

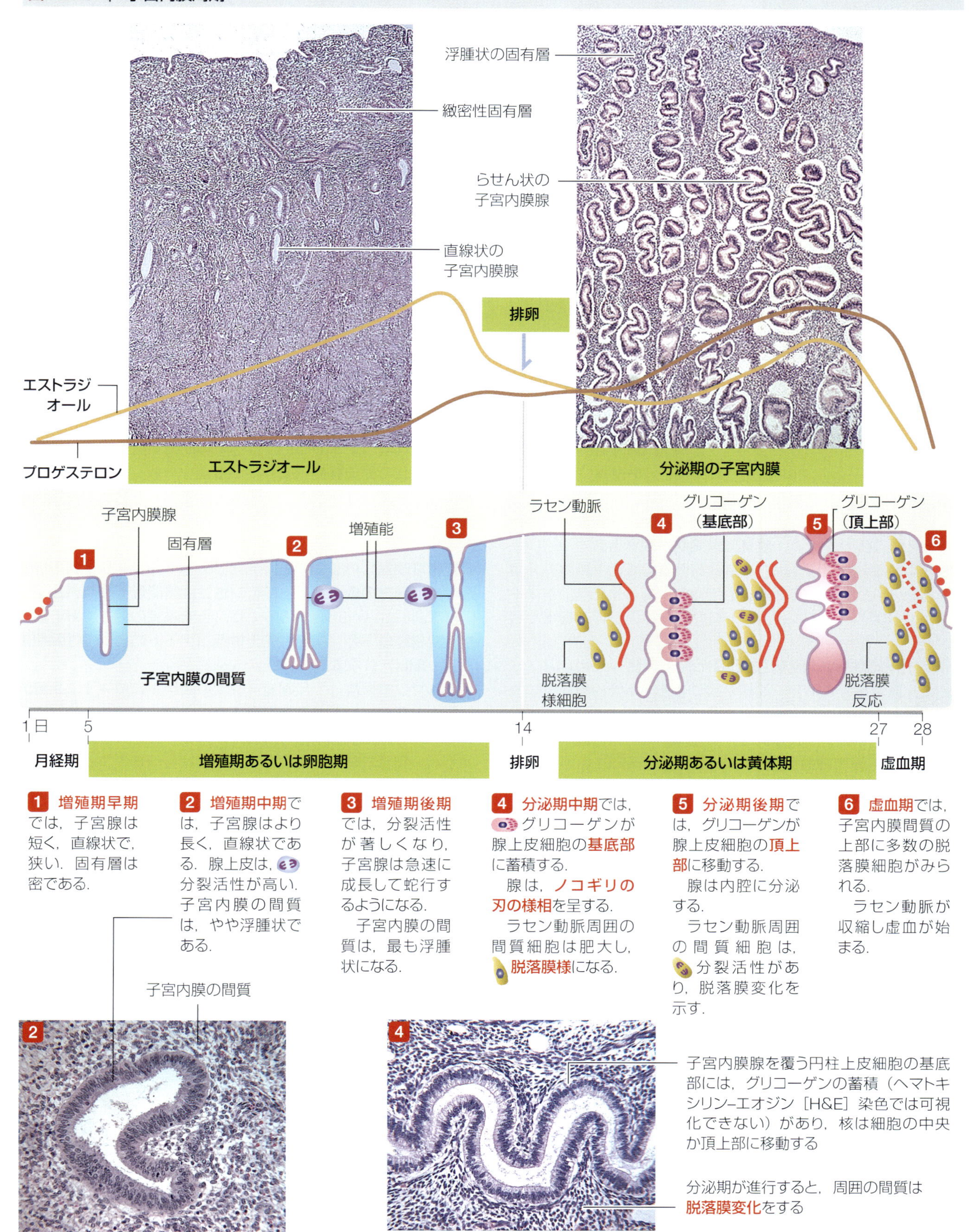

殖期 proliferative phase **またはエストロゲン期** estrogenic phase の後に，**分泌期** secretory phase **またはプロゲステロン期** progestational phase が続く．排卵は，2つの時期の移行を示す．

構造的観点から，月経周期は，連続した4期の子宮内膜からなる．すなわち，**月経期**，**増殖期**，**分泌期**，**虚血期** ischemic phase である．これらの4期は，子宮内膜腺と支持組織の子宮内膜間質の変化からなる．

月経期 menstrual phase は，月経周期の最初の時期である．月経期は，子宮内膜の脱落によって定義される．

増殖期または**エストロゲン期**は，連続する3期，すなわち，**増殖早期**，**増殖中期**，**増殖後期**からなる．

これらの増殖期の間，成熟する卵胞により産生される**エストロゲン**の刺激活性の結果，子宮内膜の厚さが0.5〜1mmに増加する．子宮内膜腺は，枝分かれし，長さが増す．細胞分裂活性が，子宮内膜の増殖の結果，固有層と腺上皮に検出される．

14日後，排卵が起こると，子宮内膜が**分泌期**または**プロゲステロン期**を始め，約13日間続く．この分泌期の間，子宮内膜は**分泌中期**から**分泌後期**で発達し，その結果，子宮内膜の厚さが，5〜7mmにさらに増加する．

子宮内膜腺の輪郭は，不整でらせん状になる．内腔の上皮は，**グリコーゲン** glycogen を蓄積し，グリコーゲンが豊富な分泌液を分泌する．糖タンパク質が，腺腔に存在する．

子宮内膜腺に並行に走行する血管は長くなり，子宮内膜間質は過剰な液体（浮腫）を含み，**脱落膜様細胞**が観察される．

子宮内膜間質の**脱落膜化**は，子宮内膜間質の線維芽細胞の分泌上皮様細胞への分化過程である（図22.14）．脱落膜化は，エストロゲンとプロゲステロン，cAMPと局所傍分泌因子の影響下で起こる．

脱落膜化の特徴は，**脱落膜反応**（ラテン語 *deciduous*［＝falling off，落ちる］）である．妊娠が起こると，子宮内膜間質の脱落膜細胞は，大きくなり，プロゲステロンレベルの増加に反応して脂質とグリコーゲンを蓄積する．脱落膜化と月経の繰り返す周期により，**絨毛膜血腫性胎盤** hemochorial placentation のストレスに子宮組織を備える（Box 22.G）．

子宮内膜の分泌期は，黄体で産生される**プロゲステロン**と**エストロゲン**によって制御される．

分泌後期の終わりに，黄体の退縮により，子宮内膜の**虚血期**（約1日間）が起こる．

月経の前に，**直動脈とラセン動脈の境界部の動脈壁の筋収縮**により**血流**が減少する．断続的な**虚血**とその後の低酸素により，**子宮内膜の機能層の崩壊**が引き起こされる（図22.15）．

子宮内膜機能層が脱落し，白血球によるタンパク分解酵素の分泌が組織の崩壊を助ける．間質細胞は，子宮内膜組織の修復のためのシグナル経路を同時に開始する．

低ゴナドトロピン性性腺機能低下症とGnRH

思春期の開始には，機能的な視床下部－下垂体－性腺軸が必要である．機能的な軸により，GnRHの拍動的分泌が性成熟を引き起こし，生殖機能につながる．GnRHは，視床下部の内側基底部（訳注：視索前野）と弓状核に局在する神経細胞が合成するデカペプチドである．

思春期遅発症 delayed puberty と**低ゴナドトロピン性性腺機能低下症** hypogonadotropic hypogonadism（HH）は，生殖機能におけるGnRHの重要性を説明する2つの病態である．

1. **思春期遅発症**は，男児では精巣発達の遅延あるいは欠損，女児では乳房の発達と月経周期の開始の遅延あるいは欠損する．思春期は，男児で9〜14歳で始まり，女児で8〜13歳で始まる．

   MKRN3 遺伝子は，思春期の開始を方向づける機能的な視床下部－下垂体－性腺軸の確立に役割を演じる．MKRN3タンパク質は，視床下部からのGnRHの放出を**抑制**し，思春期の開始を遅延させる．非機能的なMKRN3タンパク質は，GnRHを抑制できない．その結果，**調節されないGnRHが，思春期早発を刺激する**．
2. **低ゴナドトロピン性**（視床下部－下垂体機能障害に続発）**性腺機能低下症**（精巣機能障害）という名称は，GnRHが機能していないことを示している．

上記のように，GnRHの欠損は，性腺発達の遅延や欠乏と男性ホルモンの欠損の原因になる．この病態は，永続的あるいは一過性である．

永続的な低ゴナドトロピン性性腺機能低下症は，視床下部あるいは下垂体の**先天異常**により生じる血中の低レベルのLHとFSHによって特徴づけられる．**一過性の低ゴナドトロピン性性腺機能低下症**は，（薬剤，頭部外傷，感染性下垂体病変により）**後天的**である．

正常な嗅覚に応じて，先天性低ゴナドトロピン性性腺機能低下症は，**無嗅覚の低ゴナドトロピン性性腺機能低下症**（**カルマン症候群** Kallman syndrome）あるいは，**正常嗅覚の低ゴナドトロピン性性腺機能低下症**（**特発性先天性低ゴナドトロピン性性腺機能低下症：IHH**）になる．

カルマン症候群は，**無嗅覚**（嗅覚の欠損）に関連する**永続的な低ゴナドトロピン性性腺機能低下症**である．永続的な低ゴナドトロピン性性腺機能低下症の男性は，小さな陰茎（小陰茎症）と下降しない精巣（停留精巣）を伴ってしばしば誕生する．思春期は不完全か遅延する．障害された女性では，通常，思春期に月経が開始せず，乳房の発達が失われる．

何が先天性低ゴナドトロピン性性腺機能低下症（カルマン症候群）を引き起こすか？

KAL1 遺伝子（カルマン症候群1の塩基配列）の変異では，GnRHの分泌が失われる．*KAL1* 遺伝子は，X染色体に局在し，**anosmin-1タンパク質**をコードし，嗅神経の嗅球への遊走とGnRH産生神経の視床下部への遊走を制御する．

KAL1 遺伝子の他，*FGFR1*（線維芽細胞増殖因子受容体1）遺伝子は，GnRH分泌神経の運命特定，遊走，生存を制御する．*KAL1*，*PROK2*（*prokinectin* 2）と *FGFR1* 遺伝子は，発生中だけに発現するが，成人の視床下部でも発現する．

結果的に，GnRHの欠損により，FSHとLHの分泌が障害される．拍動GnRHを伴う外因性療法あるいは，ゴナドトロピン療法は，通常，正常な思春期の発達と妊孕性を回復させる．

特発性低ゴナドトロピン性性腺機能低下症はどうか？

特発性低ゴナドトロピン性性腺機能低下症は，視床下部におけるGnRH分泌神経の分化不全あるいは発達障害により引き起こされる．この病態の結果，解剖学的異常がなくGnRHの拍動分

図 22.14 | 脱落膜細胞

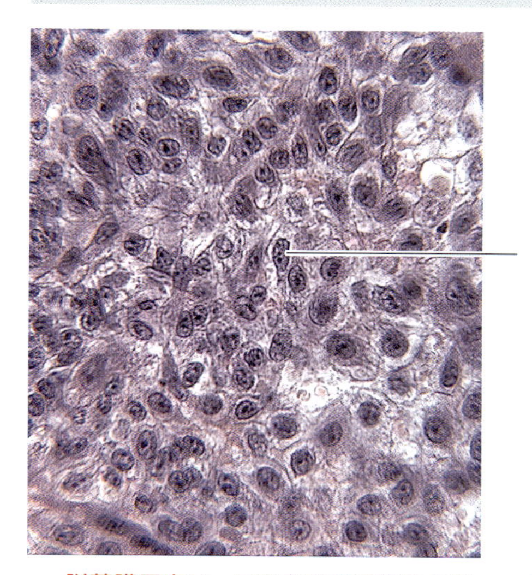

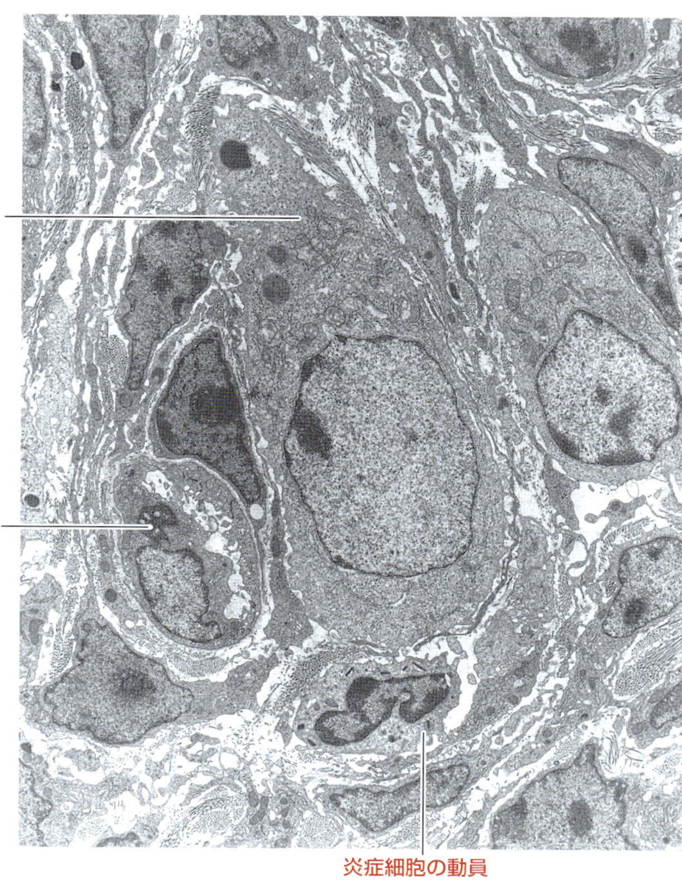

脱落膜反応は，子宮内膜間質細胞の肥大を含む．受精卵の着床は，ホルモンで準備させられた子宮内膜に依存し（第 23 章参照），脱落膜細胞により取り囲まれた分泌性の子宮内膜腺を含む．さらに，高レベルのプロゲステロンが，子宮筋層を比較的収縮しない状態に保つ．

血管の変化
胚の着床に反応して，子宮内膜の血管の透過性と血管新生の増加が起こる

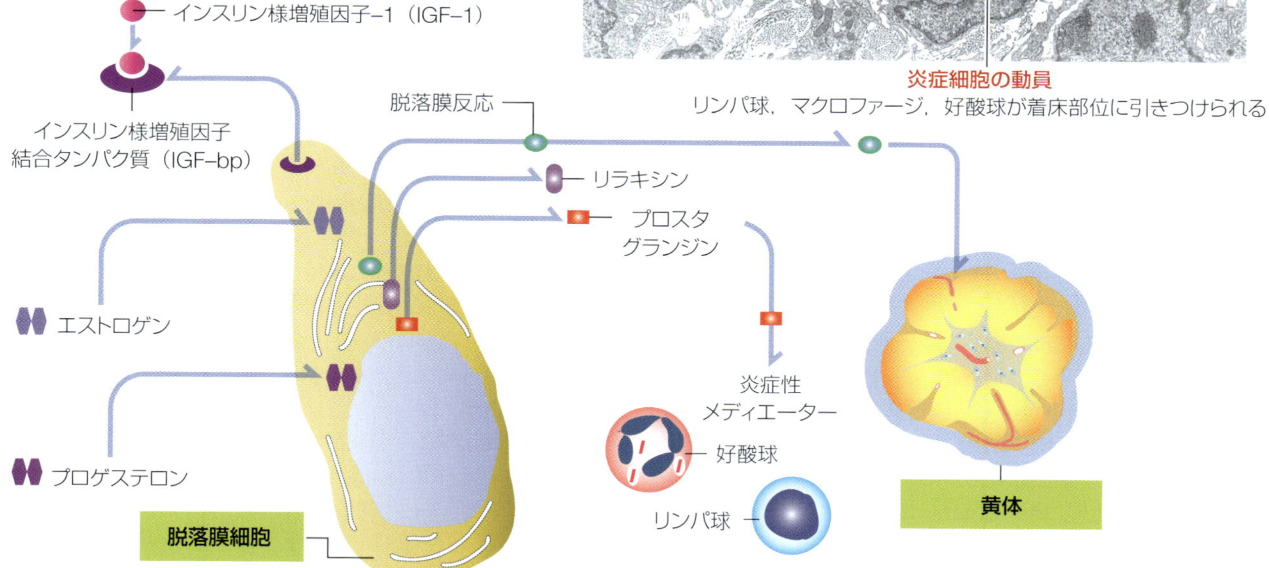

1. **脱落膜化**は，エストロゲンとプロゲステロンの影響下で，胚の着床に備えて，**脱落膜細胞へ子宮内膜間質の線維芽細胞**を上皮様に形質転換させる．
2. 脱落膜細胞は，**栄養膜細胞の浸潤を調節し**，**成長中の胚へ栄養を供給して**，発生上不適格な胚の母体拒絶を容易にするため胚の質を監視する．
3. 栄養膜細胞と子宮のナチュラルキラー細胞と一緒に，脱落膜細胞は，ラセン動脈の再構築を助けて，**免疫拒絶を抑制する**ため母体の免疫寛容を与えて，遺伝的に異なる胚や胎児組織を保護する．**プロスタグランジン**は，炎症細胞のメディエーターである．
4. 脱落膜細胞は，**黄体**への栄養作用とともに，下垂体プロラクチンと関連して，**脱落膜プロラクチン**を産生する．
5. 脱落膜プロラクチンの他に，脱落膜細胞は，**プロスタグランジン**や**リラキシン**を産生する．リラキシンは，妊娠の確立と維持に必要で，無事に出産できる．
6. 脱落膜細胞は，**エストロゲン**と**プロゲステロン**の受容体をもつ．
7. 脱落膜細胞は，**IGF 結合タンパク質**を分泌し，それが IGF–1 に結合すると子宮内膜細胞の増殖を抑制する．

電子顕微鏡写真：Patricia C. Cross, Stanford, California の厚意による．

図 22.15 | 子宮内膜の月経前期あるいは虚血期

月経前期あるいは虚血期

1 ラセン動脈の周期的収縮は，プロゲステロンの減少が引き金となり，機能層への酸素の供給を断つ（低酸素状態）.

2 ラセン動脈の崩壊によって，粘膜固有層は血液で充満する.

3 機能層は，子宮腺と脱落膜様細胞からなり，剝がれて子宮腔に脱落する（月経）.

4 基底直動脈が基底層に独立して血液を供給するので，基底層は影響を受けない.

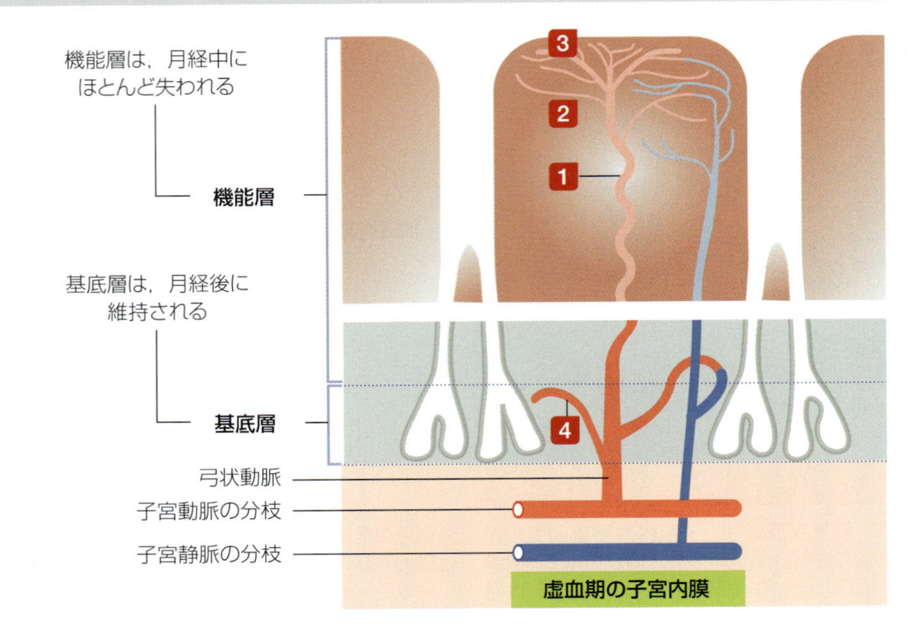

泌が失われる．結果的に，血中の FSH，LH，性ステロイドの低下が観察される．

視床下部の GnRH の拍動分泌は，ストレス状態により抑制され，**機能的な視床下部性無月経**を引き起こす．ストレス要因には，体重減少，過度の運動，摂食障害，精神的苦痛が含まれる．ストレス要因の除去や外因性の拍動的 GnRH 投与により，罹患した女性の視床下部 - 下垂体 - 性腺軸の機能が回復できる．

子宮内膜症

子宮内膜症 endometriosis は，比較的よくみられ，痛みを伴う疾患で，子宮内膜塊が子宮外(主に，卵管，卵巣と骨盤内の腹膜）に移植される．月経周期中に，移植された子宮内膜組織（**子宮内膜腫** endometrioma とよばれる）が，子宮内膜のように血中のホルモンレベルに関連して，増殖，分泌，出血をし続ける．閉じ込められた出血により，嚢胞，瘢痕組織，腹膜の癒着が生じる．

慢性骨盤痛が，月経中に生じる（**月経困難症** dysmenorrhea）．月経期に過度の出血（**月経過多症** menorrhagia）あるいは，月経期間の出血（**機能性子宮出血** menometrorrhagia）がみられる．子宮内膜症は，一般的に，**不妊症** infertility の治療を求める患者で初めて診断される．

子宮内膜症の原因は，今でもわかっていない．可能性がある原因は，腹腔内の移植部位に卵管から脱落した子宮内膜組織が逆流することである．子宮内膜症の病変部に存在する子宮内膜細胞が自己再生することにより，異所性子宮内膜が成長し始める．

診断は，超音波検査と内視鏡検査で直接外科的に病変部を可視化することにより確定される．治療法には，鎮痛剤，ホルモン療法（誘発性月経停止をつくり出すことにより卵巣ホルモンの産生を抑制するために，経口避妊薬とゴナドトロピン放出ホルモンのアゴニストとアンタゴニスト），移植された子宮内膜腫を除去する内視鏡手術が含まれる．子宮内膜症の標準的治療後にステロイドホルモンの補充を受けた子宮内膜症の女性において，胚着床は正常に進行する．

子宮頸部と膣（図 22.16）

子宮頸部は，子宮が下方に伸びた部位である．子宮頸部は，**子宮頸内膜**を通じて子宮腔と膣を連結する．

子宮頸内膜は，ヒダをもった粘膜に覆われていて，異なる方向に配置された**深い陰窩**をもち，粘液を分泌する管状腺系に似ている．この腺様の配置により，粘液産生細胞の表面積が増加する．この細胞は，月経周期の時期と分泌活性により高さが変化する**単層円柱上皮**からなる．

時々，分泌した粘液の蓄積により，いくつかの陰窩が閉塞して拡張することがある．この構造物は，**ナボット嚢胞**とよばれる．

間質は，主に，コラーゲン線維束(緻密不規則性結合組織)，平滑筋細胞，豊富な血管からなる．

子宮頸内膜上皮の分泌能は，**エストロゲン**により調節され，**排卵時に最高になる**．分泌された粘液は，性交時に膣を潤滑化し，細菌に対する防御層として作用して，子宮腔に侵入するのを防ぐ．

排卵時には，粘液は**粘性が低下し**，水溶性になり，**アルカリ性 pH** となって精子の侵入に適した状態になる．高濃度のイオン（Na^+，K^+，Cl^-）により，排卵期に**粘液**がシダの葉状に**結晶化**を生じる．この頸管粘液の特徴は，受精が起こる至適時期を評価するために臨床上で利用されている．**排卵後**に，粘液は，**粘性が上昇**して**酸性 pH** になり，精子の侵入と生存にとって有害となる．

膣は，薄い弾力性のある線維筋性の管であり，その上部は，首輪のように子宮頸部を取り囲んでいる．膣は 3 層からなる．

1. 内層の**粘膜層**（**固有層**をもった重層扁平上皮）は，通常，好中球やリンパ球が浸潤する．
2. 中間層の**筋層**（輪状および縦走平滑筋）は，子宮よりもずっ

図 22.16 | 子宮頸部と腟

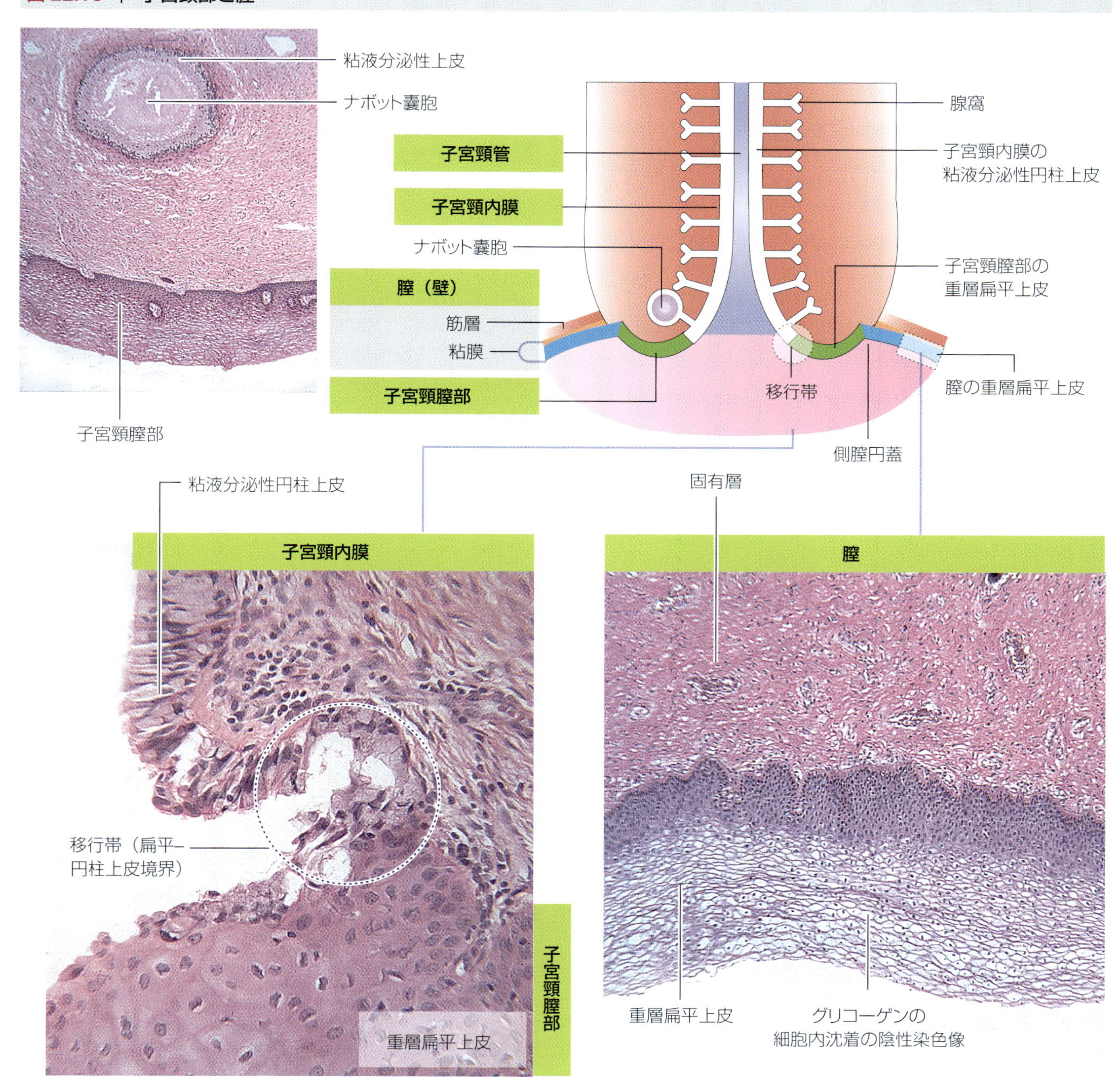

子宮頸部

子宮頸部は 2 つの構成要素（(1)**子宮頸管**，(2)**子宮頸腟部**）からなる．

子宮頸管は，粘液分泌性単層円柱上皮で覆われ，固有層に入り込み腺窩を形成する．子宮頸腟部は，腟上皮に連続する重層扁平上皮に覆われる．

思春期以前には，子宮頸内膜上皮は，子宮頸腟部の凸状部に広がり，腟の環境にさらされるようになる．新旧の扁平–円柱上皮境界の領域は，**移行帯**とよばれる．約 95% の**子宮頸部上皮内腫瘍**は，移行帯の内から発生する．

腟上皮

腟を覆う重層扁平上皮は，グリコーゲンを含む．

腟は，常在菌，特にアシドフィルス菌を含み，**グリコーゲン**を分解して**乳酸**を産生する．乳酸は，細菌の増殖を抑制する腟表面の酸性層（pH 3.0）を形成する．酸性環境では，鞭毛をもつ原虫寄生虫の**腟トリコモナス**により起こされる性感染症の**トリコモナス症**を防げない．

抗生物質により，腟細菌叢が破壊され，腟の常在真菌の**カンジダ・アルビカンス**が粘膜表層に発達する．

と薄い.

3. 外層の**外膜層**（緻密結合組織）.

粘膜の表面は，子宮腺，子宮頸管腺，小陰唇の間の領域ある膣前庭の**バルトリン腺** gland of Bartholin により分泌される粘液によって湿潤に保たれている．膣壁には，腺はない．

膣上皮は，月経周期中に周期的に変化する．膣上皮の増殖は，**エストロゲン**によって刺激される．排卵時に，重層上皮が十分に分化するので，豊富な好酸性の扁平細胞が，パパニコロー塗抹標本でみられる．

排卵後，プロゲステロンが優位になると，扁平細胞の数が減少し，より好塩基性の多形性細胞が好中球やリンパ球と一緒に出現する．膣の塗抹標本により，月経周期中のエストロゲンとプロゲステロンの血中レベルについてについての情報が迅速に得られ，妊娠中のホルモン状態の監視にも役立つ．

子宮頸がんとハイリスクのヒトパピローマウイルス感染症（図 22.17）

子宮頸部の外側部である**子宮頸膣部**は，**重層扁平上皮**に覆われている．子宮頸内膜と子宮頸膣部の境界には，上皮が突然変わる**移行帯**とよばれる部位がある．

異形成 dysplasia は，異常だが可逆的病態であり，移行帯で起こる可能性がある．異形成は，十分に分化する前に剝がれ落ちた配列の乱れた上皮細胞により特徴づけられる．

異形成は，**上皮内がん** carcinoma in situ に進展しうる．上皮内がんでは，上皮細胞の増殖は非常に活発であるが，基底板を越えることはない（**子宮頸部上皮内腫瘍** cervical intraepithelial neoplasia：**CIN**）．

CIN は，可逆的で正常に戻ることがありうるが，（発見されなければ）連続する基底板を破壊して下層の結合組織に浸潤する**浸潤がん** invasive carcinoma に進展しうる．異形成と上皮内がんは，通常行われる**パパニコロー塗抹標本** Papanicolaou smear によって検出できる．

ハイリスクのヒトパピローマウイルスは，子宮頸部，陰茎，外陰部，膣，肛門，中咽頭の発がん物質である．HPV は，6 つの初期遺伝子（E1，E2，E4，E5，E6，E7）とエンベロープをもたないカプシドをつくり出す 2 つの後期遺伝子（L1，L2）をコードするヒストンを結合する 2 本鎖 DNA ゲノムをもつ．

HPV 感染では，ウイルスは，基底膜のヘパリン硫酸プロテオグリカンと，あるいはラミニン 5 と主要なカプシドタンパク質の L1 の結合後に，基底細胞に侵入する．その後，ウイルスゲノムは，感染した基底細胞で複製され，基底細胞が細胞分裂をすると，複製されたウイルスは娘細胞に分離される．ウイルスゲノムは，分化した感染細胞の外側の上皮層に集積する．その後，外層の上皮細胞が脱落するときに，ウイルス粒子が放出される．

パピローマウイルスの生活環は複雑で，局所の免疫反応の引き金となる上皮の細胞死あるいは炎症反応を引き起こすことはない．

さまざまな種類の**ヒトパピローマウイルス**（**hrHPV**）は，性感染症で，大部分の子宮頸がん症例と関連する．持続的なヒトパピローマウイルス感染症は，異形成を高悪性度の子宮頸部上皮内腫瘍（CIN3）に向かわせる（図 22.17）．

HPV 感染症は，典型的に子宮頸部の**移行帯**，すなわち，hrHPV により形質転換を特に起こしやすくなる上皮の剝離部で起こる．

hrHPV 種に対する予防のワクチンは，異形成とその後の子宮頸がんを抑制できる．

hrHPV 感染症を抑制することは，また，男性にも重要である．なぜなら，肛門性器がんや中咽頭がんは，男女で起こり，陰茎がんも生じるからである．

9 価ワクチン，ガーダシル 9 は，HPV-31，HPV-33，HPV-45，HPV-52，HPV-58 によって引き起こされる感染症と疾患を抑制する．

HPV のカプシド抗原に対するワクチンは，異なるタイプの特異的抗体を誘導し，標的細胞によるウイルスの取り込みを抑制する．抗体は，上皮細胞の基底膜のヘパリン硫酸プロテオグリカンへの L1 の結合を抑制する．さらに，L1 ウイルス様粒子の免疫により，重要な L1 特異的な CD8 陽性の T 細胞の反応を誘導する．

パパニコロー塗抹標本のように，子宮頸部から集められた細胞は，上皮内腫瘍の発生前に患者がどのようなタイプの HPV に感染しているかを HPV 試験によって，決定することに利用できる．パパニコロー塗抹標本の**空胞細胞** koilocyte は，HPV 感染に特徴的である．

診断的細胞病理学（図 22.17）

診断的細胞病理学は，組織診断と相関させて，正常と異常細胞，それぞれ剝離した細胞，あるいは捺印細胞や擦過細胞の観察に基づいている．

標本の回収と染色手技は，解剖学者のジョージ・パパニコロー George N. Papanicolaou（1883～1962）と婦人科医のハーバート・トラウト Herbert E. Traut（1894～1963）により 1941 年に紹介された．膣塗抹標本を用いて細胞学的ホルモン評価の診断的可能性は，パパニコローによって 1925 年に報告された．

パパニコロー塗抹標本は，**子宮頸膣部の悪性腫瘍**の早期発見や**細胞学的ホルモン評価**の標準的手技である．パパニコロー染色の 2 つの染色液は，アルコール系の細胞質染色液で，**エオジン** eosin は，表層扁平細胞をピンクかオレンジで染色し，**ライトグリーン** light green は，基底板に近い分化していない細胞の細胞質を染色する．核は，**ヘマトキシリン** hematoxylin で染色する．

エストロゲンは，膣の重層扁平上皮の表層の分化を刺激する．エストロゲンの影響下で上皮細胞がいったん分化すると，塗抹標本でみられる最上層のピンクかオレンジで染色された扁平細胞と中間層のライトグリーンで染色された多形細胞を，プロゲステロンが急速に落屑させる．

子宮頸部の塗抹標本では，**HPV 感染症**の証拠を与える．**空胞細胞**，すなわち，緻密な周辺細胞質縁によって取り囲まれる大きな区別しやすい明るい核周辺領域をもった扁平細胞の存在が特徴的である．

子宮頸部の微小浸潤がんは，上皮内腫瘍 1 と 2（CIN1 と CIN2）が先行し，図 22.17（CIN3）で示す．

がんは，子宮頸管腺に進展し，間質深くに広がり，炎症細胞に取り囲まれた腫瘍細胞を舌状や島状に形成する．パパニコロー塗抹標本により，高度核異形，炎症細胞，角化した表層細胞，細胞

図 22.17 | 診断的細胞病理学

生理学的細胞学的ホルモンパターン

月経期

子宮内膜細胞

増殖期（エストロゲン期）

子宮頸膣部あるいは，
膣のオレンジ色に染色された
表層細胞

分泌期（プロゲステロン期）

子宮頸膣部あるいは，
膣のライトグリーンに染色された中間細胞

ヒトパピローマウイルス（HPV）感染症

二核のコイロサイト
（空洞細胞）

核周辺空洞化

辺縁細胞質

子宮頸部膣部のスメア（塗抹）標本の中にコイロサイト（ギリシャ語 *koilos*［=hollow，へこみ］，*kytos*［=cell，細胞］）が存在すれば，HPV 感染の確証となる．コイロサイトは，濃染する細胞縁によって取り囲まれた大きな明るい核周囲ハローがある扁平な細胞である．

子宮頸部上皮内腫瘍

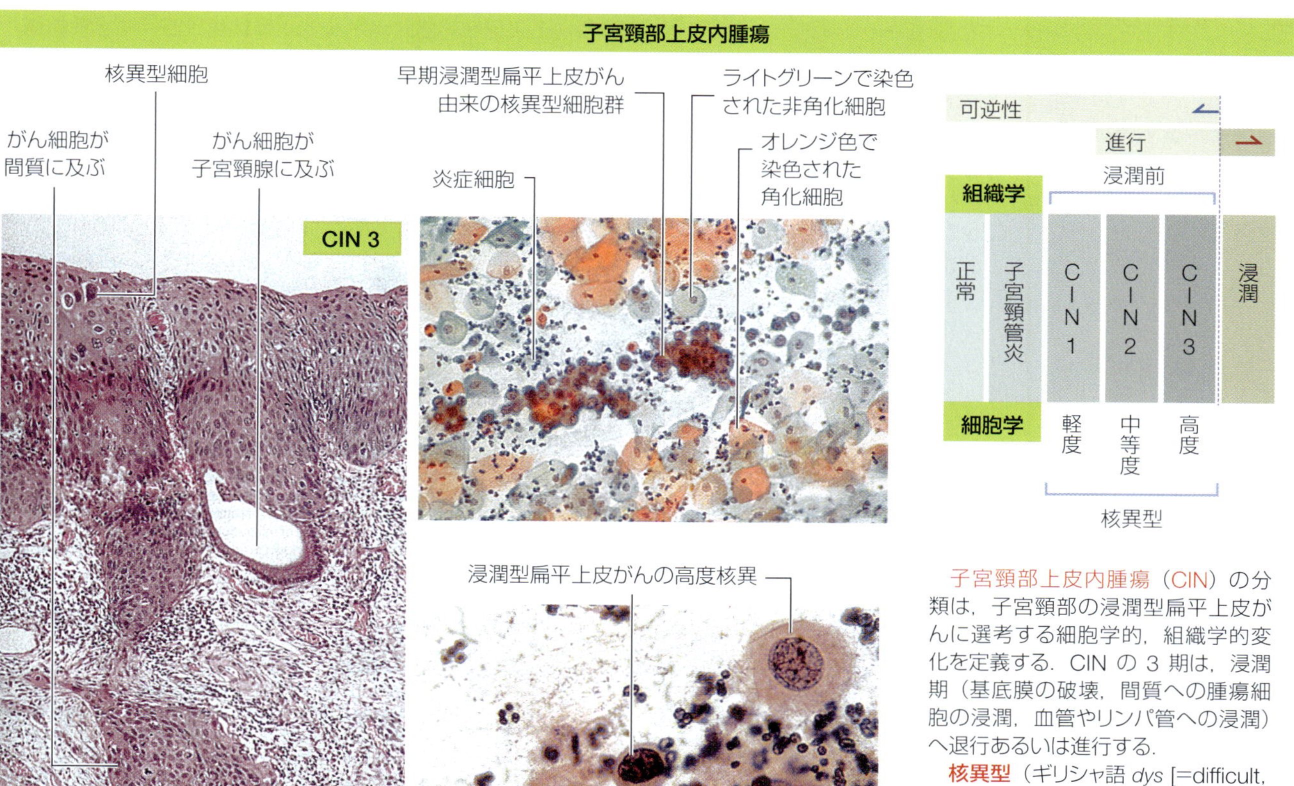

子宮頸部上皮内腫瘍（CIN）の分類は，子宮頸部の浸潤型扁平上皮がんに選考する細胞学的，組織学的変化を定義する．CIN の 3 期は，浸潤期（基底膜の破壊，間質への腫瘍細胞の浸潤，血管やリンパ管への浸潤）へ退行あるいは進行する．

核異型（ギリシャ語 *dys*［=difficult，厳しい］，*karyon*［=nucleus，核］，*osis*［=condition，状態］）という用語は，核の構造の異常を意味する．

写真：Gray W, McKee G: Diagnostic Cytopathology, 2nd edition, Churchill Livingstone, Oxford, UK, 2003.

図 22.18 | 女性の尿道

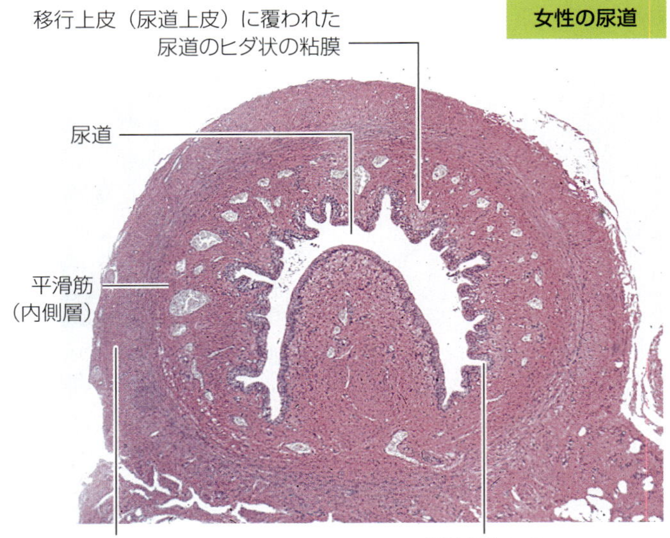

診断者に初期の腫瘍浸潤の可能性を警告する特徴を検出できる．

恥丘，大陰唇，小陰唇

恥丘，大陰唇と小陰唇は，修飾された皮膚構造である．

恥丘 mons pubis（性丘）は，恥骨結合の前方にある．恥丘は，脂肪組織と緻密不規則性結合組織からなり，**角化重層扁平上皮** keratinized stratified squamous epithelium が並ぶ皮膚に覆われる．思春期以降，皮膚の毛包が，縮れた陰毛を生じさせる．

大陰唇は，膣口の両側にある恥丘の皮膚のヒダ状に伸びたものである．脂肪体を覆う毛包と腺（**アポクリン汗腺** apocrine sweat gland と**皮脂腺** sebaceous gland）を伴う皮膚の他に，平滑筋線維が皮下脂肪にみられる．毛包と脂肪の蓄積は，性成熟の開始（10～13 歳までに）において性ホルモンによって調節される．

小陰唇は，皮膚のヒダで，脂肪組織と毛包を欠いているが，豊富な血管，弾性線維，メラニン色素沈着した表皮の表面に直接開口する皮脂腺をもつ．大陰唇と小陰唇の表皮の色素沈着は，思春期の開始に現れる．

膣前庭は，小陰唇間の裂隙である．膣は，尿道の後方に位置する裂隙に開口する．

処女膜 hymen は，内生殖器と外生殖器の間にある境界である．処女膜は，膣下部を覆う薄い線維膜からなり，**角化重層扁平上皮**によって外表面を覆い，（膣上皮のように）グリコーゲンを伴う**非角化重層扁平上皮** non-keratinizing stratified squamous epithelium によって内表面を覆う．

陰核は，恥丘の下方に位置し，女性において陰茎に相当する．陰茎のように，陰核は，線維性の膠原線維鞘によって取り囲まれた中隔によって隔てられた 2 つの隣り合った海綿体（勃起組織）からなる．陰核は，感覚神経と感覚受容体を豊富にもつが毛包と腺を欠いた皮膚で部分的に覆われる．

女性の尿道と腺（尿道傍腺とバルトリン腺）（図 22.18）

女性の尿道（図 22.18）は，多列円柱上皮が並ぶ**ヒダ状の粘膜**に覆われ，**移行上皮**に変化し，尿道口の近くで非角化重層扁平上皮に変化する．

粘液分泌腺が，**粘膜**に観察される．**筋層壁**は，**単層の縦走平滑筋層**（**不随意括約筋**）からなる．**輪状横紋筋**（**随意括約筋**）が，平滑筋層の外側に観察される．弾性線維の豊富な結合組織が，筋層を支持する．

尿道口は，陰核の近くで外部につながる．**スキーンの傍尿道腺** para-urethral glands of Skene が，尿道口の周辺に分布し，**多列円柱上皮**で覆われる（訳注：この尿道口は外尿道口を意味する）．

バルトリン腺は，膣下部の周囲にあり，粘液分泌細胞をもつ腺房からなる．導管は，移行上皮に覆われ，これらの腺を膣の後外側部に連結する．

卵胞形成と月経周期 | 概念図・基本的概念

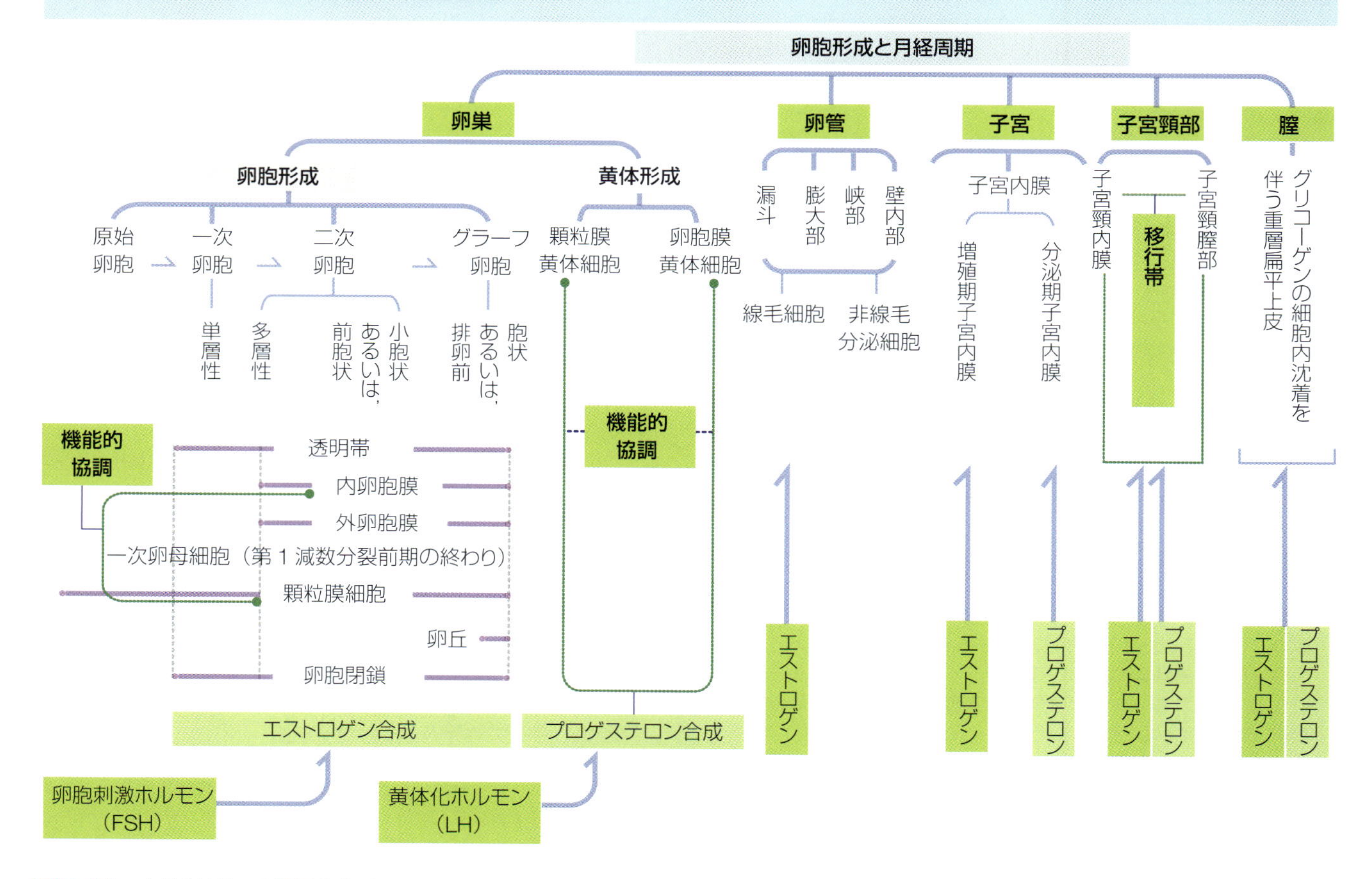

- **卵巣の発生**．未分化性腺の皮質領域が，卵巣に発達する．
  一次生殖索は，体腔上皮から分化し，卵祖細胞を取り囲む二次生殖索に置き換わる．卵祖細胞は，2 本の X 染色体をもつ原始生殖細胞に由来して，有糸分裂をしている．卵祖細胞は，有糸分裂を完了して第 1 減数分裂前期に入り一次卵母細胞になる．第 1 減数分裂は，減数分裂前期の複糸期に交差の後で停止し，思春期まで持続する．したがって，誕生時に，第 1 減数分裂の複糸期の一次卵母細胞は，単層の顆粒膜細胞によって取り囲まれる．

- **女性生殖管の発生**．ミュラー管の頭側端は卵管を形成する．ミュラー管の尾側部は，融合して子宮腟原基を発生し，子宮と腟上部になる．
  子宮腟原基と尿生殖洞が接着する部位である腟板に穴が開き，腟の中部と下部が形成される．生殖結節（生殖茎）は，排泄腔膜の頭側端に発達する．陰唇陰嚢隆起から大陰唇が形成される．尿生殖ヒダは，小陰唇を形成し，排泄腔膜の両側に発達する．男性ホルモンがないと，生殖茎が陰核に発達する．

- ミュラー管の発達不全は，ミュラー管無発生の 46,XX の女性患者（メイヤー・ロキタンスキー・キュスター・ハウザー症候群）で起こる．ミュラー管無形成は，子宮，子宮頸部，腟上部の欠損で特徴づけられる．骨盤腎あるいは，より重度の片側の腎無形性を含む腎奇形が観察される．*Wnt4* 遺伝子の不活性化が，この疾患に関与している．
  ミュラー管遺残症候群（PMDS）は，男性仮性半陰陽のまれな疾患として 46,XY の男性で起こる．この疾患は，*AMH* 遺伝子とその受容体（AMHR2）の欠損により起こる．
  ターナー症候群は，2 本目の X 染色体のすべて，あるいは一部が欠損（45,X）し，バー小体も欠損する．45,X の胎児は，たびたび自然流産をする．ターナー症候群の出生前診断は，超音波検査での胎児浮腫の所見と，母体血清のスクリーニングでヒト絨毛性ゴナドトロピン（hCG）とαフェトプロテインの異常所見に基づく．
  思春期前と思春期の少女で認められる身体所見には，先天性リンパ水腫，低身長，性腺発育障害がある．萎縮した卵巣は，線条で表される．特徴的な所見は，むくんだ手足あるいは，項部のたるんだ皮膚である．

- **卵巣**は，Lgr5 陽性（Lgr5^{+}）細胞をもった卵巣表層上皮（OSE：単層扁平から背の低い立方上皮）で覆われている．OSE 細胞は，排卵後に再生修復できる．OSE は，白膜の結合組織の層によって支持される．
  卵巣は，皮質と髄質をもつ．皮質には原始卵胞があり，髄質は卵巣門につながり，血管（卵巣動静脈），神経，リンパ管を含む．Lgr5 陽性細胞は，卵巣門に存在する．
  卵巣周期には，3 期がある：
  (1)卵胞期には，原始卵胞が発達して，排卵前卵胞，胞状卵胞，グラーフ卵胞がみられる．
  (2)排卵期は，グラーフ卵胞の破裂，第 1 減数分裂の完了（結果として第 1 極体を形成する），卵巣から二次卵母細胞の放出により特徴づけられる．
  (3)黄体期には，残った壁側の顆粒膜細胞層と内卵胞膜細胞に血管が新生してステロイドを産生する黄体に変化する．

- **卵胞期（卵胞形成）**は，次のような順番を示す．
  (1)原始卵胞：一次卵母細胞が，基底板で支持された一層の扁平な顆粒膜細胞で取り囲まれる．顆粒膜細胞は AMH を分泌する．
  (2)一次（単層）卵胞：一次卵母細胞が，一層の立方状の顆粒膜細胞により取り囲まれる．
  (3)二次（多層）卵胞：一次卵母細胞は，発達中の透明帯により多層化した増殖する顆粒膜細胞と徐々に隔てられるようになる．
透明帯に隣接する顆粒膜細胞（将来の放線冠）の細胞突起が，厚い透明帯を貫通して一次卵母細胞の細胞膜との接触を確立する．
分子による相互連携が，一次卵母細胞と顆粒膜細胞間で起こる．間隙結合が，卵母細胞と顆粒膜細胞の接触点や隣り合う顆粒膜細胞間に存在する．

(4)前胞状卵胞：拡大する細胞間隙が，顆粒膜細胞をお互いに隔てる．間隙には，タンパク質が豊富な液体（卵胞液）が含まれ，いわゆるコール・エクスナー体を形成する．
これらの間隙が最終的に融合して，成熟した胞状卵胞において卵胞腔を形成する．
同時に，間質細胞は，発達する卵胞を取り囲み，2 層に分化する：
①血管が豊富な内卵胞膜層は，アンドロステンジオンを産生し，基底板を越えて顆粒膜細胞に輸送され，顆粒膜細胞がエストロゲンを産生する．
②外卵胞膜は，卵巣の間質につながる結合組織層である．
卵胞形成の早期に，AMH は顆粒膜細胞により分泌される．AMH の産生は，卵胞形成の前胞状卵胞期と早期胞状卵胞期に最大になる．AMH の血中レベルは，卵巣の原始卵胞の予備量を決定するのに役立つと考えられる．

(5)胞状卵胞：透明帯により取り囲まれた一次卵胞からなる．液体を含んだ大きな 1 つの空隙，卵胞腔が十分に発達する．

(6)排卵前卵胞（グラーフ卵胞）：顆粒膜細胞は，卵胞液で置き換えられるようになり，2 つの異なる領域に分けられる：
①顆粒膜卵丘細胞領域は，卵胞壁に結合した顆粒膜細胞の大きな集団により表される．卵丘は，透明帯と卵母細胞の複合体が卵胞液中を自由に浮遊するのを防ぐ．
②壁側顆粒膜細胞領域は，卵胞壁を覆い，卵胞液により圧迫される．

卵胞閉鎖は，卵胞発達のいかなる時点において卵胞形成を完了できない多くの卵胞からなる生理的なアポトーシス過程である．
透明帯は，放線冠と一次卵母細胞を隔てる糖タンパク質の被膜である．透明帯は，放線冠の顆粒膜細胞の細い細胞突起によって貫通され，突起は卵母細胞の微絨毛と接着する．
これらの接着部位では，間隙結合と接着結合によって，顆粒膜細胞と一次卵母細胞の両方向性のシグナル伝達が可能になる．コネキシン 37 は，間隙結合に存在し，放線冠の顆粒膜細胞と一次卵母細胞をつなぐ．間隙結合は，また，顆粒膜細胞間にもみられる．*Gja4* 遺伝子でコードされる，コネキシン 37 を欠損すると，卵胞発育が停止し，一次卵母細胞が減数分裂の再開を抑制する．コネキシン 43 は，顆粒膜細胞をつなぐ間隙結合にみられる．コネキシン 43 を欠損すると，前胞状卵胞期で卵胞形成が中断する．
卵母細胞由来の特異的な TGF-β ファミリー分子が，顆粒膜細胞における作用を通じて，一次卵母細胞の減数分裂前期の早すぎる完了を抑制すると，両方向性のシグナル伝達が確立する．卵胞形成中の一次卵母細胞の発育と成熟に関するさらなる詳細を以下に概説する．

- 黄体期は，排卵後すぐに生じる．黄体期は，第 1 減数分裂の完了，二次卵母細胞による第 1 極体の形成，黄体化とよばれる黄体の形成からなる．

黄体化は，以下の連続する事象を含む：
(1)卵胞の基底板の分解．
(2)内卵胞膜からの血管の侵入．
(3)残った壁側顆粒膜細胞の顆粒膜黄体細胞への形質転換と内卵胞膜細胞の卵胞膜黄体細胞への形質転換．

卵胞膜黄体細胞と顆粒膜黄体細胞は，FSH と LH の刺激に反応して，エストロゲンとプロゲステロンの分泌中に相乗連携を確立する．卵胞膜黄体細胞は，顆粒膜黄体細胞と協調してエストラジオールを産生する．両細胞は，独立にプロゲステロンを合成できる．
受精が起こると，二次卵母細胞は第 2 減数分裂を完了し，第 2 極体を産生し，半数体の前核になり，精子の前核と融合して接合子を形成する．受精が起こると，着床した胚の栄養膜細胞が hCG を産生し，LH 作用の代わりをする．さらに，hCG は，妊娠中に黄体のエストロゲンとプロゲステロンの分泌機能の制御を引き継ぐ．
受精が起こらないと，黄体退縮とよばれる過程により黄体が変性する．黄体退縮が起こると結合組織の瘢痕になり，白体とよばれる遺残構造を形成する．

- 卵胞形成中の一次卵母細胞の発育と成熟は，TGF-β ファミリーの分子である卵母細胞由来の 2 つのタンパク質によって促進される：

(1)成長分化因子 -9（GDF-9）
(2)骨形成タンパク質 -15（BMP-15）

GDF-9 と BMP-15 は，顆粒膜細胞のエネルギー代謝とコレステロール生成を調節する．GDF-9 は，また，透明帯を貫通して卵母細胞に至る顆粒膜細胞の細胞突起の形成に必要である．
さらに，顆粒膜細胞由来のタンパク質である AMH，インヒビン，アクチビンは，TGF-β ファミリーの分子であり，また，卵胞形成での顆粒膜細胞機能の調節に関与する．
どのようにして卵胞形成中に一次卵母細胞が，停止中の第 1 減数分裂前期に留まるのか？
顆粒膜細胞からの物質が，排卵前に卵母細胞を停止中の第 1 減数分裂前期に留める．この機能に重要な顆粒膜細胞由来のタンパク質には，次のものが含まれる：
(1)卵子成熟抑制物質（OMI）
(2)幹細胞因子（c-kit リガンド）
OMI は，排卵時の FSH と LH のサージより前に胞状卵胞の一次卵母細胞による減数分裂の再開を抑制する．幹細胞因子は，卵母細胞の c-kit 受容体に結合し，卵母細胞の発育と生存を刺激する．
一次卵母細胞は第 1 減数分裂をいつ完了するのか？
排卵直前に，卵母細胞は自己活性化し，第 1 減数分裂前期を完了する．サイクリン B-Cdc2 複合体は，成熟促進因子（MPF）を構成し，卵核胞崩壊（GVBD）とよばれる事象である卵母細胞の核膜の崩壊を引き起こす．
MPF は，二次卵母細胞の形成と第 1 極体の放出を引き起こす．第 1 極体は，囲卵腔に留まる．
多嚢胞性卵巣症候群（PCOS）は，パラクラインによる卵母細胞 - 顆粒膜細胞間のシグナル伝達機構の欠損により引き起こされる卵胞形成障害の結果により生じる．PCOS は，不整あるいは延長した月経周期，過発毛（多毛），ニキビ，インスリン抵抗性，肥満と関連する臨床病態とみなされる．アンドロゲンの血中レベルが上昇する．思春期に不整あるいは欠如する月経により，PCOS が疑えるかもしれない．

- 腺性下垂体からの 2 つのホルモンが，卵胞発育と月経周期を調節する：

(1)卵胞刺激ホルモン（FSH）は，エストロゲンの産生と同様に卵胞形成と排卵を刺激する．
(2)黄体化ホルモン（LH）は，黄体からのプロゲステロンの分泌を刺激する．

ホルモン調節の次に挙げる鍵となるステップを覚えておく：
(1)LH サージが排卵を進行させる．
(2)続く LH の分泌が，排卵後に残った壁側の顆粒膜細胞層の黄体化を誘導する．
(3)プロゲステロンとエストロゲンの血中レベルが高くなると FSH と LH の産生が減少する．その後，（妊娠が起こらなければ）黄体が退縮期に入る．
(4)ここで留意すべきは，卵巣で生じる事象は，視床下部と下垂体の反応を決定することである（フィードバック機構）．
(5)月経の開始時に，エストロゲンとプロゲステロンの血中レベルは低く，排卵前期中に徐々に増加する．
(6)LH のピークが排卵を起こす直前にエストロゲンの血中レベルが最大に達する．

(7)顆粒膜細胞による FSH に依存したエストロゲンの合成は，子宮内膜腺の増殖を刺激する.
(8)黄体による LH に依存したプロゲステロンの合成は，子宮内膜腺の分泌能の引き金となり，持続させる.

- 卵管は，解剖学的に 4 つの領域をもつ筋性の管である：
  (1)漏斗は，卵管采とよばれる指状のヒダをもち，排卵された放線冠 - 透明帯 - 二次卵母細胞の複合体を卵巣からとらえるために重要である.
  (2)膨大部は，受精が起こる部位である.
  (3)峡部は，以下のような部位である.
  - 卵管の平滑筋層が厚くなる.
  - 筋収縮により，排卵された卵子に向けて精子の移動を助ける.
  - 筋収縮により，受精卵を子宮に運ぶ.
  (4)卵管 - 子宮結合部である壁内部.
  卵管壁は，3 層からなる：
  (1)粘膜は，線毛細胞と無線毛細胞をもつ単層円柱上皮からなり，粘膜固有層に支持される.
  (2)平滑筋層.
  (3)漿膜層.

- 子宮は，2 つの解剖学的領域（子宮体部と子宮頸部）からなる.
  子宮体部は，3 つの層（子宮内膜，子宮筋層，漿膜あるいは外膜）からなる.
  子宮内膜は，単層円柱上皮細胞からなり，陥入して単一管状の子宮内膜腺を形成し，子宮間質である固有層により覆われる.
  子宮内膜は，次の層をもつ：
  (1)表層の機能層は，月経周期で失われる.
  (2)基底層は，組織再生の予備として月経中にも維持される.
  表層の機能層は，子宮内膜のラセン動脈によって栄養される．一方，基底層は，基底部の直動脈，すなわち，独立した血液供給により栄養される.
  月経周期の虚血期において，子宮内膜のラセン動脈の収縮により，血流が減少し，子宮内膜機能層の崩壊の引き金になる.
  排卵は，子宮内膜の増殖期の終わりと分泌期の始まりを示す.
  子宮内膜の間質細胞は，上皮様の形態に変化し，脱落膜細胞になる．この変化を脱落膜反応とよぶ.
  もし妊娠が起こったら，脱落膜細胞は栄養膜に運ばれた胚の着床を調節し，発生中の胚に栄養を与え，栄養膜細胞と一緒に遺伝的に異なる胚と胎児組織の免疫学的拒絶を防ぐ.
  子宮筋層は，3 つの区別しにくい平滑筋層をもつ．妊娠中，子宮筋層の平滑筋は肥大し（肥大）筋線維数が増加する（過形成）．妊娠中の平滑筋層の収縮抑制は，卵巣と胎盤で産生されるペプチドホルモンであるリラキシンによって制御される.
  分娩中の子宮筋層の収縮は，神経下垂体から分泌されるペプチドホルモンであるオキシトシンの制御下にある.

- 月経周期は，排卵が起こることによって分けられる 2 つの主要な時期からなる．増殖期あるいはエストロゲン期（月経期の直後に始まる）に続いて，分泌期あるいはプロゲステロン期（虚血期の前に起こり，月経期につながる）になる.
  月経周期の各時期の時間経過は，次の通りである：
  (1)月経期（1～5 日目）.
  (2)増殖期あるいはエストロゲン期（5～14 日目）.
  (3)分泌期あるいはプロゲステロン期（15～27 日目）.
  (4)虚血期（27～28 日目）.
  月経周期中に，次のように子宮内膜腺と固有層が変化する：
  ①増殖期早期に，子宮内膜腺は短く，直線状で，狭い.
  ②増殖期中期に，子宮内膜腺は長くなる．上皮は，有糸分裂の活性が高い.
  ③増殖期後期では，分裂活性が非常に高い．子宮内膜腺は，急速に成長し，蛇行するようになる．ラセン動脈を取り囲む間質の線維芽細胞は，範囲を拡げ，脱落膜様になる．この事象は，子宮内膜間質の脱落膜化とよばれる.
  ④分泌期中期には，グリコーゲンが腺上皮細胞の基底部に蓄積する．子宮内膜腺は，ノコギリの歯のような形状をする.
  (5)分泌期後期には，グリコーゲンが腺上皮細胞の基底部から頂上部に位置を変え，分泌物が内腔に蓄積される．ラセン動脈を取り囲む間質細胞は，有糸分裂の活性が高く，脱落膜変化の兆候を示す.
  (6)虚血期に，子宮内膜間質の上部は，多数の脱落膜細胞を含む．ラセン動脈が収縮して虚血が始まる.

- 低ゴナドトロピン性性腺機能低下症と GnRH
  思春期の開始には，機能的な視床下部 - 下垂体 - 性腺軸を必要である．その軸により，性成熟の引き金となる GnRH の拍動的分泌の増加として現れ，生殖機能につながる．思春期の遅延と低ゴナドトロピン性性腺機能低下症は，生殖機能における GnRH の重要性を示す 2 つの臨床病態である.
  MKRN3 遺伝子は，マコリンリングフィンガータンパク質 3 とよばれるその分子により，思春期の開始に影響する．MKRN3 タンパク質は，視床下部からの GnRH の放出を抑制し，思春期の開始を遅延させる．非機能的な MKRN3 タンパク質が，GnRH を抑制できないと，調節されない GnRH が，思春期早発を刺激する.
  低ゴナドトロピン性性腺機能低下症には 2 つのタイプがあり，嗅覚に依存して，先天性無嗅覚性低ゴナドトロピン性性腺機能低下症（カルマン症候群）と特発性正常嗅覚性低ゴナドトロピン性性腺機能低下症（IHH）である.
  先天性無嗅覚性低ゴナドトロピン性性腺機能低下症は，*KAL1* 遺伝子の突然変異により引き起こされ，この遺伝子は anosmin-1 タンパク質をコードし，嗅球への嗅神経の移動とまた視床下部への GnRH 産生神経の移動に必要である．GnRH の欠損により，腺性下垂体の内分泌細胞からの FSH と LH の分泌が欠損を引き起こす．結果的に，性腺の発達遅延や欠損とアンドロゲンの欠損が観察される.
  先天性無嗅覚性低ゴナドトロピン性性腺機能低下症の男児は，小さな陰茎（小陰茎症）と下降しない精巣（停留精巣）を伴ってよく生まれる．思春期は不完全か遅延する．障害された女性では，通常，思春期に月経が開始せず，乳房の発達が失われる.
  先天性無嗅覚性低ゴナドトロピン性性腺機能低下症と比較すると，特発性正常嗅覚性低ゴナドトロピン性性腺機能低下症は，視床下部における GnRH 神経細胞の分化か発生の不全により特徴づけられる.
  この病態の結果，GnRH の拍動的分泌が欠損する．FSH，LH と性ステロイドホルモンの血中レベルの低下が，解剖学的な異常がなく観察される.
  外因性のパルス GnRH 療法あるいは，ゴナドトロピン療法を受けている低ゴナドトロピン性性腺機能低下症の患者は，普通，回復して正常の思春期の発育と妊孕性がみられる.

- 子宮内膜症は，卵管や卵巣や骨盤の腹膜表面に，子宮内膜組織（子宮内膜腫とよばれる）が移植と成長することによって特徴づけられる．子宮内膜のように，異所性の子宮内膜組織がホルモンの刺激に反応する.
  月経中の骨盤痛（月経困難症），月経期に過度の出血（月経過多症），月経期間の出血（機能性子宮出血）は，特徴的な臨床所見である．不妊症は，子宮内膜症と関連する.

- 子宮頸部は，2 つの構造からなる：
  (1)子宮頸管.
  (2)子宮頸膣部.
  子宮頸管は，粘液を分泌する単層円柱上皮によって覆われ，固有層に伸びて，腺窩を形成する.
  排卵中に，粘液は，粘性が減少し，アルカリ性になって，精子の侵入に適した状態である.

排卵後，粘液は粘性があって，酸性で，精子の侵入には不適切な状態である．

腺窩の閉塞により，ナボット嚢胞とよばれる嚢胞を形成する．

子宮頸膣部は，重層扁平上皮により覆われる．単層円柱上皮と重層扁平上皮の結合部は，移行帯とよばれ，ほとんどの子宮頸部上皮内腫瘍（CIN）の発生部位である．

- 膣は，3 層からなる線維筋性の管，すなわち，内層の粘膜層（重層扁平上皮，グリコーゲンが豊富で，固有層で支持される），中間層の平滑筋層，外層の結合組織性外膜層である．

  膣上皮の分化は，ホルモン依存性であり，月経周期で周期に変化をする．アシドフィルス菌によりグリコーゲンが分解されて乳酸になることにより，酸性の膣被膜を形成し，細菌の増殖を抑制するが，性感染病原体は抑制しない．

- ヒトパピローマウイルス（HPV）は，子宮頸部上皮内腫瘍（CIN）の発生に関連する．CIN は可逆的あるいは，（検出できなければ）微小浸潤子宮頸がんに進展する．HPV は，子宮頸部，陰茎，外陰部，膣，肛門と中咽頭における発がん因子である．

  ハイリスクの HPV（hrHPV）のさまざまな系統は，性感染症であり，大部分の子宮頸がん症例と関連がある．持続的な hrHPV 感染症により，異形成を高悪性度の子宮頸部上皮内腫瘍（CIN3）に進展させる．

  HPV 感染症は，典型的には移行帯，すなわち，子宮頸部の扁平 - 円柱上皮境界，hrHPV による形質転換に特に感受性がある上皮の剥離部で起こる．

  HPV は，6 つの初期遺伝子（E1，E2，E4，E5，E6，E7）とエンベロープをもたないカプシドをつくり出す 2 つの後期遺伝子（L1，L2）をコードするヒストンを結合する 2 本鎖 DNA ゲノムをもつ．

  HPV 感染症の経過において，ウイルスは，主要なカプシドタンパク質 L1 が，基底膜のヘパリン硫酸プロテオグリカンと，あるいは，ラミニン 5 に結合後，子宮頸部の基底上皮細胞に侵入する．その後，ウイルスゲノムは，感染した基底細胞で複製される．HPV に感染した基底細胞が，有糸分裂で分かれて分化すると，ウイルスのコピーが娘細胞に分かれる．

  ウイルスゲノムは，分化した感染細胞の外層の上皮層に集まる．その後，ウイルス粒子は，脱落した外側層の分化した上皮細胞として放出される．

  hrHPV 種に対する予防のワクチンは，異形成とその後の子宮頸がんを抑制できる．hrHPV 感染症を抑制することは，男性にもまた重要である．なぜなら，肛門性器がんや中咽頭がんは，男女で起こり，陰茎がんも生じるからである．

  9 価ワクチン（9vHPV），ガーダシル 9 は，HPV-31，HPV-33，HPV-45，HPV-52，HPV-58 によって引き起こされる感染症と疾患を抑制する．

  HPV のカプシド抗原に対するワクチンは，異なるタイプの特異的抗体を誘導し，標的細胞によるウイルスの取り込みを抑制する．抗体は，上皮細胞の基底膜のヘパリン硫酸プロテオグリカンへの HPV の L1 の結合を抑制する．さらに，L1 ウイルス様粒子の免疫により，重要な L1 特異的な CD8 陽性の T 細胞の反応を誘導する．

  パパニコロー検査（パパニコロー塗抹標本）は，子宮頸がんの早期の検出に重要な役割を演じてきた．

  子宮頸部の塗抹標本により，空胞細胞，すなわち，緻密な周辺細胞質縁によって取り囲まれる大きな区別しやすい明るい核周辺領域をもった扁平細胞を検出して，HPV 感染症の証拠を得られる．

  子宮頸部の CIN ステージ 3（CIN3）の微小浸潤がんは，CIN ステージ 1 と 2（CIN1 と CIN2）より進展する．

  CIN3 において，がんは，炎症細胞に取り囲まれた腫瘍細胞を舌状や島状に形成して，間質深くに広がる．

  このステージでは，パパニコロー塗抹標本により，高度核異形，炎症細胞，角化した表層細胞，細胞診断者に初期の腫瘍浸潤の可能性を警告する特徴を検出できる．

- 恥丘，大陰唇と小陰唇は，修飾された皮膚構造である．恥丘は，恥骨結合の上部にある皮下脂肪を包む毛包をもった角化重層扁平上皮で覆われた皮膚である．

  大陰唇は，皮膚の他，アポクリン汗腺や皮脂腺をもつ．小陰唇は，豊富な血管，弾性線維，皮脂腺をもったメラニン色素沈着をした皮膚のヒダである．

- 女性の尿道は，粘膜に粘液分泌腺をもった移行上皮に変化する多列円柱上皮が並ぶヒダ状の粘膜をもつ．尿道口の近くで，上皮は，非角化重層扁平上皮に変化する．筋層壁は，内層の平滑筋層（不随意括約筋）と外層の横紋筋層（随意括約筋）からなる．

23　受精，胎盤形成，乳汁分泌

キーワード　精子受精能獲得，先体反応，精子と卵子の融合，一次・二次・三次絨毛，胎盤，異常胎盤形成，妊娠性絨毛性疾患，乳腺，非活動期・活動期の乳腺，乳腺細胞系列，良性乳腺疾患と乳がん

受精 fertilization 中に一倍体の精子と卵子が融合して二倍体の接合子を形成する．**受精能獲得**（**キャパシテーション**）capacitaion した精子が，化学誘引物質により卵子に導かれてすぐに，結果的に生じる接合子を形成する．顆粒膜細胞層を通過して**透明帯** zona pellucida 上の精子受容体に結合すると，旅を終えた最初の精子が卵子との融合を成し遂げる．胚は，卵管に沿って進み，子宮への経路をみつけて，受容可能な子宮内膜に**着床** implantation して胎盤を形成することにより胎児の発達を確保する．母親は，妊娠中に授乳のために準備した**乳腺** mammary gland で産生された母乳によって，新生児に栄養を与える．本章では，前章で述べた雄性および雌性配偶子の形成後の3つの関連する過程についてまとめる．生殖過程と授乳のいくつかの構造的で機能的な特徴は，重要な臨床状態や病態と関連する．

受精

精子受精能獲得（図 23.1）

精子と卵子の融合が起こる前に，受精する精子は，**成熟**と**受精能獲得**を完了しなければならない．

精巣から放出され，精巣上体管に侵入した精子は**円運動** circular motion をする．精巣上体を通過中の2週間の**成熟過程** maturation process 後に，精子は受精に必要な成熟段階の**前進運動** forward motility を獲得する．

射精後，多数の精子が貯蔵部位である卵管峡部で**受精能獲得過程** capacitation process を経る．受精能獲得をした精子は，その後，貯蔵部位から受精が起こる卵管膨大部にいる卵子へ走化性と走熱性の両方によって導かれる．

受精能獲得は，体外で誘導でき，**体外受精** *in vitro* fertilization を可能にする．受精能獲得中：

1. 非共有結合した精巣上体と精嚢の糖タンパク質が，女性生殖路の分泌液により精子の細胞膜から減少する．
2. 細胞外の重炭酸イオンの精子への流入により，特異的なアデニル酸シクラーゼ（ADCY10）活性を刺激して，受精能獲得の**開始**に関与する細胞内のサイクリックアデノシン一リン酸（cAMP）レベルを最大にする．
3. 精子の細胞膜の Ca^{2+} の透過性が上昇する．Ca^{2+} の流入は，鞭毛の pH 感受性 **CatSper**（Cation Sperm：陽イオン精子を表す）Ca^{2+} チャネルにより可能になり（図 21.1），精子尾部の主部に始まり，数秒で精子頭部に到達する．
4. 精子細胞内の酸性 pH（pH6.5 より低い）が，**電位感受性プロトン（H^+）チャネル** voltage-sensitive proton channel（**Hv1**）からの H^+ の排泄により，アルカリ性の細胞内 pH（pH7.4）に変化する．精子の細胞内 pH の上昇は，受精能獲得を**完了**させる．

なぜ，Ca^{2+} 濃度の上昇とアルカリ性化が，精子の受精能獲得の達成に重要なのか？

Ca^{2+} 濃度の上昇が，精子頭部で開口分泌による**先体反応** acrosome reaction を引き起こし，アルカリ性化が，精子の**超活性化** hyperactivation（精子尾部の激しいうねり）の引き金になる．

先体反応と精子と卵子の融合（図 23.1，23.2）

受精は，精子が精巣上体で成熟を完了し，卵管で受精能獲得をすることを必要とする．次の段階が，先体反応である．

先体反応とは何か？

第 20 章で**精子頭部**には3つの構成成分があることを学んだ：

1. **濃縮し伸長した核**.
2. **先体軸** acroplaxome（訳注：先体後膜と核膜の間の構造物）に結合した**先体** acrosome.
3. **細胞膜** plasma membrane.

先体は，**先体外膜** outer acrosomal membrane と**先体内膜** inner acrosomal membrane によって区別される**嚢**である．

先体嚢 acrosome sac は，**加水分解酵素** hydrolytic enzyme（主に**ヒアルロニダーゼ** hyaluronidase と前駆体**プロアクロシン** proacrosin に由来する**アクロシン** acrosin）を貯蔵する．

先体嚢のとても薄い部位は，尾部に向かって伸長した，**赤道部** equatorial segment である（図 23.1）．先体の赤道部は，先体反応には関与しない．

3つの連続する現象が受精中に起こる：

1. **先体反応**.
2. 透明帯（ZP）の糖タンパク質である **ZP3 にある受容体への精子の結合**.
3. **精子－卵子融合** sperm-egg fusion（図 23.2）.

卵子の近傍で，遊離 Ca^{2+} の存在下において，**精子の細胞膜は先体外膜と融合する**．この現象は**先体反応**として知られる．

膜融合によってつくられた小孔により，加水分解酵素の放出が可能になる．**ヒアルロニダーゼ** hyaluronidase は，放線冠の顆粒膜細胞の細胞間隙中に存在するタンパク質を分解する．**プロアクロシン** proacrosin は**アクロシン** acrosin に変化し，受精中の精子が透明帯を通過できるようにする．

男性不妊症では，先体反応が起こらなかったり，**卵子** egg とよばれる卵母細胞に精子が到達する前に**先体反応**が起こる可能性がある．

透明帯を通過後，精子の細胞膜（先体後部の赤道部）と卵子の細胞膜が融合し，精子の核が卵子の細胞質に到達できるようになる．卵子の細胞質中への精子核の侵入は，**精子侵入** impregnation とよばれる．

どのように精子－卵子融合が起こるのか？

2種類の膜タンパク質が精子－卵子融合に必須と考えられている：

1. **Izumo1** は，免疫グロブリンスーパーファミリーのタンパク質で，精子細胞膜に挿入されている．
2. **Juno** は，卵子の細胞膜に存在する．

CD9 の存在下で，Izumo1 は Juno に結合し，精子－卵子融合

図 23.1 | 先体反応

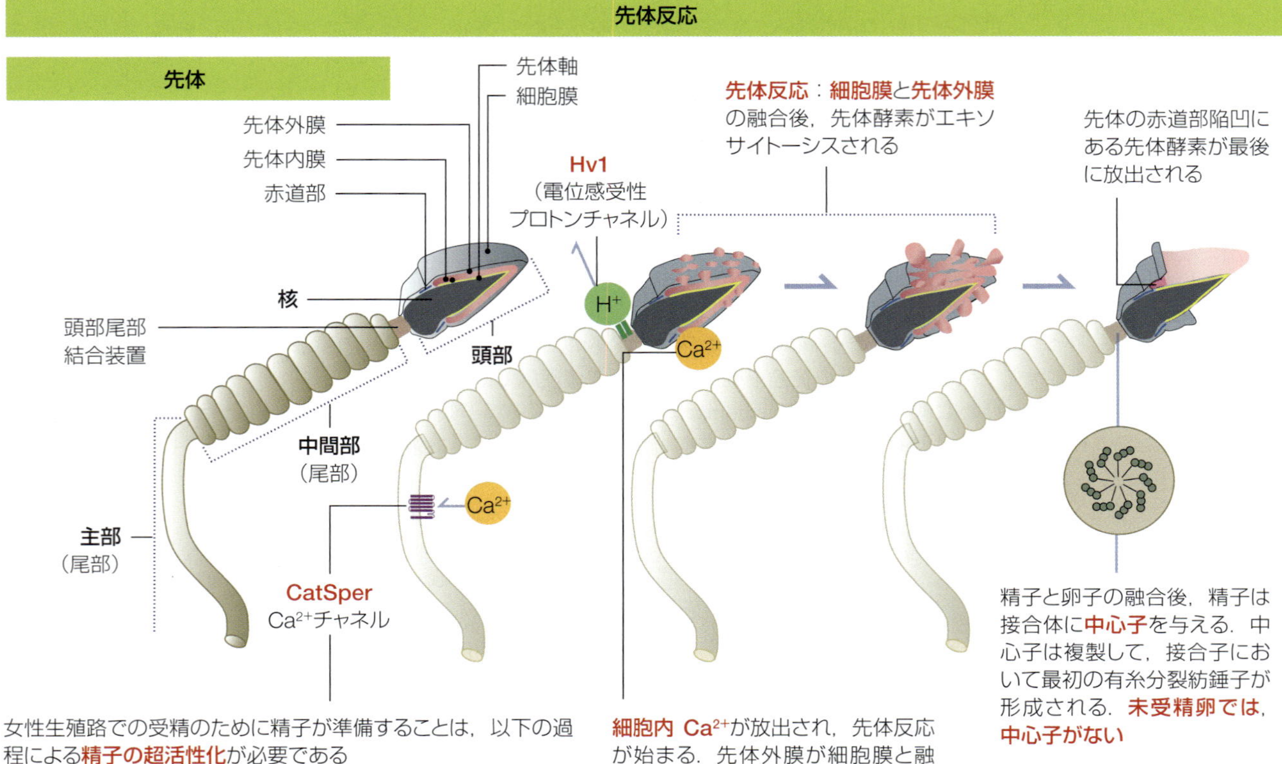

女性生殖路での受精のために精子が準備することは，以下の過程による**精子の超活性化**が必要である

1. **CatSper Ca^{2+}チャネル**を介するCa^{2+}の**流入**
2. 精子の細胞内アルカリ化と**電位依存性プロトンチャネル**である **Hv1** を介した精子の細胞内 Ca^{2+}レベルの制御である

細胞内 Ca^{2+}が放出され，先体反応が始まる．先体外膜が細胞膜と融合し，先体酵素の放出が開始される．膜融合はカルシウム依存性の過程である

を達成する．その後，Izumo1-Juno 複合体は，膜に結合した小胞に隔離され，囲卵腔に放出される．

この現象は，透明帯の分子組織の構造変化を伴い，他の精子の結合と融合，すなわち，多精子受精を阻害する．

CD9 は，膜タンパク質である**膜 4 回貫通型ファミリー** tetraspanin family の分子である（Box 23.A）膜 4 回貫通型ファミリーには 33 種類のタンパク質がある．それぞれ 4 つの膜ドメインをもつ．**ディスインテグリンとメタロプロテアーゼ** a disintegrin and metalloproteinase（ADAM）のような他のタンパク質も精子－卵子融合に関与するかもしれない．

第 1 章で，ADAM のディスインテグリンドメインが膜タンパク質の細胞外領域の切断にどのように関与するのかを学んだ．

精子－卵子融合は，卵子の細胞膜の局所の軽度脱分極を引き起こし，受精卵の細胞質に伝わる 5〜20 秒間の**カルシウムオシレーション** calcium oscillation を生み出す．カルシウムオシレーションにより，受精過程の 2 つの基本的な段階に関与する**卵子の活性化** oocyte activation が起こる（Box 23.B）：

1. **表層顆粒からタンパク質分解酵素オバスタシンの開口分泌**．この現象中に，顆粒が Izumo1-Juno 複合体を囲卵腔に放出するために形成される．
2. 二次卵母細胞は**第 2 減数分裂を完了する**引き金となる．第 2 極体が囲卵腔に放出され，二次卵母細胞が一倍体状態を獲得する．第 2 減数分裂の完了により，接合子として初期胚発生の発生プログラムを開始する．

新たに形成された胚の最初の紡錘糸をつくり出すために精子が**中心子** centrosome で貢献していることと**ミトコンドリア** mitochondria が受精卵に由来することを覚えておくこと．

受精に至る条件（図 23.2）

第 22 章で，一次卵胞期と同じような早期に透明帯の発達について学んだ．受精のところで透明帯を再検討している．

透明帯は，受精と子宮内膜への胚の着床に重要な役割をもつ．体外受精の実施により，不妊症の一種である，精子が透明帯を通過できないことを克服できる（Box 23.C）．

透明帯は，200kd の 2 量体の **ZP1**，120kd の **ZP2**，83kd の **ZP3** の 3 種類の糖タンパク質（図 23.2）からなる．ZP2 と ZP3 は，相互作用して，2 量体の ZP1 により一定間隔で相互連結した長い線維を形成する．

ZP3 に関連した 4 つの機能的側面があることを心に留めておく：

1. ZP3 は，精子の結合に重要で，精子受容体に結合アフィニティーをもった ZP3 に結合した ***O* 型オリゴ糖** *O*-oligosaccharide によって仲介される．
2. **先体反応をした精子だけが ZP3 と相互作用できる**．
3. **ZP3 は，種特異的な精子の結合に不可欠である**．ZP3 は，異種の精子による卵子の受精を抑制する．
4. 最初の精子が卵子と受精した後，卵子の表層顆粒から放出さ

図 23.2 ｜ 精子と卵子の融合（受精）

先体反応

細胞内ヒアルロン酸含有タンパク質

ヒアルロニダーゼが先体から放出される

1

放線冠

囲卵腔

卵子

表層顆粒

ZP タンパク質複合体

オリゴ糖

ZP3　ZP1 ダイマー　ZP2

表層顆粒のタンパク質分解酵素は，ZP3 からオリゴ糖を除去し，ZP2 を部分的に切断して，他の精子の結合を阻害する．

先体反応した精子だけが透明帯に侵入できる

アクロシンの不活性型前駆体である**プロアクロシン**が放出される

2

表層顆粒

1 放線冠に近接した精子は，**先体反応**を起こして，先体内容物を放出する．先体から放出された**ヒアルロニダーゼ**は，放線冠の顆粒膜細胞間にある**細胞間物質**を溶解する．

2 最初に透明帯に到達した精子は，透明帯の 3 つの糖タンパク質のうちの 1 つである **ZP3** に結合する．ZP3 に結合すると，先体内膜から**アクロシン**が放出される．**アクロシンは，精子の頭部による透明帯への侵入を促進する**．

精子と卵子の融合

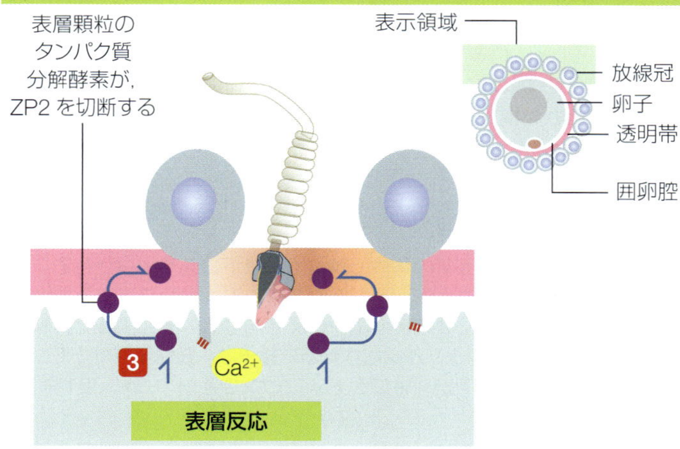

表示領域

放線冠

卵子

透明帯

囲卵腔

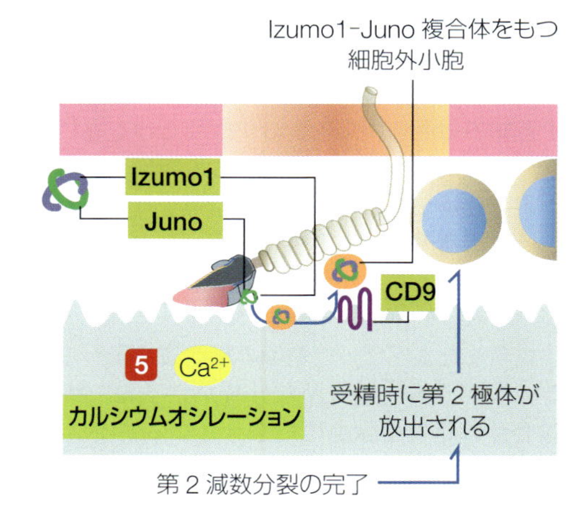

第 2 減数分裂の完了

3 最初に透明帯を通過した精子は，卵子の細胞膜と融合し，卵子の細胞膜の直下にある**表層顆粒に含まれるタンパク質分解酵素の Ca^{2+} 依存性のエキソサイトーシス**に関連する**卵子の活性化**を引き起こす．この過程は，**表層反応**とよばれ，多精子症を防止する．

4 精子タンパク質 **Izumo1** が，卵子タンパク質 **CD9** の存在下で卵子タンパク質 **Juno** と結合すると，細胞膜の融合が起こる．他のタンパク質が関与する可能性もある．多精子症を防ぐために，Izumo1–Juno 複合体は放出される．

5 精子の融合は，精子特異的ホスホリパーゼ C に反応して卵母細胞内のカルシウムオシレーションが引き起こす．**カルシウムオシレーション**は，卵母細胞の第 2 減数分裂を完了させる．

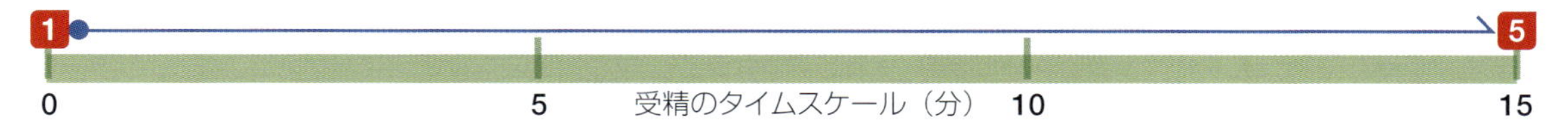

受精のタイムスケール（分）

れたタンパク質分解酵素のオバスタチンが，ZP3からオリゴ糖を除去して，部分的にZP2を切断する．この過程は，**表層反応** cortical reaction とよばれ，Izumo1-Juno複合体の除去と一緒に，多精を抑制する．多精では，結果的に生存できない接合子になる．オバスタチンは，メタロエンドプロテアーゼのアスタチンファミリーの卵母細胞特異的分子である．

まとめると，精巣上体での**精子の成熟** sperm maturation，女性生殖器官での**精子のキャパシテーション** sperm capacitation，排卵された二次卵母細胞の近傍での**先体反応**は，受精につながる一連の過程である．

精子は，卵管峡部の**貯蔵部位**に到達し，その一部がキャパシテーションを成し遂げる．精子は，**精子の運動能** sperm motility が助けとなり，また同様に，膣，頸部，子宮の**筋収縮能の波**による受動的な誘因で卵管に到達する．

受精は，卵管膨大部で起こる．

次に挙げるものにより，精子は卵子に誘導される：

1. 卵管液中に存在し，透明帯に固定された卵と顆粒膜細胞に由来する化学誘因物質の**濃度勾配** chemoattractant gradient.
2. （精子の）貯蔵部位（34.7℃）と受精部位（36.3℃）の間の**温度勾配** temperature gradient
3. 卵管壁の収縮.

受精精子が受精中に直面する2つのバリアは，**放線冠** corona radiata と**透明帯**である（図23.2）．先体反応後に放出された酵素により，精子はこれらのバリアを通過できる．受精の最終段階は，**精子と二次卵母細胞の細胞膜の融合**である．2つの細胞膜タンパク質，精子の**Izumo1**と卵母細胞の**Juno**により，精子-卵融合が達成する．

第20章で学んだことを思い出すと，精子の濃縮した染色質は，ヌクレオソームを欠いている．体細胞性ヒストンは，精子完成中にプロタミン複合体によって置換される．そのため，接合子は，卵子と精子の前核の染色質の状態における違いを解決する必要があり，次に挙げることを確認する．

1. 第1有糸分裂が起こる．
2. 胚子は，**接合子ゲノム活性化** zygotic genome activation とよばれる過程により，胚発生の遺伝子発現を十分に制御することができる．

以前に説明したように，受精卵の細胞質を伝わる**カルシウムオシレーション**により，第2減数分裂が完了し，精子前核のプロタミン複合体の急速な除去の引き金となる．DNAは，卵子由来の体細胞性ヒストンによって再び包まれる．

最後の要点として，胚子では，広範なエピジェネティクスリプログラミング（**DNAの脱メチル化** DNA demethylation を含む）が起こることを思い出してほしい（第20章参照）．この変化は，接合子が**全能性** totipotency を獲得するのに必要である．すなわち，全能性とは，**接合子が成人でみられるすべての特殊化した細胞に分化できる能力をいう**．細胞系譜特異的な転写因子の発現が，**胚盤胞** blastocyst で開始し，このとき，外側の**栄養膜** trophoblast と多能性の**内細胞塊** inner cell mass が，細胞のアイデンティティを獲得する．

胚盤胞の着床（図23.3）

妊娠4日に，胚盤胞は子宮腔内にある．卵巣からのエストロ

Box 23.A | テトラスパニン

- テトラスパニンは，ヒトの白血球表面で最初に発見され，4つの膜貫通ドメイン，（大小）2つの細胞外ループ，短い細胞内のN末端とC末端をもつ．テトラスパニンは，インテグリン，免疫グロブリンスーパーファミリーの受容体，メタロプロテアーゼのような特異的タンパク質と相互作用をする．
- 膜貫通ドメインは，インテグリンが含まれるテトラスパニンネットワークを形成するために，他のテトラスパニンとの連携を可能にする．大きな細胞外ループは，外側に局在するタンパク質とのタンパク質-タンパク質の相互作用に関与する．短い細胞内テールは，細胞内の細胞骨格やシグナル分子と結合する．
- ADAM10（ディスインテグリンとメタロプロテアーゼ10シェダーゼ）は，テトラスパニン（TSPAN）C8サブグループの6つのテトラスパニン（TSPAN5，TSPAN10，TSPAN14，TSPAN16，TSPAN17，TSPAN33）のよく知られた結合パートナーである．それらは，大きな細胞外ループが8つの保存されたシステイン残基を含むのでそのように命名される．

Box 23.B | 卵母細胞の活性化

- 卵母細胞の活性化は，受精過程における重要なステップである．
- 卵母細胞の活性化は，表層顆粒の開口分泌と卵母細胞の減数分裂の再開を含む．
- 卵母細胞の活性化は，精子-卵子融合の直後に開始する Ca^{2+} オシレーションよって特徴づけられる細胞内 Ca^{2+} の上昇に関連する．
- 活性化した卵細胞内の Ca^{2+} オシレーションの原因となる仲介分子は，精子特異的ホスホリパーゼC，精子特異的ホスホリパーゼC-ζ（ゼータ，PLC-ζ）である．
- 精子のPLC-ζの構造，機能的能力，局在の異常は，卵母細胞の活性化が欠損するヒトの男性因子によるある種の不妊症と関連する．

Box 23.C | 体外受精

- ヒトの精子と卵子の体外受精には，以下のステップがある．ゴナドトロピン放出ホルモンと卵胞刺激ホルモンの投与による卵巣刺激後に，腹腔鏡または超音波画像の経膣的なガイドによって排卵前期卵子（約10個以上）が採取される．卵子は，黄体形成ホルモンの急増を模倣するヒト絨毛性ゴナドトロピンの注射の34～38時間後に採取される．
- 卵子は，体外受精を獲得するため，規定の培養液で運動性のある精子と一晩培養する．その後，胚は患者に移植することができる．
- 別の方法として，高度の男性不妊症の要因がある場合には，顕微授精（ICSI）により，精子を卵子に注入することも可能である．
- 無精子症（精液中に精子が存在しない）の場合，精子は，精巣上体や精巣から手術で採取し，ICSIに使用される．
- 着床前遺伝子診断として知られる方法で，胚は，遺伝子や染色体異常の有無を体外で検査できる．試料は，胚の割球，栄養膜の一部，あるいは卵子の極体でもありうる．影響を受けない胚は，その後患者に移植することができる．
- 余剰な胚は，後で使用するために液体窒素で凍結保存することができる．胚盤胞前の胚にはプロパンジオールまたはジメチルスルホキシドを，胚盤胞にはグリセロールを凍結保護剤として使用できる．

図 23.3 | 胚盤胞の着床

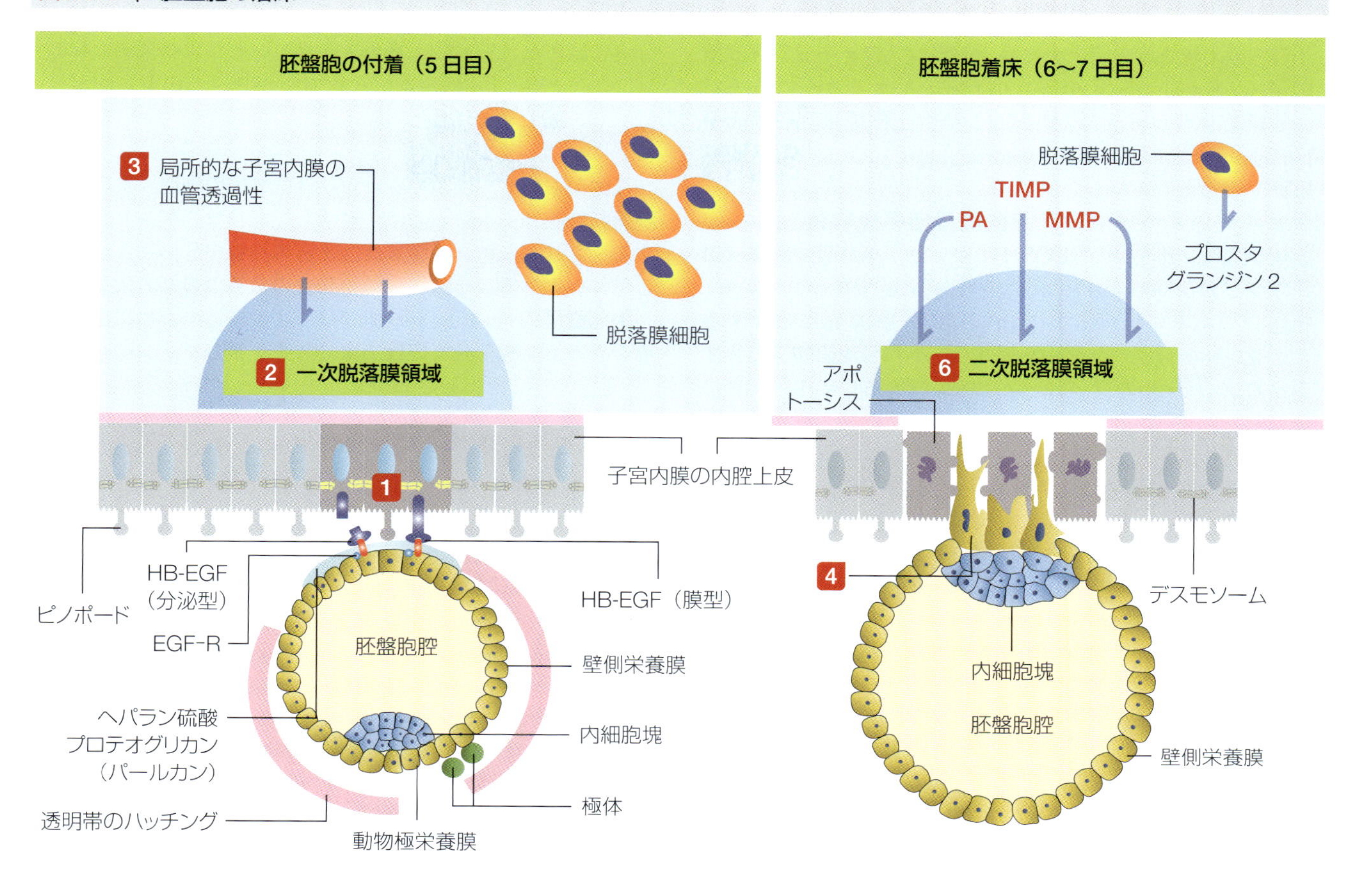

1 胚盤胞の着床部位で，子宮内膜細胞は，**ヘパラン硫酸プロテオグリカン**と結合する**ヘパリン結合型上皮成長因子様因子**（HB–EGF）と，栄養外胚葉表面の **EGF 受容体**（EGF–R）を発現する．

膜結合型あるいは，分泌型 HB–EGF が EGF–R に結合すると，受容体の自己リン酸化が誘導される．子宮上皮細胞の頂上部には**ピノポード**とよばれる微小突起があり，動物極栄養膜細胞の頂部面にある微絨毛と相互作用をする．

2 脱落膜細胞は上皮様になり，増殖して，**一次脱落膜領域**が発達する．フィブロネクチン，ラミニン，エンタクチン，I 型，III 型，IV 型，V 型コラーゲンが一次脱落膜領域の成分である．

骨形成タンパク質–2 および–7，線維芽細胞成長因子–2，Wnt–4，ヘッジホッグファミリーのタンパク質が発現する．

3 **局所の血管透過性**が，着床部に認められる．

4 動物極栄養膜細胞の突起が，アポトーシスをする子宮内腔細胞の間に貫通する．

5 デスモソームの数が減ると，胚の侵入が容易になる．

6 **二次脱落膜領域**は，一次脱落膜領域を置換する．マトリックスメタロプロテアーゼ（**MMP**），MMP の組織阻害剤（**TIMP**），プラスミノゲン活性化因子（**PA**）および阻害剤が，**プロスタグランジン 2** の存在下で，**脱落膜領域の再形成**を制御する．

通常の着床部位は，子宮後壁の子宮内膜で，子宮頸部よりも子宮底部に近い部位である．

ゲンとプロゲステロンの共同作用により，着床部位における**子宮内膜の血管透過性**の増加を含めて，すでに着床に適した状態に整えられている（Box 23.D）．

妊娠 5 日に，**胚盤胞は透明帯からハッチング**（**孵化**［訳注：透明帯から胚が脱出すること］）して，子宮内膜に**動物極栄養膜** polar trophoblast を露出する．もし透明帯のハッチングが起こらなければ，胚子は着床しない．

着床する胚子に対して子宮内膜が**受け入れ可能な期間**は，**着床窓** implantation window とよばれ，4 日間続く（生殖周期の 20〜23 日目）．

胚盤胞の着床には，以下の段階が含まれる（図 23.3）：

1. 子宮内膜表面に対する胚盤胞の最初の**不安定な接着**は，**胚の対立**とよばれる．**胚の対立**の後で，より**安定な接着**の期間が続く．
2. 子宮内膜間質の**脱落膜化** decidualization．子宮間質の脱落膜化不全は，自然流産につながる可能性がある．

胚子の着床には，栄養膜細胞と**受容能のある子宮内膜**との相互作用が必要である．

受容能のある子宮内膜と浸潤する栄養膜細胞は，次に挙げる状態を示す：

1. 子宮内膜上皮細胞の頂上表面は，**トランスフォーミング成長因子-α** transforming growth factor-α ファミリーの分子である膜結合型と可溶型の**ヘパリン結合上皮成長因子様因子** heparin-bound epidermal growth factor-like factor（**HB-EGF**）で覆われている．
2. 栄養膜細胞の表面には，**上皮成長因子受容体** epidermal growth factor receptor（**EGF-R**）があり，**ヘパラン硫酸プロテオグリカン** heparan sulfate proteoglycan で覆われている．膜結合型あるいは可溶型の HB-EGF が EGF-R に結合すると，受容体の自己リン酸化を促進し，**ヘパラン硫酸プロテオグリカン**（**パールカン** perlecan ともよばれる）を HB-EGF に強く結合させる．胚の対立と胚盤胞と子宮内腔上皮との結合が確立される．

その後，栄養膜細胞の細胞突起が，**ピノポード** pinopode，すなわち，子宮内膜上皮細胞の頂上表面にある小突起と相互作用する．子宮内膜の上皮細胞にあるデスモソームの数が減少して**アポトーシス** apoptosis に陥るので，栄養膜細胞の突起が，子宮内膜上皮細胞間の細胞間隙に侵入する．

覚えていると思うが，子宮内膜間質の線維芽細胞が，月経周期の分泌期に**脱落膜化** decidualization する．

この**一次脱落膜領域** primary decidual zone が，マトリックスメタロプロテアーゼにより，着床する胚子を収容して保護する**二次脱落膜領域** secondary decidual zone に再構築される．

栄養膜の分化（図 23.3，23.4）

着床してすぐに，**栄養膜**は 2 種類の細胞層に分化する（図 23.3）：

1. 有糸分裂が盛んな**単核の栄養膜細胞層の細胞** mononucleated cytotrophoblast cell の内層．
2. 胎児極において子宮内膜に面している，**多核の栄養膜合胞体層の細胞** multinucleated cytotrophoblast cell の外層．栄養膜合胞体層の細胞は，栄養膜細胞層の細胞が融合して生じる．

栄養膜合胞体層は，**タンパク質分解酵素**を産生し，一次脱落膜を通過して，胚盤胞全体が，子宮内膜によってすぐに取り囲まれる．子宮筋層の端にある子宮内膜の浸潤は，**間質浸潤** interstitial invasion とよばれる．

胚盤胞は，液体を含んだ腔と，胚子とある種の胚外組織をつくり出す偏在する**内細胞塊** inner cell mass をもつ．

壁側栄養膜 mural trophoblast 細胞は，内細胞塊の近位にあり，絨毛膜嚢を形成し始める．**絨毛膜嚢** chorionic sac は，2 種類の構成成分，**栄養膜**と裏打ちする**胚外中胚葉**からなる．

栄養膜合胞体層から分泌されたタンパク分解酵素が，子宮のラセン動脈の分枝を侵食して，栄養膜合胞体の細胞塊中の母体血の空隙，あるいは，**裂孔** lacunae を形成する（図 23.4）．

子宮内膜血管浸潤 endovascular invasion とよばれる子宮内膜の浸潤現象は，**原始子宮胎盤循環** primitive uteroplacental circulation の開始を示す．

脱落膜化は，子宮のラセン動脈の浸潤を調節することにより，栄養膜細胞が母体からの栄養を規則正しく利用できるようにさせる．

栄養膜合胞体層 syncytiotrophoblast は，**ヒト絨毛性ゴナドトロピン** human chorionic gonadotropin（**hCG**）を母体の裂孔中に分泌し始める．黄体によるエストロゲンとプロゲステロンの分泌は，このとき，LH に相当する hCG の制御下にある．

着床時に免疫防御する脱落膜

母体側おいて，浸潤する栄養膜合胞体層の細胞の集団の近くで**脱落膜細胞** decidual cell は，崩壊してグリコーゲンと脂質を放出する．グリコーゲンと脂質は，子宮内膜腺の分泌物と裂孔における母体血が一緒になって，胚子発達のための最初の栄養になる．

脱落膜反応 decidual reaction は，胚子発達のために免疫防御環境を与える．脱落膜反応は，次のことを含む：

Box 23.D | 移植のスケジュール

- **受精**は，排卵後 24〜48 時間以内に卵管で起こる．
- 透明帯に囲まれた胚が卵管内を移動しながら，**接合子** zygote とよばれる受精卵の発達は，**桑実胚期** morula stage まで起こる．桑実胚は，**割球**とよばれる小型の胚細胞を含む．
- 桑実胚は，受精後約 2〜3 日で子宮腔に現れる．
- 胚は**胚盤胞**になり，子宮腔に入ってから 72 時間後に透明帯からハッチング（孵化）して子宮壁に着床する．
- 着床は，受精後 6 日か 7 日目に起こる．着床には，2 つの段階がある：(1)子宮内膜表面への胚盤胞の**付着**と(2)侵入する**栄養膜細胞**を介した胚盤胞の**着床**である．
- 受精後 10 日目までに，胚盤胞は受容された子宮内膜に完全に埋没する．**子宮の受容性**は，通常の 28 日月経周期の 20〜24 日目に相当し，胚盤胞の着床に最適な子宮内膜の成熟状態と定義される．子宮の受容性は，血管性で浮腫性の子宮内膜間質，分泌性子宮内膜腺，子宮内膜を覆う内腔細胞の先端領域にある頂上部微細突起である**ピノポード**から構成されている．
- 分化した栄養膜合胞体層の細胞は，局所の子宮血管に侵入する（**子宮内膜血管浸潤**）と同時に，一次脱落膜に侵入する（**間質浸潤**）．
- 栄養膜合胞体層の細胞が母体の血管壁に浸潤して，**子宮胎盤循環**が確立される（Box 23.E）．

Box 23.E | 栄養膜細胞

- 胚盤胞は，2 つの異なる細胞集団をもつ．(1)胚盤胞を取り囲む**栄養外胚葉**に由来する**栄養膜細胞**と，(2)胚を生み出す**内細胞塊**である．
- 栄養膜細胞（栄養膜細胞層と栄養膜合胞体層の細胞の総称）は，常に絨毛膜絨毛の間充織と胎児の毛細血管を覆う胎児細胞の最外層である．
- 母体の血管壁は，栄養膜細胞が浸潤し，破裂している．母体血は，絨毛間腔に放出され，絨毛膜絨毛の外層（栄養膜合胞体層の細胞）は，血液の入った容器中のスポンジのように母体血に浸される．
- **絨毛外栄養膜細胞層の細胞**は，絨毛間腔に低圧で血液を運ぶ，**子宮のラセン動脈**（図 23.5）の内皮と中膜と置き換わる．基底直動脈は，これらの変化に関与しない．
- 絨毛外栄養膜細胞層の細胞による子宮のラセン動脈壁の置換が不完全であると，転換した動脈の発達が不十分になり，血流が不足する．
- 絨毛膜絨毛樹の分枝の発育低下や，胎児の成長が制限された場合に，**子癇前症**が起こる．

図 23.4 ｜ 一次と二次絨毛膜絨毛

胚盤胞（8 日目）

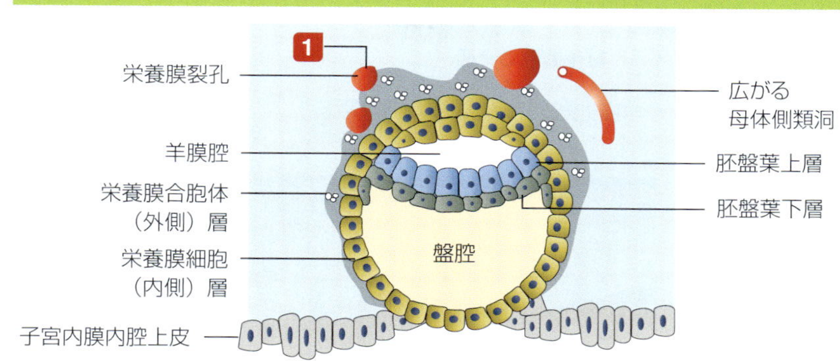

1 栄養膜合胞体層の中に**栄養膜間隙**が現れる．栄養膜合胞体層の近くにある母体側の血管が広がり，**母体側類洞**を形成する．

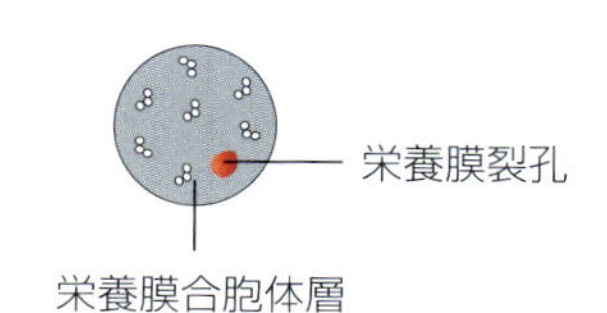

一次絨毛（10 〜 13 日目）

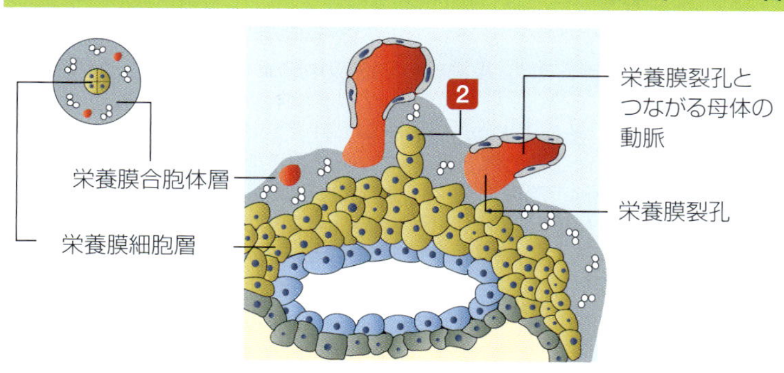

栄養膜合胞体層は，子宮内膜に侵入し，**栄養膜裂孔**を形成する母体の血管に浸潤して相互に接続した索状のネットワークを形成する．拡大した子宮のラセン動脈は，栄養膜裂孔とつながる．

2 **栄養膜細胞層の細胞**は，栄養膜合胞体層のネットワークに侵入する．

栄養膜細胞層の芯が，**多核の栄養膜合胞体層中に陥入する**と，**一次絨毛**が形成される．

二次絨毛（16 日目）

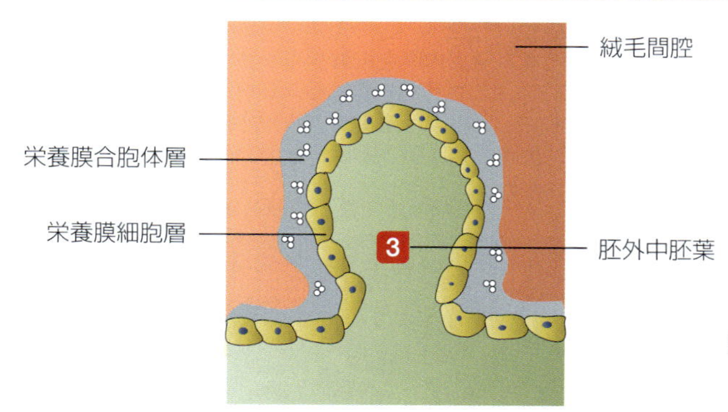

3 胚外中胚葉は，一次絨毛に陥入して**二次絨毛**になる．

二次絨毛は，（1）**胚外中胚葉の内核**，（2）**栄養膜細胞層の中間層**，（3）**栄養膜合胞体層の外層**からなる．

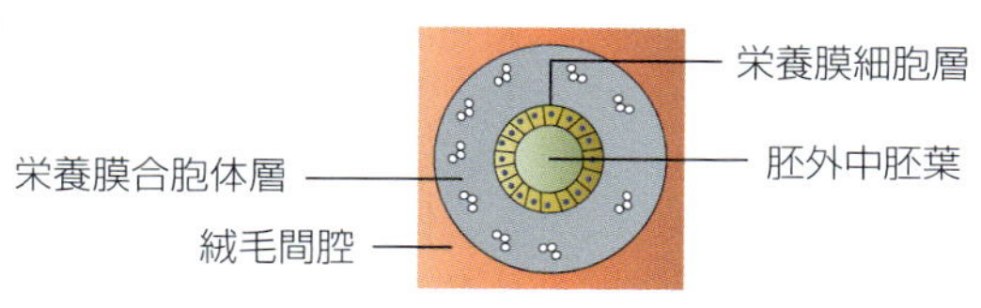

1. 着床部位における**ナチュラルキラー細胞**の活性化を抑制するため，脱落膜細胞による免疫抑制物質（主として**プロスタグランジン**）の産生．
2. 母体組織が着床した胚子の拒絶を防ぐために**インターロイキン -2** interleukin-2 を分泌する子宮内膜間質の浸潤したリンパ球．

栄養膜合胞体層は，**主要組織適合抗原（MHC）クラス II** major histocompatibility complex（MHC）class II を発現しない．それゆえ，栄養膜合胞体層は，母体由来の CD4$^+$T 細胞に抗原を提示できない．

一次絨毛，二次絨毛，三次絨毛（図 23.4，23.5）

発生第 2 週末に，栄養膜細胞層の細胞は，胚外中胚葉の影響下において細胞増殖をし，栄養膜合胞体層中に伸長して**絨毛**を形成する．

3 種類の異なる**絨毛膜絨毛**あるいは**胎盤絨毛**がある：

1. **一次絨毛** primary villi.
2. **二次絨毛** secondary villi.
3. **三次絨毛** tertiary villi.

一次絨毛（図 23.4）は，胎盤の**絨毛膜絨毛** chorionic villi の発達における第 1 段階を表す．**一次絨毛**は，栄養膜合胞体層で覆われた栄養膜細胞層の細胞からなる芯によって形成される．

図 23.5 | 三次絨毛膜絨毛（発生第 3 週，後半）

三次絨毛（第 3 週の終わり）

絨毛外栄養膜細胞層の細胞は，絨毛を母体の脱落膜に結合し，また，子宮のラセン動脈を転換させる

子宮内膜

子宮のラセン動脈

血流の方向

栄養膜合胞体層

栄養膜細胞層

絨毛間腔は，ラセン動脈由来の母体血液を含み，栄養膜合胞体層の細胞により全体的に覆われる

絨毛の芯の中にある胎児の毛細血管

胚外中胚葉（絨毛の芯）

胎児の毛細血管

絨毛間腔

発生第 3 週の初めに，**胚外中胚葉**が**一次絨毛**に伸長して，**二次絨毛**を形成する（図 23.4）．

二次絨毛は，内側の栄養膜細胞層と外側の栄養膜合胞体層により覆われた胚外中胚葉からなる芯で構成される．

直後に，胚外中胚葉の細胞が毛細血管と血液細胞に分化して，**三次絨毛**が発達する．

三次絨毛（図 23.5）は，内側の栄養膜細胞層と外側の栄養膜合胞体層により覆われた，毛細血管を伴った胚外中胚葉からなる芯によって形成される．二次絨毛と三次絨毛の違いは，後者に毛細血管が存在することである．三次絨毛の毛細血管は，互いに連結して**動脈毛細血管網** arteriocapillary network を形成し，胚子の心臓につながる．

胎盤の構造（図 23.6，23.7）

胎盤と胚子－胎児膜（**羊膜** amnion，**絨毛膜** chorion，**尿膜** allantois，**卵黄嚢** yolk sac）は，胚子－胎児を保護して，発達中の栄養，呼吸，分泌，ホルモン産生を供給する．胚子－胎児膜は，胚子によって形成される．

成熟した胎盤（図 23.6）は，厚さ 3 cm，直径 20 cm，重さ約 500 g である．

胎盤の**胎児側** fetal side は，平滑で，羊膜と関連する．

胎盤の**母体側** maternal side は，基底脱落膜に由来して絨毛膜

図 23.6 | 胎盤の構造の概要

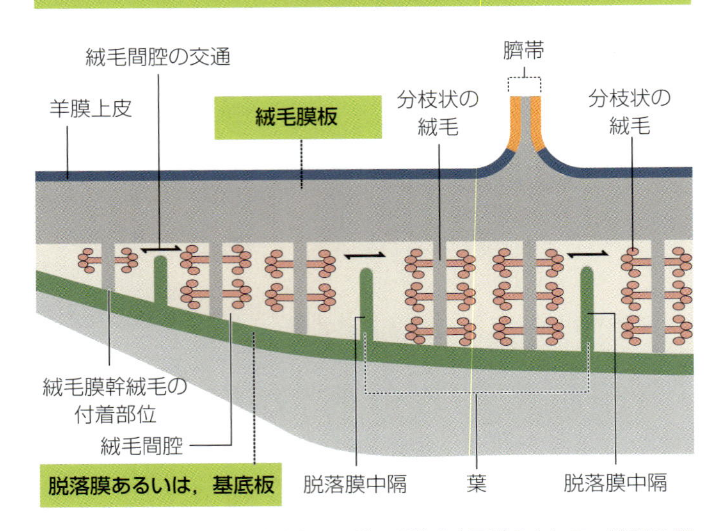

図は，胎盤の構造と機能をより詳しく説明する導入として，胎盤の関連するいくつかの側面を示している．以下の点に注意する：

1. 胎盤は，胎児部分，**絨毛膜板**と母体部分，**脱落膜あるいは，基底板**からなる．絨毛膜板は，胎児側が羊膜上皮で覆われており，臍帯血管の主な分枝は結合組織の間質を占めている（図示していない）．
2. 胎児側では，絨毛膜絨毛は，**絨毛膜板**（胚外中胚葉由来）に付着している．母体側では，絨毛膜幹絨毛の主要な幹は，脱落膜あるいは，基底板に付着する．
3. 胎盤の母体表面は，**絨毛膜間腔**に伸びるが，絨毛膜板には達しない**脱落膜の中隔**によって互いに分けられた葉からなる．そのため，絨毛膜絨毛の枝分かれや絨毛間腔の血液は，中隔を越えて隣接する**葉**に入ることができる．
4. **胎盤絨毛**は，子宮内膜を栄養するラセン動脈を通って絨毛間腔に入る母体の血液にさらされている．母体の血液（絨毛間腔内）と胚・胎児の血液（絨毛の毛細血管中）の交換は，絨毛を覆う栄養膜細胞層と栄養膜合胞体層の細胞を通って生じる．

胎盤の血管造影の X 線写真

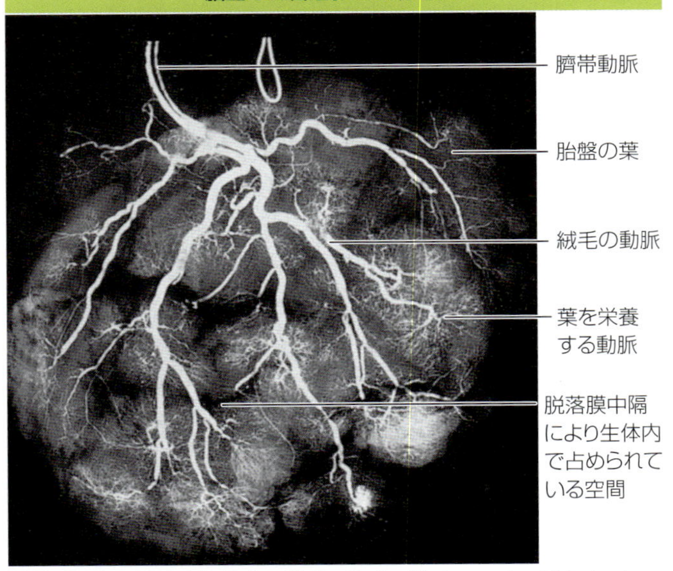

写真：England MA: Life Before Birth. 2nd editi. Lonondon：Mosby；1996 より．

図 23.7 | 子宮と胎児層と胎膜

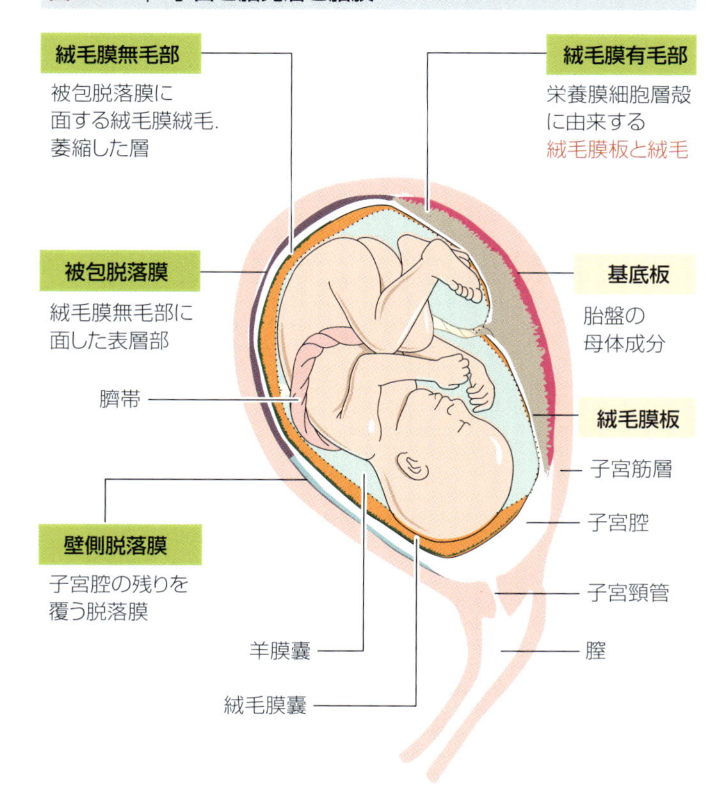

板に向かって伸びる**胎盤中隔** decidual septa によって 10 個かそれ以上の**葉**に部分的に分けられる．胎盤中隔は，絨毛膜板とは融合しない．それぞれの葉は，10 個かそれ以上の幹絨毛とその分枝を含む．

長さ 50〜60cm，太さ 12mm で，捻じれた**臍帯** umbilical cord は，絨毛膜板と連結し，（**脱酸素化した**血液を運搬する）**2 本の臍帯動脈** umbilical artery と（**酸素が豊富な血液**を運搬する）**1 本の臍帯静脈** umbilical vein を含む．

臍帯の血管は，**ワルトンゼリー**Wharton's jelly とよばれる**胎児性結合組織** embryonic connective tissue によって取り囲まれている（第 4 章参照）．胎児性結合組織は，捻れや圧縮を防ぐことによって安定した血流を確保するため，臍帯の血管の衝撃を和らげる．臍帯は羊膜上皮により覆われる．

新生児の何本かの（新生児から切除した後の）臍帯静脈から集めた血液は，造血幹細胞を含む**幹細胞** stem cell を含んでいて，白血病，リンパ腫，貧血の患者への移植に役立つ．

基底脱落膜と絨毛膜（図 23.7）

胎盤は，**母体成分** maternal componen の**脱落膜**と胎児成分の**絨毛膜** chorion からなる．

脱落膜 decidua（ラテン語 *deciduus*［= falling off，落ちること：出生時に脱落する組織］）は，妊娠子宮の子宮内膜である．

発達中の胎児との関係にしたがって名づけられた**3 つの領域の脱落膜**がある．

1. **基底脱落膜** decidua basalis は，胎盤の母体成分である．基底脱落膜に面している絨毛膜絨毛は，高度に発達し，**絨毛膜有毛部** chorion frondosum（**繁生絨毛膜** chorion frondosum）を形成する．
2. **被包脱落膜** decidua capsularis は，発達中の胎児とその絨毛膜嚢を覆う表層である．
3. **壁側脱落膜** decidua parietalis は，胎児によって占められていない子宮腔を覆う脱落膜の残りの部分である．

胎児成分 fetal component は**絨毛膜**で，**絨毛膜有毛部**，すなわち，**絨毛膜板** chorionic plate と**絨毛膜絨毛**により表される．

被包脱落膜に面している絨毛膜絨毛は萎縮して，結果的に**絨毛膜無毛部** chorion laeve（**平滑絨毛膜** smooth chorion）を形成する．

母体成分と胎児成分の間にある**絨毛間腔** intervillous space には，循環母体血が含まれる．動脈血は，栄養膜細胞層が転換したラセン動脈の開口部に由来し，絨毛間腔に流入する．血液は，子宮静脈中に還流する．

絨毛を脱落膜に固定する絨毛外栄養膜細胞層の細胞は，母体のラセン動脈壁に浸潤し，内皮細胞と置換して，取り囲む平滑筋細胞のアポトーシスを促進する．栄養膜細胞層の細胞は，徐々に内皮型細胞に変化して，**血管再構築が絨毛間腔への血流を制御する**．

胎盤血循環（図 23.6，23.8）

胎盤の主要機能は，妊娠中の栄養と水の交換を仲介するために母体と胎児の血管床間に血管系の接点を与えることである．**血液漿膜胎盤** hemochorial placentation は，ヒトでみられる種類の胎盤であり，母体血が血管内皮細胞の代わりに分化した栄養膜細胞と直接接触する．

胎盤 placental の血液循環は，2 つの関連する特徴をもつ：

1. **胎児血循環** fetal blood circulation は，**閉鎖系**（血管内に留まる）である．
2. **母体血循環** maternal blood circulation は，**開放系**（血管に留まらない）である．

母体血は，栄養膜細胞層の細胞栓により調節されて，減圧されて絨毛間腔に入り，絨毛間腔内の終末分岐した絨毛で胎児血と交換した後，臍帯静脈を通って戻る．

臍帯静脈は，**内皮下弾性板** subendothelial elastic lamina をもつが，**2 つの臍帯動脈は弾性板を欠く**．

臍帯静脈は，80％酸素化した胎児血を運ぶ．胎児血の酸素分圧は低い（20〜25mmHg）が，器官血流において豊富な心拍出量があり，胎児赤血球において高い酸素飽和度を伴う高いヘモグロビン濃度により，胎児に適切な酸素を供給できる．

臍帯動脈 umbilical artery **は，脱酸素化した胎児血を胎盤に戻す**．

胎児循環 fetal circulation には，3 つの循環シャントがあることを思い出してほしい：

1. **静脈管** ductus venosus は，胎盤からの血液が肝臓を迂回する．
2. **動脈管** ductus arteriosus と**卵円孔** foramen ovale は，血液が発達中の肺を迂回する．

胎盤の発達異常は，胎児と胎盤に酸素と栄養を運ぶのに必要な胎盤の血管と血流の減少に関連する．胎盤の障害は，一般的に**虚血**か**非虚血**により分類される．

絨毛外栄養膜細胞層の細胞による子宮のラセン動脈の血管再構

図 23.8 | 臍帯静脈と臍帯動脈の違い

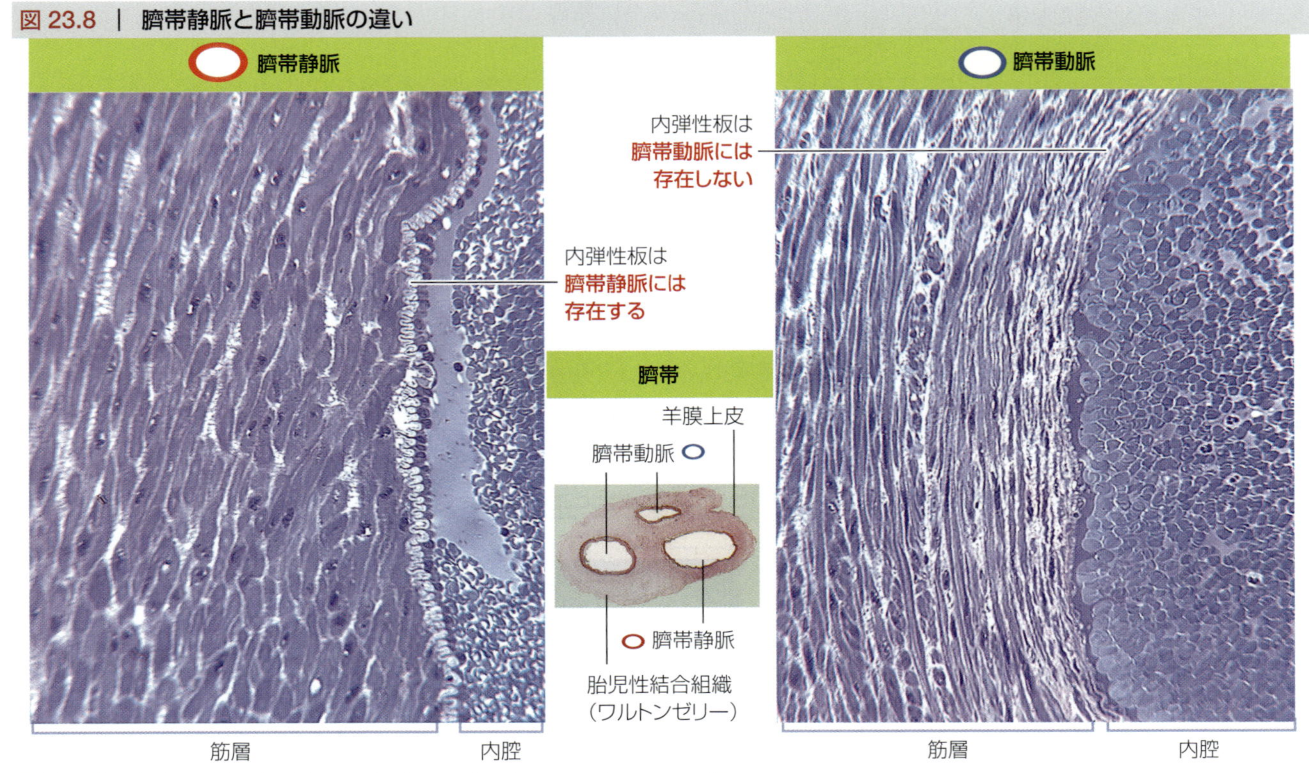

臍帯の写真：England MA: Life Before Birth, 2nd edition, London：Mosby；1996.

築は，高抵抗性血管から高容量をもった低抵抗性血管に転換することによる正常の母体血流を確保するために必要である．

虚血性胎盤疾患は，異常な血管再構築を含む．なぜなら，それは胎盤（と結果的に胎児）への総血流を減少させ，あるいは，浮遊する絨毛膜絨毛において障害効果を伴って絨毛間腔内でせん断力を減少できないからである．

絨毛膜絨毛の構造（図 23.9〜23.12）

絨毛膜絨毛は，母体－胎児物質交換に関与する．絨毛膜絨毛は，絨毛膜板に由来し，**幹絨毛**から形成されて，絨毛分枝を生じる．

胎盤の組織切片を観察すると，絨毛分枝に相当する絨毛の断面を可視化できる．また，幹絨毛の縦断面をみられるかもしれない．

それぞれの絨毛（図 23.10）は，**間質の結合組織** mesenchymal connective tissue と**胎児の血管** fetal blood vessels（細動脈，毛細血管，細静脈）の芯をもつ．

間質の芯は，2 種類の主要な細胞を含む（図 23.11）：

1. **間質細胞** mesenchymal cell は，**線維芽細胞** fibroblasts に分化し，さまざまな種類のコラーゲン（I，III，V，VI 型）と細胞外マトリックスの産生に関与する．

ホフバウエル細胞 Hofbauer cell は，**妊娠初期**に豊富に存在する貪食細胞である（訳注：絨毛マクロファージという名称が提唱されている）．

胎児血管は，**胎盤関門** placental barrier によって絨毛間腔の母体血と隔絶されている．胎盤関門は，次に挙げる成分により形成される（図 23.12）：

1. **栄養膜細胞層の細胞** cytotrophoblast cell と**栄養膜合胞体層の細胞** syncytiotrophoblast cell および支持する**基底板** basal lamina.
2. **血管内皮細胞** endothelial cell と**胎児の毛細血管の基底板**.

間質の芯は，2 種類の細胞で覆われる：

1. **栄養膜合胞体層の細胞** syncytiotrophoblast cell は，絨毛間腔の母体血と接触する．栄養膜合胞体層の細胞の頂上面には，絨毛間腔に伸びる無数の**微絨毛** microvilli がある．
2. **栄養膜細胞層の細胞** cytotrophoblast cell は，栄養膜合胞体層と接しており，基底板で支持される．栄養膜細胞層の細胞は，**デスモソーム** desmosome により相互に，また，裏打ちする栄養膜合胞体層の細胞と連結する．

フィブリン沈着物 deposits of fibrin **は，栄養膜合胞体層を欠く領域の絨毛表面によくみられる．**

妊娠 4ヵ月後，胎児の血管は拡張して，上皮下の基底板と直接着するようになる（図 23.11）．

栄養膜細胞層の細胞は，細胞数が減少して，栄養膜合胞体層の細胞が優位になる．この変化が，母体－胎児物質交換能を促進する．

まとめると，早期胎盤 early placenta の絨毛膜絨毛は，2 種類の異なる栄養膜細胞層と栄養膜合胞体層からなる．

ホフバウエル細胞は，間質で優位になる．**後期胎盤** late placenta では，栄養膜合胞体層は，異なる集団，**栄養膜合胞体細胞集団** syncytiotrophoblast knots（図 23.9）とよばれるものを形成し，栄養膜細胞層は数を減少する．

図 23.9 | 胎盤の解剖学と組織学

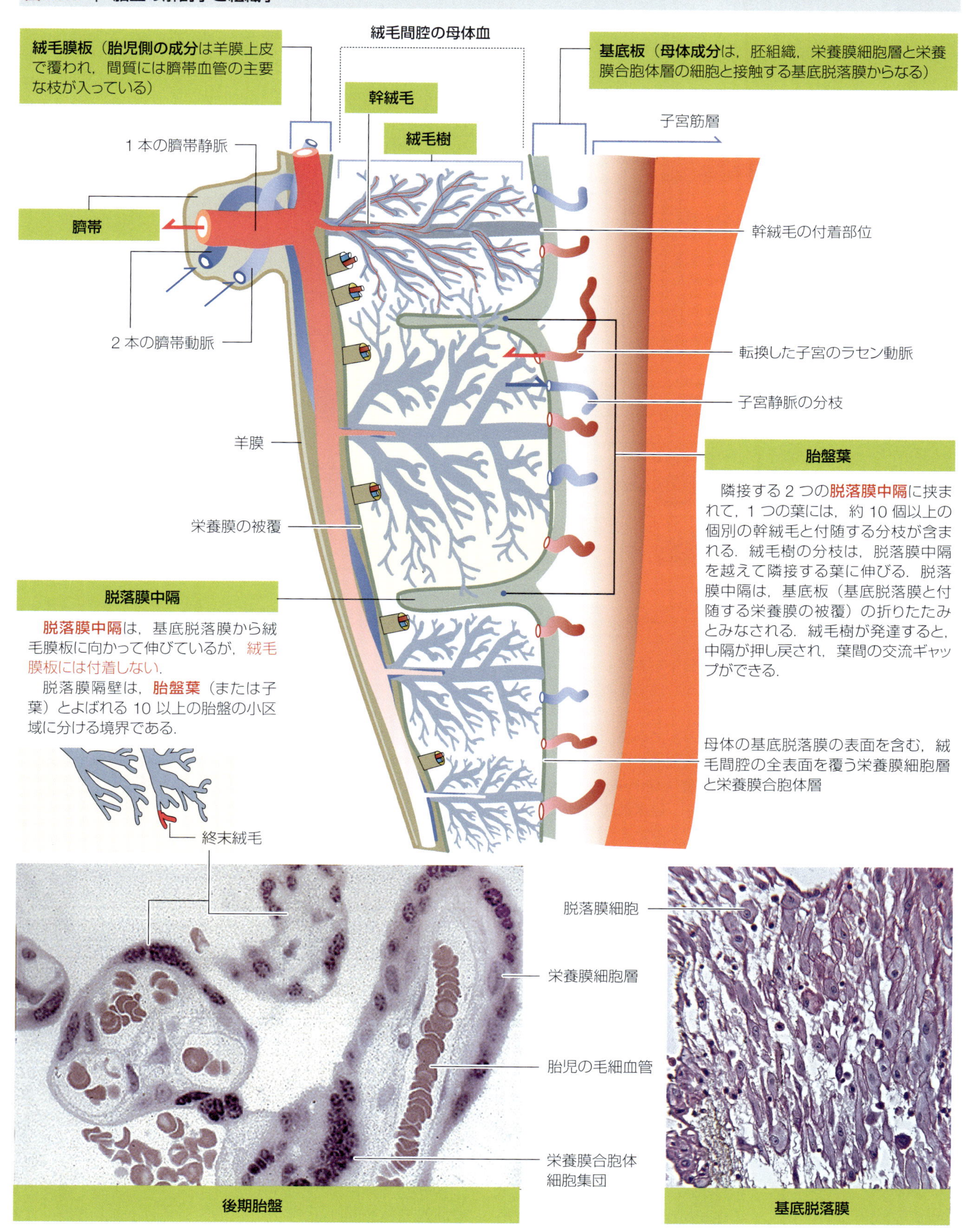

図 23.10 | 絨毛膜絨毛の構造

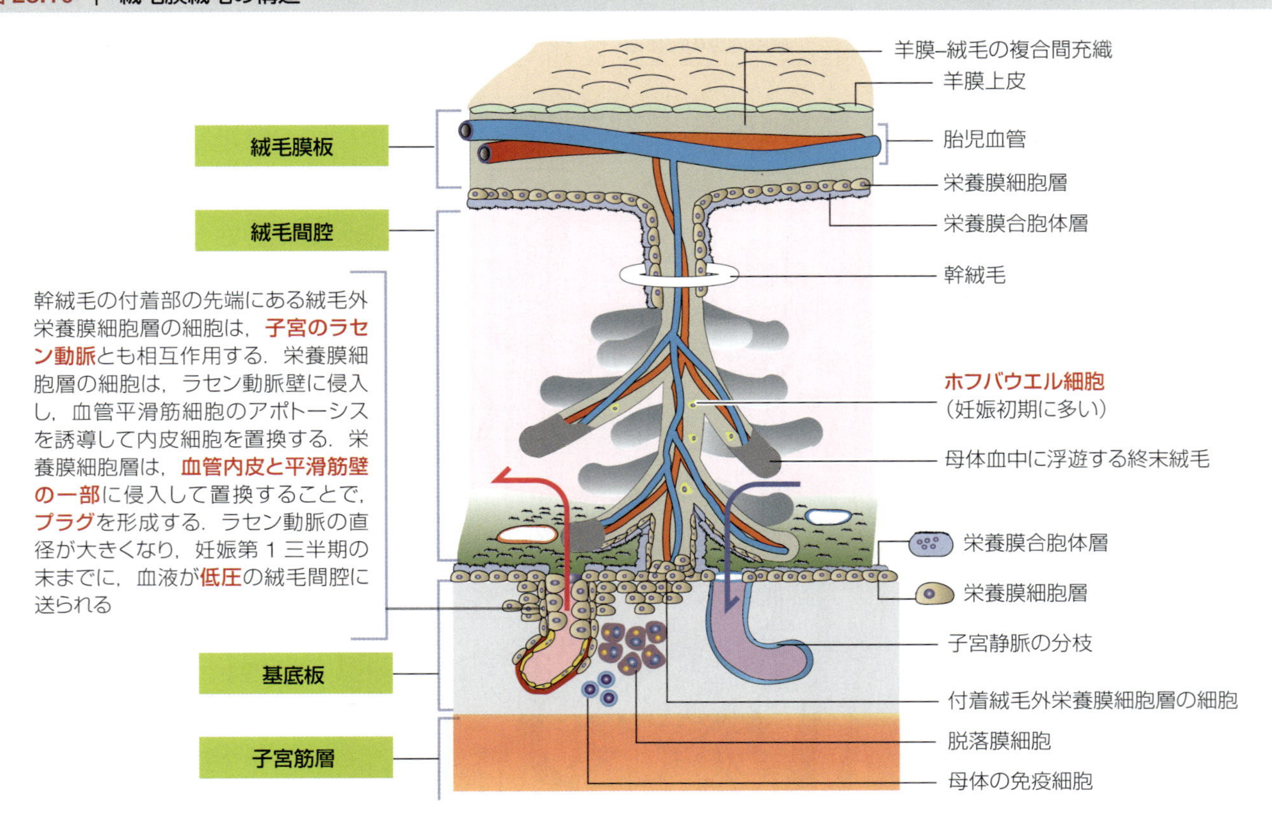

胎盤の機能（図 23.13）

胎盤の主要な役割は，血管の接点としての働きである．血管の減少，血流の減少，胎児への酸素と栄養の運搬の減少により，胎児の成長が低下する．

胎盤は，必要不可欠な輸送機能を行う．この機能は，胎児血管に隣接した栄養膜合胞体層の特殊化した領域で成される．胎盤関門を通過する分子の輸送は，**細胞間経路** intercellular pathway と**細胞内経路** transcellular pathway に続く．臨床的関連性と生理学的関連性の胎盤機能は，次に挙げるとおりである：

ガス交換

酸素，二酸化炭素，一酸化炭素は，**受動拡散** passive diffusion により胎盤を通じてガス交換される．亜酸化窒素麻酔（歯科疾患の治療で使用される）は，妊娠中は避けるべきである．

母体の免疫グロブリンの移行

母体の抗体，主として**免疫グロブリン G** immunoglobulin G（IgG）は，受容体介在型機構で栄養膜合胞体層により取り込まれ，その後，**受動免疫** passive immunity のために胎児血管へ運ばれる．

より大きな**免疫グロブリン M** immunoglobulin M（IgM）分子は，胎盤バリアを移行しない．

Rh（D 抗原）同種免疫

D 抗原（胎児赤血球の Rh システムに存在する）に対する母体抗体は，溶血性疾患（**胎児赤芽球症** erythroblastosis fetalis）を引き起こす．

胎児は，Rh- 陽性（父親から受け継いだ RhD 抗原）であるが，母親は D 抗原を欠いている（母親は Rh- 陰性である）．

同種免疫 isoimmunization は，主に出産中において，胎児の Rh 陽性赤血球に対する母体の曝露と感作に言及する．その後の妊娠において，D 抗原に対する抗体（IgG）は，胎盤を通過して胎児の赤血球の溶血を引き起こす（第 6 章参照）．

胎児胎盤ユニット

胎盤はプロゲステロンを合成できるが，プロゲステロンからエストロゲンを合成する 17- ヒドロキシラーゼ活性を欠損している．胎児の副腎皮質は，プロゲステロンを合成できない．

結果的に，**胎児胎盤ユニット** fetoplacental unit，として知られる，胎児－母体共同作業は，**胎盤のプロゲステロン**を副腎皮質へ運搬して，デヒドロエピアンドロステロン（DHEA）に変換できる．DHEA は，硫酸化 DHEA（DHEAS）に硫酸化される（図 23.13）．

DHEA と DHEAS は，栄養膜合胞体層に運ばれ，エストロン（E_1）とエストラジオール（E_2）に変換される．DHEA は，肝臓で加水分解され，栄養膜合胞体層でエストリオール（E_3）の合成の基質としての役割を果たす．

黄体－胎盤移行

絨毛性ゴナドトロピン chorionic gonadotropin は，**母体の黄体化ホルモン** luteinizing hormone の代わりとなり，妊娠中に**黄体**

図 23.11 | 絨毛膜絨毛の微細構造

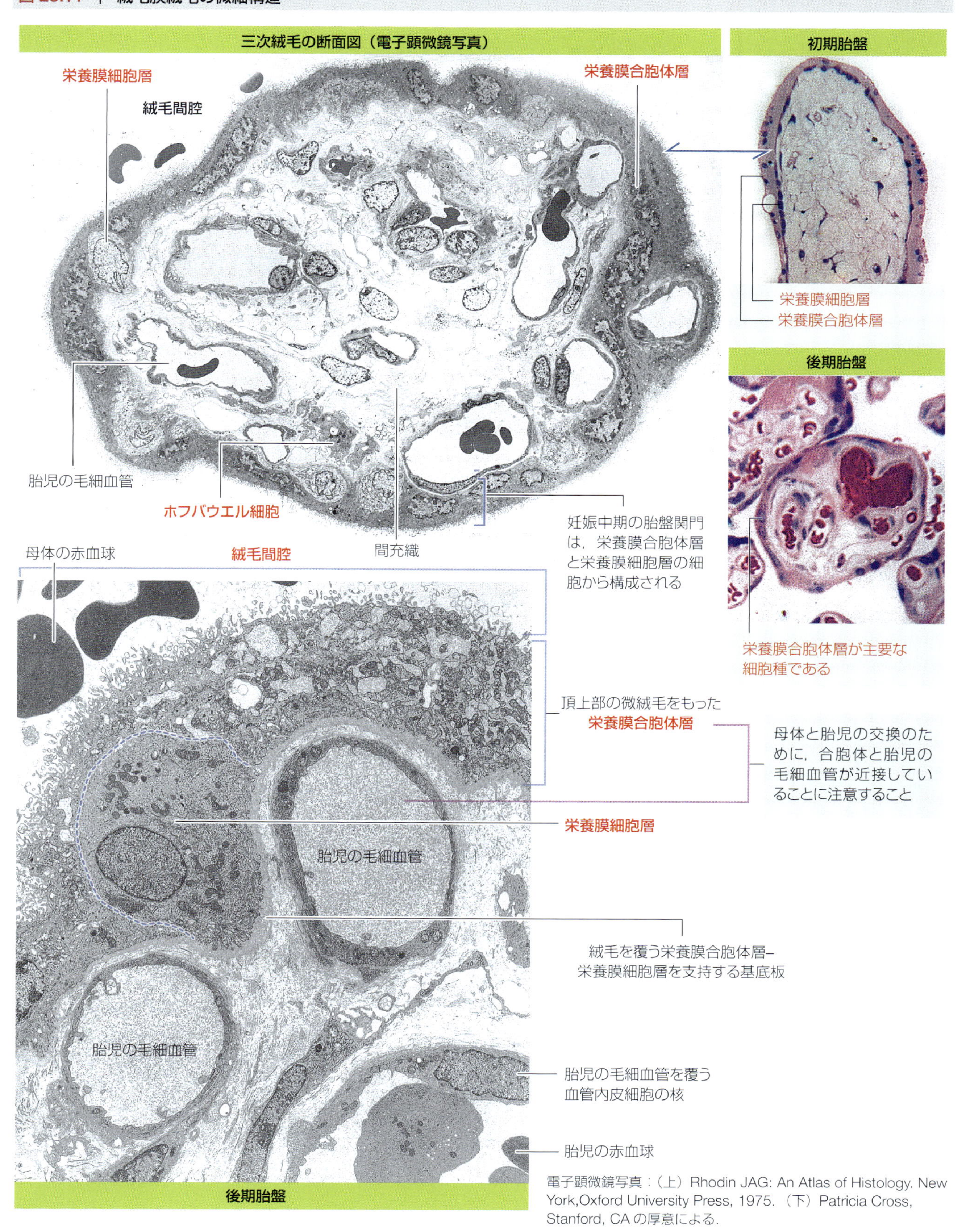

電子顕微鏡写真：（上）Rhodin JAG: An Atlas of Histology. New York,Oxford University Press, 1975.（下）Patricia Cross, Stanford, CA の厚意による.

図 23.12 | 血液胎盤関門

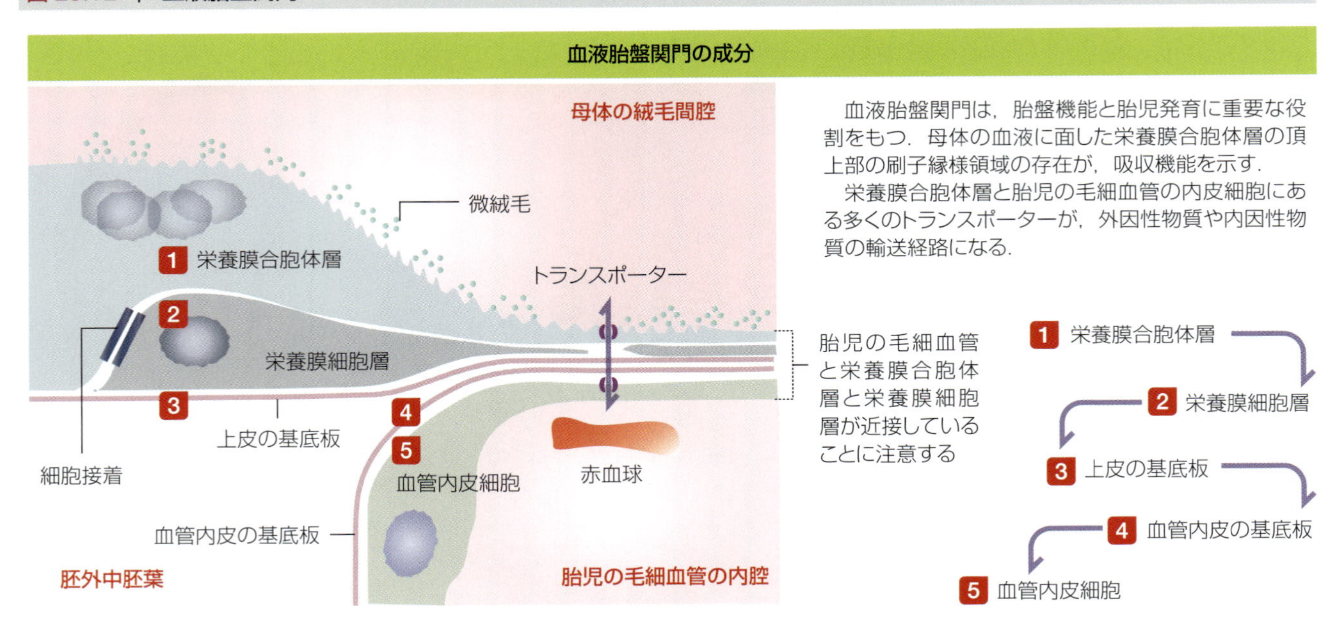

血液胎盤関門は，胎盤機能と胎児発育に重要な役割をもつ．母体の血液に面した栄養膜合胞体層の頂上部の刷子縁様領域の存在が，吸収機能を示す．

栄養膜合胞体層と胎児の毛細血管の内皮細胞にある多くのトランスポーターが，外因性物質や内因性物質の輸送経路になる．

図 23.13 | 胎盤の機能

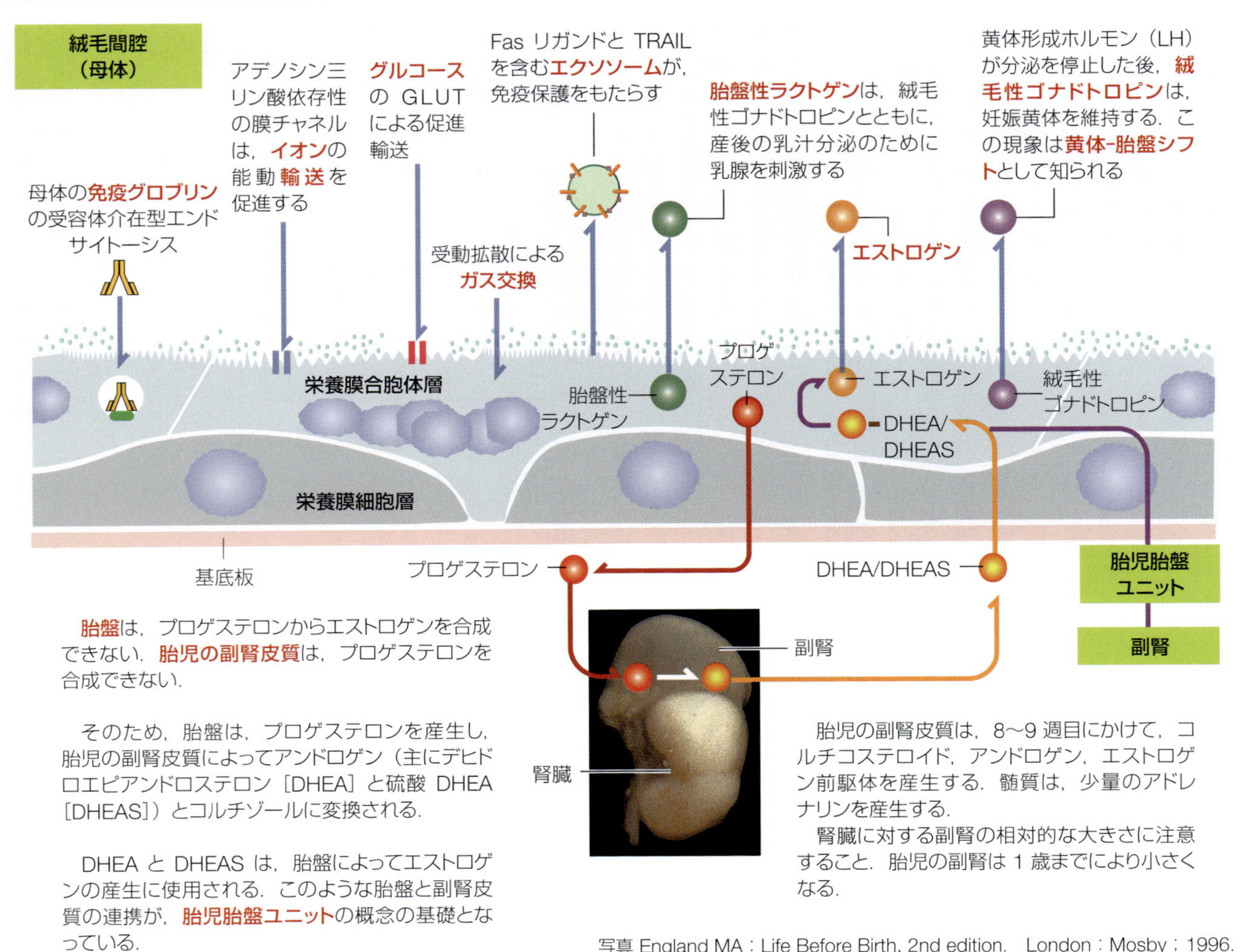

胎盤は，プロゲステロンからエストロゲンを合成できない．**胎児の副腎皮質**は，プロゲステロンを合成できない．

そのため，胎盤は，プロゲステロンを産生し，胎児の副腎皮質によってアンドロゲン（主にデヒドロエピアンドロステロン［DHEA］と硫酸 DHEA［DHEAS］）とコルチゾールに変換される．

DHEA と DHEAS は，胎盤によってエストロゲンの産生に使用される．このような胎盤と副腎皮質の連携が，**胎児胎盤ユニット**の概念の基礎となっている．

胎児の副腎皮質は，8～9 週目にかけて，コルチコステロイド，アンドロゲン，エストロゲン前駆体を産生する．髄質は，少量のアドレナリンを産生する．

腎臓に対する副腎の相対的な大きさに注意すること．胎児の副腎は 1 歳までにより小さくなる．

写真 England MA：Life Before Birth, 2nd edition. London：Mosby；1996.

を維持する．黄体から胎盤へのこの転換は，**黄体－胎盤移行** luteal-placental shift とよばれる．

胎盤性ラクトゲン placental lactogen（絨毛性ソマトマンモトロピンともよぶ）は，胎児の成長を促進して，授乳のために乳腺を調整する．

胎盤性ラクトゲンは，**糖尿病誘発作用** diabetogenic effect をもつ．すなわち，末梢組織と肝臓における**インスリン** insulin に対する抵抗性を増加させる．妊娠は，母体の**高血糖** hyperglycemia，**高インスリン血症** hyperinsulinemia，**インスリンに対する組織反応性の低下**により特徴づけられる．

イオンとグルコースの能動輸送

イオンの輸送 the transport of ions は，アデノシン三リン酸（ATP）依存性機構により仲介される．

グルコース glucose は，グルコーストランスポーター（GLUT）を利用した促進拡散により胎盤に入る．胎児のグルコース濃度は，母体の濃度に依存する．胎児は母体のインスリンに依存しない．

胎児性アルコール症候群

妊娠中の過剰なアルコール摂取は，**胎児性精神障害** fetal mental disability や**頭蓋顔面異常** craniofacial abnormality の原因である．アルコールは胎盤と胎児の血液脳関門を通過して，直接毒性を示す．間接毒性は，アルコール代謝産物の**アセトアルデヒド** acetaldehyde により仲介される．

感染病原体

風疹（三日ばしか），サイトメガロウイルス，単純ヘルペス，トキソプラズマ，梅毒，ヒト免疫不全ウイルス 1 型（HIV-1）は，潜在的な感染病原体である．妊娠第 1 三半期での風疹ウイルス感染は，自然流産や**先天性風疹症候群** congenital rubella syndrome（胎児の先天性心疾患，精神障害，難聴，白内障）を引き起こす．

胎盤，胎児組織，母体の免疫系

正常妊娠中に，脱落膜は，多数の免疫細胞，例えば，マクロファージ，ナチュラルキラー細胞，細胞傷害性 T 細胞を含む．

絨毛膜絨毛は，母体の免疫系からの予想される攻撃に曝露される．アポトーシスは，着床を保護するための免疫寛容の母体－胎児機構である．

栄養膜合胞体層は，**エクソソーム** exosome とよばれる小胞を産生して分泌する．エクソソームは，死誘導シグナルタンパク質複合体として Fas リガンドと TRAIL（TNF 関連アポトーシス誘導リガンド）を運ぶ．Fas リガンドは，胎児に対する潜在的脅威を及ぼす活性型細胞傷害性 T 細胞のアポトーシスの引き金となる．

胎盤由来のエクソソームは，妊娠の合併症の起源と進展，正常な胎盤機能と母体の免疫寛容の確保に役割を演じる．

異常胎盤

陣痛中に子宮からの胎盤の正常な分離が，基底脱落膜領域の剝離によって決定される．

分離後，胎盤は強力な子宮の収縮により娩出され，過剰な出血を抑制するため，脱落膜血管床のラセン動脈も収縮する．

剝離あるいは排泄の過程が不完全であるとき，胎盤は，子宮腔に留まるかもしれない．

娩出後，胎盤が，子宮内に取り残されていることもあるので，**見失われた胎盤葉**がないか，精査しなければならない．

胎盤組織が子宮に残っていると，子宮収縮が不十分になり過剰な出血がみられる．吸引しながら掻爬すると，残存組織を除去できるかもしれない．

以下に挙げる病態が，妊娠と陣痛中にみられる：

1. **異所性妊娠** ectopic pregnancy は，受精卵が子宮外に着床することで起こる．**卵管妊娠** tubal pregnancy は，最も頻度の高い**異所性妊娠** ectopic pregnancy で，卵管で生じる．卵管は，成長する胚子を保持するための最適な状況を与えられない．異所性妊娠は，妊娠 50 回に 1 回の割合で起こり，合併症を防ぐために治療を必要とする（Box 23.F）．
2. **子宮筋の収縮が十分に強くなく，分娩後出血** postpartum bleeding **が起こると，子宮弛緩症** uterine atony が生じる．**子宮弛緩症を起こしやすい要因**は，**異常分娩** abnormal labor，**子宮の異常拡大** substantial enlargement of the uterus（羊水過多症のため．Box 23.G），**子宮（平滑）筋腫**（子宮筋層の良性腫瘍）である．**オキシトシン** oxytocin の静脈内投与は，子宮収縮を刺激して子宮弛緩症の発症の可能性を減少させる．
3. 胎盤が部分的あるいは全体的に子宮頸部を覆うときに，**前置胎盤**が生じる（Box 23.H）．妊娠第 2 三半期の超音波検査により胎盤を診断できる．前置胎盤は，妊娠後半や分娩時に痛みを伴わない大量出血を引き起こす．大量出血は，満期産に至る前に緊急帝王切開により解決できる可能性がある．
4. **胎盤剝離** placental abruption は，子宮の内壁からの常位胎盤**早期剝離** premature separation である．基底脱落膜への出血により，胎盤早期剝離と出血が生じる．子宮からの胎盤剝離により，胎児への酸素供給が障害される．

   考えられる原因には，**外傷** trauma，**母体の高血圧** maternal hypertension（子癇前症あるいは子癇症），**血液凝固異常** blood clotting abnormalitie，母親の**コカイン使用**が含まれる．突然の痛みを伴う出血と子宮収縮は，典型的な症状である．
5. **癒着胎盤** placenta accreta（ラテン語 *accretus*［＝ overgrown，過成長］）は，**胎盤の一部あるいは全体が子宮壁に異常に強く深く結合する**．子宮壁の異常は，通常は以前の子宮の手術（例えば，帝王切開や子宮切開後の瘢痕組織）により，癒着胎盤の可能性が増加する．増加し繰り返す帝王切開分娩率と子宮瘢痕を覆う癒着胎盤の発症率に並行して，癒着胎盤の発症率は増加する．

   超音波検査と MRI 検査は，可能な母体出血の罹患率あるいは新生児の罹患率と死亡率を減少させるため，分娩前に癒着胎盤の診断を可能にする．

   どのくらい深く胎盤が子宮筋層に陥入するかに基づき，癒着胎盤には 3 種類の形態がある．

   (1) **癒着胎盤** placenta accreta．胎盤は子宮壁に浸潤するが，子宮筋層を陥入しない．この病態は，全症例の 75％で生じる．

(2)陥入胎盤 placenta accreta（癒着胎盤に似るが，より重度）．浸潤する胎盤が，子宮筋層中に陥入する．陥入胎盤は，症例の 15 %でみられる．

(3)穿通胎盤 placenta percreta．胎盤は，子宮壁と筋層中に伸展して，子宮の漿膜を貫通して他の隣接器官（膀胱や直腸）に達するかもしれない．穿通胎盤は，症例の 10% で起こる．

Box 23.F | 異所性妊娠

- 子宮腔外に胚盤胞が着床することを異所性妊娠とよぶ．異所性妊娠の約 95% は，卵管内（卵管妊娠），主に膨大部で起こる．誘発因子は，卵管の炎症過程である卵管炎 salpingitis である．
- 主な合併症は，血管や組織への栄養膜の侵食による多量出血と卵管壁の破裂である．
- 性行動が活発な生殖年齢の女性において，腹痛，無月経，膣出血は，卵管妊娠を疑う症状である．異所性妊娠の迅速で正確な診断は，合併症や死亡のリスクを減らすために不可欠である．

Box 23.G | 羊水過多症

- 妊娠中の羊水の働きは，子宮内の胎児のクッション，胎動スペースの確保，胎児の体温調節である．
- 最初，羊水は胎盤の母体血管と胎児血管を介した透析によって産生される．その後，羊水は，基本的には胎児の尿 fetal urine であり，胎児の嚥下によって吸収される．羊水は，妊娠 36 週までに最大量に達し，その後徐々に減少する．
- 重度の羊水過多症（過剰な羊水）は，遺伝子異常，中枢神経系の胎児異常，消化管の閉塞を示唆するかもしれない．臨床症状には，腹痛，著しい腫脹や膨満感，息苦しさがある．羊水過多症は，超音波検査で確定できる．染色体異常の可能性を判断するために羊水穿刺が推奨される．軽度の羊水過多症は，妊娠第 2 三半期で発見され，自然と正常な状態に戻ることがある．
- 羊水過少症は，羊水過多症とは逆に羊水が不足（400mL 以下）している状態である．羊水過小症は，胎児の発育（腎無形性のような）や胎盤に関する問題，母体の高血圧の結果を示しているかもしれない．羊水が減少すると，胎児や臍帯をクッションのように保護できない．

妊娠性絨毛性疾患（図 23.14）

妊娠性絨毛疾患 gestational trophoblastic disease（GTD）は，妊娠中に生じる胎盤の腫瘍からなる．

GTD は，2 つの区別できるグループに分類される：

1. 胞状奇胎 hydatidiform mole ともよばれる奇胎妊娠 molar pregnancy．部分胞状奇胎は，一般的にがんではなく，外来で子宮口開大法や外科的掻爬術で除去できる．しかし，多くの全胞状奇胎は，がんになりうる（下記参照）．
2. 妊娠性栄養膜腫瘍 gestational trophoblastic neoplasia．このがん集団には，次の亜型を含む：

(1)侵入奇胎 invasive mole は，大きくなり子宮筋層に浸潤し，切除した胎盤標本では検出できない．侵入奇胎は，最も高頻度の妊娠性絨毛疾患である．それは，一般的に，持続的な高レベルの血中 hCG により診断される．この疾患は，化学療法に反応する．

(2)絨毛がん choriocarcinoma は，栄養膜細胞由来の悪性腫瘍で，奇胎妊娠の患者の約 50 %にみられる．絨毛がんは，子宮筋層と隣接する子宮の血管の局所に拡散し，子宮外に広がり，脳や肺，肝臓，腎臓に転移する．絨毛がんは，原発巣と転移巣における出血性腫瘍である．
薬剤併用化学療法による治療は，通常の治療法である．

(3)胎盤部トロホブラスト腫瘍 placental-site trophoblastic tumor（PSTT）は，栄養膜細胞由来でもあり，子宮筋層や近接する血管やリンパ節に浸潤する．兆候や症状は，正常妊娠後，流産後あるいは奇胎妊娠の治療後まで検出されないかもしれない．

(4)類上皮性トロホブラスト腫瘍 epithelioid trophoblastic tumor（ETT）は，きわめてまれな妊娠性絨毛疾患で，肺

Box 23.H | 前置胎盤

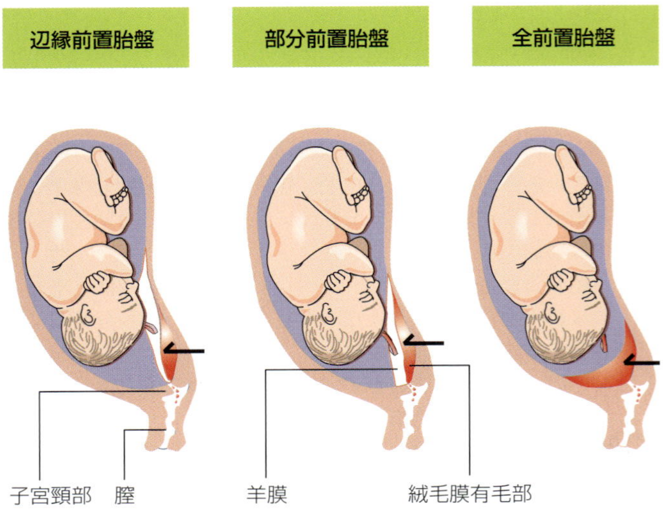

辺縁前置胎盤　部分前置胎盤　全前置胎盤

子宮頸部　膣　羊膜　絨毛膜有毛部

- 子宮頸管の内子宮口の上か近くまで胎盤が異常に伸展することを前置胎盤とよぶ．考えられる原因には，子宮筋腫の摘出や帝王切開のような手術歴，子宮の傷跡（子宮掻爬術の手術歴）がある．前置胎盤 placenta previa には 3 つのタイプがある．

(1)辺縁前置胎盤 marginal placenta previa は，胎盤の辺縁が内子宮口に近い位置にある（低い胎盤の位置）．

(2)部分前置胎盤 partial placenta previa は，胎盤の縁が内子宮口の一部を横切る．

(3)全前置胎盤 total placenta previa は，胎盤が内子宮口を覆う．

- 軽度の子宮収縮により子宮下部や子宮頸部から胎盤の一部が剥離することで生じる無痛性自然出血がよくみられる．

図 23.14 | 奇胎妊娠

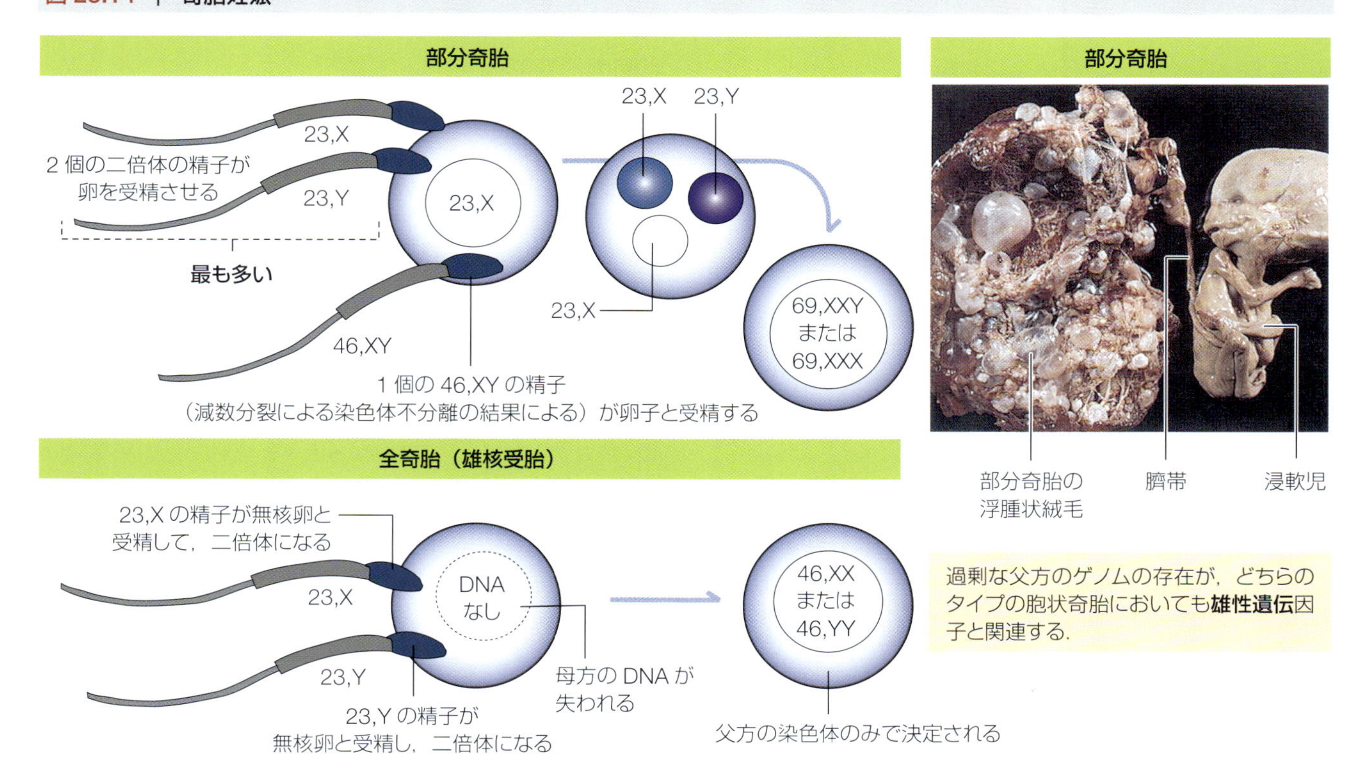

奇胎妊娠（または**胞状奇胎**）は，胎盤の発育異常に起因し，**妊娠性絨毛疾患**群に属する．胞状奇胎には，**部分胞状奇胎**と**全胞状奇胎**がある．

部分胞状奇胎は，異常栄養膜細胞層を含み，胞状絨毛が正常絨毛に置き換わることが特徴である．染色体異常の胎児，通常は三倍体の 69,XXY が観察される（**二倍体単性三倍体受胎**）．

全胞状奇胎は，**浮腫状絨毛**によって正常絨毛を置き換えた異常な栄養膜合胞体層からなり，胎児と胎児膜が存在しない．**ヒト絨毛性ゴナドトロピン**（**hCG**）の血中濃度が高い．全奇胎は，奇胎妊娠の約 90％を占める．全奇胎から**絨毛がん**への悪性変化の可能性は約 50％である．

奇胎妊娠の推奨される取り扱い方法は，吸引式掻爬術による子宮内容物の迅速な除去と，その後の穏やかで鮮明な掻爬術，定期的な血中 hCG 濃度の評価が含まれる．

写真：Damjanov I, Linder J：Pathology. A Color Atlas.St.Louis：Mosby：2000.

に転移する可能性がある．ETT は，ほとんどの場合，正常妊娠後にみられ，数ヵ月か数年で大きくなって，兆候や症状が検出できる．

PSTT や ETT の患者では，**無月経** amenorrhea（正常の月経出血がない）と**タンパク尿** proteinuria（**尿中にタンパク質が漏れる**）や眼球，足関節や足の周囲の**浮腫** edema のような，**ネフローゼ症候群** nephrotic syndrome の症状がみられる．

胞状奇胎についてのいくつかの追加事項を考えてみよう．胞状奇胎は，膨張あるいは水腫状（浮腫状）の透明なブドウのような小胞により正常の絨毛膜絨毛が**部分的**あるいは**完全**に置換されたものである．胞状奇胎の正確な分類は，継続する GTD のリスク，臨床経過観察の期間とタイプを決定するために必須である．

部分胞状奇胎と全胞状奇胎の病態における要因は，過剰な父親のゲノムである．

部分胞状奇胎 partial hydatidiform mole は，胎児あるいは胚の所見によりよく特徴づけられる．しかし，全胞状奇胎では，胎児は認めない（図 23.14）．全胞状奇胎では，絨毛は，残存血管に血液を伴わない無血管状態である．対照的に，血液を伴う毛細血管が，部分胞状奇胎の絨毛にはみられる．

全胞状奇胎は，卵子内で二倍体になった一倍体の精子が枯渇卵（無核卵）に受精した結果である．受胎は，雄核発生（父親のゲノムのみ）である．全胞状奇胎の核型は，46,XX あるいは 46,YY で，もう一度述べるが，胎児はみられない．

全胞状奇胎では，父親のインプリンティング遺伝子の過剰発現と母親のインプリンティング遺伝子の欠損が，栄養膜過形成と胎児発生不全と関連する．

部分胞状奇胎の胎児は，通常，69,XXY（三倍体）で，1 つの一倍体の母親染色体（23,X）と 2 つの一倍体の父親染色体（46,XY で，減数分裂不分離または 2 個の一倍体受精精子により生じる）からなる．

最も高い頻度で，2 個の精子が卵子と受精し，**二雄性単性三倍体受胎** diandric monogenic triploid conception（2 個の父親の染色体組と 1 個の母親の染色体組）をつくり出す．

極端に高値の hCG が，胞状奇胎の患者に特徴的である．子宮内容物の初期除去後に，高レベルの hCG を抑制できない場合，さらに治療を必要とする．

授乳

乳腺（図 23.15）

乳房あるいは**乳腺** mammary gland は，表皮が下方に増殖して発達する．**乳頭** nipple は，豊富な皮脂腺を伴った修飾された皮膚である**乳輪** areola によって取り囲まれる．乳頭は，結合組織と**輪状括約筋** circular sphincter を形成する平滑筋細胞を含む．

約 15～20 本の**乳管** lactiferous duct が，個々の**乳管洞** lactiferous sinus を通って乳頭頂に開口する．

授乳中の乳腺では，各乳管が 1 つの乳腺葉から排泄する．ほとんどの分岐（複合）腺のように，乳腺には，**導管系** duct system，**葉** lobe，**小葉** lobule が含まれる．

各葉には，乳房の**線維脂肪組織** fibroadipose tissue 中に伸展する枝分かれした**乳管**が含まれる．

1 つの**葉**は，乳管により排泄される一群の小葉を含む．**葉と小葉は，休止期の乳腺にはみられない．**

各乳管は，**単層円柱上皮** simple columnar あるいは**単層立方上皮** cuboidal epithelium で内面が覆われ，乳管の外層を不連続に**筋上皮細胞** myoepithelial cell で覆われる．

各乳管は，疎性結合組織と毛細血管網で取り囲まれる．

休止期 resting state すなわち**非授乳期** non-lactating state において，乳腺は，乳管からなり，各末端は，一群の盲端で嚢状のふくらみか芽状突起に終わる．

妊娠中では，乳管は分岐して，**小葉**を形成する嚢状の集団（腺房）に終わる．各小葉は，さまざまな**分泌性管状胞状単位** secretory tubuloacinar unit からなる．

乳腺の形態形成

胎盤性ラクトゲン，**プロゲステロン**，**成長ホルモン**，**エストロゲン**は，多くのパラクライン機構により乳腺の発達を刺激する．

パラクライン機構 paracrine mechanism には，副甲状腺ホルモン関連タンパク質，アンフィレグリン，活性型核因子 κB リガンド受容体（RANKL），線維芽細胞増殖因子 10（FGF10），骨形成タンパク質 4（BMP4），Wnt リガンド，ヘッジホッグシグナル経路，トランスフォーミング増殖因子 -β（TGF-β）が含まれる．

アンフィレグリンは，エストロゲン調節上皮成長因子様タンパク質で，間質細胞の上皮成長因子受容体に結合する．間質細胞が，アンフィレグリンを分泌し，思春期の乳腺の発達を調節する．アンフィレグリンが欠損すると，乳管が伸長できず，エストロゲン刺激に反応した腺房管と上皮細胞の増殖が停止する．

アンフィレグリンと異なり，RANKL は，思春期の乳腺の発達よりむしろ，思春期後の導管の分岐と腺房管の発達に必要である．

さらに，再形成を促す細胞外マトリックスメタロプロテアーゼとその阻害物質が，周囲の間質を制御することにより，乳管の分岐に関与する．

理解可能な基本概念は，以下のとおりである：

1. 卵巣ホルモン（エストロゲンとプロゲステロン）と下垂体ホルモン（プロラクチンと成長ホルモン）は，乳腺の発生と分

図 23.15 | 成熟女性の乳腺の構造

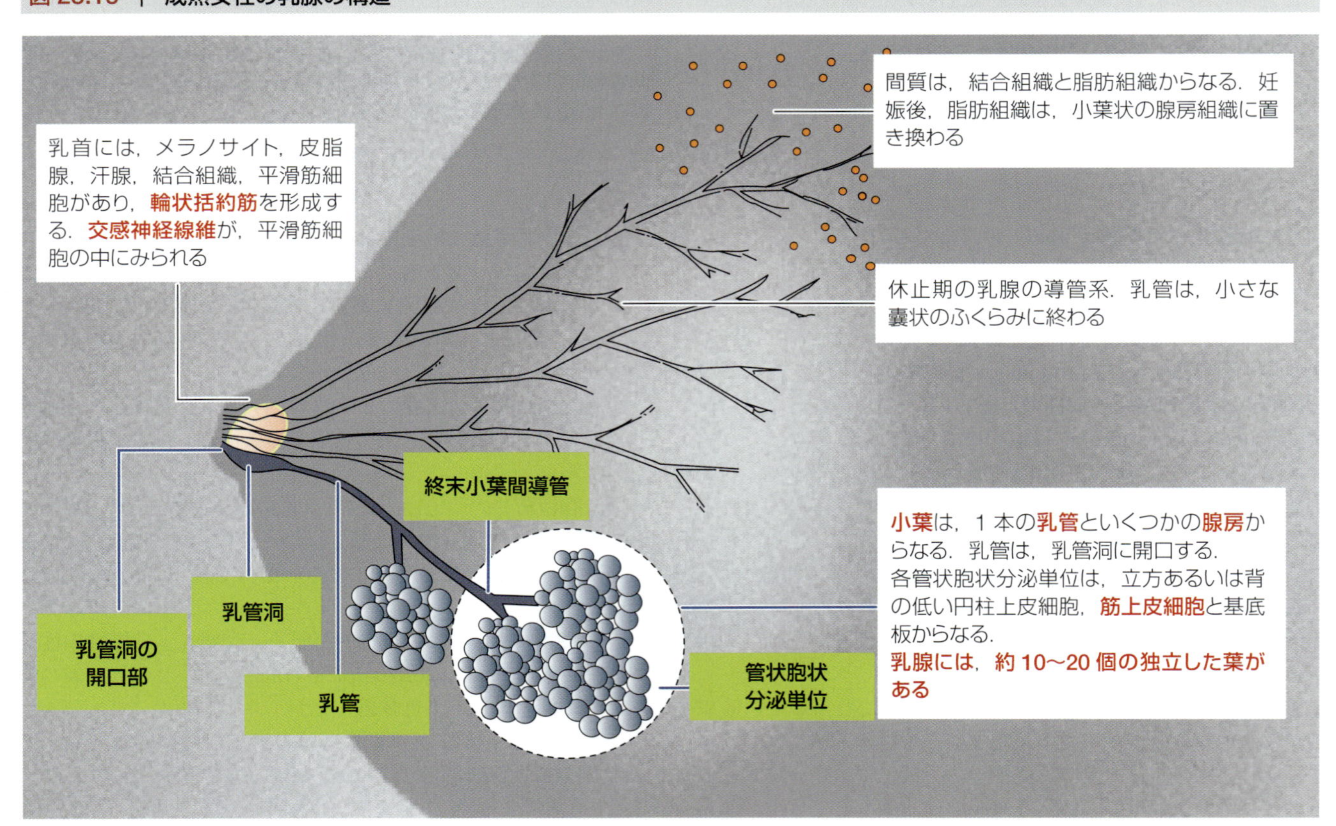

化を促進する.

2. パラクライン（傍分泌）とオートクライン（自己分泌）が，乳腺の発生過程，思春期，妊娠中に乳腺上皮細胞と周囲の間質細胞を結びつける.

乳腺の発生（図 23.16）

乳腺の発生は，2 段階からなる：

1. **乳頭**の形成.
2. 乳腺の再形成.

乳頭は，発生第 6 週までに**乳腺堤**（**乳帯**）mammary line に沿った外胚葉上皮細胞の**集積**として出現し，陥凹を形成して，**陥没乳頭** inverted nipple になる.

出生後，**乳輪脂腺** areolar sebaceous gland と**汗腺** sweat gland が乳頭の周囲に発生するにつれて，乳頭域が突出し，乳輪が隆起する.

外胚葉性上皮細胞の芽，すなわち，**乳腺芽** mammary bud が，**脂肪体の前駆体**や毛細血管に隣接した下層の中胚葉に侵入すると，乳腺の発生が開始する.

妊娠の第 1 三半期の間，10～20 個の充実性の**乳腺索**からそれぞれ**乳腺芽** mammary sprout が生じる.

妊娠の第 2 三半期には，乳腺索に内腔ができ，第 3 三半期の終わりまでに，**終末端芽** terminal end bud が発達する.

思春期に，乳腺の導管が乳管になり，終末端芽が変化して胞状芽になる.

エストロゲン，プロゲステロン，プロラクチンの受容体が，内腔管細胞（**センサー細胞** sensor cell とよばれる）の集団により発現される.

これらのホルモンの影響下で，センサー細胞が傍分泌と自己分

図 23.16 ｜ 乳腺の発生（乳腺形成）

乳腺：発生と分岐の形態形成

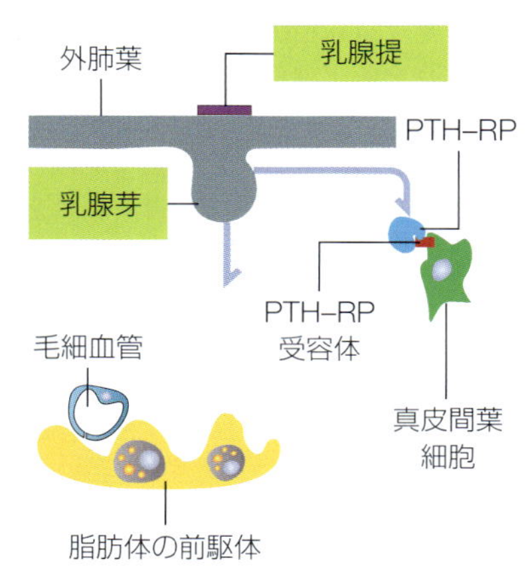

上皮の下方への増殖は，脂肪体の前駆体に隣接する間葉細胞からの誘導シグナルに反応して，乳線提から開始する.

乳腺芽の細胞は，副甲状腺ホルモン関連タンパク質（**PTH–RP**）を分泌して，真皮間葉細胞の **PTH–RP 受容体**に結合する.

PTH–RP の遺伝子に変異があると，乳腺芽のさらなる発達が阻害される.

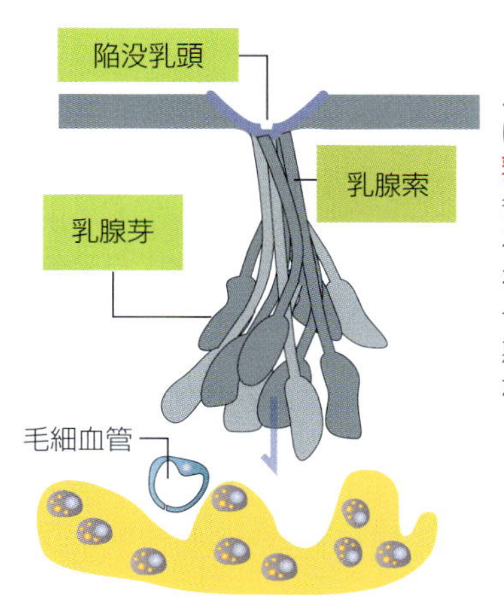

脂肪細胞からの誘導シグナルが，乳首から乳腺脂肪体に伸びる 10～20 本の上皮**乳腺索**の形成を促進する．各乳腺索は，**乳腺芽**に終わる．原始的な乳腺が形成されるようになると，出生時もその状態が維持され，思春期までさらなる発達はみられない.

思春期

筋上皮細胞層
導管
上皮導管
細胞層
内腔
体部
体部細胞
脂肪間質
終末端芽
基底板
頂上細胞

卵巣のエストロゲンのレベルが上昇すると，原始的な導管の枝分かれが刺激され，**終末端芽**をもつ上皮樹になる．各終末端芽は，筋上皮細胞層を支持する基底板からなり，先端あるいは体部で 1 個の上皮性導管細胞層と多層の体部の細胞で覆われる．終末端芽は，**プロゲステロン**の影響を受けて発達する．古い端芽は退行して消失する.

妊娠

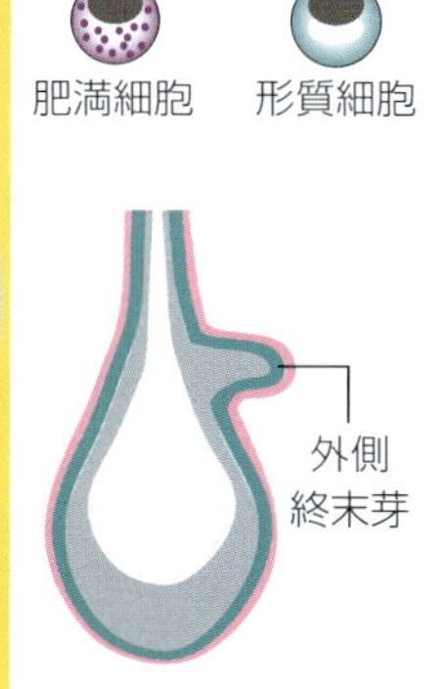

小葉状の腺房組織は，**胎盤のラクトゲン**と**エストロゲン**および母体のプロラクチンと**プロゲステロン**の刺激を受けて，枝分かれした乳管の末端にある外側芽と末端芽から発達する．肥満細胞や形質細胞を含む結合組織性間質が，枝分かれした導管と腺房を取り囲む.

乳汁分泌は，乳腺が乳汁を生産し，分泌を維持できるような発達過程のことである.

泌されるシグナル分子を分泌して，隣接する内腔の腺上皮細胞と筋上皮細胞の増殖を引き起こす．中胚葉は，乳頭の平滑筋と同様に間質の結合組織と脂肪組織に分化する．

男女とも新生児の乳腺の乳管上皮は，母親のホルモンに反応して，α-ラクトアルブミン，脂肪，白血球を含む分泌物を産生する可能性がある．

多くの場合，思春期が開始するまでの小児期において，単純な胚子-胎児の乳管系は変化を生じない．**男性の胎児**では，**テストステロンの存在**で発生中の導管系が**退縮** involution する．中胚葉とテストステロンの受容体の役割は，**アンドロゲン不応症** androgen insensitivity syndrome（**精巣(性)女性化症候群** testicular feminization syndrome）でよく示されている．

思春期と妊娠期の乳腺（図 23.16）

思春期 puberty では，（プロラクチンの存在下で）循環血中の**エストロゲン** estrogen は，周囲の**脂肪組織**の肥大化と同様に**乳管と終末端芽** lactiferous ducts and terminal end bud（**TEB**）の発達を刺激する．

この発達過程は，導管と終末芽の上皮細胞と周囲の結合組織の細胞（線維芽細胞と脂肪細胞）と免疫系の細胞間の傍分泌経路によって高度に調節されている．この微小環境は，**幹細胞ニッチ** stem cell niche を構成する．

TEB は，脂肪体への乳腺組織の進展を促進する．TEB が脂肪体の辺縁に達するとすぐに，細胞増殖を停止して終末管に分化する．TEB は，**体部** body segment を構成し，高度に増殖した**頭部**と**体部**からなる（図 23.16）．**TEB の導管部** duct segment of the TEB は，基底部の筋上皮細胞層を覆う上皮細胞の内層を示す．

乳管を覆う細胞は，細胞質内と核内に**エストロゲン受容体** estrogen receptor をもつ．さらに，**プロゲステロン**が新たな TEB の形成を促進し，アポトーシスにより古い退縮した腺房芽を置き換える．最終的に，卵巣周期の終わりに古い腺房芽は消失する．この周期性変化は，月経周期ごとにみられる．

妊娠中では，エストロゲン，プロゲステロン，増殖因子の存在下で，プロラクチンと胎盤性ラクトゲンが**乳管と分泌腺房の発達**を促進する．

分泌腺房は，外側と終末端芽から分岐した乳管の末端部に発達する．**プロラクチンによる転写因子 Elf-5** transcription factor Elf-5 by prolactin の誘導が，管腔上皮細胞が乳汁産生腺房細胞に分化するのに不可欠である．

授乳期では，乳管系と小葉腺房組織は，十分に発達して機能する．筋上皮細胞は，乳頭に向かう導管へ乳汁を押し出すため腺房細胞を収縮する．

Box 23.I | 乳汁分泌

- **初乳** colostrum は，低脂肪濃度であるが，タンパク質やミネラルを豊富に含む初期の乳汁（前乳 fore milk とよばれる）．その後数分かけて脂肪量が増加する（成乳または後乳）．
- **乳汁**は，栄養学的，免疫学的，成長促進的な成分を含む種特異的な液体である．
- **脂質**は，**アディホフィリン**タンパク質（ペリリピンファミリーの一員）の縁で囲まれる．アディポフィリンは，脂肪と乳汁の水溶性成分との安定化境界面になる．細胞質の境界面は，制御された脂肪分解と小腸における吸収に有用なミセル性水溶性懸濁液の形成を可能にする．脂質には，コレステロール，トリグリセリド，短鎖脂肪酸，長鎖多価不飽和脂肪酸が含まれる．
- **免疫グロブリン**：最も多く存在する免疫グロブリンは，分泌型 2 量体免疫グロブリン A（IgA）である．乳児が小腸で分泌型 IgA を自ら産生できるようになる前の数週間，乳汁中の IgA は，受動的な獲得免疫を与える．
- **ヒト乳汁の保護機能**：乳汁は，ラクトフェリン，リゾチーム，オリゴ糖，ムチンを含む．これらの成分により，ある種の腸内細菌が定着し，他の腸内細菌は排除される．

乳腺の組織学（図 23.17，23.18）

各乳腺は，以下の構成要素からなる：

1. **乳管端** lactiferous duct ending．**機能時に分泌腺房における乳管端の分岐系**．乳管と分泌腺房は，上皮細胞に覆われる．以前に示したように，乳管により排泄される一群の分泌腺房が**小葉**を形成する．
   各乳管は，**乳管洞** lactiferous sinus を形成する**乳頭** nipple の先端に開口する．表皮の角化重層扁平上皮が乳管の外表を覆う．皮脂腺は，その内容物を乳管中に排出する．
   乳頭は，色素細胞，皮脂腺，汗腺を含む**乳輪** areola で取り囲まれる．乳頭と乳輪の間質は，輪状と放射状に配置した緻密不規則性結合組織，弾性線維束，豊富な平滑筋線維を含む．
2. **筋上皮細胞** myoepithelial cell は，乳管と分泌腺房を覆う上皮を取り囲む．連続する基底膜が，筋上皮細胞の外層と腺上衣細胞の内層を取り囲む．収縮する筋上皮細胞は，上皮細胞と平滑筋細胞の特徴をもつ．以下で考察するように，筋上皮細胞は，授乳期の乳腺から乳汁を射出する働きをする．
3. **間質** stroma，ここで皮下の結合組織が白色脂肪組織と相互作用する．

休止期と活動期の乳腺の組織学と発生学の最も関連する特徴をまとめ，図 23.17，23.18 に示す．

授乳中の吸乳（図 23.18）

吸乳 suckling による乳頭への**神経刺激** neural stimulus が，以下のことを引き起こす：

1. オキシトシンの放出による乳汁の射出．オキシトシンは，腺房を取り囲む筋上皮細胞の収縮を引き起こす．
2. 視床下部による**黄体形成ホルモン放出因子** luteinizing hormone-releasing factor の放出を抑制し，一時的な**排卵の停止** arrest of ovulation が起こる．

乳汁は，次の成分を含む（Box 23.I）

1. **タンパク質**（**カゼイン** casein，**α-ラクトアルブミン** α-lactalbumin，大量の副甲状腺ホルモン**関連タンパク質** parathyroid hormone-related protein［**PTH-RP**］）は，乳糖と一緒に**部分**（開口）**分泌**により放出される．
2. **脂質**（**トリグリセリド** triglyceride，**コレステロール** cholesterol）は，離出（**アポクリン分泌** apocrine secretion）により放出される．脂肪滴は，ペリリピンファミリーの分子である，タンパク質，**アディポフィリン** adipophilin によっ

図 23.17 | 休止期と活動期の乳腺組織

非授乳期の乳腺

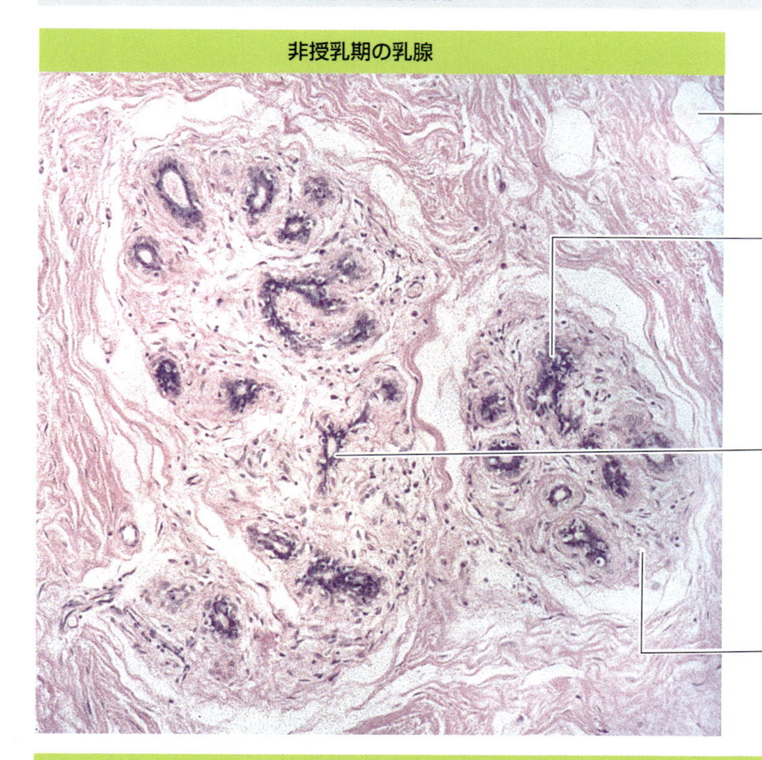

脂肪細胞

分泌単位

プロゲステロンで刺激された腺房は，内腔に分泌物を含む．筋上皮細胞は，腺房の周辺部に存在する

乳腺管

乳腺管は，二細胞層からなる**立方−低円柱上皮**，まばらな**筋上皮細胞**，**基底板**で裏打ちされる．
黄体期には，筋上皮細胞は空胞化する（グリコーゲンの沈着のため）

間質

豊富なコラーゲン線維を伴う**緻密不規則性結合組織**が，導管と腺房を取り囲む

活動期の分泌腺房

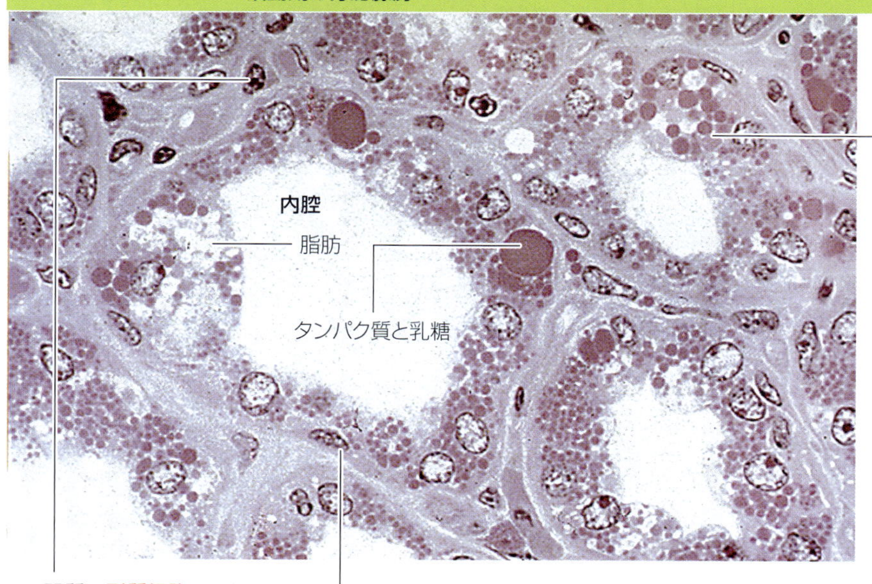

授乳期には，妊娠中に形成された腺房は，筋上皮細胞の細胞突起に取り囲まれた立方上皮で裏打ちされる．
大小の細胞質塊は，母乳のタンパク質と糖である．大小の液胞は脂肪沈着物である

授乳中の乳腺

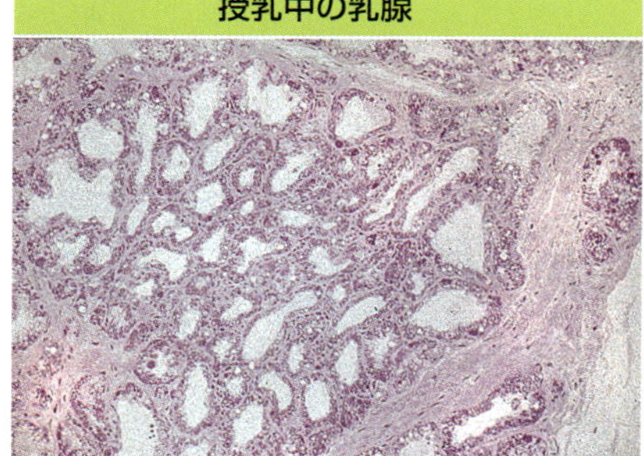

初乳が分泌される短い期間の後，IgA とタンパク質が低濃度の**移行乳**は，**成乳**（**タンパク質**，**乳脂肪**，**乳糖**，**水**の複合体）に置き換わる．

間質の**形質細胞**は，トランスサイトーシスによって腺房の内腔に輸送される免疫グロブリン A（IgA）を分泌する

筋上皮細胞の核．筋上皮細胞は，子宮平滑筋細胞に比べてオキシトシンに対する感受性が 10 ～ 20 倍高い

て取り囲まれる．

3. **糖**（特に，ブドウ糖とウリジン二リン酸ガラクトースからゴルジ装置で産生される，**乳糖** lactose）．乳糖は，浸透圧で水を分泌顆粒に引き入れ，大量の乳汁を産生する．
4. **Ca^{2+} 感知受容体** Ca^{2+}-sensing receptor（**CaSR**）は，ヒト乳腺腺房細胞に発現する．その発現は，授乳期に増加する．CaSR は，乳汁への Ca^{2+} の輸送を促進し，乳汁産生のために骨格筋中の Ca^{2+} の動員を調節する．Ca^{2+} 濃度が低いと，CaSR 活性が減少して PTH-RP の産生を増加させ，Ca^{2+} のため破骨細胞の骨吸収を促進する．

さらに，腺房組織の周囲の間質中に存在する**形質細胞**が **IgA 2 量体** polymeric IgA を分泌する．IgA 2 量体は，腺房細胞によっ

図 23.18 | 乳腺腺房細胞の機能

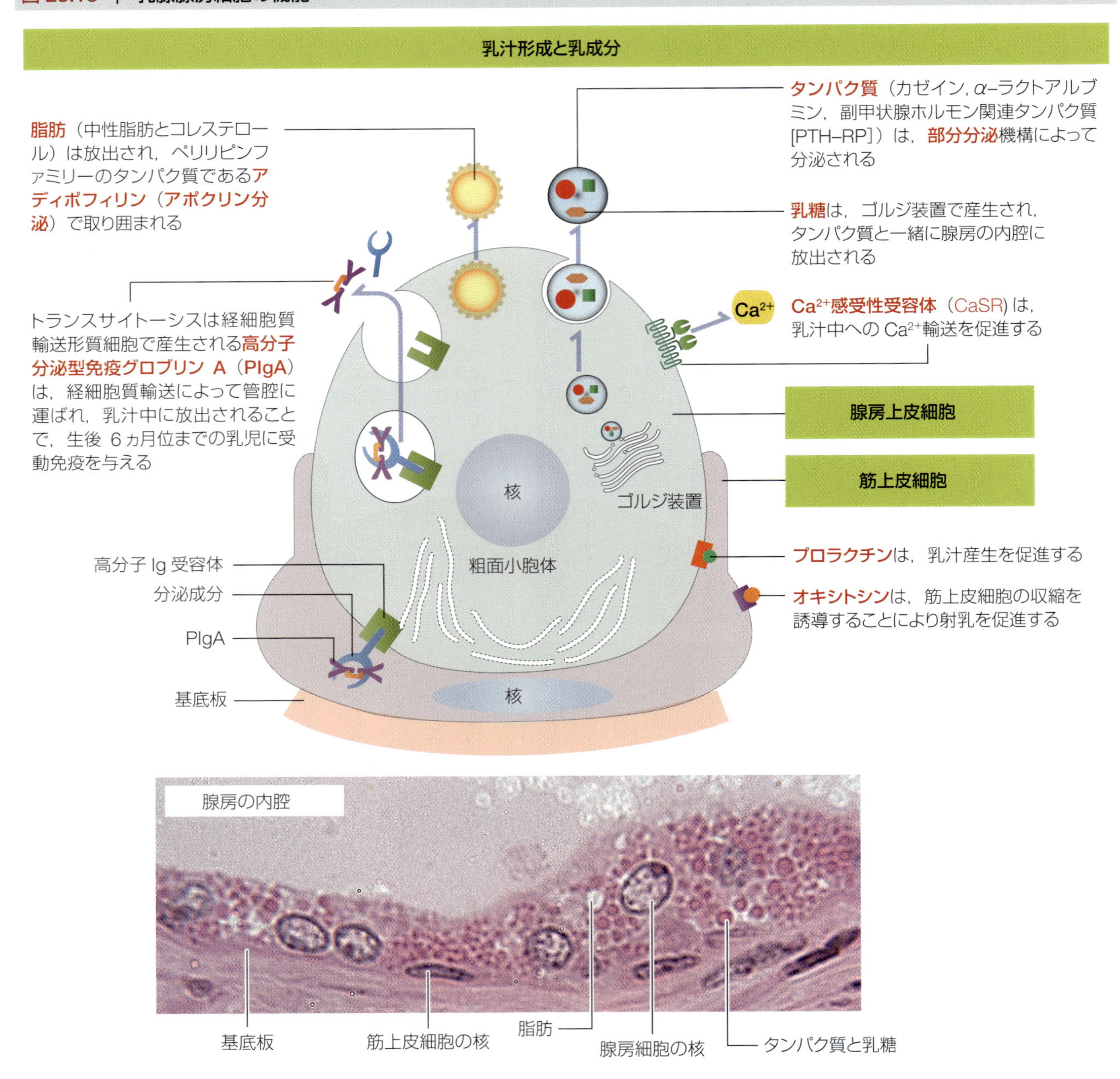

て取り込まれ，第 16 章で考察した同様のメカニズムにより内腔に輸送される．**授乳後**，プロラクチンの分泌が減少し，乳腺の腺房は退縮し，乳管系は，数ヵ月以内に通常の非妊娠状態に戻る．

乳腺細胞系列と分岐上皮導管系

（図 23.16；基本事項 23.A）

乳腺の発生の特徴について学んだ．出芽する腺芽は，その後，分岐を始めて，原始的な管状構造を形成する．さらに，エストロゲン依存性の分岐が，思春期中に起こる．腺房上皮細胞は，妊娠中と授乳中に発達する．授乳期の終わりに，乳腺は原始的な構造に戻るが，次の妊娠中に新しい成長周期を速やかに取り戻す（図 23.16）．

出生時に原始的な分岐の乳腺上皮は，思春期に腺管を発達する能力を，授乳期に乳汁の産生能を，そして周期的な退縮と再生能を与えられる．こうした過程に，**内腔上皮細胞** basal myoepithelial cell を取り囲む，収縮能をもった**基底筋上皮細胞** luminal epithelial cell が関与している．内腔細胞は，腺管の内面と乳汁を産生する腺房細胞を覆う．

分子プロファイリングと 1 細胞 RNA シークエンス実験により，**出生前に単能性前駆細胞へ転換する胎性多能性前駆細胞の存在が示されている**（基本事項 23.A）．多能性乳腺前駆／幹細胞は，基底細胞と管腔細胞のマーカーを共発現している．基底・管腔細胞系列は，それぞれの系列の特徴になる異なる遺伝子を発現する．管腔細胞は，エストロゲン受容体陽性（ER^{+}）あるいは陰性

基本事項 23.A ｜ 異なる細胞系列が，乳腺の分岐した上皮管樹を形成する

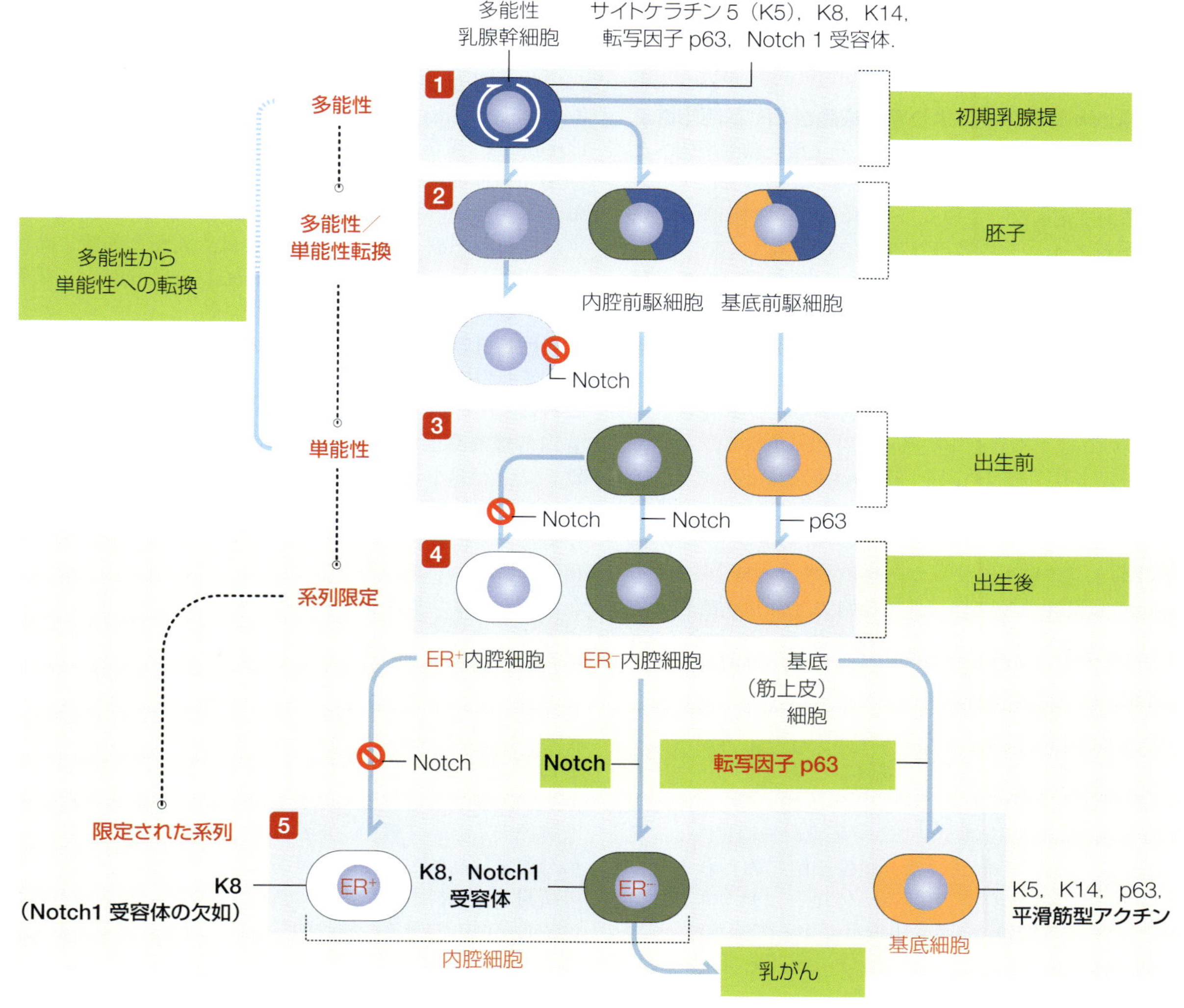

1 多能性乳腺幹細胞は，初期乳腺提で観察され，ハイブリッドマーカー：サイトケラチン 5（K5），K8，K14，転写因子 p63，Notch シグナル伝達経路の構成要素である Notch1 受容体を発現する（第 3 章参照）．

2 系列限定は，胚発生時に出現する．単能性の内腔（K8，Notch 1 受容体）と基底（K5，K14，p63）前駆細胞が，Notch シグナルに反応しない多能性乳腺幹細胞の減少する集団と共存する．

3 出生前に，単能性の内腔と基底前駆細胞が，乳腺の導管の成長と枝分かれを担う．

4 出生後，エストロゲン受容体陽性（ER⁺）管腔系列と ER⁻管腔系列という独立した 2 つの管腔細胞の系列が確立される．ER⁻管腔細胞は，Notch シグナルに反応する．ER⁺管腔細胞は，Notch 1 受容体を発現しない．そのため，ER⁺管腔細胞は，細胞運命を獲得するのに必要な Notch シグナルには反応しない．
ER⁺と ER⁻管腔細胞は，異なる幹細胞によって維持された 2 つの独立した細胞系列を表している．転写因子 p63 は，基底細胞（筋上皮細胞）の運命決定を支持する．

5 管腔細胞系列は，再プログラム化され，限定的になる．ER⁻管腔上皮細胞は，K8 と Notch 1 受容体を発現する．ER⁺管腔細胞は，K8 を発現するが，Notch 1 は発現しない．基底（筋上皮）細胞系列は，K5，K14，p63 および平滑筋アクチンを発現する．

Notch シグナルは，管腔系列の選択に関連し，乳腺の腫瘍化に関連する事象である系列の拡大にも関与することに留意する．

図には示されていないが，**細胞の可塑性**の特徴である代替系統の再プログラム化が行われる．

(1) 内腔細胞は，p63 によって再プログラム化され，基底細胞系列に転換できる．

(2) 基底細胞は Notch シグナルによって再プログラム化され，ER⁻内腔細胞の系統に転換できる．

多能性幹細胞は，がん遺伝子がいくつかの組織で細胞転換を誘導するのと同様の機構により，特定の特徴と系列可能性を獲得する．

（ER⁻）の導管細胞と分泌型 ER⁻腺房細胞からなる．

多能性から単能性への転換には，系列限定の**制御因子 Notch1 受容体とその転写因子 p63** が関与する．これらの調整因子は，乳腺の胎性初期の発生中に胎性多能性前駆細胞が中間期を経て**単一系列**に向かうことを促進する．

こうして，**Notch シグナルにより管腔細胞が ER⁻前駆細胞に向かうように運命づける．p63 は，基底（筋上皮）細胞系列へと向かわせる**．多能性乳腺上皮細胞は，上皮内の特別な部位を占めるにつれて，系列限定になっていく．

この点で，系統スイッチ現象の意義について考えているだろう．特に，乳腺幹細胞の **Notch の活性化が，管腔系統の選択だけでなく，乳腺の腫瘍形成にも関連する系統の拡大も決定することに留意するべきである**．さらに，生後の乳腺において，管腔細胞が，再プログラム化されて，p63 の存在下で基底細胞系列にスイッチする．その代わりに，基底細胞が再プログラム化されて Notch シグナルの存在下で管腔細胞系列にスイッチする．

どのマーカーにより，細胞系列を区別できるのか？

Notch 1 受容体を発現する胎性多能性前駆細胞は，基底細胞マーカーであるサイトケラチン 5（K5），サイトケラチン 14（K14）と p63 および管腔細胞マーカーのサイトケラチン 8（K8）が陽性である．一過性の多能性－単性細胞の後，基底前駆細胞は，K5，K14，p63 を発現し，ER⁻の管腔細胞は，K8 と Notch 1 を発現する．

第 3 章において，細胞の**可塑性**について説明した．可塑性は細胞が状態を変化させる能力であることを忘れずに．実際に，可塑性は，乳腺発達過程で必須の現象である．

乳がんの発症中に無調節な可塑性と胎性多能性プログラムの再活性化により，細胞の不均質性が生じる．細胞の不均質性は，乳がん治療の妨げになる．不均質性は，腫瘍細胞にみられるキーマーカー，つまり，エストロゲン受容体（ER），プロゲステロン受容体（PR），ヒト上皮増殖因子 2（HER2）によって示される（次項参照）．

良性乳腺疾患と乳がん
（図 23.19；基本事項 23.A）

乳腺のそれぞれの構造物（導管と腺房）は，病気の原因となりうる．我々は，どれくらいのパラクライン経路と両能性と単性の幹細胞が乳腺の発生と分化に関与しているかを理解している．これらの過程に関与する遺伝子は，乳がんの発生過程で脱制御されるかもしれない．

線維嚢胞変化 fibrocystic change は，20〜40 歳における最も多い良性乳腺疾患である．ホルモン不均衡は，線維嚢胞変化に関連する．この疾患では，結合組織の間質の増生と導管の嚢胞形成がみられる．嚢胞が急速に拡大するにつれて，痛み（**乳房痛**）が周期的になる傾向がある．

線維腺腫 fibroadenoma は，良性乳腺疾患で 2 番目に多く，若年女性（20〜30 歳）に起こる．線維腺腫は，上皮組織と結合組織からなる成長の遅い腫瘤である．

女性化乳房 gynecomastia は，**男性乳房**の肥大であり，副腎皮質エストロゲン－精巣アンドロゲンバランスの変化によって起こる．肝臓がエストロゲンを分解するので，女性化乳房は，**肝硬変** cirrhosis でみられる可能性がある．女性化乳房は，**クラインフェルター症候群** Klinefelter's syndrome（47,XXY）の典型的な症状である．

約 80％の**乳がん** breast cancer は，乳管の上皮由来である（図 23.19）．最も頻度が高い乳腺腫瘍は，**浸潤性乳管がん** infiltrating ductal carcinoma（乳管由来）と**浸潤性小葉がん** infiltrating lobular carcinoma（腺房組織を覆う上皮細胞由来）である．**非浸潤性乳管がん** ductal carcinoma in situ は，初期の非浸潤性の乳がんである．

パジェット病 Paget's carcinoma は，乳頭と乳輪に向かう乳管から伸展する．**乳管内がん** intraductal carcinoma は，乳管腔内に増殖する腫瘍細胞からなる（図 23.19）．

炎症性乳がん inflammatory breast cancer（IBC）はまれだが，非常に悪性の乳がんである．IBC 細胞は，乳房や皮膚のいたるところに集団をつくって分布する．真皮リンパ管浸潤や真皮リンパ管内の**腫瘍塞栓**の形成は，IBC の 2 つのよくみられる特徴であり，リンパ節や遠隔部位への急速な転移に関係する．腫瘍塞栓は，炎症と乳房浮腫を引き起こす．乳腺は，血管系とリンパ管系が豊富で，転移を促進する．腋窩リンパ節転移は，最も重要な予後因子の 1 つである．

乳がんには，多様な形態的特徴があるが，潜在的な臨床的意義のある共通の分子マーカーがある．

少数の特異的マーカーを考えてみよう．

乳管に並ぶ上皮細胞は，エストロゲン受容体をもち，約 50〜85％の乳腺腫瘍は，エストロゲン受容体をもつ．**2 種類のエストロゲン受容体（ER），ERα と ERβ がある**．ERα は，ERβ よりエストロゲンに対して高親和性をもつ．ERβ は ERα の生理的な調節因子として働く．正常乳腺組織において，ERβ より ERα の発現量は高いが，浸潤性腫瘍で，その差はより大きくなる．この所見は，ER 間のバランスがエストロゲンに対する組織の感受性や乳腺腫瘍の発達の相対的リスクの決定に重要であることを示唆している．多くのエストロゲン依存性腫瘍は，抗エストロゲン療法（抗エストロゲン剤の**タモキシフェン** tamoxifen による治療）によって退縮する．

2 つの常染色体顕性遺伝子 *BRCA1* と *BRCA2* のどちらかの家族性遺伝子変異が，乳がん患者の 20〜30％にみられる．

BRCA1 と *BRCA2* 遺伝子は，他の核タンパク質と相互作用する**がん抑制タンパク質** tumor suppressor protein の遺伝子をコードする．*BRCA1* 遺伝子発現は，DNA 修復，細胞周期のチェックポイントの活性化，染色体安定性の維持に必要である．

正常状態では，*BRCA1* 遺伝子発現は，乳腺の上皮細胞の増殖に関連したエストロゲン依存性転写経路を抑制できる．*BRCA1* 遺伝子の変異の結果，この抑制能が欠損して，腫瘍形成を促進する．*BRCA1* と *BRCA2* 遺伝子に変異のある女性は，浸潤性乳がんと卵巣がんに一生涯のリスクをもつ．*BRCA1* あるいは *BRCA2* 遺伝子に変異のある女性の乳がんの発症を激減させるために**予防的両側乳房切除術** prophylactic bilateral total mastectomy が示された．

DNA マイクロアレイ（オンコタイプ DX のような）を用いた**分子プロファイリング**により，有意な臨床的価値をもって乳がんにおける多くのバイオマーカーを探索された．その分析結果は，ホルモン治療，化学療法，乳房手術の利点を決定できるだろう．

図 23.19 | 乳がん

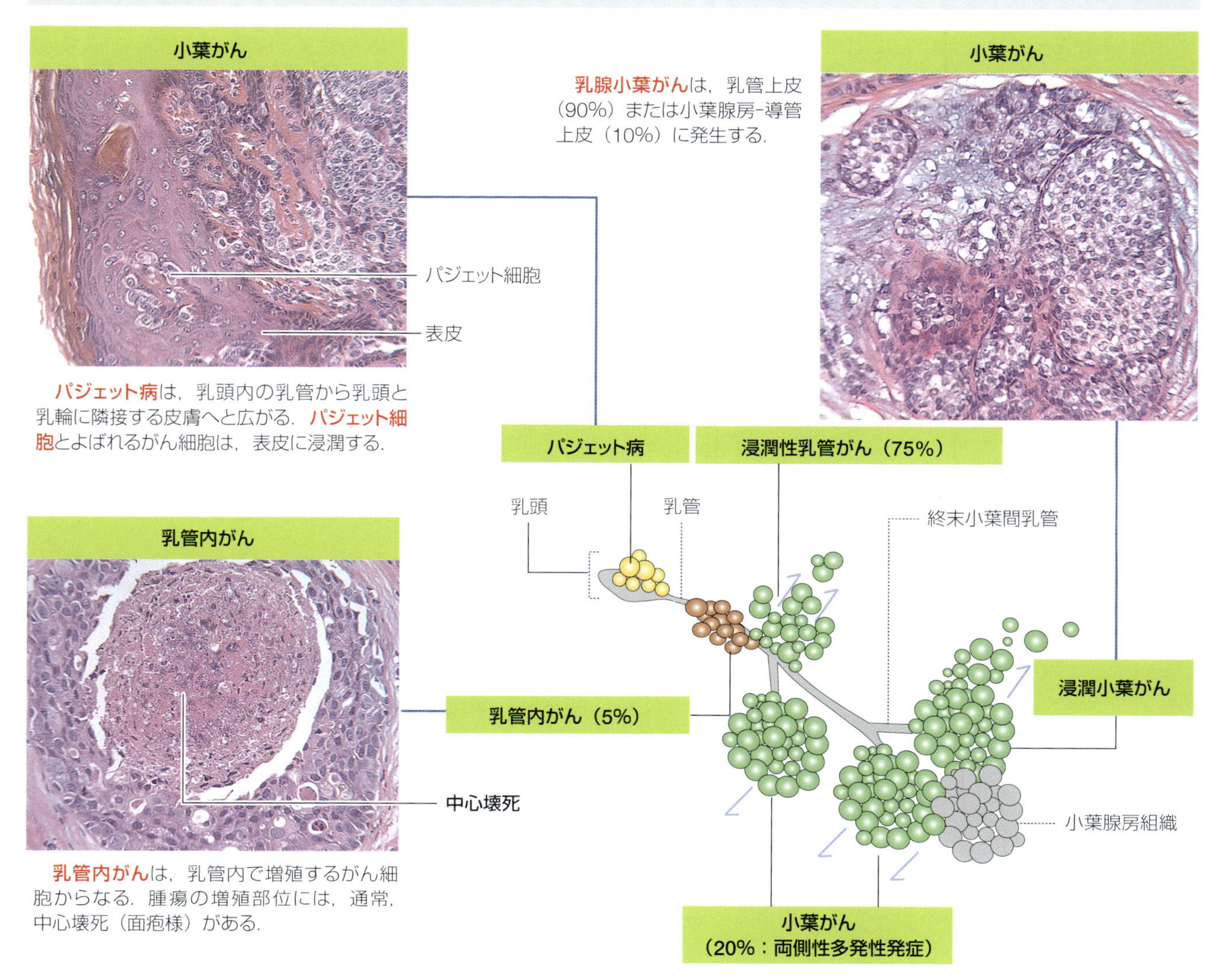

分子プロファイリングの結果によって，ER⁻と ER⁺ の乳がんは，異なる細胞に由来することが示される．*BRCA1* 遺伝子発現は，ER⁻の幹細胞あるいは前駆細胞が ER⁺ の内腔上皮細胞に分化することに役割をもつ．

乳腺の枝分かれした上皮腺管樹に関与する異なる細胞系列（基本事項 23.A）に留意するように，**基底細胞が管腔上皮細胞層を取り囲む**ことをもう一度，指摘する．基底細胞は，典型的にサイトケラチン 5 と 14，平滑筋型アクチンを発現する．**管腔上皮細胞は，導管と腺房を覆う**．管腔上皮細胞は，通常サイトケラチン 8 を発現し，Notch シグナル経路に対する反応性に依存して，エストロゲン受容体が陽性あるいは，陰性になるかもしれない．

現在，**基底筋上皮細胞型** basal myoepithelial cell-type と**管腔上皮細胞型の乳腺腫瘍** luminal epithelial cell-type breast tumor の分子プロファイリングパターンを考察する準備をしている．

4 つの主要な乳がん群が，分子プロファイリングにより区別される．

1. **基底細胞様（筋上皮細胞様）乳がん** basal-like (myoepithelial cell-like) breast cancer は，トリプルネガティブ腫瘍であり，ER⁻，プロゲステロン受容体陰性（PR⁻），HER2 陰性（HER2⁻）である．炎症性乳がん IBC は，主要なトリプルネガティブ腫瘍である．**ヒト上皮増殖因子受容体 2** human epidermal growth factor receptor 2 である **HER2** は，すべての乳腺細胞にみられる細胞表面増殖促進タンパク質である．乳がんにおける *HER2* 遺伝子の増幅により，細胞増殖と腫瘍浸潤が増加する．
   HER2 の状態は，乳腺腫瘍の組織病理学評価において**免疫組織化学**や**蛍光 *in situ* ハイブリダイゼーション**（FISH）により観察される．
   基底細胞様乳がんは，若年女性に多く，多くの他のタイプの乳がんよりも急速に成長して広がる．*BRCA1* 遺伝子変異に関連するすべての乳がんは，基底細胞様トリプルネガティブ型である．腫瘍細胞は，正常の乳腺組織でみられる内腔サイトケラチンや平滑筋特異的マーカーを過剰発現しない．
2. **ルミナール A 乳がん** luminal A breast cancer は，ER⁺ で，正常乳腺組織に似ている．低リスクのルミナール A 腫瘍は，（HER2 のような）増殖関連遺伝子の低発現と関連している．

3. **ルミナールB乳がん** luminal B breast cancer は，ER^+ であるが，ホルモン受容体の発現量は低値である．
4. **$HER2^+$ 乳がん**は，高レベルのHER2を発現し，がん細胞の成長を促進する．$HER2^+$ 腫瘍は，ハイリスクに分類される．

ハーセプチン Herceptin（トラスツズマブ trastuzumab）は，HER2膜貫通受容体の細胞外ドメインに結合するモノクローナル抗体である．トラスツズマブは，腫瘍細胞の増殖を抑制するためにHER2を過剰発現する乳がん患者に処方される．

要約すると，分子プロファイリングは，高リスクと低リスクの乳腺腫瘍に対応した遺伝子シグネチャーを生み出す．分子パラメーターは，臨床ケアに対する予測的対応で役立つ．

乳がんを基底細胞様，ルミナールA，ルミナールB，$HER2^+$ に分子分類すると，腫瘍の分化と細胞増殖パラメーターと相関する．実際，腫瘍が高分化で細胞分裂率が低いと良好な臨床的予後が予測できる．予後不良は，低分化型腫瘍と高い細胞分裂率と相関する．

分子プロファイリングは，腫瘍の浸潤，再発，さまざまな治療方法（化学療法，放射線治療，内分泌療法，トラスツズマブを用いたHER2標的療法）に対する感受性の可能性のような予後シグネチャーを生み出す．

閉経後女性へのエストロゲン補充療法は，乳がんの危険因子として関与する．**閉経前女性**では，卵巣は，エストロゲンの主要な産生源である．**閉経後女性**では，エストロゲンは，肝臓，筋肉，脂肪組織において，副腎（第19章「副腎」の項を参照）と卵巣のアンドロゲンの芳香族化されたものに主として由来する．

男性乳がんは，まれである．乳がんを患ったほとんどの男性には，痛みのない乳輪直下の腫瘤がみられる．乳頭陥没，乳頭からの出血，皮膚潰瘍と触診可能な腋窩リンパ節の腫脹もみられる．*BRCA* 遺伝子の変異は，危険因子である．たいていの男性乳がんは，ER^+ で $HER2^-$ である．

受精，胎盤形成，乳汁分泌 | 概念図・基本的概念

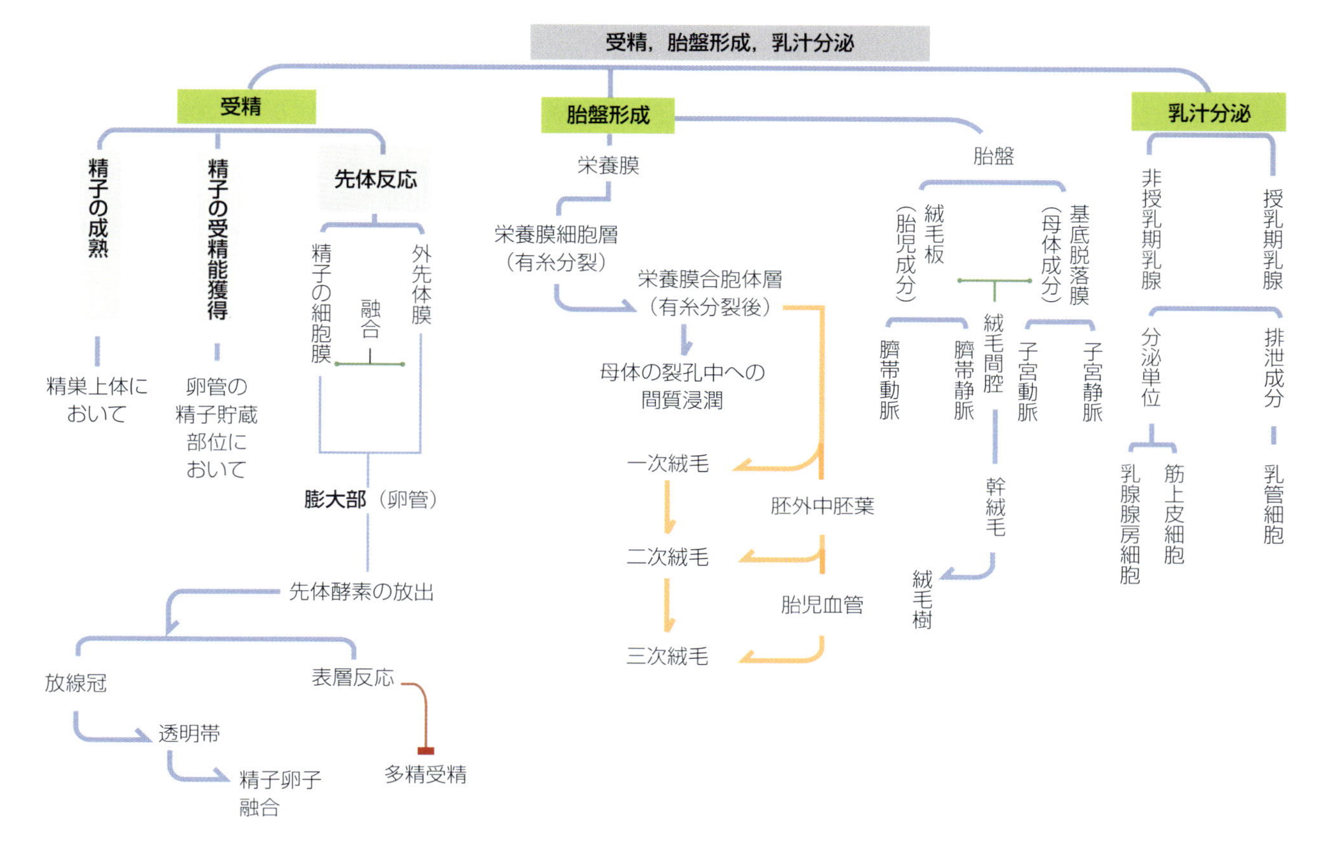

- 受精は3つの現象を含む：
  (1)先体反応.
  (2)卵子の透明帯への精子の結合.
  (3)精子－卵子の細胞膜融合.

  第20章で学んだように，先体，先体軸，濃縮した核が，精子頭部の構成成分である.

  先体は，加水分解酵素（主としてヒアルロニダーゼと先体反応中にアクロシンを生じるプロアクロシン）を含む.

  先体は，細胞膜に面する先体外膜と濃縮した精子核の核膜に固定された先体軸に面する先体内膜からなる.

  Ca^{2+} の存在下で，先体外膜が細胞膜と異なる段階で融合すると，先体反応が起こる.

  先体由来のヒアルロニダーゼは，精子の放線冠の通過を促進する．アクロシンは，精子の透明帯通過を可能にする.

  最初の精子が透明帯（3種類の糖タンパク質，ZP1，ZP2，ZP3からなる）に結合すると，タンパク質分解酵素オバスタチンが卵子細胞質の辺縁部に局在する表層顆粒から放出される．この現象は皮質反応とよばれる.

  以下の分子と現象が，受精に関連する：
  (1)精子の細胞膜は，ZP3のO型オリゴ糖に結合親和性をもつ受容体を含む.
  (2)透明帯を最初に通過した精子は，卵子の細胞膜と融合する．精子の融合は，精子特異的ホスホリパーゼCに反応して，卵母細胞の細胞内カルシウムオシレーションを引き起こす．カルシウム依存性のオバスタチンの開口分泌が起こり，多精受精を抑制するため透明帯の構造が変化する（透明帯反応）.
  (3)精子タンパク質Izumo1が，卵子細胞膜タンパク質CD9の存在下で卵子タンパク質Junoに結合すると，細胞膜の融合が起こる．他のタンパク質が関係する可能性がある.
  (4)Izumo1-Juno複合体は，（透明帯と卵子の細胞膜の間にある）囲卵腔に放出される小胞に隔離される.
  (5)カルシウムオシレーションにより，二次卵母細胞が第2減数分裂を完了し，第2極体を放出し，一倍体になる.

- 胚盤胞が透明帯からハッチングして，栄養膜層を露出した後，胎盤形成は，胚盤胞の子宮内膜への着床から始まる.

  着床は，以下の過程からなる：
  (1)子宮内膜表面への胚盤胞の接着（胚の対立とよばれる過程）.
  (2)胚の対立の次に，浸潤する栄養膜細胞を助ける脱落膜化した子宮内膜の間質へ着床に進む．この過程は，間質浸潤とよばれる.
  (3)子宮受容能とは，胚盤胞の着床において子宮内膜の最適な状態のことである．一次脱落膜領域は，局所のマトリックスメタロプロテアーゼ（MMP）とその組織阻害剤（TIMP）により，二次脱落膜領域に再構築される.

  栄養膜は次の細胞層に分化する：
  (1)内細胞層，有糸分裂をして栄養膜細胞層.
  (2)外細胞層，分裂後に栄養膜合胞体層.

  栄養膜合胞体層から分泌されたタンパク質分解酵素は，子宮のラセン動脈の分枝を侵食して，裂孔を形成する．この現象は，子宮内膜血管浸潤とよばれ，子宮胎盤循環を開始する．裂孔は，胎盤の将来の絨毛間腔の開始点を表す.

  胎盤絨毛の構造の違いは以下のとおりである：
  (1)一次絨毛は，絨毛膜絨毛の発達における第1段階で，発生第2週末に形成される．一次絨毛は，栄養膜合胞体層で覆われた栄養膜細胞層の芯で構成される.

(2)発生第３週の初めに，**二次絨毛**が形成される．二次絨毛は，中間の栄養膜細胞層と外側の栄養膜合胞体層により覆われた胚外中胚葉の芯で構成される．

(3)**三次絨毛**は，発生第３週の終わりにみられる．三次絨毛は，二次絨毛と似た構造で，加えて胚外中胚葉中に胎児性動脈毛細血管網をもつ．

- 胎盤は，以下の構造からなる：

(1)絨毛膜板（胎児成分）．
(2)基底脱落膜（母体成分）．

これらの２つの成分は，母体血を含む絨毛間腔の境界である．絨毛間腔は，胎盤中隔により葉とよばれる区画に分画される．

胎盤中隔は，基底脱落膜から絨毛膜板に向かって伸びて，絨毛膜板には達しない．それゆえ，葉は不完全で，絨毛間腔は互いに連結する．

絨毛膜絨毛は，多数の絨毛分枝を生じる幹絨毛からなる．

幹絨毛と絨毛分枝の芯は，胚外中胚葉（間質細胞），胎児血管，**ホフバウエル細胞**（妊娠初期にみられるマクロファージ様細胞）からなる．

幹絨毛と絨毛分枝の表面は，基底板によって支持された外側の栄養膜合胞体層と内側の栄養膜細胞層によって覆われる．栄養膜合胞体層の細胞の頂上部には，短い微絨毛が母体血液腔中に伸びるのがみられる．

妊娠後期では，栄養膜細胞層の細胞は，数が減少して失われ，栄養膜合胞体層の細胞は，凝集して集団をつくる．

脱落膜は，３つの領域からなる：

(1)**基底脱落膜**（**基底板**），胎盤の母体成分．
(2)**被包脱落膜**，発達中の胎児を覆う表層．
(3)**壁側脱落膜**，胎児によって占められていない子宮腔を覆う．

胎盤関門は，基底板で支持された栄養膜合胞体層と胎児の毛細血管の血管内皮細胞と対応する基底板から形成される．胎児血管は，栄養膜層に近接して配置されるようになる．経時的に栄養膜細胞層の細胞が減少し，栄養膜合胞体層の細胞が凝集して集団を形成することを思い出してほしい．

- 胎盤の機能：

(1)受動拡散によるガス交換．
(2)母体の免疫グロブリンの受容体介在型移行．
(3)ステロイド産生．**栄養膜合胞体層細胞**は，プロゲステロンを合成し，弱いアンドロゲンに変換するため副腎皮質に移行される．弱アンドロゲンは，エストロゲンに変換するため**栄養膜細胞層**に移行される．胎盤－副腎皮質共同機構は，**胎児胎盤ユニット**の基本を表す．
(4)絨毛性ゴナドトロピン（妊娠黄体を維持するための**黄体－胎盤移行**）と（**乳汁分泌**のために乳腺を調節する）胎盤性ラクトゲンの合成．
(5)イオンとブドウ糖の能動輸送．
(6)栄養膜合胞体層は，２つのアポトーシス誘導因子，Fas リガンドとTRAIL を運ぶ，エクソソームとよばれる小胞を産生して分泌する．それらは，ヒトの胎盤と胎児が有害な母体の免疫攻撃を回避するための保護機構を与え，活性型細胞傷害性Ｔ細胞のアポトーシスを誘導することにより，子宮腔の免疫学特権環境を提供する．

- 胎盤の着床障害は，以下の疾患を含む：

(1)**異所性妊娠**は，子宮外，通常は卵管膨大部で着床が生じる．
(2)**子宮弛緩症**，あるいは，分娩後の子宮筋の弱い収縮力．子宮弛緩症の起こしやすい要因は，異常陣痛，子宮の異常拡大（**羊水過多症**，すなわち過剰な羊水のため），あるいは**子宮筋腫**（あるいは，線維腫で，子宮筋層の良性腫瘍）である．
(3)**前置胎盤**は，頸管を越える，あるいは，接する胎盤の異常拡張である．前置胎盤は，妊娠後半と分娩時に痛みのない大量出血を引き起こす．大量出血は，満期産に至る前に緊急帝王切開により解決できる可能性がある．
(4)**胎盤剥離**は，常位胎盤の早期剥離である．基底脱落膜への出血により，胎盤早期剥離と出血が生じる．子宮からの胎盤剥離により，胎児への酸素供給が障害される．
(5)**癒着胎盤**．胎盤が，子宮壁に非常に深く結合する．子宮壁の異常は，通常は以前の子宮の手術（例えば，帝王切開や子宮切開後の瘢痕組織）により，癒着胎盤の可能性が増加する．分娩時に胎盤を摘出する試みのとき，主要な合併症が**大量出血**である．

子宮壁への陥入の深さに基づいて，３種類の癒着胎盤がある：

(1)**癒着胎盤**．胎盤は子宮壁に浸潤するが，子宮筋層を陥入しない．この病態は，全症例の 75％で生じる．
(2)**嵌入胎盤**．重症の癒着胎盤では，浸潤する胎盤が，子宮筋層中に陥入する．陥入胎盤は，症例の 15％でみられる．
(3)**穿通胎盤**は，厚い子宮筋層，子宮漿膜を貫通して他の隣接器官（膀胱や直腸）に達する胎盤絨毛の広範な浸潤である．

- 妊娠性絨毛疾患（GTD）は，妊娠中に生じる胎盤の腫瘍からなる．

GTD は，２つの異なる型に分類される：

(1)**胞状奇胎**ともよばれる**奇胎妊娠**．**部分胞状奇胎**は，一般的にがんではなく，外来で子宮口開大法や外科的搔爬術で除去できる．しかし，多くの**全胞状奇胎**は，がんになりうる（下記参照）．

胞状奇胎は，膨張あるいは水腫状（浮腫状）の透明なブドウのような小胞により正常の絨毛膜絨毛が部分的あるいは完全に置換されたものである．部分胞状奇胎と全胞状奇胎の病態における要因は，過剰な父親のゲノムである．

部分胞状奇胎は，胎児や胚の所見によりよく特徴づけられる．しかし，全胞状奇胎では，胎児は認めない．

全胞状奇胎では，絨毛は，残存血管に血液を伴わない無血管状態である．対照的に，血液を伴う毛細血管が，部分胞状奇胎の絨毛にはみられる．

全胞状奇胎は，卵子内で二倍体になった一倍体の精子によって無核卵に受精した結果である．受胎は，**雄核発生**（父親のゲノムのみ）である．全胞状奇胎の核型は，46,XX あるいは 46,YY で，もう一度述べるが，胎児はみられない．

部分胞状奇胎の胎児は，通常，69,XXY（三倍体）で，１つの一倍体の母親染色体（23,X）と２つの一倍体の父親染色体（46,XY で，減数分裂不分離または２個の一倍体受精精子により生じる）からなる．最も高い頻度で，２個の精子が卵子と受精し，**二雄性単性三倍体受胎**（２個の父親の染色体組と１個の母親の染色体組）をつくり出す．

(2)**妊娠性栄養膜腫瘍**．このがんの集団は，次の亜型を含む．

①**侵入奇胎**は，子宮筋層に浸潤し，切除した胎盤標本では検出できない．侵入奇胎は，最も高頻度の妊娠性絨毛疾患である．それは，一般的に，持続的な高レベルの血中 hCG により診断される．

②**絨毛がん**は，栄養膜細胞由来の悪性腫瘍で，奇胎妊娠の患者の約 50％にみられる．

絨毛がんは，子宮筋層と隣接する子宮の血管の局所に拡散し，子宮外に広がり，脳や肺，肝臓，腎臓に転移する．絨毛がんは，原発巣と転移巣における出血性腫瘍である．

③**胎盤部トロホブラスト腫瘍**（PSTT）は，栄養膜細胞由来でもあり，子宮筋層や近接する血管やリンパ節に浸潤する．

④**類上皮性トロホブラスト腫瘍**（ETT）は，きわめてまれな妊娠性絨毛疾患であり，肺に転移する可能性がある．ETT は，ほとんどの場合，正常妊娠後にみられ，数ヵ月か数年で大きくなって，兆候や症状が検出できる．

無月経（正常の月経出血がない）とタンパク尿（尿中にタンパク質が漏れる）や眼球，足関節や足の周囲の浮腫のような，**ネフローゼ症候群**の症状が，PSTT と ETT の患者にみられる．

- **乳汁分泌**は，乳腺の発達，構造，機能に及ぶ．乳腺は，乳腺で小葉を形成する乳管と管状胞状分泌単位をもつ分岐（複合）器官である．

１つの葉は，乳管により排泄される一群の小葉からなる．休止期，非分泌期の乳腺は，乳管からなり，各末端は，一群の盲端で嚢状のふくらみに終わる．

乳管は，単層円柱，あるいは立方上皮と不連続した筋上皮細胞層で覆われる．各分泌単位，腺房は，腺房乳腺上皮細胞と基底筋上皮細胞により覆われ，基底板で両細胞が支持される．

- **乳腺の発達**（乳腺発達）．（栄養膜合胞体層が産生する）胎盤ラクトゲン，絨毛性ゴナドトロピン，エストロゲンは，乳腺の発達を刺激する．

  乳腺芽は，外胚葉性上皮に由来し，中胚葉中に伸展する．乳腺芽は，エストロゲンの影響下で，15〜25 個の充実性乳腺索を形成させる．

  乳腺索は，内腔ができ，乳腺の導管に変化する．両能性の乳腺幹細胞は，腺房と乳腺の導管，将来の乳管の発達に関与する．中胚葉は，結合組織と脂肪組織の間質に分化する．男性では，発達する乳腺の導管系が，テストステロンの存在で退縮する．

  思春期に，エストロゲンは，乳管の発達を刺激する．腺房芽は，プロゲステロンの制御下で発達して退縮する．乳管と腺房芽を覆う上皮細胞は，筋上皮細胞の前駆細胞である．

  妊娠中（乳汁産生）に，小葉腺房は，胎盤ラクトゲン，エストロゲン，母体のプロゲステロンとプロラクチンの制御下で，乳管の末端に発達する．

  乳汁の産生と射出．乳腺腺房細胞での乳汁の産生は，プロラクチンに制御される．乳汁の射出は，筋上皮細胞に作用するオキシトシンに制御される．

  乳汁は，次の成分を含む：

  (1)部分（開口）分泌により放出されるタンパク質（カゼイン，α-ラクトアルブミン，副甲状腺ホルモン関連タンパク質など）．
  (2)離出（アポクリン）分泌により放出される脂質（トリグリセリドとコレストロール）．
  (3)ゴルジ装置で産生され，タンパク質と一緒に放出される乳糖．
  (4)カルシウム感知受容体（CaSR）は，乳汁への Ca^{2+} の輸送を促進する．第 19 章の副甲状腺とビタミン D（カルシトリオール）の項目で，CaSR を説明した．
  (5)形質細胞により産生される分泌型 IgA 2 量体（pIgA）．pIgA は，トランスサイトーシス（経細胞質輸送）により腺房の内腔に放出される．第 16 章の pIgA のトランスサイトーシスの機構を復習するとよい．

- 多能性胎性乳腺前駆細胞の初期系列分離の最新概念を見過ごしてはいけない．乳腺は，基底細胞と内腔細胞からなることを覚えておく．基底細胞と内腔細胞系列に特徴的なタンパク質の発現後，多能性胚性前駆細胞の基底-内腔細胞のハイブリッド遺伝子発現が，乳腺の形態形成の初期で単能性に転換する．

  理解可能な基本概念は，以下のとおりである：

  (1)胎性期の乳腺発生中に，系列限定が起こる．
  (2)未分化細胞が，出生時にのみ基底細胞か内腔細胞の特性を獲得する．
  (3)すべての乳腺幹細胞が，思春期と成人期に単能性を示す．

  胎性多能性前駆細胞における**転写因子 p63** の発現は，**単能性の基底（筋上皮）細胞運命**を促進する．**Notch シグナル経路**の活性化は，胎性多能性前駆細胞を**単能性の管腔（導管と腺房）細胞運命**に向かわせる．再プログラム化は，前駆細胞の中間型ハイブリッド多能性様状態によって進められる．さらに，Notch 1 受容体は，エストロゲン受容体陰性（ER^-）の管腔前駆細胞だけを認識する．

  なぜ，これらの概念は重要なのか？

  それらにより，我々は**幹細胞の可塑性**を理解でき，**がんにつながる成人の細胞における胚性の細胞発生遺伝子発現の再活性化**の可能性を探索できる．

- **乳腺腫瘍**．乳腺の構造（導管と腺房）が，良性と非良性疾患の原因になりうる．

  良性乳腺疾患は，乳管の線維嚢胞変化と線維腺腫（上皮と結合組織の腫瘤）からなる．

  女性化乳房は，男性乳房の肥大である．女性化乳房は，クラインフェルター症候群（47,XXY）の典型的な症状である．

  乳がんは，乳管に並ぶ上皮に由来する．最も頻度が高い乳腺腫瘍は，浸潤性乳管がん（乳管由来）と浸潤性小葉がん（腺房組織に並ぶ上皮細胞由来）である．非浸潤性乳管がんは，初期の非浸潤性の乳がんである．

  パジェット病は，乳頭と乳輪に向かう乳管から伸展する．乳管内がんは，乳管腔内に増殖する腫瘍細胞からなる．

  炎症性乳がん（IBC）はまれだが，非常に悪性の乳がんである．IBC 細胞は，乳房や皮膚のいたるところに分布する．

  真皮リンパ管浸潤や真皮リンパ管内の腫瘍塞栓（腫瘍細胞の集団）の形成は，IBC の 2 つのよくみられる特徴であり，リンパ節や遠隔部位への急速な転移に関係する．腫瘍塞栓は，炎症と乳房浮腫を引き起こす．

  乳管に並ぶ上皮細胞は，エストロゲン受容体をもち，約 50〜85%の乳腺腫瘍が，エストロゲン受容体をもつ．

  2 種類のエストロゲン受容体（ER），ERα と ERβ がある．ERα は，ERβ よりエストロゲンに対して高親和性をもつ．ERβ は ERα の生理的な調節因子として働く．正常乳腺組織において，ERβ より ERα の発現量は高いが，浸潤性腫瘍で，その差はより大きくなる．

  2 つの常染色体顕性遺伝子，*BRCA1* と *BRCA2* のどちらかの家族性遺伝子変異が，乳がん患者の 20〜30%にみられる．*BRCA1* と *BRCA2* 遺伝子は，他の核タンパク質と相互作用するがん抑制遺伝子をコードする．

  BRCA1 遺伝子発現は，DNA 修復，細胞周期のチェックポイントの活性化，染色体安定性の維持に必要である．*BRCA1* と *BRCA2* 遺伝子に変異のある女性は，浸潤性乳がんと卵巣がんに一生涯のリスクをもつ．

- DNA マイクロアレイ（オンコタイプ DX のような）は，有意な臨床的価値をもって乳がんにおける多くのバイオマーカーを探索する．その分析結果は，ホルモン治療，化学療法，乳房手術の利点を決定する．

- 分子プロファイリングの結果によって，ER^- と ER^+ の乳がんは，異なる細胞に由来することが示される．BRCA1 は，ER^- の幹細胞あるいは前駆細胞が ER^+ の内腔上皮細胞に分化することに役割をもつ．

- 4 つの主要な乳がん群が，分子プロファイリングにより区別される．

  (1)基底細胞様乳がんは，**トリプルネガティブ腫瘍**であり，ER^-，プロゲステロン受容体陰性（PR^-），HER2 陰性（$HER2^-$）である．HER2（ヒト上皮増殖因子受容体 2）は，すべての乳腺細胞にみられる細胞表面増殖促進タンパク質である．基底細胞様乳がんは，若年女性に多く，多くの他のタイプの乳がんよりも急速に成長して広がる．IBC は，主要なトリプルネガティブ腫瘍である．
  (2)ルミナール A 乳がんは，ER^+ で，正常乳腺組織に似ている．低リスクのルミナール A 腫瘍は，（HER2 のような）増殖関連遺伝子の低発現と関連している．
  (3)ルミナール B 乳がんは，ER^+ であるが，ホルモン受容体の発現量は低値である．
  (4) $HER2^+$ 乳がんは，高レベルの HER2 を発現し，がん細胞の成長を促進する．$HER2^+$ 腫瘍は，ハイリスクに分類される．

  乳がんを基底細胞様，ルミナール A，ルミナール B，$HER2^+$ に分子分類すると，腫瘍の分化と細胞増殖パラメーターと相関する．実際，腫瘍が高分化で細胞分裂率が低いと良好な臨床的予後が予測できる．予後不良は，低分化型腫瘍と高い細胞分裂率と相関する．

  予後良好は，低細胞増殖の高分化腫瘍と関連する．予後不良は，高細胞増殖の低分化腫瘍と相関する．

  男性乳がんは，まれである．乳がんを患ったほとんどの男性には，痛みのない乳輪直下の腫瘤がみられる．乳頭陥没，乳頭からの出血，皮膚潰瘍と触診可能な腋窩リンパ節の腫脹もみられる．*BRCA* 遺伝子の変異は，危険因子である．たいていの男性乳がんは，ER^+ で $HER2^-$ である．

和文索引

数字

ギリシャ文字

英字

あ

か

こ

さ

し

つ

て

と

な

る

れ

ろ

わ

欧文索引

B

C

D

G

J

K

L

M

組織細胞生物学 原書第 5 版［電子書籍付］

2022 年 12 月 15 日　発行

著　者　Abraham L. Kierszenbaum
　　　　Laura L. Tres
監訳者　内山安男
発行所　エルゼビア・ジャパン株式会社
☎(編集)03-3589-5024
発売元　株式会社 南 江 堂
〒113-8410 東京都文京区本郷三丁目 42 番 6 号
☎(出版)03-3811-7235　(営業)03-3811-7239
ホームページ http://www.nankodo.co.jp/
印刷・製本　小宮山印刷工業
組版　ビーコム

Histology and Cell Biology：An Introduction to Pathology, 5th Ed

定価はカバーに表示してあります.
落丁・乱丁の場合はお取り替えいたします.

Printed and Bound in Japan
ISBN978-4-524-23014-3